ACCESO GRATIS *a la Lectura en la Nube*

Para visualizar el libro electrónico en la nube de lectura envíe junto a su nombre y apellidos una fotografía del código de barras situado en la contraportada del libro y otra del ticket de compra a la dirección:

ebooktirant@tirant.com

En un máximo de 72 horas laborales le enviaremos el código de acceso con sus instrucciones.

COMENTARIOS A LA LEY DEL IMPUESTO SOBRE SOCIEDADES Y SU NORMATIVA REGLAMENTARIA

COMENTARIOS A LA LEY DEL IMPUESTO SOBRE SOCIEDADES Y SU NORMATIVA REGLAMENTARIA

J. Andrés Sánchez Pedroche

(Director)
Catedrático de Derecho Financiero y Tributario.
Universidad a Distancia de Madrid. Abogado
(artículos 21 a 30)

Autores:

Javier Bas Soria

Doctor en Derecho. Inspector
de Hacienda del Estado. Abogado
(artículos 10 a 16, 33 a 39, 43 a 47, 112,
130 y 131)

Miguel A. Caamaño Anido

Catedrático de Derecho Financiero y Tribu-
tario. Universidad A Coruña. Abogado
(artículos 17 a 20, 100 y 106)

Claudio García Diez

Dr. en Derecho. Profesor de Derecho
Financiero y Tributario. Universidad a
Distancia de Madrid. Abogado
(artículos 101 a 105)

César García Novoa

Catedrático de Derecho Financiero y
Tributario. Universidad de Santiago de
Compostela
(artículos 76 a 89)

Francisco J. Magraner Moreno

Catedrático de Derecho Financiero y Tribu-
tario. Universidad de Valencia. Abogado
(artículos 1 a 9 y 109 a 111)

Faustino Moya Calatayud

Inspector de Hacienda del Estado
(artículos 40, 41, 118 a 129 y 132)

José Rivaya Fernández-Santa Eulalia

Inspector de Hacienda del Estado
(artículos 55 a 75)

Pablo Romá Bohorques

Abogado. Socio Director de Roma Bohor-
ques Abogados Tributarios
(artículos 31, 32, 50 a 54, 107, 108 y 113
a 117)

José Miguel Soriano Bel

Inspector de Hacienda del Estado
(artículos 48 y 49 y 90 a 99)

tirant lo blanch

Valencia, 2017

©   J. Andrés Sánchez Pedroche y otros

©   TIRANT LO BLANCH
EDITA: TIRANT LO BLANCH
C/ Artes Gráficas, 14 - 46010 - Valencia
TELFS.: 96/361 00 48 - 50
FAX: 96/369 41 51
Email:tlb@tirant.com
www.tirant.com
Librería virtual: www.tirant.es
DEPÓSITO LEGAL: V-1252-2017
ISBN: 978-84-9143-997-4
MAQUETA: Innovatext

Si tiene alguna queja o sugerencia, envíenos un mail a: *atencioncliente@tirant.com*. En caso de no ser atendida su sugerencia, por favor, lea en *www.tirant.net/index.php/empresa/politi-cas-de-empresa* nuestro Procedimiento de quejas.

Indice

Prólogo

MANUEL LAGARES
Catedrático de Hacienda Pública

Mi buen amigo, el Profesor D. José Andrés Sánchez Pedroche, me pide unas líneas que encabecen, a modo de presentación, el importante esfuerzo que se condensa en este libro, en el que se analiza y critica detalladamente la actual regulación española del Impuesto sobre Sociedades. Precisamente a la comprobación de las declaraciones de ese impuesto dediqué mis primeros esfuerzos laborales cuando ejercía como Inspector de Hacienda hace ya medio siglo y, posiblemente por eso, sigo sintiendo hoy una especial atracción por este tributo, pese a que, como Catedrático de Hacienda Pública, quizá debiera más bien sentir un cierto rechazo hacia esta figura, sobre todo al considerarla dentro de un cuadro impositivo ideal aunque, de hecho, inexistente en la realidad tributaria cotidiana.

El Impuesto sobre Sociedades (IS) es, sin duda, una rara invención relativamente reciente, como lo es también el IVA, aunque este último responda, en mi opinión y en la de otros muchos hacendistas, a una lógica económica mucho mejor fundamentada. En efecto, el IS en su concepción actual apareció no hace mucho, cuando se culmina la fundamentación jurídica de las sociedades, como señalan, entre otros, James y Nobes (1978)[1]. La aparición del IS en su concepción actual –imposición sobre los beneficios de las sociedades– tiene sus antecedentes en la aparición de la contabilidad por partida doble en el siglo XIII, lo que permitió el inicio del proceso de separación del patrimonio personal del empresario del patrimonio que empleaba en sus negocios. Poco a poco, desde el siglo XVI al XIX se acaba por consolidar también la separación de las responsabilidades entre uno y otro patrimonio. Adicionalmente, entre el siglo XIX y el XX se generaliza la separación entre la propiedad y la gestión del negocio, lo que concedió todavía una mayor independencia a las sociedades.

Todas esas circunstancias facilitaron y justificaron, ya en el siglo XX, la aparición del IS como figura impositiva independiente que no toma en consideración la capacidad económica del que podría ser su auténtico sujeto –los socios de la entidad, en tanto que personas físicas titulares de la capacidad económica– sino que objetiva su exigencia en la mera existencia de una sociedad, generalmente con limitación de la responsabilidad de los socios, y de unos rendimientos, habitualmente configurados bajo la forma de beneficios.

---

[1] James, S. y Nobes, C. (1978): "The Economics of Taxation". University of Exeter. Philip Allan Publishers Ltd. Oxford. Véanse págs. 242 y ss.

Esa falta de conexión entre la capacidad de pago de unas personas físicas concretas (los socios) y el impuesto exigido a la sociedad de capital, será desde luego lo que restará fundamentación científica a este impuesto en el ámbito de la Hacienda Pública. Tal cosa no ocurre, sin embargo, con el IVA, pues se trata de un impuesto sobre el consumo final exigido parcialmente en cada etapa del proceso de producción y distribución y que trata de gravar la capacidad de pago del consumidor final manifestada con ocasión de su consumo de bienes y servicios, es decir, de la aplicación de su capacidad económica al consumo.

El nacimiento del IS no se justifica, pues, por su aproximación a la capacidad de pago, sino que meramente se ve impulsado por la aparición de las sociedades con limitación de responsabilidad de sus socios, aunque lo que de verdad decide ese nacimiento es otro hecho de gran importancia: la necesidad de mayores ingresos públicos y la existencia de algún obstáculo que impida obtenerlos por la vía de los tributos sobre la renta ingresada o consumida.

Tal es el caso al que se enfrentaron los Estados Unidos de América en 1909 y también España en 1920. En Estados Unidos el impuesto nace ante la imposibilidad constitucional de establecer un tributo personal sobre la renta en el plano federal y la necesidad de obtener fondos para atender el creciente gasto público en tal nivel de su organización política. En España, el IS surge, aunque bajo la forma de un tributo sobre las utilidades del capital mobiliario aplicable a las sociedades que obtuviesen beneficios[2], por la imposibilidad política, que no constitucional, de introducir un auténtico impuesto sobre la renta personal después de numerosos intentos fallidos para la creación de un impuesto de esa naturaleza. En ambos casos, por tanto, el IS aparece como una alternativa, poco razonable quizá, al IRPF[3] y no como un impuesto coexistente con este último.

Pero, sea cual sea su justificación y el impulso final para su nacimiento, lo cierto es que durante el siglo XX el IS aparece y se consolida en los sistemas fiscales de todo el mundo, culminando esa consolidación en la década de los años sesenta del pasado siglo, pese a sus evidentes carencias de fundamentación científica. El espaldarazo a la existencia del IS en Japón y su extensión por toda Asia probablemente se haya fundamentado en las recomendaciones del Informe de la Misión sobre la imposición japonesa encabezada por Carl Shoup (1949)[4]. En Europa el apoyo a este impuesto, definitivo aunque un tanto tardío[5], lo proporcionarán las recomendaciones del Informe Neumark

---

[2]   Tarifa III de Utilidades de la Contribución sobre la Riqueza Mobiliaria, en la reforma que se introdujo en 1920.
[3]   Eso puede explicar además que, al disponer el Reino Unido de un Income Tax desde finales del siglo XVIII, no introdujese un IS en su sistema fiscal hasta su incorporación a la Comunidad Económica Europea a principios de los años setenta del siglo XX.
[4]   Report on Japanese Taxation by the Shoup Mission. General Headquarters Supreme Commander for the allied Powers. Cuatro Volúmenes. Tokio, Japan, September 1949. Volumen I, pág. 105 y ss.
[5]   Buena prueba de esa tardanza es que el IS como tal no aparece en el Reino Unido hasta su incorporación al Mercado Común –como entonces se denominaba la actual Unión Europea– ya en la década de los años setenta del siglo pasado.

(1962)[6]. Puede afirmarse, por tanto, que aunque los antecedentes del IS se remonten a varios siglos atrás, la aparición de este impuesto con sus características actuales no se produce prácticamente hasta los inicios del siglo XX y que hay que esperar hasta bien entrada la segunda mitad de ese siglo para que el IS se incorpore al sistema fiscal de muchos países avanzados[7].

El IS es, en consecuencia, un tributo con una base científica dudosa pero muy bien arraigado en la realidad cotidiana de los sistemas fiscales actuales por sus capacidades recaudatorias. Sin embargo, hoy el IS es también un tributo lleno de problemas, primero en cuanto a su definición y, después, en cuanto a las circunstancias de su exigencia efectiva. En ambos aspectos se han abierto fuertes controversias sin que por el momento se hayan encontrado soluciones definitivas, pese al tiempo transcurrido y a los continuados esfuerzos de las autoridades internacionales para encontrar las fórmulas adecuadas.

Por lo que respecta a su definición, la base del IS tiene problemas importantes pendientes de resolver. El primero –y quizá el mayor de todos– se deriva del hecho de que si se grava el mero beneficio contable y no el beneficio económico[8] en la forma en que habitualmente se define el primero, se estará discriminando contra la financiación mediante aportaciones de capital de los socios, pues sus dividendos estarán sometidos a gravamen al incluirse en el referido beneficio contable, más o menos próximo a la base fiscal del impuesto. Por el contrario, en el caso de financiación mediante préstamos o créditos los intereses y cargas de los mismos no integran el beneficio contable, no incluyéndose por tanto esos intereses en la base del tributo.

Las consecuencias de esa discriminación en las fuentes de financiación de las inversiones de las sociedades son fáciles de prever: un elevado apalancamiento de las inversiones con una pérdida correlativa en la eficiencia de las mismas. Dos consecuencias escasamente positivas para la economía nacional en su conjunto porque, como la crisis actual ha demostrado, un elevado apalancamiento –es decir, un alto endeudamiento– debilita a las entidades y las hace mucho más vulnerables a los avatares de la coyuntura económica en tiempos de crisis. Y la pérdida de eficiencia de sus inversiones, derivada de la relativa facilidad de su financiación mediante préstamos o créditos en lugar de con recursos propios, es otro hecho comprobado que conduce a una selección menos rigurosa de las mismas, pues los intereses de los capitales que las financian suelen ser más reducidos, lo que incide negativamente sobre la capacidad de crecimiento de la nación. Dos graves problemas, pues, para el actual IS en la mayoría de los países.

---

6   Comité Fiscal y Financiero (1962): "Informe del Comité Fiscal y Financiero de la Comunidad Económica Europea (Informe Neumark)". Publicado en su versión española por la Comisaría del Plan de Desarrollo Económico y Social. Gabinete de Estudios. Madrid, 1965. Véanse en especial, págs. 79 a 83.

7   Recuérdese lo comentado anteriormente sobre la introducción del IS en el Reino Unido, que no se produce hasta entrada la década de los setenta del pasado siglo.

8   El beneficio económico no incluye la retribución normal de los fondos propios de la entidad.

Pero también, en segunda lugar, se suscitan polémicas importantes respecto a la deducción en la base del IS de las meras provisiones por pérdidas no ocurridas todavía a consecuencia del menor valor de los activos de la sociedad y derivadas del criterio de valoración de esos activos en cada momento por su precio de mercado[9]. También cuando esas pérdidas se generan exclusivamente por la elevada cuantía de las amortizaciones. De ahí que algunos piensen, no sin razón, que quizá la mejor base para el IS sea el EBITDA[10] en lugar del beneficio fiscal como ha venido siendo hasta ahora.

No terminan aquí, sin embargo, los problemas actuales del IS. En el mundo de hoy la diversidad de los gravámenes fiscales, unida a los diferentes costes que originan tareas similares en distintos países, ha dado origen a un nuevo sujeto extraordinariamente activo y potente: la empresa transnacional. Se denominan así, para diferenciarlas de las ya viejas empresas multinacionales[11], a las que fragmentan entre países su cadena de valor y sitúan cada segmento de esa cadena en los que ofrecen condiciones fiscales o de costes más ventajosas. Las enormes facilidades de comunicación y transporte que ofrece el mundo de hoy, así como la progresiva reducción de las barreras aduaneras, han impulsado con enorme fuerza la aparición de las empresas transnacionales.

La fragmentación de la cadena de valor entre países facilita el que el beneficio de la entidad transnacional pueda situarse en el lugar de menores cargas fiscales, porque las transferencias de productos y servicios entre esos países dentro de una misma entidad pueden ser difícilmente valoradas con objetividad cuando se trata de bienes y servicios singulares o disfrazados de singulares. Para esos servicios y productos, debido a su singularidad, no suelen existir otros mercados que puedan informar a las autoridades sobre el adecuado precio de cada transferencia que el que proporciona la propia actividad de la empresa transnacional. Por eso, las transnacionales suelen burlar con facilidad los intentos de establecer estándares internacionales –escandallos más bien– respecto a precios de transferencia. Al final, esos estándares no proporcionan más que trabajo bien remunerado a las empresas de asesoría internacional, con escasos resultados para controlar el ir y venir de los beneficios por los distintos países. Este es hoy uno de los más graves problemas a que se enfrenta el IS, aunque también el referido proceso sea un gravísimo "agujero negro" para el IVA.

Además, el IS se enfrenta con otro problema cada día más generalizado: el de las sociedades que, estando domiciliadas en un país, mantienen importantes inver-

---

[9]   "Mark to market," en la terminología anglosajona tan habitual hoy.

[10] Como es bien conocido Ebitda es acrónimo en inglés de "earnings before interests, taxes, depreciations and amortizations", es decir, de ingresos descontados costes y antes de la deducción de intereses, impuestos, depreciaciones y amortizaciones.

[11] Para una mayor claridad en las clasificaciones, suelen considerarse habitualmente "multinacionales" a aquellas empresas que generan toda su cadena de valor en cada uno de los países en que se sitúan, mientras que las "transnacionales" son las multinacionales que dividen esa cadena de valor entre los diversos países en que se ubican.

siones en otros sometidas también IS, lo que suele plantear un problema de doble imposición internacional si no se buscan fórmulas apropiadas para evitarla. La solución clásica ha consistido en exigir el impuesto en el país de la nacionalidad respecto a la renta mundial obtenida por la sociedad y compensar en el impuesto nacional lo satisfecho en el extranjero por impuestos similares. Pero cuando se pretende la internacionalización de las empresas nacionales suele ser frecuente que se eximan total o parcialmente del impuesto nacional los beneficios procedentes del extranjero que allí hayan pagado algún tributo similar al de sociedades.

Como en los países en que operan esas empresas la tributación, si acaso existe, suele ser claramente más reducida que la nacional, la diferencia entre lo pagado en el extranjero y lo que correspondería pagar en territorio nacional suele ser elevada, lo que induce en ocasiones a irrelevantes inversiones en el exterior que casi solo sirven para justificar allí una tributación que permita la exención aquí de sus aparentes beneficios. En ocasiones la tributación exterior se ve, además, reducida por convenios particulares mantenidos en secreto entre el Gobierno del país extranjero y la sociedad inversora. Las transferencias de productos y servicios, más o menos fingidas, permiten situar en el exterior y bajo el paraguas de este régimen de exención, una importante porción de beneficios que de otra forma resultarían gravados por el IS nacional.

Volviendo al mercado interior, no cabe duda de que el IS ha sido utilizado con profusión como instrumento de la política fiscal. Reduciendo o aumentando sus tipos de gravamen, ampliando o acortando los periodos de cómputo de las amortizaciones fiscales o introduciendo deducciones en sus cuotas por motivos muy diversos se ha intentado influir en el ciclo económico o, incluso, dirigir inversiones hacia sectores, actividades o territorios determinados. Todos esos instrumentos de la política fiscal están hoy muy devaluados, pues se ha llegado al convencimiento de que tienen escasa influencia en el comportamiento económico de las empresas y, como mucho, solo logran sus objetivos de modo muy temporal y limitado. Han llegado a proliferar tanto esta clase de instrumentos que están acabando por arruinar la capacidad recaudatoria del tributo –no se olvide, su principal valimiento en los sistemas tributarios actuales– y lo han terminado por convertir en una confusa mezcla de normas que lo hacen difícilmente inteligible por quienes no sean unos completos expertos en el mismo. De ahí que la doctrina más reciente abogue por la completa desaparición de estos regímenes, pues los elevados costes recaudatorios en que incurren no se justifican por los efectos temporales o permanentes que puedan generar.

No terminan aquí los problemas actuales del IS. Una falsa idea de protección a pequeñas y medianas empresas ha llevado a algunos países como España a tratar de protegerlas mediante un tipo de gravamen más reducido y claramente diferenciado por normas de cómputo de los beneficios y reglas especiales de comprobación administrativa. El resultado no es otro que el que cabía esperar: las pequeñas y medianas empresas se niegan a crecer y a mejorar sus capacidades y niveles de eficiencia. La barrera fiscal las mantiene en un mundo pequeño pero protegido. Cuando resulta imprescindible crecer se crece creando otra pequeña o mediana empresa independiente de la anterior, pero en la realidad sin otro soporte que una escritura de constitución y la mera apariencia de una administración separada. A veces, ni siquiera esto último. Quizá por eso tengamos, proporcionadamente a nuestra dimensión como país, uno de los porcentajes más elevados de pequeñas y medianas empresas de Europa. No somos tan individualistas ni tan incapaces para la asociación como aparecemos en esas estadísticas. Solo las leyes mal establecidas nos hacen parecerlo.

Quizá el último de los problemas con que se enfrenta hoy el IS sea el de su tipo de gravamen. No se pierda de vista que el IS es un impuesto que discrimina contra las empresas que adoptan la forma de sociedad puesto que los negocios individuales se encuentran sometidos al IRPF y los societarios al IS, aunque los socios de estos últimos también son gravados dentro del IRPF por los dividendos que perciban de la entidad. Esa doble imposición económica, es decir, esa discriminación contra las empresas societarias quizá resulte nula a largo plazo pues, como demostró Harberger (1962)[12] con su conocido modelo de dos sectores, la carga adicional del IS terminará por difundirse por toda la economía pasando también al sector no gravado –el de las empresas individuales– a través de la consecuente igualación del coste de los inputs que intervienen en la producción de ambos tipos de empresas.

Pero, sea como sea, lo cierto es que últimamente los diferentes Estados parecen que están embarcados en una guerra cada vez más intensa respecto a la reducción de tipos del IS. Desde luego este impuesto perjudica directamente a la inversión porque reduce sus retornos netos. De ahí que, en el afán por captar las inversiones extranjeras y fomentar igualmente las de origen interior, muchos países se han lanzado a reducir cada día más el tipo general del IS. Irlanda, mediante un tipo de gravamen muy reducido, y Luxemburgo, mediante acuerdos reservados con muchas grandes multinacionales, han venido marcando la pauta en la UE, hasta el punto de que el tipo general del impuesto, que venía situándose hasta hace poco en el entorno del 35%, apenas si llega hoy a un valor medio en Europa del 22%-23%. El reciente anuncio de Donald Trump de situar el tipo del IS en Estados Unidos en el 16% insuflará aún más combustible a la larvada pero efectiva guerra que se viene sosteniendo desde hace tiempo en este ámbito.

Estos son, en líneas muy generales, los principales aspectos y problemas que, en mi opinión, afectan hoy al IS, un impuesto que, sin fundamentos científicos suficientes, sigue ocupando actualmente un lugar muy importante en los sistemas tributarios de todos los países avanzados. Y esas son las razones por las que, después de muchos años, sigo manteniendo todavía una extraña y ambivalente relación con ese impuesto.

---

[12]   Haberger, A.C.: "The Incidence of the Corporation Income Tax", publicado en Journal of Political Economy, Junio de 1962.

Presentación

J. Andrés Sánchez Pedroche

Catedrático de Derecho Financiero y Tributario

El 20 de noviembre de 2014 fue promulgada la Ley 27/2014, reguladora del Impuesto sobre Sociedades. A diferencia de las reformas operadas en el IRPF o en la LGT, cuyos cambios también se gestaban en esos momentos, el Ejecutivo proponente del Proyecto de Ley optó por no realizar modificaciones más o menos puntuales sobre la normativa ya existente, sino que prefirió alumbrar un texto legal completamente nuevo. No se trataba, por lo tanto, de unos meros remiendos sobre las disposiciones existentes anteriores, sino de gestar una nueva regulación en el contexto de un entorno económico e inversor distinto y con un sentido inequívocamente prospectivo. La Comisión de expertos presidida por el profesor LAGARES había realizado consideraciones muy valiosas al respecto y múltiples simulaciones. El nuevo impuesto debía rebajar la factura fiscal de las empresas en unos 3.078 millones de euros para los ejercicios 2015 y 2016. Pero, además, en el propio preámbulo de la norma se destacaba un claro objetivo, centrado en la creación de un marco estable para las entidades contribuyentes, capaz de dotarlas de seguridad jurídica en el pago y la planificación del impuesto. Porque más allá del tipo impositivo, lo ancha que sea la base imponible o su nivel de recaudación, lo que en realidad se valora de un tributo –que dice gravar la capacidad económica de las empresas, modulando a su través gran parte de la inversión nacional– no es otra cosa que su estabilidad y su carácter predecible. Tiene todo el sentido común y pleno respaldo constitucional en el principio de seguridad jurídica que las normas no sufran modificaciones constantes o recurrentes, a mitad o incluso al final del propio ejercicio impositivo.

Estas loables intenciones de la Ley 27/2014 han sido soslayadas luego en el altar de la coyuntura económica y la recaudación, siendo quizás lo más llamativo que algunos de sus incentivos no hayan llegado siquiera a tener efecto alguno, pese a su previsor anuncio en el propio cuerpo normativo. Es el caso, por ejemplo, de la elevación –postergada a 2017– del margen para compensar las pérdidas generadas en ejercicios anteriores; un cambio beneficioso para las empresas, anunciado con un bienio de antelación y que generó una expectativa con la que atemperar quizás la decepción ocasionada por la relegación de la medida debido a razones de pura coyuntura recaudatoria. Sin embargo, y muy poco antes de que las empresas pudieran aplicar efectivamente esos nuevos y esperados límites dispuestos por la LIS, se cambió de parecer para aprobar a finales del ejercicio 2016, es decir, con el ejercicio impositivo a punto de concluir en buena parte de los casos, el Real Decreto Ley 3/2016, de 2 de diciembre, por el que se adoptaban medidas en el ámbito tributario dirigidas a la consolidación de las finanzas públicas y otras medidas urgentes en materia social, luego convalidado en el Congreso de los Diputados, volviendo así a la situación anterior y dejando en la nada las previsiones originales de la Ley 27/2014 (a dicho Real Decreto Ley le había precedido otro apenas dos meses antes, el RDL 2/2016, de 30 de septiembre, por el que se introducían medidas tributarias dirigidas a la reducción del déficit público y que afectaban especialmente a los pagos a cuenta).

De esta forma, las empresas que durante once meses del ejercicio 2016 habían confiado en una norma que les había alentado a esperar durante dos años para compensar las pérdidas de ejercicios impositivos pasados hasta el 70% de la base imponible, vieron frustradas sus expectativas ante una realidad que cambió bruscamente el 2 de diciembre de 2016, con ocasión de la promulgación del referido RDL 3/2016. No sólo no se respetaban las previsiones legales contenidas en la Ley 27/2014, sino que los porcentajes con los que enjugar esas bases imponibles negativas se reducían al 25% para aquellas empresas con una cifra de negocio superior a 60 millones de euros y al 50% para las entidades con facturación entre 20 y 60 millones. En el plan presupuestario correspondiente a 2017 remitido a Bruselas, el Ejecutivo esperaba conseguir con dicha medida 2.000 millones de euros en el primer año de liquidación del tributo (esto es, sobre los beneficios de 2016) y 1.500 millones a partir de esa fecha[1]. De esta forma, durante los cinco primeros años de reversión de las bases imponibles negativas se conseguirían unos ingresos cercanos a los 8.000 millones de euros. Una cantidad que, muy probablemente y a medio plazo, resultará mucho mayor, pues la limitación en la compensación de bases negativas hará que las empresas tarden mucho más tiempo en materializar todos esos activos lo que, con toda seguridad, empujará a los auditores a recomendar su retirada del balance por prudencia contable y financiera y ello incidirá en los fondos propios y los resultados de las compañías, traduciéndose a la postre en pérdidas contantes y sonantes.

---

[1]   Según la actualización del Programa de Estabilidad 2016-2019, la meta presupuestaria del Gobierno es lograr una rebaja del déficit de 3,5 puntos del PIB en cuatro años, desde el 5,1 por 100 registrado en 2015 hasta el 1,6 por 100 proyectado para 2019, mediante una fuerte contracción del gasto público en términos de PIB (3, 2 puntos) y un ligero aumento de los ingresos públicos (0,3 puntos del PIB). Por su parte, se espera que el peso de la deuda pública descienda en los próximos cuatro años hasta situarse en el 96 por 100 en 2019, 3, 2 puntos de PIB por debajo de la cota actual. Esta nueva senda de consolidación fiscal acordada con la Unión Europea es menos ambiciosa que la anterior en términos de ajuste fiscal, tanto en relación con el déficit como con la deuda, teniendo en cuenta el escenario de baja inflación y las incertidumbres que pesan sobre los factores externos que vienen impulsando el crecimiento económico.

Pero limitar la recuperación de las pérdidas pasadas (el RDL 3/2016 aglutina un conjunto de medidas cuyo hilo conductor común no es otro que las pérdidas, ya sea para impedir su cómputo, para limitar su compensación o para imponer su reversión) no sólo va a suponer una mayor salida de caja por parte de las empresas, en sintonía con la mayor recaudación prevista por el Estado, sino que también va a tener un notable impacto en la solvencia de aquellas compañías con elevados créditos fiscales en su balance en relación a su capital, como es el caso del sector financiero. Conviene no olvidar que a las entidades financieras se les otorgó la opción de elegir entre reducir su tipo impositivo del 30% al 28% –y posteriormente al 25%– o mantenerlo, y prefirieron la segunda opción, pese a renunciar a un menor pago de impuestos a futuro para, de esa forma, evitar tener que recalcular sus créditos fiscales a la baja con el consiguiente efecto negativo en su capital. En otros países de la UE, como Holanda o el Reino Unido, no sólo no hay límite alguno en la compensación de pérdidas, sino que existe incluso la posibilidad de enjugarlas contra el ejercicio precedente, recuperando de esa forma el crédito fiscal de una forma inmediata. Esta medida, por lo tanto, puede tener un efecto añadido muy negativo, al incentivar la fuga de inversión extranjera desde España a otros países.

Además, en el caso de las multinacionales, el RDL 3/2016 fija un límite del 50% de la cuota íntegra del impuesto en la aplicación de deducciones por doble imposición de dividendos para empresas que facturen al menos 20 millones de euros, junto a las restricciones que se aplican al resto de deducciones. En la práctica, este cambio puede generar, además de un importante freno a la I+D, problemas en el seno de la UE (vulneración de la libre circulación de capitales), dado que es un incentivo para que las filiales de las grandes empresas españolas no distribuyan dividendos en el extranjero[2].

---

[2]   Así lo señala FALCÓN Y TELLA, R. "Las nuevas ocurrencias de Hacienda en relación con el Impuesto sobre Sociedades: El RD-Ley 3/2016, de 2 de diciembre", QF núm. 3 2017, pag. 16, al afirmar lo siguiente: *"hemos de llamar la atención, aunque no se haya recogido expresamente en la norma, sobre la prevalencia de los tratados internacionales y del ordenamiento de la Unión europea. Aunque no se diga, cuando la doble imposición se ha producido en un país con el que existe Convenio de Doble Imposición, si la deducción por doble imposición internacional deriva del propio convenio no puede limitarse por una norma interna. Además, la norma resulta contraria a las libertades de la Unión, incluida la libre circulación de capitales, que es también aplicable con terceros Estados. Supongamos una empresa que obtiene renta en España y tiene que pagar una cuota de 100. Si esa misma empresa obtiene la mitad de su renta en otro Estado con el mismo nivel de tributación tendría que pagar 50 en España y otros 50 en ese otro Estado. Pero como España no permite la deducción tras el Decreto-Ley, tendrá que pagar 75 en el ejercicio, más 50 en el otro Estado, es decir, un total de 125 en nuestro ejemplo. La tributación se ha incrementado, o cuando menos se ha adelantado, por el mero hecho de obtener la renta en el extranjero, lo que perjudica a la internacionalización de las empresas y vulnera la libre circulación de capitales".*

Por último, es innegable el sesgo de las medidas adoptadas en el RDL 3/2016 especialmente contra las grandes empresas. Un aviso para navegantes que a buen seguro desincentivará la superación del umbral de los 20 millones de facturación anual, perjudicando muy especialmente con ello a aquellas compañías que tienen una mayor vocación internacional. En tal sentido, conviene no olvidar que las empresas de mayor tamaño en nuestro país apenas representan el 0,1% del total, pero aportan dos tercios de la recaudación por Impuesto de Sociedades[3]. Queda claro, por lo tanto, que el camino más fácil para incrementar la recaudación no es otro que el de subir la presión fiscal sobre las empresas de mayor calado, pero ya no lo está tanto que a la economía española le convenga estar instalada en un contexto de mercantiles de muy reducida dimensión, en lugar de favorecer su crecimiento con estímulos de todo tipo (incluidos, por supuesto, los fiscales[4]). Con esta medida se pretende obtener una recaudación adicional de 2.200 millones de euros, aunque sea a costa de malbaratar la credibilidad y estabilidad del sistema fiscal en una pieza tan esencial para la inversión como es el Impuesto sobre Sociedades, soslayando de paso que la capacidad económica no está *"per se"* asociada a la mayor o menor cifra de facturación, sino simplemente a la capacidad de generar beneficios gravables.

Y no solo eso, porque una cosa es la conveniencia de poner coto a las deducciones que en la práctica permitían a las grandes entidades del Ibex tributar a tipos reales más bajos (aunque no tanto como casi siempre se quiere hacer creer), y otra muy distinta que se obligue a todas las empresas con independencia de su tamaño –medias, pymes y sociedades patrimoniales– a pagar retroactivamente por pérdidas anteriores a 2013, aunque el valor de sus activos se depreciara o incluso desapareciera por completo, bajo el eufemismo de *"reversión obligatoria de las pérdidas por deterioro de participaciones que resultaron deducibles en periodos impositivos iniciados antes del 1 de enero de 2013"* contenido en el RDL 3/2016. Hasta este momento las empresas que habían deducido las

---

[3] A este respecto, cfr. El Informe 03/2016 La creación de empresas en España y su impacto en el empleo, Consejo Económico y Social de España, pag. 19.

[4] Como apuntan STIGLIZ J. E. y GREENWALD B. C. La creación de una sociedad del aprendizaje, La esfera de los libros, Madrid, 2016, pag. 160 y 161, el tamaño de las empresas influye positivamente en el progreso de la sociedad en su conjunto: *"Los mercados con innovación, por naturaleza, no son perfectamente competitivos. Las inversiones en innovación son costos fijos. Consideremos un modelo sencillo donde existen costos constantes (marginales) de producción. Es posible disminuir esos costos invirtiendo más en investigación; sin embargo, el conocimiento, una vez adquirido, puede utilizarse sin importar el volumen de producción. Si los costos de producción de una unidad se disminuyen en un dólar, los costos totales bajan a mil dólares cuando la empresa produce mil unidades, y en un millón de dólares si la empresa produce un millón de unidades. Las empresas más grandes tienen un incentivo para "aprender" más –el valor de cualquier reducción de costos es proporcionalmente mayor– y para participar en más investigación y desarrollo, lo cual les otorga una ventaja competitiva sobre empresas más pequeñas"*.

pérdidas de valor de sus participaciones debían revertir la medida, es decir, tributar por ellas, cuando se produjera la recuperación de dichas pérdidas. De esta manera la reforma obliga a tributar por el deterioro de cartera, aunque no se haya recuperado su pérdida, ni experimentado una mejoría económica real.

Si lo que se ha querido es que quien perdió veinte millones de euros tenga que pagar cuatro a la Hacienda Pública, a razón de quintas partes durante el próximo lustro, no es difícil presagiar, orillando lo injusto de la medida, graves quebrantos empresariales con su correspondiente destrucción de empleo. Las empresas tendrán que pagar por esta *"reversión de la deducción"*, ya que sus pérdidas sólo serán compensables en parte. Así, y por seguir con el ejemplo, si una sociedad tenía una participación de 20.000.000 euros en un negocio que resultó fallido y sobre la que practicó una deducción por deterioro en su declaración, generando con ello una pérdida a efectos fiscales, ahora la modificación legal operada por el RDL 3/2016 le obligará a devolver aquella deducción en un plazo de cinco años. La reversión, por lo tanto, comportará un beneficio a efectos fiscales de 4.000.000 euros (20.000.000 dividido entre cinco años). El mismo puede ser compensado con otras pérdidas de años anteriores, pero sólo hasta un límite del 60%, es decir, 2.400.000 euros. Sin embargo, esta limitación dejará los 1.600.000 euros restantes sin compensar y a los que se les aplicará el tipo de gravamen del impuesto del 25%, es decir, 400.000 euros. De esta manera, y al cabo de cinco años, una pérdida de 20.000.000 de euros habrá generado un impuesto sobre beneficios de 2.000.000 de euros. Lo sorprendente es que esa sociedad, pese a tener pérdidas, no dejó de pagar, ni pagó menos con la deducción por deterioro, pero ahora la reversión le generará impuestos a ingresar por los resultados negativos, esto es, por perder dinero. La limitación de las compensaciones, unida a la reversión de las deducciones, va a provocar la paradoja de que, en ciertos casos, el Impuesto sobre Sociedades, diseñado para gravar los beneficios empresariales, termine obligando a pagar por pérdidas registradas en el pasado y de una forma retroactiva.

Insisto, lo más llamativo y paradójico del caso es que si esas entidades no hubiesen incurrido en pérdidas, nada pagarían ahora, pero como perdieron dinero en el futuro tendrán que pagar unos impuestos que con anterioridad no se ahorraron, lo que cuestiona seriamente el respeto de la previsión contenida en el RDL 3/2016 a la capacidad económica y a la prohibición de la retroactividad como principios de justicia material positivizados en los arts. 31 y 9 de la CE, ambos con aspiración a erigirse en presupuestos y límites de la tributación. De conformidad con el primero de ellos, el legislador no puede elegir hechos impositivos alejados de dicha capacidad de riqueza, pues todo supuesto susceptible de imposición habrá de ser la manifestación de una cierta capacidad económica, y al decir de las SSTC 37/1987, de 26 de marzo y 193/2004, no resulta aceptable un gravamen sobre una riqueza meramente virtual o ficticia y, como tal, inexpresiva de capacidad de pago. La STC 27/1981 defiende enérgicamente esta conclusión[5].

Es verdad, tal y como afirma el profesor CASADO OLLERO, que la capacidad económica no es el único parámetro de justicia tributaria, ni aparece

---

[5]   En este mismo sentido, FALCON Y TELLA, R. "Las nuevas ocurrencias....", op. cit. pag. 15, apunta la vulneración constitucional que la elección del RDL ha comportado, al afectar *"a una figura central del sistema (a un tributo global sobre la renta, en la terminología del Tribunal Constitucional), como es el Impuesto sobre Sociedades. Además, afecta a la distribución de la carga tributaria entre la generalidad de los contribuyentes, pues no incide solo sobre las sociedades y entidades con una elevada cifra de negocios, sino que algunas de las medidas adoptadas afectan a todos los contribuyentes de este impuesto, como la obligación de integrar en la base al menos una quinta parte de los deterioros de valor en las participaciones (que antes de 2013 podían minorar la base imponible). Y sobre todo, incluso cuando las medidas se refieren formalmente solo a las grandes empresas, en realidad afectan a la generalidad de los contribuyentes, pues muchas de esas empresas, incluso cotizadas en Bolsa, tienen cientos o miles de pequeños accionistas a quienes será difícil pagarles el mismo dividendo que estaba previsto. Por lo tanto, en realidad no se está exigiendo un esfuerzo especial a los grandes contribuyentes, sino a casi todos los contribuyentes, tanto grandes empresas como accionistas. Y además, esas modificaciones afectan no solo a la base imponible y a la cuota, sino el hecho imponible mismo, y son totalmente ajenas a la capacidad económica, pues pueden provocar que exista una renta ficticia a efectos del gravamen, cuando en realidad la sociedad no ha obtenido renta alguna, o ha obtenido una renta mucho menor. En efecto, el Gobierno no se ha limitado a modificar la cuantía del impuesto o a perfilar el concepto de renta. Lo ha cambiado arbitrariamente por razones recaudatorias. Podría estar justificado subir los tipos, o rebajar o incluso eliminar alguna deducción. Pero no puede estarlo alterar la propia definición de la renta, es decir, añadir nuevos elementos al hecho imponible, que en eso precisamente consiste el "ensanchamiento de bases" de que habla el preámbulo. La base aumenta porque se añaden nuevos elementos de renta, es decir, nuevos elementos del hecho imponible (...) Podría aceptarse que se subiera el IS, incluso por Decreto-Ley, pero para los que tienen una renta positiva. Pero no puede aceptarse que se haga tributar a los que están en pérdidas, ya que ello supone el gravamen de una renta inexistente o ficticia, lo que resulta inconstitucional, como afirman las SSTC 221/1992, FJ 4 y STC 214/1994, FJ 5 c). Y tampoco puede aceptarse que el incremento de tributación se distribuya arbitrariamente entre unos y otros, ya que, por ejemplo, cuanto más gane la empresa en 2016 más pérdidas puede compensar y mayores deducciones por doble imposición puede practicar. Además, la mayor carga tributaria que deriva del Decreto-Ley se distribuye de forma aleatoria, y no se concentra en absoluto en los grandes contribuyentes, es decir, los que tienen una mayor capacidad contributiva, ni mucho menos se limita a éstos. Porque la capacidad contributiva depende del resultado contable y no de la cifra de negocios. Y una empresa con una cifra de negocios inferior a 20 millones puede tener un margen elevado, y por tanto una renta muy elevada. Mientras que otra con una cifra de negocios de más de 60 millones puede tener un margen muy reducido, y por tanto una capacidad contributiva mucho menor, e incluso estar en pérdidas (...) podrá existir una "urgente necesidad" de elevar la recaudación, pero no la hay en absoluto de adoptar las medidas contenidas en el Decreto-Ley que comentamos, sino que podría haberse optado por una subida de tipos, por ejemplo. En efecto, no había ni hay necesidad alguna, y menos urgencia, en limitar la compensación de pérdidas o las deducciones por doble imposición, y menos en crear una renta ficticia por el mero hecho de que en un ejercicio anterior a 2013 se haya descontado de la base una pérdida que corresponde a un deterioro real que no se ha recuperado".*

conformado como *"principio-fin"* en sí mismo, sino fundamentalmente como *"principio-medio"* orientado a la realización de los verdaderos fines del sistema tributario constituidos por la igualdad y la progresividad[6]. Y es cierto, asimismo, que en la CE no existen principios prevalentes [para el Tribunal Constitucional, *"salvo contadas excepciones, como la del derecho a no ser sometido a torturas, los derechos fundamentales no son absolutos"* (Sentencia de 29 de septiembre de 1997)], debiendo todos ellos coordinarse mediante relaciones de integración y no de prevalencia. Ahora bien, la capacidad económica, como parámetro de justicia en el reparto del gravamen, debe tener un peso específico que impida verlo preterido o quebrantado frente a cualesquiera motivos *"razonables" o urgentes"* esgrimidos por el Legislador.

Y este constituye el verdadero peligro. Cuando el principio de capacidad económica queda diluido en el principio de igualdad como mera interdicción de la arbitrariedad, al Legislador le resulta sumamente fácil pretextar cualquier motivo de política financiera, macroeconómico, sociopolítico, de urgencia económica o de mera técnica fiscal para hacerlo desaparecer de la escena jurídica[7]. Con claridad lo ha dicho KLAUS TIPKE: *"el legislador está vinculado por la Constitución, pero los partidos y los políticos que elaboran las leyes o influyen sobre su contenido quieren, ante todo, ganar las elecciones y mantenerse en el poder y de este modo surgen leyes injustas e innecesariamente complejas. Es labor de los Tribunales Constitucionales, a quienes se ha confiado la protección de aquellos aspectos de la democracia referidos al Estado de Derecho, conseguir el mayor grado de justicia posible frente a las consideraciones de conveniencia política, de intenciones ideológicas, de cálculos electoralistas o, simplemente, de burdo fiscalismo"*[8]. Atender las necesida-

---

6 "CASADO OLLERO, G. "El principio de capacidad y el control constitucional de la imposición indirecta (II). El contenido constitucional de la capacidad económica", REDF núm. 34, 1982, pag. 187.

7 TIPKE, K. en el prólogo a HERRERA MOLINA, P. M. Capacidad económica y sistema fiscal. Análisis del ordenamiento español a la luz del Derecho alemán, Marcial Pons, Madrid, 1998, pag. 14.

8 TIPKE, K. en el prólogo a HERRERA MOLINA, P. M. Capacidad Económica....., op. cit. pag. 15. Esta idea sobre la absoluta necesidad de que la Constitución controle y atempere las naturales tendencias de los Gobiernos a una recaudación desmedida, excesiva o alejada de los más elementales principios jurídicos, ya fue expuesta a mediados del siglo XVIII por David HUME, Ensayos políticos, Tecnos, Madrid, 1987, pag. 30, cuando aludía a los ciudadanos y los gobernantes y el doble peligro que representaban ambos: *"al elaborar un sistema de Gobierno y fijar los diversos contrapesos y cautelas de la Constitución, debe suponerse que todo hombre es un bellaco, y no tiene otro fin en sus actos que su interés personal. Mediante este interés hemos de gobernarlo (....) Sin esto, dicen, en vano nos enorgullecemos en las ventajas de una Constitución, pues al final resultará que no tenemos otra seguridad para nuestras libertades y haciendas que la buena voluntad de nuestros gobernantes, es decir, ninguna"*. Y algo parecido expresan BUCHANAN, J. M. y BRENNAN, G., The Power to Tax. Analytical Foundation of a Fiscal Constitution, Cambrigde University Press, 1980, pas-

des generales, esto es, recaudar, sigue señalando el profesor TIPKE, constituye
un fin relevante que exige gravar las fuentes de riqueza, pero una afirmación
tan genérica como esa no ofrece ninguna justificación de los impuestos y, por
lo tanto, no suministra ninguna medida sobre su adecuada distribución. Si el
reparto de la carga fiscal es injusto, la injusticia no desparece por el hecho de
que el acreedor tributario necesite recursos económicos y los contribuyentes
sigan disponiendo de algo con qué pagar. A ningún juez de lo civil se le ocurriría pensar que una demanda está justificada porque el demandante necesita
dinero y el demandado lo tiene[9].

Dicho esto, y aunque la medida a la que nos referimos contenida en el RDL
3/2016 puede suponer una afrenta explícita al principio constitucional de capacidad económica, no es fácil que una posible cuestión de inconstitucionalidad
prospere en el futuro. Como advierte el prof. PALAO TABOADA, la jurisprudencia del TC español sobre el principio de capacidad económica se caracteriza
por su ambigüedad y vacuidad, cediendo automáticamente ante cualquier otra
argumentación, por pobre que sea, lo que impide un control eficaz de su cumplimiento[10]. La jurisprudencia constitucional española e italiana (mucho menos
la alemana), demuestran la profunda crisis del principio de capacidad económi-

---

sim, donde en su modelo de Leviatán establecen la presunción de que los agentes decisorios
gubernamentales maximizan sus propias utilidades extrayendo las rentas a los ciudadanos
sin escrúpulo o remordimiento alguno.

[9] TIPKE, K. citado por HERRERA MOLINA, P. M. op. ult. cit. pag. 82. SANZ GADEA E.
"El Impuesto sobre Sociedades en 2016", RCyT, CEF, núm. 408, 2017, pag. 37, apunta a
la perentoria necesidad recaudatoria como justificación de las reformas operadas por los
Reales Decretos-Leyes 2/2016 y 3/2016: *"Todas las medidas comparten una característica,
a saber, que pivotan sobre las pérdidas, sea impidiendo su cómputo, limitando su compensación o imponiendo su reversión (...) Las tres encierran una potencia recaudatoria nada
despreciable. En efecto, la denominada Gran Recesión ha traído una cosecha exuberante
de resultados contables negativos. Durante los cinco años más duros de la crisis económica
se han acumulado, en el conjunto de los contribuyentes por el impuesto sobre sociedades,
pérdidas no inferiores a 500.000 millones de euros. Por tanto, la limitación a la compensación de bases imponibles negativas reviste una importancia recaudatoria trascendental. Lo
previsible es que gane carta de naturaleza, por más que, desde el punto de vista de la equidad, sea criticable. Sencillamente, la recaudación se hundiría en ausencia de limitaciones. La
reversión apodíctica de los deterioros finalizará en cinco años. Si la recuperación económica
gana firmeza, es posible que el impacto adverso a la equidad que supone la reversión sin
recuperación de los beneficios sea liviano, en el conjunto de los contribuyentes, siendo cierto, sin embargo, que algunos de ellos pueden sufrir serios quebrantos".* Con todo, el autor
señala abiertamente que esas medidas resultan criticables el pivotar, esencialmente, sobre
entidades que han sufrido pérdidas (alude al *"fenómeno esotérico de tributación en ausencia
de rentas"*), afirmando como conclusión final que, dado esa teleología marcadamente recaudatoria, hubiera sido preferible moderar su intensidad y acompañarlas de otras como, por
ejemplo, la limitación de la reserva de capitalización.

[10] PALAO TABOADA, C. "Los principios de capacidad económica e igualdad en la jurisprudencia del Tribunal Constitucional español", REDF núm. 88, 1995, pag. 641.

ca, caracterizada por la especial reverencia que demuestra la Magistratura a incidir en la libertad del Legislador[11].

---

[11] La reducción de la capacidad económica a una mera exigencia lógica capaz de desaparecer de la escena casi por ensalmo desde el momento en que cualquier otro objetivo es perseguido por el Legislador, ha suscitado las duras pero acertadas críticas del profesor SÁNCHEZ SERRANO hacia el Tribunal Constitucional español: *"De auténtica vaciedad, de reducción de un verdadero principio de justicia tributaria a una mera "exigencia lógica" y de afirmación que viene a descansar sobre una extraña concepción, que no responde a la realidad del tributo como algo que sólo recaería sobre la "riqueza", es calificable la formulada en la STC 27/1981, de 20 de julio, FJ 4, y reiterada, por ejemplo, en la 150/1990, de 4 de octubre, FJ 9, según la cual "capacidad económica a efectos de contribuir a los gastos públicos, tanto significa como la incorporación de una exigencia lógica que obliga a buscar la riqueza allí donde la riqueza se encuentra". Tal doctrina no presta la suficiente atención a la vinculación que debe existir entre el principio de capacidad económica (art. 31. 1 CE) y el valor de la justicia (art. 1. 1. CE), y, por lo tanto, entre dicho principio y la noción de "sistema tributario justo" (art. 31. 1 CE). El importante principio constitucional de capacidad económica merece sin duda un mayor esfuerzo exegético y doctrinal por parte de nuestro supremo intérprete de la Constitución"* (SÁNCHEZ SERRANO, L. Tratado de Derecho Financiero y Tributario Constitucional, Marcial Pons, Madrid, 1997 pag. 565). Parece, sin embargo, que dicha tendencia puede ser corregida en el futuro, sobre todo, después del reciente pronunciamiento del TC en su Sentencia de 16 de febrero de 2017 (Cuestión de inconstitucionalidad 1012/2015), en la que declara la nulidad de la ficción representada por el Impuesto sobre el Incremento del Valor de los Terrenos de Naturaleza Urbana del Territorio Histórico de Gipuzkoa, lanzando un serio aviso al Legislador en su FJ 3º: *"es plenamente válida la opción de política legislativa dirigida a someter a tributación los incrementos de valor mediante el recurso a un sistema de cuantificación objetiva de capacidades económicas potenciales, en lugar de hacerlo en función de la efectiva capacidad económica puesta de manifiesto. Ahora bien, una vez hecha la precisión que antecede, es importante tener presente que una cosa es gravar una renta potencial (el incremento de valor que presumiblemente se produce con el paso del tiempo en todo terreno de naturaleza urbana) y otra muy distinta es someter a tributación una renta irreal, diferencia esta que es importante subrayar «porque, si así fuese, es evidente que el precepto cuestionado sería contrario al principio constitucional de capacidad económica, dado que –como hemos venido señalando– dicho principio quiebra en aquellos supuestos en los que la capacidad económica gravada por el tributo sea no ya potencial sino inexistente o ficticia»* (STC 295/2006, de 11 de octubre, FJ 5). Pues bien, no cabe duda de que los preceptos cuestionados fingen, sin admitir prueba en contrario, que por el solo hecho de haber sido titular de un terreno de naturaleza urbana durante un determinado período temporal (entre uno y veinte años), se revela, en todo caso, un incremento de valor y, por tanto, una capacidad económica susceptible de imposición, impidiendo al ciudadano cumplir con su obligación de contribuir, no de cualquier manera, sino exclusivamente "de acuerdo con su capacidad económica" (art. 31.1 CE). Así las cosas, al establecer el legislador la ficción de que ha tenido lugar un incremento de valor susceptible de gravamen al momento de toda transmisión de un terreno por el solo hecho de haberlo mantenido el titular en su patrimonio durante un intervalo temporal dado, soslayando, no solo aquellos supuestos en los que no se haya producido ese incremento, sino incluso aquellos otros en los que se haya podido producir un decremento en el valor del terreno objeto de transmisión, lejos de someter a gravamen una capacidad económica susceptible de gravamen, les estaría haciendo tributar por una riqueza inexistente, en abierta contradicción con el principio de capacidad económica del citado art. 31.1 CE. Hemos de insistir en que, aunque el legislador ordinario goza de una amplia libertad de configuración normativa, su ejercicio debe efectuarse dentro*

Pero es que además, y con independencia de todo lo anterior, lo cierto es que la mayor presión fiscal que estas medidas de reforma de la Ley 27/2014 comportan, reducirá la rentabilidad empresarial, lastrando inversiones y desincentivando de forma sustancial la inversión extranjera directa (muy reacia ya a la inseguridad del propio sistema fiscal español, transido por el largo e incierto horizonte temporal que cualquier liquidación tributaria puede tener en su posterior revisión administrativa y/o judicial), lo cual constituye un gravísimo problema en una economía como la nuestra que sufre un importante déficit de capital.

Es tanta la necesidad de financiación que reclama y consume el sector público, que no parece posible planificar a medio plazo la coherencia y la estabilidad de un sistema fiscal zarandeado permanentemente por los avatares de las acuciantes necesidades recaudatorias[12]. La historia de las sucesivas reformas experimentadas en el Impuesto sobre Sociedades así lo atestiguan[13]. Algún optimista podría pensar que este es un mal esencialmente pasajero, producto de la especial coyuntura desfavorable por la que atraviesa nuestro país y su entorno más próximo. Por desgracia, nada más lejos de la realidad. El gasto de

---

del marco 28 que la propia Constitución delimita, y, concretamente y como hemos señalado con anterioridad, con respeto al principio de capacidad económica al que llama el art. 31.1 CE, como fundamento de todo impuesto. De este modo, aunque el legislador establezca impuestos que «estén orientados al cumplimiento de fines o a la satisfacción de intereses públicos que la Constitución preconiza o garantiza» (SSTC 37/1987, de 26 de marzo, FJ 13; y 221/1992, de 11 de diciembre, FJ 4), como puede ser, en el caso que nos ocupa, dar cumplimiento a la previsión del art. 47 CE, en ningún caso puede hacerlo desconociendo o contradiciendo el principio de capacidad económica (STC 19/2012, de 15 de febrero, FJ 3), degenerando su originaria libertad de configuración en una indeseable arbitrariedad al gravarse «en todo o en parte rentas aparentes, no reales» [SSTC 221/1992, de 11 de diciembre, FJ 5 c); y 194/2000, de 19 de julio, FJ 8]".

[12] ¿Se incurre en electoralismo con las bajadas impositivas? ¿La política fiscal carece de un rumbo definido? ¿Por qué interesa bajar la recaudación en momentos concretos, cuando se sabe a ciencia cierta que al poco habrá que subirla? ¿Puede dudarse acaso de que la gran exigencia respecto del pago fraccionado representada por la promulgación del Real Decreto-Ley 2/2016, provocará nuevas necesidades recaudatorias en 2017 y 2018?

[13] Así, por ejemplo, la Ley 43/1995 gravó las rentas positivas y permitía computar las negativas, admitiendo la deducción del deterioro, sujeto al límite de la cotización o de la evolución de los fondos propios. La Ley 10/1996 eximió las rentas positivas, siempre que estuvieran representadas por el incremento de los fondos propios de la entidad participada. El Real Decreto-Ley 3/2000 suprimió, respecto de los instrumentos de patrimonio extranjeros, la vinculación al incremento de los fondos propios. La Ley 4/2008 abrogó el requisito del registro contable para admitir el deterioro. La Ley 6/2013 declaró no deducible el deterioro. La ley 27/2014 igualó el régimen de los instrumentos de patrimonio nacionales y extranjeros, extendiendo así la exención de las rentas positivas a los instrumentos de patrimonio nacionales. El Real Decreto-Ley 3/2016 rechazó el cómputo de las rentas negativas en relación con instrumentos de patrimonio calificados. Podrá afirmarse que no siempre y en todo caso fueron razones recaudatorias las que animaron las constantes reformas experimentadas en el tributo. Yo, sin embargo, lo dudo.

las Administraciones y su correlato natural, es decir, nuestra abultada deuda pública, no obedece a la grave flexión cíclica que padecemos, sino, sobre todo, a un rasgo característico de nuestro sector público, cual es, su propia y peculiar configuración, abocada a generar un déficit predominantemente estructural. El núcleo de dicho déficit es consecuencia de las malformaciones institucionales de nuestra peculiar organización política, que impulsa el gasto público al margen de cualquier criterio de eficiencia e incluso de necesidad. Me refiero al déficit estructural entendido como diferencia entre el saldo presupuestario total y el saldo cíclico, esto es, el ocasionado por el funcionamiento de los estabilizadores automáticos en las oscilaciones de la coyuntura. Un déficit que permanece incluso en las fases ascendentes del ciclo, cuando dichos estabilizadores producen sus favorables efectos sobre el saldo total haciéndolo positivo.

¿Alguien se ha parado a pensar cómo pudo ser que, en solo tres años, entre 2007 y 2009, el saldo presupuestario pasara del 2,2% de PIB, gracias al periodo de bonanza económica precedente, al −11,3%? Pues bien, la Comisión Europea aportaba datos interesantes acerca de nuestro déficit total y estructural referido al ejercicio de 2011, fijándolos en el 9, 4% y el 8, 6% del PIB respectivamente (European Economic Forescat, Winter 2013). De manera que nuestro déficit estructural en ese año, es decir, el déficit no derivado de los avatares de la coyuntura económica, representaba nada menos que el 91,5% del déficit total. O, si se prefiere y dicho de otra manera, que el desequilibrio de nuestro sector público sólo era imputable a la fase adversa del ciclo económico en un modestísimo 8,5%. Creo que tras este elocuente dato sobran las palabras. No es tanto un problema de ingresos, cuanto de control del gasto público. Hasta que no nos convenzamos de esta realidad, nunca podremos planificar seriamente el sistema tributario, ni dotarlo de los imprescindibles elementos de coherencia, seguridad y estabilidad.

Efectivamente, bajo la añagaza de que una posible crisis de deuda pública era patrimonio exclusivo de los países en desarrollo y que los gobiernos de los países industrializados nunca incumplirían sus compromisos financieros, nos encontramos en la actualidad sumidos en la peor crisis de deuda soberana que pudiéramos imaginar. La explosión del gasto público a lo largo de las últimas décadas ha constituido una de las más grandes y silenciosas revoluciones contemporáneas. La clase política, advertida quizás de la fugacidad de la vida, ha venido gastando lo que no ingresaba o, por mejor decir, comprometiendo en un muy reducido lapso temporal lo que tarda en generarse bastantes más años. Esas decisiones en materia de gasto público, en una continua huida hacia delante, han adolecido de una tendencia irrefrenable al fomento de una mentalidad de derechos adquiridos, creando clientelas particulares para cuotas de gasto crecientes bajo el paradigma de una premisa completamente falsa, cual es la de un crecimiento económico continuado en el tiempo y sin límites. Tal creencia ha supuesto la apelación recurrente a la deuda pública −convertida por tanto, y muy equivocadamente a mi juicio, en un ingreso ordinario–, lo que equivale a decir que dichos derechos adquiridos se financian con los ingresos de generaciones futuras, pero sin el consentimiento de éstas, a la par que nuestros próceres se escudan en la presunta culpabilidad de los mercados, reclamando insistentemente la apertura de un crédito para las empresas que ellos mismos han ahogado a través de la emisión de deuda masiva, utilizando los fondos de pensiones y la Seguridad Social para comprarla, y generando así una enorme burbuja de bonos, similar a la inmobiliaria[14]. Y todo ello, además, con la anuencia o, más bien, la plena complicidad de los bancos centrales.

En la actualidad, más del 60% de los ingresos del Estado se utilizan para pagar intereses de deuda y gastos que no generan PIB alguno. Baste advertir que a finales del 2009 la deuda exterior de España superaba la existente a finales de 2005 en más de seiscientos mil millones de euros, una cifra que no ha dejado de crecer. La meteórica y forzada reforma constitucional operada en su artículo 135 y la Ley Orgánica 2/2012, de 27 de abril, de Estabilidad Presupuestaria y Sostenibilidad Financiera (LOEPSF) obligan además a que esos pagos sean los que deban atenderse en primer lugar. Nuestro déficit de caja es muy elevado en un contexto en el que el saldo de ingresos y gastos ya es negativo antes incluso de empezar siquiera a afrontar dichos intereses. Como la imaginación española no conoce límites –y con anterioridad a que se instaurara el Fondo de Liquidez Autonómica– se exploró incluso la suscripción de los llamados bonos patrióticos –curiosa denominación de las CCAA más endeudadas cuando emitían nueva deuda, con la única finalidad de cubrir los intereses de pago pendientes, en un remedo de estafa piramidal– que venían acompañados de unas estimaciones de crecimiento y de reducción del déficit que, ya se sabía de antemano, eran absolutamente irreales, pese a lo cual se insertaban pomposamente en los boletines oficiales como correcta parametrización de otros cálculos que nacían ya por eso mismo sesgados.

Pero los problemas asociados a la carga financiera de la deuda, es decir, a la laxitud presupuestaria, están relacionados también con el incremento de la oferta monetaria y han generado una imbricación de las políticas fiscales y mo-

---

[14]   BUCHANAN, J. M. y BRENNAN, G., The power to Tax. Analytical Foundation of a Fiscal Constitution, op. loc. ult. cit., sostienen a este respecto que ese poder de endeudamiento le permite al Gobierno la apropiación ahora del valor capitalizado de las corrientes de ingresos futuros. Bajo el *"Leviatán perpetuo"*, el significado fundamental de tal poder de endeudamiento es, según los autores norteamericanos, solo un efecto sobre la corriente temporal del gasto público, más que sobre su nivel agregado. En cambio, señalan que todo cambia bajo la hipótesis del *"Leviatán probabilístico"*, pues en tal caso, el poder de endeudamiento implica que el Gobierno, proclive siempre a maximizar los ingresos, con el poder en sus manos, pero sin la previsión de su continuidad en él, puede, a través del endeudamiento público, apropiarse del valor total de los ingresos impositivos de todos los períodos futuros, incluidos aquéllos en los que tal Leviatán ya no esté en funciones.

netarias que en los Estados Unidos, durante un tiempo, es cierto, rindió algunos frutos provechosos, al asociar esas políticas fiscales y monetarias con las balanzas de capitales de terceros países, generando un desplazamiento efectivo de la carga de su déficit fiscal sobre hombros ajenos. No era razonable pensar, sin embargo, que tal situación fuese a perpetuarse en el tiempo, sobre todo a partir del momento en que estalla la crisis crediticia de los años ochenta. Le asistía la razón a AMILCARE PUVIANI cuando, ya en 1903, señaló que *"cada constitución económica, en su desarrollo, crea las causas de su propia disolución y transformación"*. El arrollador incremento del gasto público ha abocado a las economías occidentales a un verdadero estado de *"crisis financiera"* del que nos costará lustros salir. Algo de lo que ya nos advirtió la extraordinaria intuición de una economista como JOAN ROBINSON, para la que los tiempos venideros iban a constituir *"un período de prueba para el moderno capitalismo"*.

Y en esas estamos, apelando recurrentemente a la subida de impuestos, en lugar de racionalizar y priorizar un gasto público que lleva camino de arrollarlo todo a su paso si no se distingue lo relevante e imprescindible de lo superfluo, lo duplicado o lo banal. En tal sentido, resulta llamativo que con ocasión de la convalidación del RDL 3/2016, de 2 de diciembre, la práctica totalidad de los grupos parlamentarios considerasen el gasto público en su integridad algo sagrado, como si la posibilidad de existencia de ese gasto superfluo o duplicado al que acaba de aludirse no existiese o, peor aún, ni siquiera pudiese existir[15].

Con ese recurrente alegato a este tipo de planteamientos no debe extrañarnos que en la opinión pública cale muy hondo la idea central del discurso político dominante que, por cierto, ya fue bien expuesto por MUSSOLINI: *"todo en el Estado, todo para el Estado, nada fuera del Estado, nada contra el Estado"*[16].

---

[15] Así, la portavoz de Hacienda del Partido Popular que defendió la convalidación del Real Decreto Ley 3/2016, ANA MADRAZO insistía en que *"tenemos que reducir el déficit público en el año 2017 en 1,5 puntos y para alcanzar esos objetivos el Gobierno no desea reducir gastos. Creo que nadie en esta Cámara desea esa reducción, pero lógicamente la cuadratura del círculo no existe: tendremos que hacerlo por la vía de los ingresos"*.

[16] El exceso de Estado de bienestar no solo ha alentado comportamientos malsanos, sino que ha comportado una devoción idólatra de éste como garante de unas promesas o soluciones políticas sencillas y baratas para cualquier mal social. Es lo que HILAIRE BELLOC, Economics for Helen, J. W. Arrowsmith, Londres, 1924, describió como el *"Estado servil"*, en el que una población carente de brío es atendida desde la cuna hasta la tumba por un aparato estatal al que dicha población concede su máxima lealtad, sin contemplar siquiera la posibilidad de otras alternativas. En esta tesitura evoca mi recuerdo las consideraciones del gran filósofo norteamericano R.W. EMERSON cuando apuntaba algunos de los peligros que comporta esa estatificación: *"El tendón y corazón del hombre parece arrancado y nos hemos vuelto quejosos, timoratos, desalentados. Nos asusta la verdad, nos asusta la fortuna, nos asusta la muerte y nos asustamos unos de otros. Nuestra época no produce personas grandes y perfectas. Necesitamos hombres y mujeres que renueven la vida y nuestro estado social, pero vemos que la mayoría de la naturaleza es insolvente, que no puede satisfacer su propia necesidad, tiene una ambición no proporcionada a su fuerza práctica y se inclina y*

Cierto es que las justificaciones actuales de las políticas que se emprenden no pasan por la legitimidad del origen divino de los gobernantes y rara vez se proclaman en nombre de la gloria de la nación, algo que les otorgaría ciertamente un aire trasnochado. Ahora se recurre a la legitimidad de la soberanía popular y el beneficio del interés general. No dejan de ser éstas, sin embargo, apelaciones cuasi-religiosas que ningún fundamento aportan, nada aclaran tampoco y solamente enturbian más la comprensión de los fenómenos económicos subyacentes. Los contribuyentes no dejan de ser, en última instancia, los propios ciudadanos o las personas jurídicas que ellos conforman, a los que, en teoría, la metafísica del interés general y la soberanía popular dicen defender.

Ya sé que la mayoría de nuestros dirigentes políticos afirman que el peso de los impuestos en la economía española no es excesivo. El indicador al que acuden para justificar semejante afirmación no es otro que la presión fiscal, entendida como una magnitud que compara la recaudación obtenida con el PIB. Analizada así la cuestión, y desprovista de matiz alguno que la acompañe, es cierto que nuestra comparativa patria arroja un nivel inferior a la media europea. Ahora bien, dicho esto, sería necesario señalar también que el sistema tributario español es difícilmente homologable al del resto de los países de nuestro entorno. Así, si nos referimos, por ejemplo, a la presión fiscal individual de las personas físicas, hay una cuestión que nos aleja de Europa: el impacto del paro masivo. Mientras que el desempleo medio en la Unión Europea es del 8,5%, en nuestro país alcanza en la actualidad algo menos del 20%, aunque hemos llegado a superar holgadamente el umbral del 25%.

Esto significa que la recaudación fiscal, especialmente la derivada de las rentas del trabajo, recae sobre un número de personas reducido. Así lo reflejan los datos de la Encuesta de Población Activa, que muestran como el número de ocupados subió de 16,8 a 20,6 millones entre 2002 y 2007, para luego caer a 17,1 millones en 2013 y recuperarse hasta 17,9 millones en 2015. Pese a estas fuertes oscilaciones, los ingresos obtenidos de las rentas del trabajo a través del IRPF mostraron esa tendencia irrefrenable a elevar la presión fiscal. Es más, en 2007, con 20,6 millones de ocupados y un nivel de ingresos ligado a la euforia de la *burbuja* inmobiliaria, la recaudación por IRPF era de 57.778 millones, por debajo de los 60.552 millones obtenidos en 2015, con muchos menos trabajadores ocupados (17,9 millones) y unas rentas afectadas por años de crisis. Ese resultado, resumido en un menor número de contribuyentes, pero mayor recaudación, constituye la prueba más elocuente de esa tendencia inequívoca a la elevación de la presión fiscal en España. La OCDE en sus informes más

---

ruega día y noche continuamente. Nuestro quehacer doméstico es mendicante, no hemos elegido nuestras artes, ocupaciones, matrimonios, religión, sino que la sociedad ha elegido por nosotros. Somos soldados de salón. Rehuimos la áspera batalla del hado, donde nace la fuerza".

recientes corrobora lo que aquí se señala, pese a que la evolución sea más acusada en el ámbito de las personas físicas respecto de las sociedades donde el comportamiento de esa presión fiscal (al menos hasta la reforma operada por el RDL 3/2016) se había mantenido un tanto más estable.

Sea como fuere, y hasta tanto no nos convenzamos de que no se trata exclusivamente de un problema de ingresos, sino también –y sobre todo– de control del gasto público, jamás estaremos en disposición de planificar de un modo coherente y estable la regulación de los tributos que integran nuestro sistema fiscal. En tal sentido, deben estrecharse, a mi juicio, los límites a la intervención del Estado. No en vano, la corrupción y la redistribución "injusta" se perciben ya como fenómenos asociados a una expansión excesiva del sector público[17]. No se trata, desde luego, de arrumbar con la correcta idea de WICKSELL, para el que los impuestos se asemejan al intercambio voluntario del mercado como pagos de los servicios colectivos disfrutados, y mucho menos de apuntalar las ideas a este respecto de ROTHBARD, FRIEDMAN, SPOONER, BUCHANAN, TULLOCK, WAGNER, BRENNAN, DEMSETZ, KIRZNER, MULLER-ARMACK, ROPKE, ALCHAIN, COASE y tantos otros, cuando insisten en los peligros que encierra el peso excesivo del sector público y el Leviatán estatal[18].

Se diga lo que se diga, el Estado constituye en sí mismo una relevante mejora paretiana, al permitir con su interacción la generación de una renta social que, una vez repartida, posibilita a todos los individuos –ricos y pobres, fuertes y débiles– situarse en una curva de utilidad más elevada. Y ahí el impuesto conserva su papel preeminente en el que se garantiza ese deber de solidaridad querido por la Constitución. Ahora bien, el abuso impositivo y su falta de rumbo han minado sus propias bases axiales, con el riesgo del hartazgo y el peligro que suponen las urgencias recaudatorias a todos los niveles, también, cómo no, en lo que a la aplicación y el respeto de nuestras libertades y derechos fundamentales se refiere.

El objeto de la función distributiva, como bien señalara en su día JOHN RAWLS, no puede ser maximizar el balance neto de satisfacción, sino el establecimiento de instituciones básicas justas y coherentes. El poder fiscal no implica por lógica cualquier tipo de gasto y menos aún de un gasto inasumible,

---

[17]   Sobre las paradójicas consecuencias de esa redistribución "injusta", vid. LAWSON, R. A. "We're All Rawlsians Now", Ideas on Liberty, junio 2002, pags. 49 y ss., quien ha demostrado que, incluso aceptando la premisa rawlsiana de que una sociedad justa es aquélla en que se potencia al máximo la situación de los menos favorecidos, el libre mercado constituye una opción claramente mejor que la constituida por estados intervencionistas y que practican una fuerte redistribución de la riqueza. También, PAYNE, J. L. Overcoming Welfare, Basic Books, Nueva York, 1998, pag. 79 y ss.

[18]   WICKSELL, K. Finanztheoretische Untersuchungen, reimpreso en MAUSGRAVE R. A. y PEACOCK, A. T., eds. Classics in the Theory of Public Finance, St. Martin's Press, New York 1967, pag. 72 y ss.

razón por la cual, la discrecionalidad de los Gobiernos en esta doble faceta del fenómeno financiero (ingreso/gasto), no puede ser nunca absoluta. Otra cosa implicaría que esa idea wickselliana del *"intercambio voluntario"* entre bienes públicos y privados, propia de la teoría económica ortodoxa, se tornaría una mera quimera.

Concluyo ya. La gratitud no puede ser nunca un deber, sino la vehemencia del corazón –*"ex abundantia cordis"*–, por eso quiero agradecer a cuantos conforman el elenco de autores de este estudio y a la editorial Tirant lo Blanch, su entera disponibilidad, paciencia y buen hacer. Especialmente deseo extender ese agradecimiento al profesor LAGARES, quien ha tenido a bien prologarla. Tuve la fortuna, hace casi ya cinco lustros –junto con Eugenio Domingo Solans, Luis de Guindos, Eugenio Simón Acosta y otros ilustres profesionales– de formar parte del primer grupo de expertos que, bajo su sabia y amable dirección, elaboró el Informe para la Reforma del IRPF del año 1998, y en la actualidad la fortuna me ha permitido seguir disfrutando de su magisterio y amistad.

Naturaleza

Francisco J. Magraner Moreno
Catedrático de Derecho Financiero y Tributario

> *"El Impuesto sobre Sociedades es un tributo de carácter directo y naturaleza personal que grava la renta de las sociedades y demás entidades jurídicas de acuerdo con las normas de esta Ley".*

Los antecedentes históricos de este Impuesto fueron relatados de forma muy didáctica en el Preámbulo del Real Decreto 2631/1982, de 15 de octubre, por el que se aprobó el Reglamento del Impuesto sobre Sociedades (BOE de 21 a 27 de octubre), cuyo contenido sintetizamos a continuación[1].

Después de los sucesivos intentos habidos durante la segunda mitad del siglo XIX para crear un impuesto que gravara las rentas empresariales, la Ley de 27 de marzo de 1900 estableció la Contribución sobre las Utilidades de la Riqueza Mobiliaria, auténtico germen de la moderna imposición sobre la renta en nuestro ordenamiento, la cual tuvo, no obstante, como precedente inmediato, la Contribución Industrial y de Comercio, establecida en 1845.

Sus principios teóricos y los mecanismos técnicos contenidos en ella han subsistido hasta nuestros días en mayor medida de lo que pudiera parecer a primera vista; buena prueba de ello lo constituye la referencia a las valoraciones contables y el sistema de retención en la fuente de los rendimientos procedentes de trabajo personal y del capital mobiliario.

Dentro de la Contribución de Utilidades figuraba como tarifa tercera el gravamen de las «utilidades procedentes del trabajo, juntamente con el capital», en cuyo seno se albergó la tributación de los beneficios empresariales y, por tanto, de los obtenidos por las Sociedades y Entidades en el desarrollo de su actividad.

Esta primera aparición del sistema moderno de la imposición sobre la renta de las Entidades jurídicas, debido a las excepcionales circunstancias en las que surgió, en el seno de una reforma fiscal que perseguía fines recaudatorios inmediatos, presentaba todavía abundantes lagunas y deficiencias. Por ello, no

---

[1]   Una detallada evolución histórica de la normativa española se puede consultar en: SANZ GADEA, E.: *Impuesto sobre Sociedades I (Comentarios y casos prácticos)*, CEF, Madrid, 2004, págs. 15 a 44.

debe extrañar que, pese a la publicación del Reglamento de 17 de septiembre de 1906, de inmediato se sintiera la necesidad de realizar en la contribución una profunda y detenida revisión.

Tras modificaciones menores en 1907, 1910 y 1911, se presentó en diciembre de 1912 un proyecto de reforma de la tarifa 3ª de la Contribución de Utilidades; proyecto que tuvo que superar hasta seis intentos fallidos antes de conseguir, a través de la Ley de 29 de abril de 1920, primero, y la Ley de 26 de julio de 1922, después, el objetivo de incardinarse en el ordenamiento jurídico del incipiente sistema fiscal español.

La trascendencia de estas Leyes reguladoras del que ya, a partir de este momento, constituía un verdadero Impuesto sobre Sociedades, se deriva de la circunstancia temporal de que el Texto refundido aprobado por Real Decreto de 22 de septiembre de 1922, en virtud de la autorización contenida en la última Ley citada, estuvo vigente, con las consiguientes adaptaciones y rectificaciones, hasta el establecimiento por la Ley de 26 de diciembre de 1957, del Impuesto sobre la Renta de Sociedades y demás Entidades Jurídicas, y también en la permanencia de sus principios inspiradores, debidamente destacados por la doctrina científica, y que eran, en resumen, los siguientes: a) Establecimiento de la obligación personal de contribuir; b) Determinación de la base de imposición con apoyo en los datos contables; c) Adecuación de la carga tributaria a la capacidad contributiva de los sujetos; y, d) Articulación con los impuestos reales (en la actualidad con las retenciones a cuenta).

Sobre estos principios, únicamente cabe añadir como aportación mucho más moderna el de la utilización del impuesto como instrumento de política económica.

Uno de los defectos más acusados de la regulación del Impuesto sobre Sociedades a partir de 1920 fue el de la ausencia de una reglamentación general del mismo, lo que, en su día, dio lugar a un sinnúmero de disposiciones reglamentarias e interpretativas de distinto rango, estilo y época, que dificultaron en todo momento la aplicación coherente del impuesto.

Hasta tal punto fue importante la carencia de un Reglamento que, indirectamente, se pudo considerar que ésta fue una de las causas principales de la aprobación en 1978 de la Ley 61/1978, del Impuesto sobre Sociedades, en el proceso de reforma fiscal, iniciado en el seno de plena transición política.

Tras varios años de vigencia de la Ley 61/1978, y de su extenso desarrollo reglamentario, aprobado por el Real Decreto 2631/1982, se consideró conveniente iniciar una nueva reforma del Impuesto, que culminó con la publicación de la Ley 43/1995, siendo las principales causas que motivaron la misma las que a continuación exponemos: primera, la reforma de la legislación mercantil de 1989; segunda, la reforma del IRPF de 1991; tercera, la apertura de la economía española a los flujos transfronterizos de capitales; cuarta, la dispersión normativa que se había producido de la regulación del impuesto; y, quinta, la evolución de la teoría hacendística, jurídico-financiera y de los sistemas tributarios en nuestro entorno habida con relación al Impuesto sobre Sociedades.

Posteriormente, en el año 2004, se aprobó un Texto Refundido de la Ley 43/1995, a través del Real Decreto Legislativo 4/2004, de 5 de marzo, integrándose en este cuerpo legislativo todas las disposiciones que en ese momento afectaban al Impuesto sobre Sociedades.

Cabe destacar como hito importante acaecido entre 1996 y 2004, la aprobación de la Ley 41/1998 (hoy en día refundida por el Real Decreto Legislativo 5/2004) a través de la cual se incluyó en esta nueva norma, de forma unitaria, la tributación de los no residentes en los impuestos sobre la renta, la conocida tradicionalmente como sujeción por "obligación real de contribuir", anteriormente integrada en las propias Leyes 43/1995 y 61/1978.

Dicho Real Decreto Legislativo 4/2004 fue a su vez reformado en numerosas ocasiones y se desarrolló reglamentariamente a través del Real Decreto 1777/2004, constituyendo de este modo ambas normas las principales fuentes normativas reguladoras del Impuesto sobre Sociedades en nuestro país hasta que se ha aprobado la Ley 27/2014, de 27 de noviembre, cuya entrada en vigor fue el día 1 de enero de 2015 y resulta de aplicación, con alguna puntual salvedad, a los períodos impositivos que se inicien a partir de la expresada fecha.

En el Preámbulo de la Ley vigente se destacan en líneas generales los motivos que han justificado la aprobación de la misma y los objetivos que han inspirado esta reforma. Resumidamente son los que a continuación destacamos.

La Ley 27/2014 mantiene la misma estructura del Impuesto sobre Sociedades que se configuró en la Ley 43/1995, de manera que el resultado contable sigue siendo el elemento nuclear de la base imponible y constituye un punto de partida clave en su determinación.

No obstante, la revisión general del Impuesto viene motivada por "la pertenencia a un mundo globalizado cada vez más interactivo enmarcado de manera muy destacada por el entorno de la Unión Europea, la necesidad de competir en mercados internacionales, la adaptación de la norma al derecho comunitario o el incremento de la necesaria lucha contra el fraude fiscal".

Por último, se siguen manteniendo al margen de la presente Ley determinadas normas específicas, por ejemplo, la Ley 20/1990, de 19 de diciembre, sobre Régimen Fiscal de las Cooperativas, la Ley 19/1994, de 6 de julio, de modificación del Régimen Económico y Fiscal de Canarias, la Ley 49/2002, de 23 de diciembre, de régimen fiscal de las entidades sin fines lucrativos y de los incentivos fiscales al mecenazgo, o la Ley 11/2009, de 26 de octubre, por la que se regulan las Sociedades Anónimas Cotizadas de Inversión en el Mercado Inmobiliario.

Tal como hemos advertido, en el Preámbulo de la Ley se destacan sus principales objetivos, son los siguientes: a) Ajustar la normativa del Impuesto a los principios de neutralidad, igualdad y justicia. b) Incrementar la competitividad económica, a través de varias medidas, tales como la reducción del tipo de gravamen general, del 30 al 25 por ciento, la de favorecer la repatriación de dividendos sin coste tributario, y la de extender el régimen de exención en el tratamiento de las rentas procedentes de participaciones en entidades españolas. c) Hacer más sencillo de aplicar el Impuesto, a través, por ejemplo, de la simplificación de las tablas de amortización, la racionalización de las normas aplicables a las operaciones vinculadas, la eliminación de diferentes tipos de gravamen, o la aplicación de un régimen de exención generalizado en las rentas procedentes de participaciones significativas. d) Adaptar la norma al derecho comunitario. e) Estabilidad de los recursos y consolidación fiscal con la extensión de la no deducibilidad del deterioro de valor a todos los elementos patrimoniales del inmovilizado empresarial, o las modificaciones introducidas en la limitación a la deducibilidad de gastos financieros, así como la eliminación de determinadas deducciones. f) Favorecer indirectamente la capitalización empresarial, especialmente con la introducción de la nueva reserva de capitalización, así como las modificaciones que se incorporan en el tratamiento de los gastos financieros. g) Incrementar la seguridad jurídica, intentando reducir la litigiosidad. h) Incrementar las medidas que favorezcan una efectiva lucha contra el fraude fiscal, no solo a nivel interno sino en el ámbito de la fiscalidad internacional. Precisamente en este ámbito, los últimos trabajos elaborados por la Organización para la Cooperación y el Desarrollo Económico y materializados en los planes de acción contra la erosión de la base imponible y el traslado de beneficios, constituyen una herramienta fundamental de análisis del fraude fiscal internacional. En este marco, la presente reforma anticipa medidas encaminadas a este objetivo, como es el caso del tratamiento de los híbridos, o las modificaciones realizadas en materia de transparencia fiscal internacional u operaciones vinculadas.

La aprobación de la nueva Ley requería una revisión integral de la norma reglamentaria que necesariamente acompaña al Impuesto sobre Sociedades, a tal efecto se ha aprobado el Real Decreto 634/2015, de 10 de julio, por el que se aprueba el Reglamento del Impuesto sobre Sociedades.

En líneas generales, de este nuevo texto reglamentario destacamos a continuación algunos de los aspectos más importantes que regula: el procedimiento a seguir para aquellos supuestos en que el contribuyente utilice un método de imputación temporal en el ámbito contable distinto al del devengo, procedimiento que es similar al previsto en el Reglamento anterior; los planes especiales de amortización en materia de amortizaciones; las reglas especiales de deducibilidad fiscal de la cobertura de riesgo de crédito en entidades financieros; los planes de gastos correspondientes a las actuaciones medioambientales y los planes de gastos e inversiones de las comunidades titulares de montes vecinales en mano común; como principal novedad de este Reglamento, se incorporan modificaciones sustanciales en relación con las entidades y las operaciones vinculadas; se establecen las reglas para la determinación del análisis de comparabilidad exigido en la documentación específica, y se actualiza el procedimiento de comprobación de las operaciones vinculadas, teniendo en cuenta que la misma no se circunscribe exclusivamente a un supuesto de valoración, se regulan los procedimientos para la obtención de acuerdos previos, ya sean de valoración de operaciones vinculadas, de valoración de gastos correspondientes a proyectos de investigación científica e innovación tecnológica o de calificación y valoración de rentas procedentes de determinados activos intangibles; contiene la documentación que debe acompañar a las operaciones realizadas con personas o entidades no vinculadas residentes en paraísos fiscales; recoge los límites al régimen de ayudas para obras audiovisuales establecido en el Reglamento (UE) n.º 651/2014 de la Comisión, de 17 de junio, por el que se declaran determinadas categorías de ayudas compatibles con el mercado interior en aplicación de los artículos 107 y 108 del Tratado, comúnmente conocido como el Reglamento General de Exención por Categorías; prevé determinadas reglas aplicables a regímenes especiales, tales como, el de las agrupaciones de interés económico y uniones temporales de empresas, consolidación fiscal, operaciones de reestructuración, contratos de arrendamiento financiero, entidades de tenencia de valores extranjeros, entidades navieras y partidos políticos. Entre todos ellos, cabe destacar la adaptación de las obligaciones formales correspondientes al régimen de consolidación fiscal a la nueva delimitación del perímetro de consolidación. Asimismo, la desaparición de la opción en el régimen de operaciones de reestructuración permite minorar obligaciones formales en este régimen especial; finalmente, el nuevo texto reglamentario establece también determinadas normas destinadas a la gestión del Impuesto.

Tras el repaso histórico que hemos efectuado y tras destacar las líneas generales en que se sustenta la nueva Ley del Impuesto sobre Sociedades, a continuación vamos a analizar su contenido.

El artículo 1 establece que el Impuesto sobre Sociedades es un tributo de carácter directo y naturaleza personal que grava la renta de las sociedades y demás entidades jurídicas calificadas como contribuyentes por la Ley.

Recuérdese que tras la aprobación de la Ley 41/1998, refundida posteriormente por el Real Decreto Legislativo 5/2004, solamente tributan por el IS las sociedades y demás entidades jurídicas residentes en el territorio español. La citada normativa, reguladora del Impuesto sobre la Renta de No Residentes, es la que se ocupa actualmente de establecer el gravamen sobre la renta obtenido en territorio español por las personas físicas y entidades no residentes en éste.

Se trata de un impuesto directo porque grava una manifestación directa de capacidad económica (la renta). Mientras que su condición de impuesto personal viene determinada por configurarse su hecho imponible (su elemento objetivo) por referencia a una determinada categoría de personas (las entidades jurídicas).

De esta manera, la fiscalidad directa en el ámbito de la actividad económica, desarrollada por las personas jurídicas, se sustancia en el Impuesto sobre Sociedades, mientras que el Impuesto sobre la Renta de las Personas Físicas se encarga de gravar la renta obtenida por las personas físicas. Ambas figuras impositivas someten a tributación a las entidades y personas físicas residentes en territorio español, constituyendo los pilares básicos de la imposición directa en España, encontrando ambas figuras su razón de ser en el artículo 31 de la Constitución, que exige la contribución al sostenimiento de los gastos públicos, de acuerdo con la capacidad económica de cada contribuyente.

Artículo 2
Ámbito de aplicación espacial

FRANCISCO J. MAGRANER MORENO
Catedrático de Derecho Financiero y Tributario

> *"1. El Impuesto sobre Sociedades se aplicará en todo el territorio español. A efectos de lo dispuesto en el párrafo anterior, el territorio español comprende también aquellas zonas adyacentes a las aguas territoriales sobre las que España pueda ejercer los derechos que le correspondan, referentes al suelo y subsuelo marino, aguas suprayacentes, y a sus recursos naturales, de acuerdo con la legislación española y el derecho internacional.*
>
> *2. Lo dispuesto en el apartado anterior se entenderá sin perjuicio de los regímenes tributarios forales de concierto y convenio económico en vigor, respectivamente, en los Territorios Históricos de la Comunidad Autónoma del País Vasco y en la Comunidad Foral de Navarra".*

El Impuesto sobre Sociedades se aplica en todo el territorio español. Territorio que, a estos efectos, comprende además del peninsular, Canarias, Baleares, Ceuta y Melilla, aquellas zonas adyacentes a las aguas territoriales sobre las que España pueda ejercer los derechos que le correspondan, referentes al suelo y subsuelo marino, aguas suprayacentes, y a sus recursos naturales, de acuerdo con la legislación española y el derecho internacional.

No obstante lo anterior, la aplicación espacial del Impuesto regulado por la Ley 27/2014 se encuentra limitada por la incidencia de los regímenes tributarios forales de concierto y convenio económico en vigor, respectivamente, en los Territorios Históricos de la Comunidad Autónoma del País Vasco y en la Comunidad Foral de Navarra.

De conformidad con lo previsto en el Convenio Económico entre el Estado y la Comunidad Foral de Navarra aprobado por la Ley 29/1990, de 26 de diciembre, corresponde a la Comunidad Foral de Navarra la exacción del Impuesto sobre Sociedades de los siguientes sujetos pasivos: a) Los que tengan su domicilio fiscal en Navarra y su volumen total de operaciones en el ejercicio anterior no hubiere excedido de 7 millones de euros. b) Los que operen exclusivamente en territorio navarro y su volumen total de operaciones en el ejercicio anterior hubiere excedido de 7 millones de euros, cualquiera que sea el lugar en el que tengan su domicilio fiscal. Los sujetos pasivos que operen en ambos territorios y cuyo volumen total de operaciones en el ejercicio anterior hubiere excedido de 7 millones de euros, tributarán conjuntamente a ambas Administraciones, cualquiera que sea el lugar en que tengan su domicilio fiscal. La tributación se efectuará en proporción al volumen de operaciones realizado en cada territorio durante el ejercicio. La entidad domiciliada en Navarra que hubiera realizado en el ejercicio anterior, en territorio de régimen común el 75% ó más de sus operaciones totales, quedará sometida a la normativa del Estado.

De conformidad con lo previsto en el Concierto Económico entre el Estado y la Comunidad Autónoma del País Vasco aprobado por la Ley 12/2002, de 23 de mayo, corresponderá de forma exclusiva a las Diputaciones Forales la exacción del Impuesto sobre Sociedades de los sujetos pasivos que tengan su domicilio fiscal en el País Vasco y su volumen de operaciones en el ejercicio anterior no hubiere excedido de 7 millones de euros. Asimismo, será de aplicación la normativa autónoma a los sujetos pasivos cuyo domicilio fiscal radique en territorio común, su volumen de operaciones en el ejercicio anterior hubiera excedido de 7 millones de euros y hubieran realizado la totalidad de sus operaciones en el País Vasco. Los sujetos pasivos cuyo volumen de operaciones en el ejercicio anterior hubiere excedido de 7 millones de euros tributarán, cualquiera que sea el lugar en que tengan su domicilio fiscal, a las Diputaciones Forales, a la Administración del Estado o a ambas Administraciones en proporción al volumen de operaciones realizado en cada territorio durante el ejercicio. La entidad domiciliada en el País Vasco que hubiera realizado en el ejercicio anterior en territorio común el 75% ó más de sus operaciones totales, quedará sometida a la normativa del Estado.

A diferencia de lo que ocurre con otros impuestos que gravan la renta (*vgr.* el IRPF), el IS no se encuentra cedido a la Comunidad Autónomas de régimen general. En consecuencia, con la salvedad referida a los territorios forales, la regulación del IS queda reservada al Estado, así como su gestión y su recaudación. Ello no obsta, no obstante, que existan determinados beneficios fiscales (aprobados por la Ley estatal) que resultan de aplicación exclusiva a determinada Comunidad Autónoma. En particular, nos referimos al Régimen Económico Fiscal de Canarias aprobado por la Ley 20/1991, de 7 de junio, y por la Ley 19/1994, de 6 de julio.

Artículo 3
Tratados y convenios

FRANCISCO J. MAGRANER MORENO
Catedrático de Derecho Financiero y Tributario

> *"Lo establecido en esta Ley se entenderá sin perjuicio de lo dispuesto en los tratados y convenios internacionales que hayan pasado a formar parte del ordenamiento interno, de conformidad con el artículo 96 de la Constitución Española".*

En atención a la primacía de fuentes del derecho que rige en nuestro ordenamiento jurídico, no debe olvidarse que lo establecido en la Ley se entenderá sin perjuicio de lo dispuesto en los tratados y convenios internacionales que hayan pasado a formar parte del ordenamiento interno. La superioridad del derecho internacional sobre el derecho interno tiene su fundamento en lo dispuesto por los artículos. 93, 94.1 y 96 de la Constitución Española, y ha sido reconocida en reiteradas ocasiones por el Tribunal Constitucional, entre otras, en STC 11/1985, de 30 de enero; STC 28/1991, de 14 de febrero; y, STC 64/1991, de 22 de marzo.

En particular, para la correcta aplicación del Impuesto, es necesario conocer los convenios para evitar la doble imposición suscritos por España, cuyo catálogo supera en la actualidad el número de 100, y, en particular, las normas que dicte la Unión Europea y otros organismos internacionales o supranacionales a los que se atribuya el ejercicio de competencias en materia tributaria de conformidad con el artículo 93 de la Constitución. Precisamente, en referencia a este último aspecto, en los últimos años se ha constatado una importante actividad de control legislativo ejercida tanto por la Comisión Europea como por el Tribunal de Justicia de la Unión Europea. Tanto uno como el otro órgano ejercen funciones de vigilancia para que exista una recta adecuación de la norma doméstica al derecho de la Unión[2].

Uno de los objetivos de la Ley es su adaptación al derecho comunitario, y dentro de las medidas que buscan esta adaptación, se observa como se ha corregido el tratamiento del sistema de eliminación de la doble imposición establecido en el Ley anterior, que había sido cuestionado por la Comisión Euro-

---

[2] En torno a la actividad ejercida por las distintas instituciones de la Unión Europea referida al Impuesto sobre Sociedades, véase: MAGRANER MORENO, F.J. *La coordinación del Impuesto sobre Sociedades en la Unión Europea*, IEF, Madrid, 2009.

pea, de manera que la nueva Ley pretende dar cumplimiento al ordenamiento comunitario, equiparando el tratamiento de las rentas internas e internacionales. Igualmente, las modificaciones realizadas en los regímenes especiales de consolidación fiscal y reestructuraciones pretenden, entre otros objetivos, favorecer el cumplimiento de la indispensable compatibilidad con el ordenamiento comunitario. En definitiva, esta Ley procura ser especialmente rigurosa desde la perspectiva de su compatibilidad con el ordenamiento comunitario.

Durante los últimos años, la normativa doméstica reguladora del Impuesto sobre Sociedades ha estado sometida a un riguroso control por parte de las distintas instituciones comunitarias que velan por el ajuste de las normas internas de los Estados miembros a lo previsto en el Derecho de la Unión. Algunas de estas actuaciones han desembocado en necesarios cambios legislativos. A continuación enumeraremos, a título de ejemplo, las más relevantes: el establecimiento de un impuesto de salida (*exit tax*) por resultar incompatible con la libertad de establecimiento contemplada en el artículo 49 del Tratado de Funcionamiento de la Unión Europea; la amortización del fondo de comercio (es decir, amortizar durante cierto tiempo el sobreprecio pagado por la adquisición de un negocio respecto al valor de mercado por los activos que lo componen) derivado de la adquisición de una participación en empresas no españolas, porque este régimen falseaba la competencia en el mercado único ya que otorgaba una ventaja injustificada a las empresas españolas, especialmente en el contexto de las ofertas públicas de adquisición competitivas; normas tributarias relativas a los impuestos sobre las plusvalías derivadas del canje de acciones, por resultar incompatibles con la Directiva sobre las fusiones (Directiva 90/434/CEE del Consejo) y con la libertad de establecimiento y la libre circulación de capitales contempladas en los artículos 43 y 56 del Tratado CE y en los artículos correspondientes del Acuerdo EEE; ciertas normas discriminatorias en materia de lucha contra las prácticas abusivas en el ámbito del Impuesto de Sociedades, en virtud de las cuales, la renta percibida en determinados Estados miembros o territorios de la UE está sujeta a mayor gravamen que la renta nacional; incentivos fiscales por inversiones en el extranjero, ya que distorsionan la competencia y el comercio en el mercado único.

Artículo 4
Hecho imponible

Francisco J. Magraner Moreno
Catedrático de Derecho Financiero y Tributario

> *"1. Constituirá el hecho imponible la obtención de renta por el contribuyente, cualquiera que fuese su fuente u origen.*
> *2. En el régimen especial de agrupaciones de interés económico, españolas y europeas, y de uniones temporales de empresas, se entenderá por obtención de renta la imputación al contribuyente de las bases imponibles, gastos o demás partidas, de las entidades sometidas a dicho régimen.*
> *En el régimen de transparencia fiscal internacional se entenderá por obtención de renta la imputación en la base imponible de las rentas positivas obtenidas por la entidad no residente".*

Según dispone el apartado 1 del artículo 4 de la LIS, constituye el hecho imponible del Impuesto sobre Sociedades la obtención de renta por el contribuyente, cualquiera que fuese su fuente u origen.

La LIS no define lo que es la renta. No obstante, en su artículo 10 establece que ésta se puede cuantificar a través de los métodos de estimación directa (corrigiendo el resultado contable mediante la aplicación de los preceptos establecidos en la LIS), estimación indirecta (de forma subsidiaria, de conformidad con lo previsto en la LGT) y estimación objetiva (mediante la aplicación de los signos, índices o módulos a los sectores de actividad que determine la LIS).

El señalado artículo 4 prevé también, en su apartado 2, que en el régimen especial de agrupaciones de interés económico, españolas y europeas, y de uniones temporales de empresas, se entenderá por obtención de renta la imputación al contribuyente de las bases imponibles, gastos o demás partidas, de las entidades sometidas a dicho régimen, de la manera que se determina en los artículos 43 a 47 de la LIS. Mientras que en el régimen de transparencia fiscal internacional se entenderá por obtención de renta la imputación en la base imponible de las rentas positivas obtenidas por la entidad no residente, según se determina en el artículo 100 de la LIS.

La renta gravada no se manifiesta solamente de forma dineraria, sino que además de conceptuarse también *in natura*, se puede representar en numerosas ocasiones de forma presunta o ficticia, como consecuencia de la aplicación de presunciones legales, cuya última pretensión es evitar el fraude, por ejemplo, la establecida en el artículo 121 de la LIS, en torno a la presunción de obtención de rentas como consecuencia del descubrimiento por parte de la administración tributaria de bienes y derechos no contabilizados o no declarados.

Entre las presunciones de renta que recoge la LIS, destaca por su importancia para la aplicación práctica del impuesto, la presunción *iuris et de iure* establecida en el ámbito de las llamadas operaciones vinculadas. Esta presunción exige que las operaciones efectuadas entre personas o entidades vinculadas se valoren por su valor de mercado, entendiéndose por valor de mercado aquel que se habría acordado por personas o entidades independientes en condiciones que respeten el principio de libre competencia (artículo 18 de la Ley).

Concepto de actividad económica y entidad patrimonial

Francisco J. Magraner Moreno

Catedrático de Derecho Financiero y Tributario

"*1. Se entenderá por actividad económica la ordenación por cuenta propia de los medios de producción y de recursos humanos o de uno de ambos con la finalidad de intervenir en la producción o distribución de bienes o servicios.*

En el caso de arrendamiento de inmuebles, se entenderá que existe actividad económica, únicamente cuando para su ordenación se utilice, al menos, una persona empleada con contrato laboral y jornada completa.

En el supuesto de entidades que formen parte del mismo grupo de sociedades según los criterios establecidos en el artículo 42 del Código de Comercio, con independencia de la residencia y de la obligación de formular cuentas anuales consolidadas, el concepto de actividad económica se determinará teniendo en cuenta a todas las que formen parte del mismo.

2. A los efectos de lo previsto en esta Ley, se entenderá por entidad patrimonial y que, por tanto, no realiza una actividad económica, aquella en la que más de la mitad de su activo esté constituido por valores o no esté afecto, en los términos del apartado anterior, a una actividad económica.

El valor del activo, de los valores y de los elementos patrimoniales no afectos a una actividad económica será el que se deduzca de la media de los balances trimestrales del ejercicio de la entidad o, en caso de que sea dominante de un grupo según los criterios establecidos en el artículo 42 del Código de Comercio, con independencia de la residencia y de la obligación de formular cuentas anuales consolidadas, de los balances consolidados. A estos efectos no se computarán, en su caso, el dinero o derechos de crédito procedentes de la transmisión de elementos patrimoniales afectos a actividades económicas o valores a los que se refiere el párrafo siguiente, que se haya realizado en el período impositivo o en los dos períodos impositivos anteriores.

A estos efectos, no se computarán como valores:

a) Los poseídos para dar cumplimiento a obligaciones legales y reglamentarias.

b) Los que incorporen derechos de crédito nacidos de relaciones contractuales establecidas como consecuencia del desarrollo de actividades económicas.

c) Los poseídos por sociedades de valores como consecuencia del ejercicio de la actividad constitutiva de su objeto.

d) Los que otorguen, al menos, el 5 por ciento del capital de una entidad y se posean durante un plazo mínimo de un año, con la finalidad de dirigir y gestionar la participación, siempre que se disponga de la correspondiente organización de medios materiales y personales, y la entidad participada no esté comprendida en este apartado. Esta condición se determinará teniendo en cuenta a todas las sociedades que formen parte de un grupo de sociedades según los criterios establecidos en el artículo 42 del Código de Comercio, con independencia de la residencia y de la obligación de formular cuentas anuales consolidadas".

DESARROLLO REGLAMENTARIO
REGLAMENTO DEL IMPUESTO SOBRE SOCIEDADES, APROBADO POR EL REAL DECRETO 634/2015, DE 10 DE JULIO

Disposición Adicional Única RIS. *Concepto de entidad patrimonial en períodos impositivos iniciados con anterioridad a 1 de enero de 2015*

"A los efectos de lo dispuesto en el apartado 2 del artículo 5, para determinar si una entidad tiene o no la condición de patrimonial en períodos impositivos iniciados con anterioridad a 1 de enero de 2015, se tendrá en cuenta la suma agregada de los balances anuales de los períodos impositivos correspondientes al tiempo de tenencia de la participación, con el límite de los iniciados con posterioridad a 1 de enero de 2009, salvo prueba en contrario".

SUMARIO: 1. EL CONCEPTO DE ACTIVIDAD ECONÓMICA. 1.1. Las entidades dedicadas al arrendamiento de inmuebles. 1.2. Entidades que forman parte de un grupo mercantil. 2. LA ENTIDAD PATRIMONIAL. 2.1. La entidad patrimonial de "valores". 2.1.1. El concepto de *"valores"*. 2.1.2. Los valores que *"no deben computarse"*. 2.1.2.1. Porcentaje de participación y plazo de tenencia. 2.1.2.2. Disposición de medios materiales y personales. 2.1.2.3. Sociedades que forman parte de un grupo. 2.1.3. La entidad patrimonial de "valores": recapitulación. 2.2. La entidad patrimonial *"inactiva"*. 2.2.1. Concepto de dinero y derechos de crédito. 2.3. Cómputo del valor de los elementos no afectos: la media de los balances trimestrales. 2.4. Principales aspectos coincidentes y divergentes entre las entidades cuyas participaciones están exentas en el impuesto sobre el patrimonio y las entidades patrimoniales. 2.5. Efectos que se derivan de la consideración de una entidad como patrimonial. 2.6. Una reflexión final en torno a la incorporación de la entidad patrimonial al impuesto sobre sociedades. 1. RESIDENCIA FISCAL. 2. DOMICILIO FISCAL.

1. EL CONCEPTO DE ACTIVIDAD ECONÓMICA

En el Preámbulo de la LIS se destaca la incorporación del concepto de actividad económica en la regulación del hecho imponible, diciendo que éste presenta importantes similitudes al concepto tradicionalmente utilizado en el IRPF. Asimismo, también se subraya en dicho Preámbulo la incorporación al texto legal del concepto de entidad patrimonial, que toma como punto de partida a las sociedades cuya actividad principal consiste en la gestión de un patrimonio mobiliario o inmobiliario, con una definición acomodada a las necesidades específicas de este Impuesto.

Es el artículo 5 de la nueva LIS, en su apartado 1, el que establece una parca definición del concepto de actividad económica, entendiendo por tal la ordenación por cuenta propia de los medios de producción y de recursos humanos o de uno de ambos con la finalidad de intervenir en la producción o distribución de bienes o servicios. Seguidamente, el precepto citado precisa que "En el caso de arrendamiento de inmuebles, se entenderá que existe actividad económica, únicamente cuando para su ordenación se utilice, al menos, una persona empleada con contrato laboral y jornada completa. En el supuesto de entidades que formen parte del mismo grupo de sociedades según los criterios establecidos en el artículo 42 del Código de Comercio, con independencia de la residencia y de la obligación de formular cuentas anuales consolidadas, el concepto de actividad económica se determinará teniendo en cuenta a todas las que formen parte del mismo."

Resulta curioso que no se haya definido de una manera más explícita este importante concepto, por varias razones. Primera, porque su importancia viene dada por la reiteración de su concepto en numerosas ocasiones a lo largo del articulado de la LIS; así, por ejemplo, en el artículo 18.3 (operaciones vinculadas); artículo 23.1 (reducción de las rentas procedentes de determinados activos intangibles); artículo 26.4 (compensación de bases imponibles negativas); artículo 29.1 (tipo de gravamen); artículo 48 (entidades dedicadas al arrendamiento de vivienda); artículo 50.1 (Sociedades y fondos de capital-riesgo y sociedades de desarrollo industrial regional); artículo 100.3 (transparencia fiscal internacional); y, artículo 110.1 (régimen de entidades parcialmente exentas).

La segunda razón, porque su recto entendimiento no ha gozado de una claridad meridiana, siendo la prueba más evidente de ello que ha sido objeto de interpretaciones de diversa índole procedentes tanto de la administración tributaria como de los tribunales y de la doctrina científica.

Y, la tercera, porque se da una especial relevancia a la incorporación de este concepto en el propio Preámbulo de la LIS, indicando, como ya se ha dicho, que no difiere en demasía del previsto en la Ley del IRPF. Enunciado éste que contrasta con la escueta definición que en el articulado se hace del concepto respecto del establecido en el artículo 27 de la Ley 35/2006, del IRPF. Recordemos que en esta Ley del IRPF, al definir el concepto de rendimientos procedentes de actividades económicas, se dispone lo siguiente: "Se considerarán rendimientos íntegros de actividades económicas aquellos que, procediendo del trabajo personal y del capital conjuntamente, o de uno solo de estos factores, supongan por parte del contribuyente la ordenación por cuenta propia de medios de producción y de recursos humanos o de uno de ambos, con la finalidad de intervenir en la producción o distribución de bienes o servicios. En particular, tienen esta consideración los rendimientos de las actividades extractivas, de fabricación, comercio o prestación de servicios, incluidas las de artesanía, agrícolas, forestales, ganaderas, pesqueras, de construcción, mineras, y el ejercicio de profesiones liberales, artísticas y deportivas." Ésta es también la definición que de la actividad empresarial o profesional se establece en el artículo 5, dos, de la Ley del IVA.

La apuntada crítica tiene su principal fundamento en que la expresa enumeración de esas actividades que "en particular" se incluyen en la Ley del IRPF no se encuentra recogida en la Ley del Impuesto sobre Sociedades. No obstante, ello no obsta, a que pueda llegar a entenderse que todas ellas deben tener cabida dentro del concepto societario de "actividad económica".

A mayor abundamiento, la normativa reguladora del Impuesto sobre Actividades Económicas también puede servir como un importante recurso para completar el contenido de este concepto. Así, pueden destacarse, como cuestiones relevantes, las siguientes: en primer lugar, al definirse el hecho imponible del impuesto se dice que éste está constituido por el mero ejercicio, en territorio nacional, "de actividades empresariales, profesionales o artísticas, se ejerzan o no en local determinado y se hallen o no especificadas en las tarifas del impuesto", considerándose, a estos efectos, actividades empresariales las ganaderas que tengan carácter independiente, las mineras, industriales, comerciales y de servicios; en segundo lugar, establece que no tienen la consideración de hecho imponible "las actividades agrícolas, las ganaderas dependientes, las forestales y las pesqueras", sin embargo, esta consideración debe tenerse en cuenta exclusivamente a efectos de este impuesto, sin que ello sea suficiente para no atribuir la condición de actividad económica en otros impuestos, por ejemplo, en el Impuesto sobre el Valor Añadido, en el Impuesto sobre Sociedades o en el IRPF, en los que indudablemente sí la tienen; en tercer lugar, en el IAE se considera, a título general, y de la misma manera que se define en el IRPF y en el Impuesto sobre Sociedades la actividad económica, que una actividad se ejerce con carácter empresarial, profesional o artístico cuando suponga la ordenación por cuenta propia de medios de producción y de recursos humanos o de uno de ambos, con la finalidad de intervenir en la producción o distribución de bienes o servicios. Añadiéndose, no obstante que "el contenido de las actividades gravadas se definirá en las tarifas del impuesto" (Real Decreto Legislativo 1175/1990, de 28 de septiembre, por el que se aprueban las tarifas y la instrucción del impuesto sobre actividades económicas); por último, se establece que el ejercicio de las actividades gravadas se probará por cualquier medio admisible en derecho y, en particular, por los contemplados en el artículo 3 del Código de Comercio, según el cual, "existirá la presunción legal del ejercicio habitual del comercio, desde que la persona que se proponga ejercerlo anunciare por circulares, periódicos, carteles, rótulos expuestos al público, o de otro modo cualquiera, un establecimiento que tenga por objeto alguna operación mercantil." Esta presunción del ejercicio de una actividad empresarial o profesional también se recoge en el artículo 5. Tres de la Ley 37/1992, del Impuesto sobre el Valor Añadido, que además añade, como presunción de este ejercicio "cuando para la realización de las operaciones definidas en el artículo 4 de esta Ley se exija contribuir por el Impuesto sobre Actividades económicas".

Sin duda alguna, dadas las controvertidas interpretaciones que se han producido de este concepto en el ámbito del Impuesto sobre Sociedades, hubiera sido conveniente precisar algo más esta definición, recurriendo de forma expresa, bien a la dada en la Ley del IRPF, a la ofrecida por la Ley del IVA, o, al menos, haciendo una referencia a la contenida en la normativa reguladora del IAE.

De este modo, ante las citadas dificultades interpretativas, algunos tribunales han ofrecido la suya propia, al considerar, por ejemplo, que se observa tal existencia cuando la entidad tiene un conjunto organizado de elementos patrimoniales y personales dispuestos y efectivamente utilizados para la realización de una explotación económica cuya actividad supone la colocación de un bien o servicio en el mercado, sin que, por ello, sea suficiente la mera titularidad o tenencia de elementos patrimoniales aislados. Así, según el Tribunal Supremo, "es evidente que al construir los locales y venderlos la recurrente ha ordenado por cuenta propia los factores de producción con la finalidad de producir tales inmuebles, siendo irrelevante que la venta se haya hecho a socios o a terceros ajenos a la sociedad… por lo que estaba realizando una actividad económica" (Sentencia de fecha 3 de abril de 2014, recurso 5019/2011). Con idénticos argumentos, el Tribunal Supremo entiende también que una sociedad realiza la actividad económica de promoción inmobiliaria en su Sentencia de fecha 18 de septiembre de 2014 (recurso 3185/2012), corroborando así el criterio sustentado por la Sentencia de instancia de la Audiencia Nacional de fecha 28 de junio de 2012 (recurso 341/2009).

O bien, tratándose de la problemática calificación como económica de la actividad de urbanización de terrenos, al indicar que tendrá tal consideración, no solamente cuando se han soportado costes de urbanización directamente relacionados con la ejecución material de las obras de transformación del suelo para dotarle de los servicios mínimos exigidos, de suministro de agua y electricidad, de evacuación de aguas residuales, de vialidad, de parques y jardines etc., sino también aquellos otros gastos de carácter técnico o administrativo necesarios para la urbanización y generalmente previos al inicio de las obras, siempre que su adquisición se realice con la intención confirmada por elementos objetivos de destinar estos servicios a la actividad urbanizadora. Además, los costes afectos a la actividad urbanizadora no son necesaria y únicamente los que se refieren a la ejecución material de las obras, sino todos aquellos que contribuyan a la realización de tal actividad, como costes técnicos y administrativos, con independencia de que en el momento en que tales costes se produzcan las obras se hayan iniciado, tal como ha confirmado el TEAC, en su Resolución de fecha 19 de octubre de 2012.

También el Tribunal Supremo, en su Sentencia de fecha 3 de abril de 2014 (recurso 5019/2011), ha matizado el carácter de la promoción inmobiliaria, señalando que en todo caso esta actividad debe tener el carácter de económica. A tal efecto, entiende que esta actividad consiste "en el desarrollo urbanístico del suelo para poner en el mercado inmobiliario parcelas que antes no estaban en el mismo por sus condiciones tanto físicas como jurídicas". Siguiendo este criterio, el Tribunal Supremo distingue la actividad de promoción inmobiliaria de la de arrendamiento o compraventa de inmuebles, indicando que aquella es más amplia que estas dos últimas, ya que además del posible arrendamiento o compraventa del producto final, "incluye la adquisición del suelo y su transformación hasta alcanzar el estado, físico y jurídico, que permite la edificación sobre el mismo, conforme a los parámetros fijados por la ordenación del suelo" (Sentencia de fecha 27 de octubre de 2014, recurso 4428/2012).

Por último, para tildar de económica la actividad de compraventa de bienes inmuebles se ha venido exigiendo que no solamente se disponga de medios materiales y personales, sino que además se hayan ejecutado obras materiales concretas.

En consecuencia, no podemos establecer apriorísticamente cuando una entidad va a estar desarrollando una actividad económica, a los efectos del Impuesto sobre Sociedades. Deberá efectuarse un análisis caso por caso, en función de la actividad que desarrolle, de los medios materiales y personales de que dispone y que utiliza efectivamente en el desarrollo de la misma.

1.1. Las entidades dedicadas al arrendamiento de inmuebles

Un caso especial es el de las entidades que tengan como actividad el arrendamiento de inmuebles, puesto que en este supuesto la LIS entiende que únicamente existirá actividad económica cuando para su ordenación se utilice, al menos, una persona empleada con contrato laboral y jornada completa.

La LIS recoge así uno de los requisitos que durante mucho tiempo ha establecido la Ley del IRPF con el objeto de calificar los rendimientos procedentes de dichas actividades como rendimientos de la actividad económica, distinguiéndolos así de los rendimientos del capital inmobiliario. Precisamente, la interpretación de estos requisitos y su aplicación práctica por parte de los contribuyentes y de la administración tributaria no ha sido pacífica, si bien, en los últimos tiempos se ha podido observar, tras una tormentosa jurisprudencia al respecto, un cierto criterio unánime en torno a la interpretación de los mismos.

El referido criterio lo podemos ver resumido, entre otras, en la Resolución del TEAC de fecha 28 de mayo de 2013, que recoge las pautas a su vez deducidas de la doctrina del Tribunal Supremo, de las cuales destacaremos las que hoy en día pueden resultar de aplicación al supuesto recogido en la LIS. Son las siguientes: *primera*, la regla solo es aplicable al arrendamiento, no lo es si la actividad inmobiliaria realizada es otra (por ejemplo, promoción, construcción o compraventa de inmuebles). Por tanto, la adecuada calificación del supuesto de hecho es prioritaria, y debe ser previa al análisis de la regla del empleado, que puede no ser de aplicación; *segunda*, cuando la actividad realizada no es un mero arrendamiento, deja de ser trascendente si se emplea en ella, o no, empleado. En ese caso son meros indicios (ni necesarios ni suficientes) de la realización de la actividad económica; y, *tercera*, cuando sí es de aplicación la regla, el empleado es un requisito necesario ("únicamente...") para que haya actividad económica, aunque no suficiente si se acreditase que la carga de trabajo que genera la actividad no justifica tener empleado y que, por tanto, se tenga para aparentar que hay actividad económica. Esta doctrina jurisprudencial la recoge actualmente la Dirección General de Tributos, entre otras, en su contestación a una consulta vinculante de fecha 25 de octubre de 2013, referencia V2699-13.

Sin embargo, a pesar de que es indudable que estas pautas resuelven algunas dudas de interpretación del cumplimiento del requisito "persona", no aclaran todas las que se pueden plantear. Quedaría, por ejemplo, pendiente de resolver, entre otras cuestiones, el tiempo en el que debe constatarse la contratación, así, si la persona debe estar contratada laboralmente durante todo el ejercicio a tiempo completo, o serviría que este requisito se cumpliera solamente en la fecha del devengo. También tenemos dudas acerca del grado de actividad arrendaticia que deba justificar la contratación de un empleado, este juicio podrá ser en todo caso objeto de controversia. En definitiva, lo que sí que podemos deducir de todo lo dicho hasta ahora es que cuando la entidad tenga como actividad principal el arrendamiento de inmuebles, o, mejor dicho, tenga la mayor parte del activo constituido por inmuebles destinados a la actividad de arrendamiento, y no tenga contratada laboralmente al menos una persona a tiempo completo, la entidad tendrá la consideración de patrimonial. Fuera de este específico supuesto pueden plantearse innumerables dudas interpretativas.

1.2. Entidades que forman parte de un grupo mercantil

A lo dicho anteriormente, en torno a la general dificultad que va a tener en determinados supuestos la determinación de la existencia de una "actividad económica" en el seno de una entidad, debe advertirse que el mismo artículo 5 de la LIS añade otro criterio que hará difícil no ya conceptuarla sino valorar su existencia a nivel global. Nos referimos a lo dicho en el último párrafo de su apartado uno, el cual establece que "cuando se trate de entidades que formen parte del mismo grupo de sociedades según los criterios establecidos en el artículo 42 del Código de Comercio, con independencia de la residencia y de la obligación de formular cuentas anuales consolidadas, el concepto de actividad económica se determinará teniendo en cuenta a todas las que formen parte del mismo."

Se introduce así un nuevo aspecto a tener en cuenta para valorar la existencia de "actividad económica" que requiere de un peculiar análisis. Éste consistirá en determinar cuándo una sociedad forma parte de un grupo de sociedades según los criterios establecidos en el artículo 42 del Código de Comercio. Sin duda alguna, no solo nos encontramos ante un aspecto de difícil determinación desde un punto de vista teórico sino también lo es desde un punto de vista práctico.

Respecto al denominado aspecto teórico, debe partirse de la dicción del artículo 42 del Código de Comercio, donde se establece que existe un grupo cuando "una sociedad ostente o pueda ostentar, directa o indirectamente, el control de otra u otras. En particular, se presumirá que existe control cuando una sociedad, que se calificará como dominante, se encuentre en relación con otra sociedad, que se calificará como dependiente, en alguna de las siguientes situaciones: a) Posea la mayoría de los derechos de voto; b) Tenga la facultad de nombrar o destituir a la mayoría de los miembros del órgano de administración; c) Pueda disponer, en virtud de acuerdos celebrados con terceros, de la mayoría de los derechos de voto; d) Haya designado con sus votos a la mayoría de los miembros del órgano de administración, que desempeñen su cargo en el momento en que deban formularse las cuentas consolidadas y durante los dos ejercicios inmediatamente anteriores. En particular, se presumirá esta circunstancia cuando la mayoría de los miembros del órgano de administración de la sociedad dominada sean miembros del órgano de administración o altos directivos de la sociedad dominante o de otra dominada por ésta. Este supuesto no dará lugar a la consolidación si la sociedad cuyos administradores han sido nombrados, está vinculada a otra en alguno de los casos previstos en las dos primeras letras de este apartado. A los efectos de este apartado, a los derechos de voto de la entidad dominante se añadirán los que posea a través de otras sociedades dependientes o a través de personas que actúen en su propio nombre, pero por cuenta de la entidad dominante o de otras dependientes o aquellos de los que disponga concertadamente con cualquier otra persona."

En torno a qué entidades pueden o no formar parte de un grupo mercantil, la reforma introducida en el Derecho contable por la Ley 16/2007, de 4 de julio, de reforma y adaptación de la legislación mercantil en materia contable para su armonización internacional con base en la normativa de la Unión Europea, siguiendo a este respecto el criterio establecido por el Instituto de Contabilidad y Auditoría de Cuentas (ICAC, Boletín Oficial, BOICAC– número 83/2010, consulta 1), define dos conceptos de grupo: a) El regulado en el artículo 42 del Código de Comercio, que podríamos denominar de subordinación, formado por una sociedad dominante y otra u otras dependientes controladas por la primera; y, b) el grupo de coordinación, integrado por empresas controladas por cualquier medio por una o varias personas, físicas o jurídicas, que actúen conjuntamente o se hallen bajo dirección única por acuerdos o cláusulas estatutarias, previsto en la indicación decimotercera del artículo 260 del texto refundido de la Ley de Sociedades de Capital, aprobado por Real Decreto Legislativo 1/2010, de 2 de julio, y en la NECA nº 13. *Empresas del grupo, multigrupo y asociadas del PGC.*

La relación de subordinación a que se refiere el artículo 42 del Código de Comercio es la consecuencia de que una sociedad posea la mayoría de los derechos de voto, o de la facultad de nombrar o haber designado a la mayoría de los miembros del órgano de administración, circunstancia que también requiere, con carácter general, gozar de los derechos de voto. Sin embargo, no es menos cierto que el artículo 42 del Código de Comercio contempla la posibilidad de que el control se puede ejercer sin participación, configurándose a partir de esta conclusión una nueva tipología de sociedades dependientes, las denominadas "entidades de propósito especial", para cuya identificación uno de los aspectos más relevantes a considerar será la participación de una sociedad en los riesgos y beneficios de otra.

Téngase en cuenta que la principal consecuencia de la reforma del artículo 42 del Código de Comercio, elaborada por la Ley 16/2007, fue la eliminación de la obligación de consolidar para los denominados "grupos de coordinación", integrados por las empresas sometidas a una misma unidad de decisión; concepto jurídico que permite identificar la obligación de consolidar cuando varias sociedades están controladas por terceros no obligados a consolidar, por carecer de la forma societaria mercantil, en particular, este tipo de grupos son las sociedades participadas por personas físicas vinculadas por una relación de parentesco.

En definitiva, en opinión del ICAC, "cabe concluir que la calificación como empresas del grupo de un entramado societario es una cuestión de hecho, que viene determinada por la existencia o la posibilidad de control entre sociedades o de una empresa por una sociedad, para cuya apreciación concreta sería preciso analizar todos los antecedentes y circunstancias del correspondiente caso."

De este modo, a la denunciada falta de concreción sobre la composición del grupo societario, a la que hemos ya aludido anteriormente, se suma la necesaria determinación de una actividad económica en su seno, observada a nivel global, circunstancia relevante a efectos de calificar a una entidad como patrimonial, cuestión ésta que se tratará en el apartado siguiente.

No obstante, vaya ya por delante que no es del todo novedosa la valoración a nivel de grupo societario, prevista ahora legislativamente, para observar la concurrencia de un determinado requisito legal. Así lo vemos, a título de ejemplo, en la contestación a una consulta vinculante de fecha 11 de febrero de 2010 (referencia V0236-10), en la que la Dirección General de Tributos interpreta que, a efectos de considerar la existencia de una estructura empresarial mínima, debe tenerse en cuenta la jurisprudencia que el Tribunal Supremo tiene al configurar la doctrina de los grupos de empresas en las relaciones laborales en las que parte de la existencia de un único empleador. De esta forma, por ejemplo, a efectos de determinar el importe de las indemnizaciones exentas en el IRPF, el número de años de servicio a considerar serán los trabajados para el grupo, en cuanto empleador. "Trasladando este criterio a la cuestión planteada considerando, además, que el cumplimiento de la norma fiscal no puede derivar en una situación de ineficiencia empresarial, podría deducirse que la actividad efectuada por las sociedades dedicadas al arrendamiento de inmuebles se efectúa contando con la necesaria organización o medios que establece el artículo 27.2 de la LIRPF, siempre que los mismos sean necesarios y suficientes para la realización de tal actividad considerando cada sociedad participada de forma individual, aunque estos se encuentren en sede de la sociedad SE gestora de la actividad de arrendamiento, siempre que esta última y aquellas pertenezcan al mismo grupo de sociedades en el sentido del artículo 16 del TRLIS, es decir, el arrendamiento de inmuebles se entendería como una actividad económica, en cuyo caso podría aplicarse el régimen establecido en el artículo 21 del TRLIS de cumplirse los demás requisitos establecidos en dicho precepto. En definitiva, la concentración de la gestión de la actividad de arrendamiento en una sola sociedad permite reducir los medios materiales (un solo local) así como los personales ante la sinergia que de ello se deriva, dado que es posible que no se requiera tantos empleados como sociedades gestionadas, siempre que a nivel individual se justifique la necesidad de esos medios personales y materiales mínimos en cada sociedad."

Debe indicarse, no obstante, que este criterio de la Dirección General de Tributos, mantenido durante varios años (por ejemplo, en sus consultas vinculantes referencia V0473-07 y V0509-07), fue expresamente modificado (por ejemplo, en su consulta vinculante V1729-12) a tenor de la doctrina emanada por el TEAC, en Resoluciones de 30 de junio de 2010 y de 2 de febrero de 2012, en la que en definitiva se establece que los requisitos mínimos para que la actividad de arrendamiento tenga la condición de económica deben concurrir en cada una de las sociedades tenedoras de inmuebles. Ahora, sin embargo, la LIS ha rescatado la doctrina anterior de la Dirección General de Tributos, convirtiendo así en papel mojado la establecida por el TEAC.

2. LA ENTIDAD PATRIMONIAL

El apartado 2 del artículo 5 de la LIS determina que se entenderá por entidad patrimonial –a los efectos establecidos en esta Ley– y que, por tanto, no realiza una actividad económica, aquella en la que más de la mitad de su activo esté constituido por valores o no esté afecto, en los términos establecidos en el apartado 1 de este mismo precepto, a una actividad económica.

Con tal propósito, el valor del activo, de los valores y de los elementos patrimoniales no afectos a una actividad económica será el que se deduzca de la media de los balances trimestrales del ejercicio de la entidad o, en caso de que sea dominante de un grupo según los criterios establecidos en el <u>artículo 42 del Código de Comercio</u>, con independencia de la residencia y de la obligación de formular cuentas anuales consolidadas, de los balances consolidados. A estos efectos no se computarán, en su caso, el dinero o derechos de crédito procedentes de la transmisión de elementos patrimoniales afectos a actividades económicas o valores a los que se refiere el párrafo siguiente, que se haya realizado en el período impositivo o en los dos períodos impositivos anteriores.

Para este cálculo, no se computarán como valores:

- Los poseídos para dar cumplimiento a obligaciones legales y reglamentarias.
- Los que incorporen derechos de crédito nacidos de relaciones contractuales establecidas como consecuencia del desarrollo de actividades económicas.
- Los poseídos por sociedades de valores como consecuencia del ejercicio de la actividad constitutiva de su objeto.
- Los que otorguen, al menos, el 5 por ciento del capital de una entidad y se posean durante un plazo mínimo de un año, con la finalidad de dirigir y gestionar la participación, siempre que se disponga de la correspondiente organización de medios materiales y personales, y la entidad participada no esté comprendida en este apartado. Esta condición se determinará teniendo en cuenta a todas las sociedades que formen parte de un grupo de sociedades según los criterios establecidos en el artículo 42 del Código de Comercio, con independencia de la residencia y de la obligación de formular cuentas anuales consolidadas.

Téngase en cuenta que el precepto citado se limita solamente a establecer el concepto de entidad patrimonial, mientras que la LIS dedica otros artículos a explicitar de forma directa las consecuencias que derivan de esta calificación. Nos referimos a los siguientes: artículo 21 (exención para evitar la doble imposición sobre dividendos y rentas derivadas de la transmisión de valores representativos de los fondos propios de entidades residentes y no residentes en territorio español); artículo 26 (compensación de bases imponibles negativas); artículo 29 (el tipo de gravamen); artículo 100 (imputación de rentas positivas obtenidas por entidades no residentes en el régimen de transparencia fiscal internacional); artículo 101 (incentivos fiscales para las entidades de reducida dimensión: ámbito de aplicación; cifra de negocios); y, artículo 107 (régimen de las entidades de tenencia de valores extranjeros).

La importancia que el legislador le da a la llamada "entidad patrimonial" dentro del Impuesto se acuña ya en el preámbulo de la LIS, donde se hace expresa referencia a esta nueva categoría mutable de entidad tributaria. Carácter "mutable" que es consecuencia de la diferente calificación que "la entidad contribuyente" puede tener a lo largo de su vida, pudiendo ser "entidad patrimonial" en un ejercicio fiscal y en otro no, alternándose así con la no calificación como tal y, en consecuencia, siendo tratada en determinados ejercicios como cualquier contribuyente de características generales.

Y a la que también podríamos denominar, más bien, especie –también mutable– de contribuyente del Impuesto sobre Sociedades, pues no se trata de una nueva categoría de sociedad mercantil, ya que el concepto es aplicable a cualquier entidad que pueda ser contribuyente del Impuesto.

Despejamos así la primera duda que podría plantearse en torno a la verdadera naturaleza jurídica de esta especie de contribuyente, que antaño se postuló de determinados supuestos de características similares contemplados en Leyes anteriores –en particular, a las sociedades patrimoniales y transparentes–, produciendo interpretaciones erróneas.

La mencionada cita contenida en el Preámbulo de la LIS dice lo siguiente: "se introduce el concepto de entidad patrimonial, que toma como punto de partida a las sociedades cuya actividad principal consiste en la gestión de un patrimonio mobiliario o inmobiliario, si bien se acomoda a las necesidades específicas de este Impuesto".

Es importante hacer especial hincapié en el sentido último de esta afirmación. El legislador ha querido atribuir el carácter de patrimonial a ciertas entidades exclusivamente a los efectos de este Impuesto, independizándose, por ejemplo, de la conceptualización que se da a las llamadas sociedades holding en el Impuesto sobre el Patrimonio. Una prueba de esta afirmación la encontramos en la diferencia de contenido entre los artículos 116, del Real Decreto Legislativo 4/2004 (texto normativo predecesor de la actual LIS), y del 107 de la LIS, ambos preceptos reguladores del régimen de entidades de tenencia de valores extranjeros (ETVEs). En el primero de ellos se establece que no podrán acogerse al régimen las entidades que tengan como actividad principal la gestión de un patrimonio mobiliario o inmobiliario en los términos previstos en el artículo 4.ocho.dos de la Ley del Impuesto sobre el Patrimonio, mientras que el artículo de la vigente LIS dispone que no podrán acogerse las entidades "que tengan la consideración de entidad patrimonial en los términos establecidos en el apartado 2 del artículo 5 de esta Ley."

Recuérdese que el apartado 2 del artículo 5 de la LIS, comienza diciendo lo siguiente: "A los efectos de lo previsto en esta Ley, se entenderá por entidad patrimonial y que, por tanto, no realiza una actividad económica, aquella en la que más de la mitad de su activo esté constituido por valores o no esté afecto, en los términos del apartado anterior, a una actividad económica".

Consecuentemente, del contenido del citado precepto se deduce una clara y principal intención legislativa, ésta es, calificar como "entidad patrimonial" a cualquier tipo de entidad que no realice una "actividad económica". A estos efectos, podemos observar hasta dos delimitaciones legales del citado concepto, ambas de carácter negativo. La primera, la que considera que las entidades que tienen más de la mitad de su activo constituido por valores no realizan una actividad económica. Y, la segunda, al darle idéntica consideración a las entidades en las que más de la mitad de su activo no se encuentra afecto, precisamente, a una "actividad económica".

De esta interpretación podemos deducir dos categorías de "entidad patrimonial". Denominaremos a la primera "entidad patrimonial de valores"; y, a la segunda, "entidad patrimonial inactiva". Advertimos que el hecho de que adoptemos esta denominación para esta última categoría de entidades no significa que éstas no ejerzan una "actividad económica", tal como la hemos definido anteriormente a los efectos de este Impuesto, sino que la entidad deviene patrimonial, exclusivamente a los efectos del Impuesto sobre sociedades, por la puntual composición de su activo.

2.1. La entidad patrimonial de "valores"

Para calificar una entidad como patrimonial, por estar compuesto más de la mitad de su activo por valores, el punto de partida debe ser necesariamente el de cuantificar su activo total y, en relación con éste, el porcentaje que ocupa la valoración contable que tengan, valga la redundancia, los "valores" incluidos en el mismo.

A tal efecto, resulta necesario determinar los elementos del activo que tienen la consideración de "valores". Con este propósito, deberá acudirse al ordenamiento mercantil, puesto que la LIS no define este concepto.

2.1.1. El concepto de "valores"

El Preámbulo de la Ley 24/1988, del Mercado de Valores señala que esta Ley "reposa sobre el concepto de "valores" o, para mayor precisión, de "valores negociables", concepto difícil de definir de forma escueta en el articulado de un texto legal". Consecuentemente con esta apreciación de tono general, lejos de establecer una unívoca definición del concepto de "valores", lo que hace esta Ley es establecer en su artículo 2 una lista exhaustiva de los valores que en todo caso tendrán la consideración de "valores negociables", a los efectos de la misma; son los siguientes: a) Las acciones de sociedades y los valores negociables equivalentes a las acciones, así como cualquier otro tipo de valores negociables que den derecho a adquirir acciones o valores equivalentes a las acciones, por su conversión o por el ejercicio de los derechos que confieren; b) Las cuotas participativas de las cajas de ahorros y las cuotas participativas de asociación de la Confederación Española de Cajas de Ahorros; c) Los bonos, obligaciones y otros valores análogos, representativos de parte de un empréstito, incluidos los convertibles o canjeables; d) Las cédulas, bonos y participaciones hipotecarias; e) Los bonos de titulización; f) Las participaciones y acciones de instituciones de inversión colectiva; g) Los instrumentos del mercado monetario entendiendo por tales las categorías de instrumentos que se negocian habitualmente en el mercado monetario tales como las letras del Tesoro, certificados de depósito y pagarés, salvo que sean librados singularmente, excluyéndose los instrumentos de pago que deriven de operaciones comerciales antecedentes que no impliquen captación de fondos reembolsables; h) Las participaciones preferentes; i) Las cédulas territoriales; j) Los "warrants" y demás valores negociables derivados que confieran el derecho a adquirir o vender cualquier otro valor negociable, o que den derecho a una liquidación en efectivo determinada por referencia, entre otros, a valores negociables, divisas, tipos de interés o rendimientos, materias primas, riesgo de crédito u otros índices o medidas; k) Los demás a los que las disposiciones legales o reglamentarias atribuyan la condición de valor negociable; y, l) Las cédulas y bonos de internacionalización.

Quizá, tras esta ilustrativa lista de "valores negociables" ofrecida por la Ley del Mercado de Valores, lógicamente, para completar el pretendido objeto de determinar los elementos del activo que tiene la consideración de "valores", solamente restaría averiguar cuáles son los "valores no negociables".

Para este propósito, resulta del todo apropiado acudir al texto del Plan General de Contabilidad (Real Decreto 1514/2007), en particular, a su Cuarta Parte, donde se encuentra el Cuadro de Cuentas. Se trata, en definitiva, de señalar las cuentas que denominan de forma directa o indirecta como "valores" las inversiones efectuadas por la entidad. A tal efecto, podemos señalar seis cuentas, las tres primeras incluidas en el activo no corriente del balance y las otras tres en el activo corriente. Nos referimos a las siguientes: 1) cuenta 241 "Valores representativos de deuda a largo plazo de partes vinculadas", que incluye las inversiones a largo plazo en obligaciones, bonos u otros valores representativos de deuda, incluidos aquéllos que fijan su rendimiento en función de índices o sistemas análogos, emitidos por partes vinculadas, con vencimiento superior a un año; 2) cuenta 250 "Inversiones financieras a largo plazo en instrumentos de patrimonio", que incluye las inversiones a largo plazo en derechos sobre el patrimonio neto —acciones con o sin cotización en un mercado regulado u otros valores, tales como, participaciones en instituciones de inversión colectiva, o participaciones en sociedades de responsabilidad limitada— de entidades que no tengan la consideración de partes vinculadas; 3) cuenta 251 "Valores representativos de deuda a largo plazo", incluye las inversiones a largo plazo en obligaciones, bonos u otros valores representativos de deuda, incluidos aquellos que fijan su rendimiento en función de índices o sistemas análogos; 4) cuenta 530 "Participaciones a corto plazo en partes vinculadas", incluye las inversiones a corto plazo en derechos sobre el patrimonio neto —con o sin cotización en un mercado regulado— de partes vinculadas; generalmente, acciones emitidas por una sociedad anónima o participaciones en sociedades de responsabilidad limitada; cuenta 531 "Valores representativos de deuda a corto plazo de partes vinculadas", incluye las inversiones a corto plazo en obligaciones, bonos u otros valores representativos de deuda, incluidos aquellos que fijan su rendimiento en función de índices o sistemas análogos, emitidos por partes vinculadas, con vencimiento no superior a un año; 5) cuenta 540 "Inversiones financieras a corto plazo en instrumentos de patrimonio", incluye las inversiones a corto plazo en derechos sobre el patrimonio neto —acciones con o sin cotización en un mercado regulado u otros valores, tales como, participaciones en instituciones de inversión colectiva, o participaciones en sociedades de responsabilidad limitada— de entidades que no tengan la consideración de partes vinculadas; y, 6) cuenta 541 "Valores representativos de deuda a corto plazo", que incluye las inversiones a corto plazo, por suscripción o adquisición de obligaciones, bonos u otros valores de renta fija, incluidos aquellos que fijan su rendimiento en función de índices o sistemas análogos.

De este modo, teniendo en cuenta tanto la lista de "valores negociables" incluida en la Ley del Mercado de Valores como las definiciones de las cuentas contables indicadas en el Plan General de Contabilidad, se ha logrado el objetivo perseguido, sin que resulte relevante para este fin, lo establecido en el artículo 92 (la acción como valor mobiliario) del Texto Refundido de la Ley de Sociedades de Capital (aprobada por el Real Decreto Legislativo 1/2010), cuando determina lo siguiente: "1. Las acciones podrán estar representadas por medio de títulos o por medio de anotaciones en cuenta. En uno y otro caso tendrán la consideración de valores mobiliarios; 2. Las participaciones sociales no podrán estar representadas por medio de títulos o de anotaciones en cuenta, ni denominarse acciones, y en ningún caso tendrán el carácter de valores". Redacción que recoge el contenido de dos preceptos derogados tras la entrada en vigor de la Ley de Sociedades de Capital. Por un lado, la del artículo 51 del Real Decreto Legislativo 1564/1989, de 22 de diciembre, por el que se aprueba el texto refundido de la Ley de Sociedades Anónimas (vigente hasta el 1 de septiembre de 2010), en el que se establecía lo siguiente: "Representación de las acciones. Las acciones podrán estar representadas por medio de títulos o por medio de anotaciones en cuenta. En uno y otro caso tendrán la consideración de valores mobiliarios"; y, de otro parte, el contenido del artículo 5 de la Ley 2/1995, de 23 de marzo, de Sociedades de Responsabilidad Limitada (vigente hasta el 1 de septiembre de 2010) que establecía lo siguiente: "1. El capital social estará dividido en participaciones indivisibles y acumulables. Las participaciones atribuirán a los socios los mismos derechos, con las excepciones expresamente establecidas en la presente Ley. 2. Las participaciones sociales no tendrán el carácter de valores, no podrán estar representadas por medio de títulos o de anotaciones en cuenta, ni denominarse acciones."

No hay duda alguna que, al citar el precepto aludido de la Ley de Sociedades de Capital, en su apartado 2, que "las participaciones sociales... no tendrán el carácter de valores", debe entenderse que se está refiriendo a que no tendrán el carácter de "valores mobiliarios". Esta conclusión podría estar corroborada por lo que dice la Directiva 85/611 CEE, del Consejo de 20 de diciembre, refundida en la Directiva 2009/65 CEE, del Parlamento Europeo y del Consejo, por la que se coordinan las disposiciones legales, reglamentarias y administrativas sobre determinados organismos de inversión colectiva en valores mobiliarios, cuando define los valores mobiliarios como: "a) las acciones y demás valores asimilables a acciones; b) las obligaciones y demás formas de deuda titulizada; y, c) cualesquiera otros valores negociables que otorguen derecho a adquirir dichos valores mobiliarios mediante suscripción o canje, excluidas las técnicas e instrumentos contemplados en el artículo 21."

Téngase en cuenta que la diferencia más importante que existe entre las participaciones y las acciones, y uno de los rasgos más significativos que distinguen a la sociedad de responsabilidad limitada de la sociedad anónima, se encuentra en la manera de representación que cada una de ellas tiene. Así, mientras que en la sociedad anónima las acciones pueden estar representadas por medio de títulos o de anotaciones en cuenta, teniendo en ambos casos la consideración de valores mobiliarios ("valores negociables" en la terminología de la Ley del Mercado de Valores), en cambio, en las sociedades de responsabilidad limitada se prohíbe expresamente que las participaciones sociales estén representadas de ese modo. Precisamente, entre otras cosas, lo más importante que trae como consecuencia la negación del carácter de valor a la participación social y la prohibición de representarla mediante títulos o anotaciones, es que no se le puede aplicar a su circulación el régimen especial de los títulos-valores, careciendo de este modo de aptitud circulatoria imprescindible para ser objeto de transmisiones masivas e impersonales, como las que se producen en los mercados de valores.

Puntualícese, finalmente, que la definición que el diccionario de la RAE ofrece del término "valores" es la siguiente: "Títulos representativos o anotaciones en cuenta de participación en sociedades, de cantidades prestadas, de mercaderías, de depósitos y de fondos monetarios, futuros, opciones, etc., que son objeto de operaciones mercantiles."

A fortiori, también la interpretación ofrecida por la Dirección General de Tributos, a través de la resolución de diversas consultas vinculantes (entre otras, V1661-09; V2046-09), resulta coherente con la interpretación general del concepto de valores que hemos adoptado, cuando considera que por "valores" deben entenderse "los títulos de participación social que atribuyen a su titular la condición de socio de sociedades mercantiles, tales como acciones de sociedades anónimas o participaciones en sociedades limitadas, u otros títulos cuya consideración de valor ha sido expresamente señalada en la Ley, como es el caso de participaciones en Fondos de Inversión –artículo 20 de la Ley 46/1984, de 26 de diciembre, reguladora de las Instituciones de Inversión Colectiva–, y en general títulos representativos del capital social de entidades que ostentan la condición de sujetos pasivos del Impuesto sobre Sociedades. Cuando un ente tiene personalidad jurídica, las participaciones en su patrimonio se consideran valores…".

En definitiva, por las razones esgrimidas, debe entenderse que el término "valores" que se incluye en el artículo 5 de la LIS comprende también a las participaciones sociales en las que se divide el capital de las sociedades de responsabilidad limitada.

2.1.2. Los valores que *"no deben computarse"*

Una vez calificados como "valores" los elementos integrantes del activo de la entidad, debe advertirse que la LIS considera que "no deben computarse" determinados valores que ya hemos tenido la oportunidad de relacionar en el apartado anterior.

Aunque parezca innecesario hacer mención expresa a ello, es interesante puntualizar que el hecho de que estos valores "no deben computarse", significa realmente que estos valores deben considerarse como "afectos". Y ello, precisamente, a los efectos de computar el porcentaje del activo que se encuentra afecto o no afecto a una actividad económica. De tal manera que no tendrá la calificación de entidad patrimonial aquella entidad en la que más de la mitad de su activo esté compuesto por esta categoría de activos, independientemente de cuál sea la actividad (económica o no) de la entidad o del tipo de elementos que formen el resto del activo.

Interpretando un supuesto similar, éste es, el previsto en el artículo 75.1.a) de la Ley 43/1995 (que contaba con una redacción casi idéntica a la contenida en el artículo 61.1.a) del Texto Refundido, aprobado por Real Decreto Legislativo 4/2004), se expresa la Sentencia de la Audiencia Nacional de fecha 20 de noviembre de 2011 (recurso 470/2008), cuyo criterio ha sido confirmado por la Sentencia, resolviendo el recurso de casación, del Tribunal Supremo de fecha

3 de abril de 2014 (recurso 6437/2011), al entender que "cuando la norma prevé que no pueden computarse como no afectos, es porque deben computarse como afectos, señalando a favor de ello que dos negaciones implican una afirmación". En definitiva, la Sala del Tribunal Supremo concluye que "los beneficios no distribuidos deben ser considerados parte del activo de la sociedad. Y además, si se trata de beneficios de la actividad empresarial con mayor razón deben ser considerados no solamente como activos, sino en principio, por subrogación, como activos empresariales, que han producido los beneficios en los que se plasman."

Por otro lado, en lo referente a la interpretación de las cuatro categorías de "valores" que en particular "no deben computarse" en el activo, poco se puede añadir a lo ya dicho por la doctrina científica, administrativa y jurisprudencial, en los análisis efectuados de supuestos prácticamente idénticos pero utilizados para otros fines impositivos.

Quizá tan solo despierta un cierto interés particular la referencia que se hace a algunos aspectos mencionados en la cuarta categoría. Por un lado, porque se observa una diferencia en su redacción respecto de la utilizada en supuestos similares (en concreto, en el Impuesto sobre el Patrimonio), y, de otra parte, porque en su texto se siguen incluyendo determinados requisitos puntuales sobre los que todavía continúan vertiéndose algunas interpretaciones de diversa índole.

2.1.2.1. *Porcentaje de participación y plazo de tenencia*

La LIS fija el porcentaje de valores mínimo a ostentar en "el 5 por ciento del capital de una entidad", añadiendo, además, que estos "se posean durante un plazo mínimo de un año". Mientras que en la Ley del Impuesto sobre el Patrimonio se dice que no se computarán los valores "que otorguen, al menos, el cinco por ciento de los derechos de voto".

Es evidente que de este modo se establece una clara diferencia entre ambas normas. A este respecto, recordemos que la Ley de Sociedades de Capital establece la posibilidad de que tanto las sociedades de responsabilidad limitada como las anónimas puedan crear participaciones sociales (las unas) o emitir acciones (las otras) sin derecho a voto (participaciones o acciones mudas), respectivamente, siempre que respeten una serie de límites previstos en la propia normativa. Consecuentemente, puede no coincidir el porcentaje de capital que se ostente con la cantidad de derechos de voto que se tengan. Este hecho es el que puede ocasionar que los valores no se computen a efectos del Impuesto sobre Sociedades, para determinar la condición de entidad patrimonial, y que, sin embargo, el titular de las acciones o participaciones no las tenga exentas en el Impuesto sobre el Patrimonio, o viceversa.

Además, en cuanto a la exigencia de un plazo mínimo de tenencia de la participación nada se dice en este último Impuesto, mientras que la LIS sí que establece que la participación debe tenerse como mínimo durante un año. Esta diferencia entre la regulación ofrecida por ambos impuestos, puede generar alguna duda interpretativa puesto que no se señala si este plazo debe estar cumplido cuando se deba evaluar el "no cómputo" o bien si se trata de un plazo que, sin estar cumplido en el momento de dicha evaluación, solamente es necesario que se cumpla. Recordemos que en la LIS existen supuestos en los que se vincula un determinado efecto al cumplimiento de un plazo mínimo de tiempo de tenencia de un nivel de participación. Sin embargo, en estos supuestos, el legislador sí que despeja las dudas que en torno a su interpretación podrían plantearse. Así, por ejemplo, el artículo 21, al regular la exención para evitar la doble imposición sobre dividendos y rentas derivadas de la transmisión de valores representativos de los fondos propios de entidades residentes y no residentes en territorio español, dice lo siguiente: "La participación correspondiente se deberá poseer de manera ininterrumpida durante el año anterior al día en que sea exigible el beneficio que se distribuya o, en su defecto, se deberá mantener posteriormente durante el tiempo necesario para completar dicho plazo. Para el cómputo del plazo se tendrá también en cuenta el período en que la participación haya sido poseída ininterrumpidamente por otras entidades que reúnan las circunstancias a que se refiere el artículo 42 del Código de Comercio para formar parte del mismo grupo de sociedades, con independencia de la residencia y de la obligación de formular cuentas anuales consolidadas." Pensamos que ésta debe ser la interpretación que debe darse al plazo mínimo contenido en el artículo 5, y ello en coherencia con ésta y otras matizaciones efectuadas con un propósito similar en el texto legal.

En otros preceptos de la LIS se establece también, o bien un criterio idéntico al establecido en el citado artículo 21 (en este sentido, el artículo 32), o bien, un indiscutible plazo de cómputo; así, en el artículo 87.1, se dice "Que se posean de manera ininterrumpida por el aportante durante el año anterior", o en el artículo 92, letra b), cuando dice lo siguiente: "siempre que, en ambos casos los valores se mantengan ininterrumpidamente en el patrimonio de la entidad por un plazo de 10 años."

2.1.2.2. *Disposición de medios materiales y personales*

Otro de los requisitos que se exige para que las participaciones de la entidad participada "no se computen" es que la entidad tenedora disponga de una organización de medios materiales y personales para dirigir y gestionar la participación.

La LIS no establece (como tampoco hacía su antecesora), a estos efectos, un umbral concreto de medios materiales o personales mínimos requeridos para ejercer las funciones señaladas. Ha sido, para cubrir esta laguna legal, la Dirección General de Tributos, en particular, dando luz a idéntico requisito establecido en el artículo 75.1.a) de la Ley 43/1995, de 27 de diciembre, del Impuesto sobre Sociedades, referido a las "sociedades transparentes", la que ha venido estableciendo cuándo debe entenderse que existen medios personales adecuados, si bien lo ha efectuado para el recto entendimiento de otros preceptos, aunque *mutatis mutandi*, puede ser perfectamente aplicable al contenido del precepto que se está analizando. De este modo, entiende el citado órgano administrativo, que este requisito se cumple "cuando algún miembro del Consejo de Administración se ocupe asimismo de la adecuada dirección y gestión de las participaciones. Por el contrario, si la dirección y gestión de las participaciones se desarrollara en su totalidad por medios ajenos, se entendería incumplido este requisito y los valores en cuestión habrían de computarse para determinar la posible inclusión en el régimen de transparencia fiscal" (contestación a una consulta vinculante de fecha 7 de mayo de 2001, referencia V0026-01).

De igual manera, aunque en esta ocasión interpretando el mismo requisito pero previsto para un supuesto legal distinto, el establecido en el ya derogado artículo 61 del Real Decreto Legislativo 4/2004, relativo al régimen de las "sociedades patrimoniales", la Dirección General de Tributos ha venido considerando que la organización de medios materiales y personales adecuados para tomar las decisiones necesarias en orden a su correcta administración se exige... "no para controlar la gestión de las entidades participadas, sino para ejercer los derechos y cumplir las obligaciones derivadas de la condición de socio, así como para tomar las decisiones relativas a la propia participación."

De este modo, lo importante, a estos efectos, es que la entidad disponga, al menos, de medios personales, aunque mínimos, que se ocupen de su gestión ordinaria mediante la adecuada administración de las participaciones poseídas, aunque esta gestión no implique, en sí misma y a efectos del Impuesto sobre Sociedades, el desarrollo de una actividad empresarial. Sin embargo, por el contrario, si la dirección y gestión de las participaciones se desarrollara en su totalidad por medios ajenos, consideraremos que este requisito no se cumple y los valores en cuestión habrán de computarse como no afectos. Así se expresa en la contestación a una consulta vinculante de fecha 15 de febrero de 2005, referencia V0227-05, aplicable perfectamente a la interpretación de los términos que ahora estamos realizando, aunque la Dirección General de Tributos se esté refiriendo en la misma a la aplicación del derogado régimen de sociedades patrimoniales.

2.1.2.3. *Sociedades que forman parte de un grupo*

Del texto legal se desprende que son tres los requisitos que se establecen para que los valores de la cuarta categoría "no se computen" para determinar la mitad del activo: a saber, el primero, el porcentaje mínimo de participación;

el segundo, la existencia de una organización; y, el tercero, que la entidad participada no tenga la condición de patrimonial.

Añadiéndose *in fine*, en el apartado que recoge la cuarta categoría de valores que "no se computarán", y con referencia exclusiva al tercero de los requisitos indicados, que "esta condición se determinará teniendo en cuenta a todas las sociedades que formen parte de un grupo de sociedades según los criterios establecidos en el artículo 42 del Código de Comercio, con independencia de la residencia y de la obligación de formular cuentas anuales consolidadas". En definitiva, de lo antedicho se deduce que, para determinar si la participada es o no una entidad patrimonial debe hacerse un análisis conjunto de todas las sociedades que formen parte de un grupo societario.

En un apartado anterior ya nos hemos referido a la composición del grupo de sociedades, al que nos remitimos para completar el estudio de éste.

Resulta obvio, que esta circunstancia va a dificultar aún más la calificación de una entidad como patrimonial, pues, en todo caso, se va a requerir un análisis previo de si la entidad en cuestión (de la que se posee el requerido porcentaje mínimo de participación) forma o no parte de un grupo del artículo 42 del Código de Comercio, algo que como se ha podido comprobar anteriormente no resulta sencillo de determinar. Ejemplos de ello los podemos ver ya en la resolución de algunos casos planteados ante la Dirección General de Tributos a propósito de la determinación de la existencia o no de un grupo mercantil a efectos de aplicar los incentivos fiscales previstos para las empresas de reducida dimensión en la Ley anterior a la vigente. De este modo, el citado órgano consultivo, ha llegado a la conclusión de que determinadas sociedades "están integradas en un grupo familiar sometido a una misma unidad de decisión, por lo que forman parte de un grupo mercantil, a efectos de lo dispuesto en el artículo 42 del C.Com. Por tanto, a efectos de computar el importe neto de la cifra de negocios habido en el período impositivo inmediato anterior, a que se refiere el artículo 108.1 del TRLIS, deberá tomarse en consideración, conjuntamente, el importe neto de la cifra de negocios de todas las sociedades que integran el grupo mercantil (A, B y H), correspondiente al período impositivo inmediato anterior, a efectos de determinar si resultan de aplicación los incentivos fiscales para las empresas de reducida dimensión regulados en el capítulo XII del título VII del TRLIS." (Contestación de fecha 19 de septiembre de 2011, referencia V2129-11).

2.1.3. La entidad patrimonial de "valores": recapitulación

Acabado este análisis, exclusivamente referido a entidades que en su activo tengan "valores", los resultados obtenidos pueden ser los siguientes: *uno*, que la mayor parte del activo esté compuesto por valores que "no deban computarse", en consecuencia, "afectos", nos encontraremos entonces ante una entidad no patrimonial; *dos*, que la mayor parte del activo esté formado por valores que deben computarse, la conclusión será que se trata de una entidad patrimonial; y, *tres*, que en su activo existan valores que deban y otros que no deban computarse, pero que ni los unos ni los otros alcancen la mitad del activo aunque en su conjunto supongan más del 50 por ciento del mismo. En este último supuesto deberá analizarse la composición del resto del activo, determinando que parte de éste está "afecto" o "no afecto" a una actividad económica.

Así, de este último supuesto, se aperturan a la vez dos nuevos escenarios. El primero, que la suma de los valores que "no deben computarse" más el resto del activo afecto a una actividad económica constituya más de la mitad del activo. Queda claro que estaremos entonces ante una entidad no patrimonial. Y, el segundo escenario, que la suma de los valores que deben computarse más la parte del activo no afecto a una actividad económica sea superior a la mitad del activo. En este caso nos encontraremos ante una entidad patrimonial.

En este particular punto, en torno al concepto de qué parte del activo se encuentra "afecto" o "no afecto" a una actividad económica, debemos hacer dos matizaciones. La primera, de carácter general, consistirá necesariamente en determinar cuando la entidad está realizando una "actividad económica", cuestión a la que ya nos hemos referido en un apartado anterior, y qué elementos del activo se encuentran afectos a la misma.

Y la segunda matización, de tono más específico, se refiere a dos controvertidos elementos del activo que deberán o no computarse a efectos de determinar si más de la mitad del activo se encuentra o no afecto a una actividad económica, a saber, el dinero y los derechos de crédito. También a su análisis nos referiremos más adelante.

2.2. *La entidad patrimonial "inactiva"*

Recordemos que la LIS configura la segunda especie de "entidad patrimonial" como aquella entidad que sin tener más de la mitad de su activo constituido por valores (con las precisiones hechas a este respecto en los apartados anteriores) tenga más de la mitad de su activo no afecto a una actividad económica.

A este respecto, son tres los aspectos que necesariamente se deberían analizar. El primero consistiría en resolver cuando se considera que una entidad ejerce una actividad económica; el segundo, se trataría de delimitar el supuesto específico de ejercicio de una actividad económica cuando la entidad tiene como objeto el arrendamiento de inmuebles; y, el tercer objetivo debería ser, en íntima conexión con el examen de la concurrencia del primer aspecto, el análisis de dos conceptos que la LIS dice que deben o no tenerse en cuenta a los efectos del cómputo de los elementos no afectos a una actividad económica, a saber, el dinero y los derechos de crédito.

De los tres aspectos que hemos indicado como necesarios para poder concluir cuando nos encontramos ante una entidad patrimonial "inactiva", el primero y el segundo ya han sido objeto de análisis en apartados anteriores.

Resta, por tanto, solamente tratar de interpretar el tercero de ellos.

2.2.1. Concepto de dinero y derechos de crédito

El artículo 5 de la LIS, expresamente nos dice que a los efectos de determinar el valor del activo "no se computarán, en su caso, el dinero o derechos de crédito procedentes de la transmisión de elementos patrimoniales afectos a actividades económicas" o los procedentes de la transmisión de cualquiera de las cuatro categorías de valores "que no deben computarse", siempre que dichas transmisiones se hayan realizado "en el período impositivo o en los dos períodos impositivos anteriores."

En consecuencia, tanto el importe del "dinero" como el de "los derechos de crédito" que se encuentren debidamente contabilizados, deberá computarse o no para determinar si más de la mitad del activo se encuentra afecto o no afecto, y ello, independientemente de que pudiera entenderse que tanto uno como el otro elemento son necesarios o derivados del ejercicio de una actividad económica. Esto es, para determinar si estos dos elementos deben o no computarse, debe obviarse cualquier análisis acerca de su posible vinculación o no a una determinada actividad económica. Lo relevante no va a ser eso, la clave va a ser determinar su procedencia, de conformidad con lo que dice de forma expresa el precepto citado de la LIS.

Ante esta situación, resulta necesario determinar los elementos o partidas contables que deben agruparse dentro del concepto "dinero" y del término "derechos de crédito". Este análisis conceptual, que, efectuado de forma aislada, podría llevarnos a controvertidas exégesis, sin embargo, a nuestro juicio, se debe realizar desde dos puntos de vista. El primero de ellos, muy sencillo, será el "dinero" y "los derechos de crédito" que no deben computarse son solamente los que proceden de las transmisiones citadas en el precepto legal.

El segundo es más complejo. Lo que se pretende averiguar son los elementos que se recogen en el activo del balance bajo los conceptos de "dinero" y de "derechos de crédito", por supuesto, no procedentes de las mencionadas transmisiones. Esta cuestión no es baladí, puesto que, atendiendo a la literal dicción del precepto, *sensu contrario*, y en este punto es en el que queremos incidir, esos elementos tendrán la calificación de no afectos.

En definitiva, tendrán la condición de elementos afectos las partidas que se agrupen como "dinero" o como "derechos de crédito" que no deban computarse porque proceden de transmisiones –efectuadas en el periodo impositivo o en los dos anteriores– de elementos patrimoniales afectos a actividades económicas o valores "no incluibles" (no computables) en el activo.

A este respecto, la dificultad de interpretar estos términos se hace patente tras observar que en el cuadro de cuentas del Plan General de Contabilidad no aparece ninguno de ellos relacionado de forma expresa. Tampoco ofrece ninguna luz con este propósito la legislación tributaria a pesar de que los conceptos no son extraños a la misma. Así lo podemos ver, a título de ejemplo, en el artículo 3 de la Ley 11/2009, de 26 de octubre, por la que se regulan las Sociedades Anónimas Cotizadas de Inversión en el Mercado Inmobiliario (SOCIMIS), cuando dice "A estos efectos no se computarán, en su caso, el dinero o derechos de crédito procedente de la transmisión de dichos inmuebles o participaciones que se haya realizado en el mismo ejercicio o anteriores…"

Si acudimos, para efectuar una correcta interpretación, a lo dispuesto en el artículo 12.2 de la Ley General Tributaria, en virtud del cual "en tanto no se definan por la normativa tributaria, los términos empleados en sus normas se entenderán conforme a su sentido jurídico, técnico o usual, según proceda", lo lógico sería acudir con tal propósito a aquella normativa en la que estos conceptos deberían ser definidos. De este modo, considerando que indudablemente se trata de elementos del activo de un balance, la normativa apropiada a la que debemos remitirnos es a la mercantil y, de forma más específica, dentro de ella, a la que regula el Plan General de Contabilidad (Real Decreto 1514/2007).

Analizando esta normativa, se podría considerar como "dinero" las cuentas incluidas en los siguientes subgrupos, las cuales figurarán en el activo no corriente del balance: en primer lugar, el subgrupo 26 "inversiones financieras a largo plazo", que recoge las inversiones financieras, cualquiera que sea su forma de instrumentación, cuyo vencimiento o fecha esperada de enajenación sea superior a un año, incluidos los intereses devengados con vencimiento superior a un año; en segundo término, el subgrupo 54 "inversiones financieras a corto plazo", que recoge, en general, las inversiones financieras, cualquiera que sea su forma de instrumentación, cuyo vencimiento o fecha esperada de enajenación no sea superior a un año; en tercer lugar, el subgrupo 55 "otras cuentas financieras", que recoge otras cuentas financieras que no se clasifiquen en otros subgrupos; y, en cuarto término, el subgrupo 57 "efectivo y activos líquidos equivalentes", que recoge las disponibilidades de medios líquidos; los saldos a favor de la entidad en cuentas operativas, de disponibilidad inmediata, en bancos e instituciones de crédito; los saldos a favor de la entidad en cuentas restringidas de recaudación, las disponibilidades líquidas destinadas a pagos a justificar y anticipos de caja fija; los saldos a favor de la entidad en cuentas restringidas de pagos; y las inversiones financieras de gran liquidez, que cumplan todas las condiciones siguientes: primera, se realicen con el objetivo de rentabilizar excedentes temporales de efectivo y formen parte de la gestión normal de la liquidez de la entidad; segunda, en el momento de su formalización tengan un vencimiento no superior a 3 meses; tercera, sean fácilmente convertibles en importes determinados de efectivo sin incurrir en penalizaciones significativas; y, por último, no estén sujetas a riesgo de cambios en su valor.

De otro lado, en lo referente a los "derechos de crédito", debemos comenzar indicando que este concepto no es novedoso en la legislación tributaria. Así, vemos que se refiere al mismo, por ejemplo, el artículo 9 de la Ley 16/2012, cuando trata la actualización de balances; o, el artículo 15, apartado 9, de la propia LIS, cuando pretende establecer el importe de la depreciación a los efectos de integrar en la base imponible las rentas positivas obtenidas en la transmisión de elementos patrimoniales del activo fijo o de estos elementos que hayan sido clasificados como activos no corrientes mantenidos para la venta, que tengan la naturaleza de bienes inmuebles. Precepto, este último, que recoge *mutatis mutandi* lo establecido en el también apartado 9, del artículo 15, de la Ley derogada del Impuesto sobre Sociedades.

Sin embargo, a pesar de que la Ley anterior del Impuesto ya hacía referencia a "los derechos de crédito", en su articulado no se contenía definición alguna de este concepto. Así lo reconoce la Dirección General de Tributos, viéndose obligada a acudir a lo preceptuado por la Ley General Tributaria en materia de interpretación, para definir este concepto, tras lo cual indica que los derechos de crédito podrían ser, a título general, todos aquellos derechos en virtud de los cuales un acreedor puede exigir una determinada prestación de dar, hacer o no hacer alguna cosa, a un deudor. O bien, desde una perspectiva específicamente contable, como indica el citado órgano administrativo, los derechos de crédito incluirían "todas aquellas cuentas representativas de deudas de terceros con la empresa con fecha establecida de vencimiento, ya sea en el corto o largo plazo, como son, entre otras, todas las cuentas de clientes, deudores y de valores representativos de la cesión de capitales propios a terceros" (Contestación a una consulta tributaria vinculante referencia V2739-14, de fecha 13 de octubre de 2014).

Observamos así, como la remisión a la norma contable es la solución que adopta la administración tributaria para interpretar este concepto, criterio que corrobora al contestar en el programa INFORMA a la pregunta de si las magnitudes a que se refiere el artículo 9 apartado sexto de la Ley 16/2012 (Actualización de balances), en orden a aplicar el coeficiente en función del endeudamiento del contribuyente, son magnitudes contables o fiscales. A lo que responde que "las referencias a patrimonio neto, pasivo total, derechos de crédito y tesorería son magnitudes contables y deben entenderse por las mismas conforme a lo previsto en el código de comercio y normas de desarrollo."

De este modo, tras haber predeterminado ya los subgrupos que incluirían el "dinero" y los "valores", por defecto, aunque determinadas cuentas de estos subgrupos podrían recoger también determinados "derechos de crédito", reservamos para albergar este elemento las cuentas de los subgrupos 43 (clientes) y 44 (deudores varios) del cuadro de cuentas del Plan General de Contabilidad.

2.3. *Cómputo del valor de los elementos no afectos: la media de los balances trimestrales*

A efectos de la realización del análisis del balance societario que va a servir para determinar el porcentaje de bienes afectos a la actividad económica, se observa que el analizado precepto legal especifica que el porcentaje de activo no afecto debe determinarse "teniendo en cuenta la media de los balances trimestrales del ejercicio". En definitiva, solamente al final del ejercicio, tras aprobar el balance anual, podrá efectuarse la requerida calificación, puesto que la influencia del porcentaje de un balance trimestral (por ejemplo, del último) podría modificar la calificación que se deduciría de la media de los anteriores balances trimestrales (por ejemplo: si durante un ejercicio se encuentra un 60% de bienes no afectos en el primer trimestre; 60% en el segundo trimestre; 60% en el tercer trimestre; y, 15% en el cuarto trimestre; la media de los trimestres arrojaría un resultado del 48,75% de bienes no afectos; en consecuencia, en ese ejercicio la entidad no tendría el carácter de patrimonial).

A ello debemos añadir que, en caso de que la entidad en cuestión sea la "dominante" de un grupo mercantil (concepto de grupo del artículo 42 del Código de Comercio que ya hemos tenido la oportunidad de analizar anteriormente), los balances a tener en cuenta no serán los suyos únicamente sino los consolidados, con independencia de la residencia y de que el grupo esté obligado a formular cuentas anuales. A estos efectos, se entenderá que es una sociedad dominante aquélla que ejerza o pueda ejercer, directa o indirectamente, el control sobre otra u otras, que se calificarán como dependientes o dominadas, cualquiera que sea su forma jurídica y con independencia de su domicilio social. Debiendo entenderse por control el poder de dirigir las políticas financieras y de explotación de una entidad, con la finalidad de obtener beneficios económicos de sus actividades.

Es el artículo 42 del Código de Comercio del que se desprende el concepto de entidad dominante, cuando establece que tendrá esta calificación la sociedad que "se encuentre en relación con otra sociedad, que se calificará como dependiente, en alguna de las siguientes situaciones: a) Posea la mayoría de los derechos de voto; b) Tenga la facultad de nombrar o destituir a la mayoría de los miembros del órgano de administración; c) Pueda disponer, en virtud de acuerdos celebrados con terceros, de la mayoría de los derechos de voto; d) Haya designado con sus votos a la mayoría de los miembros del órgano de administración, que desempeñen su cargo en el momento en que deban formularse las cuentas consolidadas y durante los dos ejercicios inmediatamente anteriores. En particular, se presumirá esta circunstancia cuando la mayoría de los miembros del órgano de administración de la sociedad dominada sean miembros del órgano de administración o altos directivos de la sociedad dominante o de otra dominada por ésta. Este supuesto no dará lugar a la consolidación si la sociedad cuyos administradores han sido nombrados, está vinculada a otra en alguno de los casos previstos en las dos primeras letras de este apartado." Se refiere también a este concepto el artículo 2 del Real Decreto 1159/2010, de 17 de septiembre, por el que se aprueban las Normas para la Formulación de Cuentas Anuales Consolidadas y se modifica el Plan General de Contabilidad aprobado por Real Decreto 1514/2007, de 16 de noviembre y el Plan General de Contabilidad de Pequeñas y Medianas Empresas aprobado por Real Decreto 1515/2007, de 16 de noviembre.

Así, cuando la entidad forme parte de un grupo societario, para determinar si es o no entidad patrimonial, no nos podremos detener solamente con la actividad por ella desarrollada, ni por la particular representación que sus elementos del activo tengan en su balance individual. Deberá hacerse un análisis grupal. De tal manera que, habrán de consolidarse los balances de todas las entidades que integren el grupo, estén o no obligadas a consolidar sus cuentas contablemente, y, a la vista de este resultado global, se establecerá la valoración final. A este respecto, recuérdese que es el artículo 10 del Real Decreto 1159/2010, de 17 de septiembre, por el que se aprueban las Normas para la Formulación de Cuentas Anuales Consolidadas y se modifica el Plan General de Contabilidad aprobado por Real Decreto 1514/2007, de 16 de noviembre y el Plan General de Contabilidad de Pequeñas y Medianas Empresas aprobado por Real Decreto 1515/2007, de 16 de noviembre, el que establece los métodos de consolidación aplicables, son los siguientes: a) integración global; y, b) integración proporcional.

La exigida y novedosa valoración de la actividad económica a nivel de grupo, prevista en la LIS, con el objeto de determinar si una entidad, a título individual, es o no patrimonial, se convierte así en un arma de doble filo. Por un lado, podría rescatar de esta calificación a una entidad que analizada a nivel individual se observase nítidamente que no desarrolla ningún tipo de actividad económica. Sin embargo, de otro lado, podría ser calificada como patrimonial cualquier entidad que, desarrollando a título individual una incontestable actividad económica, la evaluación del grupo diera un resultado diferente.

En definitiva, la exigida valoración a nivel de grupo de la existencia de actividad económica desemboca en una meridiana conclusión, ésta es, o todas las sociedades que forman un grupo societario deben ser calificadas como entidades patrimoniales o ninguna de ellas debe tener esta condición.

2.4. *Principales aspectos coincidentes y divergentes entre las entidades cuyas participaciones están exentas en el impuesto sobre el patrimonio y las entidades patrimoniales*

El carácter de "entidad patrimonial" que revisten ciertas entidades, tal como establece la LIS, tiene un efecto exclusivo para este Impuesto. Así, ni esta Ley extiende sus efectos a otros impuestos ni en ninguna otra norma de derecho tributario –en particular, de las que regulan otros tributos– se hace remisión alguna a este concepto.

Sin embargo, es cierto que existen otras normas tributarias que recogen, si bien con otras finalidades, supuestos societarios con características muy similares. Nos referimos, en particular, a la Ley 19/1991, reguladora del Impuesto sobre el Patrimonio, y, en concreto, a los requisitos que establece para que las participaciones de una entidad puedan estar exentas del mismo.

De este modo, aunque tanto la LIS como la Ley del Impuesto sobre el Patrimonio configuran –para sus peculiares fines– una especie de entidades semejantes –las de gestión de patrimonios mobiliarios e inmobiliarios–, al no ser coincidentes los requisitos que cada una de ellas establecen para delimitarlas, como a continuación justificaremos, podemos encontrarnos hasta en cuatro escenarios diferentes. En primer lugar, una entidad patrimonial del Impuesto sobre Sociedades puede tener sus participaciones exentas en el Impuesto sobre el Patrimonio; en segundo lugar, una entidad patrimonial del Impuesto sobre Sociedades puede tener sus participaciones no exentas en el Impuesto sobre el Patrimonio; en tercer lugar, una entidad no patrimonial del Impuesto sobre Sociedades puede tener sus participaciones no exentas en el Impuesto sobre el Patrimonio; y, por último, una entidad no patrimonial del Impuesto sobre Sociedades puede tener sus participaciones exentas en el Impuesto sobre el Patrimonio.

Para llegar a las conclusiones anteriores resulta necesario analizar tanto los caracteres que debe reunir una entidad para ser patrimonial en el Impuesto sobre Sociedades (a tal efecto, nos remitidos a lo dicho en apartados anteriores) como los requisitos que la Ley del Impuesto sobre el Patrimonio determina que deben reunir las participaciones de las entidades para estar exentas.

Para este propósito, es el artículo 4, apartado 8, dos, de la Ley del Impuesto sobre el Patrimonio, el que establece las condiciones que deben concurrir en las participaciones de las entidades para que estén exentas, son las siguientes: "a) Que la entidad, sea o no societaria, no tenga por actividad principal la gestión de un patrimonio mobiliario o inmobiliario. Se entenderá que una entidad gestiona un patrimonio mobiliario o inmobiliario y que, por lo tanto, no realiza una actividad económica cuando concurran, durante más de 90 días del ejercicio social, cualquiera de las condiciones siguientes: que más de la mitad de su activo esté constituido por valores o, que más de la mitad de su activo no esté afecto a actividades económicas." A estos efectos, "para determinar si existe actividad económica o si un elemento patrimonial se encuentra afecto a ella, se estará a lo dispuesto en el Impuesto sobre la Renta de las Personas Físicas. Tanto el valor del activo como el de los elementos patrimoniales no afectos a actividades económicas será el que se deduzca de la contabilidad, siempre que ésta refleje fielmente la verdadera situación patrimonial de la sociedad. A efectos de determinar la parte del activo que está constituida por valores o elementos patrimoniales no afectos: 1.º No se computarán los valores siguientes: Los poseídos para dar cumplimiento a obligaciones legales y reglamentarias. Los que incorporen derechos de crédito nacidos de relaciones contractuales establecidas como consecuencia del desarrollo de actividades económicas. Los poseídos por sociedades de valores como consecuencia del ejercicio de la actividad constitutiva de su objeto. Los que otorguen, al menos, el cinco por ciento de los derechos de voto y se posean con la finalidad de dirigir y gestionar la participación siempre que, a estos efectos, se disponga de la correspondiente organización de medios materiales y personales, y la entidad participada no esté comprendida en esta letra. 2.º No se computarán como valores ni como elementos no afectos a actividades económicas aquellos cuyo precio de adquisición no supere el importe de los beneficios no distribuidos obtenidos por la entidad, siempre que dichos beneficios provengan de la realización de actividades económicas, con el límite del importe de los beneficios obtenidos tanto en el propio año como en los últimos 10 años anteriores. A estos efectos, se asimilan a los beneficios procedentes de actividades económicas los dividendos que procedan de los valores a que se refiere el último inciso del párrafo anterior, cuando los ingresos obtenidos por la entidad participada procedan, al menos en el 90 por ciento, de la realización de actividades económicas. b) Que la participación del sujeto pasivo en el capital de la entidad sea al menos del 5 por 100 computado de forma individual, o del 20 por 100 conjuntamente con su cónyuge, ascendientes, descendientes o colaterales de segundo grado, ya tenga su origen el parentesco en la consanguinidad, en la afinidad o en la adopción. c) Que el sujeto pasivo ejerza efectivamente funciones de dirección en la entidad, percibiendo por ello una remuneración que represente más del 50 por 100 de la totalidad de los rendimientos empresariales, profesionales y de trabajo personal..."

En definitiva, sin necesidad de efectuar un análisis exhaustivo de los requisitos que establece la Ley del Impuesto sobre el Patrimonio para considerar exentas las participaciones de las entidades, si hacemos un estudio comparativo de las condiciones que exige esta norma y los establecidos en la LIS, podemos justificar cada uno de los escenarios que habíamos planteado. Así, si bien es cierto que la casuística puede arrojar indeterminados supuestos reales, nosotros vamos solamente a señalar un ejemplo para cada uno de los casos.

En primer lugar, hemos dicho que una entidad patrimonial del Impuesto sobre Sociedades puede tener sus participaciones exentas en el Impuesto sobre el Patrimonio. En efecto, existe un requisito en la Ley del Impuesto sobre el Patrimonio, diferente al previsto en la LIS, a tener en cuenta. Se trata de los valores y los elementos no afectos a la actividad económica que "no se computarán" siempre que su precio de adquisición no supere el importe de los beneficios no distribuidos obtenidos por la entidad procedentes de la realización de actividadedes económicas, "con el límite del importe de los beneficios obtenidos tanto en el propio año como en los últimos 10 años anteriores".

Curiosamente, si bien la finalidad que tenían los regímenes de transparencia fiscal y de sociedades patrimoniales previstos en normativas anteriores es diferente a la que hoy se desprende de las entidades calificadas como "patrimoniales" en la LIS, no puede obviarse que la calificación como unas u otras requería la concurrencia de requisitos similares. Así, no podemos dejar de lado que, alguno de ellos es ahora de carácter más restrictivo que lo era antaño. Por ejemplo, el artículo 61 del Real Decreto Legislativo 4/2004 (recogiendo lo establecido en el artículo 75 de la Ley 43/1995), establecía que "No se computarán como valores ni como elementos no afectos a actividades económicas aquellos cuyo precio de adquisición no supere el importe de los beneficios no distribuidos obtenidos por la entidad, siempre que dichos beneficios provengan de la realización de actividades económicas, con el límite del importe de los beneficios obtenidos tanto en el propio año como en los últimos 10 años anteriores. A estos efectos, se asimilan a los beneficios procedentes de actividades económicas los dividendos que procedan de los valores a que se refiere el último inciso del párrafo anterior, cuando los ingresos obtenidos por la entidad participada procedan, al menos en el 90 por ciento, de la realización de actividades económicas."

En definitiva, en el activo de la entidad pueden encontrarse "elementos no afectos" (por ejemplo, dinero o derechos de crédito) que para determinar la mitad no afecta en el Impuesto sobre el Patrimonio no deben computarse mientras que para el Impuesto sobre Sociedades deben tenerse en cuenta. La clave está, precisamente, en el diferente plazo que establecen dichas normas.

En segundo y tercer lugar, hemos indicado que una entidad patrimonial, o una no patrimonial, del Impuesto sobre Sociedades pueden tener sus participaciones no exentas en el Impuesto sobre el Patrimonio. Quizá este sería el supuesto más sencillo de ejemplificar. Así, puede observarse que la Ley del Impuesto sobre el Patrimonio contiene dos elementos que son irrelevantes en la LIS. Nos referimos, por un lado, al porcentaje de participación que como mínimo debe tener en la entidad participada la persona física accionista (5 por 100, a título individual, o 20 por 100, conjuntamente con su grupo familiar), y, de otra parte, a la retribución que se le exige al sujeto pasivo que ejerce funciones de dirección. En consecuencia, el incumplimiento de cualquiera de estos dos requisitos exigidos al titular de las participaciones hace que, no solo la entidad patrimonial del Impuesto sobre Sociedades sino cualquier entidad de este impuesto no tengan sus participaciones exentas en el Impuesto sobre el Patrimonio.

Por último, hemos dicho que una entidad no patrimonial del Impuesto sobre Sociedades puede tener sus participaciones exentas en el Impuesto sobre el Patrimonio. Quizá éste será el supuesto más común, siempre y cuando, eso sí, se reúnan todos los requisitos establecidos en la Ley del Impuesto sobre el Patrimonio.

En definitiva, tras este breve análisis, hemos querido demostrar que el hecho de calificar en el Impuesto sobre Sociedades a una entidad como patrimonial no implica automáticamente, como se ha señaló en algún apresurado comentario al proyecto legislativo, que sus participaciones se encuentren no exentas en el Impuesto sobre el Patrimonio[3].

2.5. *Efectos que se derivan de la consideración de una entidad como patrimonial*

A lo largo de este análisis del artículo 5, apartado 2, de la LIS, hemos constatado –en reiteradas ocasiones– que los efectos de la calificación de "entidad patrimonial" que se hace en esta Ley tienen una proyección exclusiva en el propio Impuesto sobre Sociedades. En efecto, la LIS, ni para considerar a una entidad como tal recurre a los requisitos establecidos en otro impuesto (por ejemplo, los previstos para aplicar la exención de las participaciones de una entidad en el Impuesto sobre el Patrimonio), ni tan siquiera extiende los efectos de esta calificación a otros impuestos.

De este modo, resta por determinar los efectos concretos que va a tener en el Impuesto sobre Sociedades la consideración como entidad patrimonial. Todos ellos, al menos de momento, se encuentran recogidos en diversos preceptos de la propia Ley, los cuales serán objeto de un exhaustivo análisis en esta obra cuando se efectúe el comentario correspondiente. Por ello, en este instante, nosotros solamente los enumeraremos e indicaremos de un modo muy sintético sus principales efectos.

En primer lugar, el artículo 21, en su apartado 5. En este precepto se restringe la aplicación de la exención para evitar la doble imposición a aquella parte de las rentas derivadas de la transmisión de valores representativos de los fondos propios de las entidades patrimoniales que se corresponda con un incremento de beneficios no distribuidos generados por la entidad participada durante el tiempo de tenencia de la participación[4]. En cambio, no se impide la aplicación de la exención prevista en este precepto sobre los dividendos recibidos de estas entidades. Además, como estas entidades pueden ser calificadas

---

[3]   Véase, en este sentido, la consulta V0984-16, en la que se constata el diferente criterio que existe para la calificación como actividad económica en caso de arrendamiento de inmuebles en el IS y en el Impuesto sobre el Patrimonio. Un comentario a esta consulta lo podemos ver en: UCELAY SANZ, I.; *Carta Tributaria*, 16, 2016, pg. 56-59.

[4]   *Vid.* en este sentido: SANZ GADEA, E.: "El resultado financiero en el IS. Dividendos y plusvalías de cartera. Supuestos especiales de aplicación (y III)", *CEF Contabilidad y Tributación*, 391, octubre 2015, pág. 53.

como patrimoniales en determinados ejercicios y no serlo en otros, se establece que la exención solamente no se aplicará respecto de aquella parte de las rentas que proporcionalmente se corresponda con los períodos impositivos en que hubiesen tenido tal carácter durante la tenencia de la participación. El mismo criterio se aplicará en los supuestos de liquidación de la entidad, separación del socio, fusión, escisión total o parcial, reducción de capital, aportación no dineraria o cesión global de activo y pasivo. El criterio para determinar si una entidad ha tenido o no la condición de patrimonial en ejercicios anteriores a la entrada en vigor de la Ley, se ha previsto en la Disposición adicional única del Reglamento del Impuesto, aprobado por el Real Decreto 634/2015.

En segundo lugar, el apartado 4, del artículo 26, en el que se establece que no podrán ser objeto de compensación las bases imponibles negativas que tenga pendientes de compensar una entidad patrimonial, cuando además concurran las siguientes circunstancias: a) La mayoría del capital social o de los derechos a participar en los resultados de esta entidad hubiera sido adquirida por una persona o entidad o por un conjunto de personas o entidades vinculadas, con posterioridad a la conclusión del período impositivo al que corresponde la base imponible negativa; y, b) Estas personas o entidades hubieran tenido una participación inferior al 25 por ciento en el momento de la conclusión del período impositivo al que corresponde la base imponible negativa. En definitiva, se restringe la aplicación de la compensación de bases imponibles negativas a las entidades que sean transmitidas bajo ciertos condicionantes, entre ellos, que la entidad que se transmite tenga el carácter de patrimonial. Sin embargo, nada se dice en torno a cuando debe tener la consideración de patrimonial la entidad transmitida. Nos queda la duda así de determinar si solamente debe ser patrimonial en el ejercicio de la transmisión, lo cual no parece lógico, o bien si sólo deben tenerse en cuenta los ejercicios en los que tuvo esta condición. Aunque esto no queda claro en el texto legal, aplicando un criterio lógico, nos inclinamos por esta última interpretación.

En tercer lugar, el artículo 29, en el que se establece que el tipo reducido del 15 por ciento no les resulta de aplicación a aquellas entidades que tenga la consideración de entidad patrimonial. Recordemos que el tipo general que se establece en este precepto es del 25 por ciento, no obstante, se prevé la aplicación del tipo del 15 por ciento, en el primer período impositivo en que la base imponible resulte positiva y en el siguiente, a las entidades de nueva creación que realicen actividades económicas. Adviértase, sin embargo, que la Disposición transitoria trigésima cuarta de la LIS establece, entre las *Medidas temporales aplicables en el período impositivo 2015,* y con efectos para los períodos impositivos que se inicien dentro del año 2015, determinadas especialidades entre las que se encuentran algunas referidas al tipo de gravamen. En particular, determina que el tipo de gravamen general será del 28 por ciento (letra i), no obstante, según se dispone en la letra j), las entidades que cumplan los requisitos establecidos en el artículo 101 de la LIS tributarán, excepto si de acuerdo con lo previsto en el artículo 29 deban tributar a un tipo diferente del general, por la parte de base imponible comprendida entre 0 y 300.000 euros, al tipo del 25 por ciento; y, por la parte de base imponible restante, al tipo del 28 por ciento. Esta escala no resulta de aplicación a las entidades patrimoniales, pues, como diremos más adelante, es el propio artículo 101 el que las excluye expresamente. Sin embargo, nada dice la citada disposición transitoria de la LIS, sobre la procedencia de utilizar el tipo de gravamen previsto en la letra k) a las entidades patrimoniales en 2015. Recordemos que según lo dispuesto en esta letra k), tributarán al 25 por ciento "las entidades cuyo importe neto de la cifra de negocios habida en los períodos impositivos iniciados en 2015 sea inferior a 5 millones de euros y la plantilla media en los mismos sea inferior a 25 empleados". A continuación, se establecen determinados requisitos en lo referente al mantenimiento de la plantilla pero nada se dice sobre la exclusión de las entidades patrimoniales, por lo que entendemos que, ante la ausencia de exclusión legal expresa, podría llegar a pensarse que no cabe restringir la aplicación de este supuesto especial a este tipo de entidades. Sin embargo, no se puede llegar a esta conclusión si se aplica la doctrina administrativa y jurisprudencial –la cual, analizaremos más adelante–, que considera que no cabe hablar de cifra de negocios en las entidades que no tienen actividad económica.

En cuarto lugar, el artículo 100, en su apartado 12, dentro del capítulo dedicado por la LIS al régimen especial de transparencia fiscal internacional, establece, al regular el cálculo de la renta derivada de la transmisión de las participaciones de una entidad (en concreto, para la imputación de rentas positivas obtenidas por entidades no residentes), que el valor de adquisición se incrementará en el importe de los beneficios sociales que, sin efectiva distribución, se correspondan con rentas que hubiesen sido imputadas a los socios como rentas de sus acciones o participaciones en el período de tiempo comprendido entre su adquisición y transmisión. Concretando acto seguido que, en el caso de entidades que tengan la consideración de entidad patrimonial, "el valor de transmisión a computar será como mínimo, el valor del patrimonio neto que corresponda a los valores transmitidos resultante del último balance cerrado, una vez sustituido el valor contable de los activos por el valor que tendrían a efectos del Impuesto sobre el Patrimonio o por el valor de mercado si éste fuere inferior." En este específico supuesto, la LIS ha modificado, respecto del total contenido del precepto que regulaba esta misma cuestión en la Ley precedente (artículo 107, apartado 10), la referencia que se hacía a "las sociedades que tengan como actividad principal la gestión de un patrimonio mobiliario o inmobiliario en los términos previstos en el artículo 4. Ocho de la Ley del Impuesto sobre el Patrimonio" por la referencia hecha ahora a "las entidades patrimoniales". Esta modificación no puede pasar desapercibida, pues, como ya hemos indicado a lo largo de estos comentarios el concepto de "entidad patrimonial" no tiene porque ser coincidente con el de una entidad que tiene sus participaciones no exentas en el Impuesto sobre el Patrimonio.

En quinto lugar, el artículo 101, establece que los incentivos fiscales para las entidades de reducida dimensión no resultarán de aplicación cuando la entidad tenga la consideración de entidad patrimonial. Se trata de un esperado supuesto expreso de exclusión, a tenor de la doctrina administrativa y jurisprudencial vertida a la luz de la anterior legislación en torno a la aplicación de dicho régimen a las entidades que no se acomodaban al concepto de "empresa". Recordemos que este criterio había sido sostenido por la Dirección General de Tributos (entre otras, contestación a la consulta de fecha 8 de julio de 2014, referencia V1771-14); por los Tribunales económico-administrativos (por ejemplo, la Resolución del TEAC de fecha 30 de mayo de 2012); por la Audiencia Nacional (a este respecto, la Sentencia de 18 de octubre de 2012, recurso 338/2009); y, finalmente, también por el Tribunal Supremo (entre otras, en sus Sentencias de 5 de julio de 2012, recurso 724/2010; y, en la más reciente de fecha 27 de noviembre de 2014, recurso 4070/2012). De este modo, en esta última Sentencia citada, la Sala de lo Contencioso-administrativo del Tribunal Supremo establece que "a partir de que el régimen de empresas de reducida dimensión supone el reconocimiento de un incentivo fiscal al ejercicio de actividades económicas por la mismas, el motivo debe desestimarse ante la carencia de organización empresarial puesta de manifiesto por la resolución del TEAC y confirmada igualmente por la sentencia de instancia". De este modo, este Tribunal no hace más que confirmar una interpretación que venía ya siguiendo desde su Sentencia de 5 de julio de 2012, además de ratificar el criterio mantenido por la sentencia de instancia de la Sección Segunda, de la Sala de lo Contencioso-Administrativo, de la Audiencia Nacional, de fecha 18 de octubre de 2012, en la que se establecía que "el beneficio regulado por la norma fiscal se hace depender del "importe neto de la cifra de negocios" realizados por la entidad en el ejercicio correspondiente; en definitiva, el sustento fáctico sobre el que se asienta la aplicación de dicho beneficio se predica de la existencia de una actividad empresarial originadora de la "cifra de negocios" y el "importe" de los mismos". Así las cosas, teniendo en cuenta que el concepto de "cifra de negocios" da a entender que los ingresos que lo componen deben provenir de una actividad económica, se concluye que "no es posible extender este concepto a las entidades de mera tenencia de bienes que no desarrollan actividad mercantil alguna."

Por último, en el apartado 1 del artículo 107, se establece de manera expresa que las entidades patrimoniales no podrán acogerse al régimen especial de las entidades de tenencia de valores extranjeros. A este respecto, solamente nos queda advertir que la diferencia con el texto de la Ley anterior que regulaba este régimen (artículo 116, apartado 1) se encuentra en la distinta conceptuación que ahora se ofrece de las entidades de similares características que quedan excluidas de este régimen especial. Así, si bien ahora se hace una expresa referencia a las entidades patrimoniales (según la definición dada a las mismas en la propia Ley), la normativa precedente excluía a las entidades que tenían como actividad principal la gestión de un patrimonio mobiliario o inmobiliario en los términos previstos en la Ley del Impuesto sobre el Patrimonio, añadiendo además determinados requisitos relativos a la composición de su accionariado (grupo familiar, personas jurídicas de derecho público, etc.). En definitiva, ya hemos tenido la oportunidad de comentar que una entidad patrimonial definida como tal por la LIS no tiene porque ser coincidente con la entidad que puede tener no exentas sus participaciones en el Impuesto sobre el Patrimonio. En consecuencia, podría darse el caso, a tenor de este, posiblemente inadvertido, cambio normativo, que entidades que antes no podían acogerse al régimen especial lo pudieran hacer ahora y viceversa.

2.6. *Una reflexión final en torno a la incorporación de la entidad patrimonial al impuesto sobre sociedades*

A dos conclusiones de carácter general llegamos tras la realización del comentario efectuado en torno al contenido del apartado 2, del artículo 5, de la LIS. La primera, relativa a la razón que ha hecho que se incorpore en esta Ley un tratamiento especial para las entidades patrimoniales. Y, la segunda, una vez establecida por el legislador esta singular calificación –no es ni tan siquiera un régimen especial–, se refiere a la valoración del motivo que ha propiciado singularizar la condición de entidad patrimonial a los solos efectos del Impuesto sobre Sociedades.

En lo que respecta a la primera conclusión, hemos dicho que no tenemos clara la razón que ha llevado al legislador a incorporar esta categoría de entidades en el seno del Impuesto sobre Sociedades (impuesto, cuya mejor denominación podría ser hoy en día la de Impuesto sobre la Renta de las Entidades). El motivo es sencillo de explicar. Si como se anuncia en la exposición de motivos de la LIS, la finalidad primordial del Impuesto es gravar las rentas obtenidas en la realización de actividades económicas (lo que justificaría la novedosa inclusión de las sociedades civiles que tengan objeto mercantil como contribuyentes del impuesto), no parece adecuado que también se pretendan gravar, y además darles la consideración de contribuyente, a aquellas entidades que no desarrollan una actividad económica. Posiblemente, alguna razón de coherencia con lo establecido para situaciones más o menos similares en normativas anteriores (nos referimos a los regímenes especiales de transparencia fiscal y de sociedades patrimoniales) ha sido la justificación de ello. Sin embargo, esto se diluye si se observan las diferentes consecuencias que de la pertenencia a aquellos regímenes se derivaban (básicamente se les quería hacer tributar con parámetros del IRPF) respecto de las que ahora se observan para las llamadas entidades patrimoniales. De este modo, se ha creado un ente, un *tertium genus*, que con los parámetros de la legislación anterior no se puede identificar ni como "sociedad transparente" ni como "sociedad patrimonial", pero al que tampoco le es de aplicación la totalidad de las normas que si lo son para el contribuyente que tributa en el régimen general.

La segunda conclusión trae causa de las características específicas que la LIS impone para que una entidad tenga el carácter de patrimonial. Así, de un lado, aunque a lo largo de este comentario hemos pretendido interpretar todos y cada uno de los elementos que intervienen para calificar como patrimonial a una entidad, no podemos aventurar que su aplicación sea plenamente pacífica. De este modo, conseguir un pleno entendimiento en torno a conceptos tales como el de actividad económica (en particular, cuando ésta consiste en el arrendamiento de inmuebles), valores, dinero, derechos de crédito o grupo societario, nos parece que va a ser una ardua labor. Y, de otra parte, no consideramos acertada la decisión del legislador de alejar la calificación dada a las entidades patrimoniales de la ofrecida a las sociedades de tenencia de bienes por el Impuesto sobre el Patrimonio. Esta última, por el paso de los años y tras numerosas interpretaciones efectuadas por la administración tributaria, doctrina científica y tribunales de justicia, se encuentra bastante asentada en nuestro derecho, lo que ofrece ciertas garantías de una seguridad jurídica que no dará la de tener que recurrir a normas diferentes para, en definitiva, alcanzar objetivos de carácter similar. No encontramos por ello motivo alguno que justifique esta distinta calificación.

Artículo 6
Atribución de rentas

Francisco J. Magraner Moreno
Catedrático de Derecho Financiero y Tributario

"1. Las rentas correspondientes a las sociedades civiles que no tengan la consideración de contribuyentes de este Impuesto, herencias yacentes, comunidades de bienes y demás entidades a que se refiere el artículo 35.4 de la Ley 58/2003, de 17 de diciembre, General Tributaria, así como las retenciones e ingresos a cuenta que hayan soportado, se atribuirán a los socios, herederos, comuneros o partícipes, respectivamente, de acuerdo con lo establecido en la Sección 2.ª del Título X de la Ley 35/2006, de 28 de noviembre, del Impuesto sobre la Renta de las Personas Físicas y de modificación parcial de las leyes de los Impuestos sobre Sociedades, sobre la Renta de no Residentes y sobre el Patrimonio.

2. Las entidades en régimen de atribución de rentas no tributarán por el Impuesto sobre Sociedades".

Disposición Transitoria trigésima segunda. Sociedades civiles sujetas a este Impuesto.
"1. Lo previsto en esta disposición será de aplicación a las sociedades civiles y a sus socios a los que hubiese resultado de aplicación el régimen de atribución de rentas, de acuerdo con lo establecido en la Sección 2.ª del Título X de la Ley 35/2006, de 28 de noviembre, del Impuesto sobre la Renta de las Personas Físicas y de modificación parcial de las leyes de los Impuestos sobre Sociedades, sobre la Renta de no Residentes y sobre el Patrimonio, en períodos impositivos iniciados con anterioridad a 1 de enero de 2016 y tengan la consideración de contribuyentes del Impuesto sobre Sociedades a partir de dicha fecha.

2. La integración de las rentas devengadas y no integradas en la base imponible de los períodos impositivos en los que la entidad tributó en el régimen de atribución de rentas se realizará en la base imponible del Impuesto sobre Sociedades correspondiente al primer período impositivo que se inicie a partir de 1 de enero de 2016. Las rentas que se hayan integrado en la base imponible del contribuyente en aplicación del régimen de atribución de rentas no se integrarán nuevamente con ocasión de su devengo.

En ningún caso, los cambios de criterio de imputación temporal consecuencia de la consideración de las sociedades civiles como contribuyentes del Impuesto sobre Sociedades a partir de 1 de enero de

2016 comportarán que algún gasto o ingreso quede sin computar o que se impute nuevamente en otro período impositivo.

3. Cuando la sociedad civil hubiese tenido la obligación de llevar contabilidad ajustada a lo dispuesto en el Código de Comercio en los ejercicios 2014 y 2015 conforme a lo dispuesto en el artículo 68 del Reglamento del Impuesto sobre la Renta de las Personas Físicas, aprobado por el Real Decreto 439/2007, de 30 de marzo, se aplicarán las siguientes reglas:

a) La distribución de beneficios obtenidos en períodos impositivos en los que haya sido de aplicación el régimen de atribución de rentas, cualquiera que sea la entidad que reparta los beneficios obtenidos por las sociedades civiles, el momento en el que el reparto se realice y el régimen fiscal especial aplicable a las entidades en ese momento, recibirá el siguiente tratamiento:

1.º Cuando el perceptor sea contribuyente del Impuesto sobre la Renta de las Personas Físicas, los beneficios a que se refiere las letras a) y b) del apartado 1 del artículo 25 de la Ley 35/2006, de 28 de noviembre, del Impuesto sobre la Renta de las Personas Físicas y de modificación parcial de las leyes de los Impuestos sobre Sociedades, sobre la Renta de no Residentes y sobre el Patrimonio, no se integrarán en la base imponible. La distribución de dichos beneficios no estará sujeta a retención o ingreso a cuenta.

2.º Cuando el perceptor sea un contribuyente del Impuesto sobre Sociedades o del Impuesto sobre la Renta de no Residentes con establecimiento permanente, los beneficios percibidos no se integrarán en la base imponible. La distribución de dichos beneficios no estará sujeta a retención o ingreso a cuenta.

3.º Cuando el perceptor sea un contribuyente del Impuesto sobre la Renta de no Residentes sin establecimiento permanente, los beneficios percibidos tendrán el tratamiento que les corresponda de acuerdo con lo establecido en el Texto Refundido de la Ley del Impuesto sobre no Residentes para estos contribuyentes.

b) Las rentas obtenidas en la transmisión de la participación en las sociedades civiles que se correspondan con reservas procedentes de beneficios no distribuidos obtenidos en ejercicios en los que haya sido de aplicación el régimen de atribución de rentas, cualquiera que sea la entidad cuyas participaciones se transmiten, el momento en el que se realiza la transmisión y el régimen fiscal especial aplicable a las entidades en ese momento, recibirán el siguiente tratamiento:

1.º Cuando el transmitente sea contribuyente del Impuesto sobre la Renta de las Personas Físicas, se computará por la diferencia entre el valor de adquisición y de titularidad y el valor de transmisión de aquéllas.

A tal efecto, el valor de adquisición y de titularidad se estimará integrado:

Primero. Por el precio o cantidad desembolsada para su adquisición.

Segundo. Por el importe de los beneficios sociales, que, sin efectiva distribución, hubiesen sido obtenidos por la sociedad durante los períodos impositivos en los que resultó de aplicación el régimen de atribución de rentas en el período de tiempo comprendido entre su adquisición y enajenación.

Tercero. Tratándose de socios que adquieran la participación con posterioridad a la obtención de los beneficios sociales, se disminuirá el valor de adquisición en el importe de los beneficios que procedan de períodos impositivos en los que haya sido de aplicación el régimen de atribución de rentas.

2.º Cuando el transmitente sea un contribuyente del Impuesto sobre Sociedades o del Impuesto sobre la Renta de no Residentes con establecimiento permanente, se aplicará lo dispuesto en esta Ley.

3.º Cuando el transmitente sea un contribuyente del Impuesto sobre la Renta de no Residentes sin establecimiento permanente tendrá el tratamiento que le corresponda de acuerdo con lo establecido para estos contribuyentes en el Texto Refundido de la Ley del Impuesto sobre la Renta de no Residentes.

4. En el caso de sociedades civiles distintas de las previstas en el apartado 3 anterior, se entenderá que a 1 de enero de 2016, a efectos fiscales, la totalidad de sus fondos propios están formados por aportaciones de los socios, con el límite de la diferencia entre el valor del inmovilizado material e inversiones inmobiliarias, reflejados en los correspondientes libros registros, y el pasivo exigible, salvo que se pruebe la existencia de otros elementos patrimoniales.

Las participaciones a 1 de enero de 2016 en la sociedad civil adquiridas con anterioridad a dicha fecha, tendrán como valor de adquisición el que derive de lo dispuesto en el párrafo anterior".

El artículo 6 de la LIS establece, en su apartado 1, que las rentas correspondientes a las sociedades civiles que no tengan la consideración de contribuyentes de este Impuesto, herencias yacentes, comunidades de bienes y demás entidades a que se refiere el artículo 35.4 de la Ley General Tributaria, así como las retenciones e ingresos a cuenta que hayan soportado estas entidades, se atribuirán a los socios, herederos, comuneros o partícipes, respectivamente, de acuerdo con lo establecido en la Ley del Impuesto sobre la Renta de las Personas Físicas, Por otro lado, el citado precepto, en su apartado 2, dispone que las entidades en régimen de atribución de rentas no tributarán por el Impuesto sobre Sociedades.

Con el mandato contenido en este precepto, de la idéntica manera a la ya contemplada en leyes anteriores, lo que se hace es excluir de tributación en el Impuesto sobre Sociedades a la renta obtenida –de manera directa– por una determinada categoría de entidades, a las que no se les considera contribuyentes del mismo, para hacerlas tributar en sede de su socio, comunero o partícipe, de conformidad con las normas establecidas en el denominado "régimen de atribución de rentas" contemplado en la legislación del IRPF. De otra parte, de manera indirecta, tributará en el Impuesto sobre Sociedades la renta que se les atribuya a los contribuyentes de este Impuesto que sean miembros de ese catálogo de entidades.

Las entidades a las que se les aplicará este régimen de atribución son las que enumera la Ley General Tributaria, en su artículo 35, apartado 4, a saber: las herencias yacentes, las comunidades de bienes y las demás entidades que, carentes de personalidad jurídica, constituyan una unidad económica o un patrimonio separado susceptibles de imposición. Sin duda alguna, un contribuyente del Impuesto sobre Sociedades puede ser miembro (heredero, comunero, socio o partícipe) de cualquier clase de estos entes. En este comentario, prestaremos una especial atención a las implicaciones que de esta situación puedan derivarse.

De los supuestos enunciados, quizá el más controvertido ha sido el último de ellos. Por ejemplo, ha debido interpretarse que la sociedad en formación constituye un patrimonio separado o unidad económica que puede actuar en el tráfico mercantil, pero que carece de personalidad jurídica plena o corporativa, de ahí que no tenga la condición de contribuyente del Impuesto sobre Sociedades y, en consecuencia, las rentas obtenidas sean objeto de atribución a los socios.

Sin embargo, a otras entidades carentes de personalidad jurídica, tales como las Uniones Temporales de Empresas o las Sociedades Agrarias de Transformación, no les resulta de aplicación el régimen de atribución de rentas por haberlas incorporado expresamente la LIS dentro de su catálogo de contribuyentes.

A este respecto, la única novedad que presenta la LIS, respecto de su antecesora, es resaltada ya en su Preámbulo cuando dice que, en el ámbito de los contribuyentes, se incorporan al Impuesto sobre Sociedades las sociedades civiles que tienen objeto mercantil, y que tributaban hasta la aprobación de esta Ley como contribuyentes del Impuesto sobre la Renta de las Personas Físicas a través del régimen de atribución de rentas. Esta medida ha requerido la incorporación de un régimen transitorio para regular la traslación de este tipo de entidades como contribuyentes del Impuesto sobre la Renta de las Personas Físicas a contribuyentes del Impuesto sobre Sociedades.

En efecto, tradicionalmente, y hasta la aprobación de la LIS, a las sociedades civiles (con excepción de las Sociedades Agrarias de Transformación) les ha resultado de aplicación el régimen de atribución, con independencia de que tuviesen o no personalidad jurídica e independiente del objeto social que tuviesen, fuese éste o no de carácter mercantil.

La LIS incluye de forma expresa como contribuyentes a las sociedades civiles que tengan objeto mercantil. No obstante, a pesar de que la Ley se aplica con carácter general a los ejercicios iniciados a partir del 1 de enero de 2015, se ha establecido transitoriamente que las sociedades civiles no tendrán el carácter de contribuyente cuando su periodo impositivo se inicie dentro del año 2015.

En definitiva, el cambio de tributación de estas entidades, que ha pasado de la aplicación del régimen especial de atribución de rentas al régimen previsto con carácter general en el Impuesto sobre Sociedades, tiene plenos efectos a partir del ejercicio 2016, o lo que es lo mismo, este novedoso cambio de tributación se aplicará a las sociedades civiles con objeto mercantil cuyo periodo impositivo se inicie a partir del 1 de enero de 2016.

De la naturaleza jurídica de las sociedades civiles con objeto mercantil nos ocuparemos en el apartado dedicado al contribuyente.

A continuación, resaltaremos los aspectos más importantes del régimen de atribución de rentas previsto en los artículos 86 a 90 de la Ley del Impuesto sobre la Renta de las Personas Físicas.

Este régimen exige que las entidades a las que les resulta de aplicación determinen la renta que se va a atribuir a sus socios, comuneros o partícipes. En consecuencia, a pesar de no tener la consideración de contribuyentes en ninguno de los impuestos que gravan la renta, se encuentran sometidas a determinadas obligaciones, tanto de carácter formal como material, como la de calcular la renta atribuible, la de informar a sus miembros de la renta y de las retenciones e ingresos a cuenta que les corresponde (artículo 90 Ley IRPF) o la de practicar retención e ingresos a cuenta por las rentas que satisfacen. Además, también pueden tener la condición de sujetos infractores, según dispone el artículo 181 de la Ley General Tributaria, si realizan las acciones u omisiones tipificadas como infracciones.

En lo que aquí interesa, respecto de la forma de calcular la renta atribuible, el artículo 89 de la Ley del Impuesto sobre la Renta de las Personas Físicas dispone dos posibilidades en función de si todos o solamente algunos de sus miembros son contribuyentes del Impuesto sobre Sociedades.

La primera se dará cuando todos los miembros de la entidad en régimen de atribución de rentas sean contribuyentes del Impuesto sobre Sociedades o contribuyentes por el Impuesto sobre la Renta de no Residentes con establecimiento permanente. En este supuesto, la renta se determinará de acuerdo con lo previsto en la normativa del Impuesto sobre Sociedades.

La segunda situación se dará cuando no todos los miembros que forman la entidad en atribución sean contribuyentes del Impuesto sobre Sociedades o contribuyentes por el Impuesto sobre la Renta de no Residentes con establecimiento permanente. En este caso, la renta atribuible a los contribuyentes del Impuesto sobre Sociedades se determinará de acuerdo con la normativa del Impuesto sobre la Renta de las Personas Físicas, con las siguientes especialidades:

– No serán aplicables las reducciones por arrendamiento de bienes destinados a vivienda ni las reducciones sobre rendimientos netos con un período de generación superior a dos años o que se califiquen reglamentariamente como obtenidos de forma notoriamente irregular en el tiempo.

– Para el cálculo de la renta atribuible procedente de ganancias patrimoniales derivadas de la transmisión de elementos no afectos al desarrollo de actividades económicas, no resultará de aplicación lo establecido en la disposición transitoria novena de Ley, en la que se establece un régimen transitorio aplicable a las ganancias patrimoniales derivadas de elementos patrimoniales adquiridos con anterioridad a 31 de diciembre de 1994.

Con carácter general se establecen también las siguientes reglas:

– Cuando la entidad en régimen de atribución de rentas obtenga rentas de fuente extranjera que procedan de un país con el que España no tenga suscrito un convenio para evitar la doble imposición con cláusula de intercambio de información, no se computarán las rentas negativas que excedan de las positivas obtenidas en el mismo país y procedan de la misma fuente. El exceso se computará en los cuatro años siguientes de acuerdo con lo señalado en esta misma manera.

– Las rentas se atribuirán a los socios, herederos, comuneros o partícipes según las normas o pactos aplicables en cada caso y, si éstos no constaran a la Administración tributaria en forma fehaciente, se atribuirán por partes iguales.

– Las rentas de las entidades en régimen de atribución de rentas atribuidas a los socios, herederos, comuneros o partícipes tendrán la naturaleza derivada de la actividad o fuente de donde procedan para cada uno de ellos.

– Estarán sujetas a retención o ingreso a cuenta, con arreglo a las normas del IRPF, las rentas que se satisfagan o abonen a las entidades en régimen de atribución de rentas, con independencia de que todos o alguno de sus miembros sea contribuyente por el IRPF, contribuyente del Impuesto sobre Sociedades o contribuyente por el Impuesto sobre la Renta de no Residentes. Dicha retención o ingreso a cuenta se deducirá en la imposición personal del socio, heredero, comunero o partícipe, en la misma proporción en que se atribuyan las rentas.

– Los contribuyentes del Impuesto sobre Sociedades que sean miembros de una entidad en régimen de atribución de rentas que adquiera acciones o participaciones en instituciones de inversión colectiva, integrarán en su base imponible el importe de las rentas contabilizadas o que deban contabilizarse procedentes de las citadas acciones o participaciones.

Asimismo, integrarán en su base imponible el importe de los rendimientos del capital mobiliario derivados de la cesión a terceros de capitales propios que se hubieran devengado a favor de la entidad en régimen de atribución de rentas.

– Las entidades en régimen de atribución de rentas están obligadas a presentar una declaración informativa a la AEAT (modelo 184) relativa a las rentas a atribuir a sus socios, herederos, comuneros o partícipes, mediante la cual se informará también de todos los datos y circunstancias que se prevean reglamentariamente (tipo de entidad, porcentaje de participación de sus miembros, procedencia de las rentas, etc.). Se excluye de tal obligación a las entidades que no ejerzan actividades económicas y cuyas rentas no excedan de 3.000 euros anuales. También se les obliga a que notifiquen a sus miembros el importe de la renta total de la entidad y la renta atribuible a cada uno de ellos.

Finalmente, a los solos efectos de la aplicación del régimen de atribución de rentas, para los contribuyentes del Impuesto sobre Sociedades que formen parte de una sociedad civil con objeto mercantil, la LIS ha previsto un régimen transitorio en su disposición transitoria trigésima segunda.

Se trata de una medida del todo lógica si se tiene en cuenta que hasta el 1 de enero de 2016 las sociedades civiles con objeto mercantil tributaban obligatoriamente según el régimen de atribución de rentas, mientras que a partir de esa fecha a estas entidades se les considera contribuyentes del Impuesto sobre Sociedades y pasan a tributar obligatoriamente por este Impuesto. Las citadas medidas transitorias se refieren, esencialmente, a la integración de las rentas devengadas y no integradas en la base imponible en la que la entidad tributó en el régimen de atribución de rentas, a las distribuciones de beneficios, y a las rentas obtenidas por la transmisión de participaciones en las sociedades civiles que se correspondan con reservas procedentes de beneficios no distribuidos obtenidos también en ejercicios en los que haya sido de aplicación el régimen de atribución de rentas.

Artículo 7
Contribuyentes

FRANCISCO J. MAGRANER MORENO

Catedrático de Derecho Financiero y Tributario

"1. Serán contribuyentes del Impuesto, cuando tengan su residencia en territorio español:

a) Las personas jurídicas, excluidas las sociedades civiles que no tengan objeto mercantil.

b) Las sociedades agrarias de transformación, reguladas en el Real Decreto 1776/1981, de 3 de agosto, por el que se aprueba el Estatuto que regula las Sociedades Agrarias de Transformación.

c) Los fondos de inversión, regulados en la Ley 35/2003, de 4 de noviembre, de Instituciones de Inversión Colectiva.

d) Las uniones temporales de empresas, reguladas en la Ley 18/1982, de 26 de mayo, sobre régimen fiscal de las agrupaciones y uniones temporales de Empresas y de las Sociedades de desarrollo industrial regional.

e) Los fondos de capital-riesgo, y los fondos de inversión colectiva de tipo cerrado regulados en la Ley 22/2014, de 12 de noviembre, por la que se regulan las entidades de capital-riesgo, otras entidades de inversión colectiva de tipo cerrado y las sociedades gestoras de entidades de inversión colectiva de tipo cerrado, y por la que se modifica la Ley 35/2003, de 4 de noviembre, de Instituciones de Inversión Colectiva.

f) Los fondos de pensiones, regulados en el Texto Refundido de la Ley de Regulación de los Planes y Fondos de Pensiones, aprobado por el Real Decreto Legislativo 1/2002, de 29 de noviembre.

g) Los fondos de regulación del mercado hipotecario, regulados en la Ley 2/1981, de 25 de marzo, de regulación del mercado hipotecario.

h) Los fondos de titulización, regulados en la Ley 5/2015, de fomento de la financiación empresarial.

i) Los fondos de garantía de inversiones, regulados en la Ley 24/1988, de 28 de julio, del Mercado de Valores.

j) Las comunidades titulares de montes vecinales en mano común reguladas por la Ley 55/1980, de 11 de noviembre, de montes vecinales en mano común, o en la legislación autonómica correspondiente.

k) Los Fondos de Activos Bancarios a que se refiere la Disposición adicional décima de la Ley 9/2012, de 14 de noviembre, de reestructuración y resolución de entidades de crédito.

2. Los contribuyentes serán gravados por la totalidad de la renta que obtengan, con independencia del lugar donde se hubiere producido y cualquiera que sea la residencia del pagador.

> *3. Los contribuyentes de este Impuesto se designarán abreviada e indistintamente por las denominaciones sociedades o entidades a lo largo de esta Ley".*

En el ámbito de los contribuyentes, como novedad más importante establecida por la Ley 27/2014, se encuentra la incorporación al Impuesto sobre Sociedades de las sociedades civiles que tienen objeto mercantil, y que tributaban hasta la aprobación de esta Ley como contribuyentes del Impuesto sobre la Renta de las Personas Físicas a través del régimen de atribución de rentas[5].

El artículo 7 de la LIS, de una manera prácticamente idéntica a lo previsto por su Ley precedente, efectúa, de una parte, una enumeración de las entidades que "serán contribuyentes del Impuesto, cuando tengan su residencia en territorio español"; y, de otro lado, establece de forma expresa que a estos contribuyentes se les somete a gravamen por su "renta mundial", esto es, por la totalidad de la renta que obtengan, con independencia del lugar donde se hubiere producido y cualquiera que sea la residencia del pagador. Téngase en cuenta, no obstante, que este último mandato tiene importantes limitaciones, las contenidas en los Tratados y Convenios internacionales para evitar la doble imposición, por un lado, y, por otro, las que se derivan de la aplicación de los regímenes forales de Convenio y Concierto establecidos con las Comunidades Autónomas de Navarra y del País Vasco.

En la relación de contribuyentes que establece la LIS pueden distinguirse dos grandes grupos: el primero, que incluye a todas las personas jurídicas; y, el segundo, que recoge a una serie de entidades carentes de personalidad jurídica. En resumen, son contribuyentes del Impuesto:

---

[5]   La incorporación de las sociedades civiles con objeto mercantil como contribuyentes del IS ha sido objeto de numerosas críticas por parte de la doctrina científica. En este sentido, entre otros, FALCÓN Y TELLA, R.: "Las 'Sociedades civiles con objeto mercantil' (Que no existen), como nuevos sujetos pasivos del impuesto sobre Sociedades", *Quincena fiscal*, N° 5, 2015, págs. 11-16; "De nuevo sobre las comunidades de bienes y las sociedades civiles", *Quincena fiscal*, N° 22, 2015, págs. 13-17; MARTÍNEZ ALONSO, J.I.: "Tributación de las sociedades civiles en el País Vasco por el régimen de imputación de rentas", *Forum fiscal: la revista tributaria de Álava, Bizkaia y Gipuzkoa*, N.° 223, 2016, págs. 107-111; MARTÍNEZ LAFUENTE, A.: "Las sociedades civiles con objeto mercantil y su consideración como sujetos pasivos por el Impuesto sobre Sociedades, con especial referencia a las oficinas de farmacia", *Carta tributaria. Revista de opinión*, N.° 5-6, 2015, págs. 58-66; RUIZ GARROS, S., BLASCO MERINO, J.: "Régimen tributario aplicable a las sociedades civiles con personalidad jurídica y objeto mercantil a partir del 1 de enero de 2016", *Estudios financieros. Revista de contabilidad y tributación: Comentarios, casos prácticos*, N° 393, 2015, págs. 61-132; VIGIL FERNÁNDEZ, C.: "Las llamadas sociedades civiles con objeto mercantil y su régimen jurídico", *Diario La Ley*, N° 8551, 2015.

– Las personas jurídicas, excepto las sociedades civiles que no tengan objeto mercantil. No obstante, con efectos exclusivos para los períodos impositivos que se inicien dentro del año 2015, quedan exceptuadas todas las sociedades civiles (DT trigésima cuarta LIS). De esta manera, el Impuesto sobre Sociedades, al igual que ocurre en la mayoría de los sistemas tributarios modernos, se configura como el impuesto que grava la renta de las personas jurídicas, las cuales son, según dispone nuestro ordenamiento jurídico común, en concreto, el artículo 35 del Código Civil: "1. Las corporaciones, asociaciones y fundaciones de interés público reconocidas por la ley. Su personalidad empieza desde el instante mismo en que, con arreglo a derecho, hubiesen quedado válidamente constituidas. 2. Las asociaciones de interés particular, sean civiles, mercantiles o industriales, a las que la ley conceda personalidad propia, independiente de la de cada uno de los asociados." De este modo, por ejemplo, si tenemos presente que las sociedades mercantiles adquieren la personalidad jurídica con la inscripción, tal como dispone el artículo 33 de la Ley de Sociedades de Capital, éstas, una vez adquirida su personalidad jurídica con la inscripción en el Registro Mercantil, deberán tributar en el Impuesto sobre Sociedades por las rentas generadas durante el período impositivo en el que se procedió a la inscripción. *Sensu contrario*, si finalizara un período impositivo una vez que la sociedad ha sido constituida, pero no inscrita, las rentas obtenidas en este período se atribuirán a los socios, de acuerdo con lo establecido en el régimen de atribución de rentas previsto en la Ley del IRPF.

Por otro lado, la sociedad civil, y de conformidad con lo dispuesto en el artículo 1669 del Código Civil, tiene personalidad jurídica siempre que los pactos entre sus socios no sean secretos. La sociedad civil requiere una voluntad de sus socios de actuar frente a terceros como una entidad. Para su constitución no se requiere una solemnidad determinada, pero resulta necesario que los pactos no sean secretos para considerarse contribuyente del Impuesto sobre Sociedades. Por tal motivo, a efectos de su consideración como contribuyentes del Impuesto sobre Sociedades, las sociedades civiles habrán de constituirse en escritura pública o bien en documento privado, siempre que este último caso, dicho documento se haya aportado ante la Administración tributaria a los efectos de la asignación del número de identificación fiscal de las personas jurídicas y entidades sin personalidad (Consulta Vinculante de la DGT V2376-15, de 28 de julio de 2015). Además, para ser contribuyente del Impuesto sobre Sociedades, el objeto de las sociedades civiles debe ser de carácter mercantil. A tal efecto, se consideran actividades ajenas al ámbito mercantil las ganaderas, forestales, mineras y las de carácter profesional. (Consulta Vinculante de la DGT V2376-15, de 28 de julio de 2015).

La Administración tributaria se ha pronunciado en diversas ocasiones para bien incluir o bien excluir de la condición de contribuyente a determinadas entidades. De este modo, por ejemplo, ha venido considerando que las comunidades de propietarios no tienen personalidad jurídica propia, sino que se configuran como una modalidad específica de las comunidades de bienes. En consecuencia, no son contribuyentes del Impuesto sobre Sociedades, siéndoles de aplicación el régimen de atribución de rentas recogido en el Impuesto sobre la Renta de las Personas Físicas.

- Las sociedades agrarias de transformación, reguladas en el Real Decreto 1776/1981, de 3 de agosto, por el que se aprueba el Estatuto que regula las Sociedades Agrarias de Transformación.

- Los fondos de inversión, regulados en la Ley 35/2003, de 4 de noviembre, de Instituciones de Inversión Colectiva.

- Las uniones temporales de empresas, reguladas en la Ley 18/1982, de 26 de mayo, sobre régimen fiscal de las agrupaciones y uniones temporales de Empresas y de las Sociedades de desarrollo industrial regional.

- Los fondos de capital-riesgo, y los fondos de inversión colectiva de tipo cerrado regulados en la Ley 22/2014, de 12 de noviembre, por la que se regulan las entidades de capital-riesgo, otras entidades de inversión colectiva de tipo cerrado y las sociedades gestoras de entidades de inversión colectiva de tipo cerrado, y por la que se modifica la Ley 35/2003, de 4 de noviembre, de Instituciones de Inversión Colectiva.

- Los fondos de pensiones, regulados en el Texto Refundido de la Ley de Regulación de los Planes y Fondos de Pensiones, aprobado por el Real Decreto Legislativo 1/2002, de 29 de noviembre.

- Los fondos de regulación del mercado hipotecario, regulados en la Ley 2/1981, de 25 de marzo, de regulación del mercado hipotecario.

- Los fondos de titulización, regulados en la Ley 5/2015, de fomento de la financiación empresarial.

- Los fondos de garantía de inversiones, regulados en la Ley 24/1988, de 28 de julio, del Mercado de Valores.

- Las comunidades titulares de montes vecinales en mano común reguladas por la Ley 55/1980, de 11 de noviembre, de montes vecinales en mano común, o en la legislación autonómica correspondiente.

- Los Fondos de Activos Bancarios a que se refiere la Disposición adicional décima de la Ley 9/2012, de 14 de noviembre, de reestructuración y resolución de entidades de crédito.

- Las entidades eclesiásticas, inscritas en el Registro de Entidades Religiosas del Ministerio de Justicia, tienen personalidad jurídica y son sujetos pasivos. Las distintas Casas que dependan de ellas también serán sujetos pasivos del Impuesto sobre Sociedades, en la medida que gocen de personalidad jurídica propia. Sin embargo, de acuerdo con lo dispuesto en el Acuerdo de 10 de octubre de 1980 sobre aplicación del Impuesto sobre Sociedades a las entidades eclesiásticas, el Ministerio de Hacienda, a petición de las Entidades eclesiásticas afectadas, reconocerá como sujetos pasivos a Entidades con un ámbito más amplio, normalmente las diócesis o provincias religiosas. En este caso, serán estas entidades mayores las que integren como sujetos pasivos del Impuesto sobre Sociedades a las entidades menores que dependan de ellas, integrando todas sus rentas en su declaración del Impuesto sobre Sociedades. Si existe este reconocimiento por el Ministerio de Hacienda la entidad eclesiástica afectada que se integra en la entidad más amplia no presentará declaración por el Impuesto sobre Sociedades (Consulta Vinculante DGT V0468-09, de 10 de marzo de 2009).

A esta relación debe añadirse el llamado "grupo fiscal", al que la LIS, en su artículo 56, expresamente considera como contribuyente del Impuesto en el régimen especial de consolidación fiscal.

Artículo 8
Residencia y domicilio fiscal

Francisco J. Magraner Moreno
Catedrático de Derecho Financiero y Tributario

"1. *Se considerarán residentes en territorio español las entidades en las que concurra alguno de los siguientes requisitos:*
a) Que se hubieran constituido conforme a las leyes españolas.
b) Que tengan su domicilio social en territorio español.
c) Que tengan su sede de dirección efectiva en territorio español.
A estos efectos, se entenderá que una entidad tiene su sede de dirección efectiva en territorio español cuando en él radique la dirección y control del conjunto de sus actividades.
La Administración tributaria podrá presumir que una entidad radicada en algún país o territorio de nula tributación, según lo previsto en el apartado 2 de la Disposición adicional primera de la Ley 36/2006, de 29 de noviembre, de medidas para la prevención del fraude fiscal, o calificado como paraíso fiscal, según lo previsto en el apartado 1 de la referida disposición, tiene su residencia en territorio español cuando sus activos principales, directa o indirectamente, consistan en bienes situados o derechos que se cumplan o ejerciten en territorio español, o cuando su actividad principal se desarrolle en éste, salvo que dicha entidad acredite que su dirección y efectiva gestión tienen lugar en aquel país o territorio, así como que la constitución y operativa de la entidad responde a motivos económicos válidos y razones empresariales sustantivas distintas de la gestión de valores u otros activos.
2. El domicilio fiscal de los contribuyentes residentes en territorio español será el de su domicilio social, siempre que en él esté efectivamente centralizada la gestión administrativa y la dirección de sus negocios. En otro caso, se atenderá al lugar en que se realice dicha gestión o dirección.
En los supuestos en que no pueda establecerse el lugar del domicilio fiscal, de acuerdo con los criterios anteriores, prevalecerá aquél donde radique el mayor valor del inmovilizado".

SUMARIO: 1. RESIDENCIA FISCAL. 2. DOMICILIO FISCAL. 3. BIBLIOGRAFÍA.

1. RESIDENCIA FISCAL

El artículo 8 de la LIS establece, en su apartado 1, los criterios para determinar la residencia de los contribuyentes del Impuesto, mientras que, dedica su apartado 2 para regular el domicilio fiscal de estas entidades.

La LIS considera residentes en territorio español a las entidades en las que concurra alguno de los siguientes requisitos:

– Que se hubieran constituido conforme a las leyes españolas.
– Que tengan su domicilio social en territorio español.
– Que tengan su sede de dirección efectiva en territorio español. A estos efectos, se entenderá que una entidad tiene su sede de dirección efectiva en territorio español cuando en él radique la dirección y control del conjunto de sus actividades.

La Administración tributaria podrá presumir que una entidad radicada en algún país o territorio de nula tributación, según lo previsto en el apartado 2 de la Disposición adicional primera de la Ley 36/2006, de 29 de noviembre, de medidas para la prevención del fraude fiscal, o calificado como paraíso fiscal, según lo previsto en el apartado 1 de la referida disposición (de acuerdo con la redacción dada a esta norma por la Ley 26/2014, con vigencia a partir del 1 de enero de 2015), tiene su residencia en territorio español cuando sus activos principales, directa o indirectamente, consistan en bienes situados o derechos que se cumplan o ejerciten en territorio español, o cuando su actividad principal se desarrolle en éste, salvo que dicha entidad acredite que su dirección y efectiva gestión tienen lugar en aquel país o territorio, así como que la constitución y operativa de la entidad responde a motivos económicos válidos y razones empresariales sustantivas distintas de la gestión de valores u otros activos.

Cuando una entidad es considerada residente en dos Estados, los Convenios para evitar la doble imposición establecen, con carácter general, que se considerará residente solamente del Estado donde se encuentre su "sede de dirección efectiva", aunque en ocasiones utilizan también solamente el concepto de "sede de dirección" de la empresa o el "domicilio fiscal de la empresa"

La ausencia de una definición del concepto de "sede de dirección efectiva" en la normativa doméstica ha ocasionado que tanto la Administración tributaria como los tribunales hayan buscado una interpretación en los comentarios al modelo de Convenio de la OCDE de este criterio de preferencia que es utilizado para la fijación de la residencia fiscal de las sociedades. En este sentido, estos Comentarios dan las siguientes pautas para su recto entendimiento. Así, la sede de dirección efectiva será "el lugar donde se adoptan las decisiones comerciales clave y las decisiones de gestión necesarias para llevar a cabo el conjunto de las actividades empresariales o profesionales de la entidad. Para determinar la sede de dirección efectiva deben considerarse todos los hechos y circunstancias pertinentes. Una entidad puede simultanear más de una sede de gestión, pero tendrá una única sede de dirección efectiva". En los citados Comentarios se indican también algunos factores que podrán servir a las autoridades tributarias que tengan que determinar la residencia de una persona jurídica a los efectos del Convenio, tales como "dónde se celebran habitualmente las reuniones de su consejo de administración u órgano similar, desde donde se realiza la alta gestión cotidiana, donde está situada su oficina central, qué legislación nacional rige su situación jurídica, o donde están archivados sus documentos contables".

Una persona jurídica acreditará su residencia fiscal en un determinado país mediante certificado emitido por la Autoridad Fiscal. El plazo de validez de dichos certificados se extiende a un año. La validez será indefinida cuando el contribuyente sea un Estado extranjero, alguna de sus subdivisiones políticas o administrativas o sus entidades locales.

La posibilidad de que las sociedades constituidas conforme a las leyes españolas trasladen su domicilio social a otro Estado puede ocasionar que quede sin efecto el primero de los requisitos por el que es considerada residente en territorio español[6]. Téngase en cuenta que, según se dispone en el artículo 92 de la Ley 3/2009, de 3 de abril, sobre modificaciones estructurales de las sociedades mercantiles, "el traslado al extranjero del domicilio social de una sociedad mercantil española inscrita y el de una sociedad extranjera al territorio español se regirán por lo dispuesto en los Tratados o Convenios Internacionales vigentes en España y en este Título, sin perjuicio de lo establecido para la sociedad anónima europea." Mientras que en su artículo 93, precisa que "El traslado al extranjero del domicilio de una sociedad inscrita constituida conforme a la ley española sólo podrá realizarse si el Estado a cuyo territorio se traslada permite el mantenimiento de la personalidad jurídica de la sociedad." Por su parte, el artículo 102 de la Ley 3/2009 establece que: "El traslado del domicilio social, así como la correspondiente modificación de la escritura social o de los estatutos, surtirán efecto en la fecha en que la sociedad se haya inscrito en el Registro del nuevo domicilio." Finalmente, el artículo 103 de la Ley 3/2009 determina que: "La cancelación de la inscripción de la sociedad en el Registro Mercantil tendrá lugar cuando se aporten el certificado que acredite la inscripción de la sociedad en el Registro de su nuevo domicilio social y los anuncios de esa inscripción en el "Boletín Oficial del Registro Mercantil" y en uno de los diarios de gran circulación en la provincia en que la sociedad hubiera tenido su domicilio." Cuando la inscripción de la sociedad esté cancelada del Registro Mercantil español, y se inscriba en el Registro del estado de destino, la sociedad quedará sometida a esta legislación mercantil tras adaptarse a la correspondiente forma societaria, lo que produce un cambio en la *"lex societatis"* y, con ello, la pérdida de toda conexión con el ordenamiento jurídico español, por lo que desde ese momento se entiende que deja de ser una entidad constituida conforme a la legislación española, y pierde, por tanto, su condición de sociedad residente fiscal en territorio español.

---

6 Cfr. MAGRANER MORENO, F.: "Régimen fiscal del traslado transfronterizo del domicilio social", *Tribuna Fiscal*, nº 234, 210, págs. 27.36.

2. DOMICILIO FISCAL

La LIS establece que el domicilio fiscal de los contribuyentes residentes en territorio español será el de su domicilio social, siempre que en él esté efectivamente centralizada la gestión administrativa y la dirección de sus negocios. En otro caso, se atenderá al lugar en que se realice dicha gestión o dirección.

El domicilio social de las sociedades capitalistas se regula en el Real Decreto Legislativo 1/2010 (Ley de Sociedades de Capital), y dice, en su artículo 9, que estas entidades fijarán su domicilio dentro del territorio español en el lugar en que se halle el centro de su efectiva administración y dirección, o en el que radique su principal establecimiento o explotación. El domicilio deberá hacerse constar en los estatutos que han de regir el funcionamiento de la sociedad (artículo 23 de la citada Ley) y, salvo disposición contraria en los mismos, el órgano de administración será competente para cambiar el domicilio social dentro del territorio nacional (artículo 285 de la Ley de Sociedades de Capital).

Las normas reguladoras de otras categorías de contribuyente establecen su singular determinación del domicilio de las mismas. Por ejemplo, las asociaciones tendrán su domicilio en el lugar que establezcan sus estatutos, que podrá ser el de la sede de su órgano de representación, o bien aquél donde desarrollen principalmente sus actividades (artículo 9 de la Ley Orgánica 1/2002); el domicilio fiscal de las Uniones Temporales de Empresas, situado en territorio nacional, será el propio de la persona física o jurídica que lleve la gerencia común (artículo octavo de la Ley 18/1982); en el caso de las Sociedades Agrarias de Transformación, el domicilio deberá constar en sus estatutos sociales y se establecerá en el término municipal del lugar donde radique su actividad principal, y en él estará centralizada la documentación social y contable, según dispone el artículo tercero del Real Decreto 1771/1981; en las entidades sin fines lucrativos reguladas por la Ley 49/2002, será el domicilio fiscal el del lugar de su domicilio estatutario, siempre que en él esté efectivamente centralizada la gestión administrativa y dirección de la entidad. En otro caso, dicho domicilio será el lugar en que se realice dicha gestión y dirección. Si no pudiera establecerse el lugar del domicilio fiscal de acuerdo con los criterios anteriores, se considerará como tal el lugar donde radique el mayor valor del inmovilizado (artículo 4 Ley 49/2002); etc.

En los supuestos en que no pueda establecerse el lugar del domicilio fiscal, de acuerdo con los criterios anteriores, prevalecerá aquél donde radique el mayor valor del inmovilizado.

En igual sentido, la Ley General Tributaria, en su artículo 48, determina que el domicilio fiscal es el lugar de localización del obligado tributario en sus relaciones con la Administración tributaria, y considera que el domicilio fiscal de las personas jurídicas será, su domicilio social, siempre que en él esté efectivamente centralizada su gestión administrativa y la dirección de sus negocios. En otro caso, se atenderá al lugar en el que se lleve a cabo dicha gestión o dirección. Cuando no pueda determinarse el lugar del domicilio fiscal de acuerdo con los criterios anteriores prevalecerá aquel donde radique el mayor valor del inmovilizado.

Téngase en cuenta que una entidad será residente en territorio español solamente cuando en él se tomen de forma efectiva las decisiones que permitan su normal desarrollo, dado que ello supondría que en dicho territorio tiene su sede de dirección efectiva, siendo su domicilio fiscal el lugar donde se realice dicha gestión o dirección de sus negocios. No obstante, para determinar si efectivamente la sociedad reside en territorio español porque en él radica la dirección y control del conjunto de sus actividades, será necesario analizar todas las circunstancias que concurren en la actividad, tarea que deberá resolverse caso a caso (Consulta DGT V0128-04, de 23 de septiembre).

Los obligados tributarios deberán comunicar su domicilio fiscal y el cambio del mismo a la Administración tributaria que corresponda en el plazo de un mes a partir del momento en que produzca dicho cambio. En el ámbito de competencias del Estado dicha comunicación deberá efectuarse mediante la presentación de la declaración censal de modificación (modelo 036). El cambio de domicilio fiscal no producirá efectos frente a la Administración tributaria hasta que se cumpla con dicho deber de comunicación, pero ello no impedirá que los procedimientos que se hayan iniciado de oficio antes de la comunicación de dicho cambio, puedan continuar tramitándose por el órgano correspondiente al domicilio inicial.

La comunicación del cambio del domicilio fiscal a la Administración tributaria del Estado producirá efectos respecto de las Administraciones tributarias de las Comunidades Autónomas y Ciudades con Estatuto de Autonomía sólo desde el momento en que estas últimas tengan conocimiento del mismo. La AEAT podrá comprobar y rectificar el domicilio fiscal declarado por los contribuyentes.

El Reglamento del Registro Mercantil (Real Decreto 1784/1996) establece, en su artículo 18, que el cambio de domicilio de un sujeto inscrito dentro de la misma provincia se hará constar en el Registro Mercantil mediante la correspondiente inscripción, que se practicará en virtud de solicitud escrita en caso de empresario individual, y de escritura pública en los demás casos. Mientras que, según dispone su artículo 19, cuando un sujeto inscrito traslade su domicilio a otra provincia se presentará en el Registro Mercantil de esta certificación literal de todas sus inscripciones, a fin de que se trasladen a la hoja que se le destine en dicho Registro. Ahora bien, si se hiciera cambio de domicilio al extranjero, en los supuestos previstos por las Leyes, se estará a lo dispuesto en los Convenios internacionales vigentes en España y a las normas europeas que resulten de aplicación. En tales supuestos, el Registrador competente en razón del domicilio de la sociedad que se traslada certificará el cumplimiento de los actos y trámites que han de realizarse por la entidad antes del traslado, y no cancelará la hoja de la sociedad hasta que reciba una comunicación del tribunal, notario u autoridad competente del nuevo domicilio acreditativa de la inscripción de la sociedad. Recibida ésta, cancelará la hoja de la sociedad y extenderá nota de referencia expresiva de los nuevos datos registrales (artículo 20 del citado Reglamento).

En consecuencia, al estar, con carácter general, íntimamente vinculado el domicilio fiscal de las sociedades al de su domicilio social, resulta previo a cualquier cambio del primero la formalización de la modificación del domicilio social a través, primero, de su oportuna modificación estatutaria y, segundo, de la efectiva inscripción registral. Una vez efectuada la correspondiente inscripción en el Registro Mercantil que resulte competente se podrá tramitar el cambio de domicilio fiscal ante la Administración tributaria con el modelo 036.

3. BIBLIOGRAFÍA

ALONSO GONZÁLEZ, L.M., CAAMAÑO ANIDO, M.A., GARCÍA NOVOA, C., MAGRANER MORENO, F.J., MERINO JARA, I., SÁNCHEZ PEDROCHE, J.A.: *Derecho y Práctica Tributaria*, Tirant lo Blanch, Valencia, 2016, págs. 797 a 867. En especial, el estudio se centra en el acceso de la Administración al domicilio del contribuyente.

DOMINGUEZ PUNTAS, D.: "Nacionalidad, domicilio social y residencia fiscal de las sociedades mercantiles" (I) y (II), *Crónica Tributaria*, números 146 y 147, 2013. Este autor hace un estudio en torno a la relación entre las normas mercantiles y las fiscales de la atribución o reconocimiento de la personalidad jurídica de las sociedades mercantiles y su incidencia en la residencia fiscal, de acuerdo con la legislación de la Unión Europea y la española.

MERINO JARA, I.: "El domicilio fiscal de las entidades jurídicas en el concierto económico", en *Problemas actuales de coordinación tributaria* / coord. por Eugenio Antonio Simón Acosta, Antonio Vázquez del Rey Villanueva, María Eugenia Simón Yarza, Emilio Aguas Alcalde, 2016, págs. 225-250.

PALAO TABOADA, C.: "El domicilio fiscal de las personas jurídicas", en *Tratado sobre la Ley General Tributaria: Homenaje a Álvaro Rodríguez Bereijo* / coord. por Andrés Báez Moreno, Domingo Jesús Jiménez-Valladolid de L'Hotellerie-Fallois; Juan Arrieta Martínez de Pisón (dir.), Miguel Angel Collado Yurrita (dir.), Juan Zornoza Pérez (dir.), Vol. 1, 2010 (Tomo I), págs. 1093-1130.

PEÑA ALONSO, J.L.: "El domicilio fiscal de las empresas como determinante del régimen tributario aplicable: análisis comparativo del régimen común y del régimen foral de Gipuzkoa", en *Tributación de las empresas vascas* / coord. por Isaac Merino Jara, Juan Ignacio Ugartemendía Eceizabarrena, 2015, págs. 11-52.

Artículo 9
Exenciones

Francisco J. Magraner Moreno
Catedrático de Derecho Financiero y Tributario

"1. *Estarán totalmente exentos del Impuesto:*

a) El Estado, las Comunidades Autónomas y las entidades locales.

b) Los organismos autónomos del Estado y entidades de derecho público de análogo carácter de las Comunidades Autónomas y de las entidades locales.

c) El Banco de España, el Fondo de Garantía de Depósitos de Entidades de Crédito y los Fondos de garantía de inversiones.

d) Las Entidades Gestoras y Servicios Comunes de la Seguridad Social.

e) El Instituto de España y las Reales Academias oficiales integradas en aquél y las instituciones de las Comunidades Autónomas con lengua oficial propia que tengan fines análogos a los de la Real Academia Española.

f) Los organismos públicos mencionados en las Disposiciones adicionales novena y décima, apartado 1, de la Ley 6/1997, de 14 de abril, de Organización y Funcionamiento de la Administración General del Estado, así como las entidades de derecho público de análogo carácter de las Comunidades Autónomas y de las entidades locales.

g) Las Agencias Estatales a que se refieren las Disposiciones adicionales primera, segunda y tercera de la Ley 28/2006, de 18 de julio, de las Agencias estatales para la mejora de los servicios públicos, así como aquellos Organismos públicos que estuvieran totalmente exentos de este Impuesto y se transformen en Agencias estatales.

h) El Consejo Internacional de Supervisión Pública en estándares de auditoría, ética profesional y materias relacionadas.

2. *Estarán parcialmente exentas del Impuesto, en los términos previstos en el título II de la Ley 49/2002, de 23 de diciembre, de régimen fiscal de las entidades sin fines lucrativos y de los incentivos fiscales al mecenazgo, las entidades e instituciones sin ánimo de lucro a las que sea de aplicación dicho título.*

3. *Estarán parcialmente exentos del Impuesto en los términos previstos en el capítulo XIV del título VII de esta Ley:*

a) Las entidades e instituciones sin ánimo de lucro no incluidas en el apartado anterior.

b) Las uniones, federaciones y confederaciones de cooperativas.

c) Los colegios profesionales, las asociaciones empresariales, las cámaras oficiales y los sindicatos de trabajadores.

d) Los fondos de promoción de empleo constituidos al amparo del artículo veintidós de la Ley 27/1984, de 26 de julio, sobre reconversión y reindustrialización.

e) Las Mutuas Colaboradoras de la Seguridad Social, reguladas en el texto refundido de la Ley General de la Seguridad Social, aprobado por el Real Decreto Legislativo 1/1994, de 20 de junio.

f) Las entidades de derecho público Puertos del Estado y las respectivas de las Comunidades Autónomas, así como las Autoridades Portuarias.

4. Estarán parcialmente exentos del Impuesto los partidos políticos, en los términos establecidos en la Ley Orgánica 8/2007, de 4 de julio, sobre financiación de los partidos políticos".

DESARROLLO REGLAMENTARIO
REGLAMENTO DEL IMPUESTO SOBRE SOCIEDADES, APROBADO POR EL REAL DECRETO 634/2015, DE 10 DE JULIO

Artículo 55. Explotaciones económicas propias de los Partidos Políticos exentas en el Impuesto sobre Sociedades.

"1. Para disfrutar de la exención prevista en el artículo 10.°, dos. d) de la Ley Orgánica 8/2007, de 4 de julio, sobre financiación de los partidos políticos, estos deberán formular solicitud dirigida al Departamento de Gestión Tributaria de la Agencia Estatal de Administración Tributaria antes de que finalice el periodo impositivo en que deba surtir efectos.

El partido político solicitante aportará, junto con el escrito de solicitud, copia simple de la escritura de constitución y estatutos, certificado de inscripción en el Registro de Partidos Políticos del Ministerio de Interior así como, memoria, en la que se explique y justifique que las explotaciones económicas para las que solicita la exención coinciden con su propia actividad.

A estos efectos, se entenderá que las explotaciones económicas coinciden con la actividad propia del partido político cuando:

a) Contribuyan directa o indirectamente a la consecución de sus fines.

b) Cuando el disfrute de esta exención no produzca distorsiones en la competencia en relación con empresas que realicen la misma actividad.

c) Que se preste en condiciones de igualdad a colectividades genéricas de personas. Se entenderá que no se cumple este requisito cuando los promotores, afiliados, compromisarios y miembros de sus órganos de dirección y administración, así como los cónyuges o parientes hasta el cuarto grado inclusive de cualquiera de ellos, sean los destinatarios principales de la actividad o se beneficien de condiciones especiales para utilizar sus servicios.

2. *El órgano de la Agencia Estatal de Administración Tributaria que corresponda de acuerdo con sus normas de estructura orgánica resolverá de forma motivada la exención solicitada. Dicha exención quedará condicionada, a la concurrencia en todo momento, de las condiciones y requisitos previstos en la Ley Orgánica 8/2007 y en el presente artículo.*

Se entenderá otorgada la exención si el citado órgano no ha notificado la resolución en un plazo de seis meses.

3. *Una vez concedida la exención a que se refieren los apartados anteriores no será preciso reiterar su solicitud para su aplicación a los períodos impositivos siguientes, salvo que se modifiquen las circunstancias que justificaron su concesión o la normativa aplicable.*

El partido político deberá comunicar al órgano de la Agencia Estatal de Administración Tributaria que corresponda de acuerdo con sus normas de estructura orgánica cualquier modificación relevante de las condiciones o requisitos exigibles para la aplicación de la exención. Dicho órgano podrá declarar, previa audiencia del partido político por un plazo de diez días, si procede o no la continuación de la aplicación de la exención. De igual forma se procederá cuando la Administración tributaria conozca por cualquier medio la modificación de las condiciones o los requisitos para la aplicación de la exención.

4. *El incumplimiento de los requisitos exigidos para la aplicación de esta exención determinará la pérdida del derecho a su aplicación a partir del propio período impositivo en que se produzca dicho incumplimiento.*

5. *Para favorecer el adecuado control de la actividad económico-financiera de los partidos políticos, la Agencia Estatal de Administración Tributaria comunicará al Tribunal de Cuentas las solicitudes de exención presentadas y el resultado de las mismas".*

Artículo 56. Acreditación a efectos de la exclusión de la obligación de retener o ingresar a cuenta respecto de las rentas exentas percibidas por los partidos políticos.

"La acreditación de los partidos políticos a efectos de la exclusión de la obligación de retener o ingresar a cuenta a que se refiere el artículo 11.º, dos de la Ley Orgánica 8/2007, de 4 de julio, sobre financiación de los partidos políticos, se efectuará mediante certificado expedido por el órgano competente de la Agencia Estatal de Administración Tributaria que corresponda de acuerdo con sus normas de estructura orgánica, previa solicitud a la que se acompañará copia del certificado de inscripción en el Registro de Partidos Políticos del Ministerio del Interior.

Este certificado hará constar su período de vigencia, que se extenderá desde la fecha de su emisión hasta la finalización del período impositivo en curso del solicitante".

El artículo 9 de la LIS establece 4 categorías de exención subjetiva[7]. A cada una de ellas se le aplica un régimen distinto de tributación. La primera contempla una exención total, mientras que las restantes recogen exenciones de carácter parcial. Así, por ejemplo, según dispone el artículo 124, los contribuyentes exentos encuadrados en la primera categoría (apartado 1 del artículo 9) no están obligados a declarar, ni tampoco, tal como prevé el artículo 128, se practicará retención sobre las rentas que obtengan. Esta excepción a la obligación de retener o de ingresar a cuenta del impuesto se desarrolla en el artículo 61 del Reglamento del Impuesto (Real Decreto 634/2015), en el que se añade a lo establecido por la Ley que, la condición de entidad exenta podrá acreditarse por cualquiera de los medios de prueba admitidos en derecho. A este respecto, el Departamento de Gestión Tributaria de la AEAT dictó la Resolución 3/1998, de 14 de septiembre, por la que se establecen dos medios de acreditación: por un lado, con carácter general, una certificación expedida por la Administración tributaria de la situación censal de las entidades exentas, de acuerdo con el mismo contenido y procedimiento ya regulado por la Resolución de 26 de abril de 1996. Esta certificación será expedida en función de los datos que obren en poder de la Administración tributaria y, más concretamente, de los que figuren en el censo de empresarios, profesionales y retenedores, de acuerdo con el principio de publicidad censal establecido en el artículo 18 del Real Decreto 1041/1990, de 27 de julio, por el que se regulan las declaraciones censales que han de presentar a efectos fiscales los empresarios, los profesionales y otros obligados tributarios; por otro lado, con carácter específico para determinadas entidades exentas, la tarjeta acreditativa del Número de Identificación Fiscal.

Sin embargo, los contribuyentes de las otras tres categorías (los enumerados en los apartados 2, 3 y 4 del artículo 9) están obligados a declarar la totalidad de sus rentas, exentas y no exentas, y tan solo se establece, a título particular, que las rentas exentas que perciban las entidades sin fines lucrativos de la Ley 49/2002, procedentes del patrimonio mobiliario e inmobiliario de la entidad, dividendos y participaciones en beneficios de sociedades, intereses, cánones y alquileres, no estarán sometidas a retención ni ingreso a cuenta (artículo 12 de la Ley 49/2002). La acreditación de estas entidades a efectos de la exclusión de la obligación de retener o ingresar a cuenta se efectuará mediante certificado expedido, a petición de la entidad interesada por el órgano competente de la AEAT (Real Decreto 1270/2003). Para el resto de entidades no existe ninguna excepción en cuanto a la obligación de practicar retención o ingreso a cuenta sobre las rentas que obtengan.

---

[7]   Un estudio general acerca de esta materia referido a la normativa anterior del IS, pero trasladable en gran parte a la vigente, puede consultarse en: PALLARÉS RODRÍGUEZ, M.R.: *Las exenciones tributarias en el Impuesto sobre Sociedades*, Marcial Pons, 1995; y, SANZ GADEA, E.: *Impuesto sobre Sociedades, Comentarios y Casos Prácticos*, CEF, 2004, págs. 413 a 435.

La primera categoría prevé una exención total, que se define en los términos antes señalados, para las siguientes entidades, todas ellas pertenecientes al Sector Público, en sus distintos niveles de descentralización:

- El Estado, las Comunidades Autónomas y las entidades locales.

- Los organismos autónomos del Estado y entidades de derecho público de análogo carácter de las Comunidades Autónomas y de las entidades locales.

- El Banco de España, el Fondo de Garantía de Depósitos de Entidades de Crédito y los Fondos de garantía de inversiones.

- Las Entidades Gestoras y Servicios Comunes de la Seguridad Social.

- El Instituto de España y las Reales Academias oficiales integradas en aquél y las instituciones de las Comunidades Autónomas con lengua oficial propia que tengan fines análogos a los de la Real Academia Española.

- Los organismos públicos mencionados en las Disposiciones adicionales novena y décima, apartado 1, de la Ley 6/1997, de 14 de abril, de Organización y Funcionamiento de la Administración General del Estado, así como las entidades de derecho público de análogo carácter de las Comunidades Autónomas y de las entidades locales.

- Las Agencias Estatales a que se refieren las Disposiciones adicionales primera, segunda y tercera de la Ley 28/2006, de 18 de julio, de las Agencias estatales para la mejora de los servicios públicos, así como aquellos Organismos públicos que estuvieran totalmente exentos de este Impuesto y se transformen en Agencias estatales.

- El Consejo Internacional de Supervisión Pública en estándares de auditoría, ética profesional y materias relacionadas.

La segunda, tercera y cuarta categorías recogen supuestos de exención parcial, cada una de ellas con distinto contenido, son las siguientes:

- Estarán parcialmente exentas del Impuesto, en los términos previstos en el título II de la Ley 49/2002, de 23 de diciembre, de régimen fiscal de las entidades sin fines lucrativos y de los incentivos fiscales al mecenazgo, las entidades e instituciones sin ánimo de lucro a las que sea de aplicación dicho título.

- Estarán parcialmente exentos del Impuesto en los términos previstos en el capítulo XIV del título VII de esta Ley:

  - Las entidades e instituciones sin ánimo de lucro no incluidas en el apartado anterior. Se incluirán como tales las comunidades de regantes que agrupan a una colectividad de regantes con el fin de aprovechar colectivamente aguas de dominio público, siempre y cuando no tengan ánimo de lucro (INFORMA: 124186, DGT V0989-11).

- Las uniones, federaciones y confederaciones de cooperativas.

- Los colegios profesionales, las asociaciones empresariales, las cámaras oficiales y los sindicatos de trabajadores.

- Los fondos de promoción de empleo constituidos al amparo del artículo veintidós de la Ley 27/1984, de 26 de julio, sobre reconversión y reindustrialización.

- Las Mutuas Colaboradoras de la Seguridad Social, reguladas en el texto refundido de la Ley General de la Seguridad Social, aprobado por el Real Decreto Legislativo 1/1994, de 20 de junio.

- Las entidades de derecho público Puertos del Estado y las respectivas de las Comunidades Autónomas, así como las Autoridades Portuarias.

– Estarán parcialmente exentos del Impuesto los partidos políticos, en los términos establecidos en la Ley Orgánica 8/2007, de 4 de julio, sobre financiación de los partidos políticos.

El régimen fiscal que resulta de aplicación a cada una de estas categorías de exención parcial se trata en el apartado correspondiente de esta obra[8].

---

[8]   *Vid.* un estudio sobre el tratamiento legal de las exenciones que en el Impuesto sobre Sociedades que les han sido atribuidas a las Confesiones religiosas, en VALENCIA CANDALIJA, R. y MANZANO SILVA, M.E.: "Régimen de exenciones de las confesiones religiosas en el Impuesto sobre Sociedades", *Anuario de la Facultad de Derecho*, 23, 2005, págs. 33-67.

Artículo 10
Concepto y determinación de la base imponible

JAVIER MARÍA BAS SORIA
Inspector de Hacienda del Estado. Doctor en Derecho

"1. La base imponible estará constituida por el importe de la renta obtenida en el período impositivo minorada por la compensación de bases imponibles negativas de períodos impositivos anteriores. [

2. La base imponible se determinará por el método de estimación directa, por el de estimación objetiva cuando esta Ley determine su aplicación y, subsidiariamente, por el de estimación indirecta, de conformidad con lo dispuesto en la Ley 58/2003, de 17 de diciembre, General Tributaria.

3. En el método de estimación directa, la base imponible se calculará, corrigiendo, mediante la aplicación de los preceptos establecidos en esta Ley, el resultado contable determinado de acuerdo con las normas previstas en el Código de Comercio, en las demás leyes relativas a dicha determinación y en las disposiciones que se dicten en desarrollo de las citadas normas.

4. En el método de estimación objetiva la base imponible se podrá determinar total o parcialmente mediante la aplicación de los signos, índices o módulos a los sectores de actividad que determine esta Ley".

SUMARIO: 1. LOS PROBLEMAS ESENCIALES PARA LA FIJACIÓN DE LA BASE IMPONIBLE. 2. LA COMPENSACIÓN DE BASES IMPONIBLES 3. MÉTODOS DE DETERMINACIÓN DE LA BASE IMPONIBLE. 4. LA BASE IMPONIBLE Y EL RESULTADO CONTABLE. 4.1 La remisión al resultado contable como elemento de configuración de la base imponible. 4.2 El principio de legalidad en la determinación de la base imponible y el resultado contable. 4.3 El cálculo del resultado contable. 4.3.1 Definición del resultado contable. 4.3.2 Normas que rigen la determinación del resultado contable. 4.3.3 La facultad administrativa de determinación del resultado contable. 4.3.4 La interpretación de la normativa contable: los criterios jurídicos frente a los criterios económicos. 4.4 Los principios contables y su recepción fiscal 4.4.1 Los principios contables. 4.4.2 Empresa en funcionamiento. 4.4.3 Uniformidad. 4.4.4 Principio de prudencia valorativa. 4.4.5 Principio de devengo. 4.4.6 Principio de no compensación. 4.5 Criterios de reconocimiento contable de los elementos de balance: requisitos de los gastos fiscales. 4.5.1. Justificación del gasto. 4.5.2. Contabilización del gasto. 4.5.3. Correcta imputación temporal. 4.5.4. Necesidad del gasto. 5. Criterios de valoración. 5.1 Los criterios de valoración. 5.2 Coste histórico o coste. 5.3 Valor razonable. 5.4. Valor neto realizable. 5.6. Valor en uso. 5.7. Coste amortizado. 5.8. Costes de transacción atribuibles a un activo o pasivo financiero. 5.9 Valor contable o en libros. 5.10. Valor residual.

1. LOS PROBLEMAS ESENCIALES
PARA LA FIJACIÓN DE LA BASE IMPONIBLE

Si el hecho imponible es el hecho que, por poner de manifiesto la existencia de una capacidad económica, determina el nacimiento de la obligación tributaria; la base imponible es la magnitud que sirve para determinar la intensidad en la que se ha realizado el hecho imponible y, consecuentemente, modular el importe de la deuda.

Se contiene la definición legal de la base imponible sobre estas ideas en el artículo 50 LGT, que dispone que *"La base imponible es la magnitud dineraria o de otra naturaleza que resulta de la medición o valoración del hecho imponible"*.

El hecho imponible en el IS es, como sabemos, la obtención de renta por los contribuyentes del impuesto. La base imponible, consecuentemente, no es otra cosa que la cuantificación económica de la renta obtenida

La Teoría de la Hacienda Pública plantea dos problemas fundamentales en relación con la cuantificación general de la renta: la delimitación del ámbito temporal en el que se obtiene la renta y el método seguido para su cuantificación.

Desde un punto de vista teórico, el importe de la renta obtenida por una persona, física o jurídica, no puede determinarse sino hasta el momento del fin de su existencia. Evidentemente, tal determinación exacta de la renta obtenida en el conjunto de una vida choca con muchos problemas; algunos de tipo práctico, como son la necesidad de obtener ingresos periódicos por el Tesoro Público, la onerosidad y dificultad de la exacción de una imposición sobre la renta del conjunto de la vida, una vez finalizada ésta; y otros de tipo jurídico, como la solución que se debe ofrecer a los cambios en el tiempo para el tratamiento de los diferentes componentes empleados para el cálculo de la renta o la variación de tipos de gravamen, cuestiones normales dada la variabilidad de la normativa tributaria; y hasta de orden deontológico, como la pérdida del ajuste temporal entre la obtención de la renta y la contribución de acuerdo con lo que la sociedad entiende exigible a través de los dictados políticos de la mayoría en cada momento histórico.

En cualquier caso, dicho problema ha quedado soslayado en la totalidad de jurisdicciones fiscales modernas mediante la fijación de periodos de tiempo acotados en los que se cuantifica la renta y en los que se exige la deuda resultante: el periodo impositivo.

La fijación del periodo impositivo trae consigo otros problemas, como es el tratamiento que se debe dispensar a las pérdidas obtenidas en un periodo impositivo determinado y que se regula en la LIS a través de la compensación de las bases imponibles negativas.

El segundo de los problemas a los que hacíamos referencia, esto es, el método elegido para la cuantificación de la renta admite, desde el punto de vista teórico, tres aproximaciones principales:

a. La inclusión en la normativa reguladora del IS de una relación completa de los ingresos computables y los gastos deducibles para la cuantificación de la base imponible. Tal opción fue la elegida por la primera Ley del Impuesto vigente en España, la Ley 61/1978.

b. La dejación por el Impuesto de la cuantificación de la base imponible y la aceptación de una magnitud ajena a la normativa tributaria, como es el resultado contable. Esta opción no ha sido aplicada en nuestro país hasta el momento.

c. Una posición intermedia entre ambas posturas, en la que se parte del resultado contable, sobre el que se realizan determinados ajustes propuestos por la normativa tributaria, obteniendo de este proceso la base imponible del IS. Este sistema fue la novedad esencial de la Ley 43/1995, habiéndose mantenido tanto en el TRIS/2004, como en la actual LIS/2014.

2. LA COMPENSACIÓN DE BASES IMPONIBLES

El apartado 1 del artículo 10 LIS define la base imponible como el importe de la renta obtenida en el período impositivo minorada por la compensación de bases imponibles negativas de períodos impositivos anteriores.

Aunque no vamos a tratar en este punto de forma extensa la compensación de bases imponibles negativas, cuestión que se estudia en el comentario al artículo 26 LIS, interesa destacar de la definición anterior que se incluye la compensación de bases imponibles negativas de los ejercicios precedentes como elemento integrante de la base imponible. Este hecho no es baladí, pues la compensación de bases negativas no se configura, con tal definición, como un derecho del contribuyente, que puede ejercitar o no a voluntad, ni una opción fiscal, que puede decaer por su falta de ejercicio o su ejercicio incorrecto.

Como elemento integrante de la cuantificación de la base imponible, respetando las reglas y limitaciones legales contenidas principalmente en el artículo 26 LIS, la base imponible negativa existente será en todo caso objeto de compensación. Así lo entienden también DÍAZ YANES[1] y GARCÍA-ROZADO

---

[1] AA.VV.; Guía del Impuesto en sobre Sociedades, Editorial CISS, Valencia, 1996, pág. 66. "De esta manera, en la propia definición de la base imponible, se elimina la acotación temporal que en principio representa la determinación de la renta de un período impositivo. En

GONZALEZ[2]; lo que a nuestro juicio otorga especial relevancia a este criterio, casi de interpretación auténtica de la Ley, en la medida que ambas autoras eran funcionarias destinadas en la Dirección General de Tributos que trabajaron en la elaboración los anteproyectos de ley que se comentan en las obras citadas.

Como ya anunciábamos, esta definición no está exenta de consecuencias prácticas. Sin ánimo de ser exhaustivos podemos citar, por ejemplo, la innecesaria prueba adicional del error cuando se pretenda la rectificación de una autoliquidación, al amparo de lo previsto en el artículo 120.3 LGT, cuando se haya omitido la inclusión de una base imponible negativa a compensar en la autoliquidación del IS (a diferencia de lo que ocurre cuando lo que se pretende es la rectificación de una opción fiscal que no se ha ejercitado, como puede ser el derecho a la deducción de una cuota soportada en el IVA o la solicitud de la devolución del saldo existente a 31 de diciembre en el mismo impuesto, que requerirán prueba del error para acreditar que no es una mera opción fiscal que no se ha ejercitado) o la imposibilidad que, ante una regularización de varios ejercicios, en la que se descubra una mayor base imponible negativa en un ejercicio que la declarada y una mayor base imponible positiva en un ejercicio posterior, se excluya la posibilidad de compensar la base imponible negativa descubierta en el ejercicio en el que se ha puesto de manifiesto una mayor base positiva, por no haber sido declarada aquélla.

No obstante la posición doctrinal expuesta, fundada como hemos visto en el tenor literal de la Ley, el TEAC, en resolución de 4-4-2017 (R.G. 1510-2013) ha entendido que la compensación de BIN es una opción del contribuyente en el sentido del artículo 119.3 LGT.

3. MÉTODOS DE DETERMINACIÓN DE LA BASE IMPONIBLE

El apartado segundo del artículo 10 LIS prevé la posibilidad de que se apliquen los tres métodos contemplados en el artículo 50 LGT para la determinación de la base imponible: la estimación directa, la objetiva y la directa.

El artículo 51 LGT destaca los rasgos fundamentales de la estimación directa. Es el método general de determinación de la base imponible y en el mismo se trata de gravar exactamente la capacidad económica del contribuyente puesta

---

la base imponible definida de esta manera se incorpora tanto la renta del período como las rentas de períodos anteriores en la medida que dieron lugar a determinación de las bases imponibles negativas que se pueden compensar.

De otro modo, la Lis podría haber optado por definir la base imponible, como el importe de la renta obtenida en el período impositivo, y posteriormente haber permitido la compensación con bases imponibles negativas de ejercicios anteriores, como se hacía en la ahora derogada Ley 61/1978."

[2]   AA.VV.; Guía del Impuesto en sobre Sociedades, 2ª edición, Editorial CISS, Valencia, 2008, pág. 109.

de manifiesto por la realización del hecho imponible, frente a las aproximaciones que constituyen la estimación objetiva y la estimación indirecta.

La estimación directa puede (y debe) ser usada por el contribuyente y por la Administración. Con ello trata de subrayar el legislador que la Administración puede, desde luego, corregir en estimación directa la cuantificación de la base realizada por el contribuyente; y además, que la Administración está obligada, en la medida de lo posible, a utilizar este método de determinación de la base imponible como medio general.

Concluye el citado artículo 51 LGT con una enumeración de los elementos que pueden utilizarse en la cuantificación de la base imponible en estimación directa: las declaraciones o documentos presentados, los datos contenidos en libros y registros y los comprobados por la Administración de éstos, los demás datos, justificantes y documentos con trascendencia. No se establece jerarquía o prioridad entre ellos, siendo las normas sobre la prueba (artículos 105 y ss LGT) las que determinarán cuál de ellos debe prevalecer en un caso concreto; lo que a nuestro juicio debería hacerse siempre teniendo presente la finalidad de gravar la verdadera capacidad económica puesta de manifiesto en el caso concreto.

El régimen de estimación objetiva se contempla en el artículo 52 LGT como un régimen alternativo a la estimación directa para la determinación de las bases imponibles de algunas actividades. Su aplicación sustituye parcial o totalmente los datos reales habidos en la actividad concreta por la aplicación de signos, índices o módulos que se utilizan para cuantificar determinados elementos integrantes de la base imponible, como ocurre con las cuotas devengadas por el IVA en el régimen simplificado y los ingresos en la estimación objetiva del IRPF, o la totalidad de la base imponible, como ocurre en el régimen especial de las entidades navieras en función del tonelaje, contemplado en el Capítulo XVI del Título VII LIS, y que es la única manifestación en este impuesto de la estimación objetiva.

Finalmente, se contempla como método para la determinación de la base imponible el régimen de estimación indirecta, previsto en el artículo 53 LGT, que es de carácter subsidiario, por lo que solo podrá acudirse al mismo cuando la base imponible no pueda determinarse en estimación directa u objetiva.

El artículo 53 LGT enumera una serie de supuestos en los que procede acudir a la estimación indirecta. Esta lista de supuestos es una lista cerrada, con lo que no cabrá invocar otras circunstancias distintas para fundamentar la aplicación de este método. Además, no basta con que concurran estas circunstancias, sino que hace falta que además la base no pueda determinarse en estimación directa u objetiva, como consecuencia de estos hechos. El artículo 158 LGT, que completa la regulación sustantiva con los aspectos procedimentales relativos a la aplicación de la estimación indirecta, obliga a dejar constancia de los hechos y razones por los que se aplica el régimen, lo cual es tanto como exigir una completa motivación tanto de la circunstancia de hecho que habilita a aplicar la estimación indirecta como de la imposibilidad que, como consecuencia de ello, existe de aplicar otro método.

Las razones que justifican la aplicación del método de estimación indirecta son las siguientes:

- Falta de presentación de declaraciones o presentación de declaraciones incompletas o inexactas;

- Resistencia, obstrucción, excusa o negativa a la actuación inspectora;

- Incumplimiento sustancial de las obligaciones contables o registrales; y

- Desaparición o destrucción, aun por causa de fuerza mayor, de los libros y registros contables o de los justificantes de las operaciones anotadas en los mismos.

Estos motivos han sido aclarados en numerosas sentencias y resoluciones administrativas. Sin ánimo de ser exhaustivos, podemos destacar determinadas circunstancias que han sido consideradas como incluidas en estos supuestos: la existencia de omisiones o inexactitudes en la documentación contable o registral, que impiden cerciorarse de la exactitud y exhaustividad de ésta; la falta de verificabilidad de la contabilidad, por no haberse seguido los principios contables generalmente aceptados; la incongruencia entre las operaciones registradas y las operaciones de las que se tiene certeza por otras circunstancias; la existencia de tachaduras o raspaduras en las facturas o tickets de ventas; la sustitución de los tickets de ventas expedidos por otros elaborados en un momento posterior; la existencia de omisiones en los libros de ventas; etc...

Completa el artículo 53 LGT la enumeración de los supuestos que permiten aplicar la estimación indirecta con una lista de los medios que pueden utilizarse para estimar la base imponible, que incluye los siguientes:

- Los datos y antecedentes disponibles que sean relevantes;

- Los elementos que indirectamente acrediten la existencia de los bienes y de las rentas, así como de los ingresos, ventas, costes y rendimientos que sean normales en el respectivo sector económico, atendidas las dimensiones de las unidades productivas o familiares que deban compararse en términos tributarios; y

- La valoración de las magnitudes, índices, módulos o datos que concurran en los respectivos obligados tributarios, según los datos o antecedentes que se posean de supuestos similares o equivalentes.

Completa esta regulación el artículo 158 LGT que, tras la reforma operada por la Ley 34/2015, recoge los orígenes de los datos o antecedentes que pueden servir para la aplicación de la estimación indirecta, a saber: los signos, índices y módulos establecidos para el método de estimación objetiva, que se utilizarán preferentemente tratándose de obligados tributarios que hayan renunciado a dicho método; los datos económicos y del proceso productivo obtenidos del propio obligado tributario, pudiendo utilizarse datos de ejercicios anteriores o posteriores al regularizado en los que disponga de información que se considere suficiente y fiable; datos procedentes de estudios del sector efectuados por organismos públicos o por organizaciones privadas de acuerdo con técnicas estadísticas adecuadas, y que se refieran al periodo objeto de regularización; o datos de una muestra obtenida por los órganos de la Inspección sobre empresas, actividades o productos con características relevantes que sean análogas o similares a las del obligado tributario, y se refieran al mismo año.

La estimación indirecta solo es susceptible de ser aplicada en un procedimiento inspector, ya que exige la captación de una serie de datos que difícilmente pueden requerir otros órganos, consideración que ratifica el artículo 158 LGT, que recoge los aspectos procedimentales de la aplicación de este método de estimación; precepto ubicado en el Capítulo IV, la Inspección tributaria, del Título III, la aplicación de los tributos, de la LGT.

Así, destaca el mencionado artículo 158 LGT, la necesidad de extender un informe para la aplicación de la estimación indirecta donde se hagan constar aquellos extremos que considera relevantes para la aplicación del régimen sustantivo: las circunstancias que determinan la necesidad de acudir a la estimación indirecta; la situación de la contabilidad y de los registros, ya que como aclara el RAT no basta que concurra uno de los supuestos de hecho previstos para acudir a la estimación indirecta, sino que debe justificarse que además no resulta posible la determinación de la base por estimación directa (lo que se realiza con soporte en las declaraciones, contabilidad y registros del obligado); la justificación del método elegido para la aplicación de la estimación indirecta, tratando de garantizar el máximo acierto y aproximación a los datos reales del obligado; y, finalmente, el desarrollo numérico de los cálculos y operaciones llevados a cabo. Ampara el RAT de forma expresa lo que era una práctica habitual, en el caso de que la estimación indirecta dé lugar a un acta de disconformidad, el informe ampliatorio de ésta y el informe de estimación indirecta pueden ser uno solo, aunque deberá reunir los elementos de uno y otro. La estimación indirecta podrá referirse a las ventas y prestaciones, a las compras y gastos o al rendimiento neto de la actividad, incluyendo, por tanto, tanto ventas y prestaciones como compras y gastos.

Por lo demás, la aplicación del método de estimación indirecta no requiere de acto o formalidad alguna (aparte del informe antes mencionado). Será el funcionario actuario el que, tras comprobar que no resulta posible la aplicación de la estimación directa, decida su aplicación. Por tanto, la aplicación de este método no puede ser impugnada de forma autónoma, aunque lógicamente los recurrentes pueden dirigirse contra los supuestos habilitantes, los métodos de cálculo o la aritmética de los propios cálculos realizados, en los recursos y reclamaciones que promuevan contra la liquidación.

4. LA BASE IMPONIBLE Y EL RESULTADO CONTABLE

4.1. *La remisión al resultado contable como elemento de configuración de la base imponible*

Como hemos señalado anteriormente, de las distintas opciones que pueden plantearse para la cuantificación de la base imponible en el IS, el legislador español ha elegido el resultado contable corregido, tal y como se define en el apartado 3 del artículo 10 LIS, que establece: *"En el método de estimación directa, la base imponible se calculará, corrigiendo, mediante la aplicación de los preceptos establecidos en esta Ley, el resultado contable determinado de acuerdo con las normas previstas en el Código de Comercio, en las demás leyes relativas a dicha determinación y en las disposiciones que se dicten en desarrollo de las citadas normas."*

Con la Ley 61/1978, sin embargo, el IS establecía una enumeración prolija de los ingresos computables y los gastos deducibles que determinaban la base imponible del Impuesto en estimación directa.

La LIS/1995 modificó este criterio, estableciendo la remisión al resultado contable ajustado, que se mantiene vigente.

Este cambio fue valorado de forma dispar por la doctrina científica. Para un sector de la doctrina este cambio de criterio constituía un giro copernicano[3], valorado mayoritariamente de forma positiva como un avance por la referencia a un Derecho privado, como es el contable, menos dado al casuismo y con menor dificultad de interpretación que el Derecho tributario[4]. Para otro sector la novedad era más formal que material, ya que la norma del Impuesto sobre Sociedades vigente hasta el momento era prácticamente una trascripción de cuanto las normas contables preveían[5].

---

[3] En este sentido se pronuncia CAPDEVILA, M., en Comentarios al Impuesto sobre Sociedades; Ed. Civitas, Madrid 1998, Tomo I, pag. 91, quien recoge las opiniones en el mismo sentido de GOTA LOSADA y de J. BARRIL.

[4] Así lo reconoce MALALVAREZ PASCUAL, L., en Impuesto sobre Sociedades, Comentarios y casos prácticos; Ed. CEF, Madrid, 2002.

[5] En este sentido, PRESA LEAL Y ALONSO ALONSO, Novedades más significativas de la Ley 43/1995, de 27 de diciembre, del Impuesto sobre Sociedades; Revista de Contabilidad y Tributación nº 154, CEF; que dicen: *"A diferencia de la reforma de 1978, que supuso el abandono de la imposición de producto, la actual reforma mantiene las líneas maestras del impuesto configuradas por la Ley 61/1978. Como hemos dicho, se mantiene la estructura general del impuesto. Lo que nos permite afirmar que el tan comentado acercamiento de la base imponible al resultado contable que persigue la nueva ley, constituye una novedad más aparente que real. Con la normativa derogada, no tenemos más que ver los impresos normalizados de declaración del impuesto aprobados cada año por el Ministerio de Hacienda, también se determinaba la base imponible a partir del resultado contable, efectuando las correcciones fiscales pertinentes. Estamos, por tanto, ante un cambio formal, de redacción*

A nuestro juicio, el tiempo ha inclinado definitivamente la balanza en esta discusión. El PGC 07 ha modificado, en muchos casos, la forma de contabilizar de los diferentes elementos patrimoniales y los ingresos y los gastos ligados con los mismos. Resulta ahora mismo una realidad palmaria que el resultado contable de una entidad con el PGC 07 no tiene porqué ser coincidente con el que se hubiera obtenido con la aplicación del PGC 90. Indudablemente, si el Impuesto sobre Sociedades hubiera mantenido su regulación completa de los distintos elementos que configuran la base imponible, el resultado de las actividades no se hubiera visto alterado, aplicáramos el PGC que aplicásemos.

4.2. *El principio de legalidad en la determinación de la base imponible y el resultado contable*

La base imponible, como uno de los elementos esenciales de los tributos, se encuentra reservada en su regulación a la Ley, tal y como señala el artículo 8 LIVA. Aunque formalmente dicha remisión queda cumplida con el artículo 10.3 LIS/2014, antes citado, la doctrina ha suscitado en numerosas ocasiones que esta remisión constituye un cheque en blanco que deslegaliza la materia, quizás viciado hasta de inconstitucionalidad[6].

Frente a este argumento se han esgrimido varias consideraciones. En primer lugar se ha destacado que la Ley fiscal no hace un abandono de sus competencias, sino que evita reiteraciones allí donde tradicionalmente se ha limitado a copiar los criterios contables[7]. Mantiene su independencia de configuración de la base imponible allí donde lo estima pertinente, mediante la corrección del resultado contable con las normas fiscales[8], siendo en estos supuestos donde se debería enjuiciar el pleno respeto al principio de legalidad.

Por otro lado, debemos destacar que el resultado contable, aunque determinado principalmente a través de la aplicación del PGC (norma de rango reglamentario) e incluso de resoluciones del ICAC (sin valor normativo jerárquico propio), no es una materia exenta de regulación legal. Así, el PGC es desarro-

---

normativa, ya que en la práctica aun cuando la anterior normativa no hiciera mención al resultado contable, sino a la suma algebraica de los rendimientos y de los incrementos y disminuciones de patrimonio, también se partía del resultado contable, para determinar la base imponible."

[6]   En este sentido, ESTEBAN MARINA, A., Impuesto sobre Sociedades: cálculo de la base imponible (I), en Carta Tributaria nº 239, pág. 2; o FERREIRO LAPATZA, J.J.; Sobre la Ley 43/1995 del Impuesto sobre Sociedades, Quincena Fiscal nº 5, marzo 1996, pág. 11.

[7]   En este sentido, PRESA LEAL Y ALONSO ALONSO, Novedades más significativas de la Ley 43/1995, de 27 de diciembre, del Impuesto sobre Sociedades, op. cit.

[8]   CAPDEVILA, M., en Comentarios al Impuesto sobre Sociedades, op. cit., pag. 93: "*La LIS no abdica totalmente de su competencia para determinar la base imponible, de acuerdo con el artículo 31 de la CE, ya que corrige expresamente el resultado contable…*"

llo de los principios mercantiles y contables, que se imponen al mismo como normas superiores y con un rango legal o supralegal. Además, el principio de reserva de ley en relación con la base imponible ha sido interpretado de una forma más laxa por el Tribunal Constitucional, que entiende que el mismo no rige con la misma intensidad que en otros elementos esenciales del tributo (hecho imponible, exenciones o tipos, por ejemplo) y que no cabe exigir el mismo grado de precisión legal[9].

Esta crítica que se hizo a la LIS/1995, ha quedado tremendamente atenuada por la importante modificación operada en el C de C por la Ley 16/2007, que ha pasado de una mera referencia normativa de la contabilidad en un sentido formal, a la consagración en norma con rango de ley de los principios contables (artículo 38), los criterios de valoración (artículo 38 bis) y hasta determinadas normas de registro y valoración (artículo 39), así como un mayor detalle del contenido de las cuentas anuales y, particularmente, de la cuenta de resultados. Con ello, no puede seguir esgrimiéndose que la remisión al resultado contable lo es a una materia deslegalizada, regulada únicamente por el PGC, de rango reglamentario, sino que sus elementos esenciales se encuentran recogidos en norma con rango de Ley.

Cabe añadir, desde nuestro punto de vista, que el principio de reserva de ley, aunque obliga a definir la base imponible en la Ley, no impone la definición de todos los términos que son tenidos en cuenta para la fijación de la base imponible en la Ley (lo mismo ocurre con el hecho imponible, en el que el principio de legalidad rige con mayor intensidad, y que no impide usar en la configuración del mismo términos definidos en normas de rango reglamentario o incluso no definidos en norma alguna). Podemos referirnos en la definición legal de la base imponible a términos y elementos que no sean creación de Ley y que carezcan, incluso, de toda regulación legal, siempre que sirvan para cuantificar la base imponible que se ha definido legalmente. Así pues, al referirse al resultado contable como elemento de partida, el legislador fiscal no está haciendo abandono del principio de legalidad, sino que se está manifestando por la aplicación de un concepto existente y separado de la normativa fiscal como elemento para la fijación de la base imponible. No es ésta, además, una circunstancia que sea única en nuestro ordenamiento, aunque quizá esta referencia a conceptos extralegales haya pasado un tanto desapercibida, por ser habitual en tributos que gran parte

---

[9] «[...] En cuanto elemento necesario para la determinación del importe de la cuota tributaria, también la base imponible es un elemento esencial del tributo y, en consecuencia, debe ser regulada por ley. No puede desconocerse, sin embargo, que en un sistema tributario moderno la base imponible puede estar integrada por una pluralidad de factores de muy diversa naturaleza cuya fijación requiere, en ocasiones, complejas operaciones técnicas. Ello explica que el legislador remita a normas reglamentarias la concreta determinación de algunos de los elementos configuradores de la base» (Sentencia del Tribunal Constitucional 221/1992, de 11 de diciembre, F.J.7º).

de la doctrina deja de lado. Así, en los Impuestos Especiales, tanto la definición de los distintos hechos imponibles como la propia fijación de la base imponible se encuentran preñadas de conceptos extrajurídicos (la referencia a los productos por su clasificación de la Nomenclatura Combinada, la referencia a pesos, medidas o unidades de potencia, ..., todo ello materias que, no por conocidas, se puede afirmar que se encuentren definidas en norma legal alguna); por no hablar de los impuestos ambientales definidos en la Ley 15/2012, de 27 de diciembre, de medidas fiscales para la sostenibilidad energética (por poner un ejemplo, el hecho imponible del Impuesto sobre el valor de la producción de la energía eléctrica, se define como *"la producción e incorporación al sistema eléctrico de energía eléctrica medida en barras de central, incluidos el sistema eléctrico peninsular y los territorios insulares y extrapeninsulares, en cualquiera de las instalaciones a las que se refiere el Título IV de la Ley 54/1997, de 27 de noviembre, del Sector Eléctrico. La producción en barras de central, a efectos de esta Ley, se corresponderá con la energía medida en bornes de alternador minorada en los consumos auxiliares en generación y en las pérdidas hasta el punto de conexión a la red"*).

4.3. El cálculo del resultado contable

4.3.1. Definición del resultado contable

La reforma operada en el C de C por la Ley 16/2007 ha propiciado que esta norma contemple un concepto descriptivo del resultado contable, ofrecido por la cuenta de pérdidas y ganancias, y que recoge separando debidamente los ingresos y los gastos imputables al mismo, y distinguiendo los resultados de explotación, de los que no lo sean. Señala además que figurarán de forma separada, al menos, el importe de la cifra de negocios, los consumos de existencias, los gastos de personal, las dotaciones a la amortización, las correcciones valorativas, las variaciones de valor derivadas de la aplicación del criterio del valor razonable, los ingresos y gastos financieros, las pérdidas y ganancias originadas en la enajenación de activos fijos y el gasto por impuesto sobre beneficios.

Igualmente, el PGC nos ofrece un concepto de resultado contable, al referirse en el punto séptimo de la tercera parte, a la cuenta de pérdidas y ganancias, que dice que recoge el resultado del ejercicio, formado por los ingresos y los gastos del mismo, excepto cuando proceda su imputación directa al patrimonio neto de acuerdo con lo previsto en las normas de registro y valoración.

El resultado del ejercicio puede ser positivo, cuando los ingresos superan los gastos, recogiendo un beneficio; o negativo, cuando los gastos son mayores que los ingresos, reportando en este caso una pérdida. Esta pérdida se integrará como base imponible negativa a compensar, que, de acuerdo con la definición de la base imponible efectuada en el artículo 10.1 LIS, debe realizarse de forma obligatoria, tal y como hemos visto.

El PGC ha incluido un nuevo tipo de ingresos y gastos, recogidos en los grupos de cuentas 9 y 8 respectivamente, que son los ingresos y gastos que se imputan al patrimonio neto. Contablemente estas partidas no se integran en el resultado del ejercicio, sino en el Estado de Cambios en Patrimonio Neto, juntamente con el propio resultado del ejercicio y las transferencias realizadas a la cuenta de pérdidas y ganancias según lo dispuesto por el PGC.

Tales ingresos y gastos que se imputan al patrimonio neto carecen de efectos fiscales, al no tener efecto en la cuenta de Pérdidas y Ganancias, sino en el Estado de Cambios en Patrimonio Neto, como se ha señalado. Así se deduce además del artículo 17.1 LIS, que dispone: *"Los elementos patrimoniales se valorarán de acuerdo con los criterios previstos en el Código de Comercio, corregidos por la aplicación de los preceptos establecidos en esta Ley. No obstante, las variaciones de valor originadas por aplicación del criterio del valor razonable no tendrán efectos fiscales mientras no deban imputarse a la cuenta de pérdidas y ganancias."*

4.3.2. Normas que rigen la determinación del resultado contable

El artículo 10.3 LIS remite a la fijación del resultado contable de acuerdo con las normas previstas en el Código de Comercio, en las demás leyes relativas a dicha determinación y en las disposiciones que se dicten en desarrollo de las citadas normas.

Como hemos señalado anteriormente, el Código de Comercio, norma que servía de base al desarrollo de la contabilidad propiamente dicha, contenida en el PGC, ha pasado de ser norma meramente habilitante para el desarrollo reglamentario de la contabilidad a norma con un contenido fundamental para el desarrollo de la contabilidad. Cabe destacar especialmente en esta materia el artículo 38 que sienta los siguientes principios contables, que han sido objeto de un desarrollo detallado en el PGC 07:

- Principio de empresa en funcionamiento.
- Principio de continuidad en los criterios de valoración.
- Principio de prudencia valorativa.
- Principio de devengo o de imputación temporal.
- Principio de no compensación.
- Principio de contabilización por el precio de adquisición o por el coste de producción.
- Principio de fiabilidad.
- Principio de libre valoración económica y presentación en euros.
- Principio de importancia relativa e imagen fiel de la empresa.

La siguiente norma en importancia es el Plan General de Contabilidad, aprobado Real Decreto 1514/2007, de 16 de noviembre. En este se contiene el desarrollo completo de la contabilidad, a través de elementos obligatorios, que son el Marco Conceptual de la Contabilidad, que recoge los documentos que integran las cuentas anuales así como los requisitos, principios y criterios contables de reconocimiento y valoración, que deben conducir a que las cuentas anuales muestren la imagen fiel del patrimonio, de la situación financiera y de los resultados de la empresa (primera parte del Plan), las normas de registro y valoración, que desarrollan los principios contables y recogen los criterios de registro y valoración de las distintas operaciones y elementos patrimoniales de la empresa (segunda parte del Plan), y las cuentas anuales (tercera parte); y de los elementos no obligatorios, que son el cuadro de cuentas, donde se incluyen codificadas las distintas partidas contables (cuarta parte) y las definiciones y relaciones contables, que incluye las definiciones de distintas partidas y sus principales motivos de cargo y abono (quinta parte).

Conjuntamente con el Plan General de Contabilidad se aprobó por Real Decreto 1515/2007, de 16 de noviembre, por el que se aprueba el Plan General de Contabilidad de Pequeñas y Medianas Empresas y los criterios contables específicos para microempresas, de carácter complementario de aquel y de aplicación voluntaria, que recoge los contenidos del mismo relacionados con las operaciones realizadas, con carácter general, por estas empresas, y que simplifica los criterios de registro, valoración e información a incluir en la memoria.

El Plan General de Contabilidad de 1990 autorizó en su disposición final la adaptación sectorial del mismo cuando la naturaleza de los sectores afectados así lo exigiera. Así se dictaron adaptaciones a Entidades aseguradoras (sustituida por un Plan específico, aprobado por Real Decreto 2014/1997), a entidades de crédito (Circular 4/91), a empresas constructoras (OM 27/1/93), a empresas inmobiliarias (OM 28/12/94), a Federaciones Deportivas (OM 2/2/94), de Sociedades Anónimas Deportivas (OM 23/6/95), asociaciones de utilidad pública (RD 1786/96) y a empresas de asistencia sanitaria (OM 23/12/96). Asimismo, durante la aplicación de éste se mantuvieron vigentes, en cuanto no fueran contrarias al mismo, las adaptaciones efectuadas del PGC 1973, que comprendían los siguientes sectores: sociedades de leasing (OM 3/6/76), sociedades de factoring (OM 28/4/77), a empresas del subsector eléctrico (OM 28/4/77), empresas concesionarias de autopistas de peaje (OM 30/6/77), empresas siderúrgicas (OM 8/5/78), casinos de juego (OM 23/6/78), industria del automóvil (OM 14/1/80), fabricación de cementos (OM 14/1/80, entidades de financiación distintas de las de leasing y factoring (OM 15/12/80), empresas del calzado (OM 13/3/81), industria textil (OM 18/3/81), entidades de seguros (derogado), empresas de minería del carbón (OM 10/2/84), fabricación de juguetes (OM 10/2/84) y empresas de transporte terrestre (OM 2/6/87).

El Plan General de Contabilidad 2007 dispone en su DT 5ª la vigencia de las adaptaciones sectoriales y otras disposiciones de desarrollo en materia contable que estuviesen en vigor a la fecha de su publicación, en todo aquello que no se opongan a lo dispuesto en el Código de Comercio, la Ley de Sociedades Anónimas, la Ley de Sociedades de Responsabilidad Limitada y el propio Plan General de Contabilidad. Establece, además, la vigencia expresa de ciertas normas que suponen excepción a los criterios del Plan: para las sociedades concesionarias de autopistas, túneles, puentes y otras vías de peaje y a las empresas del sector de abastecimiento y saneamiento de aguas, se mantienen en vigor los criterios relativos a los gastos financieros diferidos de financiación de autopistas, túneles, puentes y otras vías de peaje y los gastos financieros diferidos de financiación de activos del inmovilizado necesarios para llevar a cabo la actividad de abastecimiento y saneamiento de aguas; también la exteriorización de los compromisos por pensiones regulada en el Reglamento sobre la Instrumentación de los Compromisos por Pensiones de las Empresas con los Trabajadores y Beneficiarios; y, finalmente, para las sociedades cooperativas la delimitación entre fondos propios y fondos ajenos en las normas sobre los aspectos contables de las mismas.

No siempre resulta clara la continuidad en la vigencia de los criterios sustentados en las adaptaciones sectoriales del PGC 90 con el nuevo PGC 07. Es por ello que el ICAC se ha pronunciado en diversas consultas sobre dicha continuidad, a modo de ejemplo, podemos citar, en relación con la adaptación a entidades sin fines lucrativos, particularmente sobre la vigencia de esta adaptación (consulta num. 1, Boicac nº 73 de marzo de 2008) y sobre la consideración de las subvenciones concedidas a la entidad por los patronos (consulta num. 6, Boicac nº 75 de septiembre de 2008); la adaptación a Federaciones Deportivas (consulta num. 7, Boicac nº 74 de junio de 2008); y con la adaptación a empresas inmobiliarias, particularmente, el registro de las ventas cuando los inmuebles se encuentren sustancialmente terminados (consulta num. 8, Boicac nº 74 de junio de 2008), la valoración de la permuta de un terreno por obra futura, por el valor estimado de la obra futura (consulta num. 2, Boicac nº 75 de septiembre de 2008) y la incorporación de los gastos financieros (consulta num. 3, Boicac nº 75 de septiembre de 2008).

Igualmente, el PGC 07 ha previsto, en su DF 1, una habilitación para la aprobación de adaptaciones sectoriales, en cuya virtud se autoriza al Ministro de Economía y Hacienda, a propuesta del Instituto de Contabilidad y Auditoría de Cuentas, para la aprobación mediante Orden Ministerial de las adaptaciones sectoriales del Plan General de Contabilidad. Se prevé además que las adaptaciones sectoriales se elaboren tomando en consideración las características y naturaleza de las actividades del sector concreto de que se trate, adecuándose al mismo tanto las normas de registro y valoración, como la estructura, nomenclatura y terminología de las cuentas anuales.

Así, se han dictado la Orden EHA/733/2010, de 25 de marzo, por la que se aprueban aspectos contables de empresas públicas que operan en determinadas circunstancias; la Orden EHA/3360/2010, de 21 de diciembre, por la que se aprueban las normas sobre los aspectos contables de las sociedades cooperativas; la Orden EHA/3362/2010, de 23 de diciembre, por la que se aprueban las normas de adaptación del Plan General de Contabilidad a las empresas concesionarias de infraestructuras públicas.

Adaptación derivada de la aprobación del PGC 2007, aunque no basada en la citada DF 5ª del mismo, sino de la DA 3ª de la Ley 50/2002, de 26 de diciembre, de Fundaciones, que establece que corresponde al Gobierno efectuar la actualización de las normas de adaptación del Plan General de Contabilidad a las entidades sin fines lucrativos, se ha aprobado el Real Decreto 1491/2011, de 24 de octubre, por el que se aprueban las normas de adaptación del Plan General de Contabilidad a las entidades sin fines lucrativos y el modelo de plan de actuación de las entidades sin fines lucrativos.

Junto con el marco contable constituido por el PGC 07, existen ámbitos específicos donde se aplican transposiciones específicas de las NIC/NIIF, que no adaptaciones del propio PGC 07. Cabe destacar el ámbito de las entidades de crédito, en el que se aplica la Circular 4/2004, del Banco de España, de 22 de diciembre, sobre normas de información financiera pública y reservada y modelos de estados financieros; y el de las entidades aseguradoras españolas, a las que se aplica el Plan de Contabilidad de las Entidades Aseguradoras, aprobado por Real Decreto 1317/2008, de 24 de julio.

El PGC 90 contemplaba la competencia del ICAC de dictar disposiciones de desarrollo de obligado cumplimiento mediante Resolución. En ejercicio de esta facultad se dictaron resoluciones relativas a criterios para fijar el importe neto de la cifra de negocios (Resolución 16/5/91), normas de valoración del inmovilizado material (Resolución 30/7/91), criterios en relación con los impuestos anticipados en relación con la provisión para pensiones y obligaciones similares (Resolución 21/1/92), norma sobre el inmovilizado inmaterial (Resolución 21/1/92), sobre algunos aspectos de la norma de valoración decimosexta del Plan (Resolución 30/4/92, sustituida por la Resolución 9/10/97, modificada a su vez por Resolución 9/10/97), normas de valoración de participaciones en el capital derivadas de aportaciones no dinerarias en la constitución o ampliación del capital de sociedades (Resolución 27/7/92), sobre criterios de contabilización de participaciones en PIAMM (Resolución 27/7/92), criterios en valoración y registro contable del IGIC (Resolución 16/12/92), criterios generales para determinar el concepto de patrimonio contable en los supuestos de reducción de capital y disolución de sociedades (Resolución 20/12/96), sobre el tratamiento contable de los regímenes especiales del IVA y del IGIC (Resolución 20/1/97), sobre a información a incorporar en las cuentas anuales relativa al efecto 2000 (Resolución 20/7/98), criterios para la determinación del coste de producción (Resolución 9/5/2000), sobre reconocimiento, valoración e información de los aspectos medioambientales en las cuentas anuales (Resolución 25/3/02), y normas para el registro, valoración e información de los derechos de emisión de gases de efecto invernadero (Resolución 8/2/06).

Estas resoluciones han planteado en ocasiones dudas sobre su eficacia para integrar la base imponible, al carecer de rango normativo propio entre las distintas fuentes del Derecho. Esta controversia se ha reflejado en la jurisprudencia que ha negado el carácter reglamentario de las Resoluciones del ICAC, restringiendo su obligado cumplimiento al ámbito de las competencias del órgano que las aprueba (ICAC), como son los informes elaborados por los auditores de cuentas (STSJ 19/1/94). El Tribunal Supremo, en recurso de casación promovido contra la citada sentencia, consideró que las Resoluciones, aunque carentes de rango reglamentario, constituían verdaderas disposiciones de obligado cumplimiento, fundadas en la especialidad de la materia y en la existencia de una habilitación legal, aunque esta fuera poco clara (STS 27/10/97).[10]

Quizás por esta crítica doctrinal, la Ley 16/2007 ha querido reconocer esta competencia e integrarla, en virtud de delegación legal expresa, dentro del elenco de fuentes. En este sentido, la DF 1ª de la Ley autoriza al Instituto de Contabilidad y Auditoría de Cuentas para que apruebe normas de obligado cumplimiento en desarrollo del Plan General de Contabilidad y sus normas complementarias, en particular, en relación con los criterios de reconocimiento y reglas de valoración y elaboración de las cuentas anuales. Para reforzar la legitimidad de esta disposición se remite, en cuanto al procedimiento para la aprobación de las Resoluciones del ICAC, al previsto para las normas de rango reglamentario en la Ley del Gobierno. El propio PGC ratifica la vigencia de las Resoluciones, matizando el alcance natural de las mismas derivado de la jurisprudencia del TS: el tratamiento de los casos particulares de operaciones que una norma de carácter general como es el Plan no puede contemplar.

En ejercicio de esta facultad, el ICAC ha dictado diversas resoluciones de desarrollo del PGC, a saber, Resolución de 1 de marzo de 2013, por la que se dictan normas de registro y valoración del inmovilizado material y de las inversiones inmobiliarias, Resolución de 28 de mayo de 2013, por la que se dictan normas de registro, valoración e información a incluir en la memoria del inmovilizado intangible; Resolución de 18 de septiembre de 2013, por la que se dictan normas de registro y valoración e información a incluir en la memoria de las cuentas anuales sobre el deterioro del valor de los activos; Resolución de 18 de octubre de 2013, sobre el marco de información financiera cuando

---

[10] Sobre este particular, CRUZ PADIAL, I.; Valor normativo de las resoluciones del ICAC: puntualizaciones sobre la Sentencia del Tribunal Supremo de 27 de octubre de 1997; Cuadernos de Estudios Empresariales 1998 nº 8, pag. 311-324.

no resulta adecuada la aplicación del principio de empresa en funcionamiento; Resolución de 14 de abril de 2015, por la que se establecen criterios para la determinación del coste de producción; y Resolución de 9 de febrero de 2016, por la que se desarrollan las normas de registro, valoración y elaboración de las cuentas anuales para la contabilización del Impuesto sobre Beneficios.

Junto con esta facultad de desarrollo, el ICAC resuelve consultas que se formulan sobre las materias de contabilidad y auditoría. Algunas de las consultas, debidamente documentadas, de las realizadas por los usuarios, son publicadas en el Boletín del Instituto de Contabilidad (BOICAC) por su interés general. En particular, desde la aprobación del PGC 07 y hasta el momento de redacción de estas líneas se han publicado contestaciones relativas a este Plan en los BOICAC nº 72, de enero de 2008 y hasta el nº 108, de diciembre de 2016.

4.3.3. La facultad administrativa de determinación del resultado contable

La referencia al resultado contable como elemento de partida para la determinación de la base imponible plantea la cuestión de las competencias que puede asumir la Administración tributaria para su verificación. La LIS/1995 quiso zanjar este tema desde el origen, estableciendo en su artículo 148 de forma clara la facultad de verificación de la Administración sobre el resultado contable. Así, el mencionado precepto, en su redacción original, establecía: *"A los solos efectos de determinar la base imponible, la Administración tributaria podrá determinar el resultado contable, aplicando las normas a que se refiere el artículo 10.3 de esta Ley."*

Este precepto causó una cierta controversia doctrinal, ya que se entendía que la facultad de la Administración de modificación del resultado contable afectaba según el tenor literal del precepto, exclusivamente, a la base imponible del Impuesto sobre Sociedades, pero carecía de otros efectos frente a terceros, y, por otro lado, se imponía, a los efectos fiscales, a otras formas de revisión del resultado contable que pudieran ofrecer un criterio distinto al sustentado por la Administración tributaria, muy particularmente, la opinión de los auditores recogida en el informe de auditoría; incluso se planteó la posibilidad de que la Administración alterara las legítimas opciones de los contribuyentes en la contabilización para optar por otras alternativas más gravosas[11].

---

[11] FERREIRO LAPATZA, J.J. , "Sobre la Ley 43/1995, de 27 de diciembre, del Impuesto sobre Sociedades", Quincena fiscal nº 5, 1996, pág. 16. *"El contribuyente puede llevar una contabilidad impoluta, habiendo ejercitado en ella todas las opciones que el PGC, todo menos una norma rígida, le permita. Pero la Administración puede después, en el procedimiento de comprobación, rehacer esta contabilidad, y aun dejándola, sin tacha en otros ámbitos (notoriamente el mercantil) determinar otra base imponible aplicando otros criterios dentro de las opciones que el PGC permite."*

El legislador quiso aclarar estas dudas y modificó el texto del mencionado precepto con ocasión de la aprobación del Real Decreto Legislativo 4/2004, quedando redactado artículo 143 TRIS/2004 con el siguiente tenor literal: "*Facultades de la Administración para determinar la base imponible. A los efectos de determinar la base imponible, la Administración tributaria aplicará las normas a que se refiere el artículo 10.3 de esta ley.*"

Esta redacción es idéntica a la que actualmente dispone el artículo 131 LIS/2014.

Ciertamente no es una esta redacción muy afortunada[12]. Se pretende, a nuestro juicio, mantener la facultad revisora, si bien se centra en su eficacia exclusiva en la determinación de la base imponible, imponiendo además la forma de su ejercicio: la Administración deberá aplicar los principios y normas contables, así como las normas fiscales que exceptúan este resultado. Esta facultad no sirve para alterar las legítimas decisiones que hubiera adoptado la empresa en orden a la llevanza de su contabilidad, dentro de distintas alternativas válidas y posibles, sino para corregir ésta cuando haya desoído el mandato de la norma contable o de su normativa de desarrollo (por ejemplo, las Resoluciones del ICAC).

4.3.4. La interpretación de la normativa contable: los criterios jurídicos frente a los criterios económicos

La interpretación de las normas jurídicas es una labor compleja tendente a descubrir cuál es el mandato de las normas. Una vez interpretada la norma, los hechos acontecidos deben ser subsumidos en los presupuestos de la norma para lograr la aplicación del Derecho al caso concreto. Es por ello que la interpretación y la aplicación de las normas son cuestiones de capital importancia a la que las propias normas jurídicas prestan una atención especial.

La LGT destina diversos preceptos a la interpretación de las normas tributarias, de los que el más destacado es el artículo 12, cuya denominación no deja lugar a dudas sobre su importancia en la materia: interpretación de las normas tributarias. Este precepto contiene dos normas distintas, por una parte, una regla hermenéutica para a la interpretación de los preceptos ("*Las normas tributarias se interpretarán con arreglo a lo dispuesto en el apartado 1 del artículo 3.º del Código Civil*"); y, por otra, una regla sobre la interpretación de los distintos conceptos que pueden ser utilizados en la norma jurídica ("*En tanto no se definan por la normativa tributaria, los términos empleados en sus normas se entenderán conforme a su sentido jurídico, técnico o usual, según proceda*").

---

[12]   MALVAREZ PASCUAL, L., en Impuesto sobre Sociedades, Comentarios y casos prácticos; Ed. CEF, Madrid, 2002, pág. 61, la califica de tautología.

Junto a este precepto se sitúa el artículo 13 LGT, bajo la rúbrica Calificación, que atiende a los criterios que se debe seguir para subsumir los hechos dentro del presupuesto de hecho de una norma jurídica: "*Las obligaciones tributarias se exigirán con arreglo a la naturaleza jurídica del hecho, acto o negocio realizado, cualquiera que sea la forma o denominación que los interesados le hubieran dado, y prescindiendo de los defectos que pudieran afectar a su validez*". Este principio de calificación postula una interpretación jurídica de los hechos, por encima de los elementos formales, muy particularmente, la denominación dada por las partes al acto jurídico o convención, que debemos interpretar como una llamada del legislador a acudir a la realidad material dictada por las consecuencias jurídicas que se deriven de los hechos o actos que se están valorando.

La reforma mercantil operada por la Ley 16/2007 ha otorgado una nueva redacción al artículo 34 del Código de Comercio en el que se postula una interpretación económica de los hechos contables que plantea la posible existencia de una contradicción con el criterio jurídico fijado en la citada LGT, de especial relevancia en el IS al tomar como elemento de partida el resultado contable, fijado de acuerdo con el C de C y su normativa de desarrollo. En efecto, el citado artículo 34 C de C establece, en su apartado segundo, lo siguiente: "*Las cuentas anuales deben redactarse con claridad y mostrar la imagen fiel del patrimonio, de la situación financiera y de los resultados de la empresa, de conformidad con las disposiciones legales. A tal efecto, en la contabilización de las operaciones se atenderá a su realidad económica y no sólo a su forma jurídica*".

En una primera aproximación podríamos pensar que existen criterios interpretativos contradictorios y hasta opuestos que resultan de aplicación, de una forma y otra simultáneamente, para la determinación de la base imponible en el IS: por una parte, el criterio de la LGT, que postula una interpretación jurídica, más allá de la denominación otorgada por los intervinientes a los hechos, actos y convenciones que van a ser objeto de inclusión en la base imponible del IS, y, por otra parte, el criterio postulado por el C de C para la contabilización de las operaciones, atendiendo a la realidad económica más allá de la forma jurídica.

Una primera consideración para superar esta aparente dicotomía pasa, simplemente, por delimitar los campos de aplicación para cada uno de estos criterios. El criterio económico postulado para la contabilidad debe quedar dentro de la fijación del resultado contable, que como hemos tenido ocasión de razonar anteriormente, no es un concepto definido por la norma tributaria, sino un elemento externo utilizado como punto de partida para la determinación de la base imponible. El criterio jurídico se aplicaría sobre las propias normas que establece la LIS, esto es, las correcciones a los criterios contables que supone la especialidad tributaria.

Ahora bien, si realizamos un análisis más exhaustivo de cuanto significan estos criterios hermenéuticos se asoma una conclusión diferente. Como hemos señalado, el principio de calificación impone acudir a la naturaleza jurídica, por encima de las denominaciones. La naturaleza jurídica es una categoría expresiva del verdadero contenido de un acto o negocio jurídico, derivado de las consecuencias jurídicas que el acto o negocio ofrezca para los participantes en el mismo. Es decir, la calificación debe hacerse en función de los efectos que despliegue la convención que se tiene que calificar. Cuando el C de C impone la contabilización de acuerdo con su contenido económico, y no solo su forma jurídica, está proponiendo que se contabilice de acuerdo con los efectos económicos que tiene el hecho a contabilizar, independientemente que, por su forma jurídica, recogida fundamentalmente en su denominación, fuera procedente otra forma de registro. Si tenemos en cuenta que los efectos económicos son un componente esencial de los efectos que despliega un acto, y en muchas ocasiones, hasta son los efectos más evidentes y perceptibles por un observador ajeno al acto, como puede ser la Inspección, cuando actúa en ejercicio de su función de calificación, podemos concluir que ambos criterios aportarán, en muchos casos, conclusiones equivalentes.

No obstante lo anterior, existen supuestos en los que el propio legislador contable, al amparo de esta habilitación, va más allá, modificando la calificación jurídica que ofrecen las consecuencias jurídicas, pues la realidad económica subyacente ofrece otra conclusión (por ejemplo, en la calificación de determinados arrendamientos como financieros, en la configuración de la sociedad adquirente en una combinación de negocios, o en el tratamiento de pasivos como instrumentos de patrimonio y viceversa). En estos casos, que son más la excepción que la regla general, deberemos atender en primer lugar a la posible existencia de una norma especial fiscal, que se interpretará según su sentido jurídico, y si no existe norma especial fiscal en el IS, deberemos seguir el criterio contable, basado en la interpretación económica en su caso, y las consecuencias que éste ofrezca para la determinación del resultado contable, sin que sea óbice a ello que la contabilización general para la categoría jurídica sea diferente y hubiera ofrecido un resultado contable distinto.

4.4. *Los principios contables y su recepción fiscal*

4.4.1. Los principios contables

Los principios contables encarnan uno de los pilares fundamentales de la contabilidad. Reflejan las reglas básicas sobre las que se asientan las normas aplicables a la contabilización de elementos u operaciones concretas y aquellos criterios que deben informar la contabilización de las operaciones no contempladas de manera específica en las normas contables. Mediante la asunción de los principios contables un tercero que analice unos estados contables puede completar la interpretación de la información que se rinde.

El proceso de aproximación y codificación del Derecho de la contabilidad ha determinado que la reforma operada en el C de C por la Ley 16/2007 haya elevado a rango legal la enunciación de los principios contables. Así, el artículo 38 de esta norma formula no sólo la enumeración de los principios, sino su valor programático: *"el registro y la valoración de los elementos integrantes de las distintas partidas que figuran en las cuentas anuales deberá realizarse conforme a los principios de contabilidad generalmente aceptados"*. Ello no obsta para que el PGC, en su parte más doctrinal, que es el Marco Conceptual, reproduzca estos principios con un mayor detalle de su contenido.

La norma fiscal parte del resultado contable para la determinación de la base imponible, sentando excepciones de carácter fiscal a la norma contable: se prescinde del criterio contable en un caso concreto para aplicar un criterio propio fiscal en la valoración de una operación. Pero en ocasiones no es una excepción a la forma de contabilización de una operación concreta lo que contempla la norma fiscal, sino que es el contenido del propio principio contable lo que se obvia.

4.4.2. Empresa en funcionamiento

El primero de los principios que sienta el artículo 38 C de C es el de empresa en funcionamiento, que dispone que, salvo prueba en contrario, se presumirá que la empresa continúa en funcionamiento. Añade el PGC en relación con este principio que se considerará, salvo prueba en contrario, que la gestión de la empresa continuará en un futuro previsible, por lo que la aplicación de los principios y criterios contables no tiene el propósito de determinar el valor del patrimonio neto a efectos de su transmisión global o parcial, ni el importe resultante en caso de liquidación. En el caso de que la empresa no vaya a continuar en funcionamiento, se adoptarán aquellos criterios de valoración que aporten una imagen fiel con vistas a determinar su valor liquidativo.

Este criterio se ha traducido, tradicionalmente, en la ausencia de reconocimiento de resultado en operaciones de transmisión de activos cuya finalidad no era la obtención de beneficio sino la continuidad de las explotaciones y que se mantenían en condiciones análogas de funcionamiento en las empresas adquirentes, como eran las permutas o determinadas operaciones societarias calificadas por el PGC 07 como combinaciones de negocio.

Fiscalmente este criterio supone diferir el gravamen de las operaciones hasta un momento posterior, la realización de las operaciones ordinarias con tales bienes. El régimen general del impuesto no recibe este criterio, estableciendo una norma que impone el reconocimiento de resultado en el momento de realizar determinadas operaciones: el artículo 17 LIS, que bajo la rúbrica de operaciones a valor de mercado, impone el reconocimiento de un resultado para las determinadas operaciones, remitiéndonos para un mayor detalle al estudio del citado precepto.

EJEMPLO

OPERACIONES A VALOR DE MERCADO

Una sociedad decide aplicar a dividendos el resultado del ejercicio. El dividendo reconocido es de 10.000 € que se entrega a su socio único mediante la entrega de un elemento de transporte, contabilizado en 5.000 € y cuyo valor razonable es de 10.000 €.

Respuesta

La entidad transmitente cancelará el dividendo con la entrega del elemento de transporte. El beneficio que se reconoce en la operación se aplica fiscalmente, al no existir norma en la LIS que exceptúe su tratamiento contable.

PAGO DEL DIVIDENDO			
	CUENTA	DEBE	HABER
526	Dividendo activo a pagar	10.000	
218	Elemento de transporte		5.000
771	Beneficios procedentes del inmovilizado material		5.000

La entidad adquirente recibirá el elemento de transporte como pago del dividendo, constituyendo un ingreso contable con aplicación fiscal.

RECONOCIMIENTO DEL DIVIDENDO			
	CUENTA	DEBE	HABER
545	Dividendo a cobrar	10.000	
760	Ingresos de instrumentos de patrimonio		10.000

PAGO DEL DIVIDENDO			
	CUENTA	DEBE	HABER
218	Elemento de transporte	10.000	
545	Dividendo a cobrar		10.000

No obstante lo expuesto, el PGC 07, manteniendo la vigencia del mismo principio, ha seguido criterios diferentes en la contabilización de algunas de estas operaciones. Así, por ejemplo, en la NRV 19, relativa a la contabilización de las combinaciones de negocios, se establece como criterio para el reconocimiento y valoración de los activos identificables adquiridos y los pasivos asumidos en la combinación que la empresa que contablemente tenga la condición de adquirente debe registrar, en la fecha de adquisición, los activos identificables adquiridos y los pasivos asumidos por su valor razonable, siempre que el mismo pueda ser medido con suficiente fiabilidad. Admite como excepción este principio general las combinaciones de negocio efectuadas entre empresas del grupo, regidas por la NRV 21, en las que no se aplica este criterio de valor razonable, sino que se sustituye por la aplicación del valor de los activos en las cuentas anuales consolidas del grupo.

En materia de permutas la cuestión se plantea de forma más compleja. Por una parte se regulan las permutas de elementos de inmovilizado (reguladas en la NRV 2, relativa al inmovilizado material, y a la que se remiten las normas de intangibles e inversiones inmobiliarias), distinguiendo permutas comerciales y no comerciales.

El inmovilizado material recibido en las permutas comerciales se valora por el valor razonable del activo entregado más, en su caso, las contrapartidas monetarias que se hubieran entregado a cambio, salvo que se tenga una evidencia más clara del valor razonable del activo recibido y con el límite de este último. Las diferencias de valoración que pudieran surgir al dar de baja el elemento entregado a cambio se reconocerán en la cuenta de pérdidas y ganancias, es decir, se reconocerá un beneficio o pérdida por la permuta realizada, de forma equiparable a la prevista en el artículo 17 LIS antes mencionado.

Por el contrario, la permuta de carácter no comercial sigue los mismos criterios que se seguían para la contabilización de estas operaciones con el PGC 90. Así, establece la NRV 2ª que el inmovilizado material recibido se valorará por el valor contable del bien entregado más, en su caso, las contrapartidas monetarias que se hubieran entregado a cambio, con el límite, cuando esté disponible, del valor razonable del inmovilizado recibido si éste fuera menor. Es decir, no se reconocerá resultado en la operación, salvo en su caso la pérdida que pudiera originarse cuando el valor contable del elemento entregado fuera superior al valor razonable del activo recibido.

Finalmente, las permutas de existencias se contemplan con una sencilla frase en la NRV 14, en la que se establece que no se reconocerá resultado en la permuta de bienes y servicios, por operaciones de tráfico, de similar naturaleza y valor.

La norma fiscal no conoce excepción a la aplicación del artículo 17 LIS por razón de la categoría contable en la que se hayan incluido los bienes permutados, imponiendo que se valoren por su valor normal de mercado los bienes transmitidos y adquiridos en operaciones de permuta. Existirá por tanto una diferencia de valoración fiscal y contable, que dará lugar a las diferencias pertinentes.

4.4.3. Uniformidad

El C de C postula, sencillamente, que no se variarán los criterios de valoración de un ejercicio a otro. El PGC completa el contenido de este principio, señalando que adoptado un criterio dentro de las alternativas que, en su caso, se permitan, deberá mantenerse en el tiempo y aplicarse de manera uniforme para transacciones, otros eventos y condiciones que sean similares, en tanto no se alteren los supuestos que motivaron su elección. De alterarse estos supuestos podrá modificarse el criterio adoptado en su día; en tal caso, estas circunstancias se harán constar en la memoria.

No presenta conflictos especiales este principio con la norma fiscal. La norma fiscal, en determinados casos, excepciona la norma contable, fijando una norma diferente o imponiendo el uso de una alternativa entre las posibles en contabilidad. En los restantes casos, al no existir norma fiscal, la norma contable despliega plenamente sus efectos.

4.4.4. Principio de prudencia valorativa

Aunque ya no revista la importancia capital que tenía en el PGC 90, en el que se situaba como el primero de los mandamientos contables, sigue siendo el de más extensa regulación en el C de C. Dispone la letra c del artículo 38 del citado Código que este principio obligará a contabilizar sólo los beneficios obtenidos hasta la fecha de cierre del ejercicio, aunque se deberán tener en cuenta todos los riesgos con origen en el ejercicio o en otro anterior, incluso si sólo se conocieran entre la fecha de cierre del balance y la fecha en que éste se formule, en cuyo caso se dará cumplida información en la memoria, sin perjuicio del reflejo que puedan originar en los otros documentos integrantes de las cuentas anuales. Excepcionalmente, si tales riesgos se conocieran entre la formulación y antes de la aprobación de las cuentas anuales y afectaran de forma muy significativa a la imagen fiel, las cuentas anuales deberán ser reformuladas. En cualquier caso, deberán tenerse en cuenta las amortizaciones y correcciones de valor por deterioro en el valor de los activos, tanto si el ejercicio se salda con beneficio como con pérdida. Se cierra este principio con la indicación de que se deberá ser prudente en las estimaciones y valoraciones a realizar en condiciones de incertidumbre.

El PGC completa la definición de este principio de prudencia, reiterando los mismos aspectos destacados en el C de C:

- Registro de los beneficios obtenidos hasta la fecha de cierre del ejercicio; y los gastos y los riesgos ciertos, con origen en el ejercicio o en otro anterior, tan pronto sean conocidos.

- Obligatoriedad de dar cuenta en la memoria de riesgos que se conozcan entre la fecha de cierre de las cuentas anuales y la fecha en que éstas se formulen.

- Obligatoriedad de reformulación de las cuentas anuales, con carácter excepcional y para el caso de que no hacerlo afectara de forma muy significativa a la imagen fiel de la empresa, si los riesgos se conocieran entre la formulación y antes de la aprobación de las cuentas anuales.

- Prudencia en las estimaciones y valoraciones a realizar en condiciones de incertidumbre, pero sin que la prudencia extrema justifique que la valoración de los elementos patrimoniales no responda a la imagen fiel. Este último inciso obliga a situarse, en situación de indeterminación, en una posición intermedia, ni absolutamente fatalista, reflejando el peor escenario posible en relación con un riesgo, ni optimista, reflejando la mejor de las alternativas que ofrece el riesgo.

La prevalencia del principio de prudencia otorgada en el PGC 90 era fuente de una gran conflictividad tributaria. En aplicación del principio de prudencia se registraba, ante cualquier circunstancia susceptible de generar un riesgo, una provisión. Dicho criterio estaba exceptuado fiscalmente por el artículo 13 LIS/1995, en su redacción previa a la reforma operada por Ley 16/2007, que disponía que no serían deducibles *"las dotaciones a provisiones para la cobertura de riesgos previsibles, pérdidas eventuales, gastos o deudas probables"*.

El PGC 07 no otorga valor preferente al principio de prudencia. Es más, con las provisiones juega un papel limitador muy acusado. Así, al establecer los criterios de reconocimiento de los pasivos señala que son obligaciones actuales surgidas como consecuencia de sucesos pasados, para cuya extinción la empresa espera desprenderse de recursos que puedan producir beneficios o rendimientos económicos en el futuro. Añade a continuación: *"A estos efectos, se entienden incluidas las provisiones"*.

Las provisiones dejan de ser pasivos contingentes, que reflejan la peor expectativa posible para la empresa y el gasto máximo en el que se puede incurrir, para circunscribirse como pasivos a recoger las obligaciones nacidas e indeterminadas en cuantía o momento de exigibilidad. Se aproxima, por tanto, el criterio contable al fiscal. No obstante, el artículo 14.3 LIS sigue recogiendo una cautela contra el uso excesivo de la provisión como forma de anticipación o inflación de los gastos *"No serán deducibles los siguientes gastos asociados a provisiones: a) Los derivados de obligaciones implícitas o tácitas"*.

Añade, además, dicho artículo una serie de reglas para acotar la deducibilidad de las distintas provisiones contempladas en el PGC, por si a través de las mismas tuviera entrada algún gasto que, a juicio de la Administración tributaria, no cumpla con este concepto de provisión. Así, se contienen reglas especiales sobre provisiones y fondos internos para la cobertura de contingencias idénticas o análogas a Planes y Fondos de Pensiones, gastos relativos a retribuciones a largo plazo al personal mediante sistemas de aportación definida o prestación definida, los concernientes a los costes de cumplimiento de contratos que excedan a los beneficios económicos de los mismos, los derivados de reestructuraciones, los relativos al riesgo de devoluciones de ventas, los de personal que se correspondan con pagos basados en instrumentos de patrimonio, los gastos por actuaciones medioambientales, los gastos de personal por pagos basados en instrumentos de patrimonio, los gastos por provisiones técnicas de aseguradoras, los gastos por fondo de provisiones técnicas por las sociedades de garantía recíproca, los gastos inherentes a los riesgos derivados de garantías de reparación y revisión.

EJEMPLO

PROVISIÓN POR RETRIBUCIONES AL PERSONAL MEDIANTE ENTREGA DE INSTRUMENTOS DE PATRIMONIO

Una empresa acuerda retribuir a su personal en el periodo 1-1-X0 a 31-12-X1 con la entrega gratuita de 10 acciones si siguen en la empresa al fin de dicho periodo. A cada uno de sus 50 trabajadores se le ofrecen 100 acciones, con un valor razonable de 20 €. Se estima que a fin del periodo continuarán 40 de los trabajadores.

Respuesta

En el momento de la concesión se registra el gasto de personal por el valor razonable del pasivo asumido

POR LA CONCESIÓN			
CUENTA		DEBE	HABER
645	Retribuciones al personal mediante instrumentos de patrimonio (40*100*20)	80.000	
147	Provisiones por transacciones con pagos basados en instrumentos de patrimonio		80.000

Según lo dispuesto en el artículo 14 LIS este gasto no es deducible, en tanto no se produzca el pago al personal.

4.4.5. Principio de devengo

Para un estudio de detalle de este principio nos remitimos al comentario del artículo 12 LIS que se contiene en el capítulo siguiente de esta obra.

4.4.6. Principio de no compensación

Señala el artículo 38 C de C que salvo las excepciones previstas reglamentariamente, no podrán compensarse las partidas del activo y del pasivo ni las de gastos e ingresos, y se valorarán separadamente los elementos integrantes de las cuentas anuales. La única diferencia que contempla el PGC en este principio es suprimir la referencia al rango reglamentario de la norma de excepción, modificación que carece de efecto práctico.

La norma fiscal no hace referencia a este principio, quizá por lo claro de su formulación y la excepcionalidad que se contempla para su no aplicación. Es cierto que además el PGC 07 ha desarrollado en muchos casos con gran detalle la sucesión de asientos que deben servir para el registro de las operaciones, poniendo fin al registro en un único asiento de operaciones complejas y que implicaba una compensación de asientos de signo contrario (fundamentalmente ingresos y gastos).

La no compensación opera de forma especial cuando entre en juego un gasto no deducible, de los contemplados en el artículo 15 LIS, pues la compensación de un gasto de esta naturaleza con un ingreso computable supondría una vulneración de la prohibición de deducción de dichos gastos.

4.5. *Criterios de reconocimiento contable de los elementos de balance: requisitos de los gastos fiscales*

El Marco conceptual regula, a continuación de los principios contables, los elementos de las cuentas anuales, donde se definen de los distintos elementos que se registran en el balance y los criterios de registro o reconocimiento contable, que son los hechos y razones por los que se incorporan al balance los distintos elementos que lo conforman. Estos principios y criterios, aunque evidentemente no son principios contables, cumplen con una función similar, estableciendo unas normas generales a cuyo desarrollo se consagran las NRV y sentando unos criterios que inspiran el conjunto de la regulación contable relativa al registro de operaciones y elementos patrimoniales.

Los distintos elementos del balance definidos son:

- Los activos, que son los bienes, derechos y otros recursos controlados económicamente por la empresa, resultantes de sucesos pasados, de los que se espera que la empresa obtenga beneficios o rendimientos económicos en el futuro.

- Los pasivos, que son obligaciones actuales surgidas como consecuencia de sucesos pasados, para cuya extinción la empresa espera desprenderse de recursos que puedan producir beneficios o rendimientos económicos en el futuro.

- El patrimonio neto, que constituye la parte residual de los activos de la empresa, una vez deducidos todos sus pasivos. Incluye las aportaciones realizadas, ya sea en el momento de su constitución o en otros posteriores, por sus socios o propietarios, que no tengan la consideración de pasivos, así como los resultados acumulados u otras variaciones que le afecten.

– Los ingresos, que son incrementos en el patrimonio neto de la empresa durante el ejercicio, ya sea en forma de entradas o aumentos en el valor de los activos, o de disminución de los pasivos, siempre que no tengan su origen en aportaciones, monetarias o no, de los socios o propietarios.

– Los gastos, que son decrementos en el patrimonio neto de la empresa durante el ejercicio, ya sea en forma de salidas o disminuciones en el valor de los activos, o de reconocimiento o aumento del valor de los pasivos, siempre que no tengan su origen en distribuciones, monetarias o no, a los socios o propietarios, en su condición de tales.

El registro contable de cualquiera de los elementos mencionados exige el cumplimiento las determinadas circunstancias:

– Que el elemento a registrar cumpla con los criterios definidos para su registro.

– Que se considere probable la obtención o cesión de recursos futuros que incorporen beneficios o rendimientos económicos.

– Que su valor pueda determinarse con un adecuado grado de fiabilidad, aunque sea mediante estimaciones razonables.

Añaden además estos criterios generales que los ingresos y gastos se imputarán a la cuenta de pérdidas y ganancias del ejercicio en que se devenguen, estableciéndose además, una correlación entre ambos. Se recoge así una mención al principio de correlación de ingresos y gastos, desplazado en el PGC 07 de su condición de principio contable, a criterio de registro contable, aunque desempeña una labor similar informadora de la contabilización de las operaciones.

La norma fiscal ha dedicado tradicionalmente una especial atención a uno de los elementos del balance: los gastos. Se ha elaborado una doctrina general sobre los requisitos que deben reunir los gastos para su correcta deducción en el Impuesto sobre Sociedades, predicándose las siguientes cualidades del gasto deducible: su justificación, su contabilización, su correcta imputación temporal, y su necesidad.

4.5.1. Justificación del gasto

La justificación atiende a la necesaria existencia de un documento que sirva de soporte al gasto cuya deducción se pretende. Generalmente se tratará de la factura o documento comercial expedido por el que realice las operaciones, tal y como señala el artículo 106.4 LGT, que dispone que "*Los gastos deducibles y las deducciones que se practiquen, cuando estén originados por operaciones realizadas por empresarios o profesionales, deberán justificarse, de forma prioritaria, mediante la factura entregada por el empresario o profesional que haya realizado la correspondiente operación que cumpla los requisitos señalados en la normativa tributaria. Sin perjuicio de lo anterior, la factura no constituye un medio de prueba privilegiado respecto de la existencia de las operaciones, por lo que una vez que la Administración cuestiona fundadamente su efectividad, corresponde al obligado tributario aportar pruebas sobre la realidad de las operaciones"*, aunque la jurisprudencia se ha mostrado flexible en la exigencia de este requisito, cuando de cualquier otra manera se pueda acreditar la realidad del gasto, aunque no se disponga de una factura completa. En este sentido, cabe destacar pronunciamientos ya tradicionales como las resoluciones del TEAC de 15-12-1993, en la que se permite la deducción de un gasto aunque la factura figura emitida a nombre del antiguo titular de la actividad; de 30-4-1999, que permite la deducción de pagos realizados a no residentes, aun cuando en las facturas se omite su identificación y su dirección, al quedar acreditada su efectividad mediante otros documentos y las transferencias realizadas; y de 11-1-1995, en la que se acepta la deducción del gasto, a pesar de existir omisiones en la factura, al acreditarse por otros medios el gasto; las sentencias del TSJ de Extremadura de 18-12-1995 y de 12-2-1997, en las que el Tribunal manifiesta que el contenido de un documento privado incompleto o inexacto, como es la factura, no tiene porque carecer de toda eficacia si a través de otros medios se puede corroborar su contenido. Esta flexible orientación se ha corroborado por la STS de 26 noviembre 2008, Recurso de Casación núm. 5132/2006, al declararse en ella:

> *"La exigencia de un documento para poder ejercitar el derecho a deducir es loable, ya que con su cumplimiento se posibilita el poder controlar que, efectivamente, se está deduciendo conforme a la realidad de los hechos, disponiéndose así de un instrumento en la lucha contra el fraude fiscal. En nuestro Derecho el principal documento es la factura original expedida por quien realiza o preste el servicio.*
>
> *Ahora bien, no cabe extremar esta exigencia hasta llegar a mantener que cuando la factura está incompleta, supone la pérdida de la posibilidad de ejercitar el derecho porque la factura no es un elemento constitutivo del derecho a la deducción, sino un mero y simple requisito para poder ejercerlo (...)*
>
> *En suma, si el medio de prueba empleado es el idóneo, no debe existir obstáculo alguno para admitir la deducción, aunque se haya infringido algún requisito formal."*

Los requisitos de las facturas en el orden fiscal se recogen en el Reglamento de las obligaciones de facturación, aprobado por Real Decreto 1619/2012, de 30 de noviembre. El artículo 6 del citado Reglamento señala que las facturas tendrán, en todo caso, el siguiente contenido mínimo aplicable a todas las facturas:

1. Número y, en su caso, serie.

2. La fecha de su expedición.

3. Nombre y apellidos, razón o denominación social completa, tanto del obligado a expedir factura como del destinatario de las operaciones.

4. Número de Identificación Fiscal atribuido por la Administración española o, en su caso, por la de otro Estado miembro de la Comunidad Europea, con el que ha realizado la operación el obligado a expedir la factura.

5. Domicilio, tanto del obligado a expedir factura como del destinatario de las operaciones.

6. Descripción de las operaciones, consignándose todos los datos necesarios para la determinación de la base imponible del IVA y su importe, incluyendo el precio unitario sin Impuesto de dichas operaciones, así como cualquier descuento o rebaja que no esté incluido en dicho precio unitario.

7. El tipo impositivo o tipos impositivos, en su caso, aplicados a las operaciones.

8. La cuota tributaria que, en su caso, se repercuta, que deberá consignarse por separado.

9. La fecha en que se hayan efectuado las operaciones que se documentan o en la que, en su caso, se haya recibido el pago anticipado, siempre que se trate de una fecha distinta a la de expedición de la factura.

Se establecen, además, en el mismo precepto una serie de menciones obligatorias específicas, como la base de la exención, por indicación del precepto que regula la exención en la LIVA o la Directiva Refundida de IVA, en las operaciones exentas; la fecha de su primera puesta en servicio y las distancias recorridas u horas de navegación o vuelo realizadas hasta su entrega en las entregas de medios de transporte nuevos; la mención «facturación por el destinatario» cuando expida la factura el destinatario; la mención «inversión del sujeto pasivo», cuando se aplique la regla de inversión ; y la mención «régimen especial de las agencias de viajes» «régimen especial de los bienes usados», «régimen especial de los objetos de arte» o «régimen especial de las antigüedades y objetos de colección», cuando se apliquen estos regímenes especiales.

La norma contable no menciona cual es la documentación que debe servir de soporte a las anotaciones contables. Mas es evidente, como se deriva de los criterios de registro o reconocimiento contable, que el gasto tiene que soportarse en algún documento que refleje el hecho por el que se produce una disminución de los recursos de la empresa, que el mismo debe permitir valorar o estimar su cuantía con fiabilidad, pues en otro caso se estaría incumpliendo la condición para su registro contable.

EJEMPLO

Una empresa satisface una reparación al profesional que la presta. Esta entrega en el momento de realizar la operación una nota de intervención, que no es factura completa. El pago se hace mediante transferencia bancaria. ¿Puede deducir el gasto la empresa?

Respuesta

Aunque no dispongamos de factura completa, de acuerdo con la doctrina administrativa y la jurisprudencia antes citadas, la deducción de gastos en IS no se ampara exclusivamente en el elemento formal de la factura completa, si podemos acreditar de manera indubitada la realización y satisfacción del gasto. De esta prueba dependerá la deducibilidad.

4.5.2. Contabilización del gasto

El segundo de los requisitos para la deducibilidad de los gastos es su contabilización. Resulta evidente que el PGC no se va a pronunciar sobre la necesidad de contabilización, pues la propia existencia del Plan pende precisamente de la obligatoriedad de contabilizar los hechos y actos con trascendencia económica en la empresa. Así se expresa en el artículo 25 C de C, que establece la obligación de llevanza de contabilidad y registro completo de todos los hechos que afecten a la vida de la empresa: *"Todo empresario deberá llevar una contabilidad ordenada, adecuada a la actividad de su empresa que permita un seguimiento cronológico de todas sus operaciones, así como la elaboración periódica de balances e inventarios. Llevará necesariamente, sin perjuicio de lo establecido en las Leyes o disposiciones especiales, un libro de inventarios y cuentas anuales y otro diario."*

La aplicación de este principio como condición fiscal a la deducibilidad del gasto es un corolario lógico de la forma elegida en el artículo 10.3 LIS para la fijación de la base imponible: la base imponible se determinará a partir del resultado contable determinado según prescriben el C de C y la normativa dictada en su desarrollo. Un gasto no asentado en contabilidad no se emplea para determinar el resultado contable, por lo que tampoco va a tener eficacia fiscal.

La consecuencia de cuanto hemos señalado se recoge expresamente en el artículo 11.3 LIS, que destaca que *"no serán fiscalmente deducibles los gastos que no se hayan imputado contablemente en la cuenta de pérdidas y ganancias o en una cuenta de reservas si así lo establece una norma legal o reglamentaria"*. Se establece, por otro lado, una excepción con los elementos patrimoniales que puedan amortizarse libremente, por tratarse de un gasto fiscal que no necesita de un reflejo directo en la contabilidad. Tampoco puede considerarse como condición a la aplicación del beneficio de libertad de amortización la correcta contabilización del gasto por impuesto diferido, de acuerdo con la NRV 13ª, relativa a la contabilización del Impuesto sobre Sociedades.

4.5.3. Correcta imputación temporal

El tercero de los requisitos para la deducibilidad del gasto es la correcta imputación temporal. Este requisito entronca con el principio del devengo, que recoge la procedente imputación temporal de ingresos y gastos.

El PGC ha desgajado de los principios contables el tradicional de correlación de ingresos y gastos, convertido ahora en criterio de registro contable. En cualquier caso, la correlación impone que se unan en el tiempo los ingresos y los gastos en los que se ha incurrido para la obtención de los ingresos.

A pesar de exigencia de la correcta imputación, la norma fiscal regula los supuestos en los que no se haya producido una correcta imputación temporal en el artículo 11 LIS, sin excluir su deducción, pero estipulando el periodo al que son imputables. Así, se establecen las siguientes reglas para los gastos:

- Gastos anticipados: gastos imputados contablemente en la cuenta de pérdidas y ganancias o en una cuenta de reservas en un período impositivo anterior a aquel en el que proceda su imputación temporal, según la regla del devengo, que se imputarán en el período impositivo al que correspondan de acuerdo con el devengo.
- Gastos diferidos: los gastos imputados contablemente en un período impositivo posterior a aquel en el que proceda su imputación temporal, en los que la imputación temporal se efectuará en el período impositivo en el que se haya realizado la imputación contable, siempre que de ello no se derive una tributación inferior a la que hubiere correspondido por aplicación de las normas de imputación temporal.

4.5.4. Necesidad del gasto

El último de los requisitos predicados para la deducibilidad del gasto es su necesidad. Se entiende que un gasto es necesario cuando el mismo se asocia a la obtención de ingresos, de tal forma que si bien no es imprescindible que sin el mismo no pueda obtenerse el mismo, al menos pueda constatarse que el mismo es conveniente para la generación de ingresos.

La necesidad del gasto era un requisito expreso en la Ley 61/1978 (art. 13), en la que se recogía que el gasto para ser deducible debía ser necesario para la obtención de los ingresos. Es más, la doctrina administrativa y los Tribunales fueron extraordinariamente severos en la interpretación de este requisito, exigiendo una relación directa e inmediata entre el gasto cuya deducción se pretendía y los ingresos cuya obtención derivaba del gasto.

La Ley 43/1995 supuso un cambio de orientación en la cuestión, sustituyendo la exigencia de la necesidad del gasto, que desapareció de la Ley, por una enumeración de gastos no deducibles, contemplados en el artículo 14 de la misma. Por ello la doctrina defendió que tras esta Ley no existían gastos necesarios y gastos no necesarios[13], y que todo gasto en que incurra una empresa, aunque no guarde relación alguna con las actividades que habitualmente despliega y no quepa esperar del mismo un rendimiento económico directo, es gasto de la actividad con efecto fiscal, salvo que se trate de un gasto expresamente mencionado como no deducible en la LIS. Al fin y a la postre, dicha conclusión se corresponde con el ánimo de lucro que rige como principio de actuación en las sociedades mercantiles, que no permite presumir que los gastos se realicen por otra cosa que por el ánimo de obtener beneficios.

A pesar de esta ausencia de referencia a la necesidad del gasto, la doctrina administrativa y los Tribunales han seguido exigiendo la necesidad del gasto como requisito para su deducción, al menos en aquellos casos en los que aun no encontrándose en el ámbito de los gastos no deducibles, no se hallaba razón alguna en las actividades presentes o potenciales de la empresa que amparase la realización del mismo. Se valore como se valore esta forma de interpretación, lo que no resulta correcto desde ningún punto de vista es el fundamento que una y otra vez se esgrimía como base de dicho proceder: el principio de correlación de ingresos y gastos. Se interpretaba éste como una correlación material, de tal forma que los gastos correlacionados con los ingresos eran aquellos que servían a la obtención de los ingresos. La correcta interpretación de la correlación de ingresos y gastos dista de este contenido, al ser la correlación exigida por el PGC 90 una correlación temporal, que liga los ingresos y los gastos devengados en el periodo, sin referencia alguna a la vinculación de unos a la obtención de los otros.

El PGC 07 ha incidido, a nuestro juicio, de una manera decisiva en esta materia, pues aunque se trate de una mención aparentemente menor, los criterios de registro o reconocimiento contable resucitan el principio de necesidad del gasto o, al menos, le prestan una base menos difusa que el principio de correlación de ingresos y gastos: *"El registro de los elementos procederá cuando, cumpliéndose la definición de los mismos incluida en el apartado anterior, se cumplan los criterios de probabilidad en la obtención o cesión de recursos que incorporen beneficios o rendimientos económicos y su valor pueda determinarse con un adecuado grado de fiabilidad"*. Este criterio, predicado de todos los elementos, tanto de balance como de la cuenta de pérdidas y ganancias, liga

---

[13]   En este sentido, De Lucas, J., Antón, A. y Llansó, M.; en Comentarios al Impuesto sobre Sociedades; Ed. Civitas, Madrid 1998, Tomo I, pag. 91, *"A diferencia de la anterior normativa, la LIS no exige, en ninguno de sus artículos, que un gasto haya de ser necesario para ser considerado fiscalmente deducible…"*

el reconocimiento de cualquiera de ellos a la obtención de una posible ventaja empresarial, o cuanto menos, una afectación o utilidad en estas actividades, aunque no reporte beneficio sino pérdida. Aplicado a los gastos, implica la reentrada de la exigencia de la necesidad del gasto, pues su registro exige una potencialidad de generar beneficios o rendimientos.

5. CRITERIOS DE VALORACIÓN

5.1. *Los criterios de valoración*

La norma 6ª del Marco Conceptual establece los distintos criterios de valoración que van a ser utilizados en el PGC. Estas son las reglas a través de las cuales se debe asignar valor, inicialmente o a posteriori, a los diferentes elementos que son objeto de registro contable.

El PGC 07 ha mejorado la sistematización, reuniendo en una norma única todo el conjunto de referencias a los distintos valores a los que se hará referencia en las NRV y dando los criterios para la formación de cada uno de ellos. Por otra parte, se ha complicado la valoración, no sólo por la multiplicación de criterios a emplear, sino también por la mayor dificultad técnica de su aplicación, escapando, en muchos casos, de los propios procesos contables e incurriendo en importantes costes de transacción para la fijación de los distintos valores.

Las NRV diferencian la valoración inicial y la posterior de los elementos del patrimonio de la empresa. Los criterios de valoración inicial son aquellos que sirven de base para registrar los elementos en contabilidad. La criterios de valoración posterior se emplean para reflejar los cambios que se producen en el valor de los bienes, determinando normalmente el valor de los elementos que debe reflejar la contabilidad en un momento dado. Estos cambios en la valoración determinan el registro contable de magnitudes esenciales para el cálculo del resultado contable y, por añadidura, de la base imponible.

El criterio para la valoración inicial de los activos en el PGC 90 era el coste, fuera como precio de adquisición o coste de producción. El artículo 38 C de C mantiene este carácter prevalente del coste: *"los activos se contabilizarán, por el precio de adquisición, o por el coste de producción"*, aunque se reconoce una serie de excepciones:

- Los pasivos, que se valorarán por el valor de la contrapartida recibida a cambio de incurrir en la deuda, más los intereses devengados pendientes de pago.

- Las provisiones, que se contabilizarán por el valor actual de la mejor estimación del importe necesario para hacer frente a la obligación, en la fecha de cierre del balance.

– Los activos financieros que formen parte de una cartera de negociación, se califiquen como disponibles para la venta, o sean instrumentos financieros derivados, y los pasivos financieros que formen parte de una cartera de negociación, o sean instrumentos financieros derivados, que se valorarán por su valor razonable.

La normativa fiscal ha recibido no solo la existencia de una pluralidad de formas de valorar los elementos a contabilizar, sino las reglas posteriores, aunque con la limitación de su imputación a resultados. Así lo recoge indubitadamente el artículo 17.1 LIS que establece: "*Los elementos patrimoniales se valorarán de acuerdo con los criterios establecidos en el Código de Comercio. No obstante, las variaciones de valor originadas por aplicación del criterio del valor razonable no tendrán efectos fiscales mientras no deban imputarse a la cuenta de pérdidas y ganancias. El importe de las revalorizaciones contables no se integrará en la base imponible, excepto cuando se lleven a cabo en virtud de normas legales o reglamentarias que obliguen a incluir su importe en la cuenta de pérdidas y ganancias. El importe de la revalorización no integrada en la base imponible no determinará un mayor valor, a efectos fiscales, de los elementos revalorizados.*"

5.2. Coste histórico o coste

Este es el criterio tradicional de valoración, reuniendo en una única regla dos formas de determinación del coste: el precio de adquisición y el coste de producción.

El precio de adquisición es el importe satisfecho o por satisfacer por la adquisición de un activo. Dentro de estas cantidades deben incluirse todas las contraprestaciones futuras comprometidas derivadas de la adquisición y relacionadas directamente con ésta. Se incluyen además otros gastos accesorios que sean necesarios para la puesta en funcionamiento del activo.

El coste de producción incluye el precio de adquisición de las materias primas y otras materias consumibles, el importe de los factores de producción aplicados directamente al activo, y la proporción razonable de los costes indirectos de producción que se debe imputar al activo, siempre referidos al período de producción, construcción o fabricación. Subraya el PGC que no deben imputarse como costes de producción los costes de subactividad, que se imputarán directamente a gastos.

El PGC aplica este criterio de valoración, salvo excepciones (fundamentalmente, la adquisición de estos elementos en combinaciones de negocios), en la valoración inicial de los inmovilizados materiales, las inversiones inmobiliarias, los inmovilizados intangibles y las existencias, ofreciendo matizaciones y aspectos concretos en las distintas NRV que regulan la formación del coste para cada uno de estos activos. Aunque no se aplica este criterio a los instrumentos financieros, que se valoran inicialmente por su valor razonable, se define de una forma peculiar que prácticamente lo iguala con el valor de adquisición: salvo evidencia en contrario, será el precio de la transacción, que equivaldrá al valor razonable de la contraprestación entregada.

Plantea esta norma un problema, conocido en el ámbito fiscal en el IVA, y que no se había reflejado hasta ahora en la contabilidad y, por reflejo de ésta, en el IS: la valoración de prestaciones futuras comprometidas en la adquisición de un activo.

El IVA obliga a determinar la base imponible en el valor presumible de las obligaciones futuras asumidas por las entregas de bienes o prestaciones de servicios, sin perjuicio de la rectificación de la base imponible en el momento en el que se concrete de forma definitiva ésta. Esta norma ha planteado problemas en varias operaciones, aunque se ha manifestado con especial interés en las permutas de solar por obra futura y por el importe de cánones y derechos de licencia a satisfacer en función de unidades vendidas en determinados periodos de tiempo.

El PGC recibe esta idea y obliga a incorporar en el coste el valor de dichas prestaciones futuras. Aunque no señale nada la norma, parece lógico que, al igual que en otros casos en los que se incluye el importe de una obligación futura, optemos por el criterio del valor actual de dicha obligación, a la hora de determinar su coste, lo que obligará a aplicar el tipo de actualización que resulte pertinente.

Al igual que ocurre en el IVA, una vez que determinemos definitivamente el importe de dicha obligación futura o incluso antes, cuando tengamos evidencia de una mejor valoración de su importe, deberemos corregir la misma, aplicando la NRV 22ª "Cambios en criterios contables, errores y estimaciones contables".

Fiscalmente la LIS, salvo en las normas que planteaba como excepción, se aceptaba como valor de general aplicación el coste histórico (artículo 15 del Real Decreto Legislativo 4/2004, en su redacción previa a la Ley 16/2007: "*los elementos patrimoniales se valorarán al precio de adquisición o coste de producción*"). No obstante, desde la reforma mercantil y contable operada con la Ley 16/2007, la normativa del IS sigue, menos en las excepciones que expresamente se recogen, los nuevos criterios contables. Así, el artículo 15 del Real Decreto Legislativo 4/2004, en su redacción dada por la Ley 16/2007 estableció que "*Los elementos patrimoniales se valorarán de acuerdo con los criterios establecidos en el Código de Comercio*", criterio repetido en el artículo 17 de la Ley 27/2014. Se exceptúa con carácter general la aplicación del valor razonable, cuando esta valoración no implique la aplicación del cambio de valoración a pérdidas y ganancias, sino directamente a patrimonio neto ("*No obstante, las variaciones de valor originadas por aplicación del criterio del valor razonable no tendrán efectos fiscales mientras no deban imputarse a la cuenta de pérdidas y ganancias.*")

EJEMPLOS

PRECIO DE ADQUISICIÓN

Se adquiere un elemento de transporte de su fabricante. El precio acordado por la adquisición es de 100.000 €. Los gastos de transporte, carga, descarga y seguro importan 1.000 €. Por el acondicionamiento para su uso industrial se han satisfecho 3.000 €.

Se pide determinar el precio de adquisición.

Respuesta

Importe satisfecho al transmitente...............................	100.000
Valor de gastos accesorios..	4.000
PRECIO DE ADQUISICIÓN	104.000

PRECIO DE ADQUISICIÓN

Adquirimos una máquina de un proveedor extranjero por 125.000 euros. Adicionalmente se estipula que se satisfará, durante los próximos tres años, un importe adicional de 1 euro por cada unidad de producto que se realice con la máquina, con un importe máximo de 10.000 € al año. La empresa estima que producirá por encima de las 10.000 unidades de producto al año. El tipo de descuento adecuado para estos pagos futuros es el 6 por cien.

Respuesta

Importe satisfecho al transmitente...............................	125.000
Valor actual de los pagos futuros 10.000* a $_{3|0,06}$ =.......	26.730,12
PRECIO DE ADQUISICIÓN	151.730,12

COSTE DE PRODUCCIÓN

Una empresa elabora para su venta un conjunto formado por un bolígrafo y un reloj que adquiere a terceros, presentándolos en un estuche que elabora. El precio de adquisición de cada bolígrafo es de 10 €, el del reloj 75 €. Los costes de fabricación del estuche ascienden a 3 € por unidad y el importe de los gastos relacionados con el montaje a 7 € por conjunto. Los gastos generales de la actividad importan 50.000 €, de los que un 20 por ciento se imputan a esta actividad, con una capacidad productiva de 20.000 unidades del conjunto. Por unos problemas laborales este año se han producido solamente 18.000 unidades.

Se pide determinar el coste de producción.

Respuesta

Valor de los distintos productos incorporados 75+10+3=	88
Valor de transformación	7
Costes indirectos (sin computar subactividad)	
50.000*0,2/20.000=0,5	0,5
COSTE DE PRODUCCIÓN	95,5

5.3. Valor razonable

Una de las diferencias fundamentales entre contabilidad y fiscalidad con el PGC 90 venía dada por la aplicación del criterio de valor de mercado. El citado Plan, por aplicación del principio de empresa en funcionamiento, difería el reconocimiento de resultados en determinadas transacciones entre empresas hasta la enajenación o salida definitiva de los activos en las entidades receptoras de los mismos. Así, los activos recibidos se mantenían valorados en función del coste histórico que tenían en las entidades transmitentes. La norma fiscal, por el contrario, decide generalmente el gravamen de la capacidad de gravamen puesta de manifiesto en estas operaciones de forma inmediata. Los artículos 15, 16 y 17 del Real Decreto Legislativo 4/2004, equivalentes a los artículos 17,18 y 19 de la Ley 27/2014, relativos a transmisiones lucrativas y societarias, operaciones vinculadas y cambios de residencia, operaciones realizadas con o por personas o entidades residentes en paraísos fiscales y cantidades sujetas a retención, respectivamente, se aparecían como la principal diferencia entre contabilidad y tributación, sustituyendo con efectos fiscales el coste histórico que figura en contabilidad por el valor de mercado.

El PGC 07 define el valor razonable como el importe por el que puede ser intercambiado un activo o liquidado un pasivo, entre partes interesadas y debidamente informadas, que realicen una transacción en condiciones de independencia mutua. Dos son los requisitos que definen el valor razonable: la razonabilidad de la conducta fundada en el conocimiento suficiente por los intervinientes en la operación y la independencia de las partes, es decir, que el acuerdo se obtenga mediante el libre juego de la oferta y la demanda en condiciones que no restringen el mercado. Añade este concepto sendas matizaciones que subrayan las notas definitorias que hemos destacado. Cuando el valor razonable lo estimemos en función de transacciones efectivamente habidas entre partes independientes, debemos acudir exclusivamente a las realizadas en condiciones de normalidad, y nunca los que resulten de una transacción forzada, urgente o como consecuencia de una situación de liquidación involuntaria. Cuando exista un valor de mercado, especialmente si se trata de un mercado activo (caracterizado por el intercambio de valores homogéneos, existencia mantenida de compradores o vendedores y conocimiento público de los precios, fundados en las transacciones repetidas), el valor razonable será el valor de ese mercado.

Cuando no exista un mercado activo, el criterio hace una referencia genérica, señalando que la valoración se efectuará mediante la aplicación de modelos y técnicas de valoración. En particular, se remite a referencias obtenidas de transacciones recientes en condiciones de independencia mutua entre partes interesadas y debidamente informadas, si estuviesen disponibles, así como referencias al valor razonable de otros activos que sean sustancialmente iguales, métodos de descuento de flujos de efectivo futuros estimados y modelos generalmente utilizados para valorar opciones, exigiendo además que se maximice el uso de datos observables de mercado y otros factores que los participantes en el mercado considerarían al fijar el precio, y se limite en todo lo posible el empleo de consideraciones subjetivas y de datos no observables.

En aquellos casos en los que no se pueda obtener un valor razonable de acuerdo con los parámetros antes citados (lo que ocurrirá en los casos en los que tratemos de bienes diferentes instrumentos financieros, a los que se refieren fundamentalmente esos modelos de valoración), los activos de que se trate se valorarán, según proceda, por su coste amortizado o por su precio de adquisición o coste de producción, minorado, en su caso, por las partidas correctoras de su valor que pudieran corresponder, haciendo mención en la memoria de este hecho y de las circunstancias que lo motivan.

El valor razonable se utiliza para la fijación del valor inicial de los activos obtenidos en combinaciones de negocios, los recibidos por subvención, donación o legado, o los satisfechos mediante instrumentos de patrimonio. Igualmente se utiliza para la valoración de los instrumentos financieros, si bien tal y como hemos señalado en el apartado anterior, se define como valor razonable de éstos, salvo evidencia en contrario, el precio de la transacción, que equivaldrá al valor razonable de la contraprestación entregada.

Añade finalmente el PGC 07 que el valor razonable se determinará sin deducir los costes de transacción que pudieran resultar necesarios para la enajenación. Se recogerá este concepto como valor neto realizable, que estudiaremos en un punto siguiente.

Este criterio de valoración relacionado con la norma fiscal plantea una cuestión fundamental: ¿son coincidentes el valor razonable y el valor de mercado? El artículo 18 LIS define el valor de mercado como aquel que se habría acordado por personas o entidades independientes en condiciones de libre competencia. Es decir, identifica, de forma más breve y somera que el PGC 07, las mismas dos características que se predicaban del valor razonable. Por ello resulta lógico concluir que son una misma cosa.

Otra cuestión de no tan fácil resolución es si existe coincidencia en la forma de fijación del valor de mercado o razonable. El artículo 18.4 LIS ofrece una lista cinco medios, en la ya no se distingue entre medios principales y secundarios, por lo que se utilizarán indistintamente, en función de su adecuación para la operación que se trata de valorar, para la fijación del valor:

– Método del precio libre comparable, por el que se compara el precio del bien o servicio en una operación entre partes vinculadas con el precio de un bien o servicio idéntico o de características similares en una operación efectuada por cualquiera de los intervinientes con personas o entidades independientes en circunstancias equiparables, efectuando, si fuera preciso, las correcciones fundadas en las diferentes relaciones comerciales o de otro tipo (volumen, riesgo, plazo, ...) para obtener la equivalencia con la operación vinculada.

- Método del coste incrementado, por el que se añade al valor de adquisición o coste de producción del bien o servicio que se intercambia entre partes vinculadas el margen habitual que aplica el vendedor en operaciones idénticas o similares con personas o entidades independientes o, en su defecto, el margen que personas o entidades independientes aplican entre sí a operaciones equiparables, efectuando, si fuera preciso, las correcciones fundadas en las diferentes relaciones comerciales o de otro tipo para obtener la equivalencia y considerar las particularidades de la operación.

- Método del precio de reventa, de carácter análogo al anterior aunque de signo contrario, por el que se sustrae del precio de venta de un bien o servicio el margen que aplica el propio revendedor en operaciones idénticas o similares celebrado con personas o entidades independientes o, en su defecto, el margen que personas o entidades independientes aplican a operaciones equiparables, efectuando, si fuera preciso, las correcciones necesarias para obtener la equivalencia y considerar las particularidades de la operación.

- Método de la distribución del resultado, por el que se asigna a cada persona o entidad vinculada que realice de forma conjunta una o varias operaciones la parte del resultado común derivado de dicha operación u operaciones, en función de un criterio que refleje adecuadamente las condiciones que habrían suscrito personas o entidades independientes en circunstancias similares.

- Método del margen neto operacional, por el que se atribuye a las operaciones realizadas con una persona o entidad vinculada el resultado neto, calculado sobre costes, ventas o la magnitud que resulte más adecuada en función de las características de las operaciones idénticas o similares realizadas entre partes independientes, efectuando, cuando sea preciso, las correcciones necesarias para obtener la equivalencia y considerar las particularidades de las operaciones.

Los métodos de valoración previstos para las operaciones vinculadas son también aplicables a las operaciones contempladas en el artículo 17 LIS, valoración en los supuestos de transmisiones lucrativas y societarias, por la referencia expresa del apartado 4, último párrafo, de este precepto (*"Se entenderá por valor de mercado el que hubiera sido acordado entre partes independientes, pudiendo admitirse cualquiera de los métodos previstos en el artículo 18.4 de esta Ley"*).

La primera conclusión que podemos extraer del precepto citado es que, desde luego, no son coincidentes los procedimientos fijados por el LIS para la fijación del valor de mercado con los establecidos en el PGC 07 para la determinación del valor razonable, aunque tampoco son contradictorios. El valor razonable del PGC se remite fundamentalmente a modelos para instrumentos financieros y al valor determinado en transacciones celebradas entre partes independientes, mientras que en la LIS la referencia a las transacciones entre empresas independientes se desarrolla y concreta de forma mucho más precisa que en la norma contable. En este sentido, cabe destacar que la Ley 27/2014 ha suprimido la jerarquía en la aplicación de los criterios de valoración previstos que existía en el TRIS y prevé que la elección de un método concreto tendrá en cuenta, entre otras circunstancias, la naturaleza de la operación vinculada, la disponibilidad de información fiable y el grado de comparabilidad entre las operaciones vinculadas y no vinculadas. En concreto el análisis de comparabilidad comparara las operaciones realizadas entre partes vinculadas con las que se hubiese podido realizar entre partes independientes que pudieran ser equiparables, señalando las circunstancias que deben tenerse presentes para determinar si son comparables los valores:

- Las características específicas de los bienes o servicios objeto de las operaciones vinculadas.

- Las funciones asumidas por las partes en relación con las operaciones objeto de análisis, identificando los riesgos asumidos y ponderando, en su caso, los activos utilizados.

- Los términos contractuales de los que, en su caso, se deriven las operaciones teniendo en cuenta las responsabilidades, riesgos y beneficios asumidos por cada parte contratante.

- Las características de los mercados en los que se entregan los bienes o se prestan los servicios, u otros factores económicos que puedan afectar a las operaciones vinculadas.

- Cualquier otra circunstancia que sea relevante en cada caso, como las estrategias comerciales. En ausencia de datos sobre comparables de empresas independientes o cuando la fiabilidad de los disponibles sea limitada, el obligado tributario deberá documentar dichas circunstancia.

¿Podemos, no obstante las diferencias que hemos reseñado, concluir, a la luz de las coincidencias, que los procedimientos para fijar el valor razonable y el valor de mercado pueden ofrecer el mismo resultado? Cualquier respuesta a esta pregunta, que es la que realmente debe preocupar a la hora de aplicar un valor razonable y otorgarle efectos fiscales o viceversa, puede chocar con el sin fin de pronunciamientos administrativos y jurisprudenciales habidos sobre el tema de valoración, ya que es una cuestión altamente litigiosa. No obstante, desde nuestro punto de vista, existe un grado muy importante de coincidencia entre ambos procedimientos y la práctica diaria es terca en impedir una aplicación clara, directa y exclusiva de uno de los métodos previstos en el LIS, al menos de forma total y absoluta, por lo que acaba produciéndose una valoración fundada en los principios dimanantes de dichos sistemas, que es por otra parte el criterio recibido para la valoración razonable contable.

5.4. *Valor neto realizable*

El valor neto realizable de un activo es el importe que la empresa puede obtener por su enajenación en el mercado, en el curso normal del negocio, deduciendo los costes estimados necesarios para llevarla a cabo, así como, en el caso de las materias primas y de los productos en curso, los costes estimados necesarios para terminar su producción, construcción o fabricación.

Podemos glosar este concepto a partir de varios elementos, que por otra parte derivan de la propia denominación dada por el PGC:

– El elemento de partida es valor realizable del activo, ahora bien, considerado en su estado de finalización, o al menos tal y como lo finaliza la empresa.

– De dicho valor debemos deducir el importe de los gastos necesarios para su finalización, cuando se trata de un producto en curso.

– Adicionalmente debemos deducir el importe de los costes de transacción que normalmente son soportados por la empresa.

El resultado de este proceso es la obtención del flujo de efectivo que puede generar un activo. Conocida la controversia que suscita la valoración y el relativo grado de inseguridad que ofrece, la opción del PGC 07 parece razonable, al tomar como punto de partida el valor realizable del producto terminado, que es más fácilmente determinable.

El PGC aplica este valor neto realizable a la valoración de los moldes desarrollados por encargo, así como para la cuantificación del deterioro de las existencias. Asimismo se aplica un concepto sin denominación específica pero de idéntico contenido a la valoración de los activos mantenidos para la venta, así como para calcular el deterioro de inmovilizaciones materiales e intangibles e inversiones inmobiliarias, que se valoran por su valor realizable minorado en los costes de venta (si se tiene presente que estos activos son inmovilizado que la empresa decide enajenar y no utilizar más en la explotación, resulta claro también que no deben existir generalmente costes pendientes de incorporación, por lo que coincide este valor con el valor neto realizable de los mismos).

Completa esta definición la de costes de venta que se conceptúan como los costes incrementales directamente atribuibles a la venta de un activo en los que la empresa no habría incurrido de no haber tomado la decisión de vender, excluidos los gastos financieros y los impuestos sobre beneficios. Se incluyen los gastos legales necesarios para transferir la propiedad del activo y las comisiones de venta.

Fiscalmente no existe norma especial que afecta a la valoración de los deterioros de existencias, por lo que surtirá plenos efectos la norma contable. En relación con los moldes, la aplicación fiscal del criterio contable origina ciertas dudas, a cuyo estudio particular nos remitimos. Finalmente, la valoración a este "tertium genes" entre el valor realizable y el valor neto realizable de los activos disponibles para la venta, en la medida que no afecta a la cuenta de pérdidas y ganancias, sino que las diferencias se imputan directamente al patrimonio neto, carecerá de efectos fiscales según el artículo 17.1 2º párrafo LIS.

EJEMPLO
VALOR NETO REALIZABLE DE ACTIVO

Hemos adquirido una partida de bananas procedente de Brasil, que se encuentra a bordo de un buque en camino hacia España. El precio que podemos obtener por ellas en el mercado es de 20.000 €, aunque sabemos que con carácter previo a su venta falta satisfacer los derechos de aduana, por un importe de 500 €, el importe de los controles y de los certificados sanitarios previos a su consumo, por importe de 700 € y los gastos de transporte desde el buque hasta el mercado de abastos, por importe de 250 €.

Se pide determinar su valor neto realizable

Respuesta

Importe que se puede obtener en la venta............................	20.000
Valor de costes pendientes hasta la venta	1.450
VALOR NETO REALIZABLE..	18.550

5.5. *Valor actual*

El valor actual es el importe de los flujos de efectivo a recibir o pagar en el curso normal del negocio, según se trate de un activo o de un pasivo, respectivamente, actualizados a un tipo de descuento adecuado.

Este es un concepto propio de matemática financiera, fundado en el concepto económico que no se pueden equiparar dos cantidades iguales de dinero en momentos temporales distintos.

El PGC 07 recibe esta idea y en numerosos supuestos descuenta cantidades futuras, determinando el valor actual de activos y pasivos. Fundamentalmente en instrumentos financieros (partidas a cobrar o a pagar), pero también obligaciones de desmontaje y provisiones son valoradas por su valor actual. Como consecuencia de ello se ofrece una mayor información en contabilidad, al reflejarse de forma separada el componente financiero de las obligaciones y derechos según se van capitalizando por el transcurso del tiempo.

El principal problema que plantea este concepto es el tipo de descuento a utilizar, que queda indefinido con la mera remisión al tipo adecuado, salvo en determinadas operaciones financieras en las que se puede obtener un tipo efectivo resultante de la propia operación.

Fiscalmente la recepción del valor actual produce un efecto indirecto, al reflejarse el componente financiero de las operaciones con cargo a las cuentas del subgrupo 66, Gastos financieros, y con abono a las cuentas del subgrupo 76, Ingresos financieros. No existe norma especial en el LIS para la aplicación de estos gastos e ingresos, ya que el artículo 16 LIS únicamente fija un importe máximo de gastos financieros deducibles, por lo que se integrarán por su valor contable y en su periodo de contabilización. Difiere, eso sí, de otros impuestos, especialmente el IVA, en el que los intereses implícitos de las operaciones no son tenidos en cuenta para cuantificar las operaciones.

EJEMPLO

VALOR ACTUAL DE UN ACTIVO

Hemos concedido un préstamo a otra entidad, al interés del 9 por ciento, y en cuya virtud deberá pagar las cantidades de 10.000 €, 12.000 € y 15.000 € en los próximos tres años. ¿Cual será el valor actual de dicho préstamo?

Respuesta

$Va = 10.000*(1+0,09)^{-1} + 12.000*(1+0,09)^{-2} + 15.000*(1+0,09)^{-3} = 30.857,22$

5.6. *Valor en uso*

El valor en uso de un activo o de una unidad generadora de efectivo es el valor actual de los flujos de efectivo futuros esperados, a través de su utilización en el curso normal del negocio y, en su caso, de su enajenación u otra forma de disposición, teniendo en cuenta su estado actual y actualizados a un tipo de interés de mercado sin riesgo, ajustado por los riesgos específicos del activo que no hayan ajustado las estimaciones de flujos de efectivo futuros.

Con este concepto se pretende determinar cuál es el rendimiento económico esperado de un activo, determinado por el valor de los ingresos que puede generar mediante su utilización en las finalidades a las que se encuentra destinado (sea la propia explotación, la cesión a terceros o cualquier forma de generación de ingresos) e inclusive la venta o enajenación del mismo, descontado a la fecha de cálculo. Curiosamente en este caso se tiene presente el estado actual del activo y no el estado en el que se encontrará tras la utilización en la actividad cuyos flujos económicos se han estimado.

El PGC 07 cita un concepto novedoso: la unidad generadora de efectivo, definida como el grupo identificable más pequeño de activos que genera entradas de efectivo. Este es un concepto, a nuestro juicio, acertado, especialmente relacionado con el de valor en uso, ya que se atiende a la realidad en la que los elementos aisladamente considerados no son indicativos de la rentabilidad esperada de los mismos por su integración en una cadena de producción conjuntamente con otros elementos, de tal manera que sólo mediante la valoración conjunta de todos los elementos podemos determinar el plan financiero esperado de los mismos.

Este concepto atiende a una serie de variables que deben ser objeto estimación antes de realizar la contabilización, lo que es un proceso complejo. El PGC 07 trata de disciplinar al máximo este proceso, determinando que las proyecciones de flujos de efectivo se basarán en hipótesis razonables y fundamentadas, no en meras opiniones, y que la estimación del valor de realización deberá atender al grado de liquidez del activo.

Este es, además, un valor actual, en el que se tiene presente para la estimación el momento temporal en el que se percibirá el flujo de efectivo futuro, descontándose mediante la aplicación de un tipo de mercado sin riesgo (dependiendo del plazo en el que esperemos los flujos, deberemos optar entre los tipos de mercado de los diferentes instrumentos del Tesoro Público que se emitan a los plazos más similares).

Desde nuestro punto de vista este concepto tiene dos deficiencias: la toma en consideración del valor del activo en su estado actual, que supone no tener presente que la valoración se está produciendo conjuntamente con la de los flujos de efectivo que puede generar por su uso, y que no se minore en los costes de venta, que dependiendo el tipo de activo puede ser una partida muy importante.

El PGC 07 utiliza este valor para cuantificar los posibles deterioros de los inmovilizados material e intangible, así como las inversiones inmobiliarias. Recibe con ello en el Plan y de forma más completa el principio que había anticipado con la Resolución del ICAC sobre inmovilizado material.

La LIS ha supuesto un cambio radical en cuanto a la recepción fiscal de este criterio de valoración. Con el Real Decreto Legislativo 4/2004 los deterioros de los inmovilizados material e intangible y de las inversiones inmobiliarias se aplicaban fiscalmente sin norma que los excepcionara en cuanto a su cálculo. El artículo 13.2 LIS dispone que no serán deducibles las pérdidas por deterioro del inmovilizado material, inversiones inmobiliarias e inmovilizado intangible, incluido el fondo de comercio. Por consiguiente, dado que la aplicación de este criterio de valoración sirve a los efectos de determinar un gasto que no tiene aplicación fiscal, este criterio ha quedado privado de relevancia tributaria.

EJEMPLO

VALOR EN USO DE UN ACTIVO

Somos propietarios de un inmueble, cedido en arrendamiento durante los próximos 7 años, con una renta anual de 7.000 €. Su valor de realización es de 150.000 €. El tipo de descuento adecuado para este activo es del 6 por ciento ¿Cuál será el valor en uso de dicho inmueble?

Respuesta

V uso= $7.000 * A_{7]0,06} + 150.000 * (1+0,06)^{-7} = 141.179,84$

5.7. Coste amortizado

El coste amortizado de un instrumento financiero es el importe al que inicialmente fue valorado un activo financiero o un pasivo financiero, menos los reembolsos de principal que se hubieran producido, más o menos, según proceda, la parte imputada en la cuenta de pérdidas y ganancias, mediante la utilización del método del tipo de interés efectivo, de la diferencia entre el importe inicial y el valor de reembolso en el vencimiento y, para el caso de los activos financieros, menos cualquier reducción de valor por deterioro que hubiera sido reconocida, ya sea directamente como una disminución del importe del activo o mediante una cuenta correctora de su valor.

El tipo de interés efectivo es el tipo de actualización que iguala el valor en libros de un instrumento financiero con los flujos de efectivo estimados a lo largo de la vida esperada del instrumento, a partir de sus condiciones contractuales y sin considerar las pérdidas por riesgo de crédito futuras; en su cálculo se incluirán las comisiones financieras que se carguen por adelantado en la concesión de financiación.

Este criterio de valoración sirve para la valoración posterior de determinados activos y pasivos financieros, determinando las partidas que se van a integrar como ingreso o como gasto contable en relación con los mismos. Con carácter general, tales ingresos y gastos tienen plena aplicación fiscal, por lo que este criterio de valoración surte plenos efectos fiscales.

EJEMPLO

COSTE AMORTIZADO DE UN ACTIVO FINANCIERO

Hemos concertado la concesión de un crédito, por el que deberemos entregar 500.000 euros, recibiendo a cambio 4 pagos anuales de 144.295,75 euros. ¿Cuál será el coste amortizado del mismo tras el segundo pago?

Respuesta

La primera operación debe ser determinar el interés efectivo de la operación.

$$500.000 = 144.295,75 * a_{\,4]i} \; ; \; i = 0,06$$

PERIODO	COSTE FINANCIERO	CAPITAL AMORTIZADO	PAGO	CAPITAL PENDIENTE
0				500.000
1	30.000	114.295,75	144.295,75	385.704,25
2	23.142,26	121.153,49 1	44.295,75	264.142,26

Coste amortizado: 264.142,26 €

5.8. Costes de transacción atribuibles a un activo o pasivo financiero

Son los costes incrementales directamente atribuibles a la compra, emisión, enajenación u otra forma de disposición de un activo financiero, o a la emisión o asunción de un pasivo financiero, en los que no se habría incurrido si la empresa no hubiera realizado la transacción. Entre ellos se incluyen los honorarios y las comisiones pagadas a agentes, asesores e intermediarios, tales como las de corretaje, los gastos de intervención de fedatario público y otros, así como los impuestos y otros derechos que recaigan sobre la transacción, y se excluyen las primas o descuentos obtenidos en la compra o emisión, los gastos financieros, los costes de mantenimiento y los administrativos internos.

5.9. Valor contable o en libros

El valor contable o en libros es el importe neto por el que un activo o un pasivo se encuentra registrado en balance una vez deducida, en el caso de los activos, su amortización acumulada y cualquier corrección valorativa por deterioro acumulada que se haya registrado.

Recoge este concepto el Valor Neto Contable del PGC 90. En todo caso debemos tener presente que este concepto es tributario de todos los anteriores, en la medida que el valor contable parte del valor por el que el activo o pasivo se encuentra registrado en contabilidad y este valor puede ser el coste, el valor razonable, etc.

5.10. Valor residual

El valor residual de un activo es el importe que la empresa estima que podría obtener en el momento actual por su venta u otra forma de disposición, una vez deducidos los costes de venta, tomando en consideración que el activo hubiese alcanzado la antigüedad y demás condiciones que se espera que tenga al final de su vida útil.

La vida útil es el período durante el cual la empresa espera utilizar el activo amortizable o el número de unidades de producción que espera obtener del mismo.

Estos dos conceptos son esenciales a la hora de determinar la amortización de los inmovilizados materiales, inmateriales y las inversiones inmobiliarias, ya que ésta se puede definir como la periodificación del gasto que supone la adquisición del activo durante el periodo en el que va a ser utilizado –vida útil– y teniendo presente el valor que conserve al final de dicho periodo –valor residual–.

Se establece una regla especial para los activos sometidos a reversión, cuya vida útil se identifica con el período concesional, cuando éste sea inferior a la vida económica del activo, debiendo amortizarse consecuentemente en dicho plazo. Se apoya este criterio en el concepto de vida económica, que es el período durante el cual se espera que el activo sea utilizable por parte de uno o más usuarios o el número de unidades de producción que se espera obtener del activo por parte de uno o más usuarios. Fiscalmente ampara esta excepción el artículo 3.3 RIS, que obliga a amortizar el inmovilizado material, inmaterial y las inversiones inmobiliarias en su vida útil.

Artículo 11
Imputación temporal. Inscripción contable de ingresos y gastos

JAVIER MARÍA BAS SORIA

Inspector de Hacienda del Estado. Doctor en Derecho

"1. Los ingresos y gastos derivados de las transacciones o hechos económicos se imputarán al período impositivo en que se produzca su devengo, con arreglo a la normativa contable, con independencia de la fecha de su pago o de su cobro, respetando la debida correlación entre unos y otros.

2. La eficacia fiscal de los criterios de imputación temporal de ingresos y gastos, distintos de los previstos en el apartado anterior, utilizados excepcionalmente por el contribuyente para conseguir la imagen fiel del patrimonio, de la situación financiera y de los resultados, de acuerdo con lo previsto en los artículos 34.4 y 38.i) del Código de Comercio, estará supeditada a la aprobación por la Administración tributaria, en la forma que reglamentariamente se determine.

3.1.º No serán fiscalmente deducibles los gastos que no se hayan imputado contablemente en la cuenta de pérdidas y ganancias o en una cuenta de reservas si así lo establece una norma legal o reglamentaria, a excepción de lo previsto en esta Ley respecto de los elementos patrimoniales que puedan amortizarse libremente o de forma acelerada.

Los ingresos y los gastos imputados contablemente en la cuenta de pérdidas y ganancias o en una cuenta de reservas en un período impositivo distinto de aquel en el que proceda su imputación temporal, según lo previsto en los apartados anteriores, se imputarán en el período impositivo que corresponda de acuerdo con lo establecido en dichos apartados. No obstante, tratándose de gastos imputados contablemente en dichas cuentas en un período impositivo posterior a aquel en el que proceda su imputación temporal o de ingresos imputados en las mismas en un período impositivo anterior, la imputación temporal de unos y otros se efectuará en el período impositivo en el que se haya realizado la imputación contable, siempre que de ello no se derive una tributación inferior a la que hubiere correspondido por aplicación de las normas de imputación temporal prevista en los apartados anteriores.

2.º Los cargos o abonos a partidas de reservas, registrados como consecuencia de cambios de criterios contables, se integrarán en la base imponible del período impositivo en que los mismos se realicen.

No obstante, no se integrarán en la base imponible los referidos cargos y abonos a reservas que estén relacionados con ingresos o gastos, respectivamente, devengados y contabilizados de acuerdo con los criterios contables existentes en los períodos impositivos anteriores, *siempre que se hubiesen integrado en la base imponible de dichos períodos. Tampoco se integrarán en la base imponible esos gastos e ingresos contabilizados de nuevo con ocasión de su devengo, de acuerdo con el cambio de criterio contable.*

4. En el caso de operaciones a plazos o con precio aplazado, las rentas se entenderán obtenidas proporcionalmente a medida que sean exigibles los correspondientes cobros, excepto que la entidad decida aplicar el criterio del devengo.

Se considerarán operaciones a plazos o con precio aplazado, aquellas cuya contraprestación sea exigible, total o parcialmente, mediante pagos sucesivos o mediante un solo pago, siempre que el período transcurrido entre el devengo y el vencimiento del último o único plazo sea superior al año.

En caso de producirse el endoso, descuento o cobro anticipado de los importes aplazados, se entenderá obtenida, en dicho momento, la renta pendiente de imputación.

No resultará fiscalmente deducible el deterioro de valor de los créditos respecto de aquel importe que no haya sido objeto de integración en la base imponible por aplicación del criterio establecido en este apartado, hasta que esta se realice.

5. No se integrará en la base imponible la reversión de gastos que no hayan sido fiscalmente deducibles.

6. La reversión de un deterioro o corrección de valor que haya sido fiscalmente deducible, se imputará en la base imponible del período impositivo en el que se haya producido dicha reversión, sea en la entidad que practicó la corrección o en otra vinculada con ella. La misma regla se aplicará en el supuesto de pérdidas derivadas de la transmisión de elementos patrimoniales que hubieren sido nuevamente adquiridos.

7. Cuando se eliminen provisiones, por no haberse aplicado a su finalidad, sin abono a una cuenta de ingresos del ejercicio, su importe se integrará en la base imponible de la entidad que las hubiese dotado, en la medida en que dicha dotación se hubiese considerado gasto deducible.

8. Cuando la entidad sea beneficiaria o tenga reconocido el derecho de rescate de contratos de seguro de vida en los que, además, asuma el riesgo de inversión, integrará en todo caso en la base imponible la diferencia entre el valor liquidativo de los activos afectos a la póliza al final y al comienzo de cada período impositivo.

Lo dispuesto en este apartado no se aplicará a los seguros que instrumenten compromisos por pensiones asumidos por las empresas en los términos previstos en la Disposición adicional primera del Texto Refundido de la Ley de Regulación de los Planes y Fondos de Pensiones, aprobado por el Real Decreto Legislativo 1/2002, de 29 de noviembre, y en su normativa de desarrollo.

El importe de las rentas imputadas minorará el rendimiento derivado de la percepción de cantidades de los contratos.

9. Las rentas negativas generadas en la transmisión de elementos del inmovilizado material, inversiones inmobiliarias, inmovilizado intangible y valores representativos de deuda, cuando el adquirente sea una entidad del mismo grupo de sociedades según los criterios establecidos en el artículo 42 del Código de Comercio, con independencia de la residencia y de la obligación de formular cuentas anuales consolidadas, se imputarán en el período impositivo en que dichos elementos patrimoniales sean dados de baja en el balance de la entidad adquirente, sean transmitidos a terceros ajenos al referido grupo de sociedades, o bien cuando la entidad transmitente o la adquirente dejen de formar parte del mismo.

No obstante, en el caso de elementos patrimoniales amortizables, las rentas negativas se integrarán, con carácter previo a dichas circunstancias, en los períodos impositivos que restaran de vida útil a los elementos transmitidos, en función del método de amortización utilizado respecto de los referidos elementos.

10. Las rentas negativas derivadas de la transmisión de valores representativos de la participación en el capital o en los fondos propios de entidades, cuando el adquirente sea una entidad del mismo grupo de sociedades según los criterios establecidos en el artículo 42 del Código de Comercio, con independencia de la residencia y de la obligación de formular cuentas anuales consolidadas, se imputarán en el período impositivo en que dichos elementos patrimoniales sean transmitidos a terceros ajenos al referido grupo de sociedades, o bien cuando la entidad transmitente o la adquirente dejen de formar parte del mismo, minoradas en el importe de las rentas positivas obtenidas en dicha transmisión a terceros, siempre que, respecto de los valores transmitidos, se den las siguientes circunstancias:

a) que, en ningún momento durante el año anterior al día en que se produzca la transmisión, se cumpla el requisito establecido en la letra a) del apartado 1 del artículo 21 de esta Ley, y

b) que, en caso de participación en el capital o en los fondos propios de entidades no residentes en territorio español, en el período impositivo en que se produzca la transmisión se cumpla el requisito establecido en la letra b) del apartado 1 del citado artículo.

Lo dispuesto en este apartado resultará de aplicación en el supuesto de transmisión de participaciones en una unión temporal de empresas o en formas de colaboración análogas a estas situadas en el extranjero.

Lo dispuesto en este apartado no resultará de aplicación en el supuesto de extinción de la entidad participada, salvo que la misma sea consecuencia de una operación de reestructuración o se continúe en el ejercicio de la actividad bajo cualquier otra forma jurídica.

11. Derogado a partir del 1-1-2017

12. Las dotaciones por deterioro de los créditos u otros activos derivadas de las posibles insolvencias de los deudores no vinculados con el contribuyente, no adeudados por entidades de derecho público y cuya deducibilidad no se produzca por aplicación de lo dispuesto en el artículo 13.1.a) de esta Ley, así como los derivados de la aplicación de los apartados 1 y 2 del artículo 14 de esta Ley, correspondientes a dotaciones o aportaciones a sistemas de previsión social y, en su caso, prejubilación, que hayan generado activos por impuesto diferido, a los que resulte de aplicación el derecho establecido en el artículo 130 de esta Ley, se integrarán en la base imponible de acuerdo con lo establecido en esta Ley, con el límite del 70 por ciento de la base imponible positiva previa a su integración, a la aplicación de la reserva de capitalización establecida en el artículo 25 de esta Ley y a la compensación de bases imponibles negativas.

Las cantidades no integradas en un período impositivo serán objeto de integración en los períodos impositivos siguientes con el mismo límite. A estos efectos, se integrarán en primer lugar las dotaciones correspondientes a los períodos impositivos más antiguos.

Si en un período impositivo se hubieran efectuado dotaciones por deterioro de los créditos u otros activos derivadas de las posibles insolvencias de los deudores no vinculados con el contribuyente, no adeudados por entidades de derecho público y cuya deducibilidad no se produzca por aplicación de lo dispuesto en el artículo 13.1.a) de esta Ley, así como los derivados de la aplicación de los apartados 1 y 2 del artículo 14 de esta Ley, correspondientes a dotaciones o aportaciones a sistemas de previsión social y, en su caso, prejubilación, que hayan generado activos por impuesto diferido, y el derecho establecido en el artículo 130 de esta Ley resultara de aplicación sólo a una parte de los mismos, se integrarán en la base imponible, en primer lugar, aquellas dotaciones correspondientes a los activos a los que no resulte de aplicación el referido derecho

13. El ingreso correspondiente al registro contable de quitas y esperas consecuencia de la aplicación de la Ley 22/2003, de 9 de julio, Concursal, se imputará en la base imponible del deudor a medida que proceda registrar con posterioridad gastos financieros derivados de la misma deuda y hasta el límite del citado ingreso.

No obstante, en el supuesto de que el importe del ingreso a que se refiere el párrafo anterior sea superior al importe total de gastos financieros pendientes de registrar, derivados de la misma deuda, la imputación de aquel en la base imponible se realizará proporcionalmente a los gastos financieros registrados en cada período impositivo respecto de los gastos financieros totales pendientes de registrar derivados de la misma deuda".

DESARROLLO REGLAMENTARIO
REGLAMENTO IMPUESTO SOBRE SOCIEDADES

Artículo 1. Aprobación de criterios de imputación temporal diferentes al devengo.

"1. Las entidades que utilicen, a efectos contables, un criterio de imputación temporal de ingresos y gastos diferente al devengo deberán presentar una solicitud ante la Administración tributaria para que el referido criterio tenga eficacia fiscal.

2. La solicitud deberá contener los siguientes datos:

a) Descripción de los ingresos y gastos a los que afecta el criterio de imputación temporal, haciendo constar, además de su naturaleza, su importancia en el conjunto de las operaciones del contribuyente.

b) Descripción del criterio de imputación temporal cuya eficacia fiscal se solicita. En el caso de que el criterio de imputación temporal sea de obligado cumplimiento deberá especificarse la norma contable que establezca tal obligación.

c) Justificación de la adecuación del criterio de imputación temporal propuesto a la imagen fiel que deben proporcionar las cuentas anuales y explicación de su influencia sobre el patrimonio, la situación financiera y los resultados del contribuyente.

d) Descripción de la incidencia, a efectos fiscales, del criterio de imputación temporal.

3. La solicitud se presentará con, al menos, 6 meses de antelación a la conclusión del primer período impositivo respecto del que se pretenda que tenga efectos.

El contribuyente podrá desistir de la solicitud formulada.

4. La Administración tributaria podrá recabar del contribuyente cuantos datos, informes, antecedentes y justificantes sean necesarios.

El contribuyente podrá, en cualquier momento del procedimiento anterior al trámite de audiencia, presentar las alegaciones y aportar los documentos y justificantes que estime pertinentes.

5. Instruido el procedimiento, e inmediatamente antes de redactar la propuesta de resolución, se pondrá de manifiesto al contribuyente, quien dispondrá de un plazo de 15 días para formular las alegaciones y presentar los documentos y justificaciones que estime pertinentes.

6. La resolución que ponga fin al procedimiento podrá:

a) Aprobar el criterio de imputación temporal de ingresos y gastos formulado por el contribuyente.

b) Desestimar el criterio de imputación temporal de ingresos y gastos formulado por el contribuyente.

La resolución será motivada.

El procedimiento deberá finalizar antes de 6 meses, contados desde la fecha en que la solicitud haya tenido entrada en cualquiera de los Registros del órgano administrativo competente o desde la fecha de subsanación de la misma a requerimiento de dicho órgano.

7. Transcurrido el plazo a que hace referencia el apartado anterior sin haberse producido una resolución expresa, se entenderá aprobado el criterio de imputación temporal de ingresos y gastos utilizado por el contribuyente.

Artículo 2. Órgano competente.

Será competente para instruir y resolver el procedimiento el órgano de la Agencia Estatal de Administración Tributaria que corresponda de acuerdo con sus normas de estructura orgánica".

SUMARIO: 1. IMPUTACIÓN TEMPORAL DE INGRESOS Y GASTOS. 2. LA REGLA GENERAL DE IMPUTACIÓN TEMPORAL: EL CRITERIO DEL DEVENGO. 2.1. El criterio del devengo fiscal y contable. 2.2. La correlación de ingresos y gastos.

1. IMPUTACIÓN TEMPORAL DE INGRESOS Y GASTOS

Como hemos tenido ocasión de ver en el comentario del artículo 10 LIS, la LIS define la base imponible como el importe de la renta obtenida en el período impositivo, minorada por la compensación de bases imponibles negativas de períodos impositivos anteriores. Establece esta definición uno de los principios esenciales en la aplicación del impuesto, como es el principio de independencia de ejercicios, de tal forma que la renta sometida a tributación va a ser objeto de un cálculo en cada uno de los periodos impositivos, sometiéndose a gravamen de forma independiente. La excepción a este principio viene constituida por la compensación de bases imponibles negativas de ejercicios anteriores que pueden minorar la renta del periodo.

Resulta evidente que habiendo establecido el legislador el gravamen periódico del conjunto de la renta, incluso habiendo aplicado durante mucho tiempo un límite temporal a la compensación de bases imponibles (limitación temporal que pervive para otros beneficios fiscales, como las deducciones que se pueden aplicar en ejercicios posteriores cuando exista insuficiencia de cuota íntegra en el de su nacimiento, tal y como establece el artículo 39 LIS) la imputación de los ingresos y de los gastos a la cuenta de pérdidas y ganancias será una cuestión esencial, ya que no puede dejarse al albur del contribuyente la decisión de aplicar unos y otros a un ejercicio u otro.

Como veremos, el criterio general que se establece es el criterio del devengo, criterio coincidente con la norma contable. No obstante, la norma fiscal establece para determinados tipos de ingresos y de gastos reglas especiales. En este sentido, debe destacarse que la LIS ha introducido un mayor número de reglas especiales que las vigentes con el anterior Real Decreto Legislativo 4/2004.

2. LA REGLA GENERAL DE IMPUTACIÓN TEMPORAL: EL CRITERIO DEL DEVENGO

El primer apartado del artículo 11 establece la regla general de imputación temporal, que es el criterio del devengo. Se completa este principio con dos pronunciamientos sobre la regla de devengo: su interpretación se realizará de acuerdo con la normativa contable y el criterio del devengo es independiente de la fecha de pago o de cobro de gastos e ingresos. Finalmente se establece que el devengo se entenderá respetando la debida correlación entre ingresos y gastos.

2.1. El criterio del devengo fiscal y contable

A pesar de la claridad con la que se establece el criterio del devengo como regla de imputación temporal, ni la LIS ni el RIS desarrollan cual es alcance concreto de esta regla y como debe interpretarse.

Este olvido, que ya se encontraba presente en el Real Decreto Legislativo 4/2004, llevaba a plantear si el criterio del devengo fiscal era el mismo que el contable. La mayoría de la doctrina consideraba que así era, en ocasiones sin necesidad de mayor reflexión (por ejemplo, CAPDEVILA, M.[14]), mientras que otros invocan la supletoriedad de la norma contable para la aplicación de la norma fiscal, para llegar a idéntica conclusión (NAVARRO y BORRAS[15]).En todo caso, la pequeña variación sufrida por este precepto sobre su precedente en el Real Decreto Legislativo 4/2004 (artículo 19.1), introduciendo que el devengo se determinará con arreglo a la normativa contable, hace que esta cuestión haya sido resuelta definitivamente por el legislador, ratificando lo que entendía la unanimidad de la doctrina.

El C de C señala en su artículo 38 que se imputará al ejercicio al que las cuentas anuales se refieran los gastos y los ingresos que afecten al mismo, con independencia de la fecha de su pago o de su cobro. Poco más aclara este precepto, ya que el único avance que hace sobre la norma fiscal es destacar que el devengo supone ingresos y gastos afecten a un ejercicio.

El PGC concreta un poco más este criterio cuando formula la regla del devengo en el punto 3 del apartado 3º relativo a los Principios contables del Marco Conceptual contenido en la primera parte del mismo; tratando de identificar el momento del devengo: "*los efectos de las transacciones o hechos económicos se registrarán cuando ocurran, imputándose al ejercicio en el que se produzcan los gastos y los ingresos que afecten al mismo, con independencia de la fecha de su pago o de su cobro*".

Aunque todas las normas examinadas proponen el criterio del devengo y subrayan sus rasgos diferenciadores de ciertos hitos temporales en la vida de las obligaciones (independencia de la exigibilidad de los derechos y de las ob-

---

[14]   CAPDEVILA, M., en Comentarios al Impuesto sobre Sociedades; Ed. Civitas, Madrid 1998, Tomo I, pag. 827.

[15]   BORRAS AMBLAR, F. Y NAVARRO ALCAZAR, J.V.; en Impuesto sobre Sociedades. Régimen general. Comentarios y casos prácticos; ed.CEF, Madrid 2012, pág. 133.

ligaciones y de los flujos monetarios para su satisfacción), ninguna avanza con detalle qué debemos entender exactamente por el devengo, apuntando únicamente descripciones generales: momento en el que se produzcan los gastos y los ingresos, o corriente real de bienes y servicios que los mismos representan.

Quizá la mejor descripción que podemos obtener del devengo se deriva de la NRV 14, relativa a los ingresos por ventas y prestaciones de servicios, que establece las condiciones para reconocer los ingresos por ventas y por prestación de servicios.

Así, en relación con las ventas se requiere:

a) Transferencia de riesgos y beneficios significativos de los bienes vendidos al comprador, aunque no exista transmisión jurídica de la propiedad.

b) La empresa no mantiene la gestión corriente de los bienes vendidos en un grado asociado normalmente con su propiedad, ni retiene el control efectivo de los mismos.

c) El importe de los ingresos puede valorarse con fiabilidad.

d) Es probable que la empresa reciba los beneficios o rendimientos económicos derivados de la transacción.

e) Los costes incurridos o a incurrir en la transacción pueden ser valorados con fiabilidad.

Para el reconocimiento de los ingresos en las prestaciones de servicios se necesita:

a) El importe de los ingresos puede valorarse con fiabilidad.

b) Es probable que la empresa reciba los beneficios o rendimientos económicos derivados de la transacción.

c) El grado de realización de la transacción, en la fecha de cierre del ejercicio, puede ser valorado con fiabilidad, y

d) Los costes ya incurridos en la prestación, así como los que quedan por incurrir hasta completarla, pueden ser valorados con fiabilidad.

Cuando se trate de un gasto, podemos determinar el devengo a partir de estos criterios, considerando que cuando en otra empresa se hayan dado las circunstancias para el reconocimiento de un ingreso, la receptora de los bienes o servicios ha devengado un gasto.

La definición del devengo que deriva del concepto anterior, bastante más amplía, puede completarse con los criterios de registro contable de los elementos en las cuentas anuales que contiene el propio PGC en el apartado 5º del Marco Conceptual, y que dispone lo siguiente:

– El reconocimiento de un ingreso tiene lugar como consecuencia de un incremento de los recursos de la empresa, y siempre que su cuantía pueda determinarse con fiabilidad. Por lo tanto, conlleva un reconocimiento simultáneo o el incremento de un activo, o la desaparición o disminución de un pasivo y, en ocasiones, el reconocimiento de un gasto.

– El reconocimiento de un gasto tiene lugar como consecuencia de una disminución de los recursos de la empresa, y siempre que su cuantía pueda valorarse o estimarse con fiabilidad. Por lo tanto, conlleva el reconocimiento simultáneo o el incremento de un pasivo, o la desaparición o disminución de un activo y, en ocasiones, el reconocimiento de un ingreso o de una partida de patrimonio neto.

– Se registrarán en el período a que se refieren las cuentas anuales, los ingresos y gastos.

2.2. *La correlación de ingresos y gastos*

La correlación de ingresos y gastos era uno de los principios contables esenciales en el PGC 90. En el vigente PGC 07, se ha desplazado de su condición de principio contable a criterio de registro contable, contenido en el marco conceptual, aunque desempeña una labor similar informadora de la contabilización de las operaciones: la correlación impone que se unan en el tiempo los ingresos y los gastos en los que se ha incurrido para la obtención de los ingresos, si bien esta función queda limitada pues esta correlación solo se exigirá cuando sea pertinente y siempre condicionada a que ingresos y gastos cumplan la definición legal de unos y otros.

¿Qué supone, entonces, la correlación de ingresos y gastos que incluye el artículo 11 LIS juntamente con el principio del devengo?

Si se analiza el precepto desde una perspectiva histórica puede comprobarse que la mención a la debida correlación entre ingresos y gastos se encuentra en la LIS desde antes de la reforma contable, cuando el principio de correlación de ingresos y gastos tenía la condición de principio contable y debía aplicarse en todo caso. En este sentido, no era más que la recepción de un principio complementario al del devengo y que no suponía añadido alguno[16].

Si, en lugar de esa perspectiva histórica, realizamos una interpretación estática del precepto, resulta destacable que la correlación de ingresos y gastos se sitúe juntamente con el principio del devengo. Esta interpretación le permite a LAMOCA PÉREZ[17] afirmar que "*El impuesto no grava gastos o ingresos*

---

16   Así lo recoge CAPDEVILA, M., en Comentarios al Impuesto sobre Sociedades; Ed. Civitas, Madrid 1998, Tomo I, pag. 831; obra anterior a la reforma contable.

17   LAMOCA PÉREZ, C.; "El principio de correlación de ingresos y gastos a la luz del nuevo Plan General Contable", Revista de Contabilidad y Tributación nº 308, CEF, 2008.

separadamente. El impuesto grava capacidades económicas que cuantifica en bases imponibles homogeneizadas por la correlación de sus dos componentes, ingreso y gasto. (...)Aquí, estamos ante una norma de derecho positivo específica que debe respetarse en todos los casos para la que está prevista. Aquí, la correlación ingreso-gasto es predicable en todas las ocasiones de devengo. Aquí, el gasto ha de incardinarse con el ingreso, ha de coserse al flujo de ingresos de tal manera que, el neto, el resultado, que vayan a producir conjuntamente, eclosione en un solo y compartido momento de devengo. Es eso y no otra cosa lo que requiere la norma tributaria, que el neto aflore correlacionando ingreso y gasto en un todo único, no permitiendo acceder gastos a resultados en tanto en cuanto el ingreso que llevan aparejado, no tenga reflejo en cuentas anuales. La correlación ingreso-gasto es algo consustancial a la base imponible de cualquier gravamen sobre beneficios. Cualquier tributo sobre beneficios y el Impuesto sobre Sociedades lo es, grava netos, su base imponible la constituyen los resultados de unas operaciones en las que intervienen tanto ingresos como gastos. No separadamente, sino como un todo específico. Por ello, es necesario que el gasto siga el mismo destino que el ingreso en cuanto a su gravamen. También por ello, es fiscalmente ineluctable que, ambos componentes del neto, del «resultado contable» si se quiere, accedan a la base imponible en el mismo momento, aunque sea preciso el que el gasto espere al ingreso, remansado en la activación de costes."

A nuestro juicio, debe adoptarse una postura intermedia. Aunque debe reconocerse que la referencia a la correlación de ingresos y gastos proviene de la Ley 43/1995 y es anterior a la reforma contable, en la que se rebajó el rango del principio de correlación de ingresos y gastos, no es menos cierto que la vigente Ley 27/2014 ha mantenido la citada referencia y la misma no es una refundición de normas anteriores, sino un texto nuevo y completo con la regulación para el Impuesto. En todo caso no creemos que la adopción de una u otra posición suponga un cambio radical en cuanto a su aplicación en los casos concretos de las normas del devengo.

Mucho más compleja es la cuestión cuando entendemos que la correlación entre ingresos y gastos contemplada en este precepto es la misma a la que se refiere el artículo 15.1.e LIS en su enumeración de los gastos no deducibles, incorporando como liberalidades los que no se encuentren correlacionados con los ingresos. Nos remitimos en este punto al estudio que realizamos en dicho artículo.

3. CRITERIOS ALTERNATIVOS AL CRITERIO DEL DEVENGO

El apartado 2 del artículo 11 LIS contempla la posibilidad de solicitar a la Administración la aprobación de criterios alternativos al devengo para la imputación temporal de ingresos y gastos, en los siguientes términos:

"*La eficacia fiscal de los criterios de imputación temporal de ingresos y gastos, distintos de los previstos en el apartado anterior, utilizados excepcionalmente por el contribuyente para conseguir la imagen fiel del patrimonio, de la situación financiera y de los resultados, de acuerdo con lo previsto en los artículos 34.4 y 38.i) del Código de Comercio, estará supeditada a la aprobación por la Administración tributaria, en la forma que reglamentariamente se determine.*"

El mencionado apartado 4 del artículo 34 del Código de Comercio establece que en casos excepcionales, si la aplicación de una disposición legal en materia de contabilidad fuera incompatible con la imagen fiel que deben proporcionar las cuentas anuales, tal disposición no será aplicable. En estos casos, en la memoria deberá señalarse esta falta de aplicación, motivarse suficientemente y explicarse su influencia sobre el patrimonio, la situación financiera y los resultados de la empresa.

Por su parte, el artículo 38.i) del Código de Comercio establece que en casos excepcionales se admitirá la no aplicación estricta de algunos principios contables cuando la importancia relativa de la variación sea escasamente significativa y no altere la expresión de la imagen fiel. En estos casos, en la memoria deberá señalarse esta falta de aplicación, motivarse suficientemente y explicarse su influencia sobre el patrimonio, la situación financiera y los resultados de la empresa.

Ofrecen los citados preceptos algunas consideraciones importantes. La primera es el carácter ciertamente restringido con el que la LIS prevé la aplicación de los criterios alternativos al devengo, no ya porque se condicionen a su aprobación por la Administración, cuestión que con carácter general parecería sumamente razonable, si estos criterios fueran una posibilidad amplia, sino porque la propuesta parece restringida a los supuestos en los que se respete la imagen fiel y además los criterios contenidos en los artículos 34.4 y 38.i) del Código de Comercio.

También llamativa es la comparación entre el precepto fiscal y los preceptos contables. Así, allí donde la contabilidad permite que razonadamente se exceptúe el criterio del devengo, dejando además constancia de este hecho en la memoria, pero siendo en todo caso la decisión del propio sujeto que contabiliza las operaciones, el legislador fiscal somete a su aprobación estas excepciones, lo que, si bien avanzábamos que podía ser razonable con carácter general, no lo es tanto cuando la posibilidad de utilización de criterios alternativos tiene alcance tan limitado.

En todo caso, la aprobación queda sometida a su desarrollo reglamentario. La Disposición Derogatoria 3 de la Ley 27/2014 previó que se continuara aplicando el Reglamento aprobado por Real Decreto 1777/2004, en todo lo que no se opusiera a la Ley, lo que mantuvo en aplicación los artículos 31 y 32 del mismo. No obstante, con la aprobación del Real Decreto 634/2015, han sido sustituidos por los artículos 1 y 2 del vigente RIS.

La solicitud que se dirija deberá contener los siguientes datos:

a) Descripción de los ingresos y gastos a los que afecta el criterio de imputación temporal, haciendo constar, además de su naturaleza, su importancia en el conjunto de las operaciones del contribuyente.

b) Descripción del criterio de imputación temporal cuya eficacia fiscal se solicita. En el caso de que el criterio de imputación temporal sea de obligado cumplimiento deberá especificarse la norma contable que establezca tal obligación.

c) Justificación de la adecuación del criterio de imputación temporal propuesto a la imagen fiel que deben proporcionar las cuentas anuales y explicación de su influencia sobre el patrimonio, la situación financiera y los resultados del contribuyente.

d) Descripción de la incidencia, a efectos fiscales, del criterio de imputación temporal.

Respecto a la legislación anterior se ha dispensado de la necesidad de justificar que el criterio propuesto no determina una menor tributación efectiva, lo que nos parece una mejora técnica elemental, ya que como hemos visto la solicitud de tales planes especiales se encuentra muy limitada y constreñida.

Esta solicitud deberá presentarse con, al menos, 6 meses de antelación a la conclusión del primer período impositivo en el cual se pretenda que tenga efectos fiscales el criterio solicitado. No obstante, y en cualquier momento de la tramitación del expediente, el sujeto pasivo puede desistir de la solicitud formulada.

No nos parece acertada esta exigencia temporal, ya que el RIS parece estar pensando en un criterio de aplicación general (a todos nos viene a la cabeza el criterio de caja, principal criterio alternativo al del devengo) cuando a nuestro juicio el Código de Comercio, especialmente el artículo 38.i), que sirve de único fundamento posible a los criterios alternativos, únicamente contempla excepción en operaciones concretas y no a la generalidad de las operaciones, cuyo acaecimiento será en la mayoría de ocasiones puntual e incluso no previsible con anterioridad a la realización de las operaciones en las que no se debe aplicar el criterio del devengo para respetar la imagen fiel de la contabilidad.

La solicitud viene seguida de un procedimiento administrativo, en el que la Administración puede solicitar al contribuyente cuantos datos, informes o antecedentes estime oportuno. Antes de formular la propuesta de resolución, la Administración debe ponerse de manifiesto del expediente durante un plazo de quince días, plazo en el que el contribuyente podrá convenientes en defensa de su solicitud.

La resolución que se dicte podrá aprobar el criterio de imputación temporal solicitado por la empresa o denegarlo. Ha desaparecido la posibilidad de aprobar un criterio de imputación temporal distinto del solicitado por el contribuyente, de acuerdo con criterios alternativos reformulados en el transcurso del procedimiento.

El plazo para dictar resolución es de seis meses desde la solicitud o subsanación de la misma, siendo el silencio positivo.

La conclusión que obtenemos de este precepto es que el legislador reglamentario está pensando en una excepción generalizada mucho más amplia que la habilitada por la ley; pero por otra parte la crítica que cabe hacer al precepto es la extrema complejidad que introduce para el ejercicio de una facultad que el legislador ha restringido a un alcance extraordinariamente humilde.

No cabe incluir entre estas excepciones al principio del devengo los supuestos en los que los contribuyentes apliquen criterios de imputación temporal por disposición legal, ya sean tales criterios obligatorios en supuestos tales como la valoración a precios de mercado prevista en el artículo 17 LIS u opcionales, como la regla especial de operaciones a plazo prevista en el apartado 4 del artículo que ahora estudiamos.

4. PRINCIPIO DE INSCRIPCIÓN CONTABLE

4.1. *La inscripción contable como requisito de deducibilidad de los gastos*

Como sabemos, existe una doctrina general sobre los requisitos que deben reunir los gastos para su correcta deducción en el Impuesto sobre Sociedades, predicándose las siguientes cualidades del gasto deducible: su justificación, su contabilización, su correcta imputación temporal y su necesidad. El principio de inscripción contable postula la exigencia del registro de los gastos para su aplicación fiscal. Se formula en el párrafo primero del apartado 3 del artículo 11 LIS, con el siguiente tenor literal:

> *"No serán fiscalmente deducibles los gastos que no se hayan imputado contablemente en la cuenta de pérdidas y ganancias o en una cuenta de reservas si así lo establece una norma legal o reglamentaria, a excepción de lo previsto en esta Ley respecto de los elementos patrimoniales que puedan amortizarse libremente o de forma acelerada."*

La primera cuestión que llama la atención en este precepto es que se permite que la contabilización del gasto se realice tanto en una cuenta de gastos como en directamente a una cuenta de reservas, siempre que legal o reglamentariamente se encuentre prevista esta posibilidad (la mención al reglamento es fundamental, ya que el detalle de la contabilización y de las cuentas de contrapartida se encuentra previsto en el PGC, norma aprobada con rango reglamentario).

El ejemplo más común de registro de gastos directamente en una cuenta de reservas es el de gastos y pérdidas de ejercicios anteriores, al que se refiere la NRV 22ª del PGC.

El movimiento contable de tales gastos queda expresado la quinta parte del PGC, definiciones y relaciones contables, que recoge el siguiente movimiento para la cuenta 113, Reservas voluntarias en lo referente a gastos de ejercicios anteriores: Cuando se produzca un cambio de criterio contable o la subsanación de un error, el ajuste por el efecto acumulado calculado al inicio del ejercicio, de las variaciones de los elementos patrimoniales afectados por la aplicación retroactiva del nuevo criterio o la corrección del error, se imputará a reservas de libre disposición. Con carácter general, se imputará a las reservas voluntarias, registrándose del modo siguiente:

a) Se abonará por el importe resultante del efecto neto acreedor de los cambios experimentados por la aplicación de un nuevo criterio contable comparado con el antiguo o por la corrección del error, con cargo y abono, en su caso, a las respectivas cuentas representativas de los elementos patrimoniales afectados por este hecho, incluyendo las relacionadas con la contabilización del efecto impositivo del ajuste.

b) Se cargará por el importe resultante del efecto neto deudor de los cambios experimentados por la aplicación de un nuevo criterio contable comparado con el antiguo o por la corrección de un error contable, con abono o cargo, en su caso, a las respectivas cuentas representativas de los elementos patrimoniales afectados por este hecho, incluyendo las relacionadas con la contabilización del efecto impositivo del ajuste.

De acuerdo con lo previsto en el artículo 11.3 LIS, estos gastos serán fiscalmente deducibles, ya que, aunque no se han imputado a la cuenta de pérdidas y ganancias, lo han sido a una cuenta de reservas, habilitado por el propio PGC que es una norma de carácter reglamentario.

De acuerdo con el movimiento contable antes reflejado, que no supone que el gasto se refleje en la cuenta de pérdidas y ganancias, la deducibilidad exigirá la inclusión de la disminución correspondiente en el modelo del Impuesto sobre Sociedades.

También los gastos de constitución y ampliación de capital, que con el PGC 90 eran también gastos a distribuir en varios ejercicios, con el PGC 07 se imputan directamente al patrimonio neto de la empresa, minorando las reservas, sin pasar por la cuenta de pérdidas y ganancias.

El movimiento contable de tales gastos queda expresado la quinta parte del PGC, definiciones y relaciones contables, que recoge el siguiente movimiento para la cuenta 113, Reservas voluntarias: Los gastos de transacción de instrumentos de patrimonio propio se imputarán a reservas de libre disposición.

Con carácter general, se imputarán a las reservas voluntarias, registrándose del modo siguiente:

– Se cargarán por el importe de los gastos, con abono a cuentas del subgrupo 57.

– Se abonará por el gasto por impuesto sobre beneficios relacionado con los gastos de transacción, con cargo a la cuenta 6301.

De acuerdo con lo previsto en el artículo 11.3 LIS, estos gastos serán fiscalmente deducibles, ya que, aunque no se han imputado a la cuenta de pérdidas y ganancias, lo han sido a una cuenta de reservas, habilitado por el propio PGC que es una norma de carácter reglamentario. De acuerdo con el movimiento contable antes reflejado, esta deducibilidad se reflejará contablemente minorando el importe de la deuda a ingresar o incrementando el de la devolución a obtener, con abono en la cuenta de reservas voluntarias.

EJEMPLO

Se ha constituido una sociedad, habiendo incurrido en unos gastos por su constitución de 2.000 euros. En su primer ejercicio de actividad el resultado contable antes de impuestos ha sido de 12.000 euros, sin que exista otra diferencia distinta a los gastos de constitución, y las retenciones de 500. El tipo de gravamen del ejercicio ha sido del 25%.

Respuesta

Por la satisfacción de los gastos de constitución, registraremos la minoración del patrimonio neto

POR EL PAGO DE LOS GASTOS DE CONSTITUCIÓN			
	CUENTA	DEBE	HABER
113	Reservas voluntarias	2.000	
572	Bancos		2.000

Liquidamos el impuesto correspondiente al ejercicio, teniendo presente que el resultado contable debe minorarse, para calcular la base imponible, en los 2.000 euros correspondientes a los gastos de constitución, que constituye una diferencia permanente. En consecuencia, la base imponible será de 10.000 euros.

LIQUIDACIÓN DEL IMPUESTO			
6300	Impuesto corriente	2.500	
473	H.P. deudor por retenciones y pagos a cuenta		500
4752	H.P. acreedor por IS		2.000

Por la aplicación fiscal de estos gastos, registramos el gasto del ejercicio por impuesto sobre sociedades, con abono a reservas.

APLICACIÓN FISCAL DE LOS GASTOS DE CONSTITUCIÓN			
	CUENTA	DEBE	HABER
6301	Impuesto diferido	500	
113	Reservas voluntarias (2.000*0,25)		500

El propio precepto añade, además, que en determinados casos el principio de inscripción contable se encuentra excepcionado por la propia Ley, por los que los gastos no requerirán registro contable para su deducibilidad. Se encuentran en este supuesto la libertad de amortización o las amortizaciones aceleradas. Pero también pueden acogerse a esta regla determinados supuestos, no mencionados en este apartado, pero a los que la Ley también excepciona de su registro contable para la deducibilidad, tales como la deducción de las cuotas de bienes en el régimen de arrendamiento financiero (106 LIS) o la deducción del fondo de comercio financiero incorporado al precio de adquisición de determinadas participaciones en entidades no residentes (D.T. 14ª LIS).

Debemos destacar también que en no pocas ocasiones se ha producido una aplicación, a nuestro juicio, excesiva, del principio de inscripción contable. De acuerdo con el mismo, resulta exigible la contabilización del gasto para su aplicación fiscal, sin que el mismo permita excluir el gasto cuando se ha producido el registro de un gasto, aunque de forma improcedente.

EJEMPLO

Una entidad que gestiona un restaurante ha adquirido el 2 de enero determinadas piezas de cristalería por 10.000, registrando tal adquisición como un gasto en la cuenta 628 "Suministros". ¿Resulta correcto tal registro y cuál será la consecuencia?

Respuesta

La Cristalería es un inmovilizado, al que le señalan las tablas un coeficiente de amortización máximo del 50%. En consecuencia, el adecuado registro hubiera sido como un inmovilizado, habiendo amortizado el mismo, lo que arrojaría una cuota de amortización del 50% de su valor en el ejercicio.

Aunque no se haya registrado la amortización, debe considerarse registrado un gasto asociado del 50% del precio de adquisición, por lo que no procedería, en nuestra opinión, minorar el resultado en el importe total del gasto registrado.

ASIENTO QUE REALIZÓ LA SOCIEDAD			
628	Suministros	10.000	
570	Tesorería		10.000

CORRECCIÓN TRAS DETECTAR EL ERROR			
219	Otro inmovilizado	10.000	
628	Suministros		5.000
281	Amortización acumulada del inmovilizado material		5.000

Cabe, por último, destacar que el principio de inscripción contable se predica únicamente de los gastos, ya que la falta de registro de los ingresos no impide su aplicación fiscal, es más, puede considerarse como una circunstancia agravante de la responsabilidad administrativa que pudiera exigirse.

4.2. Errores contables y cambios de estimaciones y de criterios contables en ingresos y gastos

El segundo párrafo del artículo 19.3 LIS se refiere al tratamiento que cabe dispensar a los errores y cambios de estimaciones contables.

Unos y otros se regulan en la NRV 22ªdel PGC. Los cambios en las estimaciones contables son mejores evidencias obtenidas sobre los elementos que nos determinan el importe de ingresos y gastos. A ello alude, por ejemplo, la NRV 2ª, que dispone que los cambios que, en su caso, pudieran originarse en el valor residual, la vida útil y el método de amortización de un activo, se contabilizarán como cambios en las estimaciones contables, salvo que se tratara de un error. El ejemplo paradigmático de ello es la variación en la estimación de los costes de desmontaje que deben ser previstos en el momento de adquisición del activo. Otros supuestos que podríamos considerar serían modificaciones sobrevenidas en el valor de los activos, debidas a cambios en la estimación razonable realizada por la empresa. En todos estos casos, debe modificarse prospectivamente la amortización, en función del nuevo valor y vidas útiles determinados.

Los cambios en las estimaciones contables no tienen tratamiento específico fiscal, por lo que el criterio contable tendrá, a nuestro juicio, eficacia fiscal.

Los cambios de criterio contable son variaciones entre las distintas alternativas posibles que ofrece el PGC para el registro de determinados bienes. Como regla general, el principio de uniformidad determina que, adoptado un criterio dentro de las alternativas que, en su caso, se permitan, deberá mantenerse en el tiempo y aplicarse de manera uniforme para transacciones, otros eventos y condiciones que sean similares en tanto no se alteren los supuestos que motivaron su elección. Únicamente en el caso de que se alteren estos supuestos, podrá modificarse el criterio adoptado en su día; en tal caso, estas circunstancias se harán constar en la memoria, indicando la incidencia cuantitativa y cualitativa de la variación sobre las cuentas anuales. La NRV contempla la forma en la que se debe proceder al registro del cambio de criterio contable: *"Cuando se produzca un cambio de criterio contable, siempre de acuerdo con lo establecido en el principio de uniformidad, se aplicará de forma retroactiva y su efecto se calculará desde el ejercicio más antiguo para el que se disponga de información. Este cambio motivará el correspondiente ajuste por el efecto acumulado de las variaciones de los activos y pasivos en el saldo inicial del patrimonio neto del ejercicio más antiguo presentado, así como la modificación de las cifras afectadas en la información comparativa de los ejercicios a los que le afecte el cambio"*.

En el ámbito fiscal, tal y como establece el número segundo del apartado 3 del artículo 11 LIS, que señala que los cargos o abonos a partidas de reservas, registrados como consecuencia de cambios de criterios contables, se integrarán en la base imponible del período impositivo en que los mismos se realicen, se recibe el criterio contable y se acepta, además, la imputación temporal del mismo.

Se establece una limitación en el caso que los cargos y abonos a reservas que estén relacionados con ingresos o gastos, respectivamente, devengados y contabilizados de acuerdo con los criterios contables existentes en los períodos impositivos anteriores, siempre que se hubiesen integrado en la base imponible de dichos períodos, determinando que no se integren entonces en la base imponible. Tampoco se integrarán en la base imponible esos gastos e ingresos contabilizados de nuevo con ocasión de su devengo, de acuerdo con el cambio de criterio contable.

Esta regla especial se aplica cuando se produce una secuencia temporal de las siguientes:

- Existencia de un ingreso, aplicación en otro ejercicio de un gasto a reservas por cambio del criterio contable, y aplicación en ejercicio posterior de un ingreso por el nuevo criterio.
- Existencia de un gasto, aplicación en otro ejercicio de un ingreso a reservas por cambio del criterio contable, y aplicación en ejercicio posterior de un gasto por el nuevo criterio.

La consecuencia será que ni gasto ni ingreso, aplicados a reservas, tengan aplicación fiscal; como tampoco la tendrán el ingreso o gasto posteriores como consecuencia de la reversión de estos.

EJEMPLO

Una entidad valora sus existencias por el método FIFO, teniendo un valor de 750.000 euros. Como consecuencia de un cambio en la propiedad, pasa a formar parte de un grupo mercantil que viene aplicando el método del precio medio ponderado para valorar sus existencias, lo que se considera más adecuado y ajustado al sector en el que trabaja. El valor con arreglo a este método de las existencias es de 550.000 euros, que no se han visto alteradas en el ejercicio. Dos años después, las existencias tienen un precio medio de 770.000 euros.

Respuesta

El cambio de criterio contable obliga a realizar un ajuste en el valor de las existencias.

POR EL AJUSTE EN EL VALOR DE LAS EXISTENCIAS A PRECIO MEDIO			
	CUENTA	DEBE	HABER
113	Reservas voluntarias	200.000	
300	Mercaderías		200.000

Esta minoración de las reservas no tendrá, a nuestro juicio, la consideración de gasto fiscal en el IS, en la medida que proviene de un ingreso previo (Variación de existencia de mercaderías) que reconoció el valor de las existencias. El valor fiscal de las mercaderías no se verá afectado y la salida posterior de las mismas no determinará un ingreso (vía, otra vez, la variación de existencia de mercaderías).

POR EL NUEVO VALOR DE LAS EXISTENCIAS			
	CUENTA	DEBE	HABER
710	Variación de existencias de mercaderías	550.000	
300	Mercaderías (existencia inicial)		550.000

300	Mercaderías (existencia inicial)	770.000	
710	Variación de existencias de mercaderías		770.000

Los errores contables son simples fallos en la contabilización, en los que no se han aplicado correctamente las normas que determinan la contabilización. El PGC 07 suprimió la cuenta 679 del PGC 90, "Gastos y pérdidas de ejercicios anteriores", cargándose estos gastos directamente a una cuenta de reservas, lo que como ya sabemos, no supone limitación a la deducibilidad fiscal de tales gastos ya que el artículo 11 LIS establece como requisito para la deducción fiscal de los gastos que hayan sido imputados contablemente en la cuenta de pérdidas y ganancias o en una cuenta de reservas, si así lo establece la norma contable.

Cuestión diferente es el periodo al que deberán imputarse dichos gastos, que es precisamente de lo que se ocupa el apartado que ahora estudiamos. La regla que, con carácter general, se establece cuando no se haya aplicado correctamente el criterio del devengo es la imputación al ejercicio que correspondería con arreglo al criterio del devengo, con sendas excepciones:

– Los gastos imputados contablemente en cuentas de gasto o reservas en un período impositivo posterior a aquel en el que proceda su imputación temporal, se imputarán al periodo de su contabilización, salvo que por ello se derive una tributación inferior a la que hubiere correspondido por aplicación de las normas de imputación temporal.

– Los ingresos imputados contablemente en cuentas de ingreso en un período impositivo anterior a aquel en el que proceda su imputación temporal, se imputarán al periodo de su contabilización, salvo que por ello se derive una tributación inferior a la que hubiere correspondido por aplicación de las normas de imputación temporal.

El cuadro resultante de tales reglas sería el siguiente:

– Ingreso diferido contablemente: se imputa al periodo correspondiente por la regla del devengo.

– Ingreso anticipado contablemente: se imputa al periodo de contabilización, salvo que determine menor tributación.

– Gasto diferido contablemente: se imputa al periodo de contabilización, salvo que determine menor tributación

– Gasto anticipado contablemente: se imputa al periodo correspondiente por la regla del devengo.

Un cambio destacable entre el Real Decreto Legislativo 4/2004 y la Ley 27/2014 es que esta última no exige que se ocasione una menor tributación efectiva, concepto jurídico indeterminado y que había sido interpretado de diferentes formas; exige simplemente una menor tributación, lo que únicamente implica una suma algebraica de las cuotas de los dos ejercicios implicados, con una y otra imputación temporal, determinándose que la tributación es inferior si tal suma es inferior.

EJEMPLOS

AMORTIZACIONES CONTABILIZADAS EN EJERCICIOS DIFERENTES A AQUEL AL QUE CORRESPONDEN

1. Una entidad adquiere un autocamión por importe de 10.000 euros, que amortiza según tablas al 20%. Aunque adquirió el elemento el 1-7, el primer ejercicio no se dio cuenta y amortizó el porcentaje correspondiente a un año completo. Advertida esta circunstancia durante el segundo año, es corregida.

Respuesta

Amortización del primer año (erróneamente aplica el total anual)

POR LA AMORTIZACIÓN			
	CUENTA	DEBE	HABER
681	Amortización del inmovilizado material	2.000	
2818	Amortización acumulada elementos transporte		2.000

Advertido el error es corregido

POR LA CORRECCIÓN DEL ERROR			
2818	Amortización acumulada elementos transporte	1.000	
113	Reservas voluntarias		1.000

Fiscalmente, al haber registrado el gasto antes de que corresponda por el devengo, se imputará al ejercicio al que corresponda de acuerdo con dicha regla. Luego debe incrementarse el resultado del ejercicio 1 y, en su caso, presentar la declaración complementaria correspondiente, ya que los 1.000 euros anticipados no son deducibles en dicho ejercicio.

2. Una entidad adquiere un autocamión el 1-1 por importe de 10.000 euros, que desea amortizar según tablas al 20%. Por un error del departamento de contabilidad, el primer ejercicio no se amortizó el bien. Advertida esta circunstancia durante el segundo año, es corregida.

Respuesta

Amortización del primer año (no se registra amortización)

Advertido el error es corregido

POR LA AMORTIZACIÓN			
	CUENTA	DEBE	HABER
113	Reservas voluntarias	2.000	
2818	Amortización acumulada elementos transporte		2.000

Fiscalmente, al haber registrado el gasto después del ejercicio al que corresponde por la regla de devengo, se imputará al ejercicio al de contabilización, salvo que ello determine una menor tributación.

5. OPERACIONES A PLAZOS

El apartado 4 del artículo 11 recoge la regla de imputación temporal aplicable a las operaciones a plazos. En las operaciones a plazos o con precio aplazado, las rentas se imputarán proporcionalmente a medida que sean exigibles los correspondientes cobros.

Esta regla, a diferencia de lo que ocurre en el IRPF, es la regla general y será de aplicación excepto que la entidad decida aplicar el criterio del devengo.

Se considerarán operaciones a plazos o con precio aplazado, aquellas cuya contraprestación sea exigible, total o parcialmente, mediante pagos sucesivos o mediante un solo pago, siempre que el período transcurrido entre el devengo y el vencimiento del último o único plazo sea superior al año.

En este punto la LIS/2014 ha supuesto una ampliación del ámbito de la regla sobre su precedente en el TRIS/2004, ya que con éste únicamente se aplicaba según el literal de la Ley cuando se trataba de ventas o prestaciones de servicios, pero no a otras operaciones como ventas de inmovilizado. No obstante, la realidad iba más allá del tenor literal, tal y como puede comprobarse en consultas como la V0276/07, de 14-02-07, o la V2667/10, de 13-12-10, en las que se aplica esta regla a transmisiones de bienes del patrimonio de una sociedad, incluso más claramente en la consulta V2807/09 de 21-12-09, en la que se afirma que la finalidad del art. 19.4 TR Ley IS no es otra que imputar la renta en función de la corriente monetaria de la operación, por lo que el concepto de venta debe entenderse en un sentido amplio, como cualquier operación que suponga la transmisión de un bien o derecho.

En la medida que la citada regla trata de acompasar la tributación a la corriente monetaria originada por la transmisión, se prevé que cuando se produzca el endoso, descuento o cobro anticipado de los importes aplazados, evidentemente, aunque la persona que adelante los fondos sea un tercero que asuma la deuda, con o sin recurso contra el vendedor en caso de impago, se entenderá obtenida, en el momento de la percepción de los fondos, la renta pendiente de imputación.

Otra novedad que incluye la LIS/2014 frente a su precedente es que la renta deberá considerarse obtenida en el momento en el que sean exigibles los pagos iniciales, sin que afecte a esta regla especial de imputación temporal que los citados pagos, en el momento de su exigibilidad, no sean hechos efectivos. En ese caso, deberá integrarse fiscalmente el ingreso y el crédito exigible impagado podrá dar lugar a un gasto vía deterioro, cuya deducibilidad fiscal dependerá del cumplimiento de las condiciones previstas en el artículo 13.2 LIS/2014. La DGT había postulado anteriormente esta interpretación para el artículo 19.4 TRIS/2004 en consulta V2802-11[18], aunque la misma chocaba con la inter-

---

[18]   Así dice la citada consulta: *"Por tanto, atendiendo a una interpretación sistemática de la norma, la renta derivada de la transmisión de las participaciones debe imputarse, proporcionalmente, a medida que vayan venciendo los plazos inicialmente pactados, sin perjuicio de que, una vez alcanzado el vencimiento, si no se hubiera producido el pago del mismo, el*

pretación literal del precepto, tal y como declaró el TSJ de Cataluña en sentencia de 14 de julio de 2009[19].

La última previsión, introducida ex novo en la LIS/2014, es que no resultará fiscalmente deducible el deterioro de los créditos en el importe que se corresponda con las rentas que no hayan sido objeto de integración en la base imponible por aplicación de este precepto, hasta que se realice la integración de la misma en la base imponible. Se trata de una previsión lógica con la correlación de ingresos y de gastos.

---

gasto correspondiente al deterioro del valor del derecho de crédito impagado tendrá la consideración de fiscalmente deducible con arreglo a lo dispuesto en el artículo 12.2 del TRLIS."

[19] *Sentencia nº 778/2009, Fundamento Jurídico Cuarto: "Cierto es que la interpretación sistemática del precepto podría apuntar al sentido que señala el acuerdo impugnado del TEARC, por cuanto la interpretación que defiende se acerca más al principio general del devengo, y también lo es que tal interpretación vendría reforzada por el desarrollo reglamentario que del similar artículo 26.4 de la Ley 44/1978, del Impuesto sobre la Renta de las Personas Físicas, hace el art. 109.4 del Reglamento de ese Impuesto aprobado, por el Real Decreto 2384/1981, («En el caso de operaciones a plazos o con precio aplazado, tanto los rendimientos como los incrementos o disminuciones patrimoniales se entenderán devengados, proporcionalmente, a medida que se hagan exigibles los cobros correspondientes, salvo que el sujeto pasivo decida hacer uso del derecho contemplado en el artículo siguiente»), que era de aplicación en el supuesto del que se conocía en la Sentencia de la Audiencia Nacional de 4 de marzo de 2004 que cita el acto impugnado del TEARC y el escrito de contestación a la demanda presentado por la defensa y representación de la Administración demandada. Luego, en igual sentido, el art. 14.4 del RIRPF aprobado por Real Decreto 1841/1991 y por el Real Decreto 1841/1991, tal desarrollo fue acogido expresamente por el legislador en el artículo 14.2 de la Ley 40/1998, de 9 de diciembre, en la que se ha modificado la dicción legal para fijar el criterio de imputación temporal según la exigibilidad de los cobros aplazados.*
Sin embargo, pese a que la Disposición Final Segunda de la Ley 40/1998, introdujo modificaciones en la Ley 43/1995, de 27 de diciembre, del Impuesto sobre Sociedades, no se reformó el art. 19.4 LIS, que mantuvo su redacción, casi idéntica a la de las anteriores Leyes del IRPF, lo que resulta significativo, y tratándose ambos tributos de impuestos distintos y cuya regulación responde a diversas particularidades, ni el Reglamento del Impuesto sobre Sociedades aprobado por el Real Decreto 537/1997 contenía un precepto similar a los preceptos reglamentarios relativos al IRPF que acabamos de citar, ni lo tenía el Reglamento del Impuesto aprobado por el Real Decreto 2631/1982. Tampoco entendemos definitivo el argumento de que en caso de impago del precio aplazado no llegaría a devengarse nunca el tributo, pues en ese caso de impago también resulta difícil apreciar la capacidad económica que fundamenta la exacción del tributo. Cuestión distinta, que en el presente caso no se ha suscitado, es que se produzca una simulación o fraude de ley, para lo que la normativa prevé otros medios para su represión. Y tratándose en el caso de una operación vinculada, en momento alguno se ha cuestionado que los términos de los contratos no sean los normales de mercado susceptibles de pactarse entre partes independientes en condiciones de libre concurrencia, en las condiciones y con los requisitos establecidos en el artículo 16 del LIS. En definitiva, la Sala entiende que, dada la literalidad del art. 19.4 LIS, siguiendo el criterio en que el recurrente –tal y como recoge el acta de disconformidad y su informe ampliatorio– manifestó en su primera declaración, únicamente han de imputarse las rentas controvertidas en la medida en que han sido efectivamente ingresados en el patrimonio del sujeto pasivo los importes aplazados"

EJEMPLO

OPERACIÓN A PLAZOS

Una empresa vende mercadería por importe de 200.000 €. Se pacta que el precio se cobre dentro de 24 meses, girándose por el aplazamiento un interés del 10 por ciento anual. La empresa no opta por dejar de aplicar el criterio de imputación de operaciones a plazos.

Respuesta

Registramos la venta

POR LA VENTA			
CUENTA		DEBE	HABER
450	Clientes	200.000	
700	Ventas de mercaderías		200.000

Este ingreso no se aplica fiscalmente en el ejercicio de la venta, al cumplirse las condiciones para aplicar la regla especial de operaciones a plazos y no haberse realizado el cobro. Se registrará una diferencia temporaria en el impuesto.

DIFERENCIA TEMPORARIA EN ORIGEN			
CUENTA		DEBE	HABER
6301	Impuesto diferido (200.000*0,25)	50.000	
479	Pasivos por diferencias temporarias imponibles		50.000

A fin de ejercicio reconoceríamos los intereses correspondientes al periodo por el crédito. Dado que estos intereses no se aplazan, no se difiere su aplicación fiscal.

RECONOCIMIENTO DE INTERESES			
450	Clientes	20.000	
762	Ingresos de créditos		20.000

La Disposición Transitoria Primera de la LIS establece una cautela en relación con la aplicación de esta regla con arreglo a lo dispuesto en el TRIS, del siguiente tenor literal:

> "En el caso de operaciones a plazos o con precio aplazado realizadas en períodos impositivos iniciados con anterioridad a 1 de enero de 2015, las rentas pendientes de integrar en períodos impositivos iniciados a partir de dicha fecha, se integrarán en la base imponible de acuerdo con el régimen fiscal que resultara de aplicación en el momento en que se realizaron las operaciones, aun cuando la integración se realice en períodos impositivos iniciados con posterioridad a 1 de enero de 2015."

6. REVERSIÓN DE GASTOS NO DEDUCIBLES

El apartado quinto del artículo 11 LIS introduce una nueva previsión que regula los efectos fiscales de la reversión de gastos que en su momento no fueron fiscalmente deducibles, estableciendo que tal reversión no dará lugar a un ingreso fiscal.

Resulta lógica a nuestro juicio esta previsión, ya que parece de la más elemental proporcionalidad que si un gasto no fue fiscalmente deducible, su reversión, aunque origine un ingreso contable, no dé lugar a un ingreso fiscal.

Cuestión más problemática sería el caso de reversión de un gasto que fue parcialmente deducible y parcialmente no deducible, y en la medida que la reversión que se produzca no sea total, pues debe decidirse si la reversión se imputa a la parte deducible, a la parte no deducible o proporcionalmente a ambas. No ofrece contestación a esta cuestión la norma examinada. Sin embargo, el TEAC en resolución dictada en R.G 1927/04 , R.S 460/04[20], declaró que *"la norma no establece nada sobre el orden en que las reversiones de las dotaciones deben realizarse; en consecuencia, esta Sala entiende que no existiendo ninguna restricción normativa, las dotaciones podrán revertirse en el orden que la Entidad decida y si, como en este caso, la Entidad decide revertir primero aquellas que no se consideraron gasto deducible, debe entenderse que es una opción válida..."*, criterio que nos parece de una impecable lógica jurídica.

EJEMPLO

Una entidad adquirió, a comienzo del ejercicio, una maquinaria por 100.000 euros. Se amortiza por tablas al coeficiente máximo del 12%. A fin de ejercicio se estima que ha sufrido un deterioro en su valor, siendo su valor de 75.000 euros. Durante el ejercicio siguiente desaparecen las circunstancias que dieron lugar a ese deterioro y recuperándose el valor.

Solución

La entidad adquiere la máquina.

POR LA ADQUISICIÓN			
CUENTA		DEBE	HABER
213	Maquinaria	100.000	
572	Bancos		100.000

---

20 Cita literal extraída de la sentencia de la Audiencia Nacional de 18 de marzo de 2015 (Rec. n.º 104/2012); Fundamento Jurídico Tercero, in fine.

A final de ejercicio contabiliza la amortización y el deterioro. Como el deterioro no es fiscalmente deducible, por aplicación del artículo 13 LIS, surge una diferencia temporaria deducible, que también se registra.

POR LA AMORTIZACIÓN			
681	Amortización del inmovilizado material	12.000	
2813	Amortización acumulada maquinaria		12.000

POR EL DETERIORO			
691	Pérdidas por deterioro de inmovilizado material	13.000	
2913	Deterioro de valor de maquinaria		13.000

POR LA DIFERENCIA TEMPORARIA EN ORIGEN			
4740	Activos por diferencias temporarias deducibles	3.250	
6301	Impuesto diferido (13.000*0,25)		3.250

Al recuperarse el valor en el año siguiente, aplicamos el deterioro. El ingreso contable no tiene aplicación fiscal, por lo que desaparece la diferencia temporaria que registramos.

POR LA REVERSIÓN DEL DETERIORO			
291	Deterioro de valor de maquinaria	13.000	
791	Reversión del deterioro de inmovilizado material		13.000

POR LA REVERSIÓN DE LA DIFERENCIA			
6301	Impuesto diferido	3.250	
4740	Activos por diferencias temporarias deducibles		3.250

7. REVERSIÓN DE DETERIORO O CORRECCIÓN DE VALOR FISCALMENTE DEDUCIBLES

Los deterioros son correcciones de valor de los elementos de activo provocadas por pérdidas de valor de los mismos, imprevistas y recuperables. La deducción fiscal de los deterioros se regula por el artículo 13 LIS.

Cuando desaparecen las circunstancias que dieron lugar al registro contable del deterioro se produce su reversión, que dará lugar a la contabilización del correspondiente ingreso.

La norma que ahora estudiamos establece la imputación temporal de la reversión al periodo impositivo en el que desaparezcan las circunstancias que dieron lugar a su registro contable. A este respecto, debemos recordar que el PGC establece la obligatoriedad de realizar, al menos anualmente, un test de deterioro de los elementos de activo, del que puede resultar, tanto un deterioro, como una reversión de un deterioro previamente dotado.

Dos son las posibilidades que ofrece el apartado 6 del artículo 11 LIS, que estamos examinando, de recuperación de valor. En primer lugar, el caso más sencillo, en el que el activo en cuestión se ha mantenido en poder de la entidad que dotó el deterioro. En este caso, cuando se produce la reversión del mismo, la norma contable impone el registro del ingreso correspondiente para la eliminación del deterioro. Fiscalmente se recibe esta regla, sin que en principio deba existir diferencia entre contabilidad y fiscalidad.

Pero la norma fiscal introduce un segundo supuesto en el que la norma contable no recoge la obligación de reconocer la recuperación de valor, como es el caso de ventas a entidades vinculadas.

Para la aplicación de esta regla, tal y como hemos señalado, se requiere que se realice una transmisión entre partes vinculadas de un elemento de activo que haya sido previamente deteriorado. A los efectos de esta regla cabe entender como partes vinculadas aquellas que lo sean de acuerdo con las reglas previstas en el artículo 18 LIS.

Con ocasión de tal venta el deterioro se aplica para calcular el valor neto contable del elemento y entendemos que por el juego de la regla de valoración de las operaciones vinculadas a valor de mercado no debería producirse ningún resultado, positivo o negativo. Cabe añadir que para que esta regla cobre pleno sentido la enajenación a una parte vinculada deberá ser, además, a una entidad vinculada que no forme parte de grupo mercantil, pues en otro caso el resultado de la operación desaparecerá como consecuencia de las eliminaciones en el proceso de consolidación contable.

Pues bien, si con posterioridad a dicha transmisión desapareciera el motivo que dio lugar al registro del deterioro, la entidad que lo ha adquirido deberá registrar un ingreso por el importe del deterioro que resultara deducible en sede de la transmitente.

Lo llamativo de esta regla es que supone el reconocimiento de un ingreso que eleva el valor fiscal de un activo por encima de su valor de coste, sin que se proceda al registro contable de tal incremento de valor. No obstante, el nuevo valor surtirá plenos efectos fiscales, dando en su caso lugar al registro de la diferencia temporaria correspondiente.

EJEMPLO

La entidad X tiene unas existencias de mercaderías que adquirió, en su momento, por 70.000 euros. A fin de ejercicio, estima que su valor neto realizable es de 65.000 euros, por lo que se registra el correspondiente deterioro.

El año siguiente las mercaderías son vendidas por su valor de mercado a la sociedad vinculada Y (que no forma parte de grupo mercantil) por 65.000 euros.

A final de año, por un repunte en el mercado, se estima que las mercaderías de en poder de Y valen 68.000 euros.

Solución

SOCIEDAD X

Realizamos el test de deterioro

Valor existencias	70.000
Valor neto realizable	65.000

El deterioro asciende a 5.000 €.

POR EL DETERIORO			
	CUENTA	DEBE	HABER
693	Pérdidas por deterioro de existencias	5.000	
390	Deterioro de valor mercaderías		5.000

Este deterioro tendrá aplicación fiscal.

En el año siguiente vendemos las mercancías.

POR LA VENTA			
430	Clientes	78.650	
700	Ventas de mercaderías		65.000
477	HP, IVA repercutido		13.650

CONTABILIDAD Y

POR LA COMPRA			
600	Compras de mercaderías	65.000	
472	Hacienda Pública, IVA soportado	13.650	
400	Proveedores		78.650

La reversión del deterioro por importe de 3.000 euros le obliga a imputar en su base imponible dicha cantidad. Como quiera que esta reversión del valor contable no da lugar a la contabilización de ingreso, pero afecta al valor del activo, deberemos registrar el activo por la diferencia temporaria deducible.

POR LA DIFERENCIA TEMPORARIA EN ORIGEN		
4740	Activos por diferencias temporarias deducibles	750
6301	Impuesto diferido (3.000*0,25)		750

Idéntica regla se aplica en aquellos supuestos en los que una entidad transmita un elemento patrimonial, generándose una pérdida, siempre que el mismo elemento patrimonial sea nuevamente adquirido después por la entidad transmitente o por una entidad vinculada con la misma.

Esta regla se aplica cualquiera que sea el periodo de tiempo transcurrido y cualquiera que sea el transmitente del bien a la entidad readquirente, es decir, ya se adquiera de la misma entidad a la que transmitió o de un adquirente posterior. A diferencia de la recuperación de valor, no se exige en este caso que exista vinculación entre transmitente con pérdidas y el adquirente.

La misma regla se aplica en el caso que la entidad que readquiera el bien no sea la transmitente original sino una entidad vinculada. Aunque no sea cuestión clara en el precepto, a nuestro juicio, la vinculación tiene que existir en el momento en el que se recompre el bien, por ser este momento el que corresponde para la imputación temporal del ingreso, sin que importe que en el momento de la transmisión inicial la entidad transmitente original y la readquirente posterior fueran o no vinculadas.

Resulta discutible si en la recompra la recuperación de valor debe calcularse desde el valor contable que tenga el elemento recomprado con ocasión de ésta (al fin y al cabo, las alteraciones que haya sufrido al alza o a la baja desde el valor contable que tenía en el momento de ser transmitido ya han tributado en sede de las demás entidades) o si, por el contrario, debe calcularse desde el valor de transmisión del bien que determinó la pérdida. A nuestro juicio, parece guardar mejor coherencia con la finalidad de diferir la tributación de las pérdidas no realizadas atender al valor de recompra del bien, pues las cantidades en las que excede tal valor ya han tributado en sede del transmitente.

EJEMPLO

La entidad X, SA, transmite un terreno, cuyo valor contable es 1.000.000 de euros, a la entidad Y, SA, con la que no guarda ninguna vinculación, por 900.000 euros. Dos años después, la entidad X,SA, readquiere el terreno de Y, SA, por 920.000 euros.

Solución

En el año de transmisión la entidad transmitente contabilizará la venta, en la que se produce un resultado negativo, que se aplicará fiscalmente al no existir norma fiscal que altere el resultado contable.

POR LA VENTA DEL TERRENO			
440	Deudores	900.000	
671	Pérdida procedente del inmovilizado material	100.000	
210	Terrenos y bb naturales		1.000.000

En el momento de la recompra la entidad X deberá reconocer contablemente la adquisición.

POR LA COMPRA DEL TERRENO			
210	Terrenos y bb naturales	920.000	
570	Tesorería		920.000

Al producirse la reversión de la pérdida de valor del elemento reintegrado, deberemos reconocer en la base imponible ésta, por importe de 80.000 euros, al ser ésta la diferencia entre el valor contable del terreno transmitido y su valor de recompra. Debe reconocerse la diferencia temporaria correspondiente.

POR LA DIFERENCIA TEMPORARIA EN ORIGEN			
4740	Activos por diferencias temporarias deducibles	20.000	
6301	Impuesto diferido (80.000*0,25)		20.000

8. ELIMINACIÓN DE PROVISIONES

El apartado 7 del artículo 11 LIS establece una norma cautelar para la eliminación de provisiones, que no se hayan aplicado a su finalidad y sin que se efectúe el abono a una cuenta de ingresos del ejercicio. Como sabemos, con carácter general, la eliminación de provisiones no aplicadas debe realizarse contra una cuenta de ingresos. No obstante, si se produjera su eliminación sin tal abono, como podría ser el caso de la eliminación con contrapartida en reservas, al tratarse de una provisión por un riesgo desaparecido en un ejercicio anterior; su importe se integrará en la base imponible de la entidad que las dotó, en la medida en que la dotación original del deterioro se hubiese considerado gasto deducible.

9. UNIT LINKED

Los Unit Linked son seguros de vida, cubriendo generalmente las contingencias de muerte y supervivencia (esto es, sin riesgo) en los que las personas tomadoras asumen el riesgo de la inversión de las provisiones de la entidad aseguradora, y, además, pueden elegir los activos en los que se invierten tales provisiones.

Se trata, en fin, de instrumentos financieros de inversión en los que bajo el paraguas formal de un seguro se gestiona una cartera de negociación. Su ventaja original se encontraba en que, al tratarse formalmente de un seguro, los cambios de valor de la cartera diferían su tributación del momento de la venta los activos subyacentes al de la percepción del seguro. La regla que ahora estudiamos atiende a atajar la citada ventaja en las operaciones en las que se observa la ausencia de riesgo.

El presupuesto para la aplicación de la regla especial es que se trate de una entidad que sea beneficiaria o tenga reconocido el derecho de rescate de contratos de seguro de vida en los que, además, asuma el riesgo de inversión.

Las condiciones de tributación son:

– La prima satisfecha no será deducible, salvo en la parte de la misma que atienda a la retribución de servicios prestados por la entidad aseguradora por la gestión de la cartera.

– La entidad deberá integrar en su base imponible la diferencia entre el valor liquidativo de los activos afectos a la póliza al final y al comienzo de cada período impositivo.

– El importe de las diferencias imputadas minorará el rendimiento que se perciba en le momento del rescate o de la indemnización derivada de tal seguro.

Por excepción, no se aplicará a los seguros que instrumenten compromisos por pensiones asumidos por las empresas en los términos previstos en la Disposición adicional primera del Texto Refundido de la Ley de Regulación de los Planes y Fondos de Pensiones, aprobado por el Real Decreto Legislativo 1/2002, de 29 de noviembre, y en su normativa de desarrollo.

10. RENTAS NEGATIVAS EN TRANSMISIONES INTRAGRUPO

Los apartados 9, 10 y 11 del artículo 11 LIS recogían un diferimiento de la aplicación fiscal para las rentas negativas producidas en la transmisión de determinados elementos patrimoniales cuando los adquirentes de las mismas sean entidades del mismo grupo.

Sobre esta materia ha incidido el Real Decreto Ley 3/2016, de 2/12, con lo que esta regla se aplicará esta regla a elementos del inmovilizado material, inversiones inmobiliarias, inmovilizado intangible y valores representativos de deuda (apartado 9, que ha permanecido invariado) y valores representativos de la participación en el capital o en los fondos propios de entidades a los que no les sea aplicable la exención del artículo 21 LIS (apartado 10, modificado por el citado Real Decreto Ley).

En los periodos impositivos iniciados hasta 1/1/17 esta regla se aplicaba a las transmisiones de establecimientos permanentes (apartado 11), apartado suprimido por el citado Real Decreto Ley 3/2016.

Como advertimos, la condición para la aplicación de esta regla es que las entidades formen parte del mismo grupo mercantil. Se define el grupo mercantil en el artículo 42 C de C, como la situación en la que una sociedad ostente o pueda ostentar, directa o indirectamente, el control de otra u otras. A continuación, se ofrece en el mencionado precepto, un listado, no cerrado, de situaciones, en las que se presume que existe control por una sociedad, que se calificará como dominante, cuando se encuentre en relación con otra sociedad, que se calificará como dependiente, en alguna de las siguientes situaciones:

- Posea la mayoría de los derechos de voto.

- Tenga la facultad de nombrar o destituir a la mayoría de los miembros del órgano de administración.

- Pueda disponer, en virtud de acuerdos celebrados con terceros, de la mayoría de los derechos de voto.

- Haya designado con sus votos a la mayoría de los miembros del órgano de administración, que desempeñen su cargo en el momento en que deban formularse las cuentas consolidadas y durante los dos ejercicios inmediatamente anteriores. En particular, se presumirá esta circunstancia cuando la mayoría de los miembros del órgano de administración de la sociedad dominada sean miembros del órgano de administración o altos directivos de la sociedad dominante o de otra dominada por ésta.

Aunque no aclara el precepto el momento en el que debe apreciarse la existencia de vinculación, resulta lógico pensar que dicho momento será, en este caso, el de efectuar la transmisión en la que se genera la pérdida, en la medida que el propio precepto establece que si en un momento posterior cualquiera de las entidades participantes en la transmisión, tanto transmitente como adquirente, dejaran de pertenecer al grupo fiscal, se integraría la pérdida diferida.

El contenido de la regla, como ya hemos avanzado, se traduce en un diferimiento de la renta negativa que se hubiera podido poner de manifiesto en la transmisión de los elementos a los que hemos hecho referencia.

Aunque no lo aclara el precepto, a nuestro juicio, esta pérdida puede proceder tanto de una pérdida puesta de manifiesto con la transmisión del elemento patrimonial del que se trata como de un deterioro que se aplique con ocasión de la transmisión.

La LIS excluye en su artículo 13.2 LIS la deducibilidad fiscal de las pérdidas por deterioro de los inmovilizados materiales, inversiones inmobiliarias e inmovilizados intangibles, incluido el fondo de comercio; de los valores representativos de la participación en el capital o en los fondos propios de entidades;

y de los valores representativos de deuda. Tales deterioros, no obstante, y con carácter general, se aplican en el momento de la enajenación del elemento patrimonial que haya sufrido el deterioro, determinando la integración fiscal del deterioro que no fue fiscalmente deducible. Aunque contablemente si el importe de la pérdida realizada en la venta no supera el importe del deterioro dotado no se registrará pérdida; a nuestro juicio resulta claro que vía la integración del deterioro que no fue fiscalmente deducible se estará aplicando, de hecho, una pérdida. Si la transmisión se realiza a favor de una entidad del mismo grupo mercantil, a nuestro juicio, serán de aplicación las reglas que ahora vemos, aunque no se registre formalmente una pérdida.

No creemos, sin embargo, que se impida la aplicación de otras pérdidas, distintas de las puestas de manifiesto con ocasión de la transmisión, y referidas a los elementos transmitidos. Nos referimos, en concreto, a las pérdidas que se puedan poner en relación con los activos financieros que hayan sido calificados como mantenidos para negociar. Según dispone la NRV 9ª PGC, la valoración posterior de los mismos se realizará por su valor razonable, sin deducir los costes de transacción en que se pudiera incurrir en su enajenación. Los cambios que se produzcan en el valor razonable se imputarán en la cuenta de pérdidas y ganancias del ejercicio. Salvo en el supuesto previsto en el artículo 15.1.l LIS (participaciones que cumplan los requisitos del artículo 21 o de entidades residentes en paraísos fiscales), los ingresos o pérdidas por su valoración a valor de mercado tienen efectos fiscales. No afectaría a nuestro juicio a tales pérdidas aplicadas que el activo financiero sea posteriormente vendido a una entidad del grupo mercantil.

EJEMPLO

La entidad X, SA, posee un terreno adquirido por 600.000 euros. Por la situación del mercado y previo dictamen pericial, se estima que su valor de mercado es de 500.000 euros. Necesitando financiación, transmite el citado terreno a la entidad B, SL, que forma parte del mismo grupo mercantil que X, SA.

Solución

Al ponerse de manifiesto el deterioro registraremos:

POR EL DETERIORO			
	CUENTA	DEBE	HABER
691	Pérdidas por deterioro de inmovilizado material	100.000	
291	Deterioro de valor inmovilizado material		100.000

El deterioro no resultará deducible fiscalmente. Si se estimara una próxima reversión del mismo o una aplicación fiscal del deterioro por la transmisión del inmueble, la diferencia se debería calificar como temporal. Así lo suponemos:

POR LA DIFERENCIA TEMPORARIA EN ORIGEN			
4740	Activos por diferencias temporarias deducibles	25.000	
6301	Impuesto diferido (100.000*0,25)		25.000

Al transmitir el terreno, por su valor de mercado, que coincide con el valor contable, registraremos:

POR LA VENTA DEL TERRENO			
570	Caja	500.000	
291	Deterioro de valor inmovilizado material	100.000	
210	Terrenos y bb naturales		600.000

Aunque generalmente en este momento de la enajenación tendría aplicación fiscal el deterioro (al fin y al cabo esta poniéndose de manifiesto una pérdida de 100.000 euros efectiva); en este caso, al haberse transmitido el elemento a una entidad del mismo grupo, aplicamos el artículo 11.9 LIS, a pesar de no existir pérdida en la venta, y consideramos que el citado deterioro carece de aplicación fiscal. Como ya hemos dicho, la aplicación del deterioro supone, al final, el reconocimiento de una pérdida.

El diferimiento no supone una negación de la aplicación de la pérdida, sino que determina que la renta negativa sea integrada en un momento posterior (se trata de una diferencia temporaria de imputación, no de una diferencia de calificación). Con carácter general las pérdidas se integrarán en cualquiera de los momentos siguientes:

–   El periodo impositivo en el que la entidad adquirente transmite a su vez los elementos adquiridos a otra persona o entidad ajena al grupo de sociedades. No impide esta norma que el nuevo adquirente sea una persona o entidad vinculada, siempre que no pertenezca al grupo mercantil.

–   Cuando los elementos sean dados de baja. Aunque el legislador solo ha previsto esta causa para los elementos del inmovilizado material, inversiones inmobiliarias, inmovilizado intangible y valores representativos de deuda, a nuestro juicio es aplicable a cualquiera de los restantes elementos a los que se aplica la regla, de hecho, se establecen reglas especiales que se equiparan a la baja para los restantes elementos.

En el caso de valores representativos de la participación en el capital o en los fondos propios de entidades, se establece el fin del diferimiento en el supuesto de extinción de la entidad transmitida, salvo que la misma sea consecuencia de una operación de reestructuración acogida al régimen especial de reestructuraciones, regulado en el Capítulo VII del Título VII LIS. Así, cuando se produzca la disolución con liquidación de la entidad, se integrará la pérdida en la primera transmitente en el periodo en el que se produzca tal disolución.

Para los establecimientos permanentes se establece el fin del diferimiento en el caso de cese de la actividad del establecimiento permanente, integrándose la pérdida en la primera transmitente en el periodo en el que se produzca tal cese.

A partir de estas reglas especiales, tal y como señalábamos en párrafos anteriores, entendemos que toda circunstancia que determine la baja contable de estos elementos, debe llevar aparejada la integración de la renta negativa pendiente.

– Cuando cualquiera de las entidades, adquirente o transmitente, deje de formar parte del grupo mercantil.

Como ya hemos señalado, los elementos transmitidos y que pueden generar la pérdida son los siguientes:

– Elementos del inmovilizado material, inversiones inmobiliarias, inmovilizado intangible y valores representativos de deuda.

Se establece, para estos, una regla especial de imputación temporal, cuando se trate de elementos amortizables. La renta negativa se imputará en los períodos impositivos que restaran de vida útil a los elementos transmitidos, en función del método de amortización utilizado respecto de los referidos elementos; esto es, proporcionalmente a la amortización que corresponda a los citados elementos. Parece de la más elemental lógica, pues en el fondo el diferimiento de la pérdida determina una diferencia entre el valor fiscal y contable del elemento transmitido. Con esta regla se está dando el mismo tratamiento que se ofrece a las diferencias temporarias de valoración en el artículo 20.c LIS para los elementos amortizables.

– Valores representativos de la participación en el capital o en los fondos propios de entidades, participaciones en una unión temporal de empresas o en formas de colaboración análogas a estas situadas en el extranjero.

Aunque en la redacción original de la Ley esta regla se aplicaba a toda clase de participaciones en el capital o en los fondos propios, tras la reforma operada en el artículo 11.10 LIS por el Real Decreto Legislativo 3/2016, con efecto para los periodos impositivos que se inicien a partir de 1/1/17, se aplica exclusivamente a las transmisiones intragrupo en aquellos casos en los que la participación de la entidad transmitente no supere directa o indirectamente el 5% o su valor de adquisición fuera inferior a 20 millones de euros, en cualquier momento del año anterior a la fecha de transmisión; o, tratándose de participaciones en entidades no residentes, que en el período en que se produzca la transmisión la participada no haya estado sujeta y no exenta a un impuesto sobre beneficios de tipo nominal del 10% o superior o bien no resida en un país con Convenio de Doble Imposición que le sea de aplicación y contenga cláusula de intercambio de información o sea entidades residentes en paraísos fiscales; es decir, que no se trate de una participación a la que le sea de aplicación la exención contenida en el artículo 21 LIS.

Esta modificación se produce en el contexto de la modificación del artículo 21.6 LIS, que excluye de aplicación las pérdidas obtenidas en la transmisión (y, por tanto, igualmente el deterioro, que pasa a ser gasto no deducible) de la participación en el capital de entidades cuya transmisión se encontrase exenta por el artículo 21, que tributasen en territorios de baja tributación o en paraísos fiscales.

— Establecimientos permanentes.

Este supuesto, como hemos dicho, se aplica solo en los periodos impositivos iniciados hasta el 1/1/17. Se establece también en este caso una regla adicional de cuantificación de la renta (diferencia de calificación); la renta negativa obtenida en la transmisión del establecimiento permanente se minorará en las rentas positivas que se puedan obtener por la adquirente original del grupo mercantil a un tercero. También por excepción no se aplica dicha regla cuando se pruebe la tributación de la renta positiva a un tipo de gravamen efectivo de, al menos, un 10 por ciento.

En este caso piensa el legislador en la existencia de la exención del artículo 22 LIS o incluso la posibilidad de aplicar la deducción por doble imposición internacional prevista en el artículo 31 LIS, que pueden eximir de tributación a tales rentas.

11. IMPUTACIONES DE ACTIVOS POR IMPUESTO DIFERIDO POR DETERIORO DE CRÉDITOS Y DETERMINADAS PROVISIONES POR EL PERSONAL

El apartado 12 del artículo 11 LIS establece un límite a la aplicación fiscal de determinados deterioros (créditos) y provisiones por retribuciones al personal que hayan generado activos por impuesto diferido.

Se encuentran afectados por esta previsión los siguientes gastos. En primer lugar se mencionan los deterioros de créditos, que hayan dado lugar a la existencia de un gasto contable, pero que en el periodo impositivo de su registro no cumplieran las condiciones para su deducción fiscal, previstas en el artículo

13.1 LIS, generando en consecuencia un activo por impuesto diferido por la diferencia temporal generada. Esta regla no se aplica, sin embargo, a los deterioros que se deben registrar contablemente en el mismo periodo en el que se cumplen los requisitos para su deducción fiscal, pues no dan lugar al registro de activo pro impuesto diferido.

Se exceptúan de la regla anterior los créditos para los que la exclusión de la deducibilidad fiscal derive de no haber transcurrido el plazo de seis meses desde su vencimiento que exige la letra a del artículo 13.1 LIS y los créditos adeudados por entidades públicas. Estos deterioros serán deducibles sin límite, aunque las condiciones para su deducibilidad fiscal se cumplan en ejercicio posterior a aquél en el que se contabilizó el deterioro, habiendo originado un activo por impuesto diferido en el ejercicio de contabilización.

Ciertamente, la excepción anterior reduce el alcance de esta regla. Se aparecen como destinatarios principales de la misma las entidades financieras, en las que la deducibilidad de los deterioros de créditos se rige por reglas especiales, según prevé el artículo 13.1 LIS, in fine. Otro supuesto posible, de difícil ocurrencia, sería un impago producido en un periodo impositivo, generando el activo por impuesto diferido, y que en el periodo siguiente se promoviera un litigio judicial sobre la existencia o cuantía del crédito, siendo en consecuencia la causa de su admisión fiscal la letra d del artículo 13.1 LIS.

El segundo de los elementos a los que se puede aplicar esta regla es a las dotaciones o aportaciones a sistemas de previsión social y, en su caso, prejubilación, que generen activos por impuesto diferido.

La NRV 16ª contempla el tratamiento de los pasivos por retribuciones a largo plazo al personal, incluyendo en esta categoría los siguientes tipos de retribuciones:

– Prestaciones post-empleo, tales como pensiones y otras prestaciones por jubilación o retiro, siempre que el compromiso de su abono se haya adquirido durante los periodos activos.

– Otras prestaciones a largo plazo que supongan una compensación económica a satisfacer con carácter diferido, respecto al momento en el que se presta el servicio.

A los efectos de su registro contable se diferencian dos tipos de retribuciones:

i. Retribuciones a largo plazo de aportación definida.

   Son aquellas en las que la empresa asume el compromiso de realizar contribuciones de carácter predeterminado a una entidad separada – como puede ser una entidad aseguradora o un plan de pensiones–, siempre que la empresa no tenga la obligación legal, contractual o implícita de realizar contribuciones adicionales si la entidad separada no pudiera atender los compromisos asumidos.

Estas retribuciones dan lugar a un gasto cuando se satisface la contribución. Únicamente darán lugar a un pasivo por retribuciones a largo plazo al personal cuando, al cierre del ejercicio, figuren contribuciones devengadas no satisfechas.

ii. Retribuciones a largo plazo de prestación definida.

Se definen con carácter residual, como las retribuciones a largo plazo al personal que no tengan el carácter de aportación definida, tales como los fondos internos.

En este caso debe existir un activo separado, con el que se pretende hacer frente a la obligación futura, y un pasivo, constituido por la obligación asumida. Los activos separados serán únicamente aquellos activos, incluidas las pólizas de seguro, que no sean propiedad de la empresa sino de un tercero separado legalmente y que sólo estén disponibles para la liquidación de las retribuciones a los empleados. Adicionalmente, para los casos de pólizas de seguros, se exige que la entidad aseguradora no sea parte vinculada.

El reconocimiento inicial de un pasivo por esta obligación futura, en forma de provisión por retribuciones al personal a largo plazo, se producirá por la diferencia entre el valor razonable de los eventuales activos afectos a los compromisos con los que se liquidarán las obligaciones y el valor actual de las retribuciones comprometidas.

El artículo 14.1, letras a y b LIS excluye la deducibilidad de todos estos gastos, excepto que se trate de contribuciones de los promotores de planes de pensiones de empleo o a fondos de pensiones de empleo y las contribuciones para la cobertura de contingencias análogas a las de los planes de pensiones, siempre que se cumplan los siguientes requisitos:

– Que sean imputadas fiscalmente a las personas a quienes se vinculen las prestaciones.

– Que se transmita de forma irrevocable el derecho a la percepción de las prestaciones futuras.

– Que se transmita la titularidad y la gestión de los recursos en que consistan dichas contribuciones.

La exclusión fiscal de estos gastos relacionados con las retribuciones a largo plazo determina que solo pueda ser considerado gasto fiscal cuando se apliquen los fondos internos y se produzca el pago efectivo de la prestación, generándose en consecuencia un activo por impuesto diferido.

En el momento del pago de la prestación se producirá la limitación que estamos estudiando.

Estos gastos que se aplican en un momento posterior (reversión del activo diferido) no pueden superar el 70 por ciento de la base imponible positiva previa a su integración, a la aplicación de la reserva de capitalización establecida en el artículo 25 LIS y a la compensación de bases imponibles negativas. Si se superase este límite, las cantidades no aplicadas se trasladan a los ejercicios posteriores, sin limitación de plazo, donde podrán aplicarse con el mismo límite. Si existieran cantidades pendientes de aplicación procedentes de distintos periodos impositivos, se aplicarán en primer lugar las correspondientes a los períodos impositivos más antiguos.

El Real Decreto Ley 3/2016 ha introducido una disposición adicional 15ª en la LIS, para los periodos impositivos iniciados a partir de 1/1/16, por la cual, para los contribuyentes cuyo importe neto de la cifra de negocios sea al menos de 20 millones de euros durante los 12 meses anteriores a la fecha en que se inicie el período, los límites del artículo 11.12 LIS que ahora estudiamos serán:

– El 50 por ciento, cuando en los referidos 12 meses el importe neto de la cifra de negocios sea al menos de 20 millones de euros, pero inferior a 60 millones de euros.

– El 25 por ciento, cuando en los referidos 12 meses el importe neto de la cifra de negocios sea al menos de 60 millones de euros.

La Ley 48/2015 añadió también un nuevo párrafo a este apartado en el que se contempla una regla para cuando estos activos por impuesto diferido pudieran acogerse sólo en una parte al derecho contemplado en el artículo 130 LIS a la monetización de los activos por impuesto diferido, estableciendo que en tal caso se integrarán en la base imponible, en primer lugar, las dotaciones a los activos a los que no resulte de aplicación el derecho previsto en el artículo 130 LIS.

EJEMPLO

Una entidad ha dotado un deterioro de crédito en el año 1 por importe de 50.000 euros. En el año 2 el deterioro es fiscalmente deducible al cumplir con la condición establecida en el artículo 13.1.d LIS. El resultado contable del ejercicio 2 es de 60.000 euros, sin que existan otras diferencias, la reserva de capitalización deducible de 3.000 euros y la BIN de 20.000 euros. La entidad tiene una cifra de negocios inferior a 20 millones de euros.

Solución

Al producirse el deterioro contable, dotamos el mismo

POR EL DETERIORO			
694	Pérdidas por deterioro de créditos	50.000	
490	Deterioro de valor de créditos		50.000

No siendo deducible en el ejercicio de contabilización el deterioro, dotamos la diferencia temporaria en origen.

POR LA DIFERENCIA TEMPORARIA EN ORIGEN			
4740	Activos por diferencias temporarias deducibles	12.500	
6301	Impuesto diferido (50.000*0,25)		12.500

En el año 2, el deterioro será fiscalmente deducible, con la aplicación del límite previsto en el artículo 11.12 LIS. Calculamos el mismo: 70% BIP: 60.000*0,7=42.000

En la medida que deducimos 42.000 euros del deterioro contable que no fue fiscalmente deducible en su contabilización (activo por impuesto diferido), debe revertir la parte correspondiente de la diferencia:

POR LA REVERSIÓN DE LA DIFERENCIA TEMPORARIA			
6301	Impuesto diferido (420.000*0,25)	10.500	
4740	Activos por diferencias temporarias deducibles		10.500

12. INGRESO DERIVADO DE QUITAS Y ESPERAS AL DEUDOR CONCURSADO

Bajo la rúbrica "Débitos y partidas a pagar" incluye la NRV 9ª del PGC los pasivos financieros que no cumplen con los requisitos para ser incluidos como pasivos financieros mantenidos para negociar o como otros pasivos financieros a valor razonable. No obstante este carácter residual de la definición, la gran verdad es que la inmensa mayoría de pasivos financieros se van a incluir en la misma. Estos pasivos son:

a) Débitos por operaciones comerciales: son aquellos pasivos financieros que se originan en la compra de bienes y servicios por operaciones de tráfico de la empresa. Se incluirán generalmente las facilidades concedidas por proveedores, con o sin interés pactado.

b) Débitos por operaciones no comerciales: son aquellos pasivos financieros que, no siendo instrumentos derivados, no tienen origen comercial. Pueden incluirse en este grupo deudas contraídas con entidades financieras, líneas de crédito, deudas por adquisición de pasivos no corrientes, empréstitos y otros títulos valores emitidos que no lo sean para negociar (lo que incluirá, generalmente, la mayoría de ellos), así como cualquier otro pasivo que no deba ser incluido en las demás categorías.

La valoración inicial de estos pasivos financieros se efectuará por su valor razonable, que, salvo evidencia en contrario, será el precio de la transacción, que equivaldrá al valor razonable de la contraprestación recibida, ahora bien, solo en esta categoría dicha contraprestación debe ser ajustada por los costes de transacción que les sean directamente atribuibles.

Los costes de transacción (que en el PGC 90 se activaban como gastos de formalización de deudas) deben registrarse, por tanto, como menor importe recibido como contraprestación en las operaciones, lo que afectará al cálculo del tipo de interés efectivo que resulta de la operación.

No obstante, cuando se trate de deudas por operaciones comerciales, cuyo vencimiento no sea superior a un año y que no tengan un tipo de interés contractual, así como los desembolsos exigidos por terceros sobre participaciones, cuyo importe se espera pagar en el corto plazo, se podrán valorar por su valor nominal, cuando el efecto de no actualizar los flujos de efectivo no sea significativo.

La valoración posterior de estos pasivos financieros se realizará por su coste amortizado. Los intereses devengados se contabilizarán en la cuenta de pérdidas y ganancias, aplicando el método del tipo de interés efectivo.

No obstante lo anterior, los débitos con vencimiento no superior a un año que, de acuerdo con lo dispuesto en el apartado sobre valoración inicial, se valoren inicialmente por su valor nominal, continuarán valorándose por dicho importe.

Resulta de estas reglas que tanto las quitas como las esperan constituyen un ingreso para el concursado por la diferencia entre el valor en libros de los pasivos financieros y el valor actual de los flujos de efectivo futuros que se deben realizar para su cancelación, descontados al tipo de interés efectivo calculado en el momento de su reconocimiento inicial.

Un caso particular es el constituido por la aprobación en el convenio de acreedores de quitas o esperas tan relevantes que determinen que las condiciones de la deuda son sustancialmente diferentes de las existentes previamente. En estos casos, entiende el ICAC[21], que procede la baja de la deuda anterior al convenio y el reconocimiento de una nueva deuda, contabilizándose la diferencia en la cuenta de pérdidas y ganancias, como ingreso, según proceda.

La LIS no contiene norma de excepción sobre la consideración de estos ingresos, de tal forma que todo ingreso de los reseñados con aplicación contable será recibido fiscalmente como parte del resultado contable[22], entendiéndose devengado en el ejercicio en el que se produzca la aprobación judicial del convenio, siempre que de forma racional se prevea su cumpli-

---

21   Consulta nº 1, BOICAC nº 76/2008.
22   En este sentido, consulta DGT V0138-10 de 29/01/2010.

miento y que la empresa pueda seguir aplicando el principio de empresa en funcionamiento[23].

El apartado 13 del artículo 11 LIS contiene, no obstante, una regla especial de imputación temporal para los ingresos a los que nos hemos referido, determinando que se imputarán en la base imponible del deudor a medida que proceda registrar con posterioridad gastos financieros derivados de la misma deuda, a los que ya nos hemos referido, y hasta el límite del citado ingreso.

---

[23]   Consulta nº 1, BOICAC nº 76/2008; Consulta DGT V2593-13 de 28/12/2012

Artículo 12

Correcciones de valor: amortizaciones

JAVIER MARÍA BAS SORIA

Inspector de Hacienda del Estado

1. Serán deducibles las cantidades que, en concepto de amortización del inmovilizado material, intangible y de las inversiones inmobiliarias, correspondan a la depreciación efectiva que sufran los distintos elementos por funcionamiento, uso, disfrute u obsolescencia.

Se considerará que la depreciación es efectiva cuando:

a) Sea el resultado de aplicar los coeficientes de amortización lineal establecidos en la siguiente tabla:

Tipo de elemento	Coeficiente lineal máximo	Periodo de años máximo
Obra civil		
Obra civil general	2%	100
Pavimentos	6%	34
Infraestructuras y obras mineras	7%	30
Centrales		
Centrales hidráulicas	2%	100
Centrales nucleares	3%	60
Centrales de carbón	4%	50
Centrales renovables	7%	30
Otras centrales	5%	40
Edificios		
Edificios industriales	3%	68
Terrenos dedicados exclusivamente a escombreras	4%	50
Almacenes y depósitos (gaseosos, líquidos y sólidos)	7%	30
Edificios comerciales, administrativos, de servicios y viviendas	2%	100
Instalaciones		
Subestaciones. Redes de transporte y distribución de energía	5%	40
Cables	7%	30
Resto instalaciones	10%	20

Tipo de elemento	Coeficiente lineal máximo	Periodo de años máximo
Maquinaria	12%	18
Equipos médicos y asimilados	15%	14
Elementos de transporte		
Locomotoras, vagones y equipos de tracción	8%	25
Buques, aeronaves	10%	20
Elementos de transporte interno	10%	20
Elementos de transporte externo	16%	14
Autocamiones	20%	10
Mobiliario y enseres		
Mobiliario	10%	20
Lencería	25%	8
Cristalería	50%	4
Útiles y herramientas	25%	8
Moldes, matrices y modelos	33%	6
Otros enseres	15%	14
Equipos electrónicos e informáticos. Sistemas y programas		
Equipos electrónicos	20%	10
Equipos para procesos de información	25%	8
Sistemas y programas informáticos.	33%	6
Producciones cinematográficas, fonográficas, videos y series audiovisuales	33%	6
Otros elementos	10%	20

Reglamentariamente se podrán modificar los coeficientes y períodos previstos en esta letra o establecer coeficientes y períodos adicionales.

b) Sea el resultado de aplicar un porcentaje constante sobre el valor pendiente de amortización.

El porcentaje constante se determinará ponderando el coeficiente de amortización lineal obtenido a partir del período de amortización según tablas de amortización oficialmente aprobadas, por los siguientes coeficientes:

1.º 1,5, si el elemento tiene un período de amortización inferior a 5 años.

2.º 2, si el elemento tiene un período de amortización igual o superior a 5 años e inferior a 8 años.

3.º 2,5, si el elemento tiene un período de amortización igual o superior a 8 años.

El porcentaje constante no podrá ser inferior al 11 por ciento.

Los edificios, mobiliario y enseres no podrán acogerse a la amortización mediante porcentaje constante.

c) Sea el resultado de aplicar el método de los números dígitos.

La suma de dígitos se determinará en función del período de amortización establecido en las tablas de amortización oficialmente aprobadas.

Los edificios, mobiliario y enseres no podrán acogerse a la amortización mediante números dígitos.

d) Se ajuste a un plan formulado por el contribuyente y aceptado por la Administración tributaria.

e) El contribuyente justifique su importe.

Reglamentariamente se aprobará el procedimiento para la resolución del plan a que se refiere la letra d).

2. El inmovilizado intangible se amortizará atendiendo a su vida útil. Cuando la misma no pueda estimarse de manera fiable, la amortización será deducible con el límite anual máximo de la veinteava parte de su importe.

La amortización del fondo de comercio será deducible con el límite anual máximo de la veinteava parte de su importe.

3. No obstante, podrán amortizarse libremente:

a) Los elementos del inmovilizado material, intangible e inversiones inmobiliarias de las sociedades anónimas laborales y de las sociedades limitadas laborales afectos a la realización de sus actividades, adquiridos durante los cinco primeros años a partir de la fecha de su calificación como tales.

b) Los elementos del inmovilizado material e intangible, excluidos los edificios, afectos a las actividades de investigación y desarrollo.

Los edificios podrán amortizarse de forma lineal durante un período de 10 años, en la parte que se hallen afectos a las actividades de investigación y desarrollo.

c) Los gastos de investigación y desarrollo activados como inmovilizado intangible, excluidas las amortizaciones de los elementos que disfruten de libertad de amortización.

d) Los elementos del inmovilizado material o intangible de las entidades que tengan la calificación de explotaciones asociativas prioritarias de acuerdo con lo dispuesto en la Ley 19/1995, de 4 de julio, de modernización de las explotaciones agrarias, adquiridos durante los cinco primeros años a partir de la fecha de su reconocimiento como explotación prioritaria.

e) Los elementos del inmovilizado material nuevos, cuyo valor unitario no exceda de 300 euros, hasta el límite de 25.000 euros referido al período impositivo. Si el período impositivo tuviera una duración inferior a un año, el límite señalado será el resultado de multiplicar 25.000 euros por la proporción existente entre la duración del período impositivo respecto del año.

Las cantidades aplicadas a la libertad de amortización minorarán, a efectos fiscales, el valor de los elementos amortizados".

DESARROLLO REGLAMENTARIO
REGLAMENTO IMPUESTO SOBRE SOCIEDADES

Artículo 3. Amortización de elementos patrimoniales del inmovilizado material, intangible e inversiones inmobiliarias: normas comunes.

"1. *Se considerará que la depreciación de los elementos patrimoniales del inmovilizado material, intangible e inversiones inmobiliarias es efectiva cuando sea el resultado de aplicar alguno de los métodos previstos en el apartado 1 del artículo 12 de la Ley del Impuesto.*

2. *Será amortizable el precio de adquisición o coste de producción, excluido, en su caso, el valor residual. Cuando se trate de edificaciones, no será amortizable la parte del precio de adquisición correspondiente al valor del suelo excluidos, en su caso, los costes de rehabilitación. Cuando no se conozca el valor del suelo se calculará prorrateando el precio de adquisición entre los valores catastrales del suelo y de la construcción en el año de adquisición. No obstante, el contribuyente podrá utilizar un criterio de distribución del precio de adquisición diferente, cuando se pruebe que dicho criterio se fundamenta en el valor normal de mercado del suelo y de la construcción en el año de adquisición.*

3. *Los elementos patrimoniales del inmovilizado material e inversiones inmobiliarias empezarán a amortizarse desde su puesta en condiciones de funcionamiento y los del inmovilizado intangible desde el momento en que estén en condiciones de producir ingresos.*

Los elementos patrimoniales del inmovilizado material, inmaterial e inversiones inmobiliarias deberán amortizarse dentro del período de su vida útil.

4. *Cuando las renovaciones, ampliaciones o mejoras de los elementos patrimoniales del inmovilizado material e inversiones inmobiliarias se incorporen a dicho inmovilizado, el importe de las mismas se amortizará durante los períodos impositivos que resten para completar la vida útil de los referidos elementos patrimoniales. A tal efecto, se imputará a cada período impositivo el resultado de aplicar al importe de las renovaciones, ampliaciones o mejoras el coeficiente resultante de dividir la amortización contabilizada del elemento patrimonial practicada en cada período impositivo, en la medida en que se corresponda con la depreciación efectiva, entre el valor contable que dicho elemento patrimonial tenía al inicio del período impositivo en el que se realizaron las operaciones de renovación, ampliación o mejora.*

Los elementos patrimoniales que han sido objeto de las operaciones de renovación, ampliación o mejora, continuarán amortizándose según el método que se venía aplicando con anterioridad a la realización de las mismas.

Cuando las operaciones mencionadas en este apartado determinen un alargamiento de la vida útil estimada del activo, dicho alargamiento deberá tenerse en cuenta a los efectos de la amortización del elemento patrimonial y del importe de la renovación, ampliación o mejora.

5. *Las reglas del apartado anterior también se aplicarán en el supuesto de revalorizaciones contables realizadas en virtud de normas legales o reglamentarias que obliguen a incluir su importe en el resultado contable.*

6. *En los supuestos de fusión, escisión, total y parcial, y aportación, deberá proseguirse para cada elemento patrimonial adquirido el método de amortización a que estaba sujeto, excepto si el contribuyente prefiere aplicar a los mismos su propio método de amortización.*

Artículo 4. Amortización según la tabla de amortización establecida en la Ley del Impuesto.

"1. *Cuando el contribuyente utilice el método de amortización según la tabla de amortización establecida en la Ley del Impuesto, la depreciación se entenderá efectiva si se corresponde con el resultado de aplicar al precio de adquisición o coste de producción del elemento patrimonial del inmovilizado alguno de los siguientes coeficientes:*

a) El coeficiente de amortización lineal máximo establecido en la tabla.

b) El coeficiente de amortización lineal que se deriva del período máximo de amortización establecido en la tabla.

c) Cualquier otro coeficiente de amortización lineal comprendido entre los dos anteriormente mencionados.

A los efectos de aplicar lo previsto en el apartado 3.1.º del artículo 11 de la Ley del Impuesto, cuando un elemento patrimonial se hubiere amortizado contablemente en algún período impositivo por un importe inferior al resultante de aplicar el coeficiente previsto en la letra b) anterior, se entenderá que el exceso de las amortizaciones contabilizadas en posteriores períodos impositivos respecto de la cantidad resultante de la aplicación de lo previsto en la letra a) anterior, corresponde al período impositivo citado en primer lugar, hasta el importe de la amortización que hubiera correspondido por aplicación de lo dispuesto en la referida letra b) anterior.

2. *Cuando un elemento patrimonial se utilice diariamente en más de un turno normal de trabajo, podrá amortizarse en función del coeficiente formado por la suma de:*

a) el coeficiente de amortización lineal que se deriva del período máximo de amortización, y

b) el resultado de multiplicar la diferencia entre el coeficiente de amortización lineal máximo y el coeficiente de amortización lineal que se deriva del período máximo de amortización, por el cociente entre las horas diarias habitualmente trabajadas y ocho horas.

Lo dispuesto en este apartado no será de aplicación a aquellos elementos que por su naturaleza técnica deban ser utilizados de forma continuada.

3. *Tratándose de elementos patrimoniales del inmovilizado material e inversiones inmobiliarias que se adquieran usados, es decir, que*

no sean puestos en condiciones de funcionamiento por primera vez, el cálculo de la amortización se efectuará de acuerdo con los siguientes criterios:

a) Sobre el precio de adquisición, hasta el límite resultante de multiplicar por 2 la cantidad derivada de aplicar el coeficiente de amortización lineal máximo.

b) Si se conoce el precio de adquisición o coste de producción originario, éste podrá ser tomado como base para la aplicación del coeficiente de amortización lineal máximo.

c) Si no se conoce el precio de adquisición o coste de producción originario, el contribuyente podrá determinar aquél pericialmente. Establecido dicho precio de adquisición o coste de producción se procederá de acuerdo con lo previsto en la letra anterior.

Tratándose de elementos patrimoniales usados adquiridos a entidades pertenecientes a un mismo grupo de sociedades, según los criterios establecidos en el artículo 42 del Código de Comercio, con independencia de la residencia y de la obligación de formular cuentas anuales consolidadas, la amortización se calculará de acuerdo con lo previsto en la letra b), excepto si el precio de adquisición hubiese sido superior al originario, en cuyo caso la amortización deducible tendrá como límite el resultado de aplicar al precio de adquisición el coeficiente de amortización lineal máximo.

A los efectos de este apartado no se considerarán como elementos patrimoniales usados los edificios cuya antigüedad sea inferior a diez años".

Artículo 5. Amortización según porcentaje constante.

"1. Cuando el contribuyente utilice el método de amortización según porcentaje constante, la depreciación se entenderá efectiva si se corresponde con el resultado de aplicar al valor pendiente de amortización del elemento patrimonial un porcentaje constante que se determinará ponderando cualquiera de los coeficientes que resulte de la aplicación de la tabla de amortización establecida en el apartado 1 del artículo 12 de la Ley del Impuesto por los siguientes coeficientes:

a) 1,5, si el elemento patrimonial tiene un período de amortización inferior a 5 años.

b) 2, si el elemento patrimonial tiene un período de amortización igual o superior a 5 e inferior a 8 años.

c) 2,5, si el elemento patrimonial tiene un período de amortización igual o superior a 8 años.

El período de amortización será el correspondiente al coeficiente de amortización lineal elegido.

En ningún caso el porcentaje constante podrá ser inferior al 11 por ciento.

El importe pendiente de amortizar en el período impositivo en que se produzca la conclusión de la vida útil se amortizará en dicho período impositivo.

2. Los edificios, mobiliario y enseres no podrán amortizarse mediante el método de amortización según porcentaje constante.

3. Los elementos patrimoniales adquiridos usados podrán amortizarse mediante el método de amortización según porcentaje constante, aplicando el porcentaje constante a que se refiere el apartado 1".

Artículo 6. Amortización según números dígitos.

"1. Cuando el contribuyente utilice el método de amortización según números dígitos la depreciación se entenderá efectiva si la cuota de amortización se obtiene por aplicación del siguiente método:

a) Se obtendrá la suma de dígitos mediante la adición de los valores numéricos asignados a los años en que se haya de amortizar el elemento patrimonial. A estos efectos, se asignará el valor numérico mayor de la serie de años en que haya de amortizarse el elemento patrimonial al año en que deba comenzar la amortización, y para los años siguientes, valores numéricos sucesivamente decrecientes en una unidad, hasta llegar al último considerado para la amortización, que tendrá un valor numérico igual a la unidad.

La asignación de valores numéricos también podrá efectuarse de manera inversa a la prevista en el párrafo anterior.

El período de amortización podrá ser cualquiera de los comprendidos entre el período máximo y el que se deduce del coeficiente de amortización lineal máximo según la tabla de amortización establecida en la Ley del Impuesto, ambos inclusive.

b) Se dividirá el precio de adquisición o coste de producción entre la suma de dígitos obtenida según el párrafo anterior, determinándose así la cuota por dígito.

c) Se multiplicará la cuota por dígito por el valor numérico que corresponda al período impositivo.

2. Los edificios, mobiliario y enseres no podrán amortizarse mediante el método de amortización según números dígitos.

3. Los elementos patrimoniales adquiridos usados podrán amortizarse mediante el método de amortización según números dígitos, de acuerdo con lo dispuesto en el apartado 1".

Artículo 7. Planes de amortización.

"1. Los contribuyentes podrán proponer a la Administración tributaria un plan para la amortización de los elementos patrimoniales del inmovilizado material, intangible o inversiones inmobiliarias.

2. La solicitud deberá contener los siguientes datos:

a) Descripción de los elementos patrimoniales objeto del plan especial de amortización, indicando la actividad a la que se hallen adscritos y su ubicación.

b) Método de amortización que se propone, indicando la distribución temporal de las amortizaciones que se derivan del mismo.

c) Justificación del método de amortización propuesto.

d) Precio de adquisición o coste de producción de los elementos patrimoniales.

e) Fecha de inicio de la amortización de los elementos patrimoniales.

En el caso de elementos patrimoniales en construcción, se indicará la fecha prevista en que deba comenzar la amortización.

3. La solicitud se presentará dentro del período de construcción o de amortización de los elementos patrimoniales.

El contribuyente podrá desistir de la solicitud formulada.

4. La Administración tributaria podrá recabar del contribuyente cuantos datos, informes, antecedentes y justificantes sean necesarios.

El contribuyente podrá, en cualquier momento del procedimiento anterior al trámite de audiencia, presentar las alegaciones y aportar los documentos y justificantes que estime pertinentes.

5. Instruido el procedimiento, e inmediatamente antes de redactar la propuesta de resolución, se pondrá de manifiesto al contribuyente, quien dispondrá de un plazo de 15 días para formular las alegaciones y presentar los documentos y justificaciones que estime pertinentes.

6. La resolución que ponga fin al procedimiento podrá:

a) Aprobar el plan de amortización formulado por el contribuyente.

b) Aprobar, con la aceptación del contribuyente, un plan de amortización que difiera del inicialmente presentado.

c) Desestimar el plan de amortización formulado por el contribuyente.

La resolución será motivada.

El procedimiento deberá finalizar antes de tres meses contados desde la fecha en que la solicitud haya tenido entrada en cualquiera de los registros del órgano administrativo competente o desde la fecha de subsanación de la misma a requerimiento de dicho órgano.

7. Transcurrido el plazo a que hace referencia el apartado anterior, sin haberse producido una resolución expresa, se entenderá aprobado el plan de amortización formulado por el contribuyente.

8. El plan de amortización aprobado surtirá efecto en los períodos impositivos que finalicen tras la presentación del mismo, salvo que expresamente se establezca una fecha distinta.

9. Los planes de amortización aprobados podrán ser modificados a solicitud del contribuyente, observándose las normas previstas en los apartados anteriores. Dicha solicitud deberá presentarse en el período impositivo en el cual deba surtir efecto dicha modificación.

10. Los planes de amortización aprobados podrán aplicarse a aquellos otros elementos patrimoniales de idénticas características cuya amortización vaya a comenzar antes del transcurso de 3 años contados desde la fecha de notificación del acuerdo de aprobación del plan de amortización, siempre que se mantengan sustancialmente las circunstancias de carácter físico, tecnológico, jurídico y económico determinantes del método de amortización aprobado. Dicha aplicación deberá ser objeto de comunicación a la Agencia Estatal de Administración Tributaria con anterioridad a la finalización del período impositivo en que deba surtir efecto.

11. Será competente para instruir y resolver el expediente el órgano de la Agencia Estatal de Administración Tributaria que corresponda de acuerdo con sus normas de estructura orgánica".

1. LIMITACIONES A LA DEDUCIBILIDAD DE GASTOS: LAS AMORTIZACIONES

Como sabemos, la base imponible en el IS se determina a partir del resultado contable, corregido mediante la aplicación de las normas especiales que contempla la LIS.

Frente a su antecedente directo, el TRIS, la LIS ha mejorado la ordenación de las diferencias entre fiscalidad y contabilidad, siguiendo en cierta medida la calificación contable de las diferencias: aquellas que son el resultado de la aplicación de diferente regla de imputación temporal entre la contabilidad y la norma fiscal, denominadas diferencias de imputación, que se recogen esencialmente en el artículo 11 LIS; las diferencias en la consideración de las operaciones como ingreso o como gasto, denominadas diferencias de calificación, que se recogen fundamentalmente, en cuanto a los gastos, en los artículos 12 a 16 LIS, y en cuanto a los ingresos en los artículos 21 a 23 LIS; y las derivadas de los diferentes criterios de valoración vigentes en la norma contable y la norma fiscal, denominadas como diferencias de valoración, contenidas esencialmente en los artículos 17 a 20 LIS.

El Capítulo II del Título IV se denomina "Limitación a la deducibilidad de gastos" y en el mismo se incluyen distintas reglas que cabe calificar como diferencias de calificación de gastos. No tiene, sin embargo, un desarrollo completo de las diferencias de calificación aplicables en el régimen general del Impuesto, en la medida que solo se integran las relativas a los gastos. Más por tradición que por sistemática, no se incluyen a continuación de éstas las diferencias de calificación en ingresos, contenidas en el Capítulo IV del mismo Título IV, lo que sin duda hubiera mejorado la lógica interna del texto legal.

El primero de los preceptos que se contiene en dicho Capítulo, el artículo 12 LIS, se refiere a las amortizaciones. Realmente no se trata, stricto sensu, de una limitación al gasto contable, en la medida que el PGC únicamente esboza los principios generales de la amortización, siendo la norma fiscal la que ofrece un detalle completo de la amortización, cuyos criterios generalmente se aplican también para la contabilidad. Baste señalar, por ejemplo, que solo la norma fiscal regula los métodos de amortización aceptables, los plazos de amortización o los coeficientes a emplear.

No obstante, no todo es abandono por la norma contable. Como ya se comentó a la hora de examinar los distintos métodos de asignación de valor en la contabilidad, es la norma contable la que determina el valor de los bienes que van a ser objeto de amortización. En este sentido, el PGC en las NRV se refiere a la valoración inicial y a la valoración posterior de los activos, siendo la amortización un componente de la valoración posterior de tres tipos de activos: el inmovilizado material, el inmovilizado intangible y las inversiones inmobiliarias. Las reglas de valoración inicial son objeto de un desarrollo mucho más completo en la norma contable frente a la norma fiscal, que solo contiene en el RIS alguna referencia al valor amortizable.

La conclusión es que la cuantificación de la amortización es un proceso complejo, donde raramente se producen divergencias entre amortización contable y fiscal, más allá de la libertad de amortización o las amortizaciones aceleradas, expresamente aceptadas por el legislador y dispensadas además del registro contable para la aplicación fiscal del gasto; proceso en el que se debe analizar, de una sola vez, la norma contable y la fiscal.

2. AMORTIZACIONES

2.1. *Inmovilizado material e inversiones inmobiliarias*

Tanto la norma contable (NRV 2ª y 3ª, para el inmovilizado material, 4ª, para inversiones inmobiliarias, y 5ª, para el intangible) como la fiscal (artículo

3.1 RIS: "Se considerará que la depreciación de los elementos patrimoniales del inmovilizado material, intangible e inversiones inmobiliarias es efectiva cuando sea el resultado de aplicar alguno de los métodos previstos en el apartado 1 del artículo 12 de la Ley del Impuesto") recogen de forma expresa que los elementos amortizables son el inmovilizado material, el intangible y las inversiones inmobiliarias.

A pesar del tratamiento formalmente independiente que le PGC asigna a cada uno de estos elementos, no existe diferencia en el tratamiento que se dispensa a inmovilizado material e inversiones inmobiliarias, ya que la NRV 4ª se remite en bloque a los criterios aplicables en relación con las inmovilizaciones materiales, de tal forma que, desde el punto de vista contable, la adscripción a uno u otro subgrupo carece de relevancia. No se ha recibido, por tanto, la opción que contempla la NIC 40 para que estos elementos se valoren a valor razonable, lo que hubiera determinado diferencias relevantes para la valoración posterior de las inversiones inmobiliarias.

Tiene un tratamiento diferenciado el inmovilizado intangible, por lo que será objeto de un estudio independiente.

2.1.1. Concepto de inmovilizado material e inversiones inmobiliarias.

2.1.1.1. Inmovilizado material

Se incluyen en este grupo el conjunto de elementos del activo tangibles, sean muebles o inmuebles, con una duración superior al año, y cuya finalidad es integrarse en el proceso productivo de la empresa.

El cuadro de cuentas recoge las siguientes partidas:

a. Terrenos y bienes naturales (210), donde se registrarán solares de naturaleza urbana, fincas rústicas, otros terrenos no urbanos, minas y canteras. Su característica distintiva dentro del grupo es que son bienes amortizables.

b. Construcciones (211), en las que se incluyen edificaciones en general, siempre que su destino sea la actividad productiva de la empresa.

c. Instalaciones técnicas (212), constituidas por unidades complejas de uso especializado en las que se integran varias partidas diferentes del inmovilizado material, como edificaciones, maquinaria, material, piezas o elementos, incluidos los sistemas informáticos, que por razones de su funcionamiento conjunto en el proceso productivo de la empresa van a ser sometidos al mismo ritmo de amortización; se incluirán asimismo, los repuestos o recambios válidos exclusivamente para este tipo de instalaciones.

d. Maquinaria (213) integrada por el conjunto de máquinas o bienes de equipo mediante las cuales se realiza la extracción o elaboración de los productos. Se incluye los elementos de transporte interno de personal, animales, materiales y mercaderías dentro de factorías o talleres, sin salir a vías públicas.

e. Utillaje (214), incluye los utensilios y herramientas que se pueden utilizar autónomamente o conjuntamente con la maquinaria, incluidos los moldes y plantillas.

f. Otras instalaciones (215) comparte con las instalaciones técnicas el integrar diversos elementos de diferente naturaleza y sometidos al mismo ritmo de amortización. Su rasgo distintivo viene determinado por ser unión definitiva de los elementos, que no permite su separabilidad.

g. Mobiliario (216) donde se recogen muebles y equipos de oficina.

h. Equipos para procesos de información (217) donde se contabilizan ordenadores y otros elementos electrónicos de naturaleza similar.

i. Elementos de transporte (218) donde se incluyen todos los vehículos aptos para el transporte de mercancías o personas.

j. Otro inmovilizado material (219), partida de carácter residual, donde se pueden recoger los elementos del inmovilizado material no contemplado en otras cuentas. Algunos elementos incluidos en esta cuenta son animales o árboles productores.

El actual grupo del inmovilizado material ha introducido una importante limitación respecto de su contenido en el PGC 1990, pues del inmovilizado material se han desgajado las inversiones inmobiliarias y los activos disponibles para la venta. El criterio para la inclusión en el inmovilizado material es, como se ha señalado, el destino a las actividades productivas de la empresa, esto es, que los flujos de efectivo que producen estos elementos provienen de las actividades normales de la empresa, circunstancia que no cumplen estos dos grupos separados.

Las inversiones inmobiliarias deben producir flujos de efectivo mediante el arrendamiento, cesión o su realización en el mercado.

Los activos disponibles para la venta son aquellos que piensan realizarse en el mercado de acuerdo con un plan para su venta a corto plazo.

La calificación de los activos disponibles como disponibles para la venta tiene relevancia fiscal, ya que, desde el momento en el que se asigne tal calificación a un activo, no será amortizable, ni contable ni fiscalmente, incidiendo en el resultado contable y, por ende, en la base imponible.

La calificación de un activo como inversión inmobiliaria carece de relevancia directa en materia fiscal, en la medida que no solo se ha equiparado el tratamiento contable, sino que también la norma fiscal a aunado el tratamiento de inversiones inmobiliarias e inmovilizado material. Quizá la matización más relevante provenga de la aplicación del artículo 5 LIS, relativo al concepto de actividad económica y de entidad patrimonial, en relación con los inmuebles destinados al arrendamiento, aunque dicha matización no deriva de la propia calificación como inversiones inmobiliarias o como inmovilizado material para los inmuebles, sino del tratamiento fiscal especial que se dispensa a la actividad de arrendamiento. Nos remitimos para su estudio de detalle al citado artículo 5 LIS.

2.1.1.2. Inversiones inmobiliarias

En el subgrupo 22 se recogen las inversiones inmobiliarias, donde se incluyen los activos no corrientes que sean inmuebles y que se posean para obtener rentas, plusvalías o ambas, en lugar de para su uso en la producción o suministro de bienes o servicios, o bien para fines administrativos, en el que se trata como inmovilizado material; o su venta en el curso ordinario de las operaciones, en el que se trata como existencias.

El ICAC ha tenido ocasión de precisar que se debe incluir como inversión inmobiliaria un inmueble destinado al arrendamiento por la empresa, aun cuando ésta tenga como actividad principal el arrendamiento de inmuebles (consulta num. 9, Boicac n° 74 de junio de 2008).

Por otro lado, la Resolución del ICAC de 1 de marzo de 2013 precisa que un inmueble que se destine tanto para la generación de plusvalías o rentas como para la producción o suministro de bienes o servicios, incluyendo su utilización para fines administrativos, debe registrarse separadamente en inversiones inmobiliarias y en el inmovilizado material, siempre que los distintos componentes pueden ser vendidos de forma independiente. En caso contrario, el inmueble solo podrá calificarse como inversión inmobiliaria cuando se utilice una porción insignificante del mismo para la producción o suministro de bienes o servicios o para fines administrativos.

Las partidas de este subgrupo son:
–   Inversiones en terrenos y bienes naturales (220)
–   Inversiones en construcciones (221)

2.1.2. Valoración inicial: base de amortización

2.1.2.1. Criterios generales

La valoración inicial recoge el valor que se va a atribuir en la contabilidad a los elementos del inmovilizado material e inversiones inmobiliarias que se adquieren o desarrollan por la empresa.

Del mismo se obtendrá el valor amortizable, que es la base de amortización del bien, y se calcula minorando el precio de adquisición o coste de producción de los activos depreciables en el valor residual.

Se valorarán inicialmente los elementos del inmovilizado material e inversiones inmobiliarias por su valor de coste, ya sea éste el precio de adquisición o el coste de producción, dependiendo de que hayan sido adquiridos a terceros o producidos por la propia entidad. Se desarrollan los criterios de valoración del inmovilizado material en las NRV 2ª y 3ª del PGC, y los de las inversiones inmobiliarias en la NRV 4ª, completándose ambas por la Resolución del ICAC de 1 de marzo de 2013, por la que se dictan normas de registro y valoración del inmovilizado material y de las inversiones inmobiliarias.

El precio de adquisición parte del importe facturado por el vendedor, incrementándose y minorándose en determinadas partidas:

a) Descuentos: Deben deducirse todos los descuentos o rebajas concedidos por el proveedor en el precio, incluyendo los descuentos financieros.

b) Gastos accesorios: Debe incrementarse el precio satisfecho en todos los gastos accesorios relacionados con la puesta en funcionamiento del inmovilizado. Se citan, de forma expresa, los siguientes: gastos de explanación y derribo, transporte, derechos arancelarios, seguros, instalación, montaje y otros similares.

El coste de producción de los elementos desarrollados por la propia empresa se obtiene añadiendo al precio de adquisición de las materias primas y otras materias consumibles utilizadas en la producción del activo, los demás costes directamente imputables a dichos bienes, así como la parte que razonable de los costes indirectos que correspondan al período de fabricación o construcción. Para la imputación de estos costes indirectos se atenderá a criterios normales de actividad, sin que en ningún caso sean imputables los costes de subactividad.

La NRV 3ª explica el procedimiento de contabilización de estos activos. La empresa deberá contabilizar, en las cuentas correspondientes por su naturaleza, los gastos realizados durante el ejercicio con motivo de las obras y trabajos que la empresa lleva a cabo para sí misma. Posteriormente deberán reconocerse los activos en las cuentas correspondientes de inmovilizado material o, si no se hubieran concluido, de inmovilizado material en curso, por el importe de los trabajos realizados por la empresa, con abono a las cuentas 731 y 734 de ingresos que recogen los trabajos realizados para la empresa.

Tanto en un caso como en otro se deben incluir dentro del coste:

a. Los impuestos indirectos, cuando no sean recuperables directamente de la Hacienda Pública.

b. Los costes de desmantelamiento o retiro: se incluirá la estimación fundada del valor actual de las obligaciones asumidas de desmantelamiento o retiro de los activos, u otras asociadas al citado activo de naturaleza análoga, entre las que se cita expresamente el coste de rehabilitación del lugar sobre el que se asienta, siempre que estas obligaciones den lugar al registro de provisiones. Se desarrolla el registro contable de estos costes por el punto 2 de la regla primera de la Resolución del ICAC de 1 de marzo de 2013.

Supone este hecho un cambio de criterio respecto del PGC 1990, en el que se dotaba anualmente la provisión correspondiente a estos gastos. Con este nuevo criterio se introducen dos novedades: en primer lugar, la estimación inicial se incluye como mayor valor del inmovilizado, recuperándose por vía de amortización; por otro lado, se separa el componente financiero de dichos gastos, que debe ir reconociéndose anualmente mediante la aplicación del tipo de interés correspondiente. Esta consideración como gasto financiero tiene relevancia al incluirse dentro del límite previsto en el artículo 16 LIS para los gastos financieros.

c. Los gastos financieros: correspondientes al período anterior a que el inmovilizado se encuentre en condiciones de entrar en funcionamiento. Su inclusión es, de acuerdo con la NRV 2ª, obligatoria y no ya una mera facultad de la empresa. Los gastos financieros a tener presente son tanto la financiación específica, concedida por el proveedor o por otra entidad, para financiar el activo de que se trata, como la financiación ajena no específica que sea atribuible a la adquisición, fabricación o construcción. En este último caso debe calcularse la proporción en la que el activo se encuentra financiado por los fondos propios y por la financiación ajena no específica, para, en función de ello, determinar cuál es el importe de los intereses que debe activarse. La forma de realizar este cálculo se encuentra en la Resolución del ICAC de 9 de mayo de 2000, criterio considerado como vigente en consulta num. 3 del Boicac nº 75 de septiembre de 2008. Añade esta misma consulta que la incorporación de los gastos financieros no deberá realizarse mediante la cuenta de ingresos 733 "Trabajos realizados para el inmovilizado material", pues ésta afecta al margen de explotación y la incorporación debe reflejarse en el resultado financiero, postulando para ello una cuenta no contemplada en el PGC del grupo 76, cuenta 7691 "Incorporación al activo de gastos financieros".

d. Los gastos en los que se incurra con ocasión de las pruebas que se realicen para conseguir que el activo se encuentre en condiciones de funcionamiento y pueda participar de forma plena en el proceso productivo. Sin embargo, no se incluyen los gastos y los ingresos relacionados con las actividades accesorias que pudieran realizarse con el inmovilizado, antes o durante el periodo de fabricación o construcción, que se reconocerán en la cuenta de pérdidas y ganancias de acuerdo con su naturaleza, siempre que no sean imprescindibles para poner el activo en condiciones de funcionamiento.

Este valor de coste determinado por las normas contables tiene plena re-cepción en el ámbito fiscal, al señalar el artículo 3.2 RIS que "será amortizable el precio de adquisición o coste de producción, excluido, en su caso, el valor residual". La mayor novedad es la inclusión fiscal dentro del valor amortizable de los costes de desmantelamiento y retiro, pues rompe con la tradición de considerar como importe amortizable exclusivamente las cantidades efectiva-mente satisfechas. Como se deduce del citado precepto, se reciben fiscalmente la valoración por las dos formas de determinar el coste del activo que prevé la contabilidad: precio de adquisición y coste de producción, y dado que no existe norma que excepcione la forma de determinar dichos valores sobre los criterios contables, deben aceptarse también las adiciones y sustracciones mencionadas, pues todas ellas lo son para determinar el valor de coste.

En aquellos casos en los que los bienes sean recibidos a título gratuito, se considerará como valor de adquisición el valor razonable de los activos recibi-dos, según dispone la NRV 18 Subvenciones, donaciones y legados. Fiscalmente rige idéntica regla (con la salvedad de la posible identificación entre el valor razonable y el valor de mercado, que se refirió en el comentario al artículo 10), disponiendo el artículo 17, apartado 4, letra a que se valorarán por su valor normal de mercado los elementos patrimoniales adquiridos a título lucrativo. Dicho valor de adquisición será amortizable contablemente y su amortización surtirá efectos fiscales, pues en este sentido se pronuncia el artículo 20 LIS ("Cuando un elemento patrimonial o un servicio hubieran sido valorados a efectos fiscales por el valor normal de mercado, la entidad adquirente de aquél integrará en su base imponible la diferencia entre dicho valor y el valor de adquisición, de la siguiente manera: (...)Tratándose de elementos patrimonia-les amortizables integrantes del inmovilizado, en los períodos impositivos que resten de vida útil, aplicando a la citada diferencia el método de amortización utilizado respecto de los referidos elementos").

Cuando se trate de un elemento adquirido en una moneda extranjera, su va-loración se efectuará convirtiendo su importe a la moneda funcional, mediante la aplicación del tipo de cambio de contado, según se explica en la NRV 11 relativa a moneda extranjera. En este caso, dicho valor convertido a la moneda funcional en el momento de la adquisición servirá para el cálculo de las amor-tizaciones, según precisa esa misma NRV.

EJEMPLOS
PRECIO DE ADQUISICIÓN

Adquirimos una máquina de un proveedor de inmovilizado, por un importe de 200.000 €. En atención a la relación comercial que man-tenemos, nos concede un descuento del 2 por ciento de su precio. Los gastos de transporte e instalación importan 7.000 euros. Todas las cantidades son satisfechas por bancos.

Se pide determinar el precio de adquisición.

Respuesta

Precio satisfecho al transmitente 200.000

    Descuento ....   – 4.000

    Gastos accesorios ....   + 7.000

    PRECIO DE ADQUISICIÓN 203.000

Se registrará:

POR LA ADQUISICIÓN			
	CUENTA	DEBE	HABER
213	Maquinaria	203.000	
572	Bancos		203.000

PRECIO DE ADQUISICIÓN. INCORPORACIÓN DE GASTOS FINANCIEROS. PROVISIÓN DE DESMANTELAMIENTO.

Con fecha 1-1-X5, hemos adquirido una planta compleja, con una duración en explotación de 10 años, por un precio de 1 millón de euros. El importe a satisfacer se ha aplazado dos años, debiendo satisfacer un interés del 5 por ciento anual. La planta se encontrará en funcionamiento dentro de seis meses. Cuando acabe la explotación deberemos retirar la instalación, según exige la normativa de la CA, lo que se estima que costará 19.671,51 euros. El tipo de descuento procedente para los gastos de desmantelamiento es del 7 por ciento.

Se pide determinar el precio de adquisición del citado inmovilizado.

Respuesta

Precio satisfecho al transmitente 1.000.000

    Gastos financieros incorporados (6/12*1.000.000*0,05)
25.000

    Provisión de desmantelamiento
$19.671,51 * (1+0,07)^{-10}$ 10.000

    COSTE DE ADQUISICIÓN 1.035.000

POR LA ADQUISICIÓN			
	CUENTA	DEBE	HABER
212	Instalaciones técnicas	1.010.000	
173	Proveedores de inmovilizado, largo plazo		1.000.000
143	Provisión retiro inmovilizado		10.000

DEVENGO INTERÉS ANUAL			
662	Intereses de deudas	50.000	
528	Intereses a corto plazo de deudas		50.000

ACTIVACIÓN DE INTERESES			
212	Instalaciones técnicas	25.000	
7691	Incorporación al activo de gastos financieros		25.000

ACTUALIZACIÓN DE LA PROVISIÓN			
669	Otros gastos financieros	700	
143	Provisión retiro inmovilizado		700

2.1.2.1. *Criterios específicos para la valoración de determinados elementos*

La NRV 3ª añade criterios específicos aplicables a la fijación del coste de determinados elementos del inmovilizado material:

a. Solares sin edificar: el precio de adquisición deberá incluir, como gastos accesorios, los gastos de acondicionamiento, como cierres, movimiento de tierras, obras de saneamiento y drenaje, los de derribo de construcciones cuando sea necesario para poder efectuar obras de nueva planta, los gastos de inspección y levantamiento de planos cuando se efectúen con carácter previo a su adquisición, así como, en su caso, la estimación inicial del valor actual de las obligaciones presentes derivadas de los costes de rehabilitación del solar. Estos gastos pueden ser amortizables, en la medida en la que se justifique su duración limitada en el tiempo. En este sentido, la Resolución del ICAC de 1 de marzo de 2013 señala algunas excepciones como minas, canteras y vertederos, que son amortizables, y que los componentes depreciables, como los cierres, también. Si el coste de un terreno incluye los costes de desmantelamiento, traslado y rehabilitación, esa porción del coste del terreno se amortizará a lo largo del periodo en el que se obtengan beneficios por haber incurrido en esos costes.

b. Construcciones: formarán parte del precio de adquisición o coste de producción las tasas inherentes a la construcción y los honorarios facultativos de proyecto y dirección de obra.

El PGC obliga a consignar por separado el valor del terreno y el de los edificios y otras construcciones. Igual mandato se recoge en el apartado 2 del artículo 3 RIS, aunque en este caso la norma fiscal explica que se realiza por que se excluye la amortización de los terrenos, debiendo por tanto separarse en todo caso el valor de éste. Cuando no resulte conocido, establece sendas reglas de cálculo, con carácter general, se valorarán mediante el prorrateo del precio de adquisición respecto de los valores catastrales del suelo y de la construcción en el año de adquisición; y alternativamente, cuando se pruebe que dicho criterio se fundamenta en el valor normal de mercado del suelo y de la construcción en el año de adquisición, se realizará mediante una distribución del precio de adquisición proporcional al valor normal de mercado del suelo y de la construcción determinados por un perito.

EJEMPLO
PRECIO DE ADQUISICIÓN. TERRENOS Y CONSTRUCCIONES

Hemos adquirido una nave industrial por un precio de 100.000 euros, satisfecho al contado por banco. Aunque desconocemos el valor del terreno, se sabe:

a. Que el valor catastral del terreno es de 12.000 €, para un valor catastral total de 48.000 €.

b. Que el valor de mercado en el momento de la adquisición del suelo es de 30.000 €, y el de la nave de 120.000 €.

Se pide que contabilicemos el precio de adquisición del terreno y de la construcción

Respuesta

De acuerdo con la primera de las opciones, el terreno supone un 25% del valor

POR LA ADQUISICIÓN			
CUENTA		DEBE	HABER
210	Terrenos	25.000	
211	Construcciones	75.000	
572	Bancos		100.000

De acuerdo con la segunda de las opciones, el terreno supone un 20 por ciento del precio de adquisición

POR LA ADQUISICIÓN			
210	Terrenos	20.000	
211	Construcciones	80.000	
572	Bancos		100.000

2.1.3. Amortización

2.1.3.1. Principios de amortización

El primer componente que estipulan las NRV para el cálculo de la valoración posterior de los inmovilizados materiales es la amortización. Como hemos señalado, los inmovilizados materiales son bienes utilizados en las actividades de la empresa que tienen una duración superior a un año. Por ello su coste debe imputarse temporalmente durante el periodo en que va a ser utilizado por la empresa, que se denomina vida útil. La amortización no es sino la representación contable de esa imputación del coste de inmovilizado a cada uno de los ejercicios de la vida útil del activo.

En este sentido, la Resolución del ICAC de 1 de marzo de 2013 señala que la amortización se identifica con la depreciación que normalmente sufren los bienes de inmovilizado por el funcionamiento, uso y disfrute de los mismos, debiéndose valorar, en su caso, la obsolescencia técnica o comercial que pudiera afectarlos. La dotación anual que se realiza, expresa la distribución del precio de adquisición o coste de producción durante la vida útil estimada del inmovilizado. La amortización tendrá que establecerse de manera sistemática y racional en función de la vida útil de los bienes y de su valor residual, atendiendo a la depreciación considerada como normal por las causas mencionadas.

Las NRV no dedican un estudio completo a la amortización, limitándose a establecer unos principios básicos para la amortización, que se ven completados, en primer lugar, por la Resolución del ICAC de 1 de marzo de 2013, y, en mayor medida, por la regulación fiscal contenida en el artículo 12 LIS y su desarrollo reglamentario, en los artículos 3-7 RIS, que es en este punto más prolija.

Los principales criterios que podemos destacar son los siguientes:

a. Periodo de amortización: los inmovilizados materiales y las inversiones inmobiliarias deberán amortizarse, según el artículo 3.3 RIS, desde que se encuentren en condiciones de entrar en funcionamiento y a lo largo de su vida útil. Para los inmovilizados intangibles, la amortización se comenzará desde el momento en el que estén en condiciones de producir ingresos y durante su vida útil, que serán los ejercicios en los que se espera que produzcan ingresos.

    Completa este concepto la Resolución del ICAC de 1 de marzo de 2013, que establece que vida útil es el periodo durante el cual la empresa espera utilizar el activo amortizable o el número de unidades de producción que espera obtener del mismo, siendo, por tanto, el período durante el cual la empresa espera razonablemente consumir los beneficios económicos incorporados o inherentes al activo; diferenciándose de la vida económica, que es el periodo durante el cual se espera que el activo sea utilizable por parte de uno o más usuarios o el número de unidades de producción que se espera obtener del activo por parte de uno o más usuarios.

Añade esta misma resolución que se encuentra en condiciones de entrar en funcionamiento el inmovilizado que puede producir ingresos con regularidad, una vez concluidos los períodos de prueba, es decir cuando está disponible para su utilización; esto es, después de superar un montaje, instalación y pruebas necesarias, y esté en condiciones de participar normalmente en el proceso productivo al que están destinados.

Esta distinción será fundamental para justificar criterios especiales de amortización en función de vidas útiles inferiores a la vida económica, no recogidos expresamente en la norma fiscal, pero que, a nuestro juicio, son plenamente aplicables en el IS, como son la amortización de inversiones en bienes arrendados o los bienes objeto de reversión en concesiones administrativas.

b. Independencia de la amortización: Señala el PGC que deberá amortizarse de forma independiente cada parte de un inmovilizado material que tenga un coste significativo en relación con el coste total del inmovilizado y una vida útil distinta del resto del elemento. Fiscalmente no existe pronunciamiento sobre esta cuestión, aunque cabe amparar la especialidad contable en atención a la exigencia de amortización en la vida útil de los bienes.

c. Continuidad de la amortización: este principio se encuentra implícito en la exigencia contable de sistemática en el Plan de amortización.

La sistemática queda reflejada de forma clara en el 3.3 RIS, que exige que la amortización se inicie desde que los bienes sean puestos en condiciones de funcionamiento y concluya dentro de su vida útil. La falta de sistemática en la contabilización da lugar a la aplicación de las especiales normas sobre devengo de gastos contenidas en el artículo 11.3 LIS y la regla del artículo 4.1 RIS, in fine, a la que posteriormente haremos referencia.

Igualmente se manifiesta la continuidad en la exigencia del apartado 5 del artículo 3 RIS de mantener los criterios de amortización en la vida útil restante en los casos de revalorizaciones contables aceptadas fiscalmente, y en apartado 6 del mismo artículo, que determina la continuidad del método de amortización en supuestos de fusión, escisión, total y parcial, y aportación, aunque en estos casos permite modificar el método de amortización y aplicar el método propio que se utilizara por el adquirente.

2.1.3.2. Métodos de amortización

Como hemos destacado anteriormente, las NRV dedican una regulación bastante somera a la amortización. Quizá lo que más llama la atención es la práctica absoluta libertad que otorgan para el establecimiento del plan de amortización por la empresa, ya que sólo se exige que se realice de forma sistemática y racional, atendiendo a la vida útil de los bienes y a su valor residual, y que se trate de recoger la depreciación normal derivada de su utilización en la actividad.

La Resolución del ICAC de 1 de marzo de 2013 completa algo esta laguna, previendo como métodos de amortización el método lineal, que dará lugar a un cargo por amortización constante a lo largo de la vida útil del activo; el método de depreciación decreciente en función del valor contable del elemento, que dará lugar a un cargo por amortización que irá disminuyendo a lo largo de su vida útil ;y el método de unidades de producción, que supondrá un gasto por amortización basado en la utilización o producción esperada.

Fiscalmente se recoge un listado de sistemas de amortización admisibles, ya que como señala el artículo 3.1 RIS, la depreciación de los elementos patrimoniales del inmovilizado material, intangible e inversiones inmobiliarias se considerará efectiva cuando sea el resultado de aplicar alguno de los métodos previstos en el apartado 1 del artículo 12 de la Ley del Impuesto. Así, el artículo 12.1 LIS enumera los siguientes sistemas:

a. Método de tablas, mediante la aplicación de los coeficientes de amortización lineal establecidos en las tablas de amortización.

b. Método degresivo, mediante la aplicación de un porcentaje constante sobre el valor pendiente de amortización.

c. Método de los números dígitos.

d. Mediante Plan formulado por el sujeto pasivo y aprobado por la Administración.

e. Importe justificado de la depreciación sufrida en el ejercicio.

2.1.3.2.1. Amortización por tablas

Las tablas oficiales de amortización se contienen el artículo 12.1 LIS. Han supuesto una notable simplificación sobre las tablas vigentes anteriormente; no solo porque atienden únicamente a la naturaleza del activo, cuando previamente incluían una enumeración de las distintas actividades, según la clasificación del IAE, y los diferentes tipos de activos empleados en cada una de las mismas, y una serie de elementos comunes; sino también por el número de coeficientes aplicables, que se han reducido de más de 130 a 33.

Las tablas indican para cada tipo de bien un coeficiente máximo de amortización y plazo máximo de amortización. La amortización se considera efectiva siempre que no exceda del porcentaje máximo ni sea inferior al coeficiente mínimo (que se obtiene de dividir 100 entre el plazo máximo de amortización). Tal y como señala el artículo 4.1 RIS, en cada ejercicio dentro de la vida útil se puede alterar el importe de la amortización, siempre que se mantenga dentro de los citados límites.

Se permiten, además, dos formas especiales de aplicación de las tablas:

a. Bienes usados (artículo 4.3 RIS): se califican como tales aquellos que han sido amortizados con anterioridad en otra empresa (aquellos que han sido puestos en condiciones de funcionamiento con anterioridad, siendo ésta la condición para el inicio de la amortización, con exclusión de los edificios con una antigüedad inferior a 10 años).

En la medida que las tablas atienden a lo que podemos considerar una vida útil ordinaria y estos bienes la deben tener más breve, por haber sido utilizados anteriormente, se arbitran dos procedimientos alternativos:

- La amortización del coste de adquisición del elemento usado, aplicando a éste el doble del coeficiente lineal máximo.

- La amortización del coste de adquisición del elemento usado, aplicando el coeficiente lineal máximo sobre el coste original del elemento (esto es, el coste en la primera puesta en funcionamiento), si fuera conocido, o, si no lo fuera, sobre el coste original determinado pericialmente. Cuando los elementos sean adquiridos a una entidad que forme parte del mismo grupo mercantil, en el sentido del artículo 42 C de C, se aplicará este sistema, salvo que el precio de adquisición hubiese sido superior al originario, en cuyo caso la amortización deducible tendrá como límite el resultado de aplicar al precio de adquisición el coeficiente de amortización lineal máximo.

b. Bienes usados en turnos (artículo 4.2 RIS): las tablas, como ya se ha señalado, recogen una amortización normal de los bienes, que se ve alterada cuando se utilizan de forma más intensiva por la existencia de turnos. Para definir los turnos se atiende en el RIS, únicamente, a la jornada diaria (8 horas), aunque la DGT ha aclarado que es igualmente aplicable a las jornadas semanales (40 horas semanales).

El coeficiente de amortización deducible fiscalmente viene formado por la suma de los siguientes componentes:

- El coeficiente de amortización lineal que se deriva del período máximo de amortización, y

- el resultado de multiplicar la diferencia entre el coeficiente de amortización lineal máximo y el coeficiente de amortización lineal que se deriva del período máximo de amortización, por el cociente entre las horas diarias habitualmente trabajadas y ocho horas.

Se limita, además, la aplicación de este método a aquellos bienes que por su propia naturaleza deban ser utilizados de forma continuada (cámaras frigoríficas, cámaras de vigilancia, puertas mecánicas, etc...).

EJEMPLOS

AMORTIZACIÓN POR TABLAS

Una empresa dedicada a la fabricación de juguetes dispone, entre otro inmovilizado, de una máquina moldeadora adquirida al contado por 240.000. Entrada en servicio el 1-1, se pide determinar la amortización que le pudiera corresponder con arreglo a tablas.

Respuesta

Las tablas oficiales señalan para la maquinaria un porcentaje máximo del 12 y una duración máxima de 18 años. En consecuencia, se podrá amortizar en cualquier cantidad entre el 12 por ciento y el 5,56 (resultante de dividir el 100% entre su vida máxima) por ciento de su coste.

Decidimos amortizar un 10 por ciento. En ejercicios posteriores podremos modificar este coeficiente, dentro de ese espectro, sin que ello suponga abandonar el sistema de tablas.

POR LA AMORTIZACIÓN			
	CUENTA	DEBE	HABER
681	Amortización del inmovilizado material	24.000	
2813	Amortización acumulada maquinaria		24.000

AMORTIZACIÓN POR TABLAS. BIENES UTILIZADOS POR TURNOS

La empresa propietaria de la maquinaria citada en el punto anterior tiene dos turnos de trabajo diarios, por lo que la máquina se encuentra en funcionamiento durante 16 horas cada día. La empresa desea amortizar el máximo posible.

Respuesta

Coeficiente amortiz= Coef. Mínimo+ (Coef. Máximo-Coef. Mínimo*horas trabajadas/8)

Coef.= 5,56+ (12-5,56*16/8)= 18,44

POR LA AMORTIZACIÓN			
	CUENTA	DEBE	HABER
681	Amortización del inmovilizado material	44.256	
2813	Amortización acumulada maquinaria		44.256

AMORTIZACIÓN POR TABLAS. BIENES USADOS

Una empresa dedicada a la fabricación de cartón ha adquirido por 350.000 euros una máquina de fabricación de cartón ondulado. Se sabe, además, que su valor original fue de 570.000 euros.

Respuesta

Las tablas oficiales señalan para la maquinaria un porcentaje máximo del 12 por ciento y una duración máxima de 18 años. La empresa podrá optar por:

– Amortizar el precio de adquisición al doble del coeficiente máximo.

Amortización: 350.000*0,12*2=84.000

– Amortizar el precio de adquisición, calculando el importe sobre el resultante de aplicar al valor original el porcentaje máximo.

Amortización: 570.000*0,12=68.400

POR LA AMORTIZACIÓN			
	CUENTA	DEBE	HABER
681	Amortización del inmovilizado material	84.000	
2813	Amortización acumulada maquinaria		84.000

2.1.3.2.2. Método degresivo

Este sistema de amortización impone aplicar un coeficiente constante al valor pendiente de amortizar, de tal forma que las amortizaciones se acumulan en los primeros años, reduciéndose de forma progresiva en los restantes años de la vida útil. Su contenido se desarrolla en el artículo 5 RIS.

La primera decisión que se debe adoptar en este método es elegir el número de ejercicios en los que se desea amortizar el inmovilizado, entre el número mínimo determinado por el coeficiente de amortización máximo previsto en las tablas y el número máximo de años que las mismas ofrecen. Una vez determinado dicho periodo, se fija el coeficiente de amortización de partida, resultante de dividir 100 entre el número de años elegido. El porcentaje constante a aplicar se obtiene multiplicando dicha magnitud por el correspondiente de los siguientes coeficientes:

1.º 1,5, si el elemento tiene un período de amortización inferior a cinco años.

2.º 2, si el elemento tiene un período de amortización igual o superior a cinco años e inferior a ocho años.

3.º 2,5, si el elemento tiene un período de amortización igual o superior a ocho años.

El porcentaje constante no podrá ser inferior al 11 por ciento.

Añade el artículo 5.1 RIS que el importe pendiente de amortizar en el período impositivo en que se produzca la conclusión de la vida útil se amortizará en dicho período impositivo.

Se excluye la aplicación de este sistema de amortización a los edificios, mobiliario y enseres.

Se permite su utilización para bienes usados por el artículo 5.3 RIS, aunque no se establece regla especial para su aplicación, por lo que se amortizará el valor de adquisición en su vida útil, siguiendo los criterios generales aplicables a elementos nuevos.

EJEMPLO

MÉTODO DEGRESIVO

Una entidad dedicada a las artes gráficas ha adquirido una máquina de componer por 13.000 euros. Se desea amortizarla por el método degresivo.

Se pide calcular el importe de la amortización y contabilizar la del primer año.

Respuesta

Las tablas oficiales señalan para la maquinaria un porcentaje máximo del 18 por ciento y una duración máxima de 12 años. Luego la duración de la amortización oscila entre 5,5 y 12 años. Elegimos amortizarlo en 6 años.

El porcentaje a aplicar será:

100/6*2=33,33%

Tabla de amortización

AÑO	VALOR PENDIENTE	AMORTIZACIÓN
1	13.000,00	4.332,90
2	8.667,10	2.888,74
3	5.778,36	1.925,93
4	3.852,43	1.284,01
5	2.568,41	856,05
6	1.712,36	1.712,36

Contabilización de la amortización del primer año

POR LA AMORTIZACIÓN			
	CUENTA	DEBE	HABER
681	Amortización del inmovilizado material	4.332,90	
2813	Amortización acumulada maquinaria		4.332,90

2.1.3.2.3. Método de los números dígitos

Este método se presenta en dos variantes, el creciente y el decreciente. El primero permite una mayor amortización en el primer ejercicio, que se reduce progresivamente, mientras que el segundo es la alternativa contraria, con una menor amortización en el primer ejercicio, creciendo de forma progresiva hasta acumular el máximo de amortización en el último ejercicio de la vida útil. Pretende con ello adaptarse a expectativas distintas de negocio donde los beneficios se acumulen en los primeros o últimos ejercicios de la explotación.

En cuanto a su operativa, que se describe en el artículo 6 RIS, se debe elegir el periodo de amortización, en un número de años entre el plazo máximo y mínimo determinado por las tablas, distribuyéndose la amortización de forma proporcional al número de años elegido. Para ello, se procede de la siguiente forma:

- El primer año el importe de la amortización será determinado por una fracción, en cuyo numerador se encontrará, en el método decreciente, el número de los años elegido para la amortización y en el denominador el sumatorio de todos los años de vida útil. En el método creciente el numerador será uno.

- En los años sucesivos, se aplicará igualmente la fracción, en la que el denominador permanecerá invariado, mientras que el numerador, en el método decreciente se minorará en una unidad, hasta llegar a uno en el último año de la vida útil; y en el creciente, se incrementará en una unidad, hasta alcanzar el número de los años de la vida útil en el último ejercicio.

No pueden acogerse a este sistema, igual que ocurre con el sistema degresivo, los edificios, mobiliario y enseres. Se permite su utilización para bienes usados por el artículo 6.3 RIS, aunque no se establece tampoco regla especial para su aplicación.

EJEMPLO
MÉTODO NÚMEROS DÍGITOS

Una entidad dedicada a las artes gráficas ha adquirido una máquina de componer por 13.000 euros. Se desea amortizarla por el método de los números dígitos decreciente.

Se pide calcular el importe de la amortización y contabilizar la del primer año.

Respuesta

Las tablas oficiales señalan para la maquinaria un porcentaje máximo del 18 por ciento y una duración máxima de 12 años. Luego la duración de la amortización oscila entre 5,5 y 12 años. Elegimos amortizarlo en 7 años.

La amortización de cada año sería la que resulta de la siguiente tabla de amortización:

AÑO	PORCENTAJE	AMORTIZACIÓN
1	7/28	3.250,00
2	6/28	2.785,71
3	5/28	2.321,43
4	4/28	1.857,14
5	3/28	1.392,86
6	2/28	928,57
7	1/28	464,29

Contabilización amortización primer año

POR LA AMORTIZACIÓN			
CUENTA		DEBE	HABER
681	Amortización del inmovilizado material	3.250	
2813	Amortización acumulada maquinaria		3.250

2.1.3.2.4. Plan aprobado por la administración

De acuerdo con el artículo 7 RIS, podrán proponerse a la Administración Planes de amortización para los inmovilizados materiales e intangibles, así como para las inversiones inmobiliarias. El RIS no atiende a otra cosa que al procedimiento previsto para la aprobación del Plan Especial, sin entrar en la justificación o razones que deben amparar el mismo, lo que resulta bastante curioso cuando se asume que esta no es una facultad discrecional. La DGT ha asumido que los planes atienden a aquellos supuestos en los que la vida útil viene condicionada por circunstancias excepcionales y justificadas, que no se encuentran contempladas en las tablas, y cuando dichas circunstancias pueden ser previstas por el contribuyente desde el momento del inicio de la amortización.

El artículo 7 RIS ofrece un desarrollo bastante completo del procedimiento a seguir para la aprobación de los planes.

La iniciación será siempre a instancia de los contribuyentes, mediante solicitud, a presentar durante el periodo de construcción de los bienes o de amortización, en la que se debe hacer constar:

a) Descripción de los elementos patrimoniales objeto del plan especial de amortización, indicando la actividad a la que se hallen adscritos y su ubicación.

b) Método de amortización que se propone, indicando la distribución temporal de las amortizaciones que se derivan del mismo.

c) Justificación del método de amortización propuesto.

d) Precio de adquisición o coste de producción de los elementos patrimoniales.

e) Fecha de inicio de la amortización de los elementos patrimoniales.

La instrucción recoge la facultad administrativa de recabar del sujeto pasivo (que no de obtener directamente) cuantos datos, informes, antecedentes y justificantes sean necesarios, así como la posibilidad del solicitante de formular alegaciones, con un necesario trámite de audiencia de 15 días previo a la propuesta de resolución.

La resolución motivada, que debe dictarse (y tras la LGT 2003 notificarse) en el plazo de tres meses desde la entrada en el Registro del órgano competente para resolver, puede:

a) Aprobar el plan de amortización formulado por el sujeto pasivo.

b) Aprobar, con la aceptación del contribuyente, un plan de amortización que difiera del inicialmente presentado.

c) Desestimar el plan de amortización formulado por el sujeto pasivo.

Se establece el silencio positivo en los casos en los que no se notifique resolución expresa de desestimación. Son competentes para la instrucción y resolución del procedimiento los órganos que establezcan las normas de organización interna de la AEAT, y que son, en función de la adscripción del contribuyente, la Delegación de la Agencia Estatal de Administración Tributaria del domicilio fiscal del sujeto pasivo o las Dependencias Regionales de Inspección o la Delegación Central de Grandes Contribuyentes.

El Plan puede ser modificado, a solicitud del contribuyente, siguiendo el procedimiento previsto para su aprobación.

Quizá la cuestión más llamativa del procedimiento es la que avanzamos en el primer párrafo de este punto. Solicitud justificada, requerimiento de información complementaria y resolución motivada, todos elementos que inciden en la existencia de una causa justificativa del Plan, que el legislador ha olvidado plasmar abandonando a solicitante y Administración actuante a una difícil justificación de lo razonable.

2.1.3.2.5. Amortización justificada

El LIS enuncia esta forma de determinar la amortización (difícilmente podemos denominarlo sistema, pues la acreditación de la pérdida de valor en un periodo determinado elimina cualquier sistemática), exigiendo simplemente que el contribuyente justifique su importe. El RIS no completa en medida alguna esta previsión genérica.

Para determinar qué es lo que se debe probar debemos diferenciar tres conceptos. La amortización, como disminución de valor sistemática derivada del uso de los elementos patrimoniales y de carácter no reversible (resulta incluso discutible que se trate de una pérdida de valor real, pues como señala la Resolución ICAC de 1 de marzo de 2013, la amortización sigue determinando un gasto aunque el valor razonable del bien amortizado sea superior a su valor contable); el deterioro, como pérdida extraordinaria de valor, ocasionada por una circunstancia no prevista, y de carácter reversible; y, finalmente, la pérdida, como desaparición del activo como elemento generador de flujos de efectivo, de carácter no reversible.

Los conceptos anteriores dejan una laguna en aquellos casos en los que la perdida de carácter no reversible no es total, sino parcial, y de carácter asistemático. Aunque no se corresponda con el concepto de amortización, esta disminución parcial del valor puede registrarse como amortización, atendiendo al requisito de justificación, por cualquier medio de prueba. Con este concepto encaja perfectamente el mandato de la regla 2.1 de NRV 2ª PGC que señala que la amortización debe tener presente también la obsolescencia técnica o comercial que pudiera afectar a los bienes, aunque ninguno de los sistemas de amortización antes comentado pueda tener presente per se la obsolescencia, ya que los avances de la técnica son difícilmente previsibles.

Resulta especialmente llamativa esta facultad de aceptar la depreciación efectiva como importe de la amortización, cuando precisamente la LIS excluye la deducibilidad, entre otros, de los deterioros del inmovilizado material y de las inversiones inmobiliarias (artículo 13.2 LIS).

2.1.3.3. Libertad de amortización

Junto con la amortización ordinaria, el Impuesto sobre Sociedades contempla en ocasiones, la libertad de amortización fiscal o amortizaciones aceleradas de carácter fiscal.

Estas disposiciones permiten que la empresa considere fiscalmente como gasto por amortización una cuantía distinta a la de la amortización contable, sin que se condicione además la deducibilidad fiscal a la imputación a la cuenta de pérdidas y ganancias. Aunque generalmente se entiende la libertad de amortización como una aceleración de la amortización, ésta es solo una de las posibilidades, el contribuyente puede decidir libremente, dentro de la vida útil y sin sobrepasar el valor amortizable, en cada ejercicio, la cuantía de la amortización fiscal, superior a la contable, inferior a la contable, o hasta no amortizar nada en un ejercicio.

El artículo 12.3 LIS estipula que podrán amortizarse libremente:

a) Los elementos del inmovilizado material, intangible e inversiones inmobiliarias de las sociedades anónimas laborales y de las sociedades limitadas laborales afectos a la realización de sus actividades, adquiridos durante los cinco primeros años a partir de la fecha de su calificación como tales.

   Debemos destacar que esta libertad de amortización puede cubrir un periodo superior a cinco años, pues tal plazo únicamente marca el periodo durante el cual se deben haber adquirido los bienes que pueden acogerse a la misma, aunque gozarán de la libertad de amortización durante toda su vida útil.

   Cabe añadir que este periodo de cinco años lo es para la adquisición, no para el comienzo de la amortización, por lo que podrán acogerse bienes adquiridos durante este periodo pero que entren en condiciones de funcionamiento en un momento posterior.

b) Los elementos del inmovilizado material e intangible, excluidos los edificios, afectos a las actividades de investigación y desarrollo.

   No obstante, los edificios podrán amortizarse de forma lineal durante un período de 10 años, en la parte que se hallen afectos a las actividades de investigación y desarrollo.

c) Los gastos de investigación y desarrollo activados como inmovilizado intangible, excluidas las amortizaciones de los elementos que disfruten de libertad de amortización.

d) Los elementos del inmovilizado material o intangible de las entidades que tengan la calificación de explotaciones asociativas prioritarias de acuerdo con lo dispuesto en la Ley 19/1995, de 4 de julio, de modernización de las explotaciones agrarias, adquiridos durante los cinco primeros años a partir de la fecha de su reconocimiento como explotación prioritaria.

   En la medida que el plazo para la adquisición de los elementos que gozan de libertad de amortización está redactado en los mismos términos

que para las sociedades anónimas y limitadas laborales, procede reproducir aquí las mismas consideraciones sobre duración de la libertad de
amortización y adquisición y entrada en funcionamiento.

e) Los elementos del inmovilizado material nuevos, cuyo valor unitario no
    exceda de 300 euros, hasta el límite de 25.000 euros referido al período
    impositivo. Si el período impositivo tuviera una duración inferior a un
    año, el límite señalado será el resultado de multiplicar 25.000 euros por
    la proporción existente entre la duración del período impositivo respec-
    to del año.

Quizá sea éste el supuesto más interesante de libertad de amortización.
Indudablemente el antecedente inmediato a esta disposición es la libertad de
amortización para los bienes de escaso valor de la que gozaban las entidades de
reducida dimensión, si bien en relación con la misma se ha extendido su ámbito
de aplicación (la que ahora estudiamos se aplica a todo tipo de entidades), se
ha reducido el importe unitario de los bienes que pueden acogerse a la misma
(de 600 a 300 euros), aunque se ha elevado sensiblemente la cantidad global
anual que puede acogerse a la libertad de amortización (de 12.000 euros se ha
incrementado a 25.000 euros).

Debe entenderse como elemento nuevo aquel que sea puesto en condiciones
de funcionamiento por primera vez, tal y como se deduce del artículo 4.3 RIS.

En cuanto al valor unitario, deberemos atender al valor amortizable, tal y
como ha quedado explicado en los apartados anteriores del comentario a este
artículo 12 LIS.

El importe máximo de la inversión que goza de libertad de amortización es
de 25.000 euros. Cabe suscitar si este límite es de inversión que puede acogerse
a la libertad de amortización o lo es del propio importe de amortización libre
que se podrá aplicar, aunque la inversión haya sido superior. La cuestión no es
baladí, pues en el primer caso la inversión por encima de 25.000 euros nunca
podrá aplicar la libertad de amortización; mientras que en el segundo caso, si
en un ejercicio se superase la inversión de 25.000 euros, no podría aplicarse en
el propio ejercicio la libertad de amortización, pero en ejercicios posteriores
en los que no se realizasen nuevas adquisiciones susceptibles de acogerse a la
libertad de amortización podría aplicarse la pendiente de ejercicios posteriores.

Se completa esta disposición añadiendo que las cantidades aplicadas a la
libertad de amortización minorarán, a efectos fiscales, el valor de los elementos
amortizados. Ello supone que se incrementará la base imponible con ocasión
del registro contable de la amortización, en aquella parte que se corresponda
con el valor fiscalmente ya amortizado, y también se incrementará el resultado
fiscal respecto al contable con ocasión de la transmisión de los elementos que
disfrutaron de libertad de amortización, por el importe de la libertad de amortización aplicada.

A los supuestos previstos en el artículo 12.3 LIS debemos añadir otros supuestos de libertad de amortización y de amortización acelerada, previstos en la normativa del impuesto, aunque nos remitimos a su estudio de detalle en los apartados correspondientes. Así, el artículo 90 LIS contempla la libertad de amortización para entidades mineras; el artículo 102 LIS la libertad de amortización con creación de empleo y el artículo 103 LIS la amortización acelerada de los elementos nuevos del inmovilizado material y de las inversiones inmobiliarias y del inmovilizado intangible, en ambos casos para las entidades de reducida dimensión; y la Disposición adicional cuarta la amortización acelerada de buques, embarcaciones y artefactos navales como parte de los incentivos fiscales para la renovación de la flota mercante.

EJEMPLO
LIBERTAD DE AMORTIZACIÓN

Una entidad farmacéutica dispone de un equipo médico que se encuentra afecto a un laboratorio donde se desarrolla la actividad de investigación de nuevos productos (actividad de I+D). El precio de adquisición ha sido de 230.000 euros y la empresa, aunque contablemente se amortiza al coeficiente máximo de tablas, se acoge fiscalmente a la libertad de amortización, imputando el gasto fiscal en su totalidad en el primer ejercicio.

Se pide calcular el importe de la amortización y contabilizar la amortización de los dos primeros años y los asientos de las diferencias.

Respuesta

Las tablas oficiales señalan para estos elementos un porcentaje máximo del 15 por ciento y una duración máxima de 14 años. Se decide amortizar contablemente con el coeficiente máximo del 15 por ciento.

Tabla de amortización contable y fiscal del equipo médico

AÑO	AMORTI-ZACIÓN CONTABLE	VALOR CONTA-BLE	AMORTI-ZACIÓN FISCAL	VALOR FISCAL	DIFEREN-CIA	VARIACIÓN DIFEREN-CIAS	PASIVO POR DIFE-RENCIAS
1	34500	195500	230000	0	-195500		195500
2	34500	161000	0	0	-161000	-195500	-34500
3	34500	126500	0	0	-126500	-161000	-34500
4	34500	92000	0	0	-92000	-126500	-34500
5	34500	57500	0	0	-57500	-92000	-34500
6	34500	23000	0	0	-23000	-57500	-34500
7	23000	0	0	0	0	-23000	-23000

Contabilización amortización primer año

POR LA AMORTIZACIÓN			
	CUENTA	DEBE	HABER
681	Amortización del inmovilizado material	34.500	
2813	Amortización acumulada maquinaria		34.500

Por la diferencia temporaria imponible en origen

POR LA DIFERENCIA EN ORIGEN			
6301	Impuesto diferido (195.500*0,25)	48.875	
479	Pasivos por diferencias temporarias imponibles		48.875

Contabilización amortización segundo año

POR LA AMORTIZACIÓN DEL SEGUNDO AÑO			
681	Amortización del inmovilizado material	34.500	
2813	Amortización acumulada maquinaria		34.500

Por la reversión en el segundo año de la parte correspondiente de la diferencia temporaria imponible

POR LA REVERSIÓN DE LA DIFERENCIA			
479	Pasivos por diferencias temporarias imponibles	8.625	
6301	Impuesto diferido (34.500*0,25)		8.625

2.1.3.4. *Amortizaciones contabilizadas en ejercicio diferente al que corresponden*

El PGC 07 sienta el criterio de la sistematización en la amortización. La norma fiscal traduce esta sistematización en el establecimiento de unas normas precisas para la contabilización, sentándose además el principio fundamental de no deducibilidad de los gastos que no hayan sido contabilizados.

Pero, ¿qué ocurre si los gastos son contabilizados en ejercicio distinto a aquél al que corresponden? El artículo 11 LIS establece, en su apartado 1, la regla general de imputación temporal, "los ingresos y los gastos se imputarán en el período impositivo en que se devenguen", y regula, en su apartado 3, unas normas de solución cuando no se haya cumplido:

– Los gastos contabilizados en un periodo anterior al de su devengo serán deducibles en el periodo al que correspondan de acuerdo con dicho criterio del devengo.

- Los gastos contabilizados en un periodo posterior al de su devengo serán deducibles en el periodo de su contabilización, salvo que de ello se derive una tributación inferior a la que hubiere correspondido por aplicación de las normas de imputación temporal. En caso de que se produzca una menor tributación, se imputarán al periodo que correspondan por su devengo.

Aparece una regla especial en la aplicación del artículo 11.3.1[er] párrafo LIS, en el último párrafo del apartado 1 del artículo 4 RIS, que establece unas condiciones adicionales, cuando se aplique el método de tablas, para permitir la deducción de la amortización contabilizada en un periodo posterior al de su devengo. Los requisitos exigidos son los siguientes:

- En un periodo anterior se debe haber contabilizado amortización, pero el importe de dicha amortización debe ser inferior al importe de la amortización mínima resultante de tablas.

- En un periodo posterior se debe contabilizar una amortización superior a la máxima resultante de las tablas.

Concurriendo estas circunstancias, el exceso sobre el máximo del periodo posterior podrá corresponderse con la menor amortización registrada en el periodo anterior, imputándose, en función del 11.3 LIS, al ejercicio de contabilización o al de devengo, si se produjera una menor tributación.

EJEMPLO

DEFECTO DE AMORTIZACIÓN EN UN EJERCICIO Y EXCESO EN OTRO POSTERIOR

Una entidad dedicada a las artes gráficas ha adquirido un equipo electrónico por 25.000 euros. Las tablas oficiales señalan para los equipos electrónicos un porcentaje máximo del 20 por ciento y una duración máxima de 10 años.

La entidad contabilizó en el primer ejercicio de utilización una amortización del 1.000 €, en el segundo, 4.000 €, y en el tercero, 6.500 €.

Respuesta

EJERCICIO	AMORTIZACIÓN MÁXIMA	AMORTIZACIÓN MÍNIMA	AMORTIZACIÓN CONTABLE	DEFECTO	EXCESO
1	5000	2500	1000	1500	
2	5000	2500	4000		
3	5000	2500	6000		1000

El exceso de amortización sobre la máxima permitida del tercer ejercicio podrá aplicarse al primero. El gasto se entenderá realizado en el ejercicio de su contabilización (tercero), salvo que ello ocasione una menor tributación, en cuyo caso deberá imputarse al ejercicio al que corresponde de acuerdo con la regla del devengo (primero)

2.1.3.5. *Cambios de criterio y estimaciones contables*

La NRV 2ª dispone que los cambios que, en su caso, pudieran originarse en el valor residual, la vida útil y el método de amortización de un activo, se contabilizarán como cambios en las estimaciones contables, salvo que se tratara de un error.

Esta mención introduce dos cuestiones de gran relevancia. En primer lugar, la diferenciación entre los cambios de estimaciones y los errores, con su diferente tratamiento en la NRV 22ª. Los cambios en las estimaciones contables son mejores evidencias obtenidas sobre los elementos que nos determinan el importe de la amortización. La más evidente de las referidas al inmovilizado material, con el PGC 07, es la variación en la estimación de los costes de desmontaje que deben ser previstos en el momento de adquisición del activo. Otras que podríamos considerar serían modificaciones sobrevenidas en el valor de los activos, debidas a cambios en la estimación razonable realizada por la empresa. En todos estos casos, debe modificarse prospectivamente la amortización, en función del nuevo valor y vidas útiles determinados.

Los errores, por el contrario, son simples fallos en la contabilización, en los que no se han aplicado correctamente las normas que determinan la contabilización. El PGC 07 suprimió la cuenta 679 del PGC 90, "Gastos y pérdidas de ejercicios anteriores", cargándose estos gastos a una cuenta de reservas. ¿Supone la no contabilización del gasto en una cuenta de gastos la pérdida fiscal de este? Pues no, ya que el artículo 11.3 LIS como requisito para la deducción fiscal de los gastos que hayan sido imputados contablemente en la cuenta de pérdidas y ganancias o en una cuenta de reservas, si así lo establece la norma contable. Cuestión diferente es el periodo al que deberán imputarse dichos gastos, aplicándose el citado apartado 3 del artículo 11 LIS, tal y como detallaba en el comentario del artículo 11 LIS, al que nos remitimos.

La segunda cuestión que se deriva de este principio se refleja en el propio PGC 07, que exige, en aquellos casos en los que se haya corregido el valor de un activo por deterioro, que la amortización de los ejercicios futuros se calcule sobre el valor deteriorado de dicho bien.

Genera esta previsión un problema adicional, en la medida que los deterioros de los elementos de inmovilizado material e inversiones inmobiliarias no son deducibles fiscalmente, mientras que al disminuirse el gasto contable puede parecer que, por falta de inscripción contable, se esté minorando doblemente el gasto fiscal.

A nuestro juicio, aunque contablemente se disminuya la amortización del bien deteriorado, fiscalmente seguirá siendo deducible el mismo importe de la misma que si no se hubiera deteriorado. No cabe entender que el gasto no se encuentra contabilizado, pues, aunque no como amortización, se encuentra registrado contablemente como deterioro.

2.1.3.6. *Criterios aplicables a la amortización de determinados elementos*

La NRV 3ª recoge determinadas normas particulares aplicables a elementos de inmovilizado material. Alguno de ellos tiene incidencia directa en la amortización.

2.1.3.6.1. Terrenos

Resulta generalmente aceptado que los terrenos no se amortizan, dado que su vida es ilimitada. Manifestación de este hecho se recoge en el apartado 2 del artículo 3 RIS, que excluye la amortización de los terrenos en las construcciones, debiendo separarse en todo caso el valor de éste, en la forma indicada anteriormente en este comentario.

No obstante, reconocen tanto el PGC 07 como la Resolución del ICAC de 1/3/ 13 la posibilidad de que terrenos o parte de los mismos tengan una vida útil limitada. En tal caso, los terrenos serán amortizables. Cumplen esta condición canteras, minas, escoriales o yacimientos, ya sea por la vida esperada de la explotación o por la duración de la concesión. Este gasto contable por la amortización de terrenos será también gasto fiscal, al responder al concepto general de vida útil limitada que requiere la aceptación de la amortización.

Adicionalmente, también reconoce la contabilidad la posibilidad de que el coste de adquisición de los terrenos recoja gastos de acondicionamiento (se cita, a título de ejemplo, cierres, movimiento de tierras, obras de saneamiento y drenaje, gastos de derribo de construcciones, cuando sea necesario para poder efectuar obras de nueva planta, los gastos de inspección y levantamiento de planos cuando se efectúen con carácter previo a su adquisición) y el valor actual de costes de rehabilitación, que por su naturaleza o por su duración limitada en el tiempo, son amortizables. Igualmente, este gasto contable por la amortización de terrenos será gasto fiscal.

EJEMPLO

AMORTIZACIÓN DE TERRENOS

Una empresa adquiere un terreno por 200.000 euros. Como quiera que sobre dicho terreno se piensa instalar un aparcamiento a cielo descubierto, la empresa decide asfaltarlo, con un coste de 27.000 euros.

Respuesta

Las obras de pavimentado tienen una duración limitada, por lo que son amortizables. Las tablas oficiales de amortización les fijan un coeficiente máximo de amortización del 6 por ciento y una duración máxima de 34 años. La empresa decide aplicar el 4 por ciento

Registro de la adquisición

POR LA ADQUISICIÓN			
CUENTA		DEBE	HABER
210	Terrenos	227.000	
173	Proveedores de inmovilizado, largo plazo		227.000

POR LA AMORTIZACIÓN			
681	Amortización del inmovilizado material	1.080	
2813	Amortización acumulada maquinaria		1.080

2.1.3.6.2. Utensilios y herramientas

El PGC 07 distingue entre aquellos utensilios y herramientas que, no formando parte de una máquina, tengan una duración inferior al año, que se considerarán gasto del ejercicio, y los que tengan una duración superior, en los que aunque se trata de inmovilizado, recomienda sustituir su amortización por un recuento físico, llevando los cambios en inventario directamente a pérdidas y ganancias y estimando, en su caso, el posible deterioro. La Resolución 1/3/13 matiza este criterio, señalando que las piezas que se adquieran con el objetivo de mantener un nivel de repuestos de seguridad de elementos concretos, se registrarán junto con los bienes que vayan a sustituir y se someterán al mismo proceso de amortización, por lo que el método de recuento restaría para las demás herramientas.

Para determinar la eficacia fiscal de este criterio, debemos tener presente que, aunque no existe regla especial fiscal que corrija el criterio contable, existe un principio general fiscal de deducibilidad de la depreciación sistemática del inmovilizado por la amortización y no por el mero recuento físico de existencias. No obstante, dado que existe idéntico principio contable, que se exceptúa en este caso, resulta lógico otorgarle efectos fiscales a la norma contable.

2.1.3.6.3. Renovaciones, ampliaciones o mejoras

La renovación se define como el conjunto de operaciones mediante las que se recuperan las características iniciales del bien objeto de renovación. La ampliación consiste en un proceso mediante el cual se incorporan nuevos elementos a un inmovilizado, obteniéndose como consecuencia una mayor capacidad productiva. La mejora es el conjunto de actividades mediante las que se produce una alteración en un elemento del inmovilizado, aumentando su anterior eficiencia productiva.

Los costes de renovación, ampliación o mejora de los bienes del inmovilizado material, prevé la Resolución ICAC de 1/3/13, que se registren como mayor valor del inmovilizado material, siempre que se cumplan las condiciones para su reconocimiento previstas en el PGC, esto es, cuando supongan un aumento de su capacidad, productividad o alargamiento de su vida útil. Simultáneamente se dará de baja, en su caso, los elementos sustituidos, con su amortización acumulada y los posibles deterioros de valor, registrándose, en su caso, el correspondiente resultado producido en esta operación.

El artículo 3.4 RIS establece para la amortización de renovaciones, ampliaciones o mejoras que el valor incorporado al del activo debe amortizarse durante los períodos impositivos que resten para completar la vida útil de los elementos patrimoniales a los que se han incorporado, proporcionalmente al porcentaje que suponga la amortización del periodo respecto del valor del bien en el momento de realizarse estas operaciones. Es decir, la amortización de renovaciones, ampliaciones o mejoras se determinará, con carácter general, aplicando al valor de estas operaciones una fracción en cuyo numerador estará el importe de la amortización del ejercicio del elemento renovado o mejorado y en su denominador el valor de elemento al comienzo del ejercicio.

En los supuestos que las mejoras supongan un alargamiento de la vida útil, dispone el citado precepto, que deberemos tener presente dicho alargamiento de la vida útil tanto para el cálculo de la amortización del elemento como de la mejora, que deberemos tratar contablemente como una modificación de las estimaciones contables.

EJEMPLO
RENOVACIÓN

Adquirimos el 1/1/x0, un conjunto formado por una cabeza tractora y un remolque, por 120.000 €. La cabeza tractora tienen una vida estimada de 5 años y el remolque de nueve años. Sus valores respectivos se estiman en 90.000 y 30.000 €. Se amortiza por el método de los números dígitos.

Al inicio del cuarto año, la cabeza se somete a una renovación, con un coste de 40.000 €, lo que supone un alargamiento en la vida estimada de 4 años (total, 9 años). El elemento sustituido, cuyo valor se cuantifica en un 50% del coste original, se vende como motor fijo por un precio de 7.000 €.

Respuesta

En primer lugar calcularemos la amortización correspondiente a cada elemento:

Cabeza tractora

AÑO	PORCENTAJE	AMORTIZACIÓN
1	5/15	30.000
2	4/15	24.000
3	3/15	18.000
4	2/15	12.000
5	1/15	6.000

Remolque

AÑO	PORCENTAJE	AMORTIZACIÓN
1	9/45	6.000,00
2	8/45	5.333,33
3	7/45	4.666,67
4	6/45	4.000,00
5	5/45	3.333,33
6	4/45	2.666,67
7	3/45	2.000,00
8	2/45	1.333,33
9	1/45	666,67

A continuación, registramos la compra, diferenciando los dos elementos con vida útil diferente. Al final del ejercicio, registraremos la amortización de ambos

POR LA ADQUISICIÓN			
	CUENTA	DEBE	HABER
218	Elemento de transporte, cabeza	90.000	
218	Elemento de transporte, remolque	30.000	
572	Bancos		120.000

A final del año amortizamos ambos elementos

POR LA AMORTIZACIÓN			
681	Amortización del inmovilizado material	36.000	
2813	Amortización acumulada elemento de transporte, cabeza		30.000
2813	Amortización acumulada elemento transporte, remolque		6.000

Llegado el fin del 3º ejercicio tenemos la cabeza con un valor contable y fiscal de 18.000, que sometemos a una renovación, que cumple los requisitos para su registro en el activo. Además, enajenamos la parte correspondiente del activo renovado que ha sido sustituida.

POR LA RENOVACIÓN			
218	Elemento de transporte, renovación cabeza	40.000	
572	Bancos		40.000

POR LA BAJA DEL ELEMENTO SUSTITUIDO			
2813	Amortización acumulada elemento de transporte, cabeza	36.000	
572	Bancos	7.000	
671	Pérdida procedente de inmovilizado material	2.000	
218	Elemento de transporte, cabeza		90.000

Como consecuencia de estas operaciones, se alarga la vida útil, siendo la nueva amortización la siguiente:

AÑO	PORCENTAJE	AMORTIZACIÓN	AMORTIZACIÓN RENOVACIÓN
1	5/15	3.000	13.333
2	4/15	2.400	10.667
3	3/15	1.800	8.000
4	2/15	1.200	5.333
5	1/15	600	2.667

A final del año amortizamos todos los elementos

POR LA AMORTIZACIÓN			
681	Amortización del inmovilizado material	20.333	
2813	Amortización acumulada elemento de transporte, cabeza		3.000
2813	Amortización acumulada elemento transporte, renovación cabeza		13.333
2813	Amortización acumulada elemento transporte, remolque		4.000

2.1.3.6.4. Grandes reparaciones

De manera similar a lo acontecido con los costes de rehabilitación o desmantelamiento, el PGC 07 ha optado por incorporar el coste de las grandes reparaciones como un elemento más de la amortización. Ahora bien, frente a la falta de efecto en el resultado contable del cambio de criterio relativo a los costes de rehabilitación, con los costes de grandes reparaciones se ha producido un desplazamiento hacia atrás en el tiempo de los gastos.

La nueva operativa impone diferenciar en el coste de adquisición o producción de un activo que debe someterse a una gran reparación, en el momento de su adquisición, la parte del mismo que debe ser objeto de la gran reparación. Si no pudiera determinarse, se podrá estimar mediante la valoración del precio actual del importe de la reparación similar. Ambos componentes serán objeto de amortización independiente, la reparación en el periodo mediante hasta que deba efectuarse y el importe restante del bien en su vida útil.

Al realizarse la gran reparación, su coste se incorporará al inmovilizado como una sustitución y se dará de baja cualquier importe asociado a la reparación que permaneciese en el valor del activo.

Fiscalmente, no existe excepción a la aplicación de este criterio, por lo que cabe entenderlo aplicable.

EJEMPLO
GRANDES REPARACIONES

Una empresa invierte en la instalación de un equipo de cogeneración de energía 1.000.000 €. Su coeficiente máximo de amortización es del 10% y su periodo máximo de 20 años. Los equipos deben ser objeto de una revisión cada 5 años, cuyo importe se estima en 200.000 euros. Al llegar al quinto año se satisface la reparación, con un coste de 220.000 euros.

Respuesta

Se registra la adquisición de la instalación técnica, diferenciando en la misma, a efectos de su amortización, dos componentes: el de la reparación, que se amortizará en 5 años y el del resto de la instalación, que se amortizará en el periodo que elija la empresa. En este caso, suponemos que elige 10 años.

Luego la amortización será anual será:

200.000/5=40.000

800.000/10= 80.000

POR LA ADQUISICIÓN			
	CUENTA	DEBE	HABER
212	Instalaciones técnicas	800.000	
212	Instalaciones técnicas (Gran reparación)	200.000	
572	Bancos		1.000.000

A final del año amortizamos ambos elementos

POR LA AMORTIZACIÓN			
	CUENTA	DEBE	HABER
681	Amortización del inmovilizado material	120.000	
2813	Amortización acumulada instalaciones técnicas		80.000
2813	Amortización acumulada instalaciones técnicas (GRAN REPARACIÓN)		40.000

Al fin del quinto ejercicio, satisfacemos la reparación, que importa 220.000 euros, registrándolo como si de una sustitución de inmovilizado se tratara, y damos de baja el importe anterior

POR LA GRAN REPARACIÓN			
212	Instalaciones técnicas	220.000	
572	Bancos		220.000
POR LA BAJA DEL INMOVILIZADO CORRESPONDIENTE A LA REPARACIÓN			
2813	Amortización acumulada instalaciones técnicas (Gran reparación)	200.000	
212	Instalaciones técnicas		200.000

2.1.3.6.5. Inversiones en bienes arrendados

Es práctica normal que, con ocasión del arrendamiento de bienes, se realicen inversiones en el propio bien o en elementos conexos. El PGC 07 ha modificado la forma de contabilizar los arrendamientos en los que las utilidades del bien arrendado quedan afectas mayoritariamente al arrendatario, a los que denomina arrendamientos operativos, y en los que el bien arrendado se registra como un inmovilizado según la naturaleza del bien.

En estos casos, dispone la NRV 3ª, las inversiones que se realicen en el bien arrendado y que cumplan las condiciones para ser registradas como activos, se contabilizarán como activo material según su naturaleza. Su amortización se realizará en función de su vida útil, que no podrá ser superior a la duración del contrato de arrendamiento, con los eventuales períodos de renovación, cuando existan evidencias de que se van a producir.

Fiscalmente, no se realiza mención a esta amortización de las inversiones en bienes arrendados. Una interpretación literal de la normativa conllevaría que esta amortización solo pueda tener cabida mediante la aprobación de un Plan por la Administración. A nuestro juicio, debe hacerse una interpretación finalista y considerar que, aunque no mencionado expresamente, cabe incluir este supuesto dentro de la previsión de una vida útil acortada de los bienes.

EJEMPLO

INVERSIÓN EN BIENES ARRENDADOS

Una empresa ha alquilado un local comercial para el desarrollo de su actividad. La duración del arrendamiento es de 5 años. Se va a instalar en el mismo mobiliario, por valor de 20.000 euros y con una vida útil de 10 años, y aparatos industriales, por valor de 30.000 euros y con una vida útil de 7 años. De acuerdo con los términos del contrato de arrendamiento, tanto el mobiliario como los aparatos deben quedarse en el local al finalizar el contrato.

Respuesta

De acuerdo con lo expuesto, estos bienes deberán registrarse como los activos correspondientes y amortizarse en la duración del arrendamiento.

POR LA ADQUISICIÓN			
213	Maquinaria	30.000	
216	Mobiliario	20.000	
572	Bancos		50.000
POR LA AMORTIZACIÓN			
681	Amortización del inmovilizado material	10.000	
2813	Amortización acumulada maquinaria (30.000/5)		6.000
2816	Amortización acumulada de mobiliario (20.000/5)		4.000

2.2. Inmovilizado intangible

2.2.1. Concepto de inmovilizado intangible

Se recoge en las inmovilizaciones intangibles aquellos activos no monetarios, sin apariencia física, susceptibles de valoración económica, que son utilizados por la empresa o contribuyen a las actividades durante un periodo superior a un ejercicio.

En el cuadro de cuentas se citan las categorías principales de inmovilizados intangibles, aunque además de estos el PGC 07 cita que pueden existir otros, para los que se abrirán cuentas específicas del subgrupo. Las cuentas citadas en el PGC 07 son:

a. Investigación (200)

Es la indagación original y planificada que persigue descubrir nuevos conocimientos y superior comprensión de los existentes en los terrenos científico o técnico. Contiene los gastos de investigación activados por la empresa.

Fiscalmente se propone el mismo concepto de la investigación en el artículo 35 LIS, habiendo sido una cuestión muy conflictiva con la Administración. Actualmente se han superado las divergencias por la remisión que efectúa dicho precepto a un informe motivado emitido por el Ministerio de Economía y Competitividad o por un organismo adscrito a éste, relativo al cumplimiento de los requisitos científicos y tecnológicos exigidos en para calificar las actividades del sujeto pasivo como investigación.

b. Desarrollo (201)

Es la aplicación concreta de los logros obtenidos de la investigación o de cualquier otro tipo de conocimiento científico, a un plan o diseño en particular para la producción de materiales, productos, métodos, procesos o sistemas nuevos, o sustancialmente mejorados, hasta que se inicia la producción comercial.

Igualmente se contiene la misma definición en el ámbito fiscal en el artículo 35 LIS, remitiéndose también al informe motivado emitido por el Ministerio de Economía y Competitividad o por un organismo adscrito a éste para la acreditación del cumplimiento de dichos requisitos.

c. Concesiones administrativas (202)

Son los gastos efectuados para la obtención de derechos de investigación o de explotación otorgados por el Estado u otras Administraciones Públicas, o el precio de adquisición satisfecho al concesionario que la transmita, en aquellas concesiones susceptibles de transmisión.

No se incluyen dentro de esta partida los activos materiales afectos a los servicios explotados por la concesión, que se contabilizan en la cuenta correspondiente de inversiones materiales, amortizándose en el periodo de concesión, si fuera inferior a su vida útil.

d. Propiedad industrial (203)

Recoge el importe satisfecho por la propiedad o por el derecho al uso o a la concesión del uso de las distintas manifestaciones de la propiedad industrial, en los casos en que, por las estipulaciones del contrato, deban inventariarse por la empresa adquirente. Este concepto incluye, entre otras, las patentes de invención, los certificados de protección de modelos de utilidad pública y las patentes de introducción.

Esta cuenta comprenderá también los gastos realizados en desarrollo cuando los resultados de los respectivos proyectos emprendidos por la empresa fuesen positivos y, cumpliendo los necesarios requisitos legales, se inscriban en el correspondiente Registro.

e. Fondo de comercio (204)

Económicamente se ha identificado el fondo de comercio como la expectativa de negocio futuro que tiene una empresa, basada en su organización, nombre comercial, conocimiento del mercado u otras circunstancias no identificadas con el conjunto de bines y derechos afectos a la explotación. El PGC 07 únicamente recoge la posibilidad de reconocer un fondo de comercio con ocasión de las combinaciones de negocio. En estos casos, el fondo de comercio es el exceso, en la fecha de adquisición, del coste de la combinación de negocios sobre el correspondiente valor de los activos identificables adquiridos menos el de los pasivos asumidos. En consecuencia, el fondo de comercio sólo se reconocerá cuando haya sido adquirido a título oneroso y el mayor valor satisfecho no pueda identificarse con una plusvalía tácita correspondiente a otro activo identificado.

También puede existir un fondo de comercio en el balance, aun sin haber pagado dicho exceso en una combinación de negocios, cuando se haya adquirido una empresa (es decir, cuando haya existido otra combinación de negocios) y entre los elementos que figuran en la misma se encuentre un fondo de comercio puesto de manifiesto en una combinación de negocios anterior.

f. Derechos de traspaso (205)

Es el importe satisfecho a un arrendatario anterior por la empresa para subrogarse en los derechos y obligaciones derivados del arrendamiento de locales. Ocasionalmente, en estas subrogaciones, pueden satisfacerse cantidades al arrendador.

g. Aplicaciones informáticas (206)

Es el importe satisfecho por la propiedad o por el derecho al uso de programas informáticos tanto adquiridos a terceros como elaborados por la propia empresa. También incluye los gastos de desarrollo de las páginas web, siempre que su utilización esté prevista durante varios ejercicios

Además de los mencionados, la Resolución de 28 de mayo de 2013, del ICAC, por la que se dictan normas de registro, valoración e información a incluir en la memoria del inmovilizado intangible, cita otros elementos del activo que cabe calificar como intangibles:

- Contratos de franquicia.
- Derechos de emisión gases efecto invernadero
- Derechos de adquisición de jugadores.
- Derechos de participación en competiciones deportivas.
- Derechos sobre organización de acontecimientos deportivos.
- Derechos replantación empresas vitivinícolas

2.2.2. Valoración inicial

2.2.2.1. Criterios generales

La NRV 5ª se remite, con carácter general, a la NRV 2ª, relativa al inmovilizado material, para el reconocimiento de los inmovilizados intangibles. Se establece, además, dos criterios adicionales a cuyo cumplimiento se condiciona el registro contable de los intangibles:

a) Que el activo sea separable, esto es, susceptible de ser separado de la empresa y vendido, cedido, entregado para su explotación, arrendado o intercambiado.

b) Que el activo surja de derechos legales o contractuales, con independencia de que tales derechos sean transferibles o separables de la empresa o de otros derechos u obligaciones.

Se dispone, además, que en ningún caso se reconocerán como inmovilizados intangibles los gastos ocasionados con motivo del establecimiento, las marcas, cabeceras de periódicos o revistas, los sellos o denominaciones editoriales, las listas de clientes u otras partidas similares, que se hayan generado internamente. Se permite, por tanto, el reconocimiento de estos elementos cuando sean adquiridos a terceros y cumplan además los requisitos mencionados anteriormente.

La citada Resolución del ICAC de 28/5/13 explicita los requisitos para el registro de los intangibles, mencionado que deberá apreciarse de forma especial que sea probable la obtención a partir del mismo de beneficios o rendimientos económicos para la empresa en el futuro; y que el intangible se pueda valorar de manera fiable; estableciendo, adicionalmente, que se debe cumplir el criterio de identificabilidad, lo cual implica que el activo reúna alguno de los siguientes requisitos: ser separable, es decir, susceptible de ser separado de la entidad y vendido, cedido, dado en explotación, arrendado o intercambiado, o debe surgir de derechos legales o contractuales, con independencia de que tales derechos sean transferibles o separables de la empresa o de otros derechos u obligaciones.

EJEMPLO
VALORACIÓN INICIAL DE INMOVILIZADO INTANGIBLE CON ACTIVACIÓN DE GASTOS

Una empresa que trabaja en el sector de defensa está desarrollando un nuevo visor para aviones de combate, basado en una tecnología más avanzada a cualquier sistema presente en la actualidad.

El equipo de desarrollo ha devengado los siguientes gastos:

– Gastos de personal: 1.000.000 euros.

– Suministros: 200.000

– Amortizaciones de inmovilizado empleado: 300.000.

Además, con el objeto de financiar la actividad, la empresa ha suscrito un préstamo a cuatro años, por importe 1.500.000 euros, que devenga un interés anual del 8 por ciento.

El programa se encuentra concluido a fin del ejercicio y se conoce que el Ministerio de Defensa ha considerado el proyecto de uniformidad para el Ejército del Aire.

Respuesta

Para la determinación del coste de producción deben incluirse todos los costes, directos e indirectos, vinculados al programa, así como los intereses de los créditos específicos obtenidos. En primer lugar, se contabilizarán los gastos por naturaleza, activándose posteriormente el intangible.

POR LA OBTENCIÓN DEL PRÉSTAMO			
	CUENTA	DEBE	HABER
572	Bancos	1.500.000	
170	Deudas a largo plazo con entidades de crédito		1.500.000

A continuación, y a medida que se produjeran reconoceríamos los gastos por naturaleza

POR LOS GASTOS DE PERSONAL			
640	Sueldos y salarios	1.000.000	
572	Bancos		1.000.000

POR LOS SUMINISTROS			
628	Suministros	200.000	
572	Bancos		200.000

POR LA AMORTIZACIÓN			
681	Amortización de inmovilizado material	300.000	
281	Amortización acumulada de inmovilizado material		300.000

POR LOS INTERESES DEL PRÉSTAMO			
662	Intereses de deudas	120.000	
572	Bancos		120.000

Finalmente activaríamos todos los gastos, reconociendo el intangible. Dado que su activación se produce a fin de año, no amortizamos, aunque existen motivos fundados de éxito económico. Diferenciaremos en la activación entre los gastos activados que deben aplicarse al margen neto y los gastos financieros, que deben aplicarse al resultado financiero, según postula la consulta num. 3, Boicac nº 75 de septiembre de 2008.

POR LA ACTIVACIÓN DEL INTANGIBLE			
200	Investigación	1.620.000	
730	Trabajos realizados para el inmovilizado intangible		1.500.000
7691	Incorporación al activo de gastos financieros		120.000

2.2.2.2. *Criterios específicos para la valoración de determinados elementos*

La NRV 6ª recoge criterios específicos aplicables al reconocimiento de determinados inmovilizados intangibles.

2.2.2.2.1. Investigación y desarrollo

Con carácter general, el PGC 07 considera que los gastos de investigación deben ser gastos del ejercicio en que se realicen. Permite, no obstante, su activación en los casos en los que se cumplan las siguientes condiciones:

– Estar específicamente individualizados por proyectos y su coste claramente establecido para que pueda ser distribuido en el tiempo.

– Tener motivos fundados del éxito técnico y de la rentabilidad económico-comercial del proyecto o proyectos de que se trate.

Las mismas normas se exigen para la activación de los gastos de desarrollo.

2.2.2.2.2. Fondo de comercio

Según recoge la NRV 6ª PGC, en su redacción dada por el RD 602/2016, sólo podrá figurar en el activo cuando su valor se ponga de manifiesto en virtud de una adquisición onerosa, en el contexto de una combinación de negocios. Su importe se determinará de acuerdo con lo indicado en la norma relativa a combinaciones de negocios (existencia de un coste en la combinación de negocios superior al valor razonable del conjunto de activos recibidos, por lo que no puede asignarse el mayor importe satisfecho a ningún elemento de los adquiridos) y deberá asignarse desde la fecha de adquisición entre cada una de las unidades generadoras de efectivo o grupos de unidades generadoras de efectivo de la empresa, sobre los que se espere que recaigan los beneficios de las sinergias de la combinación de negocios.

2.2.3. Amortización

Distinguía el PGC 07 los elementos de inmovilizado intangible con vida útil definida, que consideraba amortizables, y los elementos de vida útil indefinida, que no se consideraban amortizables. La vida útil se reputaba indefinida cuando, sobre la base de un análisis de todos los factores relevantes, no hubiera un límite previsible del período a lo largo del cual se esperaba que el activo generase entradas de flujos netos de efectivo para la empresa. En caso contrario, los inmovilizados intangibles se consideraban con vida útil definida.

En cuanto a los elementos del inmovilizado intangible con una vida útil definida, el PGC señalaba que serían objeto de amortización, sin que concretase el método que resultaba aplicable, más allá de la genérica remisión a las normas aplicable a los inmovilizados materiales.

Esta situación se vio alterada por la Ley 22/2015, de 20 de julio, de Auditoría de Cuentas, que ha modificado el artículo 39 C de C, estableciendo que, a partir del 1/1/16, todos los inmovilizados intangibles son activos de vida útil definida, por lo tanto, amortizables.

El Real Decreto 602/2016 ha modificado la NRV 5ª PGC, recibiendo el cambio normativo al que hacíamos referencia. Así, se considera que todos los inmovilizados intangibles son activos de vida útil definida y, por lo tanto, deberán ser objeto de amortización sistemática en el periodo durante el cual se prevé, razonablemente, que los beneficios económicos inherentes al activo produzcan rendimientos para la empresa. Cuando la vida útil de estos activos no pueda estimarse de manera fiable se amortizarán en un plazo de diez años, sin perjuicio de los plazos establecidos en las normas particulares sobre el inmovilizado intangible. En todo caso, al menos anualmente, deberá analizarse si existen indicios de deterioro de valor para, en su caso, comprobar su eventual deterioro.

El mencionado Real Decreto 602/2016 ha previsto, en particular, que el fondo de comercio se amortizará durante su vida útil; vida útil que se determinará de forma separada para cada unidad generadora de efectivo a la que se le haya asignado fondo de comercio. Se presumirá, salvo prueba en contrario, que la vida útil del fondo de comercio es de diez años y que su recuperación es lineal.

Fiscalmente, se ha recibido en el artículo 12.2 LIS (redactado por la citada Ley 22/2015, vigente a partir del 1/1/16) que todos los activos intangibles son amortizables. Cuando la vida útil pueda determinarse, se amortizarán en su vida útil. Cuando la vida útil no pueda estimarse de manera fiable, la amortización será deducible con el límite anual máximo de la veinteava parte de su importe (contablemente es la décima parte). La amortización del fondo de comercio será deducible con el límite anual máximo de la veinteava parte de su importe (contablemente también se propone el plazo de 10 años).

Otra cuestión cabe derivar de este precepto. Aunque el artículo 12.1 LIS establece que los intangibles son amortizables por cualquiera de los métodos previstos en el citado apartado, es decir, tablas, porcentaje constante, números dígitos, plan y depreciación justificada; la integración de este precepto con el apartado 2 del mismo artículo determina que solo inmovilizado intangible con vida útil definida podrá aplicar los citados métodos, en la medida que para el Fondo de Comercio y para los intangibles cuya vida útil no pueda estimarse de manera fiable se aplicará una amortización lineal y al porcentaje del 5%.

La consideración como amortizable para todos los activos intangibles ha supuesto la desaparición del artículo 13.3 LIS, que establecía un mecanismo de deterioro "sistemático" del precio de adquisición de los activos intangibles de vida útil indefinida, incluido el fondo de comercio, con el límite anual máximo de la veinteava parte de su importe. Este deterioro, estrictamente fiscal, no se condicionaba a su imputación contable en la cuenta de pérdidas y ganancias y las cantidades deducidas minoraban, a efectos fiscales, el valor del correspondiente inmovilizado intangible. Se trataba, pues, de una auténtica amortización encubierta, que traía precedente de la Ley 16/2007 y de su voluntad declarada de no alterar el resultado fiscal como consecuencia de los cambios habidos con el nuevo PGC. Con la consideración, nuevamente, como activos amortizables de los intangibles cuya vida no se encuentre estrictamente definida, se pone fin a esta "rareza" tributaria.

EJEMPLO
AMORTIZACIÓN DE INTANGIBLES

Una empresa adquiere a un tercero por 50.000 € una patente de una fórmula química, con una duración de 5 años, y por 40.000 € una marca comercial, cuya duración no se encuentra limitada temporalmente.

Respuesta

En este caso, la patente cuenta con una vida útil definida, mientras que la marca no tiene una vida útil que pueda estimarse con precisión. En consecuencia la patente será amortizable contablemente en su vida útil y por cualquiera de los medios previstos en el artículo 12.1 LIS (en este caso se optará por el método lineal) mientras que la marca será amortizable en 10 años linealmente.

Fiscalmente se aplica el mismo criterio para la patente, mientras que la marca será amortizable al 5%.

De acuerdo con lo expuesto, contabilizamos

POR LA ADQUISICIÓN DEL INTANGIBLE			
	CUENTA	DEBE	HABER
203	Propiedad industrial, patente	50.000	
203	Propiedad industrial, marca	40.000	
572	Bancos		90.000

POR LA AMORTIZACIÓN			
671	Amortización de inmovilizado intangible	14.000	
271	Amortización acumulada de inmovilizado intangible, patente		10.000
271	Amortización acumulada de inmovilizado intangible, marca		4.000

Al ser inferior la amortización fiscal a la contable, procede registrar la diferencia temporaria deducible

POR LA DIFERENCIA TEMPORARIA DEDUCIBLE EN ORIGEN			
4740	Activos por diferencias temporarias deducibles	500	
6301	Impuesto diferido (2.000*0,25)		500

3. REGÍMENES TRANSITORIOS

3.1. Amortización de inmovilizado material, intangible e inversiones inmobiliarias en 2013 y 2014

La Ley 16/2012 estableció diversas medidas tributarias transitorias. Entre ellas se estableció que las entidades que no fueran empresas de reducida dimensión (es decir, que no ejercieran actividades económicas o que ejerciendo actividades económicas el importe de la cifra de negocios fuera igual o superior a 10 millones de euros) podrían deducir hasta un máximo del 70% de la amortización que hubiera resultado deducible de no estar vigente esta limitación.

La parte de amortización que no fuese deducible fiscalmente podría recuperarse bien linealmente en 10 años o bien, opcionalmente, en el periodo que restase de vida útil del bien a partir de 2015.

La DGT ha entendido, en consulta V3421-16, que cuando se haya optado por la deducción de forma lineal durante un plazo de 10 años, se seguirá este método de integración en la base imponible aun cuando el elemento patrimonial sea objeto de transmisión, por cuanto dicho método precisamente es ajeno a la vida útil del elemento patrimonial afectado; aunque, sin embargo, si ha optado por la integración durante la vida útil del elemento patrimonial, sí que se producirá la reversión de todos los importes pendientes en el supuesto de transmisión del elemento patrimonial a terceros.

Adicionalmente, la DT 37ª LIS ha previsto, para compensar la diferencia de tipos aplicables en las entidades que tributan al tipo de gravamen general, que las cantidades que se integren en la base imponible de periodos iniciados a partir de 1 de enero de 2015 tengan una deducción del 2%, mientras que las que se integren en la base imponible de periodos iniciados a partir de 1 de enero de 2016 (es decir, 2016 y posteriores) tengan una deducción del 5%.

EJEMPLO

Una entidad adquirió el 1-1-14 por 100.000 euros un EPI que amortizó linealmente al porcentaje máximo del 25%, aplicando la deducción fiscal del 70% prevista en la Ley 16/2012. En 2015 desea recuperar la parte correspondiente de la amortización no deducida, optando por aplicarla en la vida útil restante del bien.

Respuesta

POR LA ADQUISICIÓN DEL EPI			
	CUENTA	DEBE	HABER
203	Propiedad industrial, patente	100.000	
572	Bancos		100.000

POR LA AMORTIZACIÓN 2014			
	CUENTA	DEBE	HABER
681	Amortización de inmovilizado material	25.000	
281	Amortización acumulada de inmovilizado material		25.000

Al ser inferior la amortización fiscal deducible a la contable, procede registrar la diferencia temporaria deducible. Teniendo presente que la reversión de la misma se producirá un tercio en 2015 y dos tercios en 2016 y 2017 se contabiliza esta diferencia a los tipos a los que debe revertir.

POR LA DIFERENCIA TEMPORARIA DEDUCIBLE EN ORIGEN			
	CUENTA	DEBE	HABER
4740	Activos por diferencias temporarias deducibles	1.950	
6301	Impuesto diferido (2.500*0,28)+(5.000*0,25)		1.950

En 2015 se contabiliza la amortización y además se aplica la diferencia temporaria nacida por la limitación de la amortización en la vida útil restante, que es de tres años. El tipo de la reversión es el vigente en 2015, que es de un 28%.

POR LA AMORTIZACIÓN 2015			
	CUENTA	DEBE	HABER
681	Amortización de inmovilizado material	25.000	
281	Amortización acumulada de inmovilizado material		25.000

POR LA DIFERENCIA TEMPORARIA DEDUCIBLE EN REVERSIÓN EN 2015			
	CUENTA	DEBE	HABER
6301	Impuesto diferido (2.500*0,28)	700	
4740	Activos por diferencias temporarias deducibles		700

3.2. Aplicación de la tabla de amortización prevista en el artículo 12.1 LIS a los bienes adquiridos con anterioridad al 1-1-2015

La DT 13ª LIS establece una regla para regular como deben amortizarse los bienes que vinieran aplicando un coeficiente distinto con las tablas previstas como anexo del RIS, aprobado por Real Decreto 1777/2004, al que resulta de aplicación con las tablas previstas en el artículo 12.1 LIS.

Se establece que cuando se estuviera aplicando un coeficiente de amortización distinto al que corresponde con la nueva tabla de amortización, se amortizará el valor neto fiscal del bien a 1-1-15 en los períodos impositivos que resten de vida útil, considerando como vida útil la que resultara de aplicación de las nuevas tablas fiscales y teniendo presente que los años que ya se han amortizado.

Cabe destacar que esta disposición será de aplicación, generalmente, de forma conjunta con la reversión de la limitación de la amortización fiscal deducible por aplicación de la Ley 16/2012.

También se permite que aquellos contribuyentes que estuvieran aplicando un método de amortización distinto a tablas en períodos impositivos iniciados con anterioridad a 1 de enero de 2015 y, en aplicación de la tabla de amortización prevista en esta Ley les correspondiere un plazo de amortización distinto, podrán optar por aplicar el método de amortización lineal en el período que reste hasta finalizar su nueva vida útil, sobre el valor neto fiscal existente al inicio del primer período impositivo que comience a partir de 1 de enero de 2015.

Añade esta disposición transitoria que las adquisiciones de activos nuevos realizadas entre el 1 de enero de 2003 y el 31 de diciembre de 2004 aplicarán los coeficientes de amortización lineal máximos previstos en la LIS, multiplicados por 1,1.

EJEMPLO

Una entidad adquirió en 2014 un molde por 100.000 euros, que amortizaba como elemento común al coeficiente máximo de 25%. Por la limitación establecida en dicho ejercicio fiscalmente aplicó 17.500 euros, registrando la correspondiente diferencia temporaria. En 2015 las nuevas tablas le señalan un porcentaje de amortización del 50%.

Respuesta

La vida útil resultante de la nueva tabla es de 2 años. Como ya ha transcurrido un año, todo el valor neto fiscal será deducible este ejercicio. Aunque su valor neto contable es de 75.000 euros, su valor neto fiscal es de 82.500 euros, al haber aplicado la limitación de la deducción de la amortización. Por opción, podemos elegir revertir en 2015, último año de su vida útil, la totalidad de la diferencia que no fue deducible. El tipo de la reversión es el vigente en 2015, que es de un 28%.

POR LA AMORTIZACIÓN 2015			
	CUENTA	DEBE	HABER
681	Amortización de inmovilizado material	75.000	
281	Amortización acumulada de inmovilizado material		75.000

POR LA DIFERENCIA TEMPORARIA DEDUCIBLE EN REVERSIÓN			
	CUENTA	DEBE	HABER
6301	Impuesto diferido (7.500*0,28)	2.100	
4740	Activos por diferencias temporarias deducibles		2.100

Correcciones de valor: pérdida por deterioro del valor de los elementos patrimoniales

Javier María Bas Soria

Inspector de Hacienda del Estado. Doctor en Derecho

"1. *Serán deducibles las pérdidas por deterioro de los créditos derivadas de las posibles insolvencias de los deudores, cuando en el momento del devengo del Impuesto concurra alguna de las siguientes circunstancias:*

a) Que haya transcurrido el plazo de 6 meses desde el vencimiento de la obligación.

b) Que el deudor esté declarado en situación de concurso.

c) Que el deudor esté procesado por el delito de alzamiento de bienes.

d) Que las obligaciones hayan sido reclamadas judicialmente o sean objeto de un litigio judicial o procedimiento arbitral de cuya solución dependa su cobro.

No serán deducibles las siguientes pérdidas por deterioro de créditos:

1.º Las correspondientes a créditos adeudados por entidades de derecho público, excepto que sean objeto de un procedimiento arbitral o judicial que verse sobre su existencia o cuantía.

2.º Las correspondientes a créditos adeudados por personas o entidades vinculadas, salvo que estén en situación de concurso y se haya producido la apertura de la fase de liquidación por el juez, en los términos establecidos en la Ley 22/2003, de 9 de julio, Concursal.

3.º Las correspondientes a estimaciones globales del riesgo de insolvencias de clientes y deudores.

Reglamentariamente se establecerán las normas relativas a las circunstancias determinantes de la deducibilidad de las dotaciones por deterioro de los créditos y otros activos derivados de las posibles insolvencias de los deudores de las entidades financieras y las concernientes al importe de las pérdidas para la cobertura del citado riesgo. Dichas normas resultarán igualmente de aplicación en relación con la deducibilidad de las correcciones valorativas por deterioro de valor de los instrumentos de deuda valorados por su coste amortizado que posean los fondos de titulización hipotecaria y los fondos de titulización de activos a que se refieren las letras h) e i), respectivamente, del apartado 1 del artículo 7 de la presente Ley.

2. No serán deducibles:

a) Las pérdidas por deterioro del inmovilizado material, inversiones inmobiliarias e inmovilizado intangible, incluido el fondo de comercio.

b) Las pérdidas por deterioro de los valores representativos de la participación en el capital o en los fondos propios de entidades respecto de la que se den las siguientes circunstancias:

1.ª que, en el período impositivo en que se registre el deterioro, no se cumpla el requisito establecido en la letra a) del apartado 1 del artículo 21 de esta Ley, y

2.ª que, en caso de participación en el capital o en los fondos propios de entidades no residentes en territorio español, en dicho período impositivo se cumpla el requisito establecido en la letra b) del apartado 1 del citado artículo.

c) Las pérdidas por deterioro de los valores representativos de deuda.

Las pérdidas por deterioro señaladas en este apartado serán deducibles en los términos establecidos en el artículo 20 de esta Ley. En el supuesto previsto en la letra b) anterior, aquellas serán deducibles siempre que las circunstancias señaladas se den durante el año anterior al día en que se produzca la transmisión o baja de la participación".

DESARROLLO REGLAMENTARIO
REGLAMENTO DEL IMPUESTO SOBRE SOCIEDADES

Artículo 8. Ámbito de aplicación.

"Lo previsto en este capítulo será de aplicación a las entidades de crédito obligadas a formular sus cuentas anuales individuales de acuerdo con las normas establecidas por el Banco de España, así como a las sucursales de entidades de crédito residentes en el extranjero que operen en España.

Asimismo, resultará de aplicación a los fondos de titulización a que se refiere el título III de la Ley 5/2015, de 27 de abril, de fomento de la financiación empresarial, en relación con la deducibilidad de las correcciones valorativas por deterioro de valor de los instrumentos de deuda valorados por su coste amortizado".

Artículo 9. Cobertura del riesgo de crédito.

"1. Serán deducibles las dotaciones correspondientes a la cobertura del riesgo de crédito, hasta el importe de las cuantías mínimas previstas en las normas establecidas por el Banco de España.

2. No serán deducibles las dotaciones correspondientes a pérdidas respecto de los créditos que seguidamente se citan, excepto si son objeto de un procedimiento arbitral o judicial que verse sobre su existencia o cuantía:

a) Los adeudados o afianzados por entidades de derecho público.

b) Los garantizados mediante derechos reales, pactos de reserva de dominio y derecho de retención, cuando el objeto de los citados derechos reales sean viviendas terminadas.

No obstante, serán deducibles las dotaciones que se hubieran practicado en los casos de pérdida o envilecimiento de la garantía, así como las practicadas conforme a lo establecido en el apartado 17.b) del anejo IX de la Circular 4/2004, de 22 de diciembre, del Banco de España.

c) Los garantizados con depósitos dinerarios o contratos de seguro de crédito o caución.

d) Los que se hallen sujetos a un pacto o acuerdo interno de renovación, entendiéndose que tal sujeción se da cuando, con posterioridad a la aparición de las circunstancias determinantes del riesgo de crédito, el contribuyente conceda crédito al deudor.

No se considerará producida la renovación en los siguientes casos:

1.º Concesión de nuevas facilidades o renegociación de las deudas contraídas por los acreditados, residentes o no residentes, en el caso de procedimientos concursales, planes de viabilidad, reconversión o situaciones análogas.

2.º Concesión de facilidades financieras al deudor relacionadas exclusivamente con la financiación de sus ventas.

3.º Prórroga o reinstrumentación simple de las operaciones, efectuadas con el fin de obtener una mejor calidad formal del título jurídico sin obtención de nuevas garantías eficaces.

e) Los adeudados por personas o entidades vinculadas de acuerdo con lo establecido en el artículo 18 de la Ley del Impuesto, excepto si se hallan en situación de concurso, insolvencias judicialmente declaradas o en otras circunstancias debidamente acreditadas que evidencien una reducida posibilidad de cobro.

f) Los adeudados por partidos políticos, sindicatos de trabajadores, asociaciones empresariales, colegios profesionales y cámaras oficiales, salvo en los casos de procedimientos concursales, insolvencias judicialmente declaradas o concurrencia de otras circunstancias debidamente justificadas que evidencien unas reducidas posibilidades de cobro.

g) Los denominados subestándar del apartado 7 del anejo IX de la Circular 4/2004, de 22 de diciembre, en la parte que corresponda a operaciones con garantía real o cuyas dotaciones estarían excluidas de la deducción por incurrir en ellas algunas de las demás circunstancias descritas en los párrafos a) a f) anteriores, así como los garantizados por otras entidades del mismo grupo de sociedades en el sentido del artículo 42 del Código de Comercio, con independencia de la residencia y de la obligación de formular cuentas anuales consolidadas.

El importe deducible correspondiente a las demás operaciones no podrá exceder de la cobertura genérica que correspondería de haberse clasificado como riesgo normal, por aplicación del parámetro alfa a que se refiere el apartado 29.b) del anejo IX de la Circular 4/2004, de 22 de diciembre.

h) Tratándose de la cobertura del denominado riesgo-país, no serán deducibles las dotaciones relativas a:

1.º Los créditos y riesgos de firma garantizados indirectamente por cualquier tipo de operación comercial o financiera.

2.º La parte del crédito no dispuesta por el deudor.

3.º Los países incluidos en el grupo de países no clasificados, excepto en la parte que afecte a operaciones interbancarias.

3. No serán deducibles las dotaciones basadas en estimaciones globales, incluso estadísticas, del riesgo de crédito. No obstante, será deducible el importe de la cobertura genérica, que no se corresponda a riesgos contingentes, con el límite del resultado de aplicar el uno por ciento sobre la variación positiva global en el período impositivo de los instrumentos de deuda clasificados como riesgo normal a que se refiere el apartado 7.a) del anejo IX de la Circular 4/2004, de 22 de diciembre, excluidos los instrumentos de deuda sin riesgo apreciable, los valores negociados en mercados secundarios organizados, créditos cubiertos con garantía real y cuotas pendientes de vencimiento de contratos de arrendamiento financiero sobre bienes inmuebles. La cobertura genérica que corresponda a riesgos contingentes será deducible en la parte que se haya dotado por aplicación del parámetro alfa a que se refiere el apartado 29.b) de dicho anejo IX".

1. PÉRDIDAS POR DETERIORO

El deterioro puede definirse como una pérdida de valor de un elemento del activo, de carácter no permanente, por tanto, recuperable. Para lograr identificar plenamente los deterioros debemos diferenciarlo de otros conceptos próximos.

En cuanto pérdida de valor de los elementos de activo, podemos diferenciar tres conceptos. La amortización, como disminución de valor sistemática derivada del uso de los elementos patrimoniales y de carácter ni efectiva ni reversible; el deterioro, como pérdida extraordinaria de valor, ocasionada por una circunstancia no prevista, y de carácter reversible; y, finalmente, la pérdida, como desaparición total o parcial del activo como elemento generador de flujos de efectivo, de carácter no reversible

Como elemento compensador de un gasto futuro, los deterioros se acuñan en el PGC 07, diferenciando éste dos conceptos independientes que en el PGC 90 se contabilizaban como provisiones: las pérdidas de valor de los activos, denominadas deterioro, y los gastos indeterminados, por riesgos y responsabilidades surgidos en el ejercicio de las actividades, para los que se conserva el nombre de provisiones.

2. DETERIORO DE INMOVILIZADO MATERIAL E INVERSIONES INMOBILIARIAS

2.1. Reconocimiento del deterioro

El inmovilizado material, como todo elemento de activo, es susceptible de perder valor sobre el valor contable con el que figuran registrados. Esta pérdida puede ser total o parcial, y la parcial puede ser recuperable o no. Las pérdidas de valor parciales y recuperables constituyen los deterioros.

La NRV 2ª dispone que se producirá una pérdida por deterioro del valor de un elemento del inmovilizado material cuando su valor contable supere a su importe recuperable, entendido éste como el mayor importe entre su valor razonable menos los costes de venta y su valor en uso.

Para verificar si se ha producido un deterioro se impone el denominado "test de deterioro", que no es otra cosa que la comprobación de la existencia de posibles deterioros y que deberá efectuarse, al menos, al cierre del ejercicio.

Una novedad del PGC 07, con relevancia en el deterioro, es el concepto de unidad generadora de efectivo, definido como el grupo identificable más pequeño de activos que genera flujos de efectivo independientes. Resulta acertado, al determinar el posible deterioro en función del valor en uso, que el deterioro se estime en función de la integración de un elemento en una estructura productiva. En estos casos, el importe del deterioro se imputará proporcionalmente a todos los elementos integrados en la unidad generadora de efectivo.

Añade la NRV 2ª una regla especial cuando el deterioro se corresponda con una unidad generadora de efectivo en cuyo reconocimiento se hubiese asignado todo o parte de un fondo de comercio. Establece que, en el caso de que hubiese que reconocer un deterioro en dicha unidad generadora, se procederá, en primer lugar, a minorar el valor contable del fondo de comercio asignado a dicha unidad. Cuando el deterioro supere el valor contable de dicho fondo de comercio, se procederá a aplicar el deterioro al resto de activos, teniendo como límite el deterioro el valor contable de los activos (es decir, puede considerarse un deterioro de un valor superior al contable del activo deteriorado, hasta la suma de dicho valor y el de la parte del fondo de comercio asignado a dicha unidad generadora).

La remisión en bloque que la NRV 4ª realiza a los criterios aplicables al inmovilizado material determina que todo lo aplicable al deterioro del inmovilizado material sea igualmente aplicable a las inversiones inmobiliarias.

EJEMPLO

TEST DE DETERIORO

Una empresa dispone de un solar, cuyo valor en libros es de 200.000 euros. Su valor razonable se estima, por la caída del mercado, en 170.000 euros y se considera que los costes de venta alcanzarían 9.000 euros. El citado terreno se encuentra cedido a una empresa que almacena material diverso, satisfaciendo un canon anual de 19.327,41. El contrato tiene una duración de 10 años y se sabe que, además, la arrendataria estaría dispuesta a satisfacer 150.000 € al fin del contrato por quedarse con los terrenos. El tipo de descuento adecuado para este activo se considera que es el 7 por ciento.

Respuesta

Valor en libros	200.000	
Importe recuperable	212.000	
Valor razonable-costes de venta		161.000
Valor en uso	$19.327,41 * A_{10|0,07} + 150.000 * (1+0,07)^{-10}$	212.000

No procede reconocer deterioro, por ser superior el importe recuperable a su valor en libros

2.2. *Efectos del deterioro: amortización de los bienes deteriorados*

Una cuestión que se ha discutido tradicionalmente es si la amortización de los bienes a los que se ha reconocido un deterioro, en los ejercicios siguientes al mismo, debe calcularse sobre el valor de adquisición y minorar proporcionalmente el importe del deterioro o si debe calcularse sobre dicho valor minorado en el deterioro contabilizado.

El PGC 07 zanja esta cuestión en la NRV 2ª, en la que dispone que cuando se haya reconocido un deterioro a un inmovilizado material, se ajustarán las amortizaciones de los ejercicios siguientes del mismo, teniendo en cuenta el nuevo valor contable.

Resulta discutible si, como consecuencia de la exclusión de deducibilidad fiscal de los deterioros del inmovilizado material y de las inversiones inmobiliarias, esta reducción en la amortización contable tendrá efectos sobre el gasto fiscal. En nuestra opinión la amortización fiscal debe mantenerse como si el elemento no se hubiera deteriorado. Apoyamos esta consideración en el propio texto del artículo 12.2 LIS, que remite al artículo 20 LIS, que establece los mecanismos para la reversión de las diferencias entre valor contable y valor fiscal, y particularmente en los activos amortizables establece que se realizará, generalmente, con la propia amortización del valor fiscal. Ni siquiera cabe objetar, a nuestro juicio, la falta de contabilización del gasto fiscal por la mayor amortización, en la medida que dicho gasto ya se registró, aunque no se aplicó fiscalmente, con la contabilización del deterioro.

EJEMPLO

AMORTIZACIÓN DE BIEN DETERIORADO

Una empresa adquiere una maquinaria el 1/1 por 150.000 €. Se amortiza linealmente en 10 años.

Transcurridos dos ejercicios, se estima que su valor razonable menos los costes de venta alcanza 110.000€; y los flujos de efectivo esperados son de 19.355,82 € cada año y durante los 7 restantes de vida útil. La tasa de descuento adecuada para el activo es el 5 por ciento.

Se pide determinar el posible deterioro y la amortización del tercer ejercicio.

Respuesta

Valor en libros	120.000	
Importe recuperable	112.000	
Valor razonable-costes de venta		110.000
Valor en uso	$19.355,82 * A_{7|0,05}$	112.000

Importe del deterioro: 3.000 €.

POR EL DETERIORO			
	CUENTA	DEBE	HABER
691	Pérdidas por deterioro de inmovilizado material	8.000	
2913	Deterioro de valor de maquinaria		8.000

Como el deterioro no es fiscalmente deducible por aplicación del artículo 11.2 LIS, procede registrar el activo por la diferencia temporaria que refleja la exclusión de deducibilidad

POR LA DIFERENCIA TEMPORARIA DEDUCIBLE EN ORIGEN			
	CUENTA	DEBE	HABER
4740	Activos por diferencias temporarias deducibles	2.000	
6301	Impuesto diferido (8.000*0,25)		2.000

Determinación de la nueva cuota de amortización
Valor en libros   112.000
Amortización   (112.000/8)   14.000
Por la amortización

POR LA AMORTIZACIÓN			
681	Amortización del inmovilizado material	14.000	
2813	Amortización acumulada maquinaria		14.000

La amortización fiscalmente deducible será 15.000 euros, por no tener efectos fiscales el deterioro contabilizado. Por consiguiente, revierte la parte correspondiente de la diferencia que será fiscalmente deducible.

POR LA DIFERENCIA TEMPORARIA DEDUCIBLE EN REVERSIÓN			
6301	Impuesto diferido (1.000*0,25)	250	
4740	Activos por diferencias temporarias deducibles		250

2.3. *Reversión del deterioro*

El PGC 07 determina que, cuando hubieran dejado de existir las circunstancias que hubiesen motivado el registro del deterioro, deberá reconocerse su reversión, mediante el reconocimiento de un ingreso.

No obstante, se limita el importe máximo de dicha reversión. Cuando se produzca el deterioro, hemos señalado en el punto anterior, que la amortización se ajustará al nuevo valor contable del activo, que se amortizará en la vida útil restante. Ello supone que la amortización contable anual será inferior al importe que se hubiese podido amortizar si no hubiese existido deterioro. Pues bien, la reversión tendrá como límite no el importe total del deterioro que figure en cuentas, sino el valor que hubiera tenido el activo si no se hubiera registrado dicho deterioro, esto es, el valor contable que tendría de haber continuado la amortización sobre su coste histórico; lo que, como ya hemos visto en el caso anterior, será su valor fiscal.

2.4. *Aplicación fical del deterioro y de su reversión*

El articulo 13.2 LIS excluye la deducibilidad fiscal del deterioro del inmovilizado material y de las inversiones inmobiliarias.

La reversión de la diferencia entre el valor contable y el valor fiscal del inmovilizado material y de las inversiones inmobiliarias como consecuencia de la no deducibilidad fiscal del deterioro se producirá, a nuestro juicio, en la forma prevista en el artículo 20 LIS:

- Cuando se trate de elementos no amortizables (terrenos), en el período impositivo en que éstos se transmitan o se den de baja.

- Cuando se trate de elementos amortizables (los restantes elementos), en los períodos impositivos que resten de vida útil, aplicando a la citada diferencia el método de amortización utilizado respecto de los referidos elementos, salvo que sean objeto de transmisión o baja con anterioridad, en cuyo caso, se integrará con ocasión de la misma.

Cabe recordar, por otra parte, que el artículo 11.5 LIS establecía que no se integrará en la base imponible la reversión de gastos que no hayan sido fiscalmente deducibles; por la que la reversión de deterioro que no haya sido fiscalmente no deducible no se integrará en la base imponible. A estos efectos debe tenerse presente que el importe máximo de la reversión será el valor que tendría el bien si hubiese seguido amortizándose como venía haciéndose antes del deterioro, valor que como hemos visto coincidirá con el valor fiscal del bien.

No obstante, debe añadirse que la D.T. 15ª LIS dispone que la reversión de las pérdidas por deterioro del inmovilizado material, inversiones inmobiliarias, inmovilizado intangible y valores representativos de deuda que hubieran resultado fiscalmente deducibles en períodos impositivos iniciados con anterioridad a 1 de enero de 2015, se integrarán en la base imponible del Impuesto sobre Sociedades del período impositivo en que se produzca la recuperación de su valor en el ámbito contable.

3. DETERIORO DE INMOVILIZADO INTANGIBLE

3.1. Reconocimiento del deterioro

El PGC 07 no establece una regulación específica de las normas sobre el cálculo del deterioro en los elementos de inmovilizado intangible, remitiéndose a las normas generales fijadas en la NRV 2ª relativas al inmovilizado material. Añadía además el PGC que el deterioro era aplicable a todos los elementos del intangible, tuvieran una vida útil definida o no. Esta situación se ha visto alterada por la Ley 22/2015, de 20 de julio, de Auditoría de Cuentas, que ha modificado el artículo 39 C de C, estableciendo que, a partir del 1/1/16, todos los inmovilizados intangibles son activos de vida útil definida; diferenciando únicamente entre activos intangibles cuya vida útil sea definida de forma clara (los que el PGC cita como inmovilizado intangible con vida útil definida) y que se amortizarán en su vida útil, y otros cuya vida útil, limitada, pero que no puede estimarse de manera fiable (en esta categoría se incluyen los que el PGC cita como inmovilizados intangibles con vida útil indefinida) y que se amortizarán en un plazo de diez años.

3.2. *Deterioro sistemático de los activos intangibles con vida útil no definida y del fondo de comercio*

Los apartados 6 y 7 del artículo 12 Real Decreto Legislativo 4/2004, relativos a los activos intangibles con vida útil no definida y al fondo de comercio, respectivamente, establecieron una deducción fiscal anual, a la que no se denomina ni amortización ni deterioro, aunque se ubica en el precepto relativo a los deterioros, de una décima parte de su importe, en los intangibles, y de una vigésima parte del precio de adquisición originario, en el fondo de comercio.

Tal deducción no se condicionaba a su imputación contable en la cuenta de pérdidas y ganancias. Las cantidades deducidas minoraban, a efectos fiscales, el valor del inmovilizado; es decir, a efectos fiscales se consideraba que estos elementos tenían el valor resultante de minorar su valor en libros en el importe del deterioro sistemático fiscalmente aplicado.

El propósito de esta norma era mantener el régimen de amortización con efectos fiscales de todos los intangibles, aun a pesar del cambio de criterio contable.

El artículo 13.3 LIS, en su redacción vigente hasta el 31/12/15, mantuvo esta deducción fiscal.

Con la modificación producida en el artículo 12.2 LIS, con vigencia a partir de 1/1/16, y por la que se considera que todos los activos intangibles, incluido el fondo de comercio, son amortizables, desaparece esta previsión.

3.3. *Reversión del deterioro*

La remisión que se realiza a las normas relativas al inmovilizado material determina que, al igual que en este, cuando hubieran dejado de existir las circunstancias que hubiesen motivado el registro del deterioro de los intangibles, deberá reconocerse su reversión, mediante el reconocimiento de un ingreso. Igualmente deberá, conforme a lo señalado en la NRV 2ª, amortizarse los elementos de vida útil definida deteriorados, con arreglo al nuevo valor contable del activo y la vida útil restante.

3.4. *Aplicación fical del deterioro*

El articulo 13.2 LIS excluye la deducibilidad fiscal del deterioro del inmovilizado intangible.

La reversión de la diferencia entre el valor contable y el valor fiscal del inmovilizado material y de las inversiones inmobiliarias como consecuencia de la no deducibilidad fiscal del deterioro se producirá en la forma prevista en el artículo 20 LIS. Siendo los elementos del intangible amortizables, la reversión se producirá en los períodos impositivos que resten de vida útil, aplicando a la citada diferencia el método de amortización utilizado respecto de los referidos elementos, salvo que sean objeto de transmisión o baja con anterioridad, en cuyo caso, se integrará con ocasión de la misma.

Cabe recordar, por otra parte, que el artículo 11.5 LIS establecía que no se integrará en la base imponible la reversión de gastos que no hayan sido fiscalmente deducibles; por la que la reversión de deterioro que no haya sido fiscalmente no deducible no se integrará en la base imponible.

La DT 14ª LIS dispone que la reversión de las pérdidas por deterioro del inmovilizado material, inversiones inmobiliarias, inmovilizado intangible y valores representativos de deuda que hubieran resultado fiscalmente deducibles en períodos impositivos iniciados con anterioridad a 1 de enero de 2015, se integrarán en la base imponible del Impuesto sobre Sociedades del período impositivo en que se produzca la recuperación de su valor en el ámbito contable.

4. DETERIORO DE EXISTENCIAS

4.1. Concepto de existencias

Se definen las existencias como los activos poseídos para ser vendidos en el curso normal de la explotación, bien sea en proceso de producción o en forma de materiales o suministros para ser consumidos en el proceso de producción o en la prestación de servicios.

Se incluyen las siguientes cuentas:

i.   Mercaderías (subgrupo 30): Son las existencias adquiridas por la empresa y destinadas a la venta sin transformación.

ii. Materias primas (subgrupo 31): Son existencias que, mediante elaboración o transformación, se destinan a formar parte de los productos fabricados.

iii. Productos en curso (subgrupo 33): son bienes o servicios que se encuentran en fase de formación o transformación en un centro de actividad al cierre del ejercicio y que no deban registrarse en las cuentas relativas a los subgrupos de productos terminados o productos semiterminados.

iv. Productos semiterminados (subgrupo 34): son los productos fabricados por la empresa y terminados, aunque no son destinados normalmente a su venta hasta tanto sean objeto de elaboración, incorporación, montaje o transformación posterior.

v. Productos terminados (subgrupo 35): son los productos fabricados por la empresa y destinados al consumo final o a su utilización por otras empresas.

Además de las anteriores, se recogen en el subgrupo 36 toda una serie de productos, susceptibles de valoración comercial, desechados en el proceso comercial: los subproductos, que son los de carácter secundario o accesorio de la fabricación principal; los residuos, que incluyen los obtenidos inevitablemente y al mismo tiempo que los productos o subproductos, siempre que tengan valor intrínseco y puedan ser utilizados o vendidos; y los materiales recuperados, que recoge los que, por tener valor intrínseco entran nuevamente en almacén después de haber sido utilizados en el proceso productivo.

Finalmente, en el subgrupo 32, otros aprovisionamientos, se recogen una serie de bienes necesarios para la producción y cuyo movimiento contable, análogo a las propias existencias del proceso productivo y de explotación, determina su inclusión en este grupo:

i. Elementos y conjuntos incorporables (320), que incluye los bienes fabricados normalmente fuera de la empresa y adquiridos por ésta para incorporarlos a su producción sin someterlos a transformación.

ii. Combustibles (321), donde se enmarcan las materias energéticas susceptibles de almacenamiento.

iii. Repuestos (322), que engloba piezas destinadas a ser montadas en instalaciones, equipos o máquinas en sustitución de otras semejantes. Se incluirán en esta cuenta las que tengan un ciclo de almacenamiento inferior a un año.

iv. Materiales diversos (325), de carácter residual, donde se incorporan otras materias de consumo que no han de incorporarse al producto fabricado.

v. Embalajes (326): que son cubiertas o envolturas, generalmente irrecuperables, destinadas a resguardar productos o mercaderías que han de transportarse.

vi. Envases (327): que comprende recipientes o vasijas, normalmente destinadas a la venta juntamente con el producto que contienen.

vii. Material de oficina: es el material de oficina que no tenga la condición de inmovilizado. En lugar de su consideración como existencia, la empresa puede optar por considerar que el material de oficina adquirido durante el ejercicio es objeto de consumo en el mismo.

4.2. Deterioro de valor de existencias

4.2.1. Métodos de asignación de valor a las existencias finales

Tal y como explica la quinta parte del PGC, Definiciones y relaciones contables, las cuentas de existencias tienen en todos los casos un movimiento análogo: funcionan únicamente con motivo del cierre del ejercicio, abonándose la existencia inicial con cargo a la cuenta de variación de existencias y cargándose la existencia final, con abono a la misma cuenta de variación de existencias. De esta forma se mantiene en el balance por el importe del inventario existente a principio de cada ejercicio.

No obstante, en la medida que los bienes del inventario no son individualizables o, aun siéndolo, son económicamente intercambiables, debe utilizarse un procedimiento para determinar su valor, esto es, identificar, a efectos de valorar el inventario, cuál de los distintos bienes entrados en el mismo permanece y, consecuentemente, cual es el valor que cabe asignar a dicho inventario.

El PGC postula la aplicación del método del precio medio o coste medio ponderado, aunque también considera aceptable el FIFO (primera entrada, primera salida). No se aceptan, sin embargo, el LIFO (última entrada, primera salida) ni el NIFO (próxima entrada, primera salida).

Añade además el PGC la obligatoriedad de adoptar un único método de asignación de valor para todas las existencias que tengan una naturaleza y uso similares.

Como excepción, cuando se trate de bienes no intercambiables entre sí o bienes producidos y segregados para un proyecto específico, el valor se asignará identificando el precio y los costes específicamente imputables a cada bien individualmente considerado.

EJEMPLO

DETERMINACIÓN DEL VALOR DE LAS EXISTENCIAS

Una empresa inicia una actividad mercantil de compra y venta de un producto. Las operaciones realizadas en el ejercicio han sido cronológicamente:

– Compra de 1.000 unidades a 50 €.
– Compra de 2.000 unidades a 70 €.
– Venta de 1.500 unidades.
– Compra de 2.000 unidades a 60 €.
– Venta de 2.000 unidades

Respuesta

Podemos optar entre el método FIFO o el coste medio comparado. En este caso, solucionaremos el caso con ambos métodos.

FIFO

OPERACIÓN/PRECIO	50	60	70
Compra	1.000		
Compra			2.000
Venta	-1000		-500
Almacén	0		1.500
Compra		2.000	
Venta		-500	-1.500
Almacén		1.500	0

La existencia final se compone de 1.500 unidades a valor unitario de 60 €. El coste de las ventas del periodo es de 220.000 €.

COSTE MEDIO

OPERACIÓN	UNIDADES	PRECIO TOTAL	PRECIO MEDIO
Compra	1.000	50.000	50
Compra	2.000	140.000	70
Almacén	3.000	190.000	63,3
Venta	-1.500	-95000	63,3
Compra	2.000	120.000	60
Almacén	3.500	215.000	61,43
Venta	-2.000	129.000	61,43
Almacén	1.500	86.000	61,43

La existencia final se compone de 1.500 unidades a un valor unitario de 61,43 €. El coste de las ventas del periodo es de 224.000 €.

4.2.2. Cuantificación de los posibles deterioros

Una vez asignado el valor de las existencias en el final del ejercicio, las empresas deben efectuar un test de deterioro de existencias, comparando el valor neto realizable de las existencias con su coste, sea precio de adquisición o coste de producción. Cuando el valor neto realizable sea inferior, procederá dotar el correspondiente deterioro con cargo a la cuenta de pérdidas por deterioro de existencias (693).

No obstante, se establecen dos limitaciones adicionales para el reconocimiento del deterioro:

a) En el caso de las materias primas y otras materias consumibles en el proceso de producción, no se realizará corrección valorativa siempre que se espere que los productos terminados a los que se incorporen sean vendidos por encima del coste.

b) Cuando se trate de bienes o servicios que objeto de un contrato de venta o de prestación de servicios en firme cuyo cumplimiento deba tener lugar posteriormente, no serán objeto de la corrección valorativa, a condición de que el precio de venta estipulado en dicho contrato cubra, como mínimo, el coste de tales bienes o servicios, más todos los costes pendientes de realizar que sean necesarios para la ejecución del contrato.

En el ejercicio en que se haya producido una corrección valorativa por deterioro o la reversión de una corrección, se informará sobre ello en la memoria.

EJEMPLO

DETERIORO DE PRODUCTOS EN CURSO

Una empresa se encuentra elaborando un producto para su venta según contrato. El valor contable de los productos en curso es de 70.000 €, quedando pendientes de incorporación costes estimados por 30.000. El valor razonable minorado en los costes de venta de estos productos es de 95.000 €.

El precio de venta del producto según contrato es de:

– Hipótesis A: 105.000

– Hipótesis B: 95.000

Respuesta

Realizamos el test de deterioro

Valor existencias	70.000	
Valor neto realizable	65.000	
Valor razonable menos costes de venta		95.000
Costes pendientes		30.000

El deterioro asciende a 5.000 €.

Hipótesis A: en este caso, existe un contrato de venta por importe de 105.000, que cubre el valor actual más los costes pendientes, por lo que no procede reconocer deterioro.

Hipótesis B: en este caso, existe un contrato de venta por importe de 95.000, que no cubre el valor actual más los costes pendientes, por lo que procede reconocer deterioro. Este deterioro será objeto de aplicación fiscal.

POR EL DETERIORO			
	CUENTA	DEBE	HABER
693	Pérdidas por deterioro de existencias	5.000	
393	Deterioro de valor de productos en curso		5.000

4.3. *Recepción fiscal de los criterios sobre deterioro de existencias*

El artículo 13 LIS no contiene norma alguna que limite la aplicación de eventuales pérdidas por deterioro de existencias. Por consiguiente, la eventual pérdida que resulte de la aplicación de las normas contables anteriormente expuestas se integrará, como parte del resultado contable, en la base imponible del Impuesto sobre Sociedades.

5. DETERIORO DE ACTIVOS FINANCIEROS

5.1. *Clasificación de los activos financieros*

El PGC 07 dedica su NRV 9ª a los instrumentos financieros. Esta resulta una norma compleja y de difícil inteligencia, principalmente por el amplio espectro de operaciones y productos financieros que cubre, y por la toma en consideración de las operaciones, en muchos casos inspirada en las normas sectoriales de banca y seguros, desde un enfoque más propio del oferente de los instrumentos financieros que desde la perspectiva del tenedor, que, por otra parte, es un número de empresas más elevado que los oferentes de productos financieros. Esta norma tiene un antecedente directo en nuestro ordenamiento en la Circular 4/2004, de 22 de diciembre, a entidades de crédito, sobre normas de información financiera pública y reservada y modelos de estados financieros.

La parte primera de la norma 9ª se dedica a la delimitación de los conceptos relacionados con los instrumentos financieros. Así, destaca que considera como instrumento financiero el contrato que da lugar a un activo financiero en una empresa y, simultáneamente, a un pasivo financiero o a un instrumento de patrimonio en otra empresa. Conviene destacar de esta definición la exigencia de un origen contractual en los instrumentos financieros,

Su campo de aplicación es extremadamente amplio, realizando la propia norma una enumeración de las distintas categorías e instrumentos contemplados:

a) Activos financieros:
   - Efectivo y otros activos líquidos equivalentes, según se definen en la norma 9.ª de elaboración de las cuentas anuales;
   - Créditos por operaciones comerciales: clientes y deudores varios;
   - Créditos a terceros: tales como los préstamos y créditos financieros concedidos, incluidos los surgidos de la venta de activos no corrientes;
   - Valores representativos de deuda de otras empresas adquiridos: tales como las obligaciones, bonos y pagarés;

- Instrumentos de patrimonio de otras empresas adquiridos: acciones, participaciones en instituciones de inversión colectiva y otros instrumentos de patrimonio;

- Derivados con valoración favorable para la empresa: entre ellos, futuros, opciones, permutas financieras y compraventa de moneda extranjera a plazo, y

- Otros activos financieros: tales como depósitos en entidades de crédito, anticipos y créditos al personal, fianzas y depósitos constituidos, dividendos a cobrar y desembolsos exigidos sobre instrumentos de patrimonio propio.

b) Pasivos financieros:

- Débitos por operaciones comerciales: proveedores y acreedores varios;

- Deudas con entidades de crédito;

- Obligaciones y otros valores negociables emitidos: tales como bonos y pagarés;

- Derivados con valoración desfavorable para la empresa: entre ellos, futuros, opciones, permutas financieras y compraventa de moneda extranjera a plazo;

- Deudas con características especiales, y

- Otros pasivos financieros: deudas con terceros, tales como los préstamos y créditos financieros recibidos de personas o empresas que no sean entidades de crédito incluidos los surgidos en la compra de activos no corrientes, fianzas y depósitos recibidos y desembolsos exigidos por terceros sobre participaciones.

c) Instrumentos de patrimonio propio: todos los instrumentos financieros que se incluyen dentro de los fondos propios, tal como las acciones ordinarias emitidas.

d) Derivados financieros: que se conceptúan descriptivamente por el cumplimiento de una serie de características:

- Su valor cambia en respuesta a los cambios en variables tales como los tipos de interés, los precios de instrumentos financieros y materias primas cotizadas, los tipos de cambio, las calificaciones crediticias y los índices sobre ellos y que en el caso de no ser variables financieras no han de ser específicas para una de las partes del contrato.

- No requiere una inversión inicial o bien requiere una inversión inferior a la que requieren otro tipo de contratos en los que se podría esperar una respuesta similar ante cambios en las condiciones de mercado.

– Se liquida en una fecha futura.

e) Coberturas contables y transferencias de activos financieros, tales como los descuentos comerciales, operaciones de «factoring» y cesiones temporales y titulizaciones de activos financieros.

El apartado 2° de la citada NRV ofrece un concepto descriptivo de activo financiero. Un activo financiero es cualquier activo que sea: dinero en efectivo, un instrumento de patrimonio de otra empresa, o suponga un derecho contractual a recibir efectivo u otro activo financiero, o a intercambiar activos o pasivos financieros con terceros en condiciones potencialmente favorables. También se clasificará como un activo financiero, todo contrato que pueda ser o será, liquidado con los instrumentos de patrimonio propio de la empresa, siempre que:

a) Si no es un derivado, obligue o pueda obligar, a recibir una cantidad variable de sus instrumentos de patrimonio propio.

b) Si es un derivado, pueda ser o será, liquidado mediante una forma distinta al intercambio de una cantidad fija de efectivo o de otro activo financiero por una cantidad fija de instrumentos de patrimonio propio de la empresa; a estos efectos no se incluirán entre los instrumentos de patrimonio propio, aquéllos que sean, en sí mismos, contratos para la futura recepción o entrega de instrumentos de patrimonio propio de la empresa.

Esta definición es amplia y descriptiva, especialmente compleja en su segunda parte. Trata de acoger en esa segunda parte la diferenciación entre el tratamiento de los instrumentos de patrimonio propio, generalmente las acciones propias, y el propio de los activos financieros. De acuerdo con los ejemplos que existen en la guía de aplicación de las NIC, se consideran activos financieros (o pasivos financieros) aquellos contratos en los que la fórmula de pago arbitrada sea la entrega de instrumentos de patrimonio propio.

Introduce un elemento de complejidad adicional el PGC en la clasificación de los activos financieros, pues junto a su tradicional clasificación en función de la naturaleza del activo, que por otra parte, es la que sigue reflejándose en el cuadro de cuentas y en los balances de la empresa, los activos deben ser objeto de una calificación por la finalidad que pretende otorgarle la empresa, que se verá reflejada en la memoria. No es cuestión baladí, toda vez que de esta calificación finalista se va a derivar la aplicación de diferentes criterios de valoración y, consecuentemente, se va a ver alterado el posible resultado.

Las distintas calificaciones que se pueden realizar son:

1. Préstamos y partidas a cobrar.

2. Inversiones mantenidas hasta el vencimiento.

3. Activos financieros mantenidos para negociar.

4. Otros activos financieros a valor razonable con cambios en la cuenta de pérdidas y ganancias.

5. Inversiones en el patrimonio de empresas del grupo, multigrupo y asociadas.

6. Activos financieros disponibles para la venta.

5.2. Deterioro de préstamos y partidas a cobrar

5.2.1. Concepto

Incluye esta categoría, según el PGC, créditos por operaciones comerciales, entendiendo como tales los activos financieros originados en la venta de bienes y la prestación de servicios por operaciones de tráfico de la empresa, y los créditos por operaciones no comerciales, que son los activos financieros que, no siendo instrumentos de patrimonio ni derivados, no tienen origen comercial, cuyos cobros son de cuantía determinada o determinable y que no se negocian en un mercado activo, siempre que el tenedor pueda recuperar sustancialmente toda la inversión inicial, salvo por deterioro crediticio.

Son esencialmente las facilidades de pago concedidas por la empresa en sus operaciones comerciales o las operaciones activas de concesión de crédito, siempre que en este último caso se cumplan las condiciones de no ser un derivado, ni tratarse de un instrumento cotizado. En esta categoría se van a incluir un número importantísimo de operaciones, pues tanto tienen cabida las facilidades de pago dadas a clientes como créditos o préstamos a terceros o depósitos a plazo.

Las cuentas en las que se pueden recoger estos activos son, fundamentalmente, las cuentas de créditos e imposiciones recogidas en los subgrupos 24 y 25 del PGC, cuando se trate de operaciones a largo plazo, y en los subgrupos 53 y 54, cuando las operaciones sean a corto plazo, así como las de clientes y deudores, recogidas respectivamente en los subgrupos 43 y 44.

5.2.2. Valoración inicial

La valoración inicial se efectuará por su valor razonable, concepto equiparable, tal y como hemos analizado anteriormente, al valor de mercado al que se refieren las normas fiscales. Añade el PGC una presunción que, salvo evidencia en contrario, será valor razonable el precio de la transacción, determinado por el valor razonable de la contraprestación entregada más los costes de transacción directamente atribuibles.

Permite, por tanto, esta norma que el valor del crédito no coincida con el valor de la prestación, circunstancia que se va a producir, por ejemplo, en los casos de créditos sin interés. Así se expresa en los apartados 64 y 65 de la Guía de Aplicación de la NIC 39, que destaca que el valor razonable de un préstamo o partida a cobrar a largo plazo, que no devenga intereses, puede estimarse como el valor actual de todos los flujos de efectivo futuros descontados utilizando los tipos de interés de mercado que prevalecen para instrumentos similares (similares en cuanto a la divisa, condiciones, forma de fijación de los intereses y otros factores) con calificaciones crediticias parecidas; siendo todo importe adicional prestado un gasto o un menor ingreso, a menos que cumpla con los requisitos para su reconocimiento como algún otro tipo de activo.

No obstante, con carácter exclusivo para los créditos por operaciones comerciales, siempre que su vencimiento no sea superior a un año y que no tengan pactado en contrato un tipo de interés, así como los anticipos y créditos al personal, los dividendos a cobrar y los desembolsos exigidos sobre instrumentos de patrimonio, cuyo importe se espera recibir en el corto plazo, se permite su valoración por el valor nominal del activo, cuando el efecto de no actualizar los flujos de efectivo no sea significativo.

En los supuestos distintos de los enunciados, la valoración deberá tener presente el efecto financiero derivado del tipo de interés efectivo manifiesto o implícito en la operación, según veremos en las normas sobre valoración posterior.

EJEMPLO

VALORACIÓN INICIAL. CRÉDITO POR OPERACIÓN COMERCIAL

Una empresa vende el 1/4 mercaderías a crédito a un cliente por importe de 20.000 €. El crédito se satisfará dentro de 18 meses. El tipo de interés de mercado aplicable a estas operaciones es del 7 por ciento.

Respuesta

Se trata de una operación comercial a largo plazo, por lo que debemos reconocer el interés implícito, aunque no se haya pactado expresamente.

$Va = 20.000 * (1+0,07)^{-1,5}$; $Va = 18.069,84$ euros

Registramos la operación por su valor razonable

POR LA VENTA			
CUENTA		DEBE	HABER
430	Clientes	18.069,84	
700	Ventas de mercaderías		18.069,84

A final de ejercicio reconocemos los intereses devengados por nueve meses

POR LOS INTERESES DEVENGADOS			
	CUENTA	DEBE	HABER
430	Clientes	948,67	
762	Ingresos de créditos (18.069,84*0,07*9/12)		948,67

Como quiera que el crédito tiene un vencimiento superior a 12 meses, se trata de una operación a plazos, regulada por el artículo 11.4 LIS, y que determina que el resultado contable no se lleve a la base imponible en tanto no sea exigible la parte correspondiente del precio. En consecuencia, se registra la diferencia temporaria imponible.

DIFERENCIA TEMPORARIA EN ORIGEN			
	CUENTA	DEBE	HABER
6301	Impuesto diferido (18.069,84*0,25)	4.517,46	
479	Pasivos por diferencias temporarias imponibles		4.517,46

5.2.3. Valoración posterior

La valoración posterior de préstamos o partidas a cobrar se efectuará por su coste amortizado, en el que se debe tener presente los reembolsos recibidos y el efecto financiero por la diferencia entre su valor inicial y el valor de reembolso. Los intereses devengados correspondientes al periodo se calcularán por el método del tipo de interés efectivo (que no es sino el cálculo del interés efectivo en una renta, si se conocen los pagos correspondientes a amortización e interés, o el tipo correspondiente a operaciones similares, si no fuera así) y se contabilizarán como ingresos financieros en la cuenta de pérdidas y ganancias (cuenta 762, ingresos de créditos).

Lógicamente con lo dispuesto en la valoración inicial, aquellos créditos con vencimiento no superior a un año que se hubiesen valorado inicialmente por su valor nominal, continuarán valorándose por dicho importe, salvo que se hubieran deteriorado, y no darán lugar al reconocimiento de un ingreso financiero.

Se contempla además una regla especial de valoración para las aportaciones realizadas como consecuencia de un contrato de cuentas en participación y similares, que se valorarán al coste, incrementado o disminuido por el beneficio o la pérdida, respectivamente, que correspondan a la empresa como partícipe no gestor, y menos, en su caso, el importe acumulado de las correcciones valorativas por deterioro.

EJEMPLO

VALORACIÓN POSTERIOR DE UN PRÉSTAMO CONCEDIDO

Una empresa ha concedido un préstamo francés a tres años. Su concesión se produce el día 1 de enero. El tipo de interés pactado es del 8 por ciento y el principal concedido es de 100.000 euros.

Respuesta

En primer lugar, determinaremos la anualidad que amortiza el préstamo:

$Va = a * a_{n]i}$; $100.000 = a * a_{3]0,08}$; $a = 38.803,35$

Calcularemos el cuadro de amortización

AÑO	DEUDA PENDIENTE	INTERÉS	AMORTIZACIÓN	ANUALIDAD
1	100.000,00	8.000,00	30.803,35	38.803,35
2	69.196,65	5.535,73	33.267,62	38.803,35
3	35.929,03	2.874,32	35.929,03	38.803,35

Registramos el crédito por su valor razonable

POR LA CONCESIÓN DEL CRÉDITO			
	CUENTA	DEBE	HABER
252	Créditos a largo plazo	100.000	
572	Bancos		100.000

A fin de ejercicio se devengan los intereses y se reclasifica el cobro que se producirá el 1/1. Como no se ha producido el cobro, a esta fecha su coste amortizado será de 108.000 euros.

POR LOS INTERESES			
547	Intereses a corto plazo de créditos	8.000	
7620	Ingresos de créditos a largo plazo		8.000

POR LA RECLASIFICACIÓN DEL CRÉDITO			
	CUENTA	DEBE	HABER
542	Créditos a corto plazo	30.803,35	
252	Créditos a largo plazo		30.803,35

El 1/1/X1 se cobra la parte correspondiente del crédito e intereses

POR LA CONCESIÓN DEL CRÉDITO			
	CUENTA	DEBE	HABER
572	Bancos	38.803,35	
542	Créditos a corto plazo		30.803,35
547	Intereses a corto plazo de créditos		8.000

5.2.4. Deterioro del valor

Dispone la NRV 9ª que al menos al cierre del ejercicio, deberán efectuarse las correcciones valorativas necesarias siempre que exista evidencia objetiva de que el valor de un crédito, o de un grupo de créditos con similares características de riesgo valorados colectivamente, se ha deteriorado como resultado de uno o más eventos que hayan ocurrido después de su reconocimiento inicial y que ocasionen una reducción o retraso en los flujos de efectivo estimados futuros, que pueden venir motivados por la insolvencia del deudor.

La pérdida por deterioro del valor de estos activos financieros será la diferencia entre su valor en libros y el valor actual de los flujos de efectivo futuros que se estima van a generar, descontados al tipo de interés efectivo calculado en el momento de su reconocimiento inicial. Para los activos financieros a tipo de interés variable, se empleará el tipo de interés efectivo que corresponda a la fecha de cierre de las cuentas anuales de acuerdo con las condiciones contractuales. En el cálculo de las pérdidas por deterioro de un grupo de activos financieros se podrán utilizar modelos basados en fórmulas o métodos estadísticos.

Las correcciones valorativas por deterioro, así como su reversión cuando el importe de dicha pérdida disminuyese por causas relacionadas con un evento posterior, se reconocerán como un gasto o un ingreso, respectivamente, en la cuenta de pérdidas y ganancias. La reversión del deterioro tendrá como límite el valor en libros del crédito que estaría reconocido en la fecha de reversión si no se hubiese registrado el deterioro del valor.

La citada norma recoge la necesidad de dotar el deterioro mediante la aplicación de una cuenta de gasto (cuentas 694, 696, 697, 698 y 699), teniendo como contrapartida una cuenta correctora del activo (cuentas 294, 295 y subgrupos 49 y 59).

La razón para la dotación es tanto la estimación razonable de la falta de pago de las cantidades adeudadas, como el efecto financiero negativo que puede producirse por el retraso en el pago. En este segundo caso debe tenerse presente que, si efectivamente se produce el retraso en el cobro, el deterioro correspondiente al retraso se convertirá en pérdida efectiva.

5.2.5. Aplicación fiscal del deterioro

El artículo 13.1 LIS establece una serie de requisitos específicos para la deducibilidad fiscal del deterioro contable. Debemos comenzar destacando que esta norma es una norma de limitación en la aplicación del deterioro contable, pero no una norma de excepción en cuanto al cálculo del importe del deterioro, por lo que en todo caso el deterioro deberá registrarse con arreglo a las normas contables que hemos expuesto en el punto anterior y, si se cumplen las condiciones previstas por la LIS, dicho deterioro tendrá aplicación fiscal.

La deducibilidad fiscal del deterioro se condiciona a que se cumpla una de las condiciones siguientes:

i. Transcurso de un plazo de seis meses desde el vencimiento de la obligación.

    Cumplido este lapso de tiempo, la norma fiscal ha considerado deducible el deterioro dotado por el importe global del crédito. No obstante, la norma contable, como hemos visto, ha condicionado esta deducción, en la medida que impone contabilizar el deterioro no ya el total del crédito, sino exclusivamente aquella parte sobre la que exista dudas razonables en su realización.

    Subsisten ciertas dudas en la aplicación de este lapso de tiempo en los casos en los que existen varios vencimientos periódicos de la obligación o en los casos en los que se hayan pactado intereses moratorios sobre el retraso.

    En el primero de los casos, la doctrina administrativa se ha inclinado por considerar que cada uno de los vencimientos es una deuda autónoma y consecuentemente debe transcurrir el plazo de seis meses desde su vencimiento en cada fracción.

    En el segundo de los casos, por el contrario, se ha inclinado por considerar que dado el carácter accesorio de la obligación de satisfacer intereses, cumplido el requisito para la deducción fiscal de la obligación principal, debe extenderse a los intereses devengados sobre la obligación principal impagada.

    Una cuestión nueva que suscita el PGC 07 es la dotación del deterioro por los retrasos en los pagos en relación con intereses que se deben incluir en el valor amortizado de los préstamos por la diferencia entre su valor inicial y su valor de reembolso. Como hemos señalado al hacer mención de esta cuestión en la contabilización, en este caso el deterioro se debe identificar, por el mero retraso, como una pérdida, pues la valoración del ingreso financiero se fundamenta precisamente en el tipo de interés y el periodo transcurrido, habiéndose incrementado dicho periodo por la no satisfacción puntual de la obligación por el deudor. ¿Debe, entonces, exigirse dicho plazo de seis meses si el deterioro es ya una pérdida en sí mismo? El planteamiento de esta cuestión no deja lugar a dudas de nuestra opinión contraria a esta exigencia, aunque resulta también defendible que no existe excepción que permita dispensar a este deterioro de la exigibilidad del plazo de seis meses para su aplicación fiscal.

ii. Deudor declarado en situación de concurso.

    Esta declaración judicial permite la dotación del deterioro y la consecuente deducibilidad del mismo, sin que a estos efectos importe que se trate de una persona física o jurídica. La condición para la deducción fiscal es la declaración judicial de concurso, sin que se acepte como tal mera solicitud o aceptación a trámite de la solicitud.

Una limitación específica que conoce este supuesto es el caso de que las operaciones se hayan realizado después de la declaración del deudor en situación de concurso. Cuando concurra esta causa, no resulta necesario el transcurso de periodo de tiempo ni, incluso, que haya llegado el vencimiento de la obligación. Podrán dotarse, por esta razón, también los deterioros correspondientes a los intereses devengados.

iii.   Que el deudor esté procesado por el delito de alzamiento de bienes.

Esta figura se encuentra contemplada en el Código Penal en el delito de insolvencia punible, agrupando toda una serie de conductas tendentes a realizar un vaciamiento patrimonial con la voluntad de escapar a la responsabilidad universal del deudor. En el caso de personas jurídicas, en la medida que el procesamiento exige la presencia de una persona física, deberá entenderse cumplido el requisito cuando se procese a administradores u otros responsables de la insolvencia de la sociedad.

iv.   Que las obligaciones hayan sido reclamadas judicialmente o sean objeto de un litigio judicial o procedimiento arbitral de cuya solución dependa su cobro.

En este caso, el deterioro cubrirá, tanto contable como fiscalmente, el importe de la deuda que haya sido reclamada.

Aunque se haya dotado el deterioro y se hayan cumplido las condiciones antes enunciadas, la propia norma fiscal establece una serie de supuestos en los que el deterioro carecerá de efectos fiscales, esto es, no será deducible. Los supuestos son:

i.   Los adeudados o afianzados por entidades de derecho público.

Ante la generalización de las personificaciones en el ámbito de las Administraciones Públicas, revistiendo los entes creados las más variadas configuraciones, se consideran como tales a todos los entes creados por normas de derecho administrativo. La doctrina administrativa ha llegado a considerar como tal a una sociedad mercantil municipal, creada para la gestión de un servicio público, a pesar de que su creación no responde a una norma de Derecho administrativo, sino de Derecho mercantil.

Por excepción, los créditos contra tales entes son deteriorables cuando sean objeto de un procedimiento judicial o arbitral que verse sobre su existencia o cuantía.

ii.   Pérdidas para la cobertura de posibles insolvencias de personas o entidades vinculadas con el acreedor, salvo que estén en situación de concurso y se haya procedido a la apertura judicial de la fase de liquidación.

No se permite la dotación del deterioro ni aun en el caso de existencia de litigios o retrasos superiores a seis meses, siempre que el crédito sea adeudado por una entidad vinculada en los términos del artículo 18 LIS.

iii. Pérdidas basadas en estimaciones globales del riesgo de insolvencias de clientes y deudores.

EJEMPLO

DETERIORO DE CRÉDITO

Una sociedad ha prestado un servicio a una entidad por un importe de 50.000 euros con fecha 1/1/X0. Su cobro está previsto para el 1/7/X1, siendo el tipo de interés habitual en estas operaciones el 10 por ciento anual. La empresa aplica la regla de imputación temporal de operaciones a plazos. El 31/12/X0 la empresa deudora entra en concurso, manifestando un experto en la materia que, a la vista de la situación patrimonial del cliente, debemos esperar cobrar un 75% de nuestro crédito el 1/7/X2.

Respuesta

Como se trata de un servicio a largo plazo, tendremos que considerar el interés implícito

Va= 50.000* $(1+0,1)^{-1,5}$; Va= 43.339,21 euros

Registramos la operación por su valor razonable

POR LA PRESTACIÓN			
	CUENTA	DEBE	HABER
430	Clientes	43.339,21	
759	Ingresos por servicios diversos		43.339,21

Como el ingreso no es objeto de aplicación fiscal, al haberse optado por la regla de operaciones a plazo, se reconoce la diferencia temporaria imponible.

DIFERENCIA TEMPORARIA EN ORIGEN			
6301	Impuesto diferido (43.339,21*0,25)	10.834,80	
479	Pasivos por diferencias temporarias imponibles		10.834,80

A final de ejercicio reconocemos los intereses devengados por el año. Este ingreso financiero, aunque proviene de la operación comercial, no se puede acoger a la regla de operaciones a plazos, por lo que se aplica fiscalmente con su devengo

POR LOS INTERESES DEVENGADOS			
430	Clientes	4.333,92	
762	Ingresos de créditos		4.333,92

Al tener noticia del concurso, reconocemos el deterioro. Para ello cuantificamos el valor actual de los flujos futuros esperados del crédito

Va= $37.500^* (1+0,1)^{-1,5}$; Va= 32.504,41 euros

Realizamos el test del deterioro del crédito

Coste amortizado del crédito	47.673,13
Valor actual de flujos esperados	32.504,41
Deterioro del crédito	15.168,72

Contabilizamos este deterioro

POR EL DETERIORO		DEBE	HABER
	CUENTA	DEBE	HABER
694	Pérdidas por deterioro de créditos comerciales	15.168,72	
598	Deterioro de valor de créditos a corto plazo		15.168,72

Aunque el deterioro sería deducible fiscalmente por aplicación del artículo 13.1 LIS, dado que no se ha integrado el resultado de la operación por la aplicación de la regla de operaciones a plazo (11.4 LIS), el último párrafo de dicho apartado determina que el deterioro no sea deducible en tanto no sea exigible el crédito y se impute en la base imponible el resultado de la operación. En consecuencia, deberemos registrar la correspondiente diferencia temporaria deducible.

POR LA DIFERENCIA TEMPORARIA DEDUCIBLE EN ORIGEN			
4740	Activos por diferencias temporarias deducibles	3.792,18	
6301	Impuesto diferido (15.168,72*0,25)		3.792,18

Además, reclasificamos al cliente como de dudoso cobro

POR LA RECLASIFICACIÓN		DEBE	HABER
	CUENTA	DEBE	HABER
437	Clientes de dudoso cobro	47.673,13	
430	Clientes		47.673,13

5.3. Deterioro de los restantes activos financieros

5.3.1. Deterioro de inversiones mantenidas hasta el vencimiento

En esta categoría se pueden incluir los valores de renta fija, negociados en un mercado activo, que se vayan a mantener hasta su vencimiento. Dos son las condiciones que pide el PGC para que se puedan incluir los valores como inversiones mantenidas hasta el vencimiento: que la empresa tenga la intención efectiva y la capacidad de conservarlos hasta su vencimiento.

Para la calificación en esta categoría los activos deben cumplir dos condiciones:

– Resulta consustancial al mantenimiento hasta el vencimiento el hecho de que los activos tengan un vencimiento fijado.

– Que el activo produzca unos pagos periódicos determinados o determinables.

Para la determinación del deterioro de estos activos, el PGC remite a la norma relativa a Préstamos y otras Partidas a Cobrar, esto es, por diferencia entre el valor contable del activo y el valor actual de los flujos futuros. Establece el PGC como matización que como sustituto del valor actual de los flujos de efectivo futuros se puede utilizar el valor de mercado del instrumento, siempre que éste sea lo suficientemente fiable como para considerarlo representativo del valor que pudiera recuperar la empresa.

5.3.2. Deterioro de inversiones en el patrimonio de empresas del grupo, multigrupo y asociadas

Las inversiones en el patrimonio de empresas del grupo, multigrupo y asociadas, deben recoger todos aquellos títulos emitidos por estas entidades y que tengan para las mismas el tratamiento de patrimonio. Así se tratará generalmente de acciones y participaciones, aunque también pueden recogerse algunos derivados financieros que tienen para la empresa emisora el tratamiento de patrimonio.

Para determinar lo que entendemos por empresas del grupo, multigrupo y asociadas el PGC remite a la norma 13ª de elaboración de las cuentas anuales.

Esta norma considera que otra empresa forma parte del grupo cuando ambas estén vinculadas por una relación de control, directa o indirecta, análoga a la prevista en el artículo 42 del Código de Comercio para los grupos de sociedades o cuando las empresas estén controladas por cualquier medio por una o varias personas físicas o jurídicas, que actúen conjuntamente o se hallen bajo dirección única por acuerdos o cláusulas estatutarias. El citado artículo 42 C de C establece que existe un grupo cuando una sociedad ostente o pueda ostentar, directa o indirectamente, el control de otra u otras. En particular, se presumirá que existe control cuando una sociedad, que se calificará como dominante, se encuentre en relación con otra sociedad, que se calificará como dependiente, en alguna de las siguientes situaciones:

– Posea la mayoría de los derechos de voto.

– Tenga la facultad de nombrar o destituir a la mayoría de los miembros del órgano de administración.

– Pueda disponer, en virtud de acuerdos celebrados con terceros, de la mayoría de los derechos de voto.

—   Haya designado con sus votos a la mayoría de los miembros del órgano de administración, que desempeñen su cargo en el momento en que deban formularse las cuentas consolidadas y durante los dos ejercicios inmediatamente anteriores. En particular, se presumirá esta circunstancia cuando la mayoría de los miembros del órgano de administración de la sociedad dominada sean miembros del órgano de administración o altos directivos de la sociedad dominante o de otra dominada por ésta.

A los efectos de la aplicación de estas reglas, a los derechos de voto de la entidad dominante se añadirán los que posea a través de otras sociedades dependientes o a través de personas que actúen en su propio nombre, pero por cuenta de la entidad dominante o de otras dependientes o aquellos de los que disponga concertadamente con cualquier otra persona

Se refiere a continuación la citada norma 13ª de elaboración de cuentas anuales a las empresas asociadas, que serán aquellas empresas que, sin pertenecer al grupo, se encuentren participadas de forma significativa por la empresa, por otra empresa del grupo o por las personas físicas dominantes, siempre que se ejerza sobre la misma una influencia significativa y se cree una vinculación duradera, esté destinada a contribuir a su actividad. Se entiende que existe influencia significativa en la gestión de otra empresa cuando se cumplan simultáneamente los dos requisitos siguientes:

—   La empresa o una o varias empresas del grupo, incluidas las entidades o personas físicas dominantes, participan en la empresa, y
—   Se tenga el poder de intervenir en las decisiones de política financiera y de explotación de la participada, sin llegar a tener el control.

A título ejemplificativo se citan una serie de supuestos en los que se pone de manifiesto la existencia de la influencia significativa:

—   Representación en el consejo de administración u órgano equivalente de dirección de la empresa participada;
—   Participación en los procesos de fijación de políticas;
—   Transacciones de importancia relativa con la participada;
—   Intercambio de personal directivo; o
—   Suministro de información técnica esencial.

En este mismo sentido podemos citar el artículo 47 C de C, referido a la consolidación de cuentas con entidades multigrupo y asociadas, que en sus apartados primero y tercero dispone lo siguiente:

—   Cuando una sociedad incluida en la consolidación gestione conjuntamente con una o varias sociedades ajenas al grupo otra sociedad, ésta podrá incluirse en las cuentas consolidadas aplicando el método de integración proporcional, es decir, en proporción al porcentaje que de su capital social posean las sociedades incluidas en la consolidación.

– Cuando una sociedad incluida en la consolidación ejerza una influencia significativa en la gestión de otra sociedad no incluida en la consolidación, pero con la que esté asociada por tener una participación en ella que, creando con ésta una vinculación duradera, esté destinada a contribuir a la actividad de la sociedad, dicha participación deberá figurar en el balance consolidado como una partida independiente y bajo un epígrafe apropiado. Se presumirá, salvo prueba en contrario, que existe una participación en el sentido expresado, cuando una o varias sociedades del grupo posean, al menos, el 20 por ciento de los derechos de voto de una sociedad que no pertenezca al grupo.

El PGC dispone que en cada ejercicio, al menos, se efectúe corrección valorativa siempre que exista evidencia objetiva de que el valor en libros de una inversión no será recuperable. Con esta declaración el PGC exige que, para la dotación del deterioro, además de la existencia de una pérdida de valor en los activos (tal y como se cuantificará a continuación), que el valor en libros no sea recuperable.

Una vez determinada la perdida no recuperable, debe cuantificarse. Para ello, se atiende a la diferencia entre el valor en libros y el valor recuperable, que será el mayor de los dos siguientes:

– el valor razonable menos los costes de venta

– el valor actual de los flujos de efectivo futuros derivados de la inversión, calculados, bien mediante la estimación de los que se espera recibir como consecuencia del reparto de dividendos realizado por la empresa participada y de la enajenación o baja en cuentas de la inversión en la misma, bien mediante la estimación de su participación en los flujos de efectivo que se espera sean generados por la empresa participada, procedentes tanto de sus actividades ordinarias como de su enajenación o baja en cuentas.

A pesar del alto grado de subjetividad que contienen estos criterios de valoración, el propio PGC trata de limitar la discrecionalidad introduciendo un criterio basado en los datos contables: salvo mejor evidencia del importe recuperable de las inversiones, en la estimación del deterioro de esta clase de activos se tomará en consideración el patrimonio neto de la entidad participada corregido por las plusvalías tácitas existentes en la fecha de la valoración. En la determinación de ese valor, y siempre que la empresa participada participe a su vez en otra, deberá tenerse en cuenta el patrimonio neto que se desprende de las cuentas anuales consolidadas elaboradas aplicando los criterios incluidos en el Código de Comercio y sus normas de desarrollo. Cuando la empresa participada tuviere su domicilio fuera del territorio español, el patrimonio neto a tomar en consideración vendrá expresado en las normas contenidas en la presente disposición. No obstante, si mediaran altas tasas de inflación, los valores a considerar serán los resultantes de los estados financieros ajustados en el sentido expuesto en la norma relativa a moneda extranjera.

Las correcciones valorativas por deterioro y, en su caso, su reversión, se registrarán como un gasto o un ingreso, respectivamente, en la cuenta de pérdidas y ganancias. La reversión del deterioro tendrá como límite el valor en libros de la inversión que estaría reconocida en la fecha de reversión si no se hubiese registrado el deterioro del valor.

No obstante, en el caso de que se hubiera producido una inversión en la empresa, previa a su calificación como empresa del grupo, multigrupo o asociada, y con anterioridad a esa calificación, se hubieran realizado ajustes valorativos imputados directamente al patrimonio neto derivados de tal inversión, dichos ajustes se mantendrán tras la calificación hasta la enajenación o baja de la inversión, momento en el que se registrarán en la cuenta de pérdidas y ganancias, o hasta que se produzcan las siguientes circunstancias:

– En el caso de ajustes valorativos previos por aumentos de valor, las correcciones valorativas por deterioro se registrarán contra la partida del patrimonio neto que recoja los ajustes valorativos previamente practicados hasta el importe de los mismos y el exceso, en su caso, se registrará en la cuenta de pérdidas y ganancias. La corrección valorativa por deterioro imputada directamente en el patrimonio neto no revertirá.

– En el caso de ajustes valorativos previos por reducciones de valor, cuando posteriormente el importe recuperable sea superior al valor contable de las inversiones, este último se incrementará, hasta el límite de la indicada reducción de valor, contra la partida que haya recogido los ajustes valorativos previos y a partir de ese momento el nuevo importe surgido se considerará coste de la inversión. Sin embargo, cuando exista una evidencia objetiva de deterioro en el valor de la inversión, las pérdidas acumuladas directamente en el patrimonio neto se reconocerán en la cuenta de pérdidas y ganancias.

5.3.3. Deterioro de activos financieros disponibles para la venta

Esta categoría se configura como la novedad más relevante en los activos financieros, tanto por el criterio de valoración elegido, el valor razonable, como por que sus variaciones se van a registrar no como pérdidas y ganancias, sino como variaciones de patrimonio neto.

Señala el PGC que en esta categoría se incluirán los valores representativos de deuda e instrumentos de patrimonio de otras empresas que no se hayan clasificado en ninguna de las categorías anteriores. A pesar de este carácter residual de la definición, puede venir llamada a recoger un importante número de activos, dependiendo ello fundamentalmente del uso que se vaya a hacer de la cartera de negociación (si consta la voluntad de colocar puntas de tesorería) y de la política de toma de participaciones en empresas a largo plazo que no se constituyan como GMA (puede ser especialmente relevante en inversiones en empresas cotizadas, en las que a pesar de tener participaciones relevantes y estables no se den las circunstancias para calificarlas como empresa asociada)

Al menos al cierre del ejercicio, deberán efectuarse las correcciones valorativas necesarias siempre que exista evidencia objetiva de que el valor de un activo financiero disponible para la venta, o grupo de activos financieros disponibles para la venta con similares características de riesgo valoradas colectivamente, se ha deteriorado como resultado de uno o más eventos que hayan ocurrido después de su reconocimiento inicial, y que ocasionen:

a) En el caso de los instrumentos de deuda adquiridos, una reducción o retraso en los flujos de efectivo estimados futuros, que pueden venir motivados por la insolvencia del deudor; o

b) En el caso de inversiones en instrumentos de patrimonio, la falta de recuperabilidad del valor en libros del activo, evidenciada, por ejemplo, por un descenso prolongado o significativo en su valor razonable. En todo caso, se presumirá que el instrumento se ha deteriorado ante una caída de un año y medio y de un cuarenta por ciento en su cotización, sin que se haya producido la recuperación de su valor, sin perjuicio de que pudiera ser necesario reconocer una pérdida por deterioro antes de que haya transcurrido dicho plazo o descendido la cotización en el mencionado porcentaje.

La corrección valorativa por deterioro del valor de estos activos financieros será la diferencia entre su coste o coste amortizado menos, en su caso, cualquier corrección valorativa por deterioro previamente reconocida en la cuenta de pérdidas y ganancias y el valor razonable en el momento en que se efectúe la valoración.

Como hemos destacado, la cartera disponible para la venta se encuentra registrada a valor razonable, habiéndose imputado sus cambios a patrimonio neto. No obstante, debemos diferenciar cuando se trata de un mero cambio en el valor de los activos y cuando se trata de un verdadero deterioro, conceptuado como dificultad para recuperar la inversión.

En el caso de los instrumentos de deuda, se atiende al criterio de retrasos o posibles reducciones en los flujos de efectivo previstos. En el caso de los instrumentos de patrimonio, el PGC explicita que se requiere una caída fuerte del valor (en todo caso, si alcanza el 40 por ciento) y prolongada (al menos, un año y medio), para considerarlo como deterioro. La NIC 39 explicita estos criterios de una forma más genérica al señalar que se considerará deterioro cuando la pérdida de valor responda a cambios significativos y con efecto adverso en el mercado, el entorno tecnológico, o el marco legal o económico en el que opere el emisor.

Cuando con carácter previo a la existencia de un deterioro existan pérdidas acumuladas reconocidas en el patrimonio neto por disminución del valor razonable, siempre que exista una evidencia objetiva de dicho deterioro, se reconocerán las pérdidas previas en la cuenta de pérdidas y ganancias. A partir de dicho importe, las demás pérdidas en el valor razonable atribuidas al deterioro se registrarán directamente en la cuenta de pérdidas y ganancias.

Si en ejercicios posteriores se incrementase el valor razonable, la corrección valorativa reconocida en ejercicios anteriores revertirá con abono a la cuenta de pérdidas y ganancias del ejercicio. No obstante, en el caso de que se incrementase el valor razonable correspondiente a un instrumento de patrimonio, la corrección valorativa reconocida en ejercicios anteriores no revertirá con abono a la cuenta de pérdidas y ganancias y se registrará el incremento de valor razonable directamente contra el patrimonio neto.

En el caso de instrumentos de patrimonio que se valoren por su coste, por no poder determinarse con fiabilidad su valor razonable, la corrección valorativa por deterioro se calculará de acuerdo con lo dispuesto para las inversiones en el patrimonio de empresas del grupo, multigrupo y asociadas, y no será posible la reversión de la corrección valorativa reconocida en ejercicios anteriores.

5.3.4. Activos financieros mantenidos para negociar

Esta cartera recoge los activos financieros poseídos con una vocación especulativa, normalmente para la colación de excedentes de tesorería temporales. El propio PGC determina los casos en los que cabe asignar dicha finalidad especulativa:

– Cuando el activo se origine o adquiera con el propósito de venderlo en el corto plazo.

– Cuando el activo forme parte de una cartera de instrumentos financieros identificados y gestionados conjuntamente de la que existan evidencias de actuaciones recientes para obtener ganancias en el corto plazo.

– Instrumentos financieros derivados, siempre que no sea un contrato de garantía financiera ni haya sido designado como instrumento de cobertura.

Los activos financieros mantenidos para negociar se valorarán por su valor razonable, sin deducir los costes de transacción en que se pudiera incurrir en su enajenación. Los cambios que se produzcan en el valor razonable se imputarán en la cuenta de pérdidas y ganancias del ejercicio. Por consiguiente, no deben registrar deterioros. Los cambios de valoración aplicados a la cuenta de pérdidas y ganancias tienen plena aplicación fiscal.

Excepcionalmente, se presume que el instrumento se ha deteriorado si el valor se ha reducido un 40 por 100 en su cotización y durante un año y medio, sin que se recupere. Estas pérdidas por deterioro se reconocen en pérdidas y ganancias.

5.3.5. Otros activos financieros a valor razonable con cambios en la cuenta de pérdidas y ganancias

En esta categoría se incluirán los activos financieros híbridos, que son aquellos que combinan un contrato principal no derivado y un derivado financiero, denominado derivado implícito, que no puede ser transferido de manera independiente y cuyo efecto es que algunos de los flujos de efectivo del instrumento híbrido varían de forma similar a los flujos de efectivo del derivado considerado de forma independiente (por ejemplo, bonos referenciados al precio de unas acciones o a la evolución de un índice bursátil).

El PGC se remite para la valoración inicial y posterior de estos activos a los Activos financieros mantenidos para negociar; por consiguiente, los cambios que se produzcan en el valor razonable se imputarán en la cuenta de pérdidas y ganancias del ejercicio; no deben registrarse deterioros en relación con los mismos; y los cambios de valoración aplicados a la cuenta de pérdidas y ganancias tienen plena aplicación fiscal.

5.3.6. Aplicación fiscal del deterioro de inversiones en valores representativos de la participación en el capital o los fondos propios de entidades

El artículo 13.2 LIS, en su redacción original, disponía que las pérdidas por deterioro de los valores representativos de la participación en el capital o los fondos propios de entidades y de los valores representativos de deuda no eran deducibles. Por consiguiente, tales deterioros carecían de aplicación fiscal.

Para los periodos impositivos iniciados a partir de 1-1-17, se ha establecido que los deterioros de los valores representativos de la participación en el capital o en los fondos propios de entidades no serán deducibles siempre que la participación de la entidad transmitente no supere directa o indirectamente el 5% o su valor de adquisición fuera inferior a 20 millones de euros, en cualquier momento del año anterior a la fecha de transmisión; o, tratándose de participaciones en entidades no residentes, que en el período en que se produzca la transmisión la participada no haya estado sujeta y no exenta a un impuesto sobre beneficios de tipo nominal del 10% o superior o bien no resida en un país con Convenio de Doble Imposición que le sea de aplicación y contenga cláusula de intercambio de información o sea entidades residentes en paraísos fiscales; es decir, que no se trate de una participación a la que le sea de aplicación la exención contenida en el artículo 21 LIS.

Esta modificación se produce en el contexto de la modificación del artículo 21.6 LIS, que excluye de aplicación las pérdidas obtenidas en la transmisión y, por tanto, igualmente el deterioro, que pasa a ser gasto no deducible (lo que se regula en el artículo 15 LIS), de la participación en el capital de entidades cuya transmisión se encontrase exenta por el artículo 21 LIS o que tributasen en territorios de baja tributación o en paraísos fiscales.

Las pérdidas por deterioro señaladas excluidas de deducibilidad por este apartado serán deducibles en los términos establecidos en el artículo 20 LIS.

Por otro lado, debe tenerse presente que la DT 16ª LIS, en su redacción dada por el Real Decreto Ley 3/2016, ha previsto que la reversión de las pérdidas por deterioro de los valores representativos de la participación en el capital o en los fondos propios de entidades que coticen en un mercado regulado a las que no haya resultado de aplicación el artículo 12.3 TRIS/2004, en períodos impositivos iniciados con anterioridad a 1 de enero de 2013, se integrará en la base imponible del Impuesto sobre Sociedades del período impositivo en que se produzca la recuperación de su valor en el ámbito contable. En todo caso, la reversión de las pérdidas por deterioro de los valores representativos de la participación en el capital o en los fondos propios de entidades que hayan resultado fiscalmente deducibles en la base imponible del IS en períodos impositivos iniciados con anterioridad a 1 de enero de 2013, se integrará, como mínimo, por partes iguales en la base imponible correspondiente a cada uno de los cinco primeros períodos impositivos que se inicien a partir de 1 de enero de 2016. En el supuesto de haberse producido la reversión de un importe superior por aplicación de la recuperación de valor, el saldo que reste se integrará por partes iguales entre los restantes períodos impositivos.

Provisiones y otros gastos

Javier María Bas Soria
Inspector de Hacienda del Estado. Doctor en Derecho

"1. No serán deducibles los gastos por provisiones y fondos internos para la cobertura de contingencias idénticas o análogas a las que son objeto del Texto Refundido de la Ley de Regulación de los Planes y Fondos de Pensiones, aprobado por el Real Decreto Legislativo 1/2002, de 29 de noviembre.

Estos gastos serán fiscalmente deducibles en el período impositivo en que se abonen las prestaciones.

2. No serán deducibles los gastos relativos a retribuciones a largo plazo al personal mediante sistemas de aportación definida o prestación definida. No obstante, serán deducibles las contribuciones de los promotores de planes de pensiones regulados en el Texto Refundido de la Ley de Regulación de los Planes y Fondos de Pensiones, así como las realizadas a planes de previsión social empresarial. Dichas contribuciones se imputarán a cada partícipe o asegurado, en la parte correspondiente, salvo las realizadas a planes de pensiones de manera extraordinaria por aplicación del artículo 5.3.c) del citado Texto Refundido de la Ley de Regulación de los Planes y Fondos de Pensiones.

Serán igualmente deducibles las contribuciones para la cobertura de contingencias análogas a las de los planes de pensiones, siempre que se cumplan los siguientes requisitos:

1.º Que sean imputadas fiscalmente a las personas a quienes se vinculen las prestaciones.

2.º Que se transmita de forma irrevocable el derecho a la percepción de las prestaciones futuras.

3.º Que se transmita la titularidad y la gestión de los recursos en que consistan dichas contribuciones.

Asimismo, serán deducibles las contribuciones efectuadas por las empresas promotoras previstas en la Directiva 2003/41/CE del Parlamento Europeo y del Consejo, de 3 de junio de 2003, relativa a las actividades y la supervisión de fondos de pensiones de empleo, siempre que se cumplan los requisitos anteriores, y las contingencias cubiertas sean las previstas en el artículo 8.6 del Texto Refundido de la Ley de Regulación de los Planes y Fondos de Pensiones.

3. No serán deducibles los siguientes gastos asociados a provisiones:

a) Los derivados de obligaciones implícitas o tácitas.

b) Los concernientes a los costes de cumplimiento de contratos que excedan a los beneficios económicos que se esperan recibir de los mismos.

c) Los derivados de reestructuraciones, excepto si se refieren a obligaciones legales o contractuales y no meramente tácitas.

d) Los relativos al riesgo de devoluciones de ventas.

e) Los de personal que se correspondan con pagos basados en instrumentos de patrimonio, utilizados como fórmula de retribución a los empleados, y se satisfagan en efectivo.

4. Los gastos correspondientes a actuaciones medioambientales serán deducibles cuando se correspondan a un plan formulado por el contribuyente y aceptado por la Administración tributaria. Reglamentariamente se establecerá el procedimiento para la resolución de los planes que se formulen.

5. Los gastos que, de conformidad con los tres apartados anteriores, no hubieran resultado fiscalmente deducibles, se integrarán en la base imponible del período impositivo en el que se aplique la provisión o se destine el gasto a su finalidad.

6. Los gastos de personal que se correspondan con pagos basados en instrumentos de patrimonio, utilizados como fórmula de retribución a los empleados, y se satisfagan mediante la entrega de los mismos, serán fiscalmente deducibles cuando se produzca esta entrega.

7. Los gastos relativos a las provisiones técnicas realizadas por las entidades aseguradoras, serán deducibles hasta el importe de las cuantías mínimas establecidas por las normas aplicables. Con ese mismo límite, el importe de la dotación en el ejercicio a la reserva de estabilización será deducible en la determinación de la base imponible, aun cuando no se haya integrado en la cuenta de pérdidas y ganancias. Cualquier aplicación de dicha reserva se integrará en la base imponible del período impositivo en el que se produzca.

Las correcciones por deterioro de primas o cuotas pendientes de cobro serán incompatibles, para los mismos saldos, con la dotación para la cobertura de posibles insolvencias de deudores.

8. Serán deducibles los gastos relativos al fondo de provisiones técnicas efectuados por las sociedades de garantía recíproca, con cargo a su cuenta de pérdidas y ganancias, hasta que el mencionado fondo alcance la cuantía mínima obligatoria a que se refiere el artículo 9 de la Ley 1/1994, de 11 de marzo, sobre Régimen Jurídico de las Sociedades de Garantía Recíproca. Las dotaciones que excedan las cuantías obligatorias serán deducibles en un 75 por ciento.

No se integrarán en la base imponible las subvenciones otorgadas por las Administraciones públicas a las sociedades de garantía recíproca ni las rentas que se deriven de dichas subvenciones, siempre que unas y otras se destinen al fondo de provisiones técnicas. Lo previsto en este apartado también se aplicará a las sociedades de reafianzamiento en cuanto a las actividades que de acuerdo con lo previsto en el artículo 11 de la Ley sobre Régimen Jurídico de las Sociedades de Garantía Recíproca, han de integrar necesariamente su objeto social.

9. Los gastos inherentes a los riesgos derivados de garantías de reparación y revisión, serán deducibles hasta el importe necesario para determinar un saldo de la provisión no superior al resultado de aplicar a las ventas con garantías vivas a la conclusión del período impo-

sitivo el porcentaje determinado por la proporción en que se hubieran hallado los gastos realizados para hacer frente a las garantías habidas en el período impositivo y en los dos anteriores en relación a las ventas con garantías realizadas en dichos períodos impositivos.

Lo dispuesto en el párrafo anterior también se aplicará a las dotaciones para la cobertura de gastos accesorios por devoluciones de ventas.

Las entidades de nueva creación también podrán deducir las dotaciones a que hace referencia el párrafo primero, mediante la fijación del porcentaje referido en este respecto de los gastos y ventas realizados en los períodos impositivos que hubieren transcurrido".

DESARROLLO REGLAMENTARIO
REGLAMENTO DEL IMPUESTO SOBRE SOCIEDADES

Artículo 10. Planes de gastos correspondientes a actuaciones medioambientales.

"1. De acuerdo con el apartado 4 del artículo 14 de la Ley del Impuesto, los contribuyentes podrán someter a la Administración tributaria un plan de gastos correspondientes a actuaciones medioambientales.

2. La solicitud deberá contener los siguientes datos:

a) Descripción de las obligaciones del contribuyente o compromisos adquiridos por el mismo para prevenir o reparar daños sobre el medio ambiente.

b) Descripción técnica y justificación de la necesidad de la actuación a realizar.

c) Importe estimado de los gastos correspondientes a la actuación medioambiental y justificación del mismo.

d) Criterio de imputación temporal del importe estimado de los gastos correspondientes a la actuación medioambiental y justificación del mismo.

e) Fecha de inicio de la actuación medioambiental.

3. La solicitud se presentará dentro de los 3 meses siguientes a la fecha de nacimiento de la obligación o compromiso de la actuación medioambiental.

El contribuyente podrá desistir de la solicitud formulada.

4. La Administración tributaria podrá recabar del contribuyente cuantos datos, informes, antecedentes y justificantes sean necesarios.

El contribuyente podrá, en cualquier momento del procedimiento anterior al trámite de audiencia, presentar las alegaciones y aportar los documentos y justificantes que estime pertinentes.

5. Instruido el procedimiento, e inmediatamente antes de redactar la propuesta de resolución, se pondrá de manifiesto al contribuyente, quien dispondrá de un plazo de 15 días para formular las alegaciones y presentar los documentos y justificaciones que estime pertinentes.

6. La resolución que ponga fin al procedimiento podrá:

a) Aprobar el plan de gastos formulado por el contribuyente.

b) Aprobar, con la aceptación del contribuyente, un plan alternativo de gastos.

c) Desestimar el plan de gastos formulado por el contribuyente.

La resolución será motivada.

El procedimiento deberá finalizar en el plazo de tres meses.

7. Transcurrido el plazo a que hace referencia el apartado anterior, sin haberse notificado una resolución expresa, se entenderá aprobado el plan de gastos formulado por el contribuyente.

8. Los planes de gastos correspondientes a actuaciones medioambientales aprobados podrán modificarse a solicitud del contribuyente, observándose las normas previstas en los apartados anteriores. Dicha solicitud habrá de presentarse dentro de los 3 últimos meses del período impositivo en el cual deba surtir efecto la modificación".

Artículo 12. Órgano competente.

"Será competente para instruir y resolver el procedimiento relativo a planes de gastos correspondientes a actuaciones medioambientales y de inversiones y gastos de las comunidades titulares de montes vecinales en mano común, el órgano de la Agencia Estatal de Administración Tributaria que corresponda de acuerdo con sus normas de estructura orgánica".

SUMARIO: 1. CONCEPTO. 2. RECONOCIMIENTO CONTABLE DE LAS PROVISIONES. 3. VALORACIÓN DE LAS PROVISIONES. 4. EFECTOS FISCALES DE LAS PROVISIONES. 4.1. Fondos internos para cobertura de contingencias análogas a planes y fondos de pensiones. 4.2. Retribuciones a largo plazo al personal. 4.2.1. Reconocimiento de la provisión. 4.2.2. Aplicación fiscal de la provisión. 4.3. Obligaciones implícitas y tácitas. 4.4. Coste de cumplimiento de contratos que excedan sus beneficios. 4.5. Costes de reestructuraciones. 4.6. Provisiones por operaciones comerciales: devoluciones de ventas, garantías de reparación, revisiones y otros conceptos análogos. 4.7. Pagos al personal basados en instrumentos de patrimonio. 4.8. Gastos por actuaciones medioambientales. 4.10. Provisiones técnicas de entidades aseguradoras. 4.11. Provisiones técnicas de sociedades de garantía recíproca.

1. CONCEPTO

El Marco Conceptual del PGC hace una referencia a las provisiones en su definición de los pasivos, a los que conceptúa como las obligaciones actuales surgidas como consecuencia de sucesos pasados, para cuya extinción la empresa espera desprenderse de recursos que pueden producir beneficios o rendimientos económicos en el futuro. Añade que a estos efectos se entienden incluidas las provisiones.

Los elementos característicos de la definición del pasivo son que responde a un hecho acontecido, de resultas del cual resulta probable que a su vencimiento se deban entregar recursos para su satisfacción y que pueda valorarse con fiabilidad. Las provisiones, en tanto que pasivo, deben cumplir con dichas características para su reconocimiento.

El elemento característico de las provisiones, que las diferencias de otras obligaciones registradas en el pasivo, viene determinado por la incertidumbre. En muchos pasivos la empresa ha asumido una obligación que puede cuantificarse de forma cierta y cuyo momento de satisfacción viene claramente determinado. En otros casos, las obligaciones no revisten estas características, pues resulta probable, aunque no seguro, su nacimiento, o aunque indudablemente ha surgido la obligación, presenta incertidumbre en su cuantía o el momento de su exigibilidad. Estos pasivos son las provisiones, esto es, aquellas obligaciones derivadas de hechos pasados que resultan indeterminadas en su cuantía o la fecha de cancelación. El elemento que lleva aparejado el registro de la provisión es la necesidad de una estimación, frente a otros pasivos en los que los parámetros para su registro están plenamente determinados.

Las contingencias se diferencian de las provisiones en la eventualidad de su ocurrencia. Así, frente a la provisión, en la que existe un hecho pasado como consecuencia el nacimiento de una obligación es probable, esto es, normalmente surgirá según las lecciones que nos muestra la experiencia pasada, en la contingencia o no existe hecho pasado o el nacimiento de la obligación es solo posible, es decir, no existe una experiencia anterior que marque la consecuencia del nacimiento de la obligación.

Las contingencias, por tanto, no cumplen con los requisitos para ser consideradas pasivos y no deberán registrase en el balance, aunque, en algunos casos, deba darse información sobre las mismas en el balance.

En el PGC 90 las provisiones respondían a perdidas reversibles (frente a las irreversibles que reflejaban las amortizaciones, cuando se trata de la depreciación sistemática de un activo, o las propias pérdidas, cuando se trata de una depreciación no sistemática, debido a una circunstancia no prevista), surgidas por dos circunstancias diferentes:

- Existencia de activos que perdían temporalmente su valor, aunque la pérdida se consideraba reversible. Estas provisiones se consideraban como cuentas compensadoras del activo, cuyo valor de mercado era inferior al reflejado en las cuentas de la empresa.

- Existencia de obligaciones de carácter eventual o posible, u otras obligaciones ciertas, aunque indeterminadas en su cuantía o vencimiento (provisiones para riesgos y gastos y provisiones por operaciones del tráfico).

El PGC 07 ha diferenciado ambos tipos de provisiones (como ya había hecho la normativa del Impuesto sobre Sociedades, que dedicaba un artículo diferente a cada tipo de provisión –12 LIS para las provisiones de activo, 13 LIS para las provisiones de pasivos–): las compensadoras de elementos de activo han quedado reflejadas como deterioros, mientras que las provisiones de pasivo han mantenido su denominación y son exclusivamente éstas a las que nos referiremos cuando hablemos de provisiones.

Las provisiones se recogen en las siguientes cuentas del PGC:

a) Grupo 14:

- Provisión por retribuciones a largo plazo al personal (140): recoge obligaciones legales, contractuales o implícitas con el personal de la empresa, distintas de las referidas a reestructuraciones o pagos con instrumentos del patrimonio, sobre las que existe incertidumbre acerca de su cuantía o vencimiento, tales como retribuciones post-empleo de prestación definida o prestaciones por incapacidad.

- Provisión para impuestos (141): refleja el importe estimado de deudas tributarias cuyo pago está indeterminado en cuanto a su importe exacto o a la fecha en que se producirá, dependiendo del cumplimiento o no de determinadas condiciones

- Provisión para otras responsabilidades (142): se registran los pasivos no financieros surgidos por obligaciones de cuantía indeterminada no incluidas en ninguna de las restantes cuentas de este subgrupo; entre otras, las procedentes de litigios en curso, indemnizaciones u obligaciones derivados de avales y otras garantías similares a cargo de la empresa.

- Provisión por desmantelamiento, retiro o rehabilitación del inmovilizado (143), que se dotará por el importe estimado de los costes de desmantelamiento o retiro del inmovilizado, así como la rehabilitación del lugar sobre el que se asienta.

- Provisión para actuaciones medioambientales (145): obligaciones legales, contractuales o implícitas de la empresa o compromisos adquiridos por la misma, de cuantía indeterminada, para prevenir o reparar daños sobre el medio ambiente, salvo las que tengan su origen en el desmantelamiento, retiro o rehabilitación del inmovilizado, que se contabilizarán en la provisión antes citada.

- Provisión para reestructuraciones (146): reflejo contable del importe estimado de los costes que surjan directamente de una reestructuración, siempre y cuando se cumplan las dos condiciones siguientes:

- Provisión por transacciones con pagos basados en instrumentos de patrimonio (147), por el importe estimado de la obligación asumida por la empresa como consecuencia de una transacción con pagos basados en instrumentos de patrimonio que se liquiden con un importe efectivo que esté basado en el valor de dichos instrumentos.

b) Cuenta 529, en el que se recogen las provisiones del grupo 14 como pasivo circulante cuando se prevea su cancelación a corto plazo.

c) Provisiones por operaciones comerciales (499): Provisiones para el reconocimiento de obligaciones presentes derivadas del tráfico comercial de la empresa. Se incluyen las siguientes subpartidas:

 – Provisión por contratos onerosos (4994): Provisión que surge cuando los costes que conlleva el cumplimiento de un contrato exceden a los beneficios económicos que se esperan recibir del mismo.

 – Provisión para otras operaciones comerciales (4999): Provisión para cobertura de gastos por devoluciones de ventas, garantías de reparación, revisiones y otros conceptos análogos

d) Cuenta 585, relativa a las provisiones para los activos no corrientes mantenidos para la venta y activos y pasivos asociados.

2. RECONOCIMIENTO CONTABLE DE LAS PROVISIONES

La NRV 15 exige dos requisitos para el reconocimiento de provisiones:

 – Que cumplan con la definición de pasivos (obligaciones actuales surgidas como consecuencia de sucesos pasados, para cuya extinción la empresa espera desprenderse de recursos que pueden producir beneficios o rendimientos económicos) y los criterios de registro y reconocimiento contable previstos para los mismos (cuando se posible que a su vencimiento ya para liquidar la obligación deban entregarse o cederse recursos que incorporen beneficios o rendimientos económicos) contenidos en el marco conceptual.

 – Que los pasivos resulten indeterminados respecto a su importe o a la fecha en que se cancelarán.

Se limitan, asimismo, las fuentes de las provisiones, que surgen de una disposición legal, contractual o por una obligación implícita o tácita, y en este último caso, sólo si se ha creado una expectativa válida por la empresa frente a terceros de asunción de una obligación.

3. VALORACIÓN DE LAS PROVISIONES

Las provisiones deben valorarse en cada momento sobre la base de los siguientes parámetros:

 – Su importe será la cantidad necesaria para cancelar o transferir a un tercero la obligación, determinada por el valor actual de la obligación futura.

- En tanto que indeterminada, la cuantificación se basará en la información disponible en cada momento

- Se actualizará anualmente, con cargo a gastos financieros. Únicamente en los casos de provisiones con vencimiento inferior o igual a un año y en las que el efecto financiero no sea significativo no será necesaria realizar la actualización.

Si llegado el momento de liquidar la obligación la empresa dispone del derecho de percibir una compensación de un tercero, se registrará la obligación sin compensación por su importe íntegro, así como el derecho, sin que la cuantía de éste pueda exceder la de aquélla. Por el contrario, cuando exista un vínculo legal o contractual, por el que se haya exteriorizado parte del riesgo, y en virtud del cual la empresa no esté obligada a responder, se tendrá en cuenta para estimar el importe por el que, en su caso, figurará la provisión.

4. EFECTOS FISCALES DE LAS PROVISIONES

4.1. *Fondos internos para cobertura de contingencias análogas a planes y fondos de pensiones*

Regulados por el texto refundido de la Ley de Regulación de los Planes y Fondos de Pensiones, aprobado por Real Decreto Legislativo 1/2002, los Planes y Fondos de Pensiones constituyen instrumentos de previsión social que dan derecho a percibir rentas o capitales por jubilación, supervivencia, viudedad, orfandad o invalidez, como consecuencia de la realización de una serie de aportaciones realizadas a favor de los beneficiarios.

Son contingencias cubiertas por Planes y Fondos de Pensiones la jubilación, determinada a través de lo previsto en el Régimen de Seguridad Social correspondiente; incapacidad laboral total y permanente para la profesión habitual o absoluta y permanente para todo trabajo, y la gran invalidez, determinadas conforme al Régimen correspondiente de Seguridad Social; muerte del partícipe o beneficiario, que puede generar derecho a prestaciones de viudedad, orfandad o a favor de otros herederos o personas designadas; y la dependencia severa o gran dependencia del partícipe, regulada en la Ley de promoción de la autonomía personal y atención a las personas en situación de dependencia.

Dependiendo de la entidad promotora, existen tres tipos de planes de pensiones principales; Sistema de empleo, en el que el promotor es cualquier entidad, corporación, sociedad o empresa y cuyos partícipes sean los empleados de las mismas; el sistema asociado, cuando el promotor o promotores sean cualesquiera asociaciones o sindicatos, siendo los partícipes sus asociados, miembros o afiliados; y el sistema individual, que son planes cuyo promotor son una o varias entidades de carácter financiero y cuyos partícipes son cualesquiera personas físicas.

Dan lugar a la creación de un patrimonio separado del patrimonio del promotor, que es el Fondo de Pensiones, que se nutre con las aportaciones de los promotores o de los partícipes, cuya gestión se encomienda a una entidad gestora.

Alternativamente, con la finalidad de cubrir las mismas finalidades, las empresas pueden constituir fondos internos para la cobertura de contingencias idénticas o análogas a las que son objeto del Texto Refundido de la Ley de Regulación de los Planes y Fondos de Pensiones. Tales fondos internos deben ser constituidos como una parte del patrimonio de la empresa, separada, y que únicamente puede aplicarse a la satisfacción de las obligaciones cuya cobertura trata de garantizar.

La diferencia esencial de esta figura con los Planes y Fondos de Pensiones es que la empresa que constituye el fondo retiene la propiedad y gestión de los activos afectos al fondo interno.

Contablemente, se regula esta cuestión en la NRV 16ª, que dispone que se reconocerá un pasivo por esta obligación futura asumida por el fondo interno, en forma de provisión por retribuciones al personal a largo plazo, que se producirá por la diferencia entre el valor razonable de los eventuales activos afectos a los compromisos con los que se liquidarán las obligaciones y el valor actual de las retribuciones comprometidas. Tales activos serán únicamente aquellos activos separados, incluidas las pólizas de seguro, que no sean propiedad de la empresa sino de un tercero separado legalmente y que sólo estén disponibles para la liquidación de las retribuciones a los empleados. Adicionalmente, para los casos de pólizas de seguros, se exige que la entidad aseguradora no sea parte vinculada. Por consiguiente, dado que el fondo interno subsiste en poder y gestión de la empresa, la provisión se constituirá sobre el valor actual total de la contraprestación futura comprometida.

El artículo 13.1 LIS limita la aplicación fiscal por la dotación de esta provisión, ya que no considera como gastos deducibles los gastos correspondientes a provisiones y fondos internos para la cobertura de contingencias idénticas o análogas a Planes y Fondos de Pensiones.

Esta limitación debe entenderse aplicable también a los restantes gastos asociados a los fondos internos análogos a Planes y Fondos de Pensiones. La variación debida a motivos actuariales del importe de la provisión, así como las restantes variaciones en los importes de las retribuciones se reconocerán en la cuenta de pérdidas y ganancias en el ejercicio que se produzcan, sin que tales gastos tengan aplicación fiscal.

En el momento de realizar el pago de las prestaciones por acontecer cualquiera de las contingencias cubiertas, contablemente, se aplica la provisión constituida, por lo que no se registra gasto. No obstante, en el momento de realizar tal aplicación de la provisión, por abonarse la prestación, los gastos serán fiscalmente deducibles.

4.2. Retribuciones a largo plazo al personal

4.2.1. Reconocimiento de la provisión

La NRV 16ª contempla el tratamiento de los pasivos por retribuciones a largo plazo al personal. Se incluyen en esta categoría los siguientes tipos de retribuciones:

- Prestaciones post-empleo, tales como pensiones y otras prestaciones por jubilación o retiro, siempre que el compromiso de su abono se haya adquirido durante los periodos activos.

- Otras prestaciones a largo plazo que supongan una compensación económica a satisfacer con carácter diferido, respecto al momento en el que se presta el servicio.

A los efectos de su registro contable se diferencian dos tipos de retribuciones:

i. Retribuciones a largo plazo de aportación definida.

   Son aquellas en las que la empresa asume el compromiso de realizar contribuciones de carácter predeterminado a una entidad separada – como puede ser una entidad aseguradora o un plan de pensiones–, siempre que la empresa no tenga la obligación legal, contractual o implícita de realizar contribuciones adicionales si la entidad separada no pudiera atender los compromisos asumidos.

   Estas retribuciones darán lugar a un gasto contable cuando se satisfaga la contribución. Únicamente darán lugar a un pasivo correspondiente a la provisión por retribuciones a largo plazo al personal cuando, al cierre del ejercicio, figuren contribuciones devengadas no satisfechas.

ii. Retribuciones a largo plazo de prestación definida.

   Se definen con carácter residual, como las retribuciones a largo plazo al personal que no tengan el carácter de aportación definida.

En este caso debe existir un activo separado, con el que se pretende hacer frente a la obligación futura, y un pasivo, constituido por la obligación asumida. Los activos separados serán únicamente aquellos activos, incluidas las pólizas de seguro, que no sean propiedad de la empresa sino de un tercero separado legalmente y que sólo estén disponibles para la liquidación de las retribuciones a los empleados. Adicionalmente, para los casos de pólizas de seguros, se exige que la entidad aseguradora no sea parte vinculada.

El reconocimiento inicial de un pasivo por esta obligación futura, en forma de provisión por retribuciones al personal a largo plazo, se producirá por la diferencia entre el valor razonable de los eventuales activos afectos a los compromisos con los que se liquidarán las obligaciones y el valor actual de las retribuciones comprometidas.

Quizá el elemento más complejo viene determinado por la cuantificación del valor actual de estas retribuciones, ya que obliga a toma en consideración no solo los importes de las contraprestaciones futuras, que en generalmente no son conocidos y la tasa de descuento aplicable para su actualización, sino también variables actuariales que tengan presente las probabilidades de que los pagos no se produzcan o se produzcan en fechas diferentes como consecuencia de eventos futuros como muerte, invalidez o jubilaciones anticipadas del trabajador.

Cuando las obligaciones a su valor actual sean superiores al importe de los activos, reconoceremos la provisión correspondiente. Cuando los activos sean de importe superior al valor actual de las retribuciones futuras podremos registrar un activo, pero limitado en su cuantía: su valoración no podrá superar el valor actual de las prestaciones económicas que pueden retornar a la empresa en forma de reembolsos directos o en forma de menores contribuciones futuras, más, en su caso, la parte pendiente de imputar a resultados de costes por servicios pasados. Cualquier ajuste que proceda realizar por este límite en la valoración del activo, vinculado a retribuciones post-empleo, se imputará directamente a patrimonio neto, reconociéndose como reservas.

La valoración posterior se diferencia en dos supuestos. Cuando se trate de variaciones debidas a motivos actuariales, sean en el cálculo del valor actual de las retribuciones post-empleo comprometidas o en del activo afecto, en la fecha de cierre del ejercicio, se imputarán en el ejercicio en el que surjan, directamente en el patrimonio neto, reconociéndose como reservas.

Las restantes variaciones en los importes de las retribuciones o del activo afecto reconocerán en la cuenta de pérdidas y ganancias en el ejercicio que se produzcan.

Se establece finalmente que si la empresa puede exigir a una entidad aseguradora, el pago de una parte o de la totalidad del desembolso exigido para cancelar una obligación por prestación definida, resultando prácticamente cierto que dicha entidad aseguradora vaya a reembolsar alguno o todos de los desembolsos exigidos para cancelar dicha obligación, pero la póliza de seguro no cumple las condiciones para ser un activo afecto, la empresa reconocerá su derecho al reembolso en el activo que, en los demás aspectos se tratará como un activo afecto. En particular este derecho se valorará por su valor razonable.

Se contempla finalmente la figura de los costes por servicios pasados, que son aquellos surgidos por:

- El establecimiento de un plan de retribuciones a largo plazo de prestación definida post-empleo

- El establecimiento de una mejora en las condiciones de un plan ya establecido.

Estos costes se reconocerán en todo caso como gasto, aunque existen diversos momentos para su aplicación a la cuenta de pérdidas y ganancias:

- Si se trata de derechos irrevocables, esto es, obligatorios independientemente de que el trabajador siga o no prestando servicio, el gasto se imputará a la cuenta de pérdidas y ganancias de forma inmediata.

- Si se trata de derechos revocables, esto es, en los que depende la exigibilidad del derecho del cumplimiento de alguna condición por el trabajador, como la permanencia de un número de años, el gasto se imputará a la cuenta de pérdidas y ganancias de forma lineal en el período medio que resta hasta que los derechos por servicios pasados sean irrevocables.

No obstante, si de acuerdo con lo dispuesto en la NRV surgiera un activo, los derechos revocables se imputarán a la cuenta de pérdidas y ganancias de forma inmediata, salvo que se produzca una reducción en el valor actual de las prestaciones económicas que pueden retornar a la empresa en forma de reembolsos directos o en forma de menores contribuciones futuras, en cuyo caso se imputará a la cuenta de pérdidas y ganancias de forma inmediata el exceso sobre tal reducción.

- Los costes por servicios pasados surgidos en cualquier otro tipo de retribución a largo plazo al personal se reconocerán inmediatamente como gastos en la cuenta de pérdidas y ganancias por su valor actual.

4.2.2. Aplicación fiscal de la provisión

Se considera, con carácter general, que no son deducibles los gastos relativos a retribuciones a largo plazo al personal mediante sistemas de aportación definida o prestación definida.

Por excepción, se consideran deducibles los siguientes gastos:

1. Las contribuciones de los promotores de planes de pensiones, así como las realizadas a planes de previsión social empresarial.

   La condición para la deducibilidad de estas contribuciones es su imputación a cada partícipe o asegurado, en la parte correspondiente, salvo las realizadas a planes de pensiones de manera extraordinaria por aplicación del artículo 5.3.c) en el Texto Refundido de la Ley de Regulación de los Planes y Fondos de Pensiones, que recoge la posibilidad de realizar aportaciones extraordinarias a un plan de pensiones de empleo por la empresa promotora cuando sea preciso para garantizar las prestaciones en curso o los derechos de los partícipes de planes que incluyan regímenes de prestación definida para la jubilación y se haya puesto de manifiesto, a través de las revisiones actuariales, la existencia de un déficit en el plan de pensiones.

2. Las contribuciones para la cobertura de contingencias análogas a las de los planes de pensiones a través de un sistema de previsión social alternativo, esto es, mediante un contrato de seguro, y siempre que se cumplan los siguientes requisitos:

   – Que las contribuciones sean imputadas fiscalmente a las personas a quienes se vinculen las prestaciones.

   – Que se transmita de forma irrevocable el derecho a la percepción de las prestaciones futuras de la empresa que realiza la aportación a los beneficiarios.

   – Que se transmita la titularidad y la gestión de los recursos en que consistan dichas contribuciones.

3. Finalmente, las contribuciones efectuadas por las empresas promotoras previstas en la Directiva 2003/41/CE del Parlamento Europeo y del Consejo, de 3 de junio de 2003, relativa a las actividades y la supervisión de fondos de pensiones de empleo, siempre que se cumplan los requisitos mencionados en el punto anterior siempre que las contingencias cubiertas sean las cubiertas por Planes y Fondos de Pensiones, esto es, jubilación, incapacidad laboral total y permanente y gran invalidez, muerte o dependencia severa o gran dependencia.

4.3. Obligaciones implícitas y tácitas

Tal y como hemos referido anteriormente, de los cuatro orígenes posibles de las obligaciones provisionables, esto es, obligaciones legales, contractuales, implícitas y tácitas, el legislador ha limitado los dos últimos, determinando que no serán deducibles las provisiones basadas en tales fuentes de obligación.

La NIC 37 aclara estos conceptos, distinguiendo a los efectos del reconocimiento de las provisiones:

   – Obligación presente: se considera como tal aquella que partiendo de la evidencia disponible (sea por propia experiencia de la empresa o por el juicio técnico de un experto) tiene una probabilidad mayor de ocurrir que de no ocurrir a partir de un hecho pasado, es decir, que como consecuencia de ese hecho hay más de un 50 por ciento de probabilidad que se deba satisfacer la obligación. Como ya hemos señalado, solo puede reconocerse la existencia de una provisión cuando exista una obligación presente, indeterminada en cuanto a su cuantía exacta o el momento de su satisfacción.

- Obligación legal: es aquella que surge de una disposición de obligado cumplimiento para la empresa.

- Obligación contractual: aquella que se deriva de las estipulaciones contractuales pactadas por la empresa.

- Obligación implícita: es aquella que deriva de las actuaciones de la empresa, basada en comportamientos anteriores, políticas empresariales conocidas o declaraciones efectuadas concretas, y que como consecuencia de ello haya surgido una expectativa válida de que se va a cumplir con el compromiso asumido.

4.4. *Coste de cumplimiento de contratos que excedan sus beneficios*

La subcuenta 4994, Provisión por contratos onerosos, encuadrada dentro de la cuenta 499, Provisiones por operaciones comerciales, contemplada para el reconocimiento de obligaciones presentes derivadas del tráfico comercial de la empresa, recoge el pasivo que surge cuando los costes que conlleva el cumplimiento de un contrato exceden a los beneficios económicos que se esperan recibir del mismo.

El artículo 14.3.b LIS limita la deducibilidad fiscal de tales gastos, que se difiere al momento en el que se incurra en los gastos correspondientes o en el que se aplique la provisión, según resulta del artículo 14.5 LIS.

4.5. *Costes de reestructuraciones*

La provisión para reestructuraciones, recogida en la cuenta 146, contiene reflejo contable del importe estimado de los costes que surjan directamente de una reestructuración, siempre y cuando se cumplan las dos condiciones siguientes:

- Estén necesariamente impuestos por la reestructuración.

- No estén asociados con las actividades que continúan en la empresa.

Se entiende por reestructuración un programa de actuación planificado y controlado por la empresa, que produzca un cambio significativo en el alcance de la actividad llevado a cabo por la empresa, o la manera de llevar la gestión de su actividad.

El artículo 14.3.c LIS limita la deducibilidad de estas provisiones a los supuestos en los que derivan de obligaciones legales o contractuales, y no de obligaciones meramente tácitas, en los que reitera la exclusión general de deducibilidad de obligaciones tácitas.

4.6. *Provisiones por operaciones comerciales: devoluciones de ventas, garantías de reparación, revisiones y otros conceptos análogos*

La subcuenta 4999, Provisión para otras operaciones comerciales, recoge la provisión para cobertura de gastos por determinadas operaciones comerciales, tales como devoluciones de ventas, garantías de reparación, revisiones y otros conceptos análogos.

A pesar de su contabilización conjunta, el legislador fiscal dispensa trato diferente a estas provisiones.

Así, las dotaciones a las provisiones relativas al riesgo de devoluciones de ventas no son deducibles fiscalmente, según resulta del artículo 14.3.d LIS.

Sin embargo, son deducibles, al menos parcialmente, las dotaciones a la provisión por gastos inherentes a las garantías de reparación y revisión y por cobertura de gastos accesorios por devoluciones de ventas, según resulta del artículo 14.9 LIS.

Para el cálculo de la provisión se aplica una regla forfataria, en función de los gastos habidos en los tres periodos anteriores. Se determina un porcentaje en función de una fracción, en cuyo numerador se contiene el importe de los gastos realizados para hacer frente a las garantías habidas en el período impositivo y en los dos anteriores, y en el numerador el importe de las ventas con garantías realizadas en dichos períodos impositivos. La cuantía de la provisión fiscalmente deducible se obtiene aplicando el importe de las ventas con garantías vivas a la conclusión del período impositivo, el porcentaje determinado según el procedimiento anterior.

Este mismo procedimiento se aplicará a las dotaciones para la cobertura de gastos accesorios por devoluciones de ventas.

Para las entidades de nueva creación se estipula que también podrán deducir las dotaciones anteriores, mediante la fijación del porcentaje referido en éste respecto de los gastos y ventas en los períodos impositivos que hubieren transcurrido desde su constitución.

EJEMPLO

PROVISIÓN PARA GARANTÍAS DE REPARACIÓN Y REVISIÓN DE VENTAS

Una empresa vende electrodomésticos prestando durante dos años garantía de reparación de los mismos. Al final de este ejercicio existen ventas con garantías vivas por importe de 300.000 euros. Los gastos habidos por estas reparaciones en el ejercicio presente y los dos anteriores y los importes de las ventas efectuadas con dicha garantía son los siguientes:

AÑO	GASTOS	VENTAS
X0	2.000	250.000
X1	3.000	150.000
X2	1.000	200.000

Respuesta

Para determinar el importe de la provisión deducible debemos determinar, en primer lugar, la proporción que suponen los gastos de los tres últimos ejercicios sobre el importe de las ventas con garantías vivas de los mismos:

2.000+3.000+1.000/250.000+150.000+200.000=0,01

Aplicamos dicho importe sobre las garantías vivas del ejercicio:

300.000*0,01=3.000

Dotamos la provisión, siendo gasto fiscal del ejercicio:

DOTACIÓN PROVISIÓN			
CUENTA		DEBE	HABER
6959	Dotación a la provisión para otras operaciones comerciales	3.000	
4999	Provisión para otras operaciones comerciales		3.000

4.7. *Pagos al personal basados en instrumentos de patrimonio*

Como ya hemos visto, la NRV 16ª contempla el tratamiento de los pasivos por retribuciones a largo plazo al personal. Estos pagos pueden arbitrarse como pagos basados en instrumentos de patrimonio.

La NRV 17ª regula las operaciones en las que, a cambio de recibir bienes o servicios, incluidos los servicios prestados por los empleados, son liquidadas por la empresa con instrumentos de patrimonio propio o con un importe que esté basado en el valor de instrumentos de patrimonio propio, tales como opciones sobre acciones o derechos sobre la revalorización de las acciones.

Para su tratamiento contable, se distinguen tres tipos de operaciones diferentes: las transacciones satisfechas con instrumentos de patrimonio propio, en la que la empresa recibe bienes o servicios y el instrumento de patrimonio se arbitra como contraprestación o fórmula de pago de los servicios; las transacciones en las que la empresa recibe los bienes y servicios e incurre en un pasivo, cuyo importe está basado en el precio o valor de los instrumentos de patrimonio propio; y las transacciones en las que la empresa recibe bienes o servicios, y los términos del acuerdo permiten, a opción de la propia empresa o del proveedor, liquidar en efectivo o mediante la entrega de instrumentos de patrimonio propio.

Cuando se trate de transacciones satisfechas con instrumentos de patrimonio, la entidad registra, por un lado, los bienes o servicios recibidos como un activo o como un gasto, según proceda, siendo contrapartida de los mismos el incremento de patrimonio neto correspondiente a los instrumentos de patrimonio neto entregados. Para la valoración de estas operaciones se atenderá, si se puede estimar con fiabilidad, al valor razonable de los bienes o servicios en la fecha en que se reciben. Si el valor razonable de los bienes o servicios recibidos no se puede estimar con fiabilidad, los bienes o servicios recibidos y el incremento en el patrimonio neto se valorarán al valor razonable de los instrumentos de patrimonio cedidos, referido a la fecha en que la empresa obtenga los bienes o la otra parte preste los servicios.

Una especie de estas operaciones con regla de valoración propia es aquella en la que los servicios recibidos son prestados por los empleados. En este caso se valorarán los servicios recibidos y el incremento de patrimonio neto por el valor razonable de los instrumentos de patrimonio cedidos, referido a la fecha del acuerdo de concesión.

Cuando las transacciones se liquiden en efectivo, siempre que su importe se base en instrumentos de patrimonio, la empresa reconocerá, por un lado, los bienes o servicios recibidos como un activo o como un gasto atendiendo a su naturaleza, en el momento de su obtención y, por otro, el correspondiente pasivo. En este caso, los bienes o servicios recibidos y el pasivo a reconocer se valorarán al valor razonable del pasivo (la opción concedida), referido a la fecha en la que se cumplan los requisitos para su reconocimiento. Posteriormente y hasta su satisfacción el activo se valorará a la fecha de cierre de cada ejercicio por el valor razonable del pasivo.

El legislador distingue para su aplicación fiscal las transacciones con el personal y con terceros.

En las transacciones con terceros se asume fiscalmente el criterio contable, al no existir excepciones.

En las transacciones con el personal que se correspondan con pagos basados en instrumentos de patrimonio, utilizados como fórmula de retribución a los empleados, y se satisfagan en efectivo, se considera que no es deducible la provisión dotada para atender a estos pagos futuros. El gasto será deducible:

- Si el pago se realiza en efectivo, en el momento en el que se aplique la provisión a su finalidad por efectuarse el pago, según dispone el artículo 14.5 LIS.

- Si el pago se realiza mediante la entrega de los instrumentos de patrimonio, en el momento en el que se entreguen los instrumentos de patrimonio, según dispone el artículo 14.6 LIS.

4.8. Gastos por actuaciones medioambientales

Tal y como ya hemos visto, la previsión de los gastos correspondientes a actuaciones medioambientales se registran en la cuenta 145, Provisión para actuaciones medioambientales, y responden a obligaciones legales, contractuales o implícitas de la empresa o compromisos adquiridos por la misma, de cuantía indeterminada, para prevenir o reparar daños sobre el medio ambiente, salvo las que tengan su origen en el desmantelamiento, retiro o rehabilitación del inmovilizado, que se contabilizarán en la provisión por desmantelamiento, retiro o rehabilitación del inmovilizado (cuenta 143).

Para estos gastos se prevé una limitación procedimental, en la medida que serán deducibles cuando se correspondan a un plan formulado por el contribuyente y aceptado por la Administración tributaria, cuyo desarrollo se remite a la norma reglamentaria.

El artículo 10 RIS desarrolla el procedimiento para la aprobación de estos planes.

La iniciación se producirá por solicitud del interesado, a presentar en el plazo de los 3 meses siguientes a la fecha de nacimiento de la obligación o compromiso de la actuación medioambiental, y deberá contener los siguientes datos:

a) Descripción de las obligaciones del contribuyente o compromisos adquiridos por el mismo para prevenir o reparar daños sobre el medio ambiente.

b) Descripción técnica y justificación de la necesidad de la actuación a realizar.

c) Importe estimado de los gastos correspondientes a la actuación medioambiental y justificación del mismo.

d) Criterio de imputación temporal del importe estimado de los gastos correspondientes a la actuación medioambiental y justificación del mismo.

e) Fecha de inicio de la actuación medioambiental.

La instrucción administrativa permite recabar del contribuyente cuantos datos, informes, antecedentes y justificantes sean necesarios; pudiendo igualmente el contribuyente, en cualquier momento, presentar las alegaciones y aportar los documentos y justificantes que estime pertinentes. En cualquier momento el contribuyente puede desistir de la solicitud presentada. En todo caso, será preceptivo un trámite de audiencia por un plazo de 15 días.

La resolución deberá dictarse en el plazo de tres meses, siendo el silencio positivo. Será motivada, siendo su contenido posible:

– Aprobar el plan de gastos formulado por el contribuyente.

– Aprobar, con la aceptación del contribuyente, un plan alternativo de gastos.

– Desestimar el plan de gastos formulado por el contribuyente.

Los planes aprobados podrán modificarse a solicitud del contribuyente siguiendo la misma tramitación.

4.10. Provisiones técnicas de entidades aseguradoras

Las provisiones técnicas realizadas por las entidades aseguradoras son deducibles hasta el importe de las cuantías mínimas establecidas por su normativa específica.

Se regula la dotación a las provisiones técnicas de entidades aseguradoras por el Real Decreto 2486/1998, de 20 de noviembre, por el que se aprueba el Reglamento de Ordenación y Supervisión de los Seguros Privados. En su artículo 29 dispone que las provisiones técnicas deberán reflejar en el balance de las entidades aseguradoras el importe de las obligaciones asumidas que se derivan de los contratos de seguros y reaseguros, debiendo constituirse y mantenerse por un importe suficiente para garantizar, atendiendo a criterios prudentes y razonables, todas las obligaciones derivadas de los contratos, así como para mantener la necesaria estabilidad de la entidad aseguradora frente a oscilaciones aleatorias o cíclicas de la siniestralidad o frente a posibles riesgos especiales.

Se enumeran a continuación las siguientes provisiones técnicas:

a) De primas no consumidas.

b) De riesgos en curso.

c) De seguros de vida.

d) De participación en beneficios y para extornos.

e) De prestaciones.

f) La reserva de estabilización.

g) Del seguro de decesos.

h) Del seguro de enfermedad.

i) De desviaciones en las operaciones de capitalización por sorteo.

j) De gestión de riesgos derivados de la internacionalización asegurados por cuenta del Estado

Los artículos 30 a 48 del citado Reglamento regulan detalladamente las normas sobre dotación de las citadas provisiones, completándose con los artículos 49 a 57 que establecen la cobertura de las provisiones técnicas dotadas.

4.11. Provisiones técnicas de sociedades de garantía recíproca

Las Sociedades de Garantía Recíproca son entidades financieras cuyo objeto principal consiste en facilitar el acceso al crédito de las pequeñas y medianas empresas y mejorar, en términos generales, sus condiciones de financiación, a través de la prestación de avales ante bancos, cajas de ahorros y cooperativas de crédito, Administraciones Públicas y clientes y proveedores. Se regulan por la Ley 1/1994, de 11 de marzo, sobre Régimen Jurídico de las Sociedades de Garantía Recíproca.

Establece el artículo 14.8 LIS que los gastos relativos al fondo de provisiones técnicas efectuados por las sociedades de garantía recíproca, con cargo a su cuenta de pérdidas y ganancias, serán deducibles hasta que el mencionado fondo alcance la cuantía mínima obligatoria a que se refiere el artículo 9 de la Ley 1/1994; las dotaciones que excedan las cuantías obligatorias serán deducibles en un 75 por ciento. El citado artículo 9 de la Ley 1/1994 señala que las dotaciones podrán ser:

- Dotaciones que la sociedad de garantía recíproca efectúe con cargo a su cuenta de pérdidas y ganancias sin limitación y en concepto de provisión de insolvencias.

- Las subvenciones, donaciones u otras aportaciones no reintegrables que efectúen las Administraciones públicas, los organismos autónomos y demás entidades de derecho público, dependientes de las mismas, las sociedades mercantiles en cuyo capital participe mayoritariamente cualesquiera de las anteriores y las entidades que representen o asocien intereses económicos de carácter general o del ámbito sectorial a que se refieran los estatutos sociales.

- Cualesquiera otras aportaciones que reglamentariamente se determinen

Establece asimismo este apartado que no se integrarán en la base imponible las subvenciones otorgadas por las Administraciones públicas a las sociedades de garantía recíproca ni las rentas que se deriven de dichas subvenciones, siempre que unas y otras se destinen al fondo de provisiones técnicas.

Finalmente, lo previsto en este apartado también se aplicará a las sociedades de reafianzamiento en cuanto a las actividades que de acuerdo con lo previsto en el artículo 11 de la Ley sobre Régimen Jurídico de las Sociedades de Garantía Recíproca, han de integrar necesariamente su objeto social.

Artículo 15
Gastos no deducibles

Javier María Bas Soria

Inspector de Hacienda del Estado. Doctor en Derecho

"No tendrán la consideración de gastos fiscalmente deducibles:

a) Los que representen una retribución de los fondos propios.

A los efectos de lo previsto en esta Ley, tendrá la consideración de retribución de fondos propios, la correspondiente a los valores representativos del capital o de los fondos propios de entidades, con independencia de su consideración contable.

Asimismo, tendrán la consideración de retribución de fondos propios la correspondiente a los préstamos participativos otorgados por entidades que formen parte del mismo grupo de sociedades según los criterios establecidos en el artículo 42 del Código de Comercio, con independencia de la residencia y de la obligación de formular cuentas anuales consolidadas.

b) Los derivados de la contabilización del Impuesto sobre Sociedades. No tendrán la consideración de ingresos los procedentes de dicha contabilización.

c) Las multas y sanciones penales y administrativas, los recargos del período ejecutivo y el recargo por declaración extemporánea sin requerimiento previo.

d) Las pérdidas del juego.

e) Los donativos y liberalidades.

No se entenderán comprendidos en esta letra e) los gastos por atenciones a clientes o proveedores ni los que con arreglo a los usos y costumbres se efectúen con respecto al personal de la empresa ni los realizados para promocionar, directa o indirectamente, la venta de bienes y prestación de servicios, ni los que se hallen correlacionados con los ingresos.

No obstante, los gastos por atenciones a clientes o proveedores serán deducibles con el límite del 1 por ciento del importe neto de la cifra de negocios del período impositivo.

Tampoco se entenderán comprendidos en esta letra e) las retribuciones a los administradores por el desempeño de funciones de alta dirección, u otras funciones derivadas de un contrato de carácter laboral con la entidad.

f) Los gastos de actuaciones contrarias al ordenamiento jurídico.

g) Los gastos de servicios correspondientes a operaciones realizadas, directa o indirectamente, con personas o entidades residentes en países o territorios calificados como paraísos fiscales, o que se paguen a través de personas o entidades residentes en estos, excepto que el contribuyente pruebe que el gasto devengado responde a una operación o transacción efectivamente realizada.

Las normas sobre transparencia fiscal internacional no se aplicarán en relación con las rentas correspondientes a los gastos calificados como fiscalmente no deducibles.

h) Los gastos financieros devengados en el período impositivo, derivados de deudas con entidades del grupo según los criterios establecidos en el artículo 42 del Código de Comercio, con independencia de la residencia y de la obligación de formular cuentas anuales consolidadas, destinadas a la adquisición, a otras entidades del grupo, de participaciones en el capital o fondos propios de cualquier tipo de entidades, o a la realización de aportaciones en el capital o fondos propios de otras entidades del grupo, salvo que el contribuyente acredite que existen motivos económicos válidos para la realización de dichas operaciones.

i) Los gastos derivados de la extinción de la relación laboral, común o especial, o de la relación mercantil a que se refiere el artículo 17.2.e) de la Ley 35/2006, de 28 de noviembre, del Impuesto sobre la Renta de las Personas Físicas y de modificación parcial de las leyes de los Impuestos sobre Sociedades, sobre la Renta de no Residentes y sobre el Patrimonio, o de ambas, aun cuando se satisfagan en varios períodos impositivos, que excedan, para cada perceptor, del mayor de los siguientes importes:

1.° 1 millón de euros.

2.° El importe establecido con carácter obligatorio en el Estatuto de los Trabajadores, en su normativa de desarrollo o, en su caso, en la normativa reguladora de la ejecución de sentencias, sin que pueda considerarse como tal la establecida en virtud de convenio, pacto o contrato. No obstante, en los supuestos de despidos colectivos realizados de conformidad con lo dispuesto en el artículo 51 del Estatuto de los Trabajadores, o producidos por las causas previstas en la letra c) del artículo 52 del citado Estatuto, siempre que, en ambos casos, se deban a causas económicas, técnicas, organizativas, de producción o por fuerza mayor, será el importe establecido con carácter obligatorio en el mencionado Estatuto para el despido improcedente.

A estos efectos, se computarán las cantidades satisfechas por otras entidades que formen parte de un mismo grupo de sociedades en las que concurran las circunstancias previstas en el artículo 42 del Código de Comercio, con independencia de su residencia y de la obligación de formular cuentas anuales consolidadas.

j) Los gastos correspondientes a operaciones realizadas con personas o entidades vinculadas que, como consecuencia de una calificación fiscal diferente en estas, no generen ingreso o generen un ingreso exento o sometido a un tipo de gravamen nominal inferior al 10 por ciento.

k) Las pérdidas por deterioro de los valores representativos de la participación en el capital o en los fondos propios de entidades respecto de la que se de alguna de las siguientes circunstancias:

1.º que, en el período impositivo en que se registre el deterioro, se cumplan los requisitos establecidos en el artículo 21 de esta Ley, o

2.º que, en caso de participación en el capital o en los fondos propios de entidades no residentes en territorio español, en dicho período impositivo no se cumpla el requisito establecido en la letra b) del apartado 1 del artículo 21 de esta Ley.

l) Las disminuciones de valor originadas por aplicación del criterio del valor razonable correspondientes a valores representativos de las participaciones en el capital o en los fondos propios de entidades a que se refiere la letra anterior, que se imputen en la cuenta de pérdidas y ganancias, salvo que, con carácter previo, se haya integrado en la base imponible, en su caso, un incremento de valor correspondiente a valores homogéneos del mismo importe".

SUMARIO: 1. GASTOS NO DEDUCIBLES. 2. RETRIBUCIÓN DE LOS FONDOS PROPIOS. 2.1. Instrumentos de patrimonio. 2.2. Préstamos participativos. 2.3. Participaciones preferentes. 3. GASTOS DERIVADOS DE LA CONTABILIZACIÓN DEL IS. 3.1. Impuesto corriente. 3.2. Impuesto diferido. 3.3. Cambios en la valoración de activos y pasivos por impuesto diferido. 4. MULTAS Y SANCIONES, RECARGOS DEL PERIODO EJECUTIVO Y RECARGO POR DECLARACIÓN EXTEMPORÁNEA. 4.1. Multas y sanciones. 4.2. Recargos del periodo ejecutivo. 4.3. Recargos por presentación extemporánea. 5. PÉRDIDAS EN EL JUEGO. 6. DONATIVOS Y LIBERALIDADES. 6.1. Donaciones y liberalidades excluidos de deducción. 6.2. Partidas excluidas del concepto de liberalidad. 6.3. Retribuciones de los administradores. 7. GASTOS POR ACTUACIONES CONTRARIAS AL ORDENAMIENTO JURÍDICO. 8. OPERACIONES REALIZADAS CON PARAÍSOS FISCALES. 8.1. Servicios excluidos de deducción. 8.2. Excepción a la exclusión de deducibilidad. 8.3. Paraísos fiscales. 8.4. TRANSPARENCIA FISCAL INTERNACIONAL. 9. GASTOS FINANCIEROS. 10. EXTINCIÓN DE LA RELACIÓN LABORAL. 11. OPERACIONES CON DIFERENTE CALIFICACIÓN FISCAL. 11.1. Calificación fiscal. 11.2. Vinculación. 12. PÉRDIDAS VINCULADAS CON VALORES.

1. GASTOS NO DEDUCIBLES

El artículo 15 LIS establece una lista de gastos contables que no van a considerarse como gastos fiscales. Responde esta lista a lo que se califican como diferencias permanentes, en la medida que tales diferencias entre fiscalidad y contabilidad no revierten en un momento posterior: el gasto excluido de deducibilidad por el artículo 15 LIS no se difiere a un momento posterior para su aplicación, simplemente se excluye de su aplicación en la base imponible. Por ello, las NRV del PGC, en concreto la NRV 13ª, relativa a la contabilización del Impuesto sobre beneficios, no desarrolla las diferencias permanentes. Evidentemente, no supone este hecho que no existan, simplemente que, dado que las diferencias no van a revertir, no resulta necesario su registro contable, salvo en el caso especial de su periodificación. Como las NRV dan criterios únicamente para el registro contable de los elementos de las cuentas anuales, no se recoge el tratamiento de estas diferencias.

Por su justificación, las diferencias entre fiscalidad y contabilidad se califican como diferencias de valoración, de calificación o de imputación. La NRV 13ª del PGC acoge estas categorías al definir las diferencias de una forma descriptiva, a través de los supuestos en los que se pueden originar. Cuando son el resultado de la aplicación de diferentes criterios de valoración vigentes en la norma contable y la norma fiscal, se trata de diferencias de valoración; cuando su origen se encuentra en diferencias en la consideración de las operaciones como ingreso o como gasto, son denominadas diferencias de calificación; y cuando resultan de la diferente regla de imputación temporal entre la contabilidad y la norma fiscal, son las denominadas diferencias de imputación. Las diferencias del artículo 15 LIS son diferencias de calificación, ya que como hemos dicho, la norma del IS se limita a excluir la deducibilidad de determinados gastos.

La exclusión de gastos es una lista cerrada, de tal forma que otros gastos contables, aun similares a los que aquí se mencionan, no incluidos en la misma, serán deducibles por aplicación del artículo 10 LIS.

No existe un criterio general para agrupar estos gastos, son diferentes en cuanto a su origen y naturaleza, así como las causas de exclusión, que comprenden desde los motivos meramente técnicos (la retribución de los fondos propios o el gasto por el Impuesto sobre Sociedades), motivaciones fundamentalmente morales (las multas y sanciones penales y administrativas, las pérdidas derivadas del juego o los gastos por actuaciones contrarias al ordenamiento jurídico), de mantenimiento de las bases tributarias (donativos y liberalidades) o de lucha contra el ejercicio abusivo de los derechos (límites en los gastos financieros o en gastos derivados de la extinción de la relación laboral). Incluso se esconde bajo esta exclusión de gastos una norma especial de prueba, más en concreto, de inversión de la carga de la prueba, más que de verdadera limitación de los gastos en relación con los gastos de paraísos fiscales.

2. RETRIBUCIÓN DE LOS FONDOS PROPIOS

Se considera como gasto fiscalmente no deducible la retribución de los fondos propios.

Con carácter general esta disposición no supone especialidad alguna sobre la norma contable, ya que la distribución de beneficios contablemente no da lugar a gasto alguno. Las diferencias entre contabilidad y fiscalidad provienen exclusivamente de los instrumentos financieros a los que se considera fondos propios a los efectos de esta disposición.

2.1. Instrumentos de patrimonio

La norma fiscal se separa de la norma contable, tal y como señala el párrafo segundo de la letra a del artículo 15 LIS, que ahora estudiamos, en los activos financieros que se consideran como instrumentos de patrimonio o fondos propios. Así, señala el apartado citado que tendrán la consideración de retribución de fondos propios la correspondiente a los valores representativos del capital o de los fondos propios de entidades, con independencia de su consideración contable.

La calificación mercantil como valores representativos de participaciones en el capital o los fondos propios difiere de la contable en las acciones sin voto y las acciones rescatables.

Las acciones sin voto se regulan en los artículos 98 a 103 del TRLSC. Son acciones que no atribuyen a su titular el derecho a votar en las Juntas Generales e impugnar los acuerdos sociales, pero a cambio otorgan el derecho a percibir el dividendo adicional anual mínimo, fijo o variable, que venga establecido en los estatutos sociales, siempre que exista haber repartible. Este derecho de carácter económico es acumulable y preferente frente al resto de acciones, y además es adicional, porque una vez acordado el dividendo mínimo los titulares de estas acciones, tendrán derecho al mismo dividendo reconocido a las acciones ordinarias.

Estas circunstancias determinan que contablemente se consideren como un pasivo financiero, tanto por la propia definición de pasivo contenida en el Marco Conceptual como "*obligaciones actuales surgidas como consecuencia de sucesos pasados, para cuya extinción la empresa espera desprenderse de recursos que puedan producir beneficios o rendimientos económicos en un futuro*", como por la prevalencia del fondo económico de lo que representan estas acciones sobre su forma jurídica, pues contemplan una remuneración predeterminada, siempre que haya beneficios distribuibles.

Las acciones rescatables se regulan por los artículos 500 y 501 TRLSC. Se trata de acciones con la característica de poder ser rescatadas a solicitud de la sociedad emisora, en cuyo caso el derecho de rescate no podrá ejercitarse antes de que transcurran tres años a contar desde la emisión; de los accionistas titulares de estas acciones; o de ambos, para procederse a continuación a su amortización.

También en este caso, al atenderse en la contabilización a la realidad económica y no sólo a la forma jurídica, estos instrumentos se califican como pasivos financieros, ya que se prevé su recompra obligatoria por parte del emisor.

Fiscalmente, tanto acciones sin voto como acciones rescatables se consideran como fondos propios. Así, aunque la remuneración que perciben estos instrumentos se califique contablemente como gasto financiero, fiscalmente se considera como retribución de los fondos propios y no será deducible.

Para el socio perceptor de los rendimientos, consecuentemente con la calificación fiscal que se realiza en este precepto, la retribución tendrá la condición de dividendo y podrá aplicar, en su caso, la exención prevista en el artículo 21, cumpliendo los requisitos previstos en dicha norma.

2.2. Préstamos participativos

Se regulan esencialmente por el Real Decreto-Ley 7/1996, de 7 de junio, sobre medidas urgentes de carácter fiscal y de fomento y liberalización de la actividad económica, así como por la Ley 10/1996, de 18 de diciembre, de medidas fiscales urgentes sobre corrección de la doble imposición interna intersocietaria y sobre incentivos a la internacionalización de las empresas.

Se trata de un préstamo caracterizado por la participación de la entidad prestamista en los beneficios de la empresa financiada, percibiendo además, por regla general, de un interés fijo. Por ello se ha considerado una fórmula de financiación intermedia entre el capital social y el préstamo a largo plazo.

Las características principales de los préstamos participativos son las siguientes:

- Suelen tener un vencimiento a largo plazo, por destinarse a la financiación de inversiones a largo plazo del prestatario.
- El prestamista percibe un interés variable determinado en función de la evolución de la actividad de la empresa beneficiaria, de ahí que se consideren "participativos". El criterio para determinar dicha evolución es amplio, pudiendo referirse al beneficio neto, al volumen de negocio, al patrimonio total o a cualquier otro que acuerden las partes contratantes; aunque los más usado como referencia son el beneficio o la cifra de negocios. Generalmente se fija un límite máximo a esta participación, pero también suele pactarse un interés fijo independiente de la evolución de la actividad.
- Su exigibilidad suele estar subordinada a cualquier otro crédito u obligación de la empresa beneficiaria, situándose sólo delante de los socios de ésta, lo que permite a la empresa mantener su capacidad de endeudamiento y lleva al prestamista a asumir un riesgo similar al de los propietarios.
- Se consideran patrimonio neto a los efectos de reducción de capital y liquidación de sociedades previstas en la legislación mercantil.

– Sólo se pueden cancelar anticipadamente si se compensan con una ampliación de igual cuantía en el capital de la empresa.

Los intereses devengados, tanto fijos como variables, por el préstamo participativo se consideran con carácter general como gasto financiero deducible en la base imponible del IS del prestatario.

Por excepción, la retribución correspondiente a los préstamos participativos otorgados por entidades que formen parte del mismo grupo de sociedades según los criterios establecidos en el artículo 42 del Código de Comercio, con independencia de la residencia y de la obligación de formular cuentas anuales consolidadas, se consideran como retribución de los fondos propios y no son deducibles en el IS del prestatario.

Debemos destacar que esta regla especial exige la integración en grupo mercantil, no siendo suficiente para su aplicación que las entidades que convienen el préstamo participativo sean vinculadas.

La calificación como retribución de los fondos propios de un préstamo participativo entre entidades de un grupo mercantil determina que para la entidad prestamista se califique como dividendo. En este caso, el artículo 21 LIS permite aplicar la exención, aunque no exista participación directa en el capital, al estar las entidades integradas en un grupo mercantil.

2.3. *Participaciones preferentes*

Reguladas por la Ley 19/2003, de 4 de julio, sobre régimen jurídico de los movimientos de capitales y de las transacciones económicas con el exterior y sobre determinadas medidas de prevención del blanqueo de capitales, en su Disposición Adicional Tercera.

Se trata de instrumentos emitidos a perpetuidad por una sociedad, con una rentabilidad generalmente variable y no garantizada, y que no confieren a su poseedor ni participación en el capital ni derecho a voto ni derecho de suscripción preferente.

En el mercado español, si estas participaciones son emitidas por una entidad de crédito, aun no teniendo vencimiento (emisión a perpetuidad) pueden ser amortizadas a partir de los cinco años a decisión de la entidad emisora, con la autorización previa del Banco de España.

Pueden contar con un contrato de liquidez, aunque su liquidez es, en general, limitada, lo cual dificulta recuperar la inversión.

Sus principales características son:

– Se trata de una inversión compleja y con un riesgo muy elevado, ya que puede generar pérdidas de valor en función del mercado, del emisor y de los mercados financieros. En concreto, el valor de reembolso puede ser menor que el valor de emisión, como consecuencia de los elementos anteriores.

– Su rendimiento suele ser fijo durante el primer período, mientras que en el resto de períodos suele ser variable.

– El rendimiento a percibir por el inversor está condicionado a que la sociedad emisora obtenga beneficios distribuibles. Si la entidad no tuviera beneficios distribuibles, el tenedor no cobra la remuneración correspondiente a ese período.

– En caso de liquidación de la sociedad emisora se sitúan, en orden de preferencia, por detrás de todos los acreedores (tanto comunes como subordinados) y por delante de las acciones ordinarias.

La citada Disposición Adicional de la Ley 10/2014 determina que a efectos fiscales la retribución de las participaciones preferentes se considera para su emisor como gasto deducible en el IS, mientras que para su titular constituye un rendimiento procedente de la cesión de capitales propios.

Entendemos además que esta disposición especial es preferente sobre la eventual calificación de las participaciones preferentes a efectos contables como fondos propios. Debemos recordar además que esta calificación es exclusivamente contable, y como dice expresamente el artículo 15.a LIS, la calificación de un instrumento financiero como fondos propios será independiente de su calificación contable (es decir, debe atenderse exclusivamente a su calificación mercantil).

3. GASTOS DERIVADOS DE LA CONTABILIZACIÓN DEL IS

El artículo 15.b LIS determina que no es gasto deducible el derivado de la contabilización del Impuesto sobre Sociedades.

Añade este apartado como novedad que no tendrán la consideración de ingresos los procedentes de dicha contabilización. Esta adición nos parece realmente innecesaria, cuando no simplemente errónea, pues el PGC únicamente prevé cuentas de gasto para el registro contable del IS, aunque tales cuentas puedan funcionar como cuentas de cargo (lo que supone el registro de un gasto efectivo) o abono (lo que supone un menor gasto y, en la práctica, si superan el gasto por el impuesto, un ingreso).

La NRV 13ª recoge los criterios para el registro contable del Impuesto sobre Beneficios. Realmente esta norma tiene un campo de aplicación más amplio que el Impuesto sobre Sociedades, pues tal y como señala, recoge el tratamiento contable de "aquellos impuestos directos, ya sean nacionales o extranjeros, que se liquidan a partir de un resultado empresarial calculado de acuerdo con las normas fiscales que sean de aplicación".

No obstante, la exclusión como gasto se refiere exclusivamente al Impuesto sobre Sociedades, no extendiéndose a los eventuales gastos por impuestos sobre beneficios satisfechos en el extranjero. Su deducibilidad se realizará en la forma prevista en el artículo 31 LIS: con carácter general, el impuesto sobre beneficios satisfecho no se integrará como gasto, sino que se aplicará vía deducción por doble imposición internacional, y el exceso no deducido que corresponda a la realización de actividades económicas en el extranjero se deducirá de la base imponible del IS.

La contabilización del impuesto sobre sociedades implica diversas cuentas de gasto. Todas ellas se encuentran excluidas de aplicación fiscal, al no ser mas que la contabilización del IS.

3.1. *Impuesto corriente*

La primera partida en el registro contable del IS es el impuesto corriente, que es la cantidad que satisface la empresa como consecuencia de las liquidaciones fiscales del impuesto o impuestos sobre el beneficio relativas a un ejercicio. Este gasto se refleja en la cuenta 6300, Impuesto corriente.

EJEMPLO

Una sociedad ha cuantificado su cuota líquida en 500 €. Las retenciones y pagos fraccionados del ejercicio alcanzan 200 €. La cuota diferencial, consecuentemente, es de 300 € a ingresar.

Respuesta

LIQUIDACIÓN DEL IMPUESTO		DEBE	HABER
	CUENTA	DEBE	HABER
6300	Impuesto corriente	500	
473	H.P. deudor por retenciones y pagos a cuenta		200
4752	H.P. acreedor por IS		300

El gasto registrado en la cuenta 6300 no es gasto fiscal.

3.2. *Impuesto diferido*

Las diferencias son, como sabemos, el resultado de la aplicación de diferentes criterios de valoración vigentes en la norma contable y la norma fiscal de los activos, pasivos y los ingresos y los gastos asociados a éstos, en la medida en que tengan incidencia en la carga fiscal futura.

Las diferencias se clasifican en permanentes, que son aquellas en las que la diferencia de calificación entre contabilidad y fiscalidad no va a revertir en un momento posterior, y temporarias, que son aquellas que revierten en un momento posterior al de su nacimiento con signo contrario.

Las diferencias permanentes no tienen reflejo contable, por lo que no dan lugar a gasto contable por el Impuesto sobre Sociedades.

Las diferencias temporarias no son más que diferentes criterios que determinan una valoración fiscal divergente de la contable de los elementos patrimoniales. Se diferencian, además, dos tipos de diferencias temporarias por su causa, las diferencias temporales, basadas en criterios de imputación temporal diferentes entre la norma fiscal y la norma contable, que revierten con signo contrario en el tiempo (que eran las recogidas en el PGC 90) y las restantes diferencias, que no reciben un nombre específico.

También diferencia el PGC las diferencias temporarias por razón de su efecto en la liquidación del IS, según reflejen un impuesto que se difiere en su pago, cuando el importe del resultado contable es superior a la base imponible del IS, o un impuesto que se anticipa, cuando el resultado contable es menor que la base imponible. Así se clasifican en:

– Diferencias temporarias imponibles, que son aquellas que darán lugar a mayores cantidades a pagar o menores cantidades a devolver por impuestos en ejercicios futuros, normalmente a medida que se recuperen los activos o se liquiden los pasivos de los que se derivan. Su efecto se reflejará en la existencia de un pasivo, que reflejará la obligación futura.

– Diferencias temporarias deducibles, que son aquellas que darán lugar a menores cantidades a pagar o mayores cantidades a devolver por impuestos en ejercicios futuros, normalmente a medida que se recuperen los activos o se liquiden los pasivos de los que se derivan. Su efecto se reflejará en la existencia de un activo, que reflejará el crédito futuro.

Las diferencias se registran contablemente en la cuenta 6301, Impuesto diferido, que puede funcionar como cuenta de cargo (gasto) o de abono (ingreso), para aquellos elementos patrimoniales cuya valoración afecta al resultado del ejercicio.

En el momento inicial de su reconocimiento (diferencia en origen), las diferencias temporarias imponibles hacen surgir un pasivo, que refleja la carga futura tributaria que asumirá la empresa, y que se registra en la cuenta 479, Pasivo por diferencias temporarias imponibles. Cuando esta diferencia revierte, se anulará el pasivo con abono a la cuenta 6301 Impuesto diferido, reconociendo el mayor ingreso fiscal o menor gasto fiscal atribuible al ejercicio.

Las diferencias temporarias deducibles funcionan al contrario. En el momento de su nacimiento, se reconoce un activo por la menor carga impositiva futura, que se refleja en la cuenta 4740 Activos por diferencias temporales deducibles. En el momento de su reversión se abona el activo, con cargo a la cuenta 6301 Impuesto diferido, reconociendo el mayor gasto fiscal o menor ingreso fiscal atribuible al ejercicio.

El saldo de los diferentes cargos y abonos en la cuenta 6301 se aplica a los resultados del ejercicio, aunque como sabemos, tal gasto no tendrá aplicación fiscal, ya arroje un saldo deudor (gasto) o acreedor (ingreso).

EJEMPLO

Una empresa vende mercadería por importe de 200.000 €. Se pacta que el precio se cobre dentro de 24 meses, girándose por el aplazamiento un interés del 10 por ciento anual acumulativo. La empresa aplica el criterio de imputación de operaciones a plazos, al no optar por aplicar el ingreso al momento del devengo.

Respuesta

Registramos la venta

POR LA VENTA		DEBE	HABER
CUENTA		DEBE	HABER
450	Clientes	750.000	
700	Ventas de mercaderías		750.000

Este ingreso no se aplica fiscalmente en el ejercicio de la venta, al cumplirse las condiciones para aplicar la regla especial de operaciones a plazos y no haberse realizado el cobro. Se registrará una diferencia temporaria en el impuesto. Este gasto no será deducible fiscalmente, al ser el registro del IS.

DIFERENCIA TEMPORARIA EN ORIGEN			
6301	Impuesto diferido (200.000*0,25)	50.000	
479	Pasivos por diferencias temporarias imponibles		50.000

A fin de ejercicio reconoceríamos los intereses correspondientes al periodo por el crédito. Dado que estos intereses son un ingreso financiero y no ventas, no se difiere su aplicación fiscal.

RECONOCIMIENTO DE INTERESES			
450	Clientes	20.000	
762	Ingresos de créditos		10.000

3.3. Cambios en la valoración de activos y pasivos por impuesto diferido

Los activos y pasivos por impuesto diferido deben valorarse por las cantidades que se espera pagar o recuperar de las autoridades fiscales, de acuerdo con la normativa vigente o aprobada y pendiente de publicación en la fecha de cierre del ejercicio.

Los activos y pasivos por impuesto diferido se valorarán según los tipos de gravamen esperados en el momento de su reversión, según la normativa que esté vigente o aprobada y pendiente de publicación en la fecha de cierre del ejercicio, y de acuerdo con la forma en que racionalmente se prevea recuperar o pagar el activo o el pasivo.

En su caso, la modificación de la legislación tributaria –en especial la modificación de los tipos de gravamen– y la evolución de la situación económica de la empresa –como puede ser el caso de pasar a tener la condición de ERD– dará lugar a la correspondiente variación en el importe de los pasivos y activos por impuesto diferido.

Las cuentas en las que se reflejará la variación de la valoración serán:

- Cuenta 633, ajustes negativos en la imposición sobre beneficios, cuando suponga una disminución de los activos o un incremento de los pasivos por impuesto diferido.

- Cuenta 638, ajustes positivos en la imposición sobre beneficios, cuando suponga un incremento de los activos o disminución de los pasivos por impuesto diferido

Ambas cuentas son cuentas de gasto y están excluidas de aplicación fiscal

EJEMPLO

Una entidad tiene contabilizado un pasivo por impuesto diferido (3.000 €) y un activo por impuesto diferido (6.000 €) al tipo general del impuesto del impuesto en 2015 (28%). Deben revertir en el ejercicio siguiente, por lo que se deben ajustar al tipo del 25 por ciento que será aplicable en 2016.

Respuesta

Ajuste en el pasivo

POR EL AJUSTE DEL PASIVO			
	CUENTA	DEBE	HABER
479	Pasivos por diferencias temporarias imponibles (28%-25%*10.000)	300	
638	Ajustes positivos en la imposición sobre beneficios		300

Ajuste en el activo

POR EL AJUSTE DEL ACTIVO			
CUENTA		DEBE	HABER
633	Ajustes negativos en la imposición sobre beneficios (28%-25%*20.000)	600	
4740	Activos por diferencias temporarias deducibles		600

4. MULTAS Y SANCIONES, RECARGOS DEL PERIODO EJECUTIVO Y RECARGO POR DECLARACIÓN EXTEMPORÁNEA

El tercer apartado del artículo 15 LIS establece que no serán deducibles las multas y sanciones penales y administrativas, los recargos del período ejecutivo y el recargo por declaración extemporánea sin requerimiento previo.

No se incluyen en esta enumeración los intereses de demora, que suponen un gasto financiero. En principio, los intereses de demora no se encuentran en esta enumeración y son deducibles. Un caso particular es el de los intereses de demora que se han liquidado conjuntamente con las liquidaciones practicadas por la Administración. Si bien el TEAC entendió que los mismos no eran gastos necesarios y que, por tanto, no eran deducibles (Resolución de 23 de noviembre de 2010 –R.G. 2263/2009–, reiterada por resolución de 7 de mayo de 2015 -R.G. 1967/2012-); la DGT ha mantenido, antes y después de las resoluciones del TEAC, que los intereses son deducibles (por ejemplo, consultas V4080-15 o V3145-16).

4.1. Multas y sanciones

Se incluyen en esta limitación a la deducibilidad todas las sanciones, no solo las tributarias, y cualquiera que sea el órgano que las haya impuesto: sea una autoridad administrativa o sea la autoridad judicial.

El fundamento último de esta exclusión se encuentra en que el origen de la sanción se encuentra en una conducta ilícita de la entidad sancionada, tipificada como infracción o delito, razón por la cual se entiende que debe excluirse de deducción la sanción impuesta.

Existe una razón adicional de técnica tributaria. Si se permitiera la deducción de tales gastos, se estaría minorando, de hecho, el importe de la sanción impuesta, ya que la parte de la sanción correspondiente al tipo de gravamen aplicado a la entidad se estaría soportando por la Hacienda Pública y no por el infractor.

EJEMPLO

Una entidad ha satisfecho por banco una sanción de 10.000 euros impuesta por un incumplimiento en materia medioambiental impuesta por la CCAA.

Respuesta

POR EL PAGO DE LA SANCIÓN			
CUENTA		DEBE	HABER
678	Gastos excepcionales	10.000	
572	Bancos		10.000

Este gasto no será fiscalmente deducible.

4.2. *Recargos del periodo ejecutivo*

El inicio del periodo ejecutivo tiene como consecuencia el devengo de los recargos del periodo ejecutivo previstos en el artículo 28 LGT. En su origen, el recargo de apremio (hoy recargos del periodo ejecutivo) tenía como finalidad compensar a la Administración de los costes que supone iniciar una ejecución contra el patrimonio del deudor que no ha cumplido en periodo voluntario. Ahora mismo esa función compensadora es más amplia, incluyendo también la compensación del retraso en el pago, pues se exige aun cuando no se haya iniciado el procedimiento de apremio, aunque se excluyen los intereses.

En principio, durante el periodo voluntario puede producirse el pago, total o parcial, de la deuda tributaria. Para las cantidades no ingresadas al final del periodo voluntario se inicia el periodo ejecutivo, devengándose los recargos del periodo ejecutivo.

Se establecen tres recargos distintos. El denominado recargo del periodo ejecutivo, del 5% de la deuda no satisfecha en periodo voluntario. Para que proceda este recargo se debe producir el pago total de la deuda pendiente antes de que se notifique la providencia de apremio. No es necesario, por el contrario, que se pague también éste recargo en el momento de satisfacer la deuda. Este recargo será liquidado posteriormente por la Administración y notificado, abriéndose con la notificación los plazos de ingreso.

El denominado recargo de apremio reducido se cuantifica en el 10% de la deuda no ingresada. Con la notificación de la providencia de apremio se abre un plazo de ingreso, que es el previsto en el artículo 62.5 LGT. Si dentro de dicho plazo se procede a ingresar la totalidad de la deuda tributaria pendiente y el propio recargo del 10%, procederá la aplicación del mismo. Si el ingreso es parcial, se devengará el siguiente de los recargos (apremio ordinario) sobre el importe total de la deuda pendiente al inicio del periodo ejecutivo. Este recargo excluye también la percepción de intereses de demora durante el periodo ejecutivo.

El último de los recargos es el de apremio ordinario, de un importe del 20%. Procede siempre que, iniciado el periodo ejecutivo, no procedan los anteriores, esto es, cuando no se haya satisfecho toda la deuda pendiente y el propio recargo de apremio reducido, si fuera procedente, antes de la finalización del plazo de ingreso del 62.5 LGT.

El recargo de apremio ordinario es compatible con los intereses de demora, que se calcularán desde el momento de finalización del periodo voluntario y hasta la fecha del ingreso, total o parcial, de la deuda.

Todos estos recargos se consideran como gasto no deducible. Aunque su naturaleza no es sancionadora, comparten con las sanciones que su exigibilidad es debida a una actuación contraria a la conducta, que, en principio, es debida, como es ingresar las deudas en los periodos voluntarios de pago legalmente establecidos.

4.3. Recargos por presentación extemporánea

Como medida para incentivar el cumplimiento voluntario, contempla el artículo 27 LGT una medida que permite a los obligados regularizar sus obligaciones tributarias, una vez finalizado el plazo de declaración, presentando una nueva declaración poniendo de manifiesto las cantidades no declaradas, aplicándose un régimen de recargos, que excluye la imposición de sanciones.

Los presupuestos para la aplicación de los recargos son básicamente dos: la realización de un ingreso o presentación de una declaración extemporánea, transcurrido el plazo establecido en la respectiva norma, y el carácter voluntario o espontáneo de tal ingreso o declaración, lo que implica falta de requerimiento de la Administración.

De ellos, resulta necesario precisar cuando existe requerimiento que implique falta de voluntariedad en la presentación, y eso hace el apartado 1 del artículo 27 LGT, estableciendo que se considera requerimiento previo de la Administración cualquier actuación administrativa realizada con conocimiento formal del obligado tributario conducente al reconocimiento, regularización, comprobación, inspección, aseguramiento o liquidación de la deuda tributaria. El RAT precisa, además, que el acto dentro del procedimiento al que cabe anudar este efecto es al inicio del procedimiento, lo cual resulta lógico con la redacción legal que contempla "cualquier acto", siendo el de inicio el primero en la sucesión de actos. Debemos destacar que se precisa el conocimiento formal de ese acto de inicio, esto es, su notificación, aunque sea edictal. No parece que se pueda incluir en este caso supuestos en los que el obligado tenga conocimiento de hecho del inicio del procedimiento, por ejemplo, por intentos de notificación, pero no se haya logrado la práctica de la notificación.

La presentación de una declaración extemporánea, seguida o no de ingreso, produce el devengo del recargo. Si se produce el ingreso se exige el recargo del 5, 10, 15 ó 20% según que el tiempo de retraso no sea superior a 3, 6 o 12 meses, o que sea superior a 12 meses, respectivamente. Además, si fuera de aplicación el recargo del 20%, por exceder el retraso de 12 meses, se exigirán intereses de demora. En todo caso la aplicación del recargo excluye la sanción.

Si no se ingresa la deuda al presentar la declaración extemporánea, se liquida el mismo recargo anterior y, en su caso, los intereses de demora y, además, se inicia el periodo ejecutivo, por lo que se exigirán los recargos del periodo ejecutivos procedentes.

La Ley 36/2006 introdujo un último apartado en el artículo 27 LGT, por el que se regula una reducción por pronto pago en el importe del recargo, siempre que 25 % siempre que se realice el ingreso total del importe del recargo reducido en el periodo voluntario de pago abierto con su notificación y siempre que, además, la deuda resultante de la autoliquidación extemporánea se hubiese pagado a su presentación, o si se hubiese solicitado aplazamiento o fraccionamiento al tiempo de la presentación de la autoliquidación, se hiciera con garantía de aval o certificado de seguro de caución.

EJEMPLO

Una entidad ha presentado fuera del plazo reglamentario la declaración-liquidación del 3T de IVA. Como consecuencia de este hecho se le ha liquidado el recargo por presentación extemporánea por importe de 10.000 euros. No pudiendo pagarlo en el momento de su liquidación, lo ha satisfecho en el plazo del artículo 62.5 LGT concedido con la notificación de la providencia de apremio.

Respuesta

POR LA LIQUIDACIÓN DEL RECARGO DE PRESENTACIÓN EXTEMPORÁNEA			
CUENTA		DEBE	HABER
669	Otros gastos financieros	10.000	
475	H.P., Acreedora conceptos fiscales		10.000

Este gasto no será fiscalmente deducible.

POR LA LIQUIDACIÓN DEL RECARGO DE APREMIO REDUCIDO			
669	Otros gastos financieros	1.000	
475	H.P., Acreedora conceptos fiscales		1.000

Este gasto no será fiscalmente deducible.

POR EL PAGO			
475	H.P., Acreedora conceptos fiscales	11.000	
572	Bancos		11.000

5. PÉRDIDAS EN EL JUEGO

No son gastos deducibles las pérdidas del juego. Las razones que ampara esta limitación son múltiples: tanto una visión nociva del juego (recuérdese que hasta 1977 el juego estuvo prohibido), como una mera consideración técnica que excluye totalmente el juego de las actividades típicas de una entidad.

Debe destacarse que, sin embargo, resultan gravados los beneficios obtenidos en el juego, sin que además exista el elenco de exenciones para los premios que existe en el IRPF. En el caso de premios obtenidos en el juego, la inversión realizada para la obtención del premio sería gasto deducible, ya que la exclusión es de pérdidas en el juego y no de gasto en el juego, en general.

Interesante sería el tratamiento a dar a una entidad constituida precisamente para llevar a cabo una gestión sistemática de gasto en juego. Sería dudoso si en tal entidad debería considerarse como gasto el conjunto de apuestas realizadas o solo aquellas realizadas en los títulos que hayan resultado premiados. A nuestro juicio, si se puede demostrar la finalidad de la entidad, todas las inversiones serían gasto deducible, incluso sería plausible considerar que tal entidad no participa en el juego, sino que realiza una operación empresarial y que, en consecuencia, no le sería aplicable esta exclusión. Aunque repetimos, tal es nuestro criterio, es muy poco probable que el mismo prosperase.

6. DONATIVOS Y LIBERALIDADES

6.1. *Donaciones y liberalidades excluidos de deducción*

Bajo este concepto se alude a una serie de operaciones en las que la finalidad del otorgante es conceder unilateralmente al beneficio de la operación. Define el artículo 618 CC la donación como "Un acto de liberalidad por el cual una persona dispone gratuitamente de una cosa a favor de otra, que lo acepta". El concepto de liberalidad no se encuentra definido en la legislación. El Tribunal Supremo ha considerado que existe liberalidad, entre otros casos, en los siguientes:

- Cuando se produce la disposición gratuita de una cosa a favor de otro, que la acepta.

- Cuando es producto de una voluntad unilateral y carece de función retributiva.

- Cuando existe una entrega por la que no se obtiene contraprestación.

Debemos añadir que además de no considerarse como gasto deducible el importe de la donación realizada, el artículo 17 LIS obliga a valorar por su valor normal de mercado los elementos transmitidos a título lucrativo.

No obstante, cuando las donaciones se realicen a favor de las entidades beneficiarias del mecenazgo a las que se refiere el artículo 16 de la Ley 49/2002, los sujetos pasivos del IS podrán aplicar la deducción de la cuota prevista en el artículo 20 de la citada Ley 49/2002, quien se fija en el 35 por 100 de la base de la deducción determinada según lo dispuesto en el artículo 18 de la misma ley. Las cantidades correspondientes al período impositivo no deducidas podrán aplicarse en las liquidaciones de los períodos impositivos que concluyan en los 10 años inmediatos y sucesivos. Se establece además que la base de esta deducción no podrá exceder del 10 por 100 de la base imponible del período impositivo. Las cantidades que excedan de este límite se podrán aplicar en los períodos impositivos que concluyan en los diez años inmediatos y sucesivos.

EJEMPLO

Una entidad ha donado a una entidad sin fin lucrativo a la que se aplica la Ley 49/2002 un terreno de su propiedad. El terreno fue adquirido por 100.000 euros, aunque su valor de mercado actual se estima en 150.000 euros.

Respuesta

POR LA DONACIÓN			
CUENTA		DEBE	HABER
678	Gastos excepcionales	100.000	
210	Terrenos y bienes naturales		100.000

Por aplicación del artículo 17 LIS la entidad donante deberá realizar un ajuste positivo en su base imponible por la diferencia entre el valor de mercado del bien donado (150.000) y su valor contable (100.000).

Igualmente, por aplicación del artículo 15 LIS, el gasto por la donación no será deducible.

Finalmente, la entidad donante podrá aplicar una deducción del 35% del valor contable del bien donado (35% de 100.000 euros).

6.2. *Partidas excluidas del concepto de liberalidad*

Añade la letra e del artículo 15 LIS que ahora estudiamos que no se entenderán comprendidos en la misma los siguientes gastos:

– gastos por atenciones a clientes o proveedores;

– gastos que se efectúen con respecto al personal de la empresa con arreglo a los usos y costumbres;

– gastos realizados para promocionar, directa o indirectamente, la venta de bienes y prestación de servicios;

– gastos correlacionados con los ingresos;

– gastos por atenciones a clientes o proveedores; aunque limitados al importe del 1 por ciento del importe neto de la cifra de negocios del período impositivo.

La casuística en relación con estas exclusiones es muy amplia. Así, podemos destacar que se han considerado como gastos deducibles el pago de desplazamiento y estancias de clientes y proveedores, relacionado con las actividades de la empresa; la contratación de una empresa cinegética para la organización de unas jornadas de caza para los clientes de la empresa, siempre que además tales gastos no resulten contarios a usos ordinarios; las cestas de navidad para los trabajadores o el reparto de décimos entre los mismos (en este caso se considera además que tales gastos son retribución en especie de los trabajadores); obsequios entregados a los trabajadores por la permanencia de un número de años en la empresa o por hechos personales relevantes, como el nacimiento de un hijo o el matrimonio, siempre que se correspondan con usos ordinarios; la organización de jornadas con asistencia de clientes o proveedores para la difusión de los propios productos o actividades de la empresa; el patrocinio de un pabellón de España en una feria internacional donde se da difusión a los productos de la empresa; o las comidas con clientes acreditadas (en este caso, se encuentra ahora mismo limitado el importe).

Junto a esta enumeración, resulta importante destacar los requisitos que, con carácter general, ha señalado el Tribunal Supremo que se deben analizar para determinar si un gasto concreto está o no excluido de deducibilidad. Así propone una doble delimitación, positiva, en la que se debe examinar la correlación del gasto con los ingresos, entendida como una finalidad tendencial del gasto apta e idónea para generar mayores ingresos; y una negativa, limitada por no tener finalidad de mera liberalidad, desligada totalmente de los ingresos.

No podemos dejar de destacar que, a pesar de la mención legal a la correlación de ingresos y gastos, no es ésta la mejor de las técnicas normativas, ya que se está invocando un principio contable que, como vimos en el comentario del artículo 10 LIS, no es finalista, sino de imputación temporal.

6.3. Retribuciones de los administradores

El tratamiento a percibir por las distintas retribuciones de los administradores arranca de la jurisprudencia sentada por el Tribunal Supremo en varias sentencias, en concreto las dos más conocidas son de 13/11/2008, recursos 2578/2004 y 3991/2004 (las conocidas como "caso Mahou"), en las que se señala que para que las retribuciones satisfechas a los administradores tengan la consideración de gasto deducible en el impuesto de la sociedad es necesario que la remuneración esté fijada "en todo caso y sin excepción alguna en los estatutos…".

Esta jurisprudencia sobre las retribuciones a administradores y consejeros establece, en resumen, que el pago de una asignación fija a cualquiera de ellos, prevista en los estatutos, pero sin indicación de su cuantía, no es deducible. La retribución a los administradores debe estar fijada en los estatutos, no cabe que lo sean por acuerdo de la Junta General. Los estatutos deben fijar con certeza el sistema retributivo. Si el sistema es variable no basta establecer un límite máximo, sino el porcentaje que corresponda. Si es asignación fija, no basta con que se prevea su existencia, sino que debe determinarse el quantum o los criterios que sirvan para su fijación.

A partir de este punto, se extendió la no deducibilidad a otras retribuciones percibidas por los administradores por funciones de alta dirección o representación separadas de las propias funciones del administrador, en aplicación de la jurisprudencia reiterada del Tribunal Supremo en materia laboral (entre otras, Sentencias de 21 de abril de 2005 y 13 de noviembre de 2008) que establece que los administradores de una sociedad con la que además han suscrito un contrato laboral de alta dirección para el desempeño de las actividades de dirección, gestión, administración y representación de la sociedad, propias de dicho cargo, tienen un vínculo con la sociedad que es exclusivamente de naturaleza mercantil y no laboral, entendiendo dichas funciones subsumidas en las propias de la administración de la sociedad.

Limitando este alcance, evidentemente excesivo de la jurisprudencia del Tribunal Supremo, la LIS establece que no se entenderán comprendidos como liberalidades las retribuciones a los administradores por el desempeño de funciones de alta dirección, u otras funciones derivadas de un contrato de carácter laboral con la entidad.

7. GASTOS POR ACTUACIONES CONTRARIAS AL ORDENAMIENTO JURÍDICO

La exclusión de deducibilidad de los gastos por actuaciones contrarias al ordenamiento jurídico supone que no se consideren como gasto deducible todos aquellos que procedan de un incumplimiento de prohibiciones o limitaciones. Evidentemente la causa de su exclusión es que el IS no puede amparar como gastos legítimos los incurridos precisamente para lograr una finalidad que el ordenamiento proscribe.

Un primer avance de esta cuestión se planteó por la Dirección General de Tributos en su informe de 5 de marzo de 2007, sobre deducibilidad fiscal en el IS de las cantidades pagadas presuntamente de forma ilícita a funcionarios públicos extranjeros. En dicho informe se concluía que tales gastos tenían la naturaleza de liberalidades y que consecuentemente no eran deducibles. Así decía en la conclusión del citado informe:

> *En definitiva, los gastos delictivos o constitutivos de conductas radicalmente prohibidas, en general, y los pagos por sobornos a funcionarios públicos extranjeros, en particular, no serán gasto deducible en el Impuesto sobre Sociedades, puesto que no guardan la necesaria y legítima correlación con los ingresos y tienen la consideración de mera liberalidad, de acuerdo con lo establecido en el artículo 14 del TRLIS.*

> *La no deducibilidad de dichos gastos, radicalmente prohibidos por el ordenamiento jurídico, debe afirmarse, ya que, de lo contrario, se estaría otorgando carta de naturaleza a dicha conducta mediante el reconocimiento de efectos fiscales sobre la determinación del rendimiento neto. Efectos fiscales que deben negarse, en todo caso, puesto que los gastos delictivos o radicalmente prohibidos por el ordenamiento jurídico no disminuyen la capacidad económica del sujeto pasivo, al tratarse de un gasto no correlacionado con la obtención de ingresos, por lo que no deberán tomarse en consideración a la hora de determinar la base imponible del sujeto pasivo, la cual debe ser en todo momento reflejo y expresión de la capacidad económica de los contribuyentes, de acuerdo con lo dispuesto en el artículo 31.1 de la Constitución española, Norma Suprema de nuestro ordenamiento jurídico.*

Aunque no podemos dejar de estar de acuerdo con la conclusión, o mejor dicho, aunque repugna que pueda llegarse a una conclusión contraria a la exclusión de deducibilidad de tales gastos, tampoco podemos dejar de objetar que el razonamiento seguido para llegar a la conclusión parece endeble: es evidente que la dádiva no es una liberalidad, es la retribución a un servicio ilegítimo, contrario al ordenamiento.

Algo similar debió pensar el legislador que ha decidido zanjar la cuestión mediante la inclusión de este nuevo apartado, si bien a nuestro juicio esta inclusión como nuevo apartado deja más en evidencia que lo sostenido por el informe de 5 de marzo de 2007 era más una expresión de un loable deseo que una interpretación normativa fundada.

8. OPERACIONES REALIZADAS CON PARAÍSOS FISCALES

8.1. *Servicios excluidos de deducción*

Se contempla en la siguiente de las reglas una exclusión de deducibilidad para determinados gastos de servicios con paraísos fiscales; en concreto:

- Servicios derivados de operaciones realizadas, directa o indirectamente, con personas o entidades residentes en países o territorios calificados como paraísos fiscales.

- Servicios pagados a través de personas o entidades residentes en paraísos fiscales.

8.2. *Excepción a la exclusión de deducibilidad*

Se prevé, como excepción, que los servicios anteriores sean deducibles cuando el contribuyente pruebe que el gasto devengado responde a una operación o transacción efectivamente realizada.

El significado de esta excepción nos determina el verdadero alcance de este precepto. No es realmente una limitación a la deducibilidad de un gasto, sino una regla de inversión de la carga de la prueba.

Como sabemos, la doctrina administrativa estableció que la factura por sí sola no es un medio de prueba de la realidad de los gastos, lo que ha venido ratificado en la reforma de la LGT operada por la Ley 34/2015, que establece en su artículo 106.4 lo siguiente: "*Sin perjuicio de lo anterior, la factura no constituye un medio de prueba privilegiado respecto de la existencia de las operaciones, por lo que una vez que la Administración cuestiona fundadamente su efectividad, corresponde al obligado tributario aportar pruebas sobre la realidad de las operaciones.*" No obstante, este precepto supone que la Administración debe cuestionar, en alguna medida, y no por simple afirmación, sino por la aportación de algún indicio la realidad de las operaciones; como casi siempre ha venido realizando, aunque sea mediante la constatación de hechos obrantes en las bases de datos fiscales, por ejemplo, cuando se trata de empresas no declarantes o que no cuentan con medios para las prestaciones de servicios declaradas.

En el caso de los servicios realizados con paraísos fiscales el legislador dispensa a la Administración de la obligación de cuestionar, con algún indicio, la falta de veracidad de las operaciones. Este precepto exige del contribuyente una prueba plena de la realidad de las operaciones realizadas con un paraíso fiscal.

8.3. *Paraísos fiscales*

Como hemos visto, las reglas anteriores pivotan sobre el concepto de paraíso fiscal, por lo que forzoso es referirnos a este concepto.

La definición legal de los paraísos fiscales en nuestro ordenamiento se contiene en la disposición adicional primera de la Ley 36/2006, de 29 de noviembre, de medidas para la prevención del fraude fiscal, en su redacción dada por la Ley 26/2014, que dispone:

"Tendrán la consideración de paraíso fiscal los países o territorios que se determinen reglamentariamente".

Frente a la previsión original que contenía la citada disposición adicional primera que excluía de la consideración como paraíso fiscal a aquellos países o territorios que firmasen con España un convenio para evitar la doble imposición internacional con cláusula de intercambio de información o un acuerdo de intercambio de información en materia tributaria en el que expresamente se establezca que dejan de tener dicha consideración, desde el momento en que estos convenios o acuerdos se apliquen, la nueva redacción de la citada disposición adicional prevé que se pueda revisar la mencionada lista, en los términos que prevé el apartado segundo:

"La relación de países y territorios que tienen la consideración de paraísos fiscales se podrá actualizar atendiendo a los siguientes criterios:

a) La existencia con dicho país o territorio de un convenio para evitar la doble imposición internacional con cláusula de intercambio de información, un acuerdo de intercambio de información en materia tributaria o el Convenio de Asistencia Administrativa Mutua en Materia Fiscal de la OCDE y del Consejo de Europa enmendado por el Protocolo 2010, que resulte de aplicación.

b) Que no exista un efectivo intercambio de información tributaria en los términos previstos por el apartado 4 de esta disposición adicional.

c) Los resultados de las evaluaciones inter pares realizadas por el Foro Global de Transparencia e Intercambio de Información con Fines Fiscales."

La definición de los paraísos fiscales sigue el sistema de lista, que es la contenida en el Real Decreto 1080/1991, en el que se incluye una relación de 48 territorios y jurisdicciones que se consideran paraísos fiscales. Resulta llamativo de esta lista que no se ofrecen los criterios que han servido para la inclusión, aunque parece recoger la tributación anormalmente baja y la opacidad fiscal. Aunque el Decreto preveía la posibilidad de revisión, ninguno de los territorios incluidos se ha visto modificado, quizá con la salvedad de sociedades holding luxemburguesas.

No obstante, debemos constatar que varios territorios han quedado, de hecho, excluidos del listado mediante la suscripción de convenios de intercambio de información antes de la modificación de la disposición adicional primera de la Ley 36/2006, tal y como recogió la Dirección General de Tributos en informe de 23 de diciembre de 2014, relativo a la "vigencia actual de la lista de paraísos fiscales". Así, quedaron excluidos países y territorios como Malta (Cv en vigor 12/9/06); Emiratos Árabes Unidos (Cv en vigor 2/4/07); Jamaica (Cv en vigor 16/5/09); Trinidad y Tobago (Cv en vigor 8/12/09); Antillas Holandesas (Cv en vigor 27/1/10); Aruba (Cv en vigor 27/1/10); Luxemburgo (CDI en vigor 31/5/10); Andorra (Cv en vigor 10/2/11); San Marino (Cv en vigor 6/6/11);

Panamá (Cv en vigor 4/7/11); Bahamas (Cv en vigor 15/7/11); Barbados (Cv en vigor 14/9/11), Singapur (Cv en vigor 11/1/12) y Hong Kong (Cv en vigor 14/4/12) y Chipre (CDI en vigor 26/5/14).

8.4. TRANSPARENCIA FISCAL INTERNACIONAL

La Transparencia Fiscal Internacional (TFI) se encuentra regulada por el artículo 100 LIS. Dicho precepto impone a los sujetos pasivos del IS la inclusión en su base imponible determinadas rentas positivas obtenidas por determinadas entidades no residentes en territorio español, siempre que se cumplan tres circunstancias:

- Que la entidad residente en el extranjero esté controlada por las personas o entidades residentes.

- Que la entidad residente en el extranjero disfrute de un régimen tributario privilegiado.

- Que las rentas obtenidas por la entidad residente en el extranjero respondan a ciertas fuentes o actividades.

El artículo 15.g LIS establece una precisión en la aplicación de este régimen. Cuando entre las rentas que procedería imputar a los socios residentes de la entidad en TFI se encuentren aquellas satisfechas por un residente que no hayan podido ser deducidas como gasto por su pagador por aplicación del citado 15.g LIS, no procederá la imputación al socio de la renta que se ha considerado como gasto no deducible.

9. GASTOS FINANCIEROS

El artículo 15.h LIS establece una exclusión en la deducción de determinados gastos financieros. Esta medida es complementaria de la limitación de los gastos financieros a la que se refiere el artículo 16 LIS, a cuyo contenido nos remitimos para una mejor comprensión del supuesto sobre el que estamos tratando.

Se establece que las entidades con las que se deben contraer las deudas que originan los gastos financieros no deducibles son aquellas en las que el contribuyente se encuentre en una situación análoga a las descritas en el artículo 42 C de C (Posesión de la mayoría de los derechos de voto; tenencia de la facultad de nombrar o destituir a la mayoría de los miembros del órgano de administración; disposición, en virtud de acuerdos celebrados con terceros, de la mayoría de los derechos de voto; o designación con sus votos a la mayoría de los miembros del órgano de administración, que desempeñen su cargo en el momento en que deban formularse las cuentas consolidadas y durante los dos ejercicios inmediatamente anteriores). Ahora bien, la exclusión opera con independencia de la residencia de las entidades, que pueden ser tanto residentes como no residentes, y de la obligación de formular cuentas anuales consolidadas.

Por otra parte, la financiación debe destinarse a la adquisición de participaciones en el capital o fondos propios de otras entidades del grupo, que además deben ser transmitidas por otras entidades del grupo. Es decir, se trata de operaciones internas al grupo, en la que no se modifica la composición global de éste, ya que tanto transmitente como adquirente son empresas del propio grupo. También se incluyen la financiación concedida por una entidad del grupo para realizar aportaciones al capital o fondos propios de otras entidades del grupo.

Se permite, no obstante, eludir esta no deducibilidad mediante la acreditación de la existencia de motivos económicos válidos en el recurso al endeudamiento. Se traduce esta cláusula en una inversión de la carga de la prueba, obligando al contribuyente a demostrar la necesidad o conveniencia del gasto; y aunque la mención a los motivos económicamente válidos sea una referencia a un concepto jurídico indeterminado, no es vacía de contenido. Así, la propia exposición de motivos del Real Decreto Ley 12/2012 que introdujo esta norma recogía dos motivaciones válidas "*supuestos de reestructuración dentro del grupo, consecuencia directa de una adquisición a terceros, o bien aquellos supuestos en que se produce una auténtica gestión de las entidades participadas adquiridas desde el territorio español*", y algún autor, como Sanz Gadea[24], ha propuesto ya determinados supuestos de motivaciones válidas mediante la acreditación de ausencia de ventaja fiscal o por la estructura financiera del grupo.

Cabe por último recordar que esta disposición surge tras una prolongada batalla entre la Inspección y determinados grupos multinacionales que habían llevado a cabo operaciones de restructuración con las que se eliminaban las bases fiscales nacionales mediante la generación de unos gastos financieros intragrupo. La respuesta a estos supuestos, que eludían de forma consciente la regla especial de subcapitalización, provenía de la aplicación de las cláusulas generales anti-abuso, en concreto, de las figuras de fraude de ley o conflicto en la aplicación de la norma. Tanto la doctrina administrativa (TEAC) como la Audiencia Nacional (véanse, por ejemplo, Sentencias de 16 de diciembre de 2013, recurso nº 17/2010 y de 22 de mayo de 2014, recurso 78/2011) consideraron ajustadas a Derecho las regularizaciones realizadas sobre la aplicación de la cláusula general anti-abuso, al considerar que la norma de subcapitalización parte del supuesto de que las necesidades de financiación sean reales, lo que no ocurría en los supuestos que se examinaban; siendo en consecuencia aplicable aquella.

---

[24]   Restricción y limitación a la deducción de intereses en el Impuesto sobre Sociedades; Sanz Gadea, E.; Revista de Contabilidad y Tributación. CEF nº 355; octubre 2012.

No obstante, el legislador, con buen criterio a nuestro juicio una vez detectada la difusión de estos esquemas, ha decidido establecer una medida específica para estos supuestos de abuso del endeudamiento por los grupos multinacionales, previa y conocida, permitiendo además la justificación de la razonabilidad de su proceder para evitar que se aplique tal regla; en vez de confiar la reacción a una cláusula general anti-abuso que no muestra claramente los supuestos de hecho que el ordenamiento considera abusivos.

10. EXTINCIÓN DE LA RELACIÓN LABORAL

El artículo 15.i LIS proviene de la modificación operada en el artículo 14 TRIS por la Ley 16/2012, tendente a limitar en una cuantía máxima las indemnizaciones por extinción de relaciones laborales y asimiladas.

Así, se establece que no serán deducibles los gastos derivados de la extinción de la relación laboral, común o especial, o de la relación mercantil establecida con administradores, miembros del Consejo de Administración o de las Juntas que hagan sus veces y de demás miembros de órganos representativos, o de ambas, que excedan, para cada perceptor, del mayor de los siguientes importes:

- 1 millón de euros.
- El importe establecido con carácter obligatorio en el Estatuto de los Trabajadores, en su normativa de desarrollo o, en su caso, en la normativa reguladora de la ejecución de sentencias, sin que pueda considerarse como tal la establecida en virtud de convenio, pacto o contrato. No obstante, en los supuestos de despidos colectivos (51 ET) o extinción del contrato por causas económicas, técnicas, organizativas, de producción o por fuerza mayor (52 ET) será el importe establecido con carácter obligatorio en el mencionado Estatuto para el despido improcedente.

Los citados límites se computan para las indemnizaciones totales satisfechas, aunque se satisfagan en varios ejercicios impositivos.

A los efectos de este cómputo, se deben tomar en cuenta tanto las cantidades satisfechas por la propia entidad como las cantidades satisfechas por otras entidades que formen parte de un mismo grupo de sociedades en las que concurran las circunstancias previstas en el artículo 42 del Código de Comercio, con independencia de su residencia y de la obligación de formular cuentas anuales consolidadas.

EJEMPLO

Una entidad ha satisfecho a su Consejero Delegado una indemnización por el cese de su relación mercantil por importe de 100.000 y por el cese de su relación laboral por importe de 500.000 euros. La cantidad máxima a percibir según el ET era de 250.000 euros.

Respuesta

POR LA INDEMNIZACIÓN			
	CUENTA	DEBE	HABER
641	Indemnizaciones	600.000	
572	Bancos		600.000

Fiscalmente deben acumularse ambas percepciones para aplicar el límite previsto en el artículo 15.i LIS. Aunque se supera la cuantía máxima prevista en el ET, como no se supera el límite de 1 millón de euros, toda la indemnización estará exenta.

11. OPERACIONES CON DIFERENTE CALIFICACIÓN FISCAL

Establece este precepto una exclusión a la aplicación de los gastos por operaciones vinculadas con una calificación fiscal diferente.

11.1. *Calificación fiscal*

Se consideran como operaciones con calificación fiscal diferente aquellas en las que una parte vinculada tiene un gasto y la otra parte vinculada, por el contrario, y como efecto de la diferente calificación fiscal, no tiene un ingreso o tiene un ingreso exento o un ingreso sometido a un tipo de gravamen nominal inferior al 10 por ciento.

Aunque la LIS no concreta más, lo normal es que tales circunstancias deriven de la existencia de jurisdicciones fiscales diferentes, en las que los criterios y reglas de calificación de las rentas sea diferente. Un ejemplo de ello sería un instrumento financiero calificado en una determinada jurisdicción como instrumento de deuda y en otra jurisdicción como instrumento de patrimonio, aplicando además determinados beneficios fiscales para la remuneración obtenida en dicho instrumento. No sería supuesto para la aplicación de esta regla, pero ilustra esta diferencia, el supuesto de un préstamo participativo que en el país donde esté establecido el prestatario se considere, de acuerdo con su calificación contable, como un pasivo financiero, dando lugar a un gasto por los intereses satisfechos; y que el prestamista fuera una entidad residente en España, que como hemos visto en el artículo 15.a LIS debe calificar este préstamo como instrumento de patrimonio, siendo posible que, si se cumplen las restantes circunstancias, aplique la exención del artículo 21 LIS.

Esta regla se aplica, evidentemente, a las entidades residentes que tienen un gasto. En cuanto al perceptor de la renta con diferente calificación fiscal no se restringe a los no residentes (que será el caso normal), por lo que cabe plantear si se excluirían de deducción gastos generados en una entidad residente y que son ingresos para otra entidad residente a la que se aplica una exención (por ejemplo, por tratarse de una entidad que aplica la Ley 49/2002) o un tipo de gravamen reducido inferior al 10% (por ejemplo, una institución de inversión colectiva que tribute al 1%). A nuestro juicio la respuesta tiene que ser negativa, pues el fundamento de esta exclusión de deducibilidad es la diferencia en la calificación fiscal que, en estos supuestos, no se produce: lo que para una parte sea gasto por recibir la cesión de capitales ajenos para la otra parte será rendimiento por la cesión de capitales propios, siendo la exención o el gravamen inferior al 10% fruto de una decisión del legislador de conceder un beneficio fiscal y no de un aprovechamiento las diferencias entre las regulaciones fiscales.

11.2. *Vinculación*

La segunda de las condiciones para la aplicación de este precepto es la existencia de vinculación, debiéndonos remitir en este punto al artículo 18 LIS.

12. PÉRDIDAS VINCULADAS CON VALORES

Con efectos 1/1/17 se han introducido dos modificaciones por las que se crean sendos gastos no deducibles relacionados con valores representativos de participaciones en el capital o fondos propios de entidades: determinadas pérdidas por deterioro y por disminución de valor imputada directamente a Pérdidas y Ganancias.

Esta modificación se ha producido en el marco de la modificación en el artículo 21 LIS, que excluye la aplicación fiscal de las pérdidas producidas en relación con los valores cuyas rentas se encuentren exentas por aplicación del artículo 21 LIS, así como las pérdidas obtenidas en valores que no cumplan con la condición de tributación mínima prevista en dicho precepto.

Dado que las eventuales pérdidas que se produzcan en relación con tales valores por su baja no tendrá aplicación fiscal, el deterioro, como pérdida de valor recuperable, también se excluye de su consideración como gasto.

La letra k del artículo 15 LIS, en consecuencia, prevé que no sean deducibles las pérdidas por deterioro de los valores representativos de la participación en el capital o en los fondos propios de entidades no serán deducibles siempre que la participación de la entidad transmitente no supere directa o indirectamente el 5% o su valor de adquisición fuera inferior a 20 millones de euros, en cualquier momento del año anterior a la fecha de transmisión; o, tratándose de participaciones en entidades no residentes, que en el período en que se produzca la transmisión la participada no haya estado sujeta y no exenta a un impuesto sobre beneficios de tipo nominal del 10% o superior o bien no resida en un país con Convenio de Doble Imposición que le sea de aplicación y contenga cláusula de intercambio de información o sea entidades residentes en paraísos fiscales.

Como veíamos en el comentario al artículo 13 LIS, no todas las pérdidas vinculadas a una disminución en el valor de los activos financieros se reflejan contablemente como deterioros. Cuando los activos se encuentren adscritos a la cartera de negociación, los cambios sufridos por aplicación del criterio de valor razonable se aplican directamente a pérdidas y ganancias.

Evidentemente, si las pérdidas que eventualmente se produzcan por la baja de tales valores carecen de aplicación fiscal, y como acabamos de ver, si la disminución de valor determina, por la cartera de adscripción de los valores, un deterioro, éste tampoco no tendrá aplicación fiscal; la pérdida de valor que los valores antes mencionados experimenten y que por su adscripción se aplique directamente a Pérdidas y Ganancias tampoco tendrá aplicación fiscal, por las mismas razones: no la tiene, pues la eventual pérdida definitiva por la baja carecerá de efectos fiscales; y no la tiene, pues es una pérdida equiparable a la reflejada por el mismo deterioro excluido.

Artículo 16
Limitación en la deducibilidad de gastos financieros

Javier María Bas Soria
Inspector de Hacienda del Estado. Doctor en Derecho

"1. Los gastos financieros netos serán deducibles con el límite del 30 por ciento del beneficio operativo del ejercicio.

A estos efectos, se entenderá por gastos financieros netos el exceso de gastos financieros respecto de los ingresos derivados de la cesión a terceros de capitales propios devengados en el período impositivo, excluidos aquellos gastos a que se refieren las letras g), h) y j) del artículo 15 de esta Ley.

El beneficio operativo se determinará a partir del resultado de explotación de la cuenta de pérdidas y ganancias del ejercicio determinado de acuerdo con el Código de Comercio y demás normativa contable de desarrollo, eliminando la amortización del inmovilizado, la imputación de subvenciones de inmovilizado no financiero y otras, el deterioro y resultado por enajenaciones de inmovilizado, y adicionando los ingresos financieros de participaciones en instrumentos de patrimonio, siempre que se correspondan con dividendos o participaciones en beneficios de entidades en las que, o bien el porcentaje de participación, directo o indirecto, sea al menos el 5 por ciento, o bien el valor de adquisición de la participación sea superior a 20 millones de euros, excepto que dichas participaciones hayan sido adquiridas con deudas cuyos gastos financieros no resulten deducibles por aplicación de la letra h) del apartado 1 del artículo 15 de esta Ley.

En todo caso, serán deducibles gastos financieros netos del período impositivo por importe de 1 millón de euros.

Los gastos financieros netos que no hayan sido objeto de deducción podrán deducirse en los períodos impositivos siguientes, conjuntamente con los del período impositivo correspondiente, y con el límite previsto en este apartado.

2. En el caso de que los gastos financieros netos del período impositivo no alcanzaran el límite establecido en el apartado 1 de este artículo, la diferencia entre el citado límite y los gastos financieros netos del período impositivo se adicionará al límite previsto en el apartado 1 de este artículo, respecto de la deducción de gastos financieros netos en los períodos impositivos que concluyan en los 5 años inmediatos y sucesivos, hasta que se deduzca dicha diferencia.

3. Los gastos financieros netos imputados a los socios de las entidades que tributen con arreglo a lo establecido en el artículo 43 de

esta Ley se tendrán en cuenta por aquellos a los efectos de la aplicación del límite previsto en este artículo.

4. Si el período impositivo de la entidad tuviera una duración inferior al año, el importe previsto en el párrafo cuarto del apartado 1 de este artículo será el resultado de multiplicar 1 millón de euros por la proporción existente entre la duración del período impositivo respecto del año.

5. A los efectos de lo previsto en este artículo, los gastos financieros derivados de deudas destinadas a la adquisición de participaciones en el capital o fondos propios de cualquier tipo de entidades se deducirán con el límite adicional del 30 por ciento del beneficio operativo de la propia entidad que realizó dicha adquisición, sin incluir en dicho beneficio operativo el correspondiente a cualquier entidad que se fusione con aquella en los 4 años posteriores a dicha adquisición, cuando la fusión no aplique el régimen fiscal especial previsto en el Capítulo VII del Título VII de esta Ley. Estos gastos financieros se tendrán en cuenta, igualmente, en el límite a que se refiere el apartado 1 de este artículo.

Los gastos financieros no deducibles que resulten de la aplicación de lo dispuesto en este apartado serán deducibles en períodos impositivos siguientes con el límite previsto en este apartado y en el apartado 1 de este artículo.

El límite previsto en este apartado no resultará de aplicación en el período impositivo en que se adquieran las participaciones en el capital o fondos propios de entidades si la adquisición se financia con deuda, como máximo, en un 70 por ciento del precio de adquisición. Asimismo, este límite no se aplicará en los períodos impositivos siguientes siempre que el importe de esa deuda se minore, desde el momento de la adquisición, al menos en la parte proporcional que corresponda a cada uno de los 8 años siguientes, hasta que la deuda alcance el 30 por ciento del precio de adquisición.

6. La limitación prevista en este artículo no resultará de aplicación:
a) A las entidades de crédito y aseguradoras.

A estos efectos, recibirán el tratamiento de las entidades de crédito aquellas entidades cuyos derechos de voto correspondan, directa o indirectamente, íntegramente a aquellas, y cuya única actividad consista en la emisión y colocación en el mercado de instrumentos financieros para reforzar el capital regulatorio y la financiación de tales entidades.

El mismo tratamiento recibirán, igualmente, los fondos de titulización hipotecaria, regulados en la Ley 19/1992, de 7 de julio, sobre Régimen de Sociedades y Fondos de Inversión Inmobiliaria y sobre Fondos de Titulización Hipotecaria, y los fondos de titulización de activos a que se refiere la Disposición adicional quinta.2 de la Ley 3/1994, de 14 de abril, por la que se adapta la legislación española en materia de crédito a la Segunda Directiva de Coordinación Bancaria y se introducen otras modificaciones relativas al sistema financiero.

b) En el período impositivo en que se produzca la extinción de la entidad, salvo que la misma sea consecuencia de una operación de reestructuración".

1. EL ORIGEN DE LA LIMITACIÓN A LA DEDUCIBILIDAD DE LOS GASTOS FINANCIEROS

A la hora de examinar el origen de la norma que ahora estudiamos debemos reseñar dos pilares. Por una parte cabe destacar la finalidad declarada de la disposición, que no es otra que la puramente recaudatoria, haciendo pesar parte de la nueva recaudación en las grandes empresas que, explotando las estrategias de planificación fiscal, vienen tributando a tipos efectivos muy inferiores a los que resulta del tipo de gravamen nominal, tal y como se deduce de la Exposición de Motivos del Real Decreto-ley 12/2012, de 30 de marzo, por el que se introducen diversas medidas tributarias y administrativas dirigidas a la reducción del déficit público, que es la norma que introdujo esta medida en nuestro ordenamiento.

Por otro lado, esta medida se arbitra como una mejora técnica ante una disposición acosada como era la regla de la subcapitalización. No es difícil aventurar que esta norma tiene, junto al ya comentado apartado h del artículo 15 LIS, entre otras finalidades, la de sustituir a la subcapitalización, pues de hecho la primera aparición de la limitación a la deducibilidad de los gastos financieros derogó esta regla, insertándose en el artículo 20 TRIS que hasta entonces regulaba la subcapitalización.

La norma subcapitalización propugnaba la recalificación de interés como dividendo cuando se dieran determinadas circunstancias: que el endeudamiento neto remunerado, directo o indirecto, de una entidad, con otra u otras personas o entidades no residentes en territorio español con las que estuviera vinculada, excediera del resultado de aplicar el coeficiente 3 a la cifra del capital fiscal.

Esta norma antifraude era aplicable exclusivamente a las operaciones realizadas con entidades no residentes, quedando excluidas las mismas operaciones realizadas con entidades residentes. Siguiendo la línea marcada con las sentencias a las que nos referimos a continuación, de esta limitación aplicable a todo tipo de entidad no residente se excluyó, por la Ley 62/2003, a las entidades residentes en la UE y en países con los que se hubiese suscrito un convenio de doble imposición.

Normas comparables aplicables en otros Estados miembros de la UE fueron objeto de examen en diversas ocasiones por el TJUE. Destacan las siguientes sentencias:

- La sentencia Lankhorst estableció la incompatibilidad con el Derecho comunitario (en concreto, con la libertad de establecimiento regulada en el artículo 43 del Tratado) de una norma antisubcapitalización (artículo 8.bis de la Ley del Impuesto sobre Sociedades alemana) porque los intereses pagados por una filial residente como retribución de recursos ajenos procedentes de una sociedad matriz no residente eran gravados como distribución encubierta de dividendos, mientras que, cuando se trataba de una filial residente cuya sociedad matriz era también residente, los intereses pagados eran tratados como gastos y no como dividendos encubiertos, lo que constituía una diferencia de trato entre filiales residentes en función del domicilio de su sociedad matriz.

- La sentencia "Thin Cap Group" examinaba la normativa antisubcapitalización británica y declaraba que se oponía a la libertad de establecimiento la legislación de un Estado miembro que establecía una norma de subcapitalización, impidiendo a la sociedad residente la deducción a efectos fiscales los intereses de un préstamo financiero concedido por una sociedad matriz residente en otro Estado miembro, o por una sociedad residente en otro Estado miembro controlada por tal sociedad matriz, siempre que dicha norma no se aplicase a entidades residentes que hubieran obtenido el préstamo de entidades residentes; sin embargo añadía la sentencia que la norma de subcapitalización sería conforme a la normativa comunitaria si la misma se basa en un examen de elementos objetivos y verificables que permiten identificar la existencia de un montaje puramente artificial con fines exclusivamente fiscales necesario para evitar fraude.

Esta jurisprudencia determinó la necesidad de una nueva forma de actuación en relación con los gastos financieros, seguida en otros Estados de la UE, tal y como recoge la propia exposición de motivos del Real Decreto Ley 12/2012: "Adicionalmente, se introduce una limitación general en la deducción de gastos financieros, que se convierte en la práctica en una regla de imputación temporal específica, permitiendo la deducción en ejercicios futuros de manera similar a la compensación de bases imponibles negativas. Esta medida favorece de manera indirecta la capitalización empresarial y responde, con figuras análogas a nuestro derecho comparado, al tratamiento fiscal actual de los gastos financieros en el ámbito internacional."

2. LA LIMITACIÓN A LA DEDUCIBILIDAD DE GASTOS FINANCIEROS

A diferencia de la exclusión de deducibilidad contenida en el artículo 15.h LIS o de la subcapitalización, la limitación a la deducibilidad de los gastos financieros establecida en el artículo 16 del LIS tiene un alcance general: se establece una limitación a los gastos financieros del ejercicio contraídos por cualquier tipo de entidad, cualquiera que sea la condición del concedente de la financiación y cualquiera que sea el destino dado a la financiación.

En esencia, la limitación supone que los gastos financieros netos serán deducibles en un importe de hasta el 30% del beneficio operativo de la entidad, con un mínimo de 1 millón de euros, cualquiera que sea el beneficio operativo. Esta limitación no supone la pérdida de los excesos, sino el traslado a ejercicios futuros, sin límite temporal, deduciéndose en conjuntamente con los gastos financieros de dichos períodos impositivos y con los límites antes mencionados.

Como se deduce de esta primera formulación de la limitación, dos son los elementos claves sobre los que pivota la misma: el concepto de gastos financieros netos y el capital fiscal.

2.1. Los gastos financieros netos

El primer elemento a destacar es que el límite se aplica sobre los gastos financieros netos, entendidos como el exceso de gastos financieros respecto de los ingresos derivados de la cesión a terceros de capitales propios devengados en el período impositivo.

Como constata Sanz Gadea, el concepto de gasto financiero no se encuentra en la normativa del IS, aunque si se define en el Plan General de Contabilidad (en adelante, PGC), cuyo capítulo 66 se presenta con la rúbrica de gastos financieros, desarrollándose además criterios para el reconocimiento de estos gastos financieros en las distintas Normas de Registro y Valoración (en adelante, NRV) contenidas en la segunda parte del PGC (evidentemente, se destaca la NRV 9ª, instrumentos financieros, pero hay otras muchas menciones relevantes, sin ánimo de ser exhaustivos, en la NRV 2ª, Inmovilizado material, la NRV 8ª, Arrendamientos, la NRV 10ª, Existencias, …).

La DGT dictó la Resolución de 16 de julio de 2012 en la que se contienen una serie de criterios interpretativos sobre los gastos financieros que deben tenerse en consideración para la aplicación de este límite, que si bien va referida al artículo 20 TRIS, en la medida que el artículo 16 LIS es un trasunto del antes mencionado, resulta igualmente aplicable a la norma vigente.

Así deben incluirse todos los gastos financieros vinculados al endeudamiento empresarial, registrados en las cuentas 661, Intereses de obligaciones y bonos;

662, Intereses de deudas; 664, Dividendos de acciones o participaciones consideradas como pasivos financieros; y 665, Intereses por descuento de efectos y operaciones de "factoring", incluyendo los intereses implícitos que pudieran estar asociados a las operaciones y las comisiones relacionadas con el endeudamiento empresarial que deben registrarse en estas cuentas.

Añade la citada resolución que también deben incluirse determinados gastos que, aunque no contabilizados como gastos financieros derivados del endeudamiento, tienen esta naturaleza, como el deterioro de valor de créditos en la parte que se corresponda con intereses devengados y no cobrados; diferencias de cambio que se encuentran directamente vinculadas con el endeudamiento cuyos gastos se encuentran afectados por la limitación, coberturas financieras vinculadas al mismo endeudamiento o la participación del partícipe no gestor en las cuentas en participación, inclusión esta última que ha sido criticada por autores como Sanz Gadea, por entender que la naturaleza de la relación que se establece en la cuenta en participación, con la asunción de riesgos sobre la propia inversión en sede del partícipe gestor, la aleja de una cesión de capitales propios.

Por el contrario, determina la Resolución que no se deben incluir como gastos financieros los que se hayan incorporado al valor de un activo, las diferencias de cambio y las coberturas financieras de partidas distintas del endeudamiento.

A efectos del cómputo del gasto financiero neto no se computan los siguientes gastos financieros:

– Los gastos financieros satisfechos a personas o entidades residentes en paraísos fiscales, o que se paguen a través de residentes en estos, excluidos de deducción fiscal por el artículo 15.g LIS.

– Los gastos financieros derivados de deudas con entidades del grupo, destinadas a la adquisición, a otras entidades del grupo, de participaciones en el capital o fondos propios de cualquier tipo de entidades, o a la realización de aportaciones en el capital o fondos propios de otras entidades del grupo, excluidos de deducción fiscal por el artículo 15.h LIS.

– Los gastos financieros por operaciones realizadas con partes vinculadas quesean objeto de una calificación fiscal diferente para sus perceptores, excluidos de deducción fiscal por el artículo 15.j LIS

Resulta lógica esta exclusión, medida de carácter puramente técnico, en la medida que tales gastos financieros no son deducibles, por lo que la inclusión en la limitación global supondría un doble perjuicio para los contribuyentes.

2.2. *Beneficio operativo*

El límite de deducibilidad se establece en un porcentaje sobre el beneficio operativo. Este concepto se define en el propio artículo 20 LIS, como el resultado de explotación de la cuenta de pérdidas y ganancias, con las siguientes eliminaciones y adiciones:

– Eliminando la amortización del inmovilizado (lo que supone que sea mayor el beneficio operativo que el resultado de explotación), la imputación de subvenciones de inmovilizado no financiero y otras (lo que supone que sea menor el beneficio operativo que el resultado de explotación), el deterioro y resultado por enajenaciones de inmovilizado (suponen, respectivamente, que sea menor y mayor el beneficio operativo que el resultado de explotación);

– Adicionando los ingresos financieros de participaciones en instrumentos de patrimonio siempre que estos se correspondan con dividendos o participaciones en beneficios de entidades en las que se posea al menos el 5 por ciento o su valor de adquisición sea superior a 20millones de euros, salvo que las participaciones hayan sido adquiridas con deudas generadoras de gastos financieros no deducibles de acuerdo con los previsto en el artículo 15.h) del LIS (lo que supone que sea mayor el beneficio operativo que el resultado de explotación).

La adición de los ingresos financieros que tengan la condición de dividendos se aparta de los precedentes legislativos de otros países, aunque tal y como recoge la Resolución DGT atiende a la finalidad de equiparar el tratamiento de las entidades holding con el del resto de entidades, con el objeto de no discriminar a aquellas entidades en las que los dividendos o participaciones en beneficios no se incluyen en el importe neto de la cifra de negocios por el simple hecho de realizar otras actividades distintas de las correspondientes a una holding.

Cabe destacar que la inclusión de los dividendos no se somete a condiciones, a diferencia de lo que ocurre en el artículo 21 LIS. Así, tales dividendos pueden proceder de entidades residentes en un paraíso fiscal, pueden ser entidades sometidas a regímenes fiscales beneficiados, y los propios dividendos pueden haberse generado en cualquier tipo de actividad, aun ser rentas pasivas de la entidad que los distribuye. Tampoco se exige un tiempo mínimo de tenencia de la participación, por lo que resultará suficiente tener el 5 por 100 o haber invertido 20 millones en el momento de la distribución del beneficio.

2.3. Límite de deducibilidad

2.3.1. Límite general

El límite de deducibilidad se establece en el 30% del beneficio operativo.

En todo caso tendrá la consideración de deducible en el ejercicio la cantidad de 1 millón de euros de gastos financieros netos, cualquiera que sea el importe del beneficio operativo.

2.3.2. Agrupaciones de interés económico

Para a las entidades que tributan con arreglo a lo establecido en el artículo 43 LIS (Agrupaciones de interés económico españolas y, por remisión, Agrupaciones Europeas de Interés económico y uniones temporales de empresa) el apartado 3 del artículo 16 LIS determina que el importe de los gastos financieros netos devengados en el ejercicio en estas entidades que sean imputados a los socios deben ser tenidos en cuenta como gastos financieros netos por los socios para aplicar la limitación. Supone esta disposición que se aplique doblemente el límite, en sede de la entidad para determinar la base a imputar, y en sede del socio, posteriormente.

2.3.3. Grupos fiscales

En los grupos de sociedades en consolidación fiscal, dispone el apartado 4 de este artículo, que el límite se referirá al propio grupo. Por consiguiente, tanto el importe de los gastos financieros netos como el beneficio operativo serán los que resulten de las cuentas consolidadas.

Supone esta regla que en el límite solo se incluyan los gastos financieros devengados frente a terceros, ya que los incurridos dentro del grupo serán objeto de las correspondientes eliminaciones para la consolidación fiscal.

No obstante, en aquellos casos en los que exista un exceso de gasto financiero, dicho exceso debe ser imputado a las entidades del grupo que han contribuido a su formación y en la medida en que lo hayan hecho, tal y como explica la Resolución de la DGT. Se establece en la misma que el exceso a nivel de grupo se imputa a las entidades que, individualmente consideradas, presenten excesos, y caso de existir un remanente el mismo se distribuye entre todas las entidades, de manera proporcional a sus correspondientes gastos financieros netos, una vez descontados los ya considerados como no deducibles.

2.4. *Límites temporales a la aplicación de la limitación*

Prevé la LIS que las cantidades que no puedan deducirse por exceder de los límites del 30% del beneficio operativo y del millón de euros podrá deducirse en los periodos siguientes, sin límite temporal, aplicando el mismo límite que existe para los gastos financieros del ejercicio. Supera con ello la LIS la limitación temporal que estuvo vigente con el TRIS y que limitaba el plazo para la aplicación de los excesos a los 18 periodos impositivos siguientes.

Se establece también una norma especial para el aprovechamiento de las cantidades no consumidas de los límites en los cinco ejercicios precedentes. Así, cuando exista un remanente, bien sea por no haber alcanzado en un ejercicio los gastos financieros el 30% del beneficio operativo de ese ejercicio, bien sea por no haber alcanzado los gastos financieros el importe de 1millón de euros, el importe de dicho remanente podrá aplicarse a los límites de los periodos impositivos que concluyan en los cinco años siguientes hasta su aplicación total.

EJEMPLO

Una entidad con un beneficio operativo de 5 millones de euros en el año 1, de 3 millones de euros en el año 2 y de 2 millones en el año 3, tiene unos gastos financieros de 1.000.000 euros, 900.000 euros y 1.700.000 euros en los años 1, 2 y 3, respectivamente. ¿Cuál será el límite de los gastos financieros deducibles?

Respuesta.

Año 1

Límite: 5.000.000*0,3=1.500.000

Gastos financieros: 1.000.000

Existe un exceso de 500.000 euros en el límite, que se traslada a los cinco años siguientes.

Año 2

Límite: 3.000.000*0,3=900.000. Por ser inferior a 1 millón de euros, se aplica en todo caso éste. Se le adicionaría, si fuera necesario, los 500.000 euros procedentes del ejercicio 1.

Gastos financieros: 900.000

Existe un exceso de 100.000 euros en el límite, que se traslada a los cinco años siguientes.

Año 3

Límite: 2.000.000*0,3=1.500.000. Por ser inferior a 1 millón de euros, se aplica en todo caso éste. Se le adicionarán los 500.000 euros procedentes del ejercicio 1 y los 100.000 procedentes del año 2, hasta un límite de 1.600.000 euros.

Gastos financieros: 1.700.000

Existe un exceso de gastos financieros de 100.000 euros, que serán deducibles en ejercicios siguientes, con respeto de los límites previsto en el artículo 16 LIS.

3. LÍMITE ADICIONAL PARA LAS DEUDAS CONTRAIDAS PARA LA ADQUISICIÓN DE PARTICIPACIONES

Se establece una limitación adicional en el caso de que se produzcan dos circunstancias específicas en relación con el endeudamiento:

- Que el endeudamiento se haya adquirido para la adquisición de participaciones en el capital o fondos propios de cualquier tipo de entidades, cualquiera que sea el valor de adquisición de la participación y el porcentaje de participación adquirido;

- Que la entidad se fusione con otra entidad en los 4 años posteriores a dicha adquisición, cuando la fusión no aplique el régimen fiscal especial previsto en el Capítulo VII del Título VII LIS para las operaciones de reestructuración empresarial.

Dándose estas circunstancias se aplicará un límite adicional del 30 por ciento del beneficio operativo de la propia entidad que realizó la adquisición, sin incluir en dicho beneficio operativo el correspondiente a cualquier otra entidad que se hubiera fusionado.

Los gastos financieros no deducibles que resulten de la aplicación de este límite adicional serán deducibles en períodos impositivos siguientes, sin límite temporal, pero con sujeción a este propio límite y al límite general al que ya nos hemos referido.

Por excepción, este límite no resultará de aplicación en el período impositivo en que se adquieran las participaciones si se dan cualquiera de las siguientes circunstancias:

- Si la adquisición se financia con deuda, como máximo, en un 70 por ciento del precio de adquisición.

- Si la deuda contraída para la adquisición se, desde el momento de la adquisición, al menos en la parte proporcional que corresponda a cada uno de los 8 años siguientes, hasta que la deuda alcance el 30 por ciento del precio de adquisición.

Como hemos señalado, este límite es un límite adicional al general y de aplicación previa a aquél. Por lo tanto, como plantear que ocurre si se supera el mismo o se supera el límite general.

Si no se supera el límite adicional, el importe total de los gastos financieros soportados por el endeudamiento para la adquisición de participaciones se incluirá con los gastos financieros totales y se les aplicará el límite general. Si el importe de los gastos financieros fuera superior al máximo permitido se deducirá solo el importe hasta el citado límite general, trasladándose el exceso a los ejercicios siguientes, donde solo se les aplicará el límite general y no el específico del endeudamiento para la adquisición de participaciones.

Si se supera el límite adicional, solo se podrá deducir el importe de los gastos financieros soportados por el endeudamiento para la adquisición de participaciones hasta dicho límite. Las cantidades que no se puedan deducir no se incluirán en los gastos financieros totales para la aplicación del límite general.

Cabe añadir que este límite solo se aplicará al endeudamiento para adquisiciones de participaciones efectuadas a partir del 20/6/14, por aplicación de la D.T. 18ª.2 LIS.

4. ENTIDADES EXCLUIDAS DE LA APLICACIÓN DE ESTAS REGLAS

El apartado 6 del artículo 16 LIS prevé las exclusiones de la aplicación de la norma, que incluye las siguientes entidades:

- Entidades de crédito. Se definen las entidades de crédito en el artículo 1 de la Ley 10/2014, de 26 de junio, de ordenación, supervisión y solvencia de entidades de crédito, que establece que "Son entidades de crédito las empresas autorizadas cuya actividad consiste en recibir del público depósitos u otros fondos reembolsables y en conceder créditos por cuenta propia. Tienen la consideración de entidades de crédito: a) Los bancos. b) Las cajas de ahorros. c) Las cooperativas de crédito. d) El Instituto de Crédito Oficial."

- Las entidades aseguradoras: reguladas por la Ley 20/2015, de 14 de julio, de ordenación, supervisión y solvencia de las entidades aseguradoras y reaseguradoras. El artículo 6 de la misma incluye una relación de entidades, entre las que se incluyen la entidad aseguradora, definida como una entidad autorizada para realizar, conforme a lo dispuesto por esta Ley o por la legislación de otro Estado miembro, actividades de seguro directo de vida o de seguro directo distinto del seguro de vida; la entidad aseguradora cautiva, definida como entidad aseguradora propiedad de una entidad no financiera, o de una entidad financiera que no sea una entidad aseguradora o reaseguradora o forme parte de un grupo de entidades aseguradoras o reaseguradoras, y que tiene por objeto ofrecer cobertura de seguro exclusivamente para los riesgos de la entidad o entidades a las que pertenece o de una o varias entidades del grupo del que forma parte; la entidad aseguradora domiciliada en un tercer país, definida como una entidad aseguradora que, si tuviera su domicilio social en algún Estado miembro, estaría obligada, con arreglo a las disposiciones de ese Estado, a obtener una autorización para realizar la actividad aseguradora; la entidad reaseguradora, definida como una entidad que haya recibido autorización con arreglo a lo dispuesto en esta Ley, o conforme a la legislación de otro Estado miembro, para realizar actividades de reaseguro; y la entidad reaseguradora cautiva, definida una entidad reaseguradora propiedad de una entidad no financiera, o de una entidad financiera que no sea una entidad aseguradora o reaseguradora o forme parte de un grupo de entidades aseguradoras o reaseguradoras, y que tiene por objeto ofrecer cobertura de reaseguro exclusivamente para los riesgos de la entidad o entidades a las que pertenece o de una o varias entidades del grupo del que forma parte. Añade el artículo 27 de la misma Ley que la actividad aseguradora únicamente podrá ser realizada por entidades privadas que adopten alguna de las siguientes formas: a) sociedad anónima, b) sociedad anónima europea, c) mutua de seguros, d) sociedad cooperativa, e) sociedad cooperativa europea, f) mutualidad de previsión social. Por su parte, las entidades reaseguradoras deberán adoptar la forma jurídica de sociedad anónima o sociedad anónima europea. Finalmente se añade que también podrán realizar la actividad aseguradora y reaseguradora las entidades que adopten cualquier forma de derecho público, siempre que tengan por objeto la realización de operaciones de seguro o reaseguro en condiciones equivalentes a las de las entidades aseguradoras o reaseguradoras privadas.

— Entidades cuyos derechos de voto correspondan, directa o indirectamente, íntegramente a entidades de crédito, y cuya única actividad consista en la emisión y colocación en el mercado de instrumentos financieros para reforzar el capital regulatorio y la financiación de tales entidades.

— Fondos de titulización hipotecaria y fondos de titulización de activos.

— Cualquier entidad, en el período impositivo en que se produzca la extinción de la misma, salvo que la misma sea consecuencia de una operación de reestructuración. En este caso la regla se explica por sí misma, pues en otro caso los gastos financieros no deducibles no podrían compensarse en el futuro. No obstante, si la aplicación de tales gastos financieros en la base imponible determina la existencia de una base imponible negativa, en todo caso se producirá una pérdida de los mismos, ya que, como sabemos, no son trasladables las bases negativas a los socios. En todo caso se excluye la inaplicación del límite cuando se produzca una operación de reestructuración, aunque los gastos financieros pendientes de deducción se trasladarán a la sociedad adquirente en la reestructuración.

Regla general y reglas especiales de valoración en los supuestos de transmisiones lucrativas y societarias

Miguel A. Caamaño Anido

Catedrático de Derecho Financiero
y Tributario. Universidad A Coruña. Abogado

"**1.** *Los elementos patrimoniales se valorarán de acuerdo con los criterios previstos en el Código de Comercio, corregidos por la aplicación de los preceptos establecidos en esta Ley.*

No obstante, las variaciones de valor originadas por aplicación del criterio del valor razonable no tendrán efectos fiscales mientras no deban imputarse a la cuenta de pérdidas y ganancias. El importe de las revalorizaciones contables no se integrará en la base imponible, excepto cuando se lleven a cabo en virtud de normas legales o reglamentarias que obliguen a incluir su importe en la cuenta de pérdidas y ganancias. El importe de la revalorización no integrada en la base imponible no determinará un mayor valor, a efectos fiscales, de los elementos revalorizados.

2. Las operaciones de aumento de capital o fondos propios por compensación de créditos se valorarán fiscalmente por el importe de dicho aumento desde el punto de vista mercantil, con independencia de cuál sea la valoración contable.

3. Los elementos patrimoniales transmitidos en virtud de fusión y escisión total o parcial, se valorarán, en sede de las entidades y de sus socios, de acuerdo con lo establecido en el Capítulo VII del Título VII de esta Ley.

Los elementos patrimoniales aportados a entidades y los valores recibidos en contraprestación, así como los valores adquiridos por canje, se valorarán de acuerdo con lo establecido en el Capítulo VII del Título VII de esta Ley.

No obstante, en caso de no resultar de aplicación el régimen establecido en el Capítulo VII del Título VII de esta Ley en cualquiera de las operaciones mencionadas en este apartado, los referidos elementos patrimoniales se valorarán de acuerdo con lo establecido en el apartado siguiente.

4. Se valorarán por su valor de mercado los siguientes elementos patrimoniales:

a) Los transmitidos o adquiridos a título lucrativo. No tendrán esta consideración las subvenciones.

b) Los aportados a entidades y los valores recibidos en contraprestación, salvo que resulte de aplicación el régimen previsto en el Capí-

tulo VII del Título VII de esta Ley o bien que resulte de aplicación el apartado 2 anterior.

c) Los transmitidos a los socios por causa de disolución, separación de éstos, reducción del capital con devolución de aportaciones, reparto de la prima de emisión y distribución de beneficios.

d) Los transmitidos en virtud de fusión, y escisión total o parcial, salvo que resulte de aplicación el régimen previsto en el Capítulo VII del Título VII de esta Ley.

e) Los adquiridos por permuta.

f) Los adquiridos por canje o conversión, salvo que resulte de aplicación el régimen previsto en el Capítulo VII del Título VII de esta Ley.

Se entenderá por valor de mercado el que hubiera sido acordado entre partes independientes, pudiendo admitirse cualquiera de los métodos previstos en el artículo 18.4 de esta Ley.

5. En los supuestos previstos en las letras a), b), c) y d) del apartado anterior, la entidad transmitente integrará en su base imponible la diferencia entre el valor de mercado de los elementos transmitidos y su valor fiscal. No obstante, en el supuesto de aumento de capital o fondos propios por compensación de créditos, la entidad transmitente integrará en su base imponible la diferencia entre el importe del aumento de capital o fondos propios, en la proporción que le corresponda, y el valor fiscal del crédito capitalizado.

En los supuestos previstos en las letras e) y f) del apartado anterior, las entidades integrarán en la base imponible la diferencia entre el valor de mercado de los elementos adquiridos y el valor fiscal de los entregados.

En la adquisición a título lucrativo, la entidad adquirente integrará en su base imponible el valor de mercado del elemento patrimonial adquirido.

La integración en la base imponible de las rentas a las que se refiere este artículo se efectuará en el período impositivo en el que se realicen las operaciones de las que derivan dichas rentas.

6. En la reducción de capital con devolución de aportaciones se integrará en la base imponible de los socios el exceso del valor de mercado de los elementos recibidos sobre el valor fiscal de la participación.

La misma regla se aplicará en el caso de distribución de la prima de emisión de acciones o participaciones.

No obstante, tratándose de operaciones realizadas por sociedades de inversión de capital variable reguladas en la Ley 35/2003, de 4 de noviembre, de Instituciones de Inversión Colectiva, no sometidas al tipo general de gravamen, el importe total percibido en la reducción de capital con el límite del aumento del valor liquidativo de las acciones desde su adquisición o suscripción hasta el momento de la reducción de capital social, se integrará en la base imponible del socio sin derecho a ninguna deducción en la cuota íntegra.

Cualquiera que sea la cuantía que se perciba en concepto de distribución de la prima de emisión realizada por dichas sociedades de inversión de capital variable, se integrará en la base imponible del socio sin derecho a deducción alguna en la cuota íntegra".

Se aplicará lo anteriormente señalado a organismos de inversión colectiva equivalentes a las sociedades de inversión de capital variable que estén registrados en otro Estado, con independencia de cualquier limitación que tuvieran respecto de grupos restringidos de inversores, en la adquisición, cesión o rescate de sus acciones; en todo caso resultará de aplicación a las sociedades amparadas por la Directiva 2009/65/CE, del Parlamento Europeo y del Consejo, por la que se coordinan las disposiciones legales, reglamentarias y administrativas sobre determinados organismos de inversión colectiva en valores mobiliarios.

7. En la distribución de beneficios se integrará en la base imponible de los socios el valor de mercado de los elementos recibidos.

8. En la disolución de entidades y separación de socios se integrará en la base imponible de éstos la diferencia entre el valor de mercado de los elementos recibidos y el valor fiscal de la participación anulada.

9. En la fusión, absorción o escisión total o parcial se integrará en la base imponible de los socios la diferencia entre el valor de mercado de la participación recibida y el valor fiscal de la participación anulada, salvo que resulte de aplicación el régimen fiscal especial previsto en el Capítulo VII del Título VII de esta Ley.

10. La reducción de capital cuya finalidad sea diferente a la devolución de aportaciones no determinará para los socios rentas, positivas o negativas, integrables en la base imponible.

11. En los casos de coberturas contables y partidas cubiertas con cambios de valor reconocidos en la cuenta de pérdidas y ganancias, aquellas minorarán el valor de estas a los efectos de determinar el tratamiento fiscal que corresponda a la renta obtenida".

de 27 de noviembre. 10. SEPARACIÓN DE SOCIOS. 10.1. Novedades fiscales introducidas por la Ley 26/2014, de 27 de noviembre (BOE del 28), de reforma del IRPF, para los ejercicios que comienzan en 2015.. 10.2. Tratamiento fiscal de la apartación de socios y consiguiente adquisición del valor de su participación.. 11. REDUCCIÓN DE CAPITAL Y DISTRIBUCIÓN DE LA PRIMA DE EMISIÓN. 11.1. Particularidades ofrecidas por la tributación de la distribución de capital o reparto de la prima de emisión a favor de los socios o partícipes de las instituciones de inversión colectiva. 11.2. Particularidades fiscales derivadas de la transmisión de valores o participaciones no admitidas a negociación cuando tiene lugar a continuación de una reducción del capital social. 11.3. Novedades fiscales introducidas por la Ley 26/2014, de 27 de noviembre (BOE del 28), de reforma del IRPF, para los ejercicios que comienzan en 2015 relativas a la reducción de capital y distribución de la prima de emisión. 11.4. Particular referencia a la prima de emisión. 11.5. Particularidades derivadas de la reducción de capital y ulterior devolución de las aportaciones a los socios no residentes en España. 11.6. Reducción de capital mediante la amortización de acciones. 11.7. Reducción de capital sin devolución de aportaciones. 11.8. Trascendencia fiscal de la reducción de capital con devolución de aportaciones considerada como una "recuperación de la inversión". 12. DISTRIBUCIÓN DE BENEFICIOS. 12.1. Novedades introducidas por la Ley 27/2014 relativas a la deducción para evitar la doble imposición internacional. 12.2. La DT 23a de la LIS establece un régimen transitorio de las deducciones para evitar la doble imposición. 12.3. Particular referencia al reparto no dinerario de beneficios. 12.4. Incidencia sobre los socios de la distribución no dineraria de beneficios. 13. FUSIÓN Y ESCISIÓN, TOTAL O PARCIAL. 13.1. Efectos fiscales sobre los socios de las operaciones de fusión y de escisión. 14. PERMUTA. 15. CANJE O CONVERSIÓN. 15.1. Valoración fiscal de las acciones o participaciones recibidas en contraprestación de la aportación. 15.2. Régimen fiscal del canje de valores. 16. AUMENTO DE CAPITAL CON CARGO A RESERVAS. 17. ADQUISICIÓN Y AMORTIZACIÓN DE ACCIONES PROPIAS. 17.1. Quid en el caso de adquisición derivativa de acciones propias. 18. DERECHOS DE SUSCRIPCIÓN PREFERENTE. 19. USUFRUCTO SOBRE ACCIONES. 19.1. Trascendencia fiscal de la constitución del usufructo sobre acciones.

1. LOS CRITERIOS DE VALORACIÓN DE BIENES Y DERECHOS ESTABLECIDOS POR LA LEGISLACIÓN MERCANTIL

El Código de Comercio establece el criterio de precio de adquisición o coste de producción con carácter general para valorar los activos, reservando el valor razonable para el registro de determinados instrumentos financieros.

Por su parte, el art. 6 del Plan General de Contabilidad desarrolla los criterios de valoración en los siguientes términos:

La valoración es el proceso por el que se asigna un valor monetario a cada uno de los elementos integrantes de las cuentas anuales, de acuerdo con lo dispuesto en las normas de valoración relativas a cada uno de ellos, incluidas en la segunda parte de este Plan General de Contabilidad.

A tal efecto, se tendrán en cuenta los siguientes criterios valorativos y definiciones relacionadas:

1. **Coste histórico o coste de un activo.** El coste histórico o coste de un activo es su precio de adquisición o coste de producción. El precio de ad-

quisición es el importe en efectivo y otras partidas equivalentes pagadas o pendientes de pago más, en su caso y cuando proceda, el valor razonable de las demás contraprestaciones comprometidas derivadas de la adquisición, debiendo estar todas ellas directamente relacionadas con ésta y ser necesarias para la puesta del activo en condiciones operativas. El coste de producción incluye el precio de adquisición de las materias primas y otras materias consumibles, el de los factores de producción directamente imputables al activo, y la fracción que razonablemente corresponda de los costes de producción indirectamente relacionados con el activo, en la medida en que se refieran al periodo de producción, construcción o fabricación, se basen en el nivel de utilización de la capacidad normal de trabajo de los medios de producción y sean necesarios para la puesta del activo en condiciones operativas. El coste histórico o coste de un pasivo es el valor que corresponda a la contrapartida recibida a cambio de incurrir en la deuda o, en algunos casos, la cantidad de efectivo y otros activos líquidos equivalentes que se espere entregar para liquidar una deuda en el curso normal del negocio.

2. **Valor razonable.** Es el importe por el que puede ser intercambiado un activo o liquidado un pasivo, entre partes interesadas y debidamente informadas, que realicen una transacción en condiciones de independencia mutua. El valor razonable se determinará sin deducir los costes de transacción en los que pudiera incurrirse en su enajenación. No tendrá en ningún caso el carácter de valor razonable el que sea resultado de una transacción forzada, urgente o como consecuencia de una situación de liquidación involuntaria. Con carácter general, el valor razonable se calculará por referencia a un valor fiable de mercado. En este sentido, el precio cotizado en un mercado activo será la mejor referencia del valor razonable, entendiéndose por mercado activo aquél en el que se den las siguientes condiciones:

   a. Los bienes o servicios intercambiados en el mercado son homogéneos;

   b. Pueden encontrarse prácticamente en cualquier momento compradores o vendedores para un determinado bien o servicio; y

   c. Los precios son conocidos y fácilmente accesibles para el público. Estos precios, además, reflejan transacciones de mercado reales, actuales y producidas con regularidad.

   Para aquellos elementos respecto de los cuales no exista un mercado activo, el valor razonable se obtendrá, en su caso, mediante la aplicación de modelos y técnicas de valoración. Entre los modelos y técnicas de valoración se incluye el empleo de referencias a transacciones recientes en condiciones de independencia mutua entre partes interesadas y debidamente informadas, si estuviesen disponibles, así como referencias al valor razonable de otros activos que sean sustancialmente iguales, métodos de descuento de flujos de efectivo futuros estimados y modelos generalmente utilizados para valorar opciones. En cualquier caso, las técnicas de valoración empleadas deberán ser consistentes con las metodologías aceptadas y utilizadas por el mercado para la fijación de precios, debiéndose usar, si existe, la técnica de valoración empleada por el mercado que haya demostrado ser la que obtiene unas estimaciones más realistas de los precios. Las técnicas de valoración empleadas deberán maximizar el uso de datos observables de mercado y otros factores que los participantes en el mercado considerarían al fijar el precio, limitando en todo lo posible el empleo de consideraciones subjetivas y de datos no observables o contrastables. La empresa deberá evaluar la efectividad de las técnicas de valoración que utilice de manera periódica, empleando como referencia los precios observables de transacciones recientes en el mismo activo que se valore o utilizando los precios basados en datos o índices observables de mercado que estén disponibles y resulten aplicables. El valor razonable de un activo para el que no existan transacciones comparables en el mercado, puede valorarse con fiabilidad si la variabilidad en el rango de las estimaciones del valor razonable del activo no es significativa o las probabilidades de las diferentes estimaciones, dentro de ese rango, pueden ser evaluadas razonablemente y utilizadas en la estimación del valor razonable. Cuando corresponda aplicar la valoración por el valor razonable, los elementos que no puedan valorarse de manera fiable, ya sea por referencia a un valor de mercado o mediante la aplicación de los modelos y técnicas de valoración antes señalados, se valorarán, según proceda, por su coste amortizado o por su precio de adquisición o coste de producción, minorado, en su caso, por las partidas correctoras de su valor que pudieran corresponder, haciendo mención en la memoria de este hecho y de las circunstancias que lo motivan.

3. **Valor neto realizable.** El valor neto realizable de un activo es el importe que la empresa puede obtener por su enajenación en el mercado, en el curso normal del negocio, deduciendo los costes estimados necesarios para llevarla a cabo, así como, en el caso de las materias primas y de los productos en curso, los costes estimados necesarios para terminar su producción, construcción o fabricación.

4. **Valor actual.** El valor actual es el importe de los flujos de efectivo a recibir o pagar en el curso normal del negocio, según se trate de un activo

o de un pasivo, respectivamente, actualizados a un tipo de descuento adecuado.

5. **Valor en uso.** El valor en uso de un activo o de una unidad generadora de efectivo es el valor actual de los flujos de efectivo futuros esperados, a través de su utilización en el curso normal del negocio y, en su caso, de su enajenación u otra forma de disposición, teniendo en cuenta su estado actual y actualizados a un tipo de interés de mercado sin riesgo, ajustado por los riesgos específicos del activo que no hayan ajustado las estimaciones de flujos de efectivo futuros. Las proyecciones de flujos de efectivo se basarán en hipótesis razonables y fundamentadas; normalmente la cuantificación o la distribución de los flujos de efectivo está sometida a incertidumbre, debiéndose considerar ésta asignando probabilidades a las distintas estimaciones de flujos de efectivo. En cualquier caso, esas estimaciones deberán tener en cuenta cualquier otra asunción que los participantes en el mercado considerarían, tal como el grado de liquidez inherente al activo valorado.

6. **Costes de venta.** Son los costes incrementales directamente atribuibles a la venta de un activo en los que la empresa no habría incurrido de no haber tomado la decisión de vender, excluidos los gastos financieros y los impuestos sobre beneficios. Se incluyen los gastos legales necesarios para transferir la propiedad del activo y las comisiones de venta.

7. **Coste amortizado.** El coste amortizado de un instrumento financiero es el importe al que inicialmente fue valorado un activo financiero o un pasivo financiero, menos los reembolsos de principal que se hubieran producido, más o menos, según proceda, la parte imputada en la cuenta de pérdidas y ganancias, mediante la utilización del método del tipo de interés efectivo, de la diferencia entre el importe inicial y el valor de reembolso en el vencimiento y, para el caso de los activos financieros, menos cualquier reducción de valor por deterioro que hubiera sido reconocida, ya sea directamente como una disminución del importe del activo o mediante una cuenta correctora de su valor. El tipo de interés efectivo es el tipo de actualización que iguala el valor en libros de un instrumento financiero con los flujos de efectivo estimados a lo largo de la vida esperada del instrumento, a partir de sus condiciones contractuales y sin considerar las pérdidas por riesgo de crédito futuras; en su cálculo se incluirán las comisiones financieras que se carguen por adelantado en la concesión de financiación.

8. **Costes de transacción** atribuibles a un activo o pasivo financiero. Son los costes incrementales directamente atribuibles a la compra, emisión, enajenación u otra forma de disposición de un activo financiero, o a la emisión o asunción de un pasivo financiero, en los que no se habría

incurrido si la empresa no hubiera realizado la transacción. Entre ellos se incluyen los honorarios y las comisiones pagadas a agentes, asesores e intermediarios, tales como las de corretaje, los gastos de intervención de fedatario público y otros, así como los impuestos y otros derechos que recaigan sobre la transacción, y se excluyen las primas o descuentos obtenidos en la compra o emisión, los gastos financieros, los costes de mantenimiento y los administrativos internos.

9. **Valor contable o en libros.** El valor contable o en libros es el importe neto por el que un activo o un pasivo se encuentra registrado en balance una vez deducida, en el caso de los activos, su amortización acumulada y cualquier corrección valorativa por deterioro acumulada que se haya registrado.

10. **Valor residual.** El valor residual de un activo es el importe que la empresa estima que podría obtener en el momento actual por su venta u otra forma de disposición, una vez deducidos los costes de venta, tomando en consideración que el activo hubiese alcanzado la antigüedad y demás condiciones que se espera que tenga al final de su vida útil. La vida útil es el periodo durante el cual la empresa espera utilizar el activo amortizable o el número de unidades de producción que espera obtener del mismo. En particular, en el caso de activos sometidos a reversión, su vida útil es el periodo concesional cuando éste sea inferior a la vida económica del activo.

La vida económica es el periodo durante el cual se espera que el activo sea utilizable por parte de uno o más usuarios o el número de unidades de producción que se espera obtener del activo por parte de uno o más usuarios.

DOCTRINA Y JURISPRUDENCIA:

– El IVA soportado no deducible en la adquisición, resultante de aplicar el porcentaje de deducción provisional en ese momento, forma parte del precio de adquisición de los bienes de inversión y, por tanto, es amortizable. Los ajustes negativos o positivos resultantes de las regularizaciones anuales derivadas de la aplicación de la regla de prorrata, no alteran la valoración del precio de adquisición de la inversión, teniendo la consideración de gasto o ingreso a integrar en la base imponible (DGT 10-6-99).

– La reclasificación de existencias a inmovilizado de las viviendas destinadas en principio a la venta, pero que pasan a destinarse al arrendamiento sin opción de compra, supone considerar que el IVA soportado en la construcción de cada una de las viviendas no era deducible, procediéndose a incrementar el valor del inmovilizado en las cuotas de IVA no deducibles e ingresándolas a la Hacienda Pública. En caso de que proceda incrementar el valor contable de los inmuebles considerados como inmovilizado, dicha valoración es asumida a efectos del IS (DGT CV 14-12-11).

– En la adquisición de bienes mediante subasta en la que se asumen cargas o deudas, de hecho o de derecho, el importe de las mismas debe considerarse como valor de adquisición del bien adquirido, sin perjuicio de que dicho importe se registre como un pasivo asociado a la operación (DGT 30-9-99).

– Si se adquiere un vehículo para usarlo en la actividad, se considera un elemento de inmovilizado a efectos fiscales valorado por su precio de adquisición, siendo irrelevantes sus características y la forma de su financiación y siendo deducibles todos los gastos derivados del mismo, como mantenimiento, reparaciones, suministros o amortizaciones (DGT 28-12-99;8-9-00; 5-12-00).

– La construcción de un inmueble financiado con un crédito hipotecario se valora por su coste de producción, que puede incluir los gastos financieros devengados antes de la puesta en funcionamiento del activo y girados por el proveedor o que correspondan a préstamos u otro tipo de financiación ajena, destinada a financiar la construcción, tanto si el inmueble se destina al alquiler como a su venta posterior. Por tanto, los gastos financieros pueden formar parte del coste de producción o ser deducibles en el resultado contable y en la base imponible en el ejercicio en que se devenguen (DGT 19-7-99).

– Los elementos patrimoniales se valoran por el precio de adquisición, sin que la consolidación del dominio por extinción del usufructo determine resultados a integrar en la cuenta de pérdidas y ganancias ni en la base imponible (DGT 19-7-99).

– En la transmisión de un bien inmueble efectuada por una sociedad debe tomarse como precio de adquisición del mismo el importe facturado por el vendedor más el ITP y AJD satisfecho en el momento de la compra, sin que tenga efectos fiscales en el IS la valoración que se haya hecho por la Comunidad Autónoma a efectos del impuesto de transmisiones (DGT CV 26-7-06).

– Forma parte del precio de adquisición de un inmueble la cantidad pagada al arrendatario para extinguir el contrato de arrendamiento (DGT 21-10-97).

– Si llegado el vencimiento del plazo para el pago de la porción del capital no desembolsado incurre en mora un socio y la sociedad decide reducir el capital imputable a dicho socio, las cantidades percibidas por la sociedad representan un beneficio extraordinario para ella, sin que puedan considerarse como mayores aportaciones de los otros socios que hayan aportado la parte de aquel otro socio, sin perjuicio de que nazca entre ellos un crédito y un débito (DGT 26-4-00).

– El gasto satisfecho por una entidad al ayuntamiento, con objeto de obtener la concesión de un mayor aprovechamiento del suelo en edificabilidad, constituye un coste directamente imputable a la edificación, y forma parte del precio del adquisición o coste de producción de la construcción, teniendo el carácter de inversión (DGT 12-11-02).

– Si el precio de adquisición de unas acciones no queda definitivamente determinado por depender de un hecho futuro, y antes de que el mismo ocurra se produce la disolución de la sociedad participada, la parte del precio pendiente de determinar será imputable al valor de los elementos recibidos como consecuencia de la liquidación de la sociedad participada (DGT CV 6-11-07).

– Los gastos por sondeos y estudios son mayor valor del terreno cuando están relacionados con un proyecto en concreto, son identificables y medibles, y hay probabilidad de obtener el contrato (DGT CV 18-11-10).

– Forma parte del precio de adquisición de un elemento la subrogación en el principal de un préstamo hipotecario y los intereses adeudados por el vendedor. La teoría de los actos propios es relativa y, por tanto, es posible realizar valoraciones distintas a efectos de otros impuestos (STS 30-4-1999).

– La valoración realizada por una Administración tributaria de una Comunidad Autónoma en un impuesto estatal (ITP y AJD) cuya gestión se le ha cedido, puede trascender y vincular a efectos de otro impuesto estatal (IS) gestionado por la AEAT, cuando la normativa de ambos impuestos establecen la misma valoración (por ejemplo valor real), dado que la Comunidad Autónoma actúa como delegada para la gestión, inspección y valoración del tributo cedido (STS 9-12-2013). No obstante, el art. 18.14º LIS dispone expresamente que el valor a efectos de otros impuestos no produce efectos respecto del valor de mercado en las operaciones que se realicen entre personas o entidades vinculadas.

2. EFECTOS DERIVADOS DE LA REVALORACIÓN DE ACTIVOS

Con carácter general, el PGC establece que los elementos patrimoniales no pueden ser objeto de revalorización aun cuando el valor de mercado de los mismos sea superior a sus valores contables.

En cualquier caso, tal como establece la DGT en Resolución V1783-14, de 08/07/2014, de acuerdo con las reglas generales de valoración establecidas en el Plan General de Contabilidad aprobado por Real Decreto 1514/2007, de 16 de noviembre, los elementos patrimoniales no pueden ser objeto de revalorización aun cuando el valor de mercado de los mismos sea superior a su valor contable. No obstante, si el sujeto pasivo realiza una revalorización voluntaria de sus elementos patrimoniales sin amparo de una norma legal o reglamentaria, dicha revalorización contable no tiene ningún efecto en el Impuesto sobre Sociedades, es decir, el importe del incremento de valor de los elementos afectos no tiene consecuencias fiscales.

Esto implica que si la entidad efectúa la revalorización de los activos, en esta operación no se genera renta a efectos de determinar la base imponible del período impositivo en el que se realiza la revalorización y, por otra parte, los ingresos y gastos derivados de ese elemento se determinarán a efectos fiscales sobre el mismo valor que tenían con anterioridad a la realización de la revalorización, lo cual supone que el sujeto pasivo tendrá que efectuar los correspondientes ajustes al resultado contable al objeto de determinar la base imponible de cada ejercicio en el que se computen los ingresos o gastos contables procedentes de los elementos revalorizados.

En todo caso, el precio de adquisición puede alterarse cuando se autoricen, por disposición legal, rectificaciones al mismo con la finalidad de tener en cuenta en los balances el efecto de la depreciación monetaria.

Las últimas normas legales que han amparado una revalorización contable son las reguladas en el Real Decreto Ley 7/1996 y en la Ley 16/2012.

Desde un punto de vista fiscal, cuando un elemento patrimonial o un servicio tengan diferente valoración contable y fiscal, la entidad adquirente de aquél integrará en su base imponible la diferencia entre ambas, de la siguiente manera:

a. Tratándose de elementos patrimoniales integrantes del activo circulante, en el período impositivo en que éstos motiven el devengo de un ingreso o un gasto.

b. Tratándose de elementos patrimoniales no amortizables integrantes del inmovilizado, en el período impositivo en que éstos se transmitan o se den de baja.

c. Tratándose de elementos patrimoniales amortizables integrantes del inmovilizado, en los períodos impositivos que resten de vida útil, aplicando a la citada diferencia el método de amortización utilizado respecto de los referidos elementos, salvo que sean objeto de transmisión o baja con anterioridad, en cuyo caso, se integrará con ocasión de la misma.

d. Tratándose de servicios, en el período impositivo en que se reciban, excepto que su importe deba incorporarse a un elemento patrimonial, en cuyo caso se estará a lo previsto en los párrafos anteriores.

Hemos de notar que los contribuyentes que hubieran realizado revalorizaciones contables cuyo importe no se hubiera incluido en la base imponible deberán mencionar en la memoria el importe de aquéllas, los elementos afectados y el período o períodos impositivos en que se practicaron.

Las citadas menciones deberán realizarse en todas y cada una de las memorias correspondientes a los ejercicios en que los elementos revalorizados se hallen en el patrimonio del contribuyente.

Y también destacar que constituye infracción tributaria grave el incumplimiento de la citada obligación. Dicha infracción se sancionará, por una sola vez, con una multa pecuniaria proporcional del 5 por ciento del importe de la revalorización, cuyo pago no determinará que el citado importe se incorpore, a efectos fiscales, al valor del elemento patrimonial objeto de la revalorización.

La sanción impuesta de acuerdo con lo previsto en este apartado se reducirá conforme a lo dispuesto en el apartado 3 del art. 188 LGT, esto es, se reducirá en el 25 por ciento si concurren las siguientes circunstancias:

a. Si se realiza el ingreso total del importe restante de dicha sanción en el plazo voluntario de pago o en el plazo o plazos fijados en el acuerdo de aplazamiento o fraccionamiento que la Administración tributaria hubiera concedido con garantía de aval o certificado de seguro de caución y que el obligado al pago hubiera solicitado con anterioridad a la finalización del plazo voluntario, y

b. Siempre que no se interponga recurso o reclamación contra la liquidación o la sanción.

DOCTRINA Y JURISPRUDENCIA:

– La revalorización contable voluntaria, sin que la misma se realice en virtud de una norma legal o reglamentaria, no tiene efectos fiscales (DGT CV 20-4-11; CV 16-12-11).

– La revalorización contable llevada a cabo por la absorbente en el marco de una fusión, al amparo de la Circ BE 4/1991 (derogada por Circ BE 4/2004), no tiene efectos fiscales, dado que dicha norma no obliga a que se incluya en el resultado contable (DGT 13-4-99).

– La activación del mayor valor de las aplicaciones informáticas contra reservas producida en las entidades de crédito por la primera implantación de la Circ BE 4/2004 no produce ningún ajuste para la determinación de la base imponible del IS (DGT CV 28-3-06).

– No genera efectos fiscales la afloración contable en una cuenta de activo por las entidades de crédito, de sus fondos internos de pensiones mediante contratos de seguros complementarios del importe de las provisiones matemáticas de la póliza y como contrapartida una cuenta de fondos internos, sin computar ingreso alguno en el resultado contable (DGT 15-6-01).

– En la adquisición de un elemento mediante pública subasta del que se es copropietario, no se adquiere la cuota parte de la que ya se es propietario, por lo que no procede contabilizar ninguna revalorización ni tributar por dicha cuota parte (DGT CV 21-12-07).

3. REGLAS ESPECÍFICAS DE VALORACIÓN

Como hemos visto, el art. 17 LIS se remite a efectos de valoración de los elementos patrimoniales al Código de Comercio (*"los elementos patrimoniales se valorarán de acuerdo con los criterios previstos en el Código de Comercio, corregidos por la aplicación de los preceptos establecidos en esta Ley"*). En consecuencia, el criterio general de valoración estriba en el coste de adquisición o coste de producción de bienes y derechos. A diferencia de la Directiva, no se contempla explícitamente la posibilidad de utilizar modelos contables basados en criterios de valoración distintos al coste histórico, ni siquiera la aplicación de valores actuales a determinados activos para corregir algunos de los efectos que la inflación provoca sobre las cuentas anuales.

Ahora bien, sí establece el apartado 4º del citado art. 17 LIS como regla imperativa de valoración el parámetro de mercado para una serie de operaciones y desplazamientos patrimoniales, circunstancias en las cuales la diferencia con los valores contables suele llevarse a la cuenta de pérdidas y ganancias, o bien ser objeto del correspondiente ajuste.

4. ALCANCE DE LA EXPRESIÓN "VALOR DE MERCADO"

Se entenderá por valor de mercado aquel que se habría acordado por personas o entidades independientes en condiciones que respeten el principio de libre competencia.

Para la determinación del valor de mercado se aplicará cualquiera de los siguientes métodos:

a) **Método del precio libre comparable,** por el que se compara el precio del bien o servicio en una operación entre personas o entidades vinculadas con el precio de un bien o servicio idéntico o de características similares en una operación entre personas o entidades independientes en circunstancias equiparables, efectuando, si fuera preciso, las correcciones necesarias para obtener la equivalencia y considerar las particularidades de la operación.

b) **Método del coste incrementado**, por el que se añade al valor de adquisición o coste de producción del bien o servicio el margen habitual en operaciones idénticas o similares con personas o entidades independientes o, en su defecto, el margen que personas o entidades independientes aplican a operaciones equiparables, efectuando, si fuera preciso, las correcciones necesarias para obtener la equivalencia y considerar las particularidades de la operación.

c) **Método del precio de reventa,** por el que se sustrae del precio de venta de un bien o servicio el margen que aplica el propio revendedor en operaciones idénticas o similares con personas o entidades independientes o, en su defecto, el margen que personas o entidades independientes aplican a operaciones equiparables, efectuando, si fuera preciso, las correcciones necesarias para obtener la equivalencia y considerar las particularidades de la operación.

d) **Método de la distribución del resultado,** por el que se asigna a cada persona o entidad vinculada que realice de forma conjunta una o varias operaciones la parte del resultado común derivado de dicha operación u operaciones, en función de un criterio que refleje adecuadamente las condiciones que habrían suscrito personas o entidades independientes en circunstancias similares.

e) **Método del margen neto operacional**, por el que se atribuye a las operaciones realizadas con una persona o entidad vinculada el resultado neto, calculado sobre costes, ventas o la magnitud que resulte más adecuada en función de las características de las operaciones idénticas o similares realizadas entre partes independientes, efectuando, cuando sea preciso, las correcciones necesarias para obtener la equivalencia y considerar las particularidades de las operaciones.

La elección del método de valoración tendrá en cuenta, entre otras circunstancias, la naturaleza de la operación vinculada, la disponibilidad de información fiable y el grado de comparabilidad entre las operaciones vinculadas y no vinculadas.

Cuando no resulte posible aplicar los métodos anteriores, se podrán utilizar otros métodos y técnicas de valoración generalmente aceptados que respeten el principio de libre competencia.

5. TRATAMIENTO FISCAL DE LAS VENTAS Y DE LAS CORRECCIONES DE VALOR DE LOS ACTIVOS QUE FUERON OBJETO DE LA DECLARACIÓN TRIBUTARIA ESPECIAL DEL AÑO 2012

Las dudas que todavía a fecha de hoy suscita el tratamiento fiscal de los elementos que fueron objeto de la declaración tributaria especial (la mal llamada "amnistía fiscal"), justifica que le dediquemos unas líneas a su aclaración.

— Valor y fecha de adquisición de los bienes o derechos objeto de la declaración tributaria especial.

El apartado 7 de la disposición adicional primera del Real Decreto-ley 12/2012 (añadido por el Real Decreto-ley 19/2012) establece que *"El valor de adquisición de los bienes y derechos objeto de la declaración tributaria especial será válido a efectos fiscales en relación con los impuestos a que se refiere el apartado 1 anterior, a partir de la fecha de presentación de la declaración y realización del ingreso correspondiente.".*

En consecuencia, el valor y fecha de adquisición de los elementos patrimoniales objeto de la declaración tributaria especial serán los que originariamente tuviera dicho elemento patrimonial.

— Cálculo de las pérdidas o rendimientos negativos obtenidos en la transmisión posterior de los bienes o derechos objeto de la declaración tributaria especial, cuando el valor de mercado en el momento de presentar dicha declaración era inferior al valor de adquisición.

El apartado 7 de la disposición adicional primera del Real Decreto-ley 12/2012 (añadido por la Disposición final tercera del Real Decreto-ley 19/2012) establece en su primer párrafo que: *"...No obstante, cuando el valor de adquisición sea superior al valor normal de mercado de los bienes o derechos en esa fecha, a efectos de futuras transmisiones únicamente serán computables las pérdidas o en su caso, los rendimientos negativos, en la medida que excedan de la diferencia entre ambos valores".*

Como consecuencia de lo anterior, en el supuesto de que el valor normal de mercado en el momento de la presentación de la declaración tributaria especial fuera inferior al valor de adquisición del bien o derecho objeto de la misma, cuando posteriormente transmita dicho elemento patrimonial no podrá computar una pérdida por la diferencia entre ambos valores (valor de adquisición y valor de mercado en el momento de presentar la declaración tributaria especial). Debe advertirse que si la pérdida fuera superior a la diferencia entre ambos valores (valor de adquisición y valor de mercado en el momento de presentar la declaración tributaria especial), sí podrá computar una pérdida por el exceso.

Supongamos una persona física que adquirió un activo con rentas no declaradas por 10.000 euros (valor de mercado en el momento de presentar la declaración tributaria especial de 5.000 euros). Si posteriormente lo transmite por 6.000 euros no podrá computarse una pérdida por 4.000 euros, dado que esa pérdida no excede de la diferencia de 5.000 euros entre el valor de adquisición del elemento patrimonial (10.000 euros) y el valor normal de mercado en el momento de presentar la declaración (5.000 euros).

En cambio, si transmite el bien por 3.000 euros, obtendrá una pérdida de 7.000 euros, de las que solo podrán computarse 2.000 euros, que es lo que excede dicha pérdida de la diferencia entre el valor de adquisición y el valor normal de mercado en el momento de presentar la declaración.

Por el contrario, si el bien anterior se transmitiera por 15.000 euros, obtendría una ganancia de 5.000 euros, resultando a estos efectos irrelevante el valor de mercado del elemento patrimonial en el momento de la presentación de la declaración tributaria especial.

— Deducibilidad de las pérdidas obtenidas en la posterior transmisión de los bienes o derechos objeto de la declaración tributaria especial a una persona o entidad vinculada.

El apartado 7 de la Disposición Adicional Primera del Real Decreto-ley 12/2012 establece en su segundo párrafo que: *"En ningún caso serán fiscalmente deducibles (...) ni las pérdidas derivadas de la transmisión de tales bienes y derechos cuando el adquirente sea una persona o entidad vinculada en los términos establecidos en el artículo 16 del texto refundido de la ley del Impuesto sobre Sociedades, aprobado por el Real Decreto Legislativo 4/2004, de 5 de marzo"*.

De esta manera, si un obligado tributario presenta la declaración tributaria especial reconociendo la titularidad de unas acciones con un valor de adquisición de 1.000 euros y posteriormente transmite estos títulos a una sociedad vinculada por 700 euros, la pérdida obtenida (300 euros) no sería fiscalmente deducible.

– Deducibilidad de las correcciones de valor de los bienes objeto de la declaración tributaria especial.

El apartado 7 de la disposición adicional primera del Real Decreto-ley 12/2012 establece en su segundo párrafo que: *"En ningún caso serán fiscalmente deducibles las pérdidas por deterioro o correcciones de valor correspondientes a los bienes y derechos objeto de la declaración especial..."*.

En consecuencia, en relación con los bienes o derechos objeto de la declaración tributaria especial, no serán deducibles las correcciones de valor (amortizaciones, pérdidas por deterioro...) correspondientes a los mismos.

– Incidencia a efectos de futuras transmisiones de la declaración de bienes o derechos adquiridos parcialmente con rentas declaradas.

El apartado 7 de la disposición adicional primera del Real Decreto-ley 12/2012 establece en su tercer párrafo que: *"Cuando sean objeto de declaración bienes o derechos cuya titularidad se corresponda parcialmente con rentas declaradas, los citados bienes o derechos mantendrán a efectos fiscales el valor que tuvieran con anterioridad a la presentación de la declaración especial"*.

Por consiguiente, no se produce una revalorización del valor de adquisición de los bienes o derechos objeto de la declaración tributaria especial cuando se trate de elementos patrimoniales obtenidos parcialmente con rentas declaradas.

6. OPERACIONES A TÍTULO LUCRATIVO

El apartado 4º del art. 17 LIS establece que se valorarán por su valor de mercado los siguientes elementos patrimoniales:

a. Los transmitidos o adquiridos a título lucrativo. No tendrán esta consideración las subvenciones.

b. Los aportados a entidades y los valores recibidos en contraprestación, salvo que resulte de aplicación el régimen previsto en el Capítulo VII del Título VII de esta Ley o bien que resulte de aplicación el apartado 2 anterior.

c. Los transmitidos a los socios por causa de disolución, separación de éstos, reducción del capital con devolución de aportaciones, reparto de la prima de emisión y distribución de beneficios.

d. Los transmitidos en virtud de fusión, y escisión total o parcial, salvo que resulte de aplicación el régimen previsto en el Capítulo VII del Título VII de esta Ley.

e. Los adquiridos por permuta.

f. Los adquiridos por canje o conversión, salvo que resulte de aplicación el régimen previsto en el Capítulo VII del Título VII de esta Ley.

Se entenderá por valor de mercado el que hubiera sido acordado entre partes independientes, pudiendo admitirse cualquiera de los métodos previstos en el artículo 18.4 de esta Ley.

En los supuestos previstos en las letras a), b), c) y d) del apartado anterior, la entidad transmitente integrará en su base imponible la diferencia entre el valor de mercado de los elementos transmitidos y su valor fiscal. No obstante, en el supuesto de aumento de capital o fondos propios por compensación de créditos, la entidad transmitente integrará en su base imponible la diferencia entre el importe del aumento de capital o fondos propios, en la proporción que le corresponda, y el valor fiscal del crédito capitalizado.

En los supuestos previstos en las letras e) y f) del apartado anterior, las entidades integrarán en la base imponible la diferencia entre el valor de mercado de los elementos adquiridos y el valor fiscal de los entregados.

En la adquisición a título lucrativo, la entidad adquirente integrará en su base imponible el valor de mercado del elemento patrimonial adquirido.

La integración en la base imponible de las rentas a las que se refiere este artículo se efectuará en el período impositivo en el que se realicen las operaciones de las que derivan dichas rentas.

6.1. *Tratamiento contable de las transacciones con pagos basados en instrumentos de patrimonio*

Tendrán la consideración de transacciones con pagos basados en instrumentos de patrimonio aquéllas que, a cambio de recibir bienes o servicios, incluidos los servicios prestados por los empleados, sean liquidadas por la empresa con instrumentos de patrimonio propio o con un importe que esté basado en el valor de instrumentos de patrimonio propio, tales como opciones sobre acciones o derechos sobre la revalorización de las acciones.

6.1.1. Reconocimiento

La empresa reconocerá, por un lado, los bienes o servicios recibidos como un activo o como un gasto atendiendo a su naturaleza, en el momento de su obtención y, por otro, el correspondiente incremento en el patrimonio neto si la transacción se liquidase con instrumentos de patrimonio, o el correspondiente pasivo si la transacción se liquidase con un importe que esté basado en el valor de instrumentos de patrimonio.

Si la empresa tuviese la opción de hacer el pago con instrumentos de patrimonio o en efectivo, deberá reconocer un pasivo en la medida en que la empresa hubiera incurrido en una obligación presente de liquidar en efectivo o con otros activos; en caso contrario, reconocerá una partida de patrimonio neto. Si la opción corresponde al prestador o proveedor de bienes o servicios, la empresa registrará un instrumento financiero compuesto, que incluirá un componente de pasivo, por el derecho de la otra parte a exigir el pago en efectivo, y un componente de patrimonio neto, por el derecho a recibir la remuneración con instrumentos de patrimonio propio.

En las transacciones en las que sea necesario completar un determinado periodo de servicios, el reconocimiento se efectuará a medida que tales servicios sean prestados a lo largo del citado periodo.

6.1.2. Valoración

En las transacciones con los empleados que se liquiden con instrumentos de patrimonio, tanto los servicios prestados como el incremento en el patrimonio neto a reconocer se valorarán por el valor razonable de los instrumentos de patrimonio cedidos, referido a la fecha del acuerdo de concesión.

Aquellas transacciones liquidadas con instrumentos de patrimonio que tengan como contrapartida bienes o servicios distintos de los prestados por los empleados se valorarán, si se puede estimar con fiabilidad, por el valor razonable de los bienes o servicios en la fecha en que se reciben. Si el valor razonable de los bienes o servicios recibidos no se puede estimar con fiabilidad, los bienes o servicios recibidos y el incremento en el patrimonio neto se valorarán al valor razonable de los instrumentos de patrimonio cedidos, referido a la fecha en que la empresa obtenga los bienes o la otra parte preste los servicios.

Una vez reconocidos los bienes y servicios recibidos, de acuerdo con lo establecido en los párrafos anteriores, así como el correspondiente incremento en el patrimonio neto, no se realizarán ajustes adicionales al patrimonio neto tras la fecha de irrevocabilidad.

En las transacciones que se liquiden en efectivo, los bienes o servicios recibidos y el pasivo a reconocer se valorarán al valor razonable del pasivo, referido a la fecha en la que se cumplan los requisitos para su reconocimiento.

Posteriormente, y hasta su liquidación, el pasivo correspondiente se valorará, por su valor razonable en la fecha de cierre de cada ejercicio, imputándose a la cuenta de pérdidas y ganancias cualquier cambio de valoración ocurrido durante el ejercicio.

6.2. *Tratamiento contable de las subvenciones, donaciones y legados recibidos*

6.2.1. Subvenciones, donaciones y legados otorgados por terceros distintos a los socios o propietarios

6.2.1.1. *Reconocimiento*

Las subvenciones, donaciones y legados no reintegrables se contabilizarán inicialmente, con carácter general, como ingresos directamente imputados al patrimonio neto y se reconocerán en la cuenta de pérdidas y ganancias como ingresos sobre una base sistemática y racional de forma correlacionada con los gastos derivados de la subvención, donación o legado, de acuerdo con los criterios que se detallan más adelante (en el apartado 1.3).

Las subvenciones, donaciones y legados que tengan carácter de reintegrables se registrarán como pasivos de la empresa hasta que adquieran la condición de no reintegrables. A estos efectos, se considerará no reintegrable cuando exista un acuerdo individualizado de concesión de la subvención, donación o legado a favor de la empresa, se hayan cumplido las condiciones establecidas para su concesión y no existan dudas razonables sobre la recepción de la subvención, donación o legado.

6.2.1.2. Valoración

Las subvenciones, donaciones y legados de carácter monetario se valorarán por el valor razonable del importe concedido, y las de carácter no monetario o en especie se valorarán por el valor razonable del bien recibido, referenciados ambos valores al momento de su reconocimiento.

6.2.1.3. Criterios de imputación a resultados

La imputación a resultados de las subvenciones, donaciones y legados que tengan el carácter de no reintegrables se efectuará atendiendo a su finalidad.

En este sentido, el criterio de imputación a resultados de una subvención, donación o legado de carácter monetario deberá ser el mismo que el aplicado a otra subvención, donación o legado recibido en especie, cuando se refieran a la adquisición del mismo tipo de activo o a la cancelación del mismo tipo de pasivo.

A efectos de su imputación en la cuenta de pérdidas y ganancias, habrá que distinguir entre los siguientes tipos de subvenciones, donaciones y legados:

a) Cuando se concedan para asegurar una rentabilidad mínima o compensar los déficit de explotación: se imputarán como ingresos del ejercicio en el que se concedan, salvo si se destinan a financiar déficit de explotación de ejercicios futuros, en cuyo caso se imputarán en dichos ejercicios.

b) Cuando se concedan para financiar gastos específicos: se imputarán como ingresos en el mismo ejercicio en el que se devenguen los gastos que estén financiando.

c) Cuando se concedan para adquirir activos o cancelar pasivos, se pueden distinguir los siguientes casos:

- Activos del inmovilizado intangible, material e inversiones inmobiliarias: se imputarán como ingresos del ejercicio en proporción a la dotación a la amortización efectuada en ese periodo para los citados elementos o, en su caso, cuando se produzca su enajenación, corrección valorativa por deterioro o baja en balance.

- Existencias que no se obtengan como consecuencia de un rappel comercial: se imputarán como ingresos del ejercicio en que se produzca su enajenación, corrección valorativa por deterioro o baja en balance.

- Activos financieros: se imputarán como ingresos del ejercicio en el que se produzca su enajenación, corrección valorativa por deterioro o baja en balance.

- Cancelación de deudas: se imputarán como ingresos del ejercicio en que se produzca dicha cancelación, salvo cuando se otorguen en relación con una financiación específica, en cuyo caso la imputación se realizará en función del elemento financiado.

d) Los importes monetarios que se reciban sin asignación a una finalidad específica se imputarán como ingresos del ejercicio en que se reconozcan.

Se considerarán en todo caso de naturaleza irreversible las correcciones valorativas por deterioro de los elementos en la parte en que éstos hayan sido financiados gratuitamente.

6.2.2. Subvenciones, donaciones y legados otorgados por socios o propietarios

Las subvenciones, donaciones y legados no reintegrables recibidos de socios o propietarios, no constituyen ingresos, debiéndose registrar directamente en los fondos propios, independientemente del tipo de subvención, donación o legado de que se trate. La valoración de estas subvenciones, donaciones y legados es la descrita en el anterior apartado 1.2.

No obstante, en el caso de empresas pertenecientes al sector público que reciban subvenciones, donaciones o legados de la entidad pública dominante para financiar la realización de actividades de interés público o general, la contabilización de dichas ayudas públicas se efectuará de acuerdo con los criterios contenidos en el apartado anterior de esta norma.

6.3. *Tratamiento fiscal de las transmisiones a título gratuito*

En aquellos supuestos en que un sujeto pasivo del Impuesto sobre Sociedades transmite bienes y derechos a título gratuito, o sea, sin contraprestación, debe de hacerlo, por imperativo legal, salvo en supuestos concretos, a parámetros de mercado.

La transmisión a título de liberalidad de bienes y derechos produce las siguientes consecuencias fiscales en la entidad transmitente:

a. La entrega, salvo en los casos taxativamente establecidos en la ley, no constituye gasto fiscalmente deducible para la entidad donante.

   Salvo en el caso de donaciones y operaciones asimiladas realizadas a favor de sociedades de desarrollo industrial regional, a favor de federaciones y clubs deportivos y a favor de ciertas entidades sin ánimo de lucro ex ley 49/2002, en los demás no constituye gasto deducible para la sociedad.

b. No obstante lo anterior, la transmisión de bienes y derechos a favor de terceros a título gratuito puede poner en evidencia eventuales plusvalías tácitas, esto es, diferencias entre valores contables y valores de mercado de los bienes y/o derechos transmitidos sin contraprestación. En tales casos, la plusvalía tributa en el Impuesto sobre Sociedades de la transmitente, imputándose como ingreso en el ejercicio fiscal en que tiene lugar la transmisión.

No obstante, existen determinadas transmisiones a título lucrativo en las que, como excepción, no se genera renta a efectos fiscales. Son las operaciones efectuadas:

– En favor de sociedades de desarrollo industrial regional.

– Por entidades parcialmente exentas realizadas en cumplimiento de su objeto social o finalidad específica.

– Por sujetos pasivos a entidades sin ánimo de lucro a las que sea de aplicación el régimen fiscal especial de las entidades sin fines lucrativos.

6.4. *Tratamiento fiscal de las adquisiciones a título gratuito*

Las adquisiciones a título gratuito de bienes o derechos por parte de sociedades, recibe el mismo tratamiento contable que fiscal. En ambos casos, tanto la norma fiscal como la contable obligan a valorar a precios de mercado.

La diferencia entre la norma contable y la fiscal reside en el elemento temporal, esto es, en el período de imputación. Mientras que contablemente la imputación debe de anualizarse, esto es, debe de imputarse cada año en el importe correspondiente a la amortización de los elementos adquiridos, a efectos fiscales, por el contrario, debe de imputarse como ingreso en el ejercicio en que se perfecciona jurídicamente la adquisición. Habida cuenta las diferencias de imputación temporal, esto es, habida cuenta la anticipación del ingreso fiscal en relación con el contable, deberá de hacerse el correspondiente ajuste positivo al resultado contable el año de la adquisición, y los correspondientes ajustes negativos en los ejercicios siguientes hasta la completa amortización de los activos adquiridos.

En el supuesto de que la entidad adquirente disfrute del régimen de las entidades parcialmente exentas, la adquisición a título gratuito está exenta siempre que esté vinculada al cumplimiento de su objeto social o finalidad específica, esto es, a aquellos objetivos que justificaron beneficiarse del régimen de entidades parcialmente exentas.

De igual modo, están exentas las adquisiciones a título gratuito de las entidades a las que resulte de aplicación el régimen fiscal especial de entidades sin fines lucrativos.

Ahora bien, téngase presente que no son donaciones las realizadas por los socios a la sociedad, sino que se consideran aportaciones a los fondos propios de la entidad, es decir, para el socio esa entrega no reintegrable se considera como mayor valor de la participación, mientras que para la sociedad que la recibe no tiene la consideración de ingreso ni contable ni fiscal, y se computa como mayores fondos propios de la misma.

DOCTRINA Y JURISPRUDENCIA:

– La renuncia a percibir un dividendo acordado no es ingreso para la sociedad sino que es considerado como aportación de los socios (DGT CV 16-3-09); para el socio, el dividendo acordado debe integrarse en su base imponible y, además, supone un mayor valor de la participación en la sociedad (DGT CV 16-3-09).

– Las donaciones realizadas por los socios a la sociedad representan aportaciones a los fondos propios que no constituyen para la entidad renta fiscal ni contable.

– Según la normativa del ITP y AJD son operaciones sujetas al concepto de operaciones societarias de dicho impuesto, las aportaciones que efectúen los socios que no supongan un aumento del capital social (DGT CV 29-9-09).

– Las donaciones no reintegrables realizadas por los socios a la sociedad tienen la consideración de aportaciones y no generan ingreso alguno, siempre que se mantenga la equivalencia económica entre los socios antes y después de la aportación (DGT CV 9-7-09).

6.5. *Donaciones a los socios realizadas por la sociedad*

Las transmisiones a título gratuito de bienes y derechos realizadas por la sociedad a favor de los socios, no constituyen liberalidades sujetas al Impuesto sobre Sucesiones y Donaciones. Tampoco constituyen gasto fiscalmente deducible para la entidad.

Las liberalidades de la sociedad a favor de sus socios pueden recibir fiscalmente el tratamiento de reparto encubierto de beneficios, o sea, puede ser considerada una opción enmascarada de distribución de dividendos en aquellos casos en que los beneficiarios son todos los socios y la donación a favor de los mismos guarda relación con la participación de cada uno en el capital social. En tal caso, además de que el socio persona física debe de imputarlo en su renta del ahorro, la "donación" deberá de ser objeto de la correspondiente retención.

Si la donación no beneficia a todos los socios o si el importe recibido por cada uno no guarda relación con su participación en el capital social, estamos ante una distribución del patrimonio societario, constituyendo un gasto no deducible para la sociedad donante (se trata, en efecto, de una disminución de los fondos propios), a la vez que un ingreso para el socio o socios beneficiarios.

6.6. *Subvenciones*

La incidencia que las ayudas y subvenciones tienen en el Impuesto sobre Sociedades exige distinguir, al igual que en los demás impuestos, entre subvenciones de explotación o corrientes y de capital.

Con carácter general, la subvención constituye un ingreso en el momento en que se concede, aunque se perciba su importe con posterioridad en otro ejercicio.

Las **subvenciones de explotación** son aquellas que pretenden compensar el déficit de explotación, una posible pérdida de ingresos en la actividad económica o asegurar una renta mínima. Se incluyen en ésta las ayudas de apoyo a la creación de empleo. La imputación de las mismas se realiza en el ejercicio en que se produzcan los hechos que las motivan, siguiendo un criterio de imputación fiscal. Éste es el caso de las ayudas a la creación de empleo que van dirigidas a compensar los mayores gastos de personal que supone la contratación de trabajadores en el ejercicio en que ésta se produce.

Las **subvenciones de capital** son aquellas que se conceden para el establecimiento de la empresa, para financiar la estructura fija ésta o para financiar las deudas que originan estas inversiones. La imputación como ingreso se formaliza en el ejercicio en que se reconocen, pero no en su integridad, sino en la misma proporción a la depreciación que sufre el bien financiado con la subvención. En este caso se sigue el criterio de imputación contable.

Para el supuesto especial de los bienes no amortizables, el importe de la subvención se imputará al resultado contable del ejercicio en que se produzca la enajenación o la baja en la contabilidad de dicho bien.

Por tanto, el impacto fiscal que resulta de la percepción de una subvención de capital es menor que el que se deriva de la obtención de una subvención de explotación, al imputarse la cuantía en varios ejercicios, mientras que, como hemos visto, la imputación de las de explotación se produce en su integridad en el mismo ejercicio.

Como excepción a lo establecido en los párrafos anteriores respecto al Impuesto sobre Sociedades, no se integrarán en la base imponible del mismo determinadas ayudas de la política pesquera comunitaria por abandono de la actividad y de la política comunitaria por el abandono y arranque de determinados cultivos y producciones, así como las que tienen por objeto el reparar la destrucción, por incendio, inundación o hundimiento de elementos patrimoniales afectos a actividades empresariales.

DOCTRINA Y JURISPRUDENCIA:

- Supone una adquisición lucrativa la percepción de dividendos cuya distribución fue acordada y hayan transcurrido más de cinco años desde el momento en que nació el derecho de cobro por parte de los socios, sin que se hayan reclamado. Se genera, por tanto, una renta a integrar en la base imponible de la sociedad, sin que pueda practicar ninguna deducción por doble imposición dado que la renta procede de una cancelación de una deuda (DGT 4-10-00).

- Cuando la aportación de los socios a los fondos propios de la sociedad no se haya repartido entre ellos en atención al porcentaje de participación que cada uno tenga en el capital social de la entidad, no constituye renta para esta última, siempre que los socios que hayan aportado una parte del total superior a la que les hubiera correspondido según su grado de participación social lo hayan hecho guiados por una motivación económica válida y no, por tanto, a título gratuito o con ánimo de liberalidad (DGT 4-10-00).

- Si en una ampliación de capital uno de los socios realiza una aportación superior a la que le corresponde por su participación efectiva, el exceso sobre dicha participación se contabiliza en la participada como una donación que se integra en su base imponible (DGT CV 27-7-10).

- Es renta el dividendo prescrito de los socios, al proceder de una adquisición a título gratuito (TEAC 31-1-08).

7. APORTACIONES NO DINERARIAS

Una de las operaciones con regla de valoración especial es la aportación no dineraria realizada por entidades al objeto de suscribir la emisión de capital en la constitución de otra sociedad o bien por causa de una ampliación de su capital social.

7.1. *Tratamiento contable de las aportaciones no dinerarias*

Los bienes de inmovilizado recibidos en concepto de aportación no dineraria de capital serán valorados por su valor razonable en el momento de la aportación conforme a lo señalado en la norma sobre transacciones con pagos basados en instrumentos de patrimonio, pues en este caso se presume que siempre se puede estimar con fiabilidad el valor razonable de dichos bienes. En consecuencia:

En las transacciones con los empleados que se liquiden con instrumentos de patrimonio, tanto los servicios prestados como el incremento en el patrimonio neto a reconocer se valorarán por el valor razonable de los instrumentos de patrimonio cedidos, referido a la fecha del acuerdo de concesión.

Aquellas transacciones liquidadas con instrumentos de patrimonio que tengan como contrapartida bienes o servicios distintos de los prestados por los empleados se valorarán, si se puede estimar con fiabilidad, por el valor razonable de los bienes o servicios en la fecha en que se reciben. Si el valor razonable de los bienes o servicios recibidos no se puede estimar con fiabilidad, los bienes o servicios recibidos y el incremento en el patrimonio neto se valorarán al valor razonable de los instrumentos de patrimonio cedidos, referido a la fecha en que la empresa obtenga los bienes o la otra parte preste los servicios.

Una vez reconocidos los bienes y servicios recibidos, de acuerdo con lo establecido en los párrafos anteriores, así como el correspondiente incremento en el patrimonio neto, no se realizarán ajustes adicionales al patrimonio neto tras la fecha de irrevocabilidad.

En las transacciones que se liquiden en efectivo, los bienes o servicios recibidos y el pasivo a reconocer se valorarán al valor razonable del pasivo, referido a la fecha en la que se cumplan los requisitos para su reconocimiento.

Posteriormente, y hasta su liquidación, el pasivo correspondiente se valorará, por su valor razonable en la fecha de cierre de cada ejercicio, imputándose a la cuenta de pérdidas y ganancias cualquier cambio de valoración ocurrido durante el ejercicio.

Para el aportante de dichos bienes se aplicará lo dispuesto en la norma relativa a instrumentos financieros. En consecuencia:

7.1.1. Valoración inicial

Los activos financieros incluidos en esta categoría se valorarán inicialmente por su valor razonable, el cual, salvo evidencia en contrario, será el precio de la transacción, que equivaldrá al valor razonable de la contraprestación entregada más los costes de transacción que les sean directamente atribuibles.

No obstante lo señalado en el párrafo anterior, los créditos por operaciones comerciales con vencimiento no superior a un año y que no tengan un tipo de interés contractual, así como los anticipos y créditos al personal, los dividendos a cobrar y los desembolsos exigidos sobre instrumentos de patrimonio, cuyo importe se espera recibir en el corto plazo, se podrán valorar por su valor nominal cuando el efecto de no actualizar los flujos de efectivo no sea significativo.

7.1.2. Valoración posterior

Los activos financieros incluidos en esta categoría se valorarán por su coste amortizado. Los intereses devengados se contabilizarán en la cuenta de pérdidas y ganancias, aplicando el método del tipo de interés efectivo.

Las aportaciones realizadas como consecuencia de un contrato de cuentas en participación y similares, se valorarán al coste, incrementado o disminuido por el beneficio o la pérdida, respectivamente, que correspondan a la empresa como partícipe no gestor, y menos, en su caso, el importe acumulado de las correcciones valorativas por deterioro.

No obstante lo anterior, los créditos con vencimiento no superior a un año que, de acuerdo con lo dispuesto en el apartado anterior, se valoren inicialmente por su valor nominal, continuarán valorándose por dicho importe, salvo que se hubieran deteriorado.

7.1.3. Deterioro del valor

Al menos al cierre del ejercicio, deberán efectuarse las correcciones valorativas necesarias siempre que exista evidencia objetiva de que el valor de un crédito, o de un grupo de créditos con similares características de riesgo valorados colectivamente, se ha deteriorado como resultado de uno o más eventos que hayan ocurrido después de su reconocimiento inicial y que ocasionen una reducción o retraso en los flujos de efectivo estimados futuros, que pueden venir motivados por la insolvencia del deudor.

La pérdida por deterioro del valor de estos activos financieros será la diferencia entre su valor en libros y el valor actual de los flujos de efectivo futuros que se estima van a generar, descontados al tipo de interés efectivo calculado en el momento de su reconocimiento inicial. Para los activos financieros a tipo de interés variable, se empleará el tipo de interés efectivo que corresponda a la fecha de cierre de las cuentas anuales de acuerdo con las condiciones contractuales. En el cálculo de las pérdidas por deterioro de un grupo de activos financieros se podrán utilizar modelos basados en fórmulas o métodos estadísticos.

Las correcciones valorativas por deterioro, así como su reversión cuando el importe de dicha pérdida disminuyese por causas relacionadas con un evento posterior, se reconocerán como un gasto o un ingreso, respectivamente, en la cuenta de pérdidas y ganancias. La reversión del deterioro tendrá como límite el valor en libros del crédito que estaría reconocido en la fecha de reversión si no se hubiese registrado el deterioro del valor.

No obstante, el ICAC ha entendido que las aportaciones no dinerarias de participaciones en el capital de una entidad del grupo a una sociedad de nueva constitución de la que se obtiene el control con dicha aportación, deben tener un tratamiento contable equivalente a las permutas, de forma que si se considera que tiene carácter de permuta no comercial, la participación recibida conserva el valor de los elementos aportados, en cuyo caso la contabilidad no reconocería ningún resultado y, por tanto, sería necesario realizar un ajuste extracontable positivo en la entidad aportante (ICAC consulta núm 6, BOICAC núm 74).

En la sociedad adquirente los bienes y derechos adquiridos se valoran en contabilidad de acuerdo con el valor razonable de los bienes recibidos en el momento de la aportación, de forma que la diferencia entre dicho valor y el capital escriturado se computa como prima de emisión.

Si la aportación es de un negocio realizado entre entidades de un grupo, la adquirente registrará los elementos patrimoniales del negocio por su valor contable en las cuentas consolidadas.

7.2. *Valoración a efectos fiscales de las aportaciones no dinerarias*

7.2.1. Sociedad aportante

A efectos fiscales, los bienes y derechos aportados deben de ser valorados por su valor de mercado, de modo que, cuando éste difiera del valor contable, la sociedad aportante deberá de registrar la diferencia en la base imponible.

Los valores recibidos a cambio de la aportación no dineraria deben de ser valorados a parámetros de mercado, coincidiendo esta circunstancia con el valor contable, de modo que ni es necesario practicar ajuste alguno ni tampoco registrar diferencia fiscal alguna.

Una regla particular, con efectos fiscales, resulta, sin embargo, de las aportaciones no dinerarias entre sociedades del mismo grupo, concretamente en aquellos casos en que la sociedad aportante ostenta la totalidad de las participaciones en el capital social de la sociedad destinataria de la aportación. En estos supuestos, el PGC establece que la participación recibida tendrá el valor correspondiente a los valores contables de los bienes y derechos, o sea, de los elementos no dinerarios aportados a la entidad participada. En estos casos, naturalmente, sí procedería un ajuste positivo, el ajuste correspondiente a la diferencia entre el valor contable y el valor de mercado de los elementos no dinerarios aportados.

DOCTRINA Y JURISPRUDENCIA:

– Si el aportante califica la cartera recibida como disponible para la venta, los gastos incurridos en la operación aumentan el valor de la participación, de manera que dicha valoración también se asume a efectos fiscales. De calificarse como cartera de negociación, los gastos de la operación se registran en cuenta de resultados, y tienen la condición de fiscalmente deducibles.

– Tratándose de aportación de la nuda propiedad de un inmueble, la renta generada se determinaría por la diferencia entre el valor de mercado de la nuda propiedad aportada –para cuya valoración debe tenerse en cuenta que el uso del inmueble lo tiene el transmitente– y el valor contable de lo aportado, para lo cual debería distribuirse el precio de adquisición del inmueble entre el valor del usufructo y la nuda propiedad, aplicando a dicho precio la proporción de estos dos últimos valores.

En cuanto a la entidad adquiriente, el activo se valorará por su valor de mercado, igualmente para ello se debe tener en cuenta el usufructo, sin que afecte a dicha valoración la extinción del usufructo, momento en el cual se tiene la plena propiedad del inmueble.

– Mercantilmente, el socio aportante de derechos de crédito es el que responde solidariamente de su pérdida de valor, por lo que la sociedad que recibe la aportación no obtiene ninguna pérdida derivada de su deterioro a efectos fiscales (DGT CV 28-4-08).

– En el supuesto de que en una ampliación de capital de una sociedad se aporte un derecho de arrendamiento financiero sobre un inmueble, si no existe expresamente regulada la regla de valoración, hay que acudir a la norma general, esto es, al valor de mercado, siendo la valoración de los inmuebles una excepción a la misma. La asimilación no puede producirse porque no es lo mismo jurídicamente la cesión de un derecho de arrendamiento financiero, que la cesión de la plena propiedad de un inmueble, aunque en última instancia pueda llegarse posteriormente a que la sociedad que reciba la aportación disponga de la plena propiedad del inmueble una vez ejercitada la opción. Por consiguiente, a efectos de determinar el incremento de patrimonio producido por la aportación del derecho de arrendamiento financiero de un inmueble, el valor de enajenación del mismo es el valor de mercado del inmueble fijado por el perito de la Administración, minorado en la cantidad que debe satisfacer el cesionario para la adquisición de la futura propiedad del inmueble (TEAC 25-4-03).

7.2.2. Sociedad adquirente

Habida cuenta que a efectos contables los bienes y derechos que se aportan deben de ser valorados, como hemos visto, a parámetros de mercado, la sociedad adquirente debe de hacer lo propio, tanto contable como fiscalmente.

En aquellos casos en que el valor contable y el real o de mercado de los activos aportados a la sociedad fuese diferentes, la valoración fiscal se referirá a este último.

DOCTRINA Y JURISPRUDENCIA:

– En una aportación de un bien realizado a una sociedad, ésta debe computarlo a efectos fiscales por su valor de mercado (tomado en consideración para calcular la renta generada en el aportante), cualquiera que sea la valoración contable del mismo en sede de la sociedad (DGT CV 23-11-05).

– La renuncia por un socio de los créditos a sociedades participadas representa una aportación a los fondos propios de estas últimas y, por tanto, mayor valor de la participación (DGT CV 29-3-06).

– En la aportación de participaciones por una persona física a una entidad, el valor de mercado de los bienes objeto de la aportación no dineraria puede ser superior al valor que a los mismos se les atribuya en la escritura de ampliación de capital y por el cual se contabilizan en la entidad, por lo que las participaciones recibidas como consecuencia de la ampliación de capital se han de valorar a efectos fiscales por su valor de mercado. Si fuera éste el valor por el que las hubiera contabilizado, no habría diferencias de valor contable y fiscal. En cambio, si contablemente no se registraron por el valor de mercado, surgiría una diferencia de valoración, que se integraría en la base imponible de la entidad (DGT CV 5-10-06).

– Si se transmite un inmueble que ha sido adquirido mediante aportación no dineraria de un socio y la Administración tributaria comprueba la aportación del socio incrementando el valor del inmueble aportado, la sociedad puede solicitar la rectificación de la liquidación del período en que transmitió el inmueble (DGT CV 23-6-08).

7.3. *Particular referencia a las aportaciones para compensar pérdidas*

En ocasiones las sociedades de capital se encuentran incursas en causa de disolución puesto que su balance refleja la situación de desequilibrio patrimonial que recoge el artículo 363.1.e de la Ley de Sociedades de Capital, en virtud del cual:

> "1. *La sociedad de capital deberá disolverse:*
>
> *e) Por pérdidas que dejen reducido el patrimonio neto a una cantidad inferior a la mitad del capital social, a no ser que éste se aumente o se reduzca en la medida suficiente, y siempre que no sea procedente solicitar la declaración de concurso.*"

Aun cuando el citado precepto únicamente hace referencia al aumento y/o reducción del capital social en la medida suficiente, en la práctica habitual se acude también a otras figuras como por ejemplo los préstamos participativos y las aportaciones de socios para compensar pérdidas.

Además, existen otras situaciones en las que las sociedades necesitan o estiman conveniente dotarse de mayor liquidez sin acudir a financiación externa, ya sea porque la tengan cerrada, ya sea porque no interese endeudar a la compañía ya sea por cualquier otro motivo, y no desean aumentar el capital social.

En todo caso, la aportación que nos ocupa se caracteriza porque los socios de una Sociedad Anónima o de una Sociedad de Responsabilidad Limitada deciden llevar a efecto una aportación a fondos propios para compensar pérdidas, o para incrementar el patrimonio social, o bien con ambas finalidades.

Ahora bien, surge la duda de si es o no posible efectuar una aportación de este tipo puesto que ni la actual Ley de Sociedades de Capital ni las antiguas Ley de Sociedades Anónimas y Ley de Sociedades de Responsabilidad Limitada contenían regulación ni mención alguna a dicha figura, a diferencia de lo que sucede con el aumento de capital social y con las prestaciones accesorias.

Las referencias normativas actuales que hay a esta figura son las que aparecen:

1º. En el Nuevo Plan General Contable: en el Grupo 1 se recoge la cuenta 118:

> "*Aportaciones de socios o propietarios.*
>
> *Elementos patrimoniales entregados por los socios o propietarios de la empresa cuando actúen como tales, en virtud de operaciones no descritas en otras cuentas. Es decir, siempre que no constituyan contraprestación por la entrega de bienes o la prestación de servicios realizados por la empresa, ni tengan la natu-*

raleza de pasivo. En particular, incluye las cantidades entregadas por los socios o propietarios para compensación de pérdidas."

Esta cuenta es más amplia que la que se recogía en el anterior Plan General Contable, también en el Grupo 1 y que era la cuenta 122 "*Aportaciones de socios para compensación de pérdidas.*

Cantidades entregadas por los socios con el objeto de compensar pérdidas de la sociedad, incluyendo, entre otras, las subvenciones entregadas por los socios por este concepto."

En todo caso, ¿cuáles son los efectos fiscales de las aportaciones de los socios para compensar pérdidas?

1º. Imposición Indirecta:

Actualmente tanto el aumento de capital social como la aportación de socios a fondos propios están sujetas al Impuesto Sobre Transmisiones Patrimoniales y Actos Jurídicos Documentados en la modalidad de Operaciones Societarias, pero exentas.

2º. Imposición Directa:

– En la sociedad que recibe la aportación de sus socios:

Si todos los socios efectúan la aportación en proporción al porcentaje que ostentan en el capital social no se manifiesta renta alguna a efectos contables, por lo que no tributa en el Impuesto sobre Sociedades.

Ahora bien, si la aportación no se efectúa por todos los socios o efectuándolo todos ellos lo hacen en porcentaje distinto al que ostentan en el capital social, el exceso de porcentaje aportado por cualquier socio tendrá la consideración de una liberalidad, suponiendo, por tanto, un ingreso para la sociedad que lo recibe.

– En el socio que lo realiza:

Si la aportación es dineraria, no se manifiesta plusvalía alguna, por lo que no tiene efectos en su imposición directa. Lo mismo puede entenderse, en principio, si lo que se aporta es un crédito contra la sociedad.

En cambio, si la aportación es no dineraria, puesto que el bien aportado debe valorarse por su valor de mercado en el momento de la aportación, puede ponerse de manifiesto una plusvalía/minusvalía, al cual tendrá la correspondiente repercusión en su imposición directa.

Otro efecto fiscal que se produce estriba en que la aportación efectuada, cualquiera que sea su naturaleza, se computa para el socio aportante como un mayor valor de adquisición, es decir, cuando en el futuro vaya a proceder a la transmisión de sus acciones/participaciones sociales al precio inicial de adquisición de las mismas deberá sumarse el importe de la aportación efectuada para calcular la plusvalía/minusvalía que se genere.

7.4. *Aportaciones de ramas de actividad y aportaciones no dinerarias especiales*

Se entiende por rama de actividad el conjunto de elementos patrimoniales que sean susceptibles de constituir desde el punto de vista de la organización una unidad económica autónoma determinante de una explotación económica, es decir, un conjunto capaz de funcionar por sus propios medios.

Dicha aportación puede acogerse al régimen fiscal especial (Tit. VII, Cap. VII LIS) por el cual la renta generada en esta operación no se integra en la base imponible de la entidad aportante. Se da este resultado siempre que la sociedad adquirente de los elementos los valore a efectos fiscales por los mismos valores que tenían en la sociedad aportante con anterioridad a la aportación.

Igual régimen se aplica a las aportaciones no dinerarias especiales, en donde se aportan elementos patrimoniales a entidades residentes en territorio español, siempre que la entidad aportante participe en los fondos propios de la entidad que recibe la aportación en al menos el 5% una vez realizada la aportación.

7.5. *Efectos contables y fiscales derivados de la depreciación de la participación recibida en virtud de la aportación no dineraria*

La contabilización en el momento de la inversión se hace por el valor de la inversión más los gastos que sean directamente imputables a la compra. Para contabilizar las depreciaciones que pueda sufrir la inversión debemos comparar el valor en libros de la inversión con el valor de los fondos propios y de las plusvalías tácitas existentes en la empresa adquirida en el momento de la valoración, calculado en función del porcentaje de participación que la empresa mantenga en la empresa de grupo o asociada.

Si el valor en libros supera el valor de los fondos propios que corresponde a la participación adquirida corregida en el valor de las plusvalías tácitas existentes en el momento de la valoración, no procederá realizar asiento alguno. Si es al contrario, tendremos que contabilizar la correspondiente depreciación por deterioro.

¿Qué efectos fiscales derivan de la depreciación de la participación recibida?

Pues el art. 13. 2º LIS es meridianamente claro al respecto: No serán fiscalmente deducibles: b) Las pérdidas por deterioro de los valores representativos de la participación en el capital o en los fondos propios de entidades. Solo será deducible la pérdida cuando se realice, o sea, se venda a un tercero, la participación.

DOCTRINA Y JURISPRUDENCIA:

–   En la aportación de elementos patrimoniales totalmente amortizados, además de la renta resultante de aplicar el valor de mercado, debe integrarse en la base imponible la diferencia entre la amortización fiscalmente deducible y la amortización que corresponda a la depreciación efectiva del elemento transmitido (DGT 27-1-98).

–   A las aportaciones realizadas por personas físicas no les resultan aplicables los criterios del IS sino los del IRPF. En cuanto a la sociedad que recibe la aportación, el elemento patrimonial se valora por su precio de adquisición (DGT 11-11-99).

–   En una aportación de valores realizada por una persona física a la sociedad, ésta valora a efectos fiscales dichos valores por su precio de adquisición, esto es, el contabilizado (DGT 19-2-01).

–   En la aportación de un fondo de comercio a una sociedad con coste cero para el aportante, la sociedad lo valora según el valor que se le atribuya en la escritura de constitución (DGT 11-5-00).

–   En la aportación de un establecimiento permanente a una entidad residente se genera una renta según la regla de valoración de las aportaciones no dinerarias, concluyendo un período en la fecha de su transmisión (DGT 4-10-00).

7.6. *Aumentos de capital mediante compensación de créditos*

Las operaciones de aumento de capital por compensación de créditos se valorarán fiscalmente por el importe de dicho aumento desde el punto de vista mercantil, con independencia de cuál sea su valoración contable.

Tras la modificación del primer párrafo del apartado 3 del artículo 15 LIS, su redacción es la siguiente: "No obstante, en el supuesto de aumento de capital por compensación de créditos, la entidad transmitente integrará en su base imponible la diferencia entre el importe del aumento de capital, en la proporción que le corresponda, y el valor fiscal del crédito capitalizado".

Con anterioridad a esta modificación se había pronunciado el ICAC en Consulta 4. BOICAC núm. 89 (marzo 2012). Desde el punto de vista contable:

En el prestamista se producirá una pérdida por el valor del crédito. Y en el prestatario se producirá un ingreso extraordinario por la totalidad de la deuda.

Lo anterior tendría dos consecuencias:

1. Que no se llevara a cabo la ampliación de capital y tanto el prestamista como el prestatario debieran contabilizar por resultados dicha pérdida/ingreso.

2. Que mercantilmente se llevara a cabo dicha ampliación de capital por compensación de créditos.

Como desde el punto de vista fiscal se seguía el criterio contable, si hubiera una comprobación administrativa podría surgir un gasto fiscalmente no deducible para el prestamista y un ingreso extraordinario para el prestatario, si la Administración aplicara de forma literal el criterio mantenido por el ICAC.

Tras el conocimiento de este criterio del ICAC, quizá lo más acorde fiscalmente hubiera sido realizar una condonación del crédito entre el socio y la sociedad.

La Disposición final segunda de la Ley 17/2014, de 30 de septiembre, introduce tres modificaciones al artículo 15 del Texto Refundido de la Ley del Impuesto sobre Sociedades, aprobado por el Real Decreto Legislativo 4/2004, de 5 de marzo, con efectos para los períodos impositivos que se inicien a partir de 1 de enero de 2014:

Primera: el artículo 17.2º, a cuyo tenor las operaciones de aumento de capital o fondos propios por compensación de créditos se valorarán fiscalmente por el importe de dicho aumento desde el punto de vista mercantil, con independencia de cuál sea la valoración contable.

Segunda: el artículo 17.4º, con arreglo al cual se valorarán por su valor de mercado los siguientes elementos patrimoniales:

a. Los transmitidos o adquiridos a título lucrativo. No tendrán esta consideración las subvenciones.

b. Los aportados a entidades y los valores recibidos en contraprestación, salvo que resulte de aplicación el régimen especial de fusiones, escesiones, aportaciones no dinerarias...

c. Los transmitidos a los socios por causa de disolución, separación de éstos, reducción del capital con devolución de aportaciones, reparto de la prima de emisión y distribución de beneficios.

d. Los transmitidos en virtud de fusión, y escisión total o parcial, salvo que resulte de aplicación el régimen especial.

e. Los adquiridos por permuta.

f. Los adquiridos por canje o conversión, salvo que resulte de aplicación el citado régimen fiscal especial de fusiones, escisiones, aportación de activos, etc.

Se entenderá por valor de mercado el que hubiera sido acordado entre partes independientes, pudiendo admitirse cualquiera de los métodos previstos en el artículo 18.4 de esta Ley.

En los supuestos previstos en las letras a), b), c) y d) del apartado anterior, la entidad transmitente integrará en su base imponible la diferencia entre el valor de mercado de los elementos transmitidos y su valor fiscal. No obstante, en el supuesto de aumento de capital o fondos propios por compensación de créditos, la entidad transmitente integrará en su base imponible la diferencia entre el importe del aumento de capital o fondos propios, en la proporción que le corresponda, y el valor fiscal del crédito capitalizado.

En las ampliaciones de capital por compensación de créditos, desde un punto de vista contable:

1. La entidad prestamista debe de reclasificar su crédito a inversiones financieras. Esta reclasificación debe de hacerse a valores razonables, de modo que en el caso de que se pongan en evidencia diferencias entre el saldo del crédito pendiente y el valor razonable de los títulos recibidos a cambio, deberá de llevarse a la cuenta de pérdidas y ganancias y, desde un punto de vista fiscal, a la base imponible del IS.

2. La entidad deudora/prestataria, esto es, la entidad que capitaliza el crédito, debe contabilizar la baja del pasivo financiero y reconocer el correspondiente aumento de los fondos propios por un importe equivalente al valor razonable de la efectiva aportación que se ha realizado.

    Naturalmente, si hubiese diferencias entre el importe por el que se encontraba contabilizado el pasivo dado de baja y el incremento de fondos propios, la entidad habrá registrado un ingreso, el cual deberá de llevarse a la cuenta de pérdidas y ganancias y, a la postre, a la base imponible.

Tercera: el nuevo apartado 13 del art. 11 LIS 2015. De acuerdo con el mismo, el ingreso correspondiente al registro contable de quitas y esperas consecuencia de la aplicación de la Ley 22/2003, de 9 de julio, Concursal, se imputará en la base imponible del deudor a medida que proceda registrar con posterioridad gastos financieros derivados de la misma deuda y hasta el límite del citado ingreso.

No obstante, en el supuesto de que el importe del ingreso a que se refiere el párrafo anterior sea superior al importe total de gastos financieros pendientes de registrar, derivados de la misma deuda, la imputación de aquel en la base imponible se realizará proporcionalmente a los gastos financieros registrados en cada período impositivo respecto de los gastos financieros totales pendientes de registrar derivados de la misma deuda.

El precepto transcrito trae causa de la doctrina dictada por el TEAC y por la DGT a propósito del tratamiento en el Impuesto sobre Sociedades de las ganancias de patrimonio derivadas de convenios de quita y otros acuerdos alternativos que ponen fin a los concursos de acreedores. A título de ejemplo, el Tribunal Económico Administrativo Central, desde su primera Resolución de 11 de noviembre de 2005, consideró que el incremento patrimonial derivado de una quita acordada en un expediente concursal se imputará en su totalidad al periodo impositivo en que se devengue, que será aquel en el que se apruebe el convenio de acreedores. Sin embargo, la Dirección General de Tributos (Consulta 1358, de 27 de julio de 1.999) y, apoyándose en la misma, la Audiencia Nacional (Sentencia de 22 de marzo de 2007) se han inclinado por el criterio del ICAC (Resolución de 31/10/1997). Esta resolución manifiesta que si como consecuencia de un convenio de acreedores se producen determinadas quitas en deudas, el tratamiento contable deberá de ser el de reflejar dichos importes en el pasivo del balance como ingresos a distribuir en varios ejercicios, cuya imputación a resultados se realizará en el ejercicio en que se cumpla total o parcialmente el convenio, es decir, en proporción a los pagos que se realicen para cancelar el resto de la deuda.

¿Cuáles son los efectos fiscales derivados de las ampliaciones de capital mediante compensación de créditos?

Aun cuando la regla general en cualquier aportación realizada en una operación de aumento de capital estriba en que en el aportante se puede generar una renta por diferencia entre el valor de mercado del elemento transmitido y su valor contable, sin embargo, tratándose de una ampliación de capital mediante compensación de créditos, la referida renta se determina por diferencia entre el importe del aumento de capital que corresponda a su aportación y el valor fiscal del crédito capitalizado.

Por tanto, en función de que el crédito sea originario o derivativo (adquirido después de su emisión por un importe inferior a su valor nominal), los efectos fiscales en la entidad prestamista y prestataria son los siguientes:

a) **Crédito originario:** A su vez, puede diferenciarse según que el crédito haya sido o no objeto de deterioro.

–   Crédito **no deteriorado.** En este caso debe haber una equivalencia económica entre el valor del crédito y el nominal del capital ampliado, por lo que no se genera renta alguna en el acreedor, siendo valorada la participación por el valor contable del crédito. En la sociedad que aumenta su capital tampoco se reconoce ingreso alguno al ser el valor del pasivo coincidente con el aumento de los fondos propios de la sociedad.

–   Crédito **deteriorado.** Dicho deterioro trae causa en una reducción o retraso del flujo de efectivo estimado futuro del crédito respecto de la situación inicial, deterioro que no es fiscalmente deducible de no darse una situación de morosidad, pues para realizar la aportación es necesario que el crédito sea líquido y exigible, excepto que haya un retraso en el pago superior a seis meses que determine la deducibilidad de dicho deterioro.

Al no haber sido el deterioro fiscalmente deducible, en la aportación no se genera ninguna renta dado que la misma se determina por diferencia entre el importe del aumento de capital y el valor fiscal del crédito, o sea, el que no ha computado el deterioro.

Desde el punto de vista de la sociedad que aumenta el capital, como es obvio, solo tendrá trascendencia fiscal el ingreso derivado de la diferencia entre el nominal del pasivo y el aumento de fondos propios en el supuesto de que este último, en lugar de tomarse el valor nominal del crédito que se capitaliza, se elevase el capital por un importe equivalente al valor de mercado del crédito aportado.

b) **Crédito derivativo.** La crisis económica que parece estar quedando atrás ha multiplicado las operaciones de compra de créditos, sobre todo de créditos de entidades financieras sobre sociedades constructoras y promotoras inmobiliarias. Estamos, en tales casos, ante créditos derivativos, cuya seña de identidad común estriba en son adquiridos por un importe inferior (con frecuencia ostensiblemente inferior) a su valor nominal.

Obviamente, cuando este tipo de créditos se aporta a los fondos propios de una entidad vía compensación, se ponen en evidencia notables y variadas diferencias entre el valor nominal, el precio por el cual fue comprado y el valor razonable de los títulos que el aportante recibe a cambio:

– Si la sociedad deudora amplía capital por el nominal del crédito con la correspondiente prima de emisión negativa, en la entidad acreedora se genera una renta positiva por la diferencia entre el importe del aumento de capital y el valor fiscal del crédito, que coincide con su precio de adquisición inferior al nominal,

Si en tales supuestos la participación recibida se valora por el nominal del capital aumentado, es decir, por un importe superior a su valor de mercado, se va a generar una renta negativa con ocasión de su aportación/transmisión.

Nótese que en tales supuestos, a pesar de que no hay, en rigor, renta generada ni en virtud de la aportación ni en la eventual ulterior transmisión de la participación recibida, sin embargo desde un punto de vista fiscal sí hay, en primer lugar, una plusvalía y, en segundo término, una minusvalía, que deberán de ser declaradas.

– En la sociedad que eleva su capital social con cargo al pasivo, como quiera que tiene la obligación de capitalizar éste por su valor nominal, en principio no tiene por qué registrarse efecto fiscal alguno.

DOCTRINA Y JURISPRUDENCIA:

– Según la exposición de motivos del RDL 4/2014 (antecedente de la LIS art.17.2 y 5), hay ausencia de tributación en los supuestos de capitalización de deudas, salvo que la misma hubiera sido objeto de una adquisición derivativa por el acreedor por un valor distinto al nominal de la deuda (DGT CV 5-7-13).

– El régimen fiscal establecido en la LIS para las operaciones de capitalización de créditos, es aplicable tanto a esas operaciones realizadas en el marco de la aplicación de la Ley 22/2003 como en operaciones realizadas al margen de dicha norma concursal.

– Dado que la norma mercantil exige, en el caso de sociedad de responsabilidad limitada que los créditos sean líquidos y exigibles y, en caso de sociedad anónima, al menos el 25% de los créditos deben ser líquidos y exigibles y el vencimiento de los restantes no puede ser superior a cinco años (art. 301 LSC), ello supone que no hay mora y, por tanto, en el supuesto de que se haya dotado un deterioro sobre los créditos aportados, dicho deterioro no ha sido fiscalmente deducible, con independencia de que el acreedor sea o no socio de la sociedad a la que se aportan los créditos.

– La capitalización de créditos cuyo valor de mercado es inferior a su nominal es un caso especial de una quita, pero con la diferencia de que en las quitas resultantes de un proceso concursal el ingreso se integra en la base imponible del deudor aun cuando sea de una forma diferida (art. 11,13º LIS), sin embargo, si esa misma quita se realiza a través de un proceso de capitalización, el mismo ingreso que resulta no se integra en la base imponible del deudor.

– El art. 17 regula toda operación de capitalización de créditos con independencia de que el valor de mercado de los mismos sea inferior o al menos su valor nominal. En este último caso, es posible que el nominal del capital ampliado no se corresponda con el nominal del crédito dado que en la emisión, para respetar la relación de canje, se emiten las nuevas acciones con prima de emisión. En tal caso, la redacción literal del precepto conduce a la generación de una renta negativa en el acreedor, diferencia entre el valor del aumento de capital y el valor del crédito, renta negativa que no responde a una realidad económica pues el valor de las acciones recibidas necesariamente tiene que corresponder con el valor del crédito. Este criterio implicaría reconocer en la aportación una renta negativa y otra positiva posteriormente cuando se transmita la participación recibida al tener un valor fiscal inferior a su valor de mercado, de manera que esta disociación de valores no obedece a ninguna justificación técnica, por lo que lo razonable sería interpretar que en estos casos el valor a considerar es el aumento de capital junto con la prima de emisión, lo cual permite que no se genere renta alguna en la aportación del crédito por parte del acreedor.

– La entidad A tiene un crédito frente a la entidad B de la que tiene el 100% de su capital. El crédito se ha deteriorado en la entidad A pero no ha sido deducible. Si se capitaliza el crédito en la entidad B, no se genera un ingreso a efectos fiscales en el prestatario como consecuencia de la capitalización o condonación del crédito pues la deuda que tiene frente al prestamista se corresponde con el importe del mismo capitalizado o condonado (DGT CV 5-7-13; CV 28-1-14). Este criterio también se aplica en el caso de participaciones indirectas (DGT CV 28-1-14).

– La entidad que recibe un crédito y realiza una ampliación de capital o fondos propios por el mismo importe de la deuda existente, no integrará renta alguna en su base imponible con ocasión de esta operación, con independencia de que pudiera existir un ingreso desde el punto de vista contable (DGT CV 14-4-14).

8. DISOLUCIÓN Y LIQUIDACIÓN DE SOCIEDADES

En los casos en los que la junta general de accionistas acuerde la disolución de la sociedad, o bien se manifieste cualquiera de las situaciones previstas en la normativa mercantil, la sociedad debe acometer un procedimiento que concluye con su extinción previa liquidación de todo su patrimonio que se transmite a sus accionistas en la misma proporción que tienen en su capital social, pudiéndose entregar esa cuota de liquidación en dinero o en especie, esto es, transmitiendo a los socios el conjunto de bienes y derechos que integran el patrimonio de la entidad disuelta.

Con carácter general, la disolución de la sociedad producirá efectos fiscales en la sociedad y efectos en el socio:

a) **Tributación de la sociedad:** Obtendrá una renta por la diferencia entre valor contable y valor de adjudicación de los activos y pasivos (diferencia). En el supuesto de que los activos tengan plusvalías tácitas (v.gr. terrenos o construcciones) de manera que su valor de mercado sea superior al de adjudicación, procederá realizar ajuste positivo en la base imponible por la diferencia entre valor de adjudicación y valor de mercado.

b) **Impuesto sobre el Valor Añadido:** Todos los activos en cuya adquisición la sociedad haya soportado IVA devengarán IVA en la adjudicación. En caso contrario, estarán exentos por aplicación de la exención técnica. No obstante, si se trata de bienes de inversión, la exención técnica solo se aplicará si se ha sobrepasado el período de regularización (10 años). Se puede, en su caso, renunciar a la exención. (LIVA Art. 20.1.24° y 25°).

c) **Efectos en el socio:** Los socios personas físicas obtendrán una ganancia patrimonial por la diferencia entre valor de adquisición de las acciones y el mayor de valor de los bienes recibidos o cuota de liquidación (LIRPF Art. 35.1e).

La ganancia o pérdida patrimonial se integra en la base imponible del ahorro del socio cualquiera que haya sido el tiempo de tenencia de la participación con anterioridad a la liquidación de la entidad.

En el caso de que los socios sean personas jurídicas, la vigente LIS (art. 21) ha sustituido la deducción del 100% para evitar la doble imposición por el régimen de exención, de modo que las ganancias de patrimonio que experimenten los socios personas jurídicas en virtud de la diferencia entre el valor de adquisición de la participación y el valor de mercado de la cuota de liquidación está fiscalmente exento.

d) **Operaciones Societarias:** Además los socios deberán pagar el 1% del Impuesto sobre Transmisiones Patrimoniales y Actos Jurídicos Documentados sobre el importe percibido como cuota de disolución. (Art. 19 LITP Y AJD).

e) En todo caso, si el activo estuviese integrado por bienes inmuebles, deberá satisfacerse el correspondiente **Impuesto sobre el Incremento de Valor de los Terrenos de Naturaleza Urbana.**

Las adjudicaciones de bienes a los socios deben de guardar proporción con las participaciones que ostentan. Si esto no fuera así, además de la tributación que corresponda por la modalidad de operaciones societarias conforme a lo expuesto, el exceso de adjudicación que se produzca estará sujeto a la modalidad de transmisiones patrimoniales onerosas del ITPAJD.

DOCTRINA Y JURISPRUDENCIA:

- La renta positiva o negativa a integrar en la base imponible consecuencia de la disolución con adjudicación del activo y pasivo de una entidad participada, es la diferencia entre el valor de mercado de los elementos recibidos, tanto del activo como del pasivo (incluidas las deudas que la sociedad disuelta tenía con la sociedad), y el valor contable de la participación anulada (incluidas las depreciaciones que fueron fiscalmente deducibles). En la anulación del crédito y deuda por confusión de derechos no se genera renta a integrar en la base imponible (DGT 27-7-99).

- En la disolución de una entidad residente mediante la cesión global de activos y pasivos, la entidad debe integrar en su base imponible la diferencia entre el valor de mercado de los elementos transmitidos y su valor contable (DGT 1-10-99).

- En la disolución de un proindiviso no existe alteración patrimonial, sino la transformación de la cuota de participación en un patrimonio específico, siempre y cuando no se produzcan excesos ni defectos de adjudicación (DGT CV 8-10-09).

- En la liquidación con transmisión de patrimonio a los socios de una cooperativa se produce una renta por diferencia entre el valor de mercado del patrimonio y su valor contable. La adquisición de la finca por sus socios tiene lugar en la fecha en que se produce esa transmisión. Para ellos se genera una ganancia o pérdida patrimonial a la que resulta de aplicación los coeficientes reductores de elementos adquiridos antes del 31-12-1994 (DGT 4-10-00).

9. TRANSFORMACIÓN DE LA FORMA/TIPO DE SOCIEDAD

La transformación de la forma societaria de una entidad puede plantear incidencias fiscales tanto en la propia sociedad como en sus socios.

Dado que el proceso de transformación no supone la extinción de la sociedad, ya que no cambia la personalidad jurídica de la misma, la cual continúa existiendo bajo la forma societaria nueva, la transformación no supone la disolución de la sociedad y, por tanto, no nacen los efectos fiscales propios de la disolución regulados en la normativa.

No obstante, si la transformación de la forma societaria determina la **modificación del tipo de gravamen** o la **aplicación de un régimen tributario distinto**, ello supondría la conclusión de un período impositivo en la fecha en que tenga efectos jurídicos la transformación, al cual se integrarían la totalidad de las rentas generadas en dicho período, con la particularidad de que la renta latente en los elementos patrimoniales existentes en el momento de la transformación se gravaría en el momento en que se genere con ocasión de su transmisión, de acuerdo con el régimen fiscal existente en el momento anterior a la transformación. Si una AIE se transforma en SA, como consecuencia de esa operación concluye el período impositivo dado que esa modificación de la forma societaria no supone aplicar un tipo de gravamen diferente pero sí aplicar un régimen fiscal distinto. Igualmente, la transformación de una SA en SICAV supondría la conclusión del período impositivo de la SA dado que conlleva también la aplicación de un tipo de gravamen y régimen fiscal distinto.

DOCTRINA Y JURISPRUDENCIA:

- La transformación de la forma jurídica de una sociedad puede hacer concluir el **período impositivo** cuando determine (LIS art.27; LIS/04 art.26):

a. La no sujeción al IS de la entidad resultante de la transformación. Además, esta situación determina que, a efectos, fiscales, se considere que la entidad se ha disuelto con las consecuencias que de ello se derivan.

b. La modificación de su tipo de gravamen o la aplicación de un régimen tributario distinto. En este caso la transformación no supone considerar que, a efectos fiscales, se entienda disuelta la sociedad transformada.

– Una sociedad civil se transforma en sociedad mercantil. La sociedad civil, aun cuando tenga personalidad jurídica, no era sujeto pasivo del IS sino que tributaba en régimen de atribución de rentas. Desde el momento en que tome forma mercantil adquiere la condición de sujeto pasivo, planteándose la duda de cómo tributan las rentas obtenidas por la sociedad civil hasta el momento de la transformación. Dado que el IS se devenga a la conclusión del período impositivo y que éste coincide con el ejercicio económico de la entidad, al ser este último único, ello puede derivar en entender que todas las rentas del ejercicio, aun cuando parte de las mismas se obtuvieron cuando la entidad era sociedad civil, se gravan por el IS. No obstante, la interpretación administrativa se ha decantado por entender que las rentas generadas hasta el momento de la constitución de la sociedad mercantil tributan en régimen de atribución (DGT CV 20-9-13). Este régimen sería aplicable si la sociedad civil no tiene objeto mercantil pues, de tener dicho objeto y, además, si tiene personalidad jurídica, es contribuyente del IS a partir del ejercicio 2016 y, por tanto, la transformación no produciría la conclusión de un período impositivo pues no se altera ni el tipo de gravamen ni se aplica un régimen fiscal distinto.

– Si en la transformación de una sociedad la elaboración de los balances determina la obtención de un resultado, concluye un período impositivo para la sociedad. Para el socio persona física no determina ninguna variación de su patrimonio y, por tanto, la fecha de adquisición de las participaciones recibidas es la de adquisición de las acciones entregadas; es decir, se mantiene la antigüedad de los títulos poseídos antes de la transformación (DGT 21-5-97).

– La transformación de una sociedad anónima en limitada no determina la disolución de la sociedad ni la extinción de su personalidad jurídica, por lo que no implica la finalización del período impositivo (DGT 12-11-97).

– La transformación de una sociedad civil con personalidad jurídica en sociedad colectiva no modifica la personalidad jurídica de aquella y siempre que ello no altere la participación de los socios en los beneficios

de la sociedad, esta operación no determina renta para sus socios personas físicas (DGT 23-1-97).

– La transformación de una sociedad civil en sociedad limitada no supone renta en sus socios al mantener la personalidad jurídica (DGT CV 23-7-09).

– En la transformación de una sociedad agraria de transformación en sociedad limitada, dado que la transformación no altera la personalidad
jurídica ni modifica las relaciones jurídicas en que participa la entidad
subsistente y que la nueva sociedad no altera el régimen fiscal en el IS,
esta operación no determina la generación de rentas a efectos fiscales
en la sociedad que se transforma. En cuanto a los socios, en ellos tampoco se genera renta dado que la sociedad ni se extingue ni se disuelve
siempre que no se altere el porcentaje de participación en el capital de
la sociedad, por lo que se conserva la fecha de adquisición de las participaciones recibidas (DGT 8-10-99).

9.1. Novedades introducidas en el cuadro de contribuyentes del Impuesto sobre Sociedades por la Ley 27/2014, de 27 de noviembre

Con efectos a partir del 1 de enero de 2016 (con efectos para los períodos
impositivos que se inicien dentro del año 2015, la letra a) del apartado 1 del
artículo 7 tendrá la siguiente redacción: «Las personas jurídicas, excepto las
sociedades civiles»), el artículo 7 señala que serán contribuyentes del Impuesto,
cuando tengan su residencia en territorio español: Las personas jurídicas, excluidas las sociedades civiles que no tengan objeto mercantil.

El régimen transitorio de estas entidades, que hasta el 1 de enero de 2016
han venido tributando en la imposición directa en régimen de atribución de
rentas, es el siguiente, tal como establece la D.T. 32 de la Ley 27/2014:

1. Lo previsto en esta disposición será de aplicación a las sociedades civiles y a sus socios a los que hubiese resultado de aplicación el régimen
   de atribución de rentas, de acuerdo con lo establecido en la Sección 2.ª
   del Título X de la Ley 35/2006, en períodos impositivos iniciados con
   anterioridad a 1 de enero de 2016 y tengan la consideración de contribuyentes del Impuesto sobre Sociedades a partir de dicha fecha.

2. La integración de las rentas devengadas y no integradas en la base imponible de los períodos impositivos en los que la entidad tributó en el
   régimen de atribución de rentas se realizará en la base imponible del
   Impuesto sobre Sociedades correspondiente al primer período impositivo que se inicie a partir de 1 de enero de 2016. Las rentas que se hayan
   integrado en la base imponible del contribuyente en aplicación del régi-

men de atribución de rentas no se integrarán nuevamente con ocasión de su devengo.

En ningún caso, los cambios de criterio de imputación temporal consecuencia de la consideración de las sociedades civiles como contribuyentes del Impuesto sobre Sociedades a partir de 1 de enero de 2016 comportarán que algún gasto o ingreso quede sin computar o que se impute nuevamente en otro período impositivo.

3. Cuando la sociedad civil hubiese tenido la obligación de llevar contabilidad ajustada a lo dispuesto en el Código de Comercio en los ejercicios 2014 y 2015 conforme a lo dispuesto en el art. 68 del Reglamento del IRPF, se aplicarán las siguientes reglas:

   a. La distribución de beneficios obtenidos en períodos impositivos en los que haya sido de aplicación el régimen de atribución de rentas, cualquiera que sea la entidad que reparta los beneficios obtenidos por las sociedades civiles, el momento en el que el reparto se realice y el régimen fiscal especial aplicable a las entidades en ese momento, recibirá el siguiente tratamiento:

      – Cuando el perceptor sea contribuyente del Impuesto sobre la Renta de las Personas Físicas, los beneficios a que se refiere las letras a) y b) del apartado 1 del art. 25 de la Ley 35/2006, no se integrarán en la base imponible. La distribución de dichos beneficios no estará sujeta a retención o ingreso a cuenta.

      – Cuando el perceptor sea un contribuyente del Impuesto sobre Sociedades o del Impuesto sobre la Renta de no Residentes con establecimiento permanente, los beneficios percibidos no se integrarán en la base imponible. La distribución de dichos beneficios no estará sujeta a retención o ingreso a cuenta.

      – Cuando el perceptor sea un contribuyente del Impuesto sobre la Renta de no Residentes sin establecimiento permanente, los beneficios percibidos tendrán el tratamiento que les corresponda de acuerdo con lo establecido en el Texto Refundido de la Ley del Impuesto sobre no Residentes para estos contribuyentes.

   b. Las rentas obtenidas en la transmisión de la participación en las sociedades civiles que se correspondan con reservas procedentes de beneficios no distribuidos obtenidos en ejercicios en los que haya sido de aplicación el régimen de atribución de rentas, cualquiera que sea la entidad cuyas participaciones se transmiten, el momento en el que se realiza la transmisión y el régimen fiscal especial aplicable a las entidades en ese momento, recibirán el siguiente tratamiento:

- Cuando el transmitente sea contribuyente del Impuesto sobre la Renta de las Personas Físicas, se computará por la diferencia entre el valor de adquisición y de titularidad y el valor de transmisión de aquéllas. A tal efecto, el valor de adquisición y de titularidad se estimará integrado:

  Primero. Por el precio o cantidad desembolsada para su adquisición.

  Segundo. Por el importe de los beneficios sociales, que, sin efectiva distribución, hubiesen sido obtenidos por la sociedad durante los períodos impositivos en los que resultó de aplicación el régimen de atribución de rentas en el período de tiempo comprendido entre su adquisición y enajenación.

  Tercero. Tratándose de socios que adquieran la participación con posterioridad a la obtención de los beneficios sociales, se disminuirá el valor de adquisición en el importe de los beneficios que procedan de períodos impositivos en los que haya sido de aplicación el régimen de atribución de rentas.

- Cuando el transmitente sea un contribuyente del Impuesto sobre Sociedades o del Impuesto sobre la Renta de no Residentes con establecimiento permanente, se aplicará lo dispuesto en esta Ley.

- Cuando el transmitente sea un contribuyente del Impuesto sobre la Renta de no Residentes sin establecimiento permanente tendrá el tratamiento que le corresponda de acuerdo con lo establecido para estos contribuyentes en el Texto Refundido de la LIRNR.

4. En el caso de sociedades civiles distintas de las previstas en el apartado 3 anterior, se entenderá que a 1 de enero de 2016, a efectos fiscales, la totalidad de sus fondos propios están formados por aportaciones de los socios, con el límite de la diferencia entre el valor del inmovilizado material e inversiones inmobiliarias, reflejados en los correspondientes libros registros, y el pasivo exigible, salvo que se pruebe la existencia de otros elementos patrimoniales.

Las participaciones a 1 de enero de 2016 en la sociedad civil adquiridas con anterioridad a dicha fecha, tendrán como valor de adquisición el que derive de lo dispuesto en el párrafo anterior.

10. SEPARACIÓN DE SOCIOS

Además de los supuestos en que voluntariamente se acuerde la separación de un socio, con el consiguiente derecho a que se le reembolse el valor de su participación, la Ley de Sociedades de Capital regula los casos en que, incluso a falta de acuerdo, el socio puede imponer a la entidad y a los demás socios el derecho a apartarse y al reembolso del valor correspondiente a su parte en la entidad, o sea, del valor real o de mercado de su participación. Se trata de los siguientes:

a) Sustitución del objeto social (LSC art.346);

b) Cambio al extranjero del domicilio social (L 3/2009 art.99); y

c) Transformación de la sociedad (L 3/2009 art.15).

El **valor de reembolso** depende de si se trata de participaciones en sociedades admitidas o no a negociación en mercados organizados:

i. Cuando estén admitidas, el valor de reembolso es el de cotización media del último trimestre.

ii. Para las no admitidas, es el valor razonable. A falta de acuerdo sobre el valor razonable, la persona que deba valorarlas o el procedimiento a seguir, se valoran por un auditor de cuentas distinto al de la sociedad, designado por el registrador mercantil del domicilio social a solicitud de la sociedad o de cualquiera de los socios titulares de las participaciones o de las acciones objeto de valoración.

En todo caso, las rentas derivadas de operaciones de separación de socios deben integrarse en la base imponible del período impositivo en el que se realice la operación, salvo que sea objeto de un procedimiento judicial. En este caso, se imputa al ejercicio en el que la sentencia es firme. (DGT CV 23-1-15)

10.1. Novedades fiscales introducidas por la Ley 26/2014, de 27 de noviembre (BOE del 28), de reforma del IRPF, para los ejercicios que comienzan en 2015

1.   Se produce un cambio sustancial en la forma de tributación de las operaciones de distribución de la prima de emisión de acciones o participaciones y reducciones de capital con devolución de aportaciones a los socios. Hasta la citada Ley 26/2014, la distribución de dividendos a un socio tributaba en el IRPF de éste como rendimiento del capital mobiliario. Pero si lo que era objeto de reparto era la prima de emisión o se producía una reducción del capital social de la entidad con devolución de aportaciones –sino procederán de beneficios no distribuidos–, sólo tributaba la cuantía recibida que excedía del coste o valor de adquisición de las participaciones de las que el socio era titular.

2.   A partir de 2015, cuando se trate de ese tipo de rendimientos, procedentes de entidades que no cotizan, sí tributará. Así, cuando sea positiva la diferencia entre el valor de los fondos propios de las acciones o participaciones correspondientes al último ejercicio cerrado con anterioridad a la fecha de distribución de la prima o de la reducción de capital y su valor de adquisición, se considerará rendimiento del capital mobiliario el importe obtenido o el valor normal del mercado de los bienes o derechos recibidos, con el límite de la citada diferencia positiva.

3.   Para el citado cálculo de los fondos propios se tendrá en cuenta, minorándolo, el importe de los beneficios repartidos antes de la fecha de que se trate (fecha de distribución de la prima de emisión o fecha la reducción de capital) y descontando también el importe de las reservas legalmente indisponibles (en la medida en que ambas partidas estén incluidas en dichos fondos propios y se hubieran generado con posterioridad a la adquisición de las acciones o participaciones). El exceso sobre este límite minora el valor de adquisición de las acciones o participaciones.

4.   Si, como resultado de la aplicación de lo expuesto, la distribución de la prima de emisión o la reducción de capital hubieran dado lugar a un rendimiento de capital mobiliario y, posteriormente, el contribuyente obtuviera dividendos o participaciones en beneficios conforme a lo dispuesto en el artículo 25.1.a) de la LIRPF, procedentes de la misma entidad, respecto de acciones o participaciones que hubieran permanecido en su patrimonio desde la reducción de capital o desde la distribución de la prima de emisión según el caso, el importe obtenido de los dividendos o participaciones en beneficios minorará el valor de adquisición de las mismas para el cálculo de la correspondiente ganancia (con el límite de los rendimientos del capital mobiliario previamente computados correspondientes a las citadas acciones o participaciones).

10.2. *Tratamiento fiscal de la apartación de socios y consiguiente adquisición del valor de su participación*

Cuando se entreguen bienes no dinerarios, en la sociedad se genera una renta por diferencia entre el valor de mercado de los bienes entregados y su valor contable, lo cual supone que la sociedad debe efectuar un ajuste positivo a su resultado contable al tiempo de determinar la base imponible del período impositivo en el que se realiza la separación, siempre que la contabilidad no recoja ningún resultado como consecuencia de la separación del socio; esto es, se reduzca el capital y, en su caso, las reservas, por el mismo valor por el que estuviesen contabilizados los bienes entregados al socio.

Igualmente, en el socio que se separa de la sociedad pueden manifestarse rentas con ocasión de la separación. Ahora bien, la incidencia fiscal oscila en función de que el socio sea persona física o persona jurídica:

a)   En el caso de socios personas jurídicas, al igual que hemos señalado con ocasión del régimen fiscal de la disolución y liquidación, la vigente LIS (art. 21) ha sustituido la deducción del 100% para evitar la doble imposición por el régimen de exención (siempre, obviamente, que se cumplan las exigencias de porcentaje de participación de al menos el 5% y de antigüedad igual o superior al año), de modo que las ganancias de patrimonio que experimenten los socios personas jurídicas en virtud de la diferencia entre el valor de adquisición de la participación y el valor de mercado de los bienes y/o derechos entregados en contraprestación está fiscalmente exento.

b) Cuando los socios sean personas físicas, el régimen fiscal es simétrico al que hemos visto con ocasión de la disolución y liquidación de la sociedad en la cual participan. Los socios personas físicas obtendrán una ganancia patrimonial por la diferencia entre valor de adquisición de las acciones y el valor de mercado de los bienes y/o derechos entregados en contraprestación

La **ganancia o pérdida patrimonial** se integra en la base imponible del ahorro del socio cualquiera que haya sido el tiempo de tenencia de la participación con anterioridad a la liquidación de la entidad.

DOCTRINA Y JURISPRUDENCIA.

– En la separación de un socio, la sociedad debe integrar en su base imponible la diferencia entre el valor de mercado del terreno transmitido al socio que se separa y su valor contable. El socio persona física puede aplicar los coeficientes correctores si la participación se hubiese tenido antes del 31-12-1994 (DGT 26-4-00).

– Se integra en la base imponible la diferencia entre el valor de mercado del inmueble adjudicado al socio que se separa y su valor contable. El socio disidente integra en la base imponible del IRPF la diferencia entre el valor de mercado del inmueble y el valor de adquisición de la participación anulada en la reducción de capital (DGT 24-5-00).

11. REDUCCIÓN DE CAPITAL Y DISTRIBUCIÓN DE LA PRIMA DE EMISIÓN

La normativa del IS asimila las consecuencias fiscales sobre el socio de la distribución de la prima de emisión y de la reducción de capital con devolución de aportaciones.

También en este caso el régimen fiscal oscila en función de que el socio sea una persona física o una persona jurídica.

En el caso de personas físicas, de la redacción del art. 33 LIRPF tras su reforma en virtud de la Ley 26/2014, de 27 de noviembre, se extraen las siguientes consecuencias fiscales: Se estimará que no existe ganancia o pérdida patrimonial en ciertos supuestos de reducción del capital.

Cuando la reducción de capital, cualquiera que sea su finalidad, dé lugar a la amortización de valores o participaciones, se considerarán amortizadas las adquiridas en primer lugar, y su valor de adquisición se distribuirá proporcionalmente entre los restantes valores homogéneos que permanezcan en el patrimonio del contribuyente. Cuando la reducción de capital no afecte por igual a todos los valores o participaciones propiedad del contribuyente, se entenderá referida a las adquiridas en primer lugar. Cuando la reducción de capital tenga por finalidad la devolución de aportaciones, el importe de ésta o el valor normal de mercado de los bienes o derechos percibidos minorará el valor de adquisición de los valores o participaciones afectadas, de acuerdo con las reglas del párrafo anterior, hasta su anulación. El exceso que pudiera resultar se integrará como rendimiento del capital mobiliario procedente de la participación en los fondos propios de cualquier tipo de entidad, en la forma prevista para la distribución de la prima de emisión, salvo que dicha reducción de capital proceda de beneficios no distribuidos, en cuyo caso la totalidad de las cantidades percibidas por este concepto tendrá la consideración fiscal de rendimientos del ahorro. A estos efectos, se considerará que las reducciones de capital, cualquiera que sea su finalidad, afectan en primer lugar a la parte del capital social que no provenga de beneficios no distribuidos, hasta su anulación. No obstante lo dispuesto en el párrafo anterior, en el caso de reducción de capital que tenga por finalidad la devolución de aportaciones y no proceda de beneficios no distribuidos, correspondiente a valores no admitidos a negociación en alguno de los mercados regulados de valores definidos en la Directiva 2004/39/CE, del Parlamento Europeo y del Consejo, de 21 de abril de 2004, relativa a los mercados de instrumentos financieros, y representativos de la participación en fondos propios de sociedades o entidades, cuando la diferencia entre el valor de los fondos propios de las acciones o participaciones correspondiente al último ejercicio cerrado con anterioridad a la fecha de la reducción de capital y su valor de adquisición sea positiva, el importe obtenido o el valor normal de mercado de los bienes o derechos recibidos se considerará rendimiento del capital mobiliario con el límite de la citada diferencia positiva.

A los efectos indicados, el valor de los fondos propios se minorará en el importe de los beneficios repartidos con anterioridad a la fecha de la reducción de capital, procedentes de reservas incluidas en los citados fondos propios, así como en el importe de las reservas legalmente indisponibles incluidas en dichos fondos propios que se hubieran generado con posterioridad a la adquisición de las acciones o participaciones. El exceso sobre el citado límite minorará el valor de adquisición de las acciones o participaciones. Cuando la reducción de capital hubiera determinado el cómputo como rendimiento del capital mobiliario de la totalidad o parte del importe obtenido o del valor normal de mercado de los bienes o derechos recibidos, y con posterioridad el contribuyente obtuviera dividendos o participaciones en beneficios procedentes de la misma entidad en relación con acciones o participaciones que hubieran permanecido en su patrimonio desde la reducción de capital, el importe obtenido de los dividendos o participaciones en beneficios minorará, con el límite de los rendimientos del capital mobiliario previamente computados que correspondan a las citadas acciones o participaciones, el valor de adquisición de las mismas.

11.1. *Particularidades ofrecidas por la tributación de la distribución de capital o reparto de la prima de emisión a favor de los socios o partícipes de las instituciones de inversión colectiva*

Los contribuyentes que sean socios o partícipes de las instituciones de inversión colectiva reguladas en la Ley 35/2003, de 4 de noviembre, de Instituciones de Inversión Colectiva, imputarán, de conformidad con las normas de esta Ley, las siguientes rentas: En los supuestos de reducción de capital de sociedades de inversión de capital variable que tenga por finalidad la devolución de aportaciones, el importe de ésta o el valor normal de mercado de los bienes o derechos percibidos, que se calificará como rendimiento del capital mobiliario, con el límite de la mayor de las siguientes cuantías: El aumento del valor liquidativo de las acciones desde su adquisición o suscripción hasta el momento de la reducción de capital social.

A estos efectos, se considerará que las reducciones de capital, cualquiera que sea su finalidad, afectan en primer lugar a la parte del capital social que provenga de beneficios no distribuidos, hasta su anulación.

El exceso sobre el citado límite minorará el valor de adquisición de las acciones afectadas, de acuerdo con las reglas del primer párrafo del artículo 33.3. a) LIRPF, hasta su anulación. A su vez, el exceso que pudiera resultar se integrará como rendimiento del capital mobiliario procedente de la participación en los fondos propios de cualquier tipo de entidad, en la forma prevista para la distribución de la prima de emisión en el primer párrafo de la letra e) del apartado 1 del artículo 25 LIRPF (el importe obtenido minorará, hasta su anulación, el valor de adquisición de las acciones o participaciones afectadas y el exceso que pudiera resultar tributará como rendimiento del capital mobiliario).

En los supuestos de distribución de la prima de emisión de acciones de sociedades de inversión de capital variable, deberán los socios de imputarse la totalidad del importe obtenido, sin que resulte de aplicación la minoración del valor de adquisición de las acciones.

11.2. Particularidades fiscales derivadas de la transmisión de valores o participaciones no admitidas a negociación cuando tiene lugar a continuación de una reducción del capital social

Cuando con anterioridad a la transmisión de valores o participaciones no admitidos a negociación en alguno de los mercados secundarios oficiales de valores españoles, se hubiera producido una reducción del capital instrumentada mediante una disminución del valor nominal que no afecte por igual a todos los valores o participaciones en circulación del contribuyente, se aplicarán las reglas generales que hemos visto en el epígrafe anterior, con las siguientes especialidades:

1. Se considerará como valor de transmisión el que correspondería en función del valor nominal.

2. En el caso de que el contribuyente no hubiera transmitido la totalidad de sus valores o participaciones, la diferencia positiva entre el valor de transmisión correspondiente al valor nominal de los valores o participaciones efectivamente transmitidos y el valor de transmisión a que se refiere el párrafo anterior, se minorará del valor de adquisición de los restantes valores o participaciones homogéneos, hasta su anulación. El exceso que pudiera resultar tributará como ganancia patrimonial.

11.3. Novedades fiscales introducidas por la Ley 26/2014, de 27 de noviembre (BOE del 28), de reforma del IRPF, para los ejercicios que comienzan en 2015 relativas a la reducción de capital y distribución de la prima de emisión

1.   Se produce un cambio sustancial en la forma de tributación de las operaciones de distribución de la prima de emisión de acciones o participaciones y reducciones de capital con devolución de aportaciones a los socios. Hasta la citada Ley 26/2014, la distribución de dividendos a un socio tributaba en el IRPF de éste como rendimiento del capital mobiliario. Pero si lo que era objeto de reparto era la prima de emisión o se producía una reducción del capital social de la entidad con devolución de aportaciones –si no procederán de beneficios no distribuidos– sólo tributaba la cuantía recibida que excedía del coste o valor de adquisición de las participaciones de las que el socio era titular.

2.   A partir de 2015, cuando se trate de ese tipo de rendimientos, procedentes de entidades que no cotizan, sí tributará. Así, cuando sea positiva la diferencia entre el valor de los fondos propios de las acciones o participaciones correspondientes al último ejercicio cerrado con anterioridad a la fecha de distribución de la prima o de la reducción de capital y su valor de adquisición, se considerará rendimiento del capital mobiliario el importe obtenido o el valor

normal del mercado de los bienes o derechos recibidos, con el límite de la citada diferencia positiva.

3.   Para el citado cálculo de los fondos propios se tendrá en cuenta, minorándolo, el importe de los beneficios repartidos antes de la fecha de que se trate (fecha de distribución de la prima de emisión o fecha la reducción de capital) y descontando también el importe de las reservas legalmente indisponibles (en la medida en que ambas partidas estén incluidas en dichos fondos propios y se hubieran generado con posterioridad a la adquisición de las acciones o participaciones). El exceso sobre este límite minora el valor de adquisición de las acciones o participaciones.

4.   Si, como resultado de la aplicación de lo expuesto, la distribución de la prima de emisión o la reducción de capital hubieran dado lugar a un rendimiento de capital mobiliario y, posteriormente, el contribuyente obtuviera dividendos o participaciones en beneficios conforme a lo dispuesto en el artículo 25.1.a) de la LIRPF, procedentes de la misma entidad, respecto de acciones o participaciones que hubieran permanecido en su patrimonio desde la reducción de capital o desde la distribución de la prima de emisión según el caso, el importe obtenido de los dividendos o participaciones en beneficios minorará el valor de adquisición de las mismas para el cálculo de la correspondiente ganancia (con el límite de los rendimientos del capital mobiliario previamente computados correspondientes a las citadas acciones o participaciones).

DOCTRINA Y JURISPRUDENCIA:

–   En la reducción de capital con devolución de un inmueble a los socios, la sociedad integra en su base imponible la diferencia entre el valor de mercado del inmueble y su valor contable, sin perjuicio de la aplicación de la corrección de la depreciación monetaria. El socio sujeto pasivo del IS integra en su base imponible el exceso del valor de mercado del inmueble sobre el valor contable de la participación, aplicando la deducción que proceda (hoy habría que hablar de exención) para evitar la doble imposición interna (DGT 4-10-00).

11.4. Particular referencia a la prima de emisión

La normativa del IS asimila en el socio la fiscalidad de la distribución de la prima de emisión a la operación de reducción de capital con devolución de aportaciones.

Si bien no pueden ser emitidas acciones por una cifra inferior a su valor nominal, sin embargo, es lícita la emisión de acciones con prima.

La prima de emisión tiene verdadera justificación económica en los supuestos de ampliaciones de capital en los que los socios renuncian al derecho preferente que tienen para suscribir las nuevas acciones respecto de otras personas o entidades que no ostentan esa condición en el momento de la ampliación, al objeto de dar entrada a nuevos socios.

Dado que la acción confiere a su titular la condición de socio, teniendo éste el derecho a participar en el reparto de las ganancias sociales y en el patrimonio resultante de la liquidación, la emisión de nuevas acciones en los aumentos del capital social por su valor nominal supondría que los nuevos socios tendrían derecho a participar de las reservas acumuladas por la sociedad procedentes de ejercicios en los que no tenían la condición de socios en perjuicio de los que sí tenían dicha condición; es decir, una ampliación de capital realizada de esa forma tendría unas consecuencias negativas para los antiguos socios en la medida en que verían mermados sus derechos económicos en favor de los nuevos socios. En definitiva, se manifestaría un desplazamiento patrimonial indirecto de los antiguos a los nuevos socios.

Al objeto de evitar estos efectos indeseados, las nuevas acciones pueden emitirse por encima de su valor nominal mediante una prima de emisión cuyo importe tiene por objeto mantener la integridad del valor patrimonial de las antiguas acciones.

No obstante, de acuerdo con la norma mercantil, parece que también pueden realizarse ampliaciones de capital con emisión de nuevas acciones exigiendo una prima de emisión aun cuando no se renuncie al derecho de suscripción preferente, esto es, sin que haya entrada de nuevos socios en estos casos.

Desde un punto de vista contable, la prima de emisión tiene para la sociedad la consideración de fondos propios y, por tanto, en la aportación no se genera ningún resultado a efectos contables y, en consecuencia, tampoco a efectos fiscales en la sociedad que recibe la prima de emisión, dado que, aunque se aumenta el patrimonio neto de la sociedad, ello es debido a una aportación realizada por los socios, lo que impide la consideración de ingreso a efectos contables.

Dado que desde un punto de vista contable la prima de emisión de acciones forma parte de los fondos propios de la sociedad, en particular de las reservas, la misma puede ser objeto de distribución entre los accionistas, pudiendo beneficiarse de su reparto tanto los accionistas que la aportaron como aquellos otros que no la aportaron por tener la participación anterior a la ampliación del capital.

Dado que la normativa del IS asimila el régimen fiscal de la distribución de la prima de emisión a la operación de reducción de capital con devolución de aportaciones, igualmente el valor de mercado de lo percibido debe reducir el valor fiscal de toda la participación tenida hasta anular dicho valor, siendo el exceso renta a integrar en la base imponible del socio que puede estar exenta de cumplirse los requisitos establecidos en el art. 21 LIS.

DOCTRINA Y JURISPRUDENCIA:

- Una ampliación de capital en la que la prima de emisión no guarda proporción con la diferencia entre el capital y su patrimonio no tiene consecuencias en el IS si existe un interés económico y no hay desprendimiento de los fondos aportados (DGT CV 23-5-07; CV 9-1-08; CV 14-11-08).

- No hay renta en la emisión de acciones con prima de emisión por importe superior al valor de los fondos propios de la sociedad (AN 24-7-08).

- El régimen fiscal de la reducción de capital con devolución de aportaciones a los socios es similar a la distribución de la prima de emisión. Así, cuando la devolución de aportaciones tenga lugar en metálico y el importe recibido sea igual o inferior al valor de adquisición de los títulos, no resulta renta a integrar en la base imponible (DGT 17-6-98).

- El ingreso contable de una entidad procedente de la distribución de la prima de emisión realizada por una sociedad participada reduce, a efectos fiscales, el valor de la participación. La distribución posterior a los socios de la entidad del beneficio procedente de dicho ingreso tiene el tratamiento de dividendo (DGT 14-9-04).

- La devolución de la prima de emisión, dineraria o en especie, a efectos fiscales, reduce el valor de la participación, aunque contablemente se registre como ingreso. Si hay depreciación de la participación, no es gasto (DGT CV 1-4-05; CV 16-3-07; CV 16-12-14).

11.5. Particularidades derivadas de la reducción de capital y ulterior devolución de las aportaciones a los socios no residentes en España

Cuando la devolución de aportaciones mediante la reducción de capital afecte a un socio persona física o entidad no residente en territorio español, la base imponible y la calificación de la renta obtenida se determina de acuerdo con el IRPF, por lo que se califica como rendimiento de capital mobiliario el exceso de lo percibido sobre el valor de adquisición de los valores afectados por la reducción de capital, estando sujeta esa renta en territorio español de acuerdo con lo establecido en la LIRNR o, en su caso, en el correspondiente convenio para evitar la doble imposición aplicable.

11.6. Reducción de capital mediante la amortización de acciones

En esta modalidad, la reducción de capital se formaliza mediante la amortización de acciones con reembolso a los accionistas. Dado que también en este caso la medida puede que no afecte por igual a todas las acciones, el importe a percibir por los socios que acepten la amortización de sus acciones debe ser por una cuantía equivalente al valor real de las mismas, para lo que la sociedad debe reducir el capital por el nominal afectado así como las reservas por la cuantía necesaria para entregar al socio el importe del valor real de las acciones amortizadas.

Igualmente, en esta modalidad el socio debe integrar en su base imponible el importe de las reservas percibidas en la reducción de capital, sobre las que puede aplicar la exención para evitar la doble imposición interna que, de lo contrario, se produciría.

11.7. *Reducción de capital sin devolución de aportaciones*

En este caso la finalidad de la reducción de capital puede ser la condonación de dividendos pasivos a los socios, la constitución o incremento de la reserva legal o reservas voluntarias, o el restablecimiento del equilibrio entre el capital y el patrimonio neto de la sociedad disminuido como consecuencia de pérdidas.

La forma de llevar a cabo la reducción de capital puede ser mediante disminución del valor del nominal de las acciones, su amortización o bien su agrupación para canjearlas.

Desde el punto de vista fiscal, en principio la reducción de capital practicada por la sociedad carece de trascendencia fiscal. De ella no debiera de derivarse renta positiva ni negativa alguna en la medida en que el valor económico de la participación del socio en la entidad no se altera.

En el supuesto, sin embargo, de que la reducción de capital social persiguiese compensar pérdidas y éstas depreciasen el valor de la participación hasta el punto de que éste sea inferior al precio de adquisición de la participación, podrá dotarse el correspondiente deterioro por depreciación de la participación, pero dicho deterioro no tiene desde el 1 de enero de 2013 el carácter de gasto fiscalmente deducible.

11.8. *Trascendencia fiscal de la reducción de capital con devolución de aportaciones considerada como una "recuperación de la inversión"*

Cuando la sociedad que reduce capital dispone de reservas en sus fondos propios, el ICAC entiende que, independientemente de si se reduce el valor nominal de las acciones o si se amortiza parte de ellas, se produce una desinversión al recuperarse parcial o totalmente el coste de la inversión efectuada (ICAC consulta núm 2, BOICAC núm 40). Por tanto, debe disminuirse el precio de adquisición de los respectivos valores, en el importe que resulte de aplicar a la inversión la misma proporción en la que se encuentre la reducción de fondos propios respecto del valor de los fondos propios antes de la reducción de capital.

De aplicarse este criterio contable, resulta que el socio persona jurídica debe reconocer un ingreso por la diferencia entre el importe percibido y el importe que se considera recuperación del coste de la participación cuando, por el contrario, la normativa del IS considera que no se genera renta alguna en tanto el importe percibido no exceda del coste de la participación en la sociedad que reduce capital.

De acuerdo con el expuesto criterio del ICAC, contablemente en una operación de reducción de capital con devolución de aportaciones a los socios se podrá (más bien deberá de) generar un ingreso para éstos cuando en los fondos propios de la sociedad se integren reservas al tiempo de realizar la reducción de capital. Por el contrario, a efectos fiscales, ya hemos visto que el criterio estriba en que sólo se integra en la base imponible el exceso percibido sobre el valor de la participación. En consecuencia, la doctrina del ICAC no supone que tenga trascendencia fiscal el ingreso contable, sino que debe practicarse un ajuste negativo al resultado contable, el cual revierte cuando la participación se deteriore contablemente o, en última instancia, cuando se transmite.

DOCTRINA Y JURISPRUDENCIA:

– El supuesto de distribución de la prima de emisión se ha interpretado que, aun cuando ello genere un ingreso contable, este no se integra en la base imponible si el importe recibido es inferior al valor fiscal de la participación, por lo que al ser similar el régimen fiscal de la reducción de capital con devolución de aportaciones y la distribución de la prima de emisión, debe llegarse a la conclusión que de contabilizarse un ingreso por estas operaciones de reducción de capital con devolución de aportaciones, ese ingreso no se integra en la base imponible al computarse a efectos del IS como menor valor de la participación, integrándose en la base imponible sólo el exceso que se perciba sobre el valor fiscal de la participación (DGT CV 16-12-14).

12. DISTRIBUCIÓN DE BENEFICIOS

En el socio persona jurídica, al contrario de lo señalado para la sociedad, el importe del dividendo percibido representa un ingreso financiero desde un punto de vista contable por lo que, dado que la normativa del IS no contiene ningún precepto específico para el mismo, debe integrarse en su base imponible, sin perjuicio de que se pueda aplicar la exención por doble imposición interna en la medida en que se cumplan los requisitos de porcentaje de participación y de antigüedad de la misma establecidos en el art. 21 LIS.

De acuerdo con los criterios contables, el dividendo percibido se computa como un ingreso contable en la cuenta de pérdidas y ganancias, devengándose dicho ingreso en el momento del acuerdo de la junta de distribuir dicho dividendo (LSC art.276; ICAC consulta núm 3, BOICAC núm 32). No obstante, si la distribución de los dividendos hubiese estado acordada en el momento de la adquisición de la participación, el dividendo percibido no se integra en el resultado contable y, por tanto, tampoco se computa en la base imponible.

Asimismo, si los dividendos distribuidos proceden inequívocamente de resultados generados antes de la fecha de adquisición de la participación, como ocurre cuando se distribuyen importes superiores a los beneficios generados por la entidad participada desde la adquisición, dichos dividendos no se registran como ingresos, sino que minoran el valor contable de la inversión en ese activo financiero, sin perjuicio de que en este caso pueda aplicarse la deducción para evitar la doble imposición. Estos dividendos no deben integrarse en la base imponible puesto que el PGC establece un criterio de valoración particular en este caso, de forma que la normativa del IS asume los criterios de valoración, lo que determinaría que tales dividendos no se computen tampoco a efectos fiscales.

Desde el punto de vista fiscal, la LIS ha establecido un régimen de exención generalizado para las rentas procedentes de participaciones significativas a fin de favorecer la competitividad y la internacionalización de las empresas españolas:

a. En primer término, se generaliza el régimen de exención (previsto en artículo 21 de la LIS para evitar la doble imposición económica internacional), para el caso de la doble imposición interna (que hasta el ejercicio 2015 se corregía mediante deducción en la cuota prevista en el artículo 30 del TRLIS). De tal forma que se unifica el tratamiento de los dividendos percibidos y de los beneficios obtenidos en la transmisión de acciones o participaciones (plusvalías) de entidades residentes y no residentes en territorio español.

b. Para la aplicación de la exención de los dividendos y plusvalías procedentes de entidades residentes, será necesario tener una participación, directa o indirecta, de al menos el 5% o bien, como novedad, que el valor de adquisición de la participación supere los 20 millones de euros. Además, dicha participación se deberá poseer de manera ininterrumpida durante el año anterior al día en que sea exigible el beneficio que se distribuya o se produzca la transmisión, o que se mantenga durante el tiempo necesario para completar el año.

c. En el caso de la exención aplicable a dividendos y plusvalías procedentes de entidades no residentes, además de lo establecido anteriormente, se endurece el requisito de que la entidad participada haya estado sometida a un impuesto análogo al IS en el extranjero, ya que: (i) se matiza que la entidad participada ha de haber estado sujeta y no exenta al impuesto extranjero, (ii) se establece que el tipo nominal del impuesto extranjero debe ser, al menos, del 10% en el ejercicio en que se hubieran obtenido los beneficios, o durante los ejercicios de tenencia de la participación y (iii) se añade que el tipo nominal se computará con independencia de la aplicación de algún tipo de exención, bonificación, reducción o deducción sobre los beneficios que se reparten.

d. En el supuesto de que la entidad participada obtenga dividendos, participaciones en beneficios o rentas derivadas de la transmisión de valores representativos del capital o de los fondos propios de entidades que representen más del 70% de sus ingresos, la aplicación de esta exención requerirá que el contribuyente español tenga una participación indirecta en esas entidades que cumpla, de por sí, los anteriores requisitos: 5% de participación o más de 20 millones de euros de valor de adquisición y mantenimiento durante un año de la participación. No obstante, la participación indirecta en filiales de segundo o ulterior nivel deberá respetar el porcentaje mínimo del 5 %, salvo que dichas filiales reúnan las circunstancias a que se refiere el artículo 42 del Código de Comercio para formar parte del mismo grupo de sociedades con la entidad directamente participada y formulen estados contables consolidados.

e. Cabe destacar que no se exige que la entidad participada tenga que desarrollar una actividad empresarial, como anteriormente se establecía para la aplicación de la exención prevista en el artículo 21 del TRLIS, sino que se exige únicamente acreditar una tributación mínima del 10%, entendiéndose cumplido este requisito en el supuesto de países con los que se haya suscrito un CDI.

f. Sin embargo, la exención no se aplicará a las rentas derivadas de las transmisiones de participaciones en entidades que tengan la consideración de patrimoniales, limitándose al incremento neto de beneficios no distribuidos generados por la entidad participada durante el tiempo de tenencia de la participación.

g. Tampoco podrá aplicarse a las rentas derivadas de la transmisión de la participación en una entidad extranjera que cumpla los requisitos previstos en la LIS para que al menos el 15% de sus rentas queden sometidas al régimen de transparencia fiscal internacional.

h. En relación con las rentas generadas por establecimientos permanentes, el artículo 22 de la LIS continúa con el criterio de no integrar en la BI las rentas negativas obtenidas en el extranjero hasta su transmisión o hasta que se produzca el cese en su actividad. Al igual que para las rentas procedentes de entidades participadas, no se exige en la nueva redacción que el establecimiento permanente tenga que desarrollar una actividad empresarial.

i. Por otro lado, específicamente se admite la posibilidad de operar en un mismo país a través de establecimientos permanentes diferenciados (lo cual ocurrirá si: (i) realizan actividades claramente diferenciables y (ii) la gestión de éstos se lleva de modo separado), en cuyo caso la aplicación del régimen de exención o de deducción se hará por cada uno de los mismos de forma independiente.

j. La DT 16ª de la LIS (Ley 27/2014, de 27 de noviembre) precisa que en el caso de que un establecimiento permanente hubiera obtenido rentas negativas netas que se hubieran integrado en la base imponible de la entidad en períodos impositivos iniciados con anterioridad a 1 de enero de 2013, la exención o la deducción por doble imposición sólo se aplicarán a las rentas positivas obtenidas con posterioridad, a partir del momento en que superen la cuantía de dichas rentas negativas.

Ahora bien, el nuevo régimen de exención para evitar la doble imposición, tanto de rentas de fuente interna como extranjera, va a producir indeseables disfunciones:

i. Se van a producir tales efectos indeseables sobre las compañías extranjeras que sí tienen que tributar en España por la venta de participaciones sociales por imperativo del correspondiente CDI.

ii. Con el régimen de exención, en segundo término, quedan en peor situación los casos de titularidad de la participación inferior al 5% (y con un valor de adquisición inferior a 20 millones de euros) ya que el régimen de deducción permitía eliminar parcialmente la doble imposición. En cambio, quedan totalmente excluidos del régimen de exención los dividendos y plusvalías cuando la titularidad sea inferior al 5% (y con un valor de adquisición inferior a los 20 millones de euros) en la participada.

12.1. Novedades introducidas por la Ley 27/2014 relativas a la deducción para evitar la doble imposición internacional

En relación con las rentas obtenidas en el exterior que han sido objeto de gravamen fuera de España, se sigue manteniendo el criterio de permitir la deducción del importe menor entre i) el impuesto efectivamente satisfecho en el extranjero, sin que el mismo pueda exceder del impuesto que corresponda según el CDI suscrito con el estado en cuestión, si lo hubiera, y ii) el impuesto que habría correspondido pagar en España si las rentas se hubieran obtenido en territorio español.

Como principal novedad respecto al tratamiento actual, se permite deducir vía gasto el exceso del impuesto extranjero que no pueda ser deducido en cuota por exceder de los límites señalados anteriormente, siempre que las rentas gravadas deriven de la realización de actividades económicas en el extranjero.

Respecto de los dividendos y participaciones en beneficios recibidos del exterior, como régimen alternativo al de exención antes comentado, se permite deducir de la cuota del IS el impuesto efectivamente pagado por la entidad no residente respecto de los beneficios con cargo a los que se abonan los dividendos, incluyendo el impuesto subyacente soportado por las entidades participadas de cualquier nivel.

Para poder aplicar esta deducción se exigen los mismos requisitos de porcentaje y período de tenencia de la participación y/o del valor de adquisición de la inversión en la entidad participada que en el régimen de exención analizado con anterioridad.

Otra novedad introducida por la Ley 27/2014 estriba en que la LIS establece específicamente una definición de dividendos o participaciones en beneficios: *"Tendrán la consideración de dividendos o participaciones en beneficios, los derivados de los valores representativos del capital o de los fondos propios de entidades, con independencia de su consideración contable"*.

El importe de esta deducción, junto con la del impuesto soportado en el extranjero por el contribuyente, no podrá exceder del impuesto que hubiera correspondido pagar en España sobre dichas rentas. El exceso sobre dicho límite no tendrá la consideración de gasto fiscalmente deducible.

12.2. *La DT 23ª de la LIS establece un régimen transitorio de las deducciones para evitar la doble imposición*

En primer término, es importante destacar que una de las novedades más significativas de la LIS estriba en la limitación del derecho de la administración a comprobar estas deducciones pendientes de aplicar, que prescribirá a los 10 años desde el fin del plazo para presentar la correspondiente declaración del ejercicio en que se generaron. Transcurrido ese plazo, el contribuyente debe probar el derecho a su aplicación y cuantía mediante la exhibición de la liquidación y de la contabilidad (acreditando que se ha depositado en plazo en el registro mercantil).

Ya desde un punto de vista sustantivo, los dividendos o participaciones en beneficios correspondientes a valores representativos del capital o de los fondos propios de entidades residentes en territorio español que cumplan los requisitos establecidos en el artículo 21 del TRLIS, tendrán derecho a la exención prevista en el citado artículo en el supuesto de adquisición de participaciones que se hubieran producido en períodos impositivos iniciados, en el transmitente, con anterioridad a 1 de enero de 2015.

No obstante, la distribución de dividendos o participaciones en beneficios que se corresponda con una diferencia positiva entre el precio de adquisición de la participación y los fondos propios de la entidad participada en el momento de la adquisición no tendrá la consideración de renta y minorará el valor fiscal de la participación. Adicionalmente, el contribuyente tendrá derecho a una deducción del 100 por ciento de la cuota íntegra que hubiera correspondido a dichos dividendos o participaciones en beneficios cuando cumpla determinados requisitos.

En el supuesto de adquisición de participaciones que se hubieran producido en períodos impositivos iniciados, en el transmitente, con anterioridad a 1 de enero de 2015, los dividendos o participaciones en beneficios correspondientes a valores representativos del capital o de los fondos propios de entidades no residentes en territorio español y que se correspondan con la diferencia positiva entre el precio de adquisición de la participación y los fondos propios de la entidad participada en el momento de la adquisición no tendrá la consideración de renta y minorará el valor fiscal de la participación, siempre que el contribuyente pruebe que un importe equivalente al dividendo o participación en beneficios ha tributado en España a través de cualquier transmisión de la participación.

No resultará de aplicación lo dispuesto en el anterior apartado en el caso de dividendos y participaciones en beneficios procedentes de valores representativos del capital o los fondos propios de entidades residentes en territorio español, adquiridos antes de la entrada en vigor del RD-Ley 8/1996, de 7 de junio, de medidas fiscales urgentes sobre corrección de la doble imposición intersocietaria y sobre incentivos a la internacionalización de las empresas. En este caso serán aplicables las restricciones contenidas en el artículo 28 de la Ley 43/1995, de 27 de diciembre, del IS, en su redacción original, anterior a la entrada en vigor del RD-Ley 8/1996.

Las deducciones por doble imposición interna: dividendos y plusvalías de fuente interna, la doble imposición internacional: impuesto soportado por el sujeto pasivo y sobre los dividendos y participaciones en beneficios, según redacción vigente en los períodos impositivos iniciados con anterioridad a 1 de enero de 2015, pendientes de aplicar a la entrada en vigor de la nueva redacción, podrán deducirse en los períodos impositivos siguientes. El importe de la deducción por doble imposición interna, el importe de la cuota íntegra que en España correspondería pagar por las mencionadas rentas si se hubieran obtenido en territorio español y el límite de la deducción junto con la establecida para evitar la doble imposición de los dividendos o participaciones en los beneficios se determinará teniendo en cuenta el tipo de gravamen vigente en el período impositivo en que ésta se aplique.

En el caso de operaciones de reestructuración que se hayan acogido a lo dispuesto en el capítulo VIII del título VII del TRLIS, según redacción vigente en los períodos impositivos iniciados con anterioridad a 1 de enero de 2015, a los efectos de evitar la doble imposición que pudiera producirse por aplicación de las reglas de valoración previstas en los artículos 86, 87.2 y 94 del TRLIS, los beneficios distribuidos con cargo a rentas imputables a los bienes aportados darán derecho a la exención para evitar la doble imposición de dividendos, cualquiera que sea el porcentaje de participación del socio y su antigüedad. Igual criterio se aplicará respecto de las rentas generadas en la transmisión de la participación.

12.3. *Particular referencia al reparto no dinerario de beneficios*

Como ya hemos dicho a propósito de supuestos anteriores en que opera la regla especial de valoración a parámetros de mercado, no se suscitan particularidades cuando los beneficios que se distribuyen son dinerarios. Pero sí pueden (incluso suelen) suscitarse cuando la distribución es no dineraria.

Naturalmente, en primer lugar, se pone de manifiesto una diferencia, que debe de ser objeto del correspondiente ajuste positivo, entre el valor contable de los bienes o derechos entregados a título de dividendo en especie y su valor real o de mercado.

En los supuestos, harto frecuentes, de valor de mercado superior al valor contable, la consulta nº 3 ICAC (BOICAC nº 32) establece que la diferencia se registre en la cuenta de pérdidas y ganancias del ejercicio:

a) Si el importe del dividendo acordado coincide con el valor de mercado de los activos entregados en especie, la contabilidad reconocería la renta latente en los mismos, razón por la cual no procede realizar un ajuste al resultado contable.

b) Si el valor de mercado de los elementos entregados en pago del dividendo es superior al importe del dividendo acordado y la contabilidad no registra como ingreso el exceso del valor de mercado sobre el importe del dividendo, debe realizarse un ajuste positivo al resultado contable para determinar la base imponible de la sociedad que distribuye este dividendo en especie.

No cabe duda, por otra parte, de que en la distribución de dividendos en especie la sociedad también está obligada a practicar un ingreso a cuenta sobre los mismos.

12.4. *Incidencia sobre los socios de la distribución no dineraria de beneficios*

a) En el **socio persona jurídica** la renta generada a integrar en su base imponible, igualmente, es el valor de mercado del elemento percibido, de manera que puede aplicar la exención por doble imposición interna en la medida en que proceda la aplicación del art. 21 LIS.

El socio debe registrar en todo caso el elemento percibido por su valor de mercado, aunque este último valor sea superior al importe del dividendo que se acuerda distribuir, en cuyo caso la contabilidad coincidiría con el criterio fiscal y, por tanto, no procedería realizar ningún ajuste al resultado contable para determinar la base imponible del socio.

La DGT ha establecido que la limitación a la exención para evitar la doble imposición a que se refiere el art. 21 LIS debe aplicarse en todas aquellas operaciones en donde a efectos fiscales se califique que tiene lugar una distribución de beneficios de la sociedad a sus socios. En particular, se plantea el supuesto de que una entidad que ha optado por el régimen fiscal de arrendamiento de viviendas tenga un crédito contra su sociedad matriz que participa en el 100% de su capital social, con la particularidad de que esa entidad condona dicho crédito a la matriz, por lo que se plantea si en esta última dicha condonación genera un ingreso o bien supone una recuperación de la inversión en la entidad.

La calificación contable de esta operación supone que a través de esta condonación se produce un reparto de reservas en la entidad filial y, en consecuencia, origina un resultado en la matriz, siempre y cuando, desde la fecha de adquisición de la participación en la entidad filial, ésta haya generado beneficios por un importe superior a los fondos propios que se distribuyen, al margen de cuál sea el origen de las reservas que la entidad filial emplea a tal fin, como puede ser la prima de emisión. Por tanto, en este caso en que la entidad filial hubiese generado solamente beneficios bonificados, esa distribución supone que la sociedad matriz deba integrar el 50% del ingreso procedente de la condonación en su base imponible (ICAC consulta núm 2, BOICAC núm 96).

b) En el **socio persona física**, los beneficios distribuidos por la sociedad tienen igualmente la consideración de rendimientos de capital mobiliario. Al tratarse de una renta en especie, se valora de acuerdo con el valor de mercado de los elementos percibidos, integrándose en la base imponible del ahorro.

13. FUSIÓN Y ESCISIÓN, TOTAL O PARCIAL

En la realización de cualquier operación de fusión, ya sea por creación de una nueva entidad ya por absorción, o de escisión, total o parcial, se pueden producir rentas a integrar en la base imponible, tanto de la sociedad como de los socios de la sociedad absorbida o escindida.

1. **Tendrá la consideración de fusión** la operación por la cual:

   a. Una o varias entidades transmiten en bloque a otra entidad ya existente, como consecuencia y en el momento de su disolución sin liquidación, sus respectivos patrimonios sociales, mediante la atribución a sus socios de valores representativos del capital social de la otra entidad y, en su caso, de una compensación en dinero que no exceda del 10 por ciento del valor nominal o, a falta de valor nominal, de un valor equivalente al nominal de dichos valores deducido de su contabilidad

   b. Dos o más entidades transmiten en bloque a otra nueva, como consecuencia y en el momento de su disolución sin liquidación, la totalidad de sus patrimonios sociales, mediante la atribución a sus socios de valores representativos del capital social de la nueva entidad y, en su caso, de una compensación en dinero que no exceda del 10 por ciento del valor nominal o, a falta de valor nominal, de un valor equivalente al nominal de dichos valores deducido de su contabilidad.

   c. Una entidad transmite, como consecuencia y en el momento de su disolución sin liquidación, el conjunto de su patrimonio social a la entidad que es titular de la totalidad de los valores representativos de su capital social.

2. **Tendrá la consideración de escisión** la operación por la cual:

   a. Una entidad divide en dos o más partes la totalidad de su patrimonio social y los transmite en bloque a dos o más entidades ya existentes o nuevas, como consecuencia de su disolución sin liquidación, mediante la atribución a sus socios, con arreglo a una norma proporcional, de valores representativos del capital social de las entidades adquirentes de la aportación y, en su caso, de una compensación en dinero que no exceda del 10 por ciento del valor nominal o, a falta de valor nominal, de un valor equivalente al nominal de dichos valores deducido de su contabilidad.

   b. Una entidad segrega una o varias partes de su patrimonio social que formen ramas de actividad y las transmite en bloque a una o varias entidades de nueva creación o ya existentes, manteniendo en su patrimonio al menos una rama de actividad en la entidad transmitente, o bien participaciones en el capital de otras entidades que le confieran la mayoría del capital social de estas, recibiendo a cambio valores representativos del capital social de la entidad adquirente, que deberán atribuirse a sus socios en proporción a sus respectivas participaciones, reduciendo el capital social y reservas en la cuantía necesaria, y, en su caso, una compensación en dinero en los términos de la letra anterior.

c.	Una entidad segrega una parte de su patrimonio social, constituida por participaciones en el capital de otras entidades que confieran la mayoría del capital social en estas, y las transmite en bloque a una o varias entidades de nueva creación o ya existentes, manteniendo en su patrimonio, al menos, participaciones de similares características en el capital de otra u otras entidades o bien una rama de actividad, recibiendo a cambio valores representativos del capital social de estas últimas, que deberán atribuirse a sus socios en proporción a sus respectivas participaciones, reduciendo el capital social y las reservas en la cuantía necesaria y, en su caso, una compensación en dinero en los términos de la letra a) anterior.

En los casos en que existan dos o más entidades adquirentes, la atribución a los socios de la entidad que se escinde de valores representativos del capital de alguna de las entidades adquirentes en proporción distinta a la que tenían en la que se escinde requerirá que los patrimonios adquiridos por aquéllas constituyan ramas de actividad.

## 13.1.	*Efectos fiscales sobre los socios de las operaciones de fusión y de escisión*

1. Salvo que resulte de aplicación el régimen especial contemplado en el Título VII, Capítulo VII, LIS, se integrarán en la base imponible las rentas que se pongan de manifiesto con ocasión de la atribución de valores de la entidad adquirente a los socios de la entidad transmitente, siempre que sean residentes en territorio español o en el de algún otro Estado miembro de la Unión Europea o en el de cualquier otro Estado siempre que, en este último caso, los valores sean representativos del capital social de una entidad residente en territorio español.

Cuando el socio tenga la consideración de entidad en régimen de atribución de rentas, salvo que resulte de aplicación el régimen especial contemplado en el Título VII, Capítulo VII, LIS, se integrará en la base imponible de las personas o entidades que sean socios, herederos, comuneros o partícipes en dicho socio, la renta generada con ocasión de dicha atribución de valores, siempre que a la operación le sea de aplicación el citado régimen fiscal o se realice al amparo de la Directiva 2009/133/CE, relativa al régimen fiscal común aplicable a las fusiones, escisiones, escisiones parciales, aportaciones de activos y canje de valores realizados entre sociedades de diferentes Estados miembros y al traslado del domicilio social de una SE o una SCE de un Estado miembro a otro, y los valores recibidos por el socio conserven la misma valoración fiscal que tenían los canjeados.

2. Solo en el caso de que resulte de aplicación el régimen especial contemplado en el Título VII, Capítulo VII, LIS, los valores recibidos en virtud de las operaciones de fusión y escisión, se valoran, a efectos fiscales, por el valor fiscal de los entregados, determinado de acuerdo con las normas de este Impuesto, del Impuesto sobre la Renta de las Personas Físicas o del Impuesto sobre la Renta de no Residentes, según proceda. Esta valoración se aumentará o disminuirá en el importe de la compensación complementaria en dinero entregada o recibida. Los valores recibidos conservarán la fecha de adquisición de los entregados.

3. En el caso de que se hubiese aplicado el régimen especial contemplado en el Título VII, Capítulo VII, LIS, si el socio pierde la cualidad de residente en territorio español, se integrará en la base imponible del último período impositivo de Impuesto sobre la Renta de las Personas Físicas o del Impuesto sobre Sociedades la diferencia entre el valor de mercado de las acciones o participaciones y el valor a que se refiere el valor fiscal, salvo que las acciones o participaciones queden afectas a un establecimiento permanente situado en territorio español.

El pago de la deuda tributaria resultante de la aplicación de lo dispuesto en el párrafo anterior, cuando el socio adquiera la residencia en un Estado miembro de la Unión Europea, o del Espacio Económico Europeo con el que exista un efectivo intercambio de información tributaria en los términos previstos en el apartado 3 de la Disposición Adicional primera de la Ley 36/2006, de medidas para la prevención del fraude fiscal, será aplazado por la Administración tributaria a solicitud del contribuyente hasta la fecha de la transmisión a terceros de las acciones o participaciones afectadas, resultando de aplicación lo dispuesto en la LGT y su normativa de desarrollo, en cuanto al devengo de intereses de demora y a la constitución de garantías para dicho aplazamiento.

Si el obligado tributario adquiriese de nuevo la condición de contribuyente de este Impuesto o del Impuesto sobre la Renta de las Personas Físicas sin haber transmitido la titularidad de las acciones o participaciones, podrá solicitar la rectificación de la autoliquidación al objeto de obtener la devolución de las cantidades ingresadas correspondientes a las ganancias patrimoniales declaradas. La solicitud de rectificación podrá presentarse a partir de la finalización del plazo de declaración correspondiente al primer período impositivo en que deba presentarse una autoliquidación de este Impuesto o del Impuesto sobre la Renta de las Personas Físicas.

4. En todo caso, se integrarán en la base imponible de este Impuesto, del Impuesto sobre la Renta de las Personas Físicas o del Impuesto sobre la Renta de no Residentes las rentas obtenidas en operaciones en las que intervengan

entidades domiciliadas o establecidas en países o territorios calificados como paraísos fiscales u obtenidas a través de ellos.

5. Si sobre la participación entregada en el canje se hubiese dotado un deterioro no deducible, a efectos de determinar la renta que se genera debe tenerse en cuenta el valor fiscal en el que no se computa dicho deterioro, por lo que el mismo puede manifestarse en forma de renta negativa en el canje, la cual sería fiscalmente deducible de no concurrir algún requisito en sentido contrario, como podría ser que se hayan percibido con anterioridad dividendos exentos, en cuyo caso el importe de los mismos reduce la renta negativa en los términos establecidos en el art. 21 LIS.

6. Tratándose de socios personas físicas, se les genera una ganancia o pérdida patrimonial a integrar en la base imponible del ahorro por diferencia entre el valor de adquisición de la participación del socio y el valor de mercado de los títulos recibidos o el valor de mercado de los entregados.

14. PERMUTA

Se entiende por permuta la operación en virtud de la cual un inmovilizado pasa a formar parte del balance de la empresa por intercambio de otro inmovilizado o bien por la combinación de la salida de un inmovilizado y una cantidad de dinero.

Debemos distinguir entre permutas comerciales y permutas no comerciales, distinción importante pues va a marcar la forma de contabilizar la entrada del inmovilizado en la empresa, tendrá también consecuencias en la cuenta de resultados e incidirá en el tratamiento fiscal de la operación.

La norma de registro y valoración dos considera la permuta como comercial cuando tenga las características siguientes:

- La configuración (riesgo, calendario e importe) de los flujos de efectivo del inmovilizado recibido difiere de la configuración de los flujos de efectivo del activo entregado; o

- El valor actual de los flujos de efectivo después de impuestos de las actividades de la empresa afectadas por la permuta, se ve modificado como consecuencia de la operación.

A la hora de contabilizarla deberemos tener en cuenta lo siguiente:

Tanto en la permuta comercial como en la no comercial el bien que sale del inmovilizado de la empresa siempre lo hace, como es lógico, a su valor contable, debiendo abonar, por tanto, la cuenta de inmovilizado y cargar las cuentas que corrigen su valor como son la cuenta de amortizaciones y correcciones de valor.

i.   Cuando no encontramos en el caso de una permuta no comercial, el inmovilizado que entra en nuestro balance se valora por el valor contable que tenía el inmovilizado que sale más el efectivo pagado, si lo hay. Procediendo de esta forma, nunca aparecería un resultado en la operación, nunca se vería afectada la cuenta de pérdidas y ganancias, ya que, al sustituir un elemento en el balance por otro por el mismo valor, no aparecen ni beneficios ni pérdidas.

Sin embargo, el plan general de contabilidad señala que nunca el bien que entra en el inmovilizado podrá estar valorado en la contabilidad a un precio superior a su valor razonable.

Por lo tanto, en la permuta no comercial si el valor razonable del elemento que entra es inferior al valor contable del que sale, deberemos reconocer una pérdida en la cuenta de resultados. Pero si el valor razonable del bien que entra es superior al valor contable del que sale, no se reconocerá un beneficio. El valor contable del bien que sale actúa como tope de valoración, pudiendo, como señala el ICAC, valorar el bien que entra por uno inferior, pero nunca superior.

ii. En el caso de la permuta comercial, el inmovilizado recibido se valorará por el valor razonable del bien entregado, a no ser que se tenga una mejor evidencia del valor razonable del bien recibido, pero nunca podrá quedar valorado a un precio superior a su valor razonable.

En el caso concreto de permuta de terreno a cambio de construcción futura, la entidad adquirente del terreno genera una renta por diferencia entre el valor de mercado del terreno adquirido y el valor contable de la construcción futura. Esta renta es coincidente con la generada a efectos contables, pues según el ICAC, en la adquisición de un terreno a cambio de una construcción futura a entregar por una empresa inmobiliaria, se reconocerá el terreno y el pasivo del anticipo de clientes derivado de la venta de la construcción a entregar en el futuro por el valor razonable del terreno recibido, de forma que el anticipo de clientes se cancelará finalmente cuando proceda registrar el correspondiente ingreso por venta (ICAC consulta núm 2, BOICAC núm 75). Es decir, la contabilidad, a través de este criterio de valoración, igualmente reconocerá un resultado contable por la diferencia entre el valor del ingreso (coincidente con el valor de mercado del terreno recibido) y el valor contable de la construcción entregada, por lo que la contabilidad coincide con el criterio fiscal y, por tanto, no habría que realizar ningún ajuste extracontable para determinar la base imponible.

En cuanto a Impuesto sobre Sociedades, los elementos adquiridos se valorarán a valor de mercado. La valoración a efectos fiscales, por lo tanto, se hará por la diferencia entre el valor de mercado del activo recibido y el valor contable del entregado.

DOCTRINA Y JURISPRUDENCIA:

- La renta generada en la permuta de terrenos se integra en la base imponible del período en que se realiza (ajuste positivo). La diferencia entre el valor de mercado del solar recibido y su valor contable se integra en la base imponible (ajuste negativo) en que se devengue un ingreso (DGT 13-7-00).

- El momento de determinación de la renta a integrar en la base imponible por una permuta es en el ejercicio en el que la misma se produzca, con independencia del valor de mercado de los elementos a percibir en el momento efectivo de su entrega (DGT CV 12-6-08).

- En una operación de permuta de unos terrenos a cambio de unas parcelas de uso industrial, el momento en que se produce la permuta es aquel en que se produce la transmisión de las parcelas de uso industrial, lo que puede entenderse que tiene lugar en la fecha de formalización de la correspondiente escritura pública (DGT CV 14-3-11).

- En la transmisión de bienes en virtud de una expropiación forzosa el sujeto pasivo debe integrar en su base imponible una renta por diferencia entre el valor de adquisición de los bienes recibidos, según el justo precio determinado en el expediente, y el valor contable de los elementos expropiados. La renta generada en estos procedimientos se entiende devengada en el período en el que haya concluido el procedimiento con la toma de posesión del elemento por la Administración y la percepción por parte del sujeto expropiado del correspondiente justiprecio (DGT 3-6-98).

- La entrega de un local a un ayuntamiento por el incremento de edificabilidad, supone una contraprestación de esa edificabilidad, debiéndose integrar en la base imponible el exceso del valor de mercado sobre el contable del local (DGT CV 5-6-08).

- En una permuta en donde la recepción de los bienes es en un momento temporal posterior a la entrega del elemento permutado, la diferencia de valor producida entre el momento de la entrega y el que se recibe, no es renta a efectos del IS (DGT CV 12-6-08).

- En el pago mediante entrega de terrenos a la empresa urbanizadora se genera una renta por diferencia entre el valor de mercado de las obras realizadas y el valor contable de los terrenos entregados. La entrega obligatoria legalmente de terrenos o dinero en sustitución al ayuntamiento supone un mayor valor del terreno subsistente (DGT CV 26-11-07).

- No hay renta en los proyectos de normalización de fincas sin excesos o defectos de adjudicación (DGT CV 25-2-09).

– En la permuta de suelo por construcción futura, la renta se determina en función de los valores de mercado en el momento de realizar la permuta, siendo indiferente el valor de mercado de la construcción en el momento de su entrega (DGT CV 2-2-09).

– En la permuta de un elemento por otro futuro, la renta se determina por los valores en el momento de realizar la permuta, sin que tenga influencia el aumento de valor del elemento desde esa fecha a su percepción definitiva (DGT CV 27-4-09).

– En la adquisición de unos derechos sobre construcción futura, los inmuebles recibidos se valoran por el coste de adquisición de esos derechos, por lo que no tiene efectos contables ni fiscales la diferencia de valor hasta el momento de recibirlos (DGT CV 9-7-09).

– En una permuta de un inmueble a cambio de una obra futura, en el momento de la permuta se calcula la renta y se corrige la renta monetaria y, además, se hace un ajuste negativo a la renta si se acoge al criterio de operaciones a plazos. La renta imputable al inmueble transmitido que haya estado afecto a actividades económicas puede acogerse a la deducción por reinversión. El elemento recibido puede considerarse reinversión si se recibe y afecta antes de los 3 años exigidos, aplicándose la deducción cuando se integra la renta en la base imponible. Como no hay identidad entre elementos transmitidos y los recibidos, si los primeros lo integran varias fincas unos aptos y otros no, la base de la deducción se determina en proporción a los m² afectos a la actividad económica frente al total de m² del inmueble transmitido (DGT CV 5-7-13).

– En una permuta de solar por construcción futura no se produce la transmisión hasta que no se reciban los locales adquiridos (AN 24-7-03 y 3-2-05).

15. CANJE O CONVERSIÓN

Tendrá la consideración de canje de valores representativos del capital social la operación por la cual una entidad adquiere una participación en el capital social de otra que le permite obtener la mayoría de los derechos de voto en ella o, si ya dispone de dicha mayoría, adquirir una mayor participación, mediante la atribución a los socios, a cambio de sus valores, de otros representativos del capital social de la primera entidad y, en su caso, de una compensación en dinero que no exceda del 10 por ciento del valor nominal o, a falta de valor nominal, de un valor equivalente al nominal de dichos valores deducido de su contabilidad.

15.1. *Valoración fiscal de las acciones o participaciones recibidas en contraprestación de la aportación*

Cuando resulte de aplicación el régimen fiscal especial regulado en el Tit. VII del Cap. VII LIS, las acciones o participaciones recibidas como consecuencia de una aportación de elementos patrimoniales se valorarán, a efectos fiscales, por el mismo valor fiscal que tenían los elementos patrimoniales aportados.

No obstante, si el citado régimen especial no resultase de aplicación, para lo cual debe de ejercitarse la opción de renuncia prevista en el apartado 2 del artículo 77 LIS, las acciones o participaciones recibidas se valorarán de acuerdo con el valor de mercado, circunstancia en la cual será de aplicación el régimen de operaciones entre partes vinculadas, particularmente los métodos de deter- minación de los parámetros de mercado de los bienes y/o derecho entregados a cambio.

15.2. *Régimen fiscal del canje de valores*

1. Cuando resulte de aplicación el régimen fiscal especial regulado en el Tit. VII del Cap. VII LIS, no se integrarán en la base imponible de este Impues- to, del Impuesto sobre la Renta de las Personas Físicas o del Impuesto sobre la Renta de no Residentes las rentas que se pongan de manifiesto con ocasión del canje de valores, siempre que cumplan los requisitos siguientes:

a. Que los socios que realicen el canje de valores residan en territorio es- pañol o en el de algún otro Estado miembro de la Unión Europea o en el de cualquier otro Estado siempre que, en este último caso, los valores recibidos sean representativos del capital social de una entidad residente en España. Cuando el socio tenga la consideración de entidad en régi- men de atribución de rentas, no se integrará en la base imponible de las personas o entidades que sean socios, herederos, comuneros o partícipes en dicho socio, la renta generada con ocasión del canje de valores, siem- pre que a la operación le sea de aplicación el régimen fiscal establecido en el presente capítulo o se realice al amparo de la Directiva 2009/133/ CE, relativa al régimen fiscal común aplicable a las fusiones, escisiones, escisiones parciales, aportaciones de activos y canje de valores realiza- dos entre sociedades de diferentes Estados miembros y al traslado del domicilio social de una Sociedad Europea o una Sociedad de Capital Europea de un Estado miembro a otro, y los valores recibidos por el socio conserven la misma valoración fiscal que tenían los canjeados.

b. Que la entidad que adquiera los valores sea residente en territorio espa- ñol o esté comprendida en el ámbito de aplicación de la citada Directiva 2009/133/CE.

2. Cuando resulte de aplicación el citado régimen fiscal especial regulado en el Tit. VII del Cap. VII LIS, los valores recibidos por la entidad que realiza el canje de valores se valorarán, a efectos fiscales, por el valor fiscal que tenían en el patrimonio de los socios que efectúan la aportación, según las normas de este Impuesto, del Impuesto sobre la Renta de las Personas Físicas o del Impuesto sobre la Renta de no Residentes, manteniéndose, igualmente, la fecha de adquisición de los socios aportantes.

No obstante, en aquellos casos en que las rentas generadas en los socios no estuviesen sujetas a tributación en territorio español, se tomará el valor de mercado. En este caso, la fecha de adquisición de las acciones será la correspondiente a la fecha de realización de la operación de canje de valores.

3. Igualmente, cuando resulte de aplicación el régimen fiscal especial regulado en el Tit. VII del Cap. VII LIS, los valores recibidos por los socios se valorarán, a efectos fiscales, por el valor fiscal de los entregados, determinado de acuerdo con las normas de este Impuesto, del Impuesto sobre la Renta de las Personas Físicas o del Impuesto sobre la Renta de no Residentes, según proceda. Esta valoración se aumentará o disminuirá en el importe de la compensación complementaria en dinero entregada o recibida.

Los valores recibidos conservarán la fecha de adquisición de los entregados.

4. En el caso de que el socio pierda la cualidad de residente en territorio español, se integrará en la base imponible del Impuesto sobre la Renta de las Personas Físicas o de este Impuesto del último período impositivo que deba declararse por estos impuestos, la diferencia entre el valor de mercado de las acciones o participaciones y el valor a que se refiere el apartado anterior, salvo que las acciones o participaciones queden afectos a un establecimiento permanente situado en territorio español.

El pago de la deuda tributaria resultante de la aplicación de lo dispuesto en el párrafo anterior, cuando el socio adquiera la residencia en un Estado miembro de la Unión Europea, o del Espacio Económico Europeo con el que exista un efectivo intercambio de información tributaria en los términos previstos en el apartado 3 de la D.A.1ª de la Ley 36/2006, de medidas para la prevención del fraude fiscal, será aplazado por la Administración tributaria a solicitud del contribuyente hasta la fecha de la transmisión a terceros de las acciones o participaciones afectadas, resultando de aplicación lo dispuesto en la LGT en cuanto al devengo de intereses de demora y a la constitución de garantías para dicho aplazamiento.

Si el obligado tributario adquiriese de nuevo la condición de contribuyente de este Impuesto o del Impuesto sobre la Renta de las Personas Físicas sin haber transmitido la titularidad de las acciones o participaciones, podrá solicitar la rectificación de la autoliquidación al objeto de obtener la devolución de las cantidades ingresadas correspondientes a las ganancias patrimoniales reguladas en este artículo. La solicitud de rectificación podrá presentarse a partir de la finalización del plazo de declaración correspondiente al primer período impositivo en que deba presentarse una autoliquidación de este Impuesto o del Impuesto sobre la Renta de las Personas Físicas.

5. El régimen especial regulado en el Tit. VII del Cap. VII LIS no resultará de aplicación en relación con aquellas operaciones en las que intervengan entidades domiciliadas o establecidas en países o territorios calificados como paraísos fiscales u obtenidas a través de ellos.

DOCTRINA Y JURISPRUDENCIA:

–   El canje de acciones ordinarias en acciones preferentes sin voto supone la modificación de los derechos económicos y, por tanto, determina una variación del valor de su patrimonio y una alteración en la composición del mismo, con la consiguiente generación de una ganancia o pérdida patrimonial. La fecha de adquisición de las acciones recibidas será la del canje y su precio de adquisición será el valor de mercado de las mismas (DGT 27-7-99).

–   Hay canje en la sustitución de valores emitidos por una sociedad por otros de otras entidades o de la misma entidad que tengan diferentes derechos económicos y políticos, por lo que no se entiende como canje la conversión del capital en otros valores representativos del mismo capital con igualdad de derechos (DGT CV 12-9-07).

–   Si en un canje se produce la corrección del valor de mercado por la Administración, al producir efectos jurídicos, aun cuando se haya recurrido, dicho valor debe tenerse en consideración a efectos de determinar la renta que se produzca en una transmisión de las participaciones recibidas (DGT CV 23-2-07).

16. AUMENTO DE CAPITAL CON CARGO A RESERVAS

En las **sociedades anónimas**, es posible aumentar el capital social con cargo a reservas utilizando para tal fin bien las reservas disponibles, las primas de emisión o la reserva legal en la parte que exceda del 10% del capital aumentado. Ese aumento puede realizarse por emisión de nuevas acciones o por elevación del valor nominal de las ya existentes.

Igualmente, se establece para las **sociedades de responsabilidad limitada** que el aumento del capital social con cargo a reservas puede realizarse por creación de nuevas participaciones o por elevación del valor nominal de las ya existentes, pudiendo utilizarse a tal fin las reservas disponibles, las reservas por prima de asunción de participaciones sociales o de emisión de acciones y la reserva legal en su totalidad.

Nótese que al iniciar el proceso de ampliación de capital, los accionistas recibirán un derecho de suscripción preferente que, en el caso de que prefiriesen la liquidez, podrían vender. Este procedimiento, además, cuenta con la ventaja fiscal de que la venta de los derechos no tributa en el momento de realizarse, sino que se difiere al reducirse el valor de adquisición de las acciones que generaron los derechos. Es decir, que a través de la venta de los derechos de suscripción se obtiene un resultado similar a que hubiesen obtenido vía dividendos, o incluso más eficiente desde el punto de vista fiscal.

Los principales aspectos de este proceso serían los siguientes, en comparación con la retribución mediante dividendos:

– Se ha producido una retribución al accionista en especie (mediante acciones), que podrá hacer líquida tanto en el momento de la ampliación de capital mediante la venta de los derechos de suscripción preferente, como con posterioridad con la enajenación de las acciones.

– La empresa sigue teniendo la misma capacidad de inversión que antes de la operación, puesto que no se ha producido una salida de tesorería. Esto implica poder llevar a cabo un nivel de inversiones superiores sin necesidad de tener que acudir en busca de nueva financiación.

– No se ha producido una reducción del patrimonio neto de la sociedad, lo que implica mayores niveles de solvencia para la misma.

– Fiscalmente, se ha diferido el pago de los impuestos hasta el momento en el que se decida vender las acciones.

Cualquiera que sea la fórmula elegida para realizar la ampliación de capital, esta operación no tiene efectos fiscales en la sociedad que amplía su capital con cargo a reservas.

Cuando el accionista reciba acciones total o parcialmente liberadas, no se produce ningún rendimiento gravable. El gravamen se difiere, pues, al momento en que tales acciones se transmitan a terceros. En ese momento se producirá una ganancia o pérdida patrimonial, que se calcula atendiendo a lo dispuesto en los artículos 37,1,a) y 37,2 de la Ley 35/2006 del IRPF o art. 17 Ley 27/2014, del IS. Del valor de enajenación se restará el valor de adquisición. Éste, si la acción es parcialmente liberada, será el importe satisfecho por el contribuyente, tomándose como fecha de adquisición la de la entrega de los títulos. Y si las acciones son totalmente liberadas, su valor de adquisición, así como el de las acciones de las que procedan, resultará de repartir el coste total entre el número de títulos, tanto los antiguos como los liberados, siendo su antigüedad la que corresponda a las acciones de las cuales procedan.

17. ADQUISICIÓN Y AMORTIZACIÓN DE ACCIONES PROPIAS

La normativa mercantil (arts. 134 y ss. de la Ley de Sociedades de Capital) regula los efectos que se desprenden de los negocios realizados por una sociedad con sus propias acciones.

En principio, la Ley de Sociedades de Capital (art. 136) prohíbe la suscripción de acciones por la propia sociedad que las emite. No obstante, si se infringe esta prohibición, las acciones suscritas se consideran de propiedad de la sociedad, siendo liberadas bien por los promotores, socios fundadores o administradores, según los casos. En este supuesto, la adquisición de las acciones por parte de la sociedad se considera realizada a título lucrativo.

A estos efectos, la normativa del IS no sólo establece una regla de valoración de los elementos adquiridos por este título cuando señala que se valoran por su valor de mercado, sino que también regula las rentas que a efectos fiscales se generan en estas adquisiciones.

En este sentido, las normas de valoración del PGC establecen que los bienes adquiridos a título gratuito se valorarán por su valor razonable, criterio coincidente con el establecido por el IS en la medida en que valor razonable y valor de mercado deben de ser términos equivalentes.

Ahora bien, el criterio contable de imputación a resultados del valor de los elementos adquiridos de forma gratuita no se realiza en el propio ejercicio en que se adquieren los mismos, sino que se imputa a resultados de ejercicios posteriores en proporción a la depreciación experimentada por los elementos en cada uno de ellos y, en su defecto, se imputa al resultado del ejercicio en el que se produzca la enajenación o baja en inventario de los mismos.

Por el contrario, a efectos fiscales, se establece de forma expresa que en las adquisiciones de bienes a título lucrativo se genera una renta por el importe del valor de mercado de los bienes adquiridos, imputándose dicha renta en la base imponible del período impositivo en el que se realice la operación. Es decir, la norma fiscal establece un criterio de imputación de la renta diferente al criterio contable, en la medida en que se anticipa la tributación de la misma respecto al ejercicio en el que aparece en la cuenta de pérdidas y ganancias. En consecuencia, la renta generada en las adquisiciones originarias de acciones propias se cuantifica de acuerdo con su valor de mercado y se integra en la base imponible de la sociedad correspondiente al período impositivo en el que se adquieren.

Por otra parte, en el supuesto de que sea una persona jurídica sujeta al IS quien estuviese obligada por la norma mercantil a soportar a su cargo el importe de la suscripción de esas acciones, a efectos contables el coste de las mismas habrá de registrase como una pérdida en el resultado contable, planteándose la duda sobre la deducibilidad fiscal de ese gasto.

Al respecto, se consideran gastos no deducibles, entre otros, las multas y sanciones penales y administrativas, como pueden ser las impuestas por un ente público como consecuencia de una violación del ordenamiento jurídico. El caso que nos ocupa parece ajustarse a la naturaleza sancionadora en la medida en que deriva de una infracción normativa, con la particularidad de que la imposición de la "sanción", esto es, soportar el coste de la suscripción, no es impuesta por un órgano público sino que viene tipificada en la propia norma legal, lo cual conduce a inclinarnos por considerar la no deducibilidad de ese gasto.

Además, también la no deducción de ese gasto se justificaría en que es causa de una actuación contraria al ordenamiento jurídico, circunstancia en la cual la LIS niega su deducción fiscal.

17.1. *Quid en el caso de adquisición derivativa de acciones propias*

Como es sabido, la legislación mercantil impone ciertos imperativos a la facultad de las sociedades de adquirir sus propias acciones. En concreto, la autocartera no puede exceder del 20% de su capital social (el límite será del 10% si se trata de una sociedad anónima que cotice en bolsa), debiendo de ser transmitido el exceso en el plazo máximo de un año (art. 140 LSC).

Los efectos fiscales que derivan de la enajenación y amortización de acciones propias son distintos para la sociedad y para los socios:

En relación con la sociedad que ha adquirido sus propias acciones, cuando aquélla las enajena a terceros, la remisión de la determinación de la base imponible al resultado contable se traduce en que la venta carecerá de trascendencia fiscal porque la operación de venta de autocartera no determina la existencia de resultado contable alguno, positivo o negativo, para la sociedad, en la medida en que no tiene la condición de ingreso o gasto (nótese que traen causa de las aportaciones de los socios en el momento de la adquisición de la participación), aunque pudiese determinar un aumento o una disminución del patrimonio neto.

Cuando la sociedad adquiere y ulteriormente amortiza las acciones propias, la situación es la misma que acabamos de exponer: la amortización dará lugar a cargos o abonos contra la cuenta de reservas por la diferencia entre el precio de adquisición de la participación y el valor nominal del capital amortizado, pero dichos apuntes no se llevan a la cuenta de resultados porque constituirán una aportación o devolución de los fondos propios de la sociedad a los socios, sin consecuencias fiscales, por tanto, para la entidad.

En relación con los socios, la diferencia entre el valor contable y el valor de transmisión de la participación naturalmente habrá de llevarse a la base imponible del Impuesto sobre Sociedades del socio persona jurídica que transmite la participación. Ahora bien, cuando se cumplan las exigencias establecidas en el art 21 LIS [a) Que el porcentaje de participación, directa o indirecta, en el capital o en los fondos propios de la entidad sea, al menos, del 5 por ciento o bien que el valor de adquisición de la participación sea superior a 20 millones de euros. La participación correspondiente se deberá poseer de manera ininterrumpida durante el año anterior al día en que se venda la cartera. b) Adicionalmente, en el caso de participaciones en el capital o en los fondos propios de entidades no residentes en territorio español, que la entidad participada haya estado sujeta y no exenta por un impuesto extranjero de naturaleza idéntica o análoga a este Impuesto a un tipo nominal de, al menos, el 10 por ciento en el ejercicio en que se hayan obtenido los beneficios que se reparten o en los que se participa, con independencia de la aplicación de algún tipo de exención, bonificación, reducción o deducción sobre aquellos], la plusvalía que eventualmente se ponga de manifiesto en virtud de la venta de las participaciones propias estará exenta.

En todo caso, hemos de tener en cuenta que en el supuesto de que sobre la participación transmitida se hubiese practicado un deterioro no deducible, a efectos de calcular la renta generada en la transmisión debe tenerse en cuenta el valor fiscal de la participación, en el que no se computa dicho deterioro, por lo que el mismo puede surgir como renta negativa en la transmisión de esa participación.

Si la entidad adquirente de esas propias acciones forma parte de un grupo en el sentido del art. 42 del Código de Comercio, la integración en la base imponible de esa renta negativa se difiere hasta el período impositivo en que la entidad adquirente transmita esas participaciones a terceros, de manera que en todo caso esa renta negativa se minoraría en el importe del resultado positivo generado en esa transmisión dado que el mismo no se integra en la base imponible de la entidad transmitente de acuerdo con los criterios contables. En el supuesto de que la entidad adquirente destine las acciones propias a su amortización, en ese momento se recuperaría la deducción de la renta negativa en la entidad transmitente de la participación.

DOCTRINA Y JURISPRUDENCIA:

- La valoración de la renta vitalicia que constituye una sociedad a favor de uno de sus socios consecuencia de la adquisición y amortización de las acciones mediante reducción de capital, es el valor de mercado de la renta constituida. La amortización de dichas acciones no genera renta, positiva o negativa, en la sociedad (DGT 17-2-99).

- La reducción de capital por amortización de acciones propias no determina renta en la sociedad. El socio puede aplicar la deducción para evitar la doble imposición respecto de la renta generada en la parte que corresponda a los beneficios no distribuidos, incluso los que hubieran sido incorporados al capital (en los períodos impositivos iniciados a partir de 1-1-2015, se podría aplicar el régimen de exención). En la amortización de acciones se produce una distribución indirecta de reservas dado que la diferencia positiva entre el precio de adquisición de las acciones y su nominal se carga a cuentas de reservas (DGT 22-7-99).

– La entrega de acciones propias a los socios sin reducir capital supone una distribución de reservas en especie. La sociedad deberá de integrar en su base imponible la diferencia entre el valor de mercado de esas acciones y su valor contable. El socio persona jurídica integra en su base imponible el valor de mercado de las acciones recibidas con derecho a deducción por doble imposición. Para el socio persona física no constituye una entrega de acciones liberadas sino una renta de capital mobiliario valorada por su valor de mercado (DGT 4-9-00). A partir del ejercicio 2015, podría aplicarse el régimen de exención si se cumplen las condiciones establecidas en el art. 21 LIS (participación de al menos el 5% y antigüedad de la misma de al menos un año).

– En la transmisión de acciones propias no se genera renta a efectos fiscales (DGT CV 2-6-08).

– En la adquisición y amortización de acciones propias no se produce renta positiva o negativa a efectos fiscales (DGT CV 6-11-08).

– Si una entidad dominada participa en su dominante, no resulta de aplicación la regla especial sobre adquisición y amortización de acciones propias, por lo que las transacciones con las acciones de la dominante generan en su caso un resultado en la cuenta de pérdidas y ganancias (DGT CV 21-9-10).

18. DERECHOS DE SUSCRIPCIÓN PREFERENTE

En el ámbito mercantil se regula el derecho de suscripción preferente en los casos de aumentos del capital social con emisión de nuevas acciones, en donde los antiguos accionistas y los titulares de obligaciones convertibles pueden ejercitar el derecho a suscribir un número de acciones proporcional al valor nominal de las acciones que posean o de las que corresponderían a los titulares de obligaciones convertibles de ejercitar en ese momento la facultad de conversión. Los derechos de suscripción preferente son transmisibles en igualdad de condiciones que las acciones de las que derivan.

En el supuesto de ampliaciones de capital con emisión de nuevas acciones por su valor nominal, si los antiguos socios no acuden a la suscripción resulta que el valor económico de la participación que estos últimos tienen en la sociedad se diluye, en la medida en que los nuevos socios, pagando exclusivamente el valor nominal de los títulos, tienen derechos económicos sobre las reservas constituidas de la sociedad, tanto expresas como tácitas, generadas con anterioridad a su toma de participación. La pérdida de valor que sufren los antiguos accionistas es el importe que resulta de aplicar sobre tales reservas la reducción del porcentaje de participación en el capital que la ampliación de capital provoca en dichos accionistas.

Al objeto de que los antiguos socios no vean mermados sus derechos económicos en la sociedad como consecuencia de la ampliación de capital, éstos deben exigir a los nuevos socios un importe equivalente a la pérdida del valor de su participación, lo cual se realiza a través de la transmisión del derecho de suscripción preferente que aquéllos tienen.

En el ámbito contable, los criterios de valoración establecen que en el caso de venta de derechos preferentes de suscripción o segregación de los mismos para ejercitarlos, el importe del coste de los derechos disminuye el precio de adquisición de los respectivos valores. Dicho coste se determina aplicando alguna fórmula valorativa de general aceptación y en armonía con el principio de prudencia.

En el ámbito fiscal, la normativa del IS no contiene precepto alguno sobre esta materia, por lo que son aplicables las disposiciones al respecto contenidas en la normativa mercantil referentes a la determinación del resultado contable.

Si la adquisición de los derechos se realiza por una persona jurídica, de acuerdo con las normas de valoración del PGC, el importe de los derechos se entiende incluido en el precio de adquisición de las acciones suscritas.

La misma valoración es aplicable cuando el adquirente sea una persona física. Ahora bien, el tratamiento fiscal de la transmisión de derechos de suscripción por parte de personas físicas varía en función de si los valores de los que proceden los derechos están o no admitidos a negociación en alguno de los mercados secundarios oficiales de valores previstos en la normativa comunitaria (Dir 2004/39/CE).

Si los valores están admitidos a negociación, el importe de los derechos de suscripción enajenados minora el precio de adquisición de esos valores y sólo en el caso de que dicho importe supere al precio de adquisición, el exceso tiene la consideración de ganancia patrimonial imputable al período impositivo en que se produce la transmisión.

Por el contrario, si aquellos valores no están admitidos a negociación, el importe total obtenido en la transmisión de los derechos se considera ganancia patrimonial imputable al período impositivo en que se produce la transmisión.

Tales ganancias de patrimonio se integran en la base imponible del ahorro.

DOCTRINA Y JURISPRUDENCIA.

– La DGT (DGT CV 15-7-05) ha matizado que la suscripción de una ampliación de capital por parte de unos socios personas físicas previa renuncia a la suscripción por otros socios, constituye hecho imponible del Impuesto sobre Sucesiones y Donaciones en la medida en que encierra una donación o adquisición gratuita sometida a gravamen.

– Por el contrario, la renuncia al derecho de suscripción de los antiguos accionistas no supone una donación indirecta de reservas, dado que no son titulares de las mismas, por lo que no pueden transmitirlas. Así, no puede decirse que haya entrega de la cosa, lo que es necesario para hablar de donación. La citada renuncia puede responder a la intención de revitalizar la empresa sin acudir al endeudamiento, finalidad esta que puede confirmarse por el aumento de reservas de los siguientes ejercicios (TSJ C.Valenciana 29-9-03). En sentido contrario AN 14-7-05 y TSJ C.Valenciana 7-6-07.

19. USUFRUCTO SOBRE ACCIONES

Como es sabido, cuando la plena propiedad se desmembra en nuda propiedad y derecho de usufructo, el ejercicio de los derechos que corresponde a todo propietario recaerá en el titular del derecho de nuda propiedad, mientras que todos los componentes que integran el *ius utendi et fruendi*, o sea, los derechos a usar y a disfrutar, particularmente en sentido económico, corresponden al usufructuario.

Cuando se desmembra la propiedad sobre las acciones, el ejercicio de los derechos políticos inherentes a las mismas (p.ej. el derecho de voto en la junta general de accionistas o la toma de decisiones en el consejo) corresponde al nudo propietario. Al usufructuario corresponden, por el contrario, el provecho económico que generen los títulos durante todo el tiempo de vida del usufructo. En particular, corresponden al usufructuario tanto lo intereses, dividendos, etc. que eventualmente traigan causa de la titularidad de las acciones, como también la parte de las reservas (beneficios no distribuidos) que figuren en contabilidad, correspondientes al porcentaje de participación en el capital social que representen las acciones, generadas desde que el usufructo se constituyó hasta la fecha de su extinción, con la consiguiente consolidación del pleno dominio en la persona del nudo propietario.

19.1. *Trascendencia fiscal de la constitución del usufructo sobre acciones*

En la medida en que desde el punto de vista contable la constitución de un derecho de usufructo sobre acciones o participaciones se traduce en la transmisión de los derechos económicos (dividendos y beneficios no distribuidos, en esencia, como ya se ha expuesto) durante todo el tiempo que dure el usufructo, y la contraprestación del mismo se cifrará también en el valor de tales derechos económicos. La fiscalidad, en tales supuestos, coincide con la interpretación contable. En otras palabras, desde un punto de vista fiscal la contraprestación no es otra cosa que una renta que se debe de imputar periódicamente, esto es, debe de llevarse a la base imponible, con arreglo a un criterio financiero, a lo largo de los ejercicios que dure el usufructo.

Naturalmente, la constitución del usufructo carece de efectos fiscales sobre el nudo propietario cuando la sociedad reparta dividendos, en la medida en que éstos corresponden al usufructuario. Al menos esta afirmación es correcta cuando el precio de adquisición de la nuda propiedad sea inferior al valor de los fondos propios que correspondan a la misma.

En el supuesto de que el precio de adquisición de la nuda propiedad incorpore dividendos, esto es, en el caso de que el precio de adquisición haya sido superior al valor de los fondos propios correspondientes a la participación, como quiera que la distribución de esos dividendos no corresponderá al nudo propietario sino al propietario, ello debería de provocar una depreciación de la participación en el nudo propietario. Ahora bien, estamos ante una depreciación contable, que deberá seguirse del correspondiente ajuste negativo, en la medida en que no puede tener la consideración de gasto fiscalmente deducible, de acuerdo con lo establecido en el art. 13,2º LIS.

Si la sociedad no distribuyese dividendos, de modo que el usufructuario exigiese al nudo propietario que le resarciese en el importe correspondiente a las reservas generadas durante el tiempo de vida del usufructo, podrá el nudo propietario dotar una provisión por responsabilidades por el importe que se vea obligado a abonar el usufructuario, provisión que debería de tener el carácter de gasto fiscalmente deducible. Naturalmente, cuando la sociedad, una vez extinguido el usufructo, reparta beneficios generados anteriormente, o sea, a lo largo del tiempo que duró el usufructo, ello no producirá la depreciación de la participación, sino que se integrarán en la base imponible del pleno propietario.

A nuestro modo de ver, el tratamiento fiscal expuesto cambia si se cumplen las exigencias establecidas en el art. 21 LIS: a) Que el porcentaje de participación, directa o indirecta, en el capital o en los fondos propios de la entidad sea, al menos, del 5 por ciento o bien que el valor de adquisición de la participación sea superior a 20 millones de euros. La participación correspondiente se deberá poseer de manera ininterrumpida durante el año anterior al día en que sea exigible el beneficio que se distribuya o, en su defecto, se deberá mantener posteriormente durante el tiempo necesario para completar dicho plazo. Y b) Adicionalmente, en el caso de participaciones en el capital o en los fondos propios de entidades no residentes en territorio español, que la entidad participada haya estado sujeta y no exenta por un impuesto extranjero de naturaleza idéntica o análoga a este Impuesto a un tipo nominal de, al menos, el 10 por ciento en el ejercicio en que se hayan obtenido los beneficios que se reparten o en los que se participa, con independencia de la aplicación de algún tipo de exención, bonificación, reducción o deducción sobre aquellos.

En tales supuestos, esto es, cuando concurran las circunstancias establecidas en el art. 21 LIS, no reconocer la exención fiscal tanto de la percepción del dividendo como de la plusvalía generada por la constitución de la nuda propiedad generaría una indeseable (e inadmisible) doble imposición.

Operaciones vinculadas

Miguel A. Caamaño Anido
*Catedrático de Derecho Financiero
y Tributario. Universidad A Coruña. Abogado*

"1. *Las operaciones efectuadas entre personas o entidades vinculadas se valorarán por su valor de mercado. Se entenderá por valor de mercado aquel que se habría acordado por personas o entidades independientes en condiciones que respeten el principio de libre competencia.*

2. Se considerarán personas o entidades vinculadas las siguientes:

a) Una entidad y sus socios o partícipes.

b) Una entidad y sus consejeros o administradores, salvo en lo correspondiente a la retribución por el ejercicio de sus funciones.

c) Una entidad y los cónyuges o personas unidas por relaciones de parentesco, en línea directa o colateral, por consanguinidad o afinidad hasta el tercer grado de los socios o partícipes, consejeros o administradores.

d) Dos entidades que pertenezcan a un grupo.

e) Una entidad y los consejeros o administradores de otra entidad, cuando ambas entidades pertenezcan a un grupo.

f) Una entidad y los cónyuges o personas unidas por relaciones de parentesco, en línea directa o colateral, por consanguinidad o afinidad hasta el tercer grado de los socios o partícipes de otra entidad cuando ambas entidades pertenezcan a un grupo.

g) Una entidad y otra entidad participada por la primera indirectamente en, al menos, el 25 por ciento del capital social o de los fondos propios.

h) Dos entidades en las cuales los mismos socios, partícipes o sus cónyuges, o personas unidas por relaciones de parentesco, en línea directa o colateral, por consanguinidad o afinidad hasta el tercer grado, participen, directa o indirectamente en, al menos, el 25 por ciento del capital social o los fondos propios.

i) Una entidad residente en territorio español y sus establecimientos permanentes en el extranjero.

En los supuestos en los que la vinculación se defina en función de la relación de los socios o partícipes con la entidad, la participación deberá ser igual o superior al 25 por ciento. La mención a los administradores incluirá a los de derecho y a los de hecho.

Existe grupo cuando una entidad ostente o pueda ostentar el control de otra u otras según los criterios establecidos en el artículo 42 del Código de Comercio, con independencia de su residencia y de la obligación de formular cuentas anuales consolidadas.

3. Las personas o entidades vinculadas, con objeto de justificar que las operaciones efectuadas se han valorado por su valor de mercado, deberán mantener a disposición de la Administración tributaria, de acuerdo con principios de proporcionalidad y suficiencia, la documentación específica que se establezca reglamentariamente.

Dicha documentación tendrá un contenido simplificado en relación con las personas o entidades vinculadas cuyo importe neto de la cifra de negocios, definido en los términos establecidos en el artículo 101 de esta Ley, sea inferior a 45 millones de euros.

En ningún caso, el contenido simplificado de la documentación resultará de aplicación a las siguientes operaciones:

1.º Las realizadas por contribuyentes del Impuesto sobre la Renta de las Personas Físicas, en el desarrollo de una actividad económica, a la que resulte de aplicación el método de estimación objetiva con entidades en las que aquellos o sus cónyuges, ascendientes o descendientes, de forma individual o conjuntamente entre todos ellos, tengan un porcentaje igual o superior al 25 por ciento del capital social o de los fondos propios.

2.º Las operaciones de transmisión de negocios.

3.º Las operaciones de transmisión de valores o participaciones representativos de la participación en los fondos propios de cualquier tipo de entidades no admitidas a negociación en alguno de los mercados regulados de valores, o que estén admitidos a negociación en mercados regulados situados en países o territorios calificados como paraísos fiscales.

4.º Las operaciones sobre inmuebles.

5.º Las operaciones sobre activos intangibles.

La documentación específica no será exigible:

a) A las operaciones realizadas entre entidades que se integren en un mismo grupo de consolidación fiscal, sin perjuicio de lo previsto en el artículo 65.2 de esta Ley.

b) A las operaciones realizadas con sus miembros o con otras entidades integrantes del mismo grupo de consolidación fiscal por las agrupaciones de interés económico, de acuerdo con lo previsto en la Ley 12/1991, de 29 de abril, de Agrupaciones de interés Económico, y las uniones temporales de empresas, reguladas en la Ley 18/1982, de 26 de mayo, sobre régimen fiscal de agrupaciones y uniones temporales de Empresas y de Sociedades de desarrollo industrial regional, e inscritas en el registro especial del Ministerio de Hacienda y Administraciones Públicas. No obstante, la documentación específica será exigible en el caso de uniones temporales de empresas o fórmulas de colaboración análogas a las uniones temporales, que se acojan al régimen establecido en el artículo 22 de esta Ley.

c) Las operaciones realizadas en el ámbito de ofertas públicas de venta o de ofertas públicas de adquisición de valores.

d) A las operaciones realizadas con la misma persona o entidad vinculada, siempre que el importe de la contraprestación del conjunto de operaciones no supere los 250.000 euros, de acuerdo con el valor de mercado.

4. Para la determinación del valor de mercado se aplicará cualquiera de los siguientes métodos:

a) Método del precio libre comparable, por el que se compara el precio del bien o servicio en una operación entre personas o entidades vinculadas con el precio de un bien o servicio idéntico o de características similares en una operación entre personas o entidades independientes en circunstancias equiparables, efectuando, si fuera preciso, las correcciones necesarias para obtener la equivalencia y considerar las particularidades de la operación.

b) Método del coste incrementado, por el que se añade al valor de adquisición o coste de producción del bien o servicio el margen habitual en operaciones idénticas o similares con personas o entidades independientes o, en su defecto, el margen que personas o entidades independientes aplican a operaciones equiparables, efectuando, si fuera preciso, las correcciones necesarias para obtener la equivalencia y considerar las particularidades de la operación.

c) Método del precio de reventa, por el que se sustrae del precio de venta de un bien o servicio el margen que aplica el propio revendedor en operaciones idénticas o similares con personas o entidades independientes o, en su defecto, el margen que personas o entidades independientes aplican a operaciones equiparables, efectuando, si fuera preciso, las correcciones necesarias para obtener la equivalencia y considerar las particularidades de la operación.

d) Método de la distribución del resultado, por el que se asigna a cada persona o entidad vinculada que realice de forma conjunta una o varias operaciones la parte del resultado común derivado de dicha operación u operaciones, en función de un criterio que refleje adecuadamente las condiciones que habrían suscrito personas o entidades independientes en circunstancias similares.

e) Método del margen neto operacional, por el que se atribuye a las operaciones realizadas con una persona o entidad vinculada el resultado neto, calculado sobre costes, ventas o la magnitud que resulte más adecuada en función de las características de las operaciones idénticas o similares realizadas entre partes independientes, efectuando, cuando sea preciso, las correcciones necesarias para obtener la equivalencia y considerar las particularidades de las operaciones.

La elección del método de valoración tendrá en cuenta, entre otras circunstancias, la naturaleza de la operación vinculada, la disponibilidad de información fiable y el grado de comparabilidad entre las operaciones vinculadas y no vinculadas.

Cuando no resulte posible aplicar los métodos anteriores, se podrán utilizar otros métodos y técnicas de valoración generalmente aceptados que respeten el principio de libre competencia.

5. *En el supuesto de prestaciones de servicios entre personas o entidades vinculadas, valorados de acuerdo con lo establecido en el apartado 4, se requerirá que los servicios prestados produzcan o puedan producir una ventaja o utilidad a su destinatario.*

Cuando se trate de servicios prestados conjuntamente en favor de varias personas o entidades vinculadas, y siempre que no fuera posible la individualización del servicio recibido o la cuantificación de los elementos determinantes de su remuneración, será posible distribuir la contraprestación total entre las personas o entidades beneficiarias de acuerdo con unas reglas de reparto que atiendan a criterios de racionalidad. Se entenderá cumplido este criterio cuando el método aplicado tenga en cuenta, además de la naturaleza del servicio y las circunstancias en que éste se preste, los beneficios obtenidos o susceptibles de ser obtenidos por las personas o entidades destinatarias.

6. *A los efectos de lo previsto en el apartado 4 anterior, el contribuyente podrá considerar que el valor convenido coincide con el valor de mercado en el caso de una prestación de servicios por un socio profesional, persona física, a una entidad vinculada y se cumplan los siguientes requisitos:*

a) Que más del 75 por ciento de los ingresos de la entidad procedan del ejercicio de actividades profesionales y cuente con los medios materiales y humanos adecuados para el desarrollo de la actividad.

b) Que la cuantía de las retribuciones correspondientes a la totalidad de los socios-profesionales por la prestación de servicios a la entidad no sea inferior al 75 por ciento del resultado previo a la deducción de las retribuciones correspondientes a la totalidad de los socios-profesionales por la prestación de sus servicios.

c) Que la cuantía de las retribuciones correspondientes a cada uno de los socios-profesionales cumplan los siguientes requisitos:

1.º Se determine en función de la contribución efectuada por estos a la buena marcha de la entidad, siendo necesario que consten por escrito los criterios cualitativos y/o cuantitativos aplicables.

2.º No sea inferior a 1,5 veces el salario medio de los asalariados de la entidad que cumplan funciones análogas a las de los socios profesionales de la entidad. En ausencia de estos últimos, la cuantía de las citadas retribuciones no podrá ser inferior a 5 veces el Indicador Público de Renta de Efectos Múltiples.

El incumplimiento del requisito establecido en este número 2.º en relación con alguno de los socios-profesionales, no impedirá la aplicación de lo previsto en este apartado a los restantes socios-profesionales.

7. *En el supuesto de acuerdos de reparto de costes de bienes o servicios suscritos entre personas o entidades vinculadas, deberán cumplirse los siguientes requisitos:*

a) Las personas o entidades participantes que suscriban el acuerdo deberán acceder a la propiedad u otro derecho que tenga similares consecuencias económicas sobre los activos o derechos que en su caso sean objeto de adquisición, producción o desarrollo como resultado del acuerdo.

b) La aportación de cada persona o entidad participante deberá tener en cuenta la previsión de utilidades o ventajas que cada uno de ellos espere obtener del acuerdo en atención a criterios de racionalidad.

c) El acuerdo deberá contemplar la variación de sus circunstancias o personas o entidades participantes, estableciendo los pagos compensatorios y ajustes que se estimen necesarios.

El acuerdo suscrito entre personas o entidades vinculadas deberá cumplir los requisitos que reglamentariamente se fijen.

8. En el caso de contribuyentes que posean un establecimiento permanente en el extranjero, en aquellos supuestos en que así esté establecido en un convenio para evitar la doble imposición internacional que les resulte de aplicación, se incluirán en la base imponible de aquellos las rentas estimadas por operaciones internas realizadas con el establecimiento permanente, valoradas por su valor de mercado.

9. Los contribuyentes podrán solicitar a la Administración tributaria que determine la valoración de las operaciones efectuadas entre personas o entidades vinculadas con carácter previo a la realización de éstas. Dicha solicitud se acompañará de una propuesta que se fundamentará en el principio de libre competencia.

La Administración tributaria podrá formalizar acuerdos con otras Administraciones a los efectos de determinar conjuntamente el valor de mercado de las operaciones.

El acuerdo de valoración surtirá efectos respecto de las operaciones realizadas con posterioridad a la fecha en que se apruebe, y tendrá validez durante los períodos impositivos que se concreten en el propio acuerdo, sin que pueda exceder de los 4 períodos impositivos siguientes al de la fecha en que se apruebe. Asimismo, podrá determinarse que sus efectos alcancen a las operaciones de períodos impositivos anteriores siempre que no hubiese prescrito el derecho de la Administración a determinar la deuda tributaria mediante la oportuna liquidación ni hubiese liquidación firme que recaiga sobre las operaciones objeto de solicitud.

En el supuesto de variación significativa de las circunstancias económicas existentes en el momento de la aprobación del acuerdo de la Administración tributaria, éste podrá ser modificado para adecuarlo a las nuevas circunstancias económicas.

Las propuestas a que se refiere este apartado podrán entenderse desestimadas una vez transcurrido el plazo de resolución.

Reglamentariamente se fijará el procedimiento para la resolución de los acuerdos de valoración de operaciones vinculadas, así como el de sus posibles prórrogas.

10. La Administración tributaria podrá comprobar las operaciones realizadas entre personas o entidades vinculadas y efectuará, en su caso, las correcciones que procedan en los términos que se hubieran acordado entre partes independientes de acuerdo con el principio de libre competencia, respecto de las operaciones sujetas a este Impuesto, al Impuesto sobre la Renta de las Personas Físicas o al Impuesto sobre la Renta de no Residentes, con la documentación aportada por el contribuyente y los datos e información de que disponga. La Administración tributaria quedará vinculada por dicha corrección en relación con el resto de personas o entidades vinculadas.

La corrección practicada no determinará la tributación por este Impuesto ni, en su caso, por el Impuesto sobre la Renta de las Personas Físicas o por el Impuesto sobre la Renta de no Residentes de una renta superior a la efectivamente derivada de la operación para el conjunto de las personas o entidades que la hubieran realizado. Para efectuar la comparación se tendrá en cuenta aquella parte de la renta que no se integre en la base imponible por resultar de aplicación algún método de estimación objetiva.

11. En aquellas operaciones en las que se determine que el valor convenido es distinto del valor de mercado, la diferencia entre ambos valores tendrá, para las personas o entidades vinculadas, el tratamiento fiscal que corresponda a la naturaleza de las rentas puestas de manifiesto como consecuencia de la existencia de dicha diferencia.

En particular, en los supuestos en los que la vinculación se defina en función de la relación socios o partícipes-entidad, la diferencia tendrá, con carácter general, el siguiente tratamiento:

a) Cuando la diferencia fuese a favor del socio o partícipe, la parte de la misma que se corresponda con el porcentaje de participación en la entidad se considerará como retribución de fondos propios para la entidad y como participación en beneficios para el socio. La parte de la diferencia que no se corresponda con aquel porcentaje, tendrá para la entidad la consideración de retribución de fondos propios y para el socio o partícipe de utilidad percibida de una entidad por la condición de socio, accionista, asociado o partícipe de acuerdo con lo previsto en el artículo 25.1.d) de la Ley 35/2006, de 28 de noviembre, del Impuesto sobre la Renta de las Personas Físicas y de modificación parcial de las leyes de los Impuestos sobre Sociedades, sobre la Renta de no Residentes y sobre el Patrimonio.

b) Cuando la diferencia fuese a favor de la entidad, la parte de la diferencia que se corresponda con el porcentaje de participación en la misma tendrá la consideración de aportación del socio o partícipe a los fondos propios de la entidad, y aumentará el valor de adquisición de la participación del socio o partícipe. La parte de la diferencia que no se corresponda con el porcentaje de participación en la entidad, tendrá la consideración de renta para la entidad, y de liberalidad para el socio o partícipe. Cuando se trate de contribuyentes del Impuesto sobre la Renta de no Residentes sin establecimiento permanente, la renta se considerará como ganancia patrimonial de acuerdo con lo previsto en el artículo 13.1.i).4.º del texto refundido de la Ley del Im-

puesto sobre la Renta de no Residentes, aprobado por el Real Decreto Legislativo 5/2004, de 5 de marzo.

No se aplicará lo dispuesto en este apartado cuando se proceda a la restitución patrimonial entre las personas o entidades vinculadas en los términos que reglamentariamente se establezcan. Esta restitución no determinará la existencia de renta en las partes afectadas.

12. Reglamentariamente se regulará la comprobación de las operaciones vinculadas, con arreglo a las siguientes normas:

1.º La comprobación de las operaciones vinculadas se llevará a cabo en el seno del procedimiento iniciado respecto del obligado tributario cuya situación tributaria sea objeto de comprobación. Sin perjuicio de lo dispuesto en el siguiente párrafo, estas actuaciones se entenderán exclusivamente con dicho obligado tributario.

2.º Si contra la liquidación provisional practicada a dicho obligado tributario como consecuencia de la comprobación, éste interpusiera el correspondiente recurso o reclamación, se notificará dicha circunstancia a las demás personas o entidades vinculadas afectadas, al objeto de que puedan personarse en el correspondiente procedimiento y presentar las oportunas alegaciones.

Transcurridos los plazos oportunos sin que el obligado tributario haya interpuesto recurso o reclamación, se notificará la liquidación practicada a las demás personas o entidades vinculadas afectadas, para que aquellos que lo deseen puedan optar de forma conjunta por interponer el oportuno recurso o reclamación. La interposición de recurso o reclamación interrumpirá el plazo de prescripción del derecho de la Administración tributaria a efectuar las oportunas liquidaciones al obligado tributario y a las demás personas o entidades afectadas, a quienes se comunicará dicha interrupción, iniciándose de nuevo el cómputo de dicho plazo cuando la liquidación practicada por la Administración haya adquirido firmeza.

3.º La firmeza de la liquidación determinará su eficacia y firmeza frente a las demás personas o entidades vinculadas. La Administración tributaria efectuará las regularizaciones que correspondan, salvo que dichas regularizaciones se hayan efectuado por la propia persona o entidad vinculada afectada, en los términos que reglamentariamente se establezcan.

4.º Lo dispuesto en este apartado será aplicable respecto de las personas o entidades vinculadas afectadas por la corrección que sean contribuyentes del Impuesto sobre Sociedades, del Impuesto sobre la Renta de las Personas Físicas o del Impuesto sobre la Renta de no Residentes.

5.º Lo dispuesto en este apartado se entenderá sin perjuicio de lo previsto en los tratados y convenios internacionales que hayan pasado a formar parte del ordenamiento interno.

6.º Cuando en el seno de la comprobación a que se refiere este apartado se efectuase la comprobación del valor de la operación, no resultará de aplicación lo dispuesto en el apartado 2 del artículo 57 y en el artículo 135 de la Ley 58/2003, de 17 de diciembre, General Tributaria.

13. 1.º Constituye infracción tributaria la falta de aportación o la aportación de forma incompleta, o con datos falsos, de la documentación que, conforme a lo previsto en el apartado 3 de este artículo y en su normativa de desarrollo, deban mantener a disposición de la Administración tributaria las personas o entidades vinculadas, cuando la Administración tributaria no realice correcciones en aplicación de lo dispuesto en este artículo.

Esta infracción tendrá la consideración de infracción grave y se sancionará de acuerdo con las siguientes normas:

a) La sanción consistirá en multa pecuniaria fija de 1.000 euros por cada dato y 10.000 euros por conjunto de datos, omitido, o falso, referidos a cada una de las obligaciones de documentación que se establezcan reglamentariamente para el grupo o para cada persona o entidad en su condición de contribuyente.

b) La sanción prevista en la letra anterior tendrá como límite máximo la menor de las dos cuantías siguientes:

– El 10 por ciento del importe conjunto de las operaciones sujetas a este Impuesto, al Impuesto sobre la Renta de las Personas Físicas o al Impuesto sobre la Renta de no Residentes realizadas en el período impositivo.

– El 1 por ciento del importe neto de la cifra de negocios.

2.º Constituyen infracción tributaria los siguientes supuestos, siempre que conlleven la realización de correcciones por la Administración tributaria, en aplicación de lo dispuesto en este artículo respecto de las operaciones sujetas a este Impuesto, al Impuesto sobre la Renta de las Personas Físicas o al Impuesto sobre la Renta de no Residentes:

(i) la falta de aportación o la aportación de documentación incompleta, o con datos falsos de la documentación que, conforme a lo previsto en el apartado 3 de este artículo y en su normativa de desarrollo, deban mantener a disposición de la Administración tributaria las personas o entidades vinculadas.

(ii) que el valor de mercado que se derive de la documentación prevista en este artículo y en su normativa de desarrollo no sea el declarado en el Impuesto sobre Sociedades, el Impuesto sobre la Renta de las Personas Físicas o el Impuesto sobre la Renta de no Residentes.

Estas infracciones tendrán la consideración de infracción grave y se sancionarán con multa pecuniaria proporcional del 15 por ciento sobre el importe de las cantidades que resulten de las correcciones que correspondan a cada operación. Esta sanción será incompatible con la que proceda, en su caso, por la aplicación de los artículos 191, 192, 193 o 195 de la Ley General Tributaria, por la parte de bases que hubiesen dado lugar a la imposición de la infracción prevista en este número 2.º

3.º Las correcciones realizadas por la Administración tributaria en aplicación de lo dispuesto en este artículo respecto de operaciones sujetas a este Impuesto, al Impuesto sobre la Renta de las Personas Físicas o al Impuesto sobre la Renta de no Residentes, que determinen falta de ingreso, obtención indebida de devoluciones tributarias o determinación o acreditación improcedente de partidas a compensar en declaraciones futuras o se declare incorrectamente la renta neta sin que produzca falta de ingreso u obtención de devoluciones por haberse compensado en un procedimiento de comprobación o investigación cantidades pendientes de compensación, habiéndose cumplido la obligación de documentación específica a que se refiere el apartado 3 de este artículo, no constituirá la comisión de las infracciones de los artículos 191, 192, 193 o 195 de la Ley 58/2003, de 17 de diciembre, General Tributaria, por la parte de bases que hubiesen dado lugar a la referidas correcciones.

4.º Las sanciones previstas en este apartado serán compatibles con la establecida para la resistencia, obstrucción, excusa o negativa a las actuaciones de la Administración tributaria en el artículo 203 de la Ley General Tributaria, por la desatención de los requerimientos realizados.

Respecto de las sanciones impuestas conforme a lo dispuesto en este artículo resultará de aplicación lo establecido en los apartados 1.b) y 3 del artículo 188 de la Ley General Tributaria.

14. El valor de mercado a efectos de este Impuesto, del Impuesto sobre la Renta de las Personas Físicas o del Impuesto sobre la Renta de no Residentes, no producirá efectos respecto a otros impuestos, salvo disposición expresa en contrario. Asimismo, el valor a efectos de otros impuestos no producirá efectos respecto del valor de mercado de las operaciones entre personas o entidades vinculadas de este impuesto, del Impuesto sobre la Renta de las Personas Físicas o del Impuesto sobre la Renta de no Residentes, salvo disposición expresa en contrario".

DESARROLLO REGLAMENTARIO
REGLAMENTO DEL IMPUESTO SOBRE SOCIEDADES
APROBADO POR RD 634/2015, DE 10 DE JULIO
(ARTÍCULOS 13 A 37)

Artículo 13. Información y documentación sobre entidades y operaciones vinculadas.

"1. Las entidades residentes en territorio español que tengan la condición de dominantes de un grupo, definido en los términos establecidos en el artículo 18.2 de la Ley del Impuesto, y no sean al mismo tiempo dependientes de otra entidad, residente o no residente, deberán aportar la información país por país a que se refiere el artículo 14 de este Reglamento.

Asimismo, deberán aportar esta información aquellas entidades residentes en territorio español dependientes, directa o indirectamente, de una entidad no residente en territorio español que no sea al mismo tiempo dependiente de otra o a establecimientos permanentes de entidades no residentes, siempre que se produzca alguna de las siguientes circunstancias:

a) Que hayan sido designadas por su entidad matriz no residente para elaborar dicha información.

b) Que no exista una obligación de información país por país en términos análogos a la prevista en este apartado respecto de la referida entidad no residente en su país o territorio de residencia fiscal.

c) Que no exista un acuerdo de intercambio automático de información, respecto de dicha información, con el país o territorio en el que resida fiscalmente la referida entidad no residente.

d) Que, existiendo un acuerdo de intercambio automático de información respecto de dicha información con el país o territorio en el que reside fiscalmente la referida entidad no residente, se haya producido un incumplimiento sistemático del mismo que haya sido comunicado por la Administración tributaria española a las entidades dependientes o a los establecimientos permanentes residentes en territorio español en el plazo previsto en el párrafo siguiente.

A efectos de lo dispuesto en este apartado, cualquier entidad residente en territorio español que forme parte de un grupo obligado a presentar la información aquí establecida deberá comunicar a la Administración tributaria la identificación y el país o territorio de residencia de la entidad obligada a elaborar esta información. Esta comunicación deberá realizarse antes de la finalización del período impositivo al que se refiera la información.

El plazo para presentar la información prevista en este apartado concluirá transcurridos doce meses desde la finalización del período impositivo. El suministro de dicha información se efectuará en el modelo elaborado al efecto, que se aprobará por Orden del Ministro de Hacienda y Administraciones Públicas.

2. A los efectos de lo dispuesto en artículo 18.3 de la Ley del Impuesto, las personas o entidades vinculadas, con el objeto de justificar que las operaciones efectuadas se han valorado por su valor de mercado, deberán aportar, a requerimiento de la Administración tributaria, la siguiente documentación específica:

a) La documentación a que se refiere el artículo 15 de este Reglamento, relativa a las operaciones vinculadas del grupo al que pertenece el contribuyente, definido en los términos establecidos en el artículo 18.2 de la Ley del Impuesto, incluyendo a los establecimientos permanentes que formen parte del mismo.

b) La documentación del contribuyente a que se refiere el artículo 16 de este Reglamento. Los establecimientos permanentes de entidades no residentes en territorio español estarán igualmente obligados a aportar esta documentación.

Esta documentación deberá estar a disposición de la Administración tributaria a partir de la finalización del plazo voluntario de declaración, y es independiente de cualquier documentación o información adicional que la Administración tributaria pueda solicitar en el ejercicio de sus funciones, de acuerdo con lo dispuesto en la Ley 58/2003, de 17 de diciembre, General Tributaria, y en su normativa de desarrollo.

La documentación específica señalada deberá elaborarse de acuerdo con los principios de proporcionalidad y suficiencia. En su preparación, el contribuyente podrá utilizar aquella documentación relevante de que disponga para otras finalidades.

3. No obstante, la documentación específica señalada en el apartado anterior no resultará de aplicación:

a) A las operaciones realizadas entre entidades que se integren en un mismo grupo de consolidación fiscal, sin perjuicio de lo previsto en el artículo 65.2 de la Ley del Impuesto.

b) A las operaciones realizadas con sus miembros o con otras entidades integrantes del mismo grupo de consolidación fiscal por las agrupaciones de interés económico, de acuerdo con lo previsto en la Ley 12/1991, de 29 de abril, de Agrupaciones de Interés Económico, y las uniones temporales de empresas, reguladas en la Ley 18/1982, de 26 de mayo, sobre régimen fiscal de agrupaciones y uniones temporales de Empresas y de las Sociedades de desarrollo industrial regional, e inscritas en el registro especial del Ministerio de Hacienda y Administraciones Públicas. No obstante, la documentación específica será exigible en el caso de uniones temporales de empresas o fórmulas de colaboración análogas a las uniones temporales, que se acojan al régimen establecido en el artículo 22 de la Ley del Impuesto.

c) A las operaciones realizadas en el ámbito de ofertas públicas de venta o de ofertas públicas de adquisición de valores.

d) A las operaciones realizadas con la misma persona o entidad vinculada, siempre que el importe de la contraprestación del conjunto de operaciones no supere los 250.000 euros, de acuerdo con el valor de mercado.

4. El contribuyente deberá incluir en las declaraciones que así se prevea, la información relativa a sus operaciones vinculadas en los términos que se establezca por Orden del Ministro de Hacienda y Administraciones Públicas".

Artículo 14. Información país por país.

"1. La información país por país establecida en este artículo resultará exigible a las entidades a que se refiere el apartado 1 del artículo 13 de este Reglamento, exclusivamente, cuando el importe neto de la cifra de negocios del conjunto de personas o entidades que formen parte del grupo, en los 12 meses anteriores al inicio del período impositivo, sea, al menos, de 750 millones de euros.

2. *La información país por país comprenderá, respecto del período impositivo de la entidad dominante, de forma agregada, por cada país o jurisdicción:*

a) Ingresos brutos del grupo, distinguiendo entre los obtenidos con entidades vinculadas o con terceros.

b) Resultados antes del Impuesto sobre Sociedades o Impuestos de naturaleza idéntica o análoga al mismo.

c) Impuestos sobre Sociedades o Impuestos de naturaleza idéntica o análoga satisfechos, incluyendo las retenciones soportadas.

d) Impuestos sobre Sociedades o Impuestos de naturaleza idéntica o análoga al mismo devengados, incluyendo las retenciones.

e) Importe de la cifra de capital y otros fondos propios existentes en la fecha de conclusión del período impositivo.

f) Plantilla media.

g) Activos materiales e inversiones inmobiliarias distintos de tesorería y derechos de crédito.

h) Lista de entidades residentes, incluyendo los establecimientos permanentes y actividades principales realizadas por cada una de ellas.

i) Otra información que se considere relevante y una explicación, en su caso, de los datos incluidos en la información.

3. *La información establecida en este artículo se presentará en euros".*

Artículo 15. Documentación específica del grupo al que pertenezca el contribuyente.

"1. La documentación relativa al grupo, a que se refiere la letra a) del apartado 2 del artículo 13 de este Reglamento, deberá comprender:

a) Información relativa a la estructura y organización del grupo:

1.º Descripción general de la estructura organizativa, jurídica y operativa del grupo, así como cualquier cambio relevante en la misma.

2.º Identificación de las distintas entidades que formen parte del grupo.

b) Información relativa a las actividades del grupo:

1.º Actividades principales del grupo, así como descripción de los principales mercados geográficos en los que opera el grupo, fuentes principales de beneficios y cadena de suministro de aquellos bienes y servicios que representen, al menos, el 10 por ciento del importe neto de la cifra de negocios del grupo, correspondiente al período impositivo.

2.º Descripción general de las funciones ejercidas, riesgos asumidos y principales activos utilizados por las distintas entidades del grupo, incluyendo los cambios respecto del período impositivo anterior.

3.º Descripción de la política del grupo en materia de precios de transferencia que incluya el método o métodos de fijación de los precios adoptados por el grupo.

4.º *Relación y breve descripción de los acuerdos de reparto de costes y contratos de prestación de servicios relevantes entre entidades del grupo.*

5.º *Descripción de las operaciones de reorganización y de adquisición o cesión de activos relevantes, realizadas durante el período impositivo.*

c) *Información relativa a los activos intangibles del grupo:*

1.º *Descripción general de la estrategia global del grupo en relación al desarrollo, propiedad y explotación de los activos intangibles, incluyendo la localización de las principales instalaciones en las que se realicen actividades de investigación y desarrollo, así como la dirección de las mismas.*

2.º *Relación de los activos intangibles del grupo relevantes a efectos de precios de transferencia, indicando las entidades titulares de los mismos, así como descripción general de la política de precios de transferencia del grupo en relación con los mismos.*

3.º *Importe de las contraprestaciones correspondientes a las operaciones vinculadas del grupo, derivadas de la utilización de los activos intangibles, identificando las entidades del grupo afectadas y sus territorios de residencia fiscal.*

4.º *Relación de acuerdos entre las entidades del grupo relativos a intangibles, incluyendo los acuerdos de reparto de costes, los principales acuerdos de servicios de investigación y acuerdos de licencias.*

5.º *Descripción general de cualquier transferencia relevante sobre activos intangibles realizada en el período impositivo, incluyendo las entidades, países e importes.*

d) *Información relativa a la actividad financiera:*

1.º *Descripción general de la forma de financiación del grupo, incluyendo los principales acuerdos de financiación suscritos con personas o entidades ajenas al grupo.*

2.º *Identificación de las entidades del grupo que realicen las principales funciones de financiación del grupo, así como el país de su constitución y el correspondiente a su sede de dirección efectiva.*

3.º *Descripción general de la política de precios de transferencia relativa a los acuerdos de financiación entre entidades del grupo.*

e) *Situación financiera y fiscal del grupo:*

1.º *Estados financieros anuales consolidados del grupo, siempre que resulten obligatorios para el mismo o se elaboren de manera voluntaria.*

2.º *Relación y breve descripción de los acuerdos previos de valoración vigentes y cualquier otra decisión con alguna autoridad fiscal que afecte a la distribución de los beneficios del grupo entre países.*

2. *La documentación prevista en este artículo no resultará de aplicación a aquellos grupos en los que el importe neto de la cifra de negocios, definido en los términos establecidos en el artículo 101 de la Ley del Impuesto, sea inferior a 45 millones de euros.*

3. A efectos de lo dispuesto en el artículo 18.13 de la Ley del Impuesto constituyen distintos conjuntos de datos las informaciones a que se refieren el número 1.º de la letra a), los números 1.º, 2.º, 3.º y 5.º de la letra b), el número 1.º de la letra c) y los números 1.º y 3.º de la letra d) del apartado 1 de este artículo. A estos mismos efectos tendrá la consideración de dato cada una de las informaciones a que se refiere el número 2.º de la letra a), el número 4.º de la letra b), los números 2.º, 3.º, 4.º y 5.º de la letra c), el número 2.º de la letra d) y los números 1.º y 2.º de la letra e) del apartado 1 de este artículo".

Artículo 16. Documentación específica del contribuyente.

"1. La documentación específica del contribuyente deberá comprender:

a) Información del contribuyente:

1.º Estructura de dirección, organigrama y personas o entidades destinatarias de los informes sobre la evolución de las actividades del contribuyente, indicando los países o territorios en que dichas personas o entidades tienen su residencia fiscal.

2.º Descripción de las actividades del contribuyente, de su estrategia de negocio y, en su caso, de su participación en operaciones de reestructuración o de cesión o transmisión de activos intangibles en el período impositivo.

3.º Principales competidores.

b) Información de las operaciones vinculadas:

1.º Descripción detallada de la naturaleza, características e importe de las operaciones vinculadas.

2.º Nombre y apellidos o razón social o denominación completa, domicilio fiscal y número de identificación fiscal del contribuyente y de las personas o entidades vinculadas con las que se realice la operación.

3.º Análisis de comparabilidad detallado, en los términos descritos en el artículo 17 de este Reglamento.

4.º Explicación relativa a la selección del método de valoración elegido, incluyendo una descripción de las razones que justificaron la elección del mismo, así como su forma de aplicación, los comparables obtenidos y la especificación del valor o intervalo de valores derivados del mismo.

5.º En su caso, criterios de reparto de gastos en concepto de servicios prestados conjuntamente en favor de varias personas o entidades vinculadas, así como los correspondientes acuerdos, si los hubiera, y acuerdos de reparto de costes a que se refiere el artículo 18 de este Reglamento.

6.º Copia de los acuerdos previos de valoración vigentes y cualquier otra decisión con alguna autoridad fiscal que estén relacionados con las operaciones vinculadas señaladas anteriormente.

7.º *Cualquier otra información relevante de la que haya dispuesto el contribuyente para determinar la valoración de sus operaciones vinculadas.*

c) Información económico-financiera del contribuyente:

1.º *Estados financieros anuales del contribuyente.*

2.º *Conciliación entre los datos utilizados para aplicar los métodos de precios de transferencia y los estados financieros anuales, cuando corresponda y resulte relevante.*

3.º *Datos financieros de los comparables utilizados y fuente de la que proceden.*

2. *Si, para determinar el valor de mercado, se utilizan otros métodos y técnicas de valoración generalmente aceptados distintos en los señalados en las letras a) a e) del artículo 18.4 de la Ley del Impuesto, como pudieran ser métodos de descuento de flujos de efectivo futuro estimados, se describirá detalladamente el método o técnica concreto elegido, así como las razones de su elección.*

En concreto, se describirán las magnitudes, porcentajes, ratios, tipos de interés, tasas de actualización y demás variables en que se basen los citados métodos y técnicas y se justificará la razonabilidad y coherencia de las hipótesis asumidas por referencia a datos históricos, a planes de negocios o a cualquier otro elemento que se considere esencial para la correcta determinación del valor y su adecuación al principio de libre competencia.

Deberá maximizarse el uso de datos observables de mercado, que deberán quedar acreditados, y se limitará, en la medida de lo posible, el empleo de consideraciones subjetivas y de datos no observables o contrastables.

La documentación que deberá mantenerse a disposición de la Administración tributaria comprenderá los informes, documentos y soportes informáticos necesarios para la verificación de la correcta aplicación del método de valoración y del valor de mercado resultante.

3. *Las obligaciones documentales previstas en el apartado 1 anterior se referirán al período impositivo en el que el contribuyente haya realizado la operación vinculada.*

Cuando la documentación elaborada para un período impositivo continúe siendo válida en otros posteriores, no será necesaria la elaboración de nueva documentación, sin perjuicio de que deban efectuarse las adaptaciones que fueran necesarias.

4. *En el supuesto de personas o entidades vinculadas cuyo importe neto de la cifra de negocios, definido en los términos establecidos en el artículo 101 de la Ley del Impuesto, sea inferior a 45 millones de euros, la documentación específica tendrá el siguiente contenido simplificado:*

a) Descripción de la naturaleza, características e importe de las operaciones vinculadas.

b) Nombre y apellidos o razón social o denominación completa, domicilio fiscal y número de identificación fiscal del contribuyente y de las personas o entidades vinculadas con las que se realice la operación.

c) Identificación del método de valoración utilizado.

d) Comparables obtenidos y valor o intervalos de valores derivados del método de valoración utilizado.

En el supuesto de personas o entidades que cumplan los requisitos establecidos en el artículo 101 de la Ley del Impuesto, esta documentación específica se podrá entender cumplimentada a través del documento normalizado elaborado al efecto por Orden del Ministro de Hacienda y Administraciones Públicas. Estas entidades no deberán aportar los comparables a que se refiere la letra d) anterior.

5. El contenido simplificado de la documentación específica a que se refiere el apartado anterior no resultará de aplicación a las siguientes operaciones:

a) Las realizadas por contribuyentes del Impuesto sobre la Renta de las Personas Físicas, en el desarrollo de una actividad económica, a la que resulte de aplicación el método de estimación objetiva con entidades en las que aquellos o sus cónyuges, ascendientes o descendientes, de forma individual o conjuntamente entre todos ellos, tengan un porcentaje igual o superior al 25 por ciento del capital social o de los fondos propios.

b) Las operaciones de transmisión de negocios.

c) Las operaciones de transmisión de valores o participaciones representativos de la participación en los fondos propios de cualquier tipo de entidades no admitidas a negociación en alguno de los mercados regulados de valores, o que estén admitidos a negociación en mercados regulados situados en países o territorios calificados como paraísos fiscales.

d) Las operaciones de transmisión de inmuebles.

e) Las operaciones sobre activos intangibles.

No obstante, en el supuesto de entidades a que se refiere el artículo 101 de la Ley del Impuesto o personas físicas y no se trate de operaciones realizadas con personas o entidades residentes en países o territorios considerados como paraísos fiscales, las obligaciones específicas de documentación no deberán incorporar el análisis de comparabilidad a que se refiere el artículo 17 de este Reglamento.

6. A efectos de lo dispuesto en el artículo 18.13 de la Ley del Impuesto, constituyen distintos conjuntos de datos las informaciones a que se refieren el número 1.º, 2.º y 3.º de la letra a), los números 3.º, 4.º y 7.º de la letra b), los números 1.º, 2.º y 3.º de la letra c) del apartado 1 así como la información a que se refiere el apartado 2 de este artículo. A estos mismos efectos, tendrá la consideración de dato cada una de las informaciones a que se refiere los números 1.º, 2.º, 5.º y 6.º de la letra b) del apartado 1 de este artículo y las letras a), b), c) y d) del apartado 4 de este artículo".

Artículo 17. Determinación del valor de mercado de las operaciones vinculadas: análisis de comparabilidad.

"1. A los efectos de determinar el valor de mercado que habrían acordado personas o entidades independientes en condiciones que respeten el principio de libre competencia a que se refiere el apartado 1 del artículo 18 de la Ley del Impuesto, se compararán las circunstancias de las operaciones vinculadas con las circunstancias de operaciones entre personas o entidades independientes que pudieran ser equiparables.

Para ello deberán tenerse en cuenta las relaciones entre las personas o entidades vinculadas y las condiciones de las operaciones a comparar atendiendo a la naturaleza de las operaciones y a la conducta de las partes.

2. Para determinar si dos o más operaciones son equiparables se tendrán en cuenta, en la medida en que sean relevantes y que el contribuyente haya podido disponer razonablemente de información sobre ellas, las siguientes circunstancias:

a) Las características específicas de los bienes o servicios objeto de las operaciones vinculadas.

b) Las funciones asumidas por las partes en relación con las operaciones objeto de análisis, identificando los riesgos asumidos y ponderando, en su caso, los activos utilizados.

c) Los términos contractuales de los que, en su caso, se deriven las operaciones teniendo en cuenta las responsabilidades, riesgos y beneficios asumidos por cada parte contratante.

d) Las circunstancias económicas que puedan afectar a las operaciones vinculadas, en particular, las características de los mercados en los que se entregan los bienes o se prestan los servicios.

e) Las estrategias empresariales.

Asimismo, a los efectos de determinar el valor de mercado que habrían acordado personas o entidades independientes en condiciones que respeten el principio de libre competencia también deberá tenerse en cuenta cualquier otra circunstancia que sea relevante y sobre la que el contribuyente haya podido disponer razonablemente de información, como entre otras, la existencia de pérdidas, la incidencia de las decisiones de los poderes públicos, la existencia de ahorros de localización, de grupos integrados de trabajadores o de sinergias.

En todo caso deberán indicarse los elementos de comparación internos o externos que deban tenerse en consideración.

3. Cuando las operaciones vinculadas que realice el contribuyente se encuentren estrechamente ligadas entre sí, hayan sido realizadas de forma continua o afecten a un conjunto de productos o servicios muy similares, de manera que su valoración independiente no resulte adecuada, el análisis de comparabilidad a que se refiere el apartado anterior se efectuará teniendo en cuenta el conjunto de dichas operaciones.

4. Dos o más operaciones son equiparables cuando no existan entre ellas diferencias significativas en las circunstancias a que se refiere

el apartado 2 anterior que afecten al precio del bien o servicio o al margen de la operación, o cuando existieran diferencias, puedan eliminarse efectuando los ajustes de comparabilidad necesarios.

5. El análisis de comparabilidad previsto en este artículo forma parte de la documentación a que se refiere el artículo 16 de este Reglamento y cumplimenta la obligación prevista en el número 3.º de la letra b) del apartado 1 del citado artículo.

6. El grado de comparabilidad, la naturaleza de la operación y la información sobre las operaciones equiparables constituyen los principales factores que determinarán, en cada caso, de acuerdo con lo dispuesto en el apartado 4 del artículo 18 de la Ley del Impuesto, el método de valoración más adecuado.

7. Cuando, a pesar de no existir datos suficientes, se haya podido determinar un rango de valores que cumpla razonablemente el principio de libre competencia, teniendo en cuenta el proceso de selección de comparables y las limitaciones de la información disponible, se podrán utilizar medidas estadísticas para minimizar el riesgo de error provocado por defectos en la comparabilidad".

Artículo 18. Requisitos de los acuerdos de reparto de costes suscritos entre personas o entidades vinculadas.

"A efectos de lo previsto en el apartado 7 del artículo 18 de la Ley del Impuesto, los acuerdos de reparto de costes de bienes y servicios suscritos por el contribuyente deberán incluir la identificación de las demás personas o entidades participantes, en los términos previstos en la letra a) del apartado 1 del artículo 16 de este Reglamento, el ámbito de las actividades y proyectos específicos cubiertos por los acuerdos, su duración, criterios para cuantificar el reparto de los beneficios esperados entre los partícipes, la forma de cálculo de sus respectivas aportaciones, especificación de las tareas y responsabilidades de los partícipes, consecuencias de la adhesión o retirada de los partícipes así como cualquier otra disposición que prevea adaptar los términos del acuerdo para reflejar una modificación de las circunstancias económicas".

Artículo 19. Comprobación de las operaciones vinculadas.

"1. Cuando la comprobación de las operaciones vinculadas no sea el objeto único de la regularización que proceda practicar en el procedimiento de inspección en el que se lleve a cabo, la propuesta de liquidación que derive de la misma se documentará en un acta distinta de las que deban formalizarse por los demás elementos de la obligación tributaria. En dicha acta se justificará la regularización que resulte por aplicación del artículo 18 de la Ley del Impuesto. La liquidación derivada de esta acta tendrá carácter provisional de acuerdo con lo establecido en el artículo 101.4.b) de la Ley 58/2003, de 17 de diciembre, General Tributaria.

2. Si el contribuyente interpone recurso o reclamación contra la liquidación provisional practicada como consecuencia de la regula-

rización practicada, se notificará dicha liquidación y la existencia del procedimiento revisor a las demás personas o entidades vinculadas afectadas al objeto de que puedan personarse en el procedimiento, de conformidad con lo dispuesto en los artículos 223.3 y 232.3 de la Ley 58/2003.

Transcurridos los plazos oportunos sin que el contribuyente haya interpuesto recurso o reclamación, se notificará la liquidación provisional practicada a las demás personas o entidades vinculadas afectadas para que aquellas que lo deseen puedan optar de forma conjunta por interponer el oportuno recurso de reposición o reclamación económico-administrativa.

3. Una vez que la liquidación practicada al contribuyente haya adquirido firmeza, la Administración tributaria regularizará de oficio la situación tributaria de las demás personas o entidades vinculadas, salvo que estas hubieran ya efectuado la referida regularización con carácter previo. La regularización se realizará mediante la práctica de una liquidación o, en su caso, de una autoliquidación o de una liquidación derivada de una solicitud de rectificación de la autoliquidación correspondiente al último período impositivo cuyo plazo de declaración e ingreso hubiera finalizado en el momento en que se produzca tal firmeza. Tratándose de impuestos en los que no exista período impositivo, dicha regularización se realizará mediante la práctica de una liquidación correspondiente al momento en que se produzca la firmeza de la liquidación o, en su caso, de una autoliquidación o de una liquidación derivada de una solicitud de rectificación de la autoliquidación practicada al contribuyente.

En el caso de impuestos en los que existen períodos impositivos, esta regularización deberá comprender todos aquellos que estén afectados por la corrección llevada a cabo por la Administración tributaria, derivada de la comprobación de la operación vinculada.

La regularización incluirá, en su caso, los correspondientes intereses de demora calculados desde la finalización del plazo establecido para la presentación de la autoliquidación de cada uno de los períodos impositivos en los que la operación vinculada haya surtido efectos o, si la regularización diera lugar a una devolución y la autoliquidación se presentó fuera de plazo desde la fecha de la presentación extemporánea de la autoliquidación.

Los intereses se calcularán hasta la fecha en que se practica la liquidación o, en su caso, la autoliquidación, correspondiente al período impositivo en que la regularización de dicha operación es eficaz frente a las demás personas o entidades vinculadas, de acuerdo con lo establecido en el artículo 18.12.3.º de la Ley del Impuesto y en el primer párrafo de este apartado.

La regularización realizada por la Administración tributaria deberá ser tenida en cuenta por los contribuyentes en las declaraciones que se presenten tras la firmeza de la liquidación, cuando la operación vinculada produzca efectos en las mismas.

Para la práctica de la liquidación anterior, los órganos de inspección podrán ejercer las facultades previstas en el artículo 142 de la Ley 58/2003, y realizar las actuaciones de obtención de información que consideren necesarias.

Las personas o entidades afectadas que puedan invocar un tratado o convenio que haya pasado a formar parte del ordenamiento interno, podrán acudir al procedimiento amistoso o al procedimiento arbitral para eliminar la posible doble imposición generada por la corrección, de acuerdo con lo dispuesto en el número 5.º del apartado 12 del artículo 18 de la Ley del Impuesto".

Artículo 20. Restitución patrimonial derivada de las diferencias entre el valor convenido y el valor de mercado de las operaciones vinculadas.

"1. En aquellas operaciones en las cuales el valor convenido sea distinto del valor de mercado, la diferencia entre ambos valores tendrá para las personas o entidades vinculadas el tratamiento fiscal que corresponda a la naturaleza de las rentas puestas de manifiesto como consecuencia de la existencia de dicha diferencia, de acuerdo con lo establecido en el artículo 18.11 de la Ley del Impuesto.

2. No se aplicará lo dispuesto en el apartado anterior cuando se proceda a la restitución patrimonial entre las personas o entidades vinculadas. Para ello, el contribuyente deberá justificar dicha restitución antes de que se dicte la liquidación que incluya la aplicación de lo señalado en el apartado anterior".

Artículo 21. Actuaciones previas.

"1. Las personas o entidades vinculadas que pretendan solicitar a la Administración tributaria que determine el valor de mercado de las operaciones efectuadas entre ellas, en condiciones que respeten el principio de libre competencia podrán presentar una solicitud previa, cuyo contenido será el siguiente:

a) Identificación de las personas o entidades que vayan a realizar las operaciones.

b) Descripción sucinta de las operaciones objeto del mismo.

c) Elementos básicos de la propuesta de valoración que se pretenda formular.

2. La Administración tributaria analizará la solicitud previa, pudiendo recabar de los interesados las aclaraciones pertinentes y comunicará a los interesados la viabilidad o no del acuerdo previo de valoración".

Artículo 22. Inicio del procedimiento.

"1. Las personas o entidades vinculadas podrán solicitar a la Administración tributaria un acuerdo previo de valoración de las operaciones entre personas o entidades vinculadas con carácter previo a la

realización de estas, sin perjuicio de lo establecido en el artículo 25.8 de este Reglamento.

Dicha solicitud podrá comprender la determinación del valor de mercado de las rentas estimadas por operaciones realizadas por un contribuyente con un establecimiento permanente en el extranjero, en aquellos supuestos en que así esté establecido en un convenio para evitar la doble imposición internacional que le resulte de aplicación.

La solicitud se acompañará de una propuesta que se fundamentará en el principio de libre competencia, y que contendrá una descripción del método y del análisis seguido para determinar el valor de mercado.

La solicitud deberá ser suscrita por las personas o entidades solicitantes, que deberán acreditar ante la Administración que las demás personas o entidades vinculadas que vayan a realizar las operaciones cuya valoración se solicita conocen y aceptan la solicitud de valoración.

2. La solicitud deberá acompañarse de la documentación a que se refieren los artículos 15 y 16 de este Reglamento, en cuanto resulte aplicable a la propuesta de valoración, y se adaptará a las circunstancias del caso".

Artículo 23. Régimen de la documentación presentada.

"1. La documentación presentada únicamente tendrá efectos en relación al procedimiento regulado en este capítulo y será exclusivamente utilizada respecto del mismo.

2. Lo previsto en los artículos anteriores no eximirá a los contribuyentes de las obligaciones que les incumben de acuerdo con lo establecido en el artículo 29 de la Ley 58/2003, de 17 de diciembre, General Tributaria, o en otra disposición, en cuanto el cumplimiento de las mismas pudiera afectar a la documentación referida en el artículo 21 de este Reglamento.

3. En los casos de desistimiento, caducidad o desestimación de la propuesta se procederá a la devolución de la documentación aportada".

Artículo 24. Tramitación.

"La Administración tributaria examinará la propuesta junto con la documentación presentada. A estos efectos, podrá requerir a los contribuyentes cuantos datos, informes, antecedentes y justificantes tengan relación con la propuesta, así como explicaciones o aclaraciones adicionales sobre la misma".

Artículo 25. Terminación y efectos del acuerdo.

"1. La resolución que ponga fin al procedimiento podrá:

a) Aprobar la propuesta de valoración presentada por el contribuyente

b) Aprobar, con la aceptación del contribuyente, una propuesta de valoración que difiera de la inicialmente presentada.

c) Desestimar la propuesta de valoración formulada por el contribuyente.

2. *El acuerdo previo de valoración se formalizará en un documento que incluirá al menos:*

a) Lugar y fecha de su formalización.

b) Nombre y apellidos o razón social o denominación completa y número de identificación fiscal de los de los contribuyentes a los que se refiere la propuesta.

c) Conformidad de los contribuyentes con el contenido del acuerdo.

d) Descripción de las operaciones a las que se refiere la propuesta.

e) Elementos esenciales del método de valoración y valor o intervalo de valores que se derivan del mismo.

f) Períodos impositivos o de liquidación a los que será aplicable el acuerdo y fecha de entrada en vigor del mismo.

g) Asunciones críticas cuyo acaecimiento condiciona la aplicabilidad del acuerdo en los términos recogidos en dicho acuerdo.

3. En la desestimación de la propuesta de valoración se incluirá junto con la identificación de los contribuyentes los motivos por los que la Administración tributaria desestima la propuesta.

4. El procedimiento deberá finalizar en el plazo de 6 meses. Transcurrido dicho plazo sin haberse notificado la resolución expresa, la propuesta podrá entenderse desestimada.

5. La Administración tributaria y los contribuyentes deberán aplicar lo que resulte de la propuesta aprobada.

6. La Administración tributaria podrá comprobar que los hechos y operaciones descritos en la propuesta aprobada se corresponden con los efectivamente habidos y que la propuesta aprobada ha sido correctamente aplicada.

Cuando de la comprobación resultare que los hechos y operaciones descritos en la propuesta aprobada no se corresponden con la realidad, o que la propuesta aprobada no ha sido aplicada correctamente, la Inspección de los Tributos procederá a regularizar la situación tributaria de los contribuyentes.

7. El desistimiento de cualquiera de los contribuyentes determinará la terminación del procedimiento.

8. El acuerdo surtirá efectos respecto de las operaciones realizadas con posterioridad a la fecha en que se apruebe, y tendrá validez durante los períodos impositivos que se concreten en el propio acuerdo, sin que pueda exceder de los 4 períodos impositivos siguientes al vigente en la fecha de aprobación del acuerdo.

Asimismo, podrá determinarse que sus efectos alcancen a las operaciones realizadas en períodos impositivos anteriores, siempre que no hubiera prescrito el derecho de la Administración a determinar la deuda tributaria mediante la oportuna liquidación ni hubiese liquidación firme que recaiga sobre las operaciones objeto de solicitud".

Artículo 26. Recursos.

"La resolución que ponga fin al procedimiento o el acto presunto desestimatorio no serán recurribles, sin perjuicio de los recursos y reclamaciones que contra los actos de liquidación que en su día se dicten puedan interponerse".

Artículo 27. Órganos competentes.

"Será competente para instruir, resolver y, en caso de modificación del acuerdo, iniciar el procedimiento el órgano de la Agencia Estatal de Administración Tributaria que corresponda de acuerdo con sus normas de estructura orgánica".

Artículo 28. Información sobre la aplicación del acuerdo para la valoración de las operaciones efectuadas con personas o entidades vinculadas.

"Conjuntamente con la declaración del Impuesto sobre Sociedades, del Impuesto sobre la Renta de las Personas Físicas o del Impuesto sobre la Renta de No Residentes, los contribuyentes presentarán un escrito relativo a la aplicación del acuerdo previo de valoración aprobado, cuyo contenido deberá comprender, entre otra, la siguiente información:

a) Operaciones realizadas en el período impositivo o de liquidación al que se refiere la declaración a las que ha sido de aplicación el acuerdo previo.

b) Precios o valores a los que han sido realizadas las operaciones anteriores como consecuencia de la aplicación del acuerdo previo.

c) Descripción, si las hubiere, de las variaciones significativas de las circunstancias económicas existentes en el momento de la aprobación del acuerdo previo de valoración.

d) Operaciones efectuadas en el período impositivo o de liquidación similares a aquéllas a las que se refiere el acuerdo previo, precios por los que han sido realizadas y descripción de las diferencias existentes respecto de las operaciones comprendidas en el ámbito del acuerdo previo.

e) Aquella que se determine en el propio acuerdo.

No obstante, en los acuerdos firmados con otras Administraciones, la documentación que deberá presentar el contribuyente anualmente será la que se derive del propio acuerdo".

Artículo 29. Modificación del acuerdo previo de valoración.

"1. En el supuesto de variación significativa de las circunstancias económicas o tecnológicas existentes en el momento de la aprobación del acuerdo previo de valoración, éste podrá ser modificado para adecuarlo a las nuevas circunstancias económicas. El procedimiento de modificación podrá iniciarse de oficio o a instancia de los contribuyentes.

2. *La solicitud de modificación deberá ser suscrita por las personas o entidades solicitantes, que deberán acreditar ante la Administración que las demás personas o entidades vinculadas que vayan a realizar las operaciones cuya valoración se solicita, conocen y aceptan la solicitud de modificación, y deberá contener la siguiente información:*

a) Justificación de la variación significativa de las circunstancias económicas.

b) Modificación que, a tenor de dicha variación, resulta procedente.

El desistimiento de cualquiera de las personas o entidades afectadas determinará la terminación del procedimiento de modificación.

La Administración tributaria, una vez examinada la documentación presentada, y previa audiencia de los contribuyentes, quienes dispondrán al efecto de un plazo de 15 días, dictará resolución motivada, que podrá:

1.º Aprobar la modificación formulada por el contribuyente.

2.º Aprobar, con la aceptación del contribuyente, una propuesta de valoración que difiera de la inicialmente presentada.

3.º Desestimar la modificación formulada por el contribuyente, confirmando o dejando sin efecto el acuerdo previo de valoración inicialmente aprobado.

3. Cuando el procedimiento de modificación haya sido iniciado por la Administración tributaria, el contenido de la propuesta se notificará a los contribuyentes quienes dispondrán de un plazo de un mes contados a partir del día siguiente al de la notificación de la propuesta para:

a) Aceptar la modificación.

b) Formular una modificación alternativa, debidamente justificada.

c) Rechazar la modificación, expresando los motivos en los que se fundamentan.

La Administración tributaria, una vez examinada la documentación presentada, dictará resolución motivada, que podrá:

1.º Aprobar la modificación, si los contribuyentes la han aceptado.

2.º Aprobar, con la aceptación de los contribuyentes, una modificación alternativa.

3.º Dejar sin efecto el acuerdo por el que se aprobó la propuesta inicial de valoración.

4.º Declarar la continuación de la aplicación de la propuesta de valoración inicial.

4. En el caso de mediar un acuerdo con otra Administración tributaria, la modificación del acuerdo previo de valoración requerirá la previa modificación del acuerdo alcanzado con dicha Administración. A tal efecto se seguirá el procedimiento previsto en el artículo 31 y siguientes de este Reglamento.

5. El procedimiento deberá finalizarse en el plazo de 6 meses. Transcurrido dicho plazo sin haberse notificado una resolución expresa, la propuesta de modificación podrá entenderse desestimada.

6. La resolución que ponga fin al procedimiento de modificación o el acto presunto desestimatorio no serán recurribles, sin perjuicio de los recursos y reclamaciones que puedan interponerse contra los actos de liquidación que puedan dictarse.

7. La aprobación de la modificación, tendrá los efectos previstos en el artículo 25 de este Reglamento, en relación a las operaciones que se realicen con posterioridad a la solicitud de modificación o, en su caso, a la comunicación de propuesta de modificación.

8. La resolución por la que se deje sin efecto el acuerdo previo de valoración inicial determinará la extinción de los efectos previstos en el artículo 25 de este Reglamento, en relación a las operaciones que se realicen con posterioridad a la solicitud de modificación o, en su caso, a la comunicación de propuesta de modificación.

9. La desestimación de la modificación formulada por los contribuyentes determinará:

a) La confirmación de los efectos previstos en el artículo 25 de este Reglamento, cuando no quede probada la variación significativa de las circunstancias económicas.

b) La extinción de los efectos previstos en el artículo 25 de este Reglamento, respecto de las operaciones que se realicen con posterioridad a la solicitud de modificación, en los demás casos".

Artículo 30. Prórroga del acuerdo previo de valoración.

1. Los contribuyentes podrán solicitar a la Administración tributaria que se prorrogue el plazo de validez del acuerdo de valoración que hubiera sido aprobado. Dicha solicitud deberá presentarse antes de los 6 meses previos a la finalización de dicho plazo de validez y se acompañará de la documentación que consideren conveniente para justificar que las circunstancias puestas de manifiesto en la solicitud original no han variado.

2. La solicitud de prórroga del acuerdo previo de valoración deberá ser suscrita por las personas o entidades que suscribieron el acuerdo previo cuya prórroga se solicita, y deberán acreditar ante la Administración que las demás personas o entidades vinculadas que vayan a realizar las operaciones conocen y aceptan la solicitud de prórroga.

3. La Administración tributaria dispondrá de un plazo de 6 meses para examinar la documentación a que se refiere el apartado 1 anterior, y notificar a los contribuyentes la prórroga o no del plazo de validez del acuerdo de valoración previa. A tales efectos, la Administración podrá solicitar cualquier información y documentación adicional.

4. Transcurrido el plazo a que se refiere el apartado anterior sin haber notificado la prórroga del plazo de validez del acuerdo de valoración previa, la solicitud podrá considerarse desestimada.

5. La resolución por la que se acuerde la prórroga del acuerdo o el acto presunto desestimatorio no serán recurribles, sin perjuicio de los recursos y reclamaciones que puedan interponerse contra los actos de liquidación que en puedan dictarse.

Artículo 31. Procedimiento para el acuerdo sobre operaciones vinculadas con otras Administraciones tributarias.

"El procedimiento para la celebración de acuerdos con otras Administraciones tributarias se regirá por las normas previstas en este capítulo con las especialidades establecidas en los artículos 32 a 36 de este Reglamento".

Artículo 32. Inicio del procedimiento.

"1. En el caso de que los contribuyentes soliciten que la propuesta formulada se someta a la consideración de otras Administraciones tributarias del país o territorio en el que residan las personas o entidades vinculadas, la Administración tributaria valorará la procedencia de iniciar dicho procedimiento. La desestimación del inicio del procedimiento deberá ser motivada, y no podrá ser impugnada.

2. Cuando la Administración tributaria en el curso de un procedimiento previo de valoración, considere oportuno someter el asunto a la consideración de otras Administraciones tributarias que pudieran resultar afectadas, lo pondrá en conocimiento las personas o entidades vinculadas. La aceptación por parte del contribuyente será requisito previo a la comunicación a la otra Administración.

3. El contribuyente deberá presentar la solicitud de inicio acompañada de la documentación prevista en el artículo 22 de este Reglamento".

Artículo 33. Tramitación.

"1. En el curso de las relaciones con otras Administraciones tributarias, las personas o entidades vinculadas vendrán obligados a facilitar cuantos datos, informes, antecedentes y justificantes tengan relación con la propuesta de valoración.

Los contribuyentes podrán participar en las actuaciones encaminadas a concretar el acuerdo, cuando así lo convengan los representantes de ambas Administraciones tributarias.

2. La propuesta de acuerdo de las Administraciones tributarias se pondrá en conocimiento de los sujetos interesados, cuya aceptación será un requisito previo a la firma del acuerdo entre las Administraciones implicadas.

La oposición a la propuesta de acuerdo determinará la desestimación de la propuesta de valoración".

Artículo 34. Resolución.

"En caso de aceptación de la propuesta de acuerdo, el órgano competente suscribirá el acuerdo con las otras Administraciones tributarias, dándose traslado de una copia del mismo a los interesados".

Artículo 35. Órganos competentes.

"Será competente para iniciar, informar, instruir el procedimiento, establecer las relaciones pertinentes con las Administraciones a que se refiere el artículo anterior, resolver el procedimiento y suscribir el *acuerdo con la otra Administración tributaria el órgano de la Agencia Estatal de Administración Tributaria que corresponda de acuerdo con sus normas de estructura orgánica".*

Artículo 36. Solicitud de otra Administración tributaria.

"Cuando otra Administración tributaria solicite a la Administración tributaria la iniciación de un procedimiento dirigido a suscribir un acuerdo para la valoración de operaciones realizadas entre personas o entidades vinculadas se observarán las reglas previstas en los artículos anteriores en cuanto resulten de aplicación".

Artículo 37. Documentación de las operaciones con personas o entidades no vinculadas residentes en paraísos fiscales.

"A efectos de lo previsto en el artículo 19.2 de la Ley del Impuesto, quienes realicen operaciones con personas o entidades residentes en países o territorios considerados como paraísos fiscales estarán obligados a mantener a disposición de la Administración tributaria la documentación específica prevista en el capítulo V del título I de este Reglamento, con las siguientes especialidades:

a) No será de aplicación lo establecido en la letra d) del artículo 13.3 de este Reglamento.

b) Deberá mantenerse la documentación relativa a todas las operaciones realizadas con personas o entidades vinculadas que residan en un país o territorio calificado como paraíso fiscal, excepto que residan en un Estado miembro de la Unión Europea o en Estados integrantes del Espacio Económico Europeo con los que exista un efectivo intercambio de información en materia tributaria en los términos previstos en el apartado 4 de la disposición adicional primera de la Ley 36/2006, de 29 de noviembre, de medidas para la prevención del fraude fiscal, y el contribuyente acredite que las operaciones responden a motivos económicos válidos y que esas personas o entidades realizan actividades económicas.

c) La documentación a que se refiere el artículo 16.1.a) de este Reglamento deberá comprender, adicionalmente, cuando se trate de operaciones realizadas con personas o entidades residentes en países o territorios considerados como paraísos fiscales, la identificación de las personas que, en nombre de dichas personas o entidades, hayan intervenido en la operación y, en caso de que se trate de operaciones con entidades, la identificación de los administradores de las mismas.

A efectos de lo dispuesto en el artículo 18.13 de la Ley del Impuesto tendrá la consideración de dato cada una de las personas y administradores a que se refiere esta letra.

d) A las operaciones con personas o entidades residentes en países o territorios considerados como paraísos fiscales, que no tengan la consideración de personas o entidades vinculadas en los términos establecidos en el artículo 18 de la Ley del Impuesto, no les será exigible la documentación específica del contribuyente prevista en el artículo 16 de este Reglamento respecto de servicios y compraventas internacionales de mercancías, incluidas las comisiones de mediación en estas, así como los gastos accesorios y conexos, cuando se cumplan los siguientes requisitos:

*   1.º Que el contribuyente pruebe que la realización de la operación a través de un país o territorio considerado como paraíso fiscal responde a la existencia de motivos económicos válidos*

*   2.º Que el contribuyente realice operaciones equiparables con personas o entidades no vinculadas que no residan en países o territorios considerados como paraísos fiscales y acredite que el valor convenido de la operación se corresponde con el valor convenido en dichas operaciones equiparables, una vez efectuadas, en su caso, las correspondientes correcciones que resulten necesarias".*

SUMARIO: 1. NOVEDADES INTRODUCIDAS POR LA VIGENTE LEY 27/2014, DE 27 DE NOVIEMBRE, EN MATERIA DE OPERACIONES VINCULADAS. 2. CONCEPTO FISCAL DE VALOR DE MERCADO Y CONCEPTO CONTABLE DE VALOR RAZONABLE. 3. LEGITIMACIÓN PARA VALORAR A PARÁMETROS DE MERCADO LAS OPERACIONES VINCULADAS. 4. EL AJUSTE, SIEMPRE BILATERAL. 5. LA ACTUALIZACIÓN DE LOS VALORES CONTABLES DE LOS ACTIVOS EMPRESARIALES. 6. EL PERÍODO IMPOSITIVO AL CUAL DEBEN DE SER IMPUTADOS LOS AJUSTES REALIZADOS POR LA ADMINISTRACIÓN. 7. LAS OBLIGACIONES DE DOCUMENTACIÓN TRAS LA ENTRADA EN VIGOR DE LA LEY 27/2014, DE 27 DE NOVIEMBRE. 8. INFORMACIÓN Y DOCUMENTACIÓN EXIGIBLES SOBRE ENTIDADES Y OPERACIONES VINCULADAS. 9. ALCANCE DE LA LLAMADA INFORMACIÓN PAÍS POR PAÍS. 10. ALCANCE DE LA LLAMADA "DOCUMENTACIÓN ESPECÍFICA DEL GRUPO". 11. ALCANCE DE LA LLAMADA "DOCUMENTACIÓN ESPECÍFICA DEL CONTRIBUYENTE". 12. EL "ANÁLISIS DE COMPARABILIDAD". 13. RÉGIMEN VIGENTE (TRAS LA STS DE 11 DE JULIO DE 2013 Y LA LIS 27/2014) DE INFRACCIONES Y SANCIONES EN MATERIA DE OPERACIONES VINCULADAS. 14. PROCEDIMIENTO QUE DEBE DE SEGUIR LA INSPECCIÓN PARA REGULARIZAR LOS PRECIOS DE TRANSFERENCIA. 15. CONSECUENCIAS PARA LAS PARTES VINCULADAS DE QUE LA ADMINISTRACIÓN DISCREPE DEL PRECIO FIJADO EN SUS TRANSACCIONES. 16. CONSECUENCIAS DERIVADAS DEL AJUSTE SECUNDARIO. 17. RESTITUCIÓN PATRIMONIAL. 18. SUPUESTOS EN QUE EXISTE RELACIÓN DE VINCULACIÓN. 19. LA APLICACIÓN DE LAS REGLAS DE VALORACIÓN A LAS PERSONAS FÍSICAS. 20. EL PRINCIPIO DE ESTANQUEIDAD EN EL ÁMBITO DE LAS OPERACIONES VINCULADAS. 21. ¿SE APLICA EL RÉGIMEN QUE NOS OCUPA A PERSONAS O ENTIDADES NO RESIDENTES? 22. MÉTODOS DE VALORACIÓN DE LAS OPERACIONES ENTRE PARTES VINCULADAS. 23. LA VALORACIÓN DE LOS SERVICIOS PROFESIONALES. 24. CRITERIOS RELATIVOS AL REPARTO DE COSTES ENTRE PARTES VINCULADAS. 25. CRITERIOS RELATIVOS AL REPARTO DE COSTES DERIVADOS DE LOS SERVICIOS INTRAGRUPO. 26. ACUERDOS PREVIOS DE VALORACIÓN DE OPERACIONES ENTRE PERSONAS O ENTIDADES VINCULADAS. 27. ACUERDOS PREVIOS DE VALORACIÓN DE OPERACIONES VINCULADAS CON OTRAS ADMINISTRACIONES TRIBUTARIAS. 28. VALORACIÓN PREVIA DE GASTOS CORRESPONDIENTES A PROYECTOS DE INVESTIGACIÓN CIENTÍFICAO DE INNOVACIÓN TECNOLÓGICA. 29. ACUERDOS PREVIOS DE VALORACIÓN O DE CALIFICACIÓN Y VALORACIÓN DE RENTAS PROCEDENTES DE DETERMINADOS ACTIVOS INTANGIBLES. 30. SUPRESIÓN DE LA DOBLE IMPOSICIÓN EN EL CASO DE CORRECCIÓN DE LOS BENEFICIOS DE EMPRESAS ASOCIADAS. 31. OPERACIONES VINCULADAS Y RECUPERACIÓN DEL VALOR.

1. NOVEDADES INTRODUCIDAS POR LA VIGENTE LEY 27/2014, DE 27 DE NOVIEMBRE, EN MATERIA DE OPERACIONES VINCULADAS

El régimen de las operaciones vinculadas fue objeto de una profunda modificación con ocasión de la Ley 36/2006, de 29 de noviembre, llamada de medidas para la prevención del fraude fiscal, tanto en el ámbito de la imposición directa como en la imposición indirecta.

Por lo que afecta a la imposición directa, dicha reforma persiguió dos objetivos. El primero referente a la valoración de estas operaciones según precios de mercado, por lo que de esta forma se enlazaba con el criterio contable existente que resulta de aplicación en el registro en cuentas anuales individuales de las operaciones reguladas en el artículo 16 del Texto Refundido de la Ley del Impuesto sobre Sociedades (actual art. 18), aprobado por Real Decreto Legislativo 4/2004, de 5 de marzo. En este sentido, el precio de adquisición por el cual han de registrarse contablemente estas operaciones debe corresponderse con el importe que sería acordado por personas o entidades independientes en condiciones de libre competencia, entendiendo por el mismo el valor de mercado, si existe un mercado representativo o, en su defecto, el derivado de aplicar determinados modelos y técnicas de general aceptación y en armonía con el principio de prudencia.

En definitiva, el régimen fiscal de las operaciones vinculadas recoge el mismo criterio de valoración que el establecido en el ámbito contable. En tal sentido, la Administración tributaria podría corregir dicho valor contable cuando determine que el valor normal de mercado difiere del acordado por las personas o entidades vinculadas, con regulación de las consecuencias fiscales de la posible diferencia entre ambos valores.

El segundo objetivo estribaba en adaptar la legislación española en materia de precios de transferencia al contexto internacional, en particular a las directrices de la OCDE sobre la materia y al Foro europeo sobre precios de transferencia, a cuya luz debía interpretarse la normativa modificada. De esta manera, se homogeneizó la actuación de la Administración tributaria española con los países de nuestro entorno, al tiempo que además se dotó a las actuaciones de comprobación de una mayor seguridad al regularse la obligación de documentar por el sujeto pasivo la determinación del valor de mercado que se ha acordado en las operaciones vinculadas en las que intervenga.

El correspondiente desarrollo reglamentario estableció la documentación que debería de estar a disposición de la Administración tributaria a estos efectos. Las obligaciones específicas de documentación habrían de responder al principio de minoración del coste de cumplimiento, garantizando a la vez a la Administración tributaria el ejercicio de sus facultades de comprobación en esta materia, especialmente en aquellas operaciones susceptibles de ocasionar perjuicio económico para la Hacienda Pública. Para ello, el futuro desarrollo reglamentario fijó excepciones o modificaciones de la obligación general de documentación, de acuerdo con las características de los grupos empresariales, las empresas o las operaciones vinculadas, en particular cuando la exigencia de determinadas obligaciones documentales pudiera dar lugar a unos costes de cumplimiento desproporcionados.

Por otro lado, con la reforma del año 2006 también se fomentaron los mecanismos de colaboración de los contribuyentes con la Administración tributaria al flexibilizar el régimen de los acuerdos previos de valoración e introducir una regulación legal específica de los procedimientos amistosos que permita un futuro desarrollo reglamentario de los mismos.

Ahora bien, ¿qué novedades ha introducido al respecto la vigente Ley 27/2014, de 27 de noviembre?

a)   La reforma ha venido a simplificar el régimen de documentación para aquellas entidades o grupos de entidades cuyo importe neto de la cifra de negocios sea inferior a 45 millones de euros.

   La nueva normativa aclara, no obstante, que en ningún caso el contenido simplificado de la documentación será de aplicación a las siguientes operaciones: (i) Operaciones realizadas por contribuyentes del IRPF –actividades económicas– a la que resulte de aplicación el método de estimación objetiva con entidades en las que aquéllos o sus cónyuges, ascendientes o descendientes, de forma individual o conjuntamente entre todos ellos, tengan un porcentaje igual o superior al 25 % del capital social o de los fondos propios; (ii) Operaciones de transmisión de negocios; (iii) Operaciones de transmisión de valores o participaciones representativos de la participación en los fondos propios de cualquier tipo de entidades no admitidas a negociación en alguno de los mercados regulados de valores, o que estén admitidos a negociación en mercados regulados situados en países o territorios calificados como paraísos fiscales; (iv) Las operaciones sobre inmuebles y (v) Operaciones sobre activos intangibles.

b)   Con el mismo ánimo de limitar las obligaciones de documentación, se restringe ahora el perímetro de la vinculación en el ámbito socio-sociedad, quedando fijado en el 25%, frente al 5% anterior.

   Con afortunadísimo criterio, de la versión del Anteproyecto de la LIS desapareció la referencia al "poder de decisión", expresión que estaba llamada en el primero a sustituir al "control" como eje del concepto de grupo de empresas. De haberse impuesto el elemento "poder –o unidad– de decisión" –equivalente al concepto de "dirección única", tal como fue históricamente interpretado por la jurisprudencia–, se nos hubiera condenado a vivir la atroz inseguridad jurídica que desde los años 2004 a 2008 sufrió el concepto –con las consecuencias de tan diverso orden fiscal que del mismo derivan– de grupo de empresas.

Pero el fantasma que parecía haber desaparecido al recuperar la LIS el concepto de "control" en la delimitación del perímetro del "grupo", vuelve a aparecer por la vía de considerar parte vinculada a quien ejerza la administración "de hecho", dando entrada en el "grupo", por la puerta de atrás, a las llamadas Entidades de Propósito Especial (EPE´s):

Tras las sentencias del TS de 7 y de 16 de diciembre de 2010, así como del artículo 2 NOFCAC, tanto a efectos contables como fiscales, no sólo existirá grupo de empresas cuando nos encontremos en cualquiera de los supuestos contemplados en el art. 42 del Código de Comercio, sino que también podrá haberlo cuando una empresa o grupo participe "en los riesgos y en los beneficios de otra u otras entidades" o bien cuando tenga "capacidad para participar en las decisiones de explotación y financieras" de éstas. Pues bien, ¿en qué casos existe control y, por tanto, grupo de empresas por el mero hecho de que una(s) entidad(es) participe(n) en los riesgos y beneficios o en las decisiones de explotación y financieras de otra u otras, aun cuando no posea la mayoría de los derechos de voto o no tenga la facultad de nombrar o destituir a miembros del órgano de administración (Art. 42 Código de Comercio)? Pues en los supuestos de EPE´s.

¿Qué se entiende, pues, por EPE´s? Aunque no contempladas en el Código de Comercio (sí en las NIC), son EPE las "empresas instrumentales", hayan tomado forma de sociedades mercantiles o no, creadas para alcanzar un objetivo concreto y definido de antemano, de modo que actúan, en esencia, como una extensión de las actividades de un grupo empresarial.

Son muchos los ejemplos que se pueden poner al respecto. La actual tendencia de la industria y el comercio hacia la externalización y la subcontratación de su producción, de la transformación y/o de la distribución de sus productos conduce casi siempre a intervenir en sus decisiones de explotación y financieras, creando también en los cientos (miles) de entidades subcontratistas una decidida dependencia de los riesgos y beneficios del grupo para el que trabajan, frecuentemente con carácter exclusivo. En todas estas redes empresariales de subcontratación o externalización del suministro y/o de la producción o la transformación, es inevitable la conexión entre riesgos y beneficios, así como también la intervención en las decisiones de explotación financieras, generando peligrosamente, de acuerdo con el nuevo concepto de control que figu-

ra en la LIS (el que deriva de la administración de hecho), grupos de empresas, y ello aun cuando no posean unas sobre otras la mayoría de los derechos de voto y no tengan la facultad de nombrar o destituir a miembros del órgano de administración.

c) Igualmente, se ha suprimido uno de los supuestos de vinculación: los socios de la entidad se consideraban vinculados entre sí por el mero hecho de que uno de los socios formase parte de un grupo mercantil con la entidad participada. Con efectos para los períodos impositivos iniciados a partir del día 1 de enero de 2015, ya no se consideran vinculadas una entidad y los cónyuges o personas unidas por relaciones de parentesco, en línea directa o colateral, por consanguinidad o afinidad hasta el tercer grado de los socios o partícipes de otra entidad cuando ambas entidades pertenezcan a un grupo.

d) Por otra parte, en relación con la metodología de valoración de las operaciones, se elimina la jerarquía de métodos que contenía la regulación anterior para determinar el valor de mercado de las operaciones vinculadas, admitiéndose, adicionalmente, con carácter subsidiario, otros métodos y técnicas de valoración, siempre que respeten el principio de libre competencia.

e) La reforma operada puntualiza que, para el caso de contribuyentes que posean un establecimiento permanente (EP) en el extranjero, en aquellos supuestos en que así esté establecido en un CDI, se incluirán en la base imponible de aquéllos las rentas estimadas por operaciones internas realizadas con el EP valoradas por su valor de mercado.

f) En relación con los acuerdos previos de valoración (APA´s), se aclara ahora que con la solicitud que se presente se ha de acompañar una propuesta de valor fundamentada en el principio de libre competencia (antes se hacía referencia al valor normal de mercado), así como el hecho de que estará permitido que sus efectos alcancen a las operaciones de períodos impositivos anteriores siempre que no estuvieran prescritos.

g) En lo que se refiere al ajuste secundario, se contempla la posibilidad de que no se practique el ajuste cuando se proceda a la restitución patrimonial de la diferencia valorativa.

Muy poco tiempo duró (desde que se publicó el Anteproyecto de la LIS hasta que se publicó el Proyecto) la dicha de ver eliminado el ajuste secundario. Es más, ni siquiera está claro que en la redacción definitiva el ajuste secundario tenga la naturaleza de presunción *iuris tantum*, o sea, de una presunción que admita prueba en contrario, sino más bien de una presunción *iuris et de iure* o una *fictio iuris*, apartándose del criterio que el TS ha defendido en su sentencia de 27 de mayo de 2014.

h) También se ha destacar, en cuanto a los cambios operados en la normativa de operaciones vinculadas se refiere, que el régimen sancionador ahora ha pasado a ser menos gravoso.

i) Por último, debe hacerse referencia a la estanqueidad de la valoración realizada conforme a la normativa de precios de transferencia (en el sentido de que deberá afectar exclusivamente al IS, al IRPF y al IRNR) con respecto a la valoración que se pudiera hacer en otros ámbitos, como pudiera ser el supuesto del valor en aduana, contrariamente a la tendencia recientemente adoptada por ciertos Tribunales Superiores de Justicia y el TS.

El legislador español parece ir contracorriente porque para justificar precisamente el criterio contrario (concretamente a fin de justificar el carácter vinculante para la AEAT del valor de mercado determinado por una Administración autonómica en relación con los mismos activos) invocaron tanto el TS (Sentencia de 9 de diciembre de 2013) como la jurisprudencia menor (v.gr. STSJ Galicia de 27 de febrero de 2013) el llamado principio de delegación de funciones.

2. CONCEPTO FISCAL DE VALOR DE MERCADO Y CONCEPTO CONTABLE DE VALOR RAZONABLE

El **concepto** de valor de mercado es coincidente con el valor razonable a que se refiere la norma contable. Así, se entiende por valor de mercado aquel que se habría acordado por personas o entidades independientes en condiciones que respeten el principio de libre competencia. Según el PGC, el **valor razonable** es el importe por el que puede ser intercambiado un activo o liquidado un pasivo, entre partes interesadas y debidamente informadas, que realicen una transacción en condiciones de independencia mutua. El valor razonable se determina sin deducir los costes de transacción en los que pudiera incurrirse en su enajenación. No tiene en ningún caso el carácter de valor razonable el que sea resultado de una transacción forzada, urgente o como consecuencia de una situación de liquidación involuntaria, de manera que con carácter general el valor razonable se calcula por referencia a un valor fiable de mercado.

De acuerdo con dichos conceptos, valor de mercado y valor razonable son términos **coincidentes,** con la única diferencia de que tienen una denominación distinta en el ámbito contable y fiscal. Esta similitud está reconocida desde la Ley 36/2006, que establece expresamente que el régimen fiscal de las operaciones vinculadas recoge el mismo criterio de valoración que el establecido en el ámbito contable

No obstante, el PGC señala que cuando **los elementos no puedan valorarse de manera fiable**, ya sea por referencia a un valor de mercado o mediante la aplicación de los modelos y técnicas de valoración, se valorarán, según proceda, por su coste amortizado o por su precio de adquisición o coste de producción, minorado, en su caso, por las partidas correctoras de su valor que pudieran corresponder, haciendo mención en la memoria de este hecho y de las circunstancias que lo motivan, es decir, este supuesto parece que es el único donde la norma contable no utiliza el valor razonable como criterio de valoración mientras que la normativa del Impuesto sobre Sociedades obliga a buscar un valor de mercado, por lo que en este único supuesto habría diferencia entre la valoración contable y fiscal.

En todo caso, tengamos presente que, tal como reiteradamente han establecido tanto la DGT como el ICAC (v.gr. CV de 17 de noviembre de 2011), el **registro contable** de las operaciones debe realizarse (haya o no vinculación) atendiendo al fondo económico y jurídico de la operación.

3. LEGITIMACIÓN PARA VALORAR A PARÁMETROS DE MERCADO LAS OPERACIONES VINCULADAS

No obstante las muchas páginas que la literatura fiscal ha escrito sobre la naturaleza jurídica de la obligación de valorar a parámetros de mercado las operaciones entre partes vinculadas, siendo para unos una presunción *iuris et de iure* y para otros una *fictio iuris*, tanto la doctrina de los autores como el Comité de Asuntos Fiscales de la OCDE coinciden en que se trata de una regla imperativa de valoración. Estamos ante una norma que imperativamente impone valorar a precios de mercado (y en ocasiones a recalificar) las operaciones entre partes vinculadas, primera expresión del principio *arm´s lenght* y garantía contra el desplazamiento o deslocalización de la actividad y, en definitiva, del resultado empresarial.

El art. 17 LIS impone a las partes intervinientes en ciertas operaciones la valoración con referencia al mercado, y el artículo siguiente, el 18, particulariza esta obligación tratándose de entregas de bienes o prestaciones de servicios entre partes vinculadas. Y ello es así tanto en el supuesto de la obligación principal como en la secundaria, correspondiendo a la Administración, en ejercicio de su potestad de comprobación, verificar si se ha respetado la norma imperativa de valoración que nos ocupa, examinar la documentación reglamentariamente exigible que justifique los precios de transferencia y, en su caso, practicar los correspondientes ajustes.

Nótese que la Administración podrá corregir, o sea, ajustar a parámetros de mercado las operaciones entre partes vinculadas residentes en territorio español (circunstancia en la cual el desvío de aquél en las transacciones no habrá causado perjuicio económico alguno para la Hacienda Pública), como en el supuesto de entregas de bienes y prestaciones de servicios entre partes vinculadas con residentes en distintos países, supuesto en el cual sí se causará a alguna de las jurisdicciones perjuicio económico.

No es pacífica doctrinalmente, sin embargo, la respuesta a si el obligado tributario puede corregir, por iniciativa propia, o sea, sin que previamente se hubiese iniciado procedimiento de inspección alguno, los valores de referencia cuando descubra que, después de haberse facturado y contabilizado una operación, los precios pactados se apartan de los parámetros de mercado. En nuestra opinión, de la misma manera que la base imponible se puede corregir cuando total o parcialmente una transacción queda sin efecto, también las partes intervinientes pueden rectificar los precios de transferencia si advierten, después de formalizada y contabilizada aquélla, pero antes de los cuatro años de prescripción, que, por las razones que fueran, se cuantificó al margen de las referencias del mercado. Ambas partes no solo pueden, sino que deben de practicar, bien es cierto que bilateralmente, el correspondiente ajuste de la transacción a valores de mercado, elevando una de ellas el ingreso y deduciendo fiscalmente la otra parte contratante el correspondiente gasto.

Para el Tribunal Supremo, el actual art. 18 LIS (antiguo art. 16) no puede interpretarse en el sentido de que el contribuyente, al efectuar su declaración, debe realizar un **ajuste** extracontable para adecuar su base imponible al valor de mercado de las operaciones vinculadas, pues ello supondría reconocer un previo incumplimiento contable que la norma fiscal no puede amparar (STS de 28 de marzo de 2012). En definitiva, el ajuste lo practica la Administración tributaria cuando en fase de comprobación determine que el valor pactado difiere al de mercado. El ajuste solo lo podría realizar el contribuyente si detecta que ha existido un error contable una vez se hayan aprobado las cuentas del ejercicio, lo cual supondría que se rectifique la operación computando la diferencia entre el valor de mercado y el convenido en cuentas de reservas, siempre que se realice antes de la declaración del Impuesto de Sociedades pues, de ser posterior, ello provocaría bien presentar una declaración complementaria o instar la rectificación de la declaración presentada.

Al respecto la DGT (CV de 10 de octubre de 2010) ha señalado que en las operaciones realizadas entre partes vinculadas (arrendamiento de vivienda a una persona vinculada) cuando el **precio pactado difiera del de mercado,** contablemente debe registrarse como ingreso el precio de mercado, por lo que no procede que la entidad haga ajustes a su resultado contable.

Ahora bien, la novedad introducida por el art. 20 del RIS de restituir patrimonialmente las diferencias entre el valor convenido y el valor de mercado de las operaciones vinculadas [apartado 2°: No se aplicará lo dispuesto en el apartado anterior (o sea, que en aquellas operaciones en las cuales el valor convenido sea distinto del valor de mercado, la diferencia entre ambos valores tendrá para las personas o entidades vinculadas el tratamiento fiscal que corresponda a la naturaleza de las rentas puestas de manifiesto como consecuencia de la existencia de dicha diferencia) cuando se proceda a la restitución patrimonial entre las personas o entidades vinculadas, para lo cual el contribuyente deberá justificar dicha restitución antes de que se dicte la liquidación que incluya la aplicación de lo señalado en el apartado anterior] parece claro que abunda en la posición que estamos defendiendo.

4. EL AJUSTE, SIEMPRE BILATERAL

El apartado 10 del art. 18 de la vigente LIS, después de señalar que la Administración tributaria podrá comprobar las operaciones realizadas entre personas o entidades vinculadas y efectuará, en su caso, las correcciones que procedan en los términos que se hubieran acordado entre partes independientes de acuerdo con el principio de libre competencia, respecto de las operaciones sujetas a este Impuesto, al Impuesto sobre la Renta de las Personas Físicas o al Impuesto sobre la Renta de no Residentes, con la documentación aportada por el contribuyente y los datos e información de que disponga, decimos que después de señalar lo que se ha transcrito, establece los dos siguientes imperativos:

a. Que la Administración tributaria quedará vinculada por dicha corrección en relación con el resto de personas o entidades vinculadas.

b. Que la corrección practicada no determinará la tributación por este Impuesto ni, en su caso, por el Impuesto sobre la Renta de las Personas Físicas o por el Impuesto sobre la Renta de no Residentes de una renta superior a la efectivamente derivada de la operación para el conjunto de las personas o entidades que la hubieran realizado. Para efectuar la comparación se tendrá en cuenta aquella parte de la renta que no se integre en la base imponible por resultar de aplicación algún método de estimación objetiva

En definitiva, los valores determinados por la Administración tienen naturaleza vinculante y han de aplicarse a ambas partes, de modo que el carácter bilateral del ajuste evite un enriquecimiento injusto para la Hacienda Pública.

Tal es, por otra parte, la justificación que tiene el vigente procedimiento de ajuste, en particular:

– Si contra la liquidación provisional practicada a un obligado tributario como consecuencia de la comprobación, éste interpusiera el correspondiente recurso o reclamación, se notificará dicha circunstancia a las demás personas o entidades vinculadas afectadas, al objeto de que puedan personarse en el correspondiente procedimiento y presentar las oportunas alegaciones.

— Transcurridos los plazos oportunos sin que el obligado tributario haya interpuesto recurso o reclamación, se notificará la liquidación practicada a las demás personas o entidades vinculadas afectadas, para que aquellos que lo deseen puedan optar de forma conjunta por interponer el oportuno recurso o reclamación.

— La interposición de recurso o reclamación interrumpirá el plazo de prescripción del derecho de la Administración tributaria a efectuar las oportunas liquidaciones al obligado tributario y a las demás personas o entidades afectadas, a quienes se comunicará dicha interrupción, iniciándose de nuevo el cómputo de dicho plazo cuando la liquidación practicada por la Administración haya adquirido firmeza.

— La firmeza de la liquidación determinará su eficacia y firmeza frente a las demás personas o entidades vinculadas. La Administración tributaria efectuará las regularizaciones que correspondan, salvo que dichas regularizaciones se hayan efectuado por la propia persona o entidad vinculada afectada.

— La regularización realizada por la Administración tributaria deberá ser tenida en cuenta por los contribuyentes en las declaraciones que se presenten tras la firmeza de la liquidación, cuando la operación vinculada produzca efectos en las mismas.

Ahora bien, a poco que nos detengamos ante ejemplos de cada uno de los posibles supuestos de entregas de bienes y de prestaciones de servicios entre partes vinculadas, fácilmente caeremos en la cuenta de que existen al menos dos supuestos en que el ajuste no será nunca bilateral. En otras palabras, existen al menos dos casos en que el ajuste positivo en una parte va a provocar precisamente lo que la norma parece llamada a evitar: una tributación de una renta superior a la efectivamente derivada de la operación para el conjunto de las partes. Se trata de los siguientes:

11. Venta por debajo del precio de mercado de bienes o servicios de sociedad a socio, cuando éste adquiera a título particular, esto es, al margen de cualquier actividad económica.

En este caso, la comprobación administrativa se traducirá en un incremento de la base imponible para la entidad vendedora (ajuste positivo), pero no podrá hacerse el ajuste correlativo en la parte compradora ya que al actuar ésta a título particular, la adquisición no representa un gasto, por lo que no cabe el consiguiente ajuste negativo.

12. Venta por debajo del precio de mercado de bienes o servicios de sociedad a socio, cuando éste adquiera a título de empresario o profesional, pero haya optado por el régimen de estimación objetiva.

En este supuesto, la comprobación administrativa se traducirá también en un incremento de la base imponible para la sociedad vendedora (ajuste positivo), pero no podrá la Administración practicar el correspondiente ajuste negativo en la base de la parte compradora porque, como sabemos, no viene ésta determinada sobre la base del resultado contable, sino de acuerdo con signos, índices y módulos. Consiguientemente, la calificación del efecto del ajuste para la parte adquirente como mayor gasto carece de incidencia en la cuota a ingresar del ejercicio, razón por la cual el ajuste no llega a ser nunca bilateral.

5. LA ACTUALIZACIÓN DE LOS VALORES CONTABLES DE LOS ACTIVOS EMPRESARIALES

Mercantilmente, para los estados financieros que se correspondan con los ejercicios que comiencen a partir del 1 de enero de 2016 se establece que los activos y pasivos podrán valorarse por su valor razonable, en los términos que reglamentariamente se determinen, dentro de los límites de la normativa europea. Tengamos presente que hasta entonces la aplicación del valor razonable sólo procede con carácter general en relación con determinados instrumentos financieros.

Dada la remisión a la regulación reglamentaria, se ha derogado la previsión del Código de Comercio relativa a la valoración según el valor razonable de determinados activos y pasivos financieros.

Fiscalmente, tengamos presente que deberá indicarse si la variación de valor originada en el elemento patrimonial debe imputarse a la cuenta de pérdidas y ganancias o debe de incluirse directamente en el patrimonio neto porque, como es sabido, las oscilaciones de valor originadas por aplicación del criterio del valor razonable no tendrán efectos fiscales mientras no deban de imputarse a la cuenta de pérdidas y ganancias (art. 17,1º LIS).

6. EL PERÍODO IMPOSITIVO AL CUAL DEBEN DE SER IMPUTADOS LOS AJUSTES REALIZADOS POR LA ADMINISTRACIÓN

Cuando la comprobación de las operaciones vinculadas no sea el objeto único de la regularización que proceda practicar en el procedimiento de inspección en el que se lleve a cabo, la propuesta de liquidación que derive de la misma se documentará en un acta distinta de las que deban formalizarse por los demás elementos de la obligación tributaria.

Si el contribuyente interpone recurso o reclamación contra la liquidación provisional practicada como consecuencia de la regularización practicada, se notificará dicha liquidación y la existencia del procedimiento revisor a las demás personas o entidades vinculadas afectadas al objeto de que puedan personarse en el procedimiento.

Transcurridos los plazos oportunos sin que el contribuyente haya interpuesto recurso o reclamación, se notificará la liquidación provisional practicada a las demás personas o entidades vinculadas afectadas para que aquellas que lo deseen puedan optar de forma conjunta por interponer el oportuno recurso de reposición o reclamación económico-administrativa.

Una vez que la liquidación practicada al contribuyente haya adquirido firmeza, la Administración tributaria regularizará de oficio la situación tributaria de las demás personas o entidades vinculadas, salvo que estas hubieran ya efectuado la referida regularización con carácter previo. La regularización se realizará mediante la práctica de una liquidación o, en su caso, de una autoliquidación o de una liquidación derivada de una solicitud de rectificación de la autoliquidación correspondiente al último período impositivo cuyo plazo de declaración e ingreso hubiera finalizado en el momento en que se produzca tal firmeza. Tratándose de impuestos en los que no exista período impositivo, dicha regularización se realizará mediante la práctica de una liquidación correspondiente al momento en que se produzca la firmeza de la liquidación o, en su caso, de una autoliquidación o de una liquidación derivada de una solicitud de rectificación de la autoliquidación practicada al contribuyente.

En el caso de impuestos en los que existen períodos impositivos, esta regularización deberá comprender todos aquellos que estén afectados por la corrección llevada a cabo por la Administración tributaria, derivada de la comprobación de la operación vinculada.

En todo caso, la regularización a ambas partes vinculadas se hará imputando el ingreso y deduciendo el gasto (ajuste bilateral) en el ejercicio en que se formalizó y perfeccionó la entrega del bien o la prestación del servicio.

Hasta el punto habrá de respetarse la indicada regla de imputación temporal que si el ejercicio fiscal sobre el cual debe la Inspección de practicar el correspondiente ajuste negativo ha prescrito, no puede hacerse ajuste positivo alguno a la otra parte vinculada.

En lo que se refiere, en fin, al capítulo de la imputación temporal, hemos poner en evidencia que el vigente Reglamento incorporó una interesante y valiosa novedad: la regularización realizada por la Administración tributaria deberá ser tenida en cuenta por los contribuyentes en las declaraciones que se presenten tras la firmeza de la liquidación, cuando la operación vinculada produzca efectos en las mismas.

7. LAS OBLIGACIONES DE DOCUMENTACIÓN TRAS LA ENTRADA EN VIGOR DE LA LEY 27/2014, DE 27 DE NOVIEMBRE

Las personas o entidades vinculadas, con objeto de justificar que las operaciones efectuadas se han valorado por su valor de mercado, deberán mantener a disposición de la Administración tributaria, de acuerdo con principios de proporcionalidad y suficiencia, la documentación específica a la cual se hará referencia más adelante.

Dicha documentación tendrá un contenido simplificado en relación con las personas o entidades vinculadas cuyo importe neto de la cifra de negocios sea inferior a 45 millones de euros.

En ningún caso, el contenido simplificado de la documentación resultará de aplicación a las siguientes operaciones:

1.º Las realizadas por contribuyentes del Impuesto sobre la Renta de las Personas Físicas, en el desarrollo de una actividad económica, a la que resulte de aplicación el método de estimación objetiva con entidades en las que aquellos o sus cónyuges, ascendientes o descendientes, de forma individual o conjuntamente entre todos ellos, tengan un porcentaje igual o superior al 25 por ciento del capital social o de los fondos propios.

2.º Las operaciones de transmisión de negocios.

3.º Las operaciones de transmisión de valores o participaciones representativos de la participación en los fondos propios de cualquier tipo de entidades no admitidas a negociación en alguno de los mercados regulados de valores, o que estén admitidos a negociación en mercados regulados situados en países o territorios calificados como paraísos fiscales.

4.º Las operaciones sobre inmuebles.

5.º Las operaciones sobre activos intangibles.

La documentación específica no será exigible:

a. A las operaciones realizadas entre entidades que se integren en un mismo grupo de consolidación fiscal (sin perjuicio de lo previsto en el artículo 65.2 de esta Ley).

b. A las operaciones realizadas con sus miembros o con otras entidades integrantes del mismo grupo de consolidación fiscal por las agrupaciones de interés económico, de acuerdo con lo previsto en la Ley 12/1991, de

Agrupaciones de interés Económico, y las Uniones Temporales de Empresas, reguladas en la Ley 18/1982, e inscritas en el registro especial del Ministerio de Hacienda y Administraciones Públicas. No obstante, la documentación específica será exigible en el caso de uniones temporales de empresas o fórmulas de colaboración análogas a las uniones temporales, que se acojan al régimen establecido en el artículo 22 de esta Ley.

c. Las operaciones realizadas en el ámbito de ofertas públicas de venta o de ofertas públicas de adquisición de valores.

d. A las operaciones realizadas con la misma persona o entidad vinculada, siempre que el importe de la contraprestación del conjunto de operaciones no supere los 250.000 euros, de acuerdo con el valor de mercado.

8. INFORMACIÓN Y DOCUMENTACIÓN EXIGIBLES SOBRE ENTIDADES Y OPERACIONES VINCULADAS

Las entidades residentes en territorio español que tengan la condición de dominantes de un grupo y no sean al mismo tiempo dependientes de otra entidad, residente o no residente, deberán aportar la información país por país a que nos referiremos más adelante.

Asimismo, deberán aportar esta información aquellas entidades residentes en territorio español dependientes, directa o indirectamente, de una entidad no residente en territorio español que no sea al mismo tiempo dependiente de otra o a establecimientos permanentes de entidades no residentes, siempre que se produzca alguna de las siguientes circunstancias:

a. Que hayan sido designadas por su entidad matriz no residente para elaborar dicha información.

b. Que no exista una obligación de información país por país en términos análogos a la prevista en este apartado respecto de la referida entidad no residente en su país o territorio de residencia fiscal.

c. Que no exista un acuerdo de intercambio automático de información, respecto de dicha información, con el país o territorio en el que resida fiscalmente la referida entidad no residente.

d. Que, existiendo un acuerdo de intercambio automático de información respecto de dicha información con el país o territorio en el que reside fiscalmente la referida entidad no residente, se haya producido un incumplimiento sistemático del mismo que haya sido comunicado por la Administración tributaria española a las entidades dependientes o a los establecimientos permanentes residentes en territorio español en el plazo previsto en el párrafo siguiente.

Téngase en cuenta que cualquier entidad residente en territorio español que forme parte de un grupo obligado a presentar la información aquí establecida deberá comunicar a la Administración tributaria la identificación y el país o territorio de residencia de la entidad obligada a elaborar esta información. Esta comunicación deberá realizarse antes de la finalización del período impositivo al que se refiera la información.

El plazo para presentar la información anteriormente descrita concluirá transcurridos doce meses desde la finalización del período impositivo. El suministro de dicha información se efectuará en el modelo elaborado al efecto, que se aprobará por Orden del Ministro de Hacienda y Administraciones Públicas.

Por otra parte, las personas o entidades vinculadas, con el objeto de justificar que las operaciones efectuadas se han valorado a precios de mercado, deberán aportar, a requerimiento de la Administración tributaria, la siguiente documentación específica:

a) La documentación a que se refiere el artículo 15 del RIS, relativa a las operaciones vinculadas del grupo al que pertenece el contribuyente, incluyendo a los establecimientos permanentes que formen parte del mismo.

b) La documentación del contribuyente a que se refiere el artículo 16 del RIS. Los establecimientos permanentes de entidades no residentes en territorio español estarán igualmente obligados a aportar esta documentación.

Esta documentación deberá estar a disposición de la Administración tributaria a partir de la finalización del plazo voluntario de declaración, y es independiente de cualquier documentación o información adicional que la Administración tributaria pueda solicitar en el ejercicio de sus funciones de comprobación.

La documentación específica señalada deberá elaborarse de acuerdo con los principios de proporcionalidad y suficiencia. En su preparación, el contribuyente podrá utilizar aquella documentación relevante de que disponga para otras finalidades.

Ahora bien, la documentación específica señalada en el apartado anterior no resultará de aplicación:

a. A las operaciones realizadas entre entidades que se integren en un mismo grupo de consolidación fiscal.

b. A las operaciones realizadas con sus miembros o con otras entidades integrantes del mismo grupo de consolidación fiscal por las agrupaciones de interés económico, de acuerdo con lo previsto en la Ley 12/1991, de 29 de abril, de Agrupaciones de Interés Económico, y las uniones temporales de empresas, reguladas en la Ley 18/1982, de 26 de mayo, sobre régimen fiscal de agrupaciones y uniones temporales de Empresas y de las Sociedades de desarrollo industrial regional, e inscritas en el registro especial del Ministerio de Hacienda y Administraciones Públicas. No obstante la documentación específica será exigible en el caso de uniones temporales de empresas o fórmulas de colaboración análogas a las uniones temporales, que se acojan al régimen establecido en el artículo 22 de la Ley del Impuesto.

c. A las operaciones realizadas en el ámbito de ofertas públicas de venta o de ofertas públicas de adquisición de valores.

d. A las operaciones realizadas con la misma persona o entidad vinculada, siempre que el importe de la contraprestación del conjunto de operaciones no supere los 250.000 euros, de acuerdo con el valor de mercado.

9. ALCANCE DE LA LLAMADA INFORMACIÓN PAÍS POR PAÍS

La información país por país resultará exigible a las entidades vinculadas exclusivamente cuando el importe neto de la cifra de negocios del conjunto de personas o entidades que formen parte del grupo, en los 12 meses anteriores al inicio del período impositivo, sea, al menos, de 750 millones de euros.

La información país por país comprenderá, respecto del período impositivo de la entidad dominante, de forma agregada, por cada país o jurisdicción:

a) Ingresos brutos del grupo, distinguiendo entre los obtenidos con entidades vinculadas o con terceros.

b) Resultados antes del Impuesto sobre Sociedades o Impuestos de naturaleza idéntica o análoga al mismo.

c) Impuestos sobre Sociedades o Impuestos de naturaleza idéntica o análoga satisfechos, incluyendo las retenciones soportadas.

d) Impuestos sobre Sociedades o Impuestos de naturaleza idéntica o análoga al mismo devengados, incluyendo las retenciones.

e) Importe de la cifra de capital y otros fondos propios existentes en la fecha de conclusión del período impositivo.

f) Plantilla media.

g) Activos materiales e inversiones inmobiliarias distintos de tesorería y derechos de crédito.

h) Lista de entidades residentes, incluyendo los establecimientos permanentes y actividades principales realizadas por cada una de ellas.

i) Otra información que se considere relevante y una explicación, en su caso, de los datos incluidos en la información.

3. La información establecida en este artículo se presentará en euros.

10. ALCANCE DE LA LLAMADA "DOCUMENTACIÓN ESPECÍFICA DEL GRUPO"

El régimen de las operaciones vinculadas que ha establecido la vigente LIS (ley 27/2014, de 27 de noviembre) exige en ciertos casos la llevanza y conservación de *"documentación específica del grupo al que pertenezca el contribuyente"*.

La documentación relativa al grupo deberá comprender:

a) **Información relativa a la estructura y organización del grupo:**

1.º Descripción general de la estructura organizativa, jurídica y operativa del grupo, así como cualquier cambio relevante en la misma.

2.º Identificación de las distintas entidades que formen parte del grupo.

b) **Información relativa a las actividades del grupo:**

1.º Actividades principales del grupo, así como descripción de los principales mercados geográficos en los que opera el grupo, fuentes principales de beneficios y cadena de suministro de aquellos bienes y servicios que representen, al menos, el 10 por ciento del importe neto de la cifra de negocios del grupo, correspondiente al período impositivo.

2.º Descripción general de las funciones ejercidas, riesgos asumidos y principales activos utilizados por las distintas entidades del grupo, incluyendo los cambios respecto del período impositivo anterior.

3.º Descripción de la política del grupo en materia de precios de transferencia que incluya el método o métodos de fijación de los precios adoptados por el grupo.

4.º Relación y breve descripción de los acuerdos de reparto de costes y contratos de prestación de servicios relevantes entre entidades del grupo.

5.º Descripción de las operaciones de reorganización y de adquisición o cesión de activos relevantes, realizadas durante el período impositivo.

c) **Información relativa a los activos intangibles del grupo:**

1.º Descripción general de la estrategia global del grupo en relación al desarrollo, propiedad y explotación de los activos intangibles, incluyendo la localización de las principales instalaciones en las que se realicen actividades de investigación y desarrollo, así como la dirección de las mismas.

2.º Relación de los activos intangibles del grupo relevantes a efectos de precios de transferencia, indicando las entidades titulares de los mismos, así como descripción general de la política de precios de transferencia del grupo en relación con los mismos.

3.º Importe de las contraprestaciones correspondientes a las operaciones vinculadas del grupo, derivadas de la utilización de los activos intangibles, identificando las entidades del grupo afectadas y sus territorios de residencia fiscal.

4.º Relación de acuerdos entre las entidades del grupo relativos a intangibles, incluyendo los acuerdos de reparto de costes, los principales acuerdos de servicios de investigación y acuerdos de licencias.

5.º Descripción general de cualquier transferencia relevante sobre activos intangibles realizada en el período impositivo, incluyendo las entidades, países e importes.

d) **Información relativa a la actividad financiera:**

1.º Descripción general de la forma de financiación del grupo, incluyendo los principales acuerdos de financiación suscritos con personas o entidades ajenas al grupo.

2.º Identificación de las entidades del grupo que realicen las principales funciones de financiación del grupo, así como el país de su constitución y el correspondiente a su sede de dirección efectiva.

3.º Descripción general de la política de precios de transferencia relativa a los acuerdos de financiación entre entidades del grupo.

e) **Situación financiera y fiscal del grupo:**

1.º Estados financieros anuales consolidados del grupo, siempre que resulten obligatorios para el mismo o se elaboren de manera voluntaria.

2.º Relación y breve descripción de los acuerdos previos de valoración vigentes y cualquier otra decisión con alguna autoridad fiscal que afecte a la distribución de los beneficios del grupo entre países.

La documentación que se ha detallado, o sea, la específica del grupo, no resultará de aplicación a aquellos grupos en los que el importe neto de la cifra de negocios sea inferior a 45 millones de euros.

11. ALCANCE DE LA LLAMADA "DOCUMENTACIÓN ESPECÍFICA DEL CONTRIBUYENTE"

La documentación específica del contribuyente deberá comprender:

a) **Información del contribuyente:**

1.º Estructura de dirección, organigrama y personas o entidades destinatarias de los informes sobre la evolución de las actividades del contribuyente, indicando los países o territorios en que dichas personas o entidades tienen su residencia fiscal.

2.º Descripción de las actividades del contribuyente, de su estrategia de negocio y, en su caso, de su participación en operaciones de reestructuración o de cesión o transmisión de activos intangibles en el período impositivo.

3.º Principales competidores.

b) **Información de las operaciones vinculadas:**

1.º Descripción detallada de la naturaleza, características e importe de las operaciones vinculadas.

2.º Nombre y apellidos o razón social o denominación completa, domicilio fiscal y número de identificación fiscal del contribuyente y de las personas o entidades vinculadas con las que se realice la operación.

3.º Análisis de comparabilidad detallado.

4.º Explicación relativa a la selección del método de valoración elegido, incluyendo una descripción de las razones que justificaron la elección del mismo, así como su forma de aplicación, los comparables obtenidos y la especificación del valor o intervalo de valores derivados del mismo.

5.º En su caso, criterios de reparto de gastos en concepto de servicios prestados conjuntamente en favor de varias personas o entidades vinculadas, así como los correspondientes acuerdos, si los hubiera, y acuerdos de reparto de costes a que se refiere el artículo 18 de este Reglamento.

6.º Copia de los acuerdos previos de valoración vigentes y cualquier otra decisión con alguna autoridad fiscal que estén relacionados con las operaciones vinculadas señaladas anteriormente.

7.º Cualquier otra información relevante de la que haya dispuesto el contribuyente para determinar la valoración de sus operaciones vinculadas.

c) **Información económico-financiera del contribuyente:**

1.º Estados financieros anuales del contribuyente.

2.º Conciliación entre los datos utilizados para aplicar los métodos de precios de transferencia y los estados financieros anuales, cuando corresponda y resulte relevante.

3.º Datos financieros de los comparables utilizados y fuente de la que proceden.

En el supuesto de que, para determinar el valor de mercado, se utilizan otros métodos y técnicas de valoración generalmente aceptados distintos en los señalados en las letras a) a e) del artículo 18.4 LIS, como pudieran ser métodos de descuento de flujos de efectivo futuro estimados, se describirá detalladamente el método o técnica concreto elegido, así como las razones de su elección.

En concreto, se describirán las magnitudes, porcentajes, ratios, tipos de interés, tasas de actualización y demás variables en que se basen los citados métodos y técnicas y se justificará la razonabilidad y coherencia de las hipótesis asumidas por referencia a datos históricos, a planes de negocios o a cualquier otro elemento que se considere esencial para la correcta determinación del valor y su adecuación al principio de libre competencia.

Deberá maximizarse el uso de datos observables de mercado, que deberán quedar acreditados, y se limitará, en la medida de lo posible, el empleo de consideraciones subjetivas y de datos no observables o contrastables.

La documentación que deberá mantenerse a disposición de la Administración tributaria comprenderá los informes, documentos y soportes informáticos necesarios para la verificación de la correcta aplicación del método de valoración y del valor de mercado resultante.

Las obligaciones documentales anteriormente descritas se referirán al período impositivo en el que el contribuyente haya realizado la operación vinculada.

Cuando la documentación elaborada para un período impositivo continúe siendo válida en otros posteriores, no será necesaria la elaboración de nueva documentación, sin perjuicio de que deban efectuarse las adaptaciones que fueran necesarias.

En el supuesto de personas o entidades vinculadas cuyo importe neto de la cifra de negocios sea inferior a 45 millones de euros, la documentación específica tendrá el siguiente contenido simplificado:

a) Descripción de la naturaleza, características e importe de las operaciones vinculadas.

b) Nombre y apellidos o razón social o denominación completa, domicilio fiscal y número de identificación fiscal del contribuyente y de las personas o entidades vinculadas con las que se realice la operación.

c) Identificación del método de valoración utilizado.

d) Comparables obtenidos y valor o intervalos de valores derivados del método de valoración utilizado.

En el supuesto de personas o entidades que cumplan los requisitos relativos al régimen de entidades de reducida dimensión, esta documentación específica se podrá entender cumplimentada a través del documento normalizado elabora-

do al efecto por Orden del Ministro de Hacienda y Administraciones Públicas. Estas entidades no deberán aportar los comparables a que se ha hecho referencia anteriormente.

El contenido simplificado de la documentación específica a que se refiere el apartado anterior no resultará de aplicación a las siguientes operaciones:

a) A las realizadas por contribuyentes del Impuesto sobre la Renta de las Personas Físicas, en el desarrollo de una actividad económica, a la que resulte de aplicación el método de estimación objetiva con entidades en las que aquellos o sus cónyuges, ascendientes o descendientes, de forma individual o conjuntamente entre todos ellos, tengan un porcentaje igual o superior al 25 por ciento del capital social o de los fondos propios.

b) A las operaciones de transmisión de negocios.

c) A las operaciones de transmisión de valores o participaciones representativos de la participación en los fondos propios de cualquier tipo de entidades no admitidas a negociación en alguno de los mercados regulados de valores, o que estén admitidos a negociación en mercados regulados situados en países o territorios calificados como paraísos fiscales.

d) A las operaciones de transmisión de inmuebles.

e) A las operaciones sobre activos intangibles.

No obstante, en el supuesto de entidades de reducida dimensión y no se trate de operaciones realizadas con personas o entidades residentes en países o territorios considerados como paraísos fiscales, las obligaciones específicas de documentación no deberán incorporar el análisis de comparabilidad.

DOCTRINA Y JURISPRUDENCIA:

– La forma de organización de la documentación es la que el obligado tributario considere más adecuada (soporte papel, informático, o incluso en la intranet), siempre que sea capaz de atender las exigencias de la normativa, entre otras, la disposición inmediata en caso de inspección (DGT CV 19-2-10 y CV 10-3-10).

– La obligación de documentación alcanza a las dos partes que intervienen en la operación, de manera que si una de ellas está excluida de dicha obligación, esta circunstancia no supone que esta exclusión alcance a la otra parte, que deberá valorar si cumple o no los requisitos a nivel individual para ser excluida de esta obligación con independencia de la situación de la otra parte vinculada.

– Para las operaciones de préstamo y servicios profesionales prestados por el socio a la sociedad, ésta queda eximida de la obligación de documentarlas, siempre que el valor de mercado de la contraprestación pactada (los intereses totales del préstamo sin tener en cuenta el principal ni las cantidades reembolsadas, y los servicios prestados, valorados a valor de mercado, durante el ejercicio) no supere el importe de 250.000 €. No hay que documentar las operaciones societarias (DGT CV 24-3-11 y CV 20-5-11).

A efectos del cómputo de dicho límite, tratándose de una póliza de crédito entre sociedades vinculadas, deberá computarse el valor de mercado de los intereses correspondientes a dicha operación, sin que, en ningún caso, deba tomarse en consideración el importe máximo de disposición, ni el saldo medio dispuesto o la cuantía dispuesta en el ejercicio ni el importe de los intereses devengados en el período, sino únicamente el valor de mercado de la contraprestación total de la operación vinculada, es decir, el valor de mercado de los intereses totales correspondientes al contrato celebrado entre las partes (DGT CV 2-2-12 y CV 14-9-12).

– Si la dominante del grupo es una entidad exenta por su condición de Administración Pública, que no desarrolla actividades económicas, las obligaciones de documentación van dirigidas al resto de entidades empresariales integrantes de dicho grupo, sin perjuicio de que la documentación referida al grupo pueda contener alguna información sobre la dominante que sea necesaria en el marco de las operaciones empresariales del grupo. Es necesaria la designación de la entidad del grupo residente en territorio español para conservar la documentación del grupo en cuanto la dominante haya optado por preparar y conservar la documentación relativa a todo el grupo (CV DGT 24 noviembre 2009 y 29 diciembre de 2010).

12. EL "ANÁLISIS DE COMPARABILIDAD"

A los efectos de determinar el valor de mercado que habrían acordado personas o entidades independientes en condiciones que respeten el principio de libre competencia se compararán las circunstancias de las operaciones vinculadas con las circunstancias de operaciones entre personas o entidades independientes que pudieran ser equiparables.

Para ello deberán tenerse en cuenta las relaciones entre las personas o entidades vinculadas y las condiciones de las operaciones a comparar atendiendo a la naturaleza de las operaciones y a la conducta de las partes.

Para determinar si dos o más operaciones son equiparables se tendrán en cuenta, en la medida en que sean relevantes y que el contribuyente haya podido disponer razonablemente de información sobre ellas, las siguientes circunstancias:

a) Las características específicas de los bienes o servicios objeto de las operaciones vinculadas.

b) Las funciones asumidas por las partes en relación con las operaciones objeto de análisis, identificando los riesgos asumidos y ponderando, en su caso, los activos utilizados.

c) Los términos contractuales de los que, en su caso, se deriven las operaciones teniendo en cuenta las responsabilidades, riesgos y beneficios asumidos por cada parte contratante.

d) Las circunstancias económicas que puedan afectar a las operaciones vinculadas, en particular, las características de los mercados en los que se entregan los bienes o se prestan los servicios.

e) Las estrategias empresariales.

Asimismo, a los efectos de determinar el valor de mercado que habrían acordado personas o entidades independientes en condiciones que respeten el principio de libre competencia también deberá tenerse en cuenta cualquier otra circunstancia que sea relevante y sobre la que el contribuyente haya podido disponer razonablemente de información, como entre otras, la existencia de pérdidas, la incidencia de las decisiones de los poderes públicos, la existencia de ahorros de localización, de grupos integrados de trabajadores o de sinergias.

En todo caso, deberán indicarse los elementos de comparación internos o externos que deban tenerse en consideración.

Cuando las operaciones vinculadas que realice el contribuyente se encuentren estrechamente ligadas entre sí, hayan sido realizadas de forma continua o afecten a un conjunto de productos o servicios muy similares, de manera que su valoración independiente no resulte adecuada, el análisis de comparabilidad del que venimos hablando se efectuará teniendo en cuenta el conjunto de dichas operaciones.

Dos o más operaciones son equiparables cuando no existan entre ellas diferencias significativas en las circunstancias que afecten al precio del bien o servicio o al margen de la operación, o cuando existiendo diferencias, puedan eliminarse efectuando los ajustes de comparabilidad necesarios.

El grado de comparabilidad, la naturaleza de la operación y la información sobre las operaciones equiparables constituyen los principales factores que determinarán, en cada caso, el método de valoración más adecuado.

Cuando, en fin, a pesar de no existir datos suficientes, se haya podido determinar un rango de valores que cumpla razonablemente el principio de libre competencia, teniendo en cuenta el proceso de selección de comparables y las limitaciones de la información disponible, se podrán utilizar medidas estadísticas para minimizar el riesgo de error provocado por defectos en la comparabilidad.

13. RÉGIMEN VIGENTE (TRAS LA STS DE 11 DE JULIO DE 2013 Y LA LIS 27/2014) DE INFRACCIONES Y SANCIONES EN MATERIA DE OPERACIONES VINCULADAS

Constituye infracción tributaria la falta de aportación o la aportación de forma incompleta, o con datos falsos, de la documentación que, conforme a lo previsto en el apartado 3 de este artículo y en su normativa de desarrollo, deban mantener a disposición de la Administración tributaria las personas o entidades vinculadas, cuando la Administración tributaria no realice correcciones.

Esta infracción tendrá la consideración de infracción grave y se sancionará de acuerdo con las siguientes normas:

a. La sanción consistirá en multa pecuniaria fija de 1.000 euros por cada dato y 10.000 euros por conjunto de datos, omitido o falso, referidos a cada una de las obligaciones de documentación que se establezcan reglamentariamente para el grupo o para cada persona o entidad en su condición de contribuyente.

b. La sanción prevista en la letra anterior tendrá como límite máximo la menor de las dos cuantías siguientes:

– El 10 por ciento del importe conjunto de las operaciones sujetas a este Impuesto, al Impuesto sobre la Renta de las Personas Físicas o al Impuesto sobre la Renta de no Residentes realizadas en el período impositivo.

– El 1 por ciento del importe neto de la cifra de negocios.

Constituyen infracción tributaria los siguientes supuestos, siempre que conlleven la realización de correcciones por la Administración tributaria, en aplicación de lo dispuesto en este artículo respecto de las operaciones sujetas a este Impuesto, al Impuesto sobre la Renta de las Personas Físicas o al Impuesto sobre la Renta de no Residentes:

i. La falta de aportación o la aportación de documentación incompleta, o con datos falsos de la documentación que deban mantener a disposición de la Administración tributaria las personas o entidades vinculadas.

ii. Que el valor de mercado que se derive de la documentación exigible no sea el declarado en el Impuesto sobre Sociedades, el Impuesto sobre la Renta de las Personas Físicas o el Impuesto sobre la Renta de no Residentes.

Estas infracciones tendrán la consideración de infracción grave y se sancionarán con multa pecuniaria proporcional del 15 por ciento sobre el importe de las cantidades que resulten de las correcciones que correspondan a cada operación. Esta sanción será incompatible con la que proceda, en su caso, por la aplicación de los arts. 191, 192, 193 o 195 LGT (infracción tributaria por dejar de ingresar la deuda tributaria que debiera resultar de una autoliquidación, infracción tributaria por incumplir la obligación de presentar de forma completa y correcta declaraciones o documentos necesarios para practicar liquidaciones, infracción tributaria por obtener indebidamente devoluciones e infracción tributaria por determinar o acreditar improcedentemente partidas positivas o negativas o créditos tributarios aparentes).

Las correcciones realizadas por la Administración tributaria en aplicación de lo dispuesto en este artículo respecto de operaciones sujetas a este Impuesto, al Impuesto sobre la Renta de las Personas Físicas o al Impuesto sobre la Renta de no Residentes, que determinen falta de ingreso, obtención indebida de devoluciones tributarias o determinación o acreditación improcedente de partidas a compensar en declaraciones futuras o se declare incorrectamente la renta neta sin que produzca falta de ingreso u obtención de devoluciones por haberse compensado en un procedimiento de comprobación o investigación cantidades pendientes de compensación, habiéndose cumplido la obligación de llevanza de la documentación exigible, no constituirá la comisión de las infracciones de los arts. 191, 192, 193 o 195 LGT (infracción tributaria por dejar de ingresar la deuda tributaria que debiera resultar de una autoliquidación, infracción tributaria por incumplir la obligación de presentar de forma completa y correcta declaraciones o documentos necesarios para practicar liquidaciones, infracción tributaria por obtener indebidamente devoluciones e infracción tributaria por determinar o acreditar improcedentemente partidas positivas o negativas o créditos tributarios aparentes), por la parte de bases que hubiesen dado lugar a la referidas correcciones.

Las sanciones previstas anteriormente serán compatibles con la establecida para la resistencia, obstrucción, excusa o negativa a las actuaciones de la Administración tributaria en el artículo 203 LGT, por la desatención de los requerimientos realizados.

Respecto de las sanciones impuestas conforme a lo dispuesto en este artículo resultará de aplicación lo establecido en los apartados 1.b) y 3 del art. 188 LGT, esto es, se reducirán en un 30% si el infractor prestar su conformidad a la regularización, y otro 25% si, además de no interponer recurso contra la regularización ni contra la sanción, se ingresa o se solicita aplazamiento o fraccionamiento con la correspondiente prestación de aval bancario o de sociedad de garantía recíproca.

14. PROCEDIMIENTO QUE DEBE DE SEGUIR LA INSPECCIÓN PARA REGULARIZAR LOS PRECIOS DE TRANSFERENCIA

Cuando la comprobación de las operaciones vinculadas no sea el objeto único de la regularización que proceda practicar en el procedimiento de inspección en el que se lleve a cabo, la propuesta de liquidación que derive de la misma se documentará en un acta distinta de las que deban formalizarse por los demás elementos de la obligación tributaria. En dicha acta se justificará la regularización que resulte por aplicación del artículo 18 de la Ley del Impuesto. La liquidación derivada de esta acta tendrá carácter provisional de acuerdo con lo establecido en el artículo 101.4.b) de la Ley 58/2003, de 17 de diciembre, General Tributaria.

Si el contribuyente interpone recurso o reclamación contra la liquidación provisional practicada como consecuencia de la regularización practicada, se notificará dicha liquidación y la existencia del procedimiento revisor a las demás personas o entidades vinculadas afectadas al objeto de que puedan personarse en el procedimiento.

Transcurridos los plazos oportunos sin que el contribuyente haya interpuesto recurso o reclamación, se notificará la liquidación provisional practicada a las demás personas o entidades vinculadas afectadas para que aquellas que lo deseen puedan optar de forma conjunta por interponer el oportuno recurso de reposición o reclamación económico-administrativa.

Una vez que la liquidación practicada al contribuyente haya adquirido firmeza, la Administración tributaria regularizará de oficio la situación tributaria de las demás personas o entidades vinculadas, salvo que éstas hubieran ya efectuado la referida regularización con carácter previo. La regularización se realizará mediante la práctica de una liquidación o, en su caso, de una autoliquidación o de una liquidación derivada de una solicitud de rectificación de la autoliquidación correspondiente al último período impositivo cuyo plazo de declaración e ingreso hubiera finalizado en el momento en que se produzca tal firmeza. Tratándose de impuestos en los que no exista período impositivo, dicha regularización se realizará mediante la práctica de una liquidación correspondiente al momento en que se produzca la firmeza de la liquidación o, en su caso, de una autoliquidación o de una liquidación derivada de una solicitud de rectificación de la autoliquidación practicada al contribuyente.

En el caso de impuestos en los que existen períodos impositivos, esta regularización deberá comprender todos aquellos que estén afectados por la corrección practicada por la Administración tributaria, derivada de la comprobación de la operación vinculada.

Las personas o entidades afectadas que puedan invocar un Tratado o Convenio que haya pasado a formar parte del ordenamiento interno, podrán acudir al procedimiento amistoso o al procedimiento arbitral para eliminar la posible doble imposición generada por la corrección, de acuerdo con lo dispuesto en el número 5.º del apartado 12 del artículo 18 de la Ley del Impuesto.

DOCTRINA Y JURISPRUDENCIA:

–   El procedimiento descrito es aplicable a las **personas o entidades vinculadas** afectadas por la corrección de valor que sean sujetos pasivos del IS, contribuyentes del IRPF o establecimientos permanentes de contribuyentes del IRNR.

–   No es apta la valoración del perito de Hacienda que no ha reconocido de forma directa y personal el **interior del bien** sujeto a tasación (TSJ Madrid 10-9-13, EDJ 176963).

–   No es apta la valoración si la misma está basada en **estudios de mercado** que aparecen en medios de comunicación, sin que se hayan tenido en cuenta mediciones, situación, calidad y edad de la construcción (TSJ Madrid 11-7-13).

–   En una cesión gratuita de obras de arte a personas vinculadas, la valoración de mercado requiere **conocimientos técnicos**, por lo que no puede ser efectuada por los funcionarios de la inspección sin auxilio técnico (AN 23-2-11).

–   Los informes periciales, que han de servir de base a la comprobación de valores, deben estar suficientemente motivados. Deben expresar los criterios, elementos de juicio o datos tenidos en cuenta. Se entiende que no existe motivación si se guarda silencio o si se consignan meras generalizaciones sobre los criterios de valoración o sólo referencias genéricas a los elementos tenidos en cuenta mediante fórmulas repetitivas que podrían servir y de hecho sirven, para cualquier bien (TS 9-5-03 y 8-7-03; AN 14-11-07 y 18-6-09; TSJ Murcia 30-4-09 y 24-2-11; TSJ La Rioja 15-3-11; TSJ Madrid 19-6-09).

–   La visita personal y directa por el técnico que practica la comprobación de las fincas de cuya valoración se trata, aunque pueda resultar incómoda, por la incomodidad del desplazamiento, es la que corresponde a la función que se realiza (TS 18-1-92). Sin examen personal por el perito de los bienes a valorar o sin las razones que la excusan, sin duda no cabe entender correctamente realizado el procedimiento de peritación (TSJ Burgos 17-7-09, EDJ 172168; 20-11-09, EDJ 300573; 4-12-09, EDJ 307736; 28-12-09, EDJ 307742; 1-10-10, EDJ 219652; 3-12-10, EDJ 300573; TSJ Valladolid 26-4-10, EDJ 132471; TSJ C.Valenciana 26-2-10, EDJ 100646; 13-5-10, EDJ 175263; 10-6-10, EDJ 162289; 24-6-10, EDJ 167508; 18-10-10, EDJ 318573; 9-11-10, EDJ 333235; TSJ

Extremadura 15-4-08, EDJ 75762; TSJ Murcia 3-12-10, EDJ 323545; 27-12-10, Rec 170/06; 30-12-10, EDJ 54485; 24-2-11, EDJ 54485; TSJ Cataluña 24-2-11, EDJ 67301). En cambio, otros TSJ señalan que la visita para la valoración de un terreno (y no de una construcción) no aparece como ineludiblemente necesaria, pues en la valoración de tales bienes no inciden elementos tales como el estado de conservación, calidad de materiales, etc., que exijan la visita, sino que con la localización y superficie, más la comprobación sobre plano de su forma y situación, podrían ser suficiente (TSJ Castilla-La Mancha 24-5-05, EDJ 83816; 11-7-05, EDJ 119418; 17-11-09, EDJ 300375).

En el dictamen de peritos es necesario el reconocimiento personal del bien valorado por el perito, cuando se trate de bienes singulares o de aquellos de los que no puedan obtenerse todas sus circunstancias relevantes en fuentes documentales contrastadas. La negativa del poseedor del bien a dicho reconocimiento eximirá a la Administración tributaria del cumplimiento de este requisito.

La comprobación de valores a través del valor de mercado puede realizarse por la Administración para determinadas transmisiones en las que el valor real venga inexorablemente determinado por el precio medio de mercado, pero en el caso de las transmisiones inmobiliarias, las características específicas, físicas, de conservación y de otra índole, hacen ineludible la comprobación in situ de cada inmueble por el técnico correspondiente, y deben reflejarse en la notificación de la liquidación, al objeto de que el interesado pueda combatirlas o en su caso solicitar la tasación pericial contradictoria. En este supuesto, es preciso, pues, un dictamen o estudio previo emitido por funcionario competente (TSJ C.Valenciana 7-6-05,EDJ 142083; TS 13-5-10,EDJ 92276).

– La comprobación de valores debe ser individualizada y su resultado concretarse de manera que el contribuyente pueda conocer sus fundamentos técnicos y prácticos y así aceptarlos o rechazarlos, y sólo en este último caso, proponer la tasación pericial contradictoria, a lo que también tiene derecho, sin que se le pueda obligar a acudir a dicho medio cuando no conoce suficientemente las razones de la valoración propuesta por Hacien°da, produciendo indefensión (TS 8-7-03, EDJ 11910; 26-9-03, EDJ 111082; 12-12-03, EDJ 209672; 24-3-04, EDJ 25629; AN 18-11-04, EDJ 269814; 14-11-07, EDJ 225055; 24-5-07, EDJ 45045; TSJ Galicia 6-2-08, EDJ 186107; 13-2-08, Rec 15196/08; 20-2-08, Rec 15222/08; TSJ Murcia 15-10-10, Rec 861/10; 24-9-10, EDJ 238796; 27-11-10, EDJ 10656; TSJ La Rioja 15-3-11, EDJ 71181).

– Incurre en falta de motivación la Administración tributaria autonómica que únicamente se remite a los registros fiscales existentes o a los estudios de mercado efectuados por ella misma, sin constar en el expediente (TSJ Burgos 17-7-09, EDJ 172168; 20-11-09, EDJ 300573;4-12-09, EDJ 307736; 28-12-09, EDJ 307742; 1-10-10, EDJ 219652; 3-12-10, EDJ 298833; TSJ Cataluña 22-10-07, EDJ 260715; TSJ Andalucía 5-10-06, EDJ 425755; TSJ Málaga 23-2-09, EDJ 330392; 9-3-09, EDJ 330432; TSJ Galicia 24-4-07, EDJ 84158; TSJ Valladolid 16-4-07, EDJ 98869; 16-4-07, EDJ 98870; TSJ C. Valenciana 10-6-10, EDJ 162289; 24-6-10, EDJ 167508; 18-10-10, EDJ 318573; 9-11-10, EDJ 333235; TSJ Murcia 26-11-10, EDJ 307107). La utilización de estadísticas y de relaciones de precios mínimos o medios puede servir para que la Administración decida practicar la comprobación de valores, pero nunca pueden ser tales datos genéricos motivación suficiente de aquella (TS 23-5-02, EDJ 22946).

–   En relación con la posibilidad de que la Administración valore bienes o derechos por mera remisión a tasaciones solicitadas en su día por un comprador a fin de constituir hipoteca o firmar una póliza de seguro, si bien durante los años 2009 a 2011 ciertos Tribunales Superiores de Justicia (por ejemplo, el de Galicia –v.gr. sentencias de 10 de marzo, 21 de abril y 11 de noviembre de 2010, y de 26 de diciembre de 2011– y el de Andalucía –v.gr. sentencia de 3 de noviembre de 2011–) defendieron la tesis en virtud de la cual la tasación hipotecaria *(la tasación a efectos de garantía hipotecaria que el comprador tuvo que solicitar para que el banco firmase el préstamo o para la contratación de un seguro)* no reúne, por sí sola, las exigencias de suficiente motivación a efectos fiscales del valor real de un bien o derecho, esta doctrina jurisprudencial tiene que declinar ante la sentencia del TS, dictada en recurso de casación en interés de ley, de 7 de diciembre de 2011, que viene a rubricar que el valor de tasación a efectos hipotecarios (como también aseguradores) es una referencia suficiente *per se* para ser utilizado por la Administración como valor comprobado, sin necesidad de que vaya acompañado de ninguna otra motivación adicional.

15. CONSECUENCIAS PARA LAS PARTES VINCULADAS DE QUE LA ADMINISTRACIÓN DISCREPE DEL PRECIO FIJADO EN SUS TRANSACCIONES

En primer lugar, la Administración deberá de practicar el correspondiente ajuste bilateral:

La Administración tributaria podrá comprobar las operaciones realizadas entre personas o entidades vinculadas y efectuará, en su caso, las correcciones que procedan en los términos que se hubieran acordado entre partes independientes de acuerdo con el principio de libre competencia, respecto de las operaciones sujetas a este Impuesto, al Impuesto sobre la Renta de las Personas Físicas o al Impuesto sobre la Renta de no Residentes, con la documentación aportada por el contribuyente y los datos e información de que disponga. La Administración tributaria quedará vinculada por dicha corrección en relación con el resto de personas o entidades vinculadas.

La corrección practicada no determinará la tributación por este Impuesto ni, en su caso, por el Impuesto sobre la Renta de las Personas Físicas o por el Impuesto sobre la Renta de no Residentes de una renta superior a la efectivamente derivada de la operación para el conjunto de las personas o entidades que la hubieran realizado. Para efectuar la comparación se tendrá en cuenta aquella parte de la renta que no se integre en la base imponible por resultar de aplicación algún método de estimación objetiva.

En segundo lugar, cuando la operación vinculada se defina en función de las relaciones entre socio y sociedad, podrá la Inspección practicar el llamado ajuste secundario:

La práctica de los dos ajustes, primario y correlativo, permite modificar la asignación de los beneficios imponibles entre las entidades vinculadas de acuerdo con el principio de plena competencia, es decir, con los que hubieren obtenido de ser empresas independientes. Ahora bien, estos ajustes son insuficientes ya que los fondos o recursos transferidos entre las partes vinculadas no se han restituido, siguen en la empresa que los recibió mediante la operación vinculada, de manera que no se habrá restablecido exactamente la situación que habría existido si las operaciones se hubiesen realizado en condiciones de plena competencia, es decir, a precios de mercado. Por esa razón, el legislador incorporó ya a la ley 36/2006 la práctica del denominado ajuste secundario, cuyo único objetivo estriba en calificar adecuadamente esa transferencia de fondos o recursos que tuvo lugar entre las empresas vinculadas para otorgarle un determinado tratamiento fiscal, ya sea como distribución de beneficios, aportación de capital, concesión de un préstamo o cualquier otra de acuerdo con su naturaleza.

Nos encontramos ante una regla específica de calificación, que se configura como una aplicación concreta de la más general recogida, con carácter ordinario, en el artículo 13 LGT, a cuyo tenor *"Las obligaciones tributarias se exigirán con arreglo a la naturaleza jurídica del hecho, acto o negocio realizado, cualquiera que sea la forma o denominación que los interesados les hubieran dado, y prescindiendo de los defectos que pudieran afectar a su validez."*

El art. 18 LIS, heredero en este punto de la redacción que recibió el art. 16 LIS ex Ley 36/2006, abunda en que en aquellas operaciones en las que la Administración concluya que el valor convenido es distinto del valor de mercado, la diferencia entre ambos valores tendrá, para las personas o entidades vinculadas, el tratamiento fiscal que corresponda a la naturaleza de las rentas puestas de manifiesto como consecuencia de la existencia de dicha diferencia.

En particular, en los supuestos en los que la vinculación se defina en función de la relación socios o partícipes-entidad, la diferencia tendrá, con carácter general, el siguiente tratamiento:

a. Cuando la diferencia fuese a favor del socio o partícipe, la parte de la misma que se corresponda con el porcentaje de participación en la entidad se considerará como retribución de fondos propios para la entidad y como participación en beneficios para el socio. La parte de la diferencia que no se corresponda con aquel porcentaje, tendrá para la entidad la consideración de retribución de fondos propios y para el socio o partícipe de utilidad percibida de una entidad por la condición de socio, accionista, asociado o partícipe (ex art. 25, 1, d) de la Ley 35/2006, de 28 de noviembre).

b. Cuando la diferencia fuese a favor de la entidad, la parte de la diferencia que se corresponda con el porcentaje de participación en la misma tendrá la consideración de aportación del socio o partícipe a los fondos propios de la entidad, y aumentará el valor de adquisición de la participación del socio o partícipe. La parte de la diferencia que no se corresponda con el porcentaje de participación en la entidad, tendrá la consideración de renta para la entidad, y de liberalidad para el socio o partícipe. Cuando se trate de contribuyentes del Impuesto sobre la Renta de no Residentes sin establecimiento permanente, la renta se considerará como ganancia patrimonial (ex art. 13,1, i), 4º de la Ley del Impuesto sobre la Renta de No Residentes).

c. Ahora bien, el vigente RIS ha introducido una valiosa novedad: no se aplicará lo dispuesto en este apartado cuando se proceda a la restitución patrimonial entre las personas o entidades vinculadas en los términos que reglamentariamente se establezcan. Esta restitución no determinará la existencia de renta en las partes afectadas.

La regularización incluirá, en su caso, los correspondientes intereses de demora calculados desde la finalización del plazo establecido para la presentación de la autoliquidación de cada uno de los períodos impositivos en los que la operación vinculada haya surtido efectos o, si la regularización diera lugar a una devolución y la autoliquidación se presentó fuera de plazo desde la fecha de la presentación extemporánea de la autoliquidación.

Los intereses se calcularán hasta la fecha en que se practica la liquidación o, en su caso, la autoliquidación, correspondiente al período impositivo en que la regularización de dicha operación es eficaz frente a las demás personas o entidades vinculadas.

La regularización realizada por la Administración tributaria deberá ser tenida en cuenta por los contribuyentes en las declaraciones que se presenten tras la firmeza de la liquidación, cuando la operación vinculada produzca efectos en las mismas.

Para la práctica de la liquidación anterior, los órganos de inspección podrán ejercer las facultades previstas en el artículo 142 de la Ley 58/2003, esto es, realizar las actuaciones de obtención de información que consideren necesarias.

16. CONSECUENCIAS DERIVADAS DEL AJUSTE SECUNDARIO

Podemos extraer las siguientes apreciaciones de las Directrices de la OCDE en materia de ajustes derivados de la utilización de precios de transferencia:

a) Los Comentarios al párrafo 2 del artículo 9 del Modelo de Convenio Fiscal de la OCDE no aborda la cuestión de los ajustes secundarios, sino tan solo de los denominados ajuste primario y del correlativo. Esta ausencia de todo tratamiento del ajuste secundario en el Modelo Convenio OCDE no impide efectuar tales ajustes secundarios cuando sean posibles conforme a la legislación interna de los Estados contratantes. Por tanto, el Modelo de Convenio ni prohíbe ni tampoco obliga a practicar los ajustes secundarios, permitiéndose su aplicación por aquellos países cuya ley interna los autorice.

b) En el contexto internacional, se constata que muchos países no practican ajustes secundarios por las dificultades prácticas que plantean, poniendo como ejemplo a estos efectos el tratamiento que debería darse a una operación vincula entre dos sociedades filiales controladas por una sociedad matriz común.

c) El problema que se deriva de esta falta de uniformidad a nivel internacional en el tratamiento del ajuste secundario es que pueden producirse situaciones de doble imposición que no sean corregidas. La doble imposición se origina cuando algunos países no reconozcan el ajuste secundario que haya realizado otro país, y rehúsen conceder la pertinente desgravación o crédito de impuesto. De hecho, el artículo 9 del Modelo OCDE no obliga a ningún país a aceptar las consecuencias del ajuste secundario que haya realizado otro.

Así, por ejemplo, cuando el ajuste secundario toma la forma de un dividendo presunto, cualquier retención en la fuente que en este caso se aplique, puede no ser susceptible de desgravación porque el derecho interno del otro país posiblemente considere que los dividendos no se han percibido.

d) Por esa razón, la OCDE recomienda a las Administraciones tributarias una cierta prudencia a la hora de aplicar los ajustes secundarios en el sentido de proceder de tal forma que se reduzcan al mínimo los riesgos de doble imposición, salvo cuando el comportamiento del contribuyente denote una intención elusiva.

Volviendo a las consecuencias del ajuste secundario que impone la nueva regulación del art. 18 LIS, a continuación examinaremos cada posible supuesto de entrega de bienes y servicios entre partes vinculadas para ver qué efectos produce en el socio y cuáles en la sociedad:

1. Cuando las relaciones económicas han tenido lugar entre dos personas jurídicas entre las que existe relación socio-sociedad, los ajustes, tanto el primario como el secundario, dice la ley que tendrán en ambas un efecto fiscal neutral. El ajuste positivo en la primera debería ir seguido de un ajuste de signo contrario en la segunda. Cuando la diferencia entre valor de transacción y valor de mercado beneficiase a la filial, el efecto producido por el ajuste secundario (incremento en el valor de su participación) se compensará en la mayoría de los casos al practicar la exención por doble imposición de plusvalías de fuente interna cuando aquella participación se transmita a terceros. Y también se compensará si la diferencia entre el valor pactado y el valor de mercado beneficiase a la matriz –salvo que el porcentaje de participación fuese inferior al 5% o la tenencia de las participaciones/acciones fuese inferior a un año–, en este caso también vía exención para evitar la doble imposición de dividendos de fuente interna.

2. Y lo propio podríamos decir para el caso de que una de las partes vinculadas sea no residente: Si la diferencia fuese a favor de la sociedad participada no residente, de manera que fuese calificada como una aportación del socio persona jurídica con residencia en España a los fondos propios de la primera, la recalificación derivada del ajuste secundario tendrá un efecto fiscalmente neutral a la hora de transmitir la participación por aplicación de la exención para evitar la doble imposición de plusvalías de fuente extranjera del art. 21 LIS. Si la diferencia fuese a favor de la sociedad participada residente en España, en virtud de una operación con un socio persona jurídica (o sea, sociedad dominante) fiscalmente no residente, el ajuste secundario obligará a que aquella diferencia fuese considerada como mayor aportación de la entidad no residente a los fondos propios de la española, en cuyo caso la entidad no residente experimentará una menor ganancia de patrimonio en el momento de la venta de la participación española. Si la diferencia, pro-

cedente de una operación con una sociedad no residente, fuese a favor del socio persona jurídica (o sea, entidad dominante) con residencia en España, la imputación del dividendo derivada del ajuste secundario se verá neutralizada (salvo que la longevidad de la cartera y el porcentaje de la participación lo impidiesen) por la exención de dividendos de fuente extranjera del art. 21 LIS. Si la diferencia, procedente de una operación con una sociedad residente en España, fuese a favor del socio persona jurídica no residente (o sea, de la sociedad dominante), la imputación del dividendo derivada del ajuste secundario se traduce en que tendrá que tributar a los tipos de gravamen del 19, 21 o 23 por 100 por aplicación del art. 25.1.f de la Ley del Impuesto sobre la Renta de No Residentes, pero podrá también aplicar tanto la exención relativa a los dividendos ex art. 14.1.h) LIRNR como el precepto correspondiente en cada caso del Convenio de Doble Imposición.

3. Si, por el contrario, las relaciones económicas tuviesen lugar entre dos partes vinculadas en las que una de ellas fuese una persona física, entonces sí que los ajustes secundarios pueden producir severos efectos entre las partes.

    a. Si el socio de la entidad fuese una persona física y las operaciones (pago de retribuciones o venta de bienes o servicios al socio, por poner solo un par de ejemplos) se formalizasen a precios superiores a los del mercado, el ajuste secundario impone recalificar la diferencia que se produce a favor del socio como reparto de beneficios, de modo que fiscalmente dicha diferencia deberá de imputarse en el IRPF del socio como dividendo, tributando al 19, 21 ó 23%, y sin derecho, como sabemos, a practicar deducción por doble imposición de ningún tipo. En definitiva, aquella diferencia deja de calificarse fiscalmente de acuerdo con su verdadera naturaleza (por ejemplo, como rentas de la actividad económica si el socio comprase a título de profesional), convirtiéndose a efectos del IRPF del socio como renta del ahorro, con las consecuencias que de ello deriva, no sólo en términos de coste fiscal, sino también de cambio de las reglas de integración y compensación de rentas. Téngase en cuenta que en este caso el efecto que se produce también vulnera la norma imperativa del art. 18 LIS con arreglo a la cual del ajuste no puede derivarse una renta superior a la efectivamente derivada de la operación para el conjunto de las personas o entidades que la hubieran utilizado. Pero es que, además, tengamos en cuenta que el diferencial que es objeto de ajuste secundario, calificándose como dividendos para el socio contratante, pierde también la condición de gasto deducible para la entidad pagadora.

b. Si en el ejemplo anterior (relación sociedad-socio persona física) las operaciones se formalizasen a precios inferiores a los del mercado, el ajuste secundario impone recalificar la diferencia que se produce a favor del socio como aportación de fondos del socio a la sociedad. Consiguientemente, la sociedad verá incrementados sus fondos propios, y el socio verá incrementado el valor de su participación, con la consiguiente incidencia en el cálculo de la ganancia de patrimonio en la fecha y hora en que transmita la participación.

c. Si la relación de vinculación derivase de la condición de administrador no socio de la entidad vendedora de bienes o servicios, aunque existen opiniones doctrinales discrepantes al respecto (Cencerrado Millán: Los efectos del ajuste secundario en el nuevo régimen de las operaciones vinculadas, Revista Española de Derecho Financiero, no 133, enero-marzo 2007, pág. 80), en opinión de quien firma estas líneas no procede practicar ajuste secundario alguno. Para que proceda practicar dicho ajuste, la Ley exige que "la vinculación se defina en función de la relación socios o partícipes-entidad", de modo que al carecer el administrador de la condición de socio o partícipe, no se dan las circunstancias legalmente establecidas para que proceda el ajuste secundario.

4. ¿Qué efectos producirá el ajuste secundario en relación con la parte de la renta que no se corresponda con el porcentaje de participación de aquel que tiene la condición de socio en la entidad? Pues la solución arbitrada por el legislador no es fácil de compartir técnicamente:

– Cuando la diferencia fuese a favor del socio o partícipe, la parte de la renta que no se corresponda con el porcentaje de participación en la entidad tendrá para ésta la consideración de retribución de los fondos propios, y para el socio o partícipe la condición de renta del ahorro;

– Pero es que si la diferencia fuese a favor de la entidad, la parte de renta que no se corresponda con el porcentaje de participación en la misma, tendrá la consideración de renta en la entidad y nada menos que de donación para el socio o partícipe.

DOCTRINA Y JURISPRUDENCIA:

– Según la Administración tributaria, la regulación fiscal es sustancialmente coincidente con la actual normativa contable (NRV 21ª PGC), que establece el registro en función de la realidad económica de la operación cuando el precio acordado difiera del valor razonable, por lo que contablemente deben reflejarse en las cuentas adecuadas los desplazamientos patrimoniales que hayan podido ponerse de manifiesto por la diferencia mencionada (AEAT Informe 24-4-08 aptdo.3).

— En las operaciones que generan gastos en la sociedad en beneficio del socio, es decir, cuando no hay una efectiva operación en beneficio de la sociedad, no se trata de un supuesto de vinculación sino de deducibilidad del gasto, por lo que no hay que entrar en la valoración de la operación (SAN de 31 de octubre de 2012).

— La distribución de beneficios encubierta que se manifiesta en la operación secundaria por la que se transfiere patrimonio de la sociedad al socio, podría suponer el incumplimiento de la normativa mercantil que establece que sólo podrán repartirse dividendos con cargo al beneficio del ejercicio, o a reservas de libre disposición, si el valor del patrimonio neto no es o, a consecuencia del reparto, no resulta ser inferior al capital social (art. 273 LSC). Asimismo, ese precepto dispone que si existieran pérdidas de ejercicios anteriores que hicieran que el valor del patrimonio neto de la sociedad fuera inferior a la cifra de capital social, el beneficio se destinará a la compensación de estas pérdidas.

— Esta calificación fiscal que se propone por la Administración tributaria podría ser superada en el caso de que se reconociera como un error la operación principal, en el sentido de reconocer un crédito frente al socio por el exceso del valor de mercado sobre el valor pactado con abono a cuentas de reservas, lo cual supondría dejar sin efectos fiscales la operación secundaria.

— En las operaciones realizadas entre una entidad matriz y sus filiales al 100% de segundo o ulterior nivel, si el desplazamiento patrimonial tiene lugar entre la matriz y esas filiales, existe una doble o más aportaciones a los fondos propios a través de las entidades interpuestas. Si el desplazamiento es de la filial a la matriz, existe una doble o más distribuciones de los fondos propios a través de las entidades interpuestas.

— En la condonación de un crédito entre sociedades dependientes de un mismo grupo participadas por la dominante al 100%, en la donataria se aumenta su patrimonio neto, en la donante se reducen las reservas y en la dominante se computa un ingreso por esas reservas distribuidas en especie en forma de crédito para ser inmediatamente aportado a la sociedad donataria, es decir, hay una especie de distribución-aportación de fondos. Cuando la dependiente condona un crédito a la dominante 100%, la dependiente cancela el crédito contra reservas y la dominante cancela la deuda contra un ingreso al corresponder a una distribución de beneficios (CV DGT 6 de agosto 2009).

- La condonación créditos entre entidades dependientes supone una distribución/aportación a fondos propios que no representa un ingreso en base imponible (DGT CV 14-2-13).

- La parte de la condonación del crédito entre dos sociedades dependientes controladas por la dominante al 80% que excede del porcentaje de participación genera un gasto no deducible en la donante y un ingreso computable en la donataria que no puede eliminarse en la determinación de la base imponible consolidada (DGT CV 30-3-10).

- Si la condonación de créditos se realiza por la dominante a la dependiente, el exceso sobre la participación se contabiliza como un gasto (no deducible) por la sociedad dominante y como un ingreso para la dependiente (DGT CV 29-12-10).

- En la condonación de créditos/débitos en un grupo entre la dominante y entidades de segundo nivel, existe una doble distribución de resultados –condonación del crédito por la dependiente– o bien una doble aportación a los fondos propios –condonación del crédito por la dominante– (DGT CV 25-2-11).

- La aportación dineraria de la matriz a su filial en proporción a su participación no tiene efectos en la base imponible, mientras que la aportación que no se corresponde con el porcentaje de participación tiene la naturaleza de ingreso, considerada como una adquisición a título gratuito (DGT CV 20-9-11).

- En un préstamo sin interés que se concede a una filial sobre la que se tiene el 15%, contabilizándose el préstamo de acuerdo con los criterios contables del PGC, el gasto registrado en la matriz por diferencia entre el valor del crédito y el importe transferido a la filial en la proporción que no se corresponde con su participación no es gasto deducible, siendo mayor valor de la participación la parte de esa diferencia imputable al porcentaje de participación. En la filial, el importe de esa diferencia que no se corresponde con la participación de la matriz se computa como ingreso en su base imponible y el resto que se corresponde con el porcentaje de participación se computa como aportación a los fondos propios de la matriz. El ingreso y gasto contable asociado a este préstamo tienen esta misma calificación a efectos fiscales. Los intereses devengados están sujetos a retención (DGT CV 23-12-11).

17. RESTITUCIÓN PATRIMONIAL

Como novedad introducida por la LIS, a partir de los períodos impositivos que se inicien desde el 1-1-2015, los efectos fiscales de la operación secundaria no se aplicarán cuando se proceda a restituir patrimonialmente a la otra parte vinculada, es decir, cuando el importe del desplazamiento patrimonial conseguido, que se corresponda o no con el porcentaje de participación, se devuelva a la otra parte vinculada que ha visto minorado su patrimonio como consecuencia de realizar la operación vinculada en condiciones diferentes a las de mercado, sin que esta restitución suponga generar ninguna renta, positiva o negativa, en las partes vinculadas afectadas.

Esta restitución debe realizarse por acuerdo entre las partes vinculadas antes de que se dicte, en su caso, la liquidación cuando haya una comprobación administrativa que incluya la diferencia entre ambos valores.

18. SUPUESTOS EN QUE EXISTE RELACIÓN DE VINCULACIÓN

El art. 18. 2° LIS señala que se considerarán personas o entidades vinculadas las siguientes:

a) Una entidad y sus socios o partícipes.

b) Una entidad y sus consejeros o administradores, salvo en lo correspondiente a la retribución por el ejercicio de sus funciones.

c) Una entidad y los cónyuges o personas unidas por relaciones de parentesco, en línea directa o colateral, por consanguinidad o afinidad hasta el tercer grado de los socios o partícipes, consejeros o administradores.

d) Dos entidades que pertenezcan a un grupo.

e) Una entidad y los consejeros o administradores de otra entidad, cuando ambas entidades pertenezcan a un grupo.

f) Una entidad y los cónyuges o personas unidas por relaciones de parentesco, en línea directa o colateral, por consanguinidad o afinidad hasta el tercer grado de los socios o partícipes de otra entidad cuando ambas entidades pertenezcan a un grupo.

g) Una entidad y otra entidad participada por la primera indirectamente en, al menos, el 25 por ciento del capital social o de los fondos propios.

h) Dos entidades en las cuales los mismos socios, partícipes o sus cónyuges, o personas unidas por relaciones de parentesco, en línea directa o colateral, por consanguinidad o afinidad hasta el tercer grado, participen, directa o indirectamente en, al menos, el 25 por ciento del capital social o los fondos propios.

i) Una entidad residente en territorio español y sus establecimientos permanentes en el extranjero.

En los supuestos en los que la vinculación se defina en función de la relación de los socios o partícipes con la entidad, la participación deberá ser igual o superior al 25 por ciento. La mención a los administradores incluirá a los de derecho y a los de hecho.

Existe grupo cuando una entidad ostente o pueda ostentar el control de otra u otras según los criterios establecidos en el artículo 42 del Código de Comercio, con independencia de su residencia y de la obligación de formular cuentas anuales consolidadas.

DOCTRINA Y JURISPRUDENCIA:

- No existe vinculación entre dos sociedades por el hecho de que ambas participen en el **capital de una tercera sociedad**, cualquiera que sea el grado de participación en esta última.

- Están vinculadas dos empresas que forman parte de un **grupo multinacional**, aun cuando una no tenga participación en el capital de la otra (DGT 26-11-96).

- Hay vinculación en las operaciones realizadas por las sociedades que forman un **grupo** en régimen de tributación consolidada (DGT 21-10-97).

19. LA APLICACIÓN DE LAS REGLAS DE VALORACIÓN A LAS PERSONAS FÍSICAS

Las reglas de vinculación son de aplicación cualquiera que sea la naturaleza de los sujetos vinculados, esto es, tanto si son personas jurídicas como personas físicas.

Son de aplicación en el IRPF las reglas de valoración de las operaciones vinculadas en los términos establecidos en la normativa del IS. Esto es, cuando una de las partes vinculadas es una persona física, con independencia de que la tributación que haya resultado en el conjunto de las partes vinculadas haya sido o no inferior a la que hubiera resultado de haber operado a precios de mercado, o bien haya o no determinado un diferimiento de dicha tributación, la Administración tributaria puede corregir las liquidaciones practicadas por los sujetos pasivos vinculados sustituyendo los valores pactados entre las partes por el valor de mercado de la operación realizada.

Por tanto, desaparecen las especialidades que la LIRPF establecía para las operaciones derivadas de la prestación de trabajo o servicios profesionales en las sociedades de profesionales, por lo que todas estas operaciones deben valorarse según precios de mercado.

DOCTRINA Y JURISPRUDENCIA:

– Socio-trabajador de una sociedad. Al existir vinculación, la retribución del socio no puede exceder de la que sería acordada en condiciones normales de mercado entre partes independientes (DGT 2-6-97; 15-12-98; 20-7-00).

– Hay vinculación en las operaciones realizadas por una Agrupación de Interés Económico con sus socios (DGT 3-12-98).

– Hay vinculación por la hipoteca de una finca de una sociedad en garantía de una deuda de los socios (DGT 27-3-98).

– Se admite la posibilidad de aplicar la regla de valoración de operaciones vinculadas en un préstamo sin interés concedido por un socio a la sociedad (DGT 25-9-00); con independencia del tiempo de concesión del préstamo y de su posible capitalización (DGT 8-4-97). Igual ocurre aunque se pacte que no haya interés mientras la sociedad no tenga beneficios (DGT 15-11-99).

– Una sociedad y su socio único tienen la consideración de entidades vinculadas. Por ello, las operaciones efectuadas entre ambas se valorarán por su valor de mercado, con independencia de cuál sea la naturaleza de las mismas y con independencia de cuál sea la forma de financiación empleada, en cuanto las cantidades recibidas lo sean con la finalidad de financiar la actividad específica de la sociedad y no tenga la consideración de aportación a los fondos propios realizada por el socio, de acuerdo con los criterios contables (DGT CV 24-11-09).

– Se admite la posible aplicación de la regla de valoración de operaciones vinculadas en un arrendamiento sin contraprestación de un socio a la sociedad (DGT 1-3-00).

– Hay vinculación en las operaciones realizadas por una Unión Temporal de Empresas con sus socios (DGT 15-7-97). También en las operaciones realizadas por una central de compras y sus socios (DGT 25-6-97).

– Se consideran sociedades vinculadas una Entidad Pública Empresarial y la sociedad participada por ella en más de un 5% (DGT CV 26-6-06).

– Es una operación vinculada la venta por un socio del 15% (25% a partir del ejercicio 2015) de las acciones a la propia sociedad aun cuando después de la venta no se tenga la condición de socio (DGT CV 15-9-09).

– La actividad de oficina de farmacia solo puede desarrollarla una persona física farmacéutica. Si esa persona cede activos de farmacia a una sociedad de la cual ella es socio único, podría acogerse a la LIS/04 art.94.1 (LIS art.87) pero habría una cesión de activos que generaría una operación vinculada (DGT CV 20-9-12).

- El socio 1 tiene el 75% de la entidad Y y el socio 2 el 25% de Y, ambos socios están enfrentados y llegan a un acuerdo por el cual el socio 1 transmite a Y sus propias acciones por valor superior al valor de mercado. La operación es una operación entre partes independientes, quedando sometida a las reglas generales del IS, al margen de las obligaciones de documentación establecidas en la LIS/04 art.16 (LIS art.18), considerándose como válido, a efectos fiscales, el valor acordado entre los socios, con independencia de que un experto independiente determine un valor distinto. Por otra parte, de acuerdo con el ICAC consulta núm 5, BOICAC núm 81, la entidad Y ha de registrar en la cuenta de resultados del ejercicio en que se lleve a cabo la operación, un ingreso por la diferencia entre el valor de mercado del inmueble entregado y su valor contable; ingreso contable que forma parte de la base imponible del período impositivo (DGT CV 17-7-13).

- A efectos de vinculación, para la eficacia de la condición de socio en una ampliación de capital no requiere de la inscripción en el Registro Mercantil, pues la inscripción no tiene efectos constitutivos sino declarativos, a diferencia de otros supuestos, como la fusión, donde la inscripción sí tiene efectos constitutivos (AN 11-4-13, EDJ 42271).

- Se aplica el régimen de las operaciones vinculadas a las sociedades mercantiles constituidas por Administraciones públicas por las operaciones realizadas con éstas (TS 23-4-12, EDJ 97476).

También se consideran vinculadas las operaciones realizadas entre una entidad con sus consejeros o administradores de hecho o de derecho, por lo que la Administración puede valorar las mismas por su valor de mercado cuando el precio convenido difiera de este, con independencia de que suponga o no un perjuicio económico para la Hacienda Pública teniendo en cuenta el conjunto de las partes afectadas por la operación.

No obstante, no hay vinculación cuando la relación entre las partes sea consecuencia de las funciones de alta dirección, por lo que las retribuciones que satisfaga la entidad por este concepto son deducibles en todo caso.

DOCTRINA Y JURISPRUDENCIA:

- Una **fundación** y sus **fundadores** son entidades vinculadas si las aportaciones efectuadas a la dotación fundacional son al menos del 5% (DGT CV 10-6-05). La vinculación entre la fundación y su fundador se produce sólo si este a su vez forma parte del patronato que la gobierna (DGT CV 15-3-11).

- Cuando una persona es **usufructuaria** de unas acciones, correspondiendo la nuda propiedad a sus hijos y siendo su mujer titular en plena propiedad de las restantes acciones y administradora única de la entidad, la vinculación entre el usufructuario y la sociedad deriva de su condición de cónyuge de la administradora única y pariente de socios vinculados con la sociedad (DGT CV 28-1-11).

También existe relación de vinculación en el caso de grupos familiares. Así, existe en los casos: a) de un entidad y los cónyuges o personas unidas por relaciones de parentesco, en línea directa o colateral, por consanguinidad o afinidad hasta el tercer grado de los socios o partícipes, consejeros o administradores; b) de un entidad y los cónyuges o personas unidas por relaciones de parentesco, en línea directa o colateral, por consanguinidad o afinidad hasta el tercer grado de los socios o partícipes de otra entidad cuando ambas entidades pertenezcan a un grupo; y c) de dos entidades en las cuales los mismos socios, partícipes o sus cónyuges, o personas unidas por relaciones de parentesco, en línea directa o colateral, por consanguinidad o afinidad hasta el tercer grado, participen, directa o indirectamente en, al menos, el 25 por ciento del capital social o los fondos propios.

DOCTRINA Y JURISPRUDENCIA:

- Hay vinculación entre dos sociedades en donde en una los **socios** son **hermanos** y en otra el socio es el marido de una tercera hermana (DGT CV 16-12-08).

- Aunque una misma persona no tenga el **25%** en una de las sociedades, si alcanza dicho porcentaje con su cónyuge, o personas unidas por relaciones de parentesco, en línea directa o colateral, por consanguinidad o afinidad hasta el tercer grado, ya sea de manera directa o indirecta, ambas sociedades están vinculadas (DGT CV 2-8-10).

Y también existe relación de vinculación en las operaciones entre una entidad residente en territorio español y sus establecimientos permanentes en el extranjero.

DOCTRINA Y JURISPRUDENCIA:

- El exceso del pago por **canon** o asistencia técnica sobre valor de mercado a una entidad vinculada no residente no es deducible pues representa una retribución encubierta de beneficios (Res. DGT 14 enero 1997).

- Una empresa no residente tiene una **sucursal** en España, a donde traslada temporalmente trabajadores contratados directamente por la casa central. El **traslado temporal de trabajadores** sólo constituye una operación vinculada cuando los mismos estén prestando un servicio normal de la actividad de la casa central que tenga como destinatario al establecimiento permanente. Si, por el contrario, están colaborando en las funciones desarrolladas por el establecimiento permanente en ejercicio de su propia actividad, estamos ante un gasto de este último que, si paga la casa central por su cuenta, es deducible como parte de los gastos producidos para los fines del establecimiento permanente que se efectúan fuera del Estado donde se encuentra éste (Res. DGT 19 de septiembre de 2002).

20. EL PRINCIPIO DE ESTANQUEIDAD EN EL ÁMBITO DE LAS OPERACIONES VINCULADAS

Expresamente señala la vigente redacción del art. 18 LIS que el valor de mercado a efectos de este Impuesto, del Impuesto sobre la Renta de las Personas Físicas o del Impuesto sobre la Renta de no Residentes, no producirá efectos respecto a otros impuestos, salvo disposición expresa en contrario.

Asimismo, el valor a efectos de otros impuestos no producirá efectos respecto del valor de mercado de las operaciones entre personas o entidades vinculadas de este impuesto, del Impuesto sobre la Renta de las Personas Físicas o del Impuesto sobre la Renta de no Residentes, salvo disposición expresa en contrario.

Como ya hemos señalado más arriba, el legislador español parece ir contracorriente porque para justificar precisamente el criterio contrario (concretamente a fin de justificar el carácter vinculante para la AEAT del valor de mercado determinado por una Administración autonómica en relación con los mismos activos) invocaron tanto el TS (sentencia de 9 de diciembre de 2013) como la jurisprudencia menor (v.gr. STSJ Galicia de 27 de febrero de 2013) el llamado principio de delegación de funciones.

21. ¿SE APLICA EL RÉGIMEN QUE NOS OCUPA A PERSONAS O ENTIDADES NO RESIDENTES?

En el caso de contribuyentes que posean un establecimiento permanente en el extranjero, en aquellos supuestos en que así esté establecido en un convenio para evitar la doble imposición internacional que les resulte de aplicación, se incluirán en la base imponible de aquéllos las rentas estimadas por operaciones internas realizadas con el establecimiento permanente, valoradas por su valor de mercado.

También están sometidas a la regla imperativa de valoración a parámetros de mercado las relaciones económicas entre la casa central y un establecimiento permanente en el extranjero. Así lo dispone el vigente art. 18 LIS (y así lo disponía el antiguo art. 16 LIS tras su reforma ex Ley 36/2006).

Igualmente, están sometidas al régimen de las operaciones entre partes vinculadas las relaciones económicas que tengan lugar entre un establecimiento permanente situado en territorio español y otros establecimientos permanentes de la misma casa central, situados tanto en territorio español como en el extranjero.

Las operaciones entre un establecimiento permanente situado en territorio español con otras sociedades o personas vinculadas con la entidad no residente o sus establecimientos permanentes, estén o no situados en territorio español, están también recogidas expresamente en la normativa del IRNR, en el sentido de que las mismas se valoran con arreglo a la regulación de las operaciones vinculadas reguladas en la normativa del IS.

En definitiva, en cualquiera de estas tres situaciones son aplicables las reglas, condiciones y requisitos establecidos en la normativa del IS referente a las operaciones vinculadas.

En el caso de que el no residente realice operaciones en España sin establecimiento permanente, se aplican las reglas generales que ya hemos visto, existiendo vinculación cuando concurra cualquiera de las circunstancias del apartado 2º del art. 18 LIS.

22. MÉTODOS DE VALORACIÓN DE LAS OPERACIONES ENTRE PARTES VINCULADAS

Para la determinación del valor de mercado se aplicará cualquiera de los siguientes métodos:

a. **Método del precio libre comparable,** por el que se compara el precio del bien o servicio en una operación entre personas o entidades vinculadas con el precio de un bien o servicio idéntico o de características similares en una operación entre personas o entidades independientes en circunstancias equiparables, efectuando, si fuera preciso, las correcciones necesarias para obtener la equivalencia y considerar las particularidades de la operación.

b. **Método del coste incrementado,** por el que se añade al valor de adquisición o coste de producción del bien o servicio el margen habitual en operaciones idénticas o similares con personas o entidades independientes o, en su defecto, el margen que personas o entidades independientes aplican a operaciones equiparables, efectuando, si fuera preciso, las correcciones necesarias para obtener la equivalencia y considerar las particularidades de la operación.

c. **Método del precio de reventa**, por el que se sustrae del precio de venta de un bien o servicio el margen que aplica el propio revendedor en operaciones idénticas o similares con personas o entidades independientes o, en su defecto, el margen que personas o entidades independientes aplican a operaciones equiparables, efectuando, si fuera preciso, las correcciones necesarias para obtener la equivalencia y considerar las particularidades de la operación.

d. **Método de la distribución del resultado**, por el que se asigna a cada persona o entidad vinculada que realice de forma conjunta una o varias operaciones la parte del resultado común derivado de dicha operación u operaciones, en función de un criterio que refleje adecuadamente las condiciones que habrían suscrito personas o entidades independientes en circunstancias similares.

e. **Método del margen neto operacional,** por el que se atribuye a las operaciones realizadas con una persona o entidad vinculada el resultado neto, calculado sobre costes, ventas o la magnitud que resulte más adecuada en función de las características de las operaciones idénticas o similares realizadas entre partes independientes, efectuando, cuando sea preciso, las correcciones necesarias para obtener la equivalencia y considerar las particularidades de las operaciones.

La elección del método de valoración tendrá en cuenta, entre otras circunstancias, la naturaleza de la operación vinculada, la disponibilidad de información fiable y el grado de comparabilidad entre las operaciones vinculadas y no vinculadas.

Cuando no resulte posible aplicar los métodos anteriores, se podrán utilizar otros métodos y técnicas de valoración generalmente aceptados que respeten el principio de libre competencia.

DOCTRINA Y JURISPRUDENCIA:

– Puede considerarse como valor de mercado el incremento de los gastos en un margen de beneficios, si este método es aplicable a otras operaciones con terceros no vinculados (DGT 28-10-97).

– No tiene la consideración de valor de mercado la valoración efectuada a otros efectos por una Comunidad Autónoma (DGT 12-6-02).

– El tipo de interés preferencial que las entidades financieras aplican a sus mejores clientes es más adecuado para valorar préstamos entre entidades vinculadas que el tipo de interés legal anual (TS 4-10-10, EDJ 226161).

– La Administración tributaria no puede utilizar comparables secretos para la determinación del valor de mercado porque genera indefensión al obligado tributario (TEAC 5-9-13).

– En el caso de acciones no cotizadas, el valor más aproximado y representativo del valor de mercado es el valor teórico, pese a sus limitaciones, en cuanto no tiene en cuenta la existencia de plusvalías o minusvalías tácitas, pero que pueden considerarse si quedan acreditadas. En un préstamo participativo, aun cuando no se establezca fecha de vencimiento, se desnaturaliza la esencia del contrato de préstamo cuando su posible terminación se deja al mutuo acuerdo, lo que impide que la entidad que recibe los fondos pueda devolverlos (STS 27 septiembre 2013).

23. LA VALORACIÓN DE LOS SERVICIOS PROFESIONALES

El contribuyente podrá considerar que el valor convenido coincide con el valor de mercado en el caso de una prestación de servicios por un socio profesional, persona física, a una entidad vinculada y se cumplan los siguientes requisitos:

a) Que más del 75 por ciento de los ingresos de la entidad procedan del ejercicio de actividades profesionales y cuente con los medios materiales y humanos adecuados para el desarrollo de la actividad.

b) Que la cuantía de las retribuciones correspondientes a la totalidad de los socios-profesionales por la prestación de servicios a la entidad no sea inferior al 75 por ciento del resultado previo a la deducción de las retribuciones correspondientes a la totalidad de los socios-profesionales por la prestación de sus servicios.

c) Que la cuantía de las retribuciones correspondientes a cada uno de los socios-profesionales cumplan los siguientes requisitos:

1.º Se determine en función de la contribución efectuada por estos a la buena marcha de la entidad, siendo necesario que consten por escrito los criterios cualitativos y/o cuantitativos aplicables.

2.º No sea inferior a 1,5 veces el salario medio de los asalariados de la entidad que cumplan funciones análogas a las de los socios profesionales de la entidad. En ausencia de estos últimos, la cuantía de las citadas retribuciones no podrá ser inferior a 5 veces el Indicador Público de Renta de Efectos Múltiples (IPREM). El incumplimiento de este último requisito establecido en relación con alguno de los socios-profesionales, no impide la aplicación del valor convenido a los restantes socios-profesionales.

Si se cumpliesen todos y cada uno de los requisitos expuestos, la Administración no podrá discutir el valor de mercado de la retribución percibida por cada uno de los socios profesionales. El valor asignado a los servicios profesionales del socio "se considerará" como valor de mercado cuando se cumplan las descritas exigencias, sin que la Inspección pueda (p.ej. aplicando cualquiera de los métodos establecidos en el art. 18 LIS) cifrarlo en un importe distinto. Ora estemos ante una *fictio iuris*, ora ante una presunción *iuris et de iure*, lo cierto es que el legislador ha establecido una zona de seguridad (*safe harbour*, en la nomenclatura anglosajona) para el cálculo del valor de los servicios prestados por los socios profesionales, la cual, desde el prisma de la seguridad jurídica, es muy de agradecer.

DOCTRINA Y JURISPRUDENCIA:

- El concepto de prestación de servicios es el establecido en la normativa del IRPF, es decir, los procedentes de las actividades incluidas en las Secciones Segunda y Tercera de las Tarifas del IAE, objetivamente consideradas, con independencia de que generen o no dicho tipo de rendimientos, y de lo establecido en la regulación de las sociedades profesionales –L 2/2007– (DGT CV 30-6-10).

- Esta regla especial por la cual el precio convenido coincide con el valor de mercado es de aplicación aunque la persona física utilice el criterio de imputación de cobros y pagos (DGT CV 3-11-11).

- Si una persona física presta diversos tipos de servicios a una sociedad, la regla especial por la que se considera que el precio pactado entre socio profesional y sociedad coincide con el valor de mercado sólo es aplicable a los servicios profesionales (DGT CV 20-9-11).

24. CRITERIOS RELATIVOS AL REPARTO DE COSTES ENTRE PARTES VINCULADAS

En los **grupos de sociedades,** tanto nacionales como internacionales, varias entidades pueden adquirir, producir o suministrar conjuntamente bienes, servicios o activos intangibles, compartiendo los costes de esas actividades entre dichas entidades mediante un acuerdo de reparto de dichos costes.

En el supuesto de acuerdos de reparto de costes de bienes o servicios suscritos entre personas o entidades vinculadas, deberán cumplirse los siguientes requisitos:

a. Las personas o entidades participantes que suscriban el acuerdo deberán acceder a la propiedad u otro derecho que tenga similares consecuencias económicas sobre los activos o derechos que en su caso sean objeto de adquisición, producción o desarrollo como resultado del acuerdo.

b. La aportación de cada persona o entidad participante deberá tener en cuenta la previsión de utilidades o ventajas que cada uno de ellos espere obtener del acuerdo en atención a criterios de racionalidad.

c. El acuerdo deberá contemplar la variación de sus circunstancias o personas o entidades participantes, estableciendo los pagos compensatorios y ajustes que se estimen necesarios.

Los acuerdos de reparto de costes de bienes y servicios suscritos por el obligado tributario deben incluir la identificación de las demás personas o entidades participantes, el ámbito de las actividades y proyectos específicos cubiertos por los acuerdos, su duración, criterios para cuantificar el reparto de los beneficios esperados entre los partícipes, la forma de cálculo de sus respectivas aportaciones, especificación de las tareas y responsabilidades de los partícipes, consecuencias de la adhesión o retirada de los partícipes así como cualquier otra disposición que prevea adaptar los términos del acuerdo para reflejar una modificación de las circunstancias económicas.

DOCTRINA Y JURISPRUDENCIA:

– En el acuerdo con la matriz a la que se satisface unas contribuciones a **gastos de I+D** se prevé el registro de los resultados de la investigación a favor de la matriz, sin que se especifiquen los proyectos de I+D ni consten los criterios de distribución de los gastos de la sociedad que realiza la investigación. No es deducible porque la contribución está desligada de la realidad del coste de los proyectos (AN 9-6-11, EDJ 104150).

25. CRITERIOS RELATIVOS AL REPARTO DE COSTES DERIVADOS DE LOS SERVICIOS INTRAGRUPO

Los grupos de sociedades pueden disponer de alguna de ellas como centro de prestación de servicios a las demás sociedades del grupo, centralizando funciones como pueden ser de comercialización, formación de personal y gestión de tesorería.

En el Anexo 1 del Informe que recoge la doctrina del **Foro de Precios de Transferencia de la Unión Europea** se detalla una extensa lista de los que se consideran servicios intragrupo más comunes:

– Servicios de tecnología de la información: Construcción, desarrollo y gestión del sistema de información. Estudio, desarrollo, instalación y mantenimiento periódico o extraordinario del *software*. Estudio, desarrollo, instalación y mantenimiento periódico o extraordinario del sistema de *hardware*. Suministro y transmisión de datos. Servicio de reserva o de copia de seguridad

– Servicios de recursos humanos, por ejemplo: Actividades de normativas, contractuales; administrativas, de seguridad social, y fiscales generalmente o específicamente relacionadas con la gestión de personal. Selección y contratación de personal. Asistencia en la definición de las carreras administrativas. Asistencia en la definición de sistemas de compensación y de incentivo (incluyendo los planes de opciones sobre participaciones o acciones). Definición de procesos de evaluación del personal. Formación de personal. Asistencia de *staff* por tiempo limitado. Coordinación de la participación del personal con carácter temporal o permanente. Gestión de despidos.

– Servicios de *marketing*: Estudio, desarrollo y coordinación de actividades de comercialización. Estudio, desarrollo y coordinación de promociones de venta. Estudio, desarrollo y coordinación de campañas de publicidad. Investigación de mercado. Desarrollo y gestión de página *web* de *Internet*. Publicación de revistas distribuidas a los clientes de la filial (incluso si afectan a todo el grupo).

– Servicios jurídicos, como por ejemplo: Asistencia en la preparación y revisión de contratos y acuerdos. Consultoría jurídica. Preparación y encargo de dictámenes jurídicos y fiscales. Asistencia en todo tipo de obligaciones legales. Asistencia en pleitos judiciales. Gestión centralizada y relación con compañías de seguros e intermediarios. Estudios de precios de transferencia. Protección de la propiedad intangible.

– Servicios de administración y contabilidad, como por ejemplo: Asistencia en la confección de los procedimientos contables. Asistencia en la preparación del presupuesto planes operativos. Llevanza de libros obligatorios y cuentas. Asistencia en la preparación de estados financieros periódicos; balances de situación anuales y extraordinarios o estados de cuenta (diferente de los estados financieros consolidados). Asistencia en el cumplimiento de obligaciones fiscales. Proceso de datos. Auditoría de cuentas de la filial. Gestión del proceso de facturación.

– Servicios técnicos, como por ejemplo: Asistencia relacionada con la planta, maquinaria; equipo, procesos etc. Planificación y ejecución de actividades ordinarias y extraordinarias de mantenimiento del establecimiento o planta. Transferencia de conocimientos sobre procedimientos técnicos. Proporcionar directrices para la innovación de productos.

Asistencia en la planificación e implantación de la inversión capital fijo. Seguimiento de la eficiencia. Servicios de ingeniería.

– Servicios de control de calidad, como por ejemplo: Proporcionar políticas de calidad y estándares de producción y provisión de servicios. Asistencia en la obtención de certificados de calidad. Desarrollo e implantación de programas de satisfacción de clientes.

– Otros servicios, como: Servicios de estrategia y desarrollo de negocios en el caso de que haya conexión con la filial que existe o con la que se vaya a establecer. Seguridad corporativa. Investigación y desarrollo. Gestión de inmuebles e instalaciones. Servicios logísticos. Gestión de inventario. Asesorar en la estrategia transporte y distribución. Servicios de almacenaje. Servicios de compra y abastecimiento de materias primas. Gestión de la reducción de coste. Servicios de empaquetado.

Pues bien, en estos casos, de acuerdo con la vigente LIS española, la determinación del precio que corresponda a estos servicios intragrupo debe de obedecer a las siguientes coordenadas:

a. En el supuesto de prestaciones de servicios entre personas o entidades vinculadas, se requerirá que los servicios prestados produzcan o puedan producir una ventaja o utilidad a su destinatario.

b. Cuando se trate de servicios prestados conjuntamente en favor de varias personas o entidades vinculadas, y siempre que no fuera posible la individualización del servicio recibido o la cuantificación de los elementos determinantes de su remuneración, será posible distribuir la contraprestación total entre las personas o entidades beneficiarias de acuerdo con unas reglas de reparto que atiendan a criterios de racionalidad. Se entenderá cumplido este criterio cuando el método aplicado tenga en cuenta, además de la naturaleza del servicio y las circunstancias en que éste se preste, los beneficios obtenidos o susceptibles de ser obtenidos por las personas o entidades destinatarias.

Para comprobar que un servicio ha sido prestado de acuerdo con el principio de plena competencia, la doctrina del **Foro de Precios de Transferencia de la Unión Europea** considera esencial que la información suministrada sea suficiente y de buena calidad, para así poder adoptar una decisión fundamentada. Según el citado Foro, este requisito de información quedaría plenamente satisfecho si se facilitara una "exposición" que deberá ofrecer garantías suficientes del cumplimiento de dos condiciones:

– Respecto al suministrador, que el servicio se haya prestado efectivamente y respecto al receptor, que el servicio le haya aportado un valor económico o comercial, y

– Que si el receptor hubiese sido independiente, habría pagado a un tercero por el servicio o lo habría ejecutado él mismo.

A criterio del FCPT dicha exposición debería incluir todos o parte de los siguientes puntos:

a. A fin de constatar la validez de los servicios, podrían utilizarse *ratios* indicativos de su solicitud (por ejemplo, los costes totales respecto de los incurridos por los servicios intragrupo).

b. Justificar y explicar la prestación del servicio en el contexto general del negocio de la multinacional, a fin de comprender su razón de ser tanto para el proveedor como para el destinatario (economías de escala, etc.).

c. Conciliar la política de precios de transferencia de la empresa multinacional con los servicios efectivamente centralizados.

d. Relacionar el tipo de los servicios prestados y sus destinatarios.

e. Analizar el beneficio efectivo o potencial para los beneficiarios.

f. Explicación de la estructura mediante la cual se prestan los servicios.

g. Descripción de los criterios seguidos en la valoración e imputación de los servicios (la definición de costes directos e indirectos a computar, la aplicación coherente de una clave de reparto para cada categoría de servicio, la eliminación de servicios duplicados...).

h. Descripción de la forma en que se integran los costes a repartir.

i. Descripción de la clave de asignación o reparto de los costes.

j. Justificación del margen de beneficio de plena competencia aplicado o de porqué se considera improcedente aplicar un margen sobre los costes.

k. Registro indicativo de la contabilización de los servicios para su facturación, fechas de asiento, formas de pago y de cualquier ajuste presupuestario o posterior.

l. Explicación del tratamiento de los servicios de disponibilidad.

m. Explicación sobre el mantenimiento y revisión del sistema de prestación de servicios.

n. Documentación adicional que se considere necesaria.

¿Cuál es el llamado coste del accionista?

Para acotar el concepto de servicio intragrupo, se intenta establecer los límites de los denominados costes del accionista. Aun partiendo de la premisa de un análisis que deberá ser siempre de caso por caso, en el anexo II del FCPT se establecen las siguientes pautas de lo que se consideran costes del accionista:

1. *Costes asociados a la estructura jurídica de la sociedad matriz.* Normalmente van a ser costes del accionista, pero siempre será conveniente analizar caso por caso. Se citan como casos claros de coste del accionista:

   – Costes de organización de las juntas generales de accionistas de la sociedad matriz, incluidos los costes de publicidad.

   – Costes de emisión de acciones de la sociedad matriz.

   – Costes derivados del cumplimiento de la legislación fiscal en la sociedad matriz: declaraciones fiscales, libros contables, etc.

2. *Costes relativos a las obligaciones de la sociedad matriz en contabilidad, incluyendo la consolidación de informes.* Se consideran, por regla general, costes del accionista, puesto que la consolidación es una actividad propia del grupo como tal. Se relacionan los siguientes: costes del informe financiero consolidado de la sociedad matriz, costes de los estados financieros consolidados del grupo, costes de la aplicación y cumplimiento de la consolidación fiscal transfronteriza y costes de auditoría de la sociedad matriz.

3. *Costes de obtención de fondos destinados a la adquisición de las participaciones de la sociedad matriz.* Se considera coste del accionista.

4. *Costes de actividades de gestión y control ("seguimiento").* Se consideran por lo general coste del accio nista, ya que están relacionados con la protección de las propias inversiones del accionista. Se citan:

   – Costes en los que incurra la sociedad matriz para auditar las cuentas de la filial cuando esta auditoría se efectúe exclusivamente en interés de la matriz, salvo si redundara también en beneficio de la filial, porque la requiera su legislación o la publicara en su *web* o la utilizara ante una entidad financiera.

   – Costes de la elaboración y auditoría de los estados financieros de la filial resultantes de la aplicación de los principios contables del Estado de la sociedad matriz, salvo que redundara en beneficio de la filial.

   – Quedarían excluidos, sin embargo, salvo que analizado el caso se establezca que benefician únicamente a la matriz: los costes de las tecnologías de la información y los costes del análisis general del funcionamiento de la filial, si tal análisis no corresponde a la prestación de servicios de consultoría, ya que generalmente esa actividad suele contribuir también a mejorar la gestión de la filial.

5. *Costes de reorganización del grupo, de adquisición de nuevos miembros o de supresión de una división.* No se pronuncia el FCPT sobre esta cuestión, sino que remite a los trabajos que se desarrollan sobre este

tema en la OCDE. En dicho foro se está estudiando no ya únicamente a quien corresponden los costes de los estudios de reestructuración de un grupo, como se trataba en las Directrices de la OCDE, sino a quien corresponden todos los costes derivados de una reestructuración (amortizaciones, costes laborales por despidos, etc.) y adelanta el FCPT que en el proyecto de informe se incide en la importancia de identificar qué entidad dentro del grupo debe hacerse cargo de los costes de la reestructuración, que dependiendo del caso podrá ser la matriz, la entidad reestructurada, otra entidad que se beneficie de la deslocalización, varias de las entidades que se beneficien de la reestructuración, etc.

6. *Costes de la cotización.* Respecto a los costes de cotización inicial de la matriz en una bolsa de valores y costes de las actividades relacionadas con la cotización en bolsa de la matriz en los años subsiguientes a la cotización inicial, se consideran costes del accionista.

7. *Costes de la sociedad matriz derivados de las relaciones con los inversores.* Los costes de las conferencias de prensa y de otras actividades de comunicación con los accionistas de la matriz, los analistas financieros, los fondos u otros interlocutores de la matriz, se consideran costes del accionista.

8. *Costes del estudio y aplicación de la estructura de capitalización de las filiales.* Deberán analizarse caso por caso.

9. *Costes del aumento del capital social de las filiales.* Deberán analizarse caso por caso.

10. *Costes en aplicación de normas estatutarias.* Los costes derivados de actividades necesarias para que la propia sociedad matriz o el grupo en su conjunto adopten y ejecuten normas estatutarias y reglas de conducta aplicables a la "gobernanza empresarial" se consideran costes de accionista.

DOCTRINA Y JURISPRUDENCIA:

–   Una sociedad española forma parte de un grupo multinacional habiendo la matriz extranjera patrocinado una **regata internacional** que ha tenido proyección mundial. La sociedad española realiza un **evento de celebración** (invitados, etc.). Se trata de un servicio intragrupo en la medida en que la publicidad haya tenido utilidad para el resto de sociedades del grupo (DGT CV 28-5-12).

–   Para la deducción de gastos por **servicios de apoyo a la gestión** prestados entre vinculadas es necesario que el servicio sea prestado de forma efectiva (realidad del gasto), un contrato escrito donde se especifique la naturaleza del servicio y los métodos racionales de distribución del gasto, y que los servicios produzcan o puedan producir ventaja o utilidad en la filial receptora y no a la matriz o grupo en general (TEAC 7-4-11).

26. ACUERDOS PREVIOS DE VALORACIÓN DE OPERACIONES ENTRE PERSONAS O ENTIDADES VINCULADAS

Actuaciones previas

Las personas o entidades vinculadas que pretendan solicitar a la Administración tributaria que determine el valor de mercado de las operaciones efectuadas entre ellas, en condiciones que respeten el principio de libre competencia, podrán presentar una solicitud previa, cuyo contenido será el siguiente:

a. Identificación de las personas o entidades que vayan a realizar las operaciones.

b. Descripción sucinta de las operaciones objeto del mismo.

c. Elementos básicos de la propuesta de valoración que se pretenda formular.

La Administración tributaria analizará la solicitud previa, pudiendo recabar de los interesados las aclaraciones pertinentes y comunicará a los interesados la viabilidad o no del acuerdo previo de valoración.

Inicio del procedimiento

Las personas o entidades vinculadas podrán solicitar a la Administración tributaria un acuerdo previo de valoración de las operaciones entre personas o entidades vinculadas con carácter previo a la realización de éstas.

Dicha solicitud podrá comprender la determinación del valor de mercado de las rentas estimadas por operaciones realizadas por un contribuyente con un establecimiento permanente en el extranjero, en aquellos supuestos en que así esté establecido en un convenio para evitar la doble imposición internacional que le resulte de aplicación.

La solicitud se acompañará de una propuesta que se fundamentará en el principio de libre competencia, y que contendrá una descripción del método y del análisis seguido para determinar el valor de mercado.

La solicitud deberá ser suscrita por las personas o entidades solicitantes, que deberán acreditar ante la Administración que las demás personas o entidades vinculadas que vayan a realizar las operaciones cuya valoración se solicita conocen y aceptan la solicitud de valoración.

La solicitud deberá acompañarse de la documentación a que se refieren los artículos 15 y 16 del RIS, en cuanto resulte aplicable a la propuesta de valoración, y se adaptará a las circunstancias del caso.

Régimen de la documentación presentada.

La documentación presentada únicamente tendrá efectos en relación al procedimiento del APA y será exclusivamente utilizada respecto del mismo.

Lo previsto en los artículos anteriores no eximirá a los contribuyentes de las obligaciones que les incumben de acuerdo con lo establecido en el artículo 29 de la Ley 58/2003, de 17 de diciembre, General Tributaria, o en otra disposición, en cuanto el cumplimiento de las mismas pudiera afectar a la documentación referida en el RIS.

En los casos de desistimiento, caducidad o desestimación de la propuesta se procederá a la devolución de la documentación aportada.

Tramitación.

La Administración tributaria examinará la propuesta junto con la documentación presentada. A estos efectos, podrá requerir a los contribuyentes cuantos datos, informes, antecedentes y justificantes tengan relación con la propuesta, así como explicaciones o aclaraciones adicionales sobre la misma.

Terminación y efectos del acuerdo.

La resolución que ponga fin al procedimiento podrá:

a) Aprobar la propuesta de valoración presentada por el contribuyente.

b) Aprobar, con la aceptación del contribuyente, una propuesta de valoración que difiera de la inicialmente presentada.

c) Desestimar la propuesta de valoración formulada por el contribuyente.

El acuerdo previo de valoración se formalizará en un documento que incluirá al menos:

a) Lugar y fecha de su formalización.

b) Nombre y apellidos o razón social o denominación completa y número de identificación fiscal de los de los contribuyentes a los que se refiere la propuesta.

c) Conformidad de los contribuyentes con el contenido del acuerdo.

d) Descripción de las operaciones a las que se refiere la propuesta.

e) Elementos esenciales del método de valoración y valor o intervalo de valores que se derivan del mismo.

f) Períodos impositivos o de liquidación a los que será aplicable el acuerdo y fecha de entrada en vigor del mismo.

g) Asunciones críticas cuyo acaecimiento condiciona la aplicabilidad del acuerdo en los términos recogidos en dicho acuerdo.

En la desestimación de la propuesta de valoración se incluirá junto con la identificación de los contribuyentes los motivos por los que la Administración tributaria desestima la propuesta.

El procedimiento deberá finalizar en el plazo de 6 meses. Transcurrido dicho plazo sin haberse notificado la resolución expresa, la propuesta podrá entenderse desestimada.

La Administración tributaria y los contribuyentes deberán aplicar lo que resulte de la propuesta aprobada.

La Administración tributaria podrá comprobar que los hechos y operaciones descritos en la propuesta aprobada se corresponden con los efectivamente habidos y que la propuesta aprobada ha sido correctamente aplicada.

Cuando de la comprobación resultare que los hechos y operaciones descritos en la propuesta aprobada no se corresponden con la realidad, o que la propuesta aprobada no ha sido aplicada correctamente, la Inspección de los Tributos procederá a regularizar la situación tributaria de los contribuyentes.

El desistimiento de cualquiera de los contribuyentes determinará la terminación del procedimiento.

El acuerdo surtirá efectos respecto de las operaciones realizadas con posterioridad a la fecha en que se apruebe, y tendrá validez durante los períodos impositivos que se concreten en el propio acuerdo, sin que pueda exceder de los 4 períodos impositivos siguientes al vigente en la fecha de aprobación del acuerdo.

Asimismo, podrá determinarse que sus efectos alcancen a las operaciones realizadas en períodos impositivos anteriores, siempre que no hubiera prescrito el derecho de la Administración a determinar la deuda tributaria mediante la oportuna liquidación ni hubiese liquidación firme que recaiga sobre las operaciones objeto de solicitud.

Recursos.

La resolución que ponga fin al procedimiento o el acto presunto desestimatorio no serán recurribles, sin perjuicio de los recursos y reclamaciones que contra los actos de liquidación que en su día se dicten puedan interponerse.

Órganos competentes.

Será competente para instruir, resolver y, en caso de modificación del acuerdo, iniciar el procedimiento el órgano de la Agencia Estatal de Administración Tributaria que corresponda de acuerdo con sus normas de estructura orgánica.

Información sobre la aplicación del acuerdo para la valoración de las operaciones efectuadas con personas o entidades vinculadas.

Conjuntamente con la declaración del Impuesto sobre Sociedades, del Impuesto sobre la Renta de las Personas Físicas o del Impuesto sobre la Renta de No Residentes, los contribuyentes presentarán un escrito relativo a la aplicación del acuerdo previo de valoración aprobado, cuyo contenido deberá comprender, entre otra, la siguiente información:

a) Operaciones realizadas en el período impositivo o de liquidación al que se refiere la declaración a las que ha sido de aplicación el acuerdo previo.

b) Precios o valores a los que han sido realizadas las operaciones anteriores como consecuencia de la aplicación del acuerdo previo.

c) Descripción, si las hubiere, de las variaciones significativas de las circunstancias económicas existentes en el momento de la aprobación del acuerdo previo de valoración.

d) Operaciones efectuadas en el período impositivo o de liquidación similares a aquéllas a las que se refiere el acuerdo previo, precios por los que han sido realizadas y descripción de las diferencias existentes respecto de las operaciones comprendidas en el ámbito del acuerdo previo.

e) Aquella que se determine en el propio acuerdo.

No obstante, en los acuerdos firmados con otras Administraciones, la documentación que deberá presentar el contribuyente anualmente será la que se derive del propio acuerdo.

Modificación del acuerdo previo de valoración.

En el supuesto de variación significativa de las circunstancias económicas o tecnológicas existentes en el momento de la aprobación del acuerdo previo de valoración, éste podrá ser modificado para adecuarlo a las nuevas circunstancias económicas. El procedimiento de modificación podrá iniciarse de oficio o a instancia de los contribuyentes.

La solicitud de modificación deberá ser suscrita por las personas o entidades solicitantes, que deberán acreditar ante la Administración que las demás personas o entidades vinculadas que vayan a realizar las operaciones cuya valoración se solicita, conocen y aceptan la solicitud de modificación, y deberá contener la siguiente información:

a) Justificación de la variación significativa de las circunstancias económicas.

b) Modificación que, a tenor de dicha variación, resulta procedente.

El desistimiento de cualquiera de las personas o entidades afectadas determinará la terminación del procedimiento de modificación.

La Administración tributaria, una vez examinada la documentación presentada, y previa audiencia de los contribuyentes, quienes dispondrán al efecto de un plazo de 15 días, dictará resolución motivada, que podrá:

1.º Aprobar la modificación formulada por el contribuyente.

2.º Aprobar, con la aceptación del contribuyente, una propuesta de valoración que difiera de la inicialmente presentada.

3.º Desestimar la modificación formulada por el contribuyente, confirmando o dejando sin efecto el acuerdo previo de valoración inicialmente aprobado.

Cuando el procedimiento de modificación haya sido iniciado por la Administración tributaria, el contenido de la propuesta se notificará a los contribuyentes quienes dispondrán de un plazo de un mes contados a partir del día siguiente al de la notificación de la propuesta para:

a) Aceptar la modificación.

b) Formular una modificación alternativa, debidamente justificada.

c) Rechazar la modificación, expresando los motivos en los que se fundamentan.

La Administración tributaria, una vez examinada la documentación presentada, dictará resolución motivada, que podrá:

1.º Aprobar la modificación, si los contribuyentes la han aceptado.

2.º Aprobar, con la aceptación de los contribuyentes, una modificación alternativa.

3.º Dejar sin efecto el acuerdo por el que se aprobó la propuesta inicial de valoración.

4.º Declarar la continuación de la aplicación de la propuesta de valoración inicial.

En el caso de mediar un acuerdo con otra Administración tributaria, la modificación del acuerdo previo de valoración requerirá la previa modificación del acuerdo alcanzado con dicha Administración.

El procedimiento deberá finalizarse en el plazo de 6 meses. Transcurrido dicho plazo sin haberse notificado una resolución expresa, la propuesta de modificación podrá entenderse desestimada.

La resolución que ponga fin al procedimiento de modificación o el acto presunto desestimatorio no serán recurribles, sin perjuicio de los recursos y reclamaciones que puedan interponerse contra los actos de liquidación que puedan dictarse.

La aprobación de la modificación, tendrá los efectos vinculantes en relación a las operaciones que se realicen con posterioridad a la solicitud de modificación o, en su caso, a la comunicación de propuesta de modificación.

La resolución por la que se deje sin efecto el acuerdo previo de valoración inicial determinará la extinción de los efectos vinculantes en relación a las operaciones que se realicen con posterioridad a la solicitud de modificación o, en su caso, a la comunicación de propuesta de modificación.

La desestimación de la modificación formulada por los contribuyentes determinará:

a) La confirmación de los efectos previstos vinculantes cuando no quede probada la variación significativa de las circunstancias económicas.

b) La extinción de los efectos vinculantes respecto de las operaciones que se realicen con posterioridad a la solicitud de modificación, en los demás casos.

Prórroga del acuerdo previo de valoración.

Los contribuyentes podrán solicitar a la Administración tributaria que se prorrogue el plazo de validez del acuerdo de valoración que hubiera sido aprobado. Dicha solicitud deberá presentarse antes de los 6 meses previos a la finalización de dicho plazo de validez y se acompañará de la documentación que consideren conveniente para justificar que las circunstancias puestas de manifiesto en la solicitud original no han variado.

La solicitud de prórroga del acuerdo previo de valoración deberá ser suscrita por las personas o entidades que suscribieron el acuerdo previo cuya prórroga se solicita, y deberán acreditar ante la Administración que las demás personas o entidades vinculadas que vayan a realizar las operaciones conocen y aceptan la solicitud de prórroga.

La Administración tributaria dispondrá de un plazo de 6 meses para examinar la documentación a que se refiere el apartado 1 anterior, y notificar a los contribuyentes la prórroga o no del plazo de validez del acuerdo de valoración previa. A tales efectos, la Administración podrá solicitar cualquier información y documentación adicional.

Transcurrido el plazo a que se refiere el apartado anterior sin haber notificado la prórroga del plazo de validez del acuerdo de valoración previa, la solicitud podrá considerarse desestimada.

La resolución por la que se acuerde la prórroga del acuerdo o el acto presunto desestimatorio no serán recurribles, sin perjuicio de los recursos y reclamaciones que puedan interponerse contra los actos de liquidación que en puedan dictarse.

27. ACUERDOS PREVIOS DE VALORACIÓN DE OPERACIONES VINCULADAS CON OTRAS ADMINISTRACIONES TRIBUTARIAS

Procedimiento para el acuerdo sobre operaciones vinculadas con otras Administraciones tributarias. Inicio del procedimiento.

En el caso de que los contribuyentes soliciten que la propuesta formulada se someta a la consideración de otras Administraciones tributarias del país o territorio en el que residan las personas o entidades vinculadas, la Administración tributaria valorará la procedencia de iniciar dicho procedimiento. La desestimación del inicio del procedimiento deberá ser motivada, y no podrá ser impugnada.

Cuando la Administración tributaria en el curso de un procedimiento previo de valoración, considere oportuno someter el asunto a la consideración de otras Administraciones tributarias que pudieran resultar afectadas, lo pondrá en conocimiento las personas o entidades vinculadas. La aceptación por parte del contribuyente será requisito previo a la comunicación a la otra Administración.

El contribuyente deberá presentar la solicitud de inicio acompañada de la documentación prevista en el artículo 22 del RIS.

Tramitación.

En el curso de las relaciones con otras Administraciones tributarias, las personas o entidades vinculadas vendrán obligados a facilitar cuantos datos, informes, antecedentes y justificantes tengan relación con la propuesta de valoración.

Los contribuyentes podrán participar en las actuaciones encaminadas a concretar el acuerdo, cuando así lo convengan los representantes de ambas Administraciones tributarias.

La propuesta de acuerdo de las Administraciones tributarias se pondrá en conocimiento de los sujetos interesados, cuya aceptación será un requisito previo a la firma del acuerdo entre las Administraciones implicadas.

La oposición a la propuesta de acuerdo determinará la desestimación de la propuesta de valoración.

Resolución.

En caso de aceptación de la propuesta de acuerdo, el órgano competente suscribirá el acuerdo con las otras Administraciones tributarias, dándose traslado de una copia del mismo a los interesados.

Órganos competentes.

Será competente para iniciar, informar, instruir el procedimiento, establecer las relaciones pertinentes con las Administraciones, resolver el procedimiento y suscribir el acuerdo con la otra Administración tributaria el órgano de la Agencia Estatal de Administración Tributaria que corresponda de acuerdo con sus normas de estructura orgánica.

Solicitud de otra Administración tributaria.

Cuando otra Administración tributaria solicite a la Administración tributaria la iniciación de un procedimiento dirigido a suscribir un acuerdo para la valoración de operaciones realizadas entre personas o entidades vinculadas se observarán las reglas que hemos descrito en el epígrafe anterior.

28. VALORACIÓN PREVIA DE GASTOS CORRESPONDIENTES A PROYECTOS DE INVESTIGACIÓN CIENTÍFICA O DE INNOVACIÓN TECNOLÓGICA

Las personas o entidades que tengan el propósito de realizar actividades de investigación científica o de innovación tecnológica podrán solicitar a la Administración tributaria la valoración, conforme a las reglas del Impuesto sobre Sociedades y, con carácter previo y vinculante, de los gastos correspondientes a dichas actividades que consideren susceptibles de disfrutar de la deducción por I+D+I.

La solicitud deberá presentarse por escrito antes de efectuar los gastos correspondientes y contendrá, como mínimo, lo siguiente:

a) Identificación de la persona o entidad solicitante.

b) Identificación y descripción del proyecto de investigación científica o innovación tecnológica a que se refiere la solicitud, indicando las actividades concretas que se efectuarán, los gastos en los que se incurrirá para la ejecución de las mismas y el período de tiempo en el que se realizarán tales actividades.

c) Propuesta de valoración de los gastos que se realizarán, expresando la regla de valoración aplicada y las circunstancias económicas que hayan sido tomadas en consideración.

La Administración tributaria examinará la documentación referida en el apartado anterior, pudiendo requerir al solicitante cuantos datos, informes, antecedentes y justificantes tengan relación con la solicitud. Tanto la Administración tributaria como el solicitante podrán solicitar o aportar informes periciales que versen sobre el contenido de la propuesta de valoración. Asimismo, podrán proponer la práctica de las pruebas que entiendan pertinentes por cualquiera de los medios admitidos en derecho.

Una vez instruido el procedimiento y con anterioridad a la redacción de la propuesta de resolución, la Administración tributaria lo pondrá de manifiesto al solicitante, junto con el contenido y las conclusiones de las pruebas efectuadas y los informes solicitados, para que pueda formular las alegaciones y presentar los documentos y justificantes que estime pertinentes en el plazo de 15 días.

La resolución que ponga fin al procedimiento podrá:

a) Aprobar la propuesta formulada inicialmente por el contribuyente.

b) Aprobar, con la aceptación del contribuyente, otra propuesta de valoración que difiera de la inicialmente presentada

c) Desestimar la propuesta formulada por el contribuyente.

La resolución será motivada y, en el caso de que sea aprobatoria, contendrá, al menos:

a) Lugar y fecha de su formalización

b) Nombre y apellidos o razón social o denominación completa y número de identificación fiscal del contribuyente.

c) Conformidad del contribuyente con la valoración realizada.

d) Descripción de la operación a que se refiere la propuesta.

e) Valoración realizada por la Administración tributaria conforme a las normas del Impuesto sobre Sociedades, con indicación de los gastos y de las actividades concretas a que se refiere, así como del método de valoración utilizado, con indicación de sus elementos esenciales.

f) Plazo de vigencia de la valoración y fecha de su entrada en vigor.

El procedimiento deberá finalizar en el plazo máximo de 6 meses, contados desde la fecha en que la propuesta haya tenido entrada en cualquiera de los registros del órgano administrativo competente o desde la fecha de subsanación de la misma a requerimiento de la Administración tributaria. La falta de contestación de la Administración tributaria en los plazos indicados implicará la aceptación de los valores propuestos por el contribuyente.

La resolución que se dicte no será recurrible, sin perjuicio de los recursos y reclamaciones que puedan interponerse contra los actos de liquidación que se efectúen como consecuencia de la aplicación de los valores establecidos en la resolución.

La Administración tributaria deberá aplicar la valoración de los gastos que resulte de la resolución durante su plazo de vigencia, siempre que no se modifique la legislación o varíen significativamente las circunstancias económicas que fundamentaron dicha valoración.

La documentación aportada por el solicitante únicamente tendrá efectos en relación con este procedimiento. Los funcionarios que intervengan en el procedimiento deberán guardar sigilo riguroso y observar estricto secreto respecto de los documentos y demás información que conozcan en el curso del mismo.

El órgano competente para informar, instruir y resolver el procedimiento será el órgano de la Agencia Estatal de Administración Tributaria que corresponda de acuerdo con sus normas de estructura orgánica.

29. ACUERDOS PREVIOS DE VALORACIÓN O DE CALIFICACIÓN Y VALORACIÓN DE RENTAS PROCEDENTES DE DETERMINADOS ACTIVOS INTANGIBLES

Inicio del procedimiento.

Las personas o entidades que tengan el propósito de realizar las operaciones susceptibles de acogerse a la reducción de rentas procedentes de determinados intangibles (patent box), podrán solicitar a la Administración tributaria un acuerdo previo de valoración de los ingresos procedentes de la cesión de los activos y de los gastos asociados a los mismos, así como de las rentas generadas en la transmisión, o un acuerdo previo de calificación y valoración que comprenderá la calificación de los activos como pertenecientes a alguna de las categorías a que se refiere el apartado 1 del art. 25 LIS, y la valoración de los ingresos y gastos asociados a los mismos, así como de las rentas generadas en la transmisión.

La solicitud deberá presentarse por escrito, con carácter previo a la realización de las operaciones que motiven la aplicación de la reducción y contendrá, como mínimo, lo siguiente:

a) Identificación de la persona o entidad solicitante y de las personas o entidades cesionarios.

b) Descripción del activo que pretende ser objeto de cesión o transmisión.

c) En su caso, descripción del derecho de uso o explotación que se pretende establecer y duración del mismo.

d) En el procedimiento de calificación y valoración, calificación motivada de los activos a los efectos de la reducción.

e) Propuesta de valoración de los ingresos y de los gastos asociados a la cesión del activo, o de las rentas generadas en su transmisión con indicación del valor de adquisición y transmisión, expresando el método o criterio de valoración aplicado y las circunstancias económicas que hayan sido tomadas en consideración.

f) Demás datos, elementos y documentos que puedan contribuir a la formación de juicio por parte de la Administración tributaria.

Se podrá acordar motivadamente la inadmisión a trámite de la solicitud cuando concurra alguna de las siguientes circunstancias:

a) Que la propuesta de valoración, o de calificación y valoración, que se pretende formular carezca manifiestamente de fundamento para determinar el valor de los ingresos procedentes de la cesión de los activos y de los gastos asociados, o bien de las rentas generadas en la transmisión, o la calificación del activo como apto.

b) Que se hubiesen desestimado propuestas de valoración, o de calificación y valoración, sustancialmente iguales a la propuesta que se pretende formular.

La documentación presentada únicamente tendrá efectos en relación con el procedimiento regulado en este capítulo y será exclusivamente utilizada respecto del mismo.

Lo previsto en los apartados anteriores no eximirá a los contribuyentes de las obligaciones que les incumben de acuerdo con lo establecido en el artículo 29 de la Ley 58/2003, de 17 de diciembre, General Tributaria, o en otra disposición.

En los casos de desistimiento, archivo, inadmisión o desestimación de la propuesta se procederá a la devolución de la documentación aportada.

Tramitación.

La Administración tributaria examinará la solicitud junto con la documentación presentada. A estos efectos, podrá requerir a los contribuyentes, en cualquier momento, cuantos datos, informes, antecedentes y justificantes tengan relación con la propuesta, así como explicaciones o aclaraciones adicionales sobre la misma.

En el procedimiento del acuerdo previo de calificación y valoración, el órgano competente para instruir deberá solicitar informe vinculante a la Dirección General de Tributos, en relación con la calificación de los activos a efectos de la aplicación de la reducción. En caso de estimarlo procedente, la Dirección General de Tributos podrá solicitar opinión no vinculante al respecto al Ministerio de Economía y Competitividad.

La Dirección General de Tributos evacuará el informe, que se comunicará al órgano solicitante en el plazo máximo de 3 meses.

Terminación y efectos del acuerdo.

La resolución que ponga fin al procedimiento del acuerdo previo de valoración podrá:

a) Aprobar la propuesta de valoración presentada por el contribuyente.

b) Aprobar, con la aceptación del contribuyente, una propuesta de valoración que difiera de la inicialmente presentada.

c) Desestimar la propuesta de valoración formulada por el contribuyente.

La resolución que ponga fin al procedimiento del acuerdo previo de calificación y valoración podrá:

a) Calificar los activos como no aptos a los efectos del artículo 23 de la Ley del Impuesto.

b) Calificar los activos como aptos y aprobar la propuesta de valoración formulada inicialmente por el contribuyente.

c) Calificar los activos como aptos y aprobar otra propuesta alternativa, con la aceptación del contribuyente.

d) Calificar los activos como aptos y desestimar la propuesta de valoración formulada por el contribuyente.

El acuerdo previo de valoración, o de calificación y valoración, tendrá carácter vinculante y se formalizará en un documento que incluirá al menos:

a) Lugar y fecha de su formalización.

b) Nombre y apellidos o razón social o denominación completa y número de identificación fiscal del contribuyente.

c) Conformidad del contribuyente con el contenido del acuerdo.

d) Descripción de la operación a la que se refiere la propuesta.

e) En el caso del acuerdo previo de calificación y valoración, calificación motivada de los activos a los efectos del artículo 23 de la Ley del Impuesto.

f) Valoración que se derive del acuerdo, con indicación de los elementos esenciales del método de valoración empleado, así como las circunstancias económicas que deban entenderse básicas en orden a su aplicación.

g) Plazo de vigencia del acuerdo y fecha de entrada en vigor del mismo.

En la desestimación de la propuesta de valoración o de calificación y valoración se incluirá junto con la identificación del contribuyente los motivos por los que la Administración tributaria desestima la misma.

El desistimiento del solicitante determinará la terminación del procedimiento.

El procedimiento deberá finalizar en el plazo máximo de 6 meses. Transcurrido dicho plazo sin haberse notificado la resolución expresa, la propuesta podrá entenderse desestimada.

La Administración tributaria y el contribuyente deberán aplicar la valoración y, en su caso, calificación, que resulte de la resolución, durante su plazo de vigencia, siempre que no varíen significativamente las circunstancias económicas que fundamentaron dicha calificación y valoración.

La Administración tributaria podrá comprobar que los hechos y operaciones descritos en la propuesta aprobada se corresponden con los efectivamente habidos y que la propuesta aprobada ha sido correctamente aplicada. Cuando de la comprobación resultare que los hechos y operaciones descritos en la propuesta aprobada no se corresponden con la realidad, o que la propuesta aprobada no ha sido aplicada correctamente, la Inspección de los Tributos procederá a regularizar la situación tributaria de los contribuyentes.

La resolución que ponga fin al procedimiento o el acto presunto desestimatorio no serán recurribles, sin perjuicio de los recursos y reclamaciones que contra los actos de liquidación que en su día se dicten puedan interponerse.

Órgano competente.

Será competente para instruir, resolver y, en el caso de modificación del acuerdo, iniciar, el procedimiento a que se refiere este capítulo el órgano de la Agencia Estatal de Administración Tributaria que corresponda de acuerdo con sus normas de estructura orgánica.

Modificación del acuerdo previo de valoración o de calificación y valoración.

En el supuesto de variación significativa de las circunstancias económicas que han determinado la valoración, existentes en el momento de la aprobación del acuerdo previo de valoración, o de calificación y valoración, éste podrá ser modificado para adecuarlo a las nuevas circunstancias económicas. El procedimiento de modificación podrá iniciarse de oficio o a instancia de los contribuyentes.

La solicitud de modificación deberá ser suscrita por la persona o entidad solicitante, y deberá contener la siguiente información:

a) Justificación de la variación significativa de las circunstancias económicas.

b) Modificación de la valoración que, a tenor de dicha variación, resulta procedente.

El desistimiento del solicitante determinará la terminación del procedimiento.

La Administración tributaria podrá requerir a los contribuyentes, en cualquier momento, cuantos datos, informes, antecedentes y justificantes tengan relación con la propuesta, así como explicaciones o aclaraciones adicionales sobre la misma.

La Administración tributaria, una vez examinada la documentación presentada, y previa audiencia del contribuyente, que dispondrá al efecto de un plazo de 15 días, dictará resolución motivada, que podrá:

1.º Aprobar la modificación de valoración formulada por el contribuyente.

2.º Aprobar, con la aceptación del contribuyente, una propuesta de valoración que difiera de la inicialmente presentada.

3.º Desestimar la modificación formulada por el contribuyente, confirmando o dejando sin efecto la propuesta de valoración inicialmente aprobada. No obstante, no afectará a la calificación de los activos, realizada en el acuerdo previo de calificación y valoración inicial.

Cuando el procedimiento de modificación haya sido iniciado por la Administración tributaria, el contenido de la propuesta se notificará al contribuyente que dispondrá de un plazo de un mes, contado a partir del día siguiente al de la notificación de la propuesta, para:

a) Aceptar la modificación.

b) Formular una modificación alternativa, debidamente justificada.

c) Rechazar la modificación, expresando los motivos en los que se fundamentan.

La Administración tributaria, una vez examinada la documentación presentada, dictará resolución motivada, que podrá:

1.º Aprobar la modificación, si el contribuyente la ha aceptado.

2.º Aprobar la modificación alternativa formulada por el contribuyente.

3.º Dejar sin efecto el acuerdo por el que se aprobó la propuesta inicial de valoración, sin que afecte a la calificación de los activos en el supuesto de un acuerdo previo de calificación y valoración inicial.

4.º Declarar la continuación de la aplicación de la propuesta de valoración inicial.

El procedimiento deberá finalizarse en el plazo de 6 meses. Transcurrido dicho plazo sin haberse notificado una resolución expresa, la propuesta de modificación podrá entenderse desestimada.

La resolución que ponga fin al procedimiento de modificación no será recurrible, sin perjuicio de los recursos y reclamaciones que puedan interponerse contra los actos de liquidación que puedan dictarse.

La aprobación de la modificación tendrá los efectos previstos en el artículo 41 de este Reglamento, desde la solicitud de la modificación o, en su caso, desde la comunicación de propuesta de modificación.

La resolución por la que se deje sin efecto el acuerdo previo de valoración inicial, o de calificación y valoración inicial en relación con la valoración, determinará, respecto de ésta, la extinción de los efectos previstos en el artículo 41 de este Reglamento, desde la solicitud de la modificación o, en su caso, desde la comunicación de propuesta de modificación.

La desestimación de la modificación formulada por el contribuyente determinará:

a) La confirmación de los efectos previstos en el artículo 41 de este Reglamento, cuando no quede probada la variación significativa de las circunstancias económicas.

b) La extinción de los efectos previstos en el artículo 41 de este Reglamento, desde la desestimación.

Prórroga del acuerdo previo de valoración o del acuerdo previo de calificación y valoración.

El contribuyente podrá solicitar a la Administración tributaria que se prorrogue el plazo de validez del acuerdo de valoración, o de calificación y valoración, que hubiera sido aprobado. Dicha solicitud deberá presentarse antes de los 6 meses previos a la finalización de dicho plazo de validez y se acompañará de la documentación que considere conveniente para justificar que las circunstancias puestas de manifiesto en la solicitud original no han variado.

La Administración tributaria dispondrá de un plazo de 6 meses para examinar la documentación a que se refiere el apartado 1 anterior, y notificar a los contribuyentes la prórroga o no del plazo de validez del acuerdo previo de valoración, o de calificación y valoración. A tales efectos, la Administración podrá solicitar cualquier información y documentación adicional, así como la colaboración del contribuyente.

Transcurrido el plazo a que se refiere el apartado anterior sin haber notificado la prórroga del plazo de validez del acuerdo previo de valoración, o de calificación y valoración, la solicitud podrá considerarse desestimada.

La resolución por la que se acuerde o se deniegue la prórroga o el acto presunto desestimatorio no serán recurribles, sin perjuicio de los recursos y reclamaciones que puedan interponerse contra los actos de liquidación que en su día puedan dictarse.

30. SUPRESIÓN DE LA DOBLE IMPOSICIÓN EN EL CASO DE CORRECCIÓN DE LOS BENEFICIOS DE EMPRESAS ASOCIADAS

Con las debidas adaptaciones, desde 1990 (90/436/CEE) ha sobrevivido el Convenio relativo a la supresión de la doble imposición en caso de corrección de los beneficios de empresas asociadas.

El citado Convenio se aplicará cuando, a efectos impositivos, los beneficios que se hallen incluidos en los beneficios de una empresa de un Estado contratante estén incluidos o vayan a incluirse probablemente también en los beneficios de una empresa de otro Estado contratante.

La aplicación del Convenio se regirá por los principios siguientes:

1) Cuando:

    a) una empresa de un Estado contratante participe directa o indirectamente en la dirección, el control o el capital de una empresa de otro Estado contratante, o cuando

    b) las mismas personas participen directa o indirectamente en la dirección, el control o el capital de una empresa de un Estado contratante y de una empresa de otro Estado contratante, y cuando en uno de estos casos las dos empresas, en sus relaciones comerciales o financieras, estén vinculadas por condiciones acordadas o impuestas que difieran de las que se acordarían entre empresas independientes, los beneficios que en caso de no haberse dado dichas condiciones, hubiese realizado una de las empresas, pero que no hayan podido realizarse debido a la existencia de dichas condiciones, podrán incluirse en los beneficios de dicha empresa y ser gravados consecuentemente.

2) Cuando una empresa de un Estado contratante ejerciere su actividad en otro Estado contratante a través de un establecimiento permanente que esté situado en este último, se atribuirán a dicho establecimiento permanente los beneficios que hubiese podido realizar si hubiera constituido una empresa diferente que hubiera ejercido idénticas o análogas actividades en condiciones idénticas o análogas y que hubiera tratado con total independencia con la empresa de la que fuere establecimiento permanente.

Cuando un Estado contratante tuviere intención de corregir los beneficios de una empresa en aplicación de los principios enunciados anteriormente, informará con la debida antelación a la empresa de su intención, y le dará ocasión de informar a la otra empresa, de forma que ésta pueda informar a su vez al otro Estado contratante.

No obstante, no habrá impedimento para que el Estado contratante que facilita la información efectúe la corrección pertinente.

Procedimiento amistoso y procedimiento arbitral:

1. Cuando una empresa considerare que, en cualquiera de los casos a los que se aplique el presente Convenio, no se han respetado los principios enunciados anteriormente, podrá, con independencia de los recursos previstos en el derecho interno de los Estados contratantes de que se trate, presentar su caso a la autoridad competente del Estado contratante del que fuere un residente o en el que se hallare situado su establecimiento permanente. El caso habrá de presentarse antes de transcurridos tres años a partir de la primera notificación de la medida que ocasione o pueda ocasionar una doble imposición.

    La empresa indicará simultáneamente a la autoridad competente si otros Estados contratantes podrían verse afectados por el caso. La autoridad competente advertirá seguidamente, sin demora, a las autoridades competentes de dichos otros Estados contratantes.

2. Si la reclamación le pareciere fundada, y si ella misma no pudiere hallar solución satisfactoria alguna, la autoridad competente se esforzará en resolver el caso mediante un acuerdo amistoso con la autoridad competente de cualquier otro Estado contratante interesado, con vistas a evitar la doble imposición. El acuerdo amistoso se aplicará sean cuales fueren los plazos previstos en el derecho interno de los Estados contratantes interesados.

3. Si las autoridades competentes interesadas no llegaren a un acuerdo por el que se evite la doble imposición en un plazo de dos años, constituirán una comisión consultiva, a la que encargarán que emita un dictamen sobre la forma de suprimir la doble imposición en cuestión.

    Las empresas podrán utilizar las posibilidades de recurso previstas en el derecho interno de los Estados contratantes de que se trate; no obstante, cuando el caso se hubiere presentado ante algún tribunal, el plazo de dos años a que se refiere el párrafo primero comenzará a contarse a partir de la fecha en que sea firme la resolución dictada en última instancia en el marco de esos recursos internos.

4. La presentación del caso a la comisión consultiva no impedirá al Estado contratante emprender o continuar, para ese mismo caso, acciones judiciales o procedimientos encaminados a aplicar sanciones administrativas.

5. Las autoridades competentes podrán acordar excepciones a los plazos citados con la aprobación de las empresas asociadas interesadas.

6. La autoridad competente de un Estado contratante no se hallará obligada a entablar el procedimiento amistoso ni a constituir la comisión consultiva cuando algún procedimiento judicial o administrativo decida con carácter definitivo que una de las empresas de que se trate, mediante actos que den lugar a una corrección de los beneficios, puede ser objeto de una sanción grave.

7. Cuando algún procedimiento judicial o administrativo encaminado a declarar que una de las empresas de que se trate, mediante actos que den lugar a una corrección de beneficios, puede ser objeto de una sanción grave y al mismo tiempo se hallare en curso uno de los procedimientos citados anteriormente, las autoridades competentes podrán suspender el desarrollo de estos últimos procedimientos hasta la conclusión de dicho procedimiento judicial o administrativo.

8. Las autoridades competentes partes en el procedimiento adoptarán, de común acuerdo, una decisión que garantice la supresión de la doble imposición en un plazo de seis meses contado a partir de la fecha en que la comisión consultiva haya emitido su dictamen.

9. El carácter definitivo de las decisiones adoptadas por los Estados contratantes afectados sobre la imposición de los beneficios procedentes de una operación entre empresas asociadas no será óbice para que se recurra a los procedimientos amistoso y arbitral.

10. A los efectos de la aplicación del Convenio, se considerará suprimida la doble imposición de beneficios:

    a) cuando los beneficios se hallen incluidos en el cálculo de beneficios sujetos a imposición en un solo Estado; o

    b) cuando el importe del impuesto al que se hallen sujetos dichos beneficios en un Estado se disminuya en un importe igual al del impuesto que los grave en el otro Estado.

31. OPERACIONES VINCULADAS Y RECUPERACIÓN DEL VALOR

Con la expresión "operaciones vinculadas y recuperación del valor" nos estamos refiriendo al supuesto de operaciones realizadas entre entidades vinculadas con precios de transferencia, o sea, precios diferentes a los de mercado, pero en las que se da la circunstancia de que los bienes o derechos transmitidos fueron objeto de una corrección de valor y al cierre del ejercicio los elementos adquiridos recuperaron total o parcialmente el importe de dicha corrección. Los casos que pueden manifestarse son:

– El valor de mercado es inferior al precio originario del elemento en la entidad transmitente. En este caso, con independencia de que el precio pactado entre las partes determine o no una menor tributación o un diferimiento, la entidad adquirente del elemento debe integrar en su base imponible el importe de la recuperación de valor, esto es, la diferencia entre el valor de mercado y el precio de adquisición.

   No obstante, cuando haya ese perjuicio económico para la Hacienda Pública y, por tanto, la Administración tributaria sustituya el valor pactado por el de mercado, procede realizar una regularización en la entidad adquirente, en el sentido de que debe reducirse el importe de la recuperación de valor que integró en su base imponible; en particular, debe eliminarse la totalidad del importe integrado en su base imponible.

– El valor de mercado es igual o superior al precio originario del elemento en la entidad transmitente. En este otro caso, igualmente la entidad adquirente del elemento debe integrar en su base imponible la totalidad del importe de la recuperación de valor, sin perjuicio de que la Administración tributaria deba eliminar esa integración en el caso de que asuma el valor de mercado como valor de la operación.

Artículo 19

Cambios de residencia, operaciones realizadas con o por personas o entidades residentes en paraísos fiscales y cantidades sujetas a retención. Reglas especiales

Miguel A. Caamaño Anido
*Catedrático de Derecho Financiero
y Tributario. Universidad A Coruña. Abogado*

"1. *Se integrará en la base imponible la diferencia entre el valor de mercado y el valor fiscal de los elementos patrimoniales que sean propiedad de una entidad residente en territorio español que traslada su residencia fuera de éste, excepto que dichos elementos patrimoniales queden afectados a un establecimiento permanente situado en territorio español de la mencionada entidad. En caso de afectación a un establecimiento permanente, será de aplicación a dichos elementos patrimoniales lo previsto en el artículo 78 de esta Ley.*

El pago de la deuda tributaria resultante de la aplicación de lo dispuesto en el párrafo anterior, en el supuesto de elementos patrimoniales transferidos a un Estado miembro de la Unión Europea o del Espacio Económico Europeo con el que exista un efectivo intercambio de información tributaria en los términos previstos en el apartado 4 de la Disposición Adicional primera de la Ley 36/2006, de 29 de noviembre, de medidas para la prevención del fraude fiscal, será aplazado por la Administración tributaria a solicitud del contribuyente hasta la fecha de la transmisión a terceros de los elementos patrimoniales afectados, resultando de aplicación lo dispuesto en la Ley General Tributaria y su normativa de desarrollo, en cuanto al devengo de intereses de demora y a la constitución de garantías para dicho aplazamiento.

2. Las operaciones que se efectúen con personas o entidades residentes en países o territorios calificados como paraísos fiscales se valorarán por su valor de mercado.

Quienes realicen las operaciones señaladas en el párrafo anterior estarán sujetos a la obligación de documentación a que se refiere el artículo 18.3 de esta Ley con las especialidades que reglamentariamente se establezcan.

3. El perceptor de cantidades sobre las que deba retenerse a cuenta de este Impuesto computará aquéllas por la contraprestación íntegra devengada.

Cuando la retención no se hubiera practicado o lo hubiera sido por importe inferior al debido, por causa imputable exclusivamente al retenedor, el perceptor deducirá de la cuota la cantidad que debió ser retenida.

En el caso de retribuciones legalmente establecidas que hubieran sido satisfechas por el sector público, el perceptor sólo podrá deducir las cantidades efectivamente retenidas.

Cuando no pudiera probarse la contraprestación íntegra devengada, la Administración tributaria podrá computar como importe íntegro una cantidad que, una vez restada de ella la retención procedente, arroje la efectivamente percibida. En este caso se deducirá de la cuota, como retención a cuenta, la diferencia entre lo realmente percibido y el importe íntegro.

4. La renta que se ponga de manifiesto como consecuencia del ejercicio del derecho de rescate de los contratos de seguro colectivo que instrumenten compromisos por pensiones, en los términos previstos en la Disposición adicional primera del Texto Refundido de la Ley de Regulación de los Planes y Fondos de Pensiones, aprobado por el Real Decreto Legislativo 1/2002, de 29 de noviembre, no estará sujeta al Impuesto sobre Sociedades del titular de los recursos económicos que en cada caso corresponda, en los siguientes supuestos:

a) Para la integración total o parcial de los compromisos instrumentados en la póliza en otro contrato de seguro que cumpla los requisitos de la citada Disposición adicional primera.

b) Para la integración en otro contrato de seguro colectivo, de los derechos que correspondan al trabajador según el contrato de seguro original en el caso de cese de la relación laboral.

Los supuestos establecidos en las letras a) y b) anteriores no alterarán la naturaleza de las primas respecto de su imputación fiscal por parte de la empresa, ni el cómputo de la antigüedad de las primas satisfechas en el contrato de seguro original. No obstante, en el supuesto establecido en la letra b) anterior, si las primas no fueron imputadas, la empresa podrá deducirlas con ocasión de esta movilización.

No quedará sujeta la renta que se ponga de manifiesto como consecuencia de la participación en beneficios de los contratos de seguro que instrumenten compromisos por pensiones de acuerdo con lo previsto en la Disposición adicional primera del Texto Refundido de la Ley de Regulación de los Planes y Fondos de Pensiones, cuando dicha participación en beneficios se destine al aumento de las prestaciones aseguradas en dichos contratos.

5. No se integrarán en la base imponible las rentas positivas o negativas que se pongan de manifiesto con ocasión del pago de las deudas tributarias a que se refiere el apartado 2 del artículo 125 de esta Ley y de las deudas tributarias a que se refiere el artículo 73 de la Ley 16/1985, de 25 de junio, de Patrimonio Histórico Español.

6. No se integrarán en la base imponible las subvenciones concedidas a los contribuyentes de este Impuesto que exploten fincas fores-

tales gestionadas de acuerdo con planes técnicos de gestión forestal, ordenación de montes, planes dasocráticos o planes de repoblación forestal aprobadas por la Administración forestal competente, siempre que el período de producción medio, según la especie de que se trate, determinado en cada caso por la Administración forestal competente, sea igual o superior a 20 años".

SUMARIO: 1. JUSTIFICACIÓN DE LA TRIBUTACIÓN DEL CAMBIO DE RESIDENCIA. 2. PAÍS DE RESIDENCIA Y SUPUESTOS Y PROCEDIMIENTO DE CAMBIO. 3. EL CAMBIO DE RESIDENCIA CUANDO LOS ACTIVOS PERMANECEN AFECTOS A UN ESTABLECIMIENTO PERMANENTE UBICADO EN ESPAÑA. 4. APLAZAMIENTO Y/O FRACCIONAMIENTO DE LAS PLUSVALÍAS TÁCITAS QUE TRIBUTAN EN VIRTUD DEL CAMBIO DE RESIDENCIA. 5. OBLIGACIONES DE DOCUMENTACIÓN RELATIVAS A LAS OPERACIONES CON PERSONAS O ENTIDADES NO VINCULADAS RESIDENTES EN PARAÍSOS FISCALES. 6. ¿PUEDE LA ADMINISTRACIÓN EXIGIR AL RETENEDOR EN TODO CASO LAS RETENCIONES INCORRECTAMENTE PRACTICADAS? ¿PUEDE IMPONERLE SANCIONES?. 7. ¿PUEDE LA ADMINISTRACIÓN SANCIONAR LA INCORRECCIÓN EN EL CÁLCULO DE LAS RETENCIONES?

1. JUSTIFICACIÓN DE LA TRIBUTACIÓN DEL CAMBIO DE RESIDENCIA

Como hemos visto al comentar el artículo 17 de la LIS, tributarán las plusvalías que se pongan de manifiesto no solo con ocasión de la transmisión a terceros de bienes o derechos a título oneroso que hagan los sujetos pasivos del Impuesto sobre Sociedades, sino que también tributarán las plusvalías que se pongan de manifiesto con ocasión de la transmisión de bienes o derechos a título gratuito, de su aportación a otras entidades, de los transmitidos a los socios por causa de disolución, separación de éstos, reducción de capital con devolución de aportaciones, operaciones de fusión, escisión, etc. etc.

En estos supuestos no existe, en sentido propio, una transmisión a título oneroso, pero sí integran el hecho imponible del Impuesto sobre Sociedades al aflorar las plusvalías latentes, debiendo de tributar por la diferencia entre el valor contable de los activos que se transmiten/aportan/amortizan y su valor de mercado.

Pues bien, lo propio ocurre en el caso de cambio de residencia de las personas jurídicas. Al consumarse jurídicamente dicho cambio, las plusvalías derivadas de la transmisión de los bienes y derechos integrantes del patrimonio de las personas jurídicas a terceros escaparán a la soberanía fiscal española, razón por la cual la tributación se retrotrae al momento en que el cambio de residencia se produce. El hecho de que una vez que éste se produce será el nuevo Estado de residencia de la entidad en lugar del Fisco español quien pueda gravar las rentas derivadas de la transmisión de bienes o derechos a terceros y las operaciones societarias, es lo que justifica tanto que tributen en España las plusvalías tácitas como que el cambio de residencia determine la conclusión del período impositivo.

2. PAÍS DE RESIDENCIA Y SUPUESTOS Y PROCEDIMIENTO DE CAMBIO

Como es sabido (y así lo establece el art. 8 LIS), se considerarán residentes en territorio español las entidades en las que concurra alguno de los siguientes requisitos:

a. Que se hubieran constituido conforme a las leyes españolas.

b. Que tengan su domicilio social en territorio español.

c. Que tengan su sede de dirección efectiva en territorio español.

A estos efectos, se entenderá que una entidad tiene su sede de dirección efectiva en territorio español cuando en él radique la dirección y control del conjunto de sus actividades.

Por otra parte, la Administración tributaria podrá presumir que una entidad radicada en algún país o territorio de nula tributación tiene su residencia en territorio español cuando sus activos principales, directa o indirectamente, consistan en bienes situados o derechos que se cumplan o ejerciten en territorio español, o cuando su actividad principal se desarrolle en éste, salvo que dicha entidad acredite que su dirección y efectiva gestión tienen lugar en aquel país o territorio, así como que la constitución y operativa de la entidad responde a motivos económicos válidos y razones empresariales sustantivas distintas de la gestión de valores u otros activos.

Asimismo, tengamos presente que el domicilio fiscal de los contribuyentes residentes en territorio español será el de su domicilio social, siempre que en él esté efectivamente centralizada la gestión administrativa y la dirección de sus negocios. En otro caso, se atenderá al lugar en que se realice dicha gestión o dirección.

En los supuestos en que no pueda establecerse el lugar del domicilio fiscal, de acuerdo con los criterios anteriores, prevalecerá aquél donde radique el mayor valor del inmovilizado.

A este respecto, hemos de diferenciar entre domicilio social y domicilio fiscal e las personas jurídicas.

Según el *art. 9.1 de la Ley de Sociedades de Capital* el **domicilio social** es el lugar donde "*se halle el centro de su efectiva administración y dirección, o en el que radique su principal establecimiento o explotación*".

Para poder modificar este domicilio social es necesario un acuerdo de Junta de Socios modificativo de los Estatutos Sociales, elevar a públicos los acuerdos e inscripción de la escritura pública de modificación estatutaria donde se refleje el nuevo domicilio social en el Registro Mercantil.

De acuerdo con lo establecido en el art. 48.2.b) de la Ley General Tributaria, sin embargo, será el **domicilio fiscal** de una entidad el lugar donde se ubique *"su domicilio social, siempre que en él esté efectivamente centralizada su gestión administrativa y la dirección de sus negocios. En otro caso, se atenderá al lugar en el que se lleve a cabo dicha gestión o dirección."* El cambio del domicilio fiscal es un trámite mucho más sencillo que el cambio del domicilio social ya que estriba en una mera comunicación a la Agencia Estatal de Administración Tributaria a través del modelo 036.

En todo caso, como anteriormente ya hemos apuntado, nótese que no dejará de ser residente en España la entidad cuando, aun habiéndose producido el cambio de domicilio social, continúe en España la "sede de dirección efectiva", entendiéndose, como aclara explícitamente la LIS, que una entidad tiene su sede de dirección efectiva en territorio español cuando en él radique "la dirección y control del conjunto de sus actividades".

Tal como señala Néstor Carmona (Guía del Impuesto sobre la Renta de No Residentes, Walters-Kluwer España, Ed. Fiscal CISS, 2007, pág. 76), el término "control" utilizado por la LIS resulta más agresivo que las expresiones definitorias de la residencia fiscal del viejo RIS de 1982, cuyo artículo 16.2 apuntaba al lugar donde radicaba la "gestión administrativa y dirección de los negocios". Y dicha expresión era el objeto descriptivo del artículo 22 del citado reglamento, donde se barajaban circunstancias de "la contratación general o la contabilidad principal de la entidad", así como el "domicilio fiscal de los administradores o gerentes" en modo en que fuera debidamente ejercida la dirección de los negocios sociales. La nueva norma parece querer desvelar la preocupación del legislador ante el uso abusivo de residencias fiscales artificiales de entidades aparente y formalmente no residentes, cuya gestión efectiva pueda ejecutarse u ordenarse desde territorio español.

A pesar de que es discutible el alcance interpretativo de la expresión "control de la actividad", este término refuerza las posibilidades prácticas de considerar, en virtud del criterio de la sede de dirección efectiva, a entidades, incluso protegidas por un convenio para evitar la doble imposición, meramente interpuestas o carentes de sustrato empresarial, cuya dirección (poco profesionalizada, si hablamos, por ejemplo, de sociedades de inversión puramente especulativas, constituidas directa o indirectamente por residentes en España) y control ejecutivo se demuestre o deduzca razonablemente que se efectúa desde territorio español.

En segundo término, debe reiterarse la incidencia desde poco antes del año 2007 de una disposición de corte marcadamente disuasoria: la facultad otorgada legalmente a la administración tributaria para "presumir que una entidad radicada en algún país o territorio de nula tributación o considerado como paraíso fiscal tiene su residencia en territorio español siempre que se den las siguientes circunstancias: a.) Que sus activos principales, directa o indirectamente, consistan en bienes situados o derechos que se cumplan o ejerciten en territorio español; b.) o bien que su actividad principal se desarrolle en territorio español: c.) siempre que la entidad no acredite que su dirección y efectiva gestión tienen lugar en aquel país o territorio, así como que su constitución y operativa responden a motivos económicos válidos y razones empresariales sustantivas "distintas de la simple gestión de valores u otros activos".

Por otra parte, parece difícil encontrar una línea diferencial clara entre las expresiones "dirección y control", "dirección efectiva" y la aquí utilizada de "dirección y efectiva gestión", aunque pudiera apuntar esta última tanto al componente no sólo de alta decisión sino también de baja o diaria gestión y llevanza ejecutiva de la entidad.

En fin, sólo la casuística podrá ir dirimiendo las fronteras de los motivos económicos –extrafiscales– "válidos" o de las "razones empresariales sustantivas" o también de la "simple" (¿cuándo es compleja? ¿se quiso decir "sola"?) gestión de activos.

DOCTRINA Y JURISPRUDENCIA:

- El traslado del domicilio social manteniendo la residencia fiscal en España no tiene ninguna consecuencia (DGT CV 13-6-07).

- Si en el cambio de residencia de una holding de España al extranjero no queda en territorio español un establecimiento permanente al que estuviesen afectas las participaciones, no sería de aplicación la limitación a la compensación de bases imponibles negativas que estuviesen pendientes de compensar en la holding (DGT CV 18-12-12).

- El cambio de domicilio social al extranjero determina la pérdida de toda conexión con el ordenamiento jurídico español, por lo que debe entenderse que dejan de ser entidades constituidas conforme a la legislación española, perdiendo, por tanto, su condición de sociedad residente fiscal en territorio español. En definitiva, la pérdida de la residencia fiscal en España, determina la aplicación de lo dispuesto en LIS/04 art.17.1 y 26.2 (LIS art.19.1 y 27.2) (DGT CV 5-8-13).

3. EL CAMBIO DE RESIDENCIA CUANDO LOS ACTIVOS PERMANECEN AFECTOS A UN ESTABLECIMIENTO PERMANENTE UBICADO EN ESPAÑA

Precisamente porque la justificación de la tributación implícita al cambio de residencia de la entidad estriba en que ésta queda fuera de la soberanía fiscal española, en aquellos casos en que el cambio de residencia convierte los elementos patrimoniales de la sociedad en un establecimiento permanente en España afectos al mismo, en la medida en que no se pierde la capacidad para gravar las referidas plusvalías, aquella renta no se grava por el solo hecho del cambio de residencia. A efectos fiscales, esos elementos conservan el valor que tenían con anterioridad al cambio de residencia, computándose sobre esos valores los ingresos y gastos derivados de dichos elementos. No olvidemos al respecto lo siguiente:

1. Los establecimientos permanentes estarán obligados a llevar contabilidad separada, referida a las operaciones que realicen y a los elementos patrimoniales que estuviesen afectos a ellos.

2. Estarán, asimismo, obligados al cumplimiento de las restantes obligaciones de índole contable, registral o formal exigibles a las entidades residentes en territorio español por las normas del Impuesto sobre Sociedades.

Por otra parte, el hecho de que no se graven las plusvalías latentes de aquellos activos que permanezcan afectos a un establecimiento permanente constituido en España, no impide que concluya un período impositivo para la entidad residente que cambia su residencia al extranjero.

Es más, la DGT ha señala en CV de 9 de junio de 2009 que aunque el cambio del domicilio social de España al extranjero de una sociedad supone la conclusión de un período impositivo, el establecimiento permanente que resulte en España podrá compensar las bases imponibles negativas de la sociedad, sin que se genere renta alguna en los socios de la sociedad –tanto si son residentes en España como en el extranjero–.

Nótese al respecto que el art. 13.1º del Texto Refundido de la Ley del Impuesto sobre la Renta de No Residentes establece que se entenderá que una persona física o entidad opera mediante establecimiento permanente en territorio español cuando por cualquier título disponga en éste, de forma continuada o habitual, de instalaciones o lugares de trabajo de cualquier índole, en los que realice toda o parte de su actividad, o actúe en él por medio de un agente autorizado para contratar, en nombre y por cuenta del contribuyente, que ejerza con habitualidad dichos poderes. En particular, se entenderá que constituyen establecimiento permanente las sedes de dirección, las sucursales, las oficinas, las fábricas, los talleres, los almacenes, tiendas u otros establecimientos, las minas, los pozos de petróleo o de gas, las canteras, las explotaciones agrícolas, forestales o pecuarias o cualquier otro lugar de exploración o de extracción de recursos naturales, y las obras de construcción, instalación o montaje cuya duración exceda de seis meses.

Y nótese también, en fin, que de acuerdo con lo establecido en el art. 18.5º del Texto Refundido de la Ley del Impuesto sobre la Renta de No Residentes, se integrará en la base imponible la diferencia entre el valor de mercado y el valor contable de los siguientes elementos patrimoniales:

a. Los que estén afectos a un establecimiento permanente situado en territorio español que cesa su actividad.

b. Los que estando previamente afectos a un establecimiento permanente situado en territorio español son transferidos al extranjero.

El pago de la deuda tributaria resultante de la aplicación de la letra b) anterior, en el supuesto de elementos patrimoniales transferidos a un Estado miembro de la Unión Europea, o del Espacio Económico Europeo con el que exista efectivo intercambio de información tributaria, será aplazado por la Administración Tributaria a solicitud del contribuyente hasta la fecha de la transmisión a terceros de los elementos patrimoniales afectados, resultando de aplicación lo dispuesto en la LGT y su normativa de desarrollo, en cuanto al devengo de intereses de demora y a la constitución de garantías para dicho aplazamiento.

4. APLAZAMIENTO Y/O FRACCIONAMIENTO DE LAS PLUSVALÍAS TÁCITAS QUE TRIBUTAN EN VIRTUD DEL CAMBIO DE RESIDENCIA

Las deudas tributarias que se encuentren en período voluntario o ejecutivo podrán aplazarse o fraccionarse previa solicitud del obligado tributario, cuando su situación económico-financiera le impida, de forma transitoria, efectuar el pago en los plazos establecidos.

Las deudas aplazadas o fraccionadas deberán garantizarse en los términos que se verán más adelante.

Cuando la totalidad de la deuda aplazada o fraccionada se garantice con aval solidario de entidad de crédito o sociedad de garantía recíproca o mediante certificado de seguro de caución, el interés de demora exigible será el interés legal que corresponda hasta la fecha de su ingreso.

La presentación de una solicitud de aplazamiento o fraccionamiento en período voluntario impedirá el inicio del período ejecutivo, pero no el devengo del interés de demora.

Las solicitudes en período ejecutivo podrán presentarse hasta el momento en que se notifique al obligado el acuerdo de enajenación de los bienes embargados. La Administración tributaria podrá iniciar o, en su caso, continuar el procedimiento de apremio durante la tramitación del aplazamiento o fraccionamiento. No obstante, deberán suspenderse las actuaciones de enajenación de los bienes embargados hasta la notificación de la resolución denegatoria del aplazamiento o fraccionamiento.

La solicitud de aplazamiento o fraccionamiento contendrá necesariamente los siguientes datos:

a. Nombre y apellidos o razón social o denominación completa, número de identificación fiscal y domicilio fiscal del obligado al pago y, en su caso, de la persona que lo represente.

b. Identificación de la deuda cuyo aplazamiento o fraccionamiento se solicita, indicando al menos su importe, concepto y fecha de finalización del plazo de ingreso en periodo voluntario.

c. Causas que motivan la solicitud de aplazamiento o fraccionamiento.

d. Plazos y demás condiciones del aplazamiento o fraccionamiento que se solicita.

e. Garantía que se ofrece.

f. Orden de domiciliación bancaria, indicando el número de código cuenta cliente y los datos identificativos de la entidad de crédito que deba efectuar el cargo en cuenta, cuando la Administración competente para resolver haya establecido esta forma de pago como obligatoria en estos supuestos.

g. Lugar, fecha y firma del solicitante.

A la solicitud de aplazamiento o fraccionamiento se deberá acompañar:

d. Compromiso de aval solidario de entidad de crédito o sociedad de garantía recíproca o de certificado de seguro de caución, o la documentación que se corresponda con el tipo de garantía que se ofrezca.

e. En su caso, los documentos que acrediten la representación y el lugar señalado a efectos de notificación.

f. Los demás documentos o justificantes que estime oportunos. En particular, deberá justificarse la existencia de dificultades económico-financieras que le impidan de forma transitoria efectuar el pago en el plazo establecido.

g. Si la deuda tributaria cuyo aplazamiento o fraccionamiento se solicita ha sido determinada mediante autoliquidación, el modelo oficial de ésta, debidamente cumplimentado, salvo que el interesado no esté obligado a presentarlo por obrar ya en poder de la Administración; en tal caso, señalará el día y procedimiento en que lo presentó.

h. En su caso, solicitud de compensación durante la vigencia del aplazamiento o fraccionamiento con los créditos que puedan reconocerse a su favor durante el mismo periodo de tiempo.

Cuando se solicite la admisión de garantía que no consista en aval de entidad de crédito o sociedad de garantía recíproca o certificado de seguro de caución, se aportará la siguiente documentación:

a. Declaración responsable y justificación documental de la imposibilidad de obtener dicho aval o certificado de seguro de caución, en la que consten las gestiones efectuadas para su obtención.

b. Valoración de los bienes ofrecidos en garantía efectuada por empresas o profesionales especializados e independientes. Cuando exista un registro de empresas o profesionales especializados en la valoración de un determinado tipo de bienes, la valoración deberá efectuarse, preferentemente, por una empresa o profesional inscrito en dicho registro.

c. Balance y cuenta de resultados del último ejercicio cerrado e informe de auditoría, si existe, en caso de empresarios o profesionales obligados por ley a llevar contabilidad.

Cuando se solicite la dispensa total o parcial de garantía, se aportará junto a la solicitud la siguiente documentación:

I. Declaración responsable y justificación documental manifestando carecer de bienes o no poseer otros que los ofrecidos en garantía.

II. Justificación documental de la imposibilidad de obtener aval de entidad de crédito o sociedad de garantía recíproca o certificado de seguro de caución, en la que consten las gestiones efectuadas para su obtención.

III. Balance y cuenta de resultados de los tres últimos años e informe de auditoría, si existe, en caso de empresarios o profesionales obligados por ley a llevar contabilidad.

IV. Plan de viabilidad y cualquier otra información que justifique la posibilidad de cumplir el aplazamiento o fraccionamiento solicitado.

Si la solicitud no reúne los requisitos establecidos en la normativa o no se acompañan los documentos citados, el órgano competente para la tramitación del aplazamiento o fraccionamiento requerirá al solicitante para que, en un plazo de 10 días contados a partir del siguiente al de la notificación del requerimiento, subsane el defecto o aporte los documentos con indicación de que, de no atender el requerimiento en el plazo señalado, se tendrá por no presentada la solicitud y se archivará sin más trámite.

No procederá la subsanación si no se acompaña a la solicitud de aplazamiento o fraccionamiento la autoliquidación que no obre en poder de la Administración. En este caso, procederá la inadmisión.

Si la solicitud de aplazamiento o fraccionamiento se hubiese presentado en periodo voluntario de ingreso y el plazo para atender el requerimiento de subsanación finalizase con posterioridad al plazo de ingreso en periodo voluntario y aquel no fuese atendido, se iniciará el procedimiento de apremio mediante la notificación de la oportuna providencia de apremio.

Cuando el requerimiento de subsanación haya sido objeto de contestación en plazo por el interesado, pero no se entiendan subsanados los defectos observados, procederá la denegación de la solicitud de aplazamiento o fraccionamiento.

Podrá acordarse la denegación cuando la garantía aportada por el solicitante hubiese sido rechazada anteriormente por la Administración tributaria por falta de suficiencia jurídica o económica o por falta de idoneidad.

Cuando se considere oportuno a efectos de dictar resolución, se podrá requerir al solicitante la información y documentación que considere necesaria para resolver la solicitud de aplazamiento o fraccionamiento y, en particular, la referente a la titularidad, descripción, estado, cargas y utilización de los bienes ofrecidos en garantía.

Formalización de las garantías ofrecidas.

La garantía cubrirá el importe de la deuda en periodo voluntario, de los intereses de demora que genere el aplazamiento y un 25 por ciento de la suma de ambas partidas.

En caso de solicitud de fraccionamiento, podrá constituirse una única garantía para la totalidad de las fracciones que puedan acordarse o bien garantías parciales e independientes para una o varias fracciones.

En todo caso, la garantía deberá cubrir el importe de las fracciones a que se refiera, incluyendo el importe que por principal e intereses de demora se incorpore a las fracciones más el 25 por ciento de la suma de ambas partidas.

La suficiencia económica y jurídica de las garantías será apreciada por el órgano competente para la tramitación del aplazamiento o fraccionamiento.

Cuando dicha apreciación presente especial complejidad, se podrá solicitar informe de otros servicios técnicos de la Administración o contratar servicios externos. Asimismo, el órgano competente para tramitar el aplazamiento o fraccionamiento podrá solicitar informe al órgano con funciones de asesoramiento jurídico correspondiente sobre la suficiencia jurídica de la garantía ofrecida.

Si la valoración del bien ofrecido en garantía resultara insuficiente para garantizar el aplazamiento o fraccionamiento en los términos previstos en este reglamento, deducidas las cargas en su caso existentes, se requerirá al solicitante para que en el plazo de 10 días contados a partir del día siguiente al de la notificación del requerimiento aporte garantías complementarias o bien acredite la imposibilidad de aportarlas.

Si el requerimiento no es atendido o, siéndolo, no se entiende complementada la garantía o suficientemente justificada la imposibilidad de complementarla, procederá la denegación de la solicitud.

La vigencia de la garantía constituida mediante aval o certificado de seguro de caución deberá exceder al menos en seis meses al vencimiento del plazo o plazos garantizados.

La garantía deberá formalizarse en el plazo de dos meses contados a partir del día siguiente al de la notificación del acuerdo de concesión cuya eficacia quedará condicionada a dicha formalización.

Transcurrido el plazo de dos meses sin haberse formalizado las garantías, las consecuencias serán las siguientes:

a. Si la solicitud fue presentada en periodo voluntario de ingreso, se iniciará el periodo ejecutivo al día siguiente de aquel en que finalizó el plazo para la formalización de las garantías, debiendo iniciarse el procedimiento de apremio, exigiéndose el ingreso del principal de la deuda y el recargo del periodo ejecutivo. Se procederá a la liquidación de los intereses de demora devengados a partir del día siguiente al del vencimiento del plazo de ingreso en periodo voluntario hasta la fecha de fin del plazo para la formalización de las garantías sin perjuicio de los que se devenguen posteriormente.

b. Si la solicitud fue presentada en periodo ejecutivo de ingreso, deberá continuar el procedimiento de apremio.

La aceptación de la garantía será competencia del órgano que deba resolver el aplazamiento o fraccionamiento solicitado. Dicha aceptación se efectuará mediante documento administrativo que, en su caso, será remitido a los registros públicos correspondientes para que su contenido se haga constar en estos.

Las garantías serán liberadas de inmediato una vez realizado el pago total de la deuda garantizada, incluidos, en su caso, los recargos, los intereses de demora y las costas. Si se trata de garantías parciales e independientes, estas deberán ser liberadas de forma independiente cuando se satisfagan los plazos garantizados por cada una de ellas.

El reembolso del coste de las garantías aportadas para aplazar o fraccionar el pago de una deuda o sanción tributaria, cuando dicha deuda o sanción sean declaradas improcedentes por sentencia o resolución administrativa firme, se tramitará y resolverá de acuerdo con lo establecido para el reembolso de los costes de las garantías aportadas para suspender la ejecución de un acto impugnado.

Además de los costes de las garantías previstos en el párrafo anterior, se reembolsarán los costes originados por la adopción de medidas cautelares en sustitución de las garantías.

Cuando se solicite un aplazamiento o fraccionamiento con dispensa total o parcial de garantías, el órgano competente investigará la existencia de bienes o derechos susceptibles de ser aportados en garantía del aplazamiento o fraccionamiento solicitado.

Comprobada la existencia de dichos bienes y derechos, se efectuará requerimiento al solicitante para que complemente su solicitud con la aportación de aquellos como garantía y con las consecuencias reglamentariamente establecidas para el caso de inatención o de atención insuficiente a dicho requerimiento.

Concedido el aplazamiento o fraccionamiento con dispensa total o parcial de garantías, el solicitante quedará obligado durante el periodo a que aquel se extienda a comunicar al órgano competente para la recaudación de las deudas aplazadas o fraccionadas cualquier variación económica o patrimonial que permita garantizar la deuda. En tal caso, se le concederá plazo para constituir la garantía.

Cuando la Administración conozca de oficio la modificación de dichas circunstancias, se procederá a su notificación al interesado concediendo un plazo de 15 días contados a partir del día siguiente al de la notificación para que alegue lo que estime conveniente. Transcurrido el plazo de alegaciones, la Administración requerirá, en su caso, al interesado para la formalización de la garantía o para la modificación de la garantía preexistente, indicándole los bienes sobre los que debe constituirse esta y el plazo para su formalización.

En particular, si durante la vigencia del aplazamiento o fraccionamiento se repartiesen beneficios, con anterioridad al reparto deberá constituirse la correspondiente garantía para el pago de las obligaciones pendientes con la Hacienda pública.

El incumplimiento de la obligación de constituir garantía prevista en este apartado tendrá las mismas consecuencias que las reguladas en este reglamento para la falta de formalización de garantías.

Resolución de las solicitudes de aplazamiento y fraccionamiento de pago.

Las resoluciones que concedan aplazamientos o fraccionamientos de pago especificarán el número de código cuenta cliente, en su caso, y los datos identificativos de la entidad de crédito que haya de efectuar el cargo en cuenta los plazos de pago y demás condiciones del acuerdo. La resolución podrá señalar plazos y condiciones distintos de los solicitados.

En todo caso, el vencimiento de los plazos deberá coincidir con los días 5 ó 20 del mes. Cuando el acuerdo incluya varias deudas, se señalarán de forma independiente los plazos y cuantías que afecten a cada una.

En la resolución podrán establecerse las condiciones que se estimen oportunas para asegurar el pago efectivo en el plazo más breve posible y para garantizar la preferencia de la deuda aplazada o fraccionada, así como el correcto cumplimiento de las obligaciones tributarias del solicitante.

En particular, podrán establecerse condiciones por las que se afecten al cumplimiento del aplazamiento o fraccionamiento los pagos que la Hacienda pública deba realizar al obligado durante la vigencia del acuerdo, en cuantía que no perjudique a la viabilidad económica o continuidad de la actividad. A tal efecto, se entenderá, en los supuestos de concesión de aplazamientos o fraccionamientos concedidos con dispensa total o parcial de garantías, que desde el momento de la resolución se formula la oportuna solicitud de compensación para que surta sus efectos en cuanto concurran créditos y débitos, aun cuando ello pueda suponer vencimientos anticipados de los plazos y sin perjuicio de los nuevos cálculos de intereses de demora que resulten procedentes.

De igual forma, podrá exigirse y condicionarse el mantenimiento y eficacia del acuerdo de concesión del aplazamiento o fraccionamiento a que el solicitante se encuentre al corriente de sus obligaciones tributarias durante la vigencia del acuerdo.

Cuando la resolución de fraccionamiento incluyese deudas que se encontrasen en periodo voluntario y deudas que se encontrasen en periodo ejecutivo de ingreso en el momento de presentarse la solicitud, el acuerdo de concesión no podrá acumular en la misma fracción deudas que se encontrasen en distinto periodo de ingreso. En todo caso, habrán de satisfacerse en primer lugar aquellas fracciones que incluyan las deudas que se encontrasen en periodo ejecutivo de ingreso en el momento de efectuarse la solicitud.

Si la resolución concediese el aplazamiento o fraccionamiento, se notificará al solicitante advirtiéndole de los efectos que se producirán de no constituirse la garantía en el plazo legalmente establecido y en caso de falta de pago. Dicha notificación incorporará el cálculo de los intereses de demora asociados a cada uno de los plazos de ingreso concedidos según lo dispuesto en el artículo siguiente.

Si una vez concedido un aplazamiento o fraccionamiento el deudor solicitase una modificación en sus condiciones, la petición no tendrá, en ningún caso, efectos suspensivos. La tramitación y resolución de estas solicitudes se regirá por las mismas normas que las establecidas para las peticiones de aplazamiento o fraccionamiento con carácter general.

Si la resolución dictada fuese denegatoria, las consecuencias serán las siguientes:

a. Si la solicitud fue presentada en periodo voluntario de ingreso, con la notificación del acuerdo denegatorio se iniciará el plazo de ingreso en período voluntario. De no producirse el ingreso en dicho plazo, comenzará el periodo ejecutivo y deberá iniciarse el procedimiento de apremio. De realizarse el ingreso en dicho plazo, procederá la liquidación de los intereses de demora devengados a partir del día siguiente al del vencimiento del plazo de ingreso en periodo voluntario hasta la fecha del ingreso realizado durante el plazo abierto con la notificación de la denegación. De no realizarse el ingreso, los intereses se liquidarán hasta la fecha de vencimiento de dicho plazo, sin perjuicio de los que puedan devengarse con posterioridad.

b. Si la solicitud fue presentada en periodo ejecutivo de ingreso, deberá iniciarse el procedimiento de apremio, de no haberse iniciado con anterioridad.

Contra la denegación de las solicitudes de aplazamiento o fraccionamiento sólo cabrá la presentación del correspondiente recurso de reposición o reclamación económico-administrativa en los términos y con los efectos establecidos en la normativa aplicable.

La resolución deberá notificarse en el plazo de seis meses.

Transcurrido dicho plazo sin que se haya notificado la resolución, se podrá entender desestimada la solicitud a los efectos de interponer el recurso correspondiente o esperar la resolución expresa.

5. OBLIGACIONES DE DOCUMENTACIÓN RELATIVAS A LAS OPERACIONES CON PERSONAS O ENTIDADES NO VINCULADAS RESIDENTES EN PARAÍSOS FISCALES

El art. 19.2 LIS establece, como hemos visto al comienzo de este capítulo, que *"las operaciones que se efectúen con personas o entidades residentes en países o territorios calificados como paraísos fiscales se valorarán por su valor de mercado. Quienes realicen las operaciones señaladas en el párrafo anterior estarán sujetos a la obligación de documentación a que se refiere el artículo 18.3 de esta Ley con las especialidades que reglamentariamente se establezcan"*.

Pues bien, quienes realicen operaciones con personas o entidades residentes en países o territorios considerados como paraísos fiscales estarán obligados a mantener a disposición de la Administración tributaria la documentación específica prevista en el capítulo V del título I de este Reglamento, con las siguientes especialidades:

a. No será de aplicación lo establecido en la letra d) del artículo 13.3 de este Reglamento, esto es, no quedan los obligados tributarios liberados de la obligación de documentar las operaciones realizadas con la misma persona o entidad vinculada, siempre que el importe de la contraprestación del conjunto de operaciones no supere los 250.000 euros, de acuerdo con el valor de mercado.

b. Deberá mantenerse la documentación relativa a todas las operaciones realizadas con personas o entidades vinculadas que residan en un país o territorio calificado como paraíso fiscal, excepto que residan en un Estado miembro de la Unión Europea o en Estados integrantes del Espacio Económico Europeo con los que exista un efectivo intercambio de información en materia tributaria y el contribuyente acredite que las operaciones responden a motivos económicos válidos y que esas personas o entidades realizan actividades económicas.

c. La documentación a que se refiere el artículo 16.1.a) del RIS [a) Información del contribuyente: 1.º Estructura de dirección, organigrama y personas o entidades destinatarias de los informes sobre la evolución de las actividades del contribuyente, indicando los países o territorios en que dichas personas o entidades tienen su residencia fiscal. 2.º Descripción de las actividades del contribuyente, de su estrategia de negocio y, en su caso, de su participación en operaciones de reestructuración o de cesión o transmisión de activos intangibles en el período impositivo. Y 3.º Principales competidores] deberá comprender, adicionalmente, cuando se trate de operaciones realizadas con personas o entidades residentes en países o territorios considerados como paraísos fiscales, la identificación de las personas que, en nombre de dichas personas o entidades, hayan intervenido en la operación y, en caso de que se trate de operaciones con entidades, la identificación de los administradores de las mismas.

d. A las operaciones con personas o entidades residentes en países o territorios considerados como paraísos fiscales, que no tengan la consideración de personas o entidades vinculadas en los términos establecidos en el artículo 18 de la Ley del Impuesto, no les será exigible la documentación específica del contribuyente prevista en el RIS respecto de servicios y compraventas internacionales de mercancías, incluidas las comisiones de mediación en estas, así como los gastos accesorios y conexos, cuando se cumplan los siguientes requisitos:

1.º Que el contribuyente pruebe que la realización de la operación a través de un país o territorio considerado como paraíso fiscal responde a la existencia de motivos económicos válidos.

2.º Que el contribuyente realice operaciones equiparables con personas o entidades no vinculadas que no residan en países o territorios considerados como paraísos fiscales y acredite que el valor convenido de la operación se corresponde con el valor convenido en dichas operaciones equiparables, una vez efectuadas, en su caso, las correspondientes correcciones que resulten necesarias.

6. ¿PUEDE LA ADMINISTRACIÓN EXIGIR AL RETENEDOR EN TODO CASO LAS RETENCIONES INCORRECTAMENTE PRACTICADAS? ¿PUEDE IMPONERLE SANCIONES?

La pregunta que nos formulamos tiene que ver con el tenor literal del arriba transcrito art. 19, 3º LIS, en virtud del cual:

"El perceptor de cantidades sobre las que deba retenerse a cuenta de este Impuesto computará aquéllas por la contraprestación íntegra devengada.

Cuando la retención no se hubiera practicado o lo hubiera sido por importe inferior al debido, por causa imputable exclusivamente al retenedor, el perceptor deducirá de la cuota la cantidad que debió ser retenida.

En el caso de retribuciones legalmente establecidas que hubieran sido satisfechas por el sector público, el perceptor sólo podrá deducir las cantidades efectivamente retenidas.

Cuando no pudiera probarse la contraprestación íntegra devengada, la Administración tributaria podrá computar como importe íntegro una cantidad que, una vez restada de ella la retención procedente, arroje la efectivamente percibida. En este caso se deducirá de la cuota, como retención a cuenta, la diferencia entre lo realmente percibido y el importe íntegro".

Cuando se publicó el Anteproyecto del texto que a la postre se convertiría en la vigente Ley 27/2014, escribimos (Caamaño Anido, Miguel: *Comentarios a la reforma del Impuesto sobre Sociedades y del I.R.P.F.,* Revista de Contabilidad y Tributación nº 380, Centro de Estudios Financieros. Madrid, noviembre de 2014) lo siguiente:

"Nos preocupa el imperativo de que el retenido tiene la obligación de deducir el importe que se le ha debido de retener (y no la retención efectivamente practicada). Los términos en que está redactado el precepto, además de enloquecer al retenido ante su declaración del IRPF o del IS al verse obligado a verificar la corrección de la retención soportada, so pena de liquidación y de sanción, mucho nos tememos que podrían resucitar el viejo capítulo de la regularización –y eventualmente sanción– al pagador que ha practicado una retención incorrecta".

Pues bien, ¿puede la Administración exigir al retenedor en todo caso las retenciones incorrectamente practicadas?

Fue muy celebrada en el año 2007 la Sentencia del Tribunal Supremo de 27 de febrero (cuyo criterio fue inmediatamente suscrito por la Audiencia Nacional en sentencias de 29 de junio y 2 de octubre del mismo año) relativa a actuaciones de comprobación sobre retenciones, en aquellos casos en que se regulariza al retenedor sin tener en cuenta que el retenido no ha deducido más que los importes que realmente fueron –correcta o incorrectamente, da igual– objeto de retención, dando lugar con ello a un caso de doble imposición, así como al consiguiente enriquecimiento injusto de la Administración.

La citada STS de 27 de febrero de 2007 –y más tarde las de la AN–, sentando con ello doctrina jurisprudencial susceptible de invocar en recurso de casación, confirman la tesis de que no cabe exigir las cantidades que debieron retenerse en aquellos casos en que el retenido haya deducido la cantidad que se le retuvo y no la que debió retenérsele, y que el retenedor ingresó en su día el importe retenido. Cuando concurren estas circunstancias, la solución no consiste en devolver al retenido las mayores retenciones, para que sea éste quien a su vez las devuelva al retenedor, sino que el TS sienta el criterio de que no es posible regularizar al retenedor, sin perjuicio del cobro de eventuales intereses y, en su caso, sanciones. La Administración no puede, en definitiva, levantar acta en concepto de retenciones incorrectamente calculadas cuando el retenido sólo dedujo los importes que realmente fueron objeto de retención.

¿Cómo puede probar el retenedor ante una eventual inspección el hecho de que el retenido sólo ha deducido los importes realmente retenidos y no los que debieron haberle sido retenidos?

Pues al respecto señala el TS –y también a la postre la AN– que al contribuyente le basta con realizar la correspondiente alegación, siendo la Administración la que debe probar, en su caso, lo contrario.

7. ¿PUEDE LA ADMINISTRACIÓN SANCIONAR LA INCORRECCIÓN EN EL CÁLCULO DE LAS RETENCIONES?

TEAC en Resolución de 12 de febrero de 2009 estableció que la conducta del retenedor que omite su deber de retener e ingresar o que calcula incorrectamente, en perjuicio de la Hacienda Pública, la retención, es merecedora de sanción. El razonamiento del TEAC es el siguiente:

> *"El retenedor es un obligado tributario, con su propia obligación, y es el incumplimiento de ésta lo que debe sancionarse, y ello con independencia de cómo haya actuado después el perceptor de la renta, porque cuando el retenedor incumple su obligación desconoce cómo se va a liquidar después el tributo por*

*el sujeto preceptor de la renta y si esa falta de retención va a ser "corregida".
Estando además configurado el retenedor en la propia Ley General Tributaria
como sujeto infractor, cuando sus acciones u omisiones sean constitutivas de infracción tributaria [...] la sanción no puede ser otra que la que preveía el artículo
79.1.a) de la Ley General Tributaria vigente cuando se cometieron los hecho
sancionados, o el artículo 191.1 de la posterior Ley 58/2003 [...], siendo la base
de la sanción, según señala el mismo artículo, la cuantía que no se hubiera ingresado en la autoliquidación como consecuencia de la comisión de la infracción."*

Para el TEAC, en consecuencia, en aplicación del artículo 191 de la LGT la
infracción será calificada en la normalidad de los casos como grave, ya que la
ley dispone que *"La infracción no será leve, cualquiera que sea la cuantía de la
base de la sanción, en los siguientes supuestos: ... c) cuando se hayan dejado
de ingresar cantidades retenidas o que se hubieran debido retener o ingresos a
cuenta."*

Pues bien, a falta de pronunciamientos jurisprudenciales al respecto, baste
poner en mientes la crítica de la doctrina de los autores a la descrita posición
del TEAC, al menos en aquellos casos en que el retenedor no puede ser regularizado.

Tanto MARTÍNEZ LAGO (*Regularización de retenciones sin sanción*,
Quincena Fiscal nº 6, 2002) como CAYÓN GALIARDO (*Las consecuencias de
la doctrina del Tribunal Supremo sobre el enriquecimiento injusto en materia
de retenciones: la imposición de sanciones*, Revista Técnica Tributaria, AEDAF,
nº 90, 2010) coinciden en que si la AEAT no puede regularizar el incorrecto
cumplimiento del deber de retener, éste no puede ser merecedor de sanción. Los
argumentos son los siguientes, que suscribimos son reservas:

1. Si la Administración, de acuerdo con la doctrina jurisprudencial que
    nace con la STS de 27 de febrero de 2007, no puede regularizar al rete-
    nedor que ha cumplido incorrectamente su deber de retener cuando el
    retenido deduce en su declaración del IRPF única y exclusivamente el
    importe que efectivamente le ha sido retenido (y no el que le debió de
    haber sido retenido), la supuesta obligación del retenedor ha quedado
    extinguida, no siendo, en consecuencia, exigible, en cuyo caso no puede
    admitirse la imposición de una sanción porque ésta llegará en un mo-
    mento en que la obligación ha desaparecido. Habiendo ésta desapareci-
    do, la antijuridicidad ha quedado anulada, con lo cual la conducta del
    retenedor en ningún caso será susceptible de sanción.

2. El supuesto que nos ocupa guarda una clara simetría jurídica con la
    exclusión de las sanciones en los casos de ingreso extemporáneo fuera
    de plazo sin requerimiento previo por parte de la Administración. En
    los supuestos de ingreso de una autoliquidación fuera de plazo sin que
    previamente la Administración hubiese requerido al efecto al contribu-
    yente, como es sabido, se devenga el correspondiente recargo (y si la

demora es superior a los doce meses, también intereses de demora), pero se excluye la imposición de sanciones. Las razones que han impulsado al legislador a excluir en tales supuestos las sanciones son las mismas que justifican la improcedencia de sancionar al retenedor en un momento en que su incumplimiento ha desaparecido (y esto ocurre a partir del momento en que el retenido deduce los importes que efectivamente le han sido retenidos y no lo que debieron de serlo). Quien presenta una autoliquidación fuera de plazo realmente ha incurrido en el tipo infractor "dejar de ingresar" desde el día en que terminó el plazo voluntario de ingreso, pero su conducta deja de ser antijurídica a partir del momento en que, aunque extemporáneamente, presenta la declaración (con el recargo) e ingresa. Por las mismas razones, el eventual ilícito cometido por quien no cumple correctamente su deber de retener desaparece a partir del momento en que dicho incumplimiento no es susceptible de regularización.

3. Si la base de la sanción que habrá de imponerse será, de acuerdo con lo establecido en el 8.1º del Reglamento General de Régimen Sancionador Tributario (RD 2063/2004, de 15 de octubre), *el importe de la regularización practicada*, a partir del momento en que la conducta del retenedor deja de ser susceptible de regularización (y tal momento coincide con la fecha en que el retenido deduce en su IRPF los importes efectivamente retenidos), la base de la sanción será cero.

Efectos de la valoración contable diferente a la fiscal

MIGUEL A. CAAMAÑO ANIDO
*Catedrático de Derecho Financiero
y Tributario. Universidad A Coruña. Abogado*

"Cuando un elemento patrimonial o un servicio tengan diferente valoración contable y fiscal, la entidad adquirente de aquél integrará en su base imponible la diferencia entre ambas, de la siguiente manera:

c) Tratándose de elementos patrimoniales integrantes del activo circulante, en el período impositivo en que éstos motiven el devengo de un ingreso o un gasto.

d) Tratándose de elementos patrimoniales no amortizables integrantes del inmovilizado, en el período impositivo en que éstos se transmitan o se den de baja.

e) Tratándose de elementos patrimoniales amortizables integrantes del inmovilizado, en los períodos impositivos que resten de vida útil, aplicando a la citada diferencia el método de amortización utilizado respecto de los referidos elementos, salvo que sean objeto de transmisión o baja con anterioridad, en cuyo caso, se integrará con ocasión de la misma.

f) Tratándose de servicios, en el período impositivo en que se reciban, excepto que su importe deba incorporarse a un elemento patrimonial en cuyo caso se estará a lo previsto en los párrafos anteriores".

DESARROLLO REGLAMENTARIO
REGLAMENTO DEL IMPUESTO SOBRE SOCIEDADES
APROBADO POR EL RD 634/2015, DE 10 DE JULIO
(ARTÍCULOS 1 Y 2)

Artículo 1. Aprobación de criterios de imputación temporal diferentes al devengo.

"1. Las entidades que utilicen, a efectos contables, un criterio de imputación temporal de ingresos y gastos diferente al devengo deberán presentar una solicitud ante la Administración tributaria para que el referido criterio tenga eficacia fiscal.

2. La solicitud deberá contener los siguientes datos:

a) Descripción de los ingresos y gastos a los que afecta el criterio de imputación temporal, haciendo constar, además de su naturaleza, su importancia en el conjunto de las operaciones del contribuyente.

b) Descripción del criterio de imputación temporal cuya eficacia fiscal se solicita. En el caso de que el criterio de imputación temporal sea de obligado cumplimiento deberá especificarse la norma contable que establezca tal obligación.

c) Justificación de la adecuación del criterio de imputación temporal propuesto a la imagen fiel que deben proporcionar las cuentas anuales y explicación de su influencia sobre el patrimonio, la situación financiera y los resultados del contribuyente.

d) Descripción de la incidencia, a efectos fiscales, del criterio de imputación temporal.

3. La solicitud se presentará con, al menos, 6 meses de antelación a la conclusión del primer período impositivo respecto del que se pretenda que tenga efectos.

El contribuyente podrá desistir de la solicitud formulada.

4. La Administración tributaria podrá recabar del contribuyente cuantos datos, informes, antecedentes y justificantes sean necesarios.

El contribuyente podrá, en cualquier momento del procedimiento anterior al trámite de audiencia, presentar las alegaciones y aportar los documentos y justificantes que estime pertinentes.

5. Instruido el procedimiento, e inmediatamente antes de redactar la propuesta de resolución, se pondrá de manifiesto al contribuyente, quien dispondrá de un plazo de 15 días para formular las alegaciones y presentar los documentos y justificaciones que estime pertinentes.

6. La resolución que ponga fin al procedimiento podrá:

a) Aprobar el criterio de imputación temporal de ingresos y gastos formulado por el contribuyente.

b) Desestimar el criterio de imputación temporal de ingresos y gastos formulado por el contribuyente.

La resolución será motivada.

El procedimiento deberá finalizar antes de 6 meses, contados desde la fecha en que la solicitud haya tenido entrada en cualquiera de los Registros del órgano administrativo competente o desde la fecha de subsanación de la misma a requerimiento de dicho órgano.

7. Transcurrido el plazo a que hace referencia el apartado anterior sin haberse producido una resolución expresa, se entenderá aprobado el criterio de imputación temporal de ingresos y gastos utilizado por el contribuyente".

Artículo 2. Órgano competente.

"Será competente para instruir y resolver el procedimiento el órgano de la Agencia Estatal de Administración Tributaria que corresponda de acuerdo con sus normas de estructura orgánica".

1. IMPUTACIÓN TEMPORAL CONTABLE E IMPUTACIÓN TEMPORAL FISCAL

En los comentarios al artículo 17 de la LIS hemos tratado los efectos fiscales de las diferencias entre el valor contable de los activos y el valor de referencia (generalmente el de mercado o el razonable) que la norma fiscal impone imperativamente, particularmente en el caso de las reglas específicas de valoración del apartado 4° del citado art. 17 (aportaciones no dinerarias; disolución, liquidación y transformación de la entidad; separación de socios; reducción de capital; prima de emisión; distribución de beneficios; fusiones, escisiones y aportación de activos; permutas; canje y conversión de títulos; aumento del capital social con cargo a reservas; adquisición y amortización de acciones propias; transmisión de los derechos de suscripción preferente).

Pero hemos analizado también el tratamiento contable de cada operación, poniendo en evidencia las diferencias entre la valoración contable y la fiscal. Por tanto, el contenido y alcance del artículo 20 LIS, que ahora nos corresponde, ya se ha estudiado con ocasión del comentario de cada una de las reglas especiales de valoración del artículo 17.

La normativa del Impuesto sobre Sociedades asume, como es sabido, los principios contables desarrollados por la normativa mercantil (C. de Comercio, y sus normas de desarrollo reglamentario, Plan General de Contabilidad, normas particulares de adaptaciones sectoriales, normas de entidades públicas con capacidad normativa, resoluciones del ICAC, consultas del ICAC...). Estas normas serán aplicables para determinar la imputación temporal de ingresos y gastos en la medida que regulen el principio de devengo contable, complementado con el principio de correlación de ingresos y gastos.

Dentro de los principios contables de aplicación obligatoria establecidos en el PGC, se encuentra el principio de devengo, en virtud del cual los efectos de las transacciones o hechos económicos, se registrarán cuando ocurran, imputándose al ejercicio al que las cuentas anuales se refieran en los gastos e ingresos que afecten al mismo, con independencia de la fecha de su pago o de su cobro.

Se asumen con el principio de devengo, las normas de registro y valoración de ingresos y gastos, por lo que una contabilización correcta de los mismos, en el ejercicio del devengo, implicará su pleno reconocimiento en la base imponible del Impuesto sobre Sociedades, salvo que algún precepto de la norma fiscal no determine su integración en la base imponible o desplace la integración del ingreso o gasto a otro período impositivo, anterior o posterior al de su reconocimiento contable.

Así, la eficacia fiscal de los criterios de imputación temporal de ingresos y gastos, distintos del devengo, utilizados excepcionalmente por el contribuyente para conseguir la imagen fiel del patrimonio, de la situación financiera y de los resultados (de acuerdo con lo previsto en el Código de Comercio), estará supeditada a la aprobación de la Administración Tributaria, en la forma que reglamentariamente se determine.

2. REGLAS ESPECIALES DE IMPUTACIÓN TEMPORAL DE INGRESOS Y GASTOS A EFECTOS FISCALES

La normativa mercantil posibilita la no aplicación de un principio o norma de valoración contable cuando el mismo sea incompatible con la imagen fiel que deben proporcionar las cuentas anuales, permitiendo la norma fiscal la eficacia del mismo siempre que se cumplan una serie de condiciones:

– Aplicación de forma excepcional.

– Delimitación de los ingresos y gastos a los que afecta.

– Aprobación del criterio por la Administración Tributaria

No serán fiscalmente deducibles los gastos que no se hayan imputado contablemente en la cuenta de pérdidas y ganancias, o en una cuenta de reservas si así lo establece una norma legal o reglamentaria, salvo las excepciones previstas en la propia normativa del Impuesto sobre Sociedades.

Cualquier excepción al principio de inscripción contable debe estar expresamente prevista en la norma fiscal. Estas excepciones al principio de inscripción contable están contempladas en la propia norma para los siguientes supuestos:

– Libertad de amortización (artículo 11.3 LIS)

– Amortización acelerada (artículo 11.3 LIS)

– Inmovilizado intangible de vida útil indefinida (artículo 13.3 LIS)

– Fondo de comercio (artículo 13.3 LIS)

– Cuotas de arrendamiento financiero que correspondan a la adquisición del bien, en determinados contratos de arrendamiento financiero (artículo 106.7), régimen especial de arrendamiento financiero).

– Empresas de reducida dimensión (ERD), amortización acelerada de activos fijos nuevos afectos a la actividad (artículo 103 LIS)

En el caso de operaciones a plazos o con precio aplazado, las rentas se entenderán obtenidas proporcionalmente a medida que sean exigibles los correspondientes cobros, excepto que la entidad decida aplicar el criterio del devengo.

Se considerarán operaciones a plazos o con precio aplazado, aquellas cuya contraprestación sea exigible, total o parcialmente, mediante pagos sucesivos o mediante un solo pago, siempre que el período transcurrido entre el devengo y el vencimiento del último o único plazo, sea superior al año.

En caso de producirse el endoso, descuento o cobro anticipado de los importes aplazados, se entenderá obtenida, en dicho momento la renta pendiente de imputación. No resultará fiscalmente deducible el deterioro de valor de los créditos respecto de aquel importe que no haya sido objeto de integración en la base imponible por aplicación del criterio establecido en este apartado, hasta que ésta se realice.

El criterio de imputación temporal de operaciones a plazos incluye modificaciones importantes en la nueva normativa, incorporando interpretaciones y criterios manifestados en consultas por la D.G Tributos.

- Definición de operación a plazos o con precio aplazado: se consideran como tales operaciones aquellas cuyo precio se percibe, total o parcialmente, mediante pagos sucesivos o mediante un solo pago, siempre que el período transcurrido entre el devengo y el vencimiento del último o único plazo sea superior al año. (Período de cobro >1 año).

- El inicio del plazo del cómputo de un año se hace desde la fecha de devengo de la operación (la anterior normativa TRLIS, fijaba el inicio desde la entrega).

- Inclusión de rentas de cualquier tipo de operación: no sólo las entregas de bienes y ejecuciones de obra, también se extiende su aplicación a las prestaciones de servicios.

- Imputación proporcional a la exigibilidad de los correspondientes cobros: salvo que la entidad decida aplicar el criterio de devengo.

- El contribuyente contabiliza las operaciones aplicando el criterio de devengo, registrando la totalidad del beneficio de la operación o renta. Si se acoge al criterio de exigibilidad de los cobros tendrá que realizar los oportunos ajustes extracontables: negativo en el período de devengo y contabilización de la operación, y positivos en los períodos impositivos posteriores de exigibilidad de los cobros pendientes, todos ellos diferencias temporarias.

- Cobro anticipado de importes aplazados: en caso de producirse se entenderá obtenida, en dicho momento, la renta pendiente de imputación. El endoso o descuento de efectos que reflejen las cantidades aplazadas, se asimila al cobro anticipado.

- Limitación a la deducción fiscal del deterioro del crédito: si el contribuyente se acoge al criterio de imputación temporal de operaciones a plazos, el deterioro del crédito no será fiscalmente deducible hasta que el ingreso no se haya integrado en la base imponible.

La reversión de un deterioro o corrección de valor que haya sido fiscalmente deducible, se imputará en la base imponible del período impositivo en el que se haya producido dicha reversión, sea en la entidad que practicó la corrección o en otra vinculada con ella. La misma regla se aplicará en el supuesto de pérdidas derivadas de la transmisión de elementos patrimoniales que hubieren sido nuevamente adquiridos.

Cuando se eliminen provisiones, por no haberse aplicado a su finalidad, sin abono a una cuenta de ingresos del ejercicio, su importe se integrará en la base imponible de la entidad que las hubiese dotado, en la medida en que dicha dotación se hubiese considerado gasto deducible.

Cuando la entidad sea beneficiaria o tenga reconocido el derecho de rescate de contratos de seguro de vida en los que, además, asuma el riesgo de inversión, integrará en todo caso en la base imponible la diferencia entre el valor liquidativo de los activos afectos a la póliza al final y al comienzo de cada período impositivo.

El importe de las rentas imputadas minorará el rendimiento derivado de la percepción de cantidades de los contratos.

Las rentas negativas generadas en la transmisión de elementos del inmovilizado material, inversiones inmobiliarias, inmovilizado intangible y valores representativos de deuda, cuando el adquirente sea una entidad del mismo grupo de sociedades, se imputarán en el período impositivo en que dichos elementos patrimoniales sean dados de baja en el balance de la entidad adquirente, sean transmitidos a terceros ajenos al referido grupo de sociedades, o bien cuando la entidad transmitente o la adquirente dejen de formar parte del mismo.

No obstante, en el caso de elementos patrimoniales amortizables, las rentas negativas se integrarán, con carácter previo a dichas circunstancias, en los períodos impositivos que restarán de vida útil a los elementos transmitidos.

Las rentas negativas generadas en la transmisión de valores representativos de la participación en capital o en los fondos propios de entidades, cuando el adquirente sea una entidad del mismo grupo de sociedades, se imputarán en el período impositivo en que dichos elementos patrimoniales sean transmitidos a terceros ajenos al referido grupo de sociedades, o bien cuando la entidad transmitente o la adquirente dejen de formar parte del mismo, minoradas en el importe de las rentas positivas obtenidas en dicha transmisión a terceros.

Lo dispuesto en este apartado no resultará de aplicación en el supuesto de extinción de la entidad transmitida, salvo que la misma sea consecuencia de una operación de reestructuración acogida al régimen especial.

Las rentas negativas generadas en la transmisión de un establecimiento permanente, cuando el adquirente sea una entidad del mismo grupo de sociedades, se imputarán en el período impositivo en que el establecimiento permanente sea transmitido a terceros ajenos al referido grupo de sociedades, o bien cuando la entidad transmitente o la adquirente dejen de formar parte del mismo, minoradas en el importe de las rentas positivas obtenidas en dicha transmisión a terceros.

Lo dispuesto en este apartado, no resultará de aplicación en el caso de cese de la actividad del establecimiento permanente.

Las dotaciones por deterioro de los créditos u otros activos derivadas de las posibles insolvencias de los deudores no vinculados con el contribuyente, no adeudados por entidades de derecho público, así como los correspondientes a dotaciones o aportaciones a sistemas de previsión social y, en su caso, prejubilación, que hayan generado activos por impuesto diferido, se integrarán en la base imponible de acuerdo con lo establecido en esta Ley, con el límite del 70% de la base imponible positiva previa a su integración, a la aplicación de la reserva de capitalización y a la compensación de bases imponibles negativas.

Las cantidades no integradas en un período impositivo serán objeto de integración en los periodos impositivos siguientes con el mismo límite.

El ingreso correspondiente al registro contable de quitas y esperas consecuencia de la aplicación de la Ley Concursal, se imputará en la base imponible del deudor a medida que proceda registrar con posterioridad gastos financieros derivados de la misma deuda y hasta el límite del citado ingreso.

3. REGLAS ESPECIALES DE IMPUTACIÓN TEMPORAL DE LOS ERRORES, ESTIMACIONES Y CAMBIOS EN CRITERIOS CONTABLES

De conformidad con la NRV 22 del PGC 2007, tanto los cambios de criterios contables como la subsanación de errores contables, deben aplicarse de forma retroactiva, esto es, desde el ejercicio más antiguo del que se disponga información y que resulte afectado, mientras que los cambios en estimaciones contables se aplicarán únicamente a los ejercicios futuros.

1. **El tratamiento fiscal de los cambios de criterios contables** no venía contemplado en la anterior regulación del IS. No obstante, la DGT venía manteniendo un criterio uniforme que ha sido el plasmado en el art. 11.3.1º de la nueva LIS 27/2014, de 27 de noviembre. Dicho criterio es el siguiente: los cargos o abonos realizados en las partidas de reservas como consecuencia de cambios de criterios contables se integrarán en la base imponible del período impositivo en que dichos cambios se registren contablemente mediante la práctica de un ajuste negativo al resultado contable (cuando como consecuencia de cambio de criterio se

produzca un mayor gasto o una disminución del ingreso) o de un ajuste positivo (cuando se produzca un mayor ingreso o un menos gasto).

En ningún caso, pues, el cambio de criterio contable podrá dar lugar a una doble tributación de ingresos y gastos devengados, contabilizados e incluidos en la base imponible de períodos impositivos anteriores, aun cuando dichos gastos –por aplicación del nuevo criterio contable– se contabilicen de nuevo con ocasión de su devengo.

2. **La subsanación de errores contables** cometidos en ejercicios anteriores, con cargo o abono a la cuenta de reservas, no se encuentra expresamente regulada. Pese a ello, del tenor literal del art. 11.3.1º LIS se desprende que la errónea imputación contable de ingresos y gastos (en un período impositivo distinto al de su devengo) se admite fiscalmente siempre que no dé lugar a una menor tributación.

    No obstante lo anterior, si dicho error contable se corrige, debe practicarse el correspondiente ajuste al resultado contable a fin de que la base imponible del IS se ajuste a la realidad. Por ejemplo:

    a. La imputación contable de ingresos en un período anterior a su devengo supone, a efectos del IS, un adelanto de la tributación y, por tanto, es admisible, si bien, en el momento de la corrección contable, se producirá un cargo en la cuenta de reservas (por la disminución del ingreso) y, fiscalmente, habrá que hacer un ajuste negativo al resultado contable.

    b. El mismo ajuste habría que hacer en caso de imputación de un gasto en un período impositivo posterior a su devengo, con la salvedad de que fiscalmente el gasto no sería deducible en los períodos impositivos anteriores al de su contabilización, por aplicación del principio de inscripción contable.

    c. Contrariamente, los ingresos registrados contablemente en un período impositivo posterior a su devengo y los gastos imputados en un ejercicio anterior a su devengo suponen un retraso en la tributación a efectos del IS y, por ello, este criterio no es admisible desde el punto de vista fiscal. La corrección contable, en ambos casos, se realizaría con abono a una cuenta de reservas. El tratamiento en el IS es distinto, pues mientras en el primer caso la solución pasaría porque el contribuyente realizase una autoliquidación rectificativa del período impositivo en el que debió realizar dicho ingreso, en el segundo la solución viene condicionada por la conducta del contribuyente en el período impositivo en el que indebidamente contabilizó el gasto. Así pues, si en dicho ejercicio practicó el correspondiente ajuste positivo al resultado contable para eliminar el gasto no deducible, en el ejercicio de la corrección contable, procederá hacer un ajuste idéntico pero de signo negativo. De no haberse realizado dicho ajuste en el ejercicio de su contabilización, una vez advertido y corregido el error contablemente, la solución desde un punto de vista fiscal pasa por presentar una autoliquidación rectificativa del período en el que indebidamente se contabilizó el gasto.

3. **<u>Los cambios en estimaciones contables</u>** motivados por la obtención de información adicional, una mayor experiencia o el conocimiento de nuevos hechos, tampoco están contemplados expresamente en la LIS. De conformidad con la NRV 22 PGC, los ingresos y gastos ser irán imputando en los períodos futuros de acuerdo con su devengo y, por tanto, como regla general se irán imputando en la base imponible de los períodos impositivos sucesivos de acuerdo con su registro contable.

Sin embargo, pueden existir supuestos especiales en los que la imputación fiscal difiera de la contable. Sería el caso, por ejemplo, de un cambio en la estimación de la vida útil de un inmovilizado. En tales supuestos, como es obvio, el gasto de amortización realizado más allá de dicho plazo no sería deducible en el IS.

Artículo 21
Exención sobre dividendos y rentas derivadas de la transmisión de valores representativos de los fondos propios de entidades residentes y no residentes en territorio español

J. Andrés Sánchez Pedroche

Catedrático de Derecho Financiero y Tributario
Universidad a Distancia de Madrid. Abogado

"1. Estarán exentos los dividendos o participaciones en beneficios de entidades, cuando se cumplan los siguientes requisitos:

a) Que el porcentaje de participación, directa o indirecta, en el capital o en los fondos propios de la entidad sea, al menos, del 5 por ciento o bien que el valor de adquisición de la participación sea superior a 20 millones de euros.

La participación correspondiente se deberá poseer de manera ininterrumpida durante el año anterior al día en que sea exigible el beneficio que se distribuya o, en su defecto, se deberá mantener posteriormente durante el tiempo necesario para completar dicho plazo. Para el cómputo del plazo se tendrá también en cuenta el período en que la participación haya sido poseída ininterrumpidamente por otras entidades que reúnan las circunstancias a que se refiere el artículo 42 del Código de Comercio para formar parte del mismo grupo de sociedades, con independencia de la residencia y de la obligación de formular cuentas anuales consolidadas.

En el supuesto de que la entidad participada obtenga dividendos, participaciones en beneficios o rentas derivadas de la transmisión de valores representativos del capital o de los fondos propios de entidades en más del 70 por ciento de sus ingresos, la aplicación de esta exención respecto de dichas rentas requerirá que el contribuyente tenga una participación indirecta en esas entidades que cumpla los requisitos señalados en esta letra. El referido porcentaje de ingresos se calculará sobre el resultado consolidado del ejercicio, en el caso de que la entidad directamente participada sea dominante de un grupo según los criterios establecidos en el artículo 42 del Código de Comercio, y formule cuentas anuales consolidadas. No obstante, la participación indirecta en filiales de segundo o ulterior nivel deberá respetar el porcentaje mínimo del 5 por ciento, salvo que dichas filiales reúnan las circunstancias a que se refiere el artículo 42 del Código de Comercio para formar parte del mismo grupo de sociedades con la entidad directamente participada y formulen estados contables consolidados.

El requisito exigido en el párrafo anterior no resultará de aplicación cuando el contribuyente acredite que los dividendos o participaciones en beneficios percibidos se han integrado en la base imponible de la entidad directa o indirectamente participada como dividendos, participaciones en beneficios o rentas derivadas de la transmisión de valores representativos del capital o de los fondos propios de entidades sin tener derecho a la aplicación de un régimen de exención o de deducción por doble imposición.

b) Adicionalmente, en el caso de participaciones en el capital o en los fondos propios de entidades no residentes en territorio español, que la entidad participada haya estado sujeta y no exenta por un impuesto extranjero de naturaleza idéntica o análoga a este Impuesto a un tipo nominal de, al menos, el 10 por ciento en el ejercicio en que se hayan obtenido los beneficios que se reparten o en los que se participa, con independencia de la aplicación de algún tipo de exención, bonificación, reducción o deducción sobre aquellos.

A estos efectos, se tendrán en cuenta aquellos tributos extranjeros que hayan tenido por finalidad la imposición de la renta obtenida por la entidad participada, con independencia de que el objeto del tributo lo constituya la renta, los ingresos o cualquier otro elemento indiciario de aquella.

Se considerará cumplido este requisito, cuando la entidad participada sea residente en un país con el que España tenga suscrito un convenio para evitar la doble imposición internacional, que le sea de aplicación y que contenga cláusula de intercambio de información.

En ningún caso se entenderá cumplido este requisito cuando la entidad participada sea residente en un país o territorio calificado como paraíso fiscal, excepto que resida en un Estado miembro de la Unión Europea y el contribuyente acredite que su constitución y operativa responde a motivos económicos válidos y que realiza actividades económicas.

En el supuesto de que la entidad participada no residente obtenga dividendos, participaciones en beneficios o rentas derivadas de la transmisión de valores representativos del capital o de los fondos propios de entidades, la aplicación de esta exención respecto de dichas rentas requerirá que el requisito previsto en esta letra se cumpla, al menos, en la entidad indirectamente participada.

En el supuesto de que la entidad participada, residente o no residente en territorio español, obtenga dividendos, participaciones en beneficios o rentas derivadas de la transmisión de valores representativos del capital o de los fondos propios de entidades procedentes de dos o más entidades respecto de las que solo en alguna o algunas de ellas se cumplan los requisitos señalados en las letras a) o a) y b) anteriores, la aplicación de la exención se referirá a aquella parte de los dividendos o participaciones en beneficios recibidos por el contribuyente respecto de entidades en las que se cumplan los citados requisitos.

No se aplicará la exención prevista en este apartado, respecto del importe de aquellos dividendos o participaciones en beneficios cuya distribución genere un gasto fiscalmente deducible en la entidad pagadora.

Para la aplicación de este artículo, en el caso de distribución de reservas se atenderá a la designación contenida en el acuerdo social y, en su defecto, se considerarán aplicadas las últimas cantidades abonadas a dichas reservas[1].

2. 1.º Tendrán la consideración de dividendos o participaciones en beneficios, los derivados de los valores representativos del capital o de los fondos propios de entidades, con independencia de su consideración contable.

2.º Tendrán la consideración de dividendos o participaciones en beneficios exentos las retribuciones correspondientes a préstamos participativos otorgados por entidades que formen parte del mismo grupo de sociedades según los criterios establecidos en el artículo 42 del Código de Comercio, con independencia de la residencia y de la obligación de formular cuentas anuales consolidadas, salvo que generen un gasto fiscalmente deducible en la entidad pagadora.

3.º La exención prevista en el apartado 1 de este artículo no resultará de aplicación en relación con los dividendos o participaciones en beneficios recibidos cuyo importe deba ser objeto de entrega a otra entidad con ocasión de un contrato que verse sobre los valores de los que aquellos proceden, registrando un gasto al efecto.

La entidad receptora de dicho importe en virtud del referido contrato podrá aplicar la exención prevista en el referido apartado 1 en la medida en que se cumplan los siguientes requisitos:

a) Que conserve el registro contable de dichos valores.

b) Que pruebe que el dividendo ha sido percibido por la otra entidad contratante o una entidad perteneciente al mismo grupo de sociedades de cualquiera de las dos entidades, en los términos establecidos en el artículo 42 del Código de Comercio.

c) Que se cumplan las condiciones establecidas en el apartado anterior para la aplicación de la exención.

3. Estará exenta la renta positiva obtenida en la transmisión de la participación en una entidad, cuando se cumplan los requisitos establecidos en el apartado 1 de este artículo. El mismo régimen se aplicará a la renta obtenida en los supuestos de liquidación de la entidad, separación del socio, fusión, escisión total o parcial, reducción de capital, aportación no dineraria o cesión global de activo y pasivo.

---

[1]   Esta letra b) fue modificada por el RDL 3/2016, de 2 de diciembre, por el que se adoptaban medidas en el ámbito tributario dirigidas a la consolidación de las finanzas públicas y otras medidas urgentes en materia social, con efectos para los períodos impositivos iniciados a partir de 1 de enero de 2017.

El requisito previsto en la letra a) del apartado 1 de este artículo deberá cumplirse el día en que se produzca la transmisión. El requisito previsto en la letra b) del apartado 1 deberá ser cumplido en todos y cada uno de los ejercicios de tenencia de la participación.

No obstante, en el caso de que el requisito previsto en la letra b) del apartado 1 no se cumpliera en alguno o algunos de los ejercicios de tenencia de la participación, la exención prevista en este apartado se aplicará de acuerdo con las siguientes reglas:

a) Respecto de aquella parte de la renta que se corresponda con un incremento neto de beneficios no distribuidos generados por la entidad participada durante el tiempo de tenencia de la participación, se considerará exenta aquella parte que se corresponda con los beneficios generados en aquellos ejercicios en los que se cumpla el requisito establecido en la letra b) del apartado 1.

b) Respecto de aquella parte de la renta que no se corresponda con un incremento neto de beneficios no distribuidos generados por la entidad participada durante el tiempo de tenencia de la participación, la misma se entenderá generada de forma lineal, salvo prueba en contrario, durante el tiempo de tenencia de la participación, considerándose exenta aquella parte que proporcionalmente se corresponda con la tenencia en los ejercicios en que se haya cumplido el requisito establecido en la letra b) del apartado 1.

En el caso de transmisión de la participación en el capital o en los fondos propios de una entidad residente o no residente en territorio español que, a su vez, participara en dos o más entidades respecto de las que sólo en alguna o algunas de ellas se cumplieran los requisitos previstos en las letras a) o b) del apartado 1, la exención prevista en este apartado se aplicará de acuerdo con las siguientes reglas:

1.º Respecto de aquella parte de la renta que se corresponda con un incremento neto de beneficios no distribuidos generados por las entidades indirectamente participadas durante el tiempo de tenencia de la participación, se considerará exenta aquella parte de la renta que se corresponda con los beneficios generados por las entidades en las que se cumpla el requisito establecido en la letra b) del apartado 1.

2.º Respecto de aquella parte de la renta que no se corresponda con un incremento neto de beneficios no distribuidos generados por las entidades indirectamente participadas durante el tiempo de tenencia de la participación, se considerará exenta aquella parte que proporcionalmente sea atribuible a las entidades en que se haya cumplido el requisito establecido en la letra b) del apartado 1.

La parte de la renta que no tenga derecho a la exención en los términos señalados en este apartado se integrará en la base imponible, teniendo derecho a la deducción establecida en el artículo 31 de esta Ley, en caso de proceder su aplicación, siempre que se cumplan los requisitos necesarios para ello. No obstante, a los efectos de lo establecido en la letra a) del apartado 1 del citado artículo, se tomará exclusivamente el importe efectivo de lo satisfecho en el extranjero por razón de gravamen de naturaleza idéntica o análoga a este Impuesto, por la parte que proporcionalmente se corresponda con la renta que no tenga derecho a la exención correspondiente a aquellos ejercicios o entidades respecto de los que no se haya cumplido el requisito establecido en la letra b) del apartado 1 de este artículo, en relación con la renta total obtenida en la transmisión de la participación.

4. En los siguientes supuestos, la aplicación de la exención prevista en el apartado anterior tendrá las especialidades que se indican a continuación:

a) Cuando la participación en la entidad hubiera sido valorada conforme a las reglas del régimen especial del Capítulo VII del Título VII de esta Ley y la aplicación de dichas reglas hubiera determinado la no integración de rentas en la base imponible de este Impuesto, o del Impuesto sobre la Renta de no Residentes, derivadas de:

1.ª La aportación de la participación en una entidad que no cumpla el requisito de la letra a) o, total o parcialmente al menos en algún ejercicio, el requisito a que se refiere la letra b) del apartado 1 de este artículo.

2.ª La aportación no dineraria de otros elementos patrimoniales distintos a las participaciones en el capital o fondos propios de entidades.

En este supuesto, la exención no se aplicará sobre la renta diferida en la entidad transmitente como consecuencia de la operación de aportación, salvo que se acredite que la entidad adquirente ha integrado esa renta en su base imponible.

b) Cuando la participación en la entidad hubiera sido valorada conforme a las reglas del régimen especial del Capítulo VII del Título VII de esta Ley y la aplicación de dichas reglas hubiera determinado la no integración de rentas en la base imponible del Impuesto sobre la Renta de las Personas Físicas, derivadas de la aportación de participaciones en entidades.

En este supuesto, cuando las referidas participaciones sean objeto de transmisión en los dos años posteriores a la fecha en que se realizó la operación de aportación, la exención no se aplicará sobre la diferencia positiva entre el valor fiscal de las participaciones recibidas por la entidad adquirente y el valor de mercado en el momento de su adquisición, salvo que se acredite que las personas físicas han transmitido su participación en la entidad durante el referido plazo[2].

5. No se aplicará la exención prevista en el apartado 3 de este artículo:

---

[2]   Este número 4 fue modificado por el RDL 3/2016, de 2 de diciembre, por el que se adoptaban medidas en el ámbito tributario dirigidas a la consolidación de las finanzas públicas y otras medidas urgentes en materia social, con efectos para los períodos impositivos iniciados a partir de 1 de enero de 2017.

a) A aquella parte de las rentas derivadas de la transmisión de la participación, directa o indirecta, en una entidad que tenga la consideración de entidad patrimonial, en los términos establecidos en el apartado 2 del artículo 5 de esta Ley, que no se corresponda con un incremento de beneficios no distribuidos generados por la entidad participada durante el tiempo de tenencia de la participación.

b) A aquella parte de las rentas derivadas de la transmisión de la participación en una agrupación de interés económico española o europea, que no se corresponda con un incremento de beneficios no distribuidos generados por la entidad participada durante el tiempo de tenencia de la participación.

c) A las rentas derivadas de la transmisión de la participación, directa o indirecta, en una entidad que cumpla los requisitos establecidos en el artículo 100 de esta Ley, siempre que, al menos, el 15 por ciento de sus rentas queden sometidas al régimen de transparencia fiscal internacional regulado en dicho artículo.

Cuando las circunstancias señaladas en las letras a) o c) de este apartado se cumplan solo en alguno o algunos de los períodos impositivos de tenencia de la participación, no se aplicará la exención respecto de aquella parte de las rentas a que se refieren dichas letras que proporcionalmente se corresponda con aquellos períodos impositivos.

Lo dispuesto en este apartado resultará igualmente de aplicación en los supuestos de liquidación de la entidad, separación del socio, fusión, escisión total o parcial, reducción de capital, aportación no dineraria o cesión global de activo y pasivo.

6. No se integrarán en la base imponible las rentas negativas derivadas de la transmisión de la participación en una entidad, respecto de la que se de alguna de las siguientes circunstancias:

a) que se cumplan los requisitos establecidos en el apartado 3 de este artículo. No obstante, el requisito relativo al porcentaje de participación o valor de adquisición, según corresponda se entenderá cumplido cuando el mismo se haya alcanzado en algún momento durante el año anterior al día en que se produzca la transmisión.

b) en caso de participación en el capital o en los fondos propios de entidades no residentes en territorio español, que no se cumpla el requisito establecido en la letra b) del apartado 1 del artículo 21 de esta Ley.

En el supuesto de que los requisitos señalados se cumplan parcialmente, en los términos establecidos en el apartado 3 de este artículo, la aplicación de lo dispuesto en este apartado se realizará de manera parcial[3].

---

[3] Este número 6 fue modificado por el RDL 3/2016, de 2 de diciembre, por el que se adoptaban medidas en el ámbito tributario dirigidas a la consolidación de las finanzas públicas y otras medidas urgentes en materia social, con efectos para los períodos impositivos iniciados a partir de 1 de enero de 2017.

7. *Las rentas negativas derivadas de la transmisión de la participación en entidades que sean objeto de integración en la base imponible por no producirse ninguna de las circunstancias previstas en el apartado anterior, tendrán las especialidades que se indican a continuación:*

a) En el caso de que la participación hubiera sido previamente transmitida por otra entidad que reúna las circunstancias a que se refiere el artículo 42 del Código de Comercio para formar parte del mismo grupo de sociedades con el contribuyente, con independencia de la residencia y de la obligación de formular cuentas anuales consolidadas, dichas rentas negativas se minorarán en el importe de la renta positiva generada en la transmisión precedente a la que se hubiera aplicado un régimen de exención o de deducción para la eliminación de la doble imposición.

b) El importe de las rentas negativas se minorará, en su caso, en el importe de los dividendos o participaciones en beneficios recibidos de la entidad participada a partir del período impositivo que se haya iniciado en el año 2009, siempre que los referidos dividendos o participaciones en beneficios no hayan minorado el valor de adquisición y hayan tenido derecho a la aplicación de la exención prevista en el apartado 1 de este artículo[4].

8. *Serán fiscalmente deducibles las rentas negativas generadas en caso de extinción de la entidad participada, salvo que la misma sea consecuencia de una operación de reestructuración.*

En este caso, el importe de las rentas negativas se minorará en el importe de los dividendos o participaciones en beneficios recibidos de la entidad participada en los diez años anteriores a la fecha de la extinción, siempre que los referidos dividendos o participaciones en beneficios no hayan minorado el valor de adquisición y hayan tenido derecho a la aplicación de un régimen de exención o de deducción para la eliminación de la doble imposición, por el importe de la misma[5].

9. *No se aplicará la exención prevista en este artículo:*

a) A las rentas distribuidas por el fondo de regulación de carácter público del mercado hipotecario.

b) A las rentas obtenidas por agrupaciones de interés económico españolas y europeas, y por uniones temporales de empresas, cuando, al menos uno de sus socios, tenga la condición de persona física.

---

[4]   Este número 7 fue modificado por el RDL 3/2016, de 2 de diciembre, por el que se adoptaban medidas en el ámbito tributario dirigidas a la consolidación de las finanzas públicas y otras medidas urgentes en materia social, con efectos para los períodos impositivos iniciados a partir de 1 de enero de 2017.

[5]   Este número 8 fue modificado por el RDL 3/2016, de 2 de diciembre, por el que se adoptaban medidas en el ámbito tributario dirigidas a la consolidación de las finanzas públicas y otras medidas urgentes en materia social, con efectos para los períodos impositivos iniciados a partir de 1 de enero de 2017.

c) A las rentas de fuente extranjera que la entidad integre en su base imponible y en relación con las cuales opte por aplicar, si procede, la deducción establecida en los artículos 31 o 32 de esta Ley".

Disposición Adicional Primera. Restricciones a la exención por doble imposición de dividendos.

"No tendrán derecho a la exención prevista en el artículo 21 de esta Ley:

a) Los beneficios distribuidos con cargo a las reservas constituidas con los resultados correspondientes a los incrementos de patrimonio a que se refiere el apartado 1 del artículo 3 de la Ley 15/1992, de 5 de junio, sobre medidas urgentes para la progresiva adaptación del sector petrolero al marco comunitario.

b) Los dividendos distribuidos con cargo a beneficios correspondientes a rendimientos bonificados de acuerdo con lo previsto en el artículo 2 de la Ley 22/1993, de 29 de diciembre, de medidas fiscales, de reforma del régimen jurídico de la función pública y de la protección por desempleo, y de rendimientos procedentes de sociedades acogidas a la bonificación establecida en el artículo 19 de la Ley Foral 12/1993, de 15 de noviembre, y en la Disposición adicional quinta de la Ley 19/1994, de 6 de julio, de modificación del Régimen Económico y Fiscal de Canarias, o de entidades a las que sea aplicable la exención prevista en las normas forales 5/1993, de 24 de junio, de Vizcaya, 11/1993, de 26 de junio, de Guipúzcoa, y 18/1993, de 5 de julio, de Álava.

En caso de distribución de reservas se atenderá a la designación contenida en el acuerdo social, y en su defecto, se considerarán aplicadas las últimas cantidades abonadas a dichas reservas".

Disposición Transitoria Vigésima Tercera. Régimen transitorio en el Impuesto sobre Sociedades de las deducciones para evitar la doble imposición.

"1. En el supuesto de adquisición de participaciones que se hubieran producido en períodos impositivos iniciados, en el transmitente, con anterioridad a 1 de enero de 2015, los dividendos o participaciones en beneficios correspondientes a valores representativos del capital o de los fondos propios de entidades residentes en territorio español que cumplan los requisitos establecidos en el artículo 21 de esta Ley, tendrán derecho a la exención prevista en el citado artículo.

No obstante, cumpliéndose los referidos requisitos, la distribución de dividendos o participaciones en beneficios que se corresponda con una diferencia positiva entre el precio de adquisición de la participación y el valor de las aportaciones de los socios realizadas por cualquier título no tendrá la consideración de renta y minorará el valor fiscal de la participación. Adicionalmente, el contribuyente tendrá derecho a una deducción del 100 por ciento de la cuota íntegra que hubiera correspondido a dichos dividendos o participaciones en beneficios cuando:

a) El contribuyente pruebe que un importe equivalente al dividendo o participación en beneficios se ha integrado en la base imponible del Impuesto sobre Sociedades tributando a alguno de los tipos de gravamen previstos en los apartados 1, 2 y 7 del artículo 28 o en el artículo 114 del Texto Refundido de la Ley del Impuesto sobre Sociedades, aprobado por el Real Decreto Legislativo 4/2004, de 5 de marzo, en concepto de renta obtenida por las sucesivas entidades propietarias de la participación con ocasión de su transmisión, y que dicha renta no hubiera tenido derecho a la deducción por doble imposición interna de plusvalías prevista en dicho texto refundido.

En este supuesto, cuando las anteriores entidades propietarias de la participación hubieren aplicado a las rentas por ellas obtenidas con ocasión de su transmisión la deducción por reinversión de beneficios extraordinarios establecida en el artículo 42 del texto refundido de la Ley del Impuesto sobre Sociedades, la deducción será del 18 por ciento del importe del dividendo o de la participación en beneficios.

b) El contribuyente pruebe que un importe equivalente al dividendo o participación en beneficios se ha integrado en la base imponible del Impuesto sobre la Renta de las Personas Físicas, con anterioridad a 1 de enero de 2015, en concepto de renta obtenida por las sucesivas personas físicas propietarias de la participación, con la ocasión de su transmisión.

En este supuesto, la deducción no podrá exceder del importe resultante de aplicar al dividendo o a la participación en beneficios el tipo de gravamen que en el Impuesto sobre la Renta de las Personas Físicas corresponde a las ganancias patrimoniales integradas en la parte especial de la base imponible o en la del ahorro, para el caso de transmisiones realizadas a partir de 1 de enero de 2007.

La deducción establecida en este apartado será de aplicación, igualmente, cuando la distribución de dividendos o la participación en beneficios no determine la integración de renta en la base imponible por no tener la consideración de ingreso.

Esta deducción se practicará parcialmente cuando la prueba a que se refiere este apartado tenga carácter parcial.

2. En el supuesto de adquisición de participaciones que se hubieran producido en períodos impositivos iniciados, en el transmitente, con anterioridad a 1 de enero de 2015, los dividendos o participaciones en beneficios correspondientes a valores representativos del capital o de los fondos propios de entidades no residentes en territorio español que cumplan los requisitos establecidos en el artículo 32 de esta Ley, y que se correspondan con la diferencia positiva entre el precio de adquisición de la participación y los fondos propios de la entidad participada en el momento de la adquisición no tendrá la consideración de renta y minorará el valor fiscal de la participación, siempre que el contribuyente pruebe que un importe equivalente al dividendo o participación en beneficios ha tributado en España a través de cualquier transmisión de la participación. Adicionalmente, el contribuyente podrá aplicar la deducción prevista en el artículo 32 de esta Ley, teniendo en cuenta que el límite a que se refiere el apartado 4 del mismo se calculará en función de la cuota íntegra que resultaría de integrar en la base imponible los referidos dividendos o participaciones en beneficios.

La misma regla resultará de aplicación en el supuesto en que los dividendos o participaciones en beneficios no determinen la integración de renta en la base imponible por no tener la consideración de ingreso.

3. En el caso de dividendos y participaciones en beneficios procedentes de valores representativos del capital o los fondos propios de entidades residentes en territorio español, adquiridos antes de la entrada en vigor del Real Decreto-ley 8/1996, de 7 de junio, de medidas fiscales urgentes sobre corrección de la doble imposición intersocietaria y sobre incentivos a la internacionalización de las empresas, no resultará de aplicación lo dispuesto en el apartado 1 de esta Disposición. En este caso serán aplicables las restricciones contenidas en el artículo 28 de la Ley 43/1995, de 27 de diciembre, del Impuesto sobre Sociedades, en su redacción original, anterior a la entrada en vigor del Real Decreto-ley 8/1996.

4. Las deducciones por doble imposición establecidas en los artículos 30, 31 y 32, del texto refundido de la Ley del Impuesto sobre Sociedades, según redacción vigente en los períodos impositivos iniciados con anterioridad a 1 de enero de 2015, pendientes de aplicar a la entrada en vigor de esta Ley, así como aquellas deducciones generadas por aplicación de esta Disposición no deducidas por insuficiencia de cuota íntegra, podrán deducirse en los períodos impositivos siguientes.

El importe de las deducciones establecidas en esta Disposición transitoria y en los artículos 30, 31.1.b) y 32.3 del citado Texto Refundido se determinará teniendo en cuenta el tipo de gravamen vigente en el período impositivo en que esta se aplique.

5. En el caso de operaciones de reestructuración que se hayan acogido a lo dispuesto en el Capítulo VIII del Título VII del Texto Refundido de la Ley del Impuesto sobre Sociedades, según redacción vigente en los períodos impositivos iniciados con anterioridad a 1 de enero de 2015, a los efectos de evitar la doble imposición que pudiera producirse por aplicación de las reglas de valoración previstas en los artículos 86, 87.2 y 94 del citado Texto Refundido, los beneficios distribuidos con cargo a rentas imputables a los bienes aportados darán derecho a la exención para evitar la doble imposición de dividendos, cualquiera que sea el porcentaje de participación del socio y su antigüedad. Igual criterio se aplicará respecto de las rentas generadas en la transmisión de la participación.

Cuando por la forma en como contabilizó la entidad adquirente no hubiera sido posible evitar la doble imposición por aplicación de las normas establecidas en el apartado anterior, dicha entidad practi-

cará, en el momento de su extinción, los ajustes de signo contrario a los que hubiere practicado por aplicación de las reglas de valoración establecidas en los artículos 86, 87.2 y 94 del Texto Refundido de la Ley del Impuesto sobre Sociedades. La entidad adquirente podrá practicar los referidos ajustes de signo contrario con anterioridad a su extinción, siempre que pruebe que se ha transmitido por los socios su participación y con el límite de la cuantía que se haya integrado en la base imponible de estos con ocasión de dicha transmisión".

1. INTRODUCCIÓN. 2. LA SITUACIÓN DE PARTIDA DE LA DOBLE IMPOSICIÓN DE DIVIDENDOS EN LA LEY 43/1995, DE 27 DE DICIEMBRE Y DE LA NORMATIVA POSTERIOR. 3. EL INFORME DE LA COMISIÓN LAGARES SOBRE LA DOBLE IMPOSICIÓN EN EL IMPUESTO SOBRE SOCIEDADES. 4. LA DOBLE IMPOSICIÓN DE DIVIDENDOS EN LA VIGENTE LIS 27/2014, DE 27 DE NOVIEMBRE. 4.1. La entidad participada en la Ley 27/2014. 4.2. La entidad perceptora de dividendos o plusvalías en la Ley 27/2014. 5. DIVIDENDOS CON DERECHO A LA EXENCIÓN. 5.1. Beneficios derivados de acciones sin voto, acciones rescatables o retribuciones por préstamos participativos. 5.2. Rentas derivadas de contratos que versan sobre valores. 5.3. Dividendos procedentes del usufructo accionarial. 5.4. Cantidades a cuenta de dividendos. 5.5. Dividendos in natura. 5.6. Distribución de reservas de revalorización. 5.7. Dividendos procedentes de entidades que gozan de las bonificaciones en cuota previstas en el Capítulo III del Título VI de la LIS. 6. DIVIDENDOS SIN DERECHO A LA EXENCIÓN. 6.1. Rentas distribuidas por el fondo público de regulación del mercado hipotecario. 6.2. Rentas de fuente extranjera obtenidas por Agrupaciones de Interés Económico y por Uniones Temporales de Empresas. 6.3. Rentas de fuente extranjera que la entidad integre en su base imponible y en relación con las cuales opte por aplicar la deducción establecida en los artículos 31 o 32 de la LIS. 6.4. Dividendos derivados de contratos que versan sobre valores. 6.5. Dividendos que generan un gasto fiscalmente deducible en la entidad que los distribuye. 6.6. Dividendos previstos por la Disposición Adicional 1ª LIS/2014. 6.6.1. Dividendos distribuidos con cargo a beneficios correspondientes a rendimientos bonificados en virtud del artículo 2 de la Ley 22/1993. 6.6.2. Dividendos procedentes de la segregación de activos de CAMPSA. 6.6.3. Dividendos derivados de rentas que se acogieron al régimen de las vacaciones fiscales del País Vasco. 6.7. Dividendos que no tienen la consideración de renta. 7. REQUISITOS EXIGIDOS PARA GOZAR DE LA EXENCIÓN POR DOBLE IMPOSICIÓN DE DIVIDENDOS. 8. LA EXENCIÓN POR DOBLE IMPOSICIÓN DE DIVIDENDOS EN EL RÉGIMEN PSEUDOTRANSITORIO DE LA DISPOSICIÓN TRANSITORIA 23ª LIS/2014. 9. MEDIDAS PARA CORREGIR LA DOBLE IMPOSICIÓN EN EL CASO DE PLUSVALÍAS DERIVADAS DE LA TRANSMISIÓN DE VALORES O PARTICIPACIONES. 9.1. Introducción. 9.2. Requisitos para poder aplicar la exención de las plusvalías para evitar la doble imposición. 9.3. La exención de las plusvalías en el régimen transitorio de la LIS/2014. 10. A MODO DE ESQUEMA FINAL RECAPITULATIVO.

1. INTRODUCCIÓN

Una de las modificaciones más relevantes operadas en la reforma del IS por la Ley 27/2014, de 27 de noviembre, fue la relativa a la exención de los dividendos y plusvalías de fuente interna, sobre todo si se tiene en cuenta que hasta ese momento la técnica a la que se recurría para mitigar los casos de doble imposición económica era la de imputación o deducción en la cuota respecto de acciones y participaciones en los fondos propios de otras entidades (algo muy común en el balance de cualquier sociedad)[6]. Tal imputación suponía la atribución al perceptor de los dividendos del impuesto satisfecho por la entidad que los distribuía, para su posterior deducción en cuota de lo pagado por dichos beneficios societarios repartidos[7]. La exención, por el contrario, implica la exclusión de los dividendos repartidos de la base imponible del socio.

[6]   En opinión de LAGARES CALVO, M. J. "El Impuesto sobre Sociedades. Aspectos polémicos", IEF, Madrid, 1973, pag. 20, la doble imposición económica se produce cuando *"la renta percibida por el socio de una entidad soporta en primer lugar el impuesto sobre la renta de las sociedades y posteriormente, el impuesto sobre la renta personal del socio, mientras que si se tratase de una empresa individual no quedaría sujeta al primero de tales tributos".* En opinión de CALVO ORTEGA, R. Curso de Derecho Financiero, 14ª ed. Civitas, Madrid, 2010, pag. 58, los supuestos de doble imposición interna lesionan el principio de capacidad económica, pero no así en el caso de la doble imposición internacional, donde lo que acontece simplemente es un problema de soberanía que cada Estado puede abordar para su resolución con medidas unilaterales. Cfr. SANZ GADEA, E. Impuesto sobre Sociedades (comentarios y casos prácticos) CEF, Madrid, 2004, pag. 21 y ss. Históricamente, la LIS/1978 (Ley 61/1978, de 27 de diciembre) en su art. 24 intentó corregir la doble imposición económica (sin distinguir entre dividendos internos o internacionales), a través de dos mecanismos: a) una deducción en cuota del impuesto satisfecho por la entidad que repartía el dividendo en la beneficiaria; b) el régimen de transparencia fiscal. Como quiera que la cantidad que se consideraba deducible se fijaba en función del tipo medio efectivo por el que había tributado la sociedad distribuidora de los dividendos, la cuantía deducida por la beneficiada no coincidía casi nunca con el importe satisfecho por aquélla (excepción hecha de aquellos supuestos donde el tipo medio efectivo de la entidad distribuidora fuese igual que el de la perceptora). De esta manera, el mecanismo para atenuar la doble imposición dependía de la naturaleza de las sociedades implicadas en el reparto de dividendos. Además, para aquellos casos en los que el importe de la deducción en que se resolvía el mecanismo para luchar contra la doble imposición arrojase una cifra superior a la cuota del IS, la LIS/1978 impedía el traslado de ese crédito fiscal inaplicado a ejercicios impositivos futuros (aspecto éste que se corrigió en la LIS/1995). Posteriormente, la Ley 18/1982 modificó el alcance de la deducción, vinculándola tan solo a la residencia en España de la sociedad pagadora de los dividendos. Además, la Ley 18/1982 no permitía la deducción sobre dividendos de entidades exentas en el IS o cuando las entidades perceptoras estuviesen exentas a su vez, lo que generaba en algunos supuestos doble imposición no corregida, como por ejemplo en aquellos casos en los que la entidad exenta percibía dividendos sometidos a retención a cuenta en el IS.

[7]   Vid. DE PABLO VARONA, J. C. La tributación del socio en el IRPF, Aranzadi, Pamplona, 2002, pag. 324 y ss.; GONZÁLEZ-CUELLAR SERRANO, M. L. La doble imposición de dividendos, Thonsom-Aranzadi, Cizur Menor, 2003, pag. 54 y ss.; COLMENAR VALDES, S. "Las deducciones por doble imposición: (I) doble imposición interna de beneficios societarios", Impuestos nº 1, 1996, pag. 314 y ss.; SIMÓN YARZA, M. E. La exención de dividendos y plusvalías para corregir la doble imposición en el Impuesto sobre Sociedades, Lex Nova-Thonsom Rueters, 2015, pag. 25 y ss.; RUIZ GARCÍA, J. R. La deducción por dividendos en el sistema tributario español, Civitas, Madrid, 1991, pags. 29 y ss.; LUCAS DURAN, M. La tributación de los dividendos internacionales, Lex Nova, Valladolid, 2000, pag. 50 y ss. RODRÍGUEZ RELEA, F. J. "Exenciones en la base imponible para evitar la doble imposición. Reducción de ingresos procedentes de determinados activos intangibles",

No puede decirse, ciertamente, que esa técnica exonerativa fuese ajena totalmente al IS, pues algunos Convenios Internacionales tendentes a evitar la doble imposición internacional ya lo contemplaban y la propia Ley 43/1995, de 27 de diciembre, al hilo de la regulación del régimen de las Entidades de Tenencia de Valores Extranjeros, también recurría a la exención (frente al método de imputación limitada o de deducción en la cuota) para dividendos o ganancias derivadas de la transmisión de participaciones.

En cualquier caso, el problema no era tanto el método elegido para mitigar esa doble imposición económica (imputación o exención), sino más bien el hecho de que las distintas rentas recibieran un tratamiento diferente en función de su origen, pues los dividendos provenientes de participaciones inferiores al 5% o que se poseían durante un período inferior a un año de fuente española, gozaban de una deducción del 50 por 100 de la parte correspondiente de la cuota, mientras que los dividendos provenientes de fuente extranjera no eran objeto de medida correctiva alguna[8]. Además, para el caso de participaciones significativas poseídas durante un año, la exención de dichas rentas extranjeras (dividendos o plusvalías) requería el cumplimiento de una serie de requisitos (vgr. que el 85% de los ingresos de la entidad extranjera procediese del ejercicio de actividades empresariales) que sin embargo no se exigían para el caso de rentas internas.

Esas diferencias en el tratamiento de las rentas internas e internacionales vulneraban claramente los principios comunitarios de no discriminación y libre circulación de capitales, en la medida en que disuadían a los nacionales de invertir en sociedades radicadas en otros países de la UE, razón por la cual, la Comisión Europea requirió a España, en junio de 2013 y mediante dictamen

---

Fiscalidad práctica 2015, Lex Nova, Valladolid, 2015, pag. 855 y ss. LOPEZ ESPADAFOR, C. M. La doble imposición interna, Lex Nova, Valladolid, 1999, pag. 183 y ss. El art. 30 TRLIS/2004 preveía a estos efectos dos deducciones. La primera correspondiente al cien por cien de los dividendos previamente incorporados a la base; la segunda del cincuenta por ciento. En realidad, la deducción en cuota del cien por cien, equivalía a una exención total y la correspondiente al cincuenta por cien, a una parcial.

[8] El TRLIS 2004 regulaba por separado la exención por doble imposición económica de dividendos internacionales (art. 21) y la exención por doble imposición económica de dividendos repartidos por entidades residentes (art. 30). La doble imposición soportada por esos dividendos procedentes de entidades no residentes se mitigaba o corregía mediante su no inclusión en la base imponible. Cuando los dividendos procedían de entidades residentes, el socio también podía gozar de la exención, pero en estos casos estaba obligado a integrar los dividendos en su base imponible y posteriormente descontaba de la cuota la fracción derivada del importe de los dividendos computados en la base. Por lo tanto, en el método de exención del art. 30 TRLIS/2004 el importe sustraído de la cuota no era el correspondiente al impuesto extranjero, sino la cuantía que habría debido satisfacer por los dividendos el propio contribuyente si no hubiese gozado del derecho a la deducción sobre la cuota admitido en la ley.

motivado, a la modificación del régimen tributario dispensado a los dividendos transfronterizos.

El cambio operado por la LIS/2014 en el régimen tributario de los dividendos simplifica de modo muy apreciable el mecanismo de exención, de forma tal, que la técnica de la deducción del art. 30 TRLIS/2004 desaparece, para dar paso a un único mecanismo de aplicación de la exención, tanto para dividendos internos como internacionales. En ambos casos, el contribuyente excluye de su base imponible el importe correspondiente a dichos dividendos, de manera que éstos no soportan ya doble imposición, lo que significa, a su vez, que la nueva normativa no contempla prácticamente el derecho a la exención parcial de los dividendos internos, sino que dicha exención (tanto en los dividendos internos como internacionales) es total, es decir, del cien por cien, bastando para ello con el cumplimiento de tres condiciones:

– Posesión durante un año ininterrumpido de la participación que origina el derecho a la percepción del dividendo.

– Que el porcentaje de dicha posesión sea al menos del 5 por ciento de la entidad participada.

– Que, de no cumplirse con la condición anterior, la participación tenga un valor de adquisición superior a los 20 millones de euros.

2. LA SITUACIÓN DE PARTIDA DE LA DOBLE IMPOSICIÓN DE DIVIDENDOS EN LA LEY 43/1995, DE 27 DE DICIEMBRE Y DE LA NORMATIVA POSTERIOR

La corrección de la doble imposición de dividendos resulta procedente en la medida en que las rentas societarias son gravadas dos veces, primero en sede de la sociedad participada por el tributo que ésta satisfizo, y luego en la del socio perceptor de esos dividendos o plusvalías[9]. En su redacción originaria, la LIS/1995 intentó atemperar los efectos adversos de la doble imposición de dividendos por medio de tres deducciones sobre la cuota, reguladas en sus arts. 28, 29 y 30, pero pronto se vio la necesidad de completar las previsiones iniciales para ampliar su ámbito de aplicación, lo que se materializó a través de distintos instrumentos normativos:

a) El Real Decreto-Ley 8/1996, de 7 de junio, respecto de las plusvalías derivadas de la transmisión de participaciones en entidades residentes y dividendos y plusvalías de fuente extranjera.

---

[9]   En tal sentido, GOTA LOSADA, A. Tratado del Impuesto sobre Sociedades, Vol. I, Banco Exterior de España, Servicio de Estudios Económicos, Madrid, 1988, pag. 203.

b) La Ley 10/1996, de 18 de diciembre, para las rentas obtenidas a través de un establecimiento permanente.

c) El Real Decreto-Ley 3/2000, de 23 de junio para considerar exentas las rentas provenientes de fuente extranjera.

Con todo, los artículos 21, 30 y 32 TRLIS/2004 dispensaban un tratamiento diferente a los dividendos en función de la residencia, española o no, de la entidad que los distribuía[10]. Así, la doble imposición sobre los dividendos internos

---

[10] Por no hablar de otros problemas denunciados por MACHANCOSES, E. "Régimen jurídico y quiebra formal del esquema corrector del doble gravamen intersocietario", Impuestos, nº 1, 2000, pag. 243 y ss. y que ilustra con ejemplos concretos SIMON YARZA, M. E. La exención de dividendos y plusvalías..., op. cit. pag. 186: *"No son pocos los comentarios y críticas que suscitaba la técnica del art. 30 TRLIS/2004 cuando se valoraba desde el punto de vista del efecto económico que se perseguía con la imputación. La irrelevancia de los gastos destinados a la obtención de los dividendos en el cálculo del importe de la deducción podía conducir a una infraimposición de la renta e incluso, se podía traducir en la concesión de un beneficio económico para el socio. Lo atinado de esta valoración se puede confirmar a través de un sencillo ejemplo. Supongamos un caso extremo, en el que la entidad socio realizaba gastos deducibles en el IS por valor de 200 u. m. para obtener 100 u. m. de dividendos con derecho a la deducción del art. 30 TRLIS/2004. La adición en la base imponible de los dividendos íntegros y de los gastos asociados a este ingreso arrojaba un resultado negativo de 100 u. m. El socio no sufría gravamen alguno por los dividendos. Sin embargo, el art. 30 TRLIS/2004 permitía que este dedujera de su cuota la cifra que resultaba de multiplicar las 100 u. m. de dividendos íntegros por el tipo de gravamen nominal de la entidad socio. Como se ve, la deducción en este caso no mitigaba la doble imposición de los dividendos, pues esta no se producía, sino que beneficiaba a la entidad socio con la concesión de un crédito fiscal por valor del importe de la deducción. El otro inconveniente que presentaba la deducción era el recurso al tipo nominal del IS de la entidad socio para descifrar la cuantía de la deducción. Si con la deducción el legislador quería restituir el IS satisfecho por la entidad participada a cuenta del socio, lo lógico sería que se hubiese empleado el tipo medio efectivo del IS soportado por la entidad participada para calcular el importe de la deducción correspondiente. La aplicación del tipo nominal sobre los dividendos percibidos podía derivar en una situación de desimposición de la renta análoga a la anterior. Asimismo, podía atenuar la sobreimposición en un grado insuficiente. De nuevo la idea se refleja bien mediante un ejemplo. La sociedad W es socio único de la sociedad A. Supongamos que la sociedad W tributa en el IS al tipo medio del 30 por ciento. Los rendimientos de la sociedad A alcanzan un valor de 10.000 u. m. y determinan una cuota tributaria de 2000 u. m. La sociedad A distribuye 1000 u. m. de estos beneficios a la sociedad W en concepto de dividendos. De acuerdo con el art. 30 TRLIS/2004, la sociedad W tendría derecho a una deducción de 300 u. m. (=1000 x30%). Sin embargo, la carga tributaria que sufre la entidad participada por los beneficios que entrega en forma de dividendos es de 200 u. m. [=1000 u. m. x (2000/10000)]. Porque el tipo de gravamen efectivo sobre los beneficios cuando A tributa por ellos es del 20% (=2.000 x 100/10.000). La diferencia entre el tipo efectivo de la sociedad participada y el tipo medio de la entidad socio en este caso determinaría que, a causa de la deducción, la entidad socio percibiera un beneficio tributario de 100 u. m. (=300 u. m. –200 u. m.). En este caso la deducción provocaría un déficit de tributación porque el tipo efectivo de la entidad participada A es menor que el tipo medio de la entidad socio W. Pero si se invirtiera la relación proporcional entre ambos tipos se produciría el resultado opuesto, la sobreimposición de los dividendos. Tan-*

se eliminaba a través de una deducción reconocida a todos aquellos sujetos pasivos que poseyeran durante un año ininterrumpido un porcentaje representativo, como mínimo del cinco por ciento, de los fondos propios de la entidad participada. Fuera de estos casos, la deducción era parcial y la eliminación de la doble imposición no llegaba a ser completa. Lo mismo ocurría en el caso de las plusvalías derivadas de la transmisión de participaciones en fondos propios de entidades residentes cuando se concitaban las mismas condiciones (posesión de al menos el cinco por ciento de los fondos propios de la entidad participada y durante un año continuado).

Por lo tanto, la doble imposición económica internacional se atemperaba a través de dos mecanismos alternativos e incompatibles entre sí, de tal manera que por medio del primero de dichos mecanismos el contribuyente que obtuviera dividendos internacionales o plusvalías derivadas de la transmisión de participaciones en fondos propios de entidades no residentes, podía aplicar lo dispuesto en el art. 21 TRLIS/2004 con tal que detentara un cinco por ciento de los fondos propios de la entidad no residente durante un período mínimo de un año, siempre que esos dividendos procediesen del ejercicio de verdaderas actividades económicas en el extranjero (no de meras rentas pasivas) y que la entidad participada hubiera soportado un gravamen semejante al IS en el ejercicio en el que se obtuvieron los beneficios.

La alternativa a todo ello la constituía el segundo de los mecanismos aludidos más arriba y regulado en el art. 32 TRLIS/2004, en cuya virtud, el obligado tributario podría incluir los dividendos obtenidos en su base imponible del IS deduciendo de su cuota íntegra el importe del tributo que la entidad no residente hubiera satisfecho por los beneficios obtenidos en el extranjero, con un límite: el valor de la cuota íntegra que habrían generado las rentas repartidas si se hubiesen producido en España[11].

Como ya ha sido apuntado, esta regulación en el tratamiento de los dividendos obtenidos en función de que la entidad distribuidora fuese una entidad residente o no en España, contradecía abiertamente la jurisprudencia del TJUE que, en su Sentencia de 10 de febrero de 2011 (Haribo y Salinen contra Finanzamt Linz, asuntos acumulados C-436/08 y C-437/08), declaró contraria a los principios comunitarios de libertad de movimiento de capitales la diferencia de

---

to el conocimiento del tipo efectivo del IS soportado por la entidad participada, como la delimitación de los gastos destinados por el socio para obtener los dividendos constituyen cargas excesivamente onerosas para el contribuyente. Por eso en el art. 30 TRLIS/2004 el legislador no vinculaba el cálculo de la deducción a estos dos parámetros y asumía el riesgo de desimposición que entrañaba el cálculo de la deducción en función del importe íntegro de los dividendos y del tipo medio del IS que gravaba a la entidad participada".

[11]   Esas mismas condiciones de porcentaje y tiempo de tenencia de la participación se exigían para la deducción por dividendos internacionales, sin necesidad en este caso de que la entidad participada hubiera soportado un gravamen similar al IS.

trato fiscal que la Ley austriaca del IS dispensaba a los dividendos de cartera, en función de su procedencia de una entidad residente o no residente.

Algunos pronunciamientos jurisprudenciales dan cuenta de estos mecanismos, incidiendo especialmente en la necesidad de que la sobre imposición a corregir se produjese efectivamente y no de forma aparente. Tal es el caso de la SAN de 23 de octubre de 2014 (rec. nº 63/2012):

> *"Décimo.*
>
> *El siguiente motivo de impugnación es el de la inexistencia de beneficios o reservas que pudieran ser distribuidos como dividendos o utilidad y de diferencias de valor a favor de los socios transmitentes.*
>
> *Sostiene la actora que el concepto tributario de dividendo o utilidad no es distinto del concepto mercantil en el que está basado, y exige en todo caso, la existencia de una distribución o entrega que tenga mercantilmente dicha consideración, y que el perceptor tenga la condición de socio, de manera que la causa principal de la distribución sea la mera condición de socio y no cualquier contraprestación coetánea realizada por el socio a la sociedad por un título distinto a la aportación de capital. El concepto tributario ha sido precisado en la Ley 36/2006 de 29 de noviembre de medidas para la prevención del fraude fiscal; da una nueva redacción al artículo 16.8 del TRLIS e introduce un concepto de "dividendo fiscal" no asociado a la distribución formal de dividendos, en el supuesto de operaciones vinculadas entre un socio y una sociedad, cuando el socio recibe, como consecuencia de las mismas, una diferencia en su favor por encima del valor normal de mercado de cualquier prestación realizada por el socio a la sociedad por un título distinto de las aportaciones de capital.*
>
> *La norma que se invoca no estaba en vigor cuando se realizaron las operaciones controvertidas. El concepto que utiliza la Inspección para establecer el gravamen es, en cualquier caso, un concepto tributario (artículo 23 TRLIRPF y 12.1 LGT), que permite gravar un determinado hecho imponible una vez que este se ha verificado. No estamos en presencia de un dividendo (artículo 23.1 a) 1º TRLIRPF) sino de una utilidad con origen en la condición de socio, que es una realidad gravable y distinta al dividendo, de acuerdo con el artículo 23.1 4ª TRLIRPF.*
>
> *Dicha norma dispone que "Tendrán la consideración de rendimientos íntegros del capital mobiliario los siguientes:*
>
> *1. Rendimientos obtenidos por la participación en los fondos propios de cualquier tipo de entidad.*
>
> *a) Quedan incluidos dentro de esta categoría los siguientes rendimientos, dinerarios o en especie:*
>
> *1.º Los dividendos, primas de asistencia a juntas y participaciones en los beneficios de cualquier tipo de entidad. (.)*
>
> *4.º Cualquier otra utilidad, distinta de las anteriores, procedente de una entidad por la condición de socio, accionista, asociado o partícipe. (.)" .*
>
> *Por ello, se desestima el motivo, también así argumentado en la citada Sentencia de la Sección Cuarta.*

Decimoprimero.

Alega la actora la ausencia de cualquier efecto fiscal favorable para los socios no residentes titulares de la mayoría del capital social de Dorna Sports S.L. que también vendieron sus participaciones, pues la calificación como ganancia o como dividendo (o utilidad) es fiscalmente indiferente para los socios no residentes titulares de la mayoría de capital de DORNA SL, por lo que carecerían de cualquier motivación fiscal para llevar a cabo la operación, ya que no tributarían en España. DORNA HOLDING SÁRL (socio mayoritario – 74,25%– residente en Luxemburgo) no tendría que tributar porque le resultaría aplicable la exención establecida en la Directiva 90/435/CEE, sobre régimen fiscal común aplicable a las matrices y filiales de diferentes estados miembros. En el caso del socio residente en Holanda (Ballota BV, 6,435% del capital de DORNA) tampoco tendría que tributar en virtud de la Jurisprudencia del Tribunal de Justicia de la Unión (caso Denkavit C-170/05, de 14-12-2006 y Amurta C– 379/05, de 8-11-2007).

También este motivo fue analizado por la citada Sentencia de la Sección Cuarta, al considerar que, al contrario de lo que mantiene el demandante, aunque la operación controvertida pueda resultar neutra desde un punto de vista fiscal para el socio mayoritario no residente, la misma debe contemplarse en conjunto, porque la venta de las participaciones tiene una pluralidad de consecuencias.

En efecto, de un lado, la declaración de la venta de participaciones como ganancia patrimonial con un periodo de generación superior a un año ha permitido un importante ahorro fiscal a los socios residentes; A su vez, las sociedades pagadoras han eludido la tributación en concepto de retenciones de capital mobiliario (recurso 1158/2012 seguido a instancia de DORNA SPORTS, como sucesora de MIRALITA SL), y las sociedades – DORNA SPORTS y MIRALITA SL– se han beneficiado a través del mecanismo de financiación de otras ventajas, al deducir las cargas financieras como gasto en el impuesto de sociedades, así como a la amortización del fondo de comercio. No basta pues contemplar lo que haya podido acaecer en sede de la sociedad no residente mediante el mecanismo de no retención en la fuente por aplicación de la Directiva 90/435 CEE del Consejo, de 23 Julio 1990 (régimen fiscal común aplicable a las sociedades matrices y filiales de estados miembros diferentes), sino que se ha de indagar el conjunto de la operación y especialmente la tributación que ha tenido lugar en España respecto de los sujetos pasivos residentes, y los beneficios fiscales que han reportado a los citados sujetos. Son precisamente estas circunstancias las que tuvo en consideración la Inspección en la liquidación, así como en las actuaciones precedentes. Sin necesidad de extendernos más allá del impuesto de los socios recurrentes, solo la regularización ha determinado que la cuota tributaria se incremente sensiblemente como resultado de la regularización. Esta tiene implicaciones en la sociedad pagadora MIRTALITA SL, por el ahorro fiscal que supone no tributar en concepto de rendimientos de capital mobiliario, y eludir practicar y abonar las retenciones."

Motivo que debe ser desestimado (…) A juicio de la recurrente si lo gravado es la distribución de un dividendo, será necesario corregir la doble imposición que tributará de forma indebida en el socio y en la sociedad sin corrección de la doble imposición establecida para estos supuestos en el artículo 23 del TR-LIRPF. Tampoco se ha considerado que la totalidad del precio recibido por la compraventa de 1 de diciembre de 2004 más el importe recibido el 5 de abril de 2004 (6.752.098,08 y 280.712,24) ha de deducir el valor de los títulos cuyo coste era de 4.586,40. No podemos entender que se haya producido un problema de sobreimposición que exija un ajuste para evitar la doble tributación. La sobreimposición no existe cuando los rendimientos de capital no han sido gravados en sede de la sociedad MIRALITA SL, conforme se indica en la liquidación (véase acta de la sociedad y liquidación). La norma del artículo 81 del TRLIRPF pretende corregir la doble tributación en sede de la sociedad y de los socios de unas mismas rentas o dividendos; lo que sucederá cuando esas rentas se hayan integrado en la base imponible de la sociedad para ser sometidas a gravamen. Pero ello no ha sucedido, precisamente porque no ha habido propiamente dividendos en sede de la sociedad, sino que esta ha procedido a endeudarse para lograr reestructurar la deuda de la entidad, así como un reparto extraordinario de "beneficios". Este reparto, no ha generado ninguna tributación, que deba ser corregida, a través del mecanismo de la deducción por doble imposición. Por lo tanto, no procede acoger el motivo."

La STSJ de Cataluña, de 29 de mayo de 2013 (Rec. 485/2010) recuerda asimismo los mecanismos históricos existentes para evitar la doble imposición interna de dividendos:

"Se recurre la resolución del Tribunal Económico Administrativo Regional de Cataluña de 24 de julio de 2009 que en las reclamaciones acumuladas 25/622/2008 y 25/52/2009 acordó estimar la segunda, presentada contra el acuerdo de imposición de sanción, y desestimar la primera presentada contra el acuerdo de la Oficina de Gestión Tributaria de la Delegación en Lleida de la AEAT, de 5 de julio de 2008, por el que se practicó a la aquí recurrente la liquidación del Impuesto sobre Sociedades, ejercicio 2005, confirmada en reposición por acuerdo de 2 de septiembre de 2008. La recurrente, sociedad patrimonial, que era partícipe en un 25 por 100 de una sociedad a su vez patrimonial, autoliquidó practicándose la deducción del 100 por 100 de la cuota íntegra correspondiente a los dividendos procedentes de aquella, invocando al efecto el art. 30.2 del Texto Refundido de la Ley del Impuesto sobre Sociedades, aprobado por R.D. Ley 4/2004. Por el contrario, la Administración practicó la liquidación entendiendo que el art. 62 del mismo Texto se refiere específicamente a las sociedades patrimoniales, y su apartado 1 letra remite sólo a los apartados 1 y 4 del art. 30 es a la decir la deducción del 50 por 100 y no al apartado 2.

Segundo.

El supuesto ha de analizarse, fuera de la interpretación literal y sistemática presentada por las partes, a la vista de la evolución normativa y la finalidad perseguida por la Ley, tal como se expone en las SSTS de 20 de febrero de 2007, recurso de casación núm. 6422/2001, y de 30 de junio de 2011, Recurso de Casación 2364/2008.

En síntesis, las fases son las siguientes:

1.– Art. 52.5 de la Ley del IRPF, 18/1991, y art. 19.5 de la LIS, 61/1978, en la redacción dada por la Disposición Adicional Quinta de aquella, con-

forme a los cuales, las sociedades en quienes concurran las circunstancias que determinan la aplicación del régimen de transparencia y que sean socios de otra sometida a dicho régimen quedarán excluidas del mismo y tributaran en el Impuestos sobre Sociedades a un tipo igual al marginal máximo del IRPF por Ley 18/1991.

El art. 24 de la LIS entonces dispuso una deducción del 50 por 100 de la parte proporcional que corresponda a la base imponible derivada de los dividendos percibidos, elevándose la deducción al 100 por 100 cuando se tratara de dividendos de una sociedad dominada, directa o indirectamente, en más de un 25 por 100 por la sociedad que perciba los dividendos, siempre que la dominación se mantenga de manera ininterrumpida tanto en el periodo impositivo en que se distribuyen los beneficios como en el periodo inmediato anterior.

Ello hizo considerar al Tribunal Supremo –S. de 30 de junio de 2011, citada– "que el precepto transcrito supone que una sociedad de cartera, que tiene una participación en otra superior al 25 % en el capital de esta última, deduce su cuota el 100% de la parte de la base imponible correspondiente a los dividendos derivados de la participación en esta sociedad, siempre y cuando éstos hayan tributado efectivamente.

He aquí, por tanto, como juegan dos principios simultáneamente y en sentido inverso, pues en caso de cadena de sociedades transparentes, se aplica el tipo del 56% en la forma antes vista, pero al mismo tiempo, el artículo 24.2 de la Ley del Impuesto de Sociedades de 1978, hace posible la deducción en cuota del cien por cien de la parte proporcional que corresponda a la base imponible derivada de los dividendos percibidos."

2.– Fase– LIS 43/1995, cuyo artículo 28.2 establecía "la deducción para evitar la doble imposición de dividendos se eleva al 100 por 100 del importe percibido cuando los dividendos o las participaciones en beneficios procedan de sociedades en las que directa o indirectamente se posea una participación de, al menos, el 5 por 100 de su capital social, siempre y cuando dicha participación se haya mantenido de forma ininterrumpida en el año anterior al del día en que sea exigible el dividendo o la participación en beneficios", agregando la Ley 62/2003, de 30 de diciembre, el siguiente inciso final "o, en su defecto que se mantenga durante el tiempo en que sea necesario para completar un año".

De ahí que el Tribunal Supremo en su Sentencia de 20 de febrero de 2007, citada, expresó que la nueva Ley "claramente suaviza los requisitos, no solo en cuanto al porcentaje de la participación mínimo de participación requerido para que la deducción opere al 100 por 100, que pasa del 25 por 100 que establecía la Ley 61/78, al 50 por ciento exigido, sino también con relación con el requisito temporal, ahora limitado a aquel porcentaje de participación se hubiere tenido de manera ininterrumpida durante el año anterior al día en que sea exigible el beneficio objeto de distribución".

3ª Fase. Texto Refundido de la LIS, de 5 de marzo de 2004, cuyo artículo 30.2 dispone que "la reducción a que se refiere el apartado anterior será del 100 por 100 cuando los dividendos o participaciones en beneficios procedentes de entidades en las que el porcentaje de participación, directa o indirecta, sea igual o superior al cinco por ciento, siempre que dicho porcentaje se hubiera tenido de manera ininterrumpida durante el año anterior al día en que sea exigible el beneficio que se distribuya, o, en su defecto, que se mantenga durante el tiempo que sea necesario para completar un año".

Nos encontramos ante un texto refundido, en el que, además, su exposición de motivos no hace referencia a modificación alguna en la materia que se trata, de manera que cabe establecer que se mantiene aquella "suavización" del requisito a efectos de aplicarse la reducción del 100 por cien, lo que viene corroborado por la previsión de tipos para el caso, en el art. 61, superiores al general establecido en el art. 28, por lo que cabe establecer que tal reducción del 100 por 100 continúa manteniéndose como "principio en sentido inverso" al del tipo más elevado, como primitivamente operaba respecto al tipo marginal máximo del IRPF.

Por lo demás la remisión que el art. 62.1.b) hace a sólo los apartados 1 y 4 del art. 30 no es determinante, por cuanto, como se afirma en la demanda, la remisión al apartado 1 lleva a la del 2 al expresar éste que "la deducción a que se refiere el apartado anterior...". Por lo expuesto procede la estimación del recurso".

En cualquier caso, el TS [Sentencia de 3 de diciembre de 2012 (rec. 6043/2009)] insiste en recordar lo apuntado anteriormente sobre la necesidad de que la doble imposición sea real, tratándose de una cuestión predominantemente fáctica, que no jurídica:

"El problema de la doble imposición interna de dividendos no se reduce al doble gravamen que experimentan las rentas distribuidas por la sociedad, primero al nivel de la sociedad que obtuvo las rentas ahora objeto de reparto, las cuales tributaron como ingresos de la misma, y luego en sede de su accionista o socio cuando percibe el dividendo. La cuestión es más compleja por cuanto que también los beneficios que la sociedad haya retenido mediante la constitución de reservas –que tributaron en la misma como ingresos–, aunque dichas reservas no fluyan directamente a los socios hasta que no se acuerde su reparto o se liquide la sociedad, les proporcionan una renta si enajenan sus participaciones sociales a través del medio indirecto de las ganancias de capital. Para corregir el doble se produce en este caso, la Ley del Impuesto trata separadamente el reparto de reservas como supuesto diferenciado a la ordinaria distribución de dividendos cuando, por haber sido la acción o participación social objeto de transmisión a la fecha del reparto de dividendos, las reservas se distribuyen a favor de persona distinta de la que ostentaba la condición de socio cuando aquellas reservas fueron constituidas.

La solución a este problema fue, sin embargo, distinta en la redacción inicial de la Ley 43/1995 y en el texto posterior a la modificación operada por el Decreto Ley 8/1996. (que más tarde recogió la Ley 10/1966). En su redacción inicial, el artículo 28.3, letra d), de la Ley del Impuesto atribuía el derecho a la deducción al adquirente de la participación social a quien se traslada el derecho sobre el patrimonio social existente en el momento de su adquisición.

En cambio, en su redacción posterior, el derecho a la deducción por doble imposición se confió al transmitente de la participación que había soportado de modo directo el gravamen de las ganancias de capital obtenidas por razón de la transmisión.

La cuestión, por tanto, que ha de resolverse era la de si, por consecuencia del reparto, se había producido una disminución en el valor de la participación adquirida por BIOPOOL en el capital de INTERGLAS limitación que impedirla la procedencia de la deducción.

Lo que la recurrente sostiene es que el valor real no afecta al valor inicial de la participación, sino al valor de la participación en el momento posterior al reparto de dividendos conforme a lo previsto en la Norma Octava de Valoración establecida en e! Plan General de Contabilidad.

Tras expresar la citada norma contable, como principio general, que los valores negociable se han de valorar por su precio de adquisición o compra y ordenar respecto a los valores no negociables no admitidos a cotización en un mercado organizado secundario que figuren en el balance por su precio de adquisición, se ocupa luego de la necesidad de corregir este valor contable (corrección valorativa) cuando a consecuencia de hechos posteriores a la adquisición (como puede ser un reparto de dividendos por la sociedad así valorada) resulte que "el precio de adquisición sea superior al importe que resulte de aplicar criterios valorativos racionales admitidos en la práctica". Y el Instrumento para practicar la corrección del valor contable de adquisición ante dichos acontecimientos no es otro que el de la dotación a una provisión por depreciación de cartera, y así sigue la norma que en dicho supuesto "se dotará la correspondiente provisión por la diferencia existente". A consecuencia de la provisión, el valor neto contable de la participación resultará disminuido por el propio importe de la provisión (valor teórico contable = valor de adquisición – importe de la provisión).

Por tanto, tampoco es indiferente a los efectos del presente motivo casacional la existencia o no existencia de la obligación de practicar dicha provisión contable, cuestión respecto a la cual la Administración no aportó prueba alguna, en tanto que la interesada aportó prueba pericial para acreditar el valor patrimonial de INTERGLAS

Al precisar la Norma Octava de Valoración la necesidad de la corrección contable del valor inicial de adquisición a consecuencia de los acontecimientos que hayan disminuido el precio de adquisición, prosigue esta regla conta-

ble: *"A estos efectos, cuando se trate de participaciones en capital se tomará el valor teórico contable que corresponda a dichas participaciones, corregido en el importe de las plusvalías tácitas existentes en el momento de la adquisición y que subsistan en el de la valoración posterior".*

La sentencia se detiene en el valor teórico contable (precio de adquisición) y de este modo obtiene que el reparto de dividendos origina una minoración del valor de la participación. Pero olvida que, de acuerdo con la misma norma, para conocer si este reparto produce o no una disminución del valor teórico contable de la participación es necesario atender a las "plusvalías tácitas existentes en el momento de la adquisición". En definitiva, si los dividendos repartidos pueden absorberse por las plusvalías tácitas existentes en la sociedad que los distribuye en el momento de la adquisición de la participación, no se habrá producido ninguna disminución en el valor de la participación.

Es a estos efectos donde juegan los informes periciales que fueron ratificados a presencia judicial, a través de los cuales se acreditó la existencia de aquellas plusvalías tácitas de INTERGLAS al tiempo de la aportación de sus acciones a BIOPOOL y de su subsistencia posterior, así como de la no existencia por ello de una obligación de practicar la corrección valorativa (a través de la correspondiente provisión). La sentencia incurre en un error en la valoración de la prueba (que la recurrente no considera necesario denunciar como un motivo casacional autónomo) al aplicar la prueba pericial aportada, para rechazarla, al valor inicial de la participación en lugar de tenerla presente a la hora de valorarla tras el reparto. El valor escriturado de la aportación (6.800.000.000 pesetas) respondía aproximadamente al porcentaje que BIOPOOL adquiría en el capital y en las reservas constituidas por INTERGLAS al tiempo de la aportación, pero el valor escriturado de la aportación no tuvo en cuenta —como demuestra la prueba pericial— las plusvalías tácitas existentes en esta sociedad a aquella fecha, de las que la sentencia prescinde en absoluto en el momento de efectuar la valoración de la participación tras el reparto, como sin embargo era obligado hacerlo a tenor de la norma contable que reproduce. No se trata de rectificar el valor inicial (éste es el valor escriturado de la aportación), sino de tener presentes las plusvalías tácitas existentes en el momento de la aportación para determinar el valor de la participación tras el reparto de dividendos.

La existencia de plusvalías tácitas al tiempo de la adquisición y en la medida en que subsistieron con posterioridad al reparto han impedido que el valor de la participación haya descendido a consecuencia de la distribución de dividendos acordada.

2. Expuesta la tesis que sostiene la recurrente, se plantea en este motivo de casación la procedencia de la deducción por doble imposición aplicada en el ejercicio por la recurrente y correspondiente a los saldos pendientes de las deducciones acreditadas en el Impuesto sobre Sociedades del año 1997 por el GRUPO KALISE MENORQUINA S.A. y BIGPOOL S.L.

La cuestión que bajo el motivo se plantea es la de si se ajustó o no a derecho la deducción que por doble imposición interna se aplicó la recurrente en el ejercicio 1998 correspondientes a saldos pendientes de ejercicios anteriores. Concretamente 110.704.000 pesetas corresponden al saldo pendiente de la deducción acreditada por la entidad BIGPOOL en el Impuesto sobre Sociedades del año 1997 y 268.064.807 pesetas corresponden al saldo pendiente de la deducción acreditada en el Impuesto sobre Sociedades de 1997 por el Grupo KALISE MENORQUINA.

Para hallar respuesta a la cuestión, necesario se hace acudir al examen de las operaciones antecedentes de aquella distribución de beneficios con cargo a reservas en 1997.

Veamos pues,

--La sociedad BIGPOOL S.L., antecesora de la recurrente, se constituyó en 1996 con un capital de 12.447.071, 39 euros.

El citado capital fue suscrito en casi el 90% por la sociedad holandesa BLEDISCOE FINANCE BV, mediante la aportación no dineraria del 40% de las acciones de INTERGLAS S.A., valoradas en 6.800.000.000 pesetas, lo que supone que el valor patrimonial de ésta, en la citada fecha, era de 17.600.000.000 pesetas.

--Las reservas de INTERGLAS S.A. a 31 de diciembre de 1995, ascendía 16.626.000.000 pesetas.

--En enero de 1997, INTERGLAS, S.A. acuerda un reparto de dividendos con cargo a reserva, por importe en 14.500.000.000 pesetas, de las que a BIGPOOL corresponden 5.820.000000 pesetas, al ser su participación en la compañía del 40%.

--En el ejercicio 1997 (el del cobro del dividendo señalado) BIGPOLL declara una base imponible de 5.505.712.274 pesetas, (importe del dividendo), del que resulta una cuota de 1.926.999.298 pesetas, que, sin embargo, se la deduce en el 100%, en aplicación de la deducción por doble imposición intersocietaria.

--La Inspección, no conforme con la deducción por doble imposición, le gira la correspondiente liquidación por el importe deducido y más los intereses de demora, por un total de 14.751495,20 euros.

Resumidos los hechos, es llegado el momento de definir si los mismos revelan circunstancias que determinen o no el derecho a la deducción por doble Imposición interna.

Tal cual resulta del relato, se enfrentan dos posturas, la de la Inspección, ratificada por el TEAC y la sentencia recurrida y la de la recurrente; ambas tratan de fundamentarse en el precepto señalado en el motivo: el artículo 28.4.b) y excepción e') de la Ley 43/1995.

La Ley 43/1995 regula en su artículo 28 la deducción por doble imposición interna de dividendos. En su apartado 4, establece una serie de supuestos en los que no procede la deducción. En lo que aquí interesa, y según la redacción vigente en 1998, tales casos son:

"4. La deducción no se practicará respecto a las siguientes rentas:

b) Las derivadas del reparto de beneficios existentes en el momento de la adquisición de la participación siempre que la misma se hubiere adquirido a personas o entidades no residentes en territorio español, o a personas físicas residentes en territorio español vinculadas con la entidad adquirente, o a una entidad vinculada cuando esta última, a su vez, adquirió la participación a las referidas personas o entidades.

Lo previsto en esta letra no se aplicará cuando concurra alguna de las siguientes circunstancias:

e') El reparto de beneficios no haya determinado una disminución del valor de la participación. A estos efectos se entenderá por valor de la participación el precio pagado por su adquisición, incluidos, en su caso, los dividendos acordados y no pagados en el momento de la adquisición".

La inadmisión de la deducción exige, en primer lugar, que se den los requisitos establecidos en el apartado b) anterior, y en segundo lugar, que no concurra la circunstancia recogida en el apartado e'). En efecto, una de las limitaciones a practicar la deducción para evitar la doble imposición establecida en la letra e) del apartado 4 del artículo 28 de la LIS consiste en que no procede aplicar esta deducción cuando la distribución del dividendo haya producido una depreciación del valor de la participación en la sociedad que lo distribuye. Esta situación tendrá lugar cuando se haya adquirido una participación en el capital de otra sociedad en donde el precio de adquisición de la misma incorpora las reservas (expresas y tácitas) constituidas por esa entidad hasta el momento de la compra, de manera que cuando el importe de esas reservas sean objeto de distribución al socio en forma de dividendos, éstos se integrarán en la base imponible del sujeto pasivo por cuanto estarán contabilizados como ingreso en la cuenta de resultados y, al mismo tiempo, el valor de la participación se habrá depreciado como consecuencia de esa distribución, lo cual motivará la dotación contable de una provisión que recoja el importe de dicha depreciación, salvo que con posterioridad a la compra la sociedad haya generado beneficios por importe igual o superior al dividendo distribuido.

En estos casos el sujeto pasivo no integra en su base imponible una renta neta como consecuencia del dividendo percibido, por cuanto el ingreso correspondiente al mismo se neutraliza con el gasto asociado a la depreciación, lo cual supone que en este sujeto no haya tributación efectiva sobre ese di-

videndo y, por tanto, que no exista doble imposición sobre dicho dividendo. Ello justifica que se excluya la aplicación de la deducción cuando la distribución del dividendo implique una depreciación de la participación.

Pues bien, de las actuaciones documentadas en el expediente resulta que la recurrente Grupo Kalise Menorquina (bajo su denominación anterior de BEATRICHOL y en el momento de su constitución) adquirió las acciones de HELADOS LA MENORQUINA como consecuencia de las aportaciones no dinerarias de una entidad americana, BCI BEATRICE WORLDWIDE, y de D. Romulo, persona vinculada con la adquirente; y que los dividendos distribuidos corresponden a reservas voluntarias anteriores a la adquisición de la participación. Se dan por tanto las circunstancias del apartado b), aspecto que, en realidad, no discute la recurrente.

La discrepancia de la recurrente se centra en la excepción recogida en el apartado e'), por entender que no se ha producido una disminución del valor de la participación. Y ello debido a que, por una parte, considera que el valor por el que se escritura la aportación no dineraria de las acciones (valor de adquisición) está por debajo de su valor real. Y en segundo lugar, por entender que el valor razonable de mercado de las acciones tras el reparto del dividendo, según informe de experto independiente que aporta, es superior al valor teórico contable que toma la Inspección.

En relación con la deducción acreditada por GRUPO KALISE MENORQUINA, relativa a dividendos satisfechos por HELADOS LA MENORQUINA, la Inspección basa su inadmisión en la aplicación del artículo 28.4 b), ya que las acciones de HELADOS LA MENORQUINA se adquieren en enero de 1996, momento de la constitución de BEATRICHOL (actual GRUPO KALISE MENORQUINA, S.A.) como consecuencia de las aportaciones no dinerarias de una entidad americana y de D. Romulo, persona vinculada con la adquirente, y por cuanto los dividendos que se distribuyen corresponden a reservas voluntarias anteriores a la adquisición de la participación. Teniendo en cuanta, además, que el reparto de dividendos ha determinado una depreciación del valor de la participación de GRUPO KALISE MENORQUINA en HELADOS LA MENORQUINA, S.A. no produciéndose la excepción contenida en el referido artículo 28.4 b) e').

Esta Sala entiende, como en su día entendió la resolución del TEAC y la sentencia recurrida, que por valor de adquisición se ha de tomar, no el valor de mercado en el momento de la adquisición, como pretende la recurrente, sino, tal y como señala el apartado e') del artículo 28.4.b) de la Ley 43/199, "el precio pagado por su adquisición, incluidos, en su caso, los dividendos acordados y no pagados en el momento de la adquisición" . En consecuencia, hay que acudir, al tratarse de aportaciones no dinerarias, al valor que se asigna a las mismas en la escritura de constitución, no pudiendo tomarse como valor de adquisición ningún otro.

Y por lo que se refiere al valor de mercado tras el reparto de dividendos, debemos acudir a lo establecido en la Norma de Valoración 8ª del Plan General de Contabilidad de 1990. Tratándose de valores no admitidos a cotización, dicha norma considera en efecto como valor de mercado el importe que resulte de aplicar criterios valorativos racionales admitidos en la práctica, tal y como señala la recurrente. Ahora bien, dicha norma prosigue, señalando que "a estos efectos, cuando se trate de participaciones en capital, se tomará el valor teórico contable que corresponda a dichas participaciones..." Este mismo criterio se debe aplicar en las participaciones en el capital de sociedades del grupo o asociadas. En consecuencia, la propia norma de valoración 8ª concreta tales criterios valorativos racionales para el caso de participaciones en el capital no cotizadas o de sociedades del grupo o asociadas, tomando a estos efectos el valor teórico contable. El valor teórico no es por tanto un criterio optativo dentro del concepto genérico de criterios valorativos racionales, sino que es el que marca la norma con carácter obligatorio. Por tanto, siendo el valor teórico de la participación, una vez repartido el dividendo inferior al valor de adquisición, debemos concluir que sí se ha producido una disminución del valor de la participación, no siendo aplicable el apartado e').

Los hechos de trascendencia económica que se documentan en las operaciones jurídicas antes señaladas serían estos:

BIGPOOL S.A., en virtud de su constitución, adquiere de la compañía holandesa BLEDISLOE FINANCE VV, acciones de INTERGLAS S.A. por su valor teórico de 6.800.000.000 de pesetas (40% del capital).

En 1997, INTERGLAS S.A. reparte dividendos con cargos a las reservas correspondiendo a BIGPOOL S.L. 5.820.000000 pesetas.

Quiere ello decir que, de conformidad con el artículo 28.4.b) de la Ley 43/95, no procedería la deducción por doble imposición toda vez que la renta obtenida por BIGPOOL, S.L. procedería del reparto de los beneficios ya existentes en el momento de momento de la adquisición (constitución) y la participación habría sido adquirida a entidad no residente en territorio español (Holanda).

Cierto es que el precepto, en el apartado e') del artículo 28.4.b) contraexcepciona aquella regla, para el caso de que el reparto de beneficios no hubiera determinado una disminución del valor de la participación. A estos efectos –añade el precepto–– se entenderá por valor de la participación el precio pagado por su adquisición, incluidos, en su caso los dividendos acordados y no pagados en el momento de la adquisición.

Pues bien, si, como se ha indicado, el valor de la participación adquirida de la compañía holandesa fue de 6.800.000.000 pesetas resulta que los beneficios repartidos en 1997 y por importe de 5.820.000.000 pesetas, han determinado una disminución en el precio de adquisición, toda vez que las reservas acumuladas y repartidas, ya habían sido computadas como parte del valor de la participación en su día adquirida (en 1996). Pretende la recurrente romper el esquema descrito –disminución del valor de adquisición–, al afirmar la existencia de plus vallas tácitas, que habitan determinado la permanencia del valor de la participación, sin embargo, es de ver que lo que constituye la base de la deducción es el incremento neto de los beneficios de la sociedad participada imputable a la participación transmitida, por lo que caso de que existieren plus vallas tácitas incorporadas en el precio de adquisición, dichas plus valías no forman parte de la base de las deducciones. La Sala de instancia consideró que no existían plusvalías tácitas que dieran lugar a la corrección del valor teórico contable. La cuestión, pues, no es jurídica, sino estrictamente fáctica, a saber, si existían plusvalías tácitas; para la Sala de instancia evidentemente no las había, para la recurrente las mismas quedaron probadas de los informes periciales. Lo cual nos conduce a que el debate gire en torno a la valoración de estos informes periciales. En definitiva, es la parte recurrente la que efectúa su propia valoración de los informes periciales obteniendo una conclusión distinta a la existencia de plusvalías tácitas, mas ni alega, ni menos aún justifica, que la valoración del Tribunal de instancia fuere irrazonable, arbitraria o ilógica. No es posible sustituir la valoración de la Sala de instancia por la del recurrente tal como reiteradamente sostiene este Tribunal. En consecuencia, el motivo debe ser desestimado y confirmada la improcedencia de la deducción aplicada"[12].

---

[12]   En análogo sentido la STS 20 de marzo de 2012 (Rec. 5652/2008) en la que se afirmará lo siguiente: *"En consecuencia, el negocio entre la actora y Morgan Stanley Finances es un contrato de mandato retribuido y debe someterse al Impuesto de Sociedades de la actora la comisión que ha percibido por ello. Lo que no procede es la deducción que hace la recurrente para evitar la doble imposición de dividendos, de un lado porque no era la destinataria de esos dividendos y de otro lado porque no ha tributado por ellos, así que no es posible hablar de doble tributación"*. O la STS de 19 de diciembre de 2011 (Rec. 190/2009), en la que también se apoya idéntico razonamiento: *"Por lo que, en definitiva, contabilizada la operación como hizo «Bank of America» o como alternativamente podía haberlo hecho, la tributación efectiva en el impuesto sobre sociedades por los dividendos percibidos del Banco de Santander era cero, pues todo lo más ocasionaba dos entradas en el resultado contable y, por ende, en la base imponible, por idéntico importe, pero de signo contrario. Si no podía haber una doble imposición real y efectiva de los dividendos, no cabe aplicar una deducción en la cuota del impuesto sobre sociedades prevista para evitarla parcialmente [véanse las sentencias de esta Sala de 15 de febrero de 2009 (casación 4543/04, FJ 6.º) y 8 de marzo de 2010 (casación 7029/04, FJ 6º)]. En un hábil recurso dialéctico, la entidad crediticia recurrente trata de desgajar el cobro de los dividendos del reintegro de su importe al Banco de Santander, para lograr el reconocimiento del derecho a la deducción por doble imposición, pero no hay tal separación en los contratos firmados y, sobretodo, el juego combinado de cobros y pagos determinaba, como acaba de verse, la ausencia de doble imposición real y efectiva de los dividendos percibidos. Aduce, en segundo lugar, que no cabe, como hace la sentencia recurrida, negar la aplicabilidad de la deducción por doble imposición de dividendos al «Bank of America», por no ser el titular material de las acciones, y al Banco de Santander, por no poder percibir dividendos de sus propias acciones, pues lo cierto es que hubo ingresos con naturaleza de dividendo y que de no permitírsele la deducción por doble imposición a «Bank of America», toda vez que el Banco de Santander no se la practicó, unos mismos beneficios terminarían pagando el impuesto sobre sociedades dos veces, por el pagador primero y por el receptor después. Da por hecho que la doble imposición de dividendos debía ser corregida en todo caso, lo que dista bastante de lo que estaba regulado en el impuesto sobre sociedades; basta reparar en las exclusiones del derecho a la deducción por doble imposición contempladas en el apartado 4 del artículo 28 de la Ley 43/1995; pero es que, además, no había doble imposición de dividendos que corregir para el «Bank of America», como anteriormente hemos dejado sentado. Todo lo razonado nos lleva a rechazar también el segundo motivo de casación"*. Vid también las SSTS de 14 de octubre de 2011 (Rec. 3195/2007), 22 de septiembre de 2011 (Rec. 2793/2008) o 16 de febrero de 2011 (Rec. 5978/2006). La STS de 24 de mayo de 2010 (Rec. 106/2009) recuerda que aunque la amortización de acciones

3. EL INFORME DE LA COMISIÓN LAGARES SOBRE LA DOBLE IMPOSICIÓN EN EL IMPUESTO SOBRE SOCIEDADES

A guisa de exordio preliminar o introductorio, el Informe de la Comisión de expertos para la reforma del sistema tributario español, presidida por el prof. Lagares (febrero 2014), señalaba que *"el Impuesto sobre Sociedades es una de las figuras más importantes de cualquier sistema tributario moderno, no tanto por su importancia recaudatoria, que también puede ser elevada, como por su capacidad de control sobre los rendimientos que se generan en el ámbito societario y, sobre todo, por su influencia sobre las decisiones empresariales de inversión y de localización de la actividad de esas empresas".* Y en tal sentido, seguía afirmando, como declaración de intenciones, lo siguiente:

> *"la Comisión considera que la reforma de este impuesto es un elemento esencial en la tarea de hacer más eficiente y neutral el sistema impositivo español y cree que esa reforma debe conseguir un doble objetivo. Primero, recomponer la base del impuesto, afectada hoy por numerosas exenciones y deducciones de toda índole que no responden a la realidad de los hechos, aunque puedan derivarse de normas contables especiales. Segundo, lograr una financiación más equilibrada de los activos de las empresas mediante recursos propios y endeudamiento que la hoy inducida hacia la financiación ajena por motivos fiscales y, más concretamente, por la deducibilidad prácticamente sin límites de los gastos financieros netos frente a la no deducibilidad de los dividendos. Tercero, impedir que los beneficios procedentes del extranjero queden sin soportar una tributación mínima en España o en el país de procedencia, cosa que hoy ocurre con excesiva frecuencia. Cuarto, compensar las reformas anteriores con reducciones importantes en los tipos nominales de gravamen"*[13].

Y más en concreto, la propia Comisión, respecto de las deducciones para evitar la doble imposición interna, realizó las siguientes aseveraciones:

> *"Por diversos motivos, la subsistencia de la deducción por doble imposición interna resulta, en estos momentos, altamente cuestionable. En primer lugar, porque es bien conocido que el Impuesto sobre Sociedades, a largo plazo se difunde convirtiéndose en un impuesto sobre toda la economía en su conjunto. En segundo término, porque la Comisión Europea ha requerido a España para que corrija lo que considera una imposición discriminatoria sobre inversiones en sociedades no residentes, porque la deducción por doble imposición interna se aplica cualquiera que sea el porcentaje de participación (50 por 100 de la cuota*

---

o participaciones propias no determine rentas ni para la entidad ni para los socios, éstos sí tienen derecho a aplicar la deducción para evitar la doble imposición, pues de lo contrario, se produciría una doble imposición al gravar la plusvalía obtenida por el socio al vender su participación a la entidad, tributación que ya no podría neutralizarse mediante la aplicación de la deducción por futuros socios de la entidad al anularse en la amortización las reservas correspondientes a la participación amortizada.

[13]　　Informe....pag. 179.

íntegra correspondiente al dividendo para participaciones inferiores al 5 por 100 y el 100 por 100 de tal cuota íntegra para participaciones superiores al 5 por 100) mientras que la exención o la deducción para evitar la doble imposición internacional únicamente se aplica cuando la participación es de al menos el 5 por 100. En tercer lugar, porque la Ley 35/2006 ya suprimió la deducción para evitar la doble imposición interna en el IRPF, de modo que desde entonces ha existido un tratamiento asimétrico dependiendo de si el inversor era persona física o sociedad. Finalmente, porque la subsistencia de la deducción para evitar la doble imposición interna en el Impuesto sobre Sociedades induce, debido a la denominada "ingeniería fiscal" a la realización de prácticas inadecuadas como el denominado "lavado de dividendos". Una posible solución que equipararía el trato de los dividendos percibidos por personas físicas y sociedades podría consistir en la supresión completa de la deducción para evitar la doble imposición interna de dividendos, como ya se hizo para las personas físicas en la reforma del IRPF del año 2006. Sin embargo, la situación en el Impuesto sobre Sociedades es diferente, pues al existir participaciones indirectas de segundo y sucesivos niveles, la posibilidad de una tributación en cascada de los dividendos percibidos por las sociedades puede resultar muy probable. Por ello, la Comisión considera que no resulta adecuada la supresión completa de esa deducción. Sin embargo, hay que tener en cuenta también que la regulación vigente de la deducción para evitar la doble imposición interna contiene unos requisitos de participación sobre la sociedad que reparte los dividendos que no son comparables a los que se exigen en otros países de nuestro entorno. En efecto, en la vigente normativa española esta deducción se aplica, cualquiera que sea el porcentaje de participación y hasta un 50 por 100 de la cuota íntegra si la participación no supera el 5 por 100, pero se eleva hasta el 100 por 1000 de la cuota íntegra cuando las participaciones superan ese porcentaje. En el régimen fiscal común de la Unión Europea de sociedades matrices y filiales la doble imposición de los dividendos se evita a partir de un porcentaje de participación mínimo del 10 por 100 y en determinados países de la Unión Europea también se establecen porcentajes mínimos de participación, además de que nunca la doble imposición se evita en su totalidad. Así, en Bélgica se exige una participación mínima del 10 por 100 y la exención solo se aplica en ese caso sobre el 95 por 100 de los dividendos percibidos. En Dinamarca, Luxemburgo y Portugal también se exige una participación mínima del 10 por 100 pero el régimen de exención se aplica únicamente al 95 por 100 de los dividendos recibidos. Y en Alemania e Italia no se exige porcentaje alguno de participación, pero el régimen de exención se aplica únicamente al 95 por 100 de los dividendos percibidos. Además, en nuestra normativa tanto la exención para evitar la doble imposición internacional como, alternativamente, la deducción en la cuota para evitar esa doble imposición internacional exige para su aplicación que la participación en el capital de la entidad no residente sea, al menos, del 5 por 100. En consecuencia, sería deseable restringir el ámbito de aplicación de la actual deducción para evitar la doble imposición interna a las participaciones iguales o superiores al 5 por 100 para armonizarla con la exención o deducción para evitar la doble imposición internacional. De este modo se resolvería, al mismo tiempo, el expediente ya iniciado contra España por la Comisión Europea al que antes se ha hecho referencia. Por último, ha de advertirse que existe en el mundo empresarial una operación que comercialmente se conoce como "pago de un dividendo en especie", que utiliza la entrega de acciones liberadas al accionista en lugar de pagar el dividendo. En realidad, se trata de una simple operación de ampliación de capital con cargo a reservas y entrega a los socios de las nuevas acciones totalmente liberadas. El tratamiento fiscal de esa operación fue consultado a la Dirección General de Tributos, que consideró fundamentándose en la normativa contable, al no existir precepto en el Impuesto sobre Sociedades sobre la misma, aunque si existe en el IRPF, que la "suscripción de la ampliación de capital con cargo a reservas no determina la integración de renta alguna en la base imponible de los socios sujetos pasivos del Impuesto sobre sociedades". En consecuencia, si se suprimiese o se restringiera el ámbito de aplicación de la actual deducción por doble imposición interna, se podría recurrir para evitar el impuesto al pago de "dividendos en especie", pues de ese modo la entidad inversora en otra que percibiese tales "dividendos" no tributaría mientras mantuviese su inversión en la sociedad que los pagase. Este tratamiento fiscal del pago de los dividendos mediante entrega de acciones liberadas es evidente que favorece la financiación de las empresas vía capital y no mediante endeudamiento, al producirse así la acumulación en sus reservas de los beneficios no distribuidos. De ahí que, con la finalidad de alcanzar una mayor seguridad jurídica en este aspecto, sería razonable dar respaldo legal en el Impuesto sobre Sociedades al criterio ya reseñado de la Dirección General de Tributos sobre suscripción de una ampliación de capital con cargo a reservas y distribución entre los accionistas de las nuevas acciones totalmente liberadas, estableciéndose de este modo una regulación uniforme respecto a la que ya existe en el IRPF. En consecuencia, de todo lo anterior, la Comisión propone lo siguiente: Propuesta núm. 41: Debería transformarse la actual deducción en la cuota para evitar la doble imposición interna en una exención que solo se aplicaría cuando el porcentaje de participación fuese, al menos, del 5 por 100, armonizándose de esta forma con los regímenes vigentes –exención y deducción en la cuota– para evitar la doble imposición internacional. Propuesta núm. 42: Debería regularse en el Impuesto sobre Sociedades un tratamiento fiscal uniforme con el que ya existe en el IRPF para la suscripción de una ampliación de capital con cargo a reservas, por la que se reciban las nuevas acciones totalmente liberadas"[14].

Advertía expresamente la Comisión sobre el coste que la exención comportaba para las arcas públicas, con apoyo en las estadísticas de recaudación de la AEAT correspondientes al ejercicio impositivo del 2012:

---

[14]   Informe... pág. 202 y 203. Por su parte y respecto de la exención para evitar la doble imposición internacional, la Comisión señalaba literalmente lo siguiente: *"La exención para evitar la doble imposición económica internacional sobre dividendos y rentas de fuentes extranjera derivada de la transmisión de valores se estableció a finales de 1996 como opción más favorable –con la justificación de fomentar la internacionalización de las empresas españolas– que la deducción en la cuota para evitar la doble imposición internacional que ya existía y que sigue vigente. En consecuencia, en la normativa actual del Impuesto sobre Sociedades existen dos mecanismos alternativos –exención en la base y deducción en la cuota– para evitar la denominada doble imposición internacional".*

"*En el período más intenso de la crisis, cuando los beneficios contables se han reducido, la parte exenta por la doble imposición internacional –que obviamente disminuye la base sometida al Impuesto sobre Sociedades– ha aumentado especialmente y de forma espectacular en los Grupos Consolidados, pues en el año 2011 la exención representó casi un 25% del resultado contable positivo frente al 12, 7% que suponía en 2007. Tan elevado coste recaudatorio parece tener su explicación en la regulación de este régimen de exención por doble imposición internacional y en los amplios criterios que se siguen para su aplicación en España a la vista de la experiencia de otros países. En efecto, para aplicar esta exención se pide en el impuesto español, de una parte, que la entidad participada, como mínimo al 5 por 100, haya estado gravada por un impuesto extranjero de naturaleza idéntica o análoga a nuestro Impuesto sobre Sociedades, pero no se exige que haya soportado una tributación mínima sino que es suficiente que la entidad participada sea residente en un país con el que España tenga suscrito un convenio para evitar la doble imposición internacional y que contenga cláusula de intercambio de información. De otra, se regula que los beneficios exentos procedan de la realización de actividades empresariales en el extranjero estableciéndose unos requisitos mínimos de muy difícil comprobación. En cambio, los criterios que se exigen en otros países son bastante más estrictos. Así, por ejemplo, en Portugal el régimen de exención se aplica únicamente en el ámbito de la Unión Europea y cuando la entidad participada soporte una tributación mínima en el extranjero del 10 por 100. En Luxemburgo se exige una tributación mínima del 10, 5 por 100. En Bélgica el régimen de exención se aplica cuando la participación es superior al 10 por 100, tienen un test de tributación en el exterior para la entidad participada y la exención abarca hasta el 95 por 100 de los dividendos percibidos, pero no es una exención total. En Italia el régimen de exención se aplica únicamente si la entidad participada se encuentra en un país de su lista blanca y la exención abarca también hasta el 95 por 100 del dividendo percibido. En Dinamarca el régimen de exención se aplica cuando el porcentaje de participación es, como mínimo, del 10 por 100. Y en Francia la participación mínima del 5 por 100 ha de mantenerse durante 2 años y la exención abarca solo hasta el 95 por 100 de los dividendos percibidos. Además, recientemente se ha aprobado una Propuesta de Directiva para modificar el régimen de matrices y filiales en el ámbito de la Unión Europea estableciéndose cláusulas anti-abuso al objeto de evitar situaciones de doble no imposición derivadas de la libre circulación de dividendos entre las filiales de una multinacional y su matriz con fines de elusión fiscal. Por todo lo anterior, la Comisión considera que sería razonable exigir que en el régimen de exención por doble imposición internacional se estableciese una tributación mínima por el impuesto extranjero que grave a la entidad participada que podría fijarse a través del nivel del tipo impositivo, pudiendo servir de referencia que el tipo más bajo del Impuesto sobre Sociedades en la Unión Europea es el 10 por 100. Y para aquellas entidades participadas que soportasen una tributación inferior podría aplicarse la deducción en la cuota para evitar la doble imposición internacional que continuaría vigente. Ahora bien, si se estableciese en el régimen de exención para evitar la doble imposición internacional una tributación mínima por el impuesto extranjero que grave a la entidad participada, sería también razonable suprimir el requisito hoy vigente de la realización de una actividad empresarial en el extranjero, ya que se trata de una condición de difícil comprobación. En consecuencia, de todo lo anterior, la Comisión propone lo siguiente: Propuesta núm. 43: El régimen de exención para evitar la doble imposición internacional debería ser modificado para: a) Establecer un nuevo requisito consistente en que la entidad participada soporte por el impuesto extranjero una tributación mínima del 10 por 100 sobre su beneficio en el país a que se refiera. B) Suprimir en este régimen el requisito hoy vigente de la realización de una actividad empresarial en el extranjero"*[15].

Por fin, y respecto del régimen de las entidades de tenencia de valores en el extranjero, la Comisión realizaba la siguiente propuesta concreta:

"La regulación del régimen de las entidades de tenencia de valores en el extranjero que se contiene en el Capítulo XIV del Título VII de la vigente Ley del Impuesto sobre Sociedades se fundamenta en la exención para evitar la doble imposición internacional y en la deducción para evitar la doble imposición interna. Ahora bien, la propuesta que se ha formulado anteriormente incide tanto en el régimen de exención como en la deducción por doble imposición interna y, además, con la finalidad en ambos casos de restringir su ámbito de aplicación. En consecuencia, como el referido régimen fiscal de tenencia de valores en el extranjero se ve especialmente afectado por las citadas medidas, sería razonable realizar una revisión del referido régimen con la finalidad, al menos, de actualizar el importe actual de 6 millones de euros del valor de adquisición de la participación a efectos de considerarse cumplido el requisito de participación mínima que se exige en el régimen de exención para evitar la doble imposición internacional. En consecuencia de todo lo anterior, la Comisión propone lo siguiente: Propuesta núm. 44: Debería realizarse una revisión del régimen especial de las entidades de tenencia de valores en el extranjero, elevando apreciablemente la cuantía actual de 6 millones de euros para el valor de adquisición de una participación mínima, a efectos de considerar cumplido el requisito que se exige en el régimen de exención para evitar la doble imposición internacional"[16].

4. LA DOBLE IMPOSICIÓN DE DIVIDENDOS EN LA VIGENTE LIS 27/2014, DE 27 DE NOVIEMBRE

El artículo 21 de la LIS 27/2014 recoge la novedad consistente en equiparar el tratamiento de los dividendos procedentes de entidades residentes con aquellos derivados de entidades no residentes (como ya hemos visto, compelido en buena medida por los principios de la UE y la jurisprudencia rotunda del TJUE al respecto[17]). De esta manera, las previsiones contenidas en los arts. 21 y 30

---

[15]   Informe.....pag. 204 y 205.
[16]   Informe....pag. 206.
[17]   Vid. al respecto CUESTA CABOT, G. "El nuevo sistema de corrección de la doble imposición en el Impuesto sobre Sociedades", QF núm. 13, 2015, passim. La propia Exposición de Mo-

TRLIS/2004 se refunden en un único precepto (el art. 21 LIS/2014) encargado de regular la exención, tanto de los dividendos de fuente interna, como la de aquellos provenientes de entidades no residentes en España. Sin embargo, sería erróneo considerar completamente superado el régimen anterior, pues lo dispuesto por los artículos 21 y 30 TRLIS/2004 presenta un carácter ultra activo, al desplegar sus efectos respecto de ejercicios no prescritos por la obtención de dichos dividendos en ejercicios futuros, pero provenientes de otros anteriores. En tal sentido, la Disposición Transitoria 23ª se refiere a dividendos o plusvalías que se obtengan en fechas futuras, siempre que deriven de participaciones adquiridas en el pasado.

Conviene no olvidar, por otra parte, que tras la promulgación de la LIS/2014 el RDL 3/2016, de 2 de diciembre, ha comportado cambios respecto de las previsiones iniciales de la LIS, con la intención de cumplir con los compromisos de consolidación de las finanzas públicas acordados con la Unión Europea para la reducción del déficit público. Efectivamente, el Gobierno del Partido Popular

---

tivos de la Ley 27/2014 alude a este extremo: *"Uno de los aspectos más novedosos de esta Ley es el tratamiento de la doble imposición. Tras el dictamen motivado de la Comisión Europea n.º 2010/4111, relativo al tratamiento fiscal de los dividendos, resulta completamente necesaria una revisión del mecanismo de la eliminación de la doble imposición recogida en el Impuesto sobre Sociedades, con dos objetivos fundamentales: (i) equiparar el tratamiento de las rentas derivadas de participaciones en entidades residentes y no residentes, tanto en materia de dividendos como de transmisión de las mismas, y (ii) establecer un régimen de exención general en el ámbito de las participaciones significativas en entidades residentes. La presente Ley incorpora un régimen de exención general para participaciones significativas, aplicable tanto en el ámbito interno como internacional, eliminando en este segundo ámbito el requisito relativo a la realización de actividad económica, si bien se incorpora un requisito de tributación mínima que se establece en el 10 por ciento de tipo nominal, entendiéndose cumplido este requisito en el supuesto de países con los que se haya suscrito un Convenio para evitar la doble imposición internacional. Este nuevo mecanismo de exención constituye un mecanismo de indudable relevancia para favorecer la competitividad y la internacionalización de las empresas españolas. Asimismo, el régimen de exención en el tratamiento de las plusvalías de origen interno simplifica considerablemente la situación previa, que incluía un complejo mecanismo para garantizar la eliminación de la doble imposición. Este tratamiento de las rentas derivadas de la tenencia de participaciones se complementa con una importante reforma del régimen de transparencia fiscal internacional, reestructurándose todo el tratamiento de la doble imposición con un conjunto normativo cuyo principal objetivo es atraer a territorio español la tributación de aquellas rentas pasivas, en su mayoría, que se localizan fuera del territorio español con una finalidad eminentemente fiscal. Por último, se modifica el tratamiento de la doble imposición en las operaciones de préstamo de valores y se homogeneiza con otro tipo de contratos con idénticos efectos económicos, como pudieran ser determinadas operaciones de venta con pacto de recompra de acciones o equity swap, cuando el denominador común en todas ellas es que el perceptor jurídico de los dividendos o participaciones en beneficios tiene la obligación de restituirlos a su titular económico. En este caso, se regula expresamente que la exención se aplicará, en caso de proceder, por aquella entidad que mantiene el registro contable de los valores, siempre que cumpla los requisitos necesarios para ello".*

que se conformó finalmente con la abstención del PSOE a la investidura de Mariano Rajoy, procedió a realizar una actualización del cuadro macroeconómico para el período 2017-2019. Del mismo, y teniendo en cuenta que el techo de gasto no financiero del Estado para el ejercicio 2017 se fijaba en 118 mil millones de euros –idéntico al nivel de gasto del 2016–, el Ejecutivo calculó una necesidad de ingresos extras por un importe de dieciséis mil millones de euros que, si bien se confiaban en su mayoría a la recuperación de la economía, precisaba de un incremento de la recaudación de más de siete mil quinientos millones de euros adicionales. A tal fin, el BOE de 3 de diciembre de 2016 publicó el Real Decreto-ley 3/2016, de 2 de diciembre, por el que se adoptaban medidas en el ámbito tributario dirigidas a la consolidación de las finanzas públicas y otras medidas urgentes en materia social[18].

---

[18]   Su Exposición de Motivos lo explicaba de la siguiente forma: *"Constituye una meta prioritaria la reducción del déficit público, no solo para cumplir los objetivos fijados por la Unión Europea, cumplimiento que reviste mayor relevancia tras la adopción de un instrumento jurídico de obligada observancia para el Reino de España como es la Decisión (UE) 2016/1222 del Consejo, de 12 de julio, por la que se establece que España no ha tomado medidas eficaces para seguir la Recomendación de 21 de junio de 2013 del Consejo, sino, también, para mitigar las negativas consecuencias que un elevado déficit público tiene sobre la economía española. En este sentido, el Real Decreto-ley 2/2016, de 30 de septiembre, por el que se introducen medidas tributarias dirigidas a la reducción del déficit público, modificó el régimen legal de los pagos fraccionados en el Impuesto sobre Sociedades, incorporando a las arcas públicas el deseable volumen de ingresos, para favorecer el cumplimiento de los objetivos marcados a nivel de la Unión Europea. Ahora, con este real decreto-ley se adoptan diversas medidas dirigidas a la consolidación de las finanzas públicas que vienen a completar las contenidas en aquel y que guiarán a la economía española por una senda de crecimiento y creación de empleo, compatible con el cumplimiento de nuestros compromisos de consolidación fiscal alcanzados en el ámbito de la Unión Europea. Las reformas que incorpora el presente real decreto-ley, desde el punto de vista del cumplimiento de la senda de consolidación fiscal, están íntimamente ligadas a la formulación del límite de gasto no financiero para los Presupuestos Generales del Estado para 2017, que aprueba el Consejo de Ministros. De acuerdo con los últimos datos disponibles, la liquidación del Presupuesto para 2016 podría cerrar en una cuantía inferior en cinco mil millones de euros al Presupuesto inicial. Este ahorro se ha alcanzado como resultado de la evolución positiva de los gastos financieros de la Deuda del Estado, y por la eficacia de los mecanismos aprobados para la gestión del Presupuesto, como los acuerdos de no disponibilidad o el adelanto de la orden del cierre del propio Presupuesto. En este sentido, la ejecución prevista para el Presupuesto de 2016 se ha tomado como punto de partida para el cálculo del límite de gasto no financiero del Presupuesto del Estado para 2017. El escenario necesario para los ingresos, que garanticen un nivel de gasto similar al descrito, exige reformas tributarias que incrementen la recaudación, incluso teniendo en cuenta el efecto positivo del ciclo económico. Es por ello que, en este sentido, el presente real decreto-ley contribuye con una reforma tributaria, que impulsa la recaudación, y que permite financiar un nivel de gasto prudente, similar al ejecutado en 2016 (…) se incluyen reformas en el ámbito del Impuesto sobre Sociedades, que elevarán la recaudación con nuevos límites a la deducibilidad de determinadas figuras en las bases imponibles, aproximando la tributación efectiva a los tipos nominales del Impuesto. No se modifican, en relación con el Impuesto sobre Sociedades los tipos nominales. En concreto, en el ámbito del Impuesto sobre Sociedades, se adoptan tres medidas de*

Entre ellas, cabe destacar:

a) La reforma del Impuesto sobre Sociedades. En concreto y para este tributo, las medidas pretenden incrementar su recaudación para las grandes empresas en 4.650 millones en 2017, fundamentalmente por diferimientos de créditos fiscales y ensanchamientos de la base imponible, afectando incluso a los períodos impositivos ya iniciados en 2016, aunque conviene señalar que, pese a lo señalado desde algunos ámbitos, el citado RDL no ha supuesto un recorte de las deducciones existentes en el impuesto, ni el endurecimiento en la aplicación de la exención de los dividendos y plusvalías de participaciones financieras cualificadas, ni el establecimiento de nuevas reglas limitativas de la deducibilidad de los

---

relevancia, suponiendo las dos primeras un ensanchamiento de las bases imponibles de las entidades españolas, mientras que la tercera asegura el nivel de recaudación adecuado de esta figura impositiva. La primera medida relevante se refiere a la no deducibilidad de las pérdidas realizadas en la transmisión de participaciones en entidades siempre que se trate de participaciones con derecho a la exención en las rentas positivas obtenidas, tanto en dividendos como en plusvalías generadas en la transmisión de participaciones. Asimismo, queda excluida de integración en la base imponible cualquier tipo de pérdida que se genere por la participación en entidades ubicadas en paraísos fiscales o en territorios que no alcancen un nivel de tributación adecuado. En estos casos, teniendo en cuenta el derecho comparado y la evolución de las propuestas normativas realizadas por la Unión Europea, resulta aconsejable adaptarse a normativas análogas a las previstas en países de nuestro entorno, descartando la incorporación de cualquier renta, positiva o negativa, que pueda generar la tenencia de participaciones en otras entidades, a través de un auténtico régimen de exención. Adicionalmente a los objetivos señalados en relación con la no deducibilidad de las rentas negativas generadas en la transmisión de participaciones, cabe recordar el tratamiento fiscal existente en relación con los deterioros de participaciones. Estos deterioros registran en el ámbito contable la pérdida esperada en el inversor ante la disminución del importe recuperable de la participación poseída respecto de su valor de adquisición, sin que aquella pérdida haya sido realizada. La incorporación de rentas en la base imponible del Impuesto sobre Sociedades se construye actualmente sobre el principio de realización, de manera que los deterioros de valor de participaciones en entidades no son fiscalmente deducibles desde el año 2013, si bien aquellos deterioros que fueron registrados con anterioridad y minoraron la base imponible, mantienen un régimen transitorio de reversión. Todo ello, nos lleva a la segunda medida de ensanchamiento de la base imponible, que consiste en un nuevo mecanismo de reversión de aquellos deterioros de valor de participaciones que resultaron fiscalmente deducibles en períodos impositivos previos a 2013. Esta reversión se realiza por un importe mínimo anual, de forma lineal durante cinco años. En este real decreto-ley se establece la incorporación automática de los referidos deterioros, como un importe mínimo, sin perjuicio de que resulten reversiones superiores por las reglas de general aplicación, teniendo en cuenta que se trata de pérdidas estimadas y no realizadas que minoraron la base imponible de las entidades españolas. Como tercera medida se regula nuevamente el límite a la compensación de bases imponibles negativas para grandes empresas con importe neto de la cifra de negocios de al menos 20 millones de euros, acompañado de un nuevo límite en la aplicación de deducciones por doble imposición internacional o interna, generada o pendiente de compensar, con el objeto de conseguir que, en aquellos períodos impositivos en que exista base imponible positiva generada, la aplicación de créditos fiscales, al reducir la base imponible o la cuota íntegra, no minore el importe a pagar en su totalidad".

gastos financieros, respetándose además lo dispuesto para las reservas de capitalización y nivelación[19].

b) La prórroga del Impuesto sobre el Patrimonio.

c) La aprobación de los coeficientes de actualización de los valores catastrales para 2017, en cumplimiento de lo previsto en el artículo 32.2 de la Ley del Catastro Inmobiliario.

d) En el ámbito de los Impuestos Especiales, en concreto, en el Impuesto sobre Productos Intermedios y en el Impuesto sobre el Alcohol y Bebidas Derivadas, el incremento en un 5 por ciento la fiscalidad que grava el consumo de los productos intermedios y del alcohol y de las bebidas derivadas tanto en la Península como en las Islas Canarias.

e) En el Impuesto sobre las Labores del Tabaco, el incremento del peso del componente específico frente al componente ad valorem.

Dicho RDL 3/2016 afecta a determinadas cuestiones sobre las previsiones originales de la LIS/2014 con relación a varios de sus artículos (especialmente el 21 y 22), a las que iremos haciendo referencia en su momento oportuno, pero que pueden sintetizarse ya, siguiendo a SANZ GADEA, de la siguiente manera[20]:

– Limitación a la compensación de bases imponibles negativas.

– Limitación a la deducción de retenciones practicadas por jurisdicciones fiscales extranjeras.

---

[19] El referido RDL: a) Modifica muchos artículos de la Ley 27/2014 (en concreto los arts. 11, 12, 15, 17, 21, 22, 31, 32 y 88; b) Añade la DA 15ª y modifica las Disposiciones Transitorias 16ª y 36ª, estas tres modificaciones con efectos para períodos impositivos iniciados con posterioridad a 1 de enero de 2016; c) Establece una limitación a la compensación de bases imponibles negativas a partir de 1 de enero de 2016 y una limitación en la aplicación de las deducciones por doble imposición internacional y por doble imposición interna; d) Dispone la no deducibilidad de las pérdidas realizadas en la transmisión de algunas participaciones; e) Ratifica la no deducibilidad de las pérdidas realizadas en la transmisión de algunas participaciones; f)Modifica la reversión de los deterioros de las participaciones en el capital o fondos propios producidos con anterioridad a 1 de enero de 2013; g) Especifica y ordena la exención de las rentas positivas y la no integración de las rentas negativas que provengan de establecimiento permanente; h) Precisa la deducción por doble imposición internacional, jurídica y económica; i)Fija los criterios para evitar la doble imposición en algunas operaciones societarias cuando se aplica el régimen fiscal especial del Capítulo VII del Título VII de la LIS.

[20] "El Impuesto sobre Sociedades en 2016", op. cit. pag. 5. Para el autor, esas modificaciones *"pueden clasificarse en tres grupos, a saber, limitaciones, integraciones de rentas por reversión y no integración de rentas negativas. Sin duda, la medida estrella, desde una perspectiva sustancial, es la no integración en la base imponible de las rentas negativas derivadas de la transmisión de instrumentos de patrimonio, ya que implica una rectificación de calado respecto del régimen inicialmente previsto por la Ley 27/2014. Otras, sin embargo, tendrán un mayor efecto recaudatorio".*

–   Limitación a la deducción del impuesto subyacente extranjero relativo a dividendos.

–   Limitación a la deducción para evitar la doble imposición de dividendos en régimen transitorio.

–   Integración por reversión en la base imponible de pérdidas anteriores por deterioro de instrumentos de patrimonio.

–   Integración por reversión en la base imponible de pérdidas anteriores imputables a establecimientos permanentes.

–   No integración en la base imponible de las rentas negativas derivadas de la transmisión de instrumentos de patrimonio.

–   No integración en la base imponible de las rentas negativas derivadas de la transmisión de un establecimiento permanente.

4.1. *La entidad participada en la Ley 27/2014*

Como acaba de señalarse, la condición de residencia en la entidad participada carece de relevancia en la nueva regulación del IS, pues ésta dispensa el mismo trato o régimen legal sometiendo a ambas (residente o no residente) al régimen de exención previsto por el art. 21 LIS/2014[21]. Si los dividendos o plusvalías procediesen de entidades no residentes, la persona jurídica contribuyente podría renunciar a la exención y optar por la deducción por doble imposición económica prevista por el art. 32 LIS/2014, si bien esta opción goza de menos adeptos, toda vez que el método de exención es de mucha mayor facilidad en su aplicación y con análogos o mejores resultados prácticos[22].

---

[21]   Hasta ese momento, si la entidad que repartía los dividendos o plusvalías había tributado por el IRNR, se aplicaba la deducción por doble imposición internacional de dividendos, permitiéndosele deducir el impuesto efectivamente satisfecho por la entidad no residente respecto de los beneficios con cargo a los cuales se abonaban dichos dividendos, pero nunca la deducción por doble imposición interna que revestía mayor alcance que el de las normas tendentes a corregir la doble imposición internacional. Ahora, con la LIS/2014, los dividendos internaciones por los que la entidad participada no residente tributó bajo la modalidad de IRNR con establecimiento permanente, disfrutan de la exención del IS en idénticas condiciones que los dividendos internos.

[22]   Como acertadamente señala SIMON YARZA, E. La exención de dividendos….., op. cit. pag. 45, *"no encontramos en el régimen de la LIS 2014 ningún supuesto en el que optar por la deducción sea más ventajoso que elegir la exención. Con la legislación anterior, en la que existía un plazo para compensar bases imponibles negativas, la deducción del art. 32 TRLIS (equivalente al art. 32 LIS/2014) sí podía ser preferible a la exención. Lo era cuando la incorporación de los dividendos en la base imponible permitía compensar bases imponibles negativas que, en otro caso, se habrían perdido, ya que no se podían compensar en ejercicios futuros a causa de la prescripción. Al compensar las bases imponibles negativas de ejercicios pasados, los dividendos integrados en la base imponible no soportaban el IS. Además, la*

Esta exención del art. 21 LIS/2014 para dividendos procedentes de entidades no residentes con establecimiento permanente, es posible únicamente cuando la entidad no residente cumple los requisitos adicionales que el art. 21 LIS/2014 recoge para los dividendos internacionales. Este extremo es relevante porque si bien la normativa española tiene capacidad para decidir el régimen fiscal de los distintos tipos de entidades residentes que reparten dividendos, no la tiene sin embargo para fijar la imposición que soportan las entidades participadas no residentes en España y por eso la LIS/2014 perfila los límites de la exención en función de la fuente, interna o internacional, de la que provienen los beneficios repartidos.

En el caso de entidades pagadoras de dividendos exentas del IS, no habría necesidad de corregir la doble imposición económica, pues ésta en puridad no se habría producido[23]. Otra cosa cabe señalar de las entidades parcialmente exentas, donde la exención por doble imposición podría aplicarse, pero únicamente en aquellos casos en los que se admitiera el derecho de los asociados a percibir el patrimonio de las asociaciones cuando éstas fuesen objeto de liquidación, tal y como reconoce el art. 21. 3 LIS/2014 y respecto de la porción de la cuota de liquidación correspondiente a rentas o beneficios generados por esas entidades parcialmente exentas (no por las simples devoluciones de capitales o cualquier otro tipo de restitución del capital)[24].

Para el caso de Instituciones de Inversión Colectiva (IIC)[25] la exención tampoco resulta aplicable, toda vez que éstas tributan al 1% y no se genera un verdadero supuesto de doble imposición (es más, de permitirse la aplicación de la exención lo que se produciría sería un verdadero supuesto de doble no imposición)[26]. El problema podría suscitarse en aquellos casos en los que la IIC fuese, a su vez, socia de otra sociedad que repartiese beneficios o dividendos,

---

aplicación de la deducción por dividendos determinaba que el resultado de la cuota fuera negativo y proporcionaba al sujeto pasivo un crédito fiscal aplicable en ejercicios futuros. Con la desaparición del plazo para compensar bases imponibles negativas resulta difícil entender por qué en la LIS/2014 se presenta la deducción por doble imposición del art. 32 LIS/2014 como alternativa a la exención del art. 21 LIS/2014. Tal vez se deba a que la deducción es el mecanismo previsto en los CDI para corregir la doble imposición económica de los dividendos y España no quiere que se le critique porque su ordenamiento interno no contempla la posibilidad de atenuar la doble imposición mediante la técnica de la deducción".

23 En tal sentido, CALVO VERGEZ, J. "La deducción para evitar la doble imposición interna de dividendos en el Impuesto sobre Sociedades: cuestiones sustantivas y procedimentales", Nueva Fiscalidad, núm. 3, 2005, pag. 37 y ss.
24 Así también SIMÓN YARZA. M. E. op. ult. cit. pag. 53.
25 Reguladas por la Ley 35/2003, de 4 de noviembre.
26 Vid. el art. 54 LIS/2014 donde se obliga a los socios de las IIC constituidas en paraísos fiscales a tributar por un valor igual a la diferencia positiva entre el valor liquidativo de la participación el día del cierre del período impositivo y su valor de adquisición, reputándose como mayor valor de adquisición la cantidad que el socio integra en la base imponible.

pero tampoco en este supuesto –sin duda por la dificultad aplicativa que la distinción de la variada casuística implicaría– la LIS prevé la aplicación del mecanismo correctivo de la doble imposición.

Algo muy parecido debiera ocurrir con las entidades de capital-riesgo, al tener reconocidas una exención del 99 por ciento de las plusvalías derivadas de la venta de participaciones en otras empresas, sin embargo, en este caso, al contrario de lo que ocurre con las IIC, la LIS les dispensa un trato mucho más atractivo, al considerar que las mismas canalizan la inversión eliminando muchos de los riesgos que ésta comporta. Esta es la verdadera razón por la que, en estos casos, los dividendos o plusvalías percibidos por el socio de la entidad capital-riesgo gozan de la aplicación de la exención prevista en el artículo 21 LIS/2014, sin necesidad siquiera de poseer un porcentaje mínimo de participación durante un tiempo determinado, tal y como ocurre en el resto de supuestos.

Por lo que se refiere a las entidades de tenencia de valores extranjeros (ETVE) –y pese a que su misma creación en 1995 obedeció en buena medida a la necesidad de eliminar la doble imposición internacional derivada de la tenencia de participaciones en entidades no residentes en España, al entenderse no obtenidas en España las rentas provenientes de dividendos y plusvalías percibidos por sus socios no residentes– no hay inconveniente alguno para que la entidad socio de la ETVE se acoja a la exención prevista en el art. 21 LIS/2014, siempre que cumplan los requisitos contenidos en el propio precepto.

En lo atinente a los requisitos de la entidad participada no residente, el art. 21. 1. b) LIS/2014 supedita o condiciona la exención a que aquélla haya sido gravada por un impuesto extranjero de naturaleza idéntica o análoga al IS español en el ejercicio en que hubiese obtenido los beneficios distribuidos, con un tipo nominal de, al menos, el 10 por ciento[27]. Ese criterio ya regía

---

[27] Siguiendo la recomendación de la Comisión de Expertos presidida por el profesor Lagares, y que ha sido reproducida en páginas anteriores. Ya no se recoge, pues, la presunción o cláusula anti abuso contenida en el art. 21 TRLIS/2004, en cuya virtud se negaba el mecanismo corrector de la doble imposición económica a aquellas sociedades perceptoras de dividendos o plusvalías derivadas de entidades que desarrollaran su actividad en el extranjero con el único fin de beneficiarse de la exención. Dicho artículo presumía (con posibilidad de prueba en contrario, mediante la demostración de la concurrencia de motivos económicos válidos) que la entidad participada desplegaba su actividad con esta única finalidad en todos aquellos casos en los que la actividad desarrollada en el extranjero, en relación con el mismo mercado, la hubiera realizado previamente en nuestro país otra entidad que hubiese dejado de realizar esa actividad y que formara parte del mismo grupo que la entidad participada. La supresión ha de ser bienvenida, pues en el ámbito de la UE el traslado de residencia a otro Estado por razones estrictamente fiscales, no se considera un caso de abuso de derecho (STJUE de 12 de septiembre de 2006, Cadbury-Schweppes, As. C-196/04), lo que entraba en colisión con la previsión interna española, al negar la exención si no se probaba otra razón adicional que fundamentase el traslado. Debe tenerse en cuenta además lo dispuesto

con anterioridad incluso a la promulgación de la LIS/1995[28]. En tal sentido, el propio precepto reputa análogo o similar al IS patrio todo tributo extranjero cuya finalidad sea la de gravar la renta obtenida por la participada[29], sin que a estos efectos se considere relevante la mímesis con el IS español y, de contrario, considerando similares al IS todos aquellos impuestos extranjeros aplicables a entidades participadas residentes en países con los que España haya firmado un Convenio de doble imposición internacional (CDI) que incluya una cláusula de intercambio de información. Se trata, en último término, de una medida dirigida a automatizar la posible aplicación de la exención, toda vez que la existencia de ese CDI entre nuestro país y el de residencia de la entidad participada, no garantiza siempre la tributación efectiva de esta última por los beneficios repartidos (verdadero presupuesto económico de la doble imposición que se quiere evitar y que de no concurrir determinaría una doble no imposición de esos dividendos o plusvalías internacionales).

La condición relativa a ese gravamen análogo o similar de al menos el 10 por ciento soportado en el extranjero se refiere a la entidad participada directamente que reparte los dividendos, pero también a toda aquella participada indirectamente, pues los dividendos repartidos o las plusvalías derivadas de la venta de la participación en sus fondos propios, pueden traer causa o tener su origen, a su vez, en otros dividendos, participaciones en beneficios o rentas derivadas de la transmisión de participaciones en fondos propios de otras entidades anteriores.

---

por la Disposición Transitoria 23ª de la LIS 2014, en cuyo apartado 1 se prevé la aplicación de la exención para corregir la doble imposición a los dividendos procedentes de entidades residentes cuyas participaciones se hubiesen adquirido en períodos impositivos iniciados en el transmitente con anterioridad al 1 de enero de 2015. Asimismo, el apartado 3 de la misma DT 23ª impide la aplicación de la exención a los dividendos derivados de participaciones en entidades residentes en España adquiridas antes de la entrada en vigor del Real Decreto Ley 8/1996, de 7 de junio, de medidas fiscales urgentes sobre la corrección de la doble imposición intersocietaria y sobre incentivos a la internacionalización de las empresas (aplicándose en tal caso los límites contenidos en el art. 28 LIS/1995).

[28]   Como señala la SAN 21/12/2006, *"la analogía exigida en el precepto es inseparable del sustantivo que precede a los términos "idéntica o análoga", el de naturaleza. Esta mención no resulta trivial, pues la Inspección de los Tributos, de un lado, y el Abogado del Estado, en la contestación a la demanda, parecen centrarse en resaltar las evidentes diferencias entre la regulación del Impuesto sobre Sociedades español y el que rige en Dubai, poniendo el acento no tanto en las similitudes como en las peculiaridades de los respectivos regímenes legales, sin atender al hecho de que lo que ha de presentar identidad o analogía es la "naturaleza" de los impuestos, no su regulación respectiva, donde, por lo demás, se hace virtualmente imposible hallar supuestos de identidad en el tratamiento de las figuras tributarias, al menos cuando se trata de comparar la legislación española con la de países por completo ajenos a nuestra tradición jurídica".*

[29]   Vid. al respecto CALDERÓN CARRERO, J. M. "La planificación fiscal internacional basada en el artículo 20 bis LIS: la sujeción a un impuesto extranjero de naturaleza idéntica o análoga" Carta Tributaria, Monografías, núm. 21, 2002, passim.

Ahora bien, basta con la sujeción a ese tributo extranjero análogo o similar, siendo irrelevante que la participada haya gozado de alguna exención, bonificación, reducción o deducción, lo que no deja de sorprender, pues podría desnaturalizar la propia esencia del mecanismo correctivo de la doble imposición, al igual que ocurre en el caso de que el país de residencia de la participada no residente hubiese suscrito con España un Convenio para evitar la doble imposición internacional con cláusula de intercambio de información, pues esto último tampoco garantiza, en modo alguno, que la participada haya soportado esa tributación mínima que la haría acreedora del reconocimiento del mecanismo corrector de la doble imposición (aspecto éste sobre el que la OCDE viene trabajando dentro del llamado "Plan de acción para la erosión de la bases tributaria y la transferencia de beneficios").

Eso sí, el art. 21. 1 b) LIS /2014 prohíbe aplicar la exención para corregir la doble imposición cuando los dividendos de la participada provengan de un país o territorio calificado como paraíso fiscal, salvo que se tratase de entidades residentes en la UE y que, aun siendo calificados como paraíso fiscal, el contribuyente pudiese acreditar que la participada realiza actividades económicas reales o que su constitución y su operativa responden a motivos económicos válidos[30]. Este último inciso no se recogía en el art. 21 TRLIS/2004, pero obedece al sentir del propio TJUE, quien en su Sentencia Cadbury-Schweppes, de 12 de septiembre de 2006[31], consideró que los cambios reales de residencia de aquellas entidades que desplegasen una verdadera actividad económica o que fuesen motivados por la decisión de ahorrar costes, no constituían verdaderos supuestos de fraude, elusión o evasión fiscal.

Por lo tanto, y como ya ha sido apuntado, con la LIS/2014 se hallan exentos los dividendos o participaciones en beneficios de entidades participadas residentes en territorio español, siempre que se cumplan los siguientes requisitos:

a) Que el porcentaje de participación directo o indirecto, en el capital o en los fondos propios de la entidad participada sea al menos del 5%, o bien;

b) Que el valor de adquisición de la participación sea superior a 20 millones de euros, cualquiera que fuese el porcentaje de participación, es decir, incluso si el mismo fuese inferior a ese 5%.

Ambos requisitos, es decir, el referido porcentaje de participación o el valor de adquisición, deben haberse poseído de forma ininterrumpida durante el año anterior al día en que fuese exigible el dividendo o, en su defecto, debe

---

[30] Esto se señalaba así expresamente en el art. 21. 9 LIS/2014, luego reformado en este punto por el RDL 3/2016 de 2 de diciembre, que suprimió ese número 9 para integrarlo en la letra b) del apartado 1 del propio art. 21.

[31] As. C-196/04 (TJCE 2006, 243) núms. 65 y 66.

mantenerse posteriormente durante el tiempo necesario para completar dicho plazo anual. Por lo tanto, el cumplimiento del requisito se fija temporalmente en el mismo momento de la exigibilidad del dividendo, y no en la fecha de su devengo o de su cobro efectivo. En ese cómputo anual del plazo de posesión se tiene en cuenta, además, aquel período en el que la participación hubiese sido poseída ininterrumpidamente por otras entidades que reuniesen las circunstancias para formar parte del mismo grupo de sociedades (art. 42 C.com), con absoluta independencia de su residencia o de la obligación de formular cuentas anuales consolidadas. De esta manera, se posibilita que participaciones sobre entidades poseídas con más de un año no pierdan la antigüedad por el simple hecho de que se transmitan a otra entidad.

Asimismo, se cumple el requisito temporal cuando aun no alcanzándose el plazo anual a la fecha de exigibilidad del dividendo, la participación se hubiese transmitido a otra sociedad del mismo grupo, siempre que la mantuviese hasta completar el año. También en este caso el momento en el que debe determinarse la existencia del grupo es el de la exigibilidad del dividendo.

La aplicación de la exención sobre dividendos o participación en beneficios no se condiciona al cumplimiento de condición alguna respecto del objeto social de la entidad perceptora de los mismos, por lo que basta con cumplir los requisitos a los que se ha aludido en líneas anteriores. Esto quiere decir que la vigente LIS/2014 permite incluso aplicar el régimen de exención por dividendos percibidos de sociedades consideradas patrimoniales (art. 5 de la propia LIS).

Si la entidad participada tuviese a su vez participaciones de segundo o ulteriores niveles, habrían de cumplirse también los requisitos generales vistos con anterioridad, relativos al porcentaje de participación mínimo o el valor de adquisición de las participaciones, pero con un requisito adicional, pues en tal caso hay que distinguir entre:

a) Entidad directamente participada en la que más del 70% de sus ingresos proceda de participaciones en otras entidades.

b) Entidad directamente participada en la que menos del 70% de sus ingresos procedan de participaciones en otras entidades.

Para el primero de los casos, es decir, entidad directamente participada en la que más del 70% de sus ingresos proceda de participaciones en otras entidades, la exención sobre los dividendos percibidos de la entidad directamente participada requiere que la participación indirecta sobre las filiales residentes de segundo o ulterior nivel respete ese porcentaje del 5%, salvo que a su vez dichas filiales reuniesen las circunstancias exigidas por el art. 42 C.Com para formar parte del mismo grupo de sociedades con la entidad residente de primer nivel, formulando además estados contables consolidados. Ese porcentaje del 70% de los ingresos se mide respecto del resultado contable consolidado del grupo. Por supuesto, debe cumplirse el requisito general de participación del

5% sobre la entidad directamente participada o que el valor de adquisición de la participación sea superior a 20 millones de euros. Sin embargo, el requisito de participación en el 5% de las entidades de segundo o ulteriores niveles resulta inexigible en aquellos casos en los que el sujeto pasivo contribuyente pruebe que los dividendos percibidos de la entidad de primer nivel directamente participada se han integrado en la base imponible de esta última o de cualquier otra indirectamente participada como dividendos o rentas que no hayan tenido derecho a aplicar el régimen de exención (art. 21 LIS) o la deducción por doble imposición internacional (art. 32 LIS), en el caso de que esa entidad sea no residente.

Si alguna de las entidades de segundo o ulterior nivel, fuesen asimismo no residentes, se requeriría que estuviesen sujetas y no exentas a un impuesto extranjero de la misma o análoga naturaleza al IS patrio y a un tipo nominal de gravamen de, al menos, el 10%. Dicho porcentaje pretende salvaguardar la necesidad de existencia previa de tributación en sede de la entidad participada que distribuye el dividendo, bastando con que dicha tributación sea nominal y no efectiva, razón por la cual el requisito se cumpliría a pesar de que los beneficios obtenidos disfrutasen de alguna exención, bonificación, reducción o deducción que dejase reducida en la práctica la tributación a un tipo efectivo inferior a ese 10% citado[32]. En el caso de que la entidad no residente obtenga rentas procedentes de otros territorios, y a los efectos de computar dicho tipo de gravamen mínimo del 10%, deben tenerse en cuenta los tributos extranjeros satisfechos que hayan tenido por finalidad directa la imposición de la renta ob-

---

[32]   Como señala LOPEZ SANTACRUZ MONTES, J. A. Memento Experto, Reforma del Impuesto sobre sobre Sociedades 2015, Ed. Francis Lefebvre, Madrid, 2014, pag. 126, tal requisito, en comparación con las participaciones en entidades residentes participadas, permite apreciar discriminaciones positivas y negativas: *"Discriminación negativa. Se puede poner como ejemplo a las entidades de la Zona Especial Canaria (ZEC) que tributan al tipo de gravamen del 4% por la parte de la base imponible que corresponda a las operaciones que realicen material y efectivamente en el ámbito geográfico de la ZEC, por lo que si toda su base imponible está sujeta a este tipo nominal reducido, los dividendos que distribuyan a sus socios personas jurídicas estarán exentos de cumplir los requisitos sobre el porcentaje de participación mínimo o, en su defecto, el valor de adquisición de la participación cuando por el contrario, de darse esta circunstancia en una entidad participada no residente no se podría aplicar el régimen de exención, por lo que se aprecia una discriminación negativa respecto de las entidades no residentes. Discriminación positiva. Se puede poner como ejemplo a las entidades que aplican el régimen fiscal especial de las entidades dedicadas al arrendamiento de viviendas, en las que, en igualdad de condiciones, cuando estas entidades residentes distribuyan dividendos a sus socios personas jurídicas no pueden aplicar la exención total, sino sólo sobre el 50% del dividendo aunque su tipo de gravamen sea del 25%, siendo la causa la bonificación del 85% de la que disfrutan que hace que su tipo efectivo sea del 3,5% (0,25x 15) cuando, por el contrario, de ser la participada no residente, con tal de que su tipo nominal sea de al menos el 10%, los dividendos percibidos de estas entidades están exentos aun cuando su tipo de gravamen sea incluso inferior al referido 3, 5%".*

tenida por la entidad no residente participada, con total independencia de que el objeto del tributo sea la renta, los ingresos o cualquier otro elemento indiciario de dicha renta, debiéndose considerar el mayor de los dos tipos siguientes:

a) El tipo nominal del impuesto extranjero.

b) El tipo nominal de la entidad participada no residente.

No obstante ello, se entendería cumplido el requisito, y sin posibilidad de prueba en contrario, cuando la entidad participada fuese residente en un país con el que España tuviera suscrito Convenio para evitar la doble imposición internacional que contuviese cláusula de intercambio de información[33].

Cabría el caso incluso de exención parcial en aquellos supuestos en los que la entidad de primer nivel obtuviese un porcentaje superior al 70% de sus ingresos procedentes de las participaciones tenidas en otras entidades de segundo o ulterior nivel de al menos el 5%, mientras que en otras obtuviese un porcentaje inferior, si esa contribuyente de primer nivel distribuyese dividendos a la contribuyente con cargo a los beneficios obtenidos por esa entidad procedentes de aquellas rentas. En tal caso, la aplicación de la exención se circunscribiría a la parte del dividendo o la participación en beneficios recibidos. Lo mismo resultaría aplicable en aquellos casos en los que alguna entidad de segundo o ulterior nivel tuviese la condición de no residente y el sujeto pasivo poseyese una participación indirecta de al menos el 5% y la entidad se sujetase a un impuesto extranjero de la misma o análoga naturaleza al IS a un tipo nominal de gravamen inferior al 10%.

No obstante, ese requisito de participación indirecta de al menos el 5% de posesión del contribuyente en las entidades de segundo o ulterior nivel, no se exige para aquellos supuestos en los que dicho contribuyente probase que los dividendos percibidos de la entidad de primer nivel directamente participada se integraron en la base imponible de esta última o de otra indirectamente participada como dividendos en el capital de otras entidades, sin que dichas rentas hubiesen tenido derecho a aplicar el régimen de exención (art. 21 LIS/2014) o la deducción por doble imposición internacional (art. 32 LIS/2014) para el caso de que la entidad fuese no residente. Además, en aquellos supuestos en los

---

[33] Sobre este requisito, LÓPEZ SANTACRUZ MONTES, J. A. Memento Experto, Reforma del Impuesto sobre sobre Sociedades 2015, op. cit., pag. 127, afirma que *"la nueva Ley del impuesto es más restrictiva que la regulación existente hasta 1-1-2015, dado que con anterioridad a dicha fecha no era necesaria ninguna tributación nominal, bastando con que hubiese una tributación efectiva sin establecer ningún límite mínimo. Este nuevo requisito aparentemente respeta mejor la finalidad del régimen de exención, que es evitar la doble imposición, por lo que si esta es muy baja no debería aplicarse la exención, con la particularidad de que, sin embargo, al desconocer la LIS el tipo efectivo de gravamen, podría ocurrir que este sea casi nulo sin que ello impida dejar exento el dividendo con tal de que la entidad no residente esté sujeta a un tipo nominal del 10%".*

que la entidad de primer nivel realizase actividades económicas que generasen beneficios y tuviese participación en el capital de otra entidad obteniendo por ello dividendos o plusvalías que excedan del 70% de los ingresos de aquella entidad de primer nivel, puede aplicarse la exención parcial o proporcional si el porcentaje de participación indirecta del sujeto pasivo en esa entidad de segundo nivel es inferior al 5%.

Para el segundo de los casos, esto es, entidad directamente participada en la que menos del 70% de sus ingresos proceden de participaciones en otras entidades, la exención sobre los dividendos percibidos no exige que la participación indirecta sobre las filiales residentes de segundo o ulterior nivel respete el porcentaje mínimo del 5%, pero siempre que se cumpla el requisito general de que el porcentaje de participación, directo o indirecto, de esa entidad en el capital o en los fondos propios de esas otras entidades, sea como mínimo del 5%, o bien que el valor de adquisición de la participación sea superior a 20 millones, si dicho porcentaje de participación fuese menor del 5%. Si alguna de las entidades de segundo o ulterior nivel fuese no residente en España, se exige que dicha entidad con residencia en el extranjero esté sujeta y no exenta a un impuesto extranjero de la misma o análoga naturaleza al IS y a un tipo nominal de gravamen no inferior al 10%. También en este caso cabría exención parcial si no superando la entidad de primer nivel el porcentaje del 70% de sus ingresos procedentes de dividendos o plusvalías de las participaciones tenidas en otras entidades, dicha entidad detentase un porcentaje de participación en algunas de las filiales de segundo o ulterior nivel de al menos el 5%, directo o indirecto, o bien un valor de adquisición de más de 20 millones de euros.

4.2. La entidad perceptora de dividendos o plusvalías en la Ley 27/2014

Como es sabido, en nuestro país existen dos tributos que gravan la renta de las personas jurídicas, el Impuesto sobre Sociedades y el Impuesto sobre la Renta de No Residentes (IRNR). Las diferencias entre ellos son más que notables, puesto que mientras el primero grava la renta de las entidades residentes (obligación personal), el segundo recae sobre los rendimientos de entidades no residentes (obligación real). Incluso cuando la entidad no residente opera a través de establecimiento permanente (EP), las concomitancias en este caso con la obligación personal (sin serlo del todo, porque no recae sobre la globalidad de la renta, sino sobre la renta mundial obtenida por el establecimiento permanente) son mayores que con la obligación real.

En tal sentido, una buena pregunta es si tienen derecho a la exención por doble imposición de dividendos las entidades no residentes con EP gravadas por el IRNR que obtienen dividendos o plusvalías. La respuesta ha de ser plenamente positiva, no solo porque otra cosa consagraría un atentado a los principios de la UE, especialmente el de libertad de establecimiento[34], sino porque la OCDE, en su modelo de Convenio para evitar la doble imposición, prohíbe todas aquellas medidas fiscales que, de una forma u otra, discriminen negativamente a los establecimientos permanentes respecto de las entidades residentes. De esta manera, la normativa vigente española otorga al EP el mismo tratamiento que a las entidades no residentes respecto a la aplicación de los mecanismos dirigidos a combatir la doble imposición (arts. 18. 1 y 19. 4 TRIRNR) y siendo cierto que las arcas públicas ven mermada su capacidad por obra de la exención, también lo es que a su través se fomenta la actividad de empresas no residentes que despliegan su actividad en nuestro territorio, coadyuvando así a otra suerte de recaudación por la actividad económica generada. De esta regla general deben excepcionarse, sin embargo, determinadas entidades no residentes con EP, como aquéllas que no cierran ciclo mercantil o los establecimientos permanentes dedicados a la realización de obras de instalación, construcción y montaje.

Asimismo, no pueden gozar de la exención por doble imposición económica, las IIC que no tributen al tipo general (art. 52 LIS/2014), pero sí las entidades de capital riesgo (art. 50. 2 LIS/2014)

5. DIVIDENDOS CON DERECHO A LA EXENCIÓN

5.1. Beneficios derivados de acciones sin voto, acciones rescatables o retribuciones por préstamos participativos

En determinados casos se había planteado una viva polémica sobre ciertas rentas, cuyo reparto no quedaba claro si tenía que adscribirse o no al concepto prístino de dividendo. Tal era el caso de los beneficios derivados de acciones sin voto o de los beneficios derivados de acciones rescatables. Como es sabido, las acciones sin voto son aquellas que otorgan a su titular una ventaja a la hora de cobrar los beneficios de la entidad, pero a costa de perder el peso político que de otra forma esas acciones representarían. Hasta el año 2007, tanto las

---

[34]   Como bien señala SIMÓN YARZA, M. E. La exención......, op. cit. pag. 69, "*no se puede olvidar que España está sometida al régimen jurídico comunitario en virtud de su pertenencia a la Unión Europea. Desde este punto de vista, el principio de libertad de establecimiento consagrado en el art. 49 del Tratado sobre el Funcionamiento de la Unión Europea...tal como lo interpreta el TJUE "deja expresamente a los agentes económicos la posibilidad de escoger libremente la forma jurídica apropiada para el ejercicio de sus actividades en otro Estado miembro y esta libre elección no debe ser limitada por disposiciones fiscales discriminatorias". Si se impidiese la exención a los residentes en otros países comunitarios con un establecimiento permanente en nuestro país se violaría el principio de libertad de establecimiento, ya que la medida fiscal induciría a estas entidades a implantarse en España mediante sociedades filiales a fin de recibir el mismo trato fiscal que las entidades residentes y evitar así la doble imposición*".

acciones sin voto como las acciones rescatables se consideraban contablemente como activos financieros. El PGC 2007 los contemplaba como pasivos financieros, de tal suerte que no podían ser calificados como dividendos, sino como otro tipo de ingresos, no gozando por ello de la exención para corregir la doble imposición. Por encima de catalogaciones formales lo cierto es, sin embargo, que la retribución percibida por este tipo de acciones proviene de fondos de la sociedad por los que ésta ya habría tributado, razón por la cual la LIS/2014 prescinde de las calificaciones contables y considera que todo beneficio obtenido por la entidad participada constituye en realidad un dividendo, se le llame así o no. Por ello, todo beneficio repartido por la entidad participada a los titulares de acciones sin voto o a titulares de acciones rescatables, se califica como dividendos y gozan por lo tanto de la posibilidad de aplicar la exención para remediar o corregir la doble imposición[35].

En lo atinente a los préstamos participativos[36], sus rasgos fundamentales, a los efectos que nos interesan, son los siguientes:

a) La entidad prestamista, por lo general, percibe un interés variable que depende de la buena gestión de la empresa prestataria, tal como su beneficio neto, volumen de negocio, patrimonio total o cualquier otro factor

---

[35] La explicación para LÓPEZ SANTACRUZ MONTES, J. A. Memento Experto, Reforma del Impuesto sobre sobre Sociedades 2015, op. cit., pag. 133 no es otra que la siguiente: *"Aun cuando la LIS asume todos los criterios de valoración y calificación establecidos en la norma contable (LIS art. 10. 3), sin embargo, se separa de la contabilidad en aquellos instrumentos financieros que mercantilmente representan participaciones en el capital o fondos propios de otras entidades y, sin embargo, a efectos contables tienen la consideración de pasivos financieros, de manera que en estos supuestos la LIS opta por atribuir a estos instrumento el tratamiento fiscal que corresponde a cualquier participación en el capital o fondos propios de entidades, con independencia de que la contabilidad altere dicha naturaleza, como puede ocurrir con las acciones sin voto o las acciones rescatables. En este sentido, la LIS art. 15 califica como retribución de fondos propios la correspondiente a valores representativos del capital o de los fondos propios de entidades con independencia de su consideración contable, es decir, si a efectos mercantiles tiene la consideración de capital un instrumento financiero desde el punto de vista del emisor del mismo, esta calificación se asume a efectos fiscales con independencia de que a efectos contables se califique como un instrumento de pasivo, por lo que el gasto contable derivado de la retribución de ese instrumento no sería deducible para determinar la base imponible de la entidad que satisface la retribución. Los efectos fiscales de estos instrumentos financieros se completan con lo establecido en la LIS art. 21, en el sentido de que esa retribución se califica como dividendo a efectos fiscales, por lo que el perceptor de la retribución podrá aplicar la exención sobre esos dividendos de cumplir las condiciones establecidas en la LIS art. 21.1. El cumplimiento de los requisitos exigidos sobre el porcentaje de participación o el valor de la misma deben aplicarse a ese instrumento financiero, es decir, dado que mercantilmente es capital, el porcentaje de participación en el mismo que otorga ese instrumento financiero debe ser al menos del 5% con el requisito del año de antigüedad o, en su defecto, que el valor de adquisición de ese instrumento financiero supere los 20 millones de euros".*

[36] Vid. el art. 20 del RDL 7/1996.

pactado libremente entre las partes (también un interés fijo no ligado a la evolución de la actividad económica de la entidad prestataria).

b) Ambas partes pueden acordar una cláusula penalizadora en el caso de amortización anticipada.

c) Tales préstamos, en un rango prelaticio de créditos, se ubican después de los acreedores comunes.

d) Para la parte prestataria se genera un gasto financiero por la retribución satisfecha a la contraparte prestamista.

En estos casos, y dado que los propios préstamos no tienen la consideración mercantil de capital, no cabe exigir el cumplimiento de los requisitos sobre el porcentaje de participación mínimo del 5% en el capital o fondos propios o, en su defecto, valor de adquisición superior a 20 millones de euros. Por lo tanto, cualquiera que fuese el valor del préstamo concedido, la retribución percibida por el prestamista estaría exenta del IS.

No gozan de la exención, no obstante, las retribuciones por préstamos participativos otorgados por entidades del mismo grupo, con independencia de la residencia o la obligación de formular cuentas anuales consolidadas. La LIS/2014 considera que este tipo de préstamos, encubren en realidad una retribución de fondos propios que no deben ser deducibles, ni aprovecharse tampoco del mecanismo correctivo de la doble imposición[37]. Precisamente, esa consideración de dividendos o participaciones en beneficios exentos en este caso es lo que evita un supuesto de doble imposición, al no ser gravada la renta en el prestamista. Otra cosa acontecería en el caso de que alguna de las entidades dejara de formar parte de dicho grupo, pues en tal supuesto no debería haber inconveniente alguno para aplicar el régimen de exención a los ingresos percibidos del instrumento financiero[38].

---

[37] Vid. la Disposición Transitoria 17ª LIS/2014.

[38] LÓPEZ SANTACRUZ MONTES, J. A. Memento Experto, Reforma del Impuesto sobre sobre Sociedades 2015, op. cit., pag. 134, lo explica en los siguientes términos: *"De la redacción literal de la LIS art. 21 parece desprenderse que la existencia de grupo al que pertenecen tanto la entidad prestamista como la entidad prestataria, debe manifestarse en el momento en que se otorgue este préstamo, por lo que puede plantearse los efectos si durante la vida del préstamo desaparece esa relación entre ambas de formar parte del mismo grupo mercantil. Al efecto entendemos que la calificación de dividendos y, por tanto, de gasto no deducible en la entidad prestataria, solo tiene lugar mientras se manifiesta esa pertenencia al grupo, esto es, de quedar excluida alguna de esas dos entidades del grupo, debería perderse esa calificación de dividendo y, por tanto, debería ser deducible el gasto en la entidad prestataria y sujeto y no exento el ingreso en la entidad prestamista"*. Vid. SERRANO GUTIÉRREZ, A. Impuesto sobre Sociedades, Memento de Autor, Ed. Francis Lefebvre, 2014, pag. 225.

5.2. *Rentas derivadas de contratos que versan sobre valores*

Para el caso de la entrega de los dividendos a un tercero y, en general, para las rentas derivadas de contratos que versan sobre valores (fundamentalmente préstamo de valores[39]), la LIS/2014 prohíbe la exención *"de los dividendos o participaciones en beneficios recibidos cuyo importe deba ser objeto de entrega a otra entidad con ocasión de un contrato que verse sobre los valores de los que aquellos proceden, registrando un gasto al efecto"*[40]. No es que la LIS/2014 impida absolutamente en estos casos la aplicación de la exención, sino que ésta se supedita al cumplimiento de determinados requisitos capaces de atestiguar la trazabilidad del origen de las rentas susceptibles de acogerse a la exención por doble imposición[41]:

a) La entidad perceptora de las rentas que se beneficien de la exención debe conservar el registro de valores en cumplimiento de los criterios del PGC[42].

b) La entidad que pretende aplicar la exención debe estar asimismo en disposición de probar que la otra entidad contratante o una entidad perteneciente al mismo grupo de sociedades de cualquiera de las dos

---

[39]   Donde al prestatario se le generará un ingreso correspondiente al dividendo percibido y un gasto correlativo por la obligación de pago a favor del prestamista.

[40]   La SAN de 23 de febrero de 2012 describe una relación triangular compleja donde la mercantil titular del paquete accionarial celebra un contrato por la que se entrega en préstamo a esta segunda mercantil un paquete accionarial en otra sociedad tercera. Los flujos entre las tres sociedades determinan gastos por intereses por el préstamo de las acciones, resultando injustificado que en tales casos se reconociera la exención de dividendos, pues si así se hiciera, se incurriría en supuestos de desimposición. Vid. la Disposición Adicional 18ª de la Ley 62/2003.

[41]   Por otra parte, en este tipo de préstamos, el prestatario debe garantizar la devolución del préstamo, mediante la constitución de las garantías oportunas y suficientes y será la Comisión Nacional del Mercado de Valores la que determine la validez y cuantía de dichas garantías. Además, a los préstamos de valores se les exigen determinadas condiciones: a) Que su cancelación se efectúe mediante devolución de otros tantos valores homogéneos a los prestados; b) Que se establezca una remuneración dineraria a favor del prestamista y, en todo caso, se convenga la entrega al mismo de los importes dinerarios correspondientes a los derechos económicos o que, por cualquier otro concepto, se deriven de los valores prestados, durante la vigencia del préstamo; c) Que el plazo de vencimiento del préstamo no exceda el año; d) Que el préstamo se instrumente con la participación o mediación de entidad financiera establecida en España y que los pagos al prestamista se realicen a través de la referida entidad residente. La propia Exposición de Motivos de la LIS ya apunta que en la nueva regulación se modifica el tratamiento de la doble imposición en las operaciones de préstamo de valores, homogeneizándose con el resto de contratos con idénticos efectos económicos como las operaciones de venta con pacto de recompra de acciones o "equity swap".

[42]   Ello obedece a que en todas estas operaciones el perceptor de los dividendos o participación en beneficios tiene la obligación de restituirlos a su titular económico y por ello se regula expresamente que la exención se aplique por la entidad que mantenga el registro contable de los valores.

entidades, en los términos del artículo 42 C.Com, ha percibido efectivamente los dividendos[43].

c) La entidad que aplica la exención debe cumplir las condiciones generales que han de reunir las entidades perceptoras de dividendos para beneficiarse de la exención, fundamentalmente que los valores representen un porcentaje mínimo del 5% de participación del capital de la entidad que distribuye el dividendo o, en su defecto, que el valor de adquisición de tales valores sea superior a 20 millones de euros. Por lo tanto, si durante o con posterioridad a la realización del préstamo se obtuvieran rendimientos derivados de dichos valores, habría que distinguir si el porcentaje de participación es inferior o igual o superior al 5%. En el primer caso, y cualquiera que fuese el porcentaje de participación cedido en préstamo, no podría aplicarse la exención sobre los dividendos o plusvalías procedentes tanto de los valores no cedidos en préstamo como los cedidos, una vez realizada la devolución de los mismos al término del préstamo, excepto que el valor de adquisición de la participación supere los 20 millones de euros. En el segundo, podría aplicarse la exención sobre los dividendos procedentes tanto de los valores no cedidos en préstamo como de los cedidos, una vez realizada la devolución de los mismos a la cancelación del préstamo. Si a la fecha de exigibilidad del dividendo no se hubiera alcanzado el año de tenencia de la participación, la exención o la deducción se condicionaría a que con posterioridad se mantuviese la participación hasta completar dicho plazo anual.

De esta manera, el tratamiento fiscal del prestatario y del prestamista, siguiendo a SERRANO GUTIÉRREZ, sería la siguiente:

A) Tratamiento fiscal del prestatario:

– La remuneración del préstamo, satisfecha por el prestatario al prestamista, es un gasto financiero fiscalmente deducible.

– La compensación económica, efectuada por el prestatario al prestamista, correspondiente a los derechos económicos de los valores objeto del contrato de préstamo, también es un gasto fiscalmente deducible.

– Los dividendos, participaciones en beneficios y demás rentas derivadas de los valores en préstamo, se integran en la base imponible del IS del prestatario.

---

[43] La exención sobre dividendos y participaciones en beneficios de entidades no resulta de aplicación para aquellos dividendos y participaciones en beneficios recibidos, cuyo importe deba ser objeto de entrega a otra entidad con ocasión de un contrato que verse sobre los valores de los que proceden los mismos, registrando un gasto al efecto. Vid. SERRANO GUTIÉRREZ, A. Impuesto sobre Sociedades, op. cit. pag. 226.

– El prestatario no puede aplicar la exención regulada en el art. 21. 1 LIS sobre los dividendos y participaciones en beneficios correspondientes a los valores tomados en préstamo, pero la entidad prestamista (la perceptora de la compensación del contrato de préstamo) puede aplicar la exención sobre dividendos y participaciones siempre que, como señalábamos con anterioridad, conserve el registro contable de los valores, pruebe que el dividendo ha sido percibido por la entidad prestataria o una entidad perteneciente al mismo grupo de cualquiera de las dos entidades (prestamista y prestatario) en los términos establecidos por el art. 42 CCom. y se cumplan las condiciones establecidas para la aplicación de la exención en el artículo 21. 1 LIS.

B) Tratamiento fiscal del prestamista:

– La remuneración del préstamo recibida por el prestamista y satisfecha por el prestatario, constituye un ingreso financiero fiscalmente computable.

– La compensación económica que recibe el prestamista, correspondiente a los derechos económicos de los valores objeto del contrato de préstamo, es un ingreso fiscalmente computable.

– El prestamista puede aplicar la exención sobre los dividendos y participaciones en beneficios correspondientes a los valores tomados en préstamo, siempre que se cumplan los requisitos y condiciones establecidos en el art. 21. 2 3º[44].

En aquel caso de préstamo de valores en el que no se pacta que el prestatario deba entregar al prestamista los dividendos percibidos de los valores recibidos en préstamo, la literalidad del art. 21. 2 LIS/2014 permite aplicar la exención sobre los dividendos percibidos de cumplir con los requisitos oportunos, mientras que el prestamista debería tributar íntegramente por la contraprestación recibida y no podría aplicar la exención sobre la misma recibida del prestatario y pactada en el contrato. Así lo afirma LÓPEZ SANTACRUZ, quien en función de la residencia del prestamista y del prestatario, distingue los casos siguientes[45]:

> "1. Ambos residen en territorio español. En función de que el prestatario pueda o no aplicar la LIS art. 21, pueden presentarse las siguientes situaciones:
>
> a) Puede aplicar el régimen de exención. En este caso podría darse un exceso de tributación en el prestamista en el supuesto de que este hubiese podido aplicar

---

[44]   SERRANO GUTIÉRREZ, A. Impuesto sobre Sociedades, op. cit. 227.
[45]   LÓPEZ SANTACRUZ MONTES, J. A. Memento Experto, Reforma del Impuesto sobre sobre Sociedades 2015, op. cit. pag. 137.

igualmente la exención sobre los dividendos percibidos, dado que la contraprestación recibida en el préstamo se integra en su totalidad en su base imponible.

b) No puede aplicar el régimen de exención. En este otro caso también podría darse un exceso de tributación en el conjunto de las partes en el supuesto de que el prestamista hubiese podido aplicar la exención sobre los dividendos percibidos, dado que la contraprestación recibida en el préstamo se integra en su totalidad en la base imponible del prestamista.

2. Prestamista residente en el extranjero Prestatario residente en territorio español. Igualmente, en función de que el prestatario pueda o no aplicar la LIS art. 21, pueden presentarse las siguientes situaciones:

a) Puede aplicar el régimen de exención. Sería el caso en que el prestatario tuviese con anterioridad valores equivalentes a los prestados que permiten aplicar la exención sobre los dividendos percibidos. En esta situación puede manifestarse un defecto de tributación en territorio español desde el momento en que el prestamista pueda deducir como gasto la contraprestación satisfecha al prestatario, la cual estaría exenta (LIRNR art. 14) y, además, pueda aplicar la exención sobre estos dividendos percibidos, lo cual tendría lugar siempre que los valores recibidos en préstamo no los transmita o no los ceda, a su vez, mediante otro préstamo de valores. Este régimen fiscal no se corresponde con la realidad económica de la operación, por lo que en este caso debería interpretarse la LIS art. 21 en el sentido de que la contraprestación del préstamo equivale a un deterioro de la participación y, por tanto, no sería deducible de aplicar la exención sobre los dividendos percibidos de los valores tenidos en préstamo.

b) No se puede aplicar el régimen de exención. En este otro caso no se manifestaría un defecto de tributación en el prestatario dado que se integrarían en su base imponible tanto el gasto imputable a la contraprestación satisfecha al prestamista como el ingreso derivado de los dividendos percibidos."

5.3. Dividendos procedentes del usufructo accionarial

Los usufructuarios de las acciones o participaciones tienen derecho a los dividendos acordados por la entidad mercantil, en virtud de lo dispuesto por el art. 127 TRLSC. La LIS/2014 guarda silencio a este respecto, sin aclarar si tal situación genera o no el derecho a la exención por doble imposición. Lo cierto, es que la constitución del usufructo puede tener una causa gratuita o lucrativa. Tanto si el usufructo se constituye a cambio de precio, como si lo es gratuitamente, debe permitirse la exención, pues la imposición previa se habrá consumado y de otra forma se generarían casos de sobre imposición[46]. Y tres

---

[46]   SIMÓN YARZA, M. E. La exención de dividendos....., op. cit. pag. 92, lo explica de la siguiente forma: *"Si se establece a cambio de un precio, el socio recibirá por el derecho real transmitido una cantidad equivalente al valor actual del importe neto de los dividendos que se estime que el usufructuario vaya a recibir. Es decir, este pagará al propietario el valor*

cuartos de lo mismo debe afirmarse en aquellos casos en los que se extingue el derecho del usufructuario sin que la sociedad haya repartido todos los beneficios generados durante la titularidad del usufructo, pues no hay diferencia significativa entre la entrega directa de los dividendos al usufructuario y la distribución de beneficios al socio de la entidad (nudo propietario), de forma

---

actual de los dividendos que la participación producirá durante la vigencia del usufructo menos el importe del IS que recaerá sobre dichas cantidades. A través del precio que el usufructuario satisfaga al propietario por la transmisión de su derecho, el primero repercutirá sobre el segundo el IS que la Administración le exija por los dividendos que perciba. De manera que será el socio de la entidad quien, en definitiva, soporte el gravamen que recaiga sobre los beneficios que la entidad distribuya al usufructuario. Si cuando se entregan dividendos al usufructuario quien realmente sufre el efecto del IS es el socio de la entidad participada, es preciso reconocer al usufructuario el derecho a la exención del art. 21 LIS/2014. Así el propietario no ve mermadas sus expectativas económicas como consecuencia de la constitución del usufructo. Pues tanto si la sociedad le entrega directamente los dividendos, como si el usufructuario le abona un valor equivalente a estos, el efecto impositivo sobre las rentas que derivan de su condición de socio será el mismo. En sentido contrario, la negación de la aplicación del art. 21 LIS/2014 al usufructuario supondría la admisión de nuevos supuestos de doble imposición de dividendos que en última instancia recaerían, no sobre el usufructuario, sino sobre el propietario de la participación. El socio vería disminuidos sus ingresos en el importe de la diferencia del tributo exigible al usufructuario, sin derecho a la exención por doble imposición, y el que se le exigiría a él, que sí podría beneficiarse de la corrección del doble gravamen. En cuanto al usufructo que se instituye de modo gratuito, el propietario y el usufructuario están obligados a incluir en la base imponible del IS el incremento patrimonial que se pone de manifiesto con ocasión de tal constitución. El socio debe integrar la diferencia entre el valor de mercado y el valor de adquisición del usufructo. En general, esta cantidad equivaldrá al importe de los beneficios generados y retenidos en la entidad participada desde que el propietario (a partir de ahora nudo propietario) adquirió la participación. El usufructuario sujeto al IS tiene que computar en su renta el valor de mercado del derecho que percibe, que se aproximará al importe actualizado de los dividendos que espera obtener. La entidad que, por efecto de la transmisión del usufructo de su participación, tributa por un importe igual al valor total o parcial de los beneficios retenidos en la entidad participada, se coloca en una posición fiscal equivalente a la de la entidad que transmite su participación en los fondos propios de otra entidad. En consecuencia y a falta de una norma que se pronuncie sobre el particular, consideramos que el régimen de atenuación de la doble imposición de plusvalías derivadas de la transmisión de participaciones debe extender su eficacia a los supuestos de transmisión del usufructo accionarial. Cuando una entidad residente ha participado, de modo ininterrumpido y al menos durante un año, de una participación significativa en los fondos propios de otra entidad, tiene derecho a la exención por doble imposición de plusvalías derivadas de la transmisión, total o parcial, de su participación. La corrección de la doble imposición afecta al importe de la renta que corresponde a beneficios retenidos, en la entidad participada, generados durante el tiempo que el transmitente ha poseído la participación. El derecho a eliminar la doble imposición en estos términos se debe reconocer también al acreedor usufructuario que cumple las mencionadas condiciones de tiempo y porcentaje de participación. Si no concurren las condiciones de tiempo y nivel de participación en los fondos propios de la entidad participada, la doble imposición de la plusvalía derivada de la transmisión de participaciones no se corrige. En las mismas circunstancias tampoco se debe atenuar la doble imposición derivada de la constitución del usufructo accionarial".

que si se negara la exención al usufructuario, se generaría un nuevo supuesto de doble imposición[47].

Las Consultas de la Dirección General de Tributos 0012-97, de 10 de enero, V0591-01, de 20 de marzo y 0394-13, de 11 de febrero, así lo indican, si bien en algunos casos rechazan la posibilidad del beneficio del cien por cien y mantienen algunas contradicciones internas al declarar, por una parte, la necesidad de que el sujeto pasivo reúna la condición de socio para que pueda aplicarse la deducción por doble imposición, admitiendo en unidad de acto el derecho de los usufructuarios a practicar la deducción parcial[48]. Y también avala este

---

[47] Así lo afirma SIMON YARZA, M. E. op. ult. cit. pag. 96: *"La situación es, de nuevo, comparable con la exención por doble imposición de plusvalías derivadas de la transmisión de participaciones en fondos propios de entidades. Con la peculiaridad, en este caso, de que el perceptor de la plusvalía no es propietario sino usufructuario de la participación. Pero esta circunstancia no debe incidir en el reconocimiento del derecho a corregir la doble imposición. De lo anterior resulta que, si una entidad ha gozado sin interrupción durante un año del usufructo de una participación mínima del 5 por ciento de los fondos propios de otra entidad o de una participación que se adquirió por un valor de, al menos, 20 millones de euros, tiene derecho a la exención por doble imposición de la plusvalía que reciba al extinguirse el derecho real que represente beneficios generados por la entidad participada durante el usufructo. Cuando se constituya esta plusvalía y el usufructuario no alcance la cota mínima de grado o de tiempo de tenencia de la participación, la corrección de la doble imposición se postergará al momento en que el nudo propietario perciba los dividendos correspondientes a los beneficios gravados en formas de plusvalía, siempre y cuando reúna los requisitos legales para gozar de la exención. La ausencia de una norma positiva que reconozca expresamente la exención por doble imposición de dividendos al usufructuario de participaciones no es óbice para que este atenúe el gravamen que soportan sus dividendos. Una interpretación razonable y amplia del art. 21 LIS/2014 permite mitigar la doble imposición de dividendos también al usufructuario de acciones. Por otro lado, aunque la ley no se pronuncie, la aplicación de la exención por parte del usufructuario es un fenómeno admitido en la práctica en España"*

[48] Más acertadas son, por completas y coherentes, las Resoluciones del Departamento de Hacienda y Finanzas de Vizcaya, de 19 de diciembre de 2005 y 1 de julio de 2008, entendiendo aplicable el art. 33 de la Norma foral 3/1996, de 26 de junio, del Impuesto sobre Sociedades en Vizcaya (coincidente con el art. 30 TRLIS/2004) a los dividendos percibidos por el usufructuario de las participaciones, afirmando la primera de dichas resoluciones lo siguiente: *"Conviene tener en cuenta que la finalidad de la norma es eliminar la doble imposición que se produce al tributar una misma renta, primero en sede de la empresa que generó los beneficios y, posteriormente, en sede del que recibe los dividendos. Aunque la cualidad de socio resida en el nudo propietario, y a él correspondan todos los derechos inherentes a tal cualidad, es el usufructuario quien ostenta el derecho a la percepción de los dividendos acordados durante la vigencia del usufructo, y como tal a él se le atribuye la condición de "socio económico" de la entidad que genera el beneficio a distribuir. Consecuentemente, el usufructuario podrá aplicar la deducción para evitar la doble imposición interna de dividendos, ya que, por el hecho de existir un desmembramiento del dominio del título, carece de sentido que se produzca una doble tributación. Doble tributación esta que se produciría si se negase tanto al nudo propietario, que no integra en su base imponible dividendo alguno, como al usufructuario, el derecho a la deducción por doble imposición interna. Por ello ha de concluirse que, si se cumplen el resto de los requisitos exigidos por la Norma, el usufructuario*

planteamiento la cuestión prejudicial elevada al TJUE con respecto a la Directiva 2011/96/UE, de 30 de noviembre, sobre el régimen fiscal común aplicable a las sociedades matrices y filiales de Estados miembros y que se resolvió en la STJUE de 22 de diciembre de 2008, État belge-SPF Finances contra Les Vergers du Vieux Tauves SA, Asunto C-48/07, pues si bien el Tribunal de Luxemburgo considera que los Estados miembros no están obligados a extender la exención de dividendos de usufructuarios de participaciones sociales, atendido el silencio de la Directiva, apostilla a este respecto lo siguiente:

> *"en virtud de las libertades de circulación garantizadas por el Tratado CE, aplicables a las situaciones transfronterizas, cuando un Estado miembro, a fin de evitar la doble imposición de los dividendos, exime de impuesto tanto a los dividendos que una sociedad residente percibe de otra sociedad residente en la que posee participaciones en plena propiedad como a los dividendos que una sociedad residente percibe de otra sociedad residente en la que posee participaciones en usufructo, dicho Estado deberá aplicar, a efectos de la exención de los dividendos, el mismo tratamiento a los dividendos procedentes de una sociedad establecida en otro Estado miembro percibidos por una sociedad residente que posea participaciones en plena propiedad y a los dividendos de ese tipo percibidos por una sociedad residente que posea participaciones en usufructo".*

5.4. Cantidades a cuenta de dividendos

El art. 277 TRLSC prevé la distribución a cuenta de dividendos como una forma de remuneración del capital con anterioridad a la aprobación misma de las cuentas anuales, siempre que se cumplan unas condiciones, con el fin de proteger el patrimonio social e impedir que los acreedores sociales puedan verse perjudicados[49]. Sin entrar ahora mismo en la intensa disputa doctrinal sobre la verdadera naturaleza de esas cantidades satisfechas con anterioridad a su inclusión en las cuentas anuales de la sociedad, lo cierto es que no se trata de anticipos, ni tampoco de préstamos y coincidimos con el profesor GARRIGUES en que los dividendos a cuenta son en realidad verdaderos dividendos y en nada sustancial se diferencian de los dividendos normales satisfechos por cualquier compañía[50].

Buena prueba de ello, la constituye que al igual que en el caso de los dividendos finales, la restitución de los dividendos a cuenta solo procedería en aquellos casos en los que se hubiese producido un reparto ilegal de los beneficios sociales y la sociedad demostrase que los socios conocían o debían conocer la

---

podrá aplicar la deducción del 100 por 100 de la cuota íntegra que corresponda a la base imponible derivada de los dividendos percibidos".

[49]   Vid. DE PABLO VARONA, J. C. La tributación del socio…., op. cit. pag. 59 y ss.

[50]   GARRIGUES, J. "Art. 107" Comentario a la Ley de Sociedades Anónimas, Imp. Aguirre, Madrid, 1976, pag. 460.

irregularidad de la distribución[51]. Por lo tanto, si los dividendos a cuenta son verdaderos o auténticos dividendos, deben dar derecho a sus perceptores a la exención por doble imposición[52]. El problema se presentaría –en muy contadas ocasiones, eso sí– cuando una vez repartidos dichos dividendos a cuenta, las cuentas anuales arrojasen pérdidas, pues en tal caso se produciría ciertamente una situación de sub imposición, toda vez que la sociedad no tributaría por las cuantías a cuenta satisfechas, pero los socios podrían, por su parte, aplicar el mecanismo correctivo de la doble imposición[53].

5.5. *Dividendos in natura*

Los dividendos en especie constituyen una modalidad de reparto de beneficios sociales sobre los que la doctrina mercantil se halla dividida. Prescindiendo ahora de todas las posibles posturas al respecto, lo cierto es que pueden considerarse una dación en pago de los dividendos pecuniarios, razón por la cual, y de lege lata, no hay motivo alguno para excluir en este caso la aplicación de la exención por doble imposición[54].

5.6. *Distribución de reservas de revalorización*

La distribución de las reservas de revalorización está directamente relacionada con el principio de prudencia contable, el valor de los activos del balance y la inflación monetaria. Si esos tres parámetros no se coordinan adecuadamente o se desajustan con el paso del tiempo –algo por otra parte de todo punto inevitable– resulta imprescindible la promulgación de normas de actualización de balances para que las empresas pongan al día el valor de sus activos, abonando

---

[51] Vid. al respecto LUCAS DURÁN, M. La tributación de los dividendos internacionales...., op. cit. pag. 205 y ss. MASSAGUER FUENTES, J. Los dividendos a cuenta en la sociedad anónima: un estudio de los artículos 216 y 217 LSA, Civitas, Madrid, 1990, passim.

[52] Como bien afirma SIMÓN YARZA, M. E. op. ult. cit. pag. 103.

[53] Para evitar tal situación, DE PABLO VARONA, J. C. La tributación....., op. cit. pag. 65, postulaba obligar a la sociedad que reparte los dividendos a cuenta a retener el crédito del impuesto, de tal manera que, si la sociedad obtuviese beneficios al final de su ejercicio económico, el socio podría ejercitar su derecho a deducir la cantidad retenida de su IS, mientras que si las cuentas anuales reflejasen un ejercicio con pérdidas, el IS pagado por la sociedad adoptaría el carácter de pago definitivo.

[54] En tal sentido, SIMÓN YARZA, M. E. op. ult. cit. pag. 105, afirma que el resultado de todo ello no puede ser otro más que el siguiente: *"En consecuencia, de acuerdo con la normativa fiscal, las sociedades que reparten dividendos en especie no deducen de su base imponible los importes correspondientes a los bienes que distribuyen. Por otro lado, las entidades perceptoras de esos dividendos no los integran en su base imponible en la medida que cumplen los requisitos para aplicar la exención prevista para corregir la doble imposición económica derivada de la distribución de dividendos".*

en una cuenta de reservas el importe del incremento derivado de la inflación con un gravamen casi nulo. Tanto las normas estatales como las forales reconocen el derecho de los socios a la exención por doble imposición de dividendos por esas reservas de revalorización distribuidas.

Aunque existen autores que niegan la necesidad de aplicar la exención por doble imposición en estos casos[55], lo cierto es que la DGT, en Consulta vinculante del año 1981 y sobre unos dividendos procedentes de reservas de revalorización aprobadas por el Decreto-Ley 12/1978, consideró aplicable por la sociedad perceptora en toda su extensión la deducción por doble imposición[56]. Conviene advertir además, que las normas de actualización de balances más recientes (2012 y 2013) no solo implican un gravamen del 5 por ciento, sino también el reconocimiento expreso de la exención por doble imposición[57].

---

[55]   En tal sentido, SANZ GADEA, E. Impuesto sobre Sociedades, op. cit. pag. 1424 o CALVO VERGEZ, J. "La deducción para evitar la doble imposición…..", op. cit. pag. 48. En contra GONZÁLEZ-CUELLAR SERRANO, M. V. La doble imposición de dividendos…., op. cit. pag. 160, quien opina que la negación del mecanismo correctivo de la doble imposición que la exención implica en los casos en que se reparten las reservas de revalorización, supondría, de hecho, la anulación del beneficio fiscal que las normas de actualización de balances comportan para las sociedades. En análogo sentido, FERNÁNDEZ FERNÁNDEZ, I. "La actualización de balances", Estudios sobre el Impuesto sobre Sociedades, Comares, Granada, 1998, pag. 509; RUIZ GARCÍA, J. La deducción por dividendos….., op. cit. pag. 152 y ss.

[56]   Consulta núm. 96 del Anexo a la Orden de 17 de junio de 1981, en BOE núm. 171, de 18 de julio de 1981. La Consulta 1858-98 de la DGT de 27 de noviembre también consideró admisible la aplicación de la deducción por doble imposición sobre los dividendos procedentes de las reservas de revalorización, al no existir norma positiva alguna que lo impidiera. En el mismo sentido, la Consulta vinculante V1821-05, de 20 de septiembre, señalando que la deducción por doble imposición resultaba aplicable a la cuota de liquidación correspondiente a las reservas generadas al amparo de la normativa de actualización de balances de una sociedad bajo la jurisdicción fiscal de la hacienda foral vasca.

[57]   SIMÓN YARZA, M. E. La exención……, op. cit. pag. 113, enfatiza la necesidad de aplicar la exención por doble imposición en estos casos de distribución de reservas de revalorización: *"Desde mi punto de vista, en ninguna de estas normas de actualización de balances se fija adecuadamente la repercusión del incremento del valor nominal de los activos sobre el valor de las acciones o participaciones sociales. Si se determinase de un modo más apropiado, la distribución de reservas de revalorización no se plantearía el problema de la doble imposición de dividendos. La sobrecarga fiscal de los dividendos se evitaría si en las normas de actualización de balances se añadiese una disposición que establezca que en el ejercicio en que afloran en los balances las plusvalías nominales de los activos, se actualicen también los valores de adquisición de las acciones de la sociedad. El cálculo del incremento correspondiente a cada participación se podría llevar a cabo prorrateando la suma de las plusvalías nominales de los activos entre el número total de acciones. Una vez realizado el cómputo, la sociedad debería informar a los socios del incremento del valor correspondiente a cada acción para que estos registren el aumento en su coste de adquisición. Si una vez constituidas las reservas de revalorización la sociedad las repartiera, debería advertir a los socios de su origen para que estos redujesen el valor de adquisición de sus acciones en el importe de las cantidades percibidas. Las distribuciones de las reservas de revalorización no serían repartos*

5.7. Dividendos procedentes de entidades que gozan de las bonificaciones en cuota previstas en el Capítulo III del Título VI de la LIS

La LIS prevé determinados estímulos para el desarrollo de la actividad económica, en forma de bonificaciones del 50 por ciento sobre la cuota de los beneficios de entidades que operan en Ceuta y Melilla, y del 99 por ciento sobre aquellas rentas procedentes de prestación de servicios públicos locales. El reconocimiento tácito por parte del legislador de la exención por doble imposición en estos dos casos, no obedece tanto a la existencia de sobreimposición o gravamen concurrente, cuanto al deseo de estimular las inversiones y el crecimiento de todas aquellas entidades que orienten su actividad a las áreas de dificultad económica objeto de la bonificación en cuota[58].

6. DIVIDENDOS SIN DERECHO A LA EXENCIÓN

La nueva LIS/2014 reduce decididamente estos supuestos[59]. Varias razones pueden justificar la inaplicación del mecanismo correctivo de la doble imposición. En primer término, que dicha sobre imposición económica en la distribución de los beneficios sociales no se produzca, pero también la voluntad del legislador de imponer una carga fiscal mayor a determinados perceptores, discriminando así a unos determinados sujetos pasivos frente a otros. Algunas alteraciones en el régimen de tenencia de las participaciones han comportado, a su vez, la eliminación de varias de las restricciones a la exención recogidas en la normativa anterior (TRLIS/2004). Tal es el caso de la prohibición de la exención por doble imposición cuando los dividendos proviniesen de participaciones adquiridas en los dos meses anteriores a su distribución y transmitidas en un lapso temporal escaso posterior (pues ahora ha de poseerse la participación que da derecho al dividendo durante al menos un año, ya que de lo contrario no es posible aplicar la exención). Pero es el caso también de la eliminación de

---

de dividendos, sino devoluciones de aportaciones y, por lo tanto, no deberían incrementar la cuenta de resultados de los socios ni la base imponible de su IS. Si se siguiera el criterio de valoración fiscal que proponemos, el reparto de las reservas de revalorización generadas a tenor de las normas de actualización de balances no causaría doble imposición económica. Por consiguiente, tampoco se plantearía la necesidad del recurso a la exención por doble imposición de dividendos".

[58]   Sobre la posibilidad de que una medida técnica dirigida a modular correctamente la capacidad económica –como es la exención o deducción por doble imposición– se convierta en algunos casos en un incentivo a la inversión, se pronuncia favorablemente SOLER ROCH, M. T. Incentivos a la inversión y justicia tributaria, Civitas, Madrid, 1983, pag. 50 y ss.

[59]   Para un análisis exhaustivo de la situación anterior, es decir, dividendos sin derecho a la exención por doble imposición en el TRLIS/2004, vid. SIMON YARZA, M. E. La exención....., op. cit. pags. 144 a 171.

la prohibición de la exención de las rentas que ya no tienen la consideración de ingreso[60].

A continuación, nos referiremos a los límites impuestos por el art. 21 LIS/2014 a la exención por doble imposición de dividendos, que ya se contenían, por cierto, en la anterior normativa.

6.1. *Rentas distribuidas por el fondo público de regulación del mercado hipotecario*

El art. 25 de la Ley 2/1981, de 25 de marzo, de regulación del mercado hipotecario posibilitó que las entidades emisoras de títulos hipotecarios participasen en fondos de regulación de los títulos del mercado hipotecario, con el objetivo último de asegurar su liquidez, pero en la actualidad tal posibilidad es prácticamente nula porque las entidades emisoras de títulos hipotecarios buscan liquidez a través de fondos de titulización hipotecaria y de fondos de titulización de activos. La previsión legal responde, por lo tanto, más a un atavismo legal que a una verdadera cautela tendente a evitar una efectiva y real desimposición.

6.2. *Rentas de fuente extranjera obtenidas por Agrupaciones de Interés Económico y por Uniones Temporales de Empresas*

Las AIEs y las UTEs se erigen en fórmulas legales dirigidas a facilitar y canalizar la inversión para desarrollar actividades económicas y proyectos que necesitan, por su envergadura, una financiación y ejecución que supera las posibilidades normales de compañías individualmente consideradas. En la regulación anterior (TRLIS/2004) se prohibía la exención de dividendos internacionales o plusvalías derivadas de la venta de participaciones en fondos propios de entidades de fuente extranjera obtenidas por AIEs españolas y europeas y por UTEs, no obstante lo cual, podían corregir la doble imposición por medio de la deducción en la cuota regulada en el art. 32 TRLIS/2004. El límite previsto ahora por el art. 21. 9 b) LIS/2014 se refiere a las rentas *"obtenidas por agrupaciones de interés económico españolas y europeas, y por uniones temporales de empresas, cuando al menos uno de sus socios, tenga la condición de persona física"*. Y en esto último radica el porqué de la prohibición, pues las personas físicas socias de estas formas de agrupación empresarial imputan en su base una renta calculada de conformidad con lo previsto en la LIS y si se reconociera el derecho

---

[60]   Y que antes, con el TRLIS/2004, se incorporaban a la base del socio junto con el reconocimiento de una deducción en cuota para los dividendos obtenidos, y que ahora ha desaparecido con la LIS/2014.

a la exención de los dividendos percibidos por AIEs y UTEs, se transmitiría el derecho a eliminar la doble imposición propio del IS a los miembros de las AIEs y UTEs contribuyentes del IRPF.

Por este motivo, la LIS limita la exención sobre los dividendos, pero sólo cuando hay personas físicas, por lo que no es necesario mantener la prohibición de la exención cuando ningún miembro residente de la AIE o de la UTE es sujeto pasivo del IRPF.

6.3. Rentas de fuente extranjera que la entidad integre en su base imponible y en relación con las cuales opte por aplicar la deducción establecida en los artículos 31 o 32 de la LIS

Como es sabido, la normativa reguladora del IS desde el año 2000 posibilita al sujeto perceptor de dividendos internacionales imputar la exención o la deducción para evitar la doble imposición. El art. 31 LIS/2014 se erige en el instrumento para mitigar la doble imposición jurídica permitiendo que la entidad que soporta un gravamen extranjero de naturaleza similar al IS por la percepción de dividendos internacionales tenga derecho a deducir de la cuota una cantidad equivalente al gravamen extranjero con un límite cuantitativo: que dicha deducción no sea mayor que el importe de la cuota íntegra del IS que correspondería pagar por los dividendos si se hubiesen recibido de una entidad residente[61].

Por su parte, el art. 32 LIS/2014 permite al socio corregir la doble imposición económica de los dividendos internacionales percibidos mediante una deducción en cuota equivalente al valor del impuesto que la entidad participada haya satisfecho en el extranjero por los beneficios con cargo a los cuales distribuya los dividendos[62].

---

[61]   La doble imposición jurídica se produce según FALCON Y TELLA, R. Análisis de la transparencia tributaria, IEF, Madrid, 1984, pag. 199, *"cuando una misma manifestación de capacidad contributiva da lugar a varias obligaciones tributarias a cargo del mismo sujeto pasivo, durante un mismo período o evento. Se exigen, pues, como requisitos del concepto, tres elementos: identidad objetiva, identidad subjetiva e identidad temporal".*

[62]   Sobre la doble imposición económica, vid. LUCAS DURAN. M. La tributación de los dividendos internacionales..., op. cit. pag. 51, quien a este respecto afirma lo siguiente: *"El carácter definidor de la doble imposición económica –en contraste con la doble imposición jurídica– no debe buscarse exclusivamente en el hecho de que la misma riqueza imponible sea gravada en manos de contribuyentes distintos. Así, por ejemplo, en el seno de un determinado ciclo, las rentas fluyen de unos contribuyentes a otros y constituyen parte de su base imponible sin que necesariamente deriven de ello supuestos de doble imposición (v. gr. En el ámbito de la imposición indirecta). La idea de doble imposición económica descansa más bien en el hecho de que un determinado sujeto pasivo soporta realmente una carga tributaria excesiva respecto de unas determinadas rentas debido, como ya se vio, a la inadecuada atribución de capacidad a un sujeto de derechos, o por mejor decir, a los desafortunados efectos*

Las deducciones correspondientes a ambos preceptos son plenamente compatibles entre sí, porque obedecen a situaciones completamente distintas; una tiene su origen en el impuesto soportado por el socio (art. 31) mientras que la otra responde al impuesto satisfecho por la entidad participada. Ahora bien, con toda lógica, la suma de ambas no puede ser mayor que la cuota íntegra del IS que correspondería por los dividendos si estos se hubiesen obtenido en territorio español.

El art. 21. 9 c) LIS/2014 establece expresamente la prohibición de la exención por doble imposición al sujeto pasivo que recurra a la aplicación de las deducciones establecidas en los artículos 31 o 32 LIS/2014, también con toda razón, porque de lo contrario esos instrumentos diseñados para corregir la doble imposición se transformarían en medidas al servicio de una efectiva desimposición (lo que carecería de sentido).

6.4. *Dividendos derivados de contratos que versan sobre valores*

La existencia de contratos sobre valores puede determinar que la entidad perceptora de los dividendos se halle en la obligación de entregarlos a otra en cumplimiento de la relación sinalagmática previa concertada entre ambas, pero por lo general, el ingreso que supone la percepción e integración de dichos dividendos en la base imponible se compensa con un gasto de valor equivalente al satisfacer a la otra entidad un importe análogo al de los dividendos obtenidos. Por ello, y de concitarse las referidas circunstancias, la entidad a la que la participada distribuye los dividendos, no sufre doble imposición, razón por la cual, si se le reconociera tal posibilidad se estaría produciendo otro claro supuesto de desimposición.

6.5. *Dividendos que generan un gasto fiscalmente deducible en la entidad que los distribuye*

Esta prohibición supone una novedad en la LIS/2014 y pretende acabar con el doble beneficio que consagraba el TRLIS/2004, permitiendo que una misma renta fuese conceptuada como gasto en un Estado y como no ingreso en otro. Ello originó el inicio de algunos procedimientos inspectores en supuestos llamativos por su cuantía donde se reputaban como dividendos lo cobrado

---

que conlleva la concesión de subjetividad tributaria a un ente medial en la percepción de las rentas, como ocurre en el caso de la obtención de rentas por cuenta ajena o por mediación de una sociedad. En tales casos sería más acertado entender que solo es uno el perceptor de las rentas, independientemente del camino que haya recorrido el dinero invertido hasta llegar a su destino final –accionista– y que las rentas no deberían ser gravadas más que una vez dentro del ciclo inversor"

en España pero que en el país de residencia de la participada se consideraban intereses. Este es precisamente el núcleo de la cuestión resuelta por el TS en su Sentencia de 10 de julio de 2014, respecto de los pagos realizados por una filial australiana a su matriz domiciliada en España. El Alto Tribunal centra el objeto de su fallo en la dispar consideración de los pagos efectuadas por las partes (dividendos para la contribuyente/intereses para la AEAT):

> *"El obligado tributario presentó tres documentos, incorporados al expediente sobre la consideración fiscal que debe darse a los pagos de la entidad australiana a su partícipe española en orden a justificar la aplicación a los mismos de la exención del artículo 21. 1 del TRLIS/2004. El primero de los documentos es un Dictamen con arreglo al Derecho de Australia en relación con la calificación jurídica de las acciones preferentes emitidas por AZSA Holding Pty Ltd, en el que se concluye que las PREFS constituyen capital a los efectos del derecho australiano y sus rendimientos dividendos. El segundo documento es un escrito de 11 de diciembre de 2006 de un representante legal de Asturiana de Zinc SA, en el que se defiende la aplicación de la exención establecida en el artículo 21. 1 del TRLIS/2004 a los "dividendos" percibidos de su filial australiana y en el que se afirma que la tributación de estos en Australia como intereses constituye un beneficio concedido a la entidad australiana con carácter especial por sus autoridades fiscales. El tercer documento, emitido por la autoridad fiscal australiana con fecha 18 de julio de 2007, en respuesta a consulta aclaratoria de AZSA Holding Pty LTD, formulada el 13 de junio de 2007, contiene una notificación de contestación a consulta tributaria, una explicación de la decisión de la contestación unas notas explicativas sobre dicha contestación. En la contestación se confirma que los "dividendos" de las PREFS se consideran intereses solo a los efectos fiscales en Australia, y que los mismos están sujetos al impuesto de retención sobre intereses al tipo del 10 por 100".*

Pero el Alto Tribunal, coincidiendo con la Sala de instancia, consideró que la verdadera naturaleza de la renta percibida por la participada española era precisamente la de intereses y no la de dividendos:

> *"Las acciones preferentes cuyos rendimientos se enjuician se emitieron como reembolso de un préstamo asumido por la filial frente a la matriz española, que devengaba un interés del 9% anual, y que, a su vez, era la contrapartida de la transmisión efectuada a la filial, en septiembre de 2002, de un negocio de minería desarrollado en Australia y compuesto por acciones de la entidad suiza Xstrata Coal AG y un crédito contra la entidad australiana Xstrata Coal Australia Ltd. Conforme a ello, es un elemento primordial a valorar, que no puede ser desligado del examen de la renta controvertida, el que las acciones preferentes examinadas tienen como causa de su emisión el reembolso de un préstamo, lo que sirve de nexo fundamental a la hora de determinar la naturaleza de los rendimientos cuestionados, dada la íntima conexión entre el contrato de préstamo que le sirve de causa y el negocio jurídico por el que se reembolsa dicho préstamo, consistente en la emisión de las "acciones preferentes no reembolsables y convertibles", cuyas condiciones se recogen en el contrato titulado "Issue or non redimable non-cumulative converting preference shares", y de un Derecho preferente. Asi-*

mismo, procede realizar un examen de los derechos y obligaciones que ostenta la sociedad hoy recurrente y que dimanan del referido contrato de emisión de las acciones preferentes, a fin de determinar si las referidas acciones preferentes otorgan o no el derecho a participar plenamente en los beneficios sociales, que es el derecho que en esencia, define la posición jurídica de socio en el derecho español. El referido examen por la Sala de instancia arroja las siguientes conclusiones, coincidentes sustancialmente con lo recogido en el acuerdo de liquidación tributaria:

– *El tenedor de las acciones tiene derecho a un denominado dividendo no acumulativo del 8,135% anual sobre el precio de emisión. Se recoge que este dividendo no está sujeto a la decisión del órgano competente para proponer la distribución del beneficio. A su vez, el pago del dividendo está sujeto al cumplimiento de tres requisitos, el primero de ellos, que la entidad disponga de fondos legalmente habilitados para efectuarlo, y los otros dos relativos a la producción minera. Estos dividendos serán pagables los días 30 de junio y 31 de diciembre (cláusula 2).*

– *Las acciones preferentes serás reembolsadas por conversión en acciones ordinarias, en el plazo de 25 años, mediante la aplicación de una fórmula de conversión vinculada directamente al valor de mercado de las acciones ordinarias en la fecha de conversión, existiendo un descuento de conversión (cláusulas 3 y 6).*

– *En caso de reembolso de capital los titulares de las acciones preferentes percibirán un pago en metálico igual al precio de emisión, y no tendrán derecho alguno a participar en los beneficios existentes en esa fecha ni en las plusvalías latentes en los activos. Tendrán derecho preferente sobre los titulares de las acciones ordinarias (cláusula 4).*

– *Las preferentes no conceden con carácter general derecho de voto (cláusula 5).*

(…) la entidad emisora se compromete a pagar una cantidad predeterminada en concepto de retribución por el uso del capital recibido y a devolver este bajo la forma de conversión en acciones ordinarias, también predeterminada en fecha y cuantía, de forma tal que el titular obtendrá la devolución del capital mencionado, modificado por el descuento de conversión, igualmente predeterminado. Consecuentemente, goza el obligado tributario del derecho a la devolución recogido en el artículo 1740 del Código Civil, que se corresponde con la obligación por parte del emisor de devolver, bajo la forma de conversión en acciones ordinarias, y que determina que el hasta entonces prestamista se convierta en accionista, lo cual no desvirtúa que la devolución exista. Además, al estar unida la fórmula de conversión al valor de mercado de las acciones ordinarias en el momento de la conversión, el importe de la devolución coincide con el capital entregado para desembolsar las PREFS, con la modificación, si existiere, del descuento de conversión, lo que comporta que el titular de las PREFS no corra el riesgo propio del socio o accionista, consistente en la variación del valor de mercado de la entidad participada. También tiene derecho el titular de las PREFS a percibir una renta del 8,135% sobre el precio de emisión de aquellas, pagadera por semestres. Se trata, pues, de una renta fija en su cuantía y periódica en su

vencimiento, directamente calculada de forma predeterminada sobre el importe del capital cedido, renta que supone el pago del interés pactado. Es cierto que el pago de la renta está supeditado a ciertos requisitos ya expuestos, pero no es menos cierto que la renta no procede del beneficio, sino que, en todo caso, la obtención de este condiciona su pago. Del mismo modo, cabe colegir que no concurren los derechos propios de la cualidad de socio, pues no existe la plena participación en los beneficios. En efecto, es cierto que el abono de la retribución está condicionado a la existencia de fondos susceptibles de distribución, así como de circunstancias inherentes a la producción minera, pero no es menos cierto que ello no comporta un derecho a la plena participación en beneficios, sino una condición impuesta a la percepción de la retribución predeterminada. De la misma forma, los titulares de las PREFS, en caso de reducción de capital o disolución de la sociedad, obtendrán el importe de la cantidad entregada en la emisión de las PREFS, pero no tendrán derecho a una cantidad adicional que sea representativa de los beneficios acumulados hasta la fecha o de las plusvalías latentes en los activos existentes. En consecuencia, el titular de las participaciones preferentes "no participa en las ganancias de la entidad emisora, ni tampoco en las plusvalías latentes en sus activos, y por ello puede afirmarse que no disfruta ni del derecho al dividendo, ni del derecho a la cuota de liquidación, esto es, carece de los derechos que, básicamente, configuran la posición de accionista". A lo expuesto se añade, de un lado, el derecho de voto, pues en el contrato de emisión figura que las acciones preferentes no conceden derecho de voto, excepto en los casos de reducción de capital o de adquisición de acciones propias que afecten a los titulares de las PREFS, de forma que se trata de un derecho de voto limitado a los intereses propios de las PREFS y que no afecta a las decisiones rectoras de la vida general de la sociedad, por lo que es un derecho de voto limitado y diferente del que tienen los accionistas ordinarios. De otro, que las PREFS que se enjuician tampoco tienen un derecho de suscripción preferente sobre las acciones ordinarias, lo que es coherente con la posición de prestamistas que los titulares de las PREFS ostentan. Asimismo, podemos aceptar la apreciación efectuada en el acto de liquidación atinente a que las PREFS que se enjuicias "...pueden asimilarse a las participaciones preferentes reguladas por primera vez en nuestro Derecho en la Ley 19/2003, de 4 de julio, de prevención de blanqueo de capitales, la cual establece el régimen fiscal y financiero de las mismas sobre la base de que su naturaleza contable es la de pasivo financiero y la jurídica de contrato de préstamo". Finalmente, en relación con la referencia que en el acuerdo de liquidación se realiza al tratamiento que las Normas Internaciones de Información Financiera conceden a las participaciones referentes, parece conveniente decir, no porque sean aplicables en el caso que enjuiciamos sino porque constituyen un elemento interpretativo relevante, que de la Norma Internacional de Información Financiera número 32 resulta que si bien las acciones preferentes pueden emitirse con derecho muy variados, sin embargo se establece como criterio de distinción para determinar si se trata de un pasivo financiero o de un instrumento de patrimonio, el contenido de los derechos, poniendo especial hincapié para la caracterización de pasivo financiero, que se contemple el rescate o reembolso en una fecha específica o a voluntad del tenedor, pues, tal y como recoge el acuerdo de liquidación, "en tal caso, el emisor tiene la obligación de transferir activos financieros al tenedor de la acción, sin que la posible incapacidad del emisor para satisfacer la obligación por falta de fondos, por restricciones legales o por tener insuficientes reservas o ganancias sea obstáculo para la calificación como obligación". Mientras que, por el contrario, nos encontraríamos ante instrumentos de patrimonio "cuando la retribución o el reembolso de las acciones preferentes quedare a discreción del emisor", siendo así que las PREFS que analizamos en el presente litigio "contienen todos los elementos para ser calificadas como pasivos financieros a tenor de la Norma Internacional de Información Financiera número 32". A la vista de las consideraciones que se dejan expuestas, trasunto de las que consignó la acertada sentencia de instancia, debe entenderse que la causa del contrato suscrito el 20 de septiembre de 2002 entre Asturiana de Zinc y AZSA Holding Pty. Ltd. es propia de las operaciones crediticias y no de las societarias, por lo que la naturaleza de la renta examinada es la de los intereses. Las consideraciones a que se llega en los informes periciales que se aportaban con el escrito de demanda de la entidad ASTURIANA DE ZINC y en virtud de los cuales, atendiendo a la legislación contable aplicable en España en los ejercicios 2002 a 2004, las acciones privilegiadas de que era titular AZSA formaban parte del capital social de la filial australiana y, por tanto, de los Fondos Propios de la sociedad emisora de las mismas, constituyendo su remuneración una distribución de beneficios en forma de dividendos", no pueden ser compartidas porque en el caso de autos el conflicto que se plantea es el de la naturaleza de la retribución con arreglo a su denominación contractual o a su verdadera naturaleza jurídica y en esta tesitura la Sala de instancia se atiene, acertadamente, a esta última a efectos de concluir que pese a que en el contrato de continua referencia la retribución derivada de la entrega de capital se le denomina "dividendo", sin embargo su naturaleza jurídica es la de "interés", y que mientras en el contrato se denomina al valor emitido participación preferente, su naturaleza jurídica es la de préstamo o activo financiero representativo de un endeudamiento".

Para evitar precisamente la necesidad de analizar la naturaleza de las rentas susceptibles de gozar de la exención por doble imposición de dividendos, la LIS/2014 corta por lo sano y si el reparto de dividendos produce un gasto fiscal en la entidad que los genera, considera correctamente que no existe doble imposición alguna que corregir, asumiendo así una de las medidas recomendadas en el Informe *"Neutralizando los efectos de los mecanismos híbridos"*, presentado por el Proyecto OCDE/G-20 el 16 de septiembre de 2014 y suscrito por los Ministros de Finanzas del G-20 en 2014 en Australia [y que ya se contenía en el plan Base Erosion Profit Shifting (BEPS) de la propia OCDE].

6.6. *Dividendos previstos por la Disposición Adicional 1ª LIS/2014*

La Disposición Adicional 1ª de la LIS/2014 recoge un elenco de supuestos en los que no resulta posible aplicar la exención por doble imposición de dividendos. La mayoría de ellos obedece a la inexistencia de doble imposición económica que la justifique, aunque no siempre es así, como podremos advertir seguidamente.

6.6.1. Dividendos distribuidos con cargo a beneficios correspondientes a rendimientos bonificados en virtud del artículo 2 de la Ley 22/1993

Esta prohibición obedece nuevamente a una causa justificada, toda vez que los sujetos pasivos acogidos a las previsiones de la Ley 22/1993, de 29 de diciembre, de medidas fiscales, de reforma del régimen jurídico de la función pública y de la protección por desempleo, disfrutaron de una bonificación del 95 por ciento en su cuota íntegra del IS para los períodos impositivos 1994, 1995 y 1996. Como quiera que la imposición sufrida por aquéllos fue realmente mínima o casi testimonial, la Disposición Adicional 1ª b) LIS/2014 niega la aplicación de la exención por doble imposición a los posibles dividendos repartidos.

6.6.2. Dividendos procedentes de la segregación de activos de CAMPSA

La inexistencia de doble imposición económica en este caso trae causa de la previsión contenida en el art. 3. 1 de la Ley 15/1992 por el que los posibles incrementos de patrimonio derivados de la cesión de acciones representativas del capital social de CAMPSA, realizados en el marco de una posible segregación de activos, quedaban exentos de tributación estatal.

6.6.3. Dividendos derivados de rentas que se acogieron al régimen de las vacaciones fiscales del País Vasco

Esta previsión encontraba originariamente una plena justificación, toda vez que las citadas vacaciones fiscales vascas eliminaban en la práctica el problema de la doble imposición económica, pues el gravamen en la sociedad participada era testimonial, cuando no inexistente[63]. Sin embargo, el tortuoso camino legal y judicial que dichas vacaciones fiscales siguieron, obligaría a replantear la cuestión en otros términos muy distintos. Efectivamente, la STSJ del País Vasco de 28 de junio de 2002, anuló la exención de las Normas forales de Vizcaya, Guipúzcoa y Álava, al considerarlas contrarias a la libre circulación de personas y bienes, así como a la libre competencia de mercado[64]. Con anterioridad,

---

[63]   Vid. al respecto las Normas Forales 5/1993, de 24 de junio, de Vizcaya, 11/1993, de 26 de junio, de Guipúzcoa, y 18/1993, de 5 de julio, de Álava.

[64]   El razonamiento legal desplegado en el FJ 13º de la citada Sentencia fue literalmente el siguiente: *"En el presente caso, no se tratará, por tanto, de comprobar si la incidencia económica instrumental de las medidas fiscales de incentivo es exclusiva sobre la Comunidad Autónoma Vasca o repercute también en otras, sino si "disocia territorialmente reglas*

en diciembre de 2001, la Comisión Europea ya había calificado como ayudas de Estado ilegales las ventajas que encerraban las vacaciones fiscales vascas. Ante tales hechos, las Diputaciones Forales vascas plantearon recurso de anulación al TJUE, que en Primera Instancia lo desestimó, confirmándolo luego por Sentencias de 9 de junio y 28 de julio de 2011[65]. De esta forma, hubo de articularse el procedimiento para recuperar esas ayudas de Estado ilegales, tornando la exención reconocida legalmente en un primer momento, en una obligación de pago tras su anulación, para exigir las mismas cuotas tributarias que no se exigieron en su día, más sus correspondientes intereses de demora.

De esta manera, y con independencia de las vicisitudes concretas que el juego de la prescripción y su posible interrupción pudiera operar en la recuperación de dichas ayudas ilegales, carece de sentido una previsión como ésta, porque el cobro de dichas ayudas enervaría la prohibición de aplicar el mecanismo corrector de la doble imposición, inútil ya por la desaparición (primacía del derecho comunitario) de las normas forales que preveían o regulaban esas

---

económicas sociales" o propende objetivamente a determinar traslados, desplazamientos o deslocalizaciones, o provoca otros efectos sobre la asignación de recursos o la competencia. Y así es en efecto puesto que la medida fiscal concreta supresora temporal de la carga impositiva que la norma normativa foral enjuiciada establece en su artículo 14, consiste en una acusada exoneración de gravamen que afecta al deber básico de contribuir del artículo 31. 1 CE en conexión con el de capacidad económica, y puede predicarse de ella el carácter de medida desproporcionada e inidónea para obtener fines legítimos de promoción económica, por ser susceptible de afectar indirectamente a la libre circulación de personas y bienes y a la originación de unas condiciones de ventaja competitiva inasumibles. Así ocurre como decimos, dentro de lo que residualmente se examina, con la exención tatl para Empresas de nueva creación, del artículo 14 por la sola circunstancia del inicio de la actividad empresarial en los diez ejercicios fiscales consecutivos a partir del primero, dentro de cuatro, en que obtengan bases imponibles positivas, cuando se cumplan los requisitos inversores, de creación de empleo y de garantía de novedad que se detallan. No es que la medida en toda su proyección posible, ni que todas las hipotéticas formulaciones de una medida incentivadora semejante en la finalidad y presupuestos resulte forzosamente depriente de aquel postulado de la "posición jurídica fundamental" ante el sistema tributario que hemos extraído de la doctrina del Tribunal Constitucional, sino que para la sola y legítima invitación a que se creen nuevas empresas en los territorios forales, se instrumentan mecanismos tan intensamente desgravadores de su renta imponible, que la desproporción y desajuste no deriva tanto del lugar concreto en que la inversión vaya a producirse, como ya hemos tenido ocasión de analizar, sino del empleo de un instrumento fiscal, la excepción la quiebra del principio de generalidad, que no puede ser aplicado a fines no especialmente cualificados constitucionalmente por razones de justicia redistributiva o similares, y que propicia, si no un efecto deslocalizador o de desplazamiento de establecimientos –que por definición queda impedido por los requisitos que impone el artículo 14. 2, especialmente en sus apartados c, d) y e)–, sin consecuencias notorias en la posición competencial y, en el sistema de asignación de recursos".

[65] Vid. sobre ello, MERINO JARA, I. "Ayudas de Estado y confianza legítima", QF núm. 19, 2009, passim. DIEZ ESTELLA, F. y DIEZ MORENO, F. "Las ayudas de Estado en las llamadas "vacaciones fiscales", Gaceta jurídica de la CE y de la competencia. Boletín, 2009, pag. 61 y ss.

vacaciones fiscales. Esta es la razón por la que SIMÓN YARZA ha abogado por la consideración de la previsión como un atavismo carente de justificación. La autora justifica su planteamiento de la siguiente forma:

> *"Entendemos que el mantenimiento en la LIS/2014 de la prohibición de la exención de los dividendos procedentes de beneficios que se acogieron al régimen de las vacaciones fiscales del País Vasco se debe a un descuido del legislador, que ha olvidado suprimir este límite, ya obsoleto, de la DA 1ª TRLIS/2004. Su permanencia en la ley carece de fundamento y, por tanto debería suprimirse"*[66].

Ahora bien, lo cierto es que todo depende de las distintas situaciones que se hayan producido en la práctica, pues el derecho a la devolución de los ingresos indebidos, como consecuencia de la efectiva recuperación de la ayuda ilegal, reviste un plazo de prescripción más corto que el existente para dicha recuperación, y ahí podrían haberse producido supuestos de doble imposición económica que demandarían una solución más equitativa. Una de dichas vías podría ser análoga a la de las retenciones no practicadas, pero donde el retenido no ha descontado la retención legalmente establecida a la hora de calcular su cuota tributaria final. Como es sabido, el TS en estos casos señala que la AEAT no puede reclamar la retención al retenedor que incumplió su obligación, salvo que al mismo tiempo devuelva la retención no practicada corrigiendo la autoliquidación del retenido, pues de otra forma, es decir, cobrando la retención no practicada y considerando dicha obligación independiente o autónoma del impuesto final satisfecho, se estaría conculcando el principio de capacidad económica y generando una rotunda y abusiva doble imposición o un evidente enriquecimiento injusto[67].

---

[66]   La exención de dividendos y plusvalías....., op. cit. pag. 136.

[67]   SSTS de 13 de noviembre de 1999 y 27 de febrero de 2007. La primera de dichas Sentencias afirmará a este respecto lo siguiente: *"La segunda razón exterioriza uno de los más graves problemas derivados de la insuficiente regulación del instituto jurídico de la retención tributaria. En el caso de autos es innegable que la entidad mercantil "Mare Nostrum S. A." declaró correctamente tanto el importe total de las retribuciones de trabajo personal, aplicando a estas los tipos porcentuales de la tabla de retenciones, como el importe total de las comisiones por producción de seguros, a los que aplicó el tipo del 5 por 100. Pues bien, si todos los empleados de "Mare Nostrum, S. A." hubieran declarado, por su parte, verazmente a efectos de su Impuesto sobre la Renta de las Personas Físicas, sus retribuciones de trabajo personal y sus comisiones, puede afirmarse apodícticamente que respecto de todas estas retribuciones habrían pagado el impuesto correspondiente y, por tanto, la exigencia posterior a "Mare Nostrum, S. A." de las cuotas adicionales por retenciones, debidas al efecto de acumulación de unas y otras y a la aplicación a la suma de los tipos porcentuales de la tabla de retenciones, implicaría indubitadamente una clara, rotunda y abusiva doble imposición, que solo se podría corregir, exigiendo la empresa "Mare Nostrum, S. A." a sus empleados el reembolso de las cuotas adicionales por el concepto de retenciones, y, a su vez, los empleados deberían revisar sus declaraciones, deduciéndose estas cuotas adicionales por retención, lo cual daría lugar a las correspondientes devoluciones con los consabidos problemas de prescripción, admisión o no por parte de los empleados del reembolso exigido, elevación al íntegro de las*

Ahora bien, esta vía constituye un semillero de dudas y múltiples, cuando no divergentes, interpretaciones apuntadas por la doctrina:

> *"¿En qué momento comenzaría a computarse el plazo para compensar las cuotas tributarias de las entidades partícipe y participada: desde la publicación de la Sentencia del TJUE, o a partir del momento en que la Administración reclamase la cuota tributaria a la entidad? ¿Cómo conocería la entidad participada el importe de las cuotas tributarias de los socios correspondientes a los beneficios repartidos? Si se optase por el reconocimiento del crédito fiscal a la entidad socio ¿Cuándo comenzaría y cuándo expiraría el plazo para recuperarlo? ¿Podría la entidad-socio exigir el crédito fiscal antes de que la entidad participada tributase por los beneficios correspondientes a los ejercicios en los que gozó del régimen de vacaciones fiscales? ¿a qué entidad se debería reconocer el derecho de crédito correspondiente a la doble imposición por plusvalías derivadas de la enajenación de participaciones en entidades que gozaron de las vacaciones fiscales?"*[68].

Otra posible vía para todos aquellos socios de entidades que se acogieron al régimen de vacaciones fiscales y que no aplicaron la exención por doble imposición, pero luego se vieron en la necesidad de restituir la ayuda ilegal, sería la de solicitar la oportuna responsabilidad patrimonial del Estado. Conviene advertir, sin embargo, la dificultad que la nueva normativa general administrativa comportará a tal efecto, lo que hubiera aconsejado por parte de la LIS 2014 una regulación mucho menos restrictiva de la aplicación del mecanismo corrector de la doble imposición.

Efectivamente, la Ley 40/2015, de 1 de octubre, de Régimen Jurídico del Sector Público (LRJSP) recoge algunas llamativas previsiones a tal efecto. Sin embargo, la novedad más importante no es la minuciosidad de los requisitos exigidos para que la solicitud o reclamación de responsabilidad patrimonial tenga algún viso de éxito (en sintonía con lo que ya viene exigiendo la jurisprudencia tributaria para las reclamaciones indemnizatorias de contribuyentes lesionados por actuaciones de la AEAT[69]), sino el giro copernicano que a esta cuestión ha impreso esta nueva Ley, respondiendo así beligerantemente a una jurisprudencia relativamente reciente del TS favorable al contribuyente y que la Administración tributaria empezaba a ver con mucha preocupación.

Para comprender bien la cuestión conviene empezar desde el principio, no sin antes advertir de la estrechísima relación que tiene esta cuestión de la responsabilidad patrimonial de la Administración con la materia tributaria y el principio de igualdad de los ciudadanos ante el reparto de las cargas públicas,

---

retribuciones y comisiones (art. 36 de la Ley 44/1978, de 8 de septiembre), compensación de intereses, etcétera".

[68] SIMÓN YARZA, M. E. La exención......, op. cit. pag. 140.

[69] Sobre ello, SÁNCHEZ PEDROCHE, J. A. "Diligencia y responsabilidad de la empresa, versus irresponsabilidad de las Administraciones Tributarias", en AA VV Responsabilidad empresarial, Tirant lo Blanch, Valencia, 2016, pags. 302 y ss.

aspecto este que ya fue tempranamente evidenciado por eminentes y reputados administrativistas franceses del siglo XX, quienes llegaron a afirmar a este respecto que *"no se puede edificar la responsabilidad del Estado sino sobre la idea de un aseguramiento social, soportado por la caja colectiva, en beneficio de aquellos que sufren un perjuicio proveniente del funcionamiento de los servicios públicos, que tiene lugar en favor del todo. Esta concepción se refiere a una idea que ha penetrado profundamente en la conciencia jurídica de los pueblos modernos, el de igualdad de todos ante las cargas públicas. La actividad del Estado se ejerce en interés de la colectividad entera; las cargas que entraña no deben pesar más sobre los unos que sobre los otros. Por consiguiente, si resulta de la intervención estatal un perjuicio especial para algunos, la colectividad debe repararlo"*[70].

En su Sentencia 26 de noviembre de 2009, el TS se ha manifestado de una forma rotunda señalando que el principio de responsabilidad patrimonial de los poderes públicos contenido en el art. 9. 3 CE, *"tiene una virtualidad inmediata. Es cierto que la garantía que el principio de responsabilidad de los poderes públicos representa permite al legislador un cierto margen en el momento de su concreción, en atención al poder público de quien se predique, pero también lo es que la ausencia de regulación legal no puede significar un espacio inmune frente a las reclamaciones de los que hayan sufrido un daño, cuando los tribunales pueden detectar, sin riesgo alguno de que ello suponga suplantar la labor del poder legislativo, que la acción ejercitada se enmarca en el núcleo indisponible que resulta del art. 9. 3 CE, en el cual se incluyen sin duda alguna los daños causados por un funcionamiento de los poderes públicos ajeno a lo que debe considerarse un comportamiento regular"*[71]. Y en la STS 27 de noviembre de 2009 añadiría que *"no hay en nuestro sistema constitucional ámbitos exentos de responsabilidad. El Estado está obligado a reparar los daños antijurídicos que tengan su origen en la actividad de los poderes públicos, sin excepción alguna. No solo por las actuaciones del poder ejecutivo..., sino también por las del judicial....y las del legislativo..., alcanzando a todo órgano constitucional, incluido el máximo intérprete de la Norma Fundamental (...) El margen de maniobra que aquí se reconoce al legislador no autoriza a concluir que si se abstiene de regular la responsabilidad de un determinado poder o de un servicio haya querido crear un espacio inmune a las reclamaciones de los que sufran daños por su actuación, pues tal entendimiento queda impedido por la cláusula general del art. 9. 3 de la Constitución"*.

---

[70]   DUGUIT, L. Traité de Droit Constitutionnel, París, 1930, t. III, pag.. 469 y en análogo sentido HAURIOU, M. "Les actions en indemnité contre l'Etat puor préjudice causés dans l'administration publique", RDP, 1896, pags. 51 y ss.

[71]   Sobre esta Sentencia, vid. FERNÁNDEZ FARRERES, G. "La responsabilidad patrimonial del Estado por el funcionamiento anormal del Tribunal Constitucional", REDA, 146, 2010, pags. 265 y ss.

La responsabilidad por actos del Legislador posteriormente anulados por el Tribunal Constitucional o el TJUE, ha sido, al menos hasta la promulgación de las nuevas leyes administrativas (Leyes 39 y 40/2015), más que frecuente[72]. Así ha ocurrido con los pronunciamientos de inconstitucionalidad e incluso con los que declaraban la vulneración del derecho comunitario[73]. Respecto de los pri-

---

[72] La historia de las leyes declaradas posteriormente inconstitucionales arranca con la aplicación del artículo 38. 2. 2. de la Ley 5/1990, de 29 de junio, que estableció un gravamen complementario sobre la tasa fiscal que gravaba los juegos de suerte, envite o azar. Dicho gravamen fue declarado inconstitucional por la STC 173/1996, de 31 de octubre. Al respecto, el TS se ha pronunciado en casi un centenar de sentencias que arrancan con la STS 29/2/2000. En esta jurisprudencia, el Alto Tribunal distingue dos hipótesis: a) Por una parte, los afectados que impugnaron la imposición del gravamen y que obtuvieron una sentencia firme desestimatoria de la pretensión de anulación de las liquidaciones. En este caso, el artículo 40. 1 LOTC sólo deja como alternativa el otorgamiento de indemnización; b) Por otra, los que no impugnaron el tributo. A ellos les cabría solicitar la revisión de oficio ex art. 102 LRJPAC en cualquier momento, pues el acto dictado en aplicación de una ley inconstitucional ha de reputarse nulo. Simultánea o sucesivamente, pueden exigir responsabilidad. Ahora bien, también pueden optar por exigir directamente dicha responsabilidad, sin que pese sobre ellos la carga de instar en todo caso la revisión de oficio. Posteriormente, la STC 194/2000, de 19 de julio, declaró inconstitucional la Disposición Adicional Cuarta de la Ley 8/1989, de 13 de abril, de Tasas y Precios Públicos, a las que siguieron otras como la que declaró inconstitucional el art. 61. 2 LGT de la Ley 230/1963, de 28 de diciembre. Sobre la responsabilidad del Estado Legislador, vid. GARCÍA DE ENTERRÍA, E.: *La responsabilidad patrimonial del Estado Legislador en Derecho español*, Madrid, Civitas, 2005; SANTAMARÍA PASTOR, J. A.: "La teoría de la responsabilidad del Estado legislador", *RAP*, núm. 68, 1972; QUINTANA LÓPEZ, T.: "La responsabilidad del Estado legislador", *RAP*, núm. 135, 1994; ALONSO GARCÍA, M. C.: *La responsabilidad patrimonial del Estado legislador*, Madrid, Marcial Pons, 1999; GARRIDO FALLA, F.: "La responsabilidad patrimonial del Estado legislador en la nueva Ley 30/1992 y en la Sentencia del Tribunal Supremo de 30 de noviembre de 1993", *REDA*, núm. 77, 1993; DOMENECH PASCUAL, G.: "Responsabilidad patrimonial por daños derivados de una ley inconstitucional", *REDA*, núm. 110, 2001; MORENO FERNANDEZ, J. I.: *La responsabilidad patrimonial del Estado-Legislador en materia tributaria y vías para reclamarla*, Pamplona, Aranzadi-Thomson, 2009; CHECA GONZÁLEZ, C.: "Responsabilidad patrimonial de la Administración derivada de la declaración de inconstitucionalidad de una ley", *Revista Mexicana de Derecho Constitucional*, UNAM, núm. 12, 2007; CONCHEIRO DEL RÍO, J.: *Responsabilidad patrimonial del Estado por la declaración de inconstitucionalidad de leyes*, Madrid, Dijusa, 2001; PULIDO QUECEDO, M.: *Código de la responsabilidad patrimonial del Estado*, Pamplona, Aranzadi, 2001; AHUMADA RUIZ, M. A.: "Responsabilidad patrimonial del Estado por las leyes inconstitucionales (o el derecho a no ser perjudicado por una ley inconstitucional)", *REDC*, núm. 62, 2001.

[73] Conviene advertir, no obstante, que hasta 1989 lo normal no era recurrir a la responsabilidad patrimonial de la Administración para recuperar lo indebidamente satisfecho por normas finalmente expulsadas del Ordenamiento jurídico. Así, por ejemplo, las SSTC 179/85, de 19 de diciembre, y 19/87, de 17 de febrero, por las que se decretó la inconstitucionalidad de algunos preceptos que facultaban a los Ayuntamientos al establecimiento de recargos sobre el IRPF y les autorizaban a fijar libremente el tipo de gravamen de las Contribuciones Territoriales, respectivamente, originaron unas generalizadas devoluciones tributarias por ingresos indebidos. Fue con ocasión de la STC 45/1989, de 20 de febrero, y para evitar

meros y dada la natural inclinación de nuestro TC a salvaguardar la constitucionalidad de las normas tributarias (en lo que la doctrina viene denominando como las *"sentencias manipulativas"* del máximo intérprete de la Ley de leyes), no se han producido graves quebrantos a las arcas públicas. No ha acontecido lo mismo, sin embargo, en el caso del TJUE, mucho menos obsequioso que el TC con nuestro legislador patrio. Así, por ejemplo, el 27 de Febrero de 2014, el TJUE dictó Sentencia condenando al Reino de España y resolviendo la cuestión prejudicial planteada por el TSJ de Cataluña, atinente al denominado "céntimo sanitario", incluido en el Impuesto sobre la Venta Minorista de Determinados Hidrocarburos (IVMDH) con los límites a la creación de nuevos impuestos indirectos previstos por el artículo 3, apartado 2 de la Directiva 92/12. Asimismo, la STJUE de 3 de septiembre de 2014, hizo lo propio reputando contraria a la normativa comunitaria la discriminación entre residentes y no residentes en el Impuesto sobre Sucesiones y Donaciones y declarando a este respecto el incumplimiento del Reino de España en lo atinente a la libre circulación de capitales. De dichos fallos ha derivado el necesario deber de resarcimiento respecto de quienes se vieron obligados a satisfacer unos tributos ilegales por incorrecta transposición de las Directivas comunitarias en materia fiscal. Hay más ejemplos de ello con anterioridad. Tal es el caso de la STJUE de 6 de octubre de 2006, por la que se anuló y consideró contrario al Derecho de la Unión Europea la imposibilidad de computar las subvenciones en la regla de prorrata del IVA.

Y fue precisamente con ocasión de este último pronunciamiento del Tribunal de Luxemburgo cuando se puso en tela de juicio la desigual doctrina del TS respecto de las solicitudes de responsabilidad patrimonial de la Administración en función de que se tratase de nulidades declaradas por el TC o de declaraciones de vulneración del Derecho Comunitario por parte del TJUE[74]. En tal sentido, el TS consideraba que en aquellos casos en los que la responsabilidad se imputase a normas con rango de ley declaradas inconstitucionales, no podía imponerse a los perjudicados por los actos de aplicación de tales normas –dada la presunción de constitucionalidad de las leyes y el hecho de que los particulares no son titulares de la acción de inconstitucionalidad, que según el art. 35 LOTC solo incumbe a Jueces y Tribunales– la carga de impugnarlos y la de agotar todas las instancias procesales, puesto que *"la ley goza de una presunción de constitucionalidad y, por consiguiente, dota de presunción de legitimidad a la actuación administrativa realizada a su amparo"*, sin que pueda por ello trasladarse a los

---

precisamente esas devoluciones masivas por normas declaradas nulas de pleno derecho (art. 39. 1 LOTC), cuando se invocó el principio de seguridad jurídica y los efectos prospectivos de la declaración de inconstitucionalidad, haciendo inevitable el recurso a la solicitud de responsabilidad patrimonial del Estado legislador.

[74]   Sobre ello vid. SÁNCHEZ PEDROCHE, J. A. "Diligencia y responsabilidad de la empresa, versus irresponsabilidad de las Administraciones Tributarias", op. cit., pags. 274 y ss.

ciudadanos la obligación de *"recurrir un acto adecuado a la misma fundado en que es inconstitucional"* (STS 13 de junio de 2000). Sin embargo, el propio TS mantenía una postura radicalmente contraria cuando esa responsabilidad provenía de un acto aplicativo de una norma interna declarada posteriormente contraria al Derecho comunitario, toda vez que el ejercicio de la acción de responsabilidad patrimonial no resultaba factible *"por rotura del nexo causal, ya que pudo [el contribuyente], a través del ejercicio de las oportunas acciones, invocar directamente la aplicación del Derecho Comunitario frente a la norma nacional"* (SSTS de 29 de enero de 2004 y 24 de mayo de 2005).

A raíz de la STJUE de 6 de octubre de 2006, los contribuyentes insistieron de nuevo ante el TS en la solicitud de esa responsabilidad patrimonial de la Administración. Y fue con ocasión de la tramitación de esos recursos contencioso-administrativos cuando el propio TS elevó cuestión prejudicial a los efectos de que el TJUE se pronunciara acerca de la compatibilidad del principio de equivalencia[75] con la doctrina jurisprudencial del TS (SSTS de 29 de enero de 2004 y 24 de mayo de 2005) y en cuya virtud la interposición de una reclamación de responsabilidad patrimonial del Estado basada en la inconstitucionalidad de una ley no estaba sometida –contrariamente a la misma reclamación fundada en la incompatibilidad de dicha ley con el Derecho de la Unión Europea– a ningún requisito de agotamiento previo de las vías de recurso contra el acto administrativo lesivo basado en dicha ley[76]. Y lo hizo en los siguientes términos literales: *"¿Resulta contrario a los principios de equivalencia y efec-*

---

[75] Como es sabido, dicho principio exige que el conjunto de normas aplicables a los recursos, incluidos los plazos establecidos, se aplique indistintamente a aquellos basados en la violación del Derecho de la Unión y a aquellos otros fundamentados en la infracción del Derecho interno (sobre ello, vid. las Sentencias 15/9/1998, EDIS, C-231/96, Rec. p. I-4951, apartado 36; 1 de diciembre de 1998, LEVEZ, C-326/96, Rec. p. I-7835, apartado 41; de 16 de mayo de 2000 PRESTON Y OTROS, C-78/98, Rec. p. I-3201, apartado 55, y 19 de septiembre de 2006 GERMANY y ARCOR, C-392/04 y C-422/04, Rec. p. I-8559, apartado 62). En el fondo, sobre lo que inquiría el TS al TJUE es si podía otorgarse un trato distinto a los efectos derivados de una STC o de otra del TJUE, en el sentido de que en el primer caso no fuese necesario haber sido parte del proceso para ejercer la acción de responsabilidad, mientras que sí lo era en el segundo.

[76] En la opinión del TS en dichas Sentencias 29/1/ 2004 y 24/5/2005, dado que la Ley nacional disfruta de una presunción de constitucionalidad, los actos administrativos dictados bajo el amparo de aquella también gozan de una presunción de legitimidad. De ello se deduce que ni las autoridades administrativas ni las judiciales pueden anular dichos actos sin que se haya declarado la nulidad de la ley mediante Sentencia del Tribunal Constitucional dictada tras una cuestión de inconstitucionalidad formulada en virtud del artículo 163 de la CE, cuestión que sólo puede plantear el órgano judicial que conoce el litigio. El TEDH en sus Sentencias Dangeville, de 16 de abril de 2002, y Cabinet Diot, de 22 de julio de 2003, contra Francia, ha abierto también la posibilidad de denunciar la violación del derecho de propiedad reconocido en el Convenio de Roma por negativa a indemnizar a una sociedad que en su día ingresó un IVA contrario al Derecho de la UE. Dicha jurisprudencia del Tribunal de Estrasburgo se ha visto reforzada con la Sentencia 14 mayo 2013 (N. K. M. contra Hungría).

tividad la aplicación de distinta doctrina por el Tribunal Supremo del Reino de España en las Sentencias de 29 de enero de 2004 y 24 de mayo de 2005 a los supuestos de reclamación de responsabilidad patrimonial del Estado legislador cuando se funden en actos administrativos dictados en aplicación de una ley declarada inconstitucional, de aquellos que se funden en aplicaciones de una norma declarada contraria al Derecho Comunitario?".

El TJUE, en la Sentencia 26 de enero de 2010 (Asunto C-118/08), zanjó la cuestión sometida a su consideración, afirmando expresamente que *"el Derecho de la Unión Europea se opone a la aplicación de una regla de un Estado miembro en virtud de la cual una reclamación de responsabilidad patrimonial del Estado basada en una infracción de dicho Derecho por una ley nacional declarada mediante Sentencia del Tribunal de Justicia dictada con arreglo al artículo 226 CE sólo puede estimarse si el demandante ha agotado previamente todas las vías de recurso internas dirigidas a impugnar la validez del acto administrativo lesivo dictado sobre la base de dicha ley, mientras que tal regla no es de aplicación a una reclamación de responsabilidad patrimonial del Estado fundamentada en la infracción de la Constitución por la misma ley declarada por el órgano jurisdiccional competente".*

De esta manera el TJUE recuerda que cada Estado miembro ha de resolver las reclamaciones planteadas de conformidad con su derecho patrio, siempre y cuando los requisitos exigidos a una reclamación fundada en la violación del Derecho de la UE no sea menos favorable que los aplicables a las reclamaciones semejantes de naturaleza interna (el referido principio de equivalencia) y que tales requisitos no se articulen de tal suerte que hagan imposible o muy dificultosa en la práctica la obtención de la indemnización solicitada (principio de efectividad). Como consecuencia de dicho pronunciamiento del TJUE en relación con el artículo 226 CE, el TS se vio obligado a rectificar su doctrina contenida en las Sentencias de 29 de enero de 2004 y 24 de mayo de 2005, entendiendo que la falta de impugnación de los actos lesivos *"no constituye obstáculo para el ejercicio de la acción de responsabilidad patrimonial".*

En definitiva, estas trascendentales Sentencias del Tribunal Supremo abrían por primera vez la posibilidad de que cualquier contribuyente pudiera reclamar responsabilidad patrimonial del Estado Legislador ante infracciones comunitarias de la normativa española, siempre que se hiciese en el plazo de un año a contar desde la publicación de la STJUE, y además, y esto era sin duda alguna lo más importante, con absoluta independencia de que se hubiesen impugnado o no los actos tributarios amparados por la normativa ilegal o de que, de haberlo hecho, se hubiesen o no agotado todas las posibles instancias procesales[77].

---

[77]   Otros pronunciamientos judiciales abundan sobre este nuevo camino abierto por el Tribunal Supremo. Tal es el caso de la SAN 10/7/2013 cuando afirma que en el caso de la incorrecta

La cuestión parecía por fin definitivamente zanjada y logrado equilibrio entre las actuaciones ilegales de los poderes públicos y el derecho del ciudadano a no sufrir daños como consecuencia de aquéllas, pero la Dirección General de Tributos remitió el 23 de junio de 2014, el texto del Anteproyecto de Ley de modificación parcial de la LGT (germen de lo que luego sería la Ley 34/2015, de 21 de septiembre)[78], que incidía particularmente sobre la solución finalmente adoptada por el Tribunal Supremo a instancias del TJUE, según hemos podido comprobar en líneas anteriores[79]. En tal sentido, las intenciones del pre legislador no eran otras que circunscribir y limitar así con ello las posibilidades de instar la responsabilidad patrimonial del Estado al procedimiento previsto en el artículo 120 LGT para la rectificación de las autoliquidaciones[80]. Evidentemen-

---

interpretación de una Directiva que confiere derechos a los particulares, el hecho de que no se hubiera recurrido la liquidación tributaria por parte de las actoras, no era obstáculo para el ejercicio de la acción de responsabilidad patrimonial, pues la ruptura del nexo causal no se admite en los casos de actos aplicativos de leyes contrarias al Derecho Comunitario (la AEAT venía entendiendo que las ayudas públicas por las entregas de cerdos de engorde criados en explotaciones situadas en las zonas de protección y vigilancia a consecuencia de la peste porcina, cumplían todos los requisitos para ser calificadas como subvenciones vinculadas al precio, por lo que debían incorporarse a la base imponible del IVA, pero Sentencias posteriores del Tribunal Supremo declararon que se trataba de una indemnización fijada en aras del interés general, al quedar excluidos los cerdos sacrificados de su normal circuito de distribución comercial sin atender a fines comerciales, por lo que nunca podrían estar sujetas las ayudas al IVA).

[78] El texto de dicho Anteproyecto, constaba de un artículo único con 58 apartados, 2 Disposiciones Adicionales, 1 Disposición Transitoria única y 8 Disposiciones Finales. El proyecto normativo pretendía modificar, además de la LGT, la Ley de Enjuiciamiento Criminal, mediante la introducción de nuevos artículos: 614 bis, 614 ter y 999. Asimismo, se modificaba la Ley Orgánica 12/1995, de 12 de diciembre, de Represión del Contrabando en determinados preceptos de carácter ordinario, de forma tal, de advertirse por la AEAT la posible concurrencia de delito de contrabando, las actuaciones administrativas pudieran continuar, salvo, en su caso, el procedimiento sancionador que ya se hubiese iniciado, como consecuencia de la imposibilidad de concurrencia de sanciones. Por fin, se modificaba también la LJCA, mediante la introducción de dos nuevas disposiciones adicionales (novena y décima).

[79] En nuestra opinión, dicho Anteproyecto introducía una serie de medidas tendencialmente dirigidas a reforzar las potestades de la Administración y taponar las vías por las que la interpretación jurisprudencial venía sentando criterios favorables a los derechos de los contribuyentes. Vid. SANCHEZ PEDROCHE, J. A. "Súbditos fiscales o la reforma en ciernes de la LGT", en Revista de Contabilidad y Tributación, CEF n° 381, Diciembre 2014, pags. 5 y ss. y "La reforma parcial de la Ley General Tributaria operada por la Ley 34/2015", en Revista de Contabilidad y Tributación, CEF, núm. 391, Octubre 2015, pags. 1 y ss.

[80] De esta manera, el Anteproyecto pretendía introducir a través de su artículo 21°, un nuevo apartado en el art. 120 LGT con la siguiente redacción: *"Cuando como consecuencia de una autoliquidación del obligado tributario en la que se hayan aplicado normas tributarias declaradas inconstitucionales, ilegales o no conformes con el Derecho de la Unión Europea, se pretenda exigir responsabilidad patrimonial del Estado legislador, el único procedimiento que podrá instarse será el de rectificación de autoliquidaciones al que se refiere el apartado anterior, resultando de aplicación lo establecido en el artículo 219 bis 2 y 3 de esta ley en lo relativo a los efectos temporales y prescripción"*. Por su parte, la redacción de dicho art. 219

te, esta previsión contenida en el Anteproyecto de reforma de la LGT se mostraba poco respetuosa con los límites marcados por el TJUE, incurriendo en el peligro de vulnerar el Derecho de la Unión Europea y la propia jurisprudencia del TJUE, pero sobre todo porque lo que se pretendía en el fondo era subvertir esta última, y la derivada del Tribunal Supremo que la acataba, vaciándola de contenido mediante la eliminación del plazo general de un año para reclamar la responsabilidad patrimonial del Estado legislador con independencia –y esto es lo más relevante– de que el perjudicado hubiera sido parte o no en el pleito tendente al reconocimiento del derecho conculcado[81]. Con tan curiosos plant-

---

bis 2 y 3 quedaba establecida en el artículo 31º de dicho Anteproyecto de Ley de la siguiente manera: *"Artículo 219 bis. Revocación de actos dictados al amparo de normas tributarias declaradas inconstitucionales, ilegales o no conformes al Derecho de la Unión Europea. 1. La Administración tributaria revocará sus actos en beneficio de los interesados cuando hubiesen sido dictados al amparo de normas tributarias declaradas inconstitucionales, ilegales o no conformes al Derecho de la Unión Europea. También se revocarán los actos sobre los que hubiera recaído resolución económico-administrativa. La responsabilidad patrimonial del Estado legislador en materia tributaria que pudiera derivarse de la inconstitucionalidad, ilegalidad o no adecuación al Derecho de la Unión Europea de las normas tributarias, se determinará exclusivamente a través de este procedimiento, salvo lo establecido en el artículo 120.4 de esta ley. 2. La resolución que se dicte estará condicionada por los efectos retroactivos que se deriven de la sentencia que declare la inconstitucionalidad o la ilegalidad de la norma o su no conformidad con el Derecho de la Unión Europea. Para la determinación de los efectos retroactivos se atenderá al contenido de la sentencia y, en el caso de que ésta no contenga pronunciamiento al respecto, a la doctrina de los tribunales en materia de inconstitucionalidad, ilegalidad o no adecuación de la norma al Derecho de la Unión Europea. 3. La revocación de los actos dictados al amparo de normas tributarias declaradas inconstitucionales, ilegales o no conformes al Derecho de la Unión Europea sólo será posible mientras no haya transcurrido el plazo de prescripción desde que se haya producido el último acto con facultad interruptiva de la misma dictado con anterioridad a la sentencia que hubiese declarado la inconstitucionalidad, ilegalidad o no conformidad al Derecho de la Unión Europea. 4. El procedimiento para declarar la revocación a que se refiere este artículo podrá iniciarse: a) Por acuerdo del órgano que dictó el acto o de su superior jerárquico. b) A instancia del interesado. Será competente para declararla el órgano que se determine reglamentariamente, que deberá ser distinto del órgano que dictó el acto. En el expediente se dará audiencia a los interesados. En todo caso deberá emitirse informe por el órgano con funciones de asesoramiento jurídico, que podrá tener carácter individual o genérico, sobre la procedencia de la revocación. Cuando se pretenda la revocación de actos confirmados por resoluciones económico-administrativas, se solicitará informe al Tribunal que dictó la resolución. 5. El plazo máximo para notificar resolución expresa será de seis meses desde la notificación del acuerdo de iniciación del procedimiento. Transcurrido el plazo establecido en el párrafo anterior sin que se hubiera notificado resolución expresa, se producirán los siguientes efectos: a) Si el procedimiento se hubiese iniciado de oficio se producirá la caducidad del mismo, sin que ello impida que pueda iniciarse de nuevo otro procedimiento con posterioridad. b) Si el procedimiento se hubiera iniciado a instancia del interesado se considerará desestimada la solicitud por silencio administrativo. 6. La resolución expresa o presunta o el acuerdo de inadmisión a trámite de las solicitudes de los interesados pondrán fin a la vía administrativa."*

[81] El voto particular formulado por la Vocal Dña. María Concepción Sáez Rodríguez al Informe del Anteproyecto por el Consejo General del Poder Judicial, de 30 de septiembre de

eamientos, que se unían a otros tendencialmente dirigidos a rectificar o taponar alguna otra doctrina jurisprudencial favorable al contribuyente, se desmentían las intenciones contenidas en la Exposición de Motivos del Anteproyecto de Reforma y que literalmente eran las siguientes: a) El reforzamiento de la se-

---

2014, resaltaba dicho extremo en su página 15, con un razonamiento impecable y harto elocuente: *"El Anteproyecto crea nuevos cauces para la reclamación de responsabilidad del Estado legislador en el ámbito tributario que pueda derivarse de cualquier sentencia que declare la inconstitucionalidad, ilegalidad o no adecuación al Derecho de la Unión Europea de las normas tributarias, a través de un nuevo procedimiento especial para la revisión de actos dictados al amparo de normas tributarias que hayan sido declaradas inconstitucionales, ilegales o no conformes al Derecho de la Unión Europea. El Anteproyecto parece confundir la revisión de actos administrativos con la responsabilidad patrimonial del Estado legislador, en la que no se pide la revisión de actos administrativos, sino la correspondiente responsabilidad patrimonial por la actuación contraria a derecho de la Administración, en este caso por el uso de la potestad legislativa. De hecho, el Anteproyecto convierte la responsabilidad patrimonial en materia tributaria en un medio de revisión, desvinculándola de la Ley 30/1992, de 26 de noviembre, de Régimen Jurídico de las Administraciones Públicas y del Procedimiento Administrativo Común, y del Real Decreto 429/1993, bajo el pretexto de la especificidad y complejidad del sistema tributario y del espíritu de la propia Ley 30/1992, según indica su Exposición de Motivos. La reforma se contiene en dos artículos, el 120. 4, relativo a autoliquidaciones, y el 219 bis, sobre el procedimiento especial de revocación. El artículo 120 LGT regula el régimen jurídico de las autoliquidaciones en el sistema tributario, añadiéndose un nuevo apartado 4, con el siguiente tenor: "4.– Cuando como consecuencia de una autoliquidación del obligado tributario en la que se hayan aplicado normas tributarias declaradas inconstitucionales, ilegales o no conformes al Derecho de la Unión Europea, se pretenda exigir responsabilidad patrimonial del Estado legislador, el único procedimiento que podrá instarse será el de rectificación de autoliquidaciones al que se refiere el apartado anterior, resultando de aplicación lo establecido en el artículo 219 bis 2 y 3 de esta ley en lo relativo a los efectos temporales y prescripción". Por su parte, el artículo 219 bis recoge una nueva figura, denominada revocación de actos dictados al amparo de normas tributarias declaradas inconstitucionales, ilegales o no conformes al Derecho de la Unión Europea. Este nuevo procedimiento, que será el único para reclamar la responsabilidad patrimonial del Estado legislador en materia tributaria, se circunscribe al plazo de prescripción desde que se haya producido el último acto con facultad interruptiva de la misma dictado con anterioridad a la sentencia que hubiese declarado la inconstitucionalidad, ilegalidad o no conformidad al Derecho de la Unión Europea. La conversión de la responsabilidad patrimonial en un procedimiento de revisión acarrea la consecuencia práctica de eliminar el plazo general de un año para la reclamación de responsabilidad patrimonial desde que la norma de la que deriva el perjuicio patrimonial se declara ilegal, inconstitucional o contraria al ordenamiento de la UE contenido en el artículo 4. 2 del RD 429/1993. Plazo que resulta esencial para interponer esta clase de reclamaciones y evitar la prescripción, dados los retrasos de los procedimientos judiciales, señaladamente los de inconstitucionalidad o los de disconformidad con el derecho de la UE. Este plazo, sin embargo, desaparece con el nuevo procedimiento de revisión, sólo será posible mientras no haya transcurrido el plazo de prescripción desde que se haya producido el último acto con facultad interruptiva de la misma dictado con anterioridad a la sentencia que hubiese declarado la inconstitucionalidad, ilegalidad o no conformidad al Derecho de la Unión Europea. Con ello, se evita o, al menos, se obstaculiza la declaración de responsabilidad patrimonial del Estado legislador vía prescripción de acciones en claro perjuicio para los ciudadanos, por lo que considero que este nuevo procedimiento especial debiera suprimirse".*

guridad jurídica tanto de los obligados tributarios como de la Administración Tributaria y reducir la litigiosidad en esta materia, para lo que es fundamental lograr una regulación más precisa, clara y sistemática de todos aquellos procedimientos a través de los cuales se aplica y gestiona el sistema tributario; b) Prevenir el fraude fiscal, incentivando el cumplimiento voluntario de las obligaciones tributarias; c) Incrementar la eficacia de la actuación administrativa en la aplicación de los tributos, logrando un mejor aprovechamiento de los recursos a disposición de la Administración.

En realidad, la única finalidad de la medida era otra muy distinta, consistente en taponar la vía producida por la doctrina jurisprudencial del TJUE y el TS, generando una mayor dificultad para impetrar la responsabilidad del Estado por vulneración de la normativa comunitaria que estaba acarreando ya una miríada de solicitudes en tal sentido. Sin embargo y sorprendentemente, tal previsión no se recogió finalmente en la Ley 34/2015 de Reforma de la LGT.

Aunque tal sorpresa debe matizarse extraordinariamente por cuanto que los designios del legislador preveían una solución más general y, por lo tanto, de mucho mayor calado para hacer ineficaces los pronunciamientos del TJUE y el TS. Basta para ello con atender a lo dispuesto en el artículo 32. 4 y 5 de la LRJSP[82]. El legislador ha introducido así una previsión en la normativa general administrativa cuyo máximo influjo se proyectará precisamente en el ámbito tributario, que es por otra parte donde mayor número de solicitudes de responsabilidad patrimonial se estaban produciendo, lo que en opinión del Consejo de Estado resulta legal, aun cuando la solución sea la contraria a la hasta ahora vigente y, desde luego, mucho más restrictiva para el ciudadano:

---

[82] *"4. Si la lesión es consecuencia de la aplicación de una norma con rango de ley declarada inconstitucional, procederá su indemnización cuando el particular haya obtenido, en cualquier instancia, sentencia firme desestimatoria de un recurso contra la actuación administrativa que ocasionó el daño, siempre que se hubiera alegado la inconstitucionalidad posteriormente declarada. 5 Si la lesión es consecuencia de la aplicación de una norma contraria al Derecho de la Unión Europea, procederá su indemnización cuando el particular haya obtenido, en cualquier instancia, sentencia firme desestimatoria de un recurso contra la actuación administrativa que ocasionó el daño, siempre que se hubiera alegado la infracción del Derecho de la Unión Europea posteriormente declarada. Asimismo, deberán cumplirse todos los requisitos siguientes: a) La norma ha de tener por objeto conferir derechos a los particulares. b) El incumplimiento ha de estar suficientemente caracterizado. c) Ha de existir una relación de causalidad entre el incumplimiento de la obligación impuesta a la Administración responsable por el Derecho de la Unión Europea y el daño sufrido por los particulares"*. Con el único matiz establecido por la Disposición Transitoria 5ª de la Ley 39/2015, de 1 de octubre, consistente en que *"los procedimientos administrativos de responsabilidad patrimonial derivados de la declaración de inconstitucionalidad de una norma o su carácter contrario al Derecho de la Unión Europea iniciados con anterioridad a la entrada en vigor de esta Ley, se resolverán de acuerdo con la normativa vigente en el momento de su iniciación"*.

> *"no ofrece dudas que la solución adoptada por el anteproyecto se aparta del criterio jurisprudencial que instaura la mencionada STS, al imponer en todo caso como requisito la obtención de una sentencia firme, desestimatoria del recurso interpuesto contra la actuación administrativa lesiva, lo que equivale a exigir el agotamiento de todas las vías de impugnación existentes. Sin embargo, nada impide que una norma con rango de ley pueda, en efecto, establecer dicha condición como requisito necesario para que proceda declarar la responsabilidad patrimonial, siempre que con ello no contravenga los principios de equivalencia y efectividad. Desde esta perspectiva, la solución que ofrece el anteproyecto, aun siendo restrictiva, se acomoda debidamente al criterio sentado por el TJUE"*[83].

Además, y como sigue haciendo notar el propio Consejo de Estado:

> *"también en los supuestos en que la responsabilidad derive de la inactividad del legislador español por falta de incorporación del Derecho europeo es posible el cumplimiento de este requisito, pues para que en tal caso pueda reclamarse una indemnización por los perjuicios sufridos es preciso que la norma que no ha sido objeto de transposición reconozca derecho a los particulares; será, por tanto, el acto en virtud del cual se deniegue ese derecho el que haya de ser impugnado hasta obtener una sentencia firme desestimatoria, si bien sería preferible que este supuesto recibiera tratamiento específico, toda vez que el apartado 4 únicamente hace referencia a los casos en que exista una norma contraria al Derecho de la Unión Europea y no a aquéllas en que la infracción deriva de la falta de transposición"*[84].

La regulación finalmente promulgada, con todo, podía haber sido todavía más perjudicial para el ciudadano, toda vez que el Proyecto de la Ley 39/2015 de Procedimiento Común de las Administraciones Públicas (LPCAP) en sus artículos 92 y 94 transformaba el tradicional plazo de prescripción de un año para el ejercicio de la correspondiente acción de responsabilidad, en otro muy distinto de caducidad. Una modificación que se introdujo en la última versión del Anteproyecto, de la que no se dio cuenta siquiera en la memoria de análisis de impacto normativo y sobre la que el Consejo de Estado vertió acervas críti-

---

[83]   Dictamen de 29 de abril de 2015, pag. 83. Como era de esperar, el Preámbulo de la Ley silencia adecuadamente el radical cambio experimentado en este punto: *"El título IV, de disposiciones sobre el procedimiento administrativo común, se estructura en siete capítulos y entre sus principales novedades destaca que los anteriores procedimientos especiales sobre potestad sancionadora y responsabilidad patrimonial que la Ley 30/1992, de 26 de noviembre, regulaba en títulos separados, ahora se han integrado como especialidades del procedimiento administrativo común. Este planteamiento responde a uno de los objetivos que persigue esta Ley, la simplificación de los procedimientos administrativos y su integración como especialidades en el procedimiento administrativo común, contribuyendo así a aumentar la seguridad jurídica"*.

[84]   Dictamen del Consejo de Estado, ult.cit. pag. 83.

cas, solicitando su retirada[85]. Finalmente, el art. 67.1 LPCAP recoge intacto el plazo prescriptivo anual[86].

En cualquier caso, con la reforma operada por la normativa general administrativa (Leyes 39 y 40/2015) –y que entraron en vigor el 1 de octubre de 2016– se rompe de nuevo la correlación o el equilibrio necesario entre los deberes, los derechos y las potestades o privilegios establecidos por la Constitución, acentuándose lo que desde la doctrina alemana (LABAND y MAYER) se ha venido denominando la *"relación general de poder"* o *"relación general de sujeción"*, sin que en la práctica resulte ya posible sobreponerse a aquellos casos más flagrantes de violación del Derecho por parte de los Poderes Públicos, pues existiendo perjuicio efectivo patrimonialmente evaluable e imputable a aquéllos (al ser evidente la relación de causalidad existente entre el sujeto productor del daño y el perjuicio producido), resultará en la práctica muy difícil obtener el resarcimiento correspondiente. Y ello a pesar de que la pretensión indemnizatoria se base en los casos de mayor gravedad –nulidad radical– que en el ámbito jurídico puedan presentarse[87].

---

[85]   *"No se aprecia justificación alguna que motive este cambio de naturaleza del plazo previsto para ejercer la acción de responsabilidad. Todo lo contrario: debe recordarse que el Código Civil prevé en su artículo 1.968 el plazo de un año de prescripción para el ejercicio de la acción de responsabilidad extracontractual, que es precisamente la naturaleza de la acción de que se trata. De hecho y dado que el artículo 40. 3 in fine de la Ley de Régimen Jurídico de la Administración del Estado inducía a confusión sobre este particular al utilizar la expresión "caducará", la jurisprudencia del Tribunal Supremo ha debido pronunciarse sobre esta cuestión en numerosas ocasiones (...) El cambio propuesto no es baladí ni constituye una mera cuestión semántica. Prescripción y caducidad son instituciones bien distintas. La primera, con carácter general, no se aprecia de oficio y es susceptible de interrupción, mientras que la caducidad sí es apreciable de oficio y no puede interrumpirse. Sustituir el plazo de prescripción por un plazo de caducidad restringiría notablemente, por la diferente naturaleza de cada una de estas instituciones, las condiciones para el ejercicio del derecho previsto en el artículo 106. 2 de nuestra Constitución. A la vista de la falta de motivación y de justificación jurídica del cambio propuesto, el Consejo de Estado considera que debe suprimirse esta modificación"*

[86]   *"1. Los interesados sólo podrán solicitar el inicio de un procedimiento de responsabilidad patrimonial, cuando no haya prescrito su derecho a reclamar. El derecho a reclamar prescribirá al año de producido el hecho o el acto que motive la indemnización o se manifieste su efecto lesivo. En caso de daños de carácter físico o psíquico a las personas, el plazo empezará a computarse desde la curación o la determinación del alcance de las secuelas. En los casos en que proceda reconocer derecho a indemnización por anulación en vía administrativa o contencioso-administrativa de un acto o disposición de carácter general, el derecho a reclamar prescribirá al año de haberse notificado la resolución administrativa o la sentencia definitiva. En los casos de responsabilidad patrimonial a que se refiere el artículo 32, apartados 4 y 5 de la Ley de Régimen Jurídico del Sector Público, el derecho a reclamar prescribirá al año de la publicación en el "Boletín Oficial del Estado" o en el "Diario Oficial de la Unión Europea", según el caso, de la sentencia que declare la inconstitucionalidad de la norma o su carácter contrario al Derecho de la Unión Europea".*

[87]   GARCÍA DE ENTERRÍA, E. y FERNÁNDEZ RODRÍGUEZ, T. R. Curso de Derecho Administrativo, vol. II, 9ª ed. op. cit. pag. 423, quienes siempre se han mostrado contrarios a la

Por todo ello, y atendidos los razonamientos anteriores, en algunos casos la necesidad de atemperar la doble imposición de dividendos puede seguir subsistiendo en el caso de aquellos derivados de rentas que se acogieron al régimen de las vacaciones fiscales del País Vasco, pese a la prohibición legal establecida en la LIS 2014. Tras la promulgación de otras regulaciones como la recientemente señalada de la Ley 40/2015, será ya casi imposible obtener el resarcimiento consistente en la responsabilidad patrimonial de la Administración (salvo que el contribuyente hubiese litigado hasta la instancia procesal que cupiese por razón de la materia y la cuantía)[88]. De esta forma, en estos supuestos de las llamadas vacaciones fiscales ya no podrá invocarse la corrección de la doble imposición, pero tampoco la vía alternativa de la responsabilidad patrimonial de la Administración. En el primer caso porque lo impide la LIS/2014, en el segundo, porque lo veta (salvo casos ciertamente excepcionales de extrema diligencia del sujeto pasivo) la LPCAP y LRJSP.

6.7. *Dividendos que no tienen la consideración de renta*

Se trata de supuestos donde las rentas no se sujetan efectivamente al IS, razón por la cual, si se aplicara la exención por doble imposición, se produciría un claro supuesto de desimposición. Como señala la STS de 15 de mayo de 2009:

> *"sólo cabe deducir por doble imposición de dividendos cuando esta doble imposición se produzca efectivamente por integrarse los dividendos en la base imponible del Impuesto sobre Sociedades de la sociedad perceptora de los mismos, habiendo tributado previamente los beneficios de los que dichos dividendos derivan en la sociedad que los acuerda. Los dividendos distribuidos con cargo a*

---

posibilidad de solicitar responsabilidad sobre la base de actos aplicativos firmes y prescritos, consideran que en el Derecho comparado existen ejemplos en esa misma dirección: *"Así en el sistema norteamericano, patria del control de constitucionalidad de las leyes, precisamente en materia tributaria afirma como principio establecido que "la regla generalmente estatuida [por la jurisprudencia] es que en ausencia de una Ley que disponga lo contrario, los impuestos ilegalmente cobrados no pueden ser recuperados, a menos que hayan sido pagados con compulsión y bajo protesta", según un lejano leading case "Elliot" de 1836, dado que "un impuesto se obtiene para su inmediato gasto en el interés o bien común y sería injusto exigir la devolución de lo que ya se ha gastado" (FIELD). Pero, con más peso dogmático, el criterio actual es el que parte de la Sentencia del Tribunal Supremo Linkletter de 1965, que ha impuesto el principio prospective overruling, que impide retrotraer el criterio de inconstitucionalidad que resulte de una Sentencia a las situaciones jurídicas anteriores ya consolidadas, según han reiterado muchas otras Sentencias. El criterio se ha perfilado en la Sentencia Lemon, 1973, en la que se precisa que habría que probar que las partes se habían apoyado con mala fe en la ley injusta para poder dar eficacia retroactiva a la inconstitucionalidad de la Ley"*.

[88]   Vid. extensamente sobre ello, SÁNCHEZ PEDROCHE, J. A. "La normativa fiscal y el Derecho Administrativo General", en Boletín Informativo Tributario, Registradores de España, nº 195, Mayo 2016, pags. 18 y ss.

reservas de las entidades participadas, generadas estas reservas con anterioridad a la adquisición de dichas acciones por la entidad recurrente y que en los ejercicios en los que la entidad recurrente pretendía su deducción no se habían contabilizado como ingresos sino como minoración del valor de adquisición de los valores mobiliarias, sin pasar por la cuenta de resultados, no dan derecho a deducción por doble imposición de dividendos ya que no fueron computados como ingresos financieros en las bases imponibles del Impuesto sobre Sociedades de los ejercicios de referencia. Por todo ello no procede computar como ingresos los dividendos percibidos con cargo a reservas de libre disposición. Por los aludidos dividendos no cabe aplicar la deducción por doble imposición de dividendos"[89].

Precisamente a un supuesto como el referido por el Alto Tribunal alude la Disposición Transitoria 23ª 1 LIS/2014 para dividendos derivados de participaciones adquiridas en el transmitente en períodos impositivos iniciados antes del 1 de enero de 2015 y que se correspondan con una diferencia positiva entre el precio de adquisición de la participación y el valor de las aportaciones de los socios realizadas por cualquier título. En tal caso, al minorarse el valor fiscal de la participación no se origina renta gravable alguna que exonerar, pues la obtención de la plusvalía por la enajenación de la participación social tendrá su origen en la reducción de su valor de adquisición. Estamos, por lo tanto, ante plusvalías latentes o beneficios retenidos en el momento de adquisición de la participación[90].

7. REQUISITOS EXIGIDOS PARA GOZAR DE LA EXENCIÓN POR DOBLE IMPOSICIÓN DE DIVIDENDOS

Como ya sabemos, el art. 21 LIS/2014 reconoce a la entidad residente la exención total de los dividendos internos e internacionales, siempre que posea durante un año ininterrumpido una participación de al menos el 5 por ciento de los fondos propios o del capital de la entidad participada o que si dicha cifra fuese inferior, rebase el valor de 20 millones de euros. Con respecto a ese porcentaje mínimo, la Ley 61/1978 lo fijó en el 25 por ciento[91], pero atendido el paulatino y creciente fenómeno liberalizador de los mercados, ese umbral se fue rebajando con el tiempo. La norma parte de una idea precisa: con ese 5% se presume que la entidad partícipe domina a la que distribuye el beneficio[92].

---

[89]   En análogo sentido la SAN de 5 de abril de 2006.

[90]   Como bien señala SIMON YARZA, M. E. La exención......, op. cit. pag. 143, el diferimiento de la tributación de estos dividendos hasta el momento en que se enajene la participación resulta lo correcto porque, en la medida que el socio haya pagado el importe equivalente a la participación al adquirir los dividendos, estos no determinarán ninguna plusvalía.

[91]   Art. 24. 2. d)

[92]   A este respecto conviene reparar en el razonamiento desplegado por SIMÓN YARZA, M. E. La exención de dividendos....., op. cit. pag. 178: *"Al comparar la medida con la normativa*

Dicho porcentaje, además, se puede alcanzar de forma directa o indirecta, a través de otras entidades que sean partícipes de la perceptora de los dividendos, lo que resulta de todo punto lógico. Esa participación indirecta se fija multiplicando el porcentaje de participación de la entidad perceptora del dividendo en la entidad interpuesta por el porcentaje de participación que esta última ostenta en la mercantil que reparte el beneficio. La dirección común de las sociedades no exime en absoluto de la necesidad de cumplir con ese requisito de la participación indirecta al que acaba de aludirse. Sin necesidad de alcanzar ese porcentaje, pero superando el valor de la participación los 20 millones de euros, la LIS reconoce asimismo el derecho a la exención. Con ello se pretende evitar que el interés del socio sea meramente especulativo, desentendiéndose así de la correcta gestión económica de la entidad.

En lo atinente al mantenimiento de la participación durante un año ininterrumpido, se trata de una medida análoga a la anteriormente comentada, con el propósito de desincentivar adquisiciones de participaciones con la única finalidad de gozar de la exención para, una vez aplicada, enajenar aquéllas[93].

---

precedente en España, con la de otros ordenamientos extranjeros o con los niveles mínimos establecidos en la Directiva del Consejo 2011/96/UE, de 30 de noviembre, sobre el Régimen fiscal común aplicable a las sociedades matrices y filiales de Estados miembros diferentes, las diferencias son tan grandes que no permiten fundar un juicio sobre la correspondencia entre el índice de participación que exige actualmente la ley el dominio. Sería necesario completar el dato de la participación con otras informaciones, por ejemplo, sobre la composición de los órganos de administración y de dirección o sobre los derechos de voto ligados a la participación, para determinar inequívocamente si la entidad partícipe ejerce dominio de la participada. Pero esto habría complicado enormemente el método de la exención. Por eso, prescindiendo de estos datos y a sabiendas de que tal renuncia atribuye un margen de error a nuestra apreciación, consideramos que la medida adoptada por el legislador es adecuada. El cinco por ciento de la participación en los fondos propios de una entidad equivale a la titularidad de una veinteava parte de aquella. Es decir, en una entidad participada por veinte socios con iguales partes alícuotas todos eliminarían la doble imposición derivada del reparto de los beneficios societarios. La veinteava parte del capital social se presenta como una cantidad suficiente para determinar la existencia de una relación del tipo sociedad cerrada-socio y, en este sentido, nos parece justo que se reconozca la exención del cien por cien a los sujetos que participen en este grado en los fondos de la entidad".

[93] La medida fue introducida por la Ley 66/1997, de 30 de diciembre, como consecuencia de la Sentencia del Tribunal de Luxemburgo Denkavit-VITIC-Voormeer, en los asuntos acumulados C-283/94, C-291/94 y C-292(94 (TJCE 1996, 184) por la que se declaraba contraria a la Directiva 90/435/CEE, relativa al régimen fiscal común aplicable a las sociedades matrices y filiales de Estados miembros diferentes, las previsiones del Impuesto sobre la Renta alemán que reservaba la corrección de la doble imposición de dividendos internacionales a los sujetos pasivos que en el momento del devengo del impuesto hubiesen poseído una participación del 25 por ciento en el capital de la entidad que repartía el beneficio durante un período mínimo de doce meses. No obstante ello, la Ley 66/1997 no corrigió completamente el problema subyacente, pues las entidades residentes perceptoras de dividendos internos seguían quedando discriminadas, pues para disfrutar de la exención del cien por cien tenían

De esta forma, se exige que el porcentaje mínimo de participación se mantenga de manera ininterrumpida durante el año anterior al día en que sea exigible el beneficio distribuido[94] o durante el tiempo necesario para completar un año en su defecto[95].

Para el cálculo del tiempo durante el que la entidad debe poseer la participación, se tiene en cuenta el período en el que dicha participación la haya poseído otra mercantil o mercantiles que formen parte del mismo grupo (art. 42 C.Com), es decir, que estén sometidas a la misma dirección. Con anterioridad (TRLIS/2004) esa pertenencia al mismo grupo empresarial, a los efectos del cómputo del plazo, únicamente se valoraba para la tenencia de participaciones en entidades no residentes.

Asimismo, con el nuevo régimen instaurado por la LIS/2014 se suprime la referencia a la necesidad de que los beneficios de la entidad participada no residente –en el caso de dividendos internacionales– procedan del ejercicio de verdaderas actividades empresariales en el extranjero, de tal forma que en la actualidad es posible gozar de la exención por doble imposición de dividendos derivados de rentas pasivas. Si los ingresos de la entidad participada estuviesen constituidos en más de un 70 por ciento por dividendos, participaciones en beneficios o rentas derivadas de la transmisión de valores representativos del capital o de los fondos propios de entidades, la exención se subordina a la condición de que la entidad socio poseyera durante un año ininterrumpido una participación de, al menos, el cinco por ciento de los fondos propios de la entidad indirectamente participada de la que derivaran los dividendos, salvo que las filiales de segundo o ulterior nivel formasen parte del mismo grupo de sociedades con la entidad directamente participada y todas ellas formularan estados contables consolidados, pues en tal caso la exención de los dividendos obtenidos de entidades con más del 70 por ciento de los ingresos procedentes de rentas pasivas no exigiría que el sujeto pasivo poseyera un grado mínimo de participación en la entidad indirectamente participada.

Además, cuando las participaciones lo sean en entidades cuyos ingresos procedan en más del 70 por ciento de rentas pasivas, resulta preciso distinguir cuál es la procedencia indirecta de los dividendos, con el fin de determinar la fracción de éstos que queda exenta y la que no. En este caso, la entidad perceptora de los dividendos debe integrar en su base imponible la porción de los dividendos procedente de entidades en las que esa participación indirecta no

---

que seguir poseyendo la participación durante el año anterior al reparto del beneficio. Tal discriminación no se suprimió hasta el año 2004 con la promulgación de la Ley 62/2003, de 30 de diciembre, de medidas fiscales, administrativas y del orden social.

[94]　Requisito este que fue introducido por la LIS/1995.

[95]　Previsión que se introdujo en el año 2004 a través de la Ley 62/2003, de Medidas fiscales, administrativas y del orden social.

reúna las condiciones precisas para disfrutar de la exención, quedando exenta la otra fracción de los dividendos recibidos, es decir, los derivados de entidades en las que mantenga una participación indirecta de, al menos, el 5%, durante ese año ininterrumpido.

Conviene advertir, sin embargo, que en ocasiones no resultará nada fácil tener toda la información sobre el origen de los dividendos y las reservas a las que éstos se ligan, sobre todo si no lo determinase así la entidad en el acuerdo de reparto, razón por la cual, la LIS considera que se distribuyen las últimas cantidades abonadas a reservas.

La LIS/2014 contempla algún supuesto más en el que resulta procedente la aplicación de la exención por doble imposición de dividendos percibidos por entidades residentes directamente participadas, cuyos ingresos se componen en más de un 70 por ciento de rentas pasivas. Nos referimos a aquellos casos en los que se prueba que los dividendos se han integrado previamente en la base imponible de la entidad directa o indirectamente participada, sin que ésta haya tenido derecho a corregir la doble imposición correspondiente a esos dividendos, participaciones en beneficios o rentas derivadas de la transmisión de valores representativos del capital o los fondos propios. Se trata, en definitiva, de corregir la doble imposición que experimentó un socio anterior que no se benefició de la exención. Naturalmente, ante esta eventualidad, el sujeto pasivo habrá de pertrecharse de la prueba oportuna que le permita, en su caso, adverar dicho extremo.

Por fin, y en lo atinente a los dividendos procedentes de otras entidades indirectamente participadas, la LIS 2014 exige el cumplimiento de dos requisitos:

a) La posesión continuada durante un año de una participación representativa, al menos, del 5 por ciento de los fondos propios de la entidad indirectamente participada.

b) Si la entidad participada no fuese residente, los beneficios de la entidad indirectamente participada deben haber soportado un gravamen nominal de, al menos, el 10 por ciento.

Asimismo, cuando la entidad participada reparte dividendos cuyo origen proviene de rentas pasivas, es preciso diferenciar los dividendos percibidos que cumplen la condición recogida en el ordinal a) anterior (posesión continuada durante un año de una participación representativa de al menos el 5 por ciento de los fondos propios de la entidad indirectamente participada), o las condiciones a) y b) cuando la entidad participada es no residente, de aquellos que no lo hacen. La razón es que los primeros están exentos, mientras que los segundos tributan.

Si en el acuerdo social de la distribución de los dividendos entregados no se concretaran las reservas a las que aquellos se ligan, la ley presume que se entregan las últimas cantidades abonadas a reservas, pues de otra forma el sujeto pasivo podría realizar operaciones interesadas. Tal sería el caso, por ejemplo, de contribuyentes con bases imponibles pendientes de compensar, a quienes les interesaría considerar repartidas las reservas cuya percepción no genera derecho a la exención. Para evitar esas actuaciones interesadas, la LIS establece la presunción señalada.

8. LA EXENCIÓN POR DOBLE IMPOSICIÓN DE DIVIDENDOS EN EL RÉGIMEN PSEUDOTRANSITORIO DE LA DISPOSICIÓN TRANSITORIA 23ª LIS/2014

Como es natural, la LIS 2014 aborda la regulación de los mecanismos destinados a la corrección por doble imposición atinentes a dividendos procedentes de participaciones en entidades residentes en territorio español pero adquiridas con anterioridad a 1 de enero de 2015, es decir, correspondientes a periodos impositivos anteriores donde el transmitente ya tributó de conformidad con lo previsto en el TRLIS/2004. En tales casos, es claro que el precio satisfecho por el adquirente incorpora el valor de las aportaciones sociales, pero también lo relativo a otros conceptos como fondo de comercio, plusvalías pendientes de realización o reservas correspondientes a beneficios obtenidos con antelación en el tiempo[96].

Por todo ello, la DT 23ª LIS/2014 para estos casos establece la no integración de dichos dividendos en la base imponible, al no considerarlos ni beneficio, ni renta gravable y paralelamente la reducción del valor de adquisición de la participación en el importe de la diferencia positiva entre el precio de adquisición de la participación y el valor de las aportaciones de los socios realizadas por cualquier título. Esto último también es plenamente lógico, pues si el valor de adquisición de la participación se mantuviera inalterado, a pesar de la percepción de los dividendos, la posterior enajenación de la participación comportaría una plusvalía menor que la realmente generada.

De manera análoga a cuanto acabamos de señalar, la misma DT 23ª deja plenamente vigentes para las plusvalías anteriores a 2015 los artículos 30.4 e), 30.5, y 30 6 TRLIS/2004[97]. Asimismo, esta DT 23ª 1. a) contempla, adecua-

---

96   En tal sentido, GONZÁLEZ-CUELLAR SERRANO, M. V. La doble imposición de dividendos....., op. cit. pag. 215.

97   Razona a este respecto lo siguiente SIMON YARZA, M. E. La exención...., op. cit. pag. 201: *"No existe una relación directa e inmediata entre los beneficios de la entidad participada y las plusvalías de la entidad transmitente. Sin embargo, no se puede obviar que, siempre que el acuerdo de los dividendos sea posterior a la transmisión de la participación, el valor de adquisición de esta incluye el importe de los beneficios de la entidad participada que le*

damente, aquellos casos en los que el anterior propietario de la participación tributó en el IS, pero al transmitirla se benefició de la plusvalía derivada de los beneficios retenidos en la entidad participada. En tal supuesto, el perceptor de esos dividendos podrá aplicar la deducción por doble imposición del cien por cien de la cuota íntegra que hubiera correspondido a esos dividendos, siempre que los mismos hubiesen tributado en el IS a alguno de los tipos previstos en los apartados 1, 2 o 7 del art. 28 o 114 TRLIS/2004 y no hubiesen gozado de la deducción por doble imposición interna de plusvalías.

Ahora bien, si el anterior propietario de la participación disfrutó de la deducción por reinversión de beneficios extraordinarios prevista en el art. 42 TRLIS/2004, el sujeto pasivo perceptor de los dividendos podrá aplicar la deducción por doble imposición con el límite del 18% sobre su importe. Dicho límite es plenamente lógico, pues de lo contrario se plantearían supuestos claros de desimposición[98].

---

correspondan. En el TRLIS/2004, cuando los dividendos se distribuían en un momento posterior a la cesión de la participación, la entidad que los percibía reducía el valor fiscal de su participación y no computaba un ingreso en su base imponible del IS por efecto de la entrega. La práctica mantiene su actualidad en la DT 23ª LIS/2014 para las percepciones de dividendos derivados de participaciones adquiridas en el marco de una operación en las que el sujeto transmitente tributó según el régimen del TRLIS/2004. Si se considera de modo aislado el gravamen de la plusvalía de la entidad transmitente de la participación y el de los beneficios que se reparten a la entidad adquirente, resulta lógico concluir que no existe una doble imposición que deba ser corregida. Sin embargo, desde una óptica integradora del gravamen que satisfacen ambos contribuyentes, el perceptor de la plusvalía y el acreedor de los beneficios sociales, se extrae una consecuencia diversa. Aunque la plusvalía que obtiene la entidad transmitente al entregar la participación no proceda de beneficios distribuidos por la entidad participada, en la medida que se corresponda con estos, los beneficios constituyen su causa mediata. En cierto sentido se puede sostener que, con el precio, el adquirente "compra" al transmitente los beneficios que este habría percibido si la entidad participada hubiese repartido todas sus rentas antes de la enajenación de la participación. La reducción del valor de adquisición de la participación que la ulterior distribución de los beneficios determina confirma que tal plusvalía deriva indirectamente de los beneficios de entidad participada". Vid. SANZ GADEA, E. "El resultado financiero en el IS. Dividendos y plusvalías de cartera. Supuestos especiales de aplicación", Revista de Contabilidad y Tributación, CEF, núm. 391, 2015, pags. 69 y 70.

98   En opinión de SERRANO GUTIERREZ, A. Impuesto sobre Sociedades, op. cit. pag. 257, este régimen transitorio de los dividendos procedentes de participaciones en entidades residentes en territorio español adquiridas con anterioridad a 1-1-2015, obedece a la explicación siguiente: *"En concreto, la mencionada disposición establece que, no obstante, cumpliéndose los referidos requisitos incluidos en la LIS art. 21, la distribución de dividendos o participaciones en beneficios que se corresponda con una diferencia positiva entre el precio de adquisición de la participación y los fondos propios de la entidad participada en el momento de la adquisición (es decir, la parte de los dividendos distribuidos que se corresponda con el importe de las plusvalías tácitas imputables a la sociedad participada en el momento de la transmisión de la participación), no tiene la consideración de renta y minora el valor fiscal de la participación. Adicionalmente, para evitar que se produzca un supuesto de exceso de imposición, la disposición transitoria citada añade que, en este caso, el contribuyente*

La DT 23ª 1. b) LIS/2014 contempla también los casos en los que la participación generó plusvalías que tributaron en el IRPF con ocasión de enajenaciones anteriores. De esta manera, se reconoce el derecho a la deducción por doble imposición de dividendos a los sujetos pasivos capaces de probar que un importe equivalente al de los dividendos se integró antes del 1 de enero de 2015 en la base imponible del IRPF con ocasión de su transmisión. Para poder aplicar esta deducción se exige respetar dos límites concurrentes. En primer lugar, el contribuyente persona física debió computar en la base imponible de su IRPF una cifra igual al valor de los dividendos no integrados en la base del IS del perceptor. En segundo término, la deducción no puede exceder de la cifra resultante de aplicar a los dividendos el gravamen que en el IRPF corresponde a las ganancias patrimoniales integradas en la parte especial o del ahorro de la base imponible, para el caso de las transmisiones realizadas desde el 1 de enero de 2007.

Respecto del primero de esos límites a los que acabamos de aludir (cómputo en la base imponible del IRPF de un importe equivalente a los dividendos obtenidos), la dificultad estriba en los propios cambios normativos experimentados en la regulación del IRPF, pues para participaciones adquiridas antes del 31 de diciembre de 1994 (que tendrían por ello mismo derecho a la aplicación de los llamados coeficientes de abatimiento, regulados en la DT 9ª de la Ley 35/2006, de 28 de noviembre) la tributación podría ser incluso nula, lo que no casaría muy bien con lo dispuesto por la DT 23ª 1. b) LIS/2014, que únicamente ad-

_____

tiene derecho a una deducción del 100% de la cuota íntegra que hubiera correspondido a los dividendos o participaciones en beneficios, cuando se cumpla alguna de las siguientes circunstancias: 1) Que el contribuyente pruebe que un importe equivalente al dividendo o participación en beneficios se ha integrado en la base imponible del IS tributando a alguno de los tipos de gravamen previstos en la LIS/04 art. 28.1, 2 y 7, en concepto de renta obtenida por las sucesivas entidades propietarias de la participación con ocasión de su transmisión, y que dicha renta no hubiera tenido derecho a la deducción por doble imposición interna de plusvalías. En este caso, cuando las anteriores entidades propietarias de la participación hubiesen aplicado a las rentas por ellas obtenidas con ocasión de su transmisión la deducción por reinversión de beneficios extraordinarios establecida en la LIS/04 art. 42, la deducción es del 18% del importe del dividendo o de la participación en beneficios. 2. Que el contribuyente pruebe que un importe equivalente al dividendo o participación en beneficios se ha integrado en la base imponible del IRPF, con anterioridad a 1-1-2015 en concepto de renta obtenida por las sucesivas personas físicas propietarias de la participación, con la ocasión de su transmisión. En este supuesto, la deducción no puede exceder del importe resultante de aplicar al dividendo o a la participación en beneficios el tipo de gravamen que en el IRPF corresponde a las ganancias patrimoniales integradas en la parte especial de la base imponible o en la del ahorro, para el caso de transmisiones realizadas a partir de 1-1-2007. La deducción, regulada en este apartado de la disposición transitoria en cuestión, es de aplicación, igualmente, cuando la distribución de dividendos o la participación en beneficios no determine la integración de renta en la base imponible, por no tener la consideración de ingreso. Por lo demás, la deducción se practica parcialmente cuando la prueba a que se refiere la norma tenga carácter parcial".

mite la deducción por doble imposición de dividendos en la medida en que el contribuyente por IRPF hubiese computado en su base imponible la plusvalía derivada de la enajenación de esa participación. En tal caso, se han planteado dos posibles alternativas:

a) Que el perceptor de los dividendos aplique la deducción sobre ellos en proporción a la fracción de la plusvalía por la que realmente tributó el transmitente persona física con ocasión de la enajenación de la participación.

b) Que el perceptor de los dividendos aplique la deducción hasta el límite en el que los dividendos alcancen una cuota igual al importe de los beneficios gravados a través de la plusvalía.

Parece más acertado lo segundo, sobre todo si se realiza una interpretación material del precepto dirigida a salvaguardar la verdadera finalidad del mecanismo correctivo de la doble imposición de dividendos, lo que permitiría una atenuación más rápida en el tiempo del exceso de gravamen, en consonancia plena con los principios de seguridad jurídica y capacidad económica[99].

En lo atinente al segundo de dichos límites (cifra resultante de aplicar a los dividendos el gravamen correspondiente a las ganancias patrimoniales en la base imponible especial o del ahorro en el IRPF), la previsión también resulta lógica, pues el gravamen que recae sobre la base imponible especial o del ahorro en el IRPF es inferior al tipo de gravamen general del IS y de ahí que se delimite específicamente la cuantía de la deducción por doble imposición al importe de la cuota del IRPF satisfecha por el contribuyente, evitando así la desimposición provocada por la diferencia de tipos apuntada.

Conviene advertir que la DT 23ª. 1 LIS/2014 exige a la entidad que pretenda aplicar el mecanismo correctivo de la doble imposición, la oportuna prueba de que en alguna de las enajenaciones de la participación previas al reparto de los beneficios, el transmitente tributó en el IS o en el IRPF en un importe equivalente a la reducción del valor de la participación, lo que resultará en muchas ocasiones una cuestión nada fácil de adverar, atendida la falta de identidad entre los sujetos pasivos intervinientes en las transmisiones. Además, la normativa se cuida bien de señalar que si esa prueba fuese tan solo parcial, también sería incompleto el derecho a la deducción. En tal sentido, cuando la entidad que transmitió la participación cotiza en un mercado regulado, las dificultades para el sujeto pasivo que pretende la aplicación de la deducción por doble imposición es especialmente llamativa, lo que contrasta con la relativa facilidad que tendría la AEAT para constatar tal extremo, al

---

[99] En tal sentido, ALONSO ALONSO, R. "Deducción por doble imposición de dividendos. Restricciones del derecho a deducir", Revista de Contabilidad y Tributación, núm. 273, 2005, pag. 144; SIMÓN YARZA, M. E. La exención de dividendos….., op. cit. pag. 209

tener acceso a la información tributaria de los anteriores titulares de las participaciones transmitidas[100].

Cierto es que, de conformidad con lo establecido por el art. 105 LGT la carga de la prueba de un beneficio fiscal incumbe a quien pretende aplicarlo, pero no deja de serlo menos que también existe una abundante doctrina jurisprudencial proclive a matizar, o incluso alterar, las reglas de la carga probatoria, aplicando los criterios de razonabilidad, normalidad, proporcionalidad o facilidad probatoria (art. 217. 6 LEC). El criterio de normalidad supone que la prueba de los hechos corresponde a quien haga valer su derecho. Esta regla tradicional (*"incumbit probatio qui dicit, no qui negat"*) se recoge en los artículos 1214 CC, 217. 2 LEC y 105. 1 LGT. Un principio aludido por una extensa y reiterada jurisprudencia, que viene a señalar que en caso de reducción de la base o de la cuota declaradas, corresponde al interesado la prueba de los hechos constitutivos de este derecho, ya que es quien lo alega en su propio beneficio[101]. Pero siendo ello cierto, el art. 217.6 LEC manda atribuir a cada parte la carga de la prueba que, según la experiencia, suele estar más próxima y asequible a ella, aunque prima facie no debiera asumirla. Este principio supone que la exigibilidad de la carga de la prueba debe tener en consideración su disponibilidad, dependiendo de lo que pueda ser razonablemente exigible a las partes en cada caso concreto[102].

---

[100]   La Resolución del TEAC de 11 de octubre de 2006, ratifica la negativa a la aplicación de la deducción por doble imposición sin la prueba precisa de la tributación previa: *"Dotada por X, S.A., la correspondiente provisión por depreciación de la cartera por los dividendos que nos ocupan, únicamente la prueba de la efectiva tributación de las eventuales plusvalías en los transmitentes de las acciones da derecho a la deducción por dividendos. Solicitada tal prueba a la recurrente, esta no ha podido aportarla pese a haber solicitado la información pertinente a la Comisión Nacional del Mercado de Valores. La realidad es que, habiendo adquirido las acciones en Bolsa, bien directamente, bien a través de R., la prueba que exige el art. 28. 4. e), como alega X, S. A., es imposible. No obstante, y ante la claridad de la norma aplicable, debe declararse con la Inspección la improcedencia de la deducción para evitar la doble imposición interna respecto del dividendo que procede de estas acciones adquiridas con posterioridad al 9 Jun. 1996"*.

[101]   Por ejemplo, la STS 14 de diciembre de 1989, señala en su FJ 4° que *"...así lo exige el artículo 114 de la LGT que atribuye la prueba de los hechos constitutivos de un derecho a aquel que lo alega, y en el presente caso, quien pretende beneficiarse como gasto deducible por ser necesario para la obtención de los ingresos, es el Banco apelante, que nada ha probado ni intentado probar sobre la realidad de las partidas que pretende deducir"*. Y la STS 26 de julio de 1994 manifiesta en su FJ 2° que *"la declaración de ingresos tiene una trascendencia fiscal positiva, porque el contribuyente no va a declarar ingresos que no percibe. Es por ello aceptable sin reservas cualquiera que sea el vehículo en que se formule, sin perjuicio de su eventual comprobación al alza. Los gastos deducibles, en cambio, de signo contrario al incremento de la deuda tributaria, requieren para su aceptación que se acrediten en forma fehaciente por cuanto comprometen de otro modo un interés público"*.

[102]   A este criterio de facilidad probatoria (aplicable no solo al contribuyente, sino también a la Administración) alude la STS 11 de junio de 1998, cuando afirma que: *"en casos como*

La LIS/2014 ha querido, sin embargo, desterrar este principio general de la facilidad probatoria, lo que dificulta enormemente el ejercicio de la deducción correctiva de la doble imposición, sobre todo si no se pierde de vista la concurrencia de otros factores aludidos expresamente por la doctrina en elocuentes términos:

> *"La información sobre la tributación de las plusvalías está en manos del sujeto que soporta el gravamen en la enajenación de la participación. El transmitente, en general, carecerá de interés en el ahorro económico que tal dato fiscal proporcione al adquirente de la participación. Incluso puede concurrir alguna circunstancia por la que tenga un interés positivo en que otros particulares desconozcan este detalle de su liquidación tributaria. Por lo demás, cuanto mayor sea el número de transmisiones que medien entre el sujeto que tributa por las*

---

el presente (...) la regla general de que los hechos constitutivos del derecho que se pretende obtener corresponde acreditarlos al accionante (el obligado tributario) y los impeditivos y extintivos al demandado (la Administración exaccionante) sufre una obligada alteración o modulación –a pesar de la presunción de legalidad de los actos administrativos de liquidación–, consistente en que la carga de la prueba debe asumirla, entonces, aquel a quien, precisamente, por las circunstancias concurrentes, le sea "más fácil" (principio de la mayor facilidad) demostrar los presupuestos de lo pretendido o de lo que es objeto de controversia, pudiendo perjudicar, incluso, la falta, la oscuridad o la incompletitud de la prueba a quien, encontrándose posibilitado de haber desarrollado una determinada actividad probatoria, no ha realizado o la ha llevado a cabo de un modo conveniente a sus intereses". También la STS de 19 de marzo de 2007: *"el onus probando se traslada a la Administración cuando es ella la que tiene en sus manos la posibilidad de certificar sobre los extremos necesitados de prueba (...) La doctrina legal (...) atribuye, en definitiva, el onus probando a quien, por su posición y función, dispone o tiene "más facilidad" para asumirlo".* En esta misma línea se mueve la STSJ de Cataluña 12 de enero de 2006, donde se reprocha que el TEAR desestimara incorrectamente la reclamación porque consideró que el recurrente no había probado suficientemente que no había satisfecho rentas sujetas a retención. En la correcta opinión del TSJ de Cataluña, no estaba justificada una aplicación tan rigurosa del onus probandi, pues se trataba de demostrar un hecho negativo y en virtud del principio de facilidad probatoria, la Administración podría haber determinado las rentas satisfechas por el recurrente, máxime cuando éste a través de la prueba de exhibición del libro diario del trimestre correspondiente, había puesto de manifiesto que en ese período no había satisfecho rentas sujetas a retención. También es el caso de la SAT Barcelona 14 de junio de 1989, donde llega a señalarse lo siguiente: *"en materia tributaria, como los actos de determinación de las bases y deudas tributarias gozan de la presunción de legalidad...., corresponde al recurrente la prueba de los hechos acreditativos de la ilegalidad, pero estos criterios, obviamente, han de conjugarse con los de normalidad y facilidad probatoria, de manera que la carga de la prueba ha de atribuirse a aquella parte más próxima a las fuentes de prueba y para la cual resulta de extremada sencillez la demostración de los hechos controvertidos. El criterio es más claro si cabe cuando se trata de la propia Administración autora del acto tributario objeto de impugnación y se le requiere para la aportación de determinada documentación....y hace caso omiso del requerimiento, no se puede después desestimar la reclamación del particular con el argumento de la carga de la prueba y la presunción de legalidad de los actos tributarios, pues tal solución es manifiestamente contraria al principio de interdicción de la indefensión".*

plusvalías derivadas de la enajenación y la entidad perceptora de los dividendos, más difícil será la prueba que requiere la DT 23ª. 1 LIS/2014"[103].

Por otra parte, la existencia o no de esa prueba, se proyecta también en los casos en los que la distribución de dividendos produce o no deterioro de la participación. De no producirse dicho deterioro y existiendo la prueba de ello, el dividendo no se integraría en la base imponible, sin perjuicio de que, al recurrir a dicho elemento probatorio, se pueda deducir de la cuota íntegra una deducción por doble imposición por importe del 100% de la cuota íntegra que hubiera correspondido a dichos dividendos. La valoración fiscal de la participación en la entidad participada se computa como menor valor de la participación, lo que equivale a señalar que se recupera parte de la inversión realizada a través de la percepción del dividendo. Si la prueba del deterioro no existiese, el régimen fiscal procedente no sería el regulado en la DT 23ª, sino el régimen general contemplado en el art. 21 LIS/2014 y, por lo tanto, el dividendo se encontraría exento si se cumplieran los requisitos previstos por dicho precepto. En este caso, la valoración fiscal y contable de la participación sería el precio de adquisición de la misma que no se vería afectado por la distribución del dividendo.

En el caso de que la distribución de los dividendos produjese un deterioro de la participación, habría que distinguir también aquí si existe adecuada prueba o no de tal extremo. Por lo tanto, de existir la prueba de que un importe equivalente a los dividendos distribuidos ha tributado en España a través de cualquier transmisión anterior de la participación, la Disposición Transitoria 23ª LIS/2014 implicaría que el dividendo no se integraría en la base imponible del impuesto del perceptor, ni el gasto por deterioro (pérdida del deterioro del valor de la participación derivada de la distribución de los beneficios). Ello no impide que se pueda aplicar en la cuota íntegra la deducción por doble imposición del 100% de la cuota íntegra que hubiera correspondido a ese dividendo de haberlo integrado en la base imponible. Por otro lado, y respecto de la valoración fiscal de la participación en la entidad participada residente, la referida DT 23ª señala que el dividendo percibido se computa como menor valor de la participación, lo que equivale a recuperar parte de la inversión realizada a través de la percepción del dividendo.

A estos efectos, apunta LOPEZ SANTACRUZ que aunque *"la mencionada disposición no establece nada al respecto, entendemos que en este caso el deterioro no deducido en el ejercicio no tendría ningún efecto fiscal en ejercicios futuros, es decir, no revertiría a efectos fiscales en la base imponible de ningún período impositivo posterior, ni en el caso de transmisión de la participación. Asimismo, supuesto que el valor de la participación recupere su valor y, por tanto, se compute como ingreso la aplicación del deterioro, el mismo no debe*

---

[103]   SIMÓN YARZA, M. E. La exención.....op. cit. pag. 211.

integrarse en la base imponible por cuanto que el gasto por deterioro del que procede ese ingreso no ha tenido efectos fiscales, al no ser deducible cuando se devengó"[104].

De no existir la referida prueba, el régimen fiscal aplicable no sería ya el establecido por la DT 23ª, sino que se aplicaría el régimen general, es decir, que el dividendo no se integraría en la base imponible del impuesto, al estar exento por la directa aplicación del art. 21 LIS/2014. Y tampoco se integraría en esa misma base imponible del perceptor de los dividendos la pérdida por deterioro del valor de la participación derivada de la distribución de esos beneficios (art. 13 LIS/2014[105]).

Para dividendos procedentes de participaciones transmitidas antes del 9 de junio de 1996 (hasta esa fecha la LIS no reconocía la existencia de doble imposición de las plusvalías derivadas de la transmisión de participaciones en fondos propios de entidades residentes), la DT 23ª. 3 LIS/2014 remite a las restricciones a la deducción recogidas en el artículo 28. 4 LIS/1995 que niega la deducción por doble imposición a las rentas procedentes de la entrega de beneficios existentes en la entidad participada al tiempo de la adquisición de la participación, siempre que esta se hubiese adquirido a *"personas o entidades no residentes en territorio español o a personas físicas residentes en territorio español vinculadas con la entidad adquirente, o a una entidad vinculada cuando esta última, a su vez, adquirió la participación a las referidas personas o entidades".*

---

104 Reforma del Impuesto sobre Sociedades....., op. cit. pag. 180.
105 También para este caso, LOPEZ SANTACRUZ, op. ult. cit. pag. 181 realiza las siguientes consideraciones: *"En el caso de que posteriormente se recupere el valor de la participación, como es el supuesto de que la participación en la filial residente se haya depreciado como consecuencia de la distribución de dividendos y, en ejercicios posteriores, la participación recupere su valor como consecuencia de que la filial ha generado beneficios por importe igual o superior a los dividendos distribuidos en ejercicios anteriores, en tal situación, la entidad residente que tiene la participación habrá dotado el deterioro correspondiente a la depreciación que no ha sido deducido a efectos fiscales. Cuando la participación recupere su valor, deberá registrarse el ingreso correspondiente al revertir el deterioro; dicho ingreso no debe integrarse en la base imponible dado que se corresponde, total o parcialmente, con el deterioro que no fue fiscalmente deducible. Una cuestión no regulada de forma expresa en la LIS disp. trans. 23ª es cómo debe valorarse la participación en la entidad residente a efectos de determinar la renta que se genera en la transmisión de dicha participación como consecuencia de que el deterioro no ha sido fiscalmente deducible. Esa participación debe valorarse a efectos fiscales por el precio de adquisición sin computar el deterioro no deducido (valor fiscal superior al valor contable de la participación), de manera que si se transmite la misma, necesariamente saldrá a relucir una pérdida fiscal que no será deducible, al establecer la LIS art. 21. 7 que se renta generada en la transmisión de la participación se reduce en el importe de los dividendos no integrados en la base imponible de la entidad sobre los que haya aplicado la exención, lo cual supone que no ha lugar a una desimposición, al anularse el efecto fiscal de tal renta negativa".*

Ello significa, sensu contrario, que aquellos sujetos pasivos del IS perceptores de dividendos que no se consideren rentas, de conformidad con lo dispuesto en la DT 23ª.1 LIS/2014, que cumplan con los requisitos del art. 21 LIS/2014 y que provengan de participaciones adquiridas antes del 9 de junio de 1996, podrán aplicar la deducción por doble imposición de dividendos, pero con los límites fijados en el artículo 28. 4 b) LIS/1995. La razón, de nuevo, obedece a que dichos dividendos no soportaron un exceso de gravamen y el reconocimiento de la exención sería susceptible de provocar un problema de sub imposición.

El referido artículo 28. 4 b) LIS/1995 fijaba esos límites con relación a las siguientes situaciones:

a) Dividendos procedentes de personas o entidades extranjeras (el legislador LIS 1995 entendía que las rentas obtenidas por una persona o entidad no residente, al transmitir su participación en una entidad residente, no sufrían doble imposición, al no tributar en el IS, ni en el IRPF).

b) Dividendos procedentes de participaciones adquiridas a personas físicas residentes en España y vinculadas (el legislador LIS/1995 valoró la posibilidad de que las personas físicas no hubiesen tributado por las plusvalías derivadas de la transmisión de la participación en fondos propios de entidades, razón por la cual prohibió la deducción por doble imposición interna de dividendos al sujeto pasivo perceptor que hubiese adquirido la participación de una persona física vinculada a él).

c) Dividendos procedentes de la participación adquirida a una entidad vinculada que, a su vez, adquirió la participación de una persona física residente en España vinculada o de una persona o entidad no residente (por razones análogas a las recogidas en el ordinal anterior).

Estos límites a los que acabamos de aludir contenidos en el artículo 28. b) LIS/1995 no son, sin embargo, ineluctables, pues el sujeto pasivo podría sortearlos a través de dos vías:

– Probando que la plusvalía obtenida por el transmisor de la participación y derivada de los beneficios remanentes en la entidad participada, ya tributaron en España debidamente.

– Demostrando que desde que el partícipe adquirió la participación hasta el día en que se exigieron los dividendos, transcurrió un tiempo mínimo demostrativo de que la adquisición no se realizó para obtener el mero efecto de desimposición sobre la renta.

Por último, y como corolario de la DT 23ª LIS/2014, cabe señalar que la regulación contenida en la LIS/2004 preveía la posible existencia de créditos fiscales como consecuencia de que el mecanismo corrector de la doble imposición se articulaba sobre una deducción en la cuota del socio perceptor de los dividendos. De no existir cuota suficiente para absorber el importe total de la deducción, se reconocía el derecho a aplicar el crédito fiscal por los dividendos en los siete ejercicios impositivos inmediatos y sucesivos. Ya sabemos que la nueva regulación contenida en la LIS/2014 abjura de este planteamiento, pues al excluir los dividendos de la base imponible, resulta de todo punto imposible la generación de un crédito fiscal aplicable en ejercicios futuros. No obstante, y con el fin de permitir la deducción para entidades con dichos créditos fiscales, la DT 23ª reconoce al socio el derecho a deducir en ejercicios futuros éstos y además sin límite de años, de manera que la nueva normativa ha eliminado ese plazo general de los referidos siete años. Por otra parte, dado que la LIS/2014 guarda silencio al respecto, no hay limitación alguna sobre la cuota íntegra, de manera que el importe de la deducción puede deducirse en su totalidad, siempre que la cuota íntegra sea superior al importe de esa deducción.

9. MEDIDAS PARA CORREGIR LA DOBLE IMPOSICIÓN EN EL CASO DE PLUSVALÍAS DERIVADAS DE LA TRANSMISIÓN DE VALORES O PARTICIPACIONES

9.1. *Introducción*

Con la LIS/2014 las plusvalías derivadas de la transmisión de participaciones o de otro tipo de operaciones, a las que en seguida nos referiremos, quedan libres de gravamen, de forma análoga a la ya vista para los dividendos, es decir, mediante su exclusión de la base imponible del IS y con independencia de que la entidad participada fuese o no residente en territorio español[106]. Desaparece así el procedimiento anteriormente aplicable, vigente en el TRLIS/2004, que exigía la inclusión de la plusvalía en la base imponible del tributo, para luego aplicar una deducción en la cuota equivalente al valor de dicha plusvalía. Al igual que

---

[106] Ese tratamiento parejo entre las plusvalías y los dividendos obedece a que en ambos casos se trata de corregir la sobre imposición que de otro modo lesionaría los principios de capacidad económica e igualdad. La SAN de 22 de noviembre de 2001 alude a esa paridad de trato en los siguientes términos: "*Carecería de sentido que los beneficios percibidos por los socios, en supuestos de separación, tuvieran un trato diferente y discriminatorio respecto de los dividendos, o respecto de los reembolsos recibidos por aquellos, en caso de disolución total de la sociedad. Las cantidades percibidas en dicha circunstancia por los socios que procedan de reservas no son otra cosa que percepciones obtenidas por los mismos que, aun no teniendo la consideración estricta de dividendo, representan para ellos un rendimiento derivado de su propia condición de socio o accionista y que, fuera de ella, no podrían percibir. Al fin y a la postre, el reparto de reservas que se efectúa a quien se separa de una sociedad, cualquiera que fuera su causa –separación en cumplimiento de las previsiones legalmente establecidas al efecto o separación pactada con los demás socios–, no es más que una de las consecuencias del derecho a participar en las ganancias sociales –y no se olvide que las reservas son beneficios no distribuidos– que como derecho esencial se reconoce a todo accionista*". En análogo sentido STS 20 de febrero de 2008 (FJ 5º).

veíamos ocurría con los dividendos, el derecho a la exención de la plusvalía se condiciona al cumplimiento de unos requisitos de grado de tenencia y de tiempo de posesión de la participación[107].

Conviene, sin embargo, distinguir conceptualmente los dividendos de las plusvalías, pues aunque ambos aluden a análoga realidad económica de la participación en las ganancias de la entidad correspondiente al socio, se trata de figuras bien diferentes. Así, mientras que los dividendos representan las reservas constituidas que se distribuyen a los socios, las plusvalías se relacionan con la diferencia entre el valor de la cuota efectivamente percibida por éstos y el valor de adquisición de la participación satisfecho en su día (importe de las reservas expresas acumuladas por la sociedad participada, cuya participación se transmite, o importe de las reservas o plusvalías tácitas, atribuibles a los elementos patrimoniales integrantes del patrimonio de la sociedad participada cuya participación se transmite; en el primer caso habrá existido gravamen nacional o extranjero, dependiendo de la jurisdicción donde se ubique la entidad, y en el segundo, es decir, las reservas o plusvalías tácitas, puede que no haya existido)[108].

---

[107] La técnica para corregir la doble imposición de las plusvalías derivadas de participaciones en fondos propios de entidades no residentes es análoga en la LIS/2014 y el TRLIS/2004, no así, sin embargo, en lo atinente a la doble imposición de plusvalías internas, donde la regulación de la LIS/2014 contempla novedades. El art. 21. 3 LIS/2014 también recoge otra novedad relativa a los ejercicios impositivos iniciados en la entidad transmitente con anterioridad al 1 de enero de 2015. Con el TRLIS/2004 la doble imposición de las plusvalías internas se corregía únicamente en la medida en que dichas plusvalías derivaran de beneficios generados en la entidad participada durante el tiempo en el que el transmitente fue el titular de la participación. Ahora ya no, puesto que en estos casos la parte de la plusvalía derivada de la existencia de plusvalías no realizadas o latentes en el patrimonio de la entidad participada o proveniente del fondo de comercio, también permite al sujeto pasivo aplicar la exención por doble imposición.

[108] Enfatiza bien esa diferencia la STS 7 de octubre de 1998, al afirmar lo siguiente: *"Es incorrecto decir que se deducirá la parte de la cuota de liquidación que corresponda a beneficios no distribuidos, es decir a las reservas constituidas, porque una sociedad que se disuelve con liquidación, no reparte las reservas, sino que enajena todo su activo, pago o asegura el pasivo y la diferencia es el haber neto, que es lo que se reparte, de manera que la cuota de liquidación es el capital social más-menos los resultados de la liquidación, de forma que desde la perspectiva de la sociedad disuelta (pagadora) la cifra que confiere el derecho a la deducción, es la diferencia en más de la cuota de liquidación respecto del capital nominal o éste más la prima de emisión; y desde la perspectiva de la persona física perceptora del derecho se ejercita sobre el incremento de patrimonio, el que sea para cada socio o accionista, según el coste de adquisición de la participación en el capital de la sociedad disuelta, sin que se pueda incluir la parte de incremento de patrimonio que pudiera tener su origen en la adquisición de las acciones o participaciones en el capital social por debajo del nominal, porque este incremento sería puramente financiero, sin contrapartida en la renta o beneficio real obtenido por la sociedad".*

Las plusvalías o incrementos patrimoniales que el sujeto pasivo experimenta por la transmisión de participaciones en los fondos propios de otra entidad, pueden obedecer a distintas causas que no se circunscriben exclusivamente a la realización de beneficios directos, sino también a la acumulación de plusvalías no realizadas, pasando por la existencia de un fondo de comercio relevante, etc. y que pueden traer causa de una variada taxonomía de operaciones societarias, tales como las siguientes[109]:

- Liquidación o cesión global del activo y pasivo.
- Separación de socios.
- Fusión.
- Escisión total o parcial.
- Reducción de capital.
- Aportación no dineraria.

La razón por la que el legislador permite en estos casos la aplicación del mecanismo correctivo de la doble imposición no es tanto la desaparición de la participación del socio, cuanto el reconocimiento de que de otra forma resultaría imposible atemperar la sobre imposición producida[110]. Esto no ocurrirá siempre, porque el socio titular de la participación que desaparece puede que obtenga una renta por la que ya se exigió el IS (cuota mayor que el valor que satisfizo al adquirir dicha participación), pero también podría obtener una cuota menor, lo que revelaría la ejecución de una pérdida.

Por lo tanto, con la LIS/2014, aquella parte de plusvalía derivada de la existencia de ganancias latentes en el patrimonio de la entidad participada, un fondo de comercio, o cualquier otra causa, permite al contribuyente disfrutar

---

[109]   Vid. al respecto, CALVO VERGEZ, J. "La deducción por doble imposición en determinadas operaciones societarias", op. cit. pag. 62 y ss.; COLMENAR VALDES, S. "Las deducciones por doble imposición: (I) doble imposición interna de beneficios societarios", op. cit. pag. 330 y ss.

[110]   *"Consecuencia inherente a todas estas vicisitudes en la vida de la sociedad es la desaparición de la participación del socio en la entidad que experimenta uno de estos cambios. ¿Se puede concluir, entonces, que la razón de la exención en estos supuestos radica en la anulación de la participación del socio? No pero este fenómeno es importante porque nos pone sobre la pista de la causa de la exención. La exención por doble imposición se reconoce porque, con la eliminación de la participación del socio en estos supuestos se suprimen del balance de la entidad participada reservas por las que esta ha satisfecho el IS. Con la anulación de las reservas se pierde constancia del IS ingresado por la entidad participada con cargo a beneficios. Si el legislador no otorgase al socio el derecho a la exención en este momento no podría hacerlo más tarde, pues le faltarían medio para reconocer la doble imposición y la medida en que esta debería reducirse. En tal caso, la realización de las operaciones mencionadas se traduciría en la consolidación de la doble imposición sobre la renta por la que tributó la entidad participada"* (SIMON YARZA, M. E. La exención....., op. cit. pag. 222).

de la exención por doble imposición, toda vez que con la eliminación de la participación del socio se suprimen a su vez del balance de la entidad participada reservas por las que ya se habría satisfecho el IS correspondiente.

Y esta misma es la razón por la que para algunas otras plusvalías no se reconoce el derecho a la exención por doble imposición. Tal es el caso de aquellas provenientes de participaciones en entidades patrimoniales o en agrupaciones de interés económico (algo que también ocurría ya con el TRLIS/2004). Las entidades patrimoniales se definen por no realizar actividad económica alguna o bien porque la mayoría de su activo está integrado por valores o bienes no afectos a ninguna actividad económica. En este caso, toda plusvalía proveniente de una participación en los fondos propios de una entidad patrimonial no eximirá de gravamen, excepto en aquella fracción de renta correspondiente al incremento de beneficios no repartidos generados por la entidad participada durante el tiempo en el que el contribuyente haya poseído la participación. Como quiera, sin embargo, que la entidad puede variar la composición de su patrimonio o el propio ejercicio de su actividad, podría suceder que en un determinado ejercicio tuviera la consideración de entidad patrimonial y en otro no. De esta manera, si la entidad participada tuviera la condición de entidad patrimonial, pero sólo en determinados períodos impositivos de tenencia de la participación, el límite a la exención de la plusvalía afectaría únicamente a la parte de rentas que proporcionalmente se correspondiese con los períodos impositivos en los que la entidad participada tuviese la condición de entidad patrimonial, pudiendo acontecer que una misma plusvalía correspondiente a varios años en los que la sociedad patrimonial no fuera tal, tuviera derecho o no (simultáneamente) a la exención, habiéndose de discriminar la parte de plusvalía que gozaría o no de aquélla.

Algo parecido ocurre con las plusvalías provenientes de las participaciones de AIEs españolas o europeas que no se correspondan con aumentos de beneficios no repartidos por la entidad participada durante el plazo concreto que el sujeto pasivo haya poseído la participación. La razón también es clara en este caso, pues dichas plusvalías imputables a los socios no sufren de doble imposición, toda vez que la AIE no tributa por ellas, sino que son los socios los que lo hacen. De contrario, y por la misma razón, la plusvalía, o la parte de ella derivada de incrementos de beneficios no distribuidos por la AIE participada durante el tiempo de tenencia de la participación, sí que tendría derecho a gozar de la exención, pues el socio no tributó por ella, haciéndolo en este caso la AIE y produciéndose por lo tanto el supuesto de sobreimposición. Si el socio enajenase su participación en la AIE antes del devengo del IS, los beneficios remansados en la AIE –por los que aún no se hubiese devengado el impuesto– aumentarían el valor de la plusvalía percibida por el transmitente de la participación que, por ello, tendría derecho a la exención por doble imposición.

Y también es esto lo que ocurre con las plusvalías derivadas de participaciones en entidades sometidas al régimen de transparencia fiscal internacional. Como es sabido, la transparencia internacional intenta atemperar los riesgos asociados a territorios con nula o ínfima tributación. En tal sentido, las sociedades sometidas a este régimen son sujetos pasivos en el IS con las mismas obligaciones materiales y formales (alguna más en este último aspecto) que cualquier otro sujeto pasivo del referido tributo, pero con una particularidad relevante, pues los socios de la entidad transparente deben imputarse las bases imponibles positivas obtenidas por la sociedad, así como las bonificaciones y deducciones a que la entidad tuviese derecho y las retenciones, ingresos a cuenta y pagos fraccionados efectuados por aquélla. Como quiera que la imputación es previa, es decir, que los socios incluyen las bases positivas en su correspondiente declaración, haciendo propia la parte proporcional a su participación en la entidad de las rentas pasivas de la entidad transparente, las plusvalías no suelen corresponder a beneficios retenidos o gravados en la entidad transparente, razón por la cual no se produce doble imposición, gravándose una sola vez cuando se imputan en la base imponible del socio. Podría acontecer, sin embargo, que la plusvalía derivada de la transmisión de la participación en la entidad transparente se correspondiese con rentas no imputadas al socio, o con beneficios de la entidad no sometidos al régimen de transparencia fiscal, con plusvalías latentes en la entidad o con un fondo de comercio. En estos casos, el derecho a la exención por doble imposición de plusvalías depende de la proporción de las rentas de la entidad transparente. Si más del 15% de las rentas de la entidad transparente se someten a este régimen singular, toda la plusvalía derivada de la transmisión se integra en la base imponible del socio y tributa. Pero también es posible que durante algún ejercicio se haya alcanzado este porcentaje del 15% y en otros no, en cuyo caso la prohibición de la exención recae tan solo sobre la porción de la plusvalía derivada de períodos en los que, al menos, el 15% de la renta de la entidad transparente se sujetó al régimen de transparencia fiscal internacional.

En cualquier caso, para aplicar la exención resulta preciso que el perceptor de la plusvalía posea la participación durante al menos un año.

9.2. *Requisitos para poder aplicar la exención de las plusvalías para evitar la doble imposición*

a) Criterios generales

Tal y como veíamos que ocurría con los dividendos, también aquí los socios con derecho a aplicar la exención por plusvalías deben poseer una participación que represente, por lo menos, el 5% de la entidad participada o un valor de adquisición superior a los veinte millones de euros. Además, y de la misma manera, únicamente las participaciones que el socio haya poseído durante un año ininterrumpido generan el derecho a la exención por doble imposición de plusvalías, pero con una diferencia notable, porque si bien en el caso de doble imposición de dividendos el adecuado cumplimiento del requisito temporal puede lograrse antes, durante o después del reparto del dividendo, eso no ocurre en las plusvalías pues, por definición, las mismas aluden a una transmisión de la participación que ya no podría consumarse una vez ejecutada. Por ello, los requisitos apuntados de porcentaje y antigüedad deben cumplirse el día en que se produzca la transmisión y son absolutamente independientes del porcentaje de participación que se transmita o del que se mantenga después de dicha transmisión. Asimismo, en supuestos de transmisión fraccionada de una participación, si el porcentaje mantenido bajase del 5%, sería posible que las últimas fracciones transmitidas no pudieran gozar de la exención[111].

b) Plusvalías generadas por participaciones en entidades cuyos ingresos proceden en más del 70 por ciento de rentas pasivas.

La regulación y tratamiento fiscal de las plusvalías provenientes de participaciones en entidades cuyos ingresos proceden en más del 70 por ciento de rentas pasivas es también idéntica a la de los dividendos derivados de éstas.

c) Plusvalías derivadas de la transmisión de participaciones en entidades no residentes.

Por lo que se refiere a las plusvalías derivadas de la transmisión de participaciones en entidades no residentes, su exención se supedita a una exigencia: que la entidad participada haya estado sujeta y no exenta a un impuesto extranjero de naturaleza idéntica o análoga a la del IS y con un tipo nominal como mínimo del 10 por ciento en el ejercicio en el que se generaron los beneficios. En muchas ocasiones, estas plusvalías provenientes de la transmisión de participaciones en entidades no residentes pueden generarse en el transcurso de más de un período impositivo, sucediendo entonces que una parte al menos de la plusvalía se haya conformado en ejercicios en los que la entidad participada estaba sometida a un impuesto similar al español y otra provenga, por el contrario, de ejercicios en los que la entidad participada no se sometió a un impuesto análogo. En tales casos, es decir, si el gravamen extranjero solo se consumó en alguno de los ejercicios durante los que se generó la plusvalía, resultaría necesario calcular la cantidad de plusvalía o renta correspondiente al gravamen extranjero (cuya fracción disfrutaría de la exención) del resto que se integraría en la base imponible del socio y tributaría plenamente.

De la misma manera y por idénticas razones, se hallaría exenta del IS aquella parte de plusvalía correspondiente a un incremento neto de los beneficios

---

[111]   SERRANO GUTIÉRREZ, A. op. ult. cit. pag. 228.

no repartidos generados en los ejercicios en los que la entidad participada se hubiese sometido a la imposición prevista en el artículo 21. 1. b) LIS/2014. Si el importe de la plusvalía no se correspondiese con un aumento neto de los beneficios obtenidos y retenidos en la entidad participada durante el tiempo de tenencia de la participación, la exención alcanzaría a la parte generada en los ejercicios en que la entidad participada se hubiese sometido al gravamen extranjero aludido en el art. 21. 1 b) LIS/2014.

Para realizar el cálculo de cada una de esas partes a las que acaba de aludirse, el legislador, a través de una presunción iuris tantum, considera que la parte de la plusvalía que no representa un incremento neto de beneficios no repartidos en la entidad participada, se genera de forma lineal. Lógicamente, al tratarse de una presunción relativa, el contribuyente podría probar que la porción de la plusvalía generada durante el (o los) ejercicios (s) en que se cumplió la condición del gravamen extranjero sobre la entidad participada, fue mayor que el resultante de la aplicación legal que implica la presunción, resultando plenamente legal dicha posibilidad metodológica.

d) Plusvalías derivadas de la transmisión de participaciones en entidades que, a su vez, participan en dos o más entidades.

El art. 21. 3 LIS/2014 prevé alguna restricción al beneficio representado por la exención de las plusvalías cuando las mismas derivan de transmisiones de participaciones en entidades residentes o no residentes que, a su vez, participan en dos o más entidades. Eso, sensu contrario, significa que dicha restricción o límite no juega cuando la entidad participada lo es con relación a una sola entidad, aunque respecto de esta última se incumplan los requisitos previstos en las letras a) o b) del artículo 21. 3 LIS/2014[112].

---

[112]   Como señala SIMON YARZA, M. E. op. ult. cit. pag. 232, *"ninguna razón parece justificar esta reducción del límite de la exención a los supuestos en que las entidades indirectamente participadas son, el menos, dos. Pero el tenor literal del art. 21. 3 LIS/2014 no admite una interpretación diferente a esta"*. La autora, además, apostilla alguna otra paradoja: *"Por otro lado, las letras a) y b) del art. 21. 1 LIS/2014 se refieren, respectivamente, al tiempo y grado de tenencia de la participación (a) y al impuesto soportado en el extranjero (b). La condición de la letra b) afecta, por su propia naturaleza, solo a participaciones en entidades no residentes en España, pero la de la letra a) se despliega también sobre las participaciones en entidades residentes en nuestro territorio. El presupuesto de hecho que causa la restricción de la exención es, o bien el incumplimiento de la letra a) del art. 21. 1 LIS/2014, o bien la inobservancia de la letra b) del mismo precepto. En principio parece que estamos en la presencia de una restricción que abarca las plusvalías derivadas de participaciones indirectas en entidades residentes y las plusvalías procedentes de participaciones indirectas en entidades no residentes. Sin embargo, los límites que la ley asocia a estas situaciones contradicen esta afirmación. Estos se refieren solo a entidades indirectamente participadas que no son residentes en España. A pesar de estar incluidas en el supuesto de hecho de la restricción, las plusvalías derivadas de participaciones indirectas en entidades residentes gozan de la*

Las reglas previstas por el art. 21. 1 LIS/2014 obligan a la sociedad que quiera eximir sus plusvalías por la transmisión de participaciones en entidades indirectamente participadas, a calcular la parte de las mismas que proviene de esos beneficios y la fracción que no deriva de los mismos[113]. Se considera exenta así la fracción correspondiente con los beneficios no distribuidos generados por las entidades indirectamente participadas durante el tiempo de tenencia de la participación en las que se cumple el requisito del impuesto extranjero con un tipo nominal mínimo del 10 por ciento. Sin embargo, en la práctica, resultará harto difícil a la entidad participada obtener dicha información de las plusvalías generadas en las entidades indirectamente participadas[114]. Aunque también pudiera ocurrir que los beneficios correspondientes a la plusvalía no hubieran sufrido tributación alguna, a pesar de lo cual, aquélla quedaría exenta, pues bastaría cumplir con el tenor literal del precepto (que la entidad participada se someta a gravamen de, al menos, el 10 por ciento en el ejercicio en que el sujeto pasivo transmite la participación) para que quede exenta la porción de la plusvalía correspondiente al incremento neto de beneficios no distribuidos generados por las entidades indirectamente participadas durante el tiempo de tenencia de la participación[115].

En cualquier caso, de la redacción legal del art. 21. 1 LIS/2014 no se infiere con claridad la metodología del cálculo para delimitar la plusvalía proporcionalmente atribuible a aquellas entidades en que se hubiese cumplido la condición de tributación en el extranjero[116].

---

exención incluso cuando el grado de participación en la entidad indirectamente participada es menor del previsto en el art. 21. 1. a) LIS/2014".

[113] "1. Respecto de aquella parte de la renta que se corresponda con un incremento neto de beneficios no distribuidos generados por las entidades indirectamente participadas durante el tiempo de tenencia de la participación, se considerará exenta aquella parte de la renta que se corresponda con los beneficios generados por las entidades en las que se cumpla el requisito establecido en la letra b) del apartado 1. 2. Respecto de aquella parte de la renta que no se corresponda con un incremento neto de beneficios no distribuidos generados por las entidades indirectamente participadas durante el tiempo de tenencia de la participación, se considerará exenta aquella parte que proporcionalmente sea atribuible a las entidades en que se haya cumplido el requisito establecido en la letra b) del apartado 1".

[114] Como señala SIMON YARZA, M. E. op. cit. pag. 233, "a nuestro juicio esta exigencia reduce hasta el mínimo las posibilidades de disfrutar de la exención".

[115] Así, SIMON YARZA, M. E. op. loc. ult. cit. En su opinión, "más razonable y más acorde con el espíritu de la exención es que esta se aplique a condición de que los beneficios no distribuidos generados por las entidades indirectamente participadas durante el tiempo de tenencia de la participación que se corresponden con la plusvalía hayan soportado la imposición del 10 por ciento. Sin embargo, el art. 21. 3 LIS/2014 no define con precisión este supuesto".

[116] Así lo reconoce abiertamente SIMON YARZA, M. E. op. ult. cit. pag. 234, al señalar lo siguiente: "Resulta difícil en sede doctrinal realizar un pronunciamiento sobre la respuesta que merecerán estos interrogantes antes de que se haya consolidado una línea jurisprudencial que los dote de un contenido de que hoy carecen. Sería muy aventurado avanzar soluciones y, por tal motivo, parece preferible dejar planteado el problema confiando en que la

e) Plusvalías y deducción por doble imposición jurídica.

Como es sabido, la exención por doble imposición económica y la deducción por doble imposición jurídica de plusvalías derivadas de la transmisión en fondos propios de entidades no residentes, se excluyen entre sí o, dicho de otra manera, resultan incompatibles. Pero si la exención de la plusvalía lo fuese parcialmente, también resultaría en esa misma medida compatible con la deducción por doble imposición jurídica internacional (art. 31 LIS/2014[117]). De esta manera y en tal caso, podría aplicarse la deducción por doble imposición jurídica internacional sobre aquella fracción de la plusvalía que no hubiese disfrutado de la exención prevista por el art. 21 LIS/2014, toda vez que en tal caso ambos instrumentos coadyuvarían en el correcto tratamiento de la cuestión y no comportaría infra imposición alguna sobre la plusvalía obtenida. En este sentido, el art. 21. 3 LIS/2014 contempla expresamente el derecho a esa

---

grave inseguridad jurídica que en este punto se ha generado sea superada por el legislador mediante una modificación de la ley o por el Gobierno en uso de su poder reglamentario. En último término, serán los tribunales de justicia los que desbrocen el camino, pero entretanto los obligados tributarios y la propia Administración están condenados a sufrir una situación de provisionalidad de todo punto desaconsejable". SERRANO GUTIERREZ, A. op. ult. cit. pag. 229, lo explica de la siguiente manera: *"Asimismo, la LIS, art. 21. 3 establece que, en el caso de la transmisión de la participación en el capital o en los fondos propios de una entidad residente o no residente en territorio español que, a su vez, participara en dos o más entidades, respecto de las que sólo en alguna de ellas se cumpliera el requisito relativo a la sujeción y no exención de la entidad participada no residente a un impuesto extranjero de naturaliza idéntica o análoga al IS español a un tipo nominal de, al menos, el 10%, la exención sobre la renta positiva, obtenida en la transmisión de la participación de la entidad directamente participada, debe aplicarse de acuerdo con las siguientes reglas: a) Respecto de aquella parte de la renta que se corresponda con un incremento neto de beneficios no distribuidos generados por la entidades indirectamente participadas, durante el tiempo de tenencia de la participación, se considera exenta aquella parte de la renta que se corresponda con los beneficios generados por las entidades en las que se cumpla el requisito relativo a la sujeción y no exención, de la entidad participada no residente, a un impuesto extranjero de naturaleza idéntica o análoga al IS español a un tipo nominal de, al menos, el 10%; b) Respecto de aquella parte de la renta que no se corresponda con un incremento neto de beneficios no distribuidos, generados por las entidades indirectamente participadas, durante el tiempo de tenencia de la participación, se considera exenta aquella parte que proporcionalmente sea atribuible a las entidades en que se haya cumplido el requisito relativo a la sujeción y no exención, de la entidad participada no residente, a un impuesto extranjero de naturaleza idéntica o análoga al IS español a un tipo nominal de, al menos, el 10%".*

[117] Este precepto posibilita que el sujeto pasivo integre en su base imponible aquellas rentas generadas en el extranjero, reduciendo de su cuota íntegra la menor de dos magnitudes: a) El valor del tributo efectivo satisfecho en el extranjero de naturaleza idéntica o análoga al IS (teniendo en cuenta dos extremos, en primer lugar que no se deducen los impuestos no pagados en virtud de exención, bonificación o cualquier otro beneficios fiscal y, en segundo término, que siendo de aplicación un convenio para evitar la doble imposición, la deducción no puede exceder el impuesto que corresponda según aquél), o bien, b) El importe de la cuota íntegra que habría de pagarse por las rentas si éstas se hubieran obtenido en territorio español.

aplicación simultánea de la deducción y la exención cuando dicha exención por doble imposición de plusvalías fuese parcial, lo que resulta por otra parte plenamente lógico, pues *"si la LIS/2014 no se pronunciara sobre el modo de aplicar la deducción del art. 31 LIS 2014 cuando le exención por doble imposición de plusvalías es parcial, el contribuyente podría interpretar que es deducible el importe del impuesto satisfecho en el extranjero de naturaleza análoga o igual al IS por el total de la plusvalía. En ese caso una parte de la reducción sobre la cuota íntegra derivaría de la obtención de unas rentas no gravadas en territorio español. Quienes obtuviesen plusvalías en el extranjero, no solo no tributarían en España sino que, además, obtendrían un crédito fiscal por valor del impuesto satisfecho por esas rentas en el extranjero"*[118].

f) Plusvalías generadas por operaciones societarias.

La exención también es aplicable a la renta positiva proveniente de la transmisión de participaciones en entidades como consecuencia de supuestos de liquidación de la entidad, separación de socios, fusión, escisión total o parcial, reducción de capital, aportación no dineraria o cesión global de activo y pasivo. En tal sentido, el art. 17. 4 LIS/2014 recuerda la obligación de cuantificar por su valor de mercado, tres clases de elementos patrimoniales:

- Los aportados a entidades y los valores recibidos en contraprestación cuando no resulte de aplicación el régimen previsto en el Título VII, Capítulo VII de la LIS/2014, o bien que se trate de una operación de aumento de capital o fondos propios por compensación de créditos.

- Los transmitidos a los socios por causa de disolución, separación de aquéllos, y reducción de capital con devolución de aportaciones.

- Los transmitidos en virtud de fusión y escisión total o parcial, cuando no resulte de aplicación el régimen previsto en la LIS/2014, Título VII, Capítulo VII).

En todas estas operaciones, la entidad transmitente integra en su base imponible la diferencia entre el valor de mercado de los elementos transmitidos y su valor fiscal, con excepción del caso de operaciones de aumento de capital o

---

[118] SIMÓN YARZA, M. E. op. ult. cit. pag. 235., quien apostilla lo desproporcionado que sería que se reconociese *"al socio una deducción por doble imposición jurídica que otorgue el derecho a reducir el gravamen satisfecho en el extranjero sobre toda la plusvalía cuando parte de esta está exenta. Por eso el art. 21. 3 LIS/2014 dispone que en estos casos el importe de la deducción asciende al valor de la parte del tributo extranjero que proporcionalmente se corresponde con la renta no exenta correspondiente a ejercicios o entidades que no han soportado la tributación del diez por ciento que establece el art. 21. 1 b) LIS/2014. El art. 21. 3 LIS/2014 no dice nada más sobre la deducción del art. 31 LIS/2014. Parece lógico, sin embargo, que si el socio no deduce de la cuota el todo el valor del tributo extranjero porque la exención de la plusvalía es parcial, integre en la base imponible solo la parte proporcional de aquel tributo correspondiente a la fracción de la plusvalía no exenta".*

fondos propios por compensación de créditos, pues en tal caso la transmitente debe integrar en su base imponible el resultado de la diferencia entre el importe del aumento de capital o fondos propios, en la proporción que le corresponda, y el valor fiscal del crédito capitalizado. Por su parte, los socios, de conformidad con lo establecido por el art. 17. 6. 8. y 9. de la LIS/2014, deben integrar en su base imponible distintas magnitudes en función de la operación realizada. Si se tratase de reducción de capital con devolución de aportación, el exceso de valor de mercado de los elementos recibidos sobre el valor fiscal de la participación. Si se tratase de disolución de entidades y separación de socios, la diferencia entre el valor de mercado de los elementos recibidos y el valor fiscal de la participación anulada. Por fin, de tratarse de una fusión, absorción o escisión total o parcial, la diferencia entre el valor de mercado de la participación recibida y el valor fiscal de la participación anulada, salvo que resultase de aplicación el régimen fiscal especial previsto en la LIS/2014 por el Título VII, Capítulo VII.

La integración de las rentas en la base imponible de los socios implica la inclusión en la misma del importe de las plusvalías tácitas atribuibles a los elementos patrimoniales de las transmitentes, así como, en su caso, del importe de las reservas expresas correspondientes a tales entidades. Por lo tanto, como las referidas plusvalías tácitas y expresas ya soportaron con carácter previo (de conformidad con lo querido por el artículo 17. 5 LIS/2014) el gravamen al integrarse en la base imponible de las entidades transmitentes, deben eximirse de integración y tributación en la base imponible de los socios, pues de otra forma se produciría un supuesto claro de sobre imposición. Es por ello que se declara exenta la renta positiva obtenida por los socios en las operaciones societarias de liquidación, separación de socios, fusión, escisión total o parcial, reducción de capital, aportación no dineraria o cesión global de activo y pasivo.

g) Plusvalías provenientes de participaciones de reestructuraciones empresariales y valoradas de conformidad con el régimen especial del capítulo VII del Título VII de la LIS/2014.

Alentada por la idea de la neutralidad y con el fin de no malograr aquellas operaciones que pudiesen redundar en la mejora gestora y en la capacidad de maniobra de las personas jurídicas, la normativa del IS permite diferir el momento de tributación de las plusvalías a la fecha en la que las participaciones salen del patrimonio de la entidad adquirente[119]. En estos casos, el art. 21. 3 LIS/2014 exige que el perceptor de la plusvalía derivada de la transmisión haya

---

[119]   Vid. el art. 81. 2 LIS/2014, conforme al cual, el socio deberá valorar los títulos que recibe por idéntico valor fiscal que tenían los que entregó, aumentado o disminuido en la suma de dinero que, en su caso, se hubiese abonado o recibido en el intercambio, disponiendo además que las participaciones que se reciben mantengan la misma fecha de adquisición que tenían las participaciones entregadas.

poseído una participación que represente, al menos, el 5 por ciento de los fondos propios de la entidad participada y durante un año ininterrumpido.

De conformidad con lo señalado en el art. 21. 4 LIS/2014, la entidad transmitente de la participación obtenida en una operación que se benefició del régimen especial de diferimiento de las plusvalías previsto en el Capítulo VII del Título VII, debe dividir dicha plusvalía en dos cantidades. La primera (denominada generalmente como plusvalía de transmisión) corresponde a la parte de la plusvalía generada en el período comprendido entre el momento en el que la entidad adquirió la participación y el momento en el que la transmite. Su importe se fija por la diferencia entre el valor de transmisión de la participación y su valor de mercado en la fecha en que la entidad adquirió dicha participación. La segunda (conocida como plusvalía diferida) corresponde a la parte de la plusvalía generada hasta el mismo momento en el que se realizó la operación de reestructuración y se adquirió la participación. En este caso, el importe es equivalente a la diferencia entre el valor total de la plusvalía y el valor de ésta generada durante todo el tiempo en el que la entidad haya sido su titular. La exención se gira tanto sobre la plusvalía de transmisión como sobre la diferida, aunque por separado, de tal forma que la primera goza de exención total o parcial de conformidad con lo dispuesto por el art. 21. 3 LIS/2014, mientras que la segunda exime del tributo el importe que hubiera gozado de la exención si la plusvalía hubiera tributado cuando se materializó la reestructuración empresarial en la que se difirió su tributación. Si hubo una parte de plusvalía diferida que no disfrutó de la exención, por no cumplir los requisitos legalmente previstos para ello cuando se llevó a cabo la operación de reestructuración, la misma se integraría plenamente en la base imponible de la entidad y tributaria con toda normalidad.

Si alguna de estas plusvalías fuese internacional, habrían de cumplirse los requisitos previstos para estos casos, en los términos ya vistos y recogidos en el art. 21 LIS y la exención podría aplicarse tanto sobre la plusvalía diferida como sobre la plusvalía de transmisión[120]. Pues bien, el RDL 3/2016, de 2 de

---

[120]   SERRANO GUTIÉRREZ, A. op. ult. cit. pag. 240 señala a este respecto lo siguiente: *"La sustitución, mediante la operación de reestructuración empresarial, acogida al régimen especial de diferimiento, contemplado en la LIS tit. VII cap. VII, de una participación que no cumplía los requisitos para la aplicación de la exención (regulada en la LIS/04 art. 21. 3), por otra participación que sí reúne tales requisitos, podría generar una situación de defecto de imposición, en la medida en que la renta diferida, como consecuencia de la aplicación del citado régimen especial, determinada por la diferencia entre el valor de mercado de la participación transmitida, en el momento de efectuarse la mencionada operación de reestructuración empresarial, y su valor fiscal, quedase subsumida en la renta generada en la posterior transmisión de dicha participación, calculada por diferencia entre el valor de transmisión y el valor fiscal de la misma, sobre la que se aplica la exención. Para evitar este posible defecto de imposición, la LIS art. 21. 4 a) dispone que la exención se aplique, únicamente, sobre la renta que corresponda a la diferencia positiva entre el valor de transmisión de la participa-*

diciembre, ha introducido una modificación respecto de esta regla especial aplicable a transmisiones de valores y operaciones acogidas al régimen especial de fusiones del Capítulo VII del Título VII de la LIS, de tal forma que en aquellos casos en los que la participación en la entidad hubiera sido valorada conforme a las reglas particulares del régimen especial señalado y la aplicación de dichas reglas hubiera determinado la no integración de rentas en la base imponible del IS, o del IRNR, derivadas de:

- La aportación (la redacción original del art. 21 LIS/2014 aludía a la transmisión) de la participación en una entidad que no cumpla con los requisitos previstos por el precepto, o

- La aportación no dineraria de otros elementos patrimoniales distintos a las participaciones en el capital o fondos propios de entidades, la exención no se aplicará sobre la renta diferida en la entidad transmitente como consecuencia de la operación de aportación, salvo que se acreditase que la entidad adquirente había integrado esa renta en su base imponible.

Por lo tanto, la modificación operada por el RDL 3/2016, respecto de la originaria previsión de la LIS/2014, se centra en que la renta positiva derivada de la transmisión de participaciones adquiridas mediante título de aportación realizada por personas físicas, no estará exenta en el importe total, sino en el exceso del precio de transmisión respecto del valor de mercado en el momento de la aportación, cuando medien las siguientes circunstancias:

- La renta obtenida en la aportación no se integró en la base imponible del IRPF, por aplicación de lo previsto en el artículo 87 de la Ley 27/2014.

- La transmisión se produce dentro de los dos años posteriores a la aportación.

- Las personas físicas que realizaron la aportación no han transmitido la participación en la entidad beneficiaria de la aportación dentro del mencionado período de tiempo.

Es decir, el referido RDL establece que cuando la participación en la entidad se hubiera valorado de conformidad con las reglas del régimen especial del Capítulo VII del Título VII de la LIS y la aplicación de dichas reglas determinase la no integración de las rentas en la base imponible del IRPF, derivadas

---

ción en la entidad y el valor de mercado de aquella en el momento de su adquisición por la entidad transmitente. El resto de la renta generada en la transmisión, equivalente al importe de la renta diferida en el momento de la realización de la operación de reestructuración empresarial, se integra en la base imponible del período impositivo en que tenga lugar la mencionada transmisión".

de la aportación de participaciones en entidades, en caso de transmisión en los dos años posteriores a la fecha en que se realizó la aportación, la exención no se aplicará sobre la diferencia positiva entre el valor fiscal de las participaciones recibidas por la entidad adquirente y el valor de mercado en el momento de su adquisición, salvo que se acredite que las personas físicas transmitieron su participación en la entidad durante el referido plazo. Dicho de otra manera, cuando una entidad transmite una participación recibida de una persona física residente bajo el régimen especial de neutralidad fiscal (aportación no dineraria), hasta ahora la exención operaba sobre la renta determinada desde el valor de adquisición originario de la persona física aportante (exonerando la plusvalía diferida por la aportación). Tras el RDL 3/2016 esto ya no será siempre y necesariamente así. Es decir, lo sería si la transmisión por parte de la entidad no se produce antes de dos años desde la operación de aportación por parte de la persona física, salvo que a su vez ésta acredite que ha transmitido su participación en la entidad receptora de la aportación durante dicho plazo. Si en la transmisión de la participación surgen rentas negativas, las mismas no se computarán, de conformidad con las reglas generales previstas por el apartado 6 del artículo 21 LIS.

Conviene señalar, asimismo, que el referido RDL 3/2016 de 2 de diciembre ha introducido un nuevo apartado 8 al art. 21 LIS (pasando el antiguo apartado 8 al 9, suprimiéndose el anterior existente) por el cual se establece la deducibilidad fiscal de las rentas negativas generadas en caso de extinción de la entidad participada, salvo que la misma fuese consecuencia de una operación de reestructuración empresarial. En tal caso, el importe de las rentas negativas debe minorarse en el importe de los dividendos o participaciones en beneficios recibidos de la entidad participada en los diez años anteriores a la fecha de la extinción, pero siempre que los referidos dividendos o participaciones en beneficios no hayan minorado el valor de adquisición y hayan tenido derecho a la aplicación de un régimen de exención o de deducción para la eliminación de la doble imposición por el importe de la misma[121]. En coherencia con todo ello, el RDL 3/2016 ha modificado el apartado 2 del art. 13 LIS, añadiendo además la letra k) al art. 15 LIS, para seguir manteniendo, como hasta ahora, la no deducibilidad de las pérdidas por deterioro de acciones o participaciones en los fondos propios de entidades[122]. Por lo tanto, en el caso de rentas nega-

---

[121]   Como señala SANZ GADEA, E. "El Impuesto....", op. cit. pag. 28, con esta regla se puede impedir la integración en la base imponible de la renta negativa provocada por la distribución de unos beneficios implícitos en el valor de adquisición de la participación, pero también la de una renta negativa con un origen distinto. En el primer caso, se evitaría una desimposición, mientras que en el segundo, se obturaría el cómputo de una renta negativa efectiva.

[122]   Sobre este particular, SANZ GADEA, E. "El Impuesto....", op. cit. pag. 14, realiza un jugoso comentario, al hilo de la promulgación del RDL 3/2016 con relación a la integración por

tivas por causa de extinción de la entidad participada, la nueva redacción del artículo 21. 8 de la Ley 27/2014, como consecuencia del RDL 3/2016, implica la deducibilidad fiscal de las rentas negativas generadas en caso de extinción de la entidad participada, salvo que la misma sea consecuencia de una operación de reestructuración (y con independencia de que dicha reestructuración se haya acogido o no al régimen especial). De esta manera, la renta negativa que aflora como consecuencia de la extinción de una entidad, cuando la correspondiente disolución va seguida de la liquidación, se integra en la base imponible, mientras que la renta negativa derivada de la extinción de una entidad, cuando la correspondiente disolución no va seguida de la liquidación (fusión o escisión total, por ejemplo), no se integra en la base imponible. Para el caso de reestructuraciones acogidas al régimen especial del Capítulo VII del Título VII de la LIS se plantea la cuestión relativa a la norma de aplicación, es decir, si debe

---

reversión en la base imponible de pérdidas anteriores por deterioro de instrumentos de patrimonio: *"El efecto práctico de la nueva norma concerniente a la reversión es rechazar el deterioro practicado con arreglo a la legislación anterior a la Ley 16/2013. En efecto, ese deterioro se integra en la base imponible aun cuando la entidad participada no haya experimentado una recuperación en sus beneficios. No tiene buena apariencia una tributación en ausencia de beneficios, pero también es cierto que el bienintencionado artículo 12. 3 del TRLIS, en conjunción con la exención de dividendos y plusvalías de fuente extranjera del artículo 21 TRLIS, determinaba, de una parte, una fiscalidad asimétrica y, de otra, tratándose de participaciones en entidades del grupo, multigrupo y asociadas, olvidadiza del tradicional principio de inscripción contable. Seguramente, bajo la drástica medida de reversión por quintas partes, late la sospecha de que el artículo 12. 3 TRLIS, endosaba al impuesto sobre sociedades unas pérdidas que no necesariamente pesaban sobre los beneficios contables ni, por ende, sobre los dividendos de los accionistas. La transmisión de la participación deteriorada determina el cese de la reversión, con el efecto práctico, por tanto, de computar, definitivamente, la renta negativa pretérita. Este efecto se produciría, incluso, cuando la entidad adquirente y transmitente estuvieren vinculadas. Esta maniobra defensiva podría quedar frustrada si el artículo 11.6 de la Ley 27/2014 pudiera interpretarse en el sentido de que también cubre la reversión apodíctica. En efecto, ha habido un deterioro fiscalmente deducible, y hay una reversión, ciertamente peculiar, pero reversión fiscal a fin de cuentas, en sede de una entidad vinculada. Podría aducirse que, toda vez que el deterioro de los instrumentos de patrimonio no es fiscalmente deducible, el artículo 11. 6 no cubre situación alguna referida a los mismos. Sin embargo, ese argumento no sería concluyente, toda vez que el deterioro concernido sí fue fiscalmente deducible. Ciertamente, si la entidad adquirente de la participación no es residente en territorio español, volvería a suscitarse el antiguo problema de la entidad en la que procede la reversión, respecto del que la Ley 27/2014 ha guardado silencio, si bien, con arreglo a la norma concordante del TRLIS, los tribunales de justicia descartaron que el obligado a la reversión fuera el contribuyente que transmitió la participación. Más allá de las disquisiciones precedentes, no debiera dejarse de lado que una transmisión de la participación que respondiera tan solo al móvil de eludir la norma de reversión podría caer bajo el ámbito de aplicación de una norma antiabuso de carácter general. En fin, puesto que la reversión apodíctica eleva el valor fiscal de la participación, la pérdida correspondiente, caso de persistir, siempre podría hacerse efectiva, a efectos fiscales, mediante la extinción de la entidad, en los términos previstos en el artículo 21. 8 de la Ley 27/2014, según redacción del Real Decreto-Ley 3/2016".*

aplicarse lo dispuesto en el art. 21. 8 o lo establecido por el art. 81 de la Ley 27/2014. El efecto práctico en ambos casos es idéntico, no se computará la renta negativa puesta de manifiesto en la operación de reestructuración, aunque el principio de preferencia por la regla especial sobre la general indica que sea el art. 81 el aplicable[123].

h) Plusvalías derivadas de transmisiones sucesivas de valores homogéneos.

Señala el artículo 8 del RIRPF que los valores o participaciones homogéneos son aquellos procedentes de un mismo emisor que formen parte de una misma operación financiera o respondan a una unidad de propósito, incluida la obtención sistemática de financiación, sean de igual naturaleza o régimen de transmisión y atribuyan a sus titulares un contenido sustancialmente similar de derechos y obligaciones. De conformidad con el PGC NRV 9ª, para valorar estos activos debe aplicarse el método del coste medio ponderado por grupos homogéneos, entendiéndose por tales los valores que tienen iguales derechos. Para estos casos, el original art. 21. 4 b) LIS/2014 fijaba un límite sobre el importe de la plusvalía exenta, con el fin de que el beneficio fiscal no excediese la corrección que se pretendía en la posible cadena de transmisiones que pudiera producirse. Dicho de otra manera, la LIS/2014 contemplaba una serie de reglas para aquellos casos en los que se produjesen sucesivas transmisiones de valores homogéneos, con el fin de que la renta a integrar en la base imponible no fuese inferior a la renta neta total generada en el conjunto de todas las transmisiones, evitándose así supuestos de clara infra imposición. De esta forma, se negaba la exención al valor que coincidiese con la cuantía de rentas negativas netas obtenidas en las transmisiones previas que el contribuyente hubiese integrado en la base imponible del impuesto.

Dicho de otra manera, podrían ponerse de manifiesto rentas negativas previas, seguidas de renta positiva o rentas positivas previas, seguidas de renta negativa. En el primer caso (art. 21. 1. b LIS/2014), la exención se limitaba al exceso sobre el importe de las rentas negativas netas obtenidas en transmisiones previas que hubiesen sido objeto de integración en la base imponible. En el segundo, es decir, en aquellos supuestos en los que las transmisiones de valores homogéneos generaban rentas positivas seguidas de una renta negativa, el art. 21. 7 LIS/2014 introducía otra restricción, estableciendo que el importe de dichas rentas negativas debía minorarse en el importe de las rentas positivas netas obtenidas en transmisiones previas que hubiesen tenido derecho a la exención.

De esta forma, aquellas entidades transmitentes de participaciones que obtengan rentas negativas, no las integran en la base imponible si coincide con el importe de los dividendos que hubiesen gozado de la exención y como consecuencia de la entrega se hubiera reducido el valor de adquisición de la parti-

---

[123]   Así, SANZ GADEA, E. "El Impuesto....", op. cit. pag. 26.

cipación. En otro caso deben hacerlo, pues se produciría un claro supuesto de infra imposición. Dicho límite opera cuando los dividendos se hayan recibido en un período impositivo iniciado a partir del año 2009[124]. Para el caso de transmisiones sucesivas de valores homogéneos, de existir rentas positivas y negativas, se les dispensaba un tratamiento unitario, como si hubiese existido únicamente una sola transmisión de la participación, compensándose el importe de las rentas positivas netas con el de las rentas negativas, de tal forma que la diferencia positiva entre unas u otras es la que se incorporaba como renta negativa en la base imponible.

El RDL 3/2016, de 2 de diciembre, ha suprimido esta regla especial aplicable a transmisiones sucesivas de valores homogéneos, mediante una nueva redacción de la letra b) del apartado 4 del art. 21 LIS. Asimismo, el citado RDL ha modificado la redacción del apartado 7 del art. 21 LIS por el que se establecía la forma de proceder en aquellos casos de obtención de rentas negativas cuando se hubieran percibido dividendos desde el año 2009, de tal forma que en relación con las rentas negativas derivadas de la transmisión de participaciones en entidades que sean objeto de integración en la base imponible del impuesto, se establece que en el caso de que la participación hubiera sido previamente transmitida por otra entidad que reuniese las circunstancias contenidas en el art. 42 del Ccom para formar parte del mismo grupo de sociedades con la entidad contribuyente, y con independencia de la residencia y de la obligación de formular cuentas anuales consolidadas, dichas rentas negativas deben minorarse en el importe de la renta positiva generada en la transmisión precedente a la que se

---

[124]   Esta cuestión la explica SERRANO GUTIÉRREZ, A. op. cit. pag. 247, en los siguientes términos: *"Otro caso, en el que puede generarse una situación de defecto de imposición, es aquél en el que la renta negativa generada en la transmisión de la participación en una entidad, cuyo importe se integra en la base imponible de la misma, ha estado precedida por la obtención de dividendos exentos, que no han sido integrados en dicha base imponible. Para evitar esta situación de defecto de imposición, se dispone que, el importe de las rentas negativas, derivadas de la transmisión de la participación en una entidad, debe minorarse en el importe de los dividendos o participaciones en beneficios, recibidos de la entidad participada a partir del período impositivo que se haya iniciado en el año 2009, siempre que los referidos dividendos o participaciones en beneficios no hayan minorado el valor de adquisición y que hayan tenido derecho a la aplicación de la exención regulada en la LIS art. 21. 1. Nótese que, cuando los dividendos o participaciones en beneficios minoran el valor de adquisición de la participación, no existe ni deterioro contable ni renta negativa en el momento de la posterior transmisión de la participación, con lo que no se produce el presupuesto de hecho buscado por la norma. Por ello, este caso se exceptúa del precepto. Por lo demás, adviértase que la posible situación de defecto de imposición se corrige respecto de los dividendos recibidos a partir del ejercicio de 2009, pero no para los percibidos en ejercicios anterior, respecto de los cuales se mantiene la potencial situación de defecto de imposición"*. Vid. al respecto SANZ GADEA E. "El resultado financiero en el IS. Dividendos y plusvalías de cartera. Supuestos especiales de aplicación", op. cit. pag. 72 y ss.

hubiera aplicado un régimen de exención o de deducción para la eliminación de la doble imposición[125].

i) Rentas derivadas de la transmisión de participaciones adquiridas a otras entidades del grupo.

La LIS/2014 dio una redacción original al art. 21. 6 con una intención clara. Como quiera que en ocasiones no todas las entidades que constituyen grupos mercantiles en el sentido del art. 42 Ccom tributan bajo el régimen de consolidación fiscal (en cuyo caso lo harían por separado), podría ocurrir que, en una maniobra de planificación fiscal, se intentara reducir la tributación global mediante la redistribución de las plusvalías y minusvalías entre las distintas entidades que integran el grupo. Lo que se intenta evitar es que el grupo de sociedades integre en la base imponible de su IS una renta inferior a la renta neta total obtenida por el conjunto del grupo de sociedades. De esta forma, si el sujeto pasivo obtuviese una renta negativa en la transmisión de la participación en una entidad que hubiera sido previamente transmitida por otra entidad del mismo grupo (con independencia de la residencia o de la obligación de formular cuentas anuales consolidadas), dicha renta negativa habría de reducirse en el valor de la renta positiva obtenida en la transmisión precedente que disfrutó de la exención por doble imposición.

El RDL 3/2016, de 2 de diciembre ha modificado la redacción original del art. 21. 6 LIS/2014, para los períodos impositivos iniciados a partir de 1 de enero de 2017, en relación a la forma de proceder en los casos de obtención de rentas negativas en transmisiones de acciones y participaciones en fondos propios, con el fin de delimitar las circunstancias en las que no deben integrarse en la base imponible dichas rentas negativas. Como es sabido, el art. 21 de la Ley 27/2014 estableció la exención de los dividendos y las plusvalías de cartera correspondientes a participaciones significativas, admitiendo también (con ciertas restricciones, eso sí) el cómputo de las minusvalías inherentes o derivadas de dichas participaciones. Pues bien, el RDL 3/2016, enmienda dicha facultad y prohíbe el cómputo de dichas minusvalías[126]. De esta forma, se establece la

---

[125]　Lo que explica, a su vez, que el RDL 3/2016 haya derogado los apartados 6 y 7 del artículo 32 de la Ley 27/2014, toda vez que dichos apartados han devenido redundantes, al ordenar lo mismo que las dos reglas contenidas en el nuevo apartado 7 del artículo 21.

[126]　En opinión de SANZ GADEA, E. "El impuesto......", op. cit. pag. 16, *"el cómputo de la minusvalía hace justicia a la entidad que la sufre pero, en unión de la exención, crea un vacío en el conjunto de los contribuyentes del impuesto sobre sociedades, y da vía libre a operaciones de planificación fiscal agresiva. El no cómputo de la minusvalía colma el vacío, y cercena las posibilidades agresivas, pero agrava al contribuyente que la sufre. En el método de exención, alcanzar el equilibrio es muy difícil. Se diría, en relación con las rentas derivadas de la transmisión de la participación, que pone al mundo al revés: los que ganan no pagan y los que pierden no dejan de pagar. Esa impresión se matiza si se considera, de una parte, que la exención de rentas positivas tiene por objeto evitar la doble imposición económica y, respec-*

imposibilidad de integrar en la base imponible del IS las rentas negativas derivadas de la transmisión de la participación en una entidad en la que concurra alguna de las siguientes circunstancias:

– Que se cumplan los requisitos de porcentaje de participación o valor de adquisición y período de tenencia establecidos en el apartado 1 del art. 21, así como el requisito de tributación mínima exigido para participaciones en entidades no residentes. Es decir, no se computarán las rentas negativas derivadas de la transmisión de instrumentos de patrimonio que otorguen un porcentaje de participación de, al menos, el 5% o cuyo valor de adquisición hubiere excedido de 20 millones de euros, ya hubieren sido emitidos por entidades residentes en territorio español o en el extranjero. No obstante, ese requisito relativo al porcentaje de participación o valor de adquisición, según corresponda, se entenderá cumplido cuando el mismo se haya alcanzado en algún momento durante el año anterior al día en que se produzca la transmisión[127].

– Que no se cumpla el requisito de tributación mínima establecido en la letra b) del apartado 1 del art. 21 LIS para el caso de participación en el

---

to de las rentas negativas, que es la contrapartida, en el conjunto de todos los contribuyentes, de la exención de la renta positiva".

[127] Con palabras de SANZ GADEA, E. op. ult. cit. pag. 17, "aun cuando los requisitos que abren paso a la exención de las rentas positivas son los mismos que lo cierran al cómputo de las rentas negativas, ha de repararse en que, en el caso de las rentas negativas, el requisito relativo al porcentaje de participación o al valor de adquisición se entenderá cumplido cuando el mismo se haya alcanzado en algún momento durante el año anterior al día en que se produzca la transmisión. Para disfrutar de la exención de la renta positiva derivada de la transmisión de la participación, el requisito de porcentaje o valor de adquisición ha debido mantenerse con un año y cumplirse el día el que se produzca la transmisión, en tanto que para no computar la renta negativa derivada de la transmisión de la participación, basta con que tal requisito haya estado presente en el día de la transmisión o en cualquier otro del año precedente. De esta suerte, el cómputo de la renta negativa derivado de la transmisión de la participación queda relegado a las participaciones no significativas, esto es, a aquellas que otorgan un porcentaje de participación inferior al 5% y cuyo valor de adquisición no excede de 20 millones de euros. Adicionalmente, tratándose de participaciones no significativas sobre entidades no residentes en territorio español, tampoco se computará la renta negativa derivada de la transmisión, cualquiera que sea el porcentaje de participación o el precio de adquisición, cuando la entidad emisora no tribute por un impuesto extranjero de naturaleza idéntica o análoga al impuesto sobre sociedades, a un tipo nominal de, al menos, el 10 por cuento, de acuerdo con lo previsto en el artículo 21. 6 b), mediante la técnica de remisión al art. 21. 1 b). Consecuentemente, si media un convenio bilateral para evitar la doble imposición que contenga cláusula de intercambio de información, esta causa adicional de no cómputo de minusvalías de cartera no opera. Por tanto, aun en el caso de una participación no significativa, si el tipo de gravamen nominal correspondiente a la entidad emisora es inferior al 10%, la renta negativa derivada de la transmisión de la participación no se integrará en la base imponible, excepto si media un convenio, en los términos expuesto".

capital o en los fondos propios de entidades no residentes en territorio español.

Para el caso de que los requisitos señalados se cumpliesen parcialmente, la integración se realizaría también de forma parcial, es decir, la renta fiscal negativa obtenida se integrará parcialmente[128].

Dicho de otra manera, la nueva redacción otorgada al apartado 6 del art. 21 LIS establece la no deducibilidad de las rentas negativas derivadas de la transmisión de participaciones que cualificasen para la exención regulada en el precepto, o radicasen en territorios de baja tributación o en paraíso fiscal, en tres supuestos:

– Cuando la renta positiva obtenida por la transmisión hubiera estado exenta, si bien el requisito del porcentaje o valor de adquisición de la participación basta con que concurra en cualquier momento durante el año natural anterior al día en que se produzca la transmisión.

– En participaciones inferiores al 5% o valor de adquisición igual o inferior a 20 millones de euros (lo que en principio les impediría beneficiarse de la exención por la plusvalía) cuando correspondan a entidades no residentes que no hayan estado sujetas (o hubieran quedado exentas) a un impuesto sobre beneficios análogo al español, de tipo nominal de al menos el 10%, requisito que se entenderá cumplido cuando residan en un país con CDI que les sea de aplicación y que contenga cláusula de intercambio de información.

– Cuando sean entidades residentes en paraísos fiscales, excepto que residan en la UE y su constitución y operativa responda a motivos económicos válidos y se realicen actividades económicas.

La reforma operada por el RDL 3/2016 sigue así el derecho comparado y la evolución de las propuestas normativas realizadas por la UE, al descartar la incorporación en la base imponible del IS de cualquier renta, ya sea positiva o negativa, que pueda generar la tenencia de participaciones en otras entidades, articulando un régimen de exención simétrico tanto para las rentas positivas como para las negativas.

En todo caso, vale la pena apuntar, aunque exceda del epígrafe en el que se ubican estos comentarios, que las reglas relativas al no cómputo de minusvalías de cartera no se aplicarán en el caso de participaciones sobre Instituciones de Inversión Colectiva, pues el régimen de estas instituciones no solo desplaza a la exención del artículo 21 de la LIS/2014, sino que ordena la integración en la base imponible de las rentas derivadas de la transmisión de la participación o del reembolso, sin hacer distinción entre rentas positivas o negativas, no exis-

---

[128]   Así también SANZ GADEA, E. op. loc. ult. cit.

tiendo, por lo tanto, ninguna restricción a la integración de estas últimas (y lo mismo acontecería para las rentas negativas provenientes de instrumentos financieros derivados[129]).

Para el supuesto de participación sobre entidades holding, es decir, cuando los ingresos de la entidad participada procedan en más del 70% de dividendos o plusvalías de cartera, la minusvalía se computará o no en función del porcentaje de participación del 5% respecto de las entidades de las que proceden las rentas. Así, en el caso de cumplimiento del referido porcentaje, la renta negativa derivada de la transmisión de la participación sobre la entidad holding no se integrará en la base imponible. Y, por el contrario, cuando el porcentaje de participación fuese inferior al 5%, la renta negativa derivada de la transmisión de la participación sobre la entidad holding sí se computará. También en este caso cabe el cumplimiento parcial del requisito, es decir, que se cumpla únicamente en relación con alguna o algunas de las entidades participadas por la holding, en cuyo caso, el no cómputo de la minusvalía o la renta negativa será parcial, de conformidad con lo previsto en el último párrafo del artículo 21. 6 de la Ley 27/2014.

En el caso de participaciones sobre una entidad del grupo fiscal (consolidación), la renta negativa se minorará en el importe de las bases imponibles negativas, generadas dentro del grupo fiscal, imputables a la misma que hubieren sido compensadas en el contexto de la formación de la base imponible del grupo fiscal. Dicho de otra forma, dicha renta negativa no se computará, salvo que pueda compensarse con los beneficios obtenidos por otras entidades del propio grupo fiscal.

Tampoco se computan las rentas negativas derivadas de participaciones en el régimen de transparencia fiscal internacional (incluso cuando no se eximiera

---

[129] Respecto de estos últimos, es decir, de los instrumentos financieros derivados, SANZ GADEA, E. "El Impuesto….", op. cit. pag. 22, afirma lo siguiente: *"Esta importante fuente de rentas, positivas y negativas, no ha sido afectada por el Real Decreto-Ley 3/2016, aun cuando el subyacente fuere un instrumento de patrimonio. Sucede así que la renta negativa derivada de la transmisión de los instrumentos de patrimonio que componen na participación calificada no se computará en la base imponible, en tanto que la renta negativa imputable a la valoración, o a la liquidación de un derivado, provocada por la variación de valor de esos instrumentos de patrimonio, sí computará. La renta, positiva o negativa, imputable a un derivado trae causa de un pronóstico, acertado o desacertado, respectivamente, sobre la evolución del valor del subyacente. Bien se comprende que, en un mundo sin fronteras a los movimientos de capitales, el derivado constituye un vehículo privilegiado para transferir rentas entre entidades de un mismo grupo multinacional. Hubiera sido estimulante que el proyecto BEPS les hubiera prestado alguna atención, más allá de la teoría de que siempre se podrá aplicar el principio de libre competencia, en el presente caso sobre la base del valor cero inicial del contrato derivado, pues no parece pertinente que las rentas derivadas de una actividad económica puedan ser neutralizadas por las rentas negativas inherentes a un negocio como el mencionado".*

una eventual renta positiva) y sobre entidades no residentes acogidas al método de imputación[130].

Por fin, la previsión sobre las rentas negativas recogida en el RDL 3/2016 resulta de aplicación en el caso de los convenios bilaterales para la eliminación de la doble imposición, pues éstos no interfieren en la potestad de las partes contratantes para regular la tributación de sus respectivos residentes ni regulan nada en relación con las minusvalías de cartera.

9.3. *La exención de las plusvalías en el régimen transitorio de la LIS/2014*

La regulación de esta cuestión se contiene en el último apartado de la Disposición Transitoria 23ª LIS/2014 y reproduce casi miméticamente el derogado artículo 95 TRLIS/2004, con los inevitables cambios introducidos en la regulación de la doble imposición de dividendos y plusvalías por la modificación legislativa recientemente operada (de ahí que quepa hablar con mayor propiedad de un régimen pseudotransitorio más que de otro transitorio, pues la citada DT 23ª perpetúa la vigencia del referido art. 95 TRLIS/2004, pero el instrumento por el que se corrige la doble imposición en la entidad socio no es otro que el previsto por el artículo 21 LIS/2014, no aplicándose, por el contrario, los derogados artículos 21 TRLIS/2004 y 30 y 32 del mismo y extinto cuerpo legal). Ese contenido del artículo 95 TRLIS/2004 mantiene incólume su vigencia y aplicación a la doble imposición derivada de operaciones de reestructuración empresarial anteriores:

a) Aportaciones de rama de actividad (art. 86 TRLIS/2004)

b) Canje de valores (art. 87. 2 TRLIS/2004)

c) Aportaciones no dinerarias especiales (art. 94 TRLIS/2004)

En todas esas operaciones atinentes al régimen fiscal especial de reestructuración y concentración de empresas, el objetivo a preservar es el principio de neutralidad, de forma tal que las entidades que se acogían a dicho régimen atribuían a las acciones o participaciones concernidas en la operación el valor que tenían en el patrimonio del socio y éste, por su parte, no integraba en su base imponible las rentas puestas de manifiesto con ocasión de la operación. De esta forma, se difería a un momento posterior tanto el gravamen como la posible doble imposición que esas operaciones comportaban y así se señalaba expresamente en el artículo 95 TRLIS/2004 que otorgaba la exención del cien por cien de los artículos 21 y 30 TRLIS/2004 o la deducción por doble imposición internacional con independencia de la antigüedad y el grado de participación al

---

[130] Vid. al respecto SANZ GADEA, E. "El Impuesto....", op. cit. pag. 20 y 21.

socio por los beneficios que pudieran haber sufrido sobreimposición en virtud de las normas de valoración previstas en el régimen especial (canje de valores, por ejemplo).

Sin embargo, conviene advertir que ese régimen especial de salvaguarda de la neutralidad fiscal operaba de una forma subsidiaria, pues en primer lugar se aplicaban los dos mecanismos contemplados en los arts. 21 y 30 TRLIS/2004 (exención del cien por cien o deducción por doble imposición internacional) y de ser insuficientes éstos, operaban las previsiones contenidas en el art. 95 TRLIS/2004 para garantizar ese objetivo final apuntado de la neutralidad. Así lo señalaba por otra parte el apartado 2 del referido art. 95 TRLIS/2004, al permitir la corrección de la doble imposición únicamente en el caso de que la entidad adquirente hubiera contabilizado la participación a valor razonable cuando realizó la aportación de rama de actividad, la aportación especial no dineraria o el canje de valores[131].

10. A MODO DE ESQUEMA FINAL RECAPITULATIVO

Como colofón final a todo cuanto se ha expuesto en líneas anteriores tras las modificaciones operadas por el RDL 3/2016 y siguiendo a SANZ GADEA[132], pueden establecerse tres grandes categorías de las carteras de instrumentos de patrimonio en manos de la persona jurídica, a la hora de aplicar las previsiones contenidas en el art. 21 de la Ley 27/2014:

1) <u>Instrumentos de patrimonio que cumplan los requisitos establecidos por el art. 21. 3 en relación con el 21. 1 de la LIS</u>, básicamente que representen un porcentaje de participación del 5% o un valor de adquisición superior a 20 millones de euros, y tratándose de valores extranjeros que la entidad emisora tribute a un tipo nominal, al menos, del 10% o medie convenio bilateral con cláusula de intercambio de información:

   – DIVIDENDOS (EXENTOS).

   – DETERIORO (NO DEDUCIBLE).

---

[131] *"Cuando por la forma en como contabilizó la entidad adquirente no hubiera sido posible evitar la doble imposición por aplicación de las normas previstas en el apartado anterior dicha entidad practicará, en el momento de su extinción, los ajustes de signo contrario a los que hubiere practicado por aplicación de las reglas de valoración establecidas en los artículos 86, 87. 2 y 94 de esta Ley. La entidad adquirente podrá practicar los referidos ajustes de signo contrario con anterioridad a su extinción, siempre que pruebe que se ha transmitido por los socios su participación y con el límite de la cuantía que se haya integrado en la base imponible de estos con ocasión de dicha transmisión".*

[132] "El Impuesto....", op. cit. pag. 33.

- RENTA POSITIVA DERIVADA DE LA TRANSMISIÓN DE LA PARTICIPACIÓN (EXENTA).

- RENTA NEGATIVA DERIVADA DE LA TRANSMISIÓN DE LA PARTICIPACIÓN (NO COMPUTA).

- RENTA POSITIVA EN EL CANJE DE VALORES POR REESTRUCTURACIÓN (EXENTA).

- RENTA NEGATIVA EN EL CANJE DE VALORES POR REESTRUCTURACIÓN (NO COMPUTA).

- RENTA, POSITIVA O NEGATIVA, EN OPERACIONES DE REESTRUCTURACIÓN SUJETAS AL RÉGIMEN ESPECIAL (DIFERIMIENTO).

- RENTA POSITIVA EN LA EXTINCIÓN NO REESTRUCTURACIÓN (EXENTA).

- RENTA NEGATIVA EN LA EXTINCIÓN NO REESTRUCTURACIÓN (COMPUTA).

2) **Instrumentos de patrimonio que no cumplan los requisitos de porcentaje o valor de adquisición.**

- DIVIDENDOS (TRIBUTAN, SIN DERECHO A LA DEDUCCIÓN DEL IMPUESTO SUBYACENTE, PERO SI DE LA RETENCIÓN EXTRANJERA, CON SUJECIÓN A LÍMITE).

- DETERIORO (NO DEDUCIBLE).

- RENTA POSITIVA DERIVADA DE LA TRANSMISIÓN DE LA PARTICIPACIÓN (TRIBUTA).

- RENTA NEGATIVA DERIVADA DE LA TRANSMISIÓN DE LA PARTICIPACIÓN (COMPUTA).

- RENTA POSITIVA EN EL CANJE DE VALORES POR REESTRUCTURACIÓN (TRIBUTA).

- RENTA NEGATIVA EN EL CANJE DE VALORES POR REESTRUCTURACIÓN (COMPUTA).

- RENTA, POSITIVA O NEGATIVA, EN OPERACIONES DE REESTRUCTURACIÓN SUJETAS AL RÉGIMEN ESPECIAL (DIFERIMIENTO).

- RENTA POSITIVA EN LA EXTINCIÓN NO REESTRUCTURACIÓN (TRIBUTA).

- RENTA NEGATIVA EN LA EXTINCIÓN NO REESTRUCTURACIÓN (COMPUTA).

3) <u>Instrumentos de patrimonio emitidos por entidades residentes en jurisdicciones fiscales sin convenio bilateral para eliminar la doble imposición que tributan a un tipo nominal de gravamen inferior al 10%.</u>

  – DIVIDENDOS (TRIBUTAN, SIN DERECHO A LA DEDUCCIÓN
    DEL IMPUESTO SUBYACENTE, PERO SI DE LA RETENCIÓN
    EXTRANJERA, CON SUJECIÓN A LÍMITE).

  – DETERIORO (NO DEDUCIBLE).

  – RENTA POSITIVA DERIVADA DE LA TRANSMISIÓN DE LA
    PARTICIPACIÓN (TRIBUTA).

  – RENTA NEGATIVA DERIVADA DE LA TRANSMISIÓN DE LA
    PARTICIPACIÓN (NO COMPUTA).

  – RENTA POSITIVA EN EL CANJE DE VALORES POR REES-
    TRUCTURACIÓN (TRIBUTA).

  – RENTA NEGATIVA EN EL CANJE DE VALORES POR REES-
    TRUCTURACIÓN (NO COMPUTA).

  – RENTA, POSITIVA O NEGATIVA, EN OPERACIONES DE RE-
    ESTRUCTURACIÓN SUJETAS AL RÉGIMEN ESPECIAL (DIFE-
    RIMIENTO).

  – RENTA POSITIVA EN LA EXTINCIÓN NO REESTRUCTURA-
    CIÓN (TRIBUTA).

  – RENTA NEGATIVA EN LA EXTINCIÓN NO REESTRUCTURA-
    CIÓN (COMPUTA).

Artículo 22
Exención de las rentas obtenidas en el extranjero a través de un establecimiento permanente

J. Andrés Sánchez Pedroche
Catedrático de Derecho Financiero y Tributario
Universidad a Distancia de Madrid. Abogado

"1. Estarán exentas las rentas positivas obtenidas en el extranjero a través de un establecimiento permanente situado fuera del territorio español cuando el mismo haya estado sujeto y no exento a un impuesto de naturaleza idéntica o análoga a este Impuesto con un tipo nominal de, al menos, un 10 por ciento, en los términos del apartado 1 del artículo anterior.

Estarán exentas, igualmente, las rentas positivas derivadas de la transmisión de un establecimiento permanente o cese de su actividad cuando se cumpla el requisito de tributación señalado[133].

2. No se integrarán en la base imponible las rentas negativas obtenidas en el extranjero a través de un establecimiento permanente.

Tampoco serán objeto de integración las rentas negativas derivadas de la transmisión de un establecimiento permanente.

No obstante, serán fiscalmente deducibles las rentas negativas generadas en caso de cese del establecimiento permanente. En este caso, el importe de las rentas negativas se minorará en el importe de las rentas positivas netas obtenidas con anterioridad y que hayan tenido derecho a la aplicación de un régimen de exención o de deducción para la eliminación de la doble imposición, por el importe de la misma[134].

3. Se considerará que una entidad opera mediante un establecimiento permanente en el extranjero cuando, por cualquier título, disponga fuera del territorio español, de forma continuada o habitual, de instalaciones o lugares de trabajo en los que realice toda o parte de su actividad, o actúe en él por medio de un agente autorizado para contratar, en nombre y por cuenta del contribuyente, que ejerza con habitualidad dichos poderes. En particular, se entenderá que constitu-

---

[133] Este número 1 fue modificado por el art. 3 Segundo Ocho del RDL 3/2016, de 2 de diciembre, por el que se adoptaban medidas en el ámbito tributario dirigidas a la consolidación de las finanzas públicas y otras medidas urgentes en materia social, con efectos para los períodos impositivos iniciados a partir de 1 de enero de 2017.

[134] Este número 2 fue modificado por el art. 3 Segundo Ocho del RDL 3/2016, de 2 de diciembre, por el que se adoptaban medidas en el ámbito tributario dirigidas a la consolidación de las finanzas públicas y otras medidas urgentes en materia social, con efectos para los períodos impositivos iniciados a partir de 1 de enero de 2017.

yen establecimiento permanente las sedes de dirección, las sucursales, las oficinas, las fábricas, los talleres, los almacenes, tiendas u otros establecimientos, las minas, los pozos de petróleo o de gas, las canteras, las explotaciones agrícolas, forestales o pecuarias o cualquier otro lugar de exploración o de extracción de recursos naturales, y las obras de construcción, instalación o montaje cuya duración exceda de 6 meses. Si el establecimiento permanente se encuentra situado en un país con el que España tenga suscrito un convenio para evitar la doble imposición internacional, que le sea de aplicación, se estará a lo que de él resulte.

4. Se considerará que un contribuyente opera mediante establecimientos permanentes distintos en un determinado país, cuando concurran las siguientes circunstancias:

a) Que realicen actividades claramente diferenciables.

b) Que la gestión de estas se lleve de modo separado.

5. Se considerarán rentas de un establecimiento permanente aquellas que el mismo hubiera podido obtener si fuera una entidad distinta e independiente, teniendo en cuenta las funciones desarrolladas, los activos utilizados y los riesgos asumidos por la entidad a través del establecimiento permanente.

A estos efectos, se tendrán en cuenta las rentas estimadas por operaciones internas con la propia entidad en aquellos supuestos en que así esté establecido en un convenio para evitar la doble imposición internacional que resulte de aplicación.

6. No se aplicará el régimen previsto en este artículo cuando se den, respecto de las rentas obtenidas en el extranjero, las circunstancias previstas en el apartado 9 del artículo anterior. La opción a que se refiere la letra c) de dicho apartado se ejercerá por cada establecimiento permanente fuera del territorio español, incluso en el caso de que existan varios en el territorio de un solo país[135].

7. En ningún caso se aplicará lo dispuesto en este artículo cuando el establecimiento permanente esté situado en un país o territorio calificado como paraíso fiscal, excepto que se trate de un Estado miembro de la Unión Europea y el contribuyente acredite que su constitución y operativa responde a motivos económicos válidos y que realiza actividades económicas".

Disposición Transitoria decimosexta. Régimen transitorio aplicable a las pérdidas por deterioro de los valores representativos de la participación en el capital o en los fondos propios de entidades, y a las rentas negativas obtenidas en el extranjero a través de un estable-

---

[135] Este número 6 fue modificado por el art. 3 Segundo Ocho del RDL 3/2016, de 2 de diciembre, por el que se adoptaban medidas en el ámbito tributario dirigidas a la consolidación de las finanzas públicas y otras medidas urgentes en materia social, con efectos para los períodos impositivos iniciados a partir de 1 de enero de 2017.

Artículo 22. Exención de las rentas obtenidas en el extranjero...

711

cimiento permanente, generadas en períodos impositivos iniciados con anterioridad a 1 de enero de 2013.

"1. La reversión de las pérdidas por deterioro de los valores representativos de la participación en el capital o en los fondos propios de entidades que hayan resultado fiscalmente deducibles de la base imponible del Impuesto sobre Sociedades de acuerdo con lo establecido en el apartado 3 del artículo 12 del Texto Refundido de la Ley del Impuesto sobre Sociedades, aprobado por el Real Decreto Legislativo 4/2004, de 5 de marzo, en períodos impositivos iniciados con anterioridad a 1 de enero de 2013, con independencia de su imputación contable en la cuenta de pérdidas y ganancias, se integrará en la base imponible del período en el que el valor de los fondos propios al cierre del ejercicio exceda al del inicio, en proporción a su participación, debiendo tenerse en cuenta las aportaciones o devoluciones de aportaciones realizadas en él, con el límite de dicho exceso. A estos efectos, se entenderá que la diferencia positiva entre el valor de los fondos propios al cierre y al inicio del ejercicio, en los términos establecidos en este párrafo, se corresponde, en primer lugar, con pérdidas por deterioro que han resultado fiscalmente deducibles.

Igualmente, serán objeto de integración en la base imponible las referidas pérdidas por deterioro, por el importe de los dividendos o participaciones en beneficios percibidos de las entidades participadas, excepto que dicha distribución no tenga la condición de ingreso contable.

Lo dispuesto en este apartado no resultará de aplicación respecto de aquellas pérdidas por deterioro de valor de la participación que vengan determinadas por la distribución de dividendos o participaciones en beneficios y que no hayan dado lugar a la aplicación de la deducción por doble imposición interna o bien que las referidas pérdidas no hayan resultado fiscalmente deducibles en el ámbito de la deducción por doble imposición internacional.

2. La reversión de las pérdidas por deterioro de los valores representativos de la participación en el capital o en los fondos propios de entidades que coticen en un mercado regulado a las que no haya resultado de aplicación el apartado 3 del artículo 12 del texto refundido de la Ley del Impuesto sobre Sociedades, en períodos impositivos iniciados con anterioridad a 1 de enero de 2013, se integrará en la base imponible del Impuesto sobre Sociedades del período impositivo en que se produzca la recuperación de su valor en el ámbito contable.

3. En todo caso, la reversión de las pérdidas por deterioro de los valores representativos de la participación en el capital o en los fondos propios de entidades que hayan resultado fiscalmente deducibles en la base imponible del Impuesto sobre Sociedades en períodos impositivos iniciados con anterioridad a 1 de enero de 2013, se integrará, como mínimo, por partes iguales en la base imponible correspondiente a cada uno de los cinco primeros períodos impositivos que se inicien a partir de 1 de enero de 2016.

En el supuesto de haberse producido la reversión de un importe superior por aplicación de lo dispuesto en los apartados 1 o 2 de esta disposición, el saldo que reste se integrará por partes iguales entre los restantes períodos impositivos.

No obstante, en caso de transmisión de los valores representativos de la participación en el capital o en los fondos propios de entidades durante los referidos períodos impositivos, se integrarán en la base imponible del período impositivo en que aquella se produzca las cantidades pendientes de revertir, con el límite de la renta positiva derivada de esa transmisión.

4. En el caso de que un establecimiento permanente hubiera obtenido rentas negativas netas que se hubieran integrado en la base imponible de la entidad en períodos impositivos iniciados con anterioridad a 1 de enero de 2013, la exención prevista en el artículo 22 de esta Ley o la deducción a que se refiere el artículo 31 de esta Ley sólo se aplicarán a las rentas positivas obtenidas con posterioridad a partir del momento en que superen la cuantía de dichas rentas negativas.

5. En el caso de transmisión de un establecimiento permanente en períodos impositivos que se inicien a partir de 1 de enero de 2016, la base imponible de la entidad transmitente residente en territorio español se incrementará en el importe del exceso de las rentas negativas netas generadas por el establecimiento permanente en períodos impositivos iniciados con anterioridad a 1 de enero de 2013 sobre las rentas positivas netas generadas por el establecimiento permanente en períodos impositivos iniciados a partir de esta fecha, con el límite de la renta positiva derivada de la transmisión del mismo.

6. En el caso de una unión temporal de empresas que, habiéndose acogido al régimen de exención previsto en el artículo 50 del Texto Refundido de la Ley del Impuesto sobre Sociedades, según redacción vigente para períodos impositivos iniciados con anterioridad a 1 de enero de 2015, hubiera obtenido rentas negativas netas en el extranjero que se hubieran integrado en la base imponible de las entidades miembros en períodos impositivos iniciados con anterioridad a 1 de enero de 2013, cuando en sucesivos ejercicios la unión temporal obtenga rentas positivas, las empresas miembros integrarán en su base imponible, con carácter positivo, la renta negativa previamente imputada, con el límite del importe de dichas rentas positivas.

La misma regla resultará de aplicación en el supuesto de entidades que participen en obras, servicios o suministros en el extranjero mediante fórmulas de colaboración análogas a las uniones temporales de empresas que se hubieran acogido al régimen de exención señalado.

7. En el supuesto de operaciones de reestructuración acogidas al régimen fiscal especial establecido en el Capítulo VII del Título VII de esta Ley:

a) Si el socio pierde la cualidad de residente en territorio español, la diferencia a que se refieren el apartado 4 del artículo 80 y el apartado 3 del artículo 81 de esta Ley, se corregirá, en su caso, en el importe de las pérdidas por deterioro del valor que hayan sido fiscalmente deducibles en períodos impositivos iniciados con anterioridad a 1 de enero de 2013.

b) A efectos de lo previsto en el apartado 2 del artículo 84 de esta Ley, en ningún caso serán compensables las bases imponibles negativas correspondientes a pérdidas sufridas por la entidad transmitente que hayan motivado la depreciación de la participación de la entidad adquirente en el capital de la transmitente, o la depreciación de la participación de otra entidad en esta última cuando todas ellas formen parte de un grupo de sociedades al que se refiere el artículo 42 del Código de Comercio, con independencia de su residencia y de la obligación de formular cuentas anuales consolidadas, cuando cualquiera de las referidas depreciaciones se haya producido en períodos impositivos iniciados con anterioridad a 1 de enero de 2013.

8. El límite establecido en el párrafo primero del apartado 1 del artículo 26 de esta Ley no resultará de aplicación en el importe de las rentas correspondientes a la reversión de las pérdidas por deterioro que se integren en la base imponible por aplicación de lo dispuesto en los apartados anteriores de esta disposición transitoria siempre que las pérdidas por deterioro deducidas durante el período impositivo en que se generaron las bases imponibles negativas que se pretenden compensar hubieran representado, al menos, el 90 por ciento de los gastos deducibles de dicho período. En caso de que la entidad tuviera bases imponibles negativas generadas en varios períodos iniciados con anterioridad a 1 de enero de 2013, este requisito podrá cumplirse mediante el cómputo agregado del conjunto de los gastos deducibles de dichos períodos impositivos".[136]

SUMARIO: 1. REQUISITOS PARA LA APLICACIÓN DE LA EXENCIÓN . 2. SUPUESTOS EN LOS QUE NO RESULTA DE APLICACIÓN LA EXENCIÓN.

1. REQUISITOS PARA LA APLICACIÓN DE LA EXENCIÓN

El art. 22 LIS regula una nueva exención, de similar corte a la regulada en el art 21 anterior, con el fin de evitar la doble imposición internacional sobre rentas de fuente extranjera provenientes de establecimientos permanentes (EP). De esta manera, las rentas positivas obtenidas en el extranjero a través de un EP situado fuera del territorio español (ya sean las rentas obtenidas en cada ejercicio

---

[136]   Esta Disposición Transitoria 16ª fue modificada por el RDL 3/2016, de 2 de diciembre, por el que se adoptaban medidas en el ámbito tributario dirigidas a la consolidación de las finanzas públicas y otras medidas urgentes en materia social, con efectos para los períodos impositivos iniciados a partir de 1 de enero de 2016.

por el EP como las rentas procedentes de la transmisión del mismo), también se exoneran de tributación, siempre que se cumplan los siguientes requisitos:

a) Que el EP no radique en un paraíso fiscal[137], salvo que se trate de un Estado miembro de la Unión Europea y el contribuyente demuestre que su constitución, su objeto social y su operativa, responden a motivos económicos válidos por realizar actividades económicas (aunque, fuera de este caso, la norma no exige ningún requisito específico relativo a dichas actividades, al igual que tampoco lo exige el art. 21 LIS/2014 a las entidades no residentes por los dividendos o participaciones en beneficios percibidos)[138].

b) Que el EP sea gravado por un impuesto de naturaleza idéntica o análoga al IS patrio con un tipo nominal como mínimo del 10%, con inde-

---

[137] Vid. la DA 1ª y la DT 2ª de la Ley 36/2006, es decir, los países y territorios que se determinen reglamentariamente y que originariamente se contienen en el art. 1 del RD 1080 /1991, salvo que firmaran con España un Convenio para evitar la doble imposición internacional con cláusula de intercambio de información (Vgr. el caso de Malta, Emiratos Árabes Unidos, Jamaica, Trinidad y Tobago, Luxemburgo, Panamá, Hong-Kong, Singapur, Barbados, Chipre y Omán), o un Acuerdo específico de intercambio de información en materia tributaria en el que expresamente se recogiese dicha obligación (Aruba, Antillas Neerlandesas, Andorra, Las Bahamas y San Marino). Conviene señalar que desde primeros de diciembre de 2006, la noción de paraíso fiscal debe relacionarse con los conceptos de territorios de nula tributación y de efectivo intercambio de información tributaria. Se consideran territorios de nula tributación todos aquellos en los que no se aplique un impuesto idéntico o análogo al IRPF, al IS o al IRNR. Ese concepto de analogía es ciertamente amplio, toda vez que se considerarán tales aquellos tributos que tengan como finalidad la imposición sobre la renta, siquiera parcial, teniendo también dicha consideración las cotizaciones obligatorias efectivamente satisfechas a un sistema público de previsión social con coberturas análogas a las atendidas por la Seguridad Social (DA 1ª RD 1804/2008). La noción legal de efectivo intercambio de información tributaria exige: a) Un Convenio de doble imposición con cláusula de intercambio de información, y que contenga advertencia expresa de que en dicho CDI no se establece expresamente que el nivel de dicho intercambio es insuficiente; b) Un acuerdo de intercambio de información en materia tributaria y con la misma salvedad anterior, es decir, que en dicho acuerdo se establezca expresamente que el nivel de intercambio de información tributaria es suficiente a los efectos queridos legalmente; d) El Convenio de Asistencia Administrativa Mutua en Materia Fiscal de la OCDE y del Consejo de Europa enmendado por el Protocolo 2010.

[138] Si ese EP radicase en un país con el que España hubiese suscrito un CDI, habría de estarse a lo regulado en dicho Convenio para determinar la existencia o no de dicho EP. En caso contrario, es decir, si dicho CDI no existiese, se considera EP aquella entidad que de forma continuada o habitual disponga (por cualquier medio jurídico) de instalaciones o lugares de trabajo en los que realice todo o parte de su actividad o actúe en él por medio de agente autorizado para contratar, en nombre y por cuenta del contribuyente, que ejerza con habitualidad el objeto de dichos poderes. La normativa entiende por tales EP las sedes de dirección, sucursales, fábricas, talleres, almacenes, tiendas u otros establecimientos, minas o yacimientos de hidrocarburos, canteras, explotaciones agrícolas, forestales o pecuarias o cualquier otro lugar de explotación o de extracción de recurso naturales, así como las obras de construcción, instalación o montaje, cuya duración exceda de seis meses.

pendencia de que le resultase aplicable alguna exención, bonificación, reducción o deducción que determinase finalmente un gravamen inferior[139].

c)   Que la renta del EP sea positiva, pues de obtener pérdidas, las mismas no son deducibles[140].

La LIS/2014 permite optar por la individualización de los resultados positivos obtenidos por cada EP si la entidad matriz tuviera varios en el extranjero y aplicar el régimen de exención, o bien integrar la renta obtenida en la base imponible del IS y aplicar (de cumplirse las condiciones legalmente exigidas para ello) la deducción por doble imposición internacional. Si esos EP realizasen actividades claramente diferenciables y la gestión de cada uno de ellos se llevase de forma separada, se trataría de centros de negocios distintos y la exención operaría de forma independiente por cada EP[141]. De esta forma, la DGT (Consulta de 12 de junio de 2003) ha admitido la opción por aplicar el régimen de exención para un EP y el de deducción en cuota para otro, incluso cuando ambos estuviesen radicados en el mismo territorio extranjero. Asimismo, la exención resulta aplicable a los miembros de una Agrupación Europea de Interés Económico por todas aquellas rentas que pudiera obtener de un EP (Consulta Vinculante DGT de 5 de octubre de 2005).

---

[139]   El RDL 3/2016, de 2 de diciembre, ha incidido sobre esta cuestión, dando nueva redacción al apartado 1 del artículo 22 LIS en el que se recoge el tratamiento de las rentas positivas provenientes de EP situados en el extranjero y estableciendo la exención de las rentas positivas de los EP radicados fuera del territorio español, a condición del cumplimiento de una tributación mínima (que las rentas sean gravadas por un impuesto de naturaleza análoga al IS con un tipo nominal no inferior al 10%).

[140]   Vid. DT 16ª 3 LIS/2014. Como señala SERRANO GUTIÉRREZ, A. op. cit. pag. 264, *"se consideran rentas de un establecimiento permanente aquellas que el mismo hubiera podido obtener si fuera una entidad distinta e independiente, teniendo en cuenta las funciones desarrolladas, los activos utilizados y los riesgos asumidos por la entidad a través del establecimiento permanente. Por tanto, deben imputarse al establecimiento permanente todos los ingresos y todos los gastos asociados al establecimiento permanente. En particular, deben imputarse al establecimiento permanente la parte de los gastos de dirección y generales de administración que correspondan al mismo, así como los gastos financieros asociados al establecimiento permanente, es decir, el coste de la financiación asumida en la constitución o adquisición del establecimiento permanente. A estos efectos, se tienen en cuenta las rentas estimadas por operaciones internas con la propia entidad en aquellos supuestos en que así esté establecido en un convenio para evitar la doble imposición internacional que resulte de aplicación"*.

[141]   En el sentir de LOPEZ SANTACRUZ, J. A. op. ult. cit. pag. 187, *"la distinción de los EP es fundamental al tiempo de aplicar el régimen de exención, por cuanto dicho régimen se aplica de forma independiente por cada EP y, además, también debe determinarse de forma precisa la renta de cada uno para dejarla, en su caso, exenta al tiempo de determinar la base imponible del contribuyente residente en territorio español"*.

Como hemos señalado con anterioridad, no se integra y, por lo mismo, no resulta tampoco deducible, la renta negativa procedente de la actividad de un EP. Eso no quiere decir que dichas rentas negativas se desprecien, sino que no se deducen en el ejercicio en el que se obtienen, pero pueden diferirse y convertirse por ello en deducibles en el período impositivo en el que se transmita el propio EP, o bien cuando éste cese en su actividad. Se trata, por lo tanto, de un diferimiento en la deducción de dichas rentas negativas o una regla de imputación temporal[142].

Para el caso de las rentas obtenidas no de la actividad normal del EP, sino provenientes de su transmisión o cese, han de tenerse en cuenta las rentas negativas generadas que no fueron integradas en la base imponible y por ello no resultaron deducibles fiscalmente, así como las rentas positivas que quedaron exentas tras dicha integración. Si la renta global resultante es positiva, gozaría de la exención. Si, por el contrario, dicha renta fuese negativa, antes de integrarse en la base imponible de la entidad residente en España (matriz) habría de minorarse en el importe de las rentas positivas netas obtenidas con anterioridad a la transmisión o cese que hubiesen gozado o tenido derecho a la exención o que hubiesen aplicado la deducción por doble imposición internacional (art. 31 LIS/2014).

Conviene advertir, asimismo el posible régimen transitorio en el que se generaron e imputaron dichas rentas negativas. De esta manera, si el EP hubiese generado dichas rentas negativas en períodos impositivos anteriores al 1 de enero de 2013 y las hubiese integrado en la base imponible de la entidad residente en España, la exención únicamente se aplicaría a las rentas positivas que superaran la cuantía de las rentas negativas deducidas, es decir, de las ya integradas. Por lo tanto, hasta que esa compensación se realizara por completo, las rentas positivas obtenidas por el EP se integrarían en la base imponible de la entidad residente sin exención alguna o deducción por doble imposición en la cuota íntegra. En análogos términos se resuelve la cuestión atinente a las rentas obtenidas en la transmisión del EP, dependiendo de la generación de pérdidas o de beneficios en ejercicios anteriores, de tal forma que si la renta positiva excede de la negativa, el valor fiscal del EP coincide con su valor contable, mientras

---

[142]　Como señala SERRANO GUTIÉRREZ, A. op. ult. cit. pag. 261, tal criterio de imputación temporal *"se encuentra confirmado por el mandato contenido en la LIS art. 11. 11 que establece que las rentas negativas generadas en la transmisión de un establecimiento permanente, cuando el adquirente sea una entidad del mismo grupo de sociedades (según los criterios establecidos en el CCom art. 42, con independencia de la residencia y de la obligación de formular cuentas anuales consolidadas, se imputan en el período impositivo en que el establecimiento permanente sea transmitido a terceros ajenos al referido grupo de sociedades, o bien cuando la entidad transmitente o la adquirente dejen de formar parte del mismo. Este criterio no resulta de aplicación en el caso de cese de la actividad del establecimiento permanente".*

que si la renta positiva es inferior a la negativa, el valor fiscal del EP debe ser el valor contable incrementado en el exceso de renta negativa sobre la positiva no deducida por la matriz española. La conclusión no es otra que la siguiente: si la renta fuese positiva, quedaría exenta; si por el contrario dicha renta tuviese signo negativo no se aplicaría la exención pero dicha renta negativa minoraría el importe de la renta positiva[143].

El RDL 3/2016 de 2 de diciembre, ha modificado a este respecto la redacción de los apartados 1, 2 y 6 del art. 22 LIS (al tiempo que derogaba el apartado 7 de dicho artículo), estableciendo con carácter general la no integración de la rentas negativas obtenidas en el extranjero a través de un EP (lo que ya sabemos que venía ocurriendo) y como novedad, la no integración de las rentas

---

[143]   LÓPEZ SANTACRUZ, J. A. op. ult. cit. pag. 188 hace referencia a esta cuestión explicándolo en los siguientes términos: *"A efectos de determinar la renta generada en la transmisión del EP, debe tenerse en cuenta si en los ejercicios anteriores el EP ha generado rentas negativas, que no han sido fiscalmente deducibles, o bien rentas positivas que han estado exentas. Si la renta que resulte es positiva, la misma estará exenta. Por el contrario, si esa renta es negativa, para determinar el importe de la misma que se integra en la base imponible de la entidad matriz residente, la LIS establece que el importe de esa renta negativa se minora en el importe de las rentas positivas netas obtenidas con anterioridad a la transmisión o cese del EP que hayan tenido derecho a la exención prevista en este artículo o bien hayan tenido derecho a aplicar la deducción por doble imposición internacional de la LIS art. 31. A) Transmisión del EP que ha generado pérdidas en ejercicios anteriores. Si en un período impositivo posterior la entidad matriz procede a transmitir ese EP, el resultado contable generado no será igual al resultado fiscal, por cuanto que el valor fiscal es superior al contable al no haber admitido la deducción de las pérdidas generadas y, por tanto, será menor la renta fiscal generada que la plusvalía o minusvalía contable obtenida, lo cual requirirá que para determinar la base imponible del período impositivo en el que tiene lugar la transmisión deba practicarse un ajuste negativo al resultado contable por la diferencia de ambos valores, que será coincidente con las pérdidas contables no deducidas en períodos impositivos anteriores lo cual supone que la deducción fiscal de tales pérdidas se posponga al período impositivo posterior en el que tenga lugar la transmisión del establecimiento permanente. Igual ajuste negativo debería proceder no solo en caso de transmisión del establecimiento permanente, sino también en el supuesto de cese de la actividad económica del mismo. B) Transmisión del EP que ha generado pérdidas y beneficios en ejercicios anteriores. Si durante el tiempo de tenencia del EP, en algunos períodos impositivos ha generado pérdidas y en otros beneficios, transmitiéndose posteriormente dicho EP, el importe de la renta negativa obtenida por el establecimiento permanente no es fiscalmente deducible en la matriz española para determinar su base imponible, y en los períodos posteriores en los que el establecimiento permanente genere resultados positivos, podrá aplicarse el régimen de exención de la LIS art. 22, por el que estará exenta la renta obtenida y, por tanto, no se integrará en la base imponible de dicha entidad matriz. Ante una posible transmisión del EP, entendemos que el valor fiscal del mismo debe depender de la relación cuantitativa existente entre la renta negativa no deducida y la renta positiva exenta, en el sentido de que:
– Si la renta positiva excede de la negativa, el valor fiscal del EP debe coincidir con su valor contable;
– Si la renta positiva es inferior a la negativa, dado que el exceso de la renta negativa sobre la positiva no se ha deducido por la matriz española al no tener efectos fiscales, el valor fiscal del EP debe ser el valor contable incrementado en el importe del citado exceso".*

negativas derivadas de la transmisión de dicho EP, manteniendo el tratamiento de las rentas negativas generadas en caso de cese del EP, donde dichas rentas negativas generadas son deducibles, pero deben minorarse en el importe de las rentas positivas netas obtenidas con anterioridad y que tuvieran derecho a la aplicación de un régimen de exención o de deducción para la eliminación de la doble imposición. Dicho de otra manera, el objeto de la modificación operada por el RDL 3/2016 es que no se integren en la base imponible del impuesto las rentas negativas derivadas de la transmisión de un EP. Sin embargo, en sintonía con lo previsto para los instrumentos financieros, sí se integrarían en la base imponible las rentas negativas generadas en el cese del EP, si bien su cuantía se minorará en el importe de las rentas positivas netas obtenidas con anterioridad y que hayan tenido derecho a la aplicación de un régimen de exención o de deducción para eliminar la doble imposición.

Asimismo, el RDL 3/2016 ha otorgado nueva redacción al apartado 5 de la DT 16ª de la Ley 27/2014 donde se establece una regla de incorporación a la base imponible de las rentas negativas imputadas a la base imponible de la casa central o matriz en períodos impositivos regidos por el TRLIS anteriores a la modificación establecida por la Ley 16/2013, que estableció la no imputación de las pérdidas inherentes a las operaciones realizadas mediante EP.

De esta forma, las rentas negativas se integrarán en la base imponible de la matriz con ocasión de la transmisión del EP, realizada en períodos impositivos iniciados a partir de 1 de enero de 2016, con el límite de la renta positiva derivada de la transmisión. Nótese que esta previsión no cumple más función que la de complementar la prevista en el número 4 de la referida DT 16ª LIS, que no fue objeto de modificación por parte del RDL 3/2016. De esta manera, la exención prevista en el artículo 22 LIS o la deducción del artículo 31 del mismo cuerpo legal, solo se aplicarán respecto de las rentas positivas que excedan de las rentas negativas imputadas a la casa central, teniendo en cuenta, además y a diferencia de lo que ocurre respecto de las pérdidas de los instrumentos de patrimonio, que en el caso de los EP las pérdidas anteriormente imputadas a la matriz no se integran en la base imponible por quintas partes.

Por lo tanto, y siguiendo de nuevo a SANZ GADEA, tras la modificación operada por el RDL 3/2016, la tributación de las rentas obtenidas mediante EP acogidas al método de exención quedaría esquemáticamente de la siguiente manera:

– RENTAS POSITIVAS (**EXENTAS**).
– RENTAS NEGATIVAS (**NO COMPUTAN**).
– RENTAS POSITIVAS DERIVADAS DE LA TRANSMISIÓN (**EXENTAS**).

- RENTAS NEGATIVAS DERIVADAS DE LA TRANSMISIÓN (**NO COMPUTAN**).

- RENTAS POSITIVAS DERIVADAS DEL CESE (**EXENTAS**).

- RENTAS NEGATIVAS DERIVADAS DEL CESE (**COMPUTAN**).

- RENTAS NEGATIVAS DERIVADAS DEL CESE, MINORADAS EN EL IMPORTE DE LAS RENTAS PREVIAS, (**EXENTAS**)[144].

---

[144] El autor, op. ult. cit. pag. 36, se plantea una duda general en el caso de que las rentas negativas, derivadas de la transmisión de un EP, siga el método de imputación, en lugar del método de exención. Y a tal efecto, realiza las siguientes consideraciones: *"El Real Decreto-Ley 3/2016 ha dado nueva redacción a los apartados 1 y 4 del artículo 31 de la Ley 27/2014, y derogado el apartado 5 de dicho precepto. Tras la derogación del apartado 5 y la nueva redacción del apartado 4, han desaparecido todas las menciones relativas a las rentas negativas. ¿Quiere decir que las rentas negativas ordinarias y, por añadidura, las derivadas de la transmisión del establecimiento permanente son deducibles? La interpretación literal del precepto conduce a una respuesta positiva. Evidentemente esta interpretación no es satisfactoria, en el contexto de una reforma confesadamente recaudatoria. Una interpretación que podría salvar la deficiencia apuntada consistiría en entender que el artículo 31 se ocupa exclusivamente de la imputación del impuesto extranjero, de manera tal que las rentas negativas se regularían por lo previsto en el artículo 22 de la Ley 27/2014. Sin embargo, esta interpretación choca con lo previsto en el apartado 6 del artículo 22, a cuyo tenor la opción del contribuyente de tributar por el método de imputación del artículo 31 determina la no aplicación del régimen del artículo 22, entre cuyos contenidos está, ciertamente, todo lo concerniente a las rentas negativas. También podría entenderse que el artículo 31, por su propia función, únicamente regula las rentas positivas, pero no las negativas. En efecto, el nuevo apartado 1 se refiere a las rentas positivas, cuando el precedente lo hacía a las rentas, sin distinción alguna. Bajo esta interpretación cobra pleno sentido que el Real Decreto-Ley haya desalojado del artículo 31 todas las reglas concernientes a las rentas negativas. En tal caso, las rentas negativas estarían reguladas en el artículo 22. No debe ocultarse que esta interpretación vuelve a colisionar con el apartado 6 del citado artículo 22. Una interpretación histórica pondría el acento en el tratamiento paralelo que las rentas negativas de establecimientos permanentes tenían en sede de las redacciones originales de los artículos 22 y 31 de la Ley 27/2014, de manera tal que el Real Decreto-Ley 3/2016 habría venido a confirmar ese paralelismo residenciando todo lo concerniente a las rentas negativas en el artículo 22 pero, una vez más, surge el escollo del apartado 6 del artículo 22. Por otra parte, la derogación del artículo 11. 11 de la Ley 27/2014, cuyo mandato era diferir la imputación de la renta negativa en las transmisiones de establecimientos permanente entre entidades del mismo grupo mercantil en el sentido del artículo 42 del Código de Comercio, solo tiene sentido si las rentas negativas derivadas de todas las transmisiones no son ya computables, tras las modificaciones introducidas en los artículos 22 y 31 de la Ley 27/2014, por el Real Decreto-Ley 3/2016. En fin, no cabe descartar la interpretación opuesta, esto es, que el legislador haya querido compensar el peor tratamiento que a las rentas positivas procura el método de imputación, admitiendo el cómputo de las rentas negativas. Esta interpretación casa mal con el contexto y sentido de la reforma acometida por el Real Decreto-Ley 3/2016, amén de que inflinge a la jurisdicción fiscal española un agravio cuando en el país donde se ubica el establecimiento permanente no se admite la compensación de las rentas negativas con las rentas positivas futuras. Justamente, en este error cayó el legislador de la Ley 43/1995. Con todo, si las rentas negativas no se computan, las posteriores rentas positivas tampoco debieran computarse, pero no hay norma que ampare esta solución. En tal caso, esas rentas*

2. SUPUESTOS EN LOS QUE NO RESULTA DE APLICACIÓN LA EXENCIÓN

La LIS/2014 impide la aplicación de la exención en determinados supuestos:

a) Cuando la matriz que obtenga rentas en el extranjero a través del EP sea una AIE española o europea; o una UTE, en los casos en que al menos uno de los socios tuviera la condición de persona física. En estos casos, las rentas se imputan o integran en la base imponible de las empresas miembros, por lo que si dichas empresas tuviesen la consideración de sujetos pasivos del IS podrían aplicar la exención si cumplieran los requisitos previstos para ello (CV DGT 5 de octubre de 2005).

b) Cuando la matriz sujeto pasivo del IS opte por integrar, si procede, la renta de fuente extranjera aplicando la deducción para evitar la doble imposición internacional (lo que podría hacerse por cada EP sito en el extranjero, aun cuando dichos EP fueran varios y radicasen todos ellos en un solo país, y tratándose de rentas negativas, pues de otra forma la opción no tendría sentido).

c) Como ya quedó dicho con anterioridad, tampoco resultaría aplicable la exención cuando el EP radicase en un país o territorio calificado como paraíso fiscal, excepto en el caso de que se tratase de un Estado miembro de la UE y se acreditase la realización de actividades económicas y motivos económicos válidos. En este sentido, la derogación del antiguo apartado 7 del artículo 22 de la Ley 27/2014, que excluía del método de exención a los EP situados en países o territorios calificados como paraísos fiscales, no comporta que los mismos accedan ahora al método de exención, puesto que el nuevo apartado 1 del referido artículo 22, remite al nuevo apartado 1 del artículo 21 de la Ley 27/2014 para concretar el requisito de sujeción al impuesto extranjero, y dicho apartado 1 ya excluye a los paraísos fiscales.

---

negativas tan solo podrían ser computadas, en su caso, como renta negativa habida en el cese del establecimiento permanente".

Reducción de las rentas procedentes de determinados activos intangibles

J. Andrés Sánchez Pedroche

Catedrático de Derecho Financiero y Tributario
Universidad a Distancia de Madrid. Abogado

"1. Las rentas procedentes de la cesión del derecho de uso o de explotación de patentes, dibujos o modelos, planos, fórmulas o procedimientos secretos, de derechos sobre informaciones relativas a experiencias industriales, comerciales o científicas, tendrán derecho a una reducción en la base imponible en el porcentaje que resulte de multiplicar por un 60 por ciento el resultado del siguiente coeficiente:

a) En el numerador, los gastos incurridos por la entidad cedente directamente relacionados con la creación del activo, incluidos los derivados de la subcontratación con terceros no vinculados con aquella. Estos gastos se incrementarán en un 30 por ciento, sin que, en ningún caso, el numerador pueda superar el importe del denominador.

b) En el denominador, los gastos incurridos por la entidad cedente directamente relacionados con la creación del activo, incluidos los derivados de la subcontratación y, en su caso, de la adquisición del activo.

En ningún caso se incluirán en el coeficiente anterior gastos financieros, amortizaciones de inmuebles u otros gastos no relacionados directamente con la creación del activo.

La reducción prevista en este apartado también resultará de aplicación en el caso de transmisión de los activos intangibles referidos en el mismo, cuando dicha transmisión se realice entre entidades que no tengan la condición de vinculadas.

2. Para la aplicación de la reducción prevista en el apartado anterior deberán cumplirse los siguientes requisitos:

a) Que el cesionario utilice los derechos de uso o de explotación en el desarrollo de una actividad económica y que los resultados de esa utilización no se materialicen en la entrega de bienes o prestación de servicios por el cesionario que generen gastos fiscalmente deducibles en la entidad cedente, siempre que, en este último caso, dicha entidad esté vinculada con el cesionario.

b) Que el cesionario no resida en un país o territorio de nula tributación o calificado como paraíso fiscal, salvo que esté situado en un Estado miembro de la Unión Europea y el contribuyente acredite que la operativa responde a motivos económicos válidos y que realice actividades económicas.

c) Cuando un mismo contrato de cesión incluya prestaciones accesorias de servicios deberá diferenciarse en dicho contrato la contraprestación correspondiente a los mismos.

d) Que la entidad disponga de los registros contables necesarios para poder determinar los ingresos y gastos directos correspondientes a los activos objeto de cesión.

3. En el caso de cesión de activos intangibles, a los efectos de lo dispuesto en este artículo, con independencia de que el activo esté o no reconocido en el balance de la entidad, se entenderá por rentas la diferencia positiva entre los ingresos del ejercicio procedentes de la cesión del derecho de uso o de explotación de los activos y las cantidades que sean deducidas en el mismo por aplicación del artículo 12.2 de esta Ley, y por aquellos gastos del ejercicio directamente relacionados con el activo cedido.

4. Esta reducción deberá tenerse en cuenta a efectos de la determinación del importe de la cuota íntegra a que se refiere el artículo 31.1.b) de esta Ley.

5. En ningún caso darán derecho a la reducción las rentas procedentes de la cesión del derecho de uso o de explotación, o de la transmisión, de marcas, obras literarias, artísticas o científicas, incluidas las películas cinematográficas, de derechos personales susceptibles de cesión, como los derechos de imagen, de programas informáticos, equipos industriales, comerciales o científicos, ni de cualquier otro derecho o activo distinto de los señalados en el apartado 1.

6. A efectos de aplicar la presente reducción, con carácter previo a la realización de las operaciones, el contribuyente podrá solicitar a la Administración tributaria la adopción de un acuerdo previo de valoración en relación con los ingresos procedentes de la cesión de los activos y de los gastos asociados, así como de las rentas generadas en la transmisión. Dicha solicitud se acompañará de una propuesta de valoración, que se fundamentará en el valor de mercado.

La propuesta podrá entenderse desestimada una vez transcurrido el plazo de resolución.

Reglamentariamente se fijará el procedimiento para la resolución de los acuerdos previos de valoración a que se refiere este apartado.

7. Asimismo, con carácter previo a la realización de las operaciones, el contribuyente podrá solicitar a la Administración tributaria un acuerdo previo de calificación de los activos como pertenecientes a alguna de las categorías a que se refiere el apartado 1 de este artículo, y de valoración en relación con los ingresos procedentes de la cesión de aquellos y de los gastos asociados, así como de las rentas generadas en la transmisión. Dicha solicitud se acompañará de una propuesta de valoración, que se fundamentará en el valor de mercado.

La propuesta podrá entenderse desestimada una vez transcurrido el plazo de resolución.

La resolución de este acuerdo requerirá informe vinculante emitido por la Dirección General de Tributos, en relación con la califi-

cación de los activos. En caso de estimarlo procedente, la Dirección General de Tributos podrá solicitar opinión no vinculante al respecto, al Ministerio de Economía y Competitividad.

Reglamentariamente se fijará el procedimiento para la resolución de los acuerdos previos de calificación y valoración a que se refiere este apartado".

DESARROLLO REGLAMENTARIO
REGLAMENTO DEL IMPUESTO SOBRE SOCIEDADES APROBADO POR REAL DECRETO 634/2015, DE 10 DE JULIO (ARTÍCULOS 39 A 44)

Artículo 39. Inicio del procedimiento.

"1. Las personas o entidades que tengan el propósito de realizar las operaciones susceptibles de acogerse a la reducción recogida en el artículo 23 de la Ley del Impuesto, podrán solicitar a la Administración tributaria un acuerdo previo de valoración de los ingresos procedentes de la cesión de los activos a que se refiere el apartado 1 de dicho artículo y de los gastos asociados a los mismos, así como de las rentas generadas en la transmisión, o un acuerdo previo de calificación y valoración que comprenderá la calificación de los activos como pertenecientes a alguna de las categorías a que se refiere el apartado 1 de dicho artículo, y la valoración de los ingresos y gastos asociados a los mismos, así como de las rentas generadas en la transmisión.

2. La solicitud deberá presentarse por escrito, con carácter previo a la realización de las operaciones que motiven la aplicación de la reducción del artículo 23 de la Ley del Impuesto, y contendrá, como mínimo, lo siguiente:

a) Identificación de la persona o entidad solicitante y de las personas o entidades cesionarios.

b) Descripción del activo que pretende ser objeto de cesión o transmisión.

c) En su caso, descripción del derecho de uso o explotación que se pretende establecer y duración del mismo.

d) En el procedimiento de calificación y valoración, calificación motivada de los activos a los efectos del artículo 23 de la Ley del Impuesto.

e) Propuesta de valoración de los ingresos y de los gastos asociados a la cesión del activo, o de las rentas generadas en su transmisión con indicación del valor de adquisición y transmisión, expresando el método o criterio de valoración aplicado y las circunstancias económicas que hayan sido tomadas en consideración.

f) Demás datos, elementos y documentos que puedan contribuir a la formación de juicio por parte de la Administración tributaria.

3. Se podrá acordar motivadamente la inadmisión a trámite de la solicitud cuando concurra alguna de las siguientes circunstancias:

a) Que la propuesta de valoración, o de calificación y valoración, que se pretende formular carezca manifiestamente de fundamento para determinar el valor de los ingresos procedentes de la cesión de los activos y de los gastos asociados, o bien de las rentas generadas en la transmisión, o la calificación del activo como apto.

b) Que se hubiesen desestimado propuestas de valoración, o de calificación y valoración, sustancialmente iguales a la propuesta que se pretende formular.

4. La documentación presentada únicamente tendrá efectos en relación con el procedimiento regulado en este capítulo y será exclusivamente utilizada respecto del mismo.

5. Lo previsto en los apartados anteriores no eximirá a los contribuyentes de las obligaciones que les incumben de acuerdo con lo establecido en el artículo 29 de la Ley 58/2003, de 17 de diciembre, General Tributaria, o en otra disposición.

6. En los casos de desistimiento, archivo, inadmisión o desestimación de la propuesta se procederá a la devolución de la documentación aportada".

Artículo 40. Tramitación.

"1. La Administración tributaria examinará la solicitud junto con la documentación presentada. A estos efectos, podrá requerir a los contribuyentes, en cualquier momento, cuantos datos, informes, antecedentes y justificantes tengan relación con la propuesta, así como explicaciones o aclaraciones adicionales sobre la misma.

2. En el procedimiento del acuerdo previo de calificación y valoración, el órgano competente para instruir deberá solicitar informe vinculante a la Dirección General de Tributos, en relación con la calificación de los activos a efectos de la aplicación de la reducción del artículo 23 de la Ley del Impuesto. En caso de estimarlo procedente, la Dirección General de Tributos podrá solicitar opinión no vinculante al respecto al Ministerio de Economía y Competitividad.

La Dirección General de Tributos evacuará el informe, que se comunicará al órgano solicitante en el plazo máximo de 3 meses. Este plazo no computará en el plazo máximo establecido en el apartado 6 del artículo 41 de este Reglamento".

Artículo 41. Terminación y efectos del acuerdo.

"1. La resolución que ponga fin al procedimiento del acuerdo previo de valoración podrá:

a) Aprobar la propuesta de valoración presentada por el contribuyente.

b) Aprobar, con la aceptación del contribuyente, una propuesta de valoración que difiera de la inicialmente presentada.

c) Desestimar la propuesta de valoración formulada por el contribuyente.

2. La resolución que ponga fin al procedimiento del acuerdo previo de calificación y valoración podrá:

a) Calificar los activos como no aptos a los efectos del artículo 23 de la Ley del Impuesto.

b) Calificar los activos como aptos y aprobar la propuesta de valoración formulada inicialmente por el contribuyente.

c) Calificar los activos como aptos y aprobar otra propuesta alternativa, con la aceptación del contribuyente.

d) Calificar los activos como aptos y desestimar la propuesta de valoración formulada por el contribuyente.

3. El acuerdo previo de valoración, o de calificación y valoración, tendrá carácter vinculante y se formalizará en un documento que incluirá al menos:

a) Lugar y fecha de su formalización.

b) Nombre y apellidos o razón social o denominación completa y número de identificación fiscal del contribuyente.

c) Conformidad del contribuyente con el contenido del acuerdo.

d) Descripción de la operación a la que se refiere la propuesta.

e) En el caso del acuerdo previo de calificación y valoración, calificación motivada de los activos a los efectos del artículo 23 de la Ley del Impuesto.

f) Valoración que se derive del acuerdo, con indicación de los elementos esenciales del método de valoración empleado, así como las circunstancias económicas que deban entenderse básicas en orden a su aplicación.

g) Plazo de vigencia del acuerdo y fecha de entrada en vigor del mismo.

4. En la desestimación de la propuesta de valoración o de calificación y valoración se incluirá junto con la identificación del contribuyente los motivos por los que la Administración tributaria desestima la misma.

5. El desistimiento del solicitante determinará la terminación del procedimiento.

6. El procedimiento deberá finalizar en el plazo máximo de 6 meses. Transcurrido dicho plazo sin haberse notificado la resolución expresa, la propuesta podrá entenderse desestimada.

7. La Administración tributaria y el contribuyente deberán aplicar la valoración y, en su caso, calificación, que resulte de la resolución, durante su plazo de vigencia, siempre que no varíen significativamente las circunstancias económicas que fundamentaron dicha calificación y valoración.

8. La Administración tributaria podrá comprobar que los hechos y operaciones descritos en la propuesta aprobada se corresponden con los efectivamente habidos y que la propuesta aprobada ha sido correctamente aplicada. Cuando de la comprobación resultare que los hechos y operaciones descritos en la propuesta aprobada no se corresponden con la realidad, o que la propuesta aprobada no ha sido aplicada correctamente, la Inspección de los Tributos procederá a regularizar la situación tributaria de los contribuyentes.

9. La resolución que ponga fin al procedimiento o el acto presunto desestimatorio no serán recurribles, sin perjuicio de los recursos y reclamaciones que contra los actos de liquidación que en su día se dicten puedan interponerse".

Artículo 42. Órgano competente.

"Será competente para instruir, resolver y, en el caso de modificación del acuerdo, iniciar, el procedimiento a que se refiere este capítulo el órgano de la Agencia Estatal de Administración Tributaria que corresponda de acuerdo con sus normas de estructura orgánica".

Artículo 43. Modificación del acuerdo previo de valoración o de calificación y valoración.

"1. En el supuesto de variación significativa de las circunstancias económicas que han determinado la valoración, existentes en el momento de la aprobación del acuerdo previo de valoración, o de calificación y valoración, éste podrá ser modificado para adecuarlo a las nuevas circunstancias económicas. El procedimiento de modificación podrá iniciarse de oficio o a instancia de los contribuyentes.

2. La solicitud de modificación deberá ser suscrita por la persona o entidad solicitante, y deberá contener la siguiente información:

a) Justificación de la variación significativa de las circunstancias económicas.

b) Modificación de la valoración que, a tenor de dicha variación, resulta procedente.

El desistimiento del solicitante determinará la terminación del procedimiento.

La Administración tributaria podrá requerir a los contribuyentes, en cualquier momento, cuantos datos, informes, antecedentes y justificantes tengan relación con la propuesta, así como explicaciones o aclaraciones adicionales sobre la misma.

La Administración tributaria, una vez examinada la documentación presentada, y previa audiencia del contribuyente, que dispondrá al efecto de un plazo de 15 días, dictará resolución motivada, que podrá:

1.º Aprobar la modificación de valoración formulada por el contribuyente.

2.º Aprobar, con la aceptación del contribuyente, una propuesta de valoración que difiera de la inicialmente presentada.

3.º Desestimar la modificación formulada por el contribuyente, confirmando o dejando sin efecto la propuesta de valoración inicialmente aprobada. No obstante, no afectará a la calificación de los activos, realizada en el acuerdo previo de calificación y valoración inicial.

3. Cuando el procedimiento de modificación haya sido iniciado por la Administración tributaria, el contenido de la propuesta se notificará al contribuyente que dispondrá de un plazo de un mes, contado a partir del día siguiente al de la notificación de la propuesta, para:

a) Aceptar la modificación.

b) Formular una modificación alternativa, debidamente justificada.

c) Rechazar la modificación, expresando los motivos en los que se fundamentan.

La Administración tributaria, una vez examinada la documentación presentada, dictará resolución motivada, que podrá:

1.º Aprobar la modificación, si el contribuyente la ha aceptado.

2.º Aprobar la modificación alternativa formulada por el contribuyente.

3.º Dejar sin efecto el acuerdo por el que se aprobó la propuesta inicial de valoración, sin que afecte a la calificación de los activos en el supuesto de un acuerdo previo de calificación y valoración inicial.

4.º Declarar la continuación de la aplicación de la propuesta de valoración inicial.

4. El procedimiento deberá finalizarse en el plazo de 6 meses. Transcurrido dicho plazo sin haberse notificado una resolución expresa, la propuesta de modificación podrá entenderse desestimada.

5. La resolución que ponga fin al procedimiento de modificación no será recurrible, sin perjuicio de los recursos y reclamaciones que puedan interponerse contra los actos de liquidación que puedan dictarse.

6. La aprobación de la modificación tendrá los efectos previstos en el artículo 41 de este Reglamento, desde la solicitud de la modificación o, en su caso, desde la comunicación de propuesta de modificación.

7. La resolución por la que se deje sin efecto el acuerdo previo de valoración inicial, o de calificación y valoración inicial en relación con la valoración, determinará, respecto de ésta, la extinción de los efectos previstos en el artículo 41 de este Reglamento, desde la solicitud de la modificación o, en su caso, desde la comunicación de propuesta de modificación.

8. La desestimación de la modificación formulada por el contribuyente determinará:

a) La confirmación de los efectos previstos en el artículo 41 de este Reglamento, cuando no quede probada la variación significativa de las circunstancias económicas.

b) La extinción de los efectos previstos en el artículo 41 de este Reglamento, desde la desestimación".

Artículo 44. Prórroga del acuerdo previo de valoración o del acuerdo previo de calificación y valoración.

"1. El contribuyente podrá solicitar a la Administración tributaria que se prorrogue el plazo de validez del acuerdo de valoración, o de calificación y valoración, que hubiera sido aprobado. Dicha solicitud deberá presentarse antes de los 6 meses previos a la finalización de dicho plazo de validez y se acompañará de la documentación que considere conveniente para justificar que las circunstancias puestas de manifiesto en la solicitud original no han variado.

2. La Administración tributaria dispondrá de un plazo de 6 meses para examinar la documentación a que se refiere el apartado 1 anterior, y notificar a los contribuyentes la prórroga o no del plazo de validez del acuerdo previo de valoración, o de calificación y valoración. A ta-

les efectos, la Administración podrá solicitar cualquier información y documentación adicional así como la colaboración del contribuyente.

3. Transcurrido el plazo a que se refiere el apartado anterior sin haber notificado la prórroga del plazo de validez del acuerdo previo de valoración, o de calificación y valoración, la solicitud podrá considerarse desestimada.

4. La resolución por la que se acuerde o se deniegue la prórroga o el acto presunto desestimatorio no serán recurribles, sin perjuicio de los recursos y reclamaciones que puedan interponerse contra los actos de liquidación que en su día puedan dictarse".

SUMARIO: 1. INTRODUCCIÓN. 2. ACTIVOS INTANGIBLES SUSCEPTIBLES DE GOZAR LA REDUCCIÓN. 3. REQUISITOS LEGALES PARA LA APLICACIÓN DE LA REDUCCIÓN. 4. IMPORTE DE LA RENTA OBJETO DE REDUCCIÓN. 5. CESIONES DE ACTIVOS INTANGIBLES Y DERECHO TRANSITORIO. 6. ACUERDOS PREVIOS DE VALORACIÓN O DE CALIFICACIÓN Y VALORACIÓN. MODIFICACIÓN Y PRÓRROGA DE LOS MISMOS. 7. CESIÓN DE ACTIVOS EN EL CASO DE GRUPOS FISCALES EN RÉGIMEN DE CONSOLIDACIÓN FISCAL. 8. CESIÓN DE ACTIVOS EN CASOS DE OPERACIONES ACOGIDAS AL RÉGIMEN FISCAL ESPECIAL DE REESTRUCTURACIÓN.

1. INTRODUCCIÓN

El propósito de la regulación establecida por el art. 23 LIS/2014 (que no difiere mucho en este punto de la prevista por la LIS/2004) no es otro que el de estimular la realización de actividades de innovación, a través de la creación de conocimientos técnicos aplicados a la industria. De esta manera, y mediante una reducción en la base imponible de la entidad cedente, se fomenta la explotación y transmisión a terceros de los conocimientos obtenidos en esos procesos innovadores. Las rentas positivas procedentes de la cesión del derecho de uso o explotación de determinados activos intangibles se ven beneficiados así por una reducción del 60% de su importe, de manera que se integra en la base imponible tan solo el 40% de ellas, siendo preciso a tales efectos realizar el correspondiente ajuste extracontable negativo por valor del 60% del importe obtenido por la cesión del derecho de uso o de explotación de los referidos activos intangibles. Si los rendimientos derivados de la cesión fuesen negativos, éstos se integrarían totalmente en la base imponible del cedente sin aplicación de reducción alguna[145].

---

[145] Como señala SERRANO GUTIERREZ, A. op. ult. cit. pag. 267: *"si la renta derivada de la cesión fuese negativa, parece razonable considerar que no sería procedente la aplicación de este régimen especial, integrándose la renta negativa, en su totalidad, en la base imponible del IS del cedente de los activos intangibles, ya que lo contrario supondría una penalización para el*

El propio precepto señala que la reducción resulta de aplicación para el caso de transmisión de activos intangibles realizados entre entidades que no formen parte de un grupo de sociedades (art. 42 CCom) con independencia de la residencia o de la obligación de formular cuentas anuales consolidadas, siempre que se cumplan los requisitos exigidos para la correcta aplicación de la reducción. A estos efectos, conviene recordar que con anterioridad a la LIS/2014 la reducción solo alcanzaba a los ingresos derivados de la cesión de activos intangibles, pero no a su transmisión[146].

2. ACTIVOS INTANGIBLES SUSCEPTIBLES DE GOZAR LA REDUCCIÓN

La LIS apunta a determinados activos intangibles cuya cesión de su derecho de uso o explotación activa permite aprovechar el incentivo fiscal que se concreta en la referida reducción:

– Patentes[147].

---

[146] *contribuyente carente de justificación. Por tanto, en este caso, para determinar la base imponible del IS del cedente, no será preciso efectuar ningún tipo de ajuste extracontable con origen en la renta derivada de la cesión del derecho de uso o explotación de los activos intangibles".* LÓPEZ SANTACRUZ, J. A. op. ult. cit. pag. 195, en relación con la transmisión del activo intangible advierte lo siguiente: *"No obstante, se establece una condición específica para el caso de transmisión de estos activos, la cual hace referencia a que la entidad adquirente no forme parte de un mismo grupo de sociedades respecto con la entidad transmitente en el sentido mercantil (CCom art. 42), con independencia de la residencia de estas entidades y de la obligación de formular cuentas anuales consolidadas. Por tanto, aun cuando exista vinculación con el adquirente en cualquiera de los supuestos de la LIS art. 18 que no sea la derivada de pertenecer al mismo grupo de sociedades, entendemos que puede aplicarse la reducción sobre la renta obtenida en la transmisión, aun cuando el activo adquirido se destine a la entrega de bienes o prestación de servicios para la entidad transmitente del activo intangible que generen gastos en dicha entidad. No obstante, en caso de interpretarse que los requisitos exigidos al cesionario (caso de cesión de intangible) sean aplicables al adquirente del intangible, entendemos que no procedería la reducción, ya que se destinaría el intangible adquirido a proporcionar bienes y servicios a la entidad transmitente vinculada con la adquirente del intangible. Aunque para los ejercicios 2015 y siguientes se haya derogado la deducción por reinversión (LIS/04 art. 42), para el caso de rentas integradas en la base imponible de períodos anteriores que cumplan las condiciones establecidas en la LIS/04 art. 42 y cuyo plazo de reinversión alcance a períodos impositivos iniciados a partir de 1-1-2015, de acuerdo con lo establecido en la LIS disp. trans. 24ª, parece que en el período impositivo en el que tenga lugar la reinversión se va a poder aplicar la deducción correspondiente, es decir, en este caso particular estaría vigente esta deducción por reinversión, de manera que sería apta la reinversión en un elemento del inmovilizado intangible, aun cuando el transmitente del mismo haya aplicado la exención parcial establecida en la LIS art. 23".*

[147] Como señala el art. 4 de la Ley 11/1986, las patentes son invenciones nuevas que implican o suponen esa actividad inventiva susceptible de aplicación industrial, aun cuando tengan

- Dibujos o modelos de utilidad[148].

- Planos.

- Fórmulas.

- Procedimientos secretos.

- Muestrarios textiles.

- Algoritmos creados por la entidad en su actividad propia de I+D+i.

- Derechos sobre informaciones relativas a experiencias industriales, comerciales o científicas[149].

La LIS/2014 excluye expresamente de la reducción a aquellas rentas provenientes de la cesión del derecho de uso y explotación de determinados activos como los siguientes[150]:

- Marcas y nombres comerciales[151].

- Obras literarias, artísticas o científicas, incluidas películas cinematográficas, esto es, todos aquellos activos intangibles amparados en la Ley de Propiedad Intelectual[152].

- Derechos personales susceptible de cesión (vgr. los derechos de imagen).

- Programas informáticos.

---

por objeto un producto que contenga o esté compuesto por materia biológica, o un procedimiento mediante el cual se produzca, transforme o utilice dicha materia biológica.

[148] La DGT en varias de sus Consultas ha señalado que la actividad de diseño susceptible de originar nuevos modelos de calzado y bolsos para su posterior fabricación, constituyen actividad innovadora que incorpora nuevas características a productos para su diferenciación en el mercado, razón por la cual la cesión del derecho a la explotación de esos modelos permite disfrutar de la reducción (CV 24 de marzo de 2009). El art. 2. 1 de la Ley 20/2003 entiende por diseño la apariencia de la totalidad o parte de un producto que se derive de determinadas características, en particular, las líneas, contornos, colores, forma, textura o materiales del producto en sí o de su ornamentación. Por modelo de utilidad el art. 143 de la Ley 11/1986 entiende aquella invención que implique tal actividad inventiva consistente en dar a un objeto una configuración, estructura o constitución de la que resulte alguna ventaja apreciable para su uso o fabricación.

[149] La cesión de los derechos de comercialización de un nuevo tratamiento médico queda incluida en la cesión de derechos sobre informaciones relativas a experiencias científicas, pudiendo así disfrutar de la reducción (CV DGT 25 de mayo de 2010).

[150] Conviene advertir, sin embargo, que si en el coste de elaboración del activo intangible objeto de cesión se incluyesen los propios de activos excluidos de la reducción, habría de procederse a diferenciar de las rentas totales la parte imputable a los intangibles excluidos, para su integración total en la base imponible.

[151] Vid. Ley 17/2001 que se refiere tanto a las marcas que permiten a un empresario diferenciar sus productos de otros similares en la industria o el comercio, como a los signos distintivos de la empresa, modelos, dibujos industriales o diseños.

[152] Vid. Ley de propiedad intelectual (Real Decreto Legislativo 1/1996).

- Equipos industriales.

- Asistencia técnica[153].

- Signos distintivos de fabricación.

- Suministro de software.

- Cualquier otro intangible distinto de los activos expresamente señalados o incluidos en el ámbito de aplicación del propio art. 23 LIS 2014.

Ha generado viva polémica y algunos pronunciamientos jurisprudenciales determinados conceptos fronterizos que tienen que ver con la transferencia de tecnología o conocimientos no registrados o secretos y que por economía de clasificación se denominan como "Know-how" (información relativa a experiencias industriales, comerciales o científicas o fórmulas o procedimientos secretos) recogiéndose en el Modelo convenio OCDE. Las *"fórmulas"*, *"procedimientos secretos"* o las *"informaciones relativas a experiencias industriales, comerciales o científicas"* deben tener aplicaciones prácticas en la explotación de una empresa, y de su comunicación ha de derivarse un beneficio económico cierto[154]. Esa cesión de informaciones reservadas se distingue de la prestación de servicios por el contenido de la obligación y el alcance de las obligaciones asumidas por el cedente (DGT 30 de julio de 1992). Por todo ello y en términos generales, el "know-how" se considera un activo intangible apto para la aplicación de la reducción en la que se concreta o resuelve el beneficio fiscal regulado en el art. 23 LIS/2014.

3. REQUISITOS LEGALES PARA LA APLICACIÓN DE LA REDUCCIÓN

La LIS/2014 establece algunos requisitos para gozar de la reducción[155]:

a) Respecto de la creación del activo: Que la entidad cedente sea la autora total o parcial de los activos objeto de cesión, al menos en un 25% de su coste, toda vez que no pueden acogerse al beneficio la adquisición de ac-

---

[153] En realidad, no se trata de un activo intangible, sino de la prestación de un servicio que aunque revista el inevitable componente tecnológico no transfiere su uso, sino que se agota con su prestación (también se incluye en este concepto la puesta en práctica de los conocimientos tecnológicos en el montaje e instalación de nuevas plantas industriales, como señala la CV DGT 14 de abril de 2009).

[154] Por supuesto, la cesión implica la posesión legal y pacífica de esos procedimientos secretos o de esos activos intangibles (STS 8 de abril de 2000).

[155] Como señala SERRANO GUTIÉRREZ, A. op. ult. cit. pag. 271, *"parece lógico considerar que los requisitos exigidos por la norma respecto del cesionario deben entenderse aplicables a la entidad adquirente de los activos intangibles, en aquellos casos en los que la reducción opere sobre la renta derivada de la transmisión de los citados activos intangibles"*.

tivos intangibles que hayan sido creados por terceros (con anterioridad, es decir, vigente la LIS/2004, se exigía que el activo intangible hubiese sido creado en su totalidad por el sujeto pasivo).

b) Respecto del uso: Que el cesionario utilice efectivamente esos derechos de uso o explotación de los activos intangibles en el desarrollo de una verdadera actividad económica que exceda de la mera tenencia de los mismos (incluso cuando el destinatario de dicha actividad sea la propia entidad cedente), sin que los resultados de esa utilización se materialicen en la entrega de bienes o prestaciones de servicios por parte del cesionario que generen gastos fiscalmente deducibles en la entidad cedente, salvo que la entidad cedente y la cesionaria estuvieran vinculadas. Dicho de otra manera, los requisitos para gozar de la reducción dependen de la vinculación o no que tengan la entidad cedente y el cesionario. De no existir esa vinculación fiscal, aunque la entrega de los bienes o la prestación de los servicios realizados por el cesionario como consecuencia de la utilización del activo intangible genere gastos fiscalmente deducibles en la entidad cedente, la renta derivada de la cesión podría beneficiarse de la reducción del 60% en la entidad cedente. Por el contrario, si la entidad cedente y el cesionario estuviesen vinculados fiscalmente, ya no habría derecho al 60% de la reducción en la entidad cedente, no obstante lo cual, podría aplicarse la reducción si los bienes y servicios derivados de la actividad económica en la que se utilizó el activo intangible se entregan o prestan a otras entidades diferentes de la entidad cedente, aunque haya vinculación entre el cesionario y aquellas otras entidades. Ello equivale a decir que la reducción del 60% será posible cuando los bienes y servicios derivados de la utilización del activo intangible sean entregados o prestados por el cesionario a una entidad vinculada con él, pero distinta de la entidad cedente.

c) Respecto de la residencia del cesionario: La entidad cesionaria de los activos intangibles cedidos en uso puede radicarse en España o en el extranjero, pero no puede residir en un país o territorio considerado como paraíso fiscal o nula tributación, salvo que el mismo estuviese ubicado en un Estado miembro de la UE y se acreditase la existencia de motivos económicos válidos, así como la realización de una verdadera actividad económica[156]. Si las rentas se obtuvieran en el extranjero y hubiesen

---

[156] En el sentir de SERRANO GUTIÉRREZ, A. op. cit. pag. 270, este requisito *"pudiera resultar superfluo, ya que la máxima eficacia fiscal del régimen se consigue localizando el gasto que satisface el cesionario por el derecho de uso o explotación de los activos intangibles en una jurisdicción que cuente con un tipo de gravamen elevado y en la que dicho gasto sea fiscalmente deducible. Por tanto, aunque no existiese este requisito exigido por la norma parece razonable pensar que el cesionario no se localizaría en un territorio de nula tributación".*

sido ya gravadas previamente, conviene no perder de vista que la reducción aplicable a las rentas procedentes de la cesión del derecho de uso o explotación de los activos intangibles debe considerarse a los efectos de determinar el importe de la cuota íntegra que en España correspondería pagar por las mencionadas rentas si se hubieran obtenido en territorio español, de conformidad con lo previsto por el art. 31. 1 LIS/2014. La conexión, por tanto, entre el art. 23. 3 y 31. 1 LIS/2014, resulta insoslayable[157].

d) Respecto de los servicios accesorios: Si el contrato de cesión de uso y disfrute del activo intangible incorpora la prestación de servicios accesorios por parte de la entidad cedente, la LIS exige la identificación de dichos servicios accesorios, así como su contraprestación, con el fin de que el perímetro de la reducción se limite a las rentas derivadas de la cesión de uso de dichos activos intangibles, excluyendo así la renta generada en la prestación de esos servicios accesorios[158].

e) Respecto de los registros formales: La entidad cedente debe contar con los registros contables necesarios que permitan identificar y determinar perfectamente los ingresos y gastos directamente asociados a los activos intangibles objeto de la cesión, pues se exige una completa identificación de los ingresos y de los gastos directos asociados a dichos activos,

---

[157]   LÓPEZ SANTACRUZ, J. A. op. cit. pag. 197, realiza a este respecto las siguientes consideraciones: *"Si lo ingresos generados en la cesión del derecho de uso de los activos intangibles se han gravado en el extranjero por un impuesto idéntico o análogo al IS, a efectos de determinar la deducción por doble imposición internacional (LIS art. 31), para el cálculo de la cuota íntegra que en España correspondería pagar por la renta obtenida en el extranjero, debe tenerse en consideración la reducción practicada sobre la renta obtenida. Por otra parte, en este mismo caso, a efectos de determinar esa cuota íntegra que hubiese correspondido en España, en primer lugar, debe calcularse la renta realmente obtenida en la cesión, para lo cual se han de tener en consideración la totalidad de los gastos, tanto directos como indirectos, aun cuando estos últimos no parece que se deban tener en consideración para calcular la renta que es objeto de reducción. El importe de esa renta se ha de minorar en la cantidad de la reducción practicada por aplicación de este incentivo fiscal y, al importe que resulte de esta diferencia, se aplicaría el tipo de gravamen que determinaría el impuesto que hubiese resultado de acuerdo con la normativa del IS. Como consecuencia de esta reducción, es muy posible que el importe de la cuota íntegra que resulte sea inferior al impuesto extranjero, en cuyo caso solo sería deducible de la cuota íntegra de la entidad cedente el importe de esa cuota íntegra resultante de considerarse obtenida la renta en territorio español, por lo que en tal caso sería deducible como gasto en la determinación de la base imponible la parte del impuesto satisfecho en el extranjero que no ha podido deducirse de la cuota íntegra, de acuerdo con la regulación establecida en la LIS art. 31".*

[158]   En el sentir de la DGT, si no se diferencian las contraprestaciones de los servicios accesorios en los contratos suscritos no es posible gozar de la reducción, siendo irrelevante que los motivos por los que no se produce la diferenciación sean la confidencialidad o competitividad, y que la contabilidad diferencie los distintos tipos de ingresos derivados del contrato de cesión (CV 12 de febrero de 2009).

toda vez que esa entidad cedente podría desarrollar (será lo normal) otras actividades conjuntamente con la propia y específica de la actividad de cesión de esos intangibles.

4. IMPORTE DE LA RENTA OBJETO DE REDUCCIÓN

La LIS/2014 diferencia el importe de la renta objeto de reducción en función de que dicha renta proceda de la cesión de los activos intangibles o bien de su transmisión. En el primer caso, es decir, cuando se ceden los activos, el importe de la renta (con independencia de que el activo esté o no reconocido en el balance de la entidad cedente[159]) se determina por la diferencia positiva entre los ingresos del ejercicio provenientes de la cesión del derecho de uso o de explotación de esos intangibles y las cantidades que sean deducibles en ese mismo ejercicio por aplicación de lo dispuesto en los arts. 12. 2 (amortización fiscal de los intangibles con vida útil definida que se realizará atendiendo a la duración de la misma) y 13. 3 LIS/2014 (amortización fiscal de los intangibles con vida útil indefinida[160]), así como por los gastos del ejercicio directamente vinculados con el activo cedido, siempre que tengan la condición de fiscalmente deducibles (excluido el gasto correspondiente al posible deterioro del intangible, al no ser éste deducible). De esta forma, la LIS/2014 excluye, para la determinación de las rentas derivadas de la cesión del derecho de uso o explotación de los activos intangibles, los gastos indirectos imputables al activo cedido (gastos generales, de administración, financieros, etc.), circunscribiéndolo exclusivamente a aquellos otros gastos directos.

Para el segundo supuesto, es decir, para el caso de la transmisión de los activos intangibles (estén o no registrados en el balance de la entidad transmitente) el importe de la renta objeto de reducción se determina conforme a lo establecido por el art. 10. 3 LIS/2014 y los criterios contables[161]. Dicho de otra manera, los gastos inherentes a la transmisión no deben computarse como menor importe de la misma, sino como menor importe de los beneficios obtenidos.

---

[159] Vgr. porque estuviera amortizado.

[160] Que permite la deducción del precio de adquisición del activo intangible, incluido el correspondiente al fondo de comercio, con el límite anual máximo de la veinteava parte de su importe, sin que dicha deducción se encuentre condicionada a su imputación contable en la cuenta de pérdidas y ganancias, minorando, las cantidades deducidas, a efectos contables, el valor del correspondiente inmovilizado intangible.

[161] Como señala LÓPEZ SANTACRUZ, J. A. op. ult. cit. pag. 196, *"en la transmisión de activos intangibles, la aplicación de la reducción sobre la renta obtenida no parece exigir que el activo intangible haya tenido que ser cedido previamente a la transmisión, es decir, el activo intangible puede tener la condición de circulante para la entidad transmitente y no de activo fijo"*.

5. CESIONES DE ACTIVOS INTANGIBLES Y DERECHO TRANSITORIO

En realidad, el tratamiento de la cesión y transmisión de activos intangibles y el beneficio legal de la reducción que a ello se asocia, resulta diferente en función de la fecha en que tenga o haya tenido lugar la cesión. La LIS/2014 distingue a este respecto tres supuestos distintos (art. 23 LIS/2014 y la DT 20ª. 2, 3, 4 y 5 en la redacción dada por la Ley 48/2015):

a) Antes del 29 de septiembre de 2013.

b) Entre 29 de septiembre de 2013 y 30 de junio de 2016.

c) A partir de 1 de julio de 2016.

Veamos brevemente cada uno de ellos por separado, si bien es cierto que las cesiones comprendidas en las letras b) y c), es decir, las realizadas a partir del 29 de septiembre de 2013, y ya sean antes o después del 1 de julio de 2016, presentan muchísima similitud.

a) Cesiones y transmisiones anteriores a 29 de septiembre de 2013.

Para cesiones de activos intangibles efectuadas con anterioridad a 29 de septiembre de 2013 y que estuvieran vivas o vigentes a 1 de julio de 2016, la entidad contribuyente podría optar por cualquiera de los dos siguientes regímenes fiscales:

• Aplicar el régimen establecido con anterioridad al 29 de junio de 2013 (art. 23 LIS/2014 en la redacción dada por la Ley 16/2007) para todos los ejercicios impositivos que resten hasta la conclusión del contrato de cesión (50% de reducción en la base imponible) o hasta el 30 de junio de 2021 (momento a partir del cual se aplicará la regulación prevista a partir del 1 de julio de 2016).

• Aplicar el régimen previsto para cesiones a partir del 1 de julio de 2016 en todos los períodos impositivos que restasen hasta la finalización del contrato de cesión (opción que solo puede aplicarse a través de la declaración del IS correspondiente al período impositivo 2016).

b) Cesiones y transmisiones realizadas desde el 20 de septiembre de 2013.

En estos casos, las rentas procedentes de la cesión del derecho de uso o explotación de activos intangibles se integran en la base imponible en un 40% de su importe, quedando por ello exenta el 60% de la renta derivada de la cesión. Como quiera que la renta generada por la cesión o transmisión de los activos pudiera ser positiva o negativa, en el primer caso (renta positiva) puede aplicarse la reducción o exención parcial sobre la renta obtenida realizando un ajuste negativo al resultado contable por el importe resultante de aplicar el 60% a la renta real generada en el ejercicio por la cesión o transmisión de los activos intangibles. Si estuviéramos en la segunda de las situaciones (renta negativa) no resulta de aplicación la reducción, ni el ajuste extracontable, pues determinaría una renta negativa inferior a la obtenida. Pudiera ocurrir, incluso, que esa renta fuese positiva en unos ejercicios impositivos y negativa en otros. En este último supuesto, la reducción se aplicaría de forma independiente a aquellos ejercicios impositivos con renta positiva.

También en este caso, como veíamos acontecía en el ordinal a) anterior, se puede optar por dos regímenes distintos en función de la fecha de la cesión o transmisión de los activos intangibles. Así:

- En la cesión de activos intangibles realizadas entre el 29 de septiembre de 2013 y el 30 de junio de 2016 y cuyos contratos estuviesen vigentes a 1 de julio de 2016, la entidad contribuyente podría optar por cualquiera de los dos regímenes fiscales siguientes:

  - Aplicar en todos los períodos impositivos que resten hasta la expiración del contrato de cesión, el régimen vigente a 1 de enero de 2015 y hasta el 30 de junio de 2021, año a partir del cual ha de aplicarse la regulación prevista a partir del 1 de julio de 2016.

  - Aplicar el régimen establecido para cesiones a partir del 1 de julio de 2016 en todos los períodos impositivos que resten hasta la expiración del contrato de cesión (opción que se ejercitará a través de la declaración del IS correspondiente al ejercicio 2016).

- En la transmisión de activos intangibles que se realicen desde el 1 de julio de 2016 hasta el 30 de junio de 2021, puede optarse por aplicar el régimen vigente a 1 de enero de 2015, si bien esta opción debe ejercitarse en la declaración correspondiente al período impositivo en que se realice la transmisión.

c) Cesiones y transmisiones realizadas a partir del 1 de julio de 2016.

En estos casos, la reducción en la base imponible es el porcentaje que resulte de multiplicar un 60% por el resultado del siguiente cociente:

- En el numerador, los gastos incurridos por la entidad cedente directamente relacionados con la creación del activo intangible, incluidos los gastos derivados de la subcontratación con terceros no vinculados con la entidad cedente. Estos gastos se incrementan en un 30%, sin que el numerador pueda superar el importe del denominador.

- En el denominador, los gastos en los que hubiese incurrido la entidad cedente directamente relacionados con la creación del activo intangible, incluidos los gastos derivados de la subcontratación con terceros, vinculados o no con la entidad cedente y, en su caso, los derivados de la adquisición del activo.

6. ACUERDOS PREVIOS DE VALORACIÓN O DE CALIFICACIÓN Y VALORACIÓN. MODIFICACIÓN Y PRÓRROGA DE LOS MISMOS

Con la finalidad última de preservar la seguridad y certeza jurídica en la aplicación de la reducción en la que se concreta este beneficio fiscal, el art. 23. 5 y 6 LIS/2014 contempla la posibilidad de solicitar a la AEAT, y con carácter previo a la realización efectiva de las operaciones que originen la cesión del uso o explotación o de la transmisión de los activos intangibles, dos clases de acuerdos:

– Uno previo de valoración respecto de los ingresos procedentes de la cesión de los activos y de los gastos asociados a ella o de las rentas generadas por la transmisión de aquéllos.

– Otro previo de calificación y valoración de los activos concernidos en la cesión o transmisión para verificar su aptitud para gozar del beneficio fiscal, así como de valoración de los ingresos, gastos y rentas provenientes de dichas operaciones.

En ambos casos, los artículos 39 y ss. del RIS (RD 634/015, de 10 de julio) establecen la necesidad de que el acuerdo se formule por escrito, con carácter previo a la realización de las operaciones acreedoras del beneficio fiscal, y con el siguiente contenido mínimo:

– Identificación de las personas o entidades concernidas en la operación (solicitante y cesionario).

– Descripción del activo cuya cesión o transmisión se pretende.

– Descripción del derecho de uso o explotación.

– Duración.

– Calificación circunstanciada y motivada de los activos.

– Propuesta de valoración de todos los ingresos y gastos asociados a la cesión del activo o de las rentas generadas por la transmisión (valor de adquisición y de transmisión con las reglas de valoración aplicadas y el resto de circunstancias económicas ponderadas en la operación).

– Cualquier otro dato tomado en consideración y que resulte útil para la valoración administrativa.

Se prevé asimismo la posibilidad no solo de que la entidad contribuyente presente cualquier documentación complementaria, sino que la propia Administración la solicite expresamente en cualquier momento (art. 40. 1 RIS), así como el desistimiento de aquélla. Asimismo, puede acordarse motivadamente la inadmisión a trámite de la solicitud cuando concurra alguna de las siguientes circunstancias (art. 39. 3 RIS):

- Que la propuesta de valoración, o de calificación y valoración, carezca manifiestamente de fundamento para determinar el valor de los ingresos procedentes de la cesión de los activos y de los gastos asociados, o bien de las rentas generadas en la transmisión, o la calificación del activo como apto.

- Que se hubiesen desestimado propuestas de valoración, o de calificación y valoración, sustancialmente iguales a la propuesta que se pretende formular.

En el procedimiento del acuerdo previo de calificación y valoración, el órgano competente para instruir debe solicitar informe vinculante a la Dirección General de Tributos, en relación con la calificación de los activos a los efectos propios de la aplicación del beneficio. Y en caso de estimarlo procedente, la propia Dirección General de Tributos podrá solicitar opinión no vinculante al respecto del Ministerio de Economía y Competitividad. La Dirección General de Tributos debe evacuar el referido informe, que se comunicará asimismo al órgano solicitante, en el plazo máximo de tres meses.

La resolución que pone fin al procedimiento del acuerdo previo de valoración puede moverse en el ámbito de una triple posibilidad:

- Aprobar la propuesta de valoración presentada por el obligado tributario.

- Aprobar, con la aceptación del obligado tributario, una propuesta de valoración que difiera de la inicialmente presentada[162].

- Desestimar la propuesta de valoración formulada por el obligado tributario.

Por su parte, la resolución que ponga fin al procedimiento del acuerdo previo de calificación y valoración presenta alguna alternativa más a las ya vistas con anterioridad, pues puede manifestarse en una cuádruple tesitura:

- Calificar los activos como no aptos a los efectos de gozar de la reducción prevista por el artículo 23 LIS/2014.

- Calificar los activos como aptos y aprobar la propuesta de valoración formulada inicialmente por la entidad solicitante.

- Calificar los activos como aptos y aprobar otra propuesta alternativa formulada o aceptada por el solicitante en el curso del procedimiento.

- Calificar los activos como aptos y desestimar la propuesta de valoración formulada por el solicitante.

---

[162] Para eso previamente deberá otorgarle la debida audiencia y permitirle alegar lo que a su derecho convenga y aportar la documentación que desee.

El acuerdo previo de valoración, o de calificación y valoración, emitido por la AEAT reviste carácter vinculante y debe formalizarse por escrito en un documento que incluya al menos los siguientes extremos:

– El lugar y fecha de su formalización.

– El nombre y apellidos o razón social o denominación completa y número de identificación fiscal del obligado tributario.

– La conformidad del obligado tributario con el contenido del acuerdo.

– La descripción de la operación a la que se refiere la propuesta.

– En el caso del acuerdo previo de calificación y valoración, la calificación motivada de los activos.

– La valoración derivada del acuerdo, con indicación de los elementos esenciales del método de valoración empleado, así como las circunstancias económicas que deban entenderse básicas en orden a su aplicación.

– El plazo de vigencia del acuerdo y la fecha de entrada en vigor del mismo.

De producirse la desestimación de la propuesta de valoración o de calificación y valoración, deben incluirse, junto con la identificación del obligado tributario, los motivos por los que la Administración tributaria desestima la misma. Es competente para instruir, resolver y, en su caso modificar el acuerdo, el Departamento de Inspección Financiera y Tributaria de la Agencia Estatal de Administración Tributaria. El titular de dicho Departamento es el encargado de designar el Equipo o Unidad al que corresponde la tramitación del procedimiento, así como la propuesta de resolución[163].

El plazo máximo para la finalización del procedimiento es de seis meses, transcurrido el cual, sin haberse notificado la resolución expresa, la propuesta puede entenderse desestimada. En cualquier caso, la Administración tributaria y el obligado tributario deben aplicar la valoración y, en su caso, calificación, resultante de la resolución, durante su plazo de vigencia, siempre que no varíen significativamente las circunstancias económicas que fundamentaron dicha calificación y valoración, quedando a salvo, por supuesto, la posibilidad de que la Administración tributaria compruebe que los hechos y operaciones descritos en la propuesta aprobada se corresponden con los efectivamente habidos y que ésta fue correctamente aplicada, regularizando en caso contrario la situación del obligado tributario. La resolución que ponga fin al procedimiento o el acto presunto desestimatorio en el caso de que aquel no se produzca, es irrecurrible,

---

[163] El art. 42 RIS, al igual que otros preceptos reglamentarios del resto de procedimientos tributarios, señala que el órgano competente será el que determinen las normas de estructura orgánica de la AEAT que en cada momento estén vigentes (con ello se pretende evitar la reforma del Reglamento con ocasión de cualquier modificación en la estructura interna de la AEAT).

sin perjuicio de los recursos y reclamaciones que pudieran interponerse contra los actos de liquidación que en su día se dictaran.

Se contempla también la posibilidad de modificación (de oficio o a instancia de parte) del acuerdo previo de valoración o de calificación y valoración ya alcanzado. Tal circunstancia puede darse en aquellos supuestos de variación significativa de las circunstancias económicas existentes determinantes de la aprobación del acuerdo previo de valoración, o de calificación y valoración. Con dicha posibilidad se persigue adecuar dicho acuerdo a las nuevas circunstancias económicas. La solicitud de modificación debe ser suscrita por la persona o entidad solicitante, y contener la siguiente información:

- La justificación de la variación significativa de las circunstancias económicas.

- La modificación de la valoración que, a tenor de dicha variación, resultase procedente y oportuna.

También en este caso de modificación del acuerdo previo de valoración, y al igual que veíamos ocurría con la tramitación del mismo:

- El desistimiento del solicitante determina la terminación del procedimiento[164].

- La Administración tributaria puede requerir a los obligados tributarios, en cualquier momento, cuantos datos, informes, antecedentes y justificantes tengan relación con la propuesta, así como explicaciones o aclaraciones adicionales sobre la misma.

La Administración tributaria, una vez examinada la documentación presentada y previa audiencia por quince días del obligado tributario, debe dictar resolución motivada, que podrá:

- Aprobar la modificación de valoración formulada por el obligado tributario.

- Aprobar, con la aceptación del obligado tributario, una propuesta de valoración que difiera de la inicialmente presentada.

- Desestimar la modificación formulada por el obligado tributario, confirmando o dejando sin efecto la propuesta de valoración inicialmente aprobada con expresión de los motivos en los que la Administración se apoya[165].

---

[164] El art. 41. 5 RIS señala expresamente que el desistimiento del solicitante determinará la conclusión del procedimiento.

[165] Lo que, sin embargo, no afectará a la calificación de los activos realizada en el acuerdo previo de calificación y valoración inicial.

Si el procedimiento de modificación se inicia por la AEAT, el contenido de la propuesta debe notificarse lógicamente al obligado tributario, quien dispone de un plazo de un mes, contado a partir del día siguiente al de la notificación de la propuesta, para:

– Aceptar la modificación.

– Formular una modificación alternativa, debidamente justificada.

– Rechazar la modificación, expresando los motivos en los que se fundamentan.

La Administración tributaria, una vez examinada la documentación presentada, debe proceder a dictar resolución motivada, que podrá:

– Aprobar la modificación, si el obligado tributario la aceptase.

– Aprobar la modificación alternativa formulada por el contribuyente.

– Dejar sin efecto el acuerdo por el que se aprobó la propuesta inicial de valoración, sin que afecte a la calificación de los activos en el supuesto de un acuerdo previo de calificación y valoración inicial.

– Declarar la continuación de la aplicación de la propuesta de valoración inicial.

También en este caso el procedimiento debe finalizar en el plazo de seis meses, transcurrido el cuál sin haberse notificado una resolución expresa, la propuesta de modificación puede entenderse desestimada. Asimismo, la resolución que ponga fin al procedimiento de modificación no es recurrible, sin perjuicio de los recursos y reclamaciones a interponer contra los actos de liquidación que pudieran dictarse con posterioridad. La aprobación de la modificación tiene las mismas consecuencias analizadas previamente para la tramitación y surtirá efecto desde la solicitud de la modificación, o, en su caso, desde la comunicación de la propuesta de modificación. De la misma manera, la resolución por la que se deje sin efecto el acuerdo previo de valoración inicial, o de calificación y valoración inicial, determinará, respecto de dicha resolución inicial, la extinción de los efectos previstos en el acuerdo de valoración, desde la solicitud de la modificación o, en su caso, desde la comunicación de la propuesta de modificación.

Por fin, la desestimación de la modificación formulada por el obligado tributario determina:

– La confirmación de los efectos previstos en el acuerdo inicial, cuando no quede probada la variación significativa de las circunstancias económicas.

– La extinción de los efectos previstos en ese mismo acuerdo inicial desde la desestimación.

Se prevé asimismo la prórroga del acuerdo previo de valoración o del acuerdo previo de calificación y valoración. De esta forma, el obligado tributario puede solicitar a la Administración tributaria la prolongación del plazo de validez del acuerdo de valoración, o de calificación y valoración, que hubiera sido aprobado en su día. Dicha solicitud debe presentarse antes de los seis meses previos a la finalización del plazo de validez del acuerdo y acompañarse de la documentación que se considere conveniente para justificar que las circunstancias puestas de manifiesto en la solicitud original no variaron. La Administración tributaria dispone en tal caso de un plazo de otros seis meses para examinar la documentación correspondiente y notificar a los obligados tributarios la prórroga (o no) del plazo de validez del acuerdo previo de valoración, o de calificación y valoración. A tal efecto, la Administración puede solicitar cualquier información y documentación adicional, así como la colaboración del obligado tributario. Una vez transcurrido ese plazo semestral sin haberse notificado la prórroga del plazo de validez del acuerdo previo de valoración, o de calificación y valoración, también aquí el silencio es negativo, por lo que la solicitud puede considerarse desestimada rebasado aquél. Asimismo, la resolución por la que se acuerde la prórroga o el acto presunto desestimatorio resulta irrecurrible, sin perjuicio de los recursos y reclamaciones a interponer contra los actos de liquidación que en su día pudieran dictarse.

7. CESIÓN DE ACTIVOS EN EL CASO DE GRUPOS FISCALES EN RÉGIMEN DE CONSOLIDACIÓN FISCAL

La aplicación del beneficio en el caso de grupos fiscales que tributan en régimen de consolidación fiscal exige diferenciar la cesión del activo intangible o la transmisión entre entidades del mismo grupo fiscal[166]. Para el primer caso, es decir, el de la cesión, atendemos a las explicaciones de LÓPEZ SANTACRUZ: *"hay que tener en cuenta que en este régimen especial, para la determinación de la base imponible del grupo, se eliminan las rentas derivadas de operaciones internas realizadas entre sociedades del mismo grupo. Por tanto, si esa operación interna tiene por objeto la cesión del derecho de uno de estos activos intangibles, se aplica el régimen general de consolidación fiscal, es decir, no deben ser objeto de eliminación las rentas reducidas derivadas de la cesión de estos activos, siempre que se ha hayan realizado frente a terceros. Por el contrario, la renta reducida debe eliminarse en el ejercicio en que se ha realizado la operación interna en la medida en que no se haya realizado frente a terceros, lo cual supone que la aplicación efectiva de este incentivo fiscal tendrá lugar cuando la renta se integre en la base imponible del grupo por entenderse realizada frente a terceros. Por otra parte, en cuanto a las obligaciones de documentación, dado que esta cesión es una operación vinculada, se ha de tener en cuenta que mientras que la LIS art. 65. 2 recoge que, en el régimen de consolidación fiscal,*

---

[166]   Vid. el art. 65. 2 LIS/2014.

las operaciones que den lugar a la aplicación de esta reducción de la renta por la cesión de activos intangibles entre entidades del mismo grupo están sometidas a las obligaciones generales de documentación de las operaciones vinculadas, por el contrario, la LIS art. 18. 3, excluye de tales obligaciones a las operaciones vinculadas realizadas entre entidades que se integren en un mismo grupo de consolidación fiscal. Esto significa que la inclusión expresa a estas operaciones vinculadas dentro de un grupo fiscal en la obligación de documentación trata de evitar el abuso de este incentivo fiscal acordando precios superiores de la cesión a los de mercado, pues en este caso el exceso de precio pactado sería gasto deducible en la entidad cesionaria mientras que el ingreso que genera la renta en la entidad cesionaria se reduciría en un 60, determinando un incentivo fiscal superior al que correspondería en condiciones de mercado. Por tanto, la entidad cedente integrante del grupo fiscal, al calcular su base imponible individual, debe reducir la renta derivada de la cesión en un 60% aun cuando el cesionario sea un entidad del mismo grupo y, esta última en la determinación de su base imponible individual, debe computar la totalidad del gasto de la cesión, sin que la renta sea objeto de eliminación para determinar la base imponible consolidada del grupo fiscal en cuanto se haya realizado frente a terceros –como es el caso de que el uso del activo intangible se hubiese destinado a producir bienes o servicios para terceros–. En definitiva, aun cuando el grupo es un solo sujeto pasivo del IS y el incentivo fiscal solamente se aplica a la cesión de activos intangibles a terceros, sin embargo, en estos grupos fiscales al determinarse la base imponible partiendo de las bases imponibles individuales de las entidades que lo integran, ello permite que se aplicable el incentivo incluso cuando la cesión se realice tanto a otras entidades del mismo grupo como a terceros"[167].

En el segundo supuesto, es decir, para el caso de transmisión de los activos intangibles entre entidades del mismo grupo fiscal, la aplicación del incentivo se condiciona al destino que la entidad adquirente haga del activo transmitido. Nuevamente atendemos a las explicaciones de LÓPEZ SANTACRUZ al respecto:

"a) Entidad adquirente utiliza el activo intangible adquirido en su actividad económica. En primer lugar, al tratarse de una operación interna, la renta generada en la transmisión debe ser objeto de eliminación. Cuando sea consumido ese activo y su coste se incorpore en los bienes o servicios prestados a terceros, se va a entender realizado el resultado de esa operación interna y, por tanto, se integraría en la base imponible del grupo fiscal, momento en que puede plantearse si es o no aplicable la reducción sobre la renta inicialmente eliminada y ahora integrada en la base imponible. Al respecto, dado que la normativa que regula este incentivo niega la aplicación de la reducción a las rentas generadas en la transmisión de estos activos cuando la entidad adquirente forme parte de un

---

[167]   Op. ult. cit. pag. 197 y 198.

mismo grupo en el sentido mercantil (CCom art. 42), al cumplir el grupo fiscal también las condiciones para ser grupo en el sentido mercantil, resultado que este incentivo no se aplica en los grupos fiscales en la transmisión de estos activos intangibles, sin perjuicio de que la renta generada en la operación interna sea objeto de eliminación, por lo que se aprecia una diferencia de trato fiscal en función de que la operación dentro del grupo fiscal sea la cesión de activos intangibles o la transmisión de los mismos. A esta misma conclusión se llega desde una interpretación global en el sentido de que el grupo es el sujeto pasivo del IS. Dado que toda entidad que ha creado un activo intangible y lo utiliza en su proceso productivo, sin ceder su uso a terceros, no puede aplicar la reducción a las rentas derivadas de los bienes y servicios que esa entidad presta a terceros, en los que la amortización de ese activo intangible forma parte de su coste de producción. A la misma conclusión se debe llegar cuando es el grupo quien consume los activos intangibles creados dentro del mismo y que son utilizados para la producción de los bienes y servicios, dado que el grupo no cede el uso de los mismos a terceros.

b) Entidad adquirente que, a su vez, transmite a terceros el activo intangible. Como en el caso anterior, la renta generada en la operación interna es objeto de eliminación. Esta renta va a ser integrada en la base imponible del grupo del período impositivo en el que se transmita el activo intangible a terceros, conjuntamente con la renta que genere la propia entidad adquirente cuando transmite después el activo a terceros, de manera que al tiempo de aplicar la reducción a estas operaciones caben dos interpretaciones:

—   La primera interpretación se fundamenta en que la base imponible del grupo se determina mediante la suma de bases imponibles individuales, con la particularidad de que los requisitos para la aplicación de este incentivo fiscal no se computan a nivel de grupo sino a nivel de cada entidad del grupo, por lo que la renta de la operación interna no puede acogerse a este incentivo fiscal desde el momento en que la adquirente forma parte del mismo grupo mercantil que la transmitente. Asimismo, tampoco puede acogerse a este incentivo fiscal la renta que genere la propia entidad adquirente cuando transmite el activo intangible a terceros, dado que no se cumple el requisito de que el activo haya sido creado por la propia entidad que la transmite.

—   La segunda interpretación se fundamentaría en la condición del grupo como sujeto pasivo del IS, por lo que los requisitos se computan a nivel de grupo y, por tanto, este es el que ha creado el activo intangible y lo transmite a terceros, con independencia de que haya habido anteriormente una operación interna, por lo que toda la renta generada por el grupo –tanto la derivada de la operación interna como la generada en la transmisión a terceros–, puede acogerse a la reducción. Entendemos que la segunda interpretación es la que mejor respeta la regulación del régimen de consolidación, por cuanto que a nivel de base imponible los requisitos exigidos en la LIS para realizar los ajustes al resultado contable se computan a nivel de grupo, de acuerdo con lo establecido en la LIS art. 62. No obstante, en el caso de no haber transmisión interna y ser la misma entidad del grupo que ha creado el activo la que lo transmite a terceros, la renta generada podría igualmente acogerse a la reducción, no existiendo diferencia en el tratamiento fiscal por el hecho de que el activo intangible se transmita

directamente a terceros por la propia entidad que ha creado el activo o, por el contrario, haya existido previamente una transmisión interna de dicho activo intangible"[168].

8. CESIÓN DE ACTIVOS EN CASOS DE OPERACIONES ACOGIDAS AL RÉGIMEN FISCAL ESPECIAL DE REESTRUCTURACIÓN

También puede darse el caso de que la entidad que crea el activo intangible transmita o ceda su uso a otra entidad a través de una operación acogida al régimen fiscal especial de reestructuraciones de la LIS/2014 (arts. 76 a 89). En tal caso, la entidad adquirente sucede a la transmitente en el goce del beneficio fiscal. No obstante, advierte de nuevo la doctrina que el incentivo *"no debe ser aplicable en el caso de que la entidad adquirente del activo lo ceda a la propia entidad creadora del mismo, la cual previamente se lo ha transmitido a esa otra entidad a través de esa operación acogida al régimen fiscal especial. En una operación de fusión, dado que supone una transmisión de los elementos patrimoniales integrantes del activo de la entidad absorbida, se puede plantear si la renta generada en esa transmisión imputable a los activos intangibles transmitidos puede acogerse a este incentivo fiscal en el caso de que absorbida y absorbente no formen parte de un grupo en el sentido mercantil (CCom art. 42). Al respecto, entendemos que es posible aplicar este incentivo fiscal, dado que aun cuando la fusión se haya acogido al régimen fiscal especial de diferimiento, de conformidad con lo dispuesto en la LIS art. 77. 2, se puede renunciar al diferimiento mediante la integración en la base imponible de las rentas derivadas de la transmisión de la totalidad o parte de los elementos patrimoniales; es decir, la renuncia puede afectar exclusivamente a la renta generada en la transmisión del activo intangible, integrándose esa renta en la base imponible de la entidad absorbida, sin perjuicio de que la misma pueda reducirse por aplicación de este incentivo fiscal"*[169].

---

[168]   Op. ult. cit. pag. 199.
[169]   LÓPEZ SANTACRUZ, J. A. op. ult. cit. pag. 199.

Artículo 24
Obra benéfico-social de las cajas de ahorro y fundaciones bancarias

J. Andrés Sánchez Pedroche
Catedrático de Derecho Financiero y Tributario
Universidad a Distancia de Madrid. Abogado

"1. Serán deducibles fiscalmente las cantidades que las cajas de ahorro y las fundaciones bancarias destinen de sus resultados a la financiación de obras benéfico-sociales, de conformidad con las normas por las que se rigen.

2. Las cantidades asignadas a la obra benéfico-social de las cajas de ahorro y de las fundaciones bancarias deberán aplicarse, al menos, en un 50 por ciento, en el mismo período impositivo al que corresponda la asignación, o en el inmediato siguiente, a la realización de las inversiones afectas, o a sufragar gastos de sostenimiento de las instituciones o establecimientos acogidas a aquélla.

3. No se integrarán en la base imponible:

a) Los gastos de mantenimiento de la obra benéfico-social que se realicen con cargo al fondo de obra social, aun cuando excedieran de las asignaciones efectuadas, sin perjuicio de que tengan la consideración de aplicación de futuras asignaciones. No obstante, dichos gastos serán fiscalmente deducibles cuando, de conformidad con la normativa contable que resulte aplicable, se registren con cargo a la cuenta de pérdidas y ganancias.

b) Las rentas derivadas de la transmisión de inversiones afectas a la obra benéfico-social.

4. La dotación a la obra benéfico-social realizada por las fundaciones bancarias o, en su caso, los gastos de mantenimiento de la obra benéfico-social que, de acuerdo con la normativa contable que resulte aplicable, se registren con cargo a la cuenta de pérdidas y ganancias, podrán reducir la base imponible de las entidades de crédito en las que participen, en la proporción que los dividendos percibidos de las citadas entidades representen respecto de los ingresos totales de las fundaciones bancarias, hasta el límite máximo de los citados dividendos. Para ello, la fundación bancaria deberá comunicar a la entidad de crédito que hubiera satisfecho los dividendos el importe de la reducción así calculada y la no aplicación de dicha cantidad como partida fiscalmente deducible en su declaración de este Impuesto.

En el caso de no aplicación del importe señalado a los fines de su obra benéfico-social, la fundación bancaria deberá comunicar el incumplimiento de la referida finalidad a la entidad de crédito, al objeto de que esta regularice las cantidades indebidamente deducidas en los términos establecidos en el artículo 125.3 de esta Ley".

SUMARIO: 1. REDUCCIONES DE LA BASE IMPONIBLE POR OBRA BENEFICO SOCIAL DE LAS CAJAS DE AHORRO Y FUNDACIONES BANCARIAS.

1. REDUCCIONES DE LA BASE IMPONIBLE POR OBRA BENEFICO SOCIAL DE LAS CAJAS DE AHORRO Y FUNDACIONES BANCARIAS

El artículo 24 LIS/2014 prevé una regla especial en la determinación de la base imponible de las Cajas de Ahorro y las fundaciones bancarias, permitiendo la deducibilidad de las cantidades que apliquen éstas a la financiación de sus obras benéfico-sociales. Tal regulación se antoja evidente, toda vez que la ausencia de ánimo de lucro que por definición revisten las cajas de ahorro y las fundaciones bancarias les obliga a destinar sus excedentes (una vez cubiertas el resto de sus obligaciones legales y/o estatutarias) a dicho tipo de obras benéfico-sociales[170].

---

[170] La Exposición de Motivos de la Ley 26/2013, de 27 de diciembre, de Cajas de Ahorro y Fundaciones Bancarias, señala a estos efectos lo siguiente: *"Desde el mismo momento de su aparición, durante la década de los años treinta del siglo XIX, las cajas de ahorros se configuraron como entidades de beneficencia, orientadas al fomento y protección del ahorro y a la generalización del acceso al crédito de las clases sociales más desfavorecidas. Aspectos que son aún hoy de honda preocupación, como la protección de los intereses de los pequeños ahorradores o la exclusión financiera, es decir, la existencia de ciudadanos que no puedan acceder, por diferentes circunstancias, a los servicios financieros convencionales, fueron abordados por unas instituciones que, más allá de su integración en un panorama financiero fuertemente competitivo, asumieron de manera propia preocupaciones de carácter social. Esta misma vocación social condujo a una preferencia natural por la actividad financiera más básica, de menor riesgo y sofisticación y más próxima al interés del ciudadano. Asimismo, junto a esta opción preferencial por un modelo de negocio sencillo y a su vocación social, la actuación histórica de las cajas siempre se desarrolló desde una perspectiva marcadamente local, con un profundo arraigo a la provincia o municipios donde se constituyeron y con una gran sensibilidad a las necesidades y peculiaridades propias del territorio en el que actúan. Es en estos factores primigenios de carácter social, simplicidad del negocio y apego territorial, donde radicó históricamente gran parte de su general aceptación y su éxito como instituciones bancarias singulares (…)Esta Ley, junto a la normativa que para su desarrollo han dictado las comunidades autónomas, ha dibujado el régimen jurídico aplicable a las cajas de ahorros hasta nuestros días, en el que se ha acentuado su dimensión financiera ordinaria, se han vinculado sus fines sociales a la llamada obra benéfico-social y se ha reconducido su arraigo territorial desde la mera concentración de su actividad en un territorio hacia una implicación más activa de las comunidades autónomas, tanto en el diseño de su marco jurídico como en la influencia en sus órganos de gobierno".*

Dicha deducción se condiciona a que las cantidades previstas a tal fin se apliquen, al menos, en un 50%:

- En el mismo ejercicio al que corresponde la asignación o en el inmediato siguiente;

- A la realización de inversiones afectas a la obra social;

- A sufragar los gastos de sostenimiento y mantenimiento de las instituciones o establecimientos acogidos a dicha obra.

La Orden del Ministerio de Economía, de 19 de junio de 1979 (BOE de 29 de junio 1979), ya advertía de que *"la diversidad de normas que regulan las obras benéfico-sociales encomendadas a las Cajas de Ahorros plantea, en su aplicación, cuestiones interpretativas que dificultan la realización de las mismas, por lo que se considera conveniente compendiarlas y establecer otras que aclaren todo lo referente a esta materia"*. En su virtud, en dicha Orden Ministerial se establecen algunos extremos de interés:

a) La totalidad de los excedentes líquidos, deducidas las reservas que las Cajas de Ahorros deban destinar a la realización de las obras benéfico-sociales deben invertirse en obras propias o en colaboración, orientadas a la sanidad pública, la investigación, enseñanza y cultura o a servicios de asistencia social, cuyos beneficios se extiendan especialmente al ámbito de actuación de la propia Caja de Ahorros.

b) Se consideran obras benéfico-sociales propias aquellas en que la inversión, sostenimiento anual y administración, corran a cargo de la Caja de Ahorros exclusivamente.

c) Asimismo, se consideran obras en colaboración las realizadas con otras Instituciones o personas físicas o jurídicas, mediante la aportación de bienes o servicios para el desarrollo de la obra en común o mediante la realización por la Caja de inversiones reales necesarias para la puesta en marcha de la obra social. En tal caso, esas inversiones revertirán a la Caja al finalizarse la misma por cualquier motivo, destinándose dichos bienes o el producto íntegro de su enajenación a nuevas obras benéfico-sociales. Esas obras en colaboración no tienen otras limitaciones que las de cumplir sus fines propios y las que se deriven de las necesidades del sostenimiento de las obras benéfico-sociales propias ya acometidas.

d) Anualmente, las Cajas de Ahorros deben formular un presupuesto de obras benéfico-sociales con la debida separación respecto de los siguientes puntos que se enumeran a continuación:

- Detalle de las obras benéfico-sociales propias y en colaboración que la Caja de Ahorros tenga establecidas, debidamente autorizadas, con las correspondientes dotaciones para su sostenimiento.

– Detalle de las obras nuevas que se propongan realizar, con especificación de su finalidad, importe de la inversión y del gasto anual de mantenimiento, que se someten a la aprobación de la Asamblea General.

e) La propuesta de distribución de excedentes de cada ejercicio y el presupuesto de obra benéfico-social, una vez aprobados por la Asamblea General, deben remitirse a través del Banco de España al Ministerio de Economía en el primer semestre de cada año, para su autorización, pues de otra forma, la falta del cumplimiento de este requisito en el plazo legalmente previsto, se considerará infracción administrativa sancionable.

f) Cada obra nueva ha de tramitarse a propuesta de la Comisión de Obras Sociales y ser aprobada por la Asamblea General antes de solicitarse la autorización del Ministerio de Economía. No obstante, la Asamblea General puede autorizar a la Comisión de Obras Sociales para que, en la ejecución del presupuesto, se redistribuyan partidas con motivo de cambios en las previsiones de valoración de los gastos de mantenimiento de las obras sociales, con determinación de los límites a los que debe ajustarse en tal actividad.

g) En el caso excepcional y transitorio de mantenerse partidas sin adscripción a obra propia o en colaboración, destinadas a atender las ayudas a obras benéficas ajenas que se vinieran prestando, deben especificarse en el presupuesto de obra benéfico-social, y ha de solicitarse autorización del Ministerio de Economía, concretándose el destino, importe o previsión de cada una de ellas, las cuales deberán reducirse paulatinamente hasta su extinción o, en todo caso, integrarse en las obras en colaboración con los requisitos exigidos para éstas. Por lo tanto, la gestión y administración de las obras benéfico-sociales puede realizarse a través de Fundaciones o Patronatos creados por las Cajas de Ahorro, solas o en asociación con entidades colaboradoras. Sus estatutos, además de los requisitos exigidos por la legislación general, requieren autorización del Ministerio de Economía.

h) Si por causas justificadas las Cajas de Ahorros no pudieran realizar determinadas obras nuevas que tuvieran proyectadas e incluso ya autorizadas por el Ministerio y estimasen conveniente sustituirlas por otras, o si por cualquier motivo se modificase su valoración o se planteasen la realización de obras nuevas no incluidas en el presupuesto de obra benéfico-social aprobado por la Asamblea, la autorización del Ministerio tiene carácter provisional y queda condicionada a que posteriormente sean aprobadas por la Asamblea General de la Caja de Ahorros.

i) Las Cajas de Ahorro pueden acumular parte de los excedentes de varios ejercicios en aquellos casos en los que los obtenidos en cada uno de ellos no les permita la correcta realización de los fines previstos legal o estatutariamente, sin que dicha acumulación pueda superar, en cada ejercicio, el 50% de lo destinado en él a obra benéfico-social, salvo autorización expresa del Ministerio de Economía a propuesta del Banco de España.

En lo atinente a las Fundaciones bancarias, su normativa básica se contiene en la Ley 26/2013, de 27 de diciembre de Cajas de Ahorro y Fundaciones Bancarias, en cuyo artículo 32 se enfatizan los siguientes aspectos:

a) Se entiende por Fundación bancaria aquella que mantenga una participación en una entidad de crédito que alcance, de forma directa o indirecta, al menos, un 10 por ciento del capital o de los derechos de voto de la entidad, o que le permita nombrar o destituir algún miembro de su órgano de administración.

b) La Fundación bancaria tiene finalidad social y ha de orientar su actividad principal a la atención y desarrollo de la obra social y a la adecuada gestión de su participación en una entidad de crédito.

c) En la denominación de las Fundaciones bancarias ha de hacerse constar la propia expresión «Fundación bancaria».

d) En su caso, las Fundaciones bancarias pueden utilizar en su denominación social y en su actividad las denominaciones propias de las Cajas de Ahorros de las que procedan.

Más allá, sin embargo, del adecuado cumplimiento de la regulación sustantiva que acaba de señalarse, desde el punto de vista tributario, tal y como hemos ya señalado con anterioridad, el art. 24. 2 LIS remarca la necesidad de que todas esas cantidades destinadas a la financiación de la obra benéfico-social y afectas a la realización de las inversiones proyectadas o a sufragar los gastos de sostenimiento y mantenimiento de las instituciones o establecimientos beneficiados por ellas, se apliquen, al menos en un 50%, en el mismo período impositivo correspondiente a la asignación, o en el inmediato siguiente, tratando con ello de mantener el necesario equilibrio entre la deducibilidad fiscal de las asignaciones realizadas a los fines benéfico-sociales y las inversiones y gastos sufragados por aquéllas.

Conviene señalar, por otra parte, que el art. 24. 3 LIS pone buen cuidado en remarcar la diferencia entre el patrimonio afecto a la obra benéfico-social de las Cajas de Ahorro y las Fundaciones bancarias y el resto del patrimonio de ambas, de manera que los gastos o rentas generales deben diferenciarse y adscribirse a cada uno de dichos patrimonios, de forma tal que una vez deducido de la base imponible el importe de la asignación a la obra benéfico-social, la misma no se vea afectada por el resto de magnitudes o variables que incidan sobre el patrimonio de dicha obra benéfico-social.

De esta manera, no se integran en la base imponible de las Cajas de Ahorro y de las Fundaciones bancarias determinadas partidas, entre las que destacan las siguientes:

– Los gastos de mantenimiento de la obra benéfico-social que se realicen con cargo al fondo de la obra social, aun cuando excedieran de las asignaciones efectuadas, sin perjuicio de que tengan la consideración de aplicación de futuras asignaciones (gastos que serán no obstante deducibles cuando, conforme a la normativa contable aplicable, se registren con cargo a la cuenta de pérdidas y ganancias).

– Las rentas (positivas o negativas) derivadas de la transmisión de inversiones afectas a la obra benéfico-social.

Asimismo, y en relación con los dividendos distribuidos por entidades de crédito a la Fundación bancaria y a dotar la obra benéfico– social, el art. 24. 4 LIS dispone que la dotación o los gastos de mantenimiento vinculados a dicha obra benéfico-social se registren con cargo a la cuenta de pérdidas y ganancias, pudiendo reducir la base imponible de las entidades de crédito en las que participen y en la proporción que signifiquen o representen los dividendos percibidos respecto de los ingresos totales de esas Fundaciones bancarias, con el límite máximo de la cuantía de los citados dividendos. A tal fin, resulta preciso que la Fundación bancaria comunique a la entidad de crédito que satisfizo los referidos dividendos, el importe de la reducción, así como la no aplicación de dicha cantidad como partida fiscalmente deducible en la declaración del IS de la Fundación bancaria.

Si el importe no se hubiera destinado a los fines benéfico-sociales previstos legalmente, la Fundación bancaria tiene la obligación de comunicar el referido incumplimiento a la Entidad de crédito que satisfizo los dividendos, con el fin de que ésta regularice las cantidades indebidamente deducidas, de conformidad con lo dispuesto por el art. 125 LIS[171].

---

[171] *"1. Los contribuyentes, al tiempo de presentar su declaración, deberán determinar la deuda correspondiente e ingresarla en el lugar y en la forma determinados por el Ministro de Hacienda y Administraciones Públicas. 2. El pago de la deuda tributaria podrá realizarse mediante entrega de bienes integrantes del Patrimonio Histórico Español que estén inscritos en el Inventario general de bienes muebles o en el Registro general de bienes de interés cultural, de acuerdo con lo dispuesto en el artículo setenta y tres de la Ley 16/1985, de 25 de junio, del Patrimonio Histórico Español.3. El derecho a la aplicación de exenciones, deducciones o cualquier incentivo fiscal en la base imponible o en la cuota íntegra estará condicionado al cumplimiento de los requisitos exigidos en la normativa aplicable. Salvo que específicamente se establezca otra cosa, cuando con posterioridad a la aplicación de la exención, deducción o incentivo fiscal se produzca la pérdida del derecho a disfrutar de éste, el contribuyente deberá ingresar junto con la cuota del período impositivo en que tenga lugar el incumplimiento de los requisitos o condiciones la cuota íntegra o cantidad deducida correspondiente a la exención, deducción o incentivo aplicado en períodos anteriores, además de los intereses de demora".*

Artículo 25
Reserva de capitalización

J. Andrés Sánchez Pedroche

Catedrático de Derecho Financiero y Tributario
Universidad a Distancia de Madrid. Abogado

"1. Los contribuyentes que tributen al tipo de gravamen previsto en los apartados 1 o 6 del artículo 29 de esta Ley tendrán derecho a una reducción en la base imponible del 10 por ciento del importe del incremento de sus fondos propios, siempre que se cumplan los siguientes requisitos:

a) Que el importe del incremento de los fondos propios de la entidad se mantenga durante un plazo de 5 años desde el cierre del período impositivo al que corresponda esta reducción, salvo por la existencia de pérdidas contables en la entidad.

b) Que se dote una reserva por el importe de la reducción, que deberá figurar en el balance con absoluta separación y título apropiado y será indisponible durante el plazo previsto en la letra anterior.

A estos efectos, no se entenderá que se ha dispuesto de la referida reserva, en los siguientes casos:

a) Cuando el socio o accionista ejerza su derecho a separarse de la entidad.

b) Cuando la reserva se elimine, total o parcialmente, como consecuencia de operaciones a las que resulte de aplicación el régimen fiscal especial establecido en el Capítulo VII del Título VII de esta Ley.

c) Cuando la entidad deba aplicar la referida reserva en virtud de una obligación de carácter legal.

En ningún caso, el derecho a la reducción prevista en este apartado podrá superar el importe del 10 por ciento de la base imponible positiva del período impositivo previa a esta reducción, a la integración a que se refiere el apartado 12 del artículo 11 de esta Ley y a la compensación de bases imponibles negativas.

No obstante, en caso de insuficiente base imponible para aplicar la reducción, las cantidades pendientes podrán ser objeto de aplicación en los períodos impositivos que finalicen en los 2 años inmediatos y sucesivos al cierre del período impositivo en que se haya generado el derecho a la reducción, conjuntamente con la reducción que pudiera corresponder, en su caso, por aplicación de lo dispuesto en este artículo en el período impositivo correspondiente, y con el límite previsto en el párrafo anterior.

2. El incremento de fondos propios vendrá determinado por la diferencia positiva entre los fondos propios existentes al cierre del ejercicio sin incluir los resultados del mismo, y los fondos propios existentes al inicio del mismo, sin incluir los resultados del ejercicio anterior.

No obstante, a los efectos de determinar el referido incremento, no se tendrán en cuenta como fondos propios al inicio y al final del período impositivo:

a) Las aportaciones de los socios.

b) Las ampliaciones de capital o fondos propios por compensación de créditos.

c) Las ampliaciones de fondos propios por operaciones con acciones propias o de reestructuración.

d) Las reservas de carácter legal o estatutario.

e) Las reservas indisponibles que se doten por aplicación de lo dispuesto en el artículo 105 de esta Ley y en el artículo 27 de la Ley 19/1994, de 6 de julio, de modificación del Régimen Económico y Fiscal de Canarias.

f) Los fondos propios que correspondan a una emisión de instrumentos financieros compuestos.

g) Los fondos propios que se correspondan con variaciones en activos por impuesto diferido derivadas de una disminución o aumento del tipo de gravamen de este Impuesto.

Estas partidas tampoco se tendrán en cuenta para determinar el mantenimiento del incremento de fondos propios en cada período impositivo en que resulte exigible.

3. La reducción correspondiente a la reserva prevista en este artículo será incompatible en el mismo período impositivo con la reducción en base imponible en concepto de factor de agotamiento prevista en los artículos 91 y 95 de esta Ley.

4. El incumplimiento de los requisitos previstos en este artículo dará lugar a la regularización de las cantidades indebidamente reducidas, así como de los correspondientes intereses de demora, en los términos establecidos en el artículo 125.3 de esta Ley".

SUMARIO: 1. INTRODUCCIÓN. LA RESERVA DE CAPITALIZACIÓN. JUSTIFICACIÓN DE LA PREVISIÓN LEGAL. 2. ENTIDADES SUSCEPTIBLES DE ACOGERSE A LA RESERVA DE CAPITALIZACIÓN. 3. IMPORTE DE LA REDUCCIÓN POR RESERVA DE CAPITALIZACIÓN. 4. REQUISITOS PARA LA CORRECTA APLICACIÓN DE LA RESERVA POR CAPITALIZACIÓN Y EFECTOS DE SU INCUMPLIMIENTO.

1. INTRODUCCIÓN. LA RESERVA DE CAPITALIZACIÓN. JUSTIFICACIÓN DE LA PREVISIÓN LEGAL

La LIS introduce novedades que inciden directamente en la financiación de las empresas[172]. De una parte, estimulando su capitalización a través de los

---

[172]   Las novedades, no obstante, deben relativizarse, pues las Normas Forales vascas del IS ya contenían mecanismos muy similares. Vid. a este respecto, Norma Foral 37/2013, de 13 de

beneficios obtenidos y no repartidos, con el fin de no depender tanto de la financiación ajena. De otra, y por lo mismo, limitando fuertemente los gastos financieros (art. 16 LIS)[173]. El art. 25 LIS regula el primero de esos mecanismos, llamado reserva de capitalización, a través del cual se pretende premiar fiscalmente la no distribución de beneficios y por el que las entidades sujetos pasivos del tributo pueden disminuir su base imponible en un 10% del incremento de los fondos propios del período impositivo[174]. Por lo tanto, los efectos de la res-

---

diciembre del Impuesto sobre Sociedades. Norma Foral 2/2014, de 17 de enero, sobre el Impuesto de Sociedades del Territorio Histórico de Gipuzkoa. Y Norma Foral 11/2013, de 5 de diciembre, del Impuesto sobre Sociedades.

[173] La propia Exposición de Motivos de la LIS alude expresamente a esta cuestión en los siguientes términos: *"En materia de incentivos fiscales, destaca (i) una simplificación del Impuesto, eliminando determinados incentivos cuyo mantenimiento se considera innecesario, (ii) la introducción de dos nuevos incentivos vinculados al incremento del patrimonio neto, uno aplicable en el régimen general y otro específico para las empresas de reducida dimensión, y (iii) la potenciación de otros incentivos existentes como es el caso del destinado al sector cinematográfico. a) En primer lugar, desaparece la deducción por inversiones medioambientales, teniendo en cuenta que las exigencias en materia medioambiental son cada vez superiores, tornándose en ocasiones obligatorias, por lo que resultaba paradójico el mantenimiento de un incentivo de estas características. De nuevo, prevalece la neutralidad del Impuesto, resultando preferible que sean otros parámetros los tenidos en cuenta para realizar inversiones de esta naturaleza. b) En segundo lugar, es objeto de eliminación la deducción por reinversión de beneficios extraordinarios, y la recientemente creada deducción por inversión de beneficios, sustituyéndose ambos incentivos por uno nuevo denominado reserva de capitalización, y que se traduce en la no tributación de aquella parte del beneficio que se destine a la constitución de una reserva indisponible, sin que se establezca requisito de inversión alguno de esta reserva en algún tipo concreto de activo. Con esta medida se pretende potenciar la capitalización empresarial mediante el incremento del patrimonio neto, y, con ello, incentivar el saneamiento de las empresas y su competitividad. Asimismo, esta medida conjuntamente con la limitación de gastos financieros neutraliza en mayor medida el tratamiento que tiene en el Impuesto sobre Sociedades la financiación ajena frente a la financiación propia, objetivo primordial tras la crisis económica y en consonancia con las recomendaciones de los organismos internacionales"*. Advierte con razón, sin embargo, LOPEZ SANTACRUZ, J. A. op. ult. cit. pag. 203 que la LIS en su art. 106 incentiva fiscalmente determinadas formas de endeudamiento cuando se instrumentan a través de contratos de arrendamiento financiero, lo que contraría la postura adoptada por el Preámbulo de la Ley 27/2014 de influir en la reducción de ese apalancamiento financiero de las empresas al que coadyuva el art. 25 LIS.

[174] MALVAREZ PASCUAL, L. M. y MARTÍN ZAMORA M. P. "Las nuevas reducciones de la base imponible en el Impuesto sobre Sociedades: las reservas de capitalización y nivelación", en Revista de Contabilidad y Tributación, CEF, núm. 383, febrero 2015, pags. 117 y 122, han criticado el propósito de la Exposición de Motivos de la LIS respecto del pretendido logro de una mayor neutralidad fiscal en las fuentes de financiación: *"Este argumento se pretende justificar en base al principio de neutralidad, pues con estas normas se intenta corregir la asimetría que se considera que existe entre el tratamiento fiscal de la financiación propia y la ajena, pues mientras que se permite la deducción de los intereses satisfechos no es posible deducir la retribución de los titulares del capital. Este desequilibrio determina, en opinión del legislador, una preferencia de los agentes económicos por la financiación ajena en la medida en que, como consecuencia de ello, la tasa de rendimiento de una inversión finan-*

ciada mediante endeudamiento es normalmente mayor. Esto es lo que permite al legislador afirmar que las normas orientadas a favorecer la financiación propia en detrimento del endeudamiento tienen como objetivo conseguir una mayor neutralidad fiscal de las fuentes de financiación empresarial pues, dado que el tratamiento fiscal de unas y otras es muy diferente, las nuevas reducciones pueden ayudar a que se rectifique esta situación. No es discutible que las normas del IS producen, con carácter general, un sesgo hacia el endeudamiento. Sin embargo, no es tan evidente que la introducción de normas fiscales a favor de la financiación propia se pueda justificar en virtud del principio de neutralidad, pues dicho principio exige que las normas tributarias no influyan en el comportamiento de los contribuyentes, excepto para superar equilibrios ineficientes del mercado. Sin embargo, la diferencia de tratamiento fiscal entre la financiación propia y ajena es un aspecto estructural del modelo de imposición sobre sociedades elegido por el legislador español, que toma como punto de partida el resultado que se deriva de la aplicación de las normas contables. Téngase en cuenta que el hecho de que no se tenga en cuenta la retribución de los titulares del capital en el resultado contable es absolutamente coherente con los principios de contabilidad generalmente aceptados. En efecto, el resultado contable del ejercicio, cuyo detalle figura en la cuenta de pérdidas y ganancias, se obtiene por diferencia entre los ingresos y gastos imputables al mismo, clasificados por naturaleza, entendiéndose por ingresos y gastos los aumentos y las disminuciones respectivamente, del patrimonio neto de la empresa durante el ejercicio, siempre que no tengan su origen en aportaciones de los socios o propietarios. Consecuentemente, solo tienen la naturaleza contable de gasto aquellas partidas que retribuyen a quienes no aportan recursos, directa o indirectamente, y, en consecuencia, no asumen riesgo alguno en el desarrollo de la actividad económica. En cambio, la retribución de aquellas personas o entidades que, además de portar y gestionar recursos, asumen el riesgo se produce vía resultados ya sea a través de su reparto en forma de dividendos, ya sea a través de su retención e inversión en la empresa. De ahí que, en el ámbito contable, la retribución del capital-propiedad de la empresa no forme parte de los gastos del ejercicio. Así ha sido en todos los planes contables que han sido aprobados en España, en las Normas internacionales de normalización contable. Es cierto que el tratamiento de este concepto en la contabilidad no es absolutamente determinante de su consideración a efectos fiscales, por lo que es posible que la legislación tributaria permita la deducción del coste de oportunidad del capital propio. Es más, esta situación podría incluso justificar un cambio estructural en cuanto al concepto de resultado que se toma en consideración a efectos del IS. Ahora bien, mientras que esté configurado el impuesto sobre la base del resultado contable, es cuando menos discutible que se pueda justificar la incorporación de medidas que favorezcan la financiación propia en base al principio de neutralidad, aunque sí se podría justificar para la consecución de un fin extrafiscal, pues una equilibrada combinación de la financiación ajena y propia puede permitir a las empresas una mayor solvencia y una mejor situación para afrontar una crisis económica. Por tanto, no se afirma que la finalidad señalada no se pueda alcanzar por el sistema fiscal, sino que no se puede justificar en el principio de neutralidad, pues para eso resultaría necesario, a nuestro juicio, un modelo diferente de imposición sobre sociedades (...) En cualquier caso, siendo indiscutible el sesgo que existe en la imposición sobre sociedades a favor del endeudamiento, se ha de insistir en que las reducciones en la base imponible comentadas no se pueden justificar en virtud del principio de neutralidad mientras el impuesto se fundamente en el resultado contable. No obstante, el hecho de que la explicación dada por el legislador para la introducción de estas normas no sea la más adecuada no invalida la legitimidad de las mismas. A nuestro juicio, estas normas se adecuan a los principios constitucionales en la medida en que están orientadas al cumplimiento de un fin extrafiscal, plenamente justificado en el contexto económico y empresarial en el que la medida ha sido adoptada. En este marco, las normas analizadas han de ser consideradas como incentivos fiscales y su objetivo

erva de capitalización son equivalentes a los derivados de una rebaja del tipo de gravamen sobre los beneficios no distribuidos.

A tal fin, deben cumplirse una serie de requisitos:

- Que el importe del incremento de los fondos propios de la entidad se mantenga durante un lustro desde el cierre del período impositivo al que corresponda esta reducción, salvo por la existencia de pérdidas contables en la entidad (en este caso no sería imprescindible cumplir con dicho mantenimiento).

- Que se dote una reserva por el importe de la reducción con absoluta separación y título apropiado en el balance, siendo indisponible durante ese plazo quinquenal antes referido[175].

---

[175] *sería todo lo contrario a un mejor cumplimiento del principio de neutralidad pues, con ellas, se pretendería influir en la conducta de los contribuyentes del IS para conseguir un fin extratributario, de carácter económico, como es la capitalización empresarial para tratar de disminuir la dependencia de las empresas españolas de la financiación ajena. Así, se introducen determinadas ventajas que fomentan la financiación propia de las empresas con el objetivo de modificar el comportamiento de los agentes económicos y de promover dicha conducta. El propio legislador, en algún pasaje de la exposición de motivos, considera que las reservas de capitalización y nivelación son incentivos fiscales vinculados al incremento del patrimonio neto, lo que difícilmente es compatible con una norma técnica que pretenda alcanzar la neutralidad tributaria de las fuentes de financiación. Sin embargo, pese a esta calificación como incentivo fiscal, de forma inmediata vuelve a considerar que responde al principio de neutralidad. Estas contradicciones que se ponen de manifiesto en la exposición de motivos en cuanto a la justificación de estas medidas expresan la dificultad de su fundamentación en razones estrictamente tributarias y, particularmente, en el principio de neutralidad".* Para ulteriores profundizaciones sobre la neutralidad y las reformas impositivas vid. los Informes Mirrlees para el caso del Reino Unido y Lagares en el caso español. MIRRLEES J. Diseño de un sistema tributario óptimo. Informe Mirrlees, Editorial Universitaria Ramón Areces, Madrid, 2013, pags. 456 y ss. Informe de la Comisión de expertos para la reforma del sistema tributario español, presidido por el profesor LAGARES, op. cit. pags. 191 y ss.

Nótese que la norma únicamente exige esa reserva durante el plazo correspondiente, por lo que no hay obligación de materializarla en ningún bien de inversión. Vid. BLASCO MERINO, J. "La Ley 27/2014: modificaciones introducidas en el IS", Revista de Contabilidad y Tributación, CEF, Febrero, 2015, pag. 52. A este mismo respecto, MALVAREZ PASCUAL, L. M. y MARTÍN ZAMORA M. P. "Las nuevas reducciones de la base imponible en el Impuesto sobre Sociedades: las reservas de capitalización y nivelación", op. ult. cit. pags. 123 y 125, señalan lo siguiente: *La exposición de motivos de la LIS indica que la "reserva de capitalización" viene a sustituir a la deducción por reinversión de beneficios extraordinarios y a la deducción por inversión de beneficios. No obstante, la nueva reducción a la base imponible regulada en el artículo 25 de la LIS difícilmente puede sustituir a las dos deducciones señaladas, dado que los objetivos de estas normas son completamente diferentes. En principio, las deducciones derogadas podían ser consideradas como incentivos a la inversión empresarial, en la medida en que su aplicación exigía, junto con el cumplimiento de otros requisitos, la adquisición de activos que debían afectarse a la actividad empresarial. Sin embargo, la reducción regulada en el artículo 25 LIS no exige que se realice ninguna inversión o derechos que se afecten a la actividad. La parte de los beneficios que se aplique al incremento de los fondos propios y la propia reserva de capitalización que se constituya se*

En relación con esto último, es decir, con la reserva indisponible, la LIS considera que no se dispone de la misma en los siguientes casos:

- – Cuando el socio o accionista ejerza su derecho de separación de la sociedad.

- – Cuando la reserva se elimine, total o parcialmente, como consecuencia de operaciones a las que resulte aplicable el régimen fiscal especial regulado en el Título VII, Capítulo VII de la LIS.

- – Cuando la entidad deba aplicar la referida reserva en virtud de una obligación de carácter legal.

Como señalábamos con anterioridad, esta reserva de capitalización constituye una de las novedades más importantes de la LIS/2014, sobre todo si no se olvida un dato relevante y es que, desde el punto de vista técnico, las reducciones en la base imponible del impuesto no eran en absoluto frecuentes en la tradición legislativa patria. La capitalización empresarial constituía una asignatura pendiente del IS, atendido el alto grado de apalancamiento financiero de las empresas, cifrado por el Banco de España para el año 2013 en nada menos que un 128% del PIB, porcentaje este muy alejado del resto de los países de nuestro entorno económico[176]. Ahora bien, la doctrina ha dudado de

---

pueden utilizar para el desempeño de la actividad económica, mediante la inversión en bienes de capital o el pago de gastos corrientes. Incluso dichos importes podrían mantenerse en las cuentas de la entidad sin que resulte necesaria su inversión o gasto, pues las condiciones que se exigen para el disfrute de la reducción son el incremento de los fondos propios en los términos regulados en la ley y la creación de una reserva indisponible. Por ello, difícilmente puede sostenerse que la reserva de capitalización sustituye a las señaladas deducciones, pues para tener derecho a ellas era absolutamente necesaria la realización de una inversión en activos (...) En cualquier caso, lo que es indudable es que la reserva regulada en el artículo 25 de la LIS supone realmente un cambio relevante de orientación en materia de incentivos fiscales pues, hasta ahora, de un modo u otro, siempre se había exigido para aplicar cualquier tipo de beneficio fiscal la inversión efectiva en elementos del inmovilizado. En efecto, desde las diferentes versiones de la deducción por inversiones en el marco de la Ley 61/1978, que la Ley 43/1995 contempló transitoriamente para los periodos iniciados en 1996, pasando por el diferimiento por reinversión y la exención de los beneficios extraordinarios para la empresas de reducida dimensión que contemplaba la reacción original de esta última ley o las deducciones ya analizadas por reinversión de beneficios extraordinarios y por inversión de beneficios, siempre se requería la inversión en un tipo concreto de activos. Idéntico argumento se podría esgrimir respecto a los incentivos fiscales que permiten la amortización acelerada de los activos, que responden a la misma idea de favorecer la inversión de las empresas en bienes de equipo. Sin embargo, como se ha indicado, la reserva de capitalización no exige la inversión en elementos del activo, lo que nos lleva a sostener que dicha norma responde necesariamente a una finalidad diferente a todos los incentivos fiscales mencionados. Por tanto, se puede concluir que constituye un incentivo a la capitalización de las empresas a través de fondos propios, pero no se trata de un estímulo a la inversión, lo que supone una gran novedad en materia de incentivos fiscales en el IS".

176   En su informe anual correspondiente al ejercicio 2013, pag. 49, el regulador bancario afirmaba literalmente lo siguiente: *"La ratio de deuda empresarial sobre el PIB, que era a me-*

sus efectos en el medio y largo plazo, pues esta reserva por capitalización solo permite una reducción temporal en el IS, pero sin vincularlo a una inversión o materialización concreta, resultando además incompatible o incoherente con otros instrumentos insertos en la LIS que abogan justo por todo lo contrario, es decir por la propiciación del reparto de beneficios (tal sería el caso, por ejemplo, de aquellas sociedades que se vean abocadas a esa distribución con el fin de no incurrir en patrimonialidad sobrevenida, de conformidad con lo dispuesto por el art. 5. 2 LIS[177]).

_____

diados de los noventa, inferior a la de otros países de nuestro entorno (alrededor del 45%), llegó a situarse en 2007 en el 132% (117% si se excluye la financiación empresarial), muy superior a los registros observados en el promedio de la UEM (94%), Reino Unido (93%) y en Estados Unidos (76%). La inercia de los flujos de financiación y la evolución desfavorable del PIB hicieron que dicha ratio siguiera aumentando, hasta alcanzar cerca del 145% del PIB a mediados de 2010. Tras la corrección acumulada desde entonces, a finales de 2013 se situaba en el 128% del PIB, casi 30 puntos por encima de los registros de la UEM y superior también a los de otras economías avanzadas, como Reino Unido o Estados Unidos".

[177] Sobre ello ya advirtió CAAMAÑO ANIDO, M. A. "Comentarios a la reforma del IRPF y del IS" en Revista de Contabilidad y Tributación, CEF, núm. 380, noviembre 2014, pag. 73. MALVAREZ PASCUAL, L. M. y MARTÍN ZAMORA M. P. "Las nuevas reducciones de la base imponible en el Impuesto sobre Sociedades: las reservas de capitalización y nivelación", op. cit. pag. 115, también han incidido en estas cuestiones desde un planteamiento más general, pero igualmente acertado: *"para la incentivación de determinados comportamientos de los contribuyentes somos más partidarios de medidas positivas orientadas a motivar conductas que incrementen la financiación propia de las empresas que de aquellas otras que penalicen la financiación ajena mediante una limitación de la deducibilidad de los gastos en los que se incurra al financiar de este modo la actividad económica. Precisamente en esta línea, y con el objetivo de incidir en esta situación, los artículos 25 y 105 de la LIS introducen un conjunto de mecanismos orientado a favorecer la capitalización de las sociedades. Estas medidas expresan un objetivo en abstracto consistente en el aumento de la financiación propia de las empresas, sin exigir que este alcance una determinada ratio frente a la financiación ajena o en relación con cualquier otro parámetro relativo al activo o el pasivo de la entidad. Se supone que, en todo caso, un incremento de los fondos propios de las empresas dará lugar a una mejor capitalización empresarial, lo que situará a las empresas españolas en una idónea posición para competir y para soportar los efectos de cualquier situación de crisis empresarial que pudiera afectarles. Esta concepción parece acertada, pues condicionar las reducciones a que las empresas tengan un determinado nivel de apalancamiento financiero no habría sido una decisión adecuada. La relación óptima en la que tienen que estar las distintas fuentes de financiación empresarial depende de numerosos factores, por lo que no se puede establecer una regla universal sobre el nivel más adecuado de apalancamiento de las empresas. De hecho, un cierto apalancamiento es positivo para la propia empresa y a nivel macroeconómico pues, en muchas ocasiones, solo si se tiene acceso a la financiación ajena se pueden desarrollar inversiones o actividades económicas que de otro modo no se podrían realizar. Además, el resultado derivado de una actividad económica puede ser mayor que los costes que genera la financiación ajena de la misma, por lo que en esta situación el endeudamiento puede generar importantes ventajas, incluso para la propia Hacienda pública pues, si no se hubiera obtenido la financiación ajena, la actividad no se habría podido desarrollar y el beneficio gravable sería menor. Sin embargo, también es cierto que si la empresa se endeuda de forma excesiva y el resultado de la actividad empresarial no es el esperado, podría no disponer de los medios suficientes para hacer frente a la deuda contraída. Más allá de los argumentos que el legislador haya podido expresar en la exposición de motivos, lo cierto es que los efectos de estas nuevas reducciones en la base imponible para la mejora de la*

2. ENTIDADES SUSCEPTIBLES DE ACOGERSE A LA RESERVA DE CAPITALIZACIÓN

Pueden acogerse a la reducción de la base imponible previa en la que se materializa la reserva de capitalización, todas aquellas entidades que tributen al tipo de gravamen previsto en los apartados 1 o 6 del art. 29 LIS. Dicho precepto en su apartado 1 contempla un tipo general del 25%, modulado por circunstancias específicas como, por ejemplo, entidades de nueva creación que tributan al 15% en su primer ejercicio impositivo en el que la base imponible sea positiva y en el posterior, excepto si resultase de aplicación incluso un tipo inferior. Por su parte, el apartado 6 del propio art. 29 fija un tipo de gravamen del 30% para las entidades de crédito, así como para aquellas otras que se dediquen a la exploración, investigación y explotación de yacimientos y almacenamientos subterráneos de hidrocarburos en los términos establecidos en la Ley 34/1998, del sector de hidrocarburos. El tipo previsto para entidades dedicadas al sector de hidrocarburos que desarrollen exclusivamente la actividad de almacenamiento es del 25%.

Por lo tanto, pueden acogerse al beneficio representado por la reserva de capitalización todas aquellas entidades que tributen:

– Al tipo general del 25% (vgr. empresas de reducida dimensión o entidades parcialmente exentas).

– Al 15% por ser de nueva creación.

– Al 30% (con independencia de que se trate de entidades de crédito o de aquellas otras dedicadas a la exploración, investigación y explotación de yacimientos y almacenamientos subterráneos de hidrocarburos en los términos establecidos por la Ley 34/1998, de 7 de octubre, del sector de hidrocarburos). Por ello, podrían acogerse al beneficio las Cooperativas de crédito y las Cajas Rurales, habida cuenta que tributan al tipo

---

capitalización empresarial son, a nuestro juicio, muy limitados. La medida que puede cumplir un papel más destacado a estos efectos es la reserva de capitalización, pues se trata de una ventaja fiscal definitiva, salvo que se produzca el incumplimiento de las condiciones que determinan el acceso a la reducción. No obstante, la única consecuencia definitiva de la medida sobre la capitalización empresarial es que la cuota tributaria ahorrada se puede mantener en la empresa, pero el resultado sobre el incremento de los fondos propios es meramente temporal, pues aunque sea un requisito para que se aplique la mencionada reducción, el incremento debe mantenerse tan solo durante un plazo de cinco años. Ahora bien, a partir de que transcurra el mencionado plazo, tanto la reserva indisponible de capitalización como el aumento que se haya producido de los fondos propios pueden ser objeto de reparto a los socios, por lo que el resultado de esta medida sobre la capitalización empresarial tiene una duración definida. Además, esta norma solo fomenta el incremento de los fondos propios mediante la aplicación de los resultados obtenidos por la entidad, pero deja de lado otras formas de capitalización pues, por ejemplo, no se tienen en cuenta las aportaciones de los socios realizadas con tales fines o las ampliaciones de los fondos propios por compensación de créditos."

general y al tipo incrementado por los resultados extra cooperativos obtenidos en el ejercicio impositivo[178].

No pueden hacerlo, sin embargo:

– Las entidades que tributan a un tipo inferior al general, como las Instituciones de Inversión Colectiva, los Fondos de Pensiones y las Asociaciones de utilidad pública y fundaciones acogidas a la Ley 49/2002.

– Las cooperativas fiscalmente protegidas que tributan al 20%, aunque tengan resultados extra cooperativos sujetos al tipo de gravamen general (25%), toda vez que resulta necesario que la totalidad de la base imponible procedente de los beneficios obtenidos por la entidad estén sujetos al tipo general (25%) o al tipo incrementado (30%), extremo este que no concurre en las cooperativas.

Las entidades de nueva creación presentan algunas particularidades, pues si bien cumplen con la literalidad de la Ley, no parece factible que puedan aplicar el beneficio en el primer período impositivo, al no obtener resultados positivos que incrementen los fondos propios y sin perjuicio de que en los ejercicios siguientes al no distribuir dividendos pueda aplicarse la reducción, que tomaría como base de cálculo el montante de los beneficios contables obtenidos y no distribuidos en el ejercicio anterior[179].

3. IMPORTE DE LA REDUCCIÓN POR RESERVA DE CAPITALIZACIÓN

Como ya ha sido apuntado, la reducción de la base imponible es del 10% del importe de los fondos propios del período impositivo de la entidad (un

---

[178]   Sin embargo, como apunta LÓPEZ SANTRACRUZ, J. A. op.ult. cit. pag. 204 *"su aplicación práctica puede ser compleja desde el momento en que hay que diferenciar el incremento de los fondos propios que proceden de los resultados cuyas rentas están sujetas cada uno de los tipos, al objeto de que la reducción tenga lugar en cada componente de base imponible sometido a cada tipo de gravamen diferente".*

[179]   LÓPEZ SANTACRUZ, J. A. op. loc. ult. cit. duda incluso de que pudieran hacerlo en el segundo ejercicio posterior: *"Estas entidades al estar sujetas al tipo de gravamen del 15%, tanto en el primer período impositivo en el que su base imponible resulte positiva como en el período impositivo siguiente, al estar regulados estos tipos de gravamen en la LIS art. 29. 1, es decir, en uno de los apartados de dicho precepto referidos en la LIS art. 25– Atendiendo a una interpretación literal de la norma parece que estas entidades en esos dos períodos impositivos podrían aplicar la reducción por la reserva de capitalización; sin embargo, una interpretación finalista de esta reducción parece que está reservada a aquellas entidades que tributan al tipo general de gravamen del 25% o al tipo incrementado del 30%. Por tanto, con esta segunda interpretación estas entidades de nueva creación en esos dos períodos impositivos no podrían aplicar la reducción de la base imponible; en el resto de períodos impositivos pueden en todo caso aplicar esta reducción desde el momento en que tributan según el tipo general de gravamen".*

incentivo que puede ser aplicado total o parcialmente, es decir, sobre el incremento íntegro de los fondos propios o sobre una cantidad menor a éste). Por lo tanto, el núcleo duro de la reducción no lo constituyen los beneficios no distribuidos obtenidos en el ejercicio anterior, sino el importe del incremento de los fondos propios del ejercicio, con todas las particularidades incorporadas sobre las partidas que lo integran, toda vez que dichos fondos propios pueden incrementarse por causas completamente distintas a la obtención de beneficios generados por la propia actividad económica desarrollada por la entidad[180]. Esto último comporta, sin duda, una mayor complejidad en la mecánica operativa de la reducción. Por lo tanto, ese incremento de los fondos propios se determina por la diferencia positiva entre los fondos propios de la entidad existentes al cierre del ejercicio, excluido el resultado obtenido por la entidad en el propio ejercicio, y los fondos propios existentes al inicio de ese mismo ejercicio, excluidos de dichos fondos propios también los resultados obtenidos por la entidad en el ejercicio anterior. El importe de la reducción sería igual al 0,10 multiplicado por la base de la reducción y donde ésta sería la resultante de una resta: [(fondos propios cierre ejercicio – resultados ejercicio) – (Fondos propios inicio ejercicio – resultados ejercicio anterior)][181].

---

[180]   Como bien hacen notar MALVAREZ PASCUAL, L. M. y MARTÍN ZAMORA M. P. "Las nuevas reducciones de la base imponible en el Impuesto sobre Sociedades: las reservas de capitalización y nivelación", op. cit. pag. 126, esa cifra en la que se materializa la reserva (10% del importe en el que se hayan incrementado los fondos propios en el período impositivo) no tiene por qué coincidir con el incremento de los fondos propios que se haya producido contablemente, pues a efectos fiscales se deben aplicar determinados ajustes que pueden originar diferencias notables en el cálculo de dicha magnitud: *"en efecto, el apartado 2 regula en primer lugar cómo se calcula el incremento de los fondos propios, estableciendo que este concepto "vendrá determinado por la diferencia positiva entre los fondos propios existentes al cierre del ejercicio sin incluir los resultados del mismo, y los fondos propios existentes al inicio del mismo, sin incluir los resultados del ejercicio anterior". Esta fórmula del cálculo está orientada a evitar duplicidades en el cómputo de los resultados. Téngase en cuenta que, por un lado, los resultados del ejercicio, antes de que se acuerde su distribución por la junta general, forman parte de los fondos propios dentro del epígrafe del balance denominado "Resultados pendientes de aplicación". Pero, por otra parte, una vez que la junta ordinaria aprueba la propuesta de aplicación del resultado del ejercicio anterior, la parte de los resultados que no se reparta a los socios se integrará, generalmente, en otras partidas con la consideración contable de fondos propios. Para evitar esa duplicidad se eliminan los resultados del ejercicio pendientes de aplicación existentes al inicio y al final del período impositivo, es decir, los resultados de los dos ejercicios consecutivos que, a estos efectos, se toman en consideración. Esto permite que solo se tenga en cuenta aquella parte de los resultados del ejercicio anterior que, una vez distribuidos por la junta ordinaria, no haya sido objeto de reparto a los socios y que, por tanto, haya dado lugar a un incremento real y efectivo de los fondos propios".*

[181]   Así, LÓPEZ SANTACRUZ, J. A. op. ult. cit. pag. 205, quien más adelante (pag. 207) apostilla lo siguiente: *"Dado que en la determinación del incremento de los fondos propios del ejercicio no se tienen en cuenta los resultados obtenidos en el propio ejercicio, resulta que la variación de los fondos propios derivada exclusivamente de dichos resultados, no afecta a la base de la reducción. Por tanto, el importe de la reducción no se ve afectada por el hecho de que los re-*

Como quiera que la LIS no define, ni regula lo que deba entenderse como fondos propios, estos son los que se deduzcan del balance de las cuentas anuales de la entidad o, dicho de otra manera, los que resulten de la normativa contable. De conformidad con lo establecido por el PGC esos fondos propios se integran por los siguientes conceptos:

– El capital escriturado.

– La prima de emisión.

– Las reservas (legal, estatutaria o cualquier otra).

– Las acciones y participaciones en el patrimonio propio.

– Los resultados de ejercicios anteriores.

– Otras aportaciones de los socios.

– Los resultados del ejercicio.

– Los dividendos a cuenta.

– Otros instrumentos de patrimonio propio.

Existen además otras partidas que se corresponden con cuentas de reservas que también se incluyen en los fondos propios de cierre e inicio del ejercicio y, por lo tanto, suponen incremento de fondos propios:

– Reserva por revalorizaciones voluntarias[182].

---

sultados del propio ejercicio sean positivos, negativos e, incluso, que se distribuyan dividendos a cuenta del resultado obtenido en el propio ejercicio. Caso de que la entidad se vea obligada a distribuir dividendos en el propios ejercicio en que se aplica la reducción de la base imponible, para que esa distribución no afecte de forma negativa el importe de la reducción, deben distribuirse dividendos a cuenta de los propios resultados de ese mismo ejercicio, en lugar de distribuir dividendos con cargo a beneficios del ejercicio anterior o con cargo a reservas, siempre que se interprete, de acuerdo con los criterios contables, que el importe distribuido se ha de computar como minoración de los beneficios del ejercicio para determinar los fondos propios de cierre del ejercicio. No obstante, esta actuación afectaría a la determinación del incremento de los fondos propios del período impositivo siguiente, que será menor respecto de lo que hubiese resultado de no haberse realizado tal distribución de dividendos a cuenta". MALVAREZ PASCUAL, L. M. y MARTÍN ZAMORA M. P. "Las nuevas reducciones de la base imponible en el Impuesto sobre Sociedades: las reservas de capitalización y nivelación", op. cit. pag. 127, señalan que con esta fórmula de cálculo se evita que computen las modificaciones cualitativas en las partidas que componen los fondos propios: "en efecto, al comparar dos años consecutivos, se impide que se considere la transformación en otros conceptos –también pertenecientes a los fondos propios– de partidas que formaban ya parte de los fondos propios al inicio del período impositivo pues, en ese caso, se habría producido una simple alteración de la composición de los fondos propios, pero no un incremento de los mismos. Así, por ejemplo, no computaría la transformación en reservas del remanente que pudiera existir de ejercicios anteriores o cualquier otra modificación meramente nominativa de las partidas que ya formaran parte de los fondos propios al inicio del ejercicio".

182　Se trata de aquellos casos en los que la entidad, en cumplimiento de una norma legal o reglamentaria, regulariza los elementos de su patrimonio a valores de mercado, incremen-

– Reserva por capital amortizado[183].

– Reserva por fondo de comercio[184].

A los efectos de la correcta determinación de los fondos propios al inicio y al final del período impositivo, deben desecharse, sin embargo, las siguientes partidas:

– Aportaciones de los socios[185].

– Ampliaciones de capital o fondos propios por compensación de créditos[186].

---

      tando con ello los fondos propios si la revalorización se integra en la cuenta de pérdidas y ganancias.

[183] Vid. arts. 317 a 342 LSC para aquellos casos en los que se produce una reducción de capital con la finalidad de devolver aportaciones a los socios o aumentar reservas voluntarias, pero donde al mismo tiempo, y para evitar la oposición de los acreedores, se constituye una reserva indisponible por el valor del nominal del capital amortizado con cargo a beneficios o reservas de libre disposición.

[184] Vid. art. 273. 4 LSC. En este caso la norma exige dotar una reserva indisponible de igual valor al fondo de comercio que luce en el activo del balance, destinándose a tal efecto una cifra del beneficio que represente, al menos, un 5% del importe de referido fondo.

[185] La razón fundamental obedece a que dichas aportaciones figuran necesariamente en el balance de cierre del ejercicio, pero no en el balance de inicio. En particular, incluye las cantidades entregadas por los socios o propietarios para compensación de pérdidas. En sentido amplio son aportaciones de los socios tanto las dinerarias como las no dinerarias. A estos efectos, conviene no olvidar que prima la calificación mercantil sobre la contable, habida cuenta de que es aquélla la asumida a efectos de la normativa del IS (art. 15 y 21). MAL-VAREZ PASCUAL, L. M. y MARTÍN ZAMORA M. P. "Las nuevas reducciones de la base imponible en el Impuesto sobre Sociedades: las reservas de capitalización y nivelación", op. cit. pag. 128, respecto de las aportaciones de socios descartables como fondos propios al inicio y al final del período impositivo, realizan las siguientes consideraciones: *"este concepto no queda reducido al capital social e la entidad, sino que incluye cualquier partida integrante de los fondos propios que tenga su origen en aportaciones realizadas por los socios. Así, por ejemplo, habría que eliminar la prima de emisión o asunción, a pesar de que el precepto no hace referencia expresa a este concepto. De igual forma habría que proceder en relación con otras aportaciones efectuadas por los socios o propietarios con un propósito diferente a ser integradas en la cifra de capital, como la compensación de pérdidas. Asimismo, no se tomará en consideración para el cálculo del incremento de los fondos propios, desde el punto de vista fiscal, el desembolso de los dividendos pasivos solicitados por la sociedad que contablemente aumentan la cifra de capital y, consecuentemente, los fondos propios de la entidad. Finalmente, no computan en esta categoría las aportaciones a título de capital efectuadas por los socios o propietarios que, contablemente, tienen la consideración de pasivos financieros. En concreto, cuando una sociedad emita acciones sin derecho a voto o acciones rescatables, calificará los títulos emitidos como pasivos financieros, por lo que contablemente no formarán parte de los fondos propios, ni tampoco tendrá dicha consideración a efectos del art. 25 de la LIS por constituir aportaciones de los socios".*

[186] Vid. arts. 299 a 301 LSC donde se considera que si el aumento de capital de una sociedad obedece a la compensación de créditos que el aportante tiene frente a dicha sociedad, ese aumento no constituye una aportación no dineraria stricto sensu, no siéndolo tampoco a efectos fiscales. Contablemente, sin embargo, es cierto que se produce la transformación de partidas

- Ampliaciones de fondos propios por operaciones con acciones propias[187].

- Ampliaciones de fondos propios por operaciones de reestructuración[188].

---

de pasivo en capital, produciendo un aumento de los fondos propios que, sin embargo, se desprecia a estos efectos fiscales de la reserva por capitalización. No se considera aportación no dineraria la ampliación de capital mediante la compensación de créditos que la aportante tiene frente a la sociedad que amplía capital (STSJ Madrid de 14 de julio de 2009 y Resolución del TEAC 14 de noviembre de 2001, DGT 22 de julio de 1999). Señala a este respecto LOPEZ SANTA CRUZ, J. A. op. cit. pag. 211, lo siguiente: *"Cuando el nominal del crédito sea superior a su valor real y la entidad deudora amplíe capital por ese valor nominal, de acuerdo con los criterios contables, debe registrarse una prima de emisión negativa por la diferencia entre ambos valores y, además, esa entidad debe reconocer un ingreso contable igualmente por el importe de esa diferencia (ingreso que no se integra en la base imponible de conformidad con la LIS art. 17. 2 sobre criterios valoración de estas operaciones). En tal caso, a efectos de calcular el incremento de los fondos propios, no se tienen en cuenta ni el capital aumentado ni el importe de la prima de emisión negativa y, en cuanto al referido ingreso contable, dado que no se computan los resultados obtenidos en el ejercicio, tal ingreso no tiene efectos en el cálculo del incremento de los fondos propios del ejercicio, pero si afectarán al cálculo del incremento de los fondos propios del ejercicio inmediato siguiente"*.

[187] MALVAREZ PASCUAL, L. M. y MARTÍN ZAMORA M. P. "Las nuevas reducciones de la base imponible en el Impuesto sobre Sociedades: las reservas de capitalización y nivelación", op. cit. pag. 130, explican el triple efecto que tiene la adquisición de acciones propias desde el punto de vista contable: *"en primer lugar, en cumplimiento de lo dispuesto en el artículo 148 c) del TRLSC, el patrimonio neto sufrirá una alteración en su composición pues habrá de dotarse, con carácter obligatorio, con cargo a reservas de libre disposición o resultados del ejercicio una reserva indisponible cuando se adquieran acciones o participaciones de la sociedad dominante y en tanto estas no sean enajenadas. Igual repercusión existirá cuando una sociedad reciba sus propias acciones (o de la sociedad dominante) en garantía, de acuerdo con el art. 149. 1 TRLSC. En segundo término, las acciones propias que se encuentran en poder de una sociedad pueden ser amortizadas, por decisión de la propia sociedad o por imperativo legal. En cualquier caso, se alterarán los fondos propios al reducirse el capital por el valor nominal de dichas acciones. Además, la diferencia, positiva o negativa, entre el precio de adquisición y el nominal de las acciones se abonará o cargará, respectivamente, a cuentas de reservas. Finalmente, las acciones propias en poder de una sociedad pueden ser vendidas, por decisión de la propia sociedad o por imperativo legal. La venta de las acciones repercutirá en los fondos propios de la entidad ya que puede producirse por un importe superior, igual o inferior al de su precio de adquisición, dando lugar a un beneficio que se registrará mediante un abono en cuentas de reservas voluntarias, a la ausencia de resultado o a una pérdida que se registrará mediante un cargo en cuentas de reservas voluntarias. Pese a la repercusión en los fondos propios de la adquisición, la amortización o la venta de acciones propias, a efectos del artículo 25 de la LIS, no se tomarán en consideración las ampliaciones de dichos fondos con origen en esas operaciones"*. Efectivamente, el PGC registra el importe de esas operaciones en el patrimonio neto como una variación de los fondos propios, pero sin reconocerse en ningún caso como activos financieros de la empresa ni registrar resultado alguno en la cuenta de pérdidas y ganancias. A los efectos de la determinación de estas operaciones en los fondos propios, debe distinguirse la adquisición de las propias acciones o la transmisión de éstas. Para ulteriores profundizaciones, vid. LOPEZ SANTA CRUZ, J. A. op. ult. cit. pag. 212 y ss.

[188] Se trataría en concreto de operaciones de fusión y escisión, total o parcial, de sociedades, puesto que las operaciones de aportación de rama de actividad, canje de valores y aporta-

- Reserva legal[189].

- Reserva estatutaria[190].

- Reserva de nivelación[191].

- Reserva para inversiones en Canarias (RIC)[192].

---

ciones no dinerarias especiales, implican la aportación a los fondos propios por parte de los socios de la entidad y dicho aumento no se tendría ya en cuenta por la exclusión general de aportaciones de los socios señalada con anterioridad. Como las anteriores operaciones suponen la ampliación de fondos propios, se aplique o no el régimen especial de diferimiento, nunca se tienen en cuenta a los efectos del incremento de los fondos propios susceptibles de gozar del incentivo fiscal constituido por la reducción que implica la reserva por capitalización. Habrían de distinguirse aquí las fusiones entre entidades independientes y fusiones con entidades íntegramente participadas. Y lo mismo para el caso de la escisión. Vid. extensamente sobre este particular LOPEZ SANTACRUZ, J. A. op. ult. cit. pag. 215 y ss.

[189]   Vid. art. 274 LSC. Existe obligación de destinar un 10% del resultado del ejercicio a cubrir dicha reserva hasta que ésta alcance el 20% del capital. Dicha reserva, que reviste un carácter indisponible, salvo para compensar pérdidas o para aumentar la cifra de capital, no se tiene en cuenta ni en los fondos propios del cierre del ejercicio, ni en los de inicio del mismo. Como señala LOPEZ SANTACRUZ, J. A. op. ult. cit. pag. 228, *"a efectos de la aplicación de este incentivo fiscal, el incremento de los fondos propios de cierre del ejercicio respecto de los de inicio, consecuencia del aumento de la reserva legal no se considera como base de aplicación de este incentivo, desde el momento en que la reserva legal no se tiene en cuenta ni en los fondos propios de cierre del ejercicio ni en los de inicio del mismo a efectos de determinar el incremento de tales fondos propios sobre el que se aplica el porcentaje del 10% para cuantificar la reducción de la base imponible. Esta exclusión no parece justificada en base a la finalidad que persigue este incentivo, que no es otra que incentivar la no distribución de los beneficios obtenidos por las entidades, lo cual se alcanza con la dotación de la reserva legal, por cuanto que esta es indisponible y, por tanto, por obligación legal no hay disposición de los beneficios destinados a dotar esta reserva. Por tanto, lo único que puede justificar esta exclusión es que solo se incentiva la no distribución de los beneficios sobre los que la entidad tenga libre disposición"*. Existen otras reservas legales, pero no de carácter general, sino particular, atendida la especialidad de la entidad (reserva por fondo de comercio, reserva por participaciones recíprocas y reserva por capital amortizado) que, dada su naturaleza obligatoria, tampoco se tienen en cuenta a los efectos de lo dispuesto por el art. 25 LIS para la aplicación de la reserva.

[190]   Se trata de reservas distintas de las legales, pero obligatorias, al fin y al cabo. Acontece aquí lo mismo que en el caso de la reserva legal.

[191]   Esta reserva es propia de aquellas entidades que tributan acogiéndose al régimen fiscal especial de las empresas de reducida dimensión, en cuya virtud pueden reducir su base imponible positiva hasta un importe del 10%, siempre que se haya dotado una reserva indisponible por el importe de la reducción, con cargo a los resultados positivos del ejercicio en que se realice la minoración de la base imponible. Siendo evidente que la reserva procede de beneficios que no han tributado, no se tienen en cuenta a los efectos de la reserva de capitalización, para evitar un solapamiento que de otra forma se produciría.

[192]   Como en el caso anterior, la RIC supone un incentivo fiscal de gran calado que supone la reducción de la base imponible para establecimientos situados en Canarias en un 90% del beneficio obtenido en el período que no sea objeto de distribución y luego se materialice en distintos activos. También aquí la reserva procede de beneficios que no han tributado por

– Fondos propios correspondientes a la emisión de instrumentos financieros compuestos[193].

– Fondos propios derivados de variaciones en los activos por impuesto diferido por variación del tipo de gravamen[194].

---

el IS, razón por la cual la LIS los excluye de esta reserva por capitalización, pues de hacerlo determinaría un doble beneficio fiscal.

[193] Sería el caso, por ejemplo, de la emisión de obligaciones convertibles, es decir, instrumentos financieros no derivados que incluyen al mismo tiempo un componente de pasivo y otro de patrimonio. Dado que ese componente de patrimonio tiene ya la consideración de fondo propio, su consideración aumentaría el importe de los mismos, por eso se establece que a los efectos de aplicar el incentivo fiscal el incremento de los fondos propios de cierre del ejercicio respecto de los de inicio motivado por este componente de patrimonio no se considera como base de la reducción. Tienen la consideración de instrumentos financieros compuestos las opciones sobre acciones propias, integrándose en dichos fondos propios el importe de las opciones que haya sido calificado como patrimonio neto.

[194] Provienen generalmente de base imponibles negativas pendientes de compensar o de gastos devengados, pero cuya deducibilidad se posterga a períodos impositivos posteriores. El PGC determina que esos activos por impuesto diferido apliquen el tipo de gravamen nominal existente en el mismo período en el que se generan los activos, y por ello, una variación del tipo de gravamen puede generar una pérdida de valor del activo y una disminución de los fondos propios al cierre del ejercicio respecto de los existentes al inicio del mismo (si el tipo de gravamen disminuye) o un aumento (si el tipo de gravamen aumenta). Por todo ello, los incrementos o disminuciones de fondos propios no se tienen en cuenta a la hora de aplicar la reducción en la que se concreta el beneficio fiscal de la reserva por capitalización. MALVAREZ PASCUAL, L. M. y MARTÍN ZAMORA M. P. "Las nuevas reducciones de la base imponible en el Impuesto sobre Sociedades: las reservas de capitalización y nivelación", op. cit. pag. 134, señalan que con carácter general las variaciones en el tipo de gravamen no suelen afectar a los fondos propios, aunque si al resto de patrimonio neto (ajustes por cambios y subvenciones, donaciones y legados recibidos) pero en algún caso puede no ser así y ponen un ejemplo de ello: *"así podría ocurrir en el caso de que la empresa dote la cuenta 115, "Reservas por pérdidas y ganancias actuariales y otros ajustes", para el registro del componente de patrimonio neto que surge del reconocimiento de pérdidas y ganancias actuariales y de los ajustes en el valor de los activos por retribuciones al personal de prestación definida, de acuerdo con lo dispuesto en la norma de registro y valoración 16ª del PGC. Las retribuciones a largo plazo de prestación definida, según establece el apartado 2 de la norma anterior, generan pasivos por la provisión por retribuciones comprometidas y el valor razonable de los eventuales activos afectos a los compromisos con los que se liquidarán las obligaciones. Como consecuencia de esta valoración, que se realizará en cada ejercicio económico, pueden producirse variaciones, reconociéndose en patrimonio neto, como reservas, aquellas debidas a pérdidas y ganancias actuariales. En la medida en que dichas provisiones por retribuciones no resultarán deducibles hasta el ejercicio en que se paguen las correspondientes pensiones y tampoco lo serán las ganancias o pérdidas actuariales cargadas o abonadas en la cuenta 115, "Reservas por pérdidas y ganancias actuariales y otros ajustes", se presentarán activos por diferencias temporarias deducibles que desaparecerán cuando el valor de las aportaciones a los planes de pensiones alcance el valor actuarial de las futuras prestaciones, o cuando estas efectivamente se paguen. Si tuviera lugar un cambio en el tipo de gravamen, será necesario proceder al ajuste de los activos por impuesto diferidos reconocidos, cargándose o abonándose la cuenta 115 antes comentada, con lo que se producirá una variación contable en los fondos propios de la empresa".*

En definitiva, permitir que las partidas anteriores se tomaran en considera-ción para determinar el incremento de los fondos propios, desnaturalizaría o tergiversaría la esencia misma del incentivo fiscal[195].

Tampoco establece la Ley condición alguna a los efectos del incremento de los fondos propios necesarios para dotar la reserva por capitalización, razón por la cual pueden integrarla tanto los beneficios procedentes del normal desa-rrollo de la actividad económica de la entidad (ya sean incrementos generados por resultados ordinarios como extraordinarios derivados de la transmisión, por ejemplo, de elementos del inmovilizado), como los provenientes de ren-tas pasivas (las que no proceden de la actividad económica), pudiendo incluso acogerse a la reducción las entidades con carácter puramente patrimonial que no desarrollan actividad económica alguna por el incremento de sus fondos propios. Ahora bien, no cabe dotar la reserva a través de la variación de las partidas que afectan al montante del patrimonio neto que no tengan la consi-deración contable de tales fondos propios (ajustes por cambios de valor, por operaciones de cobertura, de activos financieros disponibles para la venta, etc.).

Por lo tanto, a los efectos de lo establecido por el artículo 25 LIS se produ-cirá un incremento de los fondos propios cuando los resultados del ejercicio anterior se apliquen a las siguientes partidas:

- Reservas voluntarias.
- Remanente.
- Compensación de pérdidas de ejercicios anteriores, pero siempre que di-cha compensación no obedezca a una obligación legal, de conformidad con lo que ha sido señalado con anterioridad[196].

---

[195] MALVAREZ PASCUAL, L. M. y MARTÍN ZAMORA M. P. "Las nuevas reducciones de la base imponible en el Impuesto sobre Sociedades: las reservas de capitalización y nivelación", op. cit. pag. 134 así lo señalan con absoluta claridad: *"el incremento de los fondos propios computable a los efectos del artículo 25 de la LIS coincidirá con los resultados del ejercicio anterior que la Junta ordinaria decida mantener dentro de los fondos propios en virtud de una decisión propia, es decir, que no esté obligada a ello por un deber legal o estatutario. Ello es coherente con la naturaleza del incentivo fiscal que, a nuestro juicio, tiene esta nor-ma, pues con ella se pretende propiciar una determinada conducta en las sociedades. En efecto, se trata de incentivar que las sociedades destinen parte o la totalidad del resultado que sea de libre disposición a incrementar los fondos propios para mejorar su capitalización. Por ello, no tiene sentido que el incentivo fiscal se aplique cuando el incremento de los fon-dos propios resulte obligatorio en virtud de un deber legal o estatutario".*

[196] A estos efectos, MALVAREZ PASCUAL, L. M. y MARTÍN ZAMORA M. P. "Las nuevas reducciones de la base imponible en el Impuesto sobre Sociedades: las reservas de capi-talización y nivelación", op. cit. pag. 135, apostillan lo siguiente: *"solo si las pérdidas de ejercicios anteriores hacen que el valor del patrimonio neto de la sociedad sea inferior a la cifra de capital social, el beneficio se destinará de forma obligatoria a la compensación de esas pérdidas. En dicha situación, las cantidades destinadas a dicha finalidad no se tomarán en consideración para la determinación del incremento de los fondos propios, pues se trata*

  –   Capital social, siempre que no sea consecuencia de aportaciones de los socios, sino de otros motivos como beneficios del ejercicio anterior no distribuidos o la entrega a los socios de acciones liberadas con cargo a dichos beneficios.

  –   Reserva de capitalización.[197]

Otra cuestión interesante es la que suscita la posible reserva de capitalización practicada por aquella entidad que no respete adecuadamente la normati-

---

de una conducta debida. Esto debe ser así en la medida en que la aplicación del incentivo regulado en el artículo 25 de la LIS no es determinante de que se produzca la compensación de las pérdidas, sino que dicha decisión de la junta viene motivada por una obligación legal, por lo que en este caso, la decisión o no de compensar los resultados negativos de ejercicios anteriores corresponderá a la junta ordinaria, siempre que se haya cumplido el resto de condiciones que establece la normativa mercantil, entre ellas que la reserva legal haya alcanzado el 20% del capital. Por tanto, en estos casos la junta podrá decidir libremente el resultado entre los socios y accionistas, por lo que tiene todo el sentido la aplicación del incentivo fiscal, que pude ser determinante de la decisión de la sociedad sobre la aplicación del resultado".

[197] Aunque pueda resultar paradójico, esta también constituye una partida que implica un incremento de fondos propios. MALVAREZ PASCUAL, L. M. y MARTÍN ZAMORA M. P. "Las nuevas reducciones de la base imponible en el Impuesto sobre Sociedades: las reservas de capitalización y nivelación", op. loc. ult. cit., lo explican en términos muy comprensibles: *"una partida cuya toma en consideración a estos efectos puede ser discutible es la propia reserva de capitalización que la sociedad debe dotar por el importe de la minoración de la base imponible con el objeto de cumplir el requisito que establece el artículo 25. 1 b) de la LIS. Podría pensarse que la dotación de esta reserva es una obligación legal, de acuerdo con dicho precepto, lo que impediría su cómputo a estos efectos. Sin embargo, la decisión de aplicar o no la reducción prevista en el artículo 25 de la LIS es decisión de los órganos de la sociedad, por lo que no se puede afirmar que la dotación de la reserva resulte obligatoria legalmente. Además, cuando el legislador ha querido excluir un concepto de este tipo lo ha hecho expresamente, como en el caso de la reserva de nivelación o la reserva por inversiones en Canarias. Por tanto, ha de admitirse el cómputo de la propia reserva de capitalización a efectos de determinar el incremento de los fondos propios, en la medida en que el artículo 25. 2 de la LIS no la excluye. Debe tenerse en cuenta que dicha dotación se producirá en el ejercicio siguiente respecto al que se refiera la minoración de la base imponible, pues será en ese ejercicio cuando se apruebe la propuesta de aplicación del resultado del ejercicio en que se haya aplicado dicha reducción. De acuerdo con lo anterior, esta partida se tomará en consideración para la determinación del incremento de los fondos propios del ejercicio en el que se produzca su dotación contable. En definitiva, el incremento de los fondos propios computables a estos efectos coincidirá con los resultados del ejercicio anterior que la junta ordinaria decida mantener en la sociedad mediante su conversión en alguna de las partidas de fondos propios señaladas anteriormente, sin que se reparta a los socios y accionistas".* BLASCO MERINO, J. "La Ley 27/2014: modificaciones introducidas en el IS", op. cit. pag. 54, entiende que en el cómputo de los fondos propios (al inicio y al final del ejercicio) también se debe tener en cuenta la propia reserva de capitalización de ejercicios anteriores, no solo porque el art. 25 LIS no lo excluye, sino porque para un caso similar, el propio artículo 25 de la LIS excluye expresamente la reserva indisponible que se dote por reserva de nivelación en casos de reducida dimensión. El autor, no obstante, concluye que debe esperarse a lo que señale en su momento la propia Dirección General de Tributos.

va contable. En tal caso, y salvaguardado el derecho de la Administración tributaria a corregir dicha contabilidad para calcular adecuadamente la magnitud de la reserva practicada, se ha apuntado la imposibilidad de que dicha corrección sea practicada al alza por motivos estrictamente formales[198]. Al ser el beneficio optativo, y en aplicación de lo dispuesto por el art. 119. 3 LGT, no cabría aplicar el incentivo no practicado en su momento con ocasión de una rectificación de la autoliquidación posterior para recuperarlo.

Además, la aplicación de la reducción puede ser total o parcial, de tal manera que cabe aplicar parcialmente el beneficio mediante la utilización de un incremento de fondos propios inferior al realmente habido en el ejercicio y sobre el que se aplicaría el porcentaje del 10%. La previsión legal es plenamente lógica, sobre todo si no se pierde de vista que el importe del incremento de los fondos propios y la base imponible de un concreto período impositivo pueden tener una relación muy indirecta o remota (por no decir abiertamente que pueden no tener relación alguna), toda vez que el incremento de esos fondos propios provendrá generalmente de los resultados del período anterior no distribuidos a los socios, mientras que la base imponible será la del período en que se pretende aplicar la minoración de ésta, lo que determinará bases de cálculo generalmente diferentes.

En el caso de que la base imponible resulte insuficiente para aplicar la totalidad de la reducción por reserva de capitalización, las cantidades pendientes de aplicación, esto es, el exceso no reducido, puede ser objeto de aplicación en los períodos siguientes que finalicen en los dos años inmediatos y sucesivos al cierre del período impositivo en que se haya generado el derecho a la reducción. Estos excesos no reducidos en los dos años inmediatos siguientes pueden acumularse a la reducción correspondiente al propio período impositivo en el que se materializa, con el límite del 10% de la base imponible previa a la reducción por la reserva de capitalización, a la integración a que la alude el art. 11. 12

---

[198] LÓPEZ SANTACRUZ, J. A. op. loc. ult. cit. lo explica en los siguientes términos: *"Aunque la LIS no establezca nada al respecto, entendemos que los fondos propios del balance de la entidad sirven de base para calcular el importe de la reducción, siempre que la contabilidad se lleve de acuerdo con los criterios establecidos en el CCom y demás normativa de desarrollo. Por tanto, en el caso de que la contabilidad no respete los criterios contables y, en consecuencia, los fondos propios del balance no representen la verdadera imagen patrimonial de la entidad, de acuerdo con lo establecido en la LIS art. 131, a los solos efectos de calcular el importe de la reducción y, por tanto, de la base imponible, la Administración tributaria puede modificar el importe de los fondos propios para adecuarlos a los que resultan de aplicar correctamente los criterios y principios contable, por lo que como consecuencia de dicha modificación puede reducirse o aumentarse el importe de la reducción respecto de lo inicialmente liquidado por la propia entidad. No obstante, parece que no cabe un aumento de la reducción realmente practicada desde el momento que es exigible dotar una reserva por el importe de la reducción, requisito que no se cumpliría dado que el sujeto pasivo dotó dicha reserva por un importe inferior al que resulta de la comprobación administrativa"*.

LIS y a la compensación de bases imponibles negativas[199]. Aunque tampoco lo aclara la LIS, habría que entender que en estos casos determinantes de reducciones pendientes de integración, el sujeto pasivo podrá imputar la reducción correspondiente a las cantidades más antiguas, con el fin de impedir su consiguiente caducidad[200].

Aunque la esencia del beneficio fiscal en el que se concreta la reserva de capitalización no es otra que la reducción de la base imponible en el 10% del incremento de los fondos propios del período impositivo, se establece un límite a la misma, consistente en el 10% de la base imponible positiva del período impositivo previa:

– A la reducción por la reserva de capitalización,

---

[199] En este sentido, SERRANO GUTIÉRREZ, A. op. ult. cit. pag. 283, se plantea algunas cuestiones al respecto: *"En aquellos casos en los que sea de aplicación el límite del 10% de la base imponible previa a la reducción por la reserva de capitalización, a la integración a que se refiere la LIS art. 11. 12 y a la compensación de bases imponibles negativas, podrían plantearse algunas dudas sobre la forma de cumplimentar estos dos requisitos que exige la norma. Así, si la reducción efectivamente practicada es inferior a la que se deriva del aumento de fondos propios del ejercicio, como consecuencia de la aplicación del límite sobre la mencionada base imponible previa, ¿cuál es el importe del incremento de los fondos propios de la entidad que debe mantenerse en los 5 años siguientes, el incremento realmente experimentado o el que correspondería al importe de la reducción practicada? La literalidad del precepto lleva a concluir que el incremento de fondos propios a mantener en los 5 años siguientes es el que corresponde al que ha existido realmente en el ejercicio en cuestión, aunque la reducción practicada haya sido menor. No obstante, habrá que esperar a ver cuál es el criterio administrativo de la DGT sobre esta cuestión. Del mismo modo, en estos casos, también cabría preguntarse sobre cuál es el importe de la dotación de la reserva indisponible: ¿el que corresponda a la reducción efectivamente practicada o el que correspondería a la reducción máxima derivada del incremento de fondos propios? De nuevo, la literalidad de la norma conduce a pensar que la dotación de la reserva indisponible debe efectuarse por igual importe que el de la reducción practicada, aunque aquí también habrá que ver qué opina en el futuro la DGT"*.

[200] MALVAREZ PASCUAL, L. M. y MARTÍN ZAMORA M. P. "Las nuevas reducciones de la base imponible en el Impuesto sobre Sociedades: las reservas de capitalización y nivelación", op. cit. pag. 139, así lo sostienen: *"Aunque la norma no determine esta cuestión expresamente, hay que entender que cuando la reducción no utilizada en un período anterior, más el límite correspondiente al propio ejercicio, no puedan aplicarse íntegramente en este, la primera cantidad que se tomará en consideración será la del período más antiguo, para evitar que el derecho a la reducción pueda caducar por el transcurso de los dos años. En efecto, la ley no obliga a aplicar primero la reducción del período y, posteriormente, en caso de que sea posible, el importe no utilizado de los dos periodos anteriores. El precepto hace referencia a un límite conjunto a la minoración que se aplica en cada periodo, con independencia de que esta tenga su origen en el mismo periodo o en otro anterior. Por tanto, cuando la base imponible del periodo sea insuficiente para permitir la aplicación de las reducciones pendientes de integración con origen en períodos anteriores y de las correspondientes al propio periodo, el sujeto pasivo podrá imputar la reducción que proceda a las cantidades más antiguas para evitar su caducidad"*.

– A la integración en la base imponible de los gastos no deducibles procedentes de determinadas provisiones y deterioros de ejercicios anteriores que generaron activos por impuestos diferidos,

– A la compensación de bases imponibles negativas pendientes, procedentes de períodos impositivos anteriores.

De esta forma, pueden producirse escenarios diferentes en función del signo de la base imponible previa y de su importe:

– De existir una base imponible previa negativa, no se impide el derecho a practicar la reducción por reserva de capitalización, toda vez que la misma no se relaciona directamente con dicha base imponible negativa previa, sino con los beneficios contables del ejercicio impositivo anterior. No puede aplicarse el beneficio entonces en el período impositivo en que dicha base imponible previa negativa se genera, pero si (de cumplirse los requisitos oportunos para ello) en los dos ejercicios impositivos siguientes.

– De existir una base imponible previa positiva y en función de la relación entre el importe de la reducción acreditada en el período impositivo y la base imponible previa del mismo, pueden plantearse dos situaciones:

    – Importe de la reducción inferior o igual al 10% de la base imponible previa: En este caso, el importe de la reducción puede practicarse en su totalidad en el período impositivo.

    – Importe de la reducción superior al 10% de la base imponible previa: Aunque el importe de la base imponible previa resulte superior al importe de la reducción, a los efectos de determinar la base imponible del período impositivo únicamente se puede reducir hasta el 10% del importe de dicha base imponible previa, Asimismo, el montante de la reducción acreditada en el período impositivo, pero no aplicada, se puede reducir en los dos períodos impositivos siguientes, a los efectos de determinar la base imponible.

Como ya ha sido apuntado, la reducción se limita al 10% de la base imponible previa y el exceso no deducido puede trasladarse a la base imponible de los períodos impositivos inmediatos y sucesivos que finalicen dentro de los dos años a contar desde la conclusión del período impositivo en el que se haya generado el derecho a la reducción. En este caso, la reducción del exceso se realiza conjuntamente con la reducción por capitalización que en esos dos períodos impositivos se genere, sin que pueda superar el 10% de la base imponible previa que resulte en cada uno de ellos.

Si transcurrido ese plazo de dos años quedase pendiente parte del importe de la reducción correspondiente a períodos anteriores, el mismo ya no podría aplicarse.

4. REQUISITOS PARA LA CORRECTA APLICACIÓN DE LA RESERVA POR CAPITALIZACIÓN Y EFECTOS DE SU INCUMPLIMIENTO

Como ya se ha señalado más arriba, a través de la reserva por capitalización se pretende premiar fiscalmente la no distribución de beneficios. No obstante, para ello deben cumplirse una serie de requisitos a los que ya se ha aludido:

– Que el importe del incremento de los fondos propios de la entidad se mantenga durante un 5 años desde el cierre del período impositivo al que corresponda esta reducción, salvo por la existencia de pérdidas contables en la entidad (en este caso no sería imprescindible cumplir con dicho mantenimiento)[201]. No aclara la LIS si fuera de este concreto caso podría resultar también aplicable la reserva, por ejemplo, en aquellos casos similares donde concurrieran causas justificadas que obligaran a la reducción de los fondos propios y no dependieran de la decisión de la sociedad. Sin embargo, esa falta de previsión obliga a considerar que en estos casos se incumpliría el requisito y habría que reintegrar las cantidades indebidamente deducidas[202]. Aunque tampoco lo aclara la

---

[201] Esos fondos propios, de conformidad con el PGC, están integrados por los siguientes bloques: I. El capital escriturado [Capital social (Cuenta 100), Fondo social (Cuenta 101) y Capital (Cuenta 102)], el capital no exigido [Socios por desembolsos no exigidos, capital social (Cuenta 1030), Socios por aportaciones no dinerarias pendientes, capital social (Cuenta 1040)]. II Prima de emisión (Cuenta 110). III. Reservas [Reserva legal (Cuenta 112), Reservas estatutarias (Cuenta 1141) y Otras Reservas (como las voluntarias, por fondo de comercio, por capital amortizado, por acciones propias aceptadas en garantía, por pérdidas y ganancias actuariales o diferencias por ajustes de capital a euros, vid. Cuentas 113, 1142, 1143, 1144, 115 o 119, respectivamente). IV Acciones y participaciones en patrimonio propias [Acciones o participaciones propias en situaciones especiales (Cuenta 108); Acciones o participaciones propias para reducción de capital (Cuenta 109)] V Resultados de ejercicios anteriores [Remanente (Cuenta 120), Resultados negativos de ejercicios anteriores (Cuenta 121)]. VI otras aportaciones de socios (Cuenta 118). VII Resultado del ejercicio (Cuenta 129). VIII Dividendo a cuenta (Cuenta 557). IX Otros instrumentos de patrimonio neto [Patrimonio neto por emisión de instrumentos financieros compuestos (Cuenta 1110), Resto de instrumentos de patrimonio neto (Cuenta 1111)].

[202] Es por esa razón por la que MALVAREZ PASCUAL, L. M. y MARTÍN ZAMORA M. P. "Las nuevas reducciones de la base imponible en el Impuesto sobre Sociedades: las reservas de capitalización y nivelación", op. cit. pag. 141, abogan por una reforma legislativa de esta reserva: *"la misma consecuencia que se ha establecido para el caso de la existencia de pérdidas contables no se ha previsto cuando se produzca una reducción de los fondos propios por otra causa justificada que no dependa de la decisión de la sociedad. De hecho, en relación con el siguiente requisito que establece el precepto –la dotación de una reserva indisponible– sí se ha contemplado alguna de estas situaciones. Así, se puede producir un decremento de los fondos propios como consecuencia de la separación de un socio o por una operación de reestructuración. Por ejemplo, en el caso de la separación del socio*

norma, una vez cumplido el plazo legal, la reserva pasaría a ser de libre disposición (al no vincularse, como ya hemos señalado antes, a materializaciones o inversiones concretas), lo que permitiría incluso su reparto a los socios en forma de dividendos[203].

— Que se dote una reserva por el importe de la reducción con absoluta separación y título apropiado en el balance, siendo indisponible durante ese plazo quinquenal antes referido. Aunque el artículo 25 LIS no determina si la referida reserva debe dotarse en el período en el que se produce el incremento de los fondos propios que la originan (con cargo a los resultados del ejercicio anterior) o en el período siguiente, es lógico que sea esto último, pues hasta tanto no se cierre el ejercicio y la junta ordinaria no apruebe la propuesta de aplicación del resultado, la aplicación de la reserva no resultará factible.

Por ello, el requisito para la correcta aplicación del beneficio fiscal no es otro que el mantenimiento durante 5 años, del incremento experimentado por los fondos propios de la entidad en el ejercicio al que corresponde la reducción, materializado en una reserva indisponible por un importe equivalente al de la propia reducción. Así pues, la cuantía de la reducción por reserva de capitalización se determinará por el incremento de los fondos propios entendido como la diferencia positiva entre los fondos propios existentes al cierre del ejercicio, sin incluir los resultados del mismo, y los fondos propios existentes al inicio del

---

la cuota de liquidación se determinará aplicando el porcentaje de su participación en el capital social sobre la totalidad de los fondos propios existentes, por lo que dicha cuota incluirá un porcentaje del capital, las reservas y los demás conceptos que se incluyan en los fondos propios. Por tanto, como consecuencia de la separación del socio, las partidas que computan para la determinación y mantenimiento del incremento de los fondos propios, de acuerdo con el artículo 25. 2 de la LIS, sufrirán un menoscabo. Como se ha dicho, esta situación solo se contempla en relación con la minoración de la reserva de capitalización, pero no respecto al mantenimiento del incremento de los fondos propios. Esto supondría que en estos casos se incumpliría el requisito de conservación del incremento de los fondos propios durante el plazo de cinco años, lo que obligaría a regularizar si no se corrigiera dicha situación de otro modo. En este sentido, si en el año anterior existieran beneficios, podría destinarse parte de los mismos a incrementar los fondos propios para evitar el decremento de los mismos como consecuencia de la separación del socio, pero si hubiera pérdidas no habría ninguna posibilidad de evitar la aplicación de la señalada consecuencia. Ni siquiera lo impediría una aportación de los socios con tal fin, pues, como se ha indicado, este concepto se elimina del cómputo a todos los efectos, tanto para establecer el incremento de los fondos propios como para determinar su mantenimiento. Esta situación no tiene ninguna justificación y para evitarlo debería modificarse el artículo 25. 1 de la LIS para que las circunstancias sobrevenidas que se han previsto en relación con la disposición de la reserva de capitalización afecten también al requisito del mantenimiento de los fondos propios".

[203] Así lo sostienen, por ejemplo, MALVAREZ PASCUAL, L. M. y MARTÍN ZAMORA M. P. "Las nuevas reducciones de la base imponible en el Impuesto sobre Sociedades: las reservas de capitalización y nivelación", op. cit. pag. 143.

mismo, sin incluir los resultados del ejercicio anterior[204]. Por lo tanto, y con carácter general, el incremento de los fondos propios lo constituye el importe de los resultados positivos del ejercicio anterior que se destinen a reservas, lo que equivale también a decir que si los resultados de un ejercicio fueron negativos (existieron pérdidas) no habrá incremento de los fondos propios en el ejercicio siguiente (lo que impedirá la dotación de la reserva por capitalización).

No obstante, y a los efectos de determinar el incremento de los fondos propios, no se tienen en cuenta al inicio y al final del período impositivo las siguientes partidas (lo que implica que tampoco se tienen en cuenta para determinar el mantenimiento del incremento de fondos propios de cada período impositivo en el que el mismo resulta exigible):

a) Las aportaciones de los socios.

b) Las ampliaciones de capital o fondos propios como consecuencia de compensación de créditos.

c) Las ampliaciones de fondos propios por operaciones con acciones propias o de reestructuración.

d) Las reservas de carácter legal o estatutario.

e) Las reservas de nivelación de bases imponibles para las empresas de reducida dimensión prevista en el artículo 105 LIS, y para Inversiones en Canarias (RIC) regulada por el artículo 27 de la Ley 19/1994.

f) Los fondos propios que se correspondan con variaciones de activos por impuesto diferido derivadas de una disminución o aumento del tipo de gravamen del IS[205].

---

[204] La interpretación de la DGT a este respecto es que hasta tanto no haya finalizado el período impositivo no resulta factible saber si ese incremento de fondos propios se ha producido realmente en dicho período. Por lo tanto, el registro en balance de la reserva se entiende cumplido siempre que la dotación formal de dicha reserva de capitalización se produzca en el plazo legalmente previsto en la normativa mercantil para la aprobación de las cuentas anuales del ejercicio correspondiente al período impositivo en que se aplique la reducción (DGT CV 22/12/2015).

[205] De esta manera, no existe una equivalencia absoluta entre el incremento de fondos propios y el importe de los resultados del ejercicio anterior destinados a reservas, toda vez que la LIS excluye algunas partidas como las reservas de carácter legal y estatutario, así como la reserva de nivelación de bases imponibles o la RIC. Todo ello es lógico por cuanto que todos estos conceptos (Reserva legal, estatutaria, de nivelación y para inversiones en Canarias, proceden de beneficios que no han tributado previamente). En el caso de activos por impuestos diferidos (provenientes fundamentalmente de bases imponibles negativas pendientes de compensar o de gastos devengados pero deducibles en períodos impositivos posteriores) su tributación depende del tipo de gravamen nominal existente en el ejercicio impositivo en el que se generan dichos activos. Es por ello que una disminución o aumento del tipo de gravamen genera variaciones en los fondos propios que no deben tenerse en cuenta a la hora de aplicar la base de la reducción.

Se considera que dicha reserva no ha sido dispuesta en tres casos concretos:

– Cuando el socio o accionista ejerza su derecho a separarse de la sociedad[206].

– Cuando la reserva se elimine, total o parcialmente, como consecuencia de operaciones a las que resulte de aplicación el régimen fiscal establecido en el Título VII, Capítulo VII de la LIS[207].

– Cuando la entidad deba aplicar la reserva en virtud de una obligación de carácter legal, lo que ocurrirá cuando el patrimonio neto de la entidad sea inferior a las dos terceras partes de su capital social y haya transcurrido un ejercicio económico bajo esas circunstancias[208].

El incumplimiento de los requisitos señalados da lugar a la regularización de las cantidades indebidamente reducidas, junto con sus correspondientes intereses de demora, de conformidad con lo establecido por el art. 125. 3 LIS. De la misma manera, cuando se produzca la pérdida del derecho a disfrutar del incentivo previamente aplicado, la entidad contribuyente debe ingresar, junto con la cuota del ejercicio impositivo en que se produzca el incumplimiento de los requisitos, la cuota íntegra o cantidad deducida correspondiente a la exención, deducción o incentivo aplicado en períodos anteriores, además de los intereses de demora correspondientes. No obstante, el cumplimiento del requisito consistente en el mantenimiento del importe del incremento de los fondos propios de la entidad durante 5 años desde el cierre del período impositivo permite mantener varias interpretaciones al respecto, tal y como señala LOPEZ SANTACRUZ:

> "a) La primera interpretación sería aquella por la que se tienen en consideración los fondos propios de cierre del período impositivo en el que se ha practicado esta reducción, así como los fondos propios al cierre de ese quinto ejercicio, de manera que, de ser estos últimos fondos propios superiores a los fondos propios de cierre de aquel otro período impositivo de referencia, la diferencia positiva entre ambos se ha de comparar con el incremento de fondos propios

---

[206]   Se trata de aquellos casos previstos en la normativa mercantil donde la entidad debe abonar al socio que se separa la parte de capital y reservas que dicho socio disponía en la sociedad. Es por ello que en otras operaciones no consideradas jurídicamente como separación de socios, aunque de hecho lo impliquen, la excepción no jugaría. Sería el caso, por ejemplo, de una reducción de capital mediante la amortización de acciones propias previamente adquiridas a los socios, donde hubiese que minorar tanto el capital como la parte proporcional de las reservas constituidas en la sociedad.

[207]   Si la operación no se acogiese al régimen especial, la disposición de la reserva se entendería efectuada y con ello la pérdida de la reducción practicada, así como la necesidad de realizar la correspondiente regularización.

[208]   Vid. el art. 327 del TRLSC, en cuyo caso la entidad estaría obligada a una reducción de su capital social, utilizando a tal fin todas las reservas disponibles –incluida la de capitalización– y la parte correspondiente de la reserva legal.

que sirvió de base para calcular la reducción. En ese caso, si aquella diferencia es igual o superior a dicho incremento, se ha de entender cumplido este requisito; en caso contrario, se ha de considerar que ha existido un incumplimiento, lo cual va a implicar la regularización de la reducción practicada (LIS art. 125. 3). Según esta interpretación, el cumplimiento de este requisito sólo puede hacerse una vez haya concluido el quinto ejercicio y no antes.

b) La segunda interpretación tendría en cuenta los fondos propios de cierre de cada uno de los cinco ejercicios siguientes, de manera que en cada uno de esos cinco ejercicios se calcularía la diferencia entre los fondos al cierre (minorado en los resultados del ejercicio) y los de inicio del ejercicio correspondiente al período impositivo al que corresponde esta reducción (minorado en el resultado del ejercicio anterior) de manera que, calculada la diferencia de cada ejercicio, se tomaría la media de los mismos y se compararía con el incremento de fondos propios que sirvió de base para calcular la reducción. Si la diferencia fuera igual o superior a dicho incremento, se tendría que consolidar la reducción; en caso contrario, habría un incumplimiento que implicaría la regularización de la reducción practicada (LIS art. 125. 3). Al igual que en la interpretación anterior, el cumplimiento de este requisito solo puede hacerse una vez haya concluido el quinto ejercicio.

c) La tercera interpretación sería igual a la anterior interpretación, con la particularidad de que en cada uno de estos cinco ejercicios se calcularía la diferencia entre los fondos de cierre (minorado en los resultados del ejercicio) y los de inicio del ejercicio correspondiente al período impositivo al que corresponde esta reducción (minorado en el resultado del ejercicio anterior). Si en todos y cada uno de esos ejercicios la diferencia entre esos fondos propios es positiva y por importe de al menos el incremento de fondos propios que determinó la reducción, se entendería cumplido este requisito; en caso contrario, habría un incumplimiento que implicaría la regularización de la reducción practicada (LIS art. 125. 3). De acuerdo con esta otra interpretación, el cumplimiento de este requisito debe hacerse una vez haya concluido cada uno de esos cinco ejercicios, por lo que en el primer período impositivo en el que no se cumpla el mantenimiento procedería realizar la regularización correspondiente. Esta tercera interpretación es la que parece desprenderse de la normativa reguladora cuando establece de forma expresa que las partidas que no se consideran dentro de los fondos propios para calcular el incremento de los mismos, a efectos de determinar la reducción en la base imponible, tampoco se han de tener en cuenta para determinar el mantenimiento del incremento de fondos propios en cada período impositivo en que resulte exigible. Es decir, de forma indirecta, parece que en cada período dentro de los cinco debe calcularse el incremento de fondos propios para valorar si se mantiene o no el incremento originario determinante de la reducción de la base imponible" [209].

Asimismo, puede acontecer que se modifique el período impositivo durante el plazo de mantenimiento del incremento de los fondos propios, toda vez que siendo el ejercicio social coincidente con el año natural, si el inicio de algunos de los ejercicios no coincidiese con el 1 de enero, en la fecha de finalización del

---

[209]   Op. ult. cit. pag. 233.

plazo quinquenal no concluiría ni el ejercicio social ni tampoco el período impositivo, y como quiera que *"la normativa reguladora no regula cómo se debe determinar el cumplimiento de este requisito de mantenimiento del incremento de los fondos propios en estos casos, se debería entender que a la fecha de finalización del plazo de 5 años la entidad debe elaborar un balance a esa fecha, a los solos efectos fiscales, que permita conocer el importe de los fondos propios de la entidad, sin que la elaboración de dicho balance afecte a la duración del período impositivo que estuviese corriendo a esa fecha, el cual va a finalizar cuando igualmente concluya el ejercicio social. Por el contrario, de interpretar que esos fondos propios se determinan según balance de cierre del ejercicio dentro del cual haya finalizado el plazo de 5 años supondría, en la práctica, ampliar el mantenimiento durante un período temporal superior al exigido por la norma legal, lo cual estaría en contra del principio de neutralidad"*[210].

Como señalábamos más arriba, en el caso de que se generen pérdidas contables ya no es imprescindible cumplir con el plazo de mantenimiento del incremento de fondos propios. LOPEZ SANTACRUZ distingue dos posibles supuestos a este respecto. En primer lugar, las pérdidas generadas en el propio período impositivo al que corresponda la reducción y, en segundo término, las pérdidas generadas en cualquiera de los ejercicios concluidos dentro del plazo de los 5 años de mantenimiento del incremento de los fondos propios:

"a) Pérdidas generadas en el período impositivo en que se reduce su base imponible. Hay que tener en cuenta que esas pérdidas no tienen ninguna consecuencia negativa en el importe del incremento de los fondos propios desde el momento en que esas pérdidas contables no se tienen en cuenta en los fondos propios de cierre del ejercicio. No obstante, es necesario valorar si esas mismas pérdidas tienen o no consecuencia en el cumplimiento del requisito de mantenimiento del incremento de los fondos propios durante el referido plazo de 5 años:

– una primera interpretación sería considerar que no se tienen en cuenta las pérdidas contables cualquiera que haya sido el ejercicio en que se generaron, esto es, si se obtienen tanto en el propio ejercicio al que corresponde la reducción de la base imponible como en cualquiera de los ejercicios cerrados dentro del plazo de los 5 años de mantenimiento, lo cual se basa en el principio de neutralidad pues, ante una misma situación patrimonial de la entidad, no tendría justificación que el simple hecho de que sea diferente el ejercicio en que se obtengan ello altere totalmente la aplicación de la reducción.

– una segunda interpretación basada en la literalidad de la LIS sería entender que no se tienen en cuenta las pérdidas exclusivamente generadas en los ejercicios a que se refiere el plazo de 5 años de mantenimiento.

Los efectos prácticos de ambas interpretaciones son opuestos. Así, por ejemplo, suponiendo que la entidad sólo genera una pérdida en el ejercicio de la re-

[210]   LÓPEZ SANTACRUZ, J. A. op.ult. cit. pag. 235.

ducción de la base imponible, siendo nulo el resultado contable de los ejercicios siguientes, según la primera interpretación estas pérdidas no afectan al cumplimiento del requisito de mantenimiento; por el contrario, con la segunda interpretación, al tenerse en cuenta esas pérdidas, ello supondría que no se cumpliría el requisito de mantenimiento.

b) Pérdidas generadas en cualquier de los ejercicios de mantenimiento. En este otro caso, las pérdidas se obtienen en cualquiera de los ejercicios siguientes al que corresponde la reducción de la base imponible, pero siempre dentro del plazo de 5 años de mantenimiento. De acuerdo con la normativa fiscal, esas pérdidas contables no se consideran en los fondos propios de cierre de esos ejercicios a efectos de valorar el cumplimiento del requisito de mantenimiento del incremento de fondos propios que sirvió de base de cálculo de la reducción de la base imponible"[211].

Como ya hemos señalado, el segundo de los requisitos que la LIS exige para gozar de la reducción en la que se concreta la reserva por capitalización, es la dotación de un fondo o reserva que ha de figurar en el balance con absoluta separación y título apropiado, además de ser indisponible durante el plazo de cinco años al que acaba de aludirse. Como quiera que el incremento de los recursos o fondos propios viene determinado por los beneficios contables obtenidos en el ejercicio impositivo anterior no distribuidos, la reserva, tal y como ya hemos señalado con anterioridad, debe materializarse al cierre del período impositivo al que corresponde la reducción y no en otro ejercicio posterior o anterior[212].

---

[211]   Op. ult. cit. pag. 236 y 237.

[212]   La doctrina se ha planteado la influencia de diversas circunstancias sobre estos requisitos fijados por el art. 25. 1 LIS/2014 para la aplicación de la reducción. Así, SERRANO GUITERREZ, A. op. ult. cit. pag. 283, señala lo siguiente: *"En aquellos casos en los que sea de aplicación el límite del 10% de la base imponible previa a la reducción por la reserva de capitalización, a la integración a que se refiere la LIS art. 11. 12 y a la compensación de bases imponibles negativas, podrían plantearse algunas dudas sobre la forma de cumplimentar estos dos requisitos que exige la norma. Así, si la reducción efectivamente practicada es inferior a la que se deriva del aumento de fondos propios del ejercicio, como consecuencia de la aplicación del límite sobre la mencionada base imponible previa, ¿cuál es el importe del incremento de los fondos propios de la entidad que debe mantenerse en los 5 años siguientes, el incremento realmente experimentado o el que correspondería al importe de la reducción practicada? La literalidad del precepto lleva a concluir que el incremento de fondos propios a mantener en los 5 años siguientes es el que corresponde al que ha existido realmente en el ejercicio en cuestión, aunque la reducción practicada haya sido menor. No obstante, habrá que esperar a ver cuál es el criterio administrativo de la DGT sobre esta cuestión. Del mismo modo, en estos casos también cabría preguntarse sobre cuál es el importe de la dotación de la reserva indisponible ¿el que corresponda a la reducción efectivamente practicada o el que correspondería a la reducción máxima derivada del incremento de los fondos propios? De nuevo, la literalidad de la norma conduce a pensar que la dotación de la reserva indisponible debe efectuarse por igual importe que el de la reducción practicada, aunque aquí también habrá que ver qué opina en el futuro la DGT".* Por su parte, MALVAREZ PASCUAL, L. M. y MARTÍN ZAMORA M. P. "Las nuevas reducciones de la base imponible en el Impuesto

El beneficio fiscal que supone la reserva por capitalización resulta incompatible para el mismo período impositivo, con la reducción en la base imponible del factor de agotamiento aplicable a las entidades mineras (art. 91 LIS/2014) y a las entidades dedicadas a la exploración, investigación y explotación de hidrocarburos (art. 95 LIS/2014). Es por ello que, de cumplirse las condiciones establecidas para todas esas reducciones, la mercantil, sujeto pasivo del IS, habría de optar por la que le resultara más beneficiosa. No es necesario señalar que la expresa dicción del artículo 119 LGT impediría, una vez ejercida la opción, su rectificación transcurrido el plazo de declaración del período impositivo en el que se hubiese concretado la reducción finalmente elegida.

La doctrina, con toda la razón, no ha alabado precisamente esta reserva de capitalización, considerándola como un mecanismo discreto o de perfil muy bajo en cuanto al objetivo que dice perseguir:

> "Si el objetivo de la reserva de capitalización es conseguir la neutralidad tributaria de las distintas fuentes de financiación empresarial, tal y como señala la exposición de motivos de la Ley 27/2014, se ha de convenir que en el mejor de los casos solo se logra dicho efecto de un modo muy limitado. Se ha puesto de manifiesto la existencia de modelos teóricos y de ordenamientos jurídicos en los que es posible deducir el coste de oportunidad del capital. Sin embargo, la base de la reducción del artículo 25 de la LIS solo tiene en cuenta el incremento de los fondos propios experimentado en el período, del que se excluyen numerosos conceptos que forman parte de los mismos, lo que impide que a través de dicho mecanismo se elimine de la base imponible el rendimiento normal de la inversión financiada con fondos propios. Para ello, la base de la reducción debería ser mucho más amplia de lo que permite el artículo 25. 2 de la LIS, pues tendría que alcanzar a la totalidad de los fondos propios de la entidad. Además, el tipo también tendría que ser menor, pues debería aproximarse al tipo de interés de la deuda pública del Estado a medio o largo plazo. Por todo ello, no se puede con-

---

sobre Sociedades: las reservas de capitalización y nivelación", op. cit. pag. 144, se preguntan el modo adecuado de cumplir con los requisitos que la reserva comporta cuando la insuficiencia de base imponible impida aplicar en un período la totalidad de la reducción que se haya determinado en atención al incremento de los fondos propios: "*En esta situación habría que determinar, en primer lugar, desde cuándo debe computarse el plazo de cinco años en el que debe mantenerse el incremento de los fondos propios. En la medida en que el derecho a aplicar la reducción se origina en el período en el que se incrementan los fondos propios, debería considerarse que el plazo de cinco años debe contarse desde el final de ese período. Si, finalmente, en el plazo de dos años no es posible aplicar la minoración de la base imponible por insuficiencia de la base en los periodos, decae la obligación de mantener el incremento de los fondos propios en la parte que corresponda con la reducción que no se haya aplicado a su finalidad. En segundo término, habría que determinar cuándo debe dotarse la reserva indisponible a la que hace referencia el artículo 25. 1. B) de la LIS. Podría considerarse que la reserva debiera dotarse en el mismo período en el que se haya producido el incremento de los fondos propios o bien en el periodo en el que, dentro de los dos años siguientes, pueda aplicarse la reducción. Nos decantamos por esta segunda opción pues la dotación de la reserva es un requisito ligado a la práctica efectiva de la reducción en la base imponible*".

siderar que la reserva de capitalización suponga el reconocimiento de la deducibilidad de los "intereses nocionales". Las consideraciones anteriores reafirman nuestra tesis de que con esta norma no se pretende conseguir la neutralidad de las fuentes de financiación, pues, como se ha señalado, el modo en que se calcula su importe no permite deducir el coste de oportunidad del capital. Tal y como se indicaba al analizar los objetivos de esta reserva, la norma introduce un beneficio fiscal para tratar de favorecer la capitalización empresarial, con el propósito de disminuir el endeudamiento de las empresas. Para ello, se incentiva que una parte de los beneficios se mantenga en los fondos propios de la entidad y no se reparta a los socios. En la práctica, teniendo en cuenta que la reserva de capitalización solo hace referencia a los beneficios del año anterior que incrementen los fondos propios de la entidad, los efectos que produce son equiparables a una reducción del tipo de gravamen sobre los beneficios que no se repartan a los socios. En efecto, si se aplican los límites máximos de reducción en la base imponible, la reserva de capitalización puede dar lugar a un efecto equivalente a una reducción del tipo de gravamen de 2, 5 puntos porcentuales. Así en la medida en que se trata de un incentivo de carácter definitivo, siempre que no se incumplan en los períodos posteriores los requisitos que establece la normativa. Esta conclusión, a nuestro juicio, es relevante en tanto que, en cierto modo, supone recuperar la propuesta realizada en el Informe para la reforma del Impuesto sobre Sociedades de 1994 de establecer un tipo de gravamen diferente para el beneficio no distribuido respecto del distribuido, idea que se descartó en aquel momento porque se consideró que era contraria al principio de neutralidad. En cualquier caso, también la repercusión que esta medida puede tener sobre la capitalización de las empresas es moderada, dadas las exclusiones que el artículo 25. 2 de la LIS realiza. De hecho, esta norma no permite atraer nueva inversión para las sociedades, pues, por ejemplo, las aportaciones de los socios o las ampliaciones de capital por compensación de créditos, entre otros conceptos, se excluyen de la base de la reducción. En este sentido, el artículo 25 de la LIS no permite cumplir uno de los objetivos fundamentales de las legislaciones que permiten la deducción del interés nocional, como es tratar de que las sociedades nacionales sean más atractivas para la inversión de capital y, en particular, para la inversión extranjera. Además, como consecuencia de que la ventaja fiscal está conectada a que los beneficios no se distribuyan a los socios, se puede desincentivar aún más la inversión en sociedades que lleven este tipo de política respecto a la aplicación del resultado, por lo que este incentivo fiscal puede tener finalmente un efecto perverso en relación con el objetivo de la capitalización empresarial"[213].

---

[213] MALVAREZ PASCUAL, L. M. y MARTÍN ZAMORA M. P. "Las nuevas reducciones de la base imponible en el Impuesto sobre Sociedades: las reservas de capitalización y nivelación", op. cit. pag. 148.

Artículo 26
Compensación de bases imponibles negativas

J. Andrés Sánchez Pedroche

Catedrático de Derecho Financiero y Tributario
Universidad a Distancia de Madrid. Abogado

"1. Las bases imponibles negativas que hayan sido objeto de liquidación o autoliquidación podrán ser compensadas con las rentas positivas de los períodos impositivos siguientes con el límite del 70 por ciento de la base imponible previa a la aplicación de la reserva de capitalización establecida en el artículo 25 de esta Ley y a su compensación.

En todo caso, se podrán compensar en el período impositivo bases imponibles negativas hasta el importe de 1 millón de euros.

La limitación a la compensación de bases imponibles negativas no resultará de aplicación en el importe de las rentas correspondientes a quitas o esperas consecuencia de un acuerdo con los acreedores del contribuyente. Las bases imponibles negativas que sean objeto de compensación con dichas rentas no se tendrán en consideración respecto del importe de 1 millón de euros a que se refiere el párrafo anterior.

El límite previsto en este apartado no se aplicará en el período impositivo en que se produzca la extinción de la entidad, salvo que la misma sea consecuencia de una operación de reestructuración a la que resulte de aplicación el régimen fiscal especial establecido en el Capítulo VII del Título VII de esta Ley.

2. Si el período impositivo tuviera una duración inferior al año, las bases imponibles negativas que podrán ser objeto de compensación en el período impositivo, en los términos establecidos en el segundo párrafo del apartado anterior, serán el resultado de multiplicar 1 millón de euros por la proporción existente entre la duración del período impositivo respecto del año.

3. El límite establecido en el primer párrafo del apartado 1 de este artículo no resultará de aplicación en el caso de entidades de nueva creación a que se refiere el artículo 29.1 de esta Ley, en los 3 primeros períodos impositivos en que se genere una base imponible positiva previa a su compensación.

4. No podrán ser objeto de compensación las bases imponibles negativas cuando concurran las siguientes circunstancias:

a) La mayoría del capital social o de los derechos a participar en los resultados de la entidad que hubiere sido adquirida por una persona o entidad o por un conjunto de personas o entidades vinculadas, con posterioridad a la conclusión del período impositivo al que corresponde la base imponible negativa.

b) Las personas o entidades a que se refiere el párrafo anterior hubieran tenido una participación inferior al 25 por ciento en el mo-

mento de la conclusión del período impositivo al que corresponde la base imponible negativa.

c) La entidad adquirida se encuentre en alguna de las siguientes circunstancias:

1.º No viniera realizando actividad económica alguna dentro de los 3 meses anteriores a la adquisición;

2.º Realizara una actividad económica en los 2 años posteriores a la adquisición diferente o adicional a la realizada con anterioridad, que determinara, en sí misma, un importe neto de la cifra de negocios en esos años posteriores superior al 50 por ciento del importe medio de la cifra de negocios de la entidad correspondiente a los 2 años anteriores. Se entenderá por actividad diferente o adicional aquella que tenga asignado diferente grupo a la realizada con anterioridad, en la Clasificación Nacional de Actividades Económicas.

3.º Se trate de una entidad patrimonial en los términos establecidos en el apartado 2 del artículo 5 de esta Ley.

4.º La entidad haya sido dada de baja en el índice de entidades por aplicación de lo dispuesto en la letra b) del apartado 1 del artículo 119 de esta Ley.

5. El derecho de la Administración para iniciar el procedimiento de comprobación de las bases imponibles negativas compensadas o pendientes de compensación prescribirá a los 10 años a contar desde el día siguiente a aquel en que finalice el plazo establecido para presentar la declaración o autoliquidación correspondiente al período impositivo en que se generó el derecho a su compensación.

Transcurrido dicho plazo, el contribuyente deberá acreditar las bases imponibles negativas cuya compensación pretenda mediante la exhibición de la liquidación o autoliquidación y la contabilidad, con acreditación de su depósito durante el citado plazo en el Registro Mercantil".

Disposición Adicional décima. Facultades de comprobación de la Administración tributaria.

"Lo dispuesto en los apartados 5 del artículo 26, 7 del artículo 31, 8 del artículo 32, 6 del artículo 39 y 2 del artículo 120 de esta Ley, resultará de aplicación en los procedimientos de comprobación e investigación ya iniciados a la entrada en vigor de la misma en los que, a dicha fecha, no se hubiese formalizado propuesta de liquidación".

Disposición Adicional decimoquinta. Límites aplicables a las grandes empresas en períodos impositivos iniciados a partir de 1 de enero de 2016[214].

"Los contribuyentes cuyo importe neto de la cifra de negocios sea al menos de 20 millones de euros durante los 12 meses anteriores a la

---

[214]   Esta DA 15ª fue introducida por el art. 3 Primero Dos del RDL 3/2016, de 2 de diciembre, por el que se adoptaban medidas en el ámbito tributario dirigidas a la consolidación de las finanzas públicas y otras medidas urgentes en materia social, con efectos para los períodos impositivos iniciados a partir de 1 de enero de 2016, tal y como reza su propio título.

fecha en que se inicie el período impositivo, aplicarán las siguientes especialidades:

1. Los límites establecidos en el apartado 12 del artículo 11, en el primer párrafo del apartado 1 del artículo 26, en la letra e) del apartado 1 del artículo 62 y en las letras d) y e) del artículo 67, de esta Ley se sustituirán por los siguientes:

    – El 50 por ciento, cuando en los referidos 12 meses el importe neto de la cifra de negocios sea al menos de 20 millones de euros pero inferior a 60 millones de euros.

    – El 25 por ciento, cuando en los referidos 12 meses el importe neto de la cifra de negocios sea al menos de 60 millones de euros.

2. El importe de las deducciones para evitar la doble imposición internacional previstas en los artículos 31, 32 y apartado 11 del artículo 100, así como el de aquellas deducciones para evitar la doble imposición a que se refiere la disposición transitoria vigésima tercera, de esta Ley, no podrá exceder conjuntamente del 50 por ciento de la cuota íntegra del contribuyente.»

Disposición Transitoria trigésima sexta. Límite en la compensación de bases imponibles negativas y activos por impuesto diferido para el año 2016[215].

"Con efectos para los períodos impositivos que se inicien en el año 2016, para aquellos contribuyentes a los que no resulte aplicable la disposición adicional decimoquinta de esta Ley, los límites establecidos en el apartado 12 del artículo 11, en el primer párrafo del apartado 1 del artículo 26, en la letra e) del apartado 1 del artículo 62 y en las letras d) y e) del artículo 67, de esta Ley serán del 60 por ciento, en los términos establecidos, respectivamente, en los citados preceptos."

SUMARIO: 1. PLAZO, CONDICIONES Y LIMITES PARA LA COMPENSACIÓN. LAS PREVISIONES CONTENIDAS EN EL RDL 3/2016, DE 2 DE DICIEMBRE, PARA GRANDES EMPRESAS. 2. PROHIBICIÓN DE COMPENSACIÓN DE BASES IMPONIBLES NEGATIVAS. 3. COMPROBACIÓN E INVESTIGACIÓN DE BASES IMPONIBLES NEGATIVAS. 3.1. Introducción. 3.2. Los cambios producidos en la LGT como consecuencia de una doctrina jurisprudencial dispar. 3.3. La regulación tras la reforma operada tanto en la LGT como en la LIS y los problemas de su posible inconstitucionalidad.

---

[215] Esta DT 36ª fue modificada por en su redacción por el art. 3 Primero Tres del RDL 3/2016, de 2 de diciembre, por el que se adoptaban medidas en el ámbito tributario dirigidas a la consolidación de las finanzas públicas y otras medidas urgentes en materia social, con efectos para los períodos impositivos iniciados a partir de 1 de enero de 2016.

1. PLAZO, CONDICIONES Y LIMITES PARA LA COMPENSACIÓN. LAS PREVISIONES CONTENIDAS EN EL RDL 3/2016, DE 2 DE DICIEMBRE, PARA GRANDES EMPRESAS

La LIS/2014, al igual que hacían sus antecesoras, establece el derecho a la compensación de las bases imponibles negativas obtenidas exclusivamente con las rentas positivas de los ejercicios impositivos siguientes, con independencia incluso de que la entidad desarrolle o no actividades económicas (las entidades patrimoniales puede gozar de este derecho siempre que no concurra en ellas alguna circunstancia excluyente de la compensación)[216]. Ese derecho de la entidad es ejercitable aunque provenga exclusivamente de ajustes fiscales y puede generar la devolución de la totalidad de las retenciones e ingresos a cuenta

---

[216] Con la denominación de base imponible negativa (BIN) la normativa alude al importe negativo resultante de aplicar al resultado contable los ajustes positivos y negativos derivados de la aplicación de los preceptos legales establecidos en la LIS. En otros ordenamientos jurídicos, esa compensación es posible con bases imponibles positivas obtenidas por la entidad en ejercicios anteriores, es decir, en el pasado, articulándose así una suerte de devolución de impuestos. Con carácter general, la diferencia en la aplicación de la compensación de bases imponibles negativas (BINS) entre los distintos ordenamientos tributarios nacionales radica en la existencia o no de un plazo determinado de ejercicio de la compensación y en la aplicación de la misma únicamente con las bases o rentas positivas de los ejercicios futuros (carry forward) o también, y a elección del sujeto, con las de los ejercicios pasados (carry back). Sobre el tratamiento fiscal de las pérdidas que las BINS representan y la preocupación existente sobre esta materia, así como los esquemas utilizados en diferentes países de manera fraudulenta o abusiva para beneficiarse así de la disminución impositiva que comporta la compensación de pérdidas y las propuestas de medidas tendentes a la evitación de esos esquemas, vid. el informe de la OCDE de 2011 [(OECD (2011) Corporate loss utilisation through Agressive Tax Planning, OECD Publishing)]. Vid. FALCON Y TELLA, R. La prescripción en materia tributaria, La Ley 1990, passim y "Prescripción de tributos y sanciones" Civitas, Revista Española de Derecho Financiero, núm. 98, 1998, pag. 204 y ss.; MARTIN FERNÁNDEZ, J. y GRAU RUIZ, A. "El tratamiento de las pérdidas en el Impuesto sobre Sociedades", Carta Tributaria núm. 309/1999, pag. 1 y ss.; ALVAREZ GARCÍA, S. y ROMERO JORDÁN, D. "Líneas de reforma del Impuesto sobre Sociedades en el contexto de la Unión Europea", Documentos Doc nº 13/02, IEF Madrid, 2002, pags. 8 y ss.; TRIGO Y SIERRE, L. F. "El ejercicio de la potestad comprobadora de la Administración con relación a las bases imponibles negativas del Impuesto sobre Sociedades", QF nº 17, octubre de 2000, pag. 19 y ss.; DURAN-SINDREU BUXADÉ, A. "La compensación de bases imponibles negativas en el Impuesto sobre Sociedades", Manual del Impuesto sobre Sociedades, Instituto de Estudios Fiscales, Madrid, 2005, pags. 509 y ss.; SANZ GADEA E. "Compensación de bases imponibles negativas", Revista de Contabilidad y Tributación, CEF núm. 192, 1999, pags. 15 y ss.; COLMENAR VALDES, S. "La compensación de bases imponibles negativas en el Impuesto sobre Sociedades", Impuestos, Tomo II, 1997, pag. 107 y ss.; PASCUAL PEDREÑO, E. "La compensación de pérdidas de ejercicios anteriores en el Impuesto sobre Sociedades", Impuestos, Tomo II, año 1999, pag. 141 y ss. MONTESINOS OLTRA, S. La compensación de bases imponibles negativas, Aranzadi, Pamplona, 2000, passim.

soportados o de los pagos fraccionados efectuados en el ejercicio impositivo[217]. En un primer momento, tanto la regulación contenida en la LIS/1995 (Ley 43/1995) como en la propia LGT no generaron mayores problemas respecto al derecho a comprobar e investigar operaciones realizadas en períodos prescritos que producen efectos en otros no prescritos. La razón era muy sencilla, toda vez que el período de prescripción y el plazo de compensación eran absolutamente coincidentes (5 años); sin embargo, paulatinamente la cuestión se fue complicando en la misma medida en que dicho plazo empezó a divergir. Así, a partir de 1-1-1999, se introdujo en la Ley 43/1995 un nuevo apartado en el que se establecía la necesidad de que el sujeto pasivo acreditara mediante la exhibición de la contabilidad y el resto de soportes documentales, la procedencia y cuantía de las BINS cuya compensación se pretendiera, cualquiera que fuese el período impositivo en el que se originaron[218]. Con posterioridad, tal obligación se extendió (1/1/2002) a la presentación y exhibición de la liquidación y autoliquidación (además de la contabilidad y el resto de soportes documentales)[219].

Todo ello traía causa de las modificaciones operadas en el plazo de compensación de las propias BINS que pasaron de los 5 años iniciales a períodos más amplios: hasta 7 años desde el 1/1/1996 (Ley 43/1995); 10 años desde el 1/1/1999 (Ley 40/1998); 15 años desde el 1/1/2002 (Ley 24/2001); 18 años desde 1/1/2012 (RDL 9/2011) hasta el momento presente en el que el plazo de compensación es indefinido.

En la actualidad, por lo tanto, el art. 26 no establece ningún plazo máximo para el ejercicio del derecho de compensación de BINS, que podrán efectuarse con rentas positivas de períodos impositivos futuros sin ningún límite temporal[220]. Otra cosa es que el sujeto pasivo opte o no por la compensación en función del coste de oportunidad o la mayor eficiencia fiscal de otras alternativas, tales como deducciones de cuota pendientes a punto de vencer y donde podría ser mucho más eficiente aplicar dichas deducciones que no compensar esas BINS[221].

---

[217] En ocasiones, la entidad puede obtener resultados positivos que con posterioridad y como consecuencia de ajustes extracontables, generan bases imponibles negativas con derecho a la compensación (y pese a la inexistencia de pérdidas contables, en la misma medida en que resultados contables negativos pueden arrojar una base imponible positiva).

[218] Art. 23. 5 Ley 43/1995 en la redacción otorgada por la Ley 40/1998.

[219] Art. 23. 5 Ley 43/1995 en la redacción otorgada por la Ley 24/2001.

[220] La DT 21ª regula la posibilidad de compensar bases imponibles negativas obtenidas en períodos anteriores, tras la derogación de un plazo máximo para tal fin. La regla general es que las bases imponibles negativas pendientes de compensación en el momento de la entrada en vigor de la LIS/2014 pueden ser compensadas en el futuro sin ninguna limitación temporal.

[221] También conviene recordar que en determinados regímenes (como la declaración consolidada, los establecimientos permanentes, las fusiones, escisiones y aportaciones de ramas de actividad, las sociedades cooperativas o la investigación y explotación de hidrocarburos) la compensación de BINS puede presentar peculiaridades propias y específicas.

Para ejercitar esta compensación se exige que las BINS hayan sido reflejadas en la correspondiente liquidación o autoliquidación (aunque fuese extemporánea y mereciera las sanciones establecidas por el art. 198 LGT; lógicamente también podrían compensarse las BINS cuando la Administración dictara liquidación provisional o definitiva que las reconociera expresamente[222]). De lo que acaba de señalarse, y por lo mismo, huelga insistir en que dicho derecho legal a la compensación reviste un carácter provisional, hasta tanto la Administración no revise o compruebe esas autoliquidaciones o no opere por completo la prescripción.

Aun cuando, como ya hemos señalado, no existe un límite temporal en el ejercicio del derecho a la compensación, si lo hay en cuanto a la compensación misma, con el fin de evitar que la base imponible del período impositivo sea nula. De esta forma podría ocurrir que la base imponible a declarar fuese positiva, aunque el sujeto pasivo tenga BINS pendientes a aplicar por importe igual o superior a la propia base imponible declarada. Así, el importe de la compensación con las rentas positivas de los períodos siguientes se limita al 70% (60% para periodos impositivos iniciados en 2016[223]) de la base imponible previa a la aplicación de la reserva de capitalización y a la propia compensación de las BINS. Por ello, en los casos de que las BINS excedan del referido límite, éste operará como importe máximo y el resto, es decir, el exceso, quedará pendiente de aplicación en los períodos impositivos siguientes. Lógicamente, si la entidad también tuviese gastos pendientes de deducir (art. 11. 12 LIS), dichos gastos habrían de integrarse en el cálculo de la base imponible previa sobre la que girar ese porcentaje del 70 o 60% como límite de la deducción[224].

---

[222]   En tal caso y si como consecuencia de las actuaciones inspectoras se produjese el incremento de la base imponible declarada por la entidad contribuyente, y se tuviese derecho a compensar BINS de ejercicios anteriores, debe darse audiencia del sujeto pasivo para que manifieste la manera concreta en la que quiere ejercitar su derecho a la compensación (Resolución del TEAC de 25 de noviembre de 2005).

[223]   Vid. DT 36ª LIS en su redacción dada por la Ley 36/2014 de Presupuestos Generales del Estado para el año 2015.

[224]   No obstante, para períodos iniciados dentro del ejercicio 2014, la normativa vigente con anterioridad a la promulgación de la Ley 27/2014 establecía algunas reglas concretas: a) Volumen de operaciones igual o inferior a 6.010.121,04 euros. En este caso, si en los 12 meses anteriores al inicio de los períodos impositivos comenzados dentro del año 2014, el volumen de operaciones de la mercantil no había superado dicha cantidad, calculada según los criterios establecidos por la LIVA (art. 121), no existía ninguna limitación a la compensación de las BINS pendientes en ejercicios anteriores; b) Volumen de operaciones superior a 6. 010. 121, 04 euros. En tal caso, si en los 12 meses anteriores al inicio de los períodos impositivos comenzados dentro del año 2014, el volumen de operaciones de la entidad había superado dicha cantidad, a su vez había que considerar el importe neto de la cifra de negocios que la mercantil hubiese obtenido en esos 12 meses anteriores al inicio de dichos períodos impositivos. Si el importe era inferior a 20 millones de euros: no existía ninguna limitación a la compensación de BINS y por ello, la renta positiva generada en esos ejercicios

No obstante, existen algunas excepciones a la limitación de la compensación de BINS, es decir, supuestos en los que no se aplica limitación alguna a la compensación que, por lo mismo, puede ser plena, siempre que la base imponible previa a esa compensación de la BIN sea superior a esta última:

– Importe mínimo de un millón de euros.

– Quitas y esperas.

– Extinción de la entidad.

– Entidades de nueva creación.

– Reversión de deterioros.

Por lo que se refiere a lo primero, es decir el importe mínimo del millón de euros, la norma establece que pueden compensarse en todo caso, BINS hasta el millón de euros. Por lo tanto, hasta ese umbral cuantitativo, no existe limitación alguna para la compensación. Únicamente en el caso de que pretenda compensarse más de esa cantidad entrará en juego la limitación apuntada del 60 o 70% de la base imponible previa a la aplicación de la reserva de capitalización y a la compensación de BINS[225].

En lo atinente a las quitas y esperas reguladas en la Ley 22/2003 o procedentes de cualquier otro acuerdo con los acreedores ajeno al procedimiento concursal, y con independencia de que exista o no vinculación entre el sujeto pasivo y los acreedores, la limitación a la compensación de BINS no resultará de aplicación en el importe de las rentas correspondientes a dichas quitas y esperas provenientes de un acuerdo con los acreedores del contribuyente. En este caso, además, las BINS que sean objeto de compensación con dichas rentas no computarán respecto del importe de 1 millón de euros de BINS que pueden compensarse. Esto equivale a decir que en los casos de quitas y esperas el importe de las BINS que pueden compensarse sin limitación no será de 1 millón de euros, sino de 1 millón de euros más el importe del ingreso correspondiente al acuerdo de la quita y espera del contribuyente con sus respectivos acreedores[226].

---

iniciados dentro del año 2014 podía ser compensada con la totalidad de las BINS pendientes de aplicación en períodos anteriores. Si el importe era de al menos 20 millones, pero inferior a 60 millones de euros: la compensación de las BINS se hallaba limitada al 50% de la base imponible del período previa a dicha compensación. Si el importe era de al menos 60 millones de euros: el importe máximo de compensación de las BINS se limitaba al 25% de la base imponible previa a dicha compensación.

[225] Si el período impositivo tiene una duración inferior al año, el importe mínimo de la BIN mínima que puede compensarse en el ejercicio impositivo es el resultado de multiplicar el millón de euros por la proporción existente entre la duración del período impositivo respecto del año.

[226] A este respecto, LOPEZ SANTACRUZ, J. A. op. ult. cit. pag. 247, realiza las siguientes precisiones: *"De acuerdo con los criterios contables (ICAC consulta núm. 1, BOICAC núm. 76), la contabilización del efecto de la aprobación del convenio con los acreedores*

También se excluye de toda limitación a la compensación de BINS el ejercicio impositivo en el que tenga lugar la extinción de la sociedad, cualquiera que fuese la causa que la motive. En dicho período sería por tanto compensable la totalidad de las BINS pendientes de aplicación, siempre, claro está, que la renta correspondiente al período impositivo que finaliza con la extinción de la sociedad, fuese al menos de igual importe que dichas BINS (teniendo en cuenta que la compensación futura ya no sería posible, atendida la desaparición jurídica de la entidad). No ocurriría así, sin embargo, si la extinción de la entidad fuese el resultado de una operación de reorganización empresarial acogida al régimen fiscal especial (fusión o escisión total), toda vez que la entidad absorbente o

---

se ha de reflejar en las cuentas anuales del ejercicio en que se apruebe judicialmente, siempre que de forma racional se prevea su cumplimiento y que la empresa pueda seguir aplicando el principio de empresa en funcionamiento. Por tanto, aun cuando no exista convenio de acreedores, la aprobación de una quita, en el caso de la entidad deudora, determina la existencia de una renta positiva en el momento de su aprobación, consecuencia de la reducción de su pasivo, de forma que esta renta positiva no se vería afectada por la limitación de la compensación de bases imponibles negativas pendientes. Tratándose de ingresos derivados de quitas o esperas acordadas con los acreedores que no sean consecuencia de la aplicación de la L 22/2003, el ingreso que corresponde a la quita se devenga y se integra en la base imponible en la que tiene efectos dicho acuerdo, sin perjuicio de que esa renta no se vea afectada por la limitación a la compensación de bases imponibles negativas. Por el contrario, caso de ingresos derivados de quitas o esperas acordadas con los acreedores que sean consecuencia de la aplicación del L22/2003, el ingreso que corresponde a la quita o espera se integra en períodos impositivos posteriores a medida en que se generan gastos financieros de la misma deuda, con la particularidad de que esa renta integrada tampoco se ve afectada por la limitación a la compensación de bases imponibles negativas en el caso de que haya todavía pendientes en esos períodos impositivos posteriores. Si además de existir rentas positivas procedentes de quitas y esperas, quedan base imponibles negativas pendientes, dichas rentas han de ser compensadas sin límite alguno con éstas, de manera que el resto de la renta positiva del ejercicio y de la base imponible negativa pendiente van a estar sujetas a la limitación del 70%. La particularidad adicional en este caso hace referencia a que el importe de la base imponible compensada con las rentas procedentes de la quita o espera no va a ser tenida en consideración a efectos de aplicar el límite mínimo de la base imponible negativa que puede compensarse en todo caso. La exclusión del límite de la compensación de bases imponibles negativas respecto de las rentas correspondientes a quitas o esperas, exige que se den las condiciones para que deba reconocerse un ingreso contable. Por tanto, tratándose de una quita acordada con una entidad vinculada, debe tenerse en cuenta los criterios manifestados por el ICAC sobre el registro contable de las operaciones de condonación de créditos/débitos entre entidades integrantes de un grupo mercantil. Así, si el acreedor tuviese, por ejemplo, la totalidad del capital del deudor, una quita en el importe del crédito no parece que deba registrarse como un ingreso en el deudor, sino, más bien, como una aportación a los fondos propios de este último realizada por el acreedor. Por el contrario, si existiese una vinculación entre ambos y el acuerdo de la quita afectase por igual a todos los acreedores, el deudor debería reconocer un ingreso por la totalidad de la quita, incluida la correspondientes al acreedor vinculado (ICAC Consulta núm. 4 BOICAC núm. 79)".

beneficiaria se subrogaría en los derechos y obligaciones fiscales de la sociedad extinguida, y en particular en sus BINS[227].

En lo relativo a las entidades de nueva creación, el límite del 70% tampoco resulta de aplicación en los tres primeros períodos impositivos. Además de gozar de otros incentivos, especialmente un tipo de gravamen reducido al 15%, el legislador ha querido también no establecer límite a la compensación en los tres primeros períodos impositivos en que se genere una base imponible positiva previa a su compensación. Dicho de otra manera, las entidades de nueva creación no tienen limitación alguna durante sus primeros tres ejercicios en los que generen bases imponibles positivas para compensar las BINS anteriores[228]. No se entiende iniciada nueva actividad económica a los efectos anteriores en determinados supuestos:

a) Cuando la actividad económica ya hubiera sido realizada previamente por otras personas o entidades vinculadas en el sentido señalado por el art. 18 LIS y transmitida por cualquier título jurídico a la entidad de nueva creación.

---

[227] Fuera de estos casos, el derecho a la compensación sólo puede ejercerse por la entidad que lo generó, resultando intransmisible a terceros, como señala tanto la DGT, en Consulta de 24 de octubre de 1997, como el TEAC, en Resolución de 25 de septiembre de 2008, para unificación de criterio. Conviene no olvidar tampoco que la modificación del objeto social de una entidad, sin cambio de personalidad jurídica, no supone obstáculo para la compensación de BINS de ejercicios anteriores (Consulta DGT 8 de septiembre de 1999)

[228] Otra cosa es que, tal y como señala LOPEZ SANTACRUZ, J. A. op. ult. cit. pag. 250 *"lo razonable será que estas entidades no compensen tales bases imponibles negativas en los dos primeros períodos impositivos en los que su base imponible sea positiva, dado que en estos períodos el tipo de gravamen es del 15% y, por tanto, es más eficiente no compensar ningún importe de las bases imponibles negativas pendientes y aplazar tal compensación a partir del tercer período en el que la bases imponible previa sea positiva, por cuanto que en estos períodos el tipo de gravamen es del 25%, es decir, se consigue una menor tributación en el conjunto de todos estos períodos impositivos"*. El propio autor realiza algunas otras precisiones con respecto a la inexistencia de límites a la compensación de BINS para entidades de nueva creación: *"La aplicación práctica de la no limitación a la compensación de bases imponibles negativas se limita al supuesto en que las bases imponibles negativas se generen en los ejercicios posteriores a la creación de la entidad y las bases imponibles positivas en los ejercicios inmediatos siguientes. Por el contrario, si de la secuencia en que se obtienen las rentas se determina que en los primeros períodos impositivos van a ser generadas bases imponibles positivas y las negativas se van a manifestar en los períodos impositivos siguientes, es posible que no tenga efectos la exclusión a la limitación de la compensación de bases imponibles negativas cuando dichas bases imponibles negativas se generen con posterioridad a los tres períodos impositivos en que se generen bases imponibles positivas. La exclusión a la limitación de la compensación solo es aplicable a los tres primeros períodos impositivos en los que se han generado bases imponibles positivas, debiéndose computar dicho plazo desde la constitución de la entidad. La no aplicación de la limitación a la compensación de bases imponibles negativas es aplicable incluso a las entidades de nueva creación constituidas entre el 1-1-2013 y el 31-13-2014, respecto de los períodos impositivos iniciados a partir de 1-1-2015 en los que se cumplan las condiciones establecidas en el art. 26 LIS".*

b) Cuando la actividad económica hubiera sido ejercida durante el año anterior a la constitución de la entidad por una persona física que ostentase una participación directa o indirecta en el capital o en los fondos propios de la entidad de nueva creación superior al 50%.

c) Cuando la entidad de nueva creación forme parte de un grupo en los términos establecidos en el art. 42 del Ccom., con independencia de la residencia y de la obligación de formular cuentas anuales consolidadas.

Por fin, en lo atinente a la reversión de deterioros, conviene recordar que para el caso de participaciones en el capital de entidades no cotizadas y en los períodos iniciados antes del 1-1-2013, se permitía deducir de la base imponible la diferencia positiva de los fondos propios de inicio y cierre del ejercicio de la entidad participada, con la única condición de que el deterioro de esas participaciones constase registrado como gasto contable[229]. Pues bien, el límite del 60 ó 70% a la compensación de BINS no resulta aplicable en este caso, siempre que las pérdidas por deterioro deducidas durante el ejercicio impositivo en que se generaron las BINS que se pretenden compensar hubieran representado, al menos, el 90% de los gastos deducibles de dicho período[230].

El RDL 3/2016, de 2 de diciembre, por el que se adoptan medidas en el ámbito tributario dirigidas a la consolidación de las finanzas públicas y otras medidas urgentes en materia social, ha establecido nuevos límites para la compensación de BINS en el caso de grandes empresas. Efectivamente, con efectos para los períodos impositivos iniciados a partir de enero de 2016, el referido RDL añade a la LIS una Disposición Adicional Decimoquinta por la que se amplía la limitación para compensar las BINS de ejercicios anteriores. Tal medida resulta de aplicación exclusiva para grandes empresas, es decir, para todas aquellas con un importe neto de la cifra de negocios de al menos 20 millones de euros durante los doce meses anteriores a la fecha de iniciación del período impositivo y consiste en una limitación a la compensación de las bases imponibles previas con BINS de ejercicios anteriores del 50% del importe de las primeras, que será del 25% cuando el importe neto de la cifra de negocios sea al menos de 60 millones de euros. Como ya hemos señalado con anterioridad, desde el año 2011, la cuantía de la compensación de las BINS se venía limitando porcentualmente en función del importe neto de la cifra de negocios, y en contrapartida se eliminaba el límite temporal para la compensación. Pero para entender debidamente los cambios que las previsiones contenidas en el RDL comportan, conviene que nos remontemos un tanto en el tiempo.

---

[229] Vid. DT 16ª 7. LIS.

[230] Para el caso de que la entidad tuviera BINS generadas en varios períodos iniciados con anterioridad a 1-1-2013, este requisito podría cumplirse mediante el cómputo agregado del conjunto de los gastos deducibles de dichos períodos impositivos. BLASCO MERINO, J. "La Ley 27/2014: modificaciones introducidas en el IS", op. cit. pag. 58.

A las grandes empresas (definidas como aquellas cuyo importe neto de la cifra de negocios fuese al menos de 20 millones de euros durante los 12 meses anteriores a la fecha en que se inicie el período impositivo y cuyo volumen de operaciones a efectos del IVA hubiese sido superior a 6.010.121, 04 euros en el mismo período), desde 2012 y para períodos impositivos iniciados a partir de enero de 2015, ya se les aplicaba una regla especial más limitativa en cuanto a la compensación de sus BINS:

– Aquellas empresas con un importe neto de la cifra de negocios igual o superior a 60 millones de euros, limitaban su capacidad de compensación de las BINS al 25% de la base imponible previa a la aplicación de la reserva de capitalización.

– Aquellas empresas con un importe neto de la cifra de negocios entre 20 y 60 millones, el límite era del 50%.

Pues bien, el RDL 3/2016, de 2 de diciembre, lo que hace es convertir en permanente la aplicación de estas medidas para estas grandes empresas, extendiéndolas a los períodos impositivos iniciados a partir de 1 de enero de 2016, y tanto para el régimen individual de tributación, como para el caso de los grupos consolidados[231]. Estas previsiones del RDL se extienden también a las entidades que, cumpliendo el referido importe neto de cifra de negocios, tengan a su vez un volumen de operaciones a efectos del IVA no superior a 6.010.121, 04 euros. Con tales previsiones, se garantiza una recaudación del IS de, al menos, el 12,5% o el 18,75% de las bases imponibles positivas previas de 2016 de las grandes empresas, retrasando así en el tiempo su capacidad de compensar el crédito fiscal representado por las BINS. La medida, que tiene sin duda un componente recaudatorio inmediato, supone sin embargo el alejamiento de nuestro país del resto de los países de nuestro entorno[232].

Así, el RDL viene a modificar el porcentaje de compensación de las BINS estableciendo los siguientes límites:

– Para empresas cuyo importe neto de la cifra de negocios del ejercicio anterior sea inferior a 20.000.000 de euros:

---

[231]   Recordemos que la DT 34ª de la Ley 27/2014, para los períodos impositivos iniciados dentro de 2015, estableció la no aplicación del límite del 70% y, en su lugar, introdujo otro, más riguroso, escalonado en función del volumen de operaciones de las entidades, de conformidad con lo establecido por el art. 121 de la LIVA. A su vez, la DT 36ª para los períodos impositivos iniciados en 2016, redujo al 60% el límite previsto en el primer párrafo del apartado 1 del art. 26.

[232]   El límite del porcentaje de base imponible previa que como máximo se puede compensar, bajo determinados requisitos es en Alemania de un 60%, en Portugal de un 70%, en Austria de un 75%, llegando en el caso de Italia al 80%.

- En el año 2016 podrán compensar BINS en el 60% de la base imponible previa a la aplicación de la reserva de capitalización y a la propia compensación de BINS (sin limitación hasta 1.000.000 de euros).

- En el año 2017 podrán compensar BINS en el 60% de la base imponible previa a la aplicación de la reserva de capitalización y a la propia compensación de BINS (sin limitación hasta 1.000.000 de euros).

– Para empresas cuyo importe neto de la cifra de negocios del ejercicio anterior sea entre 20.000.000 y 60.000.000 de euros:

- En el año 2016 podrán compensar BINS en el 50% de la base imponible previa a la aplicación de la reserva de capitalización y a la propia compensación de BINS (sin limitación hasta 1.000.000 de euros).

- En el año 2017 podrán compensar BINS en el 50% de la base mponible previa a la aplicación de la reserva de capitalización y a la propia compensación de BINS (sin limitación hasta 1.000.000 de euros).

– Para empresas cuyo importe neto de la cifra de negocios del ejercicio anterior sea igual o superior a 60.000.000 de euros:

- En el año 2016 podrán compensar BINS en el 25% de la base imponible previa a la aplicación de la reserva de capitalización y a la propia compensación de BINS (sin limitación hasta 1.000.000 de euros).

- En el año 2017 podrán compensar BINS en el 25% de la base imponible previa a la aplicación de la reserva de capitalización y a la propia compensación de BINS (sin limitación hasta 1.000.000 de euros).

Esa cifra de negocios es la habida durante los 12 meses anteriores a la fecha de inicio del período impositivo, debiendo tomarse en su importe neto, es decir, deduciendo del importe de las ventas de los productos y de las prestaciones de servicios u otros ingresos correspondientes a las actividades ordinarias de la empresa, el importe de cualquier descuento (bonificaciones y demás reducciones sobre las ventas) y el del IVA y otros impuestos directamente relacionados con las mismas, que deban ser objeto de repercusión, de conformidad con lo previsto en la regla 11ª de las Normas para la Elaboración de las Cuentas Anuales, del Plan General de Contabilidad. Por lo tanto, y como bien señala SANZ GADEA, la limitación discrimina contra aquellas entidades que requieren un elevado volumen de operaciones para generar valor económico[233].

Conviene enfatizar en que los límites establecidos por el RDL 3/2016 no se aplicarán (además del referido caso del umbral del primer millón de euros para toda entidad y cualquiera que sea su cifra de negocios):

---

[233]   "El Impuesto…….", op. cit. pag. 8.

- A las empresas de nueva creación aludidas por el art. 29. 1 LIS, incluso si se tratase de grandes empresas, en los tres primeros períodos impositivos en que se generase una base imponible positiva previa a su compensación, toda vez que el artículo 26. 3 de la Ley 27/2014, prevé la no aplicación de los límites del apartado 1 de dicho artículo 26.

- Al importe de las rentas correspondientes a reversión por deterioro, en el sentido de la DT 16ª de la Ley 27/2014, siempre que las pérdidas por deterioro deducidas durante el período impositivo en que se generaron las BINS que se pretendan compensar hubieran representado, al menos, el 90 por ciento de los gastos deducibles de dicho período, de conformidad con lo previsto en la DT 16ª. 8 de la Ley 27/2014.

Por lo que se refiere a la compensación de BINS atinentes a las reglas especiales de incorporación de entidades en el grupo fiscal previstas en el art. 67 LIS, el RDL 3/2016 también modifica los límites hasta entonces existentes (70% de la base individual de la propia entidad, teniendo en cuenta las eliminaciones e incorporaciones correspondientes a dicha entidad[234]) en los siguientes términos:

- Para empresas cuyo importe neto de la cifra de negocios del grupo fiscal correspondiente al ejercicio anterior sea inferior a 20.000.000 de euros:

  - En el año 2016 podrán compensar el 60% de la base imponible individual de la propia entidad, teniendo en cuenta las eliminaciones e incorporaciones que le correspondan (DT 36ª).

  - En el año 2017 podrán compensar el 60% de la base imponible individual de la propia entidad, teniendo en cuenta las eliminaciones e incorporaciones que le correspondan

- Para empresas cuyo importe neto de la cifra de negocios del grupo fiscal correspondiente al ejercicio anterior sea entre 20.000.000 y 60.000.000 de euros:

  - En el año 2016 podrán compensar el 50% de la base imponible individual de la propia entidad, teniendo en cuenta las eliminaciones e incorporaciones que le correspondan (DA 15ª).

  - En el año 2017 podrán compensar el 50% de la base imponible individual de la propia entidad, teniendo en cuenta las eliminaciones e incorporaciones que le correspondan (DA 36ª).

- Para empresas cuyo importe neto de la cifra de negocios del ejercicio anterior sea igual o superior a 60.000.000 de euros:

---

[234] Aunque para los ejercicios iniciados en el año 2016 ese límite quedó fijado en el 60%, de conformidad con lo establecido en la DT 36ª LIS.

- En el año 2016 podrán compensar el 25% de la base imponible individual de la propia entidad, teniendo en cuenta las eliminaciones e incorporaciones que le correspondan (DA 15ª).

- En el año 2017 podrán compensar el 25% de la base imponible individual de la propia entidad, teniendo en cuenta las eliminaciones e incorporaciones que le correspondan (DA 36ª).

Como puede apreciarse, el efecto del RDL 3/2016 ha sido fundamentalmente sustituir el límite del 70% por el límite escalonado. Señala acertadamente SANZ GADEA que la cuestión más importante con todo a estos efectos es saber si el límite del grupo fiscal afecta, o no, a la compensación de BINS anteriores. En su opinión, *"caben varias interpretaciones. La más benigna es que el límite del grupo fiscal no afecta a las bases imponibles negativas anteriores a la integración en el grupo fiscal, de manera tal que el límite individual será diferente del límite del grupo fiscal. La más dura es que el límite del grupo fiscal también rige para la compensación de las bases imponibles negativas anteriores individuales. La primera puede responder a la letra de la norma, pero tiene el inconveniente de hacer de mejor condición a las bases imponibles negativas pendientes de compensación individuales que a las bases imponibles pendientes de compensación del propio grupo fiscal"*[235].

2. PROHIBICIÓN DE COMPENSACIÓN DE BASES IMPONIBLES NEGATIVAS

Con el fin de evitar que se produzcan situaciones de déficit de imposición o de uso fraudulento de las BINS, el art. 26. 4 LIS establece la prohibición de compensación de las BINS cuando concurran las siguientes circunstancias:

- Modificación sustancial en la composición del accionariado de la entidad, de forma que la mayoría del capital social o de los derechos que posibiliten la participación en los resultados económicos se adquieran por una persona o entidad vinculada, con posterioridad a la conclusión del período en el que se generó la BIN[236].

---

[235]   "El Impuesto........", op. cit. pag. 9.

[236]   Esa exclusión legal a la compensación de las BINS únicamente alcanzaría a aquellas procedentes de períodos concluidos con anterioridad a la adquisición de la mayoría del capital social o de los derechos económicos, por lo que las BINS generadas en períodos impositivos concluidos tras la adquisición, podrían ser compensadas sin mayor problema de conformidad con los criterios generales establecidos por la LIS. De análoga forma, la vinculación del grupo de personas o entidades debe valorarse al momento de la adquisición de la mayoría del capital social o de los derechos económicos, no siendo relevante, por lo tanto, que esa vinculación exista o deje de existir en períodos impositivos posteriores.

– Que dichas personas o entidades hubieran tenido una participación inferior al 25% cuando concluyó el período impositivo al que corresponde la BIN.

– Que la entidad adquirida se encuentre en alguna de las siguientes circunstancias:

• No realizara actividad económica alguna durante los tres meses anteriores a la adquisición determinante de la mayoría de capital social[237].

• Realizara una actividad económica, en los 2 años posteriores a la adquisición de la mayoría del capital social o de los derechos de voto de la entidad, distinta o adicional a la realizada con anterioridad que determine un importe neto de la cifra de negocios en esos dos años posteriores superior al 50% del importe medio de la cifra de negocios de la mercantil correspondiente a los 2 años ante-

---

[237] Esta condición de inactividad, como bien apunta LÓPEZ SANTACRUZ, J. A. op. ult. cit. pag. 254, *"deja fuera del ámbito de aplicación de la exclusión a la compensación de bases imponibles negativas a todas aquellas operaciones de reestructuración empresarial de entidades que pasan por situaciones financieras difíciles por motivos de pérdidas continuadas que reducen su patrimonio neto por debajo del capital aportado por los socios y que son reflotadas previa la adquisición de la mayoría de su capital social por un nuevo accionista, que relanza posteriormente la entidad mediante la inyección de nuevos recursos financieros"*. El autor, realiza además algunas precisiones ulteriores a este respecto sobre la condición de inactividad de la entidad adquirida: *"1) La exclusión a la compensación de bases imponibles negativas también debería extenderse a las bases imponibles negativas que, aun cuando la entidad participada esté inactiva, pudiera generar con posterioridad a la adquisición de la mayoría del capital o derechos económicos. 2) La exclusión a la compensación de las bases imponibles negativas alcanza a la totalidad de las mismas generadas por la entidad adquirida, con independencia de que no se hubiese adquirido el 100% del capital de la entidad participada, es decir, la exclusión no es proporcional al porcentaje de participación adquirido. 3) A diferencia de lo que sobre esta misma exclusión establecía la LIS/04, la exclusión a la compensación de bases imponibles negativas que regula la LIS es indiferente a que en la transmisión por la que se alcanza la mayoría del capital o de los derechos a participar en los resultados de la entidad el anterior socio genere una renta negativa fiscalmente deducible. 4) Se aplica la limitación a la compensación aun cuando la transmisión de la entidad inactiva con bases imponibles pendientes se realice entre entidades de un mismo grupo fiscal o mercantil (DGT 9.2.11; DGT CV 28-10-11). Esta misma interpretación sería trasladable a la restricción establecida en el LIS art. 26. 5) Cuando una entidad quiera transmitir elementos patrimoniales de una entidad que tienen un valor de mercado superior a su valor contable, con la particularidad de que esa entidad fuese inactiva y, además, tuviese bases imponibles negativas pendientes de compensar, la regulación de la LIS sobre la restricción a la compensación de bases imponibles negativas hace que en estos casos sea ineficiente transmitir de forma indirecta esos elementos mediante la transmisión de la participación en el capital de esa entidad, pues bastaría con que la entidad transmita ese elemento para que la renta generada no tribute, al poder ser compensada con las bases imponibles negativas pendientes, pues en la liquidación posterior de la entidad no generaría ninguna renta en el socio, al resultar de aplicación la exención prevista en la LIS art. 21"*.

45

798

J. Andrés Sánchez Pedroche

riores[238]. Entendiéndose por actividad diferente o adicional la que tuviera asignado diferente grupo a la realizada, en la Clasificación Nacional de Actividades Económicas.

- Se trate de una entidad patrimonial, en los términos establecidos por el art. 5. 2 LIS, es decir, aquella que no desarrolla ninguna actividad económica al tener más de la mitad de su activo constituido por valores o bien por otros activos que no estén afectos al desarrollo de actividades económicas (o cuando la entidad participada hubiese desarrollado dichas actividades económicas con anterioridad a la adquisición habiendo cesado en las mismas invirtiendo todo su patrimonio en activos financieros). Exclusión que es total a pesar de que con posterioridad la entidad pase a desarrollar una actividad económica real.

---

[238] LÓPEZ SANTACRUZ, J. A. op. ult. cit. pag. 256, recomienda seguir los siguientes pasos para determinar si se cumple o no esta circunstancia de ejercicio de una actividad diferente o adicional: *"a) Valorar si en los dos años posteriores a la adquisición, la entidad participada ha realizado una actividad económica diferente o adicional respecto de las que se venía desarrollando en los dos años anteriores. Si no hay actividades económicas diferentes, las bases imponibles negativas pendientes pueden ser compensadas en períodos impositivos siguientes de acuerdo con las reglas generales sobre la compensación de bases imponibles negativas. B) De haber una actividad económica diferente, la entidad puede seguir compensando las bases imponibles negativas de acuerdo con las reglas generales. No obstante, esta compensación es provisional, pues deben pasar dos años desde la adquisición para poder realizar el examen definitivo de la forma siguiente:*
— Se determina el importe neto de la cifra de negocios derivada de la nueva actividad en los dos años posteriores a la adquisición;
— Se determina el importe medio de la cifra de negocios de la entidad en los dos años anteriores a la fecha de adquisición;
— Se comparan ambos importes, de manera que si el primero supera el 50% del segundo, se cumpliría esta circunstancia y, por tanto, la entidad no podría compensar importe alguno de las bases imponibles negativas pendientes. De haberse realizado alguna compensación de estas últimas en algún período impositivo concluido dentro del plazo de esos dos años, la entidad ha de regularizar la compensación indebida, para lo cual debe presentarse una autoliquidación complementaria a la presentada en los términos establecido en la LGT art. 122, por cuanto que en esta regularización no se cumplen de forma estricta las condiciones exigidas en la LIS art. 125. 3 para proceder a a realizar esa regularización en la liquidación del propio período impositivo en el que vence el plazo de los dos años, dado que la compensación de bases imponibles negativas no responde a un supuesto de exención, deducción o incentivo fiscal sujeto al cumplimiento de condiciones.
Al objeto de que las cantidades a comparar sean homogéneas, dado que la cifra de negocios en los dos años anteriores a la adquisición de la participación se determina por la media de esa cifra habida en ese período de tiempo, lo razonable es interpretar que igualmente la cifra de negocios en el plazo de esos dos años posteriores es igualmente la media y no el valor absoluto del importe neto de la cifra de negocio en ese período de dos años posteriores, aun cuando la LIS art. 26 no establezca de forma expresa la referencia a la media de ese período posterior".

- La entidad haya sido dada de baja del índice de entidades por aplicación de dispuesto en el art. 119. 1 b) LIS, (esto es, cuando no hubiese presentado la declaración por IS correspondiente a tres períodos impositivos consecutivos).

3. COMPROBACIÓN E INVESTIGACIÓN DE BASES IMPONIBLES NEGATIVAS

3.1. Introducción

Como señalábamos con anterioridad, la evolución divergente entre los plazos de comprobación y de compensación, así como la eliminación por la LIS del límite temporal de 18 años para ejercitar dicha compensación de BINS, ha comportado la paralela extensión del plazo administrativo para comprobar la procedencia de las compensaciones realizadas. De esta forma, no solo la previsión contenida en el art. 26. 5 LIS, sino también la reforma operada en la LGT a través de la promulgación de la Ley 34/2015, han coadyuvado a enfatizar la distinción conceptual entre el derecho a comprobar e investigar y el derecho a liquidar, modificando las reglas de la prescripción y especificando el límite temporal máximo para el inicio de comprobaciones de cuyo objeto formen parte determinados créditos fiscales, permitiendo a la Administración tributaria calificar o recalificar hechos, actos o negocios generados en ejercicios prescritos cuyos efectos se proyecten en otros no prescritos.

Así, la extensión del plazo de compensación de BINS se acompaña en la LIS de una previsión específica de 10 años de los que dispone la Administración tributaria para comprobar la procedencia de esa compensación, a contar desde el día siguiente a aquel en que finalice el plazo establecido para presentar la declaración o autoliquidación correspondiente al período impositivo en que se generó el propio derecho a la compensación. Una vez rebasado el referido plazo decenal, y ya prescrita la capacidad de la Administración para comprobar e investigar las BINS, si el sujeto pasivo quiere proceder a su compensación, debe acreditar que éstas resultan procedentes, así como la cuantía de las mismas, mediante la exhibición de la liquidación o autoliquidación y de la contabilidad depositada en el Registro Mercantil.

3.2. Los cambios producidos en la LGT como consecuencia de una doctrina jurisprudencial dispar

A falta de previsión legal expresa (LGT/1963) una reiterada doctrina del TEAC entendía que era posible comprobar las bases y deducciones procedentes de ejercicios prescritos, en el momento mismo de su aplicación a un ejercicio no prescrito. Tal doctrina administrativa fue confirmada por la Audiencia Nacional[239] y el TS, quien entendió que se ajustaba a derecho la regularización de las BINS correspondientes a ejercicios prescritos en aquellos no prescritos en los que se aplicaban[240]. Pero posteriormente la AN varió su criterio[241], que fue asumido por el propio TS al señalar que las BINS declaradas y no comprobadas correspondientes a un ejercicio prescrito eran inmodificables y no podían ser comprobadas por la Administración Tributaria[242]. Como no podía ser de otra manera, el TEAC acogió la doctrina del TS para supuestos anteriores a la reforma operada por la LGT (Ley 58/2003)[243].

Tras esa reforma del 2003 se produjo una nueva oleada de pronunciamientos judiciales en los que la AN negaba la posibilidad de comprobación (apartándose así del criterio administrativo sentado por el TEAC)[244], doctrina refutada sin embargo por el TS para el que la reforma operada en el art. 23. 5 de la Ley 43/1995, en las redacciones dadas por las Leyes 40/1998 y 24/2001, exigía confirmar la facultad de la Administración Tributaria de comprobar las BINS, no bastando a tal efecto la alegación del obligado tributario sobre la prescripción del ejercicio, sino su necesaria justificación documental[245]. Por lo tanto, tras dichas reformas legislativas la conclusión de la jurisprudencia era la siguiente:

---

[239] SSAN de 11 de marzo de 1999 (REC. 63/96); 11 de abril de 2002 (Rec. 74/1999), entre otras.

[240] STS 13 de marzo de 1999 (Rec. 2911/94).

[241] SSAN de 20 de enero de 2003 (Rec. 465/00); de 3 de abril de 2003 (Rec. 831/00); de 18 de diciembre de 2007 (Rec. 391/04); de 14 de abril de 2008 (Rec. 597/06); de 26 de junio de 2009 (Rec. 270/06); de 25 de junio de 2009 (Rec. 255/06); de 30 de septiembre de 2009 (Rec. 161/06).

[242] SSTS de 30 de enero de 2004 (Rec. 10849/98); de 17 de marzo de 2008 (Rec. 4447/2003); de 25 de enero de 2010 (Rec. 955/05); de 15 de septiembre de 2011 (Rec. 1740/09); de 2 de febrero de 2012 (Rec. 441/08) o de 29 de marzo de 2012 (Rec. 16/09). En algunas de ellas, sin embargo, el Alto Tribunal matiza que su jurisprudencia se fundamenta en la LGT anterior a la modificación operada por la Ley 58/2003 en sus artículos 70. 3 y 106. 4, así como a la regulación contenida en el art. 23. 5 de la LIS 43/1995 [SSTS de 25 de enero de 2010 (Rec. 955/05); de 15 de septiembre de 2011 (Rec. 1740/09); de 5 de diciembre de 2011 (Rec. 6741/09); de 2 de febrero de 2012 (Rec. 441/08) o de 29 de marzo de 2012 (Rec. 16/09)]

[243] Resolución del TEAC de 13 de mayo de 2009.

[244] SSAN de 23 de diciembre de 2010 (Rec. 366/07); de 2 de febrero de 2011 (Rec. 478/07), de 26 de mayo de 2011 (Rec. 292/08); de 21 de julio de 2011 (Rec. 289/08) y 24 de mayo de 2012 (Rec. 249/09).

[245] STS de 20 de septiembre de 2012 (Rec. 6330/2010), en la que se señala expresamente que las facultades de comprobación e inspección son imprescriptibles, pudiéndose solicitar información relativa a ejercicios prescritos. Esta apreciación fue confirmada luego por la STS de 14 de noviembre de 2013 (Rec. 4303/11), al afirmar que la exhibición de la autoliquidación, la contabilidad y los soportes documentales por parte del contribuyente, desplaza la carga de la prueba a la Administración, que es quien debió probar la falta de realidad de las cantidades consignadas.

– No basta con que el obligado tributario alegue que el ejercicio en el que se generaron las BINS a compensar proceden de un ejercicio prescrito, sino que el contribuyente debe acreditar documentalmente dichas BINS procedentes de ejercicios ya prescritos.

– El obligado tributario (al que ya no le bastaba el mero alegato de la prescripción producida) cumpliría con la exhibición de la autoliquidación, la contabilidad y los soportes documentales de las operaciones realizadas y a partir de entonces surgiría para la Administración Tributaria la carga de demostrar que esas BINS no se ajustaban a la realidad.

Sin embargo, no pareció con ello pacificarse la cuestión sobre todo tras dos nuevos pronunciamientos del TS de signo dispar. En su Sentencia de 4 de julio de 2014[246], el Alto Tribunal consideró que la comprobación de operaciones realizadas en períodos prescritos –cuando los mismos producen efectos en otros no prescritos, y a los solos efectos de regularizar estos últimos– determinaba su firmeza e inatacabilidad, no pudiéndose regularizar los efectos fiscales que dichas operaciones proyectasen en otros períodos no afectados por la prescripción, restringiendo así la posibilidad de liquidación pretendida por la Administración. En Sentencia posterior, de 19 de febrero de 2015[247], el TS interpretó el art. 106. 4 LGT, autorizando la comprobación administrativa de las bases, cuotas o deducciones originadas en períodos prescritos con ocasión de la comprobación de los períodos no prescritos en los que dichas bases, cuotas o deducciones se compensaron o aplicaron, a los efectos de la correcta determinación de su procedencia o cuantía. Con este pronunciamiento, el TS desechaba la línea restrictiva aplicada por la AN en esta materia, al afirmar que la Administración Tributaria únicamente podía corregir errores de cálculo o contables, pero no una errónea calificación de los hechos o una indebida aplicación de la norma jurídica.

Ante tal situación de disparidad interpretativa en el seno incluso del mismo órgano jurisdiccional, parecía inevitable una reforma legislativa que fuera más allá de los cambios operados en este punto por la LIS y se decidió para ello que el mejor referente no podía ser otro que la propia LGT[248]. En tal sentido, la Ley 34/2015, mediante la introducción de un nuevo artículo 66 bis en la LGT, consagró una suerte de imprescriptibilidad del derecho de la Administración para realizar comprobaciones e investigaciones, de conformidad con lo previsto en la nueva redacción que se otorgaba al art. 115 de la LGT en sus apartados 1 y 2 (potestades y funciones de comprobación e investigación), disociando

---

[246] Rec. 581/13
[247] Rec. 3180/13.
[248] Esta contempla la cuestión de una forma mucho más amplia que la propia LIS, pues se refiere no solo a la compensación de BINS, sino también a deducciones, amortizaciones, etc. extendiéndolo además a todos los tributos en general y no solo al IS.

completamente el derecho a comprobar del derecho a liquidar, con todo lo que ello supone[249]. No era la primera imprescriptibilidad que se colaba en nuestra normativa tributaria impulsada por recientes reformas (los elementos patrimoniales en el extranjero no declarados fue la primera, exigida por la Ley 7/2012 de represión del fraude fiscal[250]), que parecen haber olvidado cómo el instituto prescriptivo deviene en exigencia ineludible del principio constitucional de seguridad jurídica, pues al decir de la STS de 21 de diciembre de 1950, *"se apoya en la necesidad de conceder una estabilidad a las situaciones jurídicas existentes dando, de esta manera, claridad al tráfico jurídico"* [251].

El Tribunal Supremo venía manteniendo una postura equilibrada (a pesar de sus vaivenes) al establecer el límite que resulta de la prescripción para la comprobación de obligaciones de periodos prescritos: puede exigirse la acreditación de la declaración y que tal declaración resulte de los datos consignados en libros contables y registros fiscales, pero no puede comprobarse el perio-

---

[249]   En tal sentido, la propia Dirección General de Tributos, en la Memoria del proyecto que dio luego lugar a la Ley 34/2015, justificó esta modificación de la siguiente forma: *"el artículo 115 de la LGT, que regula las potestades y funciones de comprobación e investigación y, en el desarrollo de las mismas, la facultad de calificación de hechos, actos o negocios, no somete a dichas potestades a limitación temporal alguna. De esta manera, con carácter aclaratorio y con el objeto de superar la controversia que esta materia ha suscitado, el proyecto normativo viene a explicitar la interpretación de los preceptos citados, en el sentido de no someter a prescripción el derecho de la Administración a realizar comprobaciones e investigaciones, y, en el seno de las mismas, a calificar. De esta manera, la Administración podrá comprobar e investigar hechos, actos, elementos, actividades, explotaciones, negocios valores y demás circunstancias determinantes de la obligación tributaria que hayan acontecido en ejercicios prescritos si los mismos surten efectos fiscales en ejercicios no prescritos, esto es, en ejercicios en los que no hubiese prescrito el derecho de la Administración a liquidar (…) la regulación en proyecto se ajusta a la doctrina del Tribunal Constitucional sobre la regulación de la prescripción (véanse las Sentencias 157/1990, de 18 de octubre y 70/2001, de 17 de marzo), en relación con la inexistencia de límite material constitucional para el libre establecimiento por el legislador de la regulación de la figura de la prescripción, siendo a éste el que corresponde determinar su régimen jurídico conforme a los criterios que considere idóneos en cada caso concreto. En esa línea, la norma en proyecto anuda y limita la pervivencia del derecho a comprobar operaciones a la existencia de efectos jurídicos de las mismas en relación con obligaciones tributarias futuras respecto de las que no se ha producido la prescripción del derecho a liquidar"*. El subrayado es nuestro.

[250]   Sobre ello vid. extensamente SANCHEZ PEDROCHE, J. A. "Modelo 720 o la flagrante vulneración del Derecho Comunitario y la CE", Revista de Contabilidad y Tributación, núm. 404, noviembre 2016, pags. 53 y ss.

[251]   Apunta con mucha razón GARCIA NOVOA, C. "Comentario a la Ley 7/2012 de modificación de la normativa tributaria y presupuestaria y de adecuación de la normativa financiera para la intensificación de las actuaciones en la prevención y lucha contra el fraude. Infracciones y sanciones", en AA. VV. Comentarios a la Ley 7/2012, Aranzadi, Pamplona, 2013, pag. 208, cómo, atendida esa dimensión constitucional de la prescripción, habrá de ser finalmente el Tribunal Constitucional el que se pronuncie sobre la imprescriptibilidad de las obligaciones tributarias instauradas por la Ley 7/2012 y con posterioridad secundadas y reforzadas por la Ley 34/2015.

do prescrito[252]. La reforma consagrada por la Ley 34/2015 en la LGT venía en cierta medida a desterrar este sensato criterio jurisprudencial, ponderado y equidistante para ambas partes de la relación tributaria pues, tal y como afirmara la STS de 27 de noviembre de 2012, *"una cosa es la prescripción del derecho de la Administración a la determinación de una deuda tributaria, cuyas consecuencias se arrastran en el futuro y afectan a ejercicios no prescritos, y otra es la realidad y naturaleza de las cosas, que son y no pueden dejar de ser en ejercicios futuros, por lo que configurado erróneamente un concepto impositivo en un ejercicio prescrito, nada impide su adecuada configuración en los posteriores no prescritos"*[253].

---

[252] Así, por ejemplo, en la STS de 4 de julio de 2014, el Alto Tribunal llegará a decir que *"la tesis sostenida por el Abogado del Estado permitiría reabrir en cualquier momento, de manera indirecta y sin limitación temporal alguna, la comprobación de operaciones realizadas en ejercicios prescritos –y cuyos datos y magnitudes han adquirido firmeza– para alterar su régimen tributario, al margen del más elemental principio de seguridad jurídica y en abierta contradicción con el instituto de la prescripción y de sus efectos propios"*. En el mismo sentido, vid. las SSAN de 24 de enero de 2013, 21 de noviembre de 2013 y 2 de octubre de 2014, o la STSJ de Valencia de 26 de septiembre de 2013. La SAN de 6 de junio de 2013, razona de la siguiente forma: *"Así, en el caso de autos, por más que la Administración, en la liquidación impugnada, regularice el ejercicio 2001 (no prescrito cuando se inicia el procedimiento), lo que resulta indubitado es que la comprobación inspectora se refiere, afecta o modifica la situación tributaria correspondiente al ejercicio anterior (prescrito al comenzar aquel procedimiento). A juicio de la Sala, con tal regularización se altera absoluta y sustancialmente el régimen jurídico de la prescripción, institución vinculada a un principio esencial que debe presidir las relaciones jurídicas incluidas, obvio es decirlo, las que se desenvuelven entre la Administración y sus ciudadanos y el de seguridad jurídica, que reclama evitar la incertidumbre en el desenvolvimiento temporal de aquellas relaciones, penalizando el abandono que del ejercicio de sus derechos realiza su titular con la pérdida del derecho mismo, que ya no podrá ejercitarse en modo alguno. Dicho de otra forma, la prescripción consolida definitivamente la situación jurídica correspondiente, impidiendo –por el transcurso del tiempo unido a la falta de ejercicio de la acción– que tal situación pueda alterarse en el futuro. No es necesario efectuar especiales esfuerzos hermenéuticos para colegir que la interpretación propuesta por la Administración supone una verdadera quiebra de la finalidad del instituto prescriptorio: si el transcurso del plazo legal no permite a la Inspección revisar lo consignado por el contribuyente en la declaración-liquidación de un determinado ejercicio, tal prohibición solo puede significar que aquella declaración ha ganado firmeza y que, por tanto, devienen intangibles sus consecuencias. Entender que las facultades de comprobación desplegadas en relación con un ejercicio posterior (no prescrito) pueden extenderse a la legalidad o conformidad a Derecho de unos datos anteriores no revisables, sería tanto como decir que el instituto de la prescripción no ha producido el efecto que le es propio, el de la firmeza de una declaración que ya no puede ser en modo alguno comprobada"*. Sin duda, en el redactor del proyecto de ley que dio lugar luego a la Ley 34/2015, pesaron más que los impecables razonamientos del TS y de la AN que acaban de reproducirse, la existencia de algunas Resoluciones del TEAC, como la de 11 de septiembre de 2014, donde se defendía la inexistencia de plazo de prescripción alguno al derecho a comprobar.

[253] Tan razonable doctrina se contenía ya en la STS de 19 de enero de 2012 (y previamente en la de 14 de septiembre de 2011, que resolvía un recurso de casación para unificación de doctrina) argumentando lo siguiente: *"La tesis del Abogado del Estado coincide con*

La nueva regulación introducida por la Ley 34/2015 no permitía revisar o modificar los datos económicos resultantes de la actividad declarada por el obligado tributario en un ejercicio ya prescrito, pero sí cuestionar absolutamente las posibles compensaciones o deducciones que se arrastrasen de aquél

---

el criterio de esta Sala de que la actividad inspectora puede producirse en todo momento, sin que pueda sujetársele a plazo alguno, aunque su eficacia no puede traspasar el plazo de prescripción recogido en el art. 64 Ley 230/1963 (LGT) de forma que, si bien la Administración puede comprobar los datos declarados por el sujeto pasivo, configurando los elementos que condicionan las sucesivas declaraciones, lo que no puede hacer es extender a los ejercicios que quedan fuera del plazo de los cinco años los efectos de la comprobación, si bien puede fijar, tras la comprobación, los hechos, actos o elementos que determinan lo consignado en las declaraciones que, al quedar dentro del ámbito temporal del art. 64 citado, si pueden ser objeto de investigación y cuyo resultado podría ser el de la práctica de nueva liquidación por parte de la Administración. Es decir, la actividad que prescribe es el derecho de la Administración a determinar la deuda tributaria mediante la liquidación y la acción para exigir el pago de las deudas liquidadas, no la actividad de comprobación, que se ha de sujetar al contenido legal de tal facultad. Interpretar lo contrario sería tanto como reconocer una especie de ultra actividad de la prescripción a ejercicios no afectados por ella, que no podrían regularizarse pese a que en ellos se obtuvieran rendimientos, ganancias, deducciones o pérdidas que, originarias de la relación jurídica nacida del ejercicio prescrito, hubieran de ser comprobadas, dando lugar a la exigibilidad, en su caso, de la deuda tributaria correspondiente. En definitiva, no se puede excluir la posibilidad de que, dentro de las actuaciones de comprobación, puedan verificarse operaciones que integran el hecho imponible aun cuando tengan su origen en ejercicios fiscales ya prescritos". La SAN de 21 de noviembre de 2013, señaló a este respecto que le "asiste la razón a la recurrente en relación con la improcedencia de utilizar el mecanismo del fraude de ley para modificar las bases declaradas en los ejercicios objeto de comprobación, es decir, 2002, 2003 y 2004, pues las operaciones de las que se parte son las realizadas en el ejercicio 1999, que, en su caso, a los efectos fiscales, correspondían plasmarse en las autoliquidaciones correspondientes al ejercicio 2000. La Administración está impedida para iniciar un expediente de fraude de ley en relación con el ejercicio del que derivan las operaciones, de las que la Inspección arranca para proceder a regularizar la situación tributaria del sujeto pasivo de ejercicios posteriores, debido a que ese ejercicio en el que se realizaron las operaciones, objeto del fraude de ley, estaba prescrito, por lo que la Administración, el no constar que las autoliquidaciones de aquel y siguiente ejercicio no fueron modificadas por medio de comprobación inspectora, está obligada a pasar por lo declarado sin que pueda entenderse que la regularización de las operaciones por ella controvertidas se realizaron en fraude de ley. La Sala considera que en el ámbito de la comprobación del Impuesto sobre Sociedades de los ejercicios 2002 a 2004, como aquí ocurre, no se pueden declarar realizados en fraude de ley una serie de negocios jurídicos realizados en el año 1999, cuyas magnitudes (precio de adquisición y financiación) han adquirido firmeza como consecuencia de la prescripción, siendo así que dicho ejercicio no fue objeto de comprobación alguna por la Administración. Como conclusión de todo lo expuesto, da la impresión de que la Administración, a posteriori, ha querido, casi diez años después de la celebración de las operaciones de adquisición de acciones y de préstamo a los que se refiere con todo detalle el fundamento jurídico sector de la resolución del TEAC, alterar las consecuencias de una operación celebrada en un ejercicio ya prescrito, lo que de admitirse podría dar lugar a invocar el fraude de ley de cualquier operación mercantil que produzca efecto final al cabo de décadas, sin tener para ello plazo alguno, sosteniendo que se realizó en fraude de ley y que puede ser declarado en cuanto a sus consecuencias fiscales".

en otros ejercicios que no lo estuviesen[254]. Cierto es que ese derecho de la Administración a determinar y exigir la deuda no es tal, pues se trata de una potestad-deber que, desde el punto de vista dogmático, no está sujeto a prescripción alguna, por cuanto que las potestades/deberes son, por su propia naturaleza, imprescriptibles. Ahora bien, ese no era el verdadero problema, sino más bien si una deuda determinada en relación con ciertos ejercicios sobre hechos, actos o negocios ya calificados previamente, podía ser objeto de nueva investigación para modificar esa calificación anterior con el objetivo de liquidar los créditos fiscales (bases y cuotas compensables o deducciones pendientes de aplicación) nacidos o generados en un determinado ejercicio ya prescrito, pero que extendían sus efectos a otros que no lo estaban[255]. En tal sentido, el Consejo de Estado ya criticó que del juego de las facultades comprobadoras y de las propias previsiones contenidas en el proyecto legislativo que posteriormente alumbró la Ley 34/2015 (arts. 66 bis 1 y 115, 1 y 2 LGT), el resultado práctico no fuese otro que una suerte de imprescriptibilidad atemporal, uncida al posible yugo de una potencial nueva calificación de las realidades sometidas en su día a dichas facultades comprobadoras[256].

---

[254] De esta manera, el resultado de la comprobación del ejercicio prescrito no afecta a la "firmeza" de la autoliquidación practicada.

[255] Piénsese, por ejemplo, en el caso del IVA, cuando la deducción se halla pendiente de resolución administrativa o judicial, donde las cuotas soportadas pueden deducirse durante los cuatro años siguientes a la fecha en que la resolución o la sentencia adquirieron firmeza. O en la adquisición de bienes de inversión, donde la deducción puede efectuarse en los nueve años siguientes a la adquisición. O en el IRPF, respecto de los gastos de amortización de los rendimientos del capital inmobiliario o determinadas disminuciones de patrimonio que, como régimen transitorio, contempla la vigente LIRPF, por no hablar en el IS de los gastos financieros que pueden deducirse en los 18 años sucesivos al período en que se hayan producido. Vid. al respecto MONTESINOS OLTRA, S. La compensación de bases imponibles negativas, op. cit. passim; SANCHEZ BLAZQUEZ, V. M. La prescripción de las obligaciones tributarias, AEDAF, 2007, Madrid, pag. 113 y ss.; CORDERO GONZÁLEZ, E. M. "La compensación de bases negativas en el Impuesto sobre Sociedades", en La crisis económica y su incidencia en el sistema tributario, (CHICO DE LA CÁMARA, P. y GALAN RUIZ, J. coordinadores), 2009, pag. 76 y ss.; CASANA MERINO, F. "La compensación de bases, cuotas o deducciones provenientes de ejercicios prescritos", QF núm. 20, 2014, pags. 43 y ss.; GONZALEZ MARTÍNEZ, T. "La potestad comprobadora de la Administración en relación con las bases imponibles negativas acreditadas en períodos impositivos "prescritos" a la luz de la Ley 27/2014: problemas de Derecho transitorio", QF núm. 12, 2015, pags. 47 y ss.; WERT ORTEGA, M. "Comprobación de bases imponibles negativas de ejercicios prescritos", Revista de Contabilidad y Tributación, CEF núm. 353-354, 2012, pag. 105 y ss.

[256] "De este modo, surten plenos efectos las facultades comprobadoras e investigadoras incluso sobre "conceptos" tributarios, "ejercicios y períodos tributarios" prescritos, y también sobre "hechos, actos, explotaciones o negocios" también prescritos, siempre que lógicamente hubieren de surtir efectos fiscales sobre ejercicios o períodos no prescritos (y con la salvedad del límite de 10 años para la compensación de bases imponibles, que en lugar de ser, como hasta ahora, extensión del plazo ordinario, pasaría a ser un corte en un plazo indefinidamente abierto). Pero además, estos plenos efectos de las facultades comprobadoras e investigadoras se dan con alcance calificador, como resulta del proyectado artículo 115,

Esa nueva posibilidad comprobadora pero, sobre todo, recalificadora, respecto de hechos, actos o negocios realizados en ejercicios ya prescritos (aunque con trascendencia tributaria en otros no afectados todavía por la prescripción), no era sino la plasmación legal de la solución que venía siendo admitida por los órganos Económico-Administrativos[257]. Ahora bien, dicha interpretación había suscitado una viva polémica en el seno de la Magistratura, toda vez que la STS de 4 de julio de 2014 (por la que se confirmaba el criterio de la SAN de 24 de enero de 2013), había proscrito dicha práctica[258], luego rehabilitada, sin

---

aparatado 2: "En el desarrollo de las funciones de comprobación e investigación a que se refiere este artículo, la Administración tributaria podrá calificar los hechos, actos, actividades, explotaciones y negocios realizados por el obligado tributario con independencia de la previa calificación que éste último hubiera dado a los mismos y del ejercicio o período en el que la realizó, resultando de aplicación, en su caso, lo dispuesto en los artículos 13, 15 y 16 de esta ley//La calificación realizada por la Administración tributaria en los procedimientos de comprobación e investigación en aplicación de lo dispuesto en este apartado extenderá sus efectos respecto de la obligación tributaria objeto de aquéllos y, en su caso, respecto de aquellas otras respecto de las que no se hubiese producido la prescripción regulada en el artículo 66. a) de esta ley". Esto es, que –según los incisos subrayados y rigurosamente nuevos según el anteproyecto– en el desenvolvimiento de las facultades de comprobación e investigación, la calificación no solo puede variar la hecha por el obligado tributario (regla ya presente en el art. 115. 2 LGT en vigor y que implica el sentido mismo de la actividad calificadora en fase de comprobación), sino que puede también extenderse sin límite a los ejercicios o períodos anteriores y a toda obligación no prescrita" (Dictamen del Consejo de Estado, cit. pag. 53). FALCON Y TELLA, R. "La imprescriptibilidad del derecho a comprobar e investigar (que no es un derecho, sino una potestad) y los límites derivados de la buena fe y la confianza legítima", QF núm. 20, 2014, pag. 14, negaba, sin embargo, con ocasión del debate generado por el Anteproyecto de Ley que esta previsión implicase innovación alguna, "*porque la posibilidad de investigar y comprobar hechos acaecidos en ejercicios prescritos a efectos de determinar la deuda correspondiente a ejercicios no prescritos ya está claramente reconocida en la redacción actual de la Ley General Tributaria (…) de lo que se trata es únicamente de permitir que se tengan en cuenta los hechos acaecidos en ejercicios prescritos para liquidar las obligaciones no prescritas. Y esto resulta ya del artículo 106. 5 LGT*". En el mismo sentido, CORDERO GONZÁLEZ, E. M. "La compensación.....", op. cit. pag. 78 y CASANA MERINO, F. "La compensación.....", op. cit. pag. 61. En contra, GARCÍA NOVOA, C. Iniciación, interrupción y cómputo del plazo de prescripción de los tributos, Marcial Pons, 2011, pag. 49.

[257] Resoluciones del TEAC de 22 de diciembre de 2000, 19 de enero de 2001, 25 de abril de 2003 y 23 de marzo de 2010, que tras la modificación del art. 23. 5 LIS por la Ley 40/1998 y luego extendida por el hasta ahora vigente art. 106. 5 LGT, venían sosteniendo la posibilidad de comprobar las partidas negativas a compensar, cuyo origen se remontara a períodos prescritos.

[258] Y en análogo sentido las SSTS de 9 de diciembre de 2012, y 6 y 14 de noviembre de 2013. Los dos razonamientos fundamentales contenidos en la STS de 4 de julio de 2014 mostraban el nudo gordiano del problema. En primer lugar, el peligro representado por la posibilidad de declarar fuera de todo límite temporal el fraude a la ley no comprobado en su momento por la Administración: "*[Se debe] asociar la declaración de fraude, lógicamente, con períodos o ejercicios concretos y determinados –tratándose de tributos permanentes– que precisamente han de coincidir con los períodos en que se celebraron los negocios que se suponen aquejados del fraude legal, por razón del fin elusorio o evasivo a que propenden, no así con los posteriores a ellos, aun cuando en éstos se prosiga con la obtención de ven-*

embargo, por las SSTS de 5 y 26 de febrero de 2015, permitiendo que las facultades de comprobación e investigación pudieran operar sin límite de ejercicios prescritos respecto de gastos financieros en aquellos casos de fraude de ley tributaria o abuso de derecho[259]. En opinión del Consejo de Estado, y a la vista

---

tajas surgidas como consecuencia de su régimen jurídico y efectos". En segundo término, el riesgo que supondría permitir a la Administración comprobar ejercicios prescritos en los que las bases negativas se generaron para rectificar o eliminar su alcance: *"no es necesario efectuar especiales esfuerzos hermenéuticos para colegir que la interpretación propuesta por la Administración supone una verdadera quiebra de la finalidad del instituto prescriptorio: si el transcurso del plazo legal no permite a la Inspección revisar los datos consignados por el contribuyente en la declaración-liquidación de un determinado ejercicio, tal prohibición solo puede significar que aquellos datos han ganado firmeza y que, por tanto, devienen intangibles. Entender que las facultades de comprobación desplegadas en relación con un ejercicio posterior (no prescrito) pueden extenderse a la legalidad o conformidad a derecho de unos datos anteriores no revisables sería tanto como decir que el instituto de la prescripción no ha producido el efecto que le es propio, el de la firmeza de una declaración que ya no puede ser en modo alguno comprobada"*. El TS venía distinguiendo entre la potestad de comprobación y la de liquidación, admitiendo esas facultades inquisitivas respecto de ejercicios prescritos (STS de 11 de noviembre de 2013), aunque no para declarar el fraude de ley cuando no había prescrito el derecho a liquidar (STS 9 de diciembre de 2013). Vid. al respecto LOZANO SERRANO, C. "La comprobación de partidas compensables de períodos prescritos", QF nº 11/2014, pag. 59 y ss. Conviene apuntar que las SSTS de 25 de enero y 8 de julio de 2010, 2 de febrero y 29 de marzo de 2012, ésta última recaída en un recurso de casación para unificación de doctrina, ya declararon que los datos contenidos en autoliquidaciones correspondientes a ejercicios prescritos, resultaban inmodificables por parte de la Administración, tanto para ese ejercicio como para otros posteriores sobre los que pudiese, en su caso, proyectar sus efectos. Estas Sentencias, sin embargo y como ya hemos señalado anteriormente, aludían a supuestos de hecho regidos por normativa anterior a la entrada en vigor de la reforma operada en la LGT 2003.

[259] En los FFJJ 4º y 7º de las SSTS de 5 y 26 de febrero de 2015, se recoge el razonamiento de la ratio decidendi: *"La Administración tributaria siempre ha entendido que, de acuerdo con el artículo 66 de la LGT 2003 (antiguo 64 de la LGT 1963), prescribe el derecho para determinar la deuda tributaria mediante la oportuna liquidación. La comprobación e investigación de la situación tributaria aunque necesaria para liquidar la deuda tributaria no estaba sometida a plazo de prescripción o caducidad alguno y ello porque se trata de un poder de la Administración distinto del de liquidar, que siempre ha estado regulado en un precepto propio (art. 115 de la LGT 2003 y 109 de la LGT 1963) y respecto del cual la legislación nunca ha establecido expresamente que su ejercicio esté sometido a plazo. El artículo 115 de la LGT 2003 califica a dicho poder de potestad. Estamos por tanto ante una potestad administrativa puesta al servicio de la Administración para poder liquidar un tributo pero que, salvo que la Ley diga otra cosa, es imprescriptible como todas las potestades administrativas. El artículo 115 de la LGT 2003 (art. 109 LGT 1963) no somete a plazo el ejercicio de las potestades de comprobación e investigación y el artículo 66 de la misma Ley tampoco las incluye dentro de los derechos de la Administración llamados a prescribir. Esta tesis de que "lo que prescribe es el derecho de la Administración a determinar la deuda tributaria mediante la liquidación y a exigir el pago de las deudas liquidadas, no la actividad de comprobación, y que lo contrario sería como reconocer una especie de ultra actividad de la prescripción a ejercicio no afectados por ella", no es ni mucho menos ajena a la previa jurisprudencia de este Alto Tribunal, pudiendo encontrarla sustentada, por todas en sentencia de 19 de enero de 2012 (recurso 3726/2009 F. de D. Sexto). No se puede, pues, excluir la posibilidad de*

de la jurisprudencia del TS, la regulación contenida en el Proyecto de Ley de reforma de la LGT (Ley 34/2015) resultaría justificable, siempre que se refiriera estrictamente a los supuestos de abuso de derecho, fraude de ley o conflicto en la aplicación de la norma tributaria y, en su seno, a la comprobación de operaciones realizadas en ejercicios prescritos que surtieran efectos sobre ejercicios no prescritos, toda vez que una imprescriptibilidad máxima (que facultara en todo caso a comprobar e investigar siempre operaciones realizadas en ejercicios prescritos con efectos posteriores en el tiempo), equivaldría a dejar sin virtualidad alguna la propia prescripción del derecho a determinar la deuda mediante liquidación del artículo 66. a) de la LGT[260].

La recomendación del Consejo de Estado no fue finalmente atendida, pues la nueva redacción otorgada no sólo al art. 66, sino también al 115 de la LGT, abonó una solución general de la prescripción abierta temporalmente y que, sobre todo, revistió un alcance amplísimo, facultando no solo para calificar donde nunca se calificó (inactividad de la Administración), sino también para rectificar aquella calificación que pudiera haberse dado con anterioridad, siempre que luego se apreciara la necesidad de hacerlo en relación con nuevos supuestos incardinados en ejercicios no prescritos[261]. La solución legal finalmente

---

que, dentro de las actuaciones de comprobación puedan verificarse operaciones que integran el hecho imponible aun cuando tengan su origen en ejercicios fiscales ya prescritos. Por las razones expuestas creemos que el derecho a comprobar e investigar no prescribe y que la Administración puede usar dichas facultades para liquidar períodos no prescritos, pudiendo para ello comprobar e investigar operaciones realizadas en períodos que sí lo están pero que sigan produciendo efectos. Consecuentemente, con superación del criterio mantenido en la sentencia de 4 de julio de 2014 (cas. 581/2013), puede declararse en fraude de ley una operación realizada en ejercicio prescrito si fruto de dicha operación se producen efectos tributarios en ejercicios no prescritos. Lo que se pretende es evitar que no se pueda actuar frente a la ilegalidad porque en un ejercicio prescrito la Administración no actuó frente a ella, pues ello equivaldría a consagrar en el ordenamiento tributario una suerte de principio de "igualdad fuera de la ley", "igualdad en la ilegalidad" o "Igualdad contra la ley", proscrito por el Tribunal Constitucional en, entre otras, las siguientes sentencias 88/2003, de 19 de mayo y 181/2006, de 19 de junio".

[260] Dictamen del Consejo de Estado, cit. pag. 59. La prescripción, como instituto jurídico que tiene por objeto preservar la seguridad en lo hecho por el transcurso del tiempo, reviste un significado propio y distinto en el Derecho Civil, Penal y Administrativo que el legislador puede libremente regular dentro de los límites propios de la Constitución y la coherencia del ordenamiento jurídico y la jurisprudencia. Ahora bien, siendo cierto lo anterior, las SSTC 157/1990 y 70/2001, recuerdan, por ejemplo, cómo un sistema penal que consagrara la imprescriptibilidad absoluta de delitos y faltas, no se adecuaría a la Norma fundamental, fuera de los casos de delitos de lesa humanidad, genocidio y los delitos contra las personas y bienes protegidos en caso de conflicto armado, así como los de terrorismo, si hubieren causado la muerte de alguna persona (FJ 3 in fine de la STC 157/1990).

[261] LOZANO SERRANO, C. "Prescripción tributaria y facultad de comprobación", REDF núm. 165, 2015, pag. 37, apunta las contrapartidas incoherentes que tal decisión supone, toda vez que *"con el nuevo precepto, cabría iniciar una comprobación sobre un período y deuda a sabiendas de que no puede concluir el procedimiento ni dictarse su acto resolutorio*

consagrada en la reforma, abjuró de la solución razonable (intermedia) planteada por el Consejo de Estado (imprescriptibilidad únicamente para los casos más graves de abuso de derecho o fraude de ley) generalizándola a todo posible supuesto que a la Inspección pudiera presentársele.

Se objetará, con toda la razón, que lo dispuesto por el art 9. 3 CE queda maltrecho con esta nueva solución legal –que no se conforma con liquidar ejercicios no prescritos teniendo en cuenta aquellos que sí lo están, sino que se atreve abiertamente incluso a recalificarlos y para todo tipo de supuestos– pero siempre habrá quien argumente –sobre todo desde los púlpitos administrativos– que el deber de contribuir (erigido así en una suerte de súper deber constitucional) obliga a establecer las correspondientes salvedades[262].

La cuestión, sin embargo, no creemos que haya quedado definitivamente zanjada con la reforma legislativa operada tanto en la LGT como en la LIS. Y tampoco es descartable la intervención de los Tribunales al respecto con ocasión de las posibles cuestiones de inconstitucionalidad o recursos de amparo que a buen seguro se presentarán en el futuro[263]. En cualquier caso, la regulación

---

(…) lo que se aproxima a la desviación de poder (…) No parece que esta posibilidades se avengan con el alcance preclusivo de la prescripción, que incluso en los asuntos más graves, lo penales, impide indagar sobre los hechos si se ha consumado la prescripción del delito, es decir, del derecho a calificar las conductas y a declarar sus consecuencias jurídicas (…) Es cierto que cabe distinguir la prescripción de las facultades declarativas de las ejecutivas, como hacen los arts. 1930 y 1975 del C. Civil, o el D. penal al diferenciar entre la prescripción del delito y la de la pena (…) pero en todo caso, prescriben el derecho y la acción conjuntamente, sin que quepa considerar extinguido aquél y subsistente ésta, ni que pueda admitirse una hipotética facultad indagatoria y probatoria (la acción), autónoma del derecho que con ella se defiende y que sea imprescriptible. Es lo que hace el nuevo art. 66 bis, configurando un "derecho a comprobar" presuntamente autónomo del de liquidar".

[262] Eso precisamente es lo que aducía la Abogacía del Estado ante la Sala 3ª del Tribunal Supremo en los correspondientes recursos de casación, remarcando que la Administración no podía quedar vinculada a soportar una ilegalidad por prescripción del ejercicio en que se fraguó la operación en abuso de derecho o fraude de ley. La representación procesal del Estado olvidaba que esa es precisamente la esencia de la prescripción como instituto jurídico, que no surge precisamente para beneficiar al incumplidor o perjudicar el interés público, sino para servir a la seguridad jurídica, evitando que las potestades o los derechos –lo mismo da– se ejerciten extemporáneamente. El Grupo Parlamentario Catalán, en su enmienda núm. 90 en el Congreso de los Diputados, apuntaba la incidencia negativa que la regulación podía comportar: *"La interrupción de la prescripción, tal como se contempla en el Proyecto de Ley, puede encadenar diversos eslabones, lo que debilitaría la seguridad jurídica de las dos partes de la relación jurídico-tributaria. A modo de ejemplo, pensemos en que el mero cuestionamiento, vía de regularización, de un ajuste temporal negativo pudiera provocar que en el ejercicio de su reversión se generara (o no) una base imponible negativa que, al no tener ya límite temporal para su compensación, pudiera "contagiar" todos los ejercicios venideros "sine die". No parece, pues, que este escenario sea compatible con el principio de seguridad jurídica al que responde la prescripción".*

[263] El impecable voto particular formulado por el Magistrado Joaquín Huelín Gómez de Velasco a la STS de 5 de febrero de 2015, enfatiza el problema subyacente a la tesis mayoritaria

rompe el mínimo equilibrio existente entre el contribuyente y la Administración, porque mientras que esta última no soportará ningún efecto preclusivo de calificación de los hechos y de sus naturales consecuencias jurídicas, no puede decirse lo propio respecto del primero[264]. Podría haberse aclarado al menos, puestos ya a tergiversar la naturaleza del instituto prescriptivo, la posibilidad de que el obligado pudiera presentar declaraciones o autoliquidaciones relativas a un ejercicio prescrito susceptible de surtir efectos por compensación en otro no prescrito. Sobre todo porque aquí el TEAC y la AN se habían venido mostrando contrarios a tal posibilidad[265]. Así, por ejemplo, la SAN de 21 de marzo de

---

de la Sala, que es finalmente la adoptada por la Ley 34/2015, sobre la incoherencia de soslayar el principio de seguridad al que sirve precisamente la prescripción: *"Parece razonable concluir que la Inspección de los Tributos pueda asomarse al "pasado prescrito" para, sin operar sobre él y como mero espectador, tomar buena cuenta y obtener las oportunas consecuencias en orden a liquidar tributos respecto de los que, por no haber transcurrido el plazo fijado en la ley, conserva vivo aún su derecho a hacerlo e intactas sus facultades al respecto. Pero, si la seguridad jurídica es suma equilibrada de certeza y legalidad, jerarquía y publicidad, irretroactividad de lo no favorable e interdicción de la arbitrariedad (vid. SSTC 27/1981, 227/1988 y 235/2000 entre otras muchas), creo que atenta contra los cimientos de este principio basilar de nuestro ordenamiento jurídico permitir a una organización servicial, sometida radicalmente a la ley y al derecho, operar sobre ese pasado para recalificarlo jurídicamente, con el fin de justificar una liquidación que no habría tenido lugar sin esa previa manipulación. En mi opinión, constituye un auténtico fraude, una burla a nuestro sistema constitucional, atribuyendo a la Administración un poder que nunca estuvo en la voluntad de nuestros constituyentes ni, por supuesto, en la del legislador ordinario (…) No cabe confundir el poder o la potestad con el ejercicio de los derechos cuando en su artículo 141 describe las funciones administrativas (los derechos y las facultades) en que consiste la inspección tributaria (la potestad). Afirmar que una potestad no prescribe constituye una obviedad, sin que quepa olvidar –insisto– que su ejercicio está vinculado a unos concretos sujetos pasivos, impuestos y períodos, como se desprende de los artículos 147. 2 y 148. 2 de la misma Ley, ejercicio que es el que la ley sujeta a plazo, hasta el punto de que su transcurso constituye una de las causas de extinción de la deuda tributaria (artículo 59. 1 LGT). En definitiva, la potestad siempre está ahí, mientras quiera el legislador, pero su ejercicio sólo es posible si el derecho (en realidad no es un "derecho" de la Administración, sino un "deber-facultad" al servicio del interés general tributario plasmado en el artículo 31 de la Constitución) no ha prescrito. Y este es el dilema que, a mi entender, la decisión mayoritaria no resuelve adecuadamente en el caso enjuiciado, en el que, para incidir sobre la liquidación de un período tributario no prescrito, en el año 2009 se califica realizado en fraude de ley un negocio concluido una década antes".*

[264]   Pese a lo que sostiene el Preámbulo de la Ley, cuando afirma lo siguiente: *"Con estas modificaciones se posibilita no solo garantizar el derecho de la Administración a realizar comprobaciones e investigaciones, sino que también se asegura el del obligado tributario a beneficiarse de los créditos fiscales citados más arriba, así como el correcto ejercicio de otros derechos, como por ejemplo, el de rectificación de sus autoliquidaciones cuando en la comprobación de la procedencia de la rectificación la Administración deba verificar aspectos vinculados a ejercicios respecto de los que se produjo la prescripción del derecho a liquidar".*

[265]   Vid. las Resoluciones del TEAC de 23 de octubre de 1996 o 13 de febrero de 2004 al considerar que *"la declaración tributaria presentada después de haber prescrito el período impositivo a que se refiere, no produce efectos y ha de tenerse por no formulada"*, aunque ello no impida

2001 negaba la posibilidad de rectificar la autoliquidación cuando el ejercicio ya estaba prescrito, pero apoyándose en lo dispuesto por el artículo 120. 2 c) de la LGT/1963. Es claro que esta jurisprudencia ahora no sería posible, pues en la LGT/2003 las autoliquidaciones no adquieren la condición de definitivas por el hecho de no haber sido comprobadas por la Administración dentro del plazo de prescripción (art. 101. 3) y precisamente por eso, el nuevo apartado 4 del art. 119 LGT (introducido por la Ley 34/2015) señalaba expresamente que *"en la liquidación resultante de un procedimiento de aplicación de los tributos sólo podrán aplicarse las cantidades que el obligado tributario tuviera pendientes de compensación o deducción en el momento de iniciarse dicho procedimiento, sin que a tales efectos sea posible modificar tales cantidades mediante la presentación de declaraciones complementarias o solicitudes de rectificación después del inicio del procedimiento de aplicación de los tributos"*, lo que, sensu contrario, significa que podrá intentarse la rectificación de la autoliquidación practicada en su día con plenos efectos compensatorios referidas a ejercicios prescritos en los que nació el derecho a compensar, pero siempre que se haga antes de que se entienda formalmente iniciada la actuación inquisitiva[266].

Por otra parte, obvio es señalar que la defensa jurídica que pueda desplegar el contribuyente ante estas inspecciones atinentes a períodos ya prescritos, no va a resultar precisamente fácil, toda vez que las comprobaciones son meros actos de trámite, irrecurribles como tales, hasta tanto no se dicte la pertinente liquidación. Y está por ver si en ésta última, correspondiente a ejercicios no prescritos, puede discutirse con comodidad su misma génesis, que no es otra

---

totalmente el derecho a la compensación si pudiere probarse por otros medios distintos de la declaración. En el mismo sentido, la SAN de 7 de junio de 2007. Sin embargo, y como bien apunta CASANA MERINO, F. "La compensación.....", op. cit. pag. 57, si *de acuerdo con el art. 70. 3 LGT, en la compensación que se origina en ejercicios prescritos el efecto extintivo de la prescripción en relación con las obligaciones formales depende de la prescripción del ejercicio en que se practica la compensación, es lógico que, al menos con la única finalidad de comprobar formalmente la compensación efectuada, deba dársele validez a la autoliquidación presentada una vez transcurrido el plazo de prescripción"*. En opinión de SANCHEZ BLAZQUEZ, M. La prescripción de las obligaciones tributarias, AEDAF, Madrid, 2007, pag. 206, la comprobación de las bases de períodos prescritos exigiría admitir correlativamente la presentación de una autoliquidación del período prescrito "aunque sea solo a efectos de la liquidación de período no prescrito en el que se compensa", y lo mismo cabría señalar de la posibilidad de solicitar la rectificación de la autoliquidación presentada.

[266] Así lo señalaba expresamente la Exposición de Motivos de la Ley 34/2015, al afirmar que con las modificaciones operadas en la prescripción y en las facultades de comprobación e investigación *"se posibilita no solo garantizar el derecho de la Administración a realizar comprobaciones e investigaciones, sino que también se asegura el del obligado tributario a beneficiarse de los créditos fiscales citados más arriba, así como el correcto ejercicio de otros derechos, como por ejemplo, el de rectificación de sus autoliquidaciones cuando en la comprobación de la procedencia de la rectificación la Administración deba verificar aspectos vinculados a ejercicios respecto de los que se produjo la prescripción del derecho a liquidar"*.

que la propia comprobación del ejercicio ya prescrito, salvo que, como acertadamente apunta FALCÓN Y TELLA, se atiendan otros principios como los relativos a la doctrina de los propios actos, la buena fe y la confianza legítima[267].

3.3. La regulación tras la reforma operada tanto en la LGT como en la LIS y los problemas de su posible inconstitucionalidad

Atendido el conjunto de las explicaciones anteriores, la posibilidad de comprobar la compensación de BINS o de operaciones y negocios realizados en ejercicios prescritos, cuando los efectos fiscales de dichas operaciones se proyectan en otros períodos no prescritos, hay que abordarlo desde una doble perspectiva. Una más concreta y específica regulada en la LIS y otra más amplia contemplada por la LGT. La primera (Ley 27/2014) prevé la posibilidad de que la Administración compruebe y, en su caso, regularice las BINS generadas en un período impositivo respecto del cual hubiera prescrito ya el derecho a determinar la deuda tributaria mediante la oportuna liquidación. Para ello, establece la facultad de comprobar estas operaciones en su art. 120 y en la DA 10ª, regulando más específicamente la comprobación de dichas BINS procedentes de ejercicios prescritos en el art. 26. 5. De esta forma, a la par que se recuerda la imprescriptibilidad de la potestad comprobadora y se extiende el plazo de la compensación o deducción de determinados créditos fiscales más allá de su plazo de prescripción, se limita a 10 años el plazo del que dispone la AEAT para comprobar la procedencia de dicha compensación o deducción[268].

---

[267]   FALCON Y TELLA, R. "La imprescriptibilidad del derecho a comprobar e investigar (que no es un derecho, sino una potestad) y los límites derivados de la buena fe y la confianza legítima", op. cit. pag. 17, para quien *esta "imprescriptibilidad" de las potestades (incluidas las facultades de comprobación e investigación) no quiere decir que las mismas carezcan de límites. Es evidente que la Administración no puede ir en contra de sus propios actos, en perjuicio del contribuyente, sino que debe respetar las exigencias de la buena fe y la confianza legítima. Por ello, si de forma expresa o tácita se aceptó en algún momento la existencia de cantidades a compensar o deducir, no puede revisarse ese criterio con ocasión de la liquidación de las obligaciones en que se practica la compensación o deducción que estaba pendiente. Dicho de otro modo, no pueden considerarse fraudulentos negocios jurídicos que en ejercicios previos, correspondientes al tiempo en que se llevaron a acabo, no se consideraron como tales*. El profesor de la Universidad Complutense cita en apoyo de sus tesis las SSTS de 4 de noviembre de 2013 y 6 de marzo de 2014. El Grupo Parlamentario Catalán, en su enmienda núm. 85 en el Congreso de los Diputados, defendió la necesidad de someter la actuación de la Administración al principio de confianza legítima, como manifestación del principio de seguridad jurídica y buena fe.

[268]   Por lo tanto, la diferencia existente entre lo dispuesto en el art. 120. 2 LIS y lo señalado por el art. 26. 5 obedece a una relación de especialidad. Así, en el primero, se regula con carácter general y expresamente la posibilidad de la Administración tributaria para comprobar y regularizar operaciones realizadas en ejercicios prescritos que extienden sus efectos a otros períodos no prescritos y en tal sentido se señala expresamente que la AEAT podrá regularizar

los importes correspondientes a las partidas integradas en la base imponible en los períodos impositivos objeto de comprobación (ejercicios no prescritos) aun cuando éstos deriven de operaciones generadas en períodos impositivos ya prescritos. Pero a diferencia de las BINS, el art. 120. 2 LIS no establece una limitación temporal de las operaciones a comprobar en la medida en que incidan en la regularización de ejercicios no prescritos. La AEAT tiene así una facultad ilimitada en el tiempo para investigar los hechos, actos, elementos, actividades, explotaciones, valores y demás circunstancias determinantes de la obligación tributaria respecto de dichos ejercicios no prescritos. Para la comprobación de las BINS tendría 10 años. Vid. CORONADO SIERRA M. "Imprescriptibilidad del derecho de la Administración a comprobar e investigar", Revista de Contabilidad y Tributación, CEF, núm. 389-390, 2015, pag. 149, quien al hilo del comentario de la STS de 5 de febrero de 2015 (rec. núm. 4075/2013), afirma a este respecto lo siguiente: *La aplicación de esta doctrina tal y como la acaba de plantear el Tribunal Supremo permite entender que su aplicación es "omnicomprensiva" es decir, ampara la actuación de comprobación de cualquier supuesto en donde operaciones o negocios jurídicos realizados en ejercicios prescritos puedan producir efectos tributarios en ejercicios vivos a la comprobación, y ello con independencia de si para valorar la legalidad de estas operaciones o sus consecuencias tributarias la Administración considera necesario recalificar las mismas (art. 13 LGT), o considera procedente la declaración de conflicto (art. 15 LGT), la consideración de que la operación ha sido simulada (art. 16 LGT) o, simplemente, haya considerado que el contribuyente no ha aplicado o interpretado correctamente una norma. Llegar a esta conclusión parece inevitable a la vista de la ratio decidendi seguida por el Tribunal Supremo, no en vano el artículo 115 de la LGT atribuye a la Administración la potestad de comprobar e investigar no solo los hechos, valores y demás elementos determinantes de la obligación tributaria (art. 115. 1 LGT), sino que contempla además la potestad de calificar jurídicamente una operación (art. 115. 2 LGT) y lo hace en ambos casos con la misma extensión, sin limitación alguna. Por lo tanto, si la ley no distingue es difícil abrir la posibilidad de establecer distintos niveles de ejercicio de la potestad de comprobar. Es oportuno apuntar como la nueva ley del Impuesto sobre Sociedades (Ley 27/2014, de 27 de noviembre) introduce limitaciones en su ámbito para determinados supuestos, en particular en el artículo 26. 5 para la comprobación de BIN (.......) y en términos similares en el ámbito de las deducciones en los artículos 31. 7, 32. 8 y 39. 6. Por lo tanto, habrá que entender que salvo que la ley límite de forma expresa su ejercicio en determinados supuestos, como así ha efectuado la LIS, esta potestad podrá ser ejercida por la Administración sin limitación alguna (...) Es cierto que esta nueva doctrina podría abrir una grieta en el principio de seguridad jurídica, sobre todo si la Administración hiciera un uso desproporcionado e injustificado de la amplitud de la misma. Así, no estará justificado, por ejemplo, que a raíz de esta nueva doctrina la Administración decida dar un giro a sus comprobaciones y de forma generalizada cuestione operaciones realizadas muchos años atrás bajo la justificación de que estas siguen generando efectos jurídicos actualmente, como podría ser, para valorar el gasto por amortización de un inmueble adquirido hace 20 años, cuestionar el precio de adquisición. Ahora bien, también es verdad que en la mayoría de los supuestos en los que hasta ahora se ha utilizado esta potestad con esta amplitud son casos de operaciones complejas que han requerido la recalificación de las mismas y sobre todo la utilización de la figura del fraude de ley o conflicto en la aplicación de la norma, al generar, a juicio de la Administración, unos efectos no queridos por la normativa tributaria. Por lo tanto, no es de esperar, a mi juicio, que el hecho de que el Tribunal Supremo confirme y ratifique la tesis defendida por la Administración provoque en esta una reacción descontrolada y desproporcionada, circunstancia que sin duda no beneficiaría a nadie, empezando por la propia Administración".* Vid. en sentido mucho más crítico, PALAO TABOADA, C. "Doctrina de los actos propios, comprobación de ejercicios prescritos y fraude de ley", Revista

Ello implica paralelamente la posible rectificación de las autoliquidaciones de los sujetos pasivos, pero limitada también al plazo de 10 años. De esta manera, durante los 10 años posteriores al período impositivo en el que se acreditaron las BINS la Administración puede comprobarlas, aunque ya hubiese prescrito el derecho de aquélla a liquidar el período en que dichas BINS se materializaron. Dicho plazo tiene como *dies a quo* el siguiente al de la finalización del plazo para la presentación de la declaración o autoliquidación correspondiente al ejercicio o período impositivo en que se generó el derecho a su compensación. Una vez transcurrido dicho plazo decenal, la LIS regula las pruebas concretas –y únicas– que debe aportar el sujeto pasivo para poder ejercitar válidamente su derecho a la compensación: autoliquidación, liquidación y contabilidad, exigiéndose expresamente que los libros de contabilidad hayan sido depositados en el Registro Mercantil dentro del referido plazo temporal de los dos lustros.

Dicho de otra manera, la facultad de la AEAT para desarrollar facultades inquisitivas respecto de BINS declaradas por el obligado tributario se sujeta a un plazo de 10 años a contar desde el día siguiente a la finalización del plazo establecido para la presentación de la correspondiente autoliquidación. Por supuesto, dicho plazo decenal únicamente proyecta sus efectos sobre los ejercicios no prescritos y de ningún modo supone que se pueda regularizar un período impositivo que esté prescrito. Este mismo límite temporal de 10 años del derecho de la Administración para comprobar e investigar, se aplica a los siguientes beneficios fiscales:

– Deducciones para evitar la doble imposición internacional (art. 31. 7 LIS).

– Deducción para evitar la doble imposición económica internacional: dividendos y participaciones en beneficios (art. 32. 8 LIS).

– Deducciones para incentivar la realización de determinadas actividades (art. 39. 6 LIS).

Con toda seguridad, las disposiciones transitorias contenidas en la Ley 34/2015 de reforma de la LGT y las propias de la LIS atinentes a esta cuestión, constituirán un foco de conflictividad, habida cuenta que desde principios del año 2015 la compensación de BINS es objeto preferente de atención, de conformidad con lo previsto por el plan de control tributario aprobado

---

de Contabilidad y Tributación, CEF, núm. 376, 2014, pag. 46, quien considera inadmisible la recalificación de operaciones cuyos efectos fiscales se han venido aceptando a lo largo de varios ejercicios, al existir un "retraso desleal" en el ejercicio de los derechos, por mucho que el mero transcurso del tiempo sin pronunciamiento administrativo expreso difícilmente pueda calificarse como un acto propio de la Administración. Cfr. MARTINEZ GINER, L. A. "La seguridad jurídica como límite a las potestades de comprobación de la administración tributaria: Doctrina de los actos propios y prescripción del fraude de Ley", QF. núm. 20, 2015, pag. 17 y ss.

por Resolución de 9 de marzo de 2015, de la Dirección General de la AEAT, cuyo apartado 7 señala expresamente como ámbitos prioritarios de actuación el *"control tanto sobre la procedencia de los créditos fiscales a aplicar en ejercicios posteriores a los de su generación que hayan sido declarados por los contribuyentes, como de las bases imponibles negativas o las deducciones pendientes de aplicación"*[269].

A ello debe sumarse el hecho de que ni la DA 10ª LIS ni la DT Única de la Ley 34/2015, de modificación parcial de la LGT, regulan la aplicación prospectiva de la nueva regulación, sino que, antes al contrario, prevén su aplicación a los procedimientos de comprobación e investigación ya en curso, con lo que se generará una aplicación retroactiva de exigencias legales inexistentes en el momento en el que las BINS o el resto de créditos fiscales se generaron, afectando de pleno, en consecuencia, a situaciones plenamente consolidadas. De esta manera, las BINS de antigüedad superior a los diez años no se verían ya afectadas, más allá de la verificación formal a la que alude la LIS. Sin embargo, la modificación legislativa afectará a todas las entidades que no hubiesen depositado las cuentas anuales en el Registro Mercantil, un requisito éste inexistente en el momento en el que se obtuvieron esas BINS y que modulará extraordinariamente –por no decir que impedirá– las posibilidades de prueba para esos sujetos pasivos. En esta misma situación se hallarían las BINS de antigüedad inferior a los 10 años, pero superior a cuatro, en las que podría atisbarse una incidencia retroactiva, aunque no de grado máximo y por ello, en principio, compatible con el art. 9. 3 CE (STC 6/1983).

Hay situaciones, sin embargo, donde cabe atisbar un problema de retroactividad en grado máximo. Se trataría, por ejemplo, de BINS compensadas en autoliquidaciones presentadas con anterioridad a los cambios normativos operados en la LIS y la LGT (independientemente de que la comprobación por parte de la AEAT se hubiera producido o no). En estos casos, exigir el depósito de las cuentas anuales en el Registro Mercantil –y ante la imposibilidad de probar tal extremo eliminar de un plumazo las BINS compensadas o pendientes de compensar– implicaría aplicar retroactivamente la normativa a supuestos ya plenamente consolidados y completamente cerrados antes de su entrada en vigor, lo que paralelamente comportaría la exigencia de una deuda inexistente en el momento del devengo del período en que se produjo su compensación, cuestión que además se agravaría si se pretendiera sancionar la compensación practicada por la entidad [270].

---

[269]   Así lo afirma abiertamente CORDERO GONZALEZ, E. M. "El derecho a comprobar e investigar BIN, créditos fiscales y demás elementos originados en períodos prescritos tras la reforma de la LGT", Revista de Contabilidad y Tributación, núm. 396, 2016, pag. 37.

[270]   Como acertadamente señala CORDERO GONZÁLEZ, E. M. "El derecho a comprobar......", op. cit. pag. 40.

Es más, aunque finalmente la AEAT no sancionase la compensación o el intento de compensar esas BINS huérfanas de la prueba exigida por la previsión normativa posterior, la medida se erigiría ya en un mecanismo materialmente sancionador (aunque aparezca formalmente desposeída de la denominación de sanción y, por ende, de las garantías constitucionales que a ésta siempre se acompañan). Se trataría de una sanción impropia, calificada por la doctrina italiana y alemana como toda aquella consecuencia negativa, siempre conectada a la infracción formal de la norma (en este caso el incumplimiento del depósito de las cuentas anuales en el Registro Mercantil), que influye sobre la determinación de la base imponible o directamente de la deuda tributaria, es decir, una desventaja subsiguiente a la comisión de un ilícito tributario formal que incidiría sobre los derechos sustantivos del contribuyente, limitativa de la correcta determinación de su renta efectiva gravable[271].

Conviene no olvidar que, para casos similares a éste, por ejemplo, con ocasión de la reforma del art. 106. 4 LGT, y donde a falta de Disposición Transitoria específica la AEAT entendió que podía comprobar deducciones correspondientes a períodos prescritos, la STS de 5 de diciembre de 2013 (rec. 5084/2011) consideró que la normativa a aplicar era la vigente en el momento del devengo de la deuda que *"no permitía comprobación alguna"*. El mismo criterio se reitera en la STS de 19 de febrero de 2015 (rec. 3180/2013). En todos estos supuestos resueltos por el Tribunal Supremo lo que existía era una retroactividad de grado máximo, incompatible con el principio de seguridad jurídica consagrado por la CE[272].

Pero para entender mejor el alcance de lo que acaba de señalarse, conviene recapitular algunos de los conceptos a los que acaba de aludirse. La doctrina del Tribunal Constitucional sobre la retroactividad de las normas tributarias se contiene básicamente en la STC 126/1987, de 16 de julio, completada por la STC 182/1997. De acuerdo con dicha doctrina, el respeto al principio de seguridad jurídica se erige en el límite a la retroactividad, sin que, en este sentido,

---

271   Sobre ello vid. extensamente SANCHEZ PEDROCHE, J. A. Forma y materia en Derecho Financiero y Tributario. Incumplimiento de obligaciones formales y pérdida de derechos sustanciales. Centro de Estudios Financieros, Monografías, Madrid, 2004, passim.

272   El art. 9.3 de la CE establece literalmente que: *"la Constitución garantiza el principio de legalidad, la jerarquía normativa, la publicidad de las normas, la irretroactividad de las disposiciones sancionadoras no favorables o restrictivas de derechos individuales, la seguridad jurídica, la responsabilidad y la interdicción de la arbitrariedad de los poderes públicos"*. Por su parte el artículo 10.2 de la LGT dispone que: *"Salvo que se disponga lo contrario, las normas tributarias no tendrán efecto retroactivo y se aplicarán a los tributos sin período impositivo devengados a partir de su entrada en vigor y a los demás tributos cuyo período impositivo se inicie desde ese momento"*. Es evidente la relación existente entre los principios de irretroactividad y de seguridad jurídica, pues si este último comporta certidumbre del derecho aplicable a determinados actos, consecuentemente exige que el mismo sea el existente en el momento en que tales actos se realizaron a su amparo.

quepa entender que dicho principio se ve resentido porque un determinado régimen jurídico no quede congelado de por vida. Pero no basta con afirmar que una ley es retroactiva, sino que debe precisarse la intensidad de sus efectos. En tal sentido, la retroactividad de una ley admite tres grados o tipos:

a) Retroactividad de grado máximo: La ley nueva se aplicaría a la relación creada bajo el imperio de la ley antigua, y en cuanto a todos sus efectos, prescindiendo de si estuvieran consumados o no consumados.

b) Retroactividad de grado medio: La ley nueva se aplicaría a las situaciones creadas bajo el imperio de la ley antigua, pero sólo en cuanto a los efectos nacidos con anterioridad que no se hubiesen ya consumado o agotado.

c) Retroactividad de grado mínimo: La nueva ley se aplicaría a las situaciones jurídicas creadas bajo el imperio de la ley antigua, pero únicamente respecto de los efectos futuros, esto es, de aquellos que pudieran producirse con posterioridad a su entrada en vigor.

El Tribunal Constitucional insiste en la necesidad de atender al grado de retroactividad de la ley para ponderar su adecuación constitucional (junto con otros aspectos como la imperatividad de su motivación, su razonabilidad, etc.), decantándose por el rechazo a la retroactividad absoluta o de grado máximo, es decir, la que afecta a situaciones jurídicas pasadas o ya consumadas y consolidadas, por la vulneración de la seguridad jurídica que ello inequívocamente comportaría, declarando paralelamente la constitucionalidad de la retroactividad en grado medio o mínimo (también llamada retroactividad relativa o impropia), es decir, la que incide sobre situaciones o relaciones jurídicas todavía no concluidas. Por lo tanto, más que al grado de retroactividad, la validez constitucional se condiciona a su contraste con los principios de seguridad jurídica, igualdad y capacidad económica. A análoga conclusión ha llegado el TJUE en sus Sentencias de 3 de diciembre de 1998, Asunto C-381/97, BELGO-CODEX SA y de 26 de abril de 2005, en el asunto C-376/ STICHING GOED WONEN[273].

---

[273] Así, afirma el TC en su Sentencia 126/1987, en su FJ 11º (la negrita es nuestra): " (...) *En este contexto, el grado de retroactividad de la norma cuestionada, así como las circunstancias específicas que concurran en cada caso, se convierten en elemento clave en el enjuiciamiento de su presunta inconstitucionalidad. Y a estos efectos resulta relevante la distinción entre aquellas disposiciones legales que con posterioridad pretenden anudar efectos a situaciones de hecho producidas o desarrolladas con anterioridad a la propia Ley y las que pretenden incidir sobre situaciones o relaciones jurídicas actuales aún no concluidas. En el primer supuesto –retroactividad auténtica–, la prohibición de la retroactividad operaria plenamente y sólo exigencias cualificadas del bien común podrían imponerse excepcionalmente a tal principio; en el segundo –retroactividad impropia–, la licitud o ilicitud de la Disposición resultaría de una ponderación de bienes llevada a cabo caso por caso teniendo en cuenta, de una parte, la seguridad jurídica y, de otra, los diversos imperativos que pueden*

Efectivamente, la jurisprudencia constitucional ha hilvanado los principios de claridad, retroactividad de las normas fiscales, seguridad jurídica e interdicción de la arbitrariedad en algunas de sus Sentencias. Tal es el caso de la STC 150/90[274]. O la STC 173/96, de 31 de octubre, donde con toda rotundidad se afirma literalmente que:

---

conducir a una modificación del ordenamiento jurídico-tributario, así como las circunstancias concretas que concurren en el caso. Es de destacar que esta ponderación ha llevado al Tribunal alemán, desde su Sentencia núm. 27, de 19 de diciembre de 1961, a considerar, en principio, constitucionalmente legítimas las normas fiscales retroactivas cuando la ley pretende tener aplicación en el período impositivo dentro del cual entra en vigor y que, por su parte, el Tribunal Supremo norteamericano ha declarado también la constitucionalidad de medidas fiscales retroactivas cuando la retroactividad alcanza a períodos cercanos al de la tramitación de la ley en cuestión, como es el caso de leyes fiscales cuyo objeto es gravar rentas o beneficios obtenidos durante el año en que se aprobó la ley o incluso durante el año de la sesión legislativa anterior a la de su aprobación (Decisiones de 11 de enero de 1937, 21 de noviembre de 1938 y 12 de enero de 1981 en los casos U. S. v. Hudson, Welch v. Henry et alii, y U. S. v. Darusmont). Bien es cierto que tanto uno como otro Tribunal tienen además en cuenta otras circunstancias específicas, como la importancia de las modificaciones introducidas, o el conocimiento por parte del contribuyente de la posibilidad de que se efectúen cambios en la legislación. 12. De acuerdo con las consideraciones anteriores es preciso analizar, en primer término, el alcance de la retroactividad de la Disposición adicional sexta, 3, cuya constitucionalidad se cuestiona. De los escritos presentados parece deducirse que la retroactividad de dicha norma se proyecta sobre relaciones jurídico-tributarias ya agotadas y que, por lo tanto, debería considerársela de grado máximo, con la consiguiente conclusión de su ilegitimidad constitucional. Tal postura encuentra su apoyo en el hecho de que el devengo del tributo se produce con anterioridad a la entrada en vigor de la ley y parte de que el hecho imponible se agotó temporalmente en el instante del devengo (...)". La negrita es nuestra.

[274] *"La certeza de la norma, manifestación de la seguridad jurídica, significa previsibilidad sobre los efectos de su aplicación. Los principios de seguridad jurídica y de interdicción de la arbitrariedad de los poderes públicos exigen que la norma sea clara para que los ciudadanos sepan a qué atenerse ante la misma. Es pues importante para la certeza del Derecho y para la seguridad jurídica el empleo de una depurada técnica jurídica en el proceso de elaboración de las normas, singularmente en un sector como el tributario que, además de regular actos y relaciones jurídicas en masa que afectan y condicionan la actividad económica global de todos los ciudadanos, atribuye a estos una participación y un protagonismo crecientes en la gestión y en la aplicación de los tributos. El legislador, tanto estatal como autonómico, debe esforzarse inexcusablemente en "alumbrar una normativa tributaria abarcable y comprensible para la mayoría de los ciudadanos a los que va dirigida; puesto que una legislación confusa, oscura e incompleta, dificulta su aplicación y, además de socavar la certeza del Derecho y la confianza de los ciudadanos en el mismo, puede terminar por empañar el valor de la Justicia". Aunque no existe una prohibición constitucional de la legislación tributaria retroactiva, admitir esa retroactividad no supone mantener siempre su legitimación constitucional que puede ser cuestionada cuando la eficacia retroactiva contraríe otros principios consagrados en la CE, como el de seguridad jurídica. Este principio no es un valor absoluto que dé lugar a la congelación del ordenamiento jurídico existente, ni implica el derecho de los ciudadanos al mantenimiento de un determinado régimen fiscal, pero sí protege la confianza de los ciudadanos, que ajustan su conducta económica a la legislación vigente, frente a cambios normativos que no sean razonablemente previsibles, ya que la retroactividad*

"No existe una prohibición constitucional de la legislación tributaria re-troactiva que pueda hacerse derivar del principio de irretroactividad. La irre-troactividad absoluta de las leyes fiscales, por otra parte, podría hacer totalmente inviable una verdadera reforma fiscal. Pero afirmar que las normas tributarias no se hallan limitadas en cuanto a tales por la prohibición de retroactividad del art. 9. 3 CE, en tanto que no son normas sancionadoras o restrictivas de derechos individuales, no supone de ninguna manera mantener siempre y en cualquier circunstancia su legitimidad constitucional, que puede ser cuestionada cuando su eficacia retroactiva entre en colisión con otros principios constitucionales como el de seguridad jurídica recogido en el mismo precepto constitucional. La segu-ridad jurídica es "suma de certeza y legalidad, jerarquía y publicidad normativa, irretroactividad de lo no favorable e interdicción de la arbitrariedad, sin perjuicio del valor que por sí mismo tiene aquel principio" (SSTC 27/81, 99/87, 227/88 y 150/90), y aun cuando no puede erigirse en valor absoluto, lo que daría lugar a la petrificación o congelación del ordenamiento jurídico, ni debe entenderse tam-poco como el derecho de los ciudadanos al mantenimiento de un determinado régimen fiscal, "sí protege en cambio la confianza de los ciudadanos, que ajus-tan su conducta económica a la legislación vigente, frente a cambio normativos que no sean razonablemente previsibles, ya que la retroactividad posible de las normas tributarias no puede trascender la interdicción de la arbitrariedad (SSTC 150/90 y 197/92). En el caso de autos (creación de un gravamen complementario de la tasa de juego por el art. 38. 2. 2. de la Ley 5/90) la norma cuestionada ha llevado a cabo un incremento de la deuda de un impuesto periódico, antes de que finalizara el correspondiente período impositivo y de modo absolutamente imprevisible, de modo que los interesados que conocían las consecuencias tri-butarias que derivaban de su decisión de explotar el negocio de las máquinas o aparatos de juego, cuando la Ley 5/90 estableció un gravamen complementario aplicable a las tasas ya devengadas al comienzo del año 1990, vieron modificada de manera imprevisible el quantum del deber de contribuir que ya había sido sa-tisfecho, quebrantando la seguridad jurídica de quienes en 1990 permanecieron en dicho sector del juego o iniciaron su actividad en él en la confianza de que sus obligaciones tributarias se hallaban delimitadas en el RDL 7/89. Una modi-ficación retroactiva y de tal magnitud de una cuota tributaria ya satisfecha sólo podría reputarse conforme a la Ce si existieran (que no es el caso de autos) claras exigencias de interés general que el principio de seguridad jurídica, que no es un valor absoluto, debiera ceder ante otros bienes o derechos constitucionalmente protegidos" [(FF JJ 3º y 5º) A esa relación de la retroactividad de las normas jurídicas con el principio de seguridad jurídica también se refiere la STC 273/00, de 15 de noviembre en su FJ 6º)].

---

posible de las normas tributarias no puede trascender la interdicción de la arbitrariedad. Serán en definitiva las circunstancias específicas que concurran en cada caso y el grado de retroactividad de la norma cuestionada los elementos determinantes que permitan enjuiciar su pretendida inconstitucionalidad" (FJ 8º).

El mejor resumen en cuanto a la retroactividad de las normas tributarias se encuentra en la STC 182/1997, antes aludida[275]. Y es que el oficio de las leyes

---

[275] *"11. Antes de nada, conviene recordar la doctrina de este Tribunal en relación con los principios de irretroactividad de las normas restrictivas de derechos individuales y de seguridad jurídica en el ámbito tributario. a) En primer lugar, hemos declarado que «no existe una prohibición constitucional de la legislación tributaria retroactiva que pueda hacerse derivar del principio de irretroactividad tal como está consagrado» en el art. 9.3 C.E., pues el «límite expreso de la retroactividad in peius de las leyes que el art. 9.3 de la Norma suprema garantiza no es general, sino que está referido exclusivamente a las leyes ex post facto sancionadoras o restrictivas de derechos individuales. ... No cabe considerar, pues, con carácter general, subsumidas las normas fiscales en aquellas a las que se refiere expresamente el citado art. 9.3 C.E., por cuanto tales normas no tienen por objeto una restricción de derechos individuales, sino que responden y tienen un fundamento propio en la medida en que son directa y obligada consecuencia del deber de contribuir al sostenimiento de los gastos públicos de acuerdo con la capacidad económica impuesto a todos los ciudadanos por el art. 31.1 de la Norma fundamental» (STC 173/1996, fundamento jurídico 3.o, que se apoya en las SSTC 27/1981, fundamento jurídico 10, 6/1983, fundamento jurídico 3.o, 126/1987, fundamento jurídico 9.o, y 150/1990, fundamento jurídico 8.o). Así pues, «fuera de las materias respecto de las que el art. 9.3 C.E. veta totalmente la retroactividad, es posible que se dote a la ley del ámbito de retroactividad que el legislador considere oportuno, disponiendo éste, por consiguiente, de un amplio margen de discrecionalidad política» (STC 150/1990, fundamento jurídico 8.o). «La irretroactividad absoluta de las leyes fiscales podría hacer totalmente inviable una verdadera reforma fiscal» (SSTC 126/1987; 197/1992 y 173/1996, fundamento jurídico 3.o). b) Ahora bien, también hemos declarado que «afirmar que las normas tributarias no se hallan limitadas en cuanto tales por la prohibición de retroactividad establecida en el art. 9.3 C.E., en tanto que no son normas sancionadoras o restrictivas de derechos individuales, no supone de ninguna manera mantener, siempre y en cualquier circunstancia, su legitimidad constitucional, que puede ser cuestionada cuando su eficacia retroactiva entre en colisión con otros principios consagrados en la Constitución (STC 126/1987, fundamento jurídico 9.o), señaladamente, por lo que aquí interesa, el de seguridad jurídica, recogido en el mismo precepto constitucional» (STC 173/1996, fundamento jurídico 3.o 4). c) Sobre el significado del principio de seguridad jurídica en este particular contexto, también hemos señalado que dicho principio, aun cuando no pueda erigirse en valor absoluto, pues ello daría lugar a la congelación o petrificación del ordenamiento jurídico existente (STC 126/1987, fundamento jurídico 11), ni deba entenderse tampoco como un derecho de los ciudadanos al mantenimiento de un determinado régimen fiscal (SSTC 27/1981 y 6/1983), sí protege, en cambio, la confianza de los ciudadanos, que ajustan su conducta económica a la legislación vigente, frente a cambios normativos que no sean razonablemente previsibles, ya que la retroactividad posible de las normas tributarias no puede trascender la interdicción de la arbitrariedad (STC 150/1990, fundamento jurídico 8.o). Determinar, en consecuencia, cuándo una norma tributaria de carácter retroactivo vulnera la seguridad jurídica de los ciudadanos es una cuestión que sólo puede resolverse caso por caso, teniendo en cuenta, de un lado, el grado de retroactividad de la norma cuestionada y, de otro, las circunstancias específicas que concurren en cada supuesto (SSTC 126/1987, fundamento jurídico 11, 150/1990, fundamento jurídico 8.o, y 173/1996, fundamento jurídico 3.o). d) Finalmente, como criterio orientador de este juicio casuístico, resulta relevante, a tenor de la doctrina de este Tribunal, distinguir entre la retroactividad auténtica o de grado máximo, y la retroactividad impropia o de grado medio. En el primer supuesto, que se produce cuando la disposición pretende anudar sus efectos a situaciones de hecho producidas con anterioridad a la propia Ley y ya consumadas, sólo exigencias cualificadas de interés general podrían imponer el sacrificio*

no es otro que regular el porvenir, puesto que el pasado no está jamás en su poder, salvo que el precio a pagar de contrario sea la inseguridad jurídica y la oscuridad normativa.

A estos efectos conviene recordar que el Tribunal Constitucional, en su Sentencia 121/2016 de 23 de junio, declaró la inconstitucionalidad del régimen establecido en el año 2011 por la Ley de Economía Sostenible, en la que se restringía el beneficio fiscal del que disfrutaban las llamadas *"stock options"*, condicionándolo a la sola existencia del incentivo si éste no se hubiera concedido de manera anual y otorgándole efecto retroactivo desde el año 2004, es decir, consagrando legalmente –y esto es lo importante– una retroactividad de grado máximo que afectaba de lleno a ejercicios impositivos que ya estaban completamente prescritos.

---

del principio de seguridad jurídica. En el supuesto de la retroactividad de grado medio o impropia, que se produce cuando la Ley incide sobre situaciones jurídicas actuales aún no concluidas, la licitud o ilicitud de la disposición dependerá de una ponderación de bienes llevada a cabo caso por caso que tenga en cuenta, de una parte, la seguridad jurídica y, de otra, los diversos imperativos que pueden conducir a una modificación del ordenamiento jurídico tributario, así como las circunstancias concretas que concurren en el caso, es decir, la finalidad de la medida y las circunstancias relativas a su grado de previsibilidad, su importancia cuantitativa, y otros factores similares (STC 126/1987, fundamentos jurídicos 11, 12 y 13, STC 197/1992, fundamento jurídico 4.o y STC 173/1996, fundamento jurídico 3.o). 12. De acuerdo con la doctrina que acabamos de sintetizar, para analizar la constitucionalidad de la Ley 28/1992 es preciso, en primer término, determinar cuál es su grado de retroactividad (...) La mera constatación de que la mencionada Ley 28/1992 tiene carácter retroactivo –aunque se trate de retroactividad impropia– debe llevar necesariamente a la conclusión de que la seguridad jurídica de los sujetos pasivos del IRPF ha quedado afectada. Tal corolario, sin embargo, no implica automáticamente que deba ser declarada inconstitucional. Como ya ha declarado este Tribunal en ocasiones anteriores (STC 126/1987, fundamento jurídico 13, STC 197/1992, fundamentos jurídicos 4.o y 5.o, y STC 173/1996, fundamento jurídico 5.o), la naturaleza periódica del tributo afectado y la configuración de su hecho imponible no impiden, en principio, que el legislador pueda modificar algunos aspectos del mismo por medio de disposiciones legales dictadas precisamente durante el período impositivo en el que deben surtir efectos. Insistimos una vez más en que la seguridad jurídica no es un valor absoluto, pues ello daría lugar a la petrificación del ordenamiento jurídico, ni puede entenderse tampoco como un derecho de los ciudadanos –en este caso de los sujetos pasivos del IRPF al mantenimiento de un determinado régimen fiscal. Lo que acabamos de decir, sin embargo, tampoco significa que cualquier regulación de este género deba reputarse conforme a la protección de la confianza de los ciudadanos que la Constitución dispensa en el art. 9.3. Como hemos recordado anteriormente, si la afectación de la seguridad jurídica por una norma de retroactividad impropia como la enjuiciada vulnera o no la Constitución es un interrogante al que sólo puede responderse después de analizar las circunstancias específicas que concurren en el caso, especialmente, la previsibilidad de la medida adoptada, las razones que han llevado a adoptarla y el alcance de la misma. Sólo después de una ponderación de los diferentes elementos en presencia es posible concluir si el art. 9.3 C.E. ha resultado vulnerado o si, por el contrario, la seguridad jurídica, que, insistimos, no es un valor absoluto, debe ceder ante otros bienes o derechos constitucionalmente protegidos.

En los FF JJ 4º, 5º y 6º de la referida Sentencia se afirma, con toda rotundidad, la violación del artículo 9. 3 CE y, por consiguiente, de los principios de legalidad, seguridad jurídica e irretroactividad que esa retroactividad máxima comporta, sin que, de contrario, pudiera invocarse la existencia de poderosas o inapelables razones de interés general, sino de mero capricho o conveniencia del legislador (la negrita es nuestra):

> *"En los términos ya expuestos, la disposición adicional trigésimo primera de la Ley 35/2006, incorporada por la disposición final cuadragésimo novena, apartado Uno, de la Ley 2/2011, se cuestiona únicamente por su efecto retroactivo, al aplicarse a rendimientos generados a partir del 5 de agosto de 2004. Para examinar la compatibilidad de tal retroactividad con el art. 9.3 CE debemos antes de nada recordar que no existe una prohibición constitucional de la legislación tributaria retroactiva, pues las normas tributarias no tienen carácter sancionador sino que imponen a los ciudadanos la obligación de contribuir al sostenimiento de gastos públicos o de efectuar prestaciones patrimoniales de carácter público (art. 31.3 CE). Tampoco, como hemos reiterado, existe en nuestro ordenamiento constitucional un derecho de los ciudadanos al mantenimiento de un determinado régimen fiscal (SSTC 126/1987, de 16 de julio, FJ 11 y 116/2009, de 18 de mayo, FJ 3), aun cuando si se exija la protección de la confianza de los ciudadanos que ajustan su conducta económica a la legislación vigente frente a cambios normativos que no sean razonablemente previsibles, ya que la retroactividad posible de las normas no puede trascender la interdicción de la arbitrariedad (SSTC 150/1990, de 4 de octubre, F J 8; 182/1997, de 28 de octubre, FJ 11; 89/2009, de 20 de abril, FJ 3; 90/2009, de 20 de abril, FJ 4 y 100/2012, de 8 de mayo, FJ 10). Por tanto, la retroactividad podrá ser contraria al principio de seguridad jurídica e interdicción de la arbitrariedad (art. 9.3 CE), dependiendo de su grado, así como las circunstancias específicas que concurran en cada caso, lo que resultará clave en el enjuiciamiento a la luz de la Constitución [SSTC 126/1987, de 16 de julio, F J 11; 150/1990, de 4 de octubre, FJ 8; 173/1996, de 31 de octubre, FJ 3; 182/1997, de 20 de octubre, FJ 11 c) y STC 176/2011, de 8 de noviembre, FJ 5, entre muchas otras]. Asimismo, es preciso tener en cuenta de manera especial tanto el tipo de impuesto en que se produce, su naturaleza y la estructura del hecho imponible, como las circunstancias concretas concurrentes en el caso. Conviene recordar que, a efectos de la determinación de la norma aplicable, en la dogmática tributaria el devengo es el momento en que, por establecerlo así la Ley, se entiende realizado el hecho imponible y nacida la obligación tributaria. En los tributos instantáneos el aspecto temporal del hecho imponible no adquiere relevancia jurídica y la realización del elemento material del hecho imponible determina el nacimiento de la obligación tributaria. Ahora bien, en los tributos periódicos, cuyo hecho imponible consiste en un estado de cosas o situación (elemento material) que no se agota en sí mismo, sino que se prolonga de manera continuada en el tiempo, no basta, a fin de ponderar el alcance de la retroactividad de la norma, con atender solo al momento del devengo; ha de tenerse en cuenta también el periodo impositivo o dimensión temporal del elemento objetivo del hecho imponible.*
>
> *__En este caso, todas las partes coinciden en que, en los ejercicios 2004 a 2010, estamos ante un supuesto de retroactividad de grado máximo, pues se afecta a__*

situaciones jurídicas cuyos efectos ya se han consolidado (SSTC 126/1987, de 16 de julio, FJ 11; 197/1992, de 19 de noviembre, FJ 4 y 182/1997, de 28 de octubre, FJ 11). La norma afecta a siete ejercicios fiscales que ya habían finalizado en el momento de su entrada en vigor (ejercicios 2004 a 2010), por lo que solo puede concluirse que su incidencia inmediata sobre el principio de seguridad jurídica es evidente, lo que permite anticipar que es susceptible de trascender la interdicción de la arbitrariedad (SSTC 150/1990, de 4 de octubre, FJ 8; 182/1997, de 28 de octubre, FJ 11; 90/2009, de 20 de abril, FJ 4 y 100/2012, de 8 de mayo, FJ 10). En efecto, en los casos de retroactividad propia, hemos reiterado que, como regla general, la prohibición de la retroactividad operaría plenamente, de modo que debe examinarse si concurren "exigencias cualificadas del bien común" [STC .176/2011, FJ 5, con cita de las SSTC 126/1987, de 16 de julio, FJ 11; 197/1992, de 19 de noviembre, FJ 4; 173/1996, de 31 de octubre, FJ 5 C) y 182/1997, de 20 de octubre, FJ 11 d)], pues solo en tal caso podrá concluirse la licitud de la disposición y, por tanto, el sacrificio de ese principio. Al respecto, hemos insistido en que dichas exigencias de interés general "deben ser especialmente nítidas cuando la norma retroactiva de que se trate incide en un tributo como el impuesto sobre la renta de las personas físicas" [STC 182/1997, de 28 de octubre, FJ 13 A)], que es lo que acontece en este caso.

5. Constatado que, en los ejercicios 2004 a 2010, se produce una retroactividad de grado máximo, debemos examinar si concurre alguna razón que permita entender justificada la afectación que a la seguridad jurídica se ha producido, (…) El Abogado del Estado justifica la adopción de la disposición cuestionada afirmando que existen "poderosas razones de interés general", y resaltando que el objetivo del cambio normativo "es tan evidente que no requiere especial fundamento". Más concretamente, se refiere a dos tipos de justificaciones; por un lado, el contexto de crisis financiera que rodea el momento en que la medida se aprueba y, por otro, que las opciones sobre acciones han sido empleadas en maniobras de planificación fiscal, con lo que la medida pretendería en suma salvaguardar el principio de justicia tributaria consagrado en el art. 31.1 CE.

Estas razones no son suficientes para entender justificada la retroactividad en este caso.

En primer lugar, las invocaciones genéricas a la crisis financiera no pueden tener virtualidad alguna, por si mismas, para admitir el establecimiento de una medida con el grado de retroactividad como la que aquí se cuestiona. La realidad de la crisis financiera, y sus devastadores efectos sobre las cuentas públicas, no permiten sin más tener por justificado cualquier grado de retroactividad por el mero hecho de que este pueda facilitar que se atajen economías de opción como las que refiere el escrito del Abogado del Estado. Todo ello sin perjuicio de que lo que se controvierte en este caso no es la medida en sí, sino su efecto retroactivo, que extiende sus efectos desde el ejercicio de 2004, alcanzando de lleno ejercicios en los cuales la crisis financiera y después económica no había ni siquiera empezado.

En segundo lugar, y en concreto sobre la justicia tributaria, a la que también alude el Abogado del Estado, no cabe duda de que la finalidad de luchar contra *determinadas economías de opción, o directamente contra practicas elusivas de impuestos, constituye, como tantas veces hemos reiterado, un mandato constitucional, ya que "la amplitud y la complejidad de las funciones que asume el Estado hace que los gastos públicos sean tan cuantiosos que el deber de una aportación equitativa para su sostenimiento resulta especialmente apremiante. De otra forma se produciría una distribución injusta en la carga fiscal, ya que lo que unos no paguen debiendo pagar, lo tendrán que pagar otros con más espíritu cívico o con menos posibilidades de defraudar" (por todas, STC 110/1984, de 26 de noviembre, FJ 3). La garantía de un sistema tributario justo es central a todo Estado social y democrático de derecho, ya que, en ausencia de tal sistema, no puede ni siquiera haber una sociedad civilizada. **Ahora bien, ello no permite, sin más, que el legislador pueda anudar a una disposición una retroactividad de efectos tan amplios como la que aquí se enjuicia, pues ello convertiría el principio de seguridad jurídica en una mera ilusión o en un principio vacío de contenido.** Tampoco el hecho de que, en ocasiones, el empleo de normas retroactivas pueda permitir atajar determinados mecanismos de elusión de impuestos, como se ha constatado entre otros casos en el decidido en la Sentencia del Tribunal de Justicia de la Unión Europea 26 de abril de 2005 (C-376/02), caso Stichting Goed Wonen contra Staatssecretaris van Financien, no permite sin más avalar una retroactividad autentica y amplia como la que aquí se examina, pues ello supone desconocer abiertamente un valor central del ordenamiento jurídico como es el principio de confianza legítima, corolario del principio de seguridad jurídica y al que también se ha referido el mismo Tribunal [entre otras en las Sentencias de 11 de julio de 2002, Marks & Spencer (C-62/00), párrafo 46; o de 12 diciembre 2013, (Asunto C-362/12), Caso Test Claimants in the Franken Investment Income Group Litigation, párrafos 44 y siguientes]. En este sentido, no está de más recordar que la justicia tributaria fue ya invocada, en similares términos genéricos, en relación precisamente con una norma retroactiva del impuesto sobre la renta de las personas físicas que afectaba a determinados rendimientos irregulares, en el asunto enjuiciado en la STC 176/2011, de 8 de noviembre. También en aquel caso, según constatamos, el efecto retroactivo pretendía ampararse en "la finalidad, constitucionalmente respaldada, de una mayor justicia tributaria" (STC 126/1987, de 16 de julio, FJ 13). Dijimos entonces que "aunque pudieran haber existido razones que hicieran conveniente la modificación, sin embargo, en la medida en que dicha modificación afecta por igual a todas las rentas irregulares del trabajo, sin establecer distinciones de ningún tipo para aquellas rentas que pretendidamente serian el objeto de la medida porque con ellas se propiciaban operaciones de planificación fiscal, se produce un tratamiento indiscriminado. Este tratamiento indiscriminado implica que el efecto retroactivo se proyecte por igual sobre todas las rentas irregulares del trabajo, lo que no solo pone en duda la existencia misma de un cualificado fin de interés general sino que tiene como consecuencia que la medida tenga un alcance más general que el que pudiera estar reflejado en la tramitación parlamentaria", lo que nos condujo a concluir que la norma cuestionada "ha llevado a cabo, retroactivamente, una alteración en la determinación de la deuda tributaria del impuesto sobre la renta de las personas físicas sin la concurrencia de nítidas y cualificadas exigencias de interés general que justificasen el efecto retroactivo otorgado, lo que conduce a estimar que se* *ha producido la vulneración del principio seguridad jurídica garantizado por el art. 9.3 de la Constitución y, en su consecuencia, a declarar la inconstitucionalidad y nulidad" (STC 176/2011, FJ 5).*

6. En este caso, la conclusión no puede ser diferente a la alcanzada en la STC 176/2011, para aquellos ejercicios en los que 1a retroactividad es de grado máximo, pues el efecto retroactivo de la norma afecta, también indiscriminadamente, a todo tipo de retribución mediante opciones sobre acciones, se haya constatado o no su uso torticero en la elusión de impuestos. Todo ello sin perjuicio de que el hecho de que la retribución mediante opciones sobre acciones pueda emplearse para eludir impuestos de forma contraria al ordenamiento jurídico, no es razón suficiente para avalar sin más una modificación retroactiva de su régimen, pues es evidente que cualquier instrumento o negocio jurídico, –como un contrato de compraventa o la creación de una sociedad– puede ser empleado para eludir impuestos. Dicho de otro modo, si se aceptara como justificación suficiente la potencialidad defraudadora de esta modalidad retributiva, ello permitiría admitir virtualmente cualquier tipo de medida retroactiva, siempre que pudiera demostrarse que afecta a algún negocio susceptible de ser empleado para la elusión de impuestos. Por último, no cabe cuestionar los motivos del legislador, pero si el objetivo de interés general era evitar una improcedente tributación como rendimientos del trabajo irregulares a los que no resulta jurídicamente posible atribuirles ese carácter, es evidente que para su consecución hubiera bastado con introducir la norma legal con efectos pro futuro o, incluso, otorgarle una retroactividad impropia o de grado medio, lo que habría exigido que resultara aplicable solo a aquellos contribuyentes cuyos periodos impositivos no hubieran finalizado. Cabe así concluir, a partir de lo anterior, que no se han constatado razones suficientes para justificar un grado de retroactividad como el examinado en este proceso, pues debe insistirse en que los efectos de la disposición cuestionada se retrotraen a casi siete años naturales, de manera que, como destaca el Auto del promotor de la cuestión y también la Fiscal General del Estado, afecta incluso a ejercicios ya prescritos. El hecho de que la modificaci6n que ahora se regula en una ley hubiera estado antes contemplada en una norma reglamentaria no enerva la conclusión alcanzada. Primero, porque cuando se trata de una retroactividad de grado máximo como la que se produce en los ejercicios 2004 a 2010, la previsibilidad no forma parte del análisis de su constitucionalidad. Y, en todo caso, porque por mucho que la medida en concreto adoptada pudiera ser previsible, el grado de retroactividad de la ley, que es lo que aquí se controvierte, no lo era. A mayor abundamiento, y como destacan tanto el Auto del Tribunal Supremo como el escrito de alegaciones de la Fiscal General del Estado, si como parece era previsible la declaración de ilegalidad de la norma reglamentaria, por ser esta idéntica a otra anterior igualmente declarada ilegal, entonces la expectativa razonable de los contribuyentes era precisamente su anulación, de manera que el efecto retroactivo de la disposición que enjuiciamos solo vendría justificado por la finalidad de sanar, a posteriori, una previsible declaración de exceso reglamentario".

Pues bien, de conformidad con todo ello, la retroactividad de grado máximo que para la compensación de las BINS en algunos ejercicios impositivos pueden

comportar la regulación contenida tanto en la LIS como en la Ley de modificación parcial de la LGT (Ley 34/2015), hace más que dudosa su adecuación
a la norma constitucional y podría dar lugar a serios problemas jurídicos que
deberán ventilarse en las correspondientes cuestiones de inconstitucionalidad
que, a buen seguro, se plantearán con ocasión de los recursos que interpongan
los sujetos pasivos del IS ante regularizaciones practicadas por la AEAT corrigiendo las compensaciones realizadas por aquéllos.

Artículo 27
Período impositivo

J. Andrés Sánchez Pedroche
Catedrático de Derecho Financiero y Tributario
Universidad a Distancia de Madrid. Abogado

"1. El período impositivo coincidirá con el ejercicio económico de la entidad.

2. En todo caso concluirá el período impositivo:

a) Cuando la entidad se extinga.

b) Cuando tenga lugar un cambio de residencia de la entidad residente en territorio español al extranjero.

c) Cuando se produzca la transformación de la forma jurídica de la entidad y ello determine la no sujeción a este Impuesto de la entidad resultante.

Al objeto de determinar la base imponible correspondiente a este período impositivo se entenderá que la entidad se ha disuelto con los efectos establecidos en el artículo 17.5 de esta Ley.

d) Cuando se produzca la transformación de la forma societaria de la entidad, o la modificación de su estatuto o de su régimen jurídico, y ello determine la modificación de su tipo de gravamen o la aplicación de un régimen tributario distinto.

La renta derivada de la transmisión posterior de los elementos patrimoniales existentes en el momento de la transformación o modificación, se entenderá generada de forma lineal, salvo prueba en contrario, durante todo el tiempo de tenencia del elemento transmitido. La parte de dicha renta generada hasta el momento de la transformación o modificación se gravará aplicando el tipo de gravamen y el régimen tributario que hubiera correspondido a la entidad de haber conservado su forma, estatuto o régimen originario.

3. El período impositivo no excederá de 12 meses".

Artículo 28
Devengo del impuesto

J. Andrés Sánchez Pedroche

Catedrático de Derecho Financiero y Tributario
Universidad a Distancia de Madrid. Abogado

"El impuesto se devengará el último día del período impositivo".

1. INTRODUCCIÓN. EL PERIODO IMPOSITIVO GENERAL

El IS constituye un ejemplo paradigmático de tributo de carácter periódico, si bien su período impositivo no tiene por qué coincidir con el año natural. Por período impositivo se entiende el lapso temporal al que se refiere la declaración del gravamen. Como sabemos, el aspecto material del elemento objetivo del hecho imponible puede constituirse a través de un conjunto de hechos, negocios o situaciones de realización aislada, o que, por el contrario, tienden a reproducirse con continuidad en el tiempo, resultando imprescindible en este último caso acotar o dividir esas circunstancias que integran el referido aspecto material del elemento objetivo del hecho imponible en un período de tiempo concreto. Expresado de otra manera más simple, el período impositivo no sería otra cosa que el espacio de tiempo comprendido desde un devengo del IS hasta el devengo siguiente, lo que guarda estrecha relación con la propia calificación de la base imponible del tributo al venir constituida esta por el importe de la renta obtenida en el período impositivo minorada por la compensación de las BINS procedentes de períodos anteriores.

Con carácter general, en el caso del IS el período impositivo coincide con el propio ejercicio económico de la entidad sujeto pasivo del tributo, sin que en ningún caso pueda exceder de los 12 meses. Hay que remitirse, por lo tanto, a la legislación mercantil (como regulación sustantiva o material) para determinar dicho período impositivo. La Ley de Sociedades de Capital prevé que, a falta de disposición estatutaria concreta, se entienda que el ejercicio social termina el 31 de diciembre de cada año[276]. En tales casos, por lo tanto, el ejercicio social

---

[276] Art. 26 LSC.

resulta coincidente con el año natural y si, además y como también es habitual, aquél coincide con el ejercicio económico (que es la referencia concreta a la que alude la LIS), el período impositivo comprenderá desde el 1 de enero de cada año hasta el 31 de diciembre siguiente, es decir, el año natural. Por lo tanto, el período impositivo del IS coincide con el ejercicio económico de la entidad necesario para cuantificar su resultado contable y formular y aprobar las correspondientes cuentas anuales. Cuando el período impositivo no resulta coincidente con el año natural se denomina período impositivo quebrado.

2. EL PERÍODO IMPOSITIVO ESPECIAL O CORTO

Además de los períodos impositivos general y quebrado a los que alude el art. 27. 1 y 3 del IS, el propio precepto, en su punto 2, contempla algunos supuestos de período impositivo especial, susceptible de ser inferior al año, en cuyo caso recibe la denominación de período impositivo corto:

- Cuando la entidad se extinga.

- Cuando tenga lugar el cambio de residencia de la entidad radicada en territorio español al extranjero.

- Cuando se produzca la transformación de la forma jurídica de la entidad y ello determine la no sujeción al IS de la entidad resultante, o la modificación de su tipo de gravamen o la aplicación de un régimen tributario especial.

Veamos con un poco más de detenimiento cada uno de ellos, no sin antes insistir sobre un extremo: no existe particularidad alguna si el ejercicio social no coincide con el año natural, en cuyo caso igualmente el período impositivo coincidirá con el ejercicio social (período impositivo quebrado) por el hecho de que se inicia a lo largo del año natural; los períodos impositivos cortos son aquellos que tiene una duración inferior al año, siendo un caso paradigmático de esta situación el primer período impositivo en el que se constituye una entidad mercantil.

a) Extinción de la entidad.

Las causas de extinción de una entidad (y con ello la conclusión de su periodo impositivo) las recoge el art. 363 LSC:

- Por cese en el ejercicio de la actividad o actividades que constituyan su objeto social, entendiéndose en particular que se ha producido dicho cese tras un período de inactividad superior a un año.

- Por la conclusión de la empresa que constituya su objeto económico.

- Por la imposibilidad manifiesta de conseguir el fin social.

- Por la paralización de los órganos sociales de manera que resulte imposible su funcionamiento.

- Por pérdidas que reduzcan el patrimonio neto de la entidad a una cantidad inferior a la mitad del capital social, a no ser que éste se aumente o se reduzca en la medida necesaria, y siempre que no sea procedente solicitar la declaración de concurso.

- Por reducción del capital social por debajo del mínimo legal, que no sea consecuencia del cumplimiento de una obligación legal.

- Porque el valor nominal de las participaciones sociales sin voto o de las acciones sin voto exceda de la mitad del capital social desembolsado, sin restablecerse la proporción en el plazo de 2 años.

- Por cualquier otra causa establecida en los estatutos[277].

La extinción de la entidad se produce con el asiento de cancelación en el Registro Mercantil, toda vez que ésta, mientras dura el procedimiento de disolución conserva plenamente su personalidad jurídica y por ello sigue siendo contribuyente del IS a todos los efectos[278].

---

[277] La DGT señala a este respecto que la transformación de una SA a SL no supone la conclusión de un período impositivo, pues ello no comporta la disolución de la entidad, ni la extinción de su personalidad jurídica (DGT 12 de noviembre de 1997, 2336-97). Más recientemente la CV 2751/2014 DGT de 13 de octubre de 2014, afirmará a estos mismos efectos: *"En la medida en que en la operación de transformación no se altera la personalidad jurídica, sin que se produzca modificación alguna de las relaciones jurídicas en que participa la entidad subsistente, y habida cuenta de que la nueva forma jurídica no supone alteración del régimen fiscal aplicable a la entidad en el IS, dicha operación no determinará la obtención de renta a efectos fiscales en la sociedad que se transforma. En cuanto al régimen fiscal de los socios, considerando que la transformación de una sociedad civil en una sociedad de responsabilidad limitada no afecta a la personalidad jurídica de la sociedad transformada y, en consecuencia, no se extingue ni supone su disolución de ésta, cabe afirmar que dicha transformación no provoca, para el socio persona física, ganancias o pérdidas patrimoniales, en la medida que esta operación no implique la modificación del grado o porcentaje de participación en el capital social de la entidad. En consecuencia, la fecha de adquisición de las participaciones en la sociedad de responsabilidad limitada recibidas como consecuencia de la transformación, a efectos de futuras transmisiones de las mismas, será la de adquisición de las participaciones que originariamente tenían los socios personas físicas en la sociedad agraria de transformación".*

[278] La CV 52/2015 DGT de 12 de enero de 2015, se refiere a las obligaciones formales posteriores a la disolución de la entidad, aclarando lo siguiente: *"La sociedad integrará en la base imponible del IS del período impositivo en que se ha realizado la operación de disolución con liquidación, la diferencia entre el valor normal de mercado del solar transmitido al socio y su valor contable. La operación se realiza con fecha 9 de diciembre de 2013, por lo que el periodo impositivo al que corresponda esta fecha será al que se debe imputar la operación y su resultado. Cuando la sociedad finalice el proceso de disolución y liquidación e inscriba la correspondiente escritura pública en el Registro Mercantil, se extinguirá y perderá su personalidad jurídica, debiendo, por consiguiente, presentar una última declaración-liquidación del IS correspondiente al período impositivo iniciado el día 1 de enero de 2014 y concluido,*

b) Cambio de residencia de la entidad

En este caso, el devengo anticipado y la transformación del período impositivo normal a otro reducido, obedece al cambio de régimen de tributación de la entidad que pasaría del IS al del IRNR[279]. Lo mismo acontecería en aquel caso en el que la entidad que traslada su residencia al extranjero mantuviese un EP en España, pues concluiría igualmente para esa sociedad el período impositivo, abriéndose paralelamente para el EP un régimen de tributación distinto que ya no se sometería al IS, sino al IRNR. A estos efectos, conviene recordar cómo el art. 19. 1 LIS establece la obligación de integrar en la base imponible del tributo las plusvalías tácitas resultantes de la diferencia entre el valor de mercado y el valor fiscal de aquellos elementos patrimoniales que sean propiedad de una entidad residente en territorio español cuando traslade su residencia al extranjero (salvo que los referidos elementos patrimoniales queden afectos a un EP permanente radicado en España, en cuyo caso se computarían exclusivamente las rentas derivadas de la actividad desarrollada por la sociedad desde el inicio del período impositivo hasta el momento en que tiene efectos el cambio de residencia)[280]. Por lo tanto, en todos estos casos el período impositivo finalizaría con el

---

en este caso, el día 13 de enero de 2014. La declaración-liquidación deberá presentarse dentro de los 25 días naturales siguientes a los seis meses posteriores a la conclusión de dicho período impositivo".

[279] Al revés no ocurre necesariamente. Así, vid. al respecto la CV 3100/2016 DGT de 5 de julio de 2016, donde se aborda el caso de una entidad con residencia fiscal en Costa Rica participada por otras dos sociedades no residentes. El traslado del domicilio social y la sede de dirección efectiva al territorio español supone la obtención de la residencia fiscal en España, tanto con arreglo a la legislación española como al Convenio para evitar la doble imposición firmado entre España y Costa Rica. La DGT señala que en la medida en que se cumplan los requisitos mercantilmente establecidos, el traslado permite mantener la personalidad jurídica, y, en consecuencia, la entidad será contribuyente del IS. En este caso, dado que el traslado no implica alteración en el ejercicio económico, el periodo impositivo coincidirá con su ejercicio económico. El devengo del IS se producirá el último día de su periodo impositivo, dado que el traslado a territorio español no determina la conclusión de aquel, por tanto, la entidad queda sometida a tributación en España de todas las rentas obtenidas en el periodo, con independencia del lugar donde se hubieran producido y cualquiera que sea la residencia del pagador. En idéntico sentido la CV DGT 1918/2015 de 17 de junio de 2015.

[280] La CV DGT 3067/2016 de 1 de julio de 2016, resuelve la duda de una sociedad constituida y domiciliada en Luxemburgo que quiere trasladar su sede al Reino Unido y tiene la consideración de residente fiscal en territorio español, puesto que su sede de dirección efectiva se encuentra ubicada en España. Para que la entidad consultante deje de ser residente fiscal en territorio español, es necesario dice la DGT, que traslade su sede de dirección efectiva a Reino Unido, puesto que dejaría de cumplir el requisito establecido para ello y en la medida en que deje de tener la consideración de residente en territorio español, concluirá el período impositivo de la entidad. Dicha entidad, en aplicación del art. 19.1 Ley 27/2014, deberá integrar en la base imponible correspondiente al período impositivo que concluya con ocasión del traslado de su sede de dirección efectiva, la diferencia entre el valor de mercado y el valor fiscal de los elementos patrimoniales que no queden afectos a un establecimiento permanente en España.

cambio de residencia de la entidad y habrían de integrarse en la base imponible las rentas derivadas del desarrollo de la actividad económica desde el inicio de dicho período hasta su conclusión.

c) Transformación de la forma jurídica de la entidad.

Como hemos señalado más arriba, constituye esta la tercera causa especial de finalización del período impositivo siempre que esa transformación de la forma jurídica, estatuto o régimen jurídico de la entidad, determine cualquiera de las siguientes dos situaciones:

1) La no sujeción al IS de la entidad resultante de la transformación. La LIS se refiere no solo al cambio en el tipo o la forma societaria, sino también a la modificación sustancial de la naturaleza de la entidad o su régimen jurídico, aunque no vaya acompañada de un cambio de su forma societaria. Por lo tanto, cuando alguna de esas dos condiciones concurra (modificación del tipo o forma societaria o modificación del régimen jurídico de la entidad) y el ente resultante de la transformación no quede sujeto al IS, se producirá el cierre o conclusión del período impositivo de la entidad transformada [vgr. la transformación de una entidad sujeta al IS en una sociedad civil que carezca de objeto mercantil ex art. 7. 1. a) LIS]. Conviene resaltar el hecho de que dicha transformación ni supone la extinción de la entidad, ni la transmisión de su patrimonio a los socios, pero sí implica su disolución con los efectos establecidos en el art. 17. 5 LIS (ello comporta no solo que los elementos que integran el patrimonio de la sociedad transformada se valoren por su valor normal de mercado, sino que la sociedad transformada genera, a efectos fiscales, una renta por la diferencia entre el valor normal de mercado de los elementos integrantes de su patrimonio y el valor fiscal de los mismos; además, dicha renta se integra en la base imponible de la entidad transformada correspondiente al período impositivo que concluye con la transformación)[281]. Por lo tanto, finalizado el período impositivo, se devengará el IS el último día de dicho período, debiéndose calcular la base imponible partiendo del resultado contable correspondiente a ese período corto sobre el que se realizarán los ajustes fiscales corres-

---

[281] La CV DGT 1554/2016, de 13 de abril de 2016, señala a este respecto la conclusión del *"periodo impositivo cuando se produzca la transformación de la forma jurídica de la entidad y ello determine la aplicación de otro tipo de gravamen, o de un régimen especial. La entidad manifiesta que se cumplirán todos los requisitos contemplados en la Ley 35/2003 (Instituciones de Inversión Colectiva) lo que implica la transformación de la sociedad limitada en una sociedad anónima o en fondo de inversión y la alteración de su estatuto. En consecuencia, será de aplicación lo dispuesto en el art. 27.2 Ley 27/2014 (Ley IS) por lo que la transformación de la entidad en una sociedad de inversión inmobiliaria supondrá en primer lugar la conclusión del periodo impositivo y en segundo lugar el inicio de un nuevo periodo impositivo en que la sociedad tributará con arreglo al régimen especial de las IIC"*.

pondientes. Ello implica el cierre de la contabilidad de la entidad en el momento de su transformación, aun cuando dicho cierre pueda tener carácter extracontable si la norma contable no exige la conclusión de un ejercicio económico, para aplicar sobre ese resultado los ajustes que procedan en el caso de que la entidad haya obtenido rentas cuyo criterio de imputación temporal a efectos fiscales difiera del contable o bien haya realizado operaciones cuya valoración a efectos fiscales también difiera del criterio contable de valoración de esa misma operación[282].

En cuanto a la entidad resultante de la transformación, y a los efectos contables, los elementos integrantes de su patrimonio conservarán el mismo valor que tenían en la contabilidad de la entidad anterior a la transformación, toda vez que dicha transformación supone una sucesión en los derechos y obligaciones de la entidad originaria. Sobre esa valoración contable habría que realizar el correspondiente ajuste fiscal, pues la valoración a mercado de los bienes (tanto para la entidad transformada como para la resultante de la transformación) implicaría un doble gravamen sobre la plusvalía latente (la primera en sede de la entidad transformada y una segunda cuando se transmitiesen dichos elementos por la entidad resultante de la transformación).

2) <u>Cuando se produzca la transformación de la forma jurídica de la entidad y ello determine la modificación de su tipo de gravamen o la aplicación de un régimen tributario distinto o especial.</u> También en estos dos casos se produce la finalización del período impositivo el día en el que surta efectos dicha transformación, devengándose por ello el IS el último día de dicho período, debiendo entonces calcularse la base imponible correspondiente a dicho período sobre el resultado contable y la práctica

---

[282] A esa diferenciación de períodos se refiere la CV DGT 1083/2015 de 9 de abril de 2015, respecto de una entidad que se acoge al régimen especial sin fines lucrativos: *"En este caso, será de aplicación lo establecido en el art. 26.2.d) del TRLIS, por lo que la transformación de la entidad supondrá, en primer lugar, la conclusión de su periodo impositivo en la fecha en que dicha transformación produzca sus efectos jurídicos; y en segundo lugar, el inicio de un nuevo periodo impositivo en que la entidad tributará en el régimen general del IS, debiendo calcular la renta generada en la transmisión de elementos patrimoniales según indica el citado precepto. En el caso concreto planteado, en el período impositivo iniciado el 1 de enero de 2014 y que concluye con la transformación de la entidad, ésta podrá seguir aplicando el régimen fiscal especial previsto en la Ley 49/2002, en la medida en que siga cumpliendo las condiciones y requisitos que exige dicha Ley para su aplicación. En dicho período impositivo no se habría producido ninguno de los supuestos a que se hace referencia, de incumplimiento de los requisitos previstos para la aplicación del régimen fiscal especial, ni de renuncia a dicho régimen. A su vez, en el período que se inicia tras la transformación de la entidad y que concluye el 31 de diciembre de 2014, la entidad tributará en el régimen general del IS y no le resultará de aplicación el régimen fiscal especial, no siendo preciso que la fundación bancaria renuncie a la aplicación del régimen especial previsto en la Ley 49/2002"*.

posterior de los ajustes fiscales que cupiese, de conformidad con lo establecido por la LIS[283]. Conviene advertir que este régimen conclusivo del periodo impositivo se acompaña de una regla de imputación temporal, en cuya virtud, la renta generada en la transmisión de los elementos patrimoniales existentes en el momento mismo de la transformación, pero realizada con posterioridad a ésta, se entiende generada de forma lineal, salvo prueba en contrario, durante todo el tiempo de tenencia del elemento transmitido, por lo que la parte de dicha renta generada hasta el momento mismo de la transformación, se gravará aplicando el tipo de gravamen y el régimen tributario que hubiera correspondido a la entidad, de haber conservado su forma jurídica originaria, y el resto de acuerdo con el nuevo régimen fiscal de la entidad resultante de la transformación. No obstante, la LIS permite la prueba en contrario sobre la metodología lineal anterior, de manera que si la entidad contribuyente considera que ese criterio de imputación lineal presumido por la normativa vigente no se adecúa a su real situación, puede emplearse otro criterio de imputación sujeto a la correspondiente comprobación administrativa.

La LIS contempla los siguientes regímenes especiales susceptibles de generar un período impositivo corto:

- Agrupaciones de interés económico, españolas y europeas, y de UTEs
- Entidades dedicadas al arrendamiento de vivienda.
- Sociedades y fondos de capital-riesgo y sociedades de desarrollo industrial regional.
- Instituciones de inversión colectiva.
- Régimen de consolidación fiscal.
- Régimen especial de fusiones, escisiones, aportaciones de activos, canje de valores y cambio de domicilio social de una sociedad europea o de una sociedad cooperativa europea de un Estado miembro a otro de la Unión Europea.
- Régimen fiscal de la minería.
- Régimen fiscal de la investigación y explotación de hidrocarburos.
- Transparencia fiscal internacional.

---

[283]   Advierte LÓPEZ SANTACRUZ MONTES, J. A. op. ult. cit. pag. 261 que *"por transformación de la forma jurídica de la entidad no debe entenderse solamente el simple cambio del tipo o forma societaria, sino que es posible entender una operación más amplia, que alcance tanto la modificación de la forma societaria de la entidad como la modificación sustancial de su naturaleza o régimen jurídico, aun cuando ello no determine un cambio de su forma societaria"*.

- Incentivos fiscales para las entidades de reducida dimensión.

- Régimen de las entidades de tenencia de valores extranjeros.

- Régimen de entidades parcialmente exentas.

- Régimen de las comunidades titulares de montes vecinales en mano común.

- Régimen de las entidades navieras en función del tonelaje.

Conviene advertir, sin embargo, que la mera concurrencia de los requisitos o circunstancias para que a una entidad le resulte de aplicación uno de los anteriores regímenes especiales, no determina automáticamente el período impositivo especial o corto, pues para ello se requiere expresamente que se produzca la transformación de la entidad, no que se cumplan simplemente los requisitos para ello.

3. EL DEVENGO DEL IMPUESTO

Como es sabido, el elemento objetivo del hecho imponible en cualquier tributo presenta un aspecto temporal denominado devengo, entendido como el momento en el que se considera realizado el hecho imponible y en el que se produce el nacimiento de la obligación tributaria, cuya determinación permite conocer la normativa aplicable a aquélla, atendida la creciente labilidad de la legislación tributaria.

Con carácter general, el IS se devenga el último día del período impositivo, por lo que si éste coincide con el año natural, se entiende producido el 31 de diciembre[284]. La exigibilidad del tributo se posterga al momento en el que deba formalizarse su autoliquidación, de conformidad con lo establecido en el art. 124 LIS.

---

[284] Se refleja muy bien esta cuestión en la CV DGT 1816/2015, de 9 de junio de 2015, en la que se señala lo siguiente: *"Al período impositivo de la entidad iniciado el 1 de diciembre de 2014, que finaliza el 30 de noviembre de 2015, le será de aplicación el TRLIS. Por su parte, al período impositivo de la sociedad A iniciado el 1 de enero de 2015, le será de aplicación la LIS. Por otro lado, en base a la información facilitada, la entidad cumple los requisitos que establece el art. 30.2 del TRLIS, por lo que podrá aplicarse la deducción para evitar la doble imposición interna sobre dividendos al 100% respecto a los dividendos que le distribuya la sociedad A, entidad en la que el porcentaje de participación directo es superior al 5% habiéndose tenido de manera ininterrumpida durante el año anterior al día en que resulta exigible el beneficio que se distribuye. Todo ello al margen del cumplimiento de las demás circunstancias o requisitos establecidos en el art. 30 del TRLIS".*

Artículo 29
El tipo de gravamen

J. Andrés Sánchez Pedroche

Catedrático de Derecho Financiero y Tributario
Universidad a Distancia de Madrid. Abogado

"1. El tipo general de gravamen para los contribuyentes de este Impuesto será el 25 por ciento.

No obstante, las entidades de nueva creación que realicen actividades económicas tributarán, en el primer período impositivo en que la base imponible resulte positiva y en el siguiente, al tipo del 15 por ciento, excepto si, de acuerdo con lo previsto en este artículo, deban tributar a un tipo inferior.

A estos efectos, no se entenderá iniciada una actividad económica:

a) Cuando la actividad económica hubiera sido realizada con carácter previo por otras personas o entidades vinculadas en el sentido del artículo 18 de esta Ley y transmitida, por cualquier título jurídico, a la entidad de nueva creación.

b) Cuando la actividad económica hubiera sido ejercida, durante el año anterior a la constitución de la entidad, por una persona física que ostente una participación, directa o indirecta, en el capital o en los fondos propios de la entidad de nueva creación superior al 50 por ciento.

No tendrán la consideración de entidades de nueva creación aquellas que formen parte de un grupo en los términos establecidos en el artículo 42 del Código de Comercio, con independencia de la residencia y de la obligación de formular cuentas anuales consolidadas.

El tipo de gravamen del 15 por ciento previsto en este apartado no resultará de aplicación a aquellas entidades que tengan la consideración de entidad patrimonial, en los términos establecidos en el apartado 2 del artículo 5 de esta Ley.

2. Tributarán al 20 por ciento las sociedades cooperativas fiscalmente protegidas, excepto por lo que se refiere a los resultados extracooperativos, que tributarán al tipo general.

Las cooperativas de crédito y cajas rurales tributarán al tipo general, excepto por lo que se refiere a los resultados extracooperativos, que tributarán al tipo del 30 por ciento.

3. Tributarán al 10 por ciento las entidades a las que sea de aplicación el régimen fiscal establecido en la Ley 49/2002, de 23 de diciembre, de régimen fiscal de las entidades sin fines lucrativos y de los incentivos fiscales al mecenazgo.

4. Tributarán al tipo del 1 por ciento:

a) Las sociedades de inversión de capital variable reguladas por la Ley 35/2003, de 4 de noviembre, de Instituciones de Inversión Colec-

*tiva, siempre que el número de accionistas requerido sea, como míni-
mo, el previsto en su artículo 9.4.*

*b) Los fondos de inversión de carácter financiero previstos en la
citada Ley, siempre que el número de partícipes requerido sea, como
mínimo, el previsto en su artículo 5.4.*

*c) Las sociedades de inversión inmobiliaria y los fondos de inver-
sión inmobiliaria regulados en la citada Ley, distintos de los previstos
en la letra d) siguiente, siempre que el número de accionistas o partícipes requerido sea, como mínimo, el previsto en los artículos 5.4 y 9.4
de dicha Ley y que, con el carácter de instituciones de inversión colectiva no financieras, tengan por objeto exclusivo la inversión en cualquier tipo de inmueble de naturaleza urbana para su arrendamiento.*

*La aplicación de los tipos de gravamen previstos en este apartado
requerirá que los bienes inmuebles que integren el activo de las Instituciones de Inversión Colectiva a que se refiere el párrafo anterior no
se enajenen hasta que no hayan transcurrido al menos 3 años desde
su adquisición, salvo que, con carácter excepcional, medie la autorización expresa de la Comisión Nacional del Mercado de Valores.*

*La transmisión de dichos inmuebles antes del transcurso del pe-
ríodo mínimo a que se refiere esta letra c) determinará que la renta
derivada de dicha transmisión tributará al tipo general de gravamen
del Impuesto. Además, la entidad estará obligada a ingresar, junto con
la cuota del período impositivo correspondiente al período en el que
se transmitió el bien, los importes resultantes de aplicar a las rentas
correspondientes al inmueble en cada uno de los períodos impositivos
anteriores en los que hubiera resultado de aplicación el régimen previsto en esta letra c), la diferencia entre el tipo general de gravamen
vigente en cada período y el tipo del 1 por ciento, sin perjuicio de los
intereses de demora, recargos y sanciones que, en su caso, resulten
procedentes.*

*d) Las sociedades de inversión inmobiliaria y los fondos de inversión
inmobiliaria regulados en la Ley de Instituciones de Inversión Colectiva
que, además de reunir los requisitos previstos en la letra c), desarrollen
la actividad de promoción exclusivamente de viviendas para destinarlas
a su arrendamiento y cumplan las siguientes condiciones:*

*1.ª Las inversiones en bienes inmuebles afectas a la actividad de
promoción inmobiliaria no podrán superar el 20 por ciento del total
del activo de la sociedad o fondo de inversión inmobiliaria.*

*2.ª La actividad de promoción inmobiliaria y la de arrendamiento
deberán ser objeto de contabilización separada para cada inmueble
adquirido o promovido, con el desglose que resulte necesario para conocer la renta correspondiente a cada vivienda, local o finca registral
independiente en que éstos se dividan, sin perjuicio del cómputo de
las inversiones en el total del activo a efectos del porcentaje previsto
en la letra c).*

*3.ª Los inmuebles derivados de la actividad de promoción deberán
permanecer arrendados u ofrecidos en arrendamiento por la sociedad*

o *fondo de inversión inmobiliaria durante un período mínimo de 7 años. Este plazo se computará desde la fecha de terminación de la construcción. A estos efectos, la terminación de la construcción del inmueble se acreditará mediante el certificado final de obra a que se refiere el artículo 6 de la Ley 38/1999, de 5 de noviembre, de Ordenación de la Edificación.*

La transmisión de dichos inmuebles antes del transcurso del período mínimo a que se refiere esta letra d) o la letra c) anterior, según proceda, determinará que la renta derivada de dicha transmisión tributará al tipo general de gravamen del impuesto. Además, la entidad estará obligada a ingresar, junto con la cuota del período impositivo correspondiente al período en el que se transmitió el bien, los importes resultantes de aplicar a las rentas correspondientes al inmueble en cada uno de los períodos impositivos anteriores en los que hubiera resultado de aplicación el régimen previsto en esta letra d) la diferencia entre el tipo general de gravamen vigente en cada período y el tipo del 1 por ciento, sin perjuicio de los intereses de demora, recargos y sanciones que, en su caso, resulten procedentes.

Las sociedades de inversión inmobiliaria o los fondos de inversión inmobiliaria que desarrollen la actividad de promoción de viviendas para su arrendamiento estarán obligadas a comunicar dicha circunstancia a la Administración tributaria en el período impositivo en que se inicie la citada actividad.

e) El fondo de regulación del mercado hipotecario, establecido en el artículo veinticinco de la Ley 2/1981, de 25 de marzo, de regulación del mercado hipotecario.

5. Tributarán al tipo del cero por ciento los fondos de pensiones regulados en el texto refundido de la Ley de Regulación de los Planes y Fondos de Pensiones, aprobado por el Real Decreto Legislativo 1/2002, de 29 de noviembre.

6. Tributarán al tipo del 30 por ciento las entidades de crédito, así como las entidades que se dediquen a la exploración, investigación y explotación de yacimientos y almacenamientos subterráneos de hidrocarburos en los términos establecidos en la Ley 34/1998, de 7 de octubre, del sector de hidrocarburos.

Las actividades relativas al refino y cualesquiera otras distintas de las de exploración, investigación, explotación, transporte, almacenamiento, depuración y venta de hidrocarburos extraídos, o de la actividad de almacenamiento subterráneo de hidrocarburos propiedad de terceros, quedarán sometidas al tipo general de gravamen.

A las entidades que desarrollen exclusivamente la actividad de almacenamiento de hidrocarburos propiedad de terceros no les resultará aplicable el régimen especial establecido en el Capítulo IX del Título VII de esta Ley y tributarán al tipo del 25 por ciento.

7. Tributarán al tipo de gravamen especial que resulte de lo establecido en el artículo 43 de la Ley 19/1994, de 6 de julio, de modificación del Régimen Económico y Fiscal de Canarias, las entidades de la Zona

Especial Canaria, por la parte de base imponible correspondiente a las operaciones realizadas efectiva y materialmente en el ámbito geográfico de la Zona Especial Canaria".

Artículo 30
Cuota íntegra

J. Andrés Sánchez Pedroche
Catedrático de Derecho Financiero y Tributario
Universidad a Distancia de Madrid. Abogado

> *"Se entenderá por cuota íntegra la cantidad resultante de aplicar a la base imponible el tipo de gravamen.*
>
> *En el supuesto de entidades que apliquen lo dispuesto en el artículo 105 de esta Ley, la cuota íntegra vendrá determinada por el resultado de aplicar el tipo de gravamen a la base imponible minorada o incrementada, según corresponda, por las cantidades derivadas del citado artículo 105".*

SUMARIO: 1. TIPOS DE GRAVAMEN. CONSIDERACIONES GENERALES. 2. TIPOS DE GRAVAMEN ESPECIALES. 3. CUOTA ÍNTEGRA.

1. TIPOS DE GRAVAMEN. CONSIDERACIONES GENERALES

El tipo general establecido por la LIS es del 25%. Sin embargo, son frecuentes las excepciones o los tipos especiales de gravamen en función de distintos criterios manejados por el legislador que unas veces atienden a simples cuestiones de transitoriedad por motivos recaudatorios (hecho este muy frecuente con ocasión de anteriores reformas) y otras por razones de estímulo fiscal. El Informe LAGARES incidió especialmente en esta cuestión relativa al tipo de gravamen con el propósito de recomendar una reducción sustancial de los tipos nominales de gravamen, en paralelo con una mejor y más amplia definición de la base imponible y de una reducción muy considerable de las exenciones, reducciones y deducciones existentes, siguiendo las recomendaciones más insistentes en las últimas décadas de organismos internacionales como la OCDE o el FMI[285].

Por lo que se refiere a la reforma del tipo general, existía una clara recomendación global de dichos organismos internacionales para suprimir obstáculos al crecimiento empresarial, lo que aconsejaba una reducción apreciable del tipo general que, paralelamente, haría inoperante el tipo reducido para empresas de

---

[285] Vid. Comisión de Expertos, op. cit. pag. 212 y ss.

reducida dimensión, frenando así la tendencia al fraccionamiento de las empresas por motivos de mero ahorro impositivo. Pero la Comisión LAGARES también expuso otras razones particulares que abogaban por esa misma reducción:

- En primer lugar, un tipo del 30 por 100 para el caso de España, se situaba entre los más altos de los tipos de gravamen de los países de nuestro entorno económico, toda vez que el tipo medio de los 27 países de la UE era para el 2013 del 23, 2 por 100 y de los 17 países del área euro, del 25, 9 por 100.

- En segundo término, no podía ignorarse una tendencia decidida a la reducción de tipos impositivos para el IS en Europa, de lo que algunos países como Portugal constituían un ejemplo elocuente (19 por 100 para el 2018). Por lo tanto, si se quería evitar un incremento de la competencia fiscal había necesariamente que prever esta cuestión.

- Tampoco podía soslayarse que una reducción del tipo general de gravamen incidía decididamente en la captación de inversiones internacionales, de las que España depende en buena medida para su adecuado crecimiento económico.

- Incluso una reducción del tipo general de gravamen comporta una minoración del coste recaudatorio de las correcciones al resultado contable que se realizan para determinar la base imponible del IS por parte de las grandes empresas[286].

- Finalmente, convenía no olvidar tampoco el hecho de que una reducción significativa del tipo general de gravamen haría inoperantes los tipos reducidos del 25 o 20 por 100 aplicados a determinadas entidades como mutuas de seguros generales, sociedades de garantía recíproca, sociedades cooperativas de crédito y cajas rurales, empresas de reducida dimensión, etc.

Por todo ello, la recomendación final de la Comisión LAGARES sobre la reducción del tipo general fue la siguiente:

---

[286] En palabras literales del Informe la cuestión obedecía a lo siguiente: *"En efecto, en el año 2011 los ajustes por consolidación, supusieron 43. 399 millones de euros, lo que representaba más de la mitad de los resultados contables de los grupos fiscales, que ascendieron a 85.948 millones de euros. Es necesario indicar, en todo caso, que las eliminaciones fiscales por operaciones dentro de un grupo fiscal en el proceso de consolidación se hacen en España de acuerdo con la normativa contable específica de la consolidación, es decir, de acuerdo con lo que dispone el Código de Comercio y las Normas sobre formulación de Cuentas Anuales Consolidadas generales o específicas de entidades de crédito y seguros. Y que estos criterios son coincidentes con los contenidos en la Propuesta de Directiva del Consejo de la UE relativa a la base imponible consolidada común del Impuesto sobre Sociedades (BICCIS) de 2011 que, conforme a lo establecido en su art. 59, permite la eliminación de tales operaciones sin restricciones dentro del grupo".*

"para que esta reducción del tipo general no tenga un impacto negativo en la recaudación del impuesto que ponga en riesgo la consolidación fiscal, su implementación tendría que ser gradual, al objeto de dar tiempo para que las demás propuestas de reforma en relación con la base, las deducciones, los regímenes especiales y las otras medidas aquí propuestas produzcan el efecto recaudatorio esperado. Sin embargo, para que la reducción del tipo general permita estimular el crecimiento de la economía española sería necesario que en 2015, primer año de la reforma, se produjese una bajada significativa del tipo general de gravamen quizás situándolo en el 25 por 100, dejando para un momento inmediato posterior el situarlo en su posición final del 20 por 100"[287].

En lo relativo a los tipos especiales, la Comisión también recomendó su revisión en los siguientes términos:

"Cuando la Ley 35/2006 redujo el tipo general del Impuesto sobre Sociedades del 35 al 30 por 100 también redujo el tipo especial que se aplica a las entidades que se dedican a la exploración, investigación y explotación de yacimientos y almacenamientos subterráneos de hidrocarburos pasando del 40 al 35 por 100. Consecuentemente, si se redujese ahora el tipo general habría que reducir también de forma paralela este tipo especial (...) En cambio la Comisión considera que no existen motivos económicos suficientes para mantener en el régimen fiscal de las entidades sin fines lucrativos el tipo especial del 10 por 100 que grava las actividades no exentas, pues las referidas actividades no exentas pueden ser realizadas –y de hecho así ocurre– por cualquier empresa mercantil. Ha de advertirse que las actividades exentas para estas entidades son muy numerosas y comprenden entre otras, explotaciones económicas de carácter social, de asistencia sanitaria, de investigación científica y desarrollo tecnológico, de bienes declarados de interés cultural, de representación musical, teatral y cinematográfica, de parques y otros espacios naturales, de enseñanza y de formación profesional, de edición y venta de libros y de prestación de servicios deportivos. En consecuencia, debería elevarse de forma gradual el tipo de gravamen, que actualmente se sitúa en el 10 por 100 que grava las actividades no exentas del régimen fiscal de las entidades sin fines lucrativos, hasta el 20 por 100, una vez que el tipo general haya sido objeto de reducción y se encuentre en ese nivel. Finalmente la Comisión considera que al igual que ocurrió con la reducción del tipo general que se llevó a efecto por la Ley 35/2006, los restantes tipos especiales que se regulan en el artículo 28 del Texto Refundido del Impuesto sobre Sociedades, y por la índole de las actividades económicas que desarrollan las entidades a las que se aplican, no deben experimentar ninguna modificación" [288].

El art. 29. 1 LIS establece a este respecto que en los períodos impositivos iniciados a partir de 1-1-2015, los sujetos pasivos del IS se someten al tipo general de gravamen del 25%. Por lo tanto, desde esa fecha las siguientes entidades no

---

[287]   Informe..., op. cit. pag. 229. Sobre la relevante incidencia que la reducción del tipo general de gravamen tiene sobre los activos y pasivos por impuestos diferidos en el balance de las empresas, vid. las consideraciones que se vierten en el referido Informe, especialmente en sus págs. 230 y ss.

[288]   Informe...., op. cit. pag. 235.

revisten ya ninguna especialidad en cuanto a la aplicación del tipo general de gravamen señalado del 25%:

– Las mutuas de seguros generales, las mutualidades de previsión social y las mutuas de accidentes de trabajo y enfermedades profesionales de la Seguridad Social que cumplan los requisitos establecidos por su normativa reguladora.

– Las sociedades de garantía recíproca y las sociedades de reafianzamiento reguladas en la Ley 1/1994, inscritas en el registro especial del Banco de España.

– Los colegios profesionales, las asociaciones empresariales, las cámaras oficiales y los sindicatos de trabajadores.

– Las entidades sin fines lucrativos que no reúnan los requisitos para disfrutar del régimen fiscal establecido en la Ley 49/2002.

– Los fondos de promoción de empleo constituidos al amparo de lo dispuesto por lo dispuesto en el art. 22 la Ley 27/1984.

– La uniones, federaciones y confederaciones de cooperativas.

– La entidad de Derecho público Puertos del Estado y las Autoridades portuarias.

– Los partidos políticos, en relación con las rentas no declaradas exentas previstas por el art. 10 de su Ley Orgánica de financiación 8/2007.

– Las comunidades titulares de montes vecinales en mano común.

2. TIPOS DE GRAVAMEN ESPECIALES

La LIS fija también otros tipos de gravamen distintos al general previsto del 25%. Así:

– Tributan al 30%:

  • Las entidades de crédito.

  • Las entidades dedicadas a la exploración, investigación y explotación de yacimientos y almacenamiento subterráneo de hidrocarburos en los términos establecidos en la Ley 34/1998. No obstante, las actividades relativas al refino y cualquier otra distinta de la exploración, investigación, explotación, transporte, almacenamiento, depuración y venta de hidrocarburos extraídos, o de la actividad de almacenamiento subterráneo de hidrocarburos propiedad de terceros, quedan sometidas al tipo general de gravamen. Además, a aquellas sociedades que desarrollen de forma exclusiva la actividad de almacenamiento subterráneo de hidrocarburos propiedad de terceros, no les es de aplicación el régimen fiscal especial establecido para la investigación y explotación de hidrocarburos[289].

– Tributan al 20%:

Las sociedades cooperativas fiscalmente protegidas excepto por lo que se refiere a los resultados extracooperativos, que tributan al tipo general. No obstante, las cooperativas de crédito y las cajas rurales tributan al tipo general del 25% excepto por lo que se refiere a los resultados extracooperativos, que tributan al tipo del 30%. Conviene advertir que estas entidades, aun considerándose de crédito (y siéndolo realmente), su resultado cooperativo tributa al tipo general del 25%, cuando el resto de entidades de crédito lo hacen al tipo incrementado del 30%.

– Tributan al 15%:

Las entidades de nueva creación, constituidas a partir del 1-1-2015, que realicen actividades económicas, por el primer período impositivo en que su base imponible resulte positiva y por el siguiente, excepto que por su naturaleza tuvieran obligación de tributar al tipo incrementado del 30% o derecho a gozar de un tipo de gravamen más reducido. La aplicación de este tipo reducido para esos dos ejercicios impositivos con ganancias gravables, se somete a las siguientes condiciones[290]:

---

[289]   Para los períodos impositivos iniciados en el año 2015, la DT 34ª i) LIS previó que tributasen al tipo de gravamen del 33% las entidades que se dedicaran a la exploración, investigación y explotación de yacimientos y almacenamientos subterráneos de hidrocarburos en los términos establecidos en la Ley 34/1998, del sector de hidrocarburos.

[290]   De conformidad con lo establecido en la DT 22ª LIS, las entidades de nueva creación, constituidas entre el 1-1-2013 y 31-12-2014, pudieron aplicar el tipo reducido previsto en la DA 19ª de la LIS/04, en el primer período impositivo en el que su base imponible sea positiva y el siguiente, caso de que alguno de estos periodos impositivos se hubiese iniciado a partir de 1-1-2015. Estas condiciones son similares a las ya expuestas en cuanto a los requisitos de la entidad de nueva creación e inicio de una nueva actividad económica, pero en cuanto al tipo de gravamen aplicable en esos dos períodos impositivos, se sometieron a una escala de gravamen concreta: por la parte de la base imponible comprendida entre 0 y 300.000 euros, al tipo del 15%; por la parte de la base imponible restante, al tipo del 20%. Este régimen fiscal previsto por la DA 19ª de la LIS/04 no exigía condición alguna respecto del porcentaje del activo de la entidad afecto a la actividad económica. Si alguno de esos dos períodos impositivos en los que resultara aplicable el tipo reducido tuviese una duración inferior al año, la parte de base imponible que tributaba al 15% sería la resultante de aplicar a 300.000 euros la proporción existente entre el número de días del período impositivo y 365, o la base imponible del período impositivo cuando esta última fuese inferior a aquélla. Asimismo, la DT 34ª)j LIS estableció que para los períodos impositivos que se iniciasen en el año 2015, con independencia de que esos períodos impositivos concluyesen dentro del año 2016 por tener un ejercicio quebrado, las entidades de reducida dimensión tributarían con arreglo a la siguiente escala, excepto que de conformidad con lo previsto por el art. 29 LIS debiesen tributar a un tipo diferente del general: a) Por la parte de base imponible comprendida entre 0 y

300.000 euros, al tipo del 25%; b) Por la parte de la base imponible restante, al tipo del 28%. En aquellos casos en los que el ejercicio impositivo tuviese una duración inferior al año, la parte de la base imponible que tributara al 25% sería la resultante de aplicar a 300.000 euros la proporción en la que se hallen el número de días del período impositivo entre 365 días, o la base imponible del período impositivo cuando esta fuera inferior. A los efectos de lo dispuesto en esta DT 34ª, tienen la consideración de entidades de reducida dimensión aquellas cuyo importe neto de la cifra de negocios habida en el período impositivo inmediato anterior sea inferior a 10 millones de euros y no se trate de una entidad patrimonial en los términos señalados por el art. 5. 2 LIS. Si la entidad fuese de nueva creación, el importe de la cifra de negocios sería la del primer período impositivo en el que se desarrollase efectivamente la actividad y si el ejercicio impositivo inmediato anterior hubiere tenido una duración inferior al año, o la actividad se hubiese desarrollado durante un plazo también inferior, el importe neto de la cifra de negocios se elevaría al año. Para los casos en los que la entidad formase parte de un grupo de sociedades (art. 42 CCom.) con independencia de la residencia y de la obligación de formular cuentas anuales consolidadas, el importe neto de la cifra de negocios se referiría al conjunto de entidades integrantes del grupo, teniendo en cuenta las eliminaciones e incorporaciones que correspondiesen por aplicación de la normativa contable. Esto último también se aplicaba cuando una persona física, por sí sola o conjuntamente con el cónyuge u otras personas físicas unidad por vínculos de parentesco en línea directa o colateral, consanguínea o por afinidad, hasta el segundo grado inclusive se encontrasen con relación a otras entidades de las que fuesen socios en alguna de las situaciones a que se refiere el art. 42 CCom, con independencia de la residencia y de la obligación de formular cuentas consolidadas. Conviene recordar también a estos efectos que los incentivos fiscales para las empresas de reducida dimensión resultan de aplicación en los 3 períodos impositivos inmediatos y siguientes a aquel periodo impositivo en que la entidad o conjunto de entidades del grupo, alcancen la referida cifra de negocios de 10 millones de euros, pero siempre que las mismas hubiesen cumplido las condiciones para ser consideradas como de reducida dimensión tanto en aquel período como en los ejercicios impositivos anteriores a este último. Este mismo criterio se aplica cuando dicha cifra de negocios se alcance como consecuencia de una operación de fusión, aportación de activos, etc. acogida al régimen fiscal establecido en la LIS Titulo VII, Capítulo VII, siempre que las entidades que hubiesen realizado tal operación cumpliesen las condiciones para ser consideradas como de reducida dimensión, tanto en el período impositivo en el que se realice la operación como en los 2 periodos impositivos anteriores a este último. Asimismo, la letra k) de la propia DT 34ª preveía para los períodos impositivos iniciados en el año 2015 un tipo de gravamen del 25% para microempresas, es decir, entidades cuyo importe neto de la cifra de negocios fuese inferior a 5 millones de euros y la plantilla media también inferior a 25 empleados. Para poder acogerse a ese tipo de gravamen, las entidades deberían cumplir tres requisitos: 1) Que la entidad estuviese sujeta al tipo de gravamen general, por lo que, de tributar a un tipo distinto superior o inferior al general, no podrían beneficiarse del régimen (vgr. las entidades cooperativas, que se sujetan a un tipo del 20%); 2) Que la cifra de negocios fuese inferior a 5 millones de euros; 3) Que la plantilla media fuese inferior a 25 empleados. Con respecto a la cifra de negocios, y a diferencia del régimen de las empresas de reducida dimensión, en el que la cifra de negocios es la del período impositivo inmediato anterior, la cifra de negocios a computar en este caso es la del propio período impositivo. Debe tenerse en cuenta si la entidad forma parte de un grupo o está vinculada con otras entidades: a) Si la entidad formase parte de un grupo de sociedades, de conformidad con lo dispuesto por el art. 42 del Código de Comercio, el importe neto de la cifra de negocios se referirá al conjunto de todas las entidades pertenecientes al grupo. Si el importe global de la cifra de negocios de todas ellas fuese inferior a los 5 millones de euros, todas las sociedades del grupo tendrían la con-

- Actividad económica: La entidad debe desarrollar actividades económicas, ordenando por cuenta propia los medios de producción y los recursos humanos, o uno de ambos, con la finalidad de intervenir en la producción o distribución de bienes o servicios. A estos efectos, no se consideran entidades de nueva creación:

  a) Cuando la entidad constituida formase parte de un grupo mercantil, de conformidad con lo dispuesto por el art. 42 del Código de Comercio, con independencia de la residencia o de la obligación de formular cuentas anuales consolidadas.

---

sideración de microempresas. Por el contrario, si dicha cifra fuese al menos 5 millones de euros, ninguna de ellas podría considerarse de reducida dimensión; b) El criterio anterior también se aplicaría cuando una persona física por sí sola o junto con su cónyuge u otras personas físicas unidas por vínculo de parentesco en línea directa o colateral, consanguínea o por afinidad, hasta el segundo grado inclusive, se encontrase en relación a otras entidades de las que fuesen socios en alguno de los casos a los que alude el art. 42 CCom, con independencia de la residencia de las sociedades que integrasen el grupo y de la obligación de presentar estados contables consolidados. La cifra de negocios del período se elevaría al año en los siguientes casos: a) Cuando la entidad se hubiese constituido dentro del año 2015, puesto que el primer ejercicio necesariamente tendría una duración inferior a doce meses. b) Cuando el período tuviese una duración igual al año, pero la actividad se hubiese desarrollado durante un plazo inferior. Por lo que se refiere a la plantilla media, para su cálculo se computarían las personas empleadas en los términos dispuesto por la legislación laboral, tienen en cuenta la jornada contratada en relación a la jornada completa, siendo indiferente tanto la modalidad del contrato (indefinido, temporal, de formación, etc.) como la naturaleza del trabajador. No obstante, para contratos cuya jornada fuese inferior a la jornada completa, debía calcularse la equivalencia de ese contrato respecto de otro a jornada completa. Además, la aplicación de la escala reducida de gravamen se condiciona al mantenimiento o creación de empleo, para lo cual también habrían de cumplirse algunos requisitos: 1) La plantilla media de los doce meses siguientes al comienzo de cada uno de los ejercicios impositivos iniciados en el año 2015 no podía ser inferior a la unidad; 2) La plantilla media de esos períodos impositivos no podía ser inferior a la plantilla media de los doce meses anteriores al inicio del primer período impositivo que comenzase a partir del 1-1-2009. Si la entidad se hubiera constituido dentro de ese plazo anterior de 12 meses, la plantilla media debía referirse al plazo de tiempo que hubiese durado ese primer período impositivo. No obstante, si la entidad se hubiese constituido dentro del año 2015, se consideraba que la plantilla media de los doce meses anteriores al inicio del primer período impositivo iniciado a partir de 1-1-2009, era cero, puesto que al haberse constituido después de esa fecha, en ese plazo de 12 mensualidades la entidad no habría tenido empleados. Además, si en los doce meses posteriores al inicio del primer período impositivo, la plantilla media era inferior a la unidad, en este caso, también podría aplicarse la escala reducida en el primer período impositivo de constitución de la entidad, siempre que la cifra de negocios de dicho período elevada al año fuese inferior a 5 millones de euros y, además, que en los doce meses posteriores a la conclusión de ese primer período impositivo, la plantilla media fuese de al menos un empleado. De incumplirse esta condición, la entidad debería regularizar su situación tributaria, ingresando junto con la cuota del período el importe resultante de aplicar el 5% a la base imponible del período impositivo en que se aplicó indebidamente la escala reducida, junto con los correspondientes intereses de demora.

b) Cuando la actividad de la entidad de nueva creación hubiera sido realizada con carácter previo por otras personas o entidades vinculadas en el sentido del artículo 18 LIS y transmitida, por cualquier título jurídico, a la entidad de nueva creación.

c) Cuando la actividad de la entidad de nueva creación hubiera sido ejercida, durante el año anterior a la constitución de la entidad, por una persona física que ostente una participación, directa o indirecta, en el capital o en los fondos propios de la entidad de nueva creación superior al 50%.

- Volumen de actividad: No se exige ninguna condición sobre la cifra de negocios de la entidad, ni sobre el número de empleados, razón por la cual alcanza a cualquier entidad contribuyente del IS de nueva creación o constitución. Eso sí, no pueden aplicar el régimen fiscal de las entidades de nueva creación aquellas consideradas como patrimoniales, es decir, las que más de la mitad de su activo esté constituido por valores o no se halle afecto a una actividad económica.

- Ámbito temporal: Ya se ha señalado con anterioridad que la aplicación del tipo de gravamen reducido es exclusivamente aplicable al primer período impositivo en el que la entidad de nueva constitución tenga bases imponibles positivas, así como en el período siguiente.

- Duración del período impositivo: El tipo de gravamen del 15% no depende de la duración del período impositivo.

Si la entidad de nueva creación hubiese generado BINS en períodos anteriores al primero en el que se obtiene la base imponible positiva, resulta mucho más eficiente no realizar la compensación en ninguno de los dos períodos impositivos en los que la entidad puede aplicar la escala de gravamen reducida. De la misma manera, cuando en el período impositivo posterior al primero en el que se obtuvo la base imponible positiva, la entidad tuviese una renta negativa, no permite la LIS que pueda aplazarse la aplicación del tipo reducido hasta el posterior segundo ejercicio impositivo positivo, lo que puede suponer en la práctica la inefectividad del incentivo fiscal.

– Tributan al 10% las entidades que reúnan los requisitos para disfrutar del régimen fiscal establecido en la L. 49/2002.

– Tributan al 4%:
Las entidades de la Zona Especial Canaria (ZEC) por la parte de su base imponible correspondiente a las operaciones que realicen material y efectivamente en el ámbito geográfico de la propia ZEC[291].

---

[291]   Art. 43 Ley 19/1994.

– Tributan al 1%:

a) Las sociedades de inversión de capital variable reguladas por la Ley 35/2003, siempre que su número de accionistas sea igual o superior a 100.

b) Los fondos de inversión de carácter financiero regulados por la Ley 35/2003, siempre que el número de partícipes requerido sea igual o superior a 100.

c) Las sociedades de inversión inmobiliaria y los fondos de inversión inmobiliaria regulados por la Ley 35/2003, siempre que el número de accionistas o partícipes requerido sea igual o superior a 100 y que, con el carácter de instituciones de inversión colectiva no financieras, tengan por objeto exclusivo la inversión en cualquier tipo de inmueble de naturaleza urbana para su arrendamiento. Asimismo, es necesario que los bienes inmuebles integrantes del activo de las IIC no se enajenen hasta tanto no hayan transcurrido como mínimo tres años desde su adquisición, salvo que mediara a tal efecto la autorización expresa de la Comisión Nacional del Mercado de Valores[292].

d) Las sociedades de inversión inmobiliaria y los fondos de inversión inmobiliaria regulados por la Ley 35/2003, siempre que su número de accionistas o partícipes sea igual o superior a 100 y tengan por objeto exclusivo la inversión en cualquier tipo de inmueble de naturaleza urbana para su posterior arrendamiento, si cumplen además los siguientes requisitos:

• Que las inversiones en bienes inmuebles afectas a la actividad de promoción inmobiliaria no superen el 20% del total del activo de la sociedad o fondo de inversión inmobiliaria.

• Que la actividad de promoción inmobiliaria y la de arrendamiento sean objeto de contabilización separada para cada inmueble adquirido o promovido, con el desglose suficiente para conocer la renta correspondiente a cada vivienda, local o finca registral independiente.

• Que los inmuebles derivados de la actividad de promoción permanezcan arrendados u ofrecidos a tal fin por la sociedad durante un período mínimo de 7 años, computable desde la fecha de terminación de la construcción y acreditado mediante certi-

---

[292] Si se realizare la venta antes del transcurso del período mínimo establecido, se habría producido un disfrute indebido del beneficio fiscal que constituye el tipo de gravamen mínimo y la entidad debería regularizar su situación tributaria aplicando el tipo general.

ficación final de obra, de conformidad con lo establecido por el art. 6 de la Ley 38/1999)[293].

e) El Fondo de regulación del mercado hipotecario, previsto por el art. 25 de la Ley 2/1981.

f) Los Fondos de activos bancarios.

— Tributan al 0%:

Los fondos de pensiones regulados por el RDLeg 1/2002.

3. CUOTA INTEGRA

Una vez determinada una base imponible positiva, el sujeto pasivo del IS podrá aplicar a dicha base el correspondiente tipo de gravamen, obteniendo la cuota íntegra. Por lo tanto, la cuota íntegra del IS no es otra cosa que la cuantía resultante de aplicar el tipo de gravamen correspondiente a la entidad sobre la base imponible positiva obtenida en el período impositivo. Si dicha base imponible fuese negativa no habría posibilidad de determinar la cuota íntegra, que por este motivo sería nula y sin perjuicio de que se mantuviera incólume la obligación de formalizar la declaración del IS y la autoliquidación correspondiente al IS de ese ejercicio impositivo. Por lo tanto, la cuota íntegra puede ser positiva cuando lo sea también la base, pero también puede ser cero, si la base imponible fuese cero, o negativa.

Para aquellos sujetos pasivos que gozaran del estatus de entidades de reducida dimensión, la cuota íntegra sería el resultado de aplicar el tipo de gravamen a su base imponible minorada o incrementada, según corresponda, por las cantidades derivadas de la aplicación de la reserva de nivelación regulada en el art. 105 LIS.

Sobre esta cuota íntegra, una vez calculada, se aplicarían las deducciones, bonificaciones, retenciones, pagos fraccionados e ingresos a cuenta correspondientes, siguiendo un orden preciso que puede concretarse de la siguiente manera:

1) Deducción para evitar la doble imposición interna de fuente interna.

2) Deducción para evitar la doble imposición jurídica internacional.

---

[293] La transmisión de alguno de esos inmuebles con anterioridad al transcurso del plazo mínimo de 7 años apuntado, supondría la regularización por parte de la entidad con aplicación del tipo general (25%), integrando la diferencia entre dicho tipo y el mínimo del 1% sobre la renta generada en los períodos impositivos anteriores que hubiesen tributado al tipo reducido, sin perjuicio de los intereses de demora, recargos y sanciones procedentes.

3) Deducción para evitar la doble imposición económica internacional sobre los dividendos distribuidos por entidades no residentes.

4) Bonificaciones.

5) Deducciones para incentivar la realización de determinadas actividades.

6) Retenciones soportadas, ingresos a cuenta y pagos fraccionados realizados por la propia entidad.

7) Regularización, en su caso, de los incentivos fiscales indebidamente disfrutados en ejercicios anteriores.

Artículo 31
Deducción para evitar la doble imposición jurídica: impuesto soportado por el contribuyente[1]

PABLO ROMÁ BOHORQUES

Abogado. Socio Director de Romá Bohorques
Abogados Tributarios

1. Cuando en la base imponible del contribuyente se integren rentas positivas obtenidas y gravadas en el extranjero, se deducirá de la cuota íntegra la menor de las dos cantidades siguientes:

a) El importe efectivo de lo satisfecho en el extranjero por razón de gravamen de naturaleza idéntica o análoga a este Impuesto.

No se deducirán los impuestos no pagados en virtud de exención, bonificación o cualquier otro beneficio fiscal.

Siendo de aplicación un convenio para evitar la doble imposición, la deducción no podrá exceder del impuesto que corresponda según aquél.

b) El importe de la cuota íntegra que en España correspondería pagar por las mencionadas rentas si se hubieran obtenido en territorio español.

2. El importe del impuesto satisfecho en el extranjero se incluirá en la renta a los efectos previstos en el apartado anterior e, igualmente, formará parte de la base imponible, aun cuando no fuese plenamente deducible.

Tendrá la consideración de gasto deducible aquella parte del importe del impuesto satisfecho en el extranjero que no sea objeto de deducción en la cuota íntegra por aplicación de lo señalado en el apartado anterior, siempre que se corresponda con la realización de actividades económicas en el extranjero.

3. Cuando el contribuyente haya obtenido en el período impositivo varias rentas del extranjero, la deducción se realizará agrupando las procedentes de un mismo país salvo las rentas de establecimientos permanentes, que se computarán aisladamente por cada uno de éstos.

4. La determinación de las rentas obtenidas en el extranjero a través de un establecimiento permanente se realizará de acuerdo con lo establecido en el apartado 5 del artículo 22 de esta Ley.

No se integrarán en la base imponible las rentas negativas obtenidas en el extranjero a través de un establecimiento permanente, excepto en el caso de transmisión del establecimiento permanente o cese de su actividad.

---

[1]   El Real Decreto-ley 3/2016, de 2 de diciembre, por el que se adoptan medidas en el ámbito tributario dirigidas a la consolidación de las finanzas públicas y otras medidas urgentes en materia social, ha derogado los párrafos 2º y 3º del apartado 4, así como el apartado 5.

En el supuesto de establecimientos permanentes que hubieran obtenido en anteriores períodos impositivos rentas negativas que no se hayan integrado en la base imponible de la entidad, no se integrarán las rentas positivas obtenidas con posterioridad hasta el importe de aquellas.

5. En el caso de rentas negativas derivadas de la transmisión de un establecimiento permanente, su importe se minorará en el importe de las rentas positivas netas obtenidas con anterioridad que hayan tenido derecho a la exención prevista en el artículo 22 de esta Ley o a la deducción por doble imposición prevista en este artículo, procedentes del mismo.

6. Las cantidades no deducidas por insuficiencia de cuota íntegra podrán deducirse en los períodos impositivos siguientes.

7. El derecho de la Administración para iniciar el procedimiento de comprobación de las deducciones por doble imposición aplicadas o pendientes de aplicar prescribirá a los 10 años a contar desde el día siguiente a aquel en que finalice el plazo establecido para presentar la declaración o autoliquidación correspondiente al período impositivo en que se generó el derecho a su aplicación.

Transcurrido dicho plazo, el contribuyente deberá acreditar las deducciones cuya aplicación pretenda, mediante la exhibición de la liquidación o autoliquidación y la contabilidad, con acreditación de su depósito durante el citado plazo en el Registro Mercantil.

DISPOSICIÓN ADICIONAL DECIMOQUINTA. LÍMITES APLICABLES A LAS GRANDES EMPRESAS EN PERÍODOS IMPOSITIVOS INICIADOS A PARTIR DE 1 DE ENERO DE 2016

Los contribuyentes cuyo importe neto de la cifra de negocios sea al menos de 20 millones de euros durante los 12 meses anteriores a la fecha en que se inicie el período impositivo, aplicarán las siguientes especialidades:

(...)

2. El importe de las deducciones para evitar la doble imposición internacional previstas en los artículos 31, 32 y apartado 11 del artículo 100, así como el de aquellas deducciones para evitar la doble imposición a que se refiere la disposición transitoria vigésima tercera, de esta Ley, no podrá exceder conjuntamente del 50 por ciento de la cuota íntegra del contribuyente.

DISPOSICIÓN TRANSITORIA VIGÉSIMA TERCERA. RÉGIMEN TRANSITORIO EN EL IMPUESTO SOBRE SOCIEDADES DE LAS DEDUCCIONES PARA EVITAR LA DOBLE IMPOSICIÓN

4. Las deducciones por doble imposición establecidas en los artículos 30, 31 y 32, del texto refundido de la Ley del Impuesto sobre Sociedades, según redacción vigente en los períodos impositivos inicia-

dos con anterioridad a 1 de enero de 2015, pendientes de aplicar a la entrada en vigor de esta Ley, así como aquellas deducciones generadas por aplicación de esta Disposición no deducidas por insuficiencia de cuota íntegra, podrán deducirse en los períodos impositivos siguientes.

El importe de las deducciones establecidas en esta Disposición transitoria y en los artículos 30, 31.1.b) y 32.3 del citado Texto Refundido se determinará teniendo en cuenta el tipo de gravamen vigente en el período impositivo en que esta se aplique.

1. INTRODUCCIÓN

El artículo 31 de la Ley 27/2014, del Impuesto sobre Sociedades, regula la denominada deducción para evitar la doble imposición jurídica internacional.

La doble imposición es un fenómeno que se produce tanto en el ámbito interno como el internacional. Precisamente, en este ámbito, la doble imposición se ha venido definiendo, tradicionalmente, como un fenómeno jurídico-tributario de carácter internacional que estriba en la exacción por dos (o más) Estados diferentes de dos (o más) impuestos idénticos o análogos sobre un mismo objeto imponible, recayendo sobre el mismo sujeto pasivo y en relación con el mismo periodo de tiempo[2]. No obstante, podemos encontrar otro tipo de definiciones.

Tal y como señalan los Comentarios del Modelo Tributario de Convenio sobre la Renta y el Patrimonio de la OCDE[3], en el ámbito internacional, nos encontraremos con una doble imposición jurídica *en el caso en que más de un Estado somete a imposición a una misma persona en concepto de la misma renta o del mismo patrimonio.* Siguen los Comentarios señalando además que, *"podrá existir doble imposición jurídica internacional en tres casos:*

---

[2] CALDERÓN CARRERO, J.M.; "Capitulo 10. La doble imposición internacional y los métodos para su eliminación" en Fiscalidad Internacional, Centro de Estudios Financieros 2015, pág. 364.

[3] Comentarios a los artículos 23A y 23B relativos a los métodos para eliminar la doble imposición del Modelo de Convenio de la OCDE

a) Cuando los dos Estados contratantes graven a una misma persona por su renta y su patrimonio totales;

b) Cuando una persona, residente en un Estado contratante (R), obtenga rentas o posea elementos patrimoniales (o de patrimonio) en el otro Estado contratante (F o E) y los dos Estados graven rentas o elementos comunes

c) Cuando los dos Estados Contratantes graven a una misma persona, no residente ni en uno ni en otro de los Estados contratantes, por las rentas que obtenga o por el patrimonio que posea en un Estado contratante."

Así, la doble imposición jurídica se produciría cuando se grava dos veces la misma renta en una misma persona. Por su lado, en la doble imposición económica, se gravaría dos veces la misma renta, pero en personas diferentes.

Los mecanismos para eliminar la doble imposición, por regla general, son dos; el método de exención y el de imputación.

El método de exención[4] viene previsto en la Ley 27/2014 en el artículo 21[5] de la LIS y consistiría en declarar exenta la renta obtenida que haya sido ya so-

---

[4]   Con la reforma del Impuesto sobre Sociedades, el método de exención ha ganado preponderancia en la Ley 27/2014 como mecanismo para evitar la doble imposición. Tal y como establece su exposición de motivos: *Uno de los aspectos más novedosos de esta Ley es el tratamiento de la doble imposición. Tras el dictamen motivado de la Comisión Europea n.º 2010/4111, relativo al tratamiento fiscal de los dividendos, resulta completamente necesaria una revisión del mecanismo de la eliminación de la doble imposición recogida en el Impuesto sobre Sociedades, con dos objetivos fundamentales: (i) equiparar el tratamiento de las rentas derivadas de participaciones en entidades residentes y no residentes, tanto en materia de dividendos como de transmisión de las mismas, y (ii) establecer un régimen de exención general en el ámbito de las participaciones significativas en entidades residentes.*
La presente Ley incorpora un régimen de exención general para participaciones significativas, aplicable tanto en el ámbito interno como internacional, eliminando en este segundo ámbito el requisito relativo a la realización de actividad económica, si bien se incorpora un requisito de tributación mínima que se establece en el 10 por ciento de tipo nominal, entendiéndose cumplido este requisito en el supuesto de países con los que se haya suscrito un Convenio para evitar la doble imposición internacional.
Este nuevo mecanismo de exención constituye un mecanismo de indudable relevancia para favorecer la competitividad y la internacionalización de las empresas españolas. Asimismo, el régimen de exención en el tratamiento de las plusvalías de origen interno simplifica considerablemente la situación previa, que incluía un complejo mecanismo para garantizar la eliminación de la doble imposición. Este tratamiento de las rentas derivadas de la tenencia de participaciones se complementa con una importante reforma del régimen de transparencia fiscal internacional, reestructurándose todo el tratamiento de la doble imposición con un conjunto normativo cuyo principal objetivo es atraer a territorio español la tributación de aquellas rentas pasivas, en su mayoría, que se localizan fuera del territorio español con una finalidad eminentemente fiscal.
[5]   El Real Decreto-ley 3/2016, de 2 de diciembre, por el que se adoptan medidas en el ámbito tributario dirigidas a la consolidación de las finanzas públicas y otras medidas urgentes en materia social, ha modificado la denominación originaria del título del artículo 21 LIS (Exención para evitar la doble imposición sobre dividendos y rentas derivadas de la trans-

metida a tributación con carácter previo o que se haya generado sobre la base de unos beneficios que ya han estado sujetos a gravamen -o que lo estarán- de manera que la misma no se integraría en la base imponible del obligado tributario perceptor. Este método ha ido ganando preponderancia, en nuestro ordenamiento en los últimos años como mecanismo para evitar la doble imposición, tanto para beneficios de fuente interna como externa. Esta preponderancia se ha producido debido a la mayor facilidad de aplicarlo respecto al método de imputación. Además, en determinados casos que más adelante veremos, el método de exención supone una mejor eliminación de la doble imposición.

El método de imputación, a diferencia del de exención, supone la integración -la imputación- de las rentas ya sometidas a tributación en el extranjero en la base imponible de la entidad residente. Una vez determinada la cuota, se podrá deducir de la misma el impuesto satisfecho en el extranjero correspondiente a estas rentas que han sido integradas en la base imponible. Dentro de este método, podremos distinguir, a su vez, dos modalidades: el método de integración o crédito integral y el de integración o crédito ordinario.

El método de integración o crédito integral se dará cuando el Estado de residencia acuerda una deducción total del impuesto efectivamente pagado en el otro estado sobre las rentas imponibles en este último. El método de integración o crédito ordinario implica que la deducción concedida por el Estado de residencia en concepto de impuesto pagado en el otro Estado se limita a la fracción de su propio impuesto que corresponda a las rentas imponibles en el otro Estado[6]. Un ejemplo de este método sería cuando el estado de residencia establece que el contribuyente se podrá deducir en su cuota el impuesto efectivamente pagado en el extranjero o el importe de la cuota íntegra que correspondería pagar en su país de residencia si éste fuese menor.

La mayoría de los países del mundo que aplican la técnica de la imputación lo hacen en su modalidad ordinaria. Esta modalidad limita la pérdida recaudatoria de la cuota tributaria nacional correspondiente a las rentas (o patrimonio de fuente extranjera)[7].

El método de imputación ordinario es el que está previsto en nuestra normativa interna, en la Ley 27/2014, en su artículo 31. En concreto, el legislador

---

misión de valores representativos de los fondos propios de entidades residentes y no residentes en territorio español) por el de *Exención sobre dividendos y rentas derivadas de la transmisión de valores representativos de los fondos propios de entidades residentes y no residentes en territorio español*. Como se puede observar, dicha modificación ha consistido en la supresión del término "*para evitar la doble imposición*".

[6] Comentarios a los artículos 23A y 23B relativos a los métodos para eliminar la doble imposición del Modelo de Convenio de la OCDE

[7] CALDERÓN CARRERO, J.M.; Op. cit., págs. 432 y 433.

pretende que no se grave en España una misma renta obtenida por el mismo sujeto pasivo que ya ha tributado en otro país.

Asimismo, es necesario destacar, como más adelante veremos, la relación existente entre este articulo 31 y los diferentes métodos de eliminación de la doble imposición previstos en los distintos convenios firmados por España.

Lo dispuesto en un convenio tendrá siempre prevalencia sobre la normativa interna. De este modo, la regulación contenida en este artículo 31 tendrá en muchos supuestos, el carácter de supletorio dado que se deberá aplicar, en su caso, lo dispuesto en el correspondiente Convenio para evitar la doble imposición.

Esto se debe a que algunos convenios de doble imposición pueden regular su propio mecanismo de eliminación de la doble imposición que vendría a sustituir o complementar, según los casos, lo dispuesto en la normativa interna.

Centrándonos ya en el contenido de este artículo 31, el mismo consta de 7 apartados, dos de los cuales han sido derogados (excepto el párrafo 1º del apartado 4) por el Real Decreto-ley 3/2016, de 2 de diciembre, por el que se adoptan medidas en el ámbito tributario dirigidas a la consolidación de las finanzas públicas y otras medidas urgentes en materia social.

2. APARTADO 1

2.1. Integración de la renta

Como se ha señalado anteriormente, el método de imputación para eliminar la doble imposición es el previsto en el artículo 31 de la Ley 27/2014 y supone, irremediablemente, la integración en la base imponible de las rentas obtenidas en el extranjero.

Dicha integración viene prevista en el apartado 1 de este artículo 31 (*"cuando en la base imponible del contribuyente se integren rentas positivas*[8] *obtenidas y gravadas en el extranjero"*).

Así, el apartado 1 establece como requisito previo para poder aplicar la deducción que dichas rentas hayan sido integradas en la base imponible. En el supuesto en que las mismas no se integrasen, el sujeto pasivo no tendría derecho a la aplicación de la mencionada deducción. La integración de las rentas en la base imponible es, pues, un requisito indispensable para poder disfrutar

---

[8]   El término *"positivas"* ha sido introducido por el Real Decreto-ley 3/2016, de 2 de diciembre, por el que se adoptan medidas en el ámbito tributario dirigidas a la consolidación de las finanzas públicas y otras medidas urgentes en materia social.

de esta deducción. (De poder admitirse la deducción sin la integración de la renta de fuente extranjera en la base imponible, estaríamos ante un supuesto de desimposición).

El criterio administrativo, en este sentido, es claro. La Dirección General de Tributos, en su consulta vinculante V4384-16, de 13 de octubre, señala que "*en la medida en que la entidad consultante integre en su base imponible la renta obtenida en el extranjero y que dicha renta haya sido gravada por un impuesto satisfecho en el extranjero, la entidad consultante podrá deducir...*"

En definitiva, el apartado 1 viene a establecer, para poder disfrutar de esta deducción, la obligación de integrar en la base imponible la renta que haya sido gravada en el extranjero. Nótese que la palabra renta no incluye solamente dividendos sino cualquier clase de renta obtenida que haya sido sometida a gravamen en otro país, esto es, intereses, cánones, ganancias patrimoniales, etc.

2.2. Importe de la deducción

La norma establece que se podrá deducir de la cuota íntegra la menor de las dos cantidades siguientes:

– El importe efectivo de lo satisfecho en el extranjero por razón de gravamen de naturaleza idéntica o análoga a este Impuesto.

– El importe de la cuota íntegra que en España correspondería pagar por las mencionadas rentas si se hubieran obtenido en territorio español.

En relación con la primera cuantía, esta regla supone que el obligado tributario podrá deducirse el impuesto efectivamente satisfecho en el extranjero. Como señala LOPEZ SANTACRUZ MONTES[9], "*no se deduce, pues, la cuota devengada sino la satisfecha efectivamente aun cuando esta última sea superior como consecuencia de que se hubiese disfrutado de algún incentivo fiscal.*"

No obstante, si por la parte de las rentas obtenidas en el extranjero e integradas en la base imponible, la cuota íntegra resultante del IS español es inferior al impuesto efectivamente satisfecho en el extranjero, entonces se deducirá la primera.

En este sentido, por lo que se refiere al importe de la cuota íntegra que, en España, correspondería pagar por las mencionadas rentas si se hubieran obtenido en territorio español, el contribuyente deberá aplicar sobre una base que se corresponderá con la renta gravada en el extranjero, el tipo de gravamen del Impuesto sobre Sociedades español.

---

9   LOPEZ-SANTACRUZ MONTES, J.A.; Memento Experto Reforma del Impuesto sobre Sociedades 2015, Ediciones Francis Lefebvre, pág. 267.

Así, esta base sobre la que se aplicará el tipo de gravamen (la base de la deducción) estará constituida por los ingresos menos los gastos incurridos para la obtención de dichos ingresos. En el supuesto en que los gastos incurridos fuesen iguales o superiores a los ingresos, no procedería entonces la deducción de cantidad alguna al ser la base de la misma nula.

Respecto a esto último, la doctrina administrativa y la jurisprudencia es coincidente. La Dirección General de Tributos, en su consulta V2178-11 de 21 de septiembre, indica que:

> *"para determinar el importe de la deducción, en particular, el importe de la cuota íntegra que en España correspondería pagar si las rentas se hubiesen obtenido en territorio español, deberá computarse no solo el ingreso procedente del extranjero sino, también, los gastos asociados a dicho ingreso."*

Por su parte, el Tribunal Supremo, en su sentencia 15 de octubre de 2011, viene a señalar que:

> *"...ha de tenerse en cuenta que esta Sala, en su sentencia de 30 de octubre de 2009, casación 1581/2004, ha mantenido que para determinar la base de cálculo de la deducción por doble imposición internacional por los intereses obtenidos en el extranjero, hay que tener en cuenta el rendimiento neto de los citados intereses, al que se llega deduciendo de la renta bruta devengada por dicho concepto los gastos necesarios para la obtención de los mismos.*
>
> *(...)*
>
> *la base de la deducción para eliminar la doble imposición internacional sobre los intereses percibidos por la recurrente derivados de los prestamos concertados debe determinarse conforme a las normas internas españolas, de tal forma que, al ser dicha base nula, no procede deducir cantidad alguna en la cuota del Impuesto."*

De acuerdo con la doctrina y con la jurisprudencia anteriormente citada, el importe de la base de deducción, es decir, dichos ingresos y gastos se determinará, pues, conforme la normativa de la Ley 27/2014, del Impuesto sobre Sociedades y, por consiguiente, de acuerdo con la normativa contable española. De este modo, el Impuesto soportado en el extranjero no será deducible de la mencionada base de deducción de manera que formará parte de la misma y, en función del tipo gravamen, será proporcionalmente deducido.

EJEMPLO

La sociedad A, residente en España, ha obtenido un beneficio de 1.000.000 euros procedente de un país extranjero. En dicho país, ha tributado 300.000 euros. En España, la cuota íntegra correspondiente a ese beneficio de acuerdo con la normativa del Impuesto sobre Sociedades español será de 250.000 euros (25% de 1.000.000).

¿Qué importe se podrá deducir?

SOLUCIÓN

A podrá deducirse 250.000 euros en la cuota, a pesar de haber tributado en el país extranjero por 300.000 euros.

EJEMPLO

La sociedad A, residente en España, ha obtenido un beneficio de 1.000.000 euros procedente de un país extranjero. En dicho país, ha tributado 200.000 euros. En España, la cuota íntegra correspondiente a ese beneficio será de 250.000 euros (25% de 1.000.000).

¿Qué importe se podrá deducir?

SOLUCIÓN

A podrá deducirse 200.000 euros, tributando por tanto por la diferencia (50.000€).

2.3. Periodo impositivo en el que se debe de imputar la deducción

La norma no establece expresamente cual será el periodo impositivo en el que se deba de imputar la deducción. Con carácter general, el contribuyente aplicará la deducción en el periodo impositivo en que integre en su base imponible las rentas gravadas en el extranjero. Y deberá integrar en su base imponible estas rentas de acuerdo con lo que establezca nuestro Plan General de Contabilidad, tal y como establece el artículo 11 de la LIS. En el supuesto en que el contribuyente optase por el criterio de caja, se irá aplicando la deducción a medida que vaya integrando en su base imponible la renta.

2.4. Gravamen de naturaleza idéntica o análoga al IS

La letra a) del apartado 1 señala que el impuesto efectivamente satisfecho en el extranjero deberá ser *gravamen de naturaleza idéntica o análoga a este Impuesto.*

¿Qué se entiende o que debemos de entender por un gravamen de naturaleza idéntica o análoga al Impuesto sobre Sociedades español?

En primer lugar, a diferencia del artículo 21 LIS, que habla de impuesto extranjero, este apartado utiliza la palabra gravamen. Parece que el legislador pretende abrir el abanico y permitir que el contribuyente pueda deducirse cualquier tributo (recordemos que, además de los impuestos, hay otros figuras impositivas que tienen la consideración de tributos).

En cuanto al significado de naturaleza idéntica o análoga al IS, la norma parece que se refiere, tanto al Impuesto sobre Sociedades español como al Impuesto sobre la Renta de No Residentes pero también a cualquier impuesto que esté gravando la renta o beneficio.

La Dirección General de Tributos, en su consulta vinculante V3574-15, de 18 de noviembre, relacionada con una renta gravada en República Dominicana, señala qué debemos de entender por naturaleza idéntica o análoga:

> *"A estos efectos, para considerar que un impuesto es de naturaleza idéntica o análoga al Impuesto sobre Sociedades, es necesario atender a su naturaleza, a la luz de lo dispuesto en el artículo 1 de la LIS, es decir, debe ser un "tributo de carácter directo y naturaleza personal que grava la renta de las sociedades y demás entidades jurídicas de acuerdo con las normas de esta ley".*

Además, este centro directivo considera que tiene naturaleza idéntica o análoga un tributo que grave la renta a pesar de que no sea su objeto principal:

> *"Por tanto en la medida en la que la retención practicada por el Ministerio de Turismo de la República Dominicana se corresponda con un impuesto directo que hayan tenido por finalidad la imposición de la renta obtenida por la consultante en el citado territorio, siquiera sea parcialmente, con independencia de que el objeto del tributo lo constituya la propia renta, los ingresos o cualquier otro elemento indiciario de aquélla, se presumirá cumplido el requisito previsto en el artículo 31.1.a) de la LIS."*

2.5. *Acreditación de la tributación en el extranjero*

A pesar de que la norma establece esta deducción como una obligación en el supuesto en que se haya integrado en la base imponible la renta gravada en el extranjero, el contribuyente deberá probar la efectiva tributación.

Esto es así debido a que el artículo 105 de la Ley 58/2003, de 17 de diciembre, General Tributaria establece que:

> *"En los procedimientos de aplicación de los tributos, quién haga valer su derecho deberá probar los hechos constitutivos del mismo."*

De este modo, el sujeto pasivo deberá probar la efectiva tributación en el país de origen, especialmente, cuando pretenda deducir el importe del impuesto efectivamente satisfecho en el extranjero. En la práctica, son muchas las dificultades que encuentra el contribuyente para probar que ha pagado o le ha sido aplicado la retención (*withholding tax*) en el país de la fuente. En estos casos, la Administración exige un certificado emitido por las autoridades fiscales del país extranjero en el que se indique que se ha practicado la retención. Es frecuente encontrar países que no tienen previsto en su normativa emitir este tipo de certificados.

2.6. Exclusión de la deducción

El propio artículo establece como importe a deducir el importe efectivo de lo satisfecho en el extranjero. La letra a) de este apartado, en su párrafo 2º, señala que:

> "No se deducirán los impuestos no pagados en virtud de exención, bonificación o cualquier otro beneficio fiscal"

En principio, únicamente se podrá deducir de la cuota íntegra el importe efectivo de lo satisfecho, entendiendo por satisfecho como lo sujeto y pagado. Si bien una renta puede estar sujeta a gravamen, la normativa extranjera puede considerarla en su país exenta o bonificada total o parcialmente. En concreto, este párrafo 2 excluye como importe a deducir aquellos impuestos que, a pesar de estar sujetos, no fueron finalmente pagados como consecuencia de un beneficio fiscal, sin perjuicio, como veremos más adelante, de lo que disponga un convenio de doble imposición concluido por España.

Así, si se admitiese la deducción de aquellos importes exentos o bonificados, el resultado sería que estaríamos aplicando de hecho en nuestro impuesto una exención o bonificación establecida por otro país.

Para admitir esta situación, la misma debe de estar previamente prevista en el respectivo convenio de doble imposición que haya sido suscrito de manera que, de no existir convenio, únicamente se podrá deducir el impuesto efectivamente satisfecho. En este mismo sentido se manifiesta el Tribunal Supremo, en la sentencia de 21 de enero de 2010 al señalar que:

> " las bonificaciones o exenciones de los rendimientos obtenidos por la interesada proceden de países sin convenio de doble imposición, por lo que, únicamente puede deducirse las cuotas efectivamente satisfechas tal y como se establece en la liquidación impugnada"

EJEMPLO

La sociedad Z, residente en España, obtiene 400.000€ de rentas en un país extranjero. Dichas rentas están sujetas, tributando al 25%. No obstante, las mismas tienen derecho a una bonificación en la cuota de este país un 50%.

SOLUCIÓN

En el país extranjero, Z tendrá una cuota íntegra de 100.000€ (25% 400.000) por la obtención de las referidas rentas. No obstante, al haberse aplicado una bonificación del 50% habrá tributado por 50.000 € (50% 100.000). En el Impuesto sobre Sociedades español, tendrá únicamente derecho a deducirse 50.000€.

2.7. Importe a deducir y convenios de doble imposición

El párrafo 3º del apartado 1.a) señala que: "*Siendo de aplicación un convenio para evitar la doble imposición, la deducción no podrá exceder del impuesto que corresponda según aquél*".

Este párrafo 3º no es sino una redundancia legal de la situación jurídica existente que tiene por finalidad aclarar, en relación con el importe de la deducción, la primacía de lo dispuesto en un convenio suscrito por España. Como ya se ha señalado repetidamente, los convenios de doble imposición se aplican preferentemente sobre la normativa interna de los países.

Esta aclaración técnica no viene, sin embargo, establecida en otros impuestos, como el Impuesto sobre la Renta de las Personas Físicas o el Impuesto sobre el Patrimonio. No obstante, entendemos que, en cualquier caso, los contribuyentes por estos impuestos estarán sujetos a la misma regla dada la mencionada supremacía del convenio sobre la normativa interna.

En concreto, este precepto viene a establecer que el importe a deducir en la cuota íntegra del Impuesto sobre Sociedades español no podrá ser superior al importe que establezca el convenio. De este modo, en el supuesto en que un convenio establezca que el importe a deducir en la cuota del Impuesto sobre Sociedades español es inferior al previsto en el artículo 31.1 LIS, la norma interna dejará paso y prevalecerá lo dispuesto en la norma convencional.

En este mismo sentido se manifiesta claramente la Dirección General de Tributos, en la ya citada consulta V4384-16, de 13 de octubre: "… *puesto que en el presente caso resulta de aplicación el Convenio para evitar la doble imposición hispano-portugués, la deducción no puede exceder del impuesto que corresponda satisfacer según el mencionado Convenio.*"

Tal y como señala LOPEZ-SANTACRUZ MONTES[10], "*cuando sea aplicable un convenio para evitar la doble imposición, la deducción no puede exceder del impuesto que corresponda de acuerdo con lo establecido en el mismo aun cuando la cantidad satisfecha sea superior, pues en este caso la entidad tiene la posibilidad de realizar las actuaciones que corresponda para recuperar el exceso de impuesto satisfecho.*"

Asimismo, el Convenio puede dejar incluso sin tributación en el país de la fuente la renta obtenida por lo que no procederá en un caso así ningún tipo de deducción.

No obstante, los convenios pueden también prever, entrando en aparente contradicción con lo dispuesto en este artículo 31, la deducibilidad en la cuota de los impuestos extranjeros que no hayan sido efectivamente satisfechos, la

---

[10]   Ibid.

denominada cláusula *tax sparing*[11] o *matching credit*. En este caso, un convenio de doble imposición puede establecer que, en el estado de residencia, el obligado tributario pueda aplicarse la deducción de un impuesto a pesar de que éste no haya sido efectivamente satisfecho. Esta cláusula tiene por objeto evitar que el estado de residencia absorba un exención o beneficio fiscal concedida por un país en vías de desarrollo en orden a incentivar la inversión en su territorio[12].

Así, podemos encontrar cláusulas *tax sparing* o *matching credit* en diversos convenios concluidos por España, como el de Brasil.

Precisamente, en relación con unos intereses pagados desde Brasil a una entidad residente en España y que no han tributado en este país, la Dirección General de Tributos, en su consulta vinculante V4259-16, de 5 de octubre, establece:

> *"Respecto a los métodos para evitar la doble imposición, el artículo 23 del Convenio hispano-brasileño establece:*
>
> *"1. Cuando un residente de un Estado contratante obtenga rentas que, de acuerdo con las disposiciones del presente Convenio, pueden someterse a imposición en el otro Estado contratante, el primer Estado, salvo lo dispuesto en los párrafos 2, 3 y 4, deducirá del impuesto que perciba sobre las rentas de este residente un importe igual al impuesto sobre la renta pagado en el otro Estado contratante.*
>
> *Sin embargo, la cantidad deducida no puede exceder de la parte del impuesto sobre la renta, calculado antes de la deducción, correspondiente a las rentas que pueden someterse a imposición en el otro Estado contratante.*
>
> *Las disposiciones de este párrafo se aplican en España, tanto a los impuestos generales como a los impuestos a cuenta.*

---

[11] Los comentarios a las disposiciones del apartado 1 artículo 23B (método de imputación o crédito fiscal) del Modelo de Convenio OCDE, señalan en el punto 74 que:
"Las disposiciones sobre créditos por impuestos no pagados -tax sparing- constituyen una desviación respecto de las de los artículos 23 A y 23 B y pueden adoptar distintas formas, como por ejemplo:
a) el Estado de residencia concederá el crédito de la cuantía del impuesto que el Estado de la fuente podría haber establecido en virtud de su legislación general, o del importe reducido conforme a las disposiciones del Convenio (por ejemplo, fijación de límites de las tasas previstas en los artículos 10 y 11 para dividendos e intereses), incluso si el Estado de la fuente ha renunciado a todo o parte del impuesto conforme a sus normas específicas tendentes a promover su desarrollo económico;
b) el Estado de residencia consiente imputar sobre su propio impuesto un crédito (en parte ficticio) fijado a una tasa superior como contrapartida a la disminución de impuestos aceptada por el Estado de la fuente;
c) el Estado de residencia exime de impuesto las rentas que se han beneficiado de incentivos fiscales en el Estado de la fuente."
[12] CALDERÓN CARRERO, J.M.; "Artículo 23. Los métodos para eliminar la doble imposición" en Comentarios a los convenios para evitar la doble imposición y prevenir la evasión fiscal concluidos por España, Fundación Pedro Barrié de la Maza 2004, pág. 1.035.

2. Para la deducción mencionada en el párrafo 1, el impuesto sobre los intereses y cánones se considerará siempre que ha sido pagado con las alícuotas del 20 y 25 por 100, respectivamente. (...)"

En aplicación de lo dispuesto en el artículo 23, apartado 2, y con independencia de la tributación efectiva de los intereses obtenidos por la consultante en Brasil, a efectos de la eliminación de la doble imposición se considerará que dichos intereses han tributado en Brasil al 20%.

Por otra parte, a los efectos de la aplicación de la deducción por doble imposición regulada en el artículo 31 de la LIS, la cuota íntegra que en España correspondería pagar por dichos intereses si se hubieran obtenido en territorio español, ascendería al resultado de multiplicar las rentas netas correspondientes a estos intereses por el tipo de gravamen general previsto en el artículo 29.1 de la LIS, que es del 25% para los períodos impositivos iniciados a partir de 1 de enero de 2016."

3. APARTADO 2

El apartado 2 del artículo 31 LIS indica que: "*el importe del impuesto satisfecho en el extranjero se incluirá en la renta a los efectos previstos en el apartado anterior e, igualmente, formará parte de la base imponible, aun cuando no fuese plenamente deducible."*

Este precepto viene a completar esta deducción técnica indicando que, entre las rentas a integrar en la base imponible, deberá figurar el importe del impuesto satisfecho en el extranjero, es decir, deberá integrarse el importe bruto de las rentas percibidas. De no hacerlo así, el contribuyente estaría integrando en su base imponible una renta ya neta de impuestos extranjeros.

Así, el contribuyente integrará el impuesto extranjero –que normalmente habrá sido objeto de retención en el estado de la fuente- en su base imponible española y, en su caso, se lo podrá deducir, después, en la cuota íntegra resultante.

En este sentido, la Dirección General de Tributos en su consulta vinculante V2384-13, de 17 de julio, señala que:

"...la consultante deberá integrar en la base imponible del Impuesto sobre Sociedades español la retención practicada en el Estado de la fuente (15%), para posteriormente deducir de la cuota íntegra del período impositivo, el impuesto efectivamente satisfecho en el extranjero (15%)".

Veamos un ejemplo.

EJEMPLO

La sociedad M, residente en España, ha percibido unos intereses de 85, pagados por la entidad W residente en otro país. De acuerdo con el Convenio para evitar la doble imposición en vigor entre los dos países, los intereses están sometidos a tributación, con una renta en el país de la fuente del 15% y, por lo tanto, fueron objeto de retención (*withholding tax*).

¿Cuál será el importe del impuesto extranjero a integrar en la base imponible de M?

SOLUCIÓN

Los intereses percibidos por M han ascendido a 85, habiendo soportado previamente una retención en el país extranjero del 15%. Así, los intereses antes de impuestos eran de 100 y el impuesto retenido en este país, de 15.

En consecuencia, M deberá integrar en su base imponible los intereses percibidos (85) más el impuesto retenido en el país extranjero (15).

Por otro lado, este apartado 2, establece al final de su párrafo 2 la integración en la base imponible del impuesto efectivamente satisfecho en el extranjero *aun cuando no fuese plenamente deducible.*

Esto se debe a que, como hemos visto antes, el propio apartado 1 determina que la deducción a aplicar en la cuota íntegra del impuesto español pueda ser inferior al impuesto efectivamente satisfecho en el extranjero.

EJEMPLO

F, sociedad residente en España, ha obtenido una renta de un país extranjero de 1.000.000€. En este país, esta renta de 1.000.000 ha tributado al tipo del 35% (350.000€), percibiendo M, finalmente, un importe neto de 650.000€. En España, M tributa al tipo general del 25%.

En España, M integrará en su base imponible los 650.000€ más el impuesto satisfecho en el extranjero (350.000).

No obstante, a pesar de haber integrado en su base imponible 350.000€ como impuesto satisfecho en el extranjero, M deberá deducirse en su cuota del Impuesto sobre Sociedades español la menor de las dos siguientes cantidades:

– 350.000€: impuesto efectivamente satisfecho en el extranjero.

– 250.000 €, resulta de aplicar el tipo del 25% al total de las rentas integradas en la base imponible (650.000+350.000).

Habrá, pues, 100.000 euros de impuesto en el extranjero que se habrán integrado en la base imponible pero que no habrán sido objeto de deducción.

Asimismo, la Ley 27/2014 ha introducido, como novedad, un párrafo 2º en este apartado 2 con la finalidad de paliar, precisamente, lo visto en el ejemplo anterior; corregir la parte del impuesto extranjero que no es totalmente deducible en la cuota cuando se haya efectuado una integración total del mismo en la base imponible.

En concreto este párrafo 2º señala que: *Tendrá la consideración de gasto deducible aquella parte del importe del impuesto satisfecho en el extranjero que no sea objeto de deducción en la cuota íntegra por aplicación de lo señalado en el apartado anterior, siempre que se corresponda con la realización de actividades económicas en el extranjero.*

De esta manera, la parte del impuesto en el extranjero que no haya podido ser deducible podrá tener la consideración de gasto fiscal, minorando las rentas extranjeras a integrar en la base imponible.

Tal y como señala LÓPEZ-SANTACRUZ MONTES[13], "*al objeto que tenga efectos fiscales la deducción del exceso del impuesto extranjero satisfecho, el importe de dicho exceso debería minorar la base imponible de las demás fuentes de rentas pues, de lo contrario, es decir, de considerarse gasto deducible de la propia renta de fuente extranjero, ello no tendría ningún efecto práctico*".

Así, en la base de la deducción del artículo 31.1.b), no se tendrá en cuenta este gasto deducible. En este mismo sentido se manifiesta la Dirección General de Tributos en su consulta vinculante V2806-15, de 28 de septiembre, al señalar que:

> "*No obstante, dicho gasto deducible no se tendrá en cuenta al efectuar el cálculo de la deducción en los términos dispuestos en el artículo 31.1 de la LIS*"

El requisito que establece este precepto para su aplicación es que este impuesto extranjero se corresponda con rentas procedentes de actividades económicas. En este sentido, deberemos acudir al concepto de actividad económica definido en el artículo 5 de la LIS.

4. APARTADO 3

El apartado 3 de este artículo 31 establece que "*cuando el contribuyente haya obtenido en el período impositivo varias rentas del extranjero, la deduc-*

---

13   LÓPEZ-SANTACRUZ MONTES, J.A.; Op. cit. pág. 267.

ción se realizará agrupando las procedentes de un mismo país salvo las rentas de establecimientos permanentes, que se computarán aisladamente por cada uno de éstos."

Este precepto regula la forma de calcular la base de la deducción a aplicar, determinando que se agrupen las rentas obtenidas sin mediación de establecimiento permanente que procedan de un mismo país. Por tanto, habrá tantas bases imponibles e impuestos satisfechos en el extranjero como países de procedencia de las rentas, a efectos de practicar la deducción[14].

Por su lado, las rentas que procedan de establecimientos permanentes se computarán aisladamente, independientemente que en un mismo país pudiera haber varios. De conformidad con el apartado 4 del artículo 22, *"se considerará que un contribuyente opera mediante establecimientos permanentes distintos en un determinado país, cuando concurran las siguientes circunstancias:*

a) Que realicen actividades claramente diferenciables.

b) Que la gestión de estas se lleve de modo separado."

EJEMPLO

La entidad G, residente en España y sujeta a un tipo impositivo del 25%, ha obtenido las siguientes rentas procedentes del extranjero durante el mismo periodo impositivo:

500.000 € + 300.000 €+ 50.000 €, todas ellas procedentes de Perú. Dichas rentas han sido sometidas a una retención (*withholding tax*) del 15%

100.000 € + 50.000 € procedentes de Libia, sujetas a una retención del 25%.

¿Cuál será el importe de la deducción que se podrá aplicar la entidad G?

SOLUCIÓN

De acuerdo con lo dispuesto en el apartado 3 del artículo 31, la entidad G, para calcular el importe de la deducción, deberá de proceder a agrupar las rentas por países y a computarlas aisladamente por cada uno de ellos para:

– Integrar en la base imponible el importe la renta procedente de cada país más el impuesto efectivamente pagado.

– Calcular la deducción separadamente por cada país tomando como base el importe integrado.

---

[14]   Ibid. pág. 268.

Así, la entidad G deberá proceder a integrar en su base imponible:

– Por las rentas procedentes de Perú, un importe de 1.000.000€ que será la suma de la renta percibida (850.000€) más el impuesto pagado en este país (150.000€=1.000.000x15%).

– Por las rentas procedentes de Libia, un importe de 200.000 €, que será la suma de la renta percibida (150.000€) más el importe satisfecho (50.000=200.000x25%).

Una vez determinadas las rentas integradas en la base imponible, se calculará la deducción que corresponde por cada país[15]:

a) Deducción correspondiente a las rentas procedentes de Perú

Tal y como establece, el importe de la deducción será el menor de:

– El importe satisfecho en Perú.

– El importe de la cuota íntegra que correspondería pagar en España si dicha renta se hubiera obtenido en territorio español.

En el primer caso, el impuesto satisfecho en Perú asciende a 150.000 euros mientras que, en el segundo caso, el importe que correspondería pagar sería de 250.000 euros. Por consiguiente, el importe a deducir, que será el menor de los dos anteriores, será de **150.000** euros.

b) Deducción correspondiente a las rentas procedentes de Libia

Respecto a la deducción correspondiente a las rentas procedentes de Libia, será de **50.000** dado que ambos casos, tanto el importe satisfecho en Libia como el que correspondería pagar en España si se hubiera obtenido la renta en territorio español es el mismo.

De este modo, la liquidación de la entidad G será la siguiente:

Base imponible	1.200.000
Tipo de gravamen	25%
Cuota íntegra	300.000
Deducción doble imposición Perú	150.000
Deducción doble imposición Libia	50.000
Cuota Líquida	100.000

---

[15] Dado que, a la fecha de redacción del presente capítulo, España no ha concluido convenio para evitar la doble imposición con Libia, ni con Perú, será, plenamente, de aplicación el mecanismo para eliminar la doble imposición jurídica previsto en el artículo 31 LIS.

5. APARTADO 4

La Ley 27/2014 introdujo como novedad los párrafos 1º y 2º de este apartado 4, conservando en su párrafo 3º la redacción anterior de este precepto. No obstante, el Real Decreto-ley 3/2016, de 2 de diciembre, por el que se adoptan medidas en el ámbito tributario dirigidas a la consolidación de las finanzas públicas y otras medidas urgentes en materia social, ha derogado los párrafos 2º y 3º de este apartado 4.

No obstante, a pesar de su derogación, las reglas que se establecían en estos párrafos 2º y 3º siguen vigentes en la LIS en su artículo 22 de manera que procederemos, igualmente, a su estudio, junto con el párrafo 1º.

En concreto, el apartado 4 de este artículo 31 establece, en su párrafo 1º que *"la determinación de las rentas obtenidas en el extranjero a través de un establecimiento permanente se realizará de acuerdo con lo establecido en el apartado 5 del artículo 22 de esta Ley."*

De acuerdo con este precepto, para la aplicación de la deducción para evitar la doble imposición de establecimientos permanentes[16], en concreto, la determinación de las rentas a integrar en la sociedad española y, consecuentemente, el importe de la deducción a aplicar en su caso, deberemos acudir a las normas establecidas en el artículo 22.5 LIS. En concreto, este artículo señala que:

> *"Se considerarán rentas de un establecimiento permanente aquellas que el mismo hubiera podido obtener si fuera una entidad distinta e independiente, teniendo en cuenta las funciones desarrolladas, los activos utilizados y los riesgos asumidos por la entidad a través del establecimiento permanente.*
>
> *A estos efectos, se tendrán en cuenta las rentas estimadas por operaciones internas con la propia entidad en aquellos supuestos en que así esté establecido en un convenio para evitar la doble imposición internacional que resulte de aplicación."*

---

[16]　La consideración de establecimiento permanente vendrá determinada, en su caso, por lo dispuesto en el correspondiente Convenio para evitar la doble imposición que haya firmado España que resulte de aplicación. No obstante, el apartado de 3 del artículo 22 LIS establece una definición propia de establecimiento permanente: *"Se considerará que una entidad opera mediante un establecimiento permanente en el extranjero cuando, por cualquier título, disponga fuera del territorio español, de forma continuada o habitual, de instalaciones o lugares de trabajo en los que realice toda o parte de su actividad, o actúe en él por medio de un agente autorizado para contratar, en nombre y por cuenta del contribuyente, que ejerza con habitualidad dichos poderes. En particular, se entenderá que constituyen establecimiento permanente las sedes de dirección, las sucursales, las oficinas, las fábricas, los talleres, los almacenes, tiendas u otros establecimientos, las minas, los pozos de petróleo o de gas, las canteras, las explotaciones agrícolas, forestales o pecuarias o cualquier otro lugar de exploración o de extracción de recursos naturales, y las obras de construcción, instalación o montaje cuya duración exceda de 6 meses. Si el establecimiento permanente se encuentra situado en un país con el que España tenga suscrito un convenio para evitar la doble imposición internacional, que le sea de aplicación, se estará a lo que de él resulte".*

Por su parte, el 2º párrafo de este apartado 31.2 -actualmente derogado-disponía que: "*No se integrarán en la base imponible las rentas negativas obtenidas en el extranjero a través de un establecimiento permanente, excepto en el caso de transmisión del establecimiento permanente o cese de su actividad.*"

Al igual que el párrafo anterior, este párrafo 2º era una novedad que introducía la Ley 27/2014. Lo que pretendía el legislador con este precepto es aislar el tratamiento fiscal que tengan las pérdidas en el estado de la fuente.

Así, con independencia de que en el estado donde radique el establecimiento permanente se permita o no la compensación de las perdidas con beneficios futuros, la normativa española impedía -y sigue impidiendo en el artículo 22.2 de la LIS- la compensación de las rentas negativas del establecimiento con las bases imponibles positivas de la sociedad generadas en España en el mismo ejercicio, evitando de este modo que se produzca el mismo efecto que si consolidase fiscalmente.

Como se ha indicado, en la actualidad, es el articulo 22.2 el que impide la integración de rentas negativas de un establecimiento permanente en la base imponible de la entidad residente en España al establecer que:

> "*No se integrarán en la base imponible las rentas negativas obtenidas en el extranjero a través de un establecimiento permanente.*"

Únicamente la norma permitía la integración en la base imponible en España de las rentas negativas que se hubiesen generado como consecuencia de la transmisión o cese del establecimiento permanente. (En la actualidad, solamente se permite la integración de las rentas negativas derivadas del cese; ya no son deducibles las pérdidas generadas por la transmisión de un establecimiento permanente, tal y como establece el párrafo 2º del artículo 22.2, "*tampoco serán objeto de integración las rentas negativas derivadas de la transmisión de un establecimiento permanente.*")

De este modo, se rompía la regla general de integrar las rentas del establecimiento permanente, dejando que, solamente, se puedan integrar en la base imponible las rentas positivas.

En cambio, en el derogado párrafo 3º de este apartado 4, sí se permitía para el futuro -a efectos de su integración en la base imponible del contribuyente-que las rentas negativas de ejercicios anteriores se compensasen con las rentas positivas que se generasen en ejercicios siguientes.

En concreto, el mencionado párrafo 3º señalaba que *en el supuesto de establecimientos permanentes que hubieran obtenido en anteriores períodos impositivos rentas negativas que no se hayan integrado en la base imponible de la entidad, no se integrarán las rentas positivas obtenidas con posterioridad hasta el importe de aquellas.*

EJEMPLO

La sociedad N, residente en España, opera en el país X a través de un establecimiento permanente. Este establecimiento permanente ha obtenido las siguientes rentas:

– En 2015, -400.000 €.

– En 2016, +500.000 €.

N ha obtenido en España durante esos años las siguientes bases imponibles.

– En 2015, 1.000.000 €.

– En 2016, 1.000.000 €.

De acuerdo con lo anterior, en 2015, N no procederá a integrar las rentas negativas en su base imponible, siendo esta de 1.000.000€. En el supuesto en que la normativa no lo impidiese, la base imponible sería, entonces, de 600.000 €.

En 2016, N no integrará la totalidad de las rentas positivas del establecimiento permanente sino solo un parte. Previamente, deberá compensarlas con las negativas de los ejercicios anteriores (500.000-400.000). Así, integrará 100.000 euros en la base imponible, ascendiendo el total de esta última a 1.100.000 €.

6. APARTADO 5 (derogado)

Al igual que los párrafos 2º y 3º del apartado 4, el Real Decreto-Ley 3/2016 ha derogado este apartado 5. Dicha derogación deriva de la modificación, a su vez, del artículo 22 LIS. Como hemos indicado en el apartado anterior, la actual redacción del citado artículo 22 no permite la integración de las rentas negativas generadas como consecuencia de la transmisión de un establecimiento permanente de manera que la regla contenida en este derogado apartado 5 ha dejado de tener sentido.

No obstante, aunque sea brevemente, vamos a repasar lo que establecía este apartado 5. El mismo disponía que:

> *"En el caso de rentas negativas derivadas de la transmisión de un establecimiento permanente, su importe se minorará en el importe de las rentas positivas netas obtenidas con anterioridad que hayan tenido derecho a la exención prevista en el artículo 22 de esta Ley o a la deducción por doble imposición prevista en este artículo, procedentes del mismo."*

Ese apartado no pretendía más que evitar que se pudiera computar como pérdida una renta que, previamente, no hubiese tributado en nuestro Impuesto sobre Sociedades. La Ley 27/2014 añadió, respecto a la redacción del TRLIS,

que hayan tenido derecho a la exención prevista en el artículo 22 de esta Ley o
a la deducción por doble imposición prevista en este artículo.

En concreto, el precepto establecía una corrección técnica, a semejanza de
otros artículos de la Ley. Dicho precepto no permitía la deducibilidad fiscal de
las pérdidas por la transmisión de un establecimiento permanente hasta el importe de las rentas positivas exentas que, con anterioridad, la entidad española
hubiese obtenido del mismo.

De permitirse la deducibilidad total de estas pérdidas sin la aplicación de
este límite, el efecto sería que se computarían como pérdidas las rentas positivas de un EP que hubiesen disfrutado de exención o de la deducción por doble
imposición cuando, al transmitirse, se hubiera producido una renta negativa.

EJEMPLO

La entidad W, residente en España, tiene un establecimiento permanente
en un país extranjero cuya valor de adquisición fue de 700.000€. Dicho establecimiento permanente ha generado durante los últimos 5 años
100.000€ de rentas positivas, las cuales han estado exentas del impuesto.

Los fondos propios del EP son en 2016 de 400.000 euros. Ese mismo ejercicio decide transmitirlo por el mismo importe que sus fondos propios.

¿Qué importe se integrará en la base imponible de W en 2016 por la venta?

SOLUCIÓN

En primer lugar, se ha producido una pérdida por la venta del establecimiento permanente. Su valor de adquisición fue de 700.000€ y
el importe de su venta, de 400.000€. Se ha producido una pérdida de
300.000€.

No obstante, dado que el EP tuvo unas rentas de 100.000 que estuvieron exentas en España, la pérdida a integrar en la base imponible de
W será de 200.000€ (300.000-100.000).

7. APARTADO 6

La Ley 27/2014, siguiendo la dinámica de no establecer límites temporales
en la compensación o deducción que se traspasa a otros periodos impositivos,
ha establecido que las cantidades no deducidas por insuficiencia de cuota íntegra podrán deducirse en los períodos impositivos siguientes.

De esta forma, si el contribuyente no posee una cuota íntegra suficiente para
deducirse los importes correspondientes, lo podrá hacer con las cuotas que se

generen en los periodos impositivos posteriores, sin que exista ninguna limitación temporal.

La antigua redacción del artículo 31 del Texto Refundido de la LIS establecía un límite temporal de 10 años para la deducción de las cantidades en caso de insuficiencia de cuota. Dicho límite ha desaparecido suponiendo una mejora para las empresas.

Asimismo, la Disposición transitoria vigésima tercera de la Ley 27/2014 establece un régimen transitorio en el Impuesto sobre Sociedades de las deducciones para evitar la doble imposición. En concreto, en su apartado 4, se establece lo siguiente:

> *"Las deducciones por doble imposición establecidas en los artículos 30, 31 y 32, del texto refundido de la Ley del Impuesto sobre Sociedades, según redacción vigente en los períodos impositivos iniciados con anterioridad a 1 de enero de 2015, pendientes de aplicar a la entrada en vigor de esta Ley, así como aquellas deducciones generadas por aplicación de esta Disposición no deducidas por insuficiencia de cuota íntegra, podrán deducirse en los períodos impositivos siguientes."*

De acuerdo con esta disposición transitoria, en el supuesto en que alguna sociedad tuviera deducciones pendientes de aplicación anteriores a la entrada en vigor de la Ley 27/2014, la mencionada limitación temporal de 10 años que preveía el antiguo artículo 31 del texto refundido de la LIS también desaparecerá. De este modo, las deducciones pendientes de aplicación con anterioridad a la entrada en vigor de la Ley 27/2014 tendrán el mismo tratamiento que las generadas con posterioridad.

EJEMPLO

La sociedad P, residente en España, ha percibidos unos intereses de 850.000 euros, pagados por una entidad no residente. P ha soportado en el estado de la fuente, mediante retención, una tributación de 150.000 euros.

Por otro lado, P ha generado en España unas pérdidas de 600.000€.

Como ya vimos en otros ejemplos, P integrará en su base imponible 1.000.000€, que es el importe de los intereses percibidos más el impuesto satisfecho en el extranjero. El Impuesto sobre Sociedades de P será el siguiente:

Base imponible	400.000
Tipo de gravamen	25%
Cuota íntegra	100.000
Deducción doble imposición internacional	100.000
Cuota liquida	–

Al no poder aplicarse la totalidad del impuesto satisfecho en el extranjero (150.000€), P podrá aplicar el remanente (50.000€) en los periodos impositivos siguientes, sin limitación temporal.

8. APARTADO 7

Otra novedad de la Ley 27/2014 ha sido la introducción del apartado 7 en este artículo 31. En concreto, el artículo establece que

> *"El derecho de la Administración para iniciar el procedimiento de comprobación de las deducciones por doble imposición aplicadas o pendientes de aplicar prescribirá a los 10 años a contar desde el día siguiente a aquel en que finalice el plazo establecido para presentar la declaración o autoliquidación correspondiente al período impositivo en que se generó el derecho a su aplicación."*

Dicho precepto está en consonancia con la reforma de la Ley General Tributaria y la introducción del nuevo artículo 66 bis y la modificación del artículo 115. Con la reforma, se separa con mucha más claridad la potestad de liquidar de la de comprobar e investigar. Es esta última la que regula el artículo 115, junto con el artículo 66 bis, estableciendo un plazo de prescripción de 10 años. En concreto, este artículo 115 establece que:

> *"La Administración Tributaria podrá comprobar e investigar los hechos, actos, elementos, actividades, explotaciones, negocios, valores y demás circunstancias determinantes de la obligación tributaria para verificar el correcto cumplimiento de las normas aplicables.*
>
> *Dichas comprobación e investigación se podrán realizar aún en el caso de que las mismas afecten a ejercicios o periodos y conceptos tributarios respecto de los que se hubiese producido la prescripción regulada en el artículo 66.a) de esta Ley, siempre que tal comprobación o investigación resulte precisa en relación con la de alguno de los derechos a los que se refiere el artículo 66 de esta Ley que no hubiesen prescrito, salvo en los supuestos a los que se refiere el artículo 66 bis.2 de esta Ley, en los que resultará de aplicación el límite en el mismo establecido.*

Por su lado, el artículo 66 bis de la LGT indica que:

> *Artículo 66 bis Derecho a comprobar e investigar*
>
> *1. La prescripción de derechos establecida en el artículo 66 de esta Ley no afectará al derecho de la Administración para realizar comprobaciones e investigaciones conforme al artículo 115 de esta Ley, salvo lo dispuesto en el apartado siguiente.*
>
> *2. El derecho de la Administración para iniciar el procedimiento de comprobación de las bases o cuotas compensadas o pendientes de compensación o de deducciones aplicadas o pendientes de aplicación, prescribirá a los diez años a contar desde el día siguiente a aquel en que finalice el plazo reglamentario*

establecido para presentar la declaración o autoliquidación correspondiente al ejercicio o periodo impositivo en que se generó el derecho a compensar dichas bases o cuotas o a aplicar dichas deducciones.

En los procedimientos de inspección de alcance general a que se refiere el artículo 148 de esta Ley, respecto de obligaciones tributarias y periodos cuyo derecho a liquidar no se encuentre prescrito, se entenderá incluida, en todo caso, la comprobación de la totalidad de las bases o cuotas pendientes de compensación o de las deducciones pendientes de aplicación, cuyo derecho a comprobar no haya prescrito de acuerdo con lo dispuesto en el párrafo anterior. En otro caso, deberá hacerse expresa mención a la inclusión, en el objeto del procedimiento, de la comprobación a que se refiere este apartado, con indicación de los ejercicios o periodos impositivos en que se generó el derecho a compensar las bases o cuotas o a aplicar las deducciones que van a ser objeto de comprobación.

La comprobación a que se refiere este apartado y, en su caso, la corrección o regularización de bases o cuotas compensadas o pendientes de compensación o deducciones aplicadas o pendientes de aplicación respecto de las que no se hubiese producido la prescripción establecida en el párrafo primero, sólo podrá realizarse en el curso de procedimientos de comprobación relativos a obligaciones tributarias y periodos cuyo derecho a liquidar no se encuentre prescrito.

3. Salvo que la normativa propia de cada tributo establezca otra cosa, la limitación del derecho a comprobar a que se refiere el apartado anterior no afectará a la obligación de aportación de las liquidaciones o autoliquidaciones en que se incluyeron las bases, cuotas o deducciones y la contabilidad con ocasión de procedimientos de comprobación e investigación de ejercicios no prescritos en los que se produjeron las compensaciones o aplicaciones señaladas en dicho apartado.

De este modo, este apartado 7 del artículo 31 de LIS regula que el común y erróneamente denominado derecho de la Administración -la Administración no tiene derechos sino potestades- para iniciar el procedimiento de comprobación de estas deducciones prescribirá a los 10 años.

Este procedimiento de comprobación no puede determinar una liquidación respecto a los periodos ya prescritos, pero sí la eliminación de las deducciones arrastradas indebidamente.

Así, si la Administración comprueba, por ejemplo, la correcta aplicación de unas deducciones que llevan 8 años pendientes de aplicarse, en el supuesto en que el contribuyente no hubiese tenido derecho desde su origen a ello, la Administración no podrá regularizar la deuda tributaria de hace 8 años dado que ya estará prescrita (a menos que, obviamente, haya habido alguna interrupción); en cambio, sí podrá eliminar la aplicación de las deducciones que se haya efectuado o que se vaya a efectuar en la cuota en los periodos no prescritos.

Una vez transcurrido el mencionado plazo de 10 años, para probar la correcta aplicación de las deducciones, bastará con la exhibición de la liquidación o autoliquidación y la contabilidad, con acreditación de su depósito durante el citado plazo en el Registro Mercantil.

EJEMPLO

La sociedad C, residente en España, tiene un establecimiento permanente en el extranjero. En 2015, dicho establecimiento obtuvo 10.000.000€ de rentas positivas que estuvieron sometidas a una tributación en el estado de la fuente de 2.500.000€. Además, C obtuvo en España unas rentas de 4.000.000. El tipo de gravamen es del 25%.

C declaró en 2015 como exentas dichas rentas en virtud del artículo 22 LIS. Asimismo, procedió a aplicar, por error, la deducción por doble imposición internacional por un importe de 2.500.000€. La cuota íntegra de C ascendió a 1.000.000€. No obstante, al aplicarse (indebidamente) la deducción por doble imposición (2.500.000€), la cuota líquida resultó cero, quedando pendiente de aplicar 1.500.000€.

Durante los siguientes 9 ejercicios, C no ha podido deducirse el 1.500.000 que queda pendiente, excepto en 2021, que aplicó 800.000 euros al haber tenido una cuota íntegra por ese mismo importe.

¿Qué ocurrirá si en 2024 se inicia un procedimiento inspector a C del ejercicio 2021?

SOLUCIÓN

En 2024, la Administración no podrá regularizar el ejercicio 2015 y emitir una liquidación de 1.000.000€ al estar prescrito el derecho a liquidar. No obstante, el derecho a comprobar si en 2015 el nacimiento de esa deducción –pendiente de aplicar- fue correcta no está todavía prescrito. Por lo tanto, la Administración, al entender que en 2015 dicha deducción se originó incorrectamente, podrá proceder a regularizar el ejercicio 2021, aumentando la cuota íntegra en 800.000€.

9. DISPOSICIÓN ADICIONAL DECIMOQUINTA. LÍMITES APLICABLES A LAS GRANDES EMPRESAS EN PERÍODOS IMPOSITIVOS INICIADOS A PARTIR DE 1 DE ENERO DE 2016

Con efectos para los períodos impositivos que se inicien a partir de 1 de enero de 2016, el Real Decreto-ley 3/2016 ha añadido una nueva disposición adicional en la LIS en virtud de la cual se establece una limitación en el importe de la deducción del artículo 31 a aplicar en la cuota íntegra.

En concreto, la citada disposición adicional decimoquinta señala que:

"Los contribuyentes cuyo importe neto de la cifra de negocios sea al menos de 20 millones de euros durante los 12 meses anteriores a la fecha en que se inicie el período impositivo, aplicarán las siguientes especialidades:

(...)

2. El importe de las deducciones para evitar la doble imposición internacional previstas en los artículos 31, 32 y apartado 11 del artículo 100, así como el de aquellas deducciones para evitar la doble imposición a que se refiere la disposición transitoria vigésima tercera, de esta Ley, no podrá exceder conjuntamente del 50 por ciento de la cuota íntegra del contribuyente."

De acuerdo con este nuevo precepto, para los periodos impositivos iniciados a partir del 1 de enero de 2016, el importe de la deducción de este articulo 31 no podrá exceder, conjuntamente con las deducciones de los artículos 32 y 100.11 de la LIS, del 50% de la cuota íntegra. Dicha limitación operará, únicamente, para aquellas entidades cuyo importe neto de la cifra de negocios haya sido, al menos, de 20 millones de euros durante los 12 meses anteriores.

En relación con el exceso que no ha sido objeto de deducción, la norma guarda silencio y no señala expresamente, para este caso, si podrá ser compensado en ejercicios futuros. En principio, y sin perjuicio de la futura interpretación administrativa que se efectúe, vía consultas vinculantes por la Dirección General de Tributos, parece desprenderse que no existe impedimento para que, en los ejercicios siguientes, se pueda deducir los excesos derivados de esta limitación.

Artículo 32
Deducción para evitar la doble imposición económica internacional: dividendos y participaciones en beneficios[17]

PABLO ROMÁ BOHORQUES

Abogado. Socio Director de Romá Bohorques Abogados Tributarios

1. Cuando en la base imponible se computen dividendos o participaciones en beneficios pagados por una entidad no residente en territorio español, se deducirá el impuesto efectivamente pagado por esta última respecto de los beneficios con cargo a los cuales se abonan los dividendos, en la cuantía correspondiente de tales dividendos, siempre que dicha cuantía se incluya en la base imponible del contribuyente. Para la aplicación de esta deducción será necesario el cumplimiento de los siguientes requisitos:

a) Que la participación directa o indirecta en el capital de la entidad no residente sea, al menos, del 5 por ciento, o bien que el valor de adquisición de la participación, sea superior a 20 millones de euros.

b) Que la participación se hubiera poseído de manera ininterrumpida durante el año anterior al día en que sea exigible el beneficio que se distribuya o, en su defecto, que se mantenga durante el tiempo que sea necesario para completar un año. Para el cómputo del plazo se tendrá también en cuenta el período en que la participación haya sido poseída ininterrumpidamente por otras entidades que reúnan las circunstancias a que se refiere el artículo 42 del Código de Comercio para formar parte del mismo grupo de sociedades, con independencia de la residencia y de la obligación de formular cuentas anuales consolidadas.

En caso de distribución de reservas se atenderá a la designación contenida en el acuerdo social y, en su defecto, se considerarán aplicadas las últimas cantidades abonadas a dichas reservas.

2. 1.º Tendrán la consideración de dividendos o participaciones en beneficios, los derivados de los valores representativos del capital o de los fondos propios de entidades, con independencia de su consideración contable.

---

[17] Los apartados 6 y 7 han sido derogados por el Real Decreto-ley 3/2016, de 2 de diciembre, por el que se adoptan medidas en el ámbito tributario dirigidas a la consolidación de las finanzas públicas y otras medidas urgentes en materia social.

2.º *La deducción prevista en el apartado 1 de este artículo no resultará de aplicación en relación con los dividendos o participaciones en beneficios recibidos cuyo importe deba ser objeto de entrega a otra entidad con ocasión de un contrato que verse sobre los valores de los que aquellos proceden, registrando un gasto al efecto. La entidad receptora de dicho importe podrá aplicar la deducción prevista en el referido apartado 1 en la medida en que conserve el registro contable de dichos valores y estos cumplan las condiciones establecidas en el apartado anterior.*

3. *Tendrá también la consideración de impuesto efectivamente pagado el impuesto satisfecho por las entidades participadas directamente por la sociedad que distribuye el dividendo y por las que, a su vez, estén participadas directamente por aquellas, y así sucesivamente, en la parte imputable a los beneficios con cargo a los cuales se pagan los dividendos siempre que la participación indirecta en dichas entidades sea, al menos, del 5 por ciento y se cumpla el requisito a que se refiere el apartado anterior en lo concerniente al tiempo de tenencia de la participación.*

4. *Esta deducción, conjuntamente con la establecida en el artículo anterior respecto de los dividendos o participaciones en los beneficios, no podrá exceder de la cuota íntegra que correspondería pagar en España por estas rentas si se hubieren obtenido en territorio español.*

El exceso sobre dicho límite no tendrá la consideración de gasto fiscalmente deducible, sin perjuicio de lo establecido en el apartado 2 del artículo 31 de esta Ley.

5. *Las cantidades no deducidas por insuficiencia de cuota íntegra podrán deducirse en los períodos impositivos siguientes.*

6. *Si se obtuviera una renta negativa en la transmisión de la participación en una entidad que hubiera sido previamente transmitida por otra entidad que reúna las circunstancias a que se refiere el artículo 42 del Código de Comercio para formar parte de un mismo grupo de sociedades con el contribuyente, con independencia de la residencia y de la obligación de formular cuentas anuales consolidadas, dicha renta negativa se minorará en el importe de la renta positiva obtenida en la transmisión precedente y a la que se hubiera aplicado un régimen de exención.*

7. *El importe de las rentas negativas derivadas de la transmisión de la participación en una entidad no residente se minorará en el importe de los dividendos o participaciones en beneficios recibidos de la entidad participada a partir del periodo impositivo que se haya iniciado en el año 2009, siempre que los referidos dividendos o participaciones en beneficios no hayan minorado el valor de adquisición de la misma y hayan tenido derecho a la aplicación de la exención prevista en el artículo 21 de esta Ley o a la deducción prevista en este artículo.*

En el supuesto de transmisiones sucesivas de valores homogéneos, el importe de las rentas negativas se minorará, adicionalmente, en el importe de las rentas positivas netas obtenidas en transmisiones previas que hayan tenido derecho a la aplicación de la exención prevista en el artículo 21 de esta Ley.

8. El derecho de la Administración para iniciar el procedimiento de comprobación de las deducciones por doble imposición aplicadas o pendientes de aplicar prescribirá a los 10 años a contar desde el día siguiente a aquel en que finalice el plazo establecido para presentar la declaración o autoliquidación correspondiente al período impositivo en que se generó el derecho a su aplicación.

Transcurrido dicho plazo, el contribuyente deberá acreditar las deducciones cuya aplicación pretenda, mediante la exhibición de la liquidación o autoliquidación y la contabilidad, con acreditación de su depósito durante el citado plazo en el Registro Mercantil.

Disposición Adicional decimoquinta. Límites aplicables a las grandes empresas en períodos impositivos iniciados a partir de 1 de enero de 2016.

Los contribuyentes cuyo importe neto de la cifra de negocios sea al menos de 20 millones de euros durante los 12 meses anteriores a la fecha en que se inicie el período impositivo, aplicarán las siguientes especialidades:

(...)

2. El importe de las deducciones para evitar la doble imposición internacional previstas en los artículos 31, 32 y apartado 11 del artículo 100, así como el de aquellas deducciones para evitar la doble imposición a que se refiere la disposición transitoria vigésima tercera, de esta Ley, no podrá exceder conjuntamente del 50 por ciento de la cuota íntegra del contribuyente.

Disposición transitoria vigésima tercera. Régimen transitorio en el Impuesto sobre Sociedades de las deducciones para evitar la doble imposición.

4. Las deducciones por doble imposición establecidas en los artículos 30, 31 y 32, del texto refundido de la Ley del Impuesto sobre Sociedades, según redacción vigente en los períodos impositivos iniciados con anterioridad a 1 de enero de 2015, pendientes de aplicar a la entrada en vigor de esta Ley, así como aquellas deducciones generadas por aplicación de esta Disposición no deducidas por insuficiencia de cuota íntegra, podrán deducirse en los períodos impositivos siguientes.

> *El importe de las deducciones establecidas en esta Disposición transitoria y en los artículos 30, 31.1.b) y 32.3 del citado Texto Refundido se determinará teniendo en cuenta el tipo de gravamen vigente en el período impositivo en que esta se aplique.*

1. INTRODUCCIÓN

El artículo 32 de LIS regula la denominada deducción para evitar la doble imposición económica internacional. Dicha doble imposición se produce cuando una sociedad tributa por un beneficio por el que ya ha tributado otra entidad en otro país.

Como ya expusimos en los comentarios del artículo anterior, puede haber dos tipos de doble imposición; la jurídica, cuando la misma persona soporta dos veces una tributación sobre los mismos beneficios; la económica, que se produce cuando un mismo beneficio es gravado dos veces en sede de distintas personas.

Este artículo 32 regula, como decíamos, esta segunda doble imposición, la económica que se da, en concreto, cuando se distribuye dividendos o participaciones en dividendos de una sociedad a otra.

Así, se produce la doble imposición económica internacional cuando una entidad no residente, que distribuye un dividendo a un contribuyente residente, ha tributado previamente en el correspondiente Impuesto sobre beneficios (el equivalente en España al Impuesto sobre Sociedades). Dicho dividendo será percibido por la entidad residente en España neto de impuestos. Si tributase de nuevo en España, se produciría de nuevo otra imposición.

EJEMPLO

La sociedad L, residente en el extranjero, pertenece 100% a la entidad española Y. L ha obtenido 100 de beneficio bruto y ha satisfecho 25 por el Impuesto sobre beneficios de ese país, quedándole un beneficio después de impuestos de 75. L distribuye la totalidad del dividendo (75) a Y.

Si Y tributase en España por la percepción de dicho dividendo, el mismo habría sido sometido a tributación dos veces, en el país de residencia de L y en España.

Para evitar esta situación la LIS prevé en su articulado dos mecanismos para eliminar esta doble imposición económica internacional el método de exención en el artículo 21.1.b) LIS y el de imputación, que regula el presente artículo.

Este artículo 32, al igual que el artículo 31, es de aplicación opcional[18], siempre que, obviamente se cumplan los requisitos que se establecen. Así, en el supuesto en que el contribuyente decida eliminar la doble imposición internacional mediante la aplicación de la exención prevista en el artículo 21, no podrá optar por el método de imputación previsto en este artículo 32.

Por otro lado, no podemos perder de vista la aplicación, en su caso, del correspondiente Convenio para evitar la doble imposición. Como ya se ha señalado, el convenio tiene prevalencia sobre la normativa interna. En este caso, el mecanismo para eliminar la doble imposición previsto en este artículo 32 deberá dejar paso al que regule el convenio que sea de aplicación, que podrá ser el de exención o imputación o incluso remitirse al previsto en la propia normativa interna.

Así, algunos convenios firmados por España, cuando prevén el método de imputación para eliminar la doble imposición, se remiten a la normativa interna española, en este caso, al artículo 32 LIS. Esto se debe a que, cuando se emplean técnicas de la complejidad del método de imputación, resulta necesario acudir a la legislación interna que regule este mecanismo para complementar o integrar la regulación convencional autónoma de tal método[19].

También encontraremos convenios que regulan en su propio articulado un mecanismo propio de deducción para eliminar la doble imposición económica internacional.

---

[18]   Artículo 21.9 LIS.

[19]   CALDERÓN CARRERO, J.M.; "Capitulo V. Los métodos para eliminar la doble imposición" en Comentarios a los convenios para evitar la doble imposición y prevenir la evasión fiscal concluidos por España, Fundación Pedro Barrié de la Maza 2004, pág. 1.061.

En definitiva, a menos que un convenio de doble imposición concluido por España lo regule, el artículo 32 de la LIS será la norma que prevea el mecanismo de eliminación de la doble imposición económica.

Precisamente, una de las modificaciones introducidas, por la Ley 27/2014, respecto a la redacción del Texto Refundido, es la incorporación al título del artículo de la indicación de "económica". Pero no es la única. De las modificaciones más destacables que, a continuación, veremos, cabe mencionar la suavización del requisito de participación, la supresión de la limitación temporal de 10 años para la deducción de las cantidades no deducidas por insuficiencia de cuota o la introducción de un plazo de 10 años para comprobar la correcta procedencia de las deducciones.

2. APARTADO 1

El apartado 1 del artículo 32 establece el mecanismo de funcionamiento de esta deducción, así como los requisitos que se deben de dar para su aplicación. A la hora de comentar este artículo, no debemos de perder cuál es su finalidad: evitar que se produzca una doble imposición sobre un mismo beneficio.

2.1. Mecanismo de la deducción

El mecanismo básico para evitar la doble imposición consistirá en la deducción en la cuota íntegra de la sociedad residente perceptora de los dividendos del impuesto efectivamente pagado en el extranjero por la entidad no residente que lo ha distribuido.

EJEMPLO

La sociedad L, residente en el extranjero, pertenece 100% a la entidad española Y. L ha obtenido 100 de beneficio bruto y ha satisfecho 25 por el Impuesto sobre beneficios de ese país, quedándole un beneficio después de impuestos de 75. L distribuye la totalidad del dividendo (75) a Y.

Si Y tributase en España por la percepción de dicho dividendo, el mismo habría sido sometido a tributación dos veces, en el país de residencia de L y en España. Para evitar esto, Y podrá deducirse de su cuota íntegra el impuesto satisfecho por L en su país.

2.2. Tributación de los beneficios en sede de la participada

El apartado 1 dispone -en su párrafo 1º- que, a efectos de aplicar la deducción, el socio español deberá deducirse el impuesto efectivamente pagado por la entidad no residente participada por él respecto de los beneficios con cargo a los cuales se abonan los dividendos.

Este párrafo está estableciendo como requisito para aplicar esta deducción que los dividendos repartidos por la sociedad extranjera hayan tributado en el extranjero, con carácter previo a su distribución. Así, los beneficios de la sociedad extranjera deberán estar, en principio, sometidos a tributación.

EJEMPLO

La sociedad L, residente en el extranjero, pertenece 100% a la entidad española Y. L ha obtenido 100 de beneficio bruto y ha satisfecho 25 por el Impuesto sobre beneficios de ese país, quedándole un beneficio después de impuestos de 75. L distribuye la totalidad del dividendo (75) a Y. En este ejemplo, podemos ver como los beneficios, con cargo a los cuales se reparten los dividendos, han tributado previamente en el extranjero.

2.3. Impuesto efectivamente pagado

La norma establece el pago efectivo del impuesto –respecto a los beneficios que se distribuyen- por parte de la entidad no residente. De esta regla, parece desprenderse que, en el supuesto en que la entidad no residente no hubiera finalmente satisfecho el pago del impuesto, la entidad residente –perceptora de ese beneficio– no tendrá derecho a la deducción de este artículo 32.

Así, la norma pretende que este beneficio haya estado sujeto a tributación y que no haya sido objeto de ningún tipo de bonificación, exención o beneficio fiscal.

De este modo, el artículo 32 condiciona el derecho a la deducción del impuesto subyacente a que éste haya sido efectivamente satisfecho en el estado de la fuente. Sin embargo, esta regla puede tener una excepción; un convenio para evitar la doble imposición puede establecer una cláusula *tax sparing*[20] o *matching credit*.

En este caso, un convenio de doble imposición puede prever que, en el estado de residencia, el obligado tributario pueda aplicarse la deducción de un impuesto a pesar de que éste no haya sido efectivamente satisfecho.

---

[20]　RUBIO GUERRO, J.J.; "Capítulo 1. Los principios básicos de la fiscalidad internacional y la doble imposición internacional" en Manual de Fiscalidad Internacional, Instituto de Estudios Fiscales 2016, pág. 56. "*la deducción por impuesto no pagado constituye un beneficio fiscal consistente en el reconocimiento, por parte de un país, de la deducibilidad en su cuota impositiva de unos impuestos extranjeros que, por razón de unas medidas de política económica o de otro tipo, no hubieran sido pagados efectivamente en el otro país, bien por declararse exentos o bien por disfrutar de algún tipo de bonificación*".

Así, de prever un Convenio de doble imposición una cláusula *tax sparing* o *matching credit,* el obligado tributario tendrá el derecho[21] a deducirse en la cuota de su impuesto sobre sociedades una deducción de un impuesto que no ha sido pagado, dejando, en la práctica, sin efecto lo dispuesto en el artículo 32.1 LIS (*"se deducirá el impuesto efectivamente pagado por esta última respecto de los beneficios con cargo a los cuales se abonan los dividendos, en la cuantía correspondiente de tales dividendos"*).

En la actualidad, España tiene suscrito varios CDI en los que se prevé esta cláusula con varios países, entre los que encontramos México. En este sentido, el Convenio de doble imposición (aún en vigor) entre España y México recoge una cláusula de crédito ficticio[22] en su artículo 23[23] que dice así:

> *"En España la doble imposición se evitará, de acuerdo con las disposiciones aplicables contenidas en la legislación española, de la siguiente manera: a) (...).*
>
> *ii) Los dividendos pagados a una sociedad residente de España, que sea la beneficiaria efectiva de los mismos, por una sociedad residente en México que no controle directa o indirectamente a una sociedad residente en un tercer Estado, ni sea controlada por una tal sociedad, se considerará que han satisfecho en México un impuesto del 5 por 100 en el supuesto del párrafo 2. a) del artículo 10."*

---

[21]   Según CALDERÓN CARRERO, J.M.; Op. cit. pág. 1.031, *"el derecho subjetivo que ostentan los contribuyentes amparados por el artículo 23 B (2) de un CDI que siga el MC OCDE a aplicar la deducción por doble imposición internacional en los términos establecidos en el convenio no puede supeditarse a condiciones o requisitos adicionales a los previstos expresamente en el CDI. De esta forma, la legislación interna no puede establecer condiciones adicionales para que un contribuyente pueda aplicar el método de imputación previsto en el CDI. Así, por ejemplo, la normativa interna española que regula la deducción por doble imposición internacional no puede supeditar la aplicación del método de imputación establecido en un CDI que siga el MC OCDE a que la renta extranjera haya soportado un determinado nivel de tributación; tampoco resultaría acorde con el CDI denegar la aplicación de tal método que el impuesto extranjero, exaccionado con arreglo al CDI y cubierto por el mismo, no constituye un impuesto de naturaleza idéntica o análoga al IS español. Tampoco cabría denegar la imputación de impuestos no pagados allí donde el CDI estableciera expresamente una cláusula de tax sparing o matching credit; no obstante, allí donde tal cláusula no existiera lo cierto es que la limitación (la no deducción de los mismos) resulta coherente con la lógica del método de imputación".*

[22]   No obstante, el punto 12 del Protocolo del mencionado convenio señala:
"12. a) En lo referente al inciso ii) del párrafo 1.a) del artículo 23, si en cualquier Convenio concluido por México con un tercer Estado perteneciente a las Comunidades Europeas con posterioridad a la firma del presente Convenio que contenga una cláusula análoga a la incluida en el punto 4 del presente Protocolo, no se estableciera un régimen de crédito ficticio, o se estableciera en términos que limiten su duración, dicho régimen se suprimirá o se aplicará en los mismos términos más restrictivos, de forma automática, en lo referente a las rentas comprendidas en el presente Convenio, a partir de la fecha de entrada en vigor del Convenio concluido por México con ese tercer Estado."

[23]   Está pendiente de entrar en vigor el nuevo CDI entre España y México en el que ya no se recoge esta cláusula.

Por otro lado, dicho artículo 32.1 no exige, a diferencia del artículo 31 LIS, que el gravamen extranjero deba tener una naturaleza idéntica o análoga al Impuesto sobre Sociedades[24].

2.4. *Inclusión del impuesto pagado en la base imponible*

Este artículo 32, al igual que el 31, exige que el impuesto pagado por la sociedad no residente se incluya en la base imponible de la entidad residente en España. De este modo, el efecto que se consigue es que se integre en España el dividendo bruto antes de impuestos extranjeros, es decir, que se integre en la base imponible el impuesto subyacente.

Dado que, de acuerdo con el Plan General Contable español, la entidad residente en España únicamente habrá contabilizado el dividendo percibido "neto", sin incluir el impuesto pagado por la entidad no residente distribuidora del mismo, deberá practicar un ajuste positivo en la base imponible con la finalidad de integrar en ella el impuesto subyacente satisfecho en el extranjero[25].

De permitirse la deducción del impuesto pagado por la sociedad no residente sin que se incluyese en la base imponible, se estaría produciendo una desimposición.

EJEMPLO

Q, entidad residente en el extranjero, ha obtenido un beneficio antes de impuestos de 100, ha satisfecho un impuesto por este beneficio de 30 y ha repartido a Ñ, su matriz española el resto, 70.

¿Qué importe integrará Ñ en su base imponible del Impuesto sobre Sociedades español?

Ñ procederá a incluir en su base imponible 100 que será la suma de los dos conceptos siguientes:

– El dividendo distribuido por Q, 70.

– El impuesto pagado por Q en el país extranjero, 30.

2.5. *Requisitos de participación*

La Ley 27/2014 ha dado una nueva redacción al párrafo 2º este apartado 1 en relación con los requisitos de participación que se debe de cumplir por parte

---

[24]   GARCÍA-ROZADO GONZÁLEZ, B; Guía del Impuesto sobre Sociedades, CISS 2008, pág. 610.

[25]   Ibid. pág. 612.

del contribuyente español en la entidad no residente, siguiendo la línea de lo establecido en el artículo 21 LIS.

Este párrafo 2° viene a establecer dos requisitos:

"a) Que la participación directa o indirecta en el capital de la entidad no residente sea, al menos, del 5 por ciento, o bien que el valor de adquisición de la participación, sea superior a 20 millones de euros.

b) Que la participación se hubiera poseído de manera ininterrumpida durante el año anterior al día en que sea exigible el beneficio que se distribuya o, en su defecto, que se mantenga durante el tiempo que sea necesario para completar un año. Para el cómputo del plazo se tendrá también en cuenta el período en que la participación haya sido poseída ininterrumpidamente por otras entidades que reúnan las circunstancias a que se refiere el artículo 42 del Código de Comercio para formar parte del mismo grupo de sociedades, con independencia de la residencia y de la obligación de formular cuentas anuales consolidadas."

2.5.1. Porcentaje de participación

La norma establece que la entidad residente en España tenga una participación en el capital de la no residente de, al menos, un 5%. Dicha participación puede ser directa o indirecta, a través de otras entidades interpuestas.

Asimismo, como novedad respecto a la redacción del texto refundido y en línea con el artículo 21, establece que, en defecto de una participación del 5%, bastará que el valor de adquisición de la no residente sea superior a 20 millones.

La interpretación que entendemos correcta en relación con el porcentaje de participación indirecta es que nunca podrá darse un supuesto en el que la entidad participe únicamente de forma indirecta. Para poder aplicarse esta deducción, deberá de participar directamente –dado que, de otra forma, no podría percibir el dividendo– en la entidad no residente. Solo para el caso en que directamente no alcanzase el porcentaje del 5%, podrá llegar al mismo de forma indirecta.

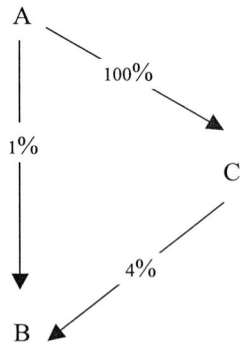

Asimismo, cuando la entidad no cumpla el porcentaje de participación, directo o indirecto, del 5%, operará entonces el requisito de tenencia de 20 millones de valor de adquisición. En este supuesto, este requisito de valor de adquisición únicamente se dará cuando exista una participación directa.

2.5.2. Periodo de tenencia de la participación

La letra b) viene a establecer que cuando se cumpla el requisito de la letra a), el tiempo de tenencia de la participación en la entidad no residente deberá de haber sido de un año en el momento en que resulte exigible el dividendo. En caso de no poseer –en el momento de la exigibilidad– un año la participación, bastará con que se mantenga, posteriormente, la participación hasta que se complete un año de tenencia.

Para el cómputo de este plazo, se deberá tener en cuenta los periodos que, de forma ininterrumpida, haya sido poseída por otras entidades que formen parte del grupo de sociedades de la entidad perceptora de acuerdo con el artículo 42 del Código de Comercio.

La exigibilidad del dividendo o beneficio es el momento temporal en el que pivota este requisito de tenencia. Así, será la fecha de exigibilidad y no la de devengo, la que deberá de tomarse en cuenta para el cómputo del periodo de tenencia de la participación[26].

2.6. *Distribución de reservas*

El párrafo 3º del apartado 1 dispone que "*en caso de distribución de reservas se atenderá a la designación contenida en el acuerdo social y, en su defecto, se considerarán aplicadas las últimas cantidades abonadas a dichas reservas.*"

Dicho precepto tiene como finalidad determinar, para el supuesto de distribución de reservas, cuáles han sido objeto de distribución y así poder determinar si, en el momento en que las mismas se generaron, se cumplía con los requisitos establecidos en el artículo 32. En el supuesto en que, en la entidad no residente, se hubiesen cumplido siempre estos requisitos del artículo 32, este dato sería irrelevante.

No obstante, si la entidad no residente generó beneficios que se destinaron a reservas, no cumpliéndose en algún ejercicio de ese periodo los requisitos exigidos en el artículo 32, será preciso saber posteriormente, para el caso en que se distribuya estas reservas, cuales son las que se reparten[27].

---

[26]   Ibid. pág. 609.
[27]   Estas mismas consideraciones las realiza LOPEZ-SANTACRUZ MONTES, J.A.; Memento Experto Reforma del Impuesto sobre Sociedades 2015, Ediciones Francis Lefebvre, pág. 267, en relación con la distribución de reservas en el supuesto de aplicación de la exención

Así, si se reparten reservas generadas en ejercicios que no cumplieron los requisitos, las mismas no tendrán derecho a la deducción por doble imposición internacional.

De esta forma, este precepto establece una regla de identificación de reservas, en función de lo que designe el acuerdo social. En caso de no decir nada al respecto el acuerdo social, se aplicará el método LIFO, es decir, los últimos beneficios que entraron en las reservas, son los primeros en salir.

3. CONCEPTO DE DIVIDENDOS O PARTICIPACIONES EN BENEFICIOS

3.1. *Dividendos o participaciones en beneficios exentos*

El apartado 2 del artículo 32 LIS señala que *"tendrán la consideración de dividendos o participaciones en beneficios, los derivados de los valores representativos del capital o de los fondos propios de entidades, con independencia de su consideración contable"*.

Este apartado 2 determina, con carácter general, el concepto de dividendos a los efectos de esta deducción por doble imposición internacional. En este sentido, considera dividendos o participaciones en beneficios los que provengan de valores representativos:

- del capital.
- de los fondos propios.

La propia Ley 27/2014 define lo que es retribución de fondos propios. Su artículo 15 dispone:

> *"A los efectos de lo previsto en esta Ley, tendrá la consideración de retribución de fondos propios, la correspondiente a los valores representativos del capi-*

---

del artículo 21 LIS. Este autor señala que *"cualquiera que sea la residencia de la entidad que distribuye el dividendo, aun cuando las condiciones exigidas sobre el porcentaje de participación mínima o, en su defecto, el valor de la participación mínima en la entidad participada, deban cumplirse en la fecha de exigibilidad del dividendo, además, el resto de condiciones deben de cumplirse en el ejercicio en que se obtiene el beneficio que es objeto de distribución. Por tanto, en el caso de que los beneficios se destinen a reservas y en un ejercicio posterior estas se distribuyan en forma de dividendos, procediendo parte de esas reservas de beneficios que generan derecho a aplicar la exención si se distribuyen y otra parte de beneficios que no permiten aplicar la exención, es necesario saber si los dividendos proceden de uno u otro tipo de reservas. Para ello, la LIS art. 21 dispone que en estos casos debe atenderse a la designación contenida en el acuerdo social y, en ausencia de dicha designación expresa, se entiende que se distribuyen las últimas cantidades abonadas a dichas reservas."*

tal o de los fondos propios de entidades, con independencia de su consideración contable.

Asimismo, tendrán la consideración de retribución de fondos propios la correspondiente a los préstamos participativos otorgados por entidades que formen parte del mismo grupo de sociedades según los criterios establecidos en el artículo 42 del Código de Comercio, con independencia de la residencia y de la obligación de formular cuentas anuales consolidadas."

De no tener tal consideración la renta percibida de la entidad no residente participada, el socio residente en España no tendrá derecho a aplicarse la deducción prevista en este artículo 32.

Por otro lado, al igual que el artículo 21.2, el artículo 32.2 ha ampliado el concepto de dividendos a aquellos beneficios percibidos que tienen mercantilmente esta consideración, a pesar de no tenerla contablemente.

Así, tal y como señala la Exposición de motivos de la Ley 27/2014, *"la norma fiscal se separa de la contabilidad en aquellos instrumentos financieros que mercantilmente representan participaciones en el capital o fondos propios de entidades, y, sin embargo, contablemente tienen la consideración de pasivo financiero. En estos supuestos, la normativa fiscal opta por atribuir a estos instrumentos el tratamiento fiscal que corresponde a cualquier participación en el capital o fondos propios de entidades, con independencia de que la contabilidad altere dicha naturaleza, como pudiera ocurrir con las acciones sin voto o las acciones rescatables."*

Éste será el caso de los dividendos procedentes de las acciones sin voto o las acciones rescatables que tiene la consideración contable de pasivos financieros[28] pero, en cambio, mercantilmente, son dividendos dado que son beneficios que provienen por la participación en el capital de la sociedad.

Con la finalidad de no reiterarnos más, para un estudio más detallado de este punto, nos remitimos a los comentarios del artículo 21 de esta obra.

---

[28]   La norma de valoración 9ª del Plan General de Contabilidad, en su apartado 3, da a las acciones rescatables y sin voto naturaleza de pasivo financiero. En concreto, este apartado señala:

"Los instrumentos financieros emitidos, incurridos o asumidos se clasificarán como pasivos financieros, en su totalidad o en una de sus partes, siempre que de acuerdo con su realidad económica supongan para la empresa una obligación contractual, directa o indirecta, de entregar efectivo u otro activo financiero, o de intercambiar activos o pasivos financieros con terceros en condiciones potencialmente desfavorables, tal como un instrumento financiero que prevea su recompra obligatoria por parte del emisor, o que otorgue al tenedor el derecho a exigir al emisor su rescate en una fecha y por un importe determinado o determinable, o a recibir una remuneración predeterminada siempre que haya beneficios distribuibles. En particular, determinadas acciones rescatables y acciones o participaciones sin voto."

3.2. *Concepto convencional de dividendos y mecanismos híbridos*

3.2.1. Concepto convencional de dividendos y mecanismos híbridos

Como hemos visto, para la aplicación de la deducción para evitar la doble imposición económica internacional, el concepto de dividendo es fundamental. Así, dependiendo de lo que se entienda por dividendo, se podrá o no aplicar este mecanismo de eliminación de la doble imposición.

No obstante, no debemos atender únicamente al concepto de dividendo, tal y como está definido en el artículo 32.2 LIS, para gozar de la deducción para evitar la doble imposición económica internacional dado que éste puede ser inocuo para el supuesto en que sea de aplicación un convenio de doble imposición y el mismo contenga una definición propia de dividendo. En este supuesto, se aplicaría la definición convencional dado que el convenio de doble imposición tiene preferencia sobre la normativa interna.

Esta prevalencia del convenio conlleva, además, que sea el mismo el que determine cual debe de ser el mecanismo para eliminar la doble imposición. Como hemos visto antes, por remisión a la normativa interna, este mecanismo puede acabar siendo incluso el previsto en el artículo 32.

Al hilo de lo anterior, el Modelo de Convenio de la OCDE contiene una definición propia de dividendos:

> "*El término dividendos, en el sentido de este artículo, significa las rentas de las acciones, de las acciones o bonos de disfrute, de las participaciones mineras, de las partes de fundador u otros derechos, excepto los de crédito, que permitan participar en los beneficios, así como las rentas de otras participaciones sociales sujetas al mismo régimen fiscal que las rentas de las acciones por la legislación del Estado de residencia de la sociedad que hace la distribución.*"

3.2.2. Mecanismos híbridos

Por su lado, en los últimos años se está observando, a nivel internacional, una reacción por parte de la OCDE, del G20 y de otros organismos, encaminada a atajar el fraude fiscal mediante la adopción de medidas para evitar la erosión de las bases imponibles y el traslado de beneficios a jurisdicciones con baja o nula tributación. Esta reacción se vio plasmada en 2013 en el Informe del Plan de acción de la OCDE contra la erosión de la base imponible y la deslocalización de beneficios, más conocido como Base Erosion and Profit Shifting (BEPS).

Una de las figuras más controvertidas de elusión fiscal y que el plan de acción considera como una de las cuestiones claves son los mecanismos híbridos. Según el mencionado informe sobre el plan de acción BEPS[29], los mecanismos híbridos

---

[29]   OCDE (2013), *Lucha contra la erosión de la base imponible y el traslado de beneficios*, Éditions OCDE. http://dx.doi.org/10.1787/9789264201224-es, *págs. 48 y 49*

"son instrumentos financieros que presentan características propias de las deudas, pero también del capital propio. Supongamos que una empresa situada en el país A compra instrumentos financieros emitidos por una empresa situada en el país B. A tenor de la legislación tributaria del país A, esos instrumentos se consideran instrumentos de capital propio, mientras que en el país B, dicho instrumento se considera un instrumento de deuda a efectos tributarios. Los pagos correspondientes se consideran pagos de intereses deducibles para la empresa del país B según la legislación fiscal del país B, mientras que los ingresos correspondientes se consideran dividendos a efectos tributarios en el país A, por lo que quedan exentos."

Así, la interpretación de las respectivas normativas internas junto con los Convenios para evitar la doble imposición está generando asimetrías o divergencias existentes en cuanto al tratamiento fiscal de un instrumento financiero, lo que puede acabar generando una doble no imposición o, bien el diferimiento a largo plazo de los tributos.

En 2015, se publicó el Informe final de BEPS que consta de 15 acciones. En una de ellas, en concreto, la acción 2, titulada *"Neutralizar los efectos de los mecanismos híbridos"*, se efectúan recomendaciones que giran en torno a la modificación de las normas de Derecho interno para neutralizar estos mecanismos híbridos.

Anticipándose a la publicación de este informe final, la Ley 27/2014 introdujo ya ciertas medidas para neutralizar, al menos en parte, los efectos de los híbridos, tal y como indica su Exposición de motivos *"...aunque no por ello menos importante, resulta esencial incrementar las medidas que favorezcan una efectiva lucha contra el fraude fiscal, no solo a nivel interno sino en el ámbito de la fiscalidad internacional. Precisamente en este ámbito, los últimos trabajos elaborados por la Organización para la Cooperación y el Desarrollo Económico y materializados en los planes de acción contra la erosión de la base imponible y el traslado de beneficios, constituyen una herramienta fundamental de análisis del fraude fiscal internacional. En este marco, la presente reforma anticipa medidas encaminadas a este objetivo, como es el caso del tratamiento de los híbridos, o las modificaciones realizadas en materia de transparencia fiscal internacional u operaciones vinculadas."*

No obstante, ya con anterioridad a la entrada en vigor de la Ley 27/2014, los instrumentos híbridos han sido objeto de calificación por parte de la Administración y de los Tribunales de forma dispar. Su calificación no ha estado exenta de dificultad.

Éste ha sido el caso, por ejemplo, de los "Juros Brasileños", paradigma de instrumento híbrido financiero que, en reiteradas ocasiones, han sido objeto de calificación por parte del Tribunal Económico-Administrativo Central y de nuestros tribunales ordinarios.

En este supuesto, la Inspección y el TEAC denegaron la posibilidad de aplicar la exención del artículo 21 LIS al considerar que se trataban de intereses en lugar de dividendos a pesar de que el propio convenio de doble imposición entre España y Brasil contenía una definición propia de dividendos.

No obstante, a pesar de esta consideración, el propio TEAC vino a reconocer, en varias de sus resoluciones, la naturaleza de dividendos de los Juros desde un punto de vista mercantil.

En concreto el TEAC, en su resolución de 13 de abril de 2011[30], señala que:

> *"La denominación "intereses sobre el capital propio" constituye desde el punto de vista jurídico español una contradicción en sus propios términos. Los "juros o próprio capital" (juros en adelante) fueron creados por la Ley Federal brasileña nº 9.249 de 26-12-1995 en vigor desde el 1-1-96 con la finalidad, entre otras, de favorecer la financiación empresarial con capital propio. Dicha Ley 9.249 es la única norma reguladora de los juros en Brasil.*
>
> *De acuerdo con la Ley brasileña 9.249, en concreto con su art. 9 (trascrito por el acuerdo de liquidación), la configuración de los juros puede calificarse de mixta. Desde el punto de vista jurídico mercantil* son auténticas participaciones en beneficios acumulados cuyos perceptores son los socios, pudiendo contabilizarse por la sociedad, opcionalmente, como capital propio o como reservas, fondos propios por tanto en cualquier caso. Desde el *punto de vista jurídico fiscal* se configuran sin embargo como intereses: para la sociedad que los distribuye, su importe es deducible a efectos de determinar la base imponible del impuesto personal sobre la renta de las personas jurídicas (*"La persona jurídica podrá deducir, a efectos de determinar el beneficio real los intereses pagados o acreditados individualmente al titular, socios o accionistas, a título de remuneración del capital propio, calculados sobre las cuentas del patrimonio neto, y limitados a la variación, pro rata día, de la Tasa de Interés a Largo Plazo - TJLP"); para los socios perceptores constituyen rendimientos sujetos a retención a cuenta de su impuesto personal sobre la renta, estando además sometidos a retención a cuenta del 15% en la fuente cuando el perceptor de los juros no es residente en Brasil a efectos fiscales."*

Sin embargo, la Audiencia Nacional[31] y el Tribunal Supremo entendieron que debía prevalecer la consideración de dividendo, dando prevalencia a la de-

---

[30]   Dicha resolución ha sido objeto de un estudio crítico por parte de CALDERÓN CARRERO, J.M.; A vueltas con las reglas de interpretación y calificación de los convenios de doble imposición al hilo de una Resolución del TEAC sobre híbridos financieros…; Revista Quincenal Fiscal num. 12/2012.

[31]   La Audiencia Nacional, en su sentencia 165/2015 de 22 Oct. 2015, señala que: *"los JSCP -que como termina por admitir el TEAC, tienen un "tratamiento mercantil y contable que (…) resulta muy similar al de los dividendos"- están sometidos a un régimen fiscal especial que permite, cuando concurren las circunstancias descritas en los arts 9 y 10 de la Ley nº 9.429, su deducibilidad fiscal. Es decir, lo pretendido por la norma es extender a la financiación, por la vía de recursos propios (las aportaciones de los socios) la "ventaja fiscal" aplicable a la financiación con recursos ajenos, evitando así el endeudamiento excesivo de*

finición que, como tal, contiene el Convenio de doble imposición entre España y Brasil.

---

las sociedades **brasileñas** *y permitiendo, con cierto alcance, la deducibilidad fiscal de las distribuciones de beneficios de los accionistas.*

Por todas estas razones la Sala, en las sentencias reseñadas, llegó a la conclusión de que, a la hora de calificar jurídicamente a los JSCP, debía estar a su verdadera naturaleza jurídica, que es la de "reparto de beneficios" y a ello, en palabras de la Sala, no obsta, "el hecho de que el citado art 9.2 de la Ley Federal 9.249, los someta a tributación en las condiciones y límites que la norma requiere".

2.- Para la Sala, con arreglo a lo establecido en el Convenio de Doble Imposición (CDI) suscrito entre Brasil y España el 14 de noviembre de 1974 (BOE de 21712/1975) y partiendo de la naturaleza jurídica de dividendo antes indicada, los JSCP deben ser incardinados en el art. 10 -relativo a los dividendos-; no en el 11 -relativo a los intereses-. Y, en todo caso, de existir dudas interpretativas sobre la calificación, resultaría aplicable el art. 3.2 del Convenio, conforme al cual: "Para la aplicación del presente Convenio por un Estado Contratante , cualquier expresión no definida de otra manera tendrá, a menos que el texto exija una interpretación diferente, el significado que se le atribuya por la legislación de este Estado Contratante relativa a los impuestos que son objeto del presente Convenio". Dicho de otro modo, debe estarse a la normativa del Estado de residencia, no a la del Estado de la fuente, en contra de lo sostenido por la Administración.

La tesis de la Sala es, por lo tanto, que una vez que hemos determinado que la naturaleza jurídica de los JSCP es de "dividendo", debe estarse a lo establecido en el CDI ; que el concepto de dividendo es claramente subsumible en el art 10 y que, en todo caso y a mayor abundamiento -pues no se tiene dudas de que los JSCP son subsumibles en el concepto de "dividendo" establecido en el CDI-, en caso de duda debe estarse a la normativa del país de residencia, no de la fuente.

El art. 10.4 del CDI dispone que: "El término «dividendos» empleado en el presente artículo comprende los rendimientos de las acciones, de las acciones o bonos de disfrute, partes de minas, partes de fundador u otros derechos que permitan participar de los beneficios, excepto los de crédito, así como las rentas de otras participaciones sociales asimiladas a los rendimientos de las acciones por la legislación fiscal del Estado Contratante en que resida la sociedad que las distribuya".

Dicho artículo tiene una clara vinculación con el art 10.3 del Modelo de Convenio de la OCDE . Al interpretar el alcance de éste último artículo, la doctrina entiende que lo pretendido por la regla es diferenciar, conforme a la función, entre los derechos que dan lugar a dividendos y los que producen intereses. La esencia del sistema se encuentra, por lo tanto, en la idea de riesgo asumido por el inversor. Para el Modelo de Convenio y, por extensión, para el CDI suscrito con Brasil, hay dividendos cuando no hay crédito.

En esta línea, interpretando el alcance del Modelo de Convenio OCDE, hemos dicho en nuestra SAN (2ª) de 7 de octubre de 2004 (Rec. 307/2002) que las "distribuciones de beneficios comprenden, junto con las acordadas corporativamente, aquellas otras que indirectamente o bajo distinta apariencia representen asimismo transferencias de beneficios que no se hubieran obtenido de no tener el perceptor la condición de accionista de la entidad pagadora".

En suma, teniendo en cuenta lo establecido en el art 10.4 y en el art 11.5 conforme al cual: "El término «intereses» empleado en este artículo, comprende los rendimientos de la Deuda Pública, de los bonos u obligaciones, con o sin garantía hipotecaria y con derecho o no a participar en beneficios, y de los créditos de cualquier clase, así como cualquier otra renta que la legislación fiscal del Estado de donde procedan los intereses asimile a los rendimien-

3.3. *Exclusión de la exención de determinados dividendos y participaciones en beneficios*

El párrafo 2º de este apartado señala que:

> *"La deducción prevista en el apartado 1 de este artículo no resultará de aplicación en relación con los dividendos o participaciones en beneficios recibidos cuyo importe deba ser objeto de entrega a otra entidad con ocasión de un contrato que verse sobre los valores de los que aquellos proceden, registrando un gasto al efecto. La entidad receptora de dicho importe podrá aplicar la deducción prevista en el referido apartado 1 en la medida en que conserve el registro contable de dichos valores y estos cumplan las condiciones establecidas en el apartado anterior"*

En este punto nos remitimos a los comentarios del artículo 21 efectuados en la presente obra.

4. AMPLIACIÓN DEL CONCEPTO DE IMPUESTO EFECTIVAMENTE PAGADO

El apartado 3 del artículo 32 LIS efectúa una ampliación del concepto de impuesto efectivamente pagado en el extranjero respecto de los términos previstos en el artículo 32.1 de la LIS. En concreto, este apartado 3 dispone que:

> *"Tendrá también la consideración de impuesto efectivamente pagado el impuesto satisfecho por las entidades participadas directamente por la sociedad que distribuye el dividendo y por las que, a su vez, estén participadas directamente por aquellas, y así sucesivamente, en la parte imputable a los beneficios con cargo a los cuales se pagan los dividendos siempre que la participación indirecta en dichas entidades sea, al menos, del 5 por ciento y se cumpla el requisito a que se refiere el apartado anterior en lo concerniente al tiempo de tenencia de la participación."*

Este apartado, en aplicación de la Directiva Matriz-Filial[32], viene a ampliar el concepto de impuesto efectivamente pagado, extendiéndolo también al impuesto pagado por las entidades participadas por la sociedad no residente que distribuye el dividendo a la entidad española, siempre y cuando este dividendo proceda a su vez de un dividendo percibido por la entidad no residente de otra entidad participada por esta última.

---

tos de las cantidades dadas a préstamo", debe concluirse que la naturaleza y régimen jurídico de los JCSP encaja en el art 10.4 CDI, sin necesidad de acudir al art. 3.2.
Por estas razones, la Sala entiende en las indicadas sentencias que la interpretación realizada por la Administración no es correcta".

[32]   GARCÍA-ROZADO GONZÁLEZ, B.; La Reforma del Impuesto sobre Sociedades, Tirant Lo Blanch 2015, pág. 41.

Así, el precepto permite que el contribuyente, entidad residente en España, pueda deducirse de su cuota íntegra, además del impuesto efectivamente pagado por la entidad no residente de la que ha percibido el dividendo, los impuestos efectivamente pagados por las entidades que estén participadas por la entidad no residente.

La norma establece, para poder deducir los impuestos pagados por las entidades no residentes participadas indirectamente, una doble condición:

- Que el contribuyente tenga al menos un 5% de forma indirecta sobre estas entidades[33].

- Que posee durante más de un año esta participación indirecta.

Respecto a lo anterior, parece que la doctrina administrativa es bastante clara. En concreto, en un caso de una participación indirecta de una entidad española en el 10% del capital de una sociedad extranjera a través de una cadena de sociedades, la Dirección General de Tributos, en su consulta vinculante, V0273-14 de 4 de febrero, estableció:

> *"2. El artículo 32 del TRLIS permite en el caso planteado que, cuando se computen dividendos satisfechos por las entidades no residentes sociedad L o limited partnership, a la entidad consultante, se deduzca el impuesto pagado por dichas entidades no residentes sobre los beneficios con cargo a los que se abonan tales dividendos, así como los impuestos satisfechos por las entidades indirectamente participadas, que afecten a los referidos dividendos objeto de distribución.*
>
> *La aplicación de este precepto al caso planteado determina que todos aquellos dividendos distribuidos por las entidades no residentes sociedad L o limited partnership, a la entidad consultante tendrán derecho a la deducción por doble imposición internacional prevista en el artículo 32 del TRLIS, del impuesto subyacente satisfecho por la entidad directamente participada, como por las indirectamente participada, que hayan recaído sobre los referidos beneficios, aun cuando dichos beneficios hayan procedido de la transmisión de una participación."*

5. LÍMITE CUANTITATIVO

El apartado 4 de este artículo 32 viene a regular un límite cuantitativo al importe de la deducción a aplicar por la entidad española. En concreto, este apartado 4 dispone que:

> *"Esta deducción, conjuntamente con la establecida en el artículo anterior respecto de los dividendos o participaciones en los beneficios, no podrá exceder*

---

[33]   Según LÓPEZ-SANTACRUZ MONTES, J.A.; Op. cit. pág. 267, este requisito de tener participaciones indirectas de al menos el 5% en las entidades no residentes de segundo y ulterior nivel parece que tiene por objeto evitar que se pueda aplicar la LIS art. 32 cuando, por el contrario, no puede aplicarse el régimen de exención establecido en la LIS art. 21.

de la cuota íntegra que correspondería pagar en España por estas rentas si se hubieren obtenido en territorio español."

En este sentido, la norma establece un límite que entrará en juego con la deducción del artículo 31. Así, en el supuesto en que la entidad residente en España tuviera derecho a aplicar la deducción por doble imposición jurídica internacional prevista en el artículo 31 y la deducción por doble imposición económica internacional, la suma de ambas no podrá ser superior a la cuota íntegra resultante en España por el dividendo integrado en la base imponible.

De no existir este límite, el contribuyente español podría obtener una minoración de su tributación general, derivándose una desimposición. El resultado sería que el importe de la deducción, al sobrepasar la cuota íntegra generada por el dividendo, se aplicaría sobre la parte de la cuota íntegra derivadas de otras rentas integradas en la base imponible.

Por otro lado, el párrafo 2º de este apartado 4 señala que *"el exceso sobre dicho límite no tendrá la consideración de gasto fiscalmente deducible, sin perjuicio de lo establecido en el apartado 2 del artículo 31 de esta Ley."*

EJEMPLO

La entidad B, residente en España, posee el 100% de la entidad A, residente en el extranjero. A ha obtenido un beneficio de 100. El tipo de gravamen es del 25% en su Impuesto sobre Sociedades. Asimismo, la retención (*whithholding tax*) por la distribución de dividendos a una sociedad fuera de su país es del 10%.

B tributa en España a un tipo del 25%.

¿Cuál será el importe total de las deducciones a aplicar B en su impuesto sobre sociedades español?

SOLUCIÓN

A reparte la totalidad del beneficio como dividendo a B. Dicho dividendo ascenderá a 67,5 euros. En primer lugar, el beneficio antes de Impuestos de A se verá reducido a 75, al haber satisfecho un impuesto sobre sociedades en dicho país extranjero de 25 (25%100). El beneficio después de impuestos (75) será objeto de distribución a B como dividendo. Dicho dividendo soportará una retención en el país extranjero del 10%, es decir, de 7,5. El remanente que percibirá efectivamente B ascenderá a 67,5.

B, de acuerdo con los artículos 31 y 32 de la LIS, deberá de integrar el dividendo percibido (67,5) más los dos impuestos satisfechos en el país extranjero (25+7,5).

No obstante, la cuota íntegra resultante de la integración de dicho dividendo más los impuestos efectivamente pagados en el extranjero será de 25 (25%100) de manera que, a pesar de haber soportado una tributación efectiva de 32,5, únicamente podrá deducirse 25.

Gravamen IS país extranjero	25
Dividendo distribuido por A	**75**
Withholding Tax (10%)	7,5
Dividendo percibido por B, entidad residente	**67,5**
Integración en BI española	100
Cuota IS (25%)	**25**
Deducción (límite art. 32.4 LIS)	25
Tributación en España	0
Tributación total	32,5

6. DEDUCCIONES PENDIENTES DE APLICACIÓN

El apartado 5 de este artículo 32 establece una regla similar a la regulada en el artículo 31.6 LIS: las cantidades no deducidas por insuficiencia de cuota íntegra podrá deducirse en los periodos impositivos siguientes.

De esta forma, la Ley 27/2014 ha introducido una novedad respecto a la regulación anterior, suprimiendo la limitación temporal de 10 años para la deducción de las cantidades no deducidas por falta de cuota íntegra[34].

Por otro lado, la disposición transitoria vigésima tercera de la Ley 27/2014, en su apartado 4, dispone que:

> *"Las deducciones por doble imposición establecidas en los artículos 30, 31 y 32, del texto refundido de la Ley del Impuesto sobre Sociedades, según redacción vigente en los períodos impositivos iniciados con anterioridad a 1 de enero de 2015, pendientes de aplicar a la entrada en vigor de esta Ley, así como aquellas deducciones generadas por aplicación de esta Disposición no deducidas por insuficiencia de cuota íntegra, podrán deducirse en los períodos impositivos siguientes.*
>
> *El importe de las deducciones establecidas en esta Disposición transitoria y en los artículos 30, 31.1.b) y 32.3 del citado Texto Refundido se determinará teniendo en cuenta el tipo de gravamen vigente en el período impositivo en que esta se aplique."*

---

[34] El artículo 31.4 del texto refundido de la Ley del Impuesto sobre Sociedades establecía que: *"Las cantidades no deducidas por insuficiencia de cuota íntegra podrán deducirse en los períodos impositivos que concluyan en los diez años inmediatos y sucesivos."*

De esta disposición transitoria, podemos extraer dos mandatos:

1) Las deducciones generadas antes de la entrada en vigor de la Ley 27/2014 y que estén pendientes ya no estarán sujetas al límite de los 10 años.

2) Dichas deducciones, calculadas al tipo de gravamen vigente con el TR-LIS, deberán de recalcularse con el tipo que corresponda al periodo impositivo en que apliquen.

7. APARTADO 6

Este apartado 6 ha sido derogado por el Real Decreto-Ley 3/2016. Parece que la causa de su derogación ha sido de tipo "técnico" al haber perdido su utilidad debido a que, en virtud de lo dispuesto en la nueva redacción del artículo 21.6 de LIS, las rentas negativas derivadas de la trasmisión de participaciones de entidades ya no se integrarán en la base imponible.

Así, antes de su derogación, este apartado 6 venía a establecer una prevención para evitar una desimposición dentro del mismo grupo de sociedades.

De este modo, en el supuesto en que una entidad tuviese pérdidas por la transmisión de participaciones de otra entidad y, además, estas participaciones hubiesen sido transmitidas anteriormente por otra sociedad del mismo grupo que hubiese obtenido por su venta beneficios exentos, la primera entidad no podría integrar estas pérdidas en su base imponible hasta no haber cubierto el beneficio generado en la primera transmisión.

En definitiva, no se integraba en la base imponible la pérdida de valor de la participación en una entidad que se correspondiese con un incremento de valor de la misma puesto de manifiesto en una transmisión anterior y que no se hubiera integrado en la base imponible al haber gozado de exención[35].

EJEMPLO

La sociedad A transmitió a la sociedad B, ambas del mismo grupo, el 100% de las participaciones de la sociedad C. A obtuvo un beneficio de 500.000 euros que estuvo exento. A los 2 años, B transmitió C a una empresa no vinculada derivándose una pérdida de 600.000 euros.

---

[35] LOPEZ-SANTACRUZ MONTES, J.A.; Op. cit. pág. 275. Este autor, además, hace las siguientes consideraciones: *"Por el contrario, si la renta positiva no hubiese estado exenta y, por tanto, se hubiese integrado en la base imponible con la particularidad de que haya estado sujeta a un tipo efectivo inferior al que está sujeta la entidad transmitente, resulta que en el conjunto de las partes tiene lugar un efecto desimpositivo, dado que a nivel de grupo la renta sería nula cuando, por el contrario, a nivel de cuota ésta sería negativa"*

¿Qué cuantía de esa renta negativa podrá integrar B en su base imponible?

SOLUCIÓN

Dado que A no integró en su base imponible los 500.000 euros al estar exentos, B únicamente podrá integrar 100.000 euros de rentas negativas (600.000-500.000).

8. APARTADO 7

Al igual que el apartado 6 anterior (y por las mismas razones), este apartado 7 ha sido objeto de derogación por el Real Decreto-Ley 3/2016. No obstante, vamos a proceder brevemente a su estudio.

8.1. *Transmisión de participaciones*

El primer párrafo de este apartado 7 regulaba una prevención con la finalidad de que el obligado tributario no consiga una doble no imposición.

En concreto, la norma parecía justificarse en el hecho de que los dividendos recibidos de la entidad no residente en los periodos indicados no habían soportado una tributación efectiva, por la aplicación del régimen de exención, lo que vendría a representar una forma de recuperación del valor de la inversión[36].

Así, el obligado tributario, antes de integrar en la base imponible las pérdidas derivadas de la transmisión de participaciones de una entidad no residente, deberá minorarlas en el importe de los dividendos recibidos de esta entidad no residente siempre y cuando:

- Dichos dividendos se hayan percibido a partir de un periodo impositivo iniciado en 2009.

- Los mencionados dividendos no hayan minorado[37] el valor de adquisición y hayan tenido derecho a la exención del artículo 21 LIS o a la deducción del artículo 32 LIS.

---

[36]   FRUTOS RAMÍREZ, G.; "Deuda tributaria. Deducciones doble imposición" en *Guía del Impuesto sobre Sociedades*, CISS 2015, pág. 549.

[37]   Tal y como hemos señalado con anterioridad, la minoración del valor de adquisición se dará en aquellos supuestos que prevé nuestra normativa contable. En este sentido, la norma de valoración 9ª.2.8. del Plan General de Contabilidad señala que "*si los dividendos distribuidos proceden inequívocamente de resultados generados con anterioridad a la fecha de adquisición porque se hayan distribuido importes superiores a los beneficios generados por*

En definitiva, estos dividendos representan una especie de recuperación del valor de la inversión aun cuando no tenga esta consideración a efectos contables, por lo que solo se considera renta negativa a efectos fiscales cuando transmite la participación el exceso de la pérdida sobre los dividendos percibidos con anterioridad a la transmisión[38].

EJEMPLO

La entidad A percibió, en 2015, 200.000 euros de dividendos distribuidos por la entidad no residente B. Dichos dividendos estuvieron exentos en virtud del artículo 21 LIS.

En 2017, A transmitió la totalidad de sus participaciones en B. Dicha transmisión generó una pérdida de 215.000 euros.

¿Qué importe de la pérdida por la transmisión de B se podrá integrar en la base imponible de A?

SOLUCIÓN

Dado que A percibió en 2015 un dividendo de 200.000 que estuvo exento (y que por tanto no se integró en su base imponible), se integrará en su base imponible la diferencia entre estos 200.000 euros y la pérdida de 215.000 obtenida por la transmisión de B. El importe a integrar será de 15.000 euros.

8.2. Transmisión de valores homogéneos

El párrafo 2º de este apartado 7 establecía una cautela para que aquellas transmisiones de valores homogéneos que, efectuándose de una forma separada, permitía integrar en la base imponible una renta negativa cuando, previamente, se había obtenido rentas positivas derivadas también de transmisiones.

Estos supuestos se dan cuando se efectúan ventas separadas temporalmente en las que en las primeras se obtenía un resultado positivo y exento y en las segundas, uno negativo. De este modo, las rentas positivas, al estar exentas, no se integraban en la base imponible pero, por el contrario, las rentas negativas, obtenidas posteriormente, sí que se imputaban.

La mencionada cautela consistía en minorar las rentas negativas obtenidas en el importe de las rentas positivas obtenidas con anterioridad. Veamos un ejemplo.

---

la participada desde la adquisición, no se reconocerán como ingresos, y minorarán el valor contable de la inversión."

[38]   LOPEZ-SANTACRUZ MONTES, J.A.; Op. cit. págs. 275-276.

EJEMPLO

La sociedad A transmite participaciones de la sociedad no residente B, obteniendo una renta positiva de 100.000 euros que ha tenido derecho a la exención del artículo 21 LIS. Con posterioridad, A vuelve a transmitir participaciones de B, obteniendo una renta negativa de 80.000 euros.

¿qué importe de la renta negativa se integrará en la base imponible de A?

SOLUCIÓN

La renta negativa a integrar deberá ser minorada en el importe de las rentas positivas obtenidas previamente. Dado que la renta positiva ascendió a 100.000 euros y estuvo, además, exenta, el importe de la renta negativa a integrar en la base imponible de A será cero.

9. APARTADO 8

Este apartado 8, al igual que el artículo 31.7, regula la potestad de la Administración para comprobar las deducciones por doble imposición aplicadas o pendientes de aplicación. Dicha potestad prescribirá a los 10 años.

Con el objeto de no repetirnos, nos remitimos a lo expuesto en los comentarios de la presente obra correspondientes al estudio del apartado 7 del artículo 31.

10. DISPOSICIÓN ADICIONAL DECIMOQUINTA. LÍMITES APLICABLES A LAS GRANDES EMPRESAS EN PERÍODOS IMPOSITIVOS INICIADOS A PARTIR DE 1 DE ENERO DE 2016

Con efectos para los períodos impositivos que se inicien a partir de 1 de enero de 2016, el Real Decreto-ley 3/2016 ha añadido una nueva disposición adicional en la LIS en virtud de la cual se establece una limitación en el importe de la deducción del artículo 32 a aplicar en la cuota íntegra.

En concreto, la citada disposición adicional decimoquinta señala que:

> "*Los contribuyentes cuyo importe neto de la cifra de negocios sea al menos de 20 millones de euros durante los 12 meses anteriores a la fecha en que se inicie el período impositivo, aplicarán las siguientes especialidades:*
>
> *(...)*
>
> *2. El importe de las deducciones para evitar la doble imposición internacional previstas en los artículos 31, 32 y apartado 11 del artículo 100, así como el*

de aquellas deducciones para evitar la doble imposición a que se refiere la dispo-sición transitoria vigésima tercera, de esta Ley, no podrá exceder conjuntamente del 50 por ciento de la cuota íntegra del contribuyente."

De acuerdo con este nuevo precepto, para los periodos impositivos inicia-dos a partir del 1 de enero de 2016, el importe de la deducción de este articulo 32 no podrá exceder, conjuntamente con las deducciones de los artículos 31 y 100.11 de la LIS, del 50% de la cuota íntegra. Dicha limitación operará, única-mente, para aquellas entidades cuyo importe neto de la cifra de negocios haya sido, al menos, de 20 millones de euros durante los 12 meses anteriores.

En relación con el exceso que no ha sido objeto de deducción, la norma guarda silencio y no señala expresamente, para este caso, si podrá ser compen-sado en ejercicios futuros. En principio, y sin perjuicio de la futura interpreta-ción administrativa que se efectúe, vía consultas vinculantes por la Dirección General de Tributos, parece desprenderse que no existe impedimento para que, en los ejercicios siguientes, se pueda deducir los excesos derivados de esta limi-tación.

Javier María Bas Soria

Inspector de Hacienda del Estado. Doctor en Derecho

Artículo 33. Bonificación por rentas obtenidas en Ceuta o Melilla.

"1. *Tendrá una bonificación del 50 por ciento, la parte de cuota íntegra que corresponda a las rentas obtenidas en Ceuta o Melilla por entidades que operen efectiva y materialmente en dichos territorios.*

Las entidades a que se refiere el párrafo anterior serán las siguientes:

a) Entidades españolas domiciliadas fiscalmente en dichos territorios.

b) Entidades españolas domiciliadas fiscalmente fuera de dichos territorios y que operen en ellos mediante establecimiento o sucursal.

c) Entidades extranjeras no residentes en España y que operen en dichos territorios mediante establecimiento permanente.

2. Se entenderá por rentas obtenidas en Ceuta o Melilla aquellas que correspondan a actividades que determinen en dichos territorios el cierre de un ciclo mercantil con resultados económicos.

A estos efectos, se considerará cumplido lo dispuesto en el párrafo anterior en el caso de arrendamiento de inmuebles situados en estos territorios.

No se estimará que median dichas circunstancias cuando se trate de operaciones aisladas de extracción, fabricación, compra, transporte, entrada y salida de géneros o efectos en aquellos y, en general, cuando las operaciones no determinen por sí solas rentas.

3. A los efectos de la aplicación de la bonificación prevista en este artículo, tendrán la consideración de rentas obtenidas en Ceuta o Melilla aquellas correspondientes a las entidades relacionadas en el apartado 1 de este artículo, que posean, como mínimo, un lugar fijo de negocios en dichos territorios, hasta un importe de 50.000 euros por persona empleada con contrato laboral y a jornada completa que ejerza sus funciones en Ceuta o Melilla, con un límite máximo total de 400.000 euros. En el supuesto de que se obtengan rentas superiores al citado importe, la aplicación de la bonificación prevista en este artículo exigirá la acreditación del cierre en Ceuta o Melilla de un ciclo mercantil que determine resultados económicos. Las cantidades a que se refiere este apartado se determinarán a nivel del grupo de sociedades, en el supuesto de entidades que formen parte del mismo según los criterios establecidos en el artículo 42 del Código de Comercio, con independencia de la residencia y de la obligación de formular cuentas anuales consolidadas.

Asimismo, se entenderán obtenidas en Ceuta o Melilla las rentas procedentes del comercio al por mayor cuando esta actividad se organice, dirija, contrate y facture a través de un lugar fijo de negocios situado en dichos territorios que cuente en los mismos con los medios materiales y personales necesarios para ello.

4. Excepcionalmente, para la determinación de la renta imputable a Ceuta o Melilla, obtenida por entidades pesqueras, se procederá asignando los siguientes porcentajes:

a) El 20 por ciento de la renta total al territorio en que esté la sede de dirección efectiva.

b) El 40 por ciento de la renta total se distribuirá en proporción al volumen de desembarcos de capturas que realicen en Ceuta o Melilla.

Las exportaciones se imputarán al territorio en que radique la sede de dirección efectiva.

c) El 40 por ciento restante de la renta total, en proporción al valor contable de los buques según estén matriculados en Ceuta o Melilla y en territorios distintos.

El porcentaje previsto en la letra c) solo será aplicable cuando la entidad de que se trate tenga la sede de dirección efectiva en Ceuta o Melilla. En otro caso el porcentaje acrecerá el de la letra b).

5. En las entidades de navegación marítima y aérea se atribuirá la renta a Ceuta o Melilla con arreglo a los mismos criterios y porcentajes aplicables a las empresas pesqueras, sustituyendo la referencia a desembarcos de las capturas por la de pasajes, fletes y arrendamientos allí contratados.

6. Las entidades a las que se refiere la letra a) que tengan su sede de dirección efectiva en Ceuta o Melilla y las referidas en la letra c), del apartado 1 de este artículo, que operen efectiva y materialmente en Ceuta o Melilla durante un plazo no inferior a 3 años, podrán aplicar la bonificación prevista en este artículo por las rentas obtenidas fuera de dichas ciudades en los períodos impositivos que finalicen una vez transcurrido el citado plazo cuando, al menos, la mitad de sus activos estén situados en aquellas. No obstante, quedan exceptuadas de lo previsto en este apartado las rentas que procedan del arrendamiento de bienes inmuebles situados fuera de dichos territorios.

El importe máximo de rentas con derecho a bonificación será el de las rentas obtenidas en Ceuta o Melilla, en los términos señalados en este artículo".

Artículo 34. Bonificación por prestación de servicios públicos locales.

"Tendrá una bonificación del 99 por ciento la parte de cuota íntegra que corresponda a las rentas derivadas de la prestación de cualquiera de los servicios comprendidos en el apartado 2 del artículo 25

o en el apartado 1.a), b) y c) del artículo 36 de la Ley 7/1985, de 2 de abril, Reguladora de las Bases del Régimen Local, de competencias de las entidades locales territoriales, municipales y provinciales, excepto cuando se exploten por el sistema de empresa mixta o de capital íntegramente privado.

La bonificación también se aplicará cuando los servicios referidos en el párrafo anterior se presten por entidades íntegramente dependientes del Estado o de las comunidades autónomas".

SUMARIO: 1. INTRODUCCIÓN. 2. BONIFICACIÓN POR RENTAS OBTENIDAS EN CEUTA Y MELILLA. **2.1. Bonificación por rentas obtenidas en Ceuta y Melilla.** 2.2. Entidades que puede aplicar la deducción. 2.3. Rentas que se pueden beneficiar de la bonificación. 2.3.1. Rentas obtenidas en Ceuta y Melilla. 2.3.2. Norma adicional en cuanto al importe de las rentas. 2.4. Bonificación para empresas pesqueras. **2.5.** Bonificación para empresas de navegación áerea o marítima. 2.6. Bonificación por rentas obtenidas fuera de Ceuta y Melilla. 2.7. Cuadro resumen. 3. BONIFICACIÓN POR PRESTACIÓN DE SERVICIOS PÚBLICOS LOCALES. 3.1. Servicios públicos locales bonificados. 3.2. Entes beneficiarios de la bonificación.

1. INTRODUCCIÓN

El Capítulo III del Título VI, comprendiendo los artículos 33 y 34 LIS, regula las bonificaciones en el IS.

Doctrinalmente se suele diferenciar la bonificación, que opera como una minoración de las bases sometidas a gravamen, y la deducción, que se aplica sobre la cuota íntegra para determinar la cuota líquida. No obstante, el artículo 56.5 LGT prevé que para el tránsito de la cuota íntegra a la cuota líquida se apliquen tanto deducciones como bonificaciones, rompiendo ese esquema tradicional.

A nuestro juicio, no cabe extraer especiales consecuencias de la calificación de las minoraciones en la cuota como bonificaciones o deducciones; de hecho, este capítulo se sitúa entre el capítulo II, consagrado a las Deducciones para evitar la doble imposición internacional, y el capítulo IV, dedicado a las Deducciones para incentivar la realización de determinadas actividades; operando deducciones y bonificaciones como minoraciones en la cuota íntegra para obtener la cuota líquida.

En cuanto a las diferencias de régimen jurídico vienen determinadas, por un lado, por los límites en la aplicación de unas y otras deducciones y las bonificaciones, y, fundamentalmente, por el hecho que las bonificaciones que no se apliquen en el ejercicio por insuficiencia de cuota íntegra no pueden ser trasladadas a los ejercicios siguientes, perdiéndose el derecho a su aplicación, a diferencia de lo que ocurre con las deducciones, tanto las destinadas a evitar la doble imposición internacional como las establecidas para incentivar determinadas actividades. Debemos tener presente además que al operar sobre la cuota íntegra no sirven tampoco para ampliar el importe de bases imponibles negativas que haya obtenido una entidad con derecho a aplicar una bonificación, por lo que la falta de aprovechamiento es absoluta cuando no hay cuota íntegra.

En cuanto a la mecánica para su aplicación, la bonificación se calcula a partir del importe de la renta beneficiada por la bonificación, el tipo de bonificación legalmente previsto y el tipo de gravamen aplicado por la entidad, siendo la bonificación el resultado del producto de estos tres factores, que se minora sobre la cuota íntegra.

El legislador no ha previsto una prioridad en la aplicación de las bonificaciones y las deducciones para evitar la doble imposición internacional; a diferencia de lo que ocurre con las deducciones para incentivar la realización de determinadas actividades que deberán aplicarse después de las deducciones antes mencionadas y las bonificaciones. En la medida que las deducciones para evitar la doble imposición internacional pueden aplicarse en ejercicios posteriores y las bonificaciones no aplicadas se pierden, indudablemente, aunque no se haya previsto legalmente, las bonificaciones serán aplicadas siempre por los contribuyentes con carácter prioritario a las deducciones.

Además de las bonificaciones contempladas en los artículos que ahora estudiamos, en los regímenes especiales del IS se regulan otras bonificaciones. Así, el artículo 49 LIS, relativo al régimen especial de arrendamiento de vivienda, recoge la existencia de una bonificación de 85% de la parte de cuota íntegra que corresponda a las rentas derivadas del arrendamiento de viviendas que cumplan los requisitos del 48 LIS. En sus legislaciones específicas, se regula una bonificación del 50% para las cooperativas especialmente protegidas y una bonificación del 50% para las empresas productoras de bienes corporales en Canarias.

2. BONIFICACIÓN POR RENTAS OBTENIDAS EN CEUTA Y MELILLA

2.1. Bonificación por rentas obtenidas en Ceuta y Melilla

La bonificación de la parte de cuota íntegra que corresponda a las rentas obtenidas en Ceuta o Melilla es del 50 por ciento; siempre que se trate de las entidades a las que nos referiremos en el punto siguiente y que las rentas se entiendan efectiva y materialmente obtenidas en dichos territorios.

EJEMPLO

Una entidad residente en España opera materialmente en Ceuta mediante un establecimiento permanente. Los ingresos atribuibles al establecimiento en Ceuta son de 140.000 euros y los gastos de 50.000 euros. Dentro de los gastos considerados existe un gasto no deducible por importe de 10.000 euros. La entidad tributa al tipo general del 25%. ¿Cuál será el importe de la bonificación?

RESPUESTA

La renta obtenida en Ceuta será de 100.000 euros (140.000-(50.000-10.000))

El importe de la bonificación será del 50% de la cuota derivada de la renta obtenida en Ceuta, es decir, 12.500 euros (100.000*0,25*0,5).

2.2. *Entidades que puede aplicar la deducción*

Establece el artículo 33 LIS que pueden beneficiarse de la bonificación:

- Entidades españolas domiciliadas fiscalmente en dichos territorios.

- Entidades españolas domiciliadas fiscalmente fuera de dichos territorios y que operen en ellos mediante establecimiento o sucursal.

- Entidades extranjeras no residentes en España y que operen en dichos territorios mediante establecimiento permanente.

Dos elementos resultan destacables de esta enumeración. El primero es la referencia a la existencia de un establecimiento permanente en Ceuta y Melilla, pues la LIS, aunque ofrece un concepto de establecimiento permanente en el extranjero en el artículo 22.3 LIS (*"Se considerará que una entidad opera mediante un establecimiento permanente en el extranjero cuando, por cualquier título, disponga fuera del territorio español, de forma continuada o habitual, de instalaciones o lugares de trabajo en los que realice toda o parte de su actividad, o actúe en él por medio de un agente autorizado para contratar, en nombre y por cuenta del contribuyente, que ejerza con habitualidad dichos poderes. En particular, se entenderá que constituyen establecimiento permanente las sedes de dirección, las sucursales, las oficinas, las fábricas, los talleres, los almacenes, tiendas u otros establecimientos, las minas, los pozos de petróleo o de gas, las canteras, las explotaciones agrícolas, forestales o pecuarias o cualquier otro lugar de exploración o de extracción de recursos naturales, y las obras de construcción, instalación o montaje cuya duración exceda de 6 meses"*), no ofrece concepto alguno del establecimiento permanente en el interior del país. No parece correcto recoger el criterio de establecimiento permanente del IVA, aunque regule establecimientos permanentes en el interior del país, primero por no ser impuesto aplicable en Ceuta y Melilla, precisamente, y segundo porque amplía el concepto sobre el contenido en el artículo 22.3 LIS, siguiendo la lógica de dicho impuesto, a operaciones que confieren la condición de empresario a efectos de IVA (centros de compra, almacenes para la distribución o inmuebles en arrendamiento) pero que no cierran ciclo mercantil, entrando en directa colisión con la exigencia del artículo 33 LIS para aplicar la bonificación.

La segunda es la referencia a las entidades no residentes que actúen en Ceuta y Melilla mediante establecimiento permanente. Evidentemente el legislador ha pecado de "exceso de celo", incluyendo en este precepto una bonificación que es ajena al IS, ya que estas entidades no residentes aplican el IRNR y no el IS.

2.3. *Rentas que se pueden beneficiar de la bonificación*

2.3.1. Rentas obtenidas en Ceuta y Melilla

Se consideran rentas obtenidas en Ceuta o Melilla aquellas que correspondan a actividades que determinen en dichos territorios el cierre de un ciclo mercantil con resultados económicos.

A estos efectos, se considerará que se cierra ciclo mercantil en el caso de arrendamiento de inmuebles situados en estos territorios.

No se entiende, sin embargo, que se cierre ciclo mercantil cuando se trate de operaciones aisladas de extracción, fabricación, compra, transporte, entrada y salida de géneros o efectos en aquellos y, en general, cuando las operaciones no determinen por sí solas rentas.

Otra vez debemos destacar la referencia al cierre de ciclo mercantil, concepto que tampoco está recogido en la LIS. No obstante, en este caso la referencia legal evidente es el artículo 18.3 TRIRNR, donde se conceptúa el establecimiento que no cierra ciclo mercantil como aquellos que trabajan exclusivamente para la casa central o para otros establecimientos de ésta, no generando rentas por su operativa.

La DGT ha tenido ocasión de pronunciarse, en diversas consultas, sobre la existencia de una actividad efectiva en Ceuta o Melilla. Así, en consulta V2907-13 de 01/10/2013, señaló que una entidad que cuenta con un establecimiento permanente situado en Ceuta cuenta con medios materiales y humanos, radicados en dicho territorio, para llevar a cabo la actividad de transporte aéreo de pasajeros entre Ceuta y la Península, y que, adicionalmente, dispone del servidor informático desde el que se van a realizar todas las operaciones de venta de billetes instalado en Ceuta, tiene derecho a la bonificación por las rentas obtenidas por el establecimiento que opera efectiva y materialmente en Ceuta.

Igualmente, en consulta V3551-15, de 17/11/2015, respecto de una entidad que realiza formación online desde un establecimiento permanente situado en Ceuta que cuenta con medios materiales y humanos, radicados en dicho territorio, para llevar a cabo la actividad de formación online o de servicios de atención al cliente cuyos destinatarios se encuentran en la Península, se entiende que la actividad tiene derecho a la bonificación por las rentas obtenidas por el establecimiento que opera efectiva y materialmente en Ceuta.

Sin embargo, en consulta V0958-05, de 27/05/2005, en relación con una entidad que realiza actividad de intermediación en compraventas de bienes, señaló que aún cuando la entidad tiene medios materiales y humanos radicados en Melilla y contrata y factura desde dicho territorio, las mercancías no son introducidas físicamente en dicho territorio, por lo que no tendrá derecho a la bonificación, dado que las operaciones no se efectúan en el mismo, siendo necesario que los bienes se pongan a disposición del adquirente en Melilla y se inicie o finalice en dicho territorio el transporte de los mismos, de otra manera no se produciría el cierre del ciclo mercantil determinante de resultados económicos en Melilla, al no entenderse realizada en este territorio dicha actividad de comercialización.

Entendemos que este último criterio ha quedado superado por el legislador al prever, en el apartado 3 del artículo 33 LIS, in fine, que se entenderán obtenidas en Ceuta o Melilla las rentas procedentes del comercio al por mayor cuando esta actividad se organice, dirija, contrate y facture a través de un lugar fijo de negocios situado en dichos territorios que cuente en los mismos con los medios materiales y personales necesarios para ello.

De las consultas reseñadas parece concluirse que debemos entender que las rentas se obtienen en Ceuta y Melilla cuando se disponga en los citados territorios de una organización de medios de producción y recursos humanos que se apliquen a la producción o distribución de bienes y servicios, siempre y cuando además tales actividades generen rentas directas para la entidad.

2.3.2. Norma adicional en cuanto al importe de las rentas

El apartado 3 del artículo 33 LIS ha establecido una cautela adicional para determinar el importe de la bonificación de las rentas obtenidas en Ceuta o Melilla.

Así, las entidades que pueden acogerse a la bonificación y que posean, como mínimo, un lugar fijo de negocios en dichos territorios, podrán aplicar la bonificación hasta un importe de 50.000 euros por persona empleada con contrato laboral y a jornada completa que ejerza sus funciones en Ceuta o Melilla, con un límite máximo total de 400.000 euros.

Cuando se obtengan rentas superiores al citado importe, la aplicación de la bonificación exigirá la acreditación del cierre en Ceuta o Melilla de un ciclo mercantil que determine resultados económicos.

Estas cantidades se determinarán a nivel del grupo de sociedades, en el supuesto de entidades que formen parte del mismo según los criterios establecidos en el artículo 42 C de C, con independencia de la residencia y de la obligación de formular cuentas anuales consolidadas.

Esta norma se aparece como un "puerto seguro", que parece dispensar de la prueba de la existencia de una actividad que cierre ciclo mercantil siempre que el importe de la bonificación no exceda de 50.000 euros por empleado a jornada completa y que además el importe total de la bonificación no exceda de 400.000 euros.

No obstante, debemos destacar que la dicción literal del precepto remite este apartado, exclusivamente, al apartado 1 del precepto (si bien es en el que se enuncia la bonificación con las condiciones de aplicación) pero no al apartado 2 que es el que especifica la obtención de rentas en Ceuta y Melilla, que es además el apartado en el que se exige la existencia de una actividad que cierre ciclo mercantil en dicho territorio. Por tanto, no es descabellado sostener que aunque esta previsión dispense de la prueba cuando no se superen los importes antes citados, la falta de superación de los mismos no impide que la Administración pueda comprobar la existencia de una actividad que cierre ciclo mercantil en Ceuta y Melilla y la consiguiente posibilidad de excluir la bonificación si, efectivamente, se constatara que aun no superando los límites no se desarrollara realmente la actividad en dichas ciudades.

Debemos añadir que la referencia a empleados a jornada completa exige que, cada una de las personas que sean tenidas en consideración, debe cumplir individualmente la condición de contratación laboral y jornada completa, sin que puedan acumularse distintos empleados a jornadas parciales, como ocurre cuando la referencia se realiza a plantilla media.

EJEMPLO

Una entidad residente en España opera materialmente en Melilla mediante un establecimiento permanente. La renta facturada por el establecimiento en Ceuta es de 300.000 euros. La entidad cuenta con 8 empleados a jornada completa en Ceuta.

RESPUESTA

De acuerdo con el artículo 33.3 LIS la entidad puede considerar que corresponde a su actividad en Ceuta las cantidades facturadas, en la medida que no exceden de 50.000 euros por empleado a jornada completa ni del total de 400.000 euros.

2.4. *Bonificación para empresas pesqueras*

En el caso de entidades pesqueras, la determinación de la renta imputable a Ceuta o Melilla, obtenida por entidades con derecho a la aplicación de la bonificación, se realizará asignando a los diferentes centros los porcentajes siguientes:

- El 20 por ciento de la renta total al territorio en que esté la sede de dirección efectiva.

- El 40 por ciento de la renta total se distribuirá en proporción al volumen de desembarcos de capturas que realicen en Ceuta o Melilla. Este porcentaje se ampliará hasta el 80 por ciento de la renta total cuando la entidad no tenga la sede de dirección efectiva en Ceuta o Melilla.

  A estos efectos, las exportaciones se imputarán al territorio en que radique la sede de dirección efectiva.

- El 40 por ciento restante de la renta total, en proporción al valor contable de los buques según estén matriculados en Ceuta o Melilla y en territorios distintos.

Esta regla solo será aplicable cuando la entidad tenga la sede de dirección efectiva en Ceuta o Melilla. En otro caso el porcentaje acrecerá el de los desembarcos, que pasará a determinar el 80%.

EJEMPLO

Una entidad dedicada a la actividad pesquera con domicilio en Melilla cuenta con la sede de dirección efectiva en dicha ciudad. Cuenta con 5 barcos, 3 con matrícula en Melilla y 3 en Málaga. Sus capturas se desembarcan en Melilla en un 40% y en Málaga el 60% restante. Las rentas obtenidas son de 300.000 euros. Aplica el tipo general de gravamen. ¿Cuál será el importe de la bonificación procedente?

Respuesta:

Las rentas de la entidad se deben atribuir a Melilla de acuerdo con los siguientes porcentajes:

– Un 20% por la sede de dirección: 60.000 euros.

– Un 16% por los desembarcos (40% del 40%): 48.000 euros.

– Al tener la sede en Melilla, un 20% por matriculación de los buques (50% del 40%): 60.000

– Bonificación: 168.000*0,25*0,5=21.000 euros

2.5. *Bonificación para empresas de navegación áerea o marítima*

En el caso de navegación marítima y aérea, la determinación de la renta imputable a Ceuta o Melilla, obtenida por entidades con derecho a la aplicación de la bonificación, se realizará asignando a los diferentes centros los porcentajes siguientes:

- El 20 por ciento de la renta total al territorio en que esté la sede de dirección efectiva.

- El 40 por ciento de la renta total se distribuirá en proporción al volumen de pasajes, fletes y arrendamientos que realicen en Ceuta o Melilla. Este porcentaje se ampliará hasta el 80 por ciento de la renta total cuando la entidad no tenga la sede de dirección efectiva en Ceuta o Melilla.

  A estos efectos, las exportaciones se imputarán al territorio en que radique la sede de dirección efectiva.

- El 40 por ciento restante de la renta total, en proporción al valor contable de los buques o aeronaves según estén matriculados en Ceuta o Melilla y en territorios distintos.

Esta regla solo será aplicable cuando la entidad tenga la sede de dirección efectiva en Ceuta o Melilla. En otro caso el porcentaje acrecerá el de los pasajes, fletes y arrendamientos, que pasará a determinar el 80%.

EJEMPLO

Una entidad dedicada a la navegación marítima con sede de dirección efectiva en Algeciras cuenta con un establecimiento permanente en Ceuta. Cuenta con 5 barcos, 3 con matrícula en Algeciras y 3 en Ceuta. Sus fletes se desembarcan en Algeciras en un 50% y en Ceuta el 50% restante. Las rentas obtenidas son de 500.000 euros. Aplica el tipo general de gravamen. ¿Cuál será el importe de la bonificación procedente?

RESPUESTA

Las rentas de la entidad se deben atribuir a Ceuta de acuerdo con los siguientes porcentajes:

– Un 0% por la sede de dirección.
– Un 40 % por los desembarcos (50% del 80%): 200.000 euros.
– Al tener la sede fuera de Ceuta, no se aplica la regla relativa a la matriculación de los buques
– Bonificación: 200.000*0,25*0,4=50.000 euros

2.6. *Bonificación por rentas obtenidas fuera de Ceuta y Melilla*

Las entidades domiciliadas fiscalmente en Ceuta y Melilla y que tengan su sede de dirección efectiva en estas ciudades, que operen efectiva y materialmente en Ceuta o Melilla durante un plazo no inferior a 3 años, podrán aplicar la bonificación del 50% para las rentas obtenidas fuera de dichas ciudades en los períodos impositivos que finalicen una vez transcurrido el citado plazo de tres años cuando, al menos, la mitad de sus activos estén situados en aquellas.

Quedan exceptuadas de lo previsto en este apartado las rentas que procedan del arrendamiento de bienes inmuebles situados fuera de dichos territorios.

El importe máximo de rentas con derecho a bonificación será el de las rentas obtenidas en Ceuta o Melilla. Al no establecer mayor precisión el legislador, dicho límite se aplicará sobre la suma de las rentas obtenidas en Ceuta y Melilla y las obtenidas fuera de estas ciudades.

EJEMPLO

Una entidad dedicada con sede en Melilla y actividades en dicha ciudad desde hace 5 años ha realizado operaciones en Melilla, que le han aportado unas rentas de 100.000 euros, y en la península, que la han aportado rentas de 100.000 de un arrendamiento de inmuebles. Más de la mitad de sus activos se encuentran en Melilla. Aplica el tipo general de gravamen. ¿Cuál será el importe de la bonificación procedente?

RESPUESTA

Pueden acogerse a la reducción las rentas obtenidas en Melilla, ya que en ningún caso se aplica la extensión a las rentas procedentes del arrendamiento:

– Bonificación: $100.000*0,25*0,5=12.500$ euros

2.7. Cuadro resumen

A modo de resumen de la exposición anterior, debemos diferencias, a los efectos de aplicar esta bonificación, dos situaciones:

- Entidades cuyo domicilio fiscal esté en Ceuta y Melilla:
  - Si operan exclusivamente en Ceuta y Melilla, toda su renta estará bonificada.
  - Si operan en Ceuta y Melilla y fuera de dichos territorios, su renta obtenida en Ceuta y Melilla estará bonificada, y las restantes rentas, tras el tercer de ejercicio, y si más de la mitad de sus activos están en Ceuta y Melilla, también.
- Entidades cuyo domicilio fiscal esté en el resto de España y que operen en Ceuta y Melilla mediante un establecimiento permanente:
  - Se bonifican exclusivamente las rentas correspondientes a los establecimientos permanentes en Ceuta y Melilla y siempre que cierren ciclo mercantil.
- Restantes entidades que operen en Ceuta y Melilla sin establecimiento permanente:
  - No podrán aplicar la bonificación.

3. BONIFICACIÓN POR PRESTACIÓN DE SERVICIOS PÚBLICOS LOCALES

3.1. Servicios públicos locales bonificados

El artículo 34 LIS establece una bonificación del 99 por ciento la parte de cuota íntegra que corresponda a las rentas derivadas de la prestación de los servicios públicos locales.

Para la enumeración de los servicios que se pueden beneficiar de la bonificación se remite la LIS a la Ley 7/1985, de 2 de abril, Reguladora de las Bases del Régimen Local, concretamente a los artículos 25.2 y 36.1.a), b) y c) en los que se regulan las competencias de municipios y provincias, respectivamente (en el caso de las provincias de la enumeración de sus competencias se restringe a las prestacionales).

Las competencias municipales contempladas en el artículo 25.2 LRBRL son:

- Urbanismo: planeamiento, gestión, ejecución y disciplina urbanística. Protección y gestión del Patrimonio histórico. Promoción y gestión de la vivienda de protección pública con criterios de sostenibilidad financiera. Conservación y rehabilitación de la edificación.

- Medio ambiente urbano: en particular, parques y jardines públicos, gestión de los residuos sólidos urbanos y protección contra la contaminación acústica, lumínica y atmosférica en las zonas urbanas.

- Abastecimiento de agua potable a domicilio y evacuación y tratamiento de aguas residuales.

- Infraestructura viaria y otros equipamientos de su titularidad.

- Evaluación e información de situaciones de necesidad social y la atención inmediata a personas en situación o riesgo de exclusión social.

- Policía local, protección civil, prevención y extinción de incendios.

- Tráfico, estacionamiento de vehículos y movilidad. Transporte colectivo urbano.

- Información y promoción de la actividad turística de interés y ámbito local.

- Ferias, abastos, mercados, lonjas y comercio ambulante.

- Protección de la salubridad pública.

- Cementerios y actividades funerarias.

- Promoción del deporte e instalaciones deportivas y de ocupación del tiempo libre.

- Promoción de la cultura y equipamientos culturales.

- Participar en la vigilancia del cumplimiento de la escolaridad obligatoria y cooperar con las Administraciones educativas correspondientes en la obtención de los solares necesarios para la construcción de nuevos centros docentes. La conservación, mantenimiento y vigilancia de los edificios de titularidad local destinados a centros públicos de educación infantil, de educación primaria o de educación especial.

- Promoción en su término municipal de la participación de los ciudadanos en el uso eficiente y sostenible de las tecnologías de la información y las comunicaciones.

Los servicios de Diputaciones enumerados en el artículo 36.1 LRBRL son:

- La coordinación de los servicios municipales entre sí para la garantía de la prestación integral y adecuada a que se refiere el apartado a) del número 2 del artículo 31.

- La asistencia y cooperación jurídica, económica y técnica a los Municipios, especialmente los de menor capacidad económica y de gestión. En todo caso garantizará en los municipios de menos de 1.000 habitantes la prestación de los servicios de secretaría e intervención.

- La prestación de servicios públicos de carácter supramunicipal y, en su caso, supracomarcal y el fomento o, en su caso, coordinación de la prestación unificada de servicios de los municipios de su respectivo ámbito territorial. En particular, asumirá la prestación de los servicios de tratamiento de residuos en los municipios de menos de 5.000 habitantes, y de prevención y extinción de incendios en los de menos de 20.000 habitantes, cuando éstos no procedan a su prestación.

3.2. Entes beneficiarios de la bonificación

Establece el artículo 34 LIS que la bonificación no se aplicará cuando la explotación de los servicios públicos locales se efectúe por el sistema de empresa mixta o de capital íntegramente privado. Cabe incluir en esta exclusión todas las formas de gestión indirecta a través de sociedades privadas, como el concierto, la concesión o el arrendamiento.

Por otro lado, el artículo 9, apartado 1, LIS declara exentas totalmente a las entidades locales (letra a), los Organismos Autónomos dependientes de éstas (letra b) y los organismos públicos y entidades de derecho público de las entidades locales (letra f).

Por consiguiente, esta bonificación alcanza a los supuestos en los que las entidades locales actúen mediante empresa pública.

La bonificación también se aplicará cuando los servicios se presten por entidades íntegramente dependientes del Estado o de las comunidades autónomas.

Deducciones para incentivar la realización de determinadas actividades

Javier María Bas Soria

Inspector de Hacienda del Estado. Doctor en Derecho

Artículo 35. Deducción por actividades de investigación y desarrollo e innovación tecnológica.

"1. Deducción por actividades de investigación y desarrollo.

La realización de actividades de investigación y desarrollo dará derecho a practicar una deducción de la cuota íntegra, en las condiciones establecidas en este apartado.

a) Concepto de investigación y desarrollo.

Se considerará investigación a la indagación original planificada que persiga descubrir nuevos conocimientos y una superior comprensión en el ámbito científico y tecnológico, y desarrollo a la aplicación de los resultados de la investigación o de cualquier otro tipo de conocimiento científico para la fabricación de nuevos materiales o productos o para el diseño de nuevos procesos o sistemas de producción, así como para la mejora tecnológica sustancial de materiales, productos, procesos o sistemas preexistentes.

Se considerará también actividad de investigación y desarrollo la materialización de los nuevos productos o procesos en un plano, esquema o diseño, así como la creación de un primer prototipo no comercializable y los proyectos de demostración inicial o proyectos piloto, siempre que éstos no puedan convertirse o utilizarse para aplicaciones industriales o para su explotación comercial.

Asimismo, se considerará actividad de investigación y desarrollo el diseño y elaboración del muestrario para el lanzamiento de nuevos productos. A estos efectos, se entenderá como lanzamiento de un nuevo producto su introducción en el mercado y como nuevo producto, aquel cuya novedad sea esencial y no meramente formal o accidental.

También se considerará actividad de investigación y desarrollo la creación, combinación y configuración de software avanzado, mediante nuevos teoremas y algoritmos o sistemas operativos, lenguajes, interfaces y aplicaciones destinados a la elaboración de productos, procesos o servicios nuevos o mejorados sustancialmente. Se asimilará a este concepto el software destinado a facilitar el acceso a los servicios de la sociedad de la información a las personas con discapacidad, cuando se realice sin fin de lucro. No se incluyen las actividades habituales o rutinarias relacionadas con el mantenimiento del software o sus actualizaciones menores.

b) Base de la deducción.

La base de la deducción estará constituida por el importe de los gastos de investigación y desarrollo y, en su caso, por las inversiones en elementos de inmovilizado material e intangible excluidos los edificios y terrenos.

Se considerarán gastos de investigación y desarrollo los realizados por el contribuyente, incluidas las amortizaciones de los bienes afectos a las citadas actividades, en cuanto estén directamente relacionados con dichas actividades y se apliquen efectivamente a la realización de éstas, constando específicamente individualizados por proyectos.

La base de la deducción se minorará en el importe de las subvenciones recibidas para el fomento de dichas actividades e imputables como ingreso en el período impositivo.

Los gastos de investigación y desarrollo que integran la base de la deducción deben corresponder a actividades efectuadas en España o en cualquier Estado miembro de la Unión Europea o del Espacio Económico Europeo.

Igualmente tendrán la consideración de gastos de investigación y desarrollo las cantidades pagadas para la realización de dichas actividades en España o en cualquier Estado miembro de la Unión Europea o del Espacio Económico Europeo, por encargo del contribuyente, individualmente o en colaboración con otras entidades.

Las inversiones se entenderán realizadas cuando los elementos patrimoniales sean puestos en condiciones de funcionamiento.

c) Porcentajes de deducción.

1.º El 25 por ciento de los gastos efectuados en el período impositivo por este concepto.

En el caso de que los gastos efectuados en la realización de actividades de investigación y desarrollo en el período impositivo sean mayores que la media de los efectuados en los 2 años anteriores, se aplicará el porcentaje establecido en el párrafo anterior hasta dicha media, y el 42 por ciento sobre el exceso respecto de ésta. Además de la deducción que proceda conforme a lo dispuesto en los párrafos anteriores se practicará una deducción adicional del 17 por ciento del importe de los gastos de personal de la entidad correspondientes a investigadores cualificados adscritos en exclusiva a actividades de investigación y desarrollo.

2.º El 8 por ciento de las inversiones en elementos de inmovilizado material e intangible, excluidos los edificios y terrenos, siempre que estén afectos exclusivamente a las actividades de investigación y desarrollo.

Los elementos en que se materialice la inversión deberán permanecer en el patrimonio del contribuyente, salvo pérdidas justificadas, hasta que cumplan su finalidad específica en las actividades de investigación y desarrollo, excepto que su vida útil conforme al método de amortización, admitido en la letra a) del apartado 1 del artículo 12, que se aplique, fuese inferior.

2. Deducción por actividades de innovación tecnológica.

La realización de actividades de innovación tecnológica dará derecho a practicar una deducción de la cuota íntegra en las condiciones establecidas en este apartado.

a) Concepto de innovación tecnológica.

Se considerará innovación tecnológica la actividad cuyo resultado sea un avance tecnológico en la obtención de nuevos productos o procesos de producción o mejoras sustanciales de los ya existentes. Se considerarán nuevos aquellos productos o procesos cuyas características o aplicaciones, desde el punto de vista tecnológico, difieran sustancialmente de las existentes con anterioridad.

Esta actividad incluirá la materialización de los nuevos productos o procesos en un plano, esquema o diseño, la creación de un primer prototipo no comercializable, los proyectos de demostración inicial o proyectos piloto, incluidos los relacionados con la animación y los videojuegos y los muestrarios textiles, de la industria del calzado, del curtido, de la marroquinería, del juguete, del mueble y de la madera, siempre que no puedan convertirse o utilizarse para aplicaciones industriales o para su explotación comercial.

b) Base de la deducción.

La base de la deducción estará constituida por el importe de los gastos del período en actividades de innovación tecnológica que correspondan a los siguientes conceptos:

1.º Actividades de diagnóstico tecnológico tendentes a la identificación, la definición y la orientación de soluciones tecnológicas avanzadas, con independencia de los resultados en que culminen.

2.º Diseño industrial e ingeniería de procesos de producción, que incluirán la concepción y la elaboración de los planos, dibujos y soportes destinados a definir los elementos descriptivos, especificaciones técnicas y características de funcionamiento necesarios para la fabricación, prueba, instalación y utilización de un producto, así como la elaboración de muestrarios textiles, de la industria del calzado, del curtido, de la marroquinería, del juguete, del mueble y de la madera.

3.º Adquisición de tecnología avanzada en forma de patentes, licencias, «know-how» y diseños. No darán derecho a la deducción las cantidades satisfechas a personas o entidades vinculadas al contribuyente. La base correspondiente a este concepto no podrá superar la cuantía de 1 millón de euros.

4.º Obtención del certificado de cumplimiento de las normas de aseguramiento de la calidad de la serie ISO 9000, GMP o similares, sin incluir aquellos gastos correspondientes a la implantación de dichas normas.

Se consideran gastos de innovación tecnológica los realizados por el contribuyente en cuanto estén directamente relacionados con dichas actividades, se apliquen efectivamente a la realización de éstas y consten específicamente individualizados por proyectos.

Los gastos de innovación tecnológica que integran la base de la deducción deben corresponder a actividades efectuadas en España o en cualquier Estado miembro de la Unión Europea o del Espacio Económico Europeo.

Igualmente, tendrán la consideración de gastos de innovación tecnológica las cantidades pagadas para la realización de dichas activida-

des en España o en cualquier Estado miembro de la Unión Europea o del Espacio Económico Europeo, por encargo del contribuyente, individualmente o en colaboración con otras entidades.

La base de la deducción se minorará en el importe de las subvenciones recibidas para el fomento de dichas actividades e imputables como ingreso en el período impositivo.

c) Porcentaje de deducción.

El 12 por ciento de los gastos efectuados en el período impositivo por este concepto.

3. Exclusiones.

No se considerarán actividades de investigación y desarrollo ni de innovación tecnológica las consistentes en:

a) Las actividades que no impliquen una novedad científica o tecnológica significativa. En particular, los esfuerzos rutinarios para mejorar la calidad de productos o procesos, la adaptación de un producto o proceso de producción ya existente a los requisitos específicos impuestos por un cliente, los cambios periódicos o de temporada, excepto los muestrarios textiles y de la industria del calzado, del curtido, de la marroquinería, del juguete, del mueble y de la madera, así como las modificaciones estéticas o menores de productos ya existentes para diferenciarlos de otros similares.

b) Las actividades de producción industrial y provisión de servicios o de distribución de bienes y servicios. En particular, la planificación de la actividad productiva: la preparación y el inicio de la producción, incluyendo el reglaje de herramientas y aquellas otras actividades distintas de las descritas en la letra b) del apartado anterior; la incorporación o modificación de instalaciones, máquinas, equipos y sistemas para la producción que no estén afectados a actividades calificadas como de investigación y desarrollo o de innovación; la solución de problemas técnicos de procesos productivos interrumpidos; el control de calidad y la normalización de productos y procesos; la prospección en materia de ciencias sociales y los estudios de mercado; el establecimiento de redes o instalaciones para la comercialización; el adiestramiento y la formación del personal relacionada con dichas actividades.

c) La exploración, sondeo o prospección de minerales e hidrocarburos.

4. Aplicación e interpretación de la deducción.

a) Para la aplicación de la deducción regulada en este artículo, los contribuyentes podrán aportar informe motivado emitido por el Ministerio de Economía y Competitividad, o por un organismo adscrito a éste, relativo al cumplimiento de los requisitos científicos y tecnológicos exigidos en la letra a) del apartado 1 de este artículo para calificar las actividades del contribuyente como investigación y desarrollo, o en la letra a) de su apartado 2, para calificarlas como innovación, teniendo en cuenta en ambos casos lo establecido en el apartado 3. Dicho informe tendrá carácter vinculante para la Administración tributaria.

b) El contribuyente podrá presentar consultas sobre la interpretación y aplicación de la presente deducción, cuya contestación tendrá carácter vinculante para la Administración tributaria, en los términos previstos en los artículos 88 y 89 de la Ley 58/2003, de 17 de diciembre, General Tributaria.

A estos efectos, los contribuyentes podrán aportar informe motivado emitido por el Ministerio de Economía y Competitividad, o por un organismo adscrito a éste, relativo al cumplimiento de los requisitos científicos y tecnológicos exigidos en la letra a) del apartado 1 de este artículo para calificar las actividades del contribuyente como investigación y desarrollo, o en la letra a) de su apartado 2, para calificarlas como innovación tecnológica, teniendo en cuenta en ambos casos lo establecido en el apartado 3. Dicho informe tendrá carácter vinculante para la Administración tributaria.

c) Igualmente, a efectos de aplicar la presente deducción, el contribuyente podrá solicitar a la Administración tributaria la adopción de acuerdos previos de valoración de los gastos e inversiones correspondientes a proyectos de investigación y desarrollo o de innovación tecnológica, conforme a lo previsto en el artículo 91 de la Ley General Tributaria.

A estos efectos, los contribuyentes podrán aportar informe motivado emitido por el Ministerio de Economía y Competitividad, o por un organismo adscrito a éste, relativo al cumplimiento de los requisitos científicos y tecnológicos exigidos en la letra a) del apartado 1 de este artículo, para calificar las actividades del contribuyente como investigación y desarrollo, o en la letra a) de su apartado 2, para calificarlas como innovación tecnológica, teniendo en cuenta en ambos casos lo establecido en el apartado 3, así como a la identificación de los gastos e inversiones que puedan ser imputados a dichas actividades. Dicho informe tendrá carácter vinculante para la Administración tributaria exclusivamente en relación con la calificación de las actividades.

5. Desarrollo reglamentario.

Reglamentariamente se podrán concretar los supuestos de hecho que determinan la aplicación de las deducciones contempladas en este precepto, así como el procedimiento de adopción de acuerdos de valoración a que se refiere el apartado anterior".

Artículo 36. Deducción por inversiones en producciones cinematográficas, series audiovisuales y espectáculos en vivo de artes escénicas y musicales.

"1. Las inversiones en producciones españolas de largometrajes cinematográficos y de series audiovisuales de ficción, animación o documental, que permitan la confección de un soporte físico previo a su producción industrial seriada darán derecho al productor a una deducción:

a) Del 20 por ciento respecto del primer millón de base de la deducción.

b) Del 18 por ciento sobre el exceso de dicho importe.

La base de la deducción estará constituida por el coste total de la producción, así como por los gastos para la obtención de copias y los gastos de publicidad y promoción a cargo del productor hasta el límite para ambos del 40 por ciento del coste de producción.

Al menos el 50 por ciento de la base de la deducción deberá corresponderse con gastos realizados en territorio español.

El importe de esta deducción no podrá ser superior a 3 millones de euros.

En el supuesto de una coproducción, los importes señalados en este apartado se determinarán, para cada coproductor, en función de su respectivo porcentaje de participación en aquella.

Para la aplicación de la deducción establecida en este apartado, será necesario el cumplimiento de los siguientes requisitos:

a') Que la producción obtenga el correspondiente certificado de nacionalidad y el certificado que acredite el carácter cultural en relación con su contenido, su vinculación con la realidad cultural española o su contribución al enriquecimiento de la diversidad cultural de las obras cinematográficas que se exhiben en España, emitidos por el Instituto de Cinematografía y de las Artes Audiovisuales.

b') Que se deposite una copia nueva y en perfecto estado de la producción en la Filmoteca Española o la filmoteca oficialmente reconocida por la respectiva Comunidad Autónoma, en los términos establecidos en la Orden CUL/2834/2009.

La deducción prevista en este apartado se generará en cada período impositivo por el coste de producción incurrido en el mismo, si bien se aplicará a partir del período impositivo en el que finalice la producción de la obra.

No obstante, en el supuesto de producciones de animación, la deducción prevista en este apartado se aplicará a partir del período impositivo en que se obtenga el certificado de nacionalidad señalado en la letra a') anterior.

La base de la deducción se minorará en el importe de las subvenciones recibidas para financiar las inversiones que generan derecho a deducción.

El importe de esta deducción, conjuntamente con el resto de ayudas percibidas por el contribuyente, no podrá superar el 50 por ciento del coste de producción.

2. Los productores registrados en el Registro de Empresas Cinematográficas del Ministerio de Educación, Cultura y Deporte que se encarguen de la ejecución de una producción extranjera de largometrajes cinematográficos o de obras audiovisuales que permitan la confección de un soporte físico previo a su producción industrial seriada tendrán derecho una deducción del 15 por ciento de los gastos realizados en territorio español, siempre que los gastos realizados en territorio español sean, al menos, de 1 millón de euros.

La base de la deducción estará constituida por los siguientes gastos realizados en territorio español directamente relacionados con la producción:

1.º Los gastos de personal creativo, siempre que tenga residencia fiscal en España o en algún Estado miembro del Espacio Económico Europeo, con el límite de 50.000 euros por persona.

2.º Los gastos derivados de la utilización de industrias técnicas y otros proveedores.

El importe de esta deducción no podrá ser superior a 2,5 millones de euros, por cada producción realizada.

La deducción prevista en este apartado queda excluida del límite a que se refiere el último párrafo del apartado 1 del artículo 39 de esta Ley. A efectos del cálculo de dicho límite no se computará esta deducción.

El importe de esta deducción, conjuntamente con el resto de ayudas percibidas por el contribuyente, no podrá superar el 50 por ciento del coste de producción.

3. Los gastos realizados en la producción y exhibición de espectáculos en vivo de artes escénicas y musicales tendrán una deducción del 20 por ciento.

La base de la deducción estará constituida por los costes directos de carácter artístico, técnico y promocional incurridos en las referidas actividades.

La deducción generada en cada período impositivo no podrá superar el importe de 500.000 euros por contribuyente.

Para la aplicación de esta deducción, será necesario el cumplimiento de los siguientes requisitos:

a) Que el contribuyente haya obtenido un certificado al efecto, en los términos que se establezcan por Orden Ministerial, por el Instituto Nacional de las Artes Escénicas y de la Música.

b) Que, de los beneficios obtenidos en el desarrollo de estas actividades en el ejercicio en el que se genere el derecho a la deducción, el contribuyente destine al menos el 50 por ciento a la realización de actividades que dan derecho a la aplicación de la deducción prevista en este apartado. El plazo para el cumplimiento de esta obligación será el comprendido entre el inicio del ejercicio en que se hayan obtenido los referidos beneficios y los 4 años siguientes al cierre de dicho ejercicio.

La base de esta deducción se minorará en el importe de las subvenciones recibidas para financiar los gastos que generen el derecho a la misma. El importe de la deducción, junto con las subvenciones percibidas por el contribuyente, no podrá superar el 80 por ciento de dichos gastos".

Artículo 37. Deducciones por creación de empleo.

"1. Las entidades que contraten a su primer trabajador a través de un contrato de trabajo por tiempo indefinido de apoyo a los empren-

dedores, definido en el artículo 4 de la Ley 3/2012, de 6 de julio, de medidas urgentes para la reforma del mercado laboral, que sea menor de 30 años, podrán deducir de la cuota íntegra la cantidad de 3.000 euros.

2. Sin perjuicio de lo dispuesto en el apartado anterior, las entidades que tengan una plantilla inferior a 50 trabajadores en el momento en que concierten contratos de trabajo por tiempo indefinido de apoyo a los emprendedores, definido en el artículo 4 de la Ley de medidas urgentes para la reforma del mercado laboral, con desempleados beneficiarios de una prestación contributiva por desempleo regulada en el Título III del texto refundido de la Ley General de la Seguridad Social, aprobado por el Real Decreto Legislativo 1/1994, de 20 de junio, podrán deducir de la cuota íntegra el 50 por ciento del menor de los siguientes importes:

a) El importe de la prestación por desempleo que el trabajador tuviera pendiente de percibir en el momento de la contratación.

b) El importe correspondiente a doce mensualidades de la prestación por desempleo que tuviera reconocida.

Esta deducción resultará de aplicación respecto de aquellos contratos realizados en el periodo impositivo hasta alcanzar una plantilla de 50 trabajadores, y siempre que, en los 12 meses siguientes al inicio de la relación laboral, se produzca, respecto de cada trabajador, un incremento de la plantilla media total de la entidad en, al menos, una unidad respecto a la existente en los 12 meses anteriores.

La aplicación de esta deducción estará condicionada a que el trabajador contratado hubiera percibido la prestación por desempleo durante, al menos, 3 meses antes del inicio de la relación laboral. A estos efectos, el trabajador proporcionará a la entidad un certificado del Servicio Público de Empleo Estatal sobre el importe de la prestación pendiente de percibir en la fecha prevista de inicio de la relación laboral.

3. Las deducciones previstas en los apartados anteriores se aplicarán en la cuota íntegra del periodo impositivo correspondiente a la finalización del periodo de prueba de un año exigido en el correspondiente tipo de contrato y estarán condicionadas al mantenimiento de esta relación laboral durante al menos 3 años desde la fecha de su inicio. El incumplimiento de cualquiera de los requisitos señalados en este artículo determinará la pérdida de la deducción, que se regularizará en la forma establecida en el artículo 125.3 de esta Ley.

No obstante, no se entenderá incumplida la obligación de mantenimiento del empleo cuando el contrato de trabajo se extinga, una vez transcurrido el periodo de prueba, por causas objetivas o despido disciplinario cuando uno u otro sea declarado o reconocido como procedente, dimisión, muerte, jubilación o incapacidad permanente total, absoluta o gran invalidez del trabajador.

El trabajador contratado que diera derecho a una de las deducciones previstas en este artículo no se computará a efectos del incremento de plantilla establecido en el artículo 102 de esta Ley.

4. En el supuesto de contratos a tiempo parcial, las deducciones previstas en este artículo se aplicarán de manera proporcional a la jornada de trabajo pactada en el contrato".

Artículo 38. Deducción por creación de empleo para trabajadores con discapacidad.

"1. Será deducible de la cuota íntegra la cantidad de 9.000 euros por cada persona/año de incremento del promedio de plantilla de trabajadores con discapacidad en un grado igual o superior al 33 por ciento e inferior al 65 por ciento, contratados por el contribuyente, experimentado durante el período impositivo, respecto a la plantilla media de trabajadores de la misma naturaleza del período inmediato anterior.

2. Será deducible de la cuota íntegra la cantidad de 12.000 euros por cada persona/año de incremento del promedio de plantilla de trabajadores con discapacidad en un grado igual o superior al 65 por ciento, contratados por el contribuyente, experimentado durante el período impositivo, respecto a la plantilla media de trabajadores de la misma naturaleza del período inmediato anterior.

3. Los trabajadores contratados que dieran derecho a la deducción prevista en este artículo no se computarán a efectos de la libertad de amortización con creación de empleo regulada en el artículo 102 de esta Ley".

Artículo 39. Normas comunes a las deducciones previstas en este capítulo.

"1. Las deducciones previstas en el presente capítulo se practicarán una vez realizadas las deducciones y bonificaciones de los Capítulos II y III de este título.

Las cantidades correspondientes al período impositivo no deducidas podrán aplicarse en las liquidaciones de los períodos impositivos que concluyan en los 15 años inmediatos y sucesivos. No obstante, las cantidades correspondientes a la deducción prevista en el artículo 35 de esta Ley podrán aplicarse en las liquidaciones de los períodos impositivos que concluyan en los 18 años inmediatos y sucesivos.

El cómputo de los plazos para la aplicación de las deducciones previstas en este capítulo podrá diferirse hasta el primer ejercicio en que, dentro del período de prescripción, se produzcan resultados positivos, en los siguientes casos:

a) En las entidades de nueva creación.

b) En las entidades que saneen pérdidas de ejercicios anteriores mediante la aportación efectiva de nuevos recursos, sin que se considere como tal la aplicación o capitalización de reservas.

El importe de las deducciones previstas en este capítulo a las que se refiere este apartado, aplicadas en el período impositivo, no podrán exceder conjuntamente del 25 por ciento de la cuota íntegra minorada en las deducciones para evitar la doble imposición internacional y las bonificaciones. No obstante, el límite se elevará al 50 por ciento cuando el importe de la deducción prevista en el artículo 35 de esta Ley, que corresponda a gastos e inversiones efectuados en el propio período impositivo, exceda del 10 por ciento de la cuota íntegra, minorada en las deducciones para evitar la doble imposición internacional y las bonificaciones.

2. No obstante, en el caso de entidades a las que resulte de aplicación el tipo de gravamen previsto en el apartado 1 o en el apartado 6 del artículo 29 de esta Ley, las deducciones por actividades de investigación y desarrollo e innovación tecnológica a que se refieren los apartados 1 y 2 del artículo 35 de esta Ley, podrán, opcionalmente, quedar excluidas del límite establecido en el último párrafo del apartado anterior, y aplicarse con un descuento del 20 por ciento de su importe, en los términos establecidos en este apartado. En el caso de insuficiencia de cuota, se podrá solicitar su abono a la Administración tributaria a través de la declaración de este Impuesto, una vez finalizado el plazo a que se refiere la letra a) siguiente. Este abono se regirá por lo dispuesto en el artículo 31 de la Ley 58/2003, de 17 de diciembre, General Tributaria, y en su normativa de desarrollo, sin que, en ningún caso, se produzca el devengo del interés de demora a que se refiere el apartado 2 de dicho artículo 31.

El importe de la deducción aplicada o abonada, de acuerdo con lo dispuesto en este apartado, en el caso de las actividades de innovación tecnológica no podrá superar conjuntamente el importe de 1 millón de euros anuales. Asimismo, el importe de la deducción aplicada o abonada por las actividades de investigación y desarrollo e innovación tecnológica, de acuerdo con lo dispuesto en este apartado, no podrá superar conjuntamente, y por todos los conceptos, los 3 millones de euros anuales. Ambos límites se aplicarán a todo el grupo de sociedades, en el supuesto de entidades que formen parte del mismo grupo según los criterios establecidos en el artículo 42 del Código de Comercio, con independencia de su residencia y de la obligación de formular cuentas anuales consolidadas.

Para la aplicación de lo dispuesto en este apartado, será necesario el cumplimiento de los siguientes requisitos:

a) Que transcurra, al menos, un año desde la finalización del período impositivo en que se generó la deducción, sin que la misma haya sido objeto de aplicación.

b) Que la plantilla media o, alternativamente, la plantilla media adscrita a actividades de investigación y desarrollo e innovación tecnológica no se vea reducida desde el final del período impositivo en que se generó la deducción hasta la finalización del plazo a que se refiere la letra c) siguiente.

c) Que se destine un importe equivalente a la deducción aplicada o abonada, a gastos de investigación y desarrollo e innovación tecnológica o a inversiones en elementos del inmovilizado material o inmovilizado intangible exclusivamente afectos a dichas actividades, excluidos los inmuebles, en los 24 meses siguientes a la finalización del período impositivo en cuya declaración se realice la correspondiente aplicación o la solicitud de abono.

d) Que la entidad haya obtenido un informe motivado sobre la calificación de la actividad como investigación y desarrollo o innovación tecnológica o un acuerdo previo de valoración de los gastos e inversiones correspondientes a dichas actividades, en los términos establecidos en el apartado 4 del artículo 35 de esta Ley.

Adicionalmente, en el supuesto de que los gastos de investigación y desarrollo del período impositivo superen el 10 por ciento del importe neto de la cifra de negocios del mismo, la deducción prevista en el apartado 1 del artículo 35 de esta Ley generada en dicho período impositivo podrá quedar excluida del límite establecido en el último párrafo del apartado anterior, y aplicarse o abonarse con un descuento del 20 por ciento de su importe en la primera declaración que se presente transcurrido el plazo a que se refiere la letra a) anterior, hasta un importe adicional de 2 millones de euros.

El incumplimiento de cualquiera de estos requisitos conllevará la regularización de las cantidades indebidamente aplicadas o abonadas, en la forma establecida en el artículo 125.3 de esta Ley.

3. En el caso de insuficiencia de cuota en la aplicación de la deducción prevista en el apartado 2 del artículo 36 de esta Ley, se podrá solicitar su abono a la Administración tributaria a través de la declaración de este Impuesto. Este abono se regirá por lo dispuesto en el artículo 31 de la Ley General Tributaria y en su normativa de desarrollo, sin que, en ningún caso, se produzca el devengo del interés de demora a que se refiere el apartado 2 de dicho artículo 31.

4. Una misma inversión no podrá dar lugar a la aplicación de más de una deducción en la misma entidad salvo disposición expresa, ni podrá dar lugar a la aplicación de una deducción en más de una entidad.

5. Los elementos patrimoniales afectos a las deducciones previstas en los artículos anteriores deberán permanecer en funcionamiento durante 5 años, o 3 años, si se trata de bienes muebles, o durante su vida útil si fuera inferior.

Conjuntamente con la cuota correspondiente al período impositivo en el que se manifieste el incumplimiento de este requisito, se ingresará la cantidad deducida, además de los intereses de demora.

6. El derecho de la Administración para iniciar el procedimiento de comprobación de las deducciones previstas en este Capítulo aplicadas o pendientes de aplicar prescribirá a los 10 años a contar desde el día siguiente a aquel en que finalice el plazo establecido para presentar la declaración o autoliquidación correspondiente al período impositivo en que se generó el derecho a su aplicación.

Transcurrido dicho plazo, el contribuyente deberá acreditar las deducciones cuya aplicación pretenda, mediante la exhibición de la liquidación o autoliquidación y la contabilidad, con acreditación de su depósito durante el citado plazo en el Registro Mercantil".

1. DEDUCCIONES PARA INCENTIVAR DETERMINADAS ACTIVIDADES

Las deducciones en la cuota son, junto con las bonificaciones, los principales incentivos fiscales en el IS, dado su carácter de excepción al normal funcionamiento del Impuesto con la finalidad de promover la adopción de determinadas conductas en los contribuyentes.

Si bien tradicionalmente los principales incentivos fiscales en el IS se han instrumentado como deducciones en la cuota para incentivar determinadas actividades, en las últimas reformas en el IS se ha optado por reducir el número y potencia de las deducciones en la cuota para reducir el tipo general de gravamen.

Las razones que han amparado este cambio de proceder han sido varias e interrelacionadas. Así, se constataba en nuestro IS que, a pesar de tener un tipo nominal de gravamen bastante elevado (35%) el tipo efectivo de gravamen, como consecuencia de las deducciones y otros incentivos fiscales, era considerablemente menor (27,5%, aproximadamente). Sin embargo, el tipo nominal elevado hacía que la primera percepción sobre la fiscalidad de las sociedades generara la impresión de que España era una jurisdicción de las menos beneficiosas para atraer las inversiones internacionales. Además, no todos los contribuyentes del impuesto aprovechaban de igual manera esa reducción en el tipo de gravamen: mientras unos generaban el derecho a aplicar unas cuantiosas deducciones, minorando significativamente su tributación efectiva, otros apenas lograban un aprovechamiento de las potentísimas deducciones y penaban con un tipo de gravamen muy superior. Para mayor desigualdad, eran en muchas ocasiones las empresas multinacionales y de mayor tamaño las que lograban un mejor aprovechamiento de las ventajas ofrecidas por el legislador. Finalmente, las deducciones han generado no pocas incertezas y controversias en su aplicación, llevando a que la paradoja se ampliara aún más: aunque el tipo de gravamen nominal era elevado, una elaborada planificación de las actividades podía reducir muy significativamente la tributación; no obstante, después de planificar y aprovechar las deducciones, la Administración, en el ejercicio de su función revisora, podía incrementar notablemente la tributación regularizando las deducciones que, en un momento previo, el contribuyente, de mejor o peor fe, consideraba aplicable.

Debemos destacar también que estas deducciones son instrumentos que generan distorsiones, al orientar la conducta de los contribuyentes hacia ciertas actividades y sectores, al alterar sustancialmente la rentabilidad económico-fiscal de los distintos proyectos que se pueden acometer, en función de la existencia o no de los incentivos que premian a determinadas actividades.

No podemos olvidar, por fin, que estas deducciones han generado problemas de compatibilidad con las rigurosas normas comunitarias limitativas de las ayudas de Estado. En determinados casos la problemática se ha suscitado en relación con una ayuda en su conjunto, como fue el caso de la deducción por actividades de exportación (artículo 37 TRIS), en otros con aspectos concretos del beneficio fiscal, como fue la limitación de la deducción por la realización de las actividades de I+D en el extranjero (artículo 35 TRIS).

En todo caso, a pesar de los problemas a los que hemos hecho referencia, no ha decidido el legislador eliminar completamente la técnica de la deducción para incentivar determinadas actividades, si bien estas conviven con nuevos instrumentos que tratan de asumir algunas de las antiguas deducciones aunque con una finalidad menos específica que éstas: la eliminación la deducción por reinversión de beneficios extraordinarios y de la deducción por inversión de beneficios se ha sustituido por la reserva de capitalización, y que se traduce en la no tributación de aquella parte del beneficio que se destine a la constitución de una reserva indisponible; y para las PYMES se ha creado la reserva de nivelación de bases imponibles negativas, que supone una reducción de la base imponible de hasta un 10 por ciento de su importe a cuenta de las bases imponibles negativas que se vayan a generar en los 5 años siguientes, anticipando, así, en el tiempo la aplicación de las futuras bases imponibles negativas.

Se mantienen en la LIS la deducción por actividades de investigación y desarrollo e innovación tecnológica (artículo 35), la deducción por inversiones en producciones cinematográficas, series audiovisuales y espectáculos en vivo de artes escénicas y musicales. (artículo 36), la deducción por creación de empleo (artículo 37) y la deducción por creación de empleo para trabajadores con discapacidad (artículo 38).

Se han suprimido otras deducciones presentes en el TRIS, tales como la deducción para el fomento de las tecnologías de la información y de la comunicación (artículo 36 TRIS), la deducción por actividades exportadoras (artículo 36 TRIS), la deducción por inversión de beneficios (artículo 37 TRIS), la deducción por inversiones en bienes de interés cultural, edición de libros, sistemas de navegación y localización de vehículos, adaptación de vehículos para discapacitados y guarderías para hijos de trabajadores (artículo 38 TRIS), las deducciones por inversiones medioambientales (artículo 39TRIS), la deducción por gastos de formación profesional (artículo 40 TRIS) o la deducción por reinversión de beneficios extraordinarios (artículo 42 TRIS).

2. DEDUCCIÓN POR LA REALIZACIÓN DE ACTIVIDADES DE INVESTIGACIÓN Y DESARROLLO E INNOVACIÓN TECNOLÓGICA

La deducción por la realización de actividades de investigación y desarrollo e innovación tecnológica (I+D+I) es la más potente de las deducciones en la cuota, en la medida que puede llegar hasta el 42% de los gastos realizados, e, incluso, hasta el 59%, cuando se aplique la deducción adicional por personal investigador.

La justificación de la deducción, como en todos los casos, es política, por la voluntad de incentivar la realización de determinadas actividades. En el caso de I+D+I, su importancia se ha convertido en un axioma que, cierto o no, cuestión que no corresponde valorar en un estudio como el presente, se repite de forma constante por los políticos y estudiosos de la economía, hasta hacer poco menos que imposible discutir la bondad de la medida. En cualquier caso, se justifica por las cuantiosas inversiones que exigen en muchos casos estas actividades y el alto riesgo de las mismas, ya que, al asumir los proyectos de I+D+I, las posibilidades de éxito comercial son lejanas e inciertas.

2.1. *Concepto de actividades de investigación y desarrollo y desarrollo tecnológico*

2.1.1. Concepto de investigación y desarrollo

No resulta fácil ofrecer una definición de las actividades de investigación y desarrollo (I+D). La definición más extendida corresponde al Manual Frascati, denominación con la que se conoce al documento desarrollado por la OCDE "Propuesta de Norma Práctica para Encuestas de Investigación y Desarrollo Experimental", publicado en su sexta edición en el año 2002.

Según el mismo, la investigación y el desarrollo experimental (I+D) comprenden el trabajo creativo llevado a cabo de forma sistemática para incrementar el volumen de conocimientos, incluido el conocimiento del hombre, la cultura y la sociedad, y el uso de esos conocimientos para crear nuevas aplicaciones.

Distingue, a su vez, dentro del I+D tres actividades: la investigación básica, investigación aplicada y desarrollo experimental, que se describen con detalle en el capítulo 4 del citado Manual.

La investigación básica consiste en trabajos experimentales o teóricos que se emprenden principalmente para obtener nuevos conocimientos acerca de los fundamentos de los fenómenos y hechos observables, sin pensar en darles ninguna aplicación o utilización determinada.

La investigación aplicada consiste también en trabajos originales realizados para adquirir nuevos conocimientos; sin embargo, está dirigida fundamentalmente hacia un objetivo práctico específico.

El desarrollo experimental consiste en trabajos sistemáticos que aprovechan los conocimientos existentes obtenidos de la investigación y/o la experiencia práctica, y está dirigido a la producción de nuevos materiales, productos o dispositivos; a la puesta en marcha de nuevos procesos, sistemas y servicios, o a la mejora sustancial de los ya existentes.

El legislador ha intentado ofrecer un concepto legal de I+D. Así los rasgos esenciales que califican a estas actividades son:

– La Investigación es la indagación original cuyo resultado es:

• la fabricación de nuevos materiales o productos;

- el diseño de nuevos procesos o sistemas de producción,

- la mejora tecnológica sustancial de materiales, productos, procesos o sistemas preexistentes;

- es decir, sus rasgos distintivos son la novedad o la mejora sustancial.

— También se califican como actividades de I+D (aunque el legislador no precisa, debemos considerarlas como desarrollo):

- la materialización de los nuevos productos o procesos en un plano, esquema o diseño,

- la creación de un primer prototipo no comercializable;

- los proyectos de demostración inicial o proyectos piloto, siempre que no puedan convertirse o utilizarse para aplicaciones industriales o para su explotación comercial;

- el diseño y elaboración del muestrario para el lanzamiento de nuevos productos. A estos efectos, se entenderá como lanzamiento de un nuevo producto su introducción en el mercado y como nuevo producto, aquel cuya novedad sea esencial y no meramente formal o accidental.

— Particularmente, en el ámbito del software se exige que se cuente con nuevos teoremas y algoritmos o sistemas operativos, lenguajes, interfaces y aplicaciones destinados a la elaboración de productos, procesos o servicios nuevos o mejorados sustancialmente.

Debemos en este punto reseñar la existencia de una doctrina previa de la DGT que fue precisando los difusos contornos de estos conceptos, cuyos criterios esenciales se han ido incorporando a la norma. Otras cuestiones siguen exclusivamente en el plano interpretativo, a pesar de su relevancia, tales como la interpretación amplia del concepto productos, incluyendo en el mismo todo resultado de las actividades económicas de los contribuyentes, incluyendo por tanto los servicios.

Aunque no sirvan directamente para la interpretación del precepto, como forma de completar el contenido de estos conceptos, debemos referirnos a la Resolución de 28 de mayo de 2013, del ICAC, por la que se dictan normas de registro, valoración e información a incluir en la memoria del inmovilizado intangible; que define la investigación como la indagación original y planificada que persigue descubrir nuevos conocimientos y superior comprensión de los existentes, en los terrenos científico o técnico, como por ejemplo, la búsqueda, formulación, diseño, evaluación y selección final, de posibles alternativas para materiales, dispositivos, productos, procesos, sistemas o servicios que sean nuevos o se hayan mejorado; y el desarrollo como la aplicación concreta de los logros obtenidos de la investigación a un plan o diseño en particular para la fabricación de materiales, productos, métodos, procesos o sistemas nuevos, o sustancialmente mejorados, hasta que se inicia la producción comercial, como por ejemplo, el diseño, construcción y prueba, anterior a la producción o utilización, de modelos y prototipos; o el diseño de herramientas, troqueles, moldes y plantillas que impliquen tecnología nueva.

2.1.2. Concepto de innovación tecnológica

Evidentemente, el concepto más próximo al de I+D es el de Innovación Tecnológica (IT).

De hecho, como señala el Manual Frascati, la I+D no sería más que una parte de las actividades de innovación tecnológica. Así, las actividades de IT son el conjunto de etapas científicas, tecnológicas, organizativas, financieras y comerciales, incluyendo las inversiones en nuevos conocimientos, que llevan o que intentan llevar a la implementación de productos y de procesos nuevos o mejorados. La I+D no es más que una de estas actividades y puede ser llevada a cabo en diferentes fases del proceso de innovación, siendo utilizada no sólo como la fuente de ideas creadoras sino también para resolver los problemas que pueden surgir en cualquier fase hasta su culminación.

En el Manual de Oslo (OCDE, 1997a) se definen como IT todas aquellas etapas científicas, técnicas, comerciales y financieras que no son I+D, necesarias para la puesta en marcha de productos o servicios nuevos o mejorados y la explotación comercial de procesos nuevos o mejorados. Esta categoría incluye la adquisición de tecnología (incorporada y no incorporada), el utillaje y la ingeniería industrial, el diseño industrial, otras adquisiciones de capital, el arranque del proceso de fabricación y la comercialización de los productos nuevos y mejorados.

En este mismo sentido, señala el Manual Frascati, que, por ejemplo, en Reino Unido se ha establecido una frontera entre I+D y el desarrollo previo a la producción, identificando las siguientes categorías de "innovación científica y tecnológica" que no son I+D:

- Comercialización de nuevos productos
- Trabajos sobre patentes
- Cambios financieros y de organización
- Ingeniería de producto final o de diseño
- Herramientas e ingeniería industrial
- Lanzamiento de la fabricación
- Pruebas por los usuarios

El legislador español define la IT como aquella actividad cuyo resultado sea un avance tecnológico en la obtención de nuevos productos o procesos de producción o mejoras sustanciales de los ya existentes.

Se añade a continuación que cabe entender como nuevos aquellos productos o procesos cuyas características o aplicaciones, desde el punto de vista tecnológico, difieran sustancialmente de las existentes con anterioridad.

Ciertamente, el mencionado concepto ofrece pocos rasgos diferenciales respecto del concepto de I+D, pues en el ámbito de I+D se exige que la novedad del producto o proceso sea total, es decir, que no existiera previamente, mientras que en el caso de IT la novedad no es tan absoluta, incluyendo también en su ámbito meras nuevas funcionalidades o mejoras sustanciales de un producto o proceso preexistente; demostrando que las fronteras entre ambos conceptos son difusas y que, indudablemente, el concepto de I+D está englobado en el más general de innovación tecnológica.

Ofrece el legislador después un listado de actividades que cabe entender incluidas como IT:

– La materialización de los nuevos productos o procesos en un plano, esquema o diseño,
– la creación de un primer prototipo no comercializable,
– los proyectos de demostración inicial o proyectos piloto, incluidos los relacionados con la animación y los videojuegos,
– los muestrarios textiles, de la industria del calzado, del curtido, de la marroquinería, del juguete, del mueble y de la madera, siempre que no puedan convertirse o utilizarse para aplicaciones industriales o para su explotación comercial.

Quizá la mejor aclaración sobre el alcance de estos conceptos se encuentra en el listado de gastos que se integran en la base de deducción, que ofrece una lista de gastos en los que se pueden materializar estas actividades y que generan el derecho a la deducción.

2.1.3. Conceptos excluidos de I+D e IT

Como señala el Manual Frascati, antes mencionado, relevante deslindar las actividades de I+D de otras actividades que están relacionadas con aquéllas y que se basan en la ciencia y la tecnología.

A menudo esas otras actividades están estrechamente ligadas a la I+D a través de flujos de información y en términos de funcionamiento, instituciones y personal; no obstante, tales actividades no deben ser tenidas en cuenta a la hora de definir la I+D.

El Manual Frascati, siguiendo las directrices de UNESCO; se refiere conjuntamente a I+D y esas actividades afines bajo dos títulos: el conjunto de actividades científicas y tecnológicas (ACT) y el proceso de innovación científica y tecnológica.

Se incluyen, entre otras, la enseñanza y la formación científica y técnica (STET)y los servicios científicos y técnicos (SCT), donde se engloban actividades como el control y la prospectiva, la recogida de datos sobre fenómenos socioeconómicos, los ensayos, la normalización y el control de calidad, el asesoramiento a clientes y servicios de asesoría, así como las actividades en materia de patentes y de licencias a cargo de las Administraciones Públicas, todo ello actividades ajenas al I+D.

El legislador también ha incluido un listado de actividades que se pueden entender próximas a los conceptos de I+D o IT y que, sin embargo, se encuentran excluidas de la posibilidad de aplicar la exención.

Así, se establece, en primer lugar, una lista enunciativa con una serie de actividades a las que se excluye por no implicar una novedad científica o tecnológica significativa, entre las que se incluye:

-   los esfuerzos rutinarios para mejorar la calidad de productos o procesos,
-   la adaptación de un producto o proceso de producción ya existente a los requisitos específicos impuestos por un cliente,
-   los cambios periódicos o de temporada, excepto los muestrarios textiles y de la industria del calzado, del curtido, de la marroquinería, del juguete, del mueble y de la madera,
-   las modificaciones estéticas o menores de productos ya existentes para diferenciarlos de otros similares.

En segundo lugar, se excluyen las actividades de producción industrial y provisión de servicios o de distribución de bienes y servicios, incluyendo en este caso las siguientes:

-   la planificación de la actividad productiva
-   la preparación y el inicio de la producción, incluyendo el reglaje de herramientas y otras distintas del diseño industrial e ingeniería de procesos de producción,
-   la incorporación o modificación de instalaciones, máquinas, equipos y sistemas para la producción que no estén afectados a actividades calificadas como de investigación y desarrollo o de innovación;
-   la solución de problemas técnicos de procesos productivos interrumpidos;
-   el control de calidad y la normalización de productos y procesos;
-   la prospección en materia de ciencias sociales y los estudios de mercado;

- el establecimiento de redes o instalaciones para la comercialización;
- el adiestramiento y la formación del personal relacionada con dichas actividades.

Finalmente se contempla de forma expresa como actividad excluida la exploración, sondeo o prospección de minerales e hidrocarburos.

2.2. Base de la deducción

2.2.1. Base de la deducción por actividades de I+D

La base de la deducción está constituida por el importe de los gastos de investigación y desarrollo y, en su caso, por las inversiones en elementos de inmovilizado material e intangible excluidos los edificios y terrenos.

Se considerarán gastos de investigación y desarrollo los realizados por el contribuyente, incluidas las amortizaciones de los bienes afectos a las citadas actividades, en cuanto estén directamente relacionados con dichas actividades y se apliquen efectivamente a la realización de éstas, constando específicamente individualizados por proyectos.

Contablemente se distinguir, en cuanto a estos gastos, los gastos de investigación y desarrollo de proyectos encargados a terceros, que se registran en la cuenta de gastos 620, gastos de investigación y desarrollo del ejercicio; y los gastos de proyectos asumidos directamente por la empresa, que se registrarán en sus respectivas cuentas de gastos, según su naturaleza.

Tanto unos como otros podrán ser activados cuando se cumplan las condiciones expresadas en la Resolución de 28 de mayo de 2013, del ICAC, por la que se dictan normas de registro, valoración e información a incluir en la memoria del inmovilizado intangible.

Los gastos en investigación se podrán activar desde el momento en que se cumplan las siguientes condiciones:

a) Estar específicamente individualizados por proyectos y su coste claramente establecido para que pueda ser distribuido en el tiempo.

b) Se pueda establecer una relación estricta entre «proyecto» de investigación y objetivos perseguidos y obtenidos. La apreciación de este requisito se realizará genéricamente para cada conjunto de actividades interrelacionadas por la existencia de un objetivo común.

Los gastos de desarrollo del ejercicio se activarán desde el momento en que se cumplan todas las condiciones siguientes:

a) Existencia de un proyecto específico e individualizado que permita valorar de forma fiable el desembolso atribuible a la realización del proyecto.

b) La asignación, imputación y distribución temporal de los costes de cada proyecto deben estar claramente establecidas.

c) En todo momento deben existir motivos fundados de éxito técnico en la realización del proyecto, tanto para el caso en que la empresa tenga la intención de su explotación directa, como para el de la venta a un tercero del resultado del proyecto una vez concluido, si existe mercado.

d) La rentabilidad económico-comercial del proyecto debe estar razonablemente asegurada.

e) La financiación de los distintos proyectos debe estar razonablemente asegurada para completar la realización de los mismos. Además debe estar asegurada la disponibilidad de los adecuados recursos técnicos o de otro tipo para completar el proyecto y para utilizar o vender el activo intangible.

f) Debe existir una intención de completar el activo intangible en cuestión, para usarlo o venderlo.

Entendemos que, dado que tanto la definición de I+D como la de IT asocian la deducción a un resultado, únicamente cuando se den las condiciones necesarias para la activación de los gastos, además de los requisitos específicos previstos en cuanto a la definición de las actividades, se podrá aplicar la deducción. No podemos dejar de reseñar que otros autores (por ejemplo, BORRAS AMBLAR y NAVARRO ALCAZAR, en Impuesto sobre Sociedades, Ed. CEF) consideran que tanto si los gastos de I+D se activan como si no resultará aplicable la deducción por gastos de I+D. Incluso la propia DGT se ha manifestado en este sentido, por ejemplo, en consulta V3281-16, de 13/07/16. Matizamos esta conclusión porque, aunque nada en la norma lo exija y por tanto el criterio, desde un punto de vista teórico no es discutible, difícil, por no decir imposible, resultará demostrar que determinados gastos se han realizado para la generación de un nuevo producto o proceso si tales gastos no han culminado en la generación efectiva de ese proceso o producto, con lo que, sin el éxito técnico que es condición para la activación, raramente podrá justificarse la procedencia de la deducción.

Resulta importante destacar que, en todo caso, tal y como señala la ya citada consulta V3281-16, si se produce la activación de los gastos de I+D, los mismos se integrarán en la base de la deducción exclusivamente en el ejercicio en el que se realicen los mismos, no pudiendo ser incluidos nuevamente en el periodo en el que se produzca la amortización de los gastos de I+D activados.

Por otro lado, en el informe titulado "Informe sobre la interpretación de determinadas deducciones por actividades de I+D y Patent Box", de fecha 25 de febrero de 2014, la DGT ha considerado que el hecho de que una actividad de I+D se recoja en contabilidad como inmovilizado en curso no impide aplicar la deducción, si se cumplen los requisitos necesarios para su aplicación.

En cuanto a la valoración contable de los gastos de I+D, dispone el PGC que los proyectos de investigación y desarrollo encargados a otras empresas o instituciones se valoran por su precio de adquisición, concepto definido en la norma 6ª de la Parte Primera del PGC.

Los proyectos llevados a cabo con medios propios de la empresa, se valoran por su coste de producción, precisando la citada Resolución de 28 de mayo de 2013, que comprende todos los costes directamente atribuibles y que sean necesarios para crear, producir y preparar el activo para que pueda operar de la forma prevista, incluyendo, en particular, los siguientes conceptos:

a) Costes del personal afecto directamente a las actividades del proyecto de investigación y desarrollo.

b) Costes de materias primas, materias consumibles y servicios, utilizados directamente en el proyecto de investigación y desarrollo.

c) Amortizaciones del inmovilizado afecto directamente al proyecto de investigación y desarrollo.

d) La parte de costes indirectos que razonablemente afecten a las actividades del proyecto de investigación y desarrollo, siempre que respondan a una imputación racional de los mismos.

Por el contrario, en ningún caso se imputan a los proyectos de I+D los costes de subactividad y los de estructura general de la empresa. En los proyectos de investigación que hayan podido ser activados por cumplir los requisitos recogidos en el apartado dos de esta norma, tampoco se activarán gastos financieros a pesar de que los proyectos tengan una duración superior al año.

Sobre la imputación de costes indirectos tal y como prevé la Resolución del ICAC se ha pronunciado la DGT en consulta V4897-16 de 11/11/2016, en la que se señala que "*únicamente formarán parte de la base de la deducción aquellos gastos que sean directamente imputables al proyecto de investigación y desarrollo. Por ello, no podrá aplicarse la deducción sobre los gastos indirectos (como puedan ser entre otros los de estructura general de la empresa o los gastos financieros) ni los que, pese a tener una relación directa con la mencionada actividad no sean susceptibles de individualización. Sí formarán parte de la base de la deducción, sin embargo, aquellos gastos directamente vinculados a la actividad de I+D, que resulten comunes a varios proyectos, siempre que sean susceptibles de individualización, de acuerdo con criterios razonables.*"

Establece el legislador que la base de la deducción se minorará en el importe de las subvenciones recibidas para el fomento de dichas actividades e imputables como ingreso en el período impositivo.

Parece lógica esta exclusión en la medida que no es el contribuyente perceptor de subvenciones quien ha financiado, al menos en la parte correspondiente a la subvención, la actividad de I+D, sino la Administración que ha pagado la misma.

En todo caso, debemos tener presente que para la imputación a ingresos de las subvenciones el PGC, en la NRV 18ª, atiende a la finalidad con la que se concede la aportación, entre tres tipos posibles: aquellas concedidas sin una finalidad específica o con una finalidad genérica de cubrir déficits de explotación (las denominadas subvenciones de explotación); las concedidas para financiar gastos específicos, que pueden ser del ejercicio o de varios ejercicios; y las otorgadas para adquirir activos o cancelar pasivos (dentro de éstas se incluyen las subvenciones de capital, siempre que la operación que con ellas se financie sea de activo o pasivo no corriente). No se diferencia para esta clasificación si la transferencia se ha recibido directamente por la entrega del bien o si se trata de una transferencia monetaria con la obligación de destinarla a tales finalidades.

Las subvenciones otorgadas para cubrir déficits de explotación o sin una finalidad específica se imputarán como ingresos del ejercicio en el que se concedan, salvo si se destinan a financiar déficit de explotación de ejercicios futuros, en cuyo caso se imputarán en dichos ejercicios.

Las subvenciones para financiar gastos específicos se imputarán como ingresos en el mismo ejercicio en el que se devenguen los gastos que financia la ayuda.

Finalmente, las subvenciones otorgadas para adquirir activos o cancelar pasivos, se imputan a resultados en función de los distintos tipos de activos o pasivos a cuya financiación se atiende:

- Cuando se trate de activos amortizables, se imputarán como ingresos del ejercicio al mismo ritmo al que se dote la amortización, y en la proporción que represente la ayuda sobre el valor del activo financiado. Se contempla asimismo que también se impute a ingresos en los supuestos en los que se produzca la enajenación o baja en balance del bien (por todo su importe restante) o una corrección valorativa por deterioro (por la parte correspondiente al deterioro).

- Existencias: se imputarán como ingresos del ejercicio en que se produzca su enajenación. Se contempla asimismo que también se impute a ingresos en los supuestos en los que se produzca su baja en balance del bien (por todo su importe restante) o una corrección valorativa por deterioro (por la parte correspondiente al deterioro).

- Activos financieros: se imputarán como ingresos del ejercicio en el que se produzca su enajenación. Se contempla asimismo que también se impute a ingresos en los supuestos en los que se produzca su baja en balance del bien (por todo su importe restante) o una corrección valorativa por deterioro (por la parte correspondiente al deterioro).

– Cancelación de deudas: se imputarán como ingresos del ejercicio en que se produzca dicha cancelación, salvo cuando se otorguen en relación con una financiación específica, en cuyo caso la imputación se realizará en función del elemento financiado.

No obstante cuanto se acaba de exponer, resulta evidente que, si se produce la activación de los gastos de I+D, las subvenciones percibidas para financiar estas actividades se deben periodificar en los años de amortización del activo generado. Ello daría lugar a que la base de la deducción se minorara, exclusivamente, en la parte de la subvención imputada en el año de activación. Sobre este particular se ha pronunciado la DGT en consulta V3281-16, de 13/07/2016, en la que señala que "una interpretación razonable y sistemática de la norma permite determinar que la base de la deducción estará constituida por los gastos realizados en el período impositivo minorados en las subvenciones recibidas para hacer frente a los referidos gastos, con independencia del período impositivo en que se realice la imputación efectiva a resultados, como consecuencia de la activación contable de los gastos. Con ello se consigue un tratamiento homogéneo de la norma, independientemente de que la entidad haya optado por activar los gastos de I+D."

Se exige que los gastos de investigación y desarrollo que integran la base de la deducción correspondan a actividades efectuadas en España o en cualquier Estado miembro de la Unión Europea o del Espacio Económico Europeo. Igualmente tendrán la consideración de gastos de investigación y desarrollo las cantidades pagadas para la realización de dichas actividades en España o en cualquier Estado miembro de la Unión Europea o del Espacio Económico Europeo, por encargo del contribuyente, individualmente o en colaboración con otras entidades.

Debemos en este punto recordar que el legislador limitó originalmente el importe de los gastos que podían realizarse fuera de España. No obstante, esta limitación determinó la incoación de un procedimiento de infracción contra el Reino de España por la UE, al considerar que se trataba de una ayuda de Estado, contraria a los objetivos del Tratado de Funcionamiento. Consecuencia del mismo es la modificación realizada y que permite la deducción en iguales términos para las actividades en España que en el resto de la UE y de Estados del EEE.

Por otro lado, tal y como ha destacado la doctrina de la DGT (consulta V2920-16 de 23/06/2016) la deducción puede aplicarse, en cada ejercicio, exclusivamente sobre los gastos realizados en el mismo, no pudiendo aplicarse el total de gastos de varios ejercicios en uno solo, aunque sea el mismo en el que se haya obtenido la acreditación de la actividad como I+D. Los gastos de ejercicios anteriores que generen el derecho a la deducción deberán imputarse a los ejercicios correspondientes, si fuera necesario, mediante la rectificación de la autoliquidación correspondiente.

Finalmente debemos destacar que en aquellos casos en los que la actividad se asuma de forma mancomunada por varias entidades, todas ellas podrán aplicar la deducción de los gastos realizados por cada una de ellas que cumplan con la calificación correspondiente, tal y como ha señalado la DGT en consulta V3477-16 de 21/07/2016.

2.2.2. Base de deducción en actividades de IT

La base de la deducción estará constituida por el importe de los gastos del período en actividades de innovación tecnológica que correspondan a los siguientes conceptos:

– Actividades de diagnóstico tecnológico tendentes a la identificación, la definición y la orientación de soluciones tecnológicas avanzadas, con independencia de los resultados en que culminen.

– Diseño industrial e ingeniería de procesos de producción, que incluirán la concepción y la elaboración de los planos, dibujos y soportes destinados a definir los elementos descriptivos, especificaciones técnicas y características de funcionamiento necesarios para la fabricación, prueba, instalación y utilización de un producto, así como la elaboración de muestrarios textiles, de la industria del calzado, del curtido, de la marroquinería, del juguete, del mueble y de la madera.

– Adquisición de tecnología avanzada en forma de patentes, licencias, «know-how» y diseños. No darán derecho a la deducción las cantidades satisfechas a personas o entidades vinculadas al contribuyente. La base correspondiente a este concepto no podrá superar la cuantía de 1 millón de euros.

– Obtención del certificado de cumplimiento de las normas de aseguramiento de la calidad de la serie ISO 9000, GMP o similares, sin incluir aquellos gastos correspondientes a la implantación de dichas normas.

Se consideran gastos de innovación tecnológica los realizados por el contribuyente en cuanto estén directamente relacionados con dichas actividades, se apliquen efectivamente a la realización de éstas y consten específicamente individualizados por proyectos.

La Resolución de 28 de mayo de 2013, del ICAC, por la que se dictan normas de registro, valoración e información a incluir en la memoria del inmovilizado intangible regula también al registro contable de los derechos de Propiedad Industrial e Intelectual.

La «Propiedad industrial» se valora por el precio de adquisición o coste de producción. Se contabilizarán en este concepto el valor en libros de los gastos de desarrollo activados en el momento en que se obtenga la correspondiente patente o similar, incluido el coste de registro y formalización de la propiedad industrial, siempre que se cumplan las condiciones legales necesarias para su inscripción en el correspondiente registro, y sin perjuicio de los importes que también pudieran contabilizarse por razón de adquisición a terceros de los derechos correspondientes. Los gastos de investigación seguirán su ritmo de amortización y en ningún caso se incorporarán al valor contable de la propiedad industrial.

La «Propiedad intelectual», con carácter general, se utilizarán los mismos principios y criterios de valoración indicados para la propiedad industrial, utilizando para su contabilización una partida específica.

Se contemplan también en relación con estos gastos en actividades de IT idénticas reglas a las antes comentadas sobre el lugar de realización de los gastos (España o en cualquier Estado miembro de la UE o del EEE) y sobre minoración de la base en el importe de las subvenciones recibidas.

2.3. Porcentajes de deducción

2.3.1. Actividades de I+D

Para las actividades de I+D se aplican tres porcentajes distintos de deducción:

– Con carácter general, el 25 por ciento de los gastos efectuados en el período impositivo por este concepto.

En el caso de que los gastos del período sean mayores que la media de los efectuados en los 2 años anteriores, se aplicará el porcentaje del 25% hasta dicha media, y el 42 por ciento sobre el exceso respecto de ésta.

– Adicionalmente a la deducción anterior, se practicará una deducción del 17 por ciento del importe de los gastos de personal de la entidad correspondientes a investigadores cualificados adscritos en exclusiva a actividades de investigación y desarrollo.

Estos gastos pueden haberse incorporado como gastos de investigación y desarrollo, por lo que la deducción puede alcanzar hasta el 59% de su importe (cifra que se obtiene adicionando al 42% máximo con carácter general el 17%).

En cuanto al concepto de investigador cualificado, se ha pronunciado la DGT, entre otras, en consulta V1284-16 de 29/03/2016, señalando que atendiendo a su sentido usual, de acuerdo con lo establecido en el artículo 12 LGT, y según los criterios contenidos en el Manual de Frascati, puede entenderse como investigador cualificado, el profesional poseedor de título de nivel universitario, que trabaja en la concepción o creación de nuevos conocimientos, productos, procesos, métodos y sistemas y en la gestión de los respectivos proyectos. Por tanto, no tendrían esta consideración aquellos técnicos y personal asimilado que participan en la actividad de investigación y desarrollo ejecutando tareas bajo la supervisión de los investigadores, así como el personal de apoyo y el personal administrativo.

Respecto de la condición de adscripción en exclusiva a la actividad de investigación y desarrollo, debe entenderse que durante todo el tiempo que dure, dentro del período impositivo, el proyecto de investigación y desarrollo, la actividad desarrollada por el personal investigador para la consultante debe hacerse en exclusiva para ejecutar dicho proyecto.

– El 8 por ciento de las inversiones en elementos de inmovilizado material e intangible, excluidos los edificios y terrenos, siempre que estén afectos exclusivamente a las actividades de investigación y desarrollo.

Se exige que los elementos en los que se materialice la inversión permanezcan en el patrimonio del contribuyente, salvo pérdidas justificadas, hasta que cumplan su finalidad específica en las actividades de investigación y desarrollo, excepto que su vida útil conforme al método de amortización de tablas fuese inferior.

2.3.2. Actividades de IT

Las actividades de IT generan el derecho a la deducción del 12 por ciento de los gastos efectuados en el período impositivo por este concepto.

EJEMPLO

Una entidad sujeta al IS ha llevado a cabo un proyecto de I+D, por el que ha incurrido en los siguientes gastos e inversiones:

– Ha adquirido una maquinaria que se afecta exclusivamente a las actividades de I+D por 250.000 euros, a la que las tablas señalan un porcentaje de amortización máximo del 10%.

– Ha satisfecho gastos de personal por personal investigador afecto a las actividades por importe de 200.000 euros.

– Ha satisfecho otros gastos vinculados al proyecto por importe de 150.000 euros.

– Ha satisfecho, además, otros gastos vinculados con el proyecto a un proveedor residente en USA, por importe de 50.000 euros.

Como no hay dudas sobre el éxito del proyecto, estos gastos se han activado. El promedio de gastos en I+D en los dos ejercicios previos fue de 280.000 euros.

Se pide determinar la deducción por actividades de I+D

Respuesta

La base de la deducción estará constituida por el total de gastos del ejercicio, excluidos los realizados fuera de España y de Estados del EEE e independientemente de que se hayan activado; es decir:

– Amortización: 25.000
– Personal: 200.000
– Otros gastos:.. 150.000
TOTAL 375.000

Sobre dicha base se aplicará la deducción en dos tramos:

Sobre la media de los gastos: 280.000*0,25 =................ 70.000

Sobre el exceso de gastos 95.000*0,42 =........................ 39.900

Adicionalmente se practicará la deducción por personal afecto y la de inversiones afectas:

Personal: 200.000*0,17 =... 34.000

Maquinaria 250.000*0,08=.. 20.000

Total deducción generada:... 163.900

2.4. *Aplicación e interpretación de la deducción*

La aplicación de esta deducción provocó no pocas controversias, no solo por las dudas intrínsecas a la interpretación de un precepto complejo, sino porque versa sobre el cumplimientos de unos requisitos técnicos en los que, en la mayoría de ocasiones, ni la Inspección de Hacienda ni los asesores de las empresas son expertos, y los técnicos en la materia, por el contrario, no perciben los distintos matices de la norma, siendo en muchos casos imposible lograr una traducción al marco legal de la realidad técnica.

El legislador, sabiamente, ha tratado de disminuir estas controversias mediante la introducción de tres mecanismos distintos que permiten alcanzar un grado de seguridad jurídica sobre el cumplimiento de los requisitos.

2.4.1. Informe motivado sobre el cumplimiento de los requisitos

Para la aplicación de la deducción por I+D e IT, los contribuyentes pueden aportar informe motivado emitido por el Ministerio de Economía y Competitividad, o por un organismo adscrito a éste, relativo al cumplimiento de los requisitos científicos y tecnológicos exigidos por la normativa para calificar las actividades del contribuyente como I+D, o en su caso, para como IT, teniendo en cuenta en ambos casos las exclusiones que establece la LIS.

Este informe tendrá carácter vinculante para la Administración tributaria.

Se desarrolla el procedimiento para la emisión de estos informes por el Real Decreto 1432/2003, de 21 de noviembre, por el que se regula la emisión por el Ministerio de Ciencia y Tecnología de informes motivados relativos al cumplimiento de requisitos científicos y tecnológicos, a efectos de la aplicación e interpretación de deducciones fiscales por actividades de investigación y desarrollo e innovación tecnológica.

Los elementos más relevantes del citado RD son:

– Se podrá solicitar el informe motivado sobre cualquiera de los extremos siguientes (artículo 2 RD):

  • Cumplimiento de los requisitos científicos y tecnológicos, a los efectos de aplicar la deducción.

  • Cumplimiento de los requisitos para la calificación de las actividades como I+D o IT.

  • Adicionalmente a la calificación, para la identificación de gastos e inversiones que pueden ser imputados a dichas actividades.

  • Cumplimiento de los requisitos científicos y tecnológicos del personal investigador.

– Los informes se referirán al marco de un proyecto individualizado.

– Podrán solicitar los informes motivados los contribuyentes que quieran practicar la deducción fiscal, o, en su caso, para ser aportados a las consultas vinculantes y a los acuerdos previos de valoración (artículo 3 RD).

– La competencia para la emisión del informe corresponde a (artículo 4 RD):

  • Con carácter general, al Director General de Desarrollo Industrial del Ministerio de Industria, Turismo y Comercio cuando se refiera a proyectos que hayan dado lugar a una patente o modelo de utilidad o sobre los que se haya obtenido un Informe Tecnológico de Patentes de la Oficina Española de Patentes y Marcas, se convendrá con el Director de este organismo las condiciones generales de colaboración, en los términos fijados en el apartado 4 del artículo

  • Al Director General del Centro para el Desarrollo Tecnológico Industrial (CDTI), cuando se trate de proyectos que previamente hayan sido financiados por las líneas de apoyo financiero a proyectos empresariales que gestiona dicho Centro

  • Al Director General del Instituto para la Diversificación y Ahorro de la Energía (IDAE) en proyectos sobre eficiencia energética y el uso racional de la energía, así como de apoyo a la diversificación de las fuentes de abastecimiento y el impulso de la utilización de las energías renovables.

– Las solicitudes se presentarán mediante escrito firmado dirigido al órgano competente, de acuerdo con el formulario normalizado que se recoge como anexo I en el RD (artículo 5 RD). Se acompañará el proyecto individualizado, que describa las actividades que lo integran y los gastos e inversiones asociados a ellas. El solicitante diferenciará las actividades, gastos e inversiones que constituyen, a su juicio, I+D y las que constituyen IT y fundamentará su propuesta.

– En la instrucción, el órgano competente podrá requerir al interesado la documentación o informes que estime necesarios para la formación del criterio y también podrá solicitar los informes de otros órganos directivos y organismos públicos o privados que estime pertinentes en razón de la materia, estén o no adscritos al Ministerio de Ciencia y Tecnología (artículo 7 RD)

– El órgano competente emitirá informe motivado sobre cada solicitud presentada, separando, en su caso, sus contenidos en I+D o IT, de conformidad con lo dispuesto en la LIS, detallando la identificación de los gastos e inversiones asociados con cada contenido que merezcan tales calificaciones (artículo 8 RD). El informe motivado será notificado al interesado por el órgano competente, y se remitirá copia a la Administración tributaria.

– El plazo máximo para emitir el informe será de tres meses. La falta de contestación en plazo no implicará la aceptación de los criterios expresados por el consultante ni determinará efectos vinculantes para el Ministerio de Ciencia y Tecnología (artículo 8 RD).

– En los informes, el importe de los gastos e inversiones efectivamente incurridos que pudieran constituir la base de la deducción debe, en todo caso, estar debidamente documentado y ajustado a la normativa fiscal vigente, y corresponderá a los órganos competentes de la Administración tributaria la inspección y control de estos extremos. El importe de los gastos que pudieran constituir la base de la deducción estará condicionado a su realización y la necesaria identidad entre las cuantías presupuestadas consideradas en el informe como asociadas a las actividades y las cuantías efectivamente cargadas o facturadas al proyecto, y deberán practicarse, en su caso, los ajustes correspondientes en la base de deducción. La Administración tributaria podrá recabar en cualquier momento al sujeto pasivo la justificación de la realidad de los gastos y su directa afectación al proyecto en ulteriores procedimientos de comprobación tributaria (artículo 9 RD).

2.4.2. Consultas vinculantes

La segunda de las medidas arbitradas para reducir la complejidad en la aplicación de la deducción es la presentación de consultas sobre la interpretación y aplicación de la deducción, con carácter vinculante, en los términos de los artículos 88 y 89 LGT.

Ciertamente, se puede argumentar que no supone nada extraordinario, pues el artículo 88 LGT permite a los contribuyentes formular a la Administración tributaria consultas respecto al régimen, la clasificación o la calificación tributaria que en cada caso les corresponda, teniendo en todos los casos efectos vinculantes, según establece el artículo 89 LGT.

La particularidad en este caso es que se permite aportar informe motivado emitido por el Ministerio de Economía y Competitividad, en los términos del Real Decreto 1432/2003, de 21 de noviembre, antes expuestos, y que dicho informe tendrá carácter vinculante para la Administración tributaria en la evacuación de la consulta.

En cuanto a las consultas tributarias escritas, cabe destacar que vienen reguladas en los artículos 88 y 89 de la LGT y en los artículos 65 a 68 del RAT. En síntesis, el régimen de las consultas tributarias es el siguiente:

a) Legitimación: La Ley reconoce a los obligados tributarios en general el derecho a formular a la Administración tributaria consultas respecto al régimen, la clasificación o la calificación tributaria que en cada caso les deba resultar aplicable.

b) Plazo de presentación: Se deben formular antes de la finalización del plazo establecido para el ejercicio de los derechos, la presentación de declaraciones o autoliquidaciones o el cumplimiento de otras obligaciones tributarias. La exigencia del respeto de este plazo está directamente unido al carácter vinculante de las consultas, por ello, si la consulta se formula después de la finalización del plazo de declaración se procederá a su inadmisión, comunicándose esta circunstancia al obligado tributario.

c) Forma de presentación: La consulta se formulará mediante escrito dirigido al órgano competente para su contestación (habitualmente a la DGT), pudiendo utilizarse los documentos normalizados que apruebe la Administración tributaria. También pueden presentarse utilizando medios electrónicos, informáticos o telemáticos, siempre que la identificación de las personas o entidades consultantes quede garantizada mediante una firma electrónica reconocida por la Administración.

d) Competencia: La competencia para contestar las consultas corresponde a los órganos de la Administración tributaria que tengan atribuida la iniciativa para la elaboración de disposiciones en el orden tributario, su propuesta o interpretación. En el ámbito de competencias del Estado, la competencia en general para contestar las consultas corresponderá a la DGT.

e) Plazo de resolución: La Administración tributaria competente deberá contestar por escrito las consultas que reúnan los requisitos necesarios, en el plazo de seis meses desde su presentación. La falta de contestación en dicho plazo no implica la aceptación de los criterios expresados en el escrito de la consulta.

f) Efectos: El artículo 89 de la LGT regula los efectos de las contestaciones de consultas tributarias.

Con carácter general las consultas en la LGT tienen efectos vinculantes para los órganos encargados de la aplicación de los tributos. Esta vinculación supone que si los destinatarios de las consultas cumplen sus obligaciones tributarias, adecuándolas a los criterios de la contestación a la consulta, la Administración por supuesto no podrá imponer sanciones, pero además tampoco podrá exigir cuotas o intereses de demora sobre la base de criterios distintos de los manifestados en la consulta. La vinculación no se extiende a los Tribunales de Justicia que interpretarán las normas aplicables a cada caso con libertad y sin sometimiento alguno a los criterios manifestados por la DGT, ni tampoco a los Tribunales Económico-Administrativos.

Frente al carácter vinculante para la Administración, la contestación a las consultas tributarias sólo tiene carácter informativo para los obligados tributarios que no quedan vinculados por el contenido de la contestación recibida. Por ello, los obligados individuales o los colectivos consultantes no pueden entablar recurso alguno contra dicha contestación, aunque su contenido no lo consideren correcto.

Los efectos vinculantes no se producen cuando en las consultas se planteen cuestiones relacionadas con el objeto o tramitación de un procedimiento, recurso o reclamación iniciado con anterioridad.

Por último, debemos destacar también que la presentación y contestación de las consultas no interrumpe los plazos de declaración o autoliquidación establecidos en las normas tributarias, ni en general el resto de plazos fijados para el cumplimiento de las obligaciones tributarias que no quedan suspendidos o paralizados, en cuanto siguen corriendo hasta su conclusión.

2.4.3. Acuerdos previos de valoración

El tercero de los mecanismos previstos por el legislador para facilitar la aplicación de esta deducción es la posibilidad de solicitar a la Administración tributaria la adopción de acuerdos previos de valoración de los gastos e inversiones correspondientes a proyectos de investigación y desarrollo o de innovación tecnológica.

A diferencia de las consultas, que pueden plantearse en todo caso, los acuerdos previos de valoración requieren que la ley de cada tributo prevea de forma específica las materias en las que se pueda promover.

Además, también para la adopción de estos acuerdos se prevé que el contribuyente pueda aportar informe motivado emitido por el Ministerio de Economía y Competitividad, en los términos del Real Decreto 1432/2003, de 21 de noviembre.

El régimen general de los acuerdos previos de valoración se recoge en el artículo 91 de la LGT.

Señala el apartado 1 del precepto que los obligados tributarios pueden solicitar a la Administración, siempre que las leyes o los reglamentos propios de cada tributo así lo prevean, que determine con carácter previo y vinculante la valoración a efectos fiscales de rentas, productos, bienes, gastos y demás elementos determinantes de la deuda tributaria. Por tanto, puede alcanzar a las deducciones, como la presente.

La solicitud de este tipo de acuerdos debe presentarse por escrito, antes de la realización del hecho imponible, aunque la normativa propia del tributo puede establecer plazos distintos, debiendo obligatoriamente acompañarse de una propuesta de valoración formulada por el obligado tributario.

La Administración, antes o después de adoptar la decisión, puede comprobar los elementos de hecho y las circunstancias declaradas por el obligado tributario a efectos de determinar su veracidad y exactitud

El acuerdo de la Administración indicará la valoración fijada, el concreto supuesto de hecho al que se refiere, el impuesto al que se aplica y su carácter vinculante durante los plazos fijados en la normativa de ese tributo.

La resolución que ponga fin al procedimiento podrá:

a) Aprobar la propuesta formulada inicialmente por los solicitantes.

b) Aprobar otra propuesta alternativa formulada por los solicitantes en el curso del procedimiento.

c) Desestimar la propuesta formulada.

Es importante resaltar que la falta de contestación por la Administración tributaria en el plazo establecido produce los efectos propios del denominado silencio administrativo positivo, es decir, supone la aceptación de los valores propuestos por el obligado tributario.

Los requisitos de la solicitud, el procedimiento a seguir y el plazo máximo de duración de dicho procedimiento para adoptar el acuerdo se remiten a las normas específicas del tributo, constituidas en el presente caso por el artículo 38 RIS, de cuya regulación extraemos los siguientes rasgos esenciales:

- Los acuerdos se pueden solicitar por las personas o entidades que tengan el propósito de realizar actividades de I+D o IT, con carácter previo y vinculante, sobre los gastos correspondientes a dichas actividades que consideren susceptibles de disfrutar de la deducción.

– La solicitud deberá presentarse antes de efectuar los gastos correspondientes, identificará el proyecto de investigación científica o innovación tecnológica a, indicando las actividades concretas que se efectuarán, los gastos en los que se incurrirá para la ejecución de las mismas y el período de tiempo en el que se realizarán tales actividades. Contendrá también una propuesta de valoración de los gastos que se realizarán, expresando la regla de valoración aplicada y las circunstancias económicas que hayan sido tomadas en consideración.

– En la instrucción, la Administración tributaria examinará la documentación aportada, pudiendo requerir al solicitante cuantos datos, informes, antecedentes y justificantes tengan relación con la solicitud. Tanto la Administración tributaria como el solicitante podrán solicitar o aportar informes periciales.

– La resolución, que será motivada, podrá:

- Aprobar la propuesta formulada inicialmente por el contribuyente.

- Aprobar, con la aceptación del contribuyente, otra propuesta de valoración que difiera de la inicialmente presentada

- Desestimar la propuesta formulada por el contribuyente.

  – La resolución contendrá la valoración realizada por la Administración tributaria, con indicación de los gastos y de las actividades concretas a que se refiere, así como del método de valoración utilizado, el plazo de vigencia de la valoración y fecha de su entrada en vigor.

  – El procedimiento deberá finalizar en el plazo máximo de 6 meses. La falta de contestación implicará la aceptación de los valores propuestos por el contribuyente.

  – La resolución que se dicte no será recurrible.

3. DEDUCCIÓN POR INVERSIONES EN PRODUCCIONES CINEMATOGRÁFICAS, SERIES AUDIOVISUALES Y ESPECTÁCULOS EN VIVO DE ARTES ESCÉNICAS Y MUSICALES

La deducción por actividades del sector cinematográfico y de las artes escénicas adquiere gran relevancia en el IS, como demuestra la Exposición de Motivos de la LIS, que dedica a la misma mayor comentario que a cualquier otro incentivo, destacando especialmente el incremento sustancial de su importe. Asimismo, se destacar la territorialización del incentivo, en consonancia con la Comunicación de la Comisión Europea sobre ayuda estatal a las obras cinematográficas y otras producciones del sector audiovisual, de 15 de noviembre de 2013, que trata de garantizar la aplicación del incentivo en producciones realizadas sustancialmente en España. También se destaca la extensión del beneficio para un nuevo tipo de actividades, los espectáculos en vivo de las artes escénicas y musicales. Finalmente, se incluye una deducción para los gastos realizados en territorio español por grandes producciones internacionales, con la finalidad de atraer a España este tipo de producciones, que tienen un alto impacto económico y turístico.

3.1. *Deducción por inversiones en producciones españolas de largometrajes cinematográficos y de series audiovisuales de ficción, animación o documental*

3.1.1. Objeto de la deducción

La primera de las deducciones se arbitra para producciones españolas, de largometrajes cinematográficos y de series audiovisuales de ficción, animación o documental, siempre que, además, permitan la confección de un soporte físico previo a su producción industrial seriada.

Para completar los conceptos a los que se refiere la deducción, de acuerdo con el criterio interpretativo contenido en el artículo 12 LGT, debemos referirnos a su sentido jurídico, tal y como se definen en la Ley 55/2007, de 28 de diciembre, del Cine, en cuyos artículos 4 y 5 define los siguientes términos:

– Película cinematográfica: Toda obra audiovisual, fijada en cualquier medio o soporte, en cuya elaboración quede definida la labor de creación, producción, montaje y posproducción y que esté destinada, en primer término, a su explotación comercial en salas de cine. Quedan excluidas de esta definición las meras reproducciones de acontecimientos o representaciones de cualquier índole.

Este concepto se diferencia de las denominadas "Otras obras audiovisuales", que son aquéllas que, cumpliendo los requisitos de las anteriores, no estén destinadas a ser exhibidas en salas cinematográficas, sino que llegan al público a través de otros medios de comunicación.

– Largometraje: La película cinematográfica que tenga una duración de sesenta minutos o superior, así como la que, con una duración superior a cuarenta y cinco minutos, sea producida en soporte de formato 70 mm., con un mínimo de 8 perforaciones por imagen.

Se oponen a este concepto los de cortometraje, que es la película cinematográfica que tenga una duración inferior a sesenta minutos, excepto las de formato de 70 mm. que se contemplan en la letra anterior; y película para televisión, que es la obra audiovisual unitaria de ficción, con características creativas similares a las de las películas cinematográficas, cuya duración sea superior a 60 minutos, tenga desenlace final y con la singularidad de que su explotación comercial esté destinada a su emisión o radiodifusión por operadores de televisión y no incluya, en primer término, la exhibición en salas de cine.

— Serie de televisión: la obra audiovisual formada por un conjunto de episodios de ficción, animación o documental con o sin título genérico común, destinada a ser emitida o radiodifundida por operadores de televisión de forma sucesiva y continuada, pudiendo cada episodio corresponder a una unidad narrativa o tener continuación en el episodio siguiente.

— Película española: es la que haya obtenido certificado de nacionalidad española, cuando se comprueba que cumple las siguientes circunstancias:

  • Realizadas por una empresa de producción española, o de otro Estado miembro de la Unión Europea establecida en España, a las que sea expedido por órgano competente certificado de nacionalidad española, previo reconocimiento de que cumplen los siguientes requisitos:

  • Que el elenco de autores de las obras cinematográficas y audiovisuales, entendiendo por tales el director, el guionista, el director de fotografía y el compositor de la música, esté formado, al menos en un 75 por 100, por personas con nacionalidad española o de cualesquiera de los otros Estados miembros de la Unión Europea, de los Estados parte en el Acuerdo sobre el Espacio Económico Europeo, o que posean tarjeta o autorización de residencia en vigor en España o en cualesquiera de dichos Estados.

  • Que el director de la película cumpla siempre dicho requisito.

  • Que los actores y otros artistas que participen en la elaboración de una obra cinematográfica o audiovisual estén representados al menos en un 75 por 100 por personas que cumplan los requisitos de nacionalidad o residencia establecidos en la letra anterior.

  • Que el personal creativo de carácter técnico, así como el resto de personal técnico que participen en la elaboración de una obra cinematográfica o audiovisual, estén representados, cada uno de ellos, al menos en un 75 por 100 por personas que cumplan los requisitos de nacionalidad o residencia establecidos en la letra a) del presente apartado.

  • Que la obra cinematográfica o audiovisual se realice preferentemente en su versión original en cualquiera de las lenguas oficiales del Estado español.

  • Que el rodaje, salvo exigencias del guión, la posproducción en estudio y los trabajos de laboratorio se realicen en territorio español o de otros Estados miembros de la Unión Europea. En el caso de las obras de animación, los procesos de producción también deberán realizarse en dichos territorios.

3.1.2. Base de la deducción

La base de la deducción está constituida por el coste total de la producción, así como por los gastos para la obtención de copias y los gastos de publicidad y promoción a cargo del productor hasta el límite para ambos del 40 por ciento del coste de producción.

Nos ofrece el concepto de coste de una película la Orden ECD/2784/2015, de 18 de diciembre, por la que se regula el reconocimiento del coste de una película y la inversión del productor, cuyo artículo 2°, relativo al coste de una película, señala lo siguiente:

"1. Se considerará coste de una película, a los efectos de aplicación de las medidas de fomento e incentivos a la cinematografía y al audiovisual previstas en la Ley 55/2007, de 28 de diciembre, los gastos efectuados por la empresa productora hasta la consecución de la copia estándar o master digital, más el derivado de determinados conceptos básicos para su realización y promoción idónea, en los términos y con los límites establecidos en los apartados siguientes:

a) La remuneración del productor ejecutivo hasta el límite del 5 por cien del coste de realización de la película. Además, sólo se reconocerá como coste la producción ejecutiva realizada por personas físicas o por personas jurídicas cuyo objeto social incluya específicamente, sin perjuicio de otros, el de producción ejecutiva.

Cuando exista una relación mercantil entre la empresa productora y el productor ejecutivo, deberá acompañarse el contrato con la correspondiente factura y cuando la relación sea laboral, deberá aportarse, junto con el contrato, la nómina correspondiente, con expresa indicación del régimen general de la seguridad social.

Cuando el objeto del contrato del productor ejecutivo y/o de otros trabajadores, sea genérico para diversas películas que lleve a cabo la empresa productora, se prorrateará su coste en función de su participación efectiva en cada una de ellas.

Cuando el personal de plantilla de la empresa productora realice funciones de productor ejecutivo sin un contrato específico para ello, su remuneración se imputará al capítulo de gastos generales con las mismas condiciones de prorrateo.

b) Los intereses financieros y gastos de negociación que generen los préstamos formalizados con entidades financieras o de crédito para la financiación específica de la película.

Asimismo, los intereses y gastos de formalización derivados de préstamos formalizados con intervención de fedatario público, con personas físicas o jurídicas no vinculadas con la empresa productora, siempre que dichos gastos queden sufi-

cientemente acreditados, y que dichos intereses no superen en más de dos puntos el índice de referencia del precio oficial del dinero. En caso de que los intereses superen dicho límite, sólo serán admitidos los que no sobrepasen dicha cuantía.

En todo caso, el límite de los intereses financieros y gastos de negociación de los préstamos reconocibles como coste será del 20 por cien del coste de realización de la película.

Se considerará que existe vinculación en los supuestos establecidos en el artículo 68.2 del reglamento de la Ley 38/2003, de 17 de noviembre, general de subvenciones, aprobado por Real Decreto 887/2006, de 21 de julio.

c) El importe de los gastos generales, hasta el límite del 7 por cien del coste de realización de la película.

Deberá imputarse al capítulo de gastos generales el gasto relativo al personal de plantilla de la productora que no tenga contrato laboral específico para la película objeto de reconocimiento de coste. El gasto del personal de plantilla que haya suscrito un contrato laboral específico, conforme a la categoría laboral asignada, para su participación en varias películas que realice la productora se prorrateará en función de su participación efectiva en cada una de ellas, imputándose al capítulo de personal técnico.

Los gastos de locomoción, viajes y hoteles fuera de las fechas de inicio y fin de rodaje se imputarán al capítulo de gastos generales, salvo que se trate de gastos de localizaciones, gastos de desarrollo de proyectos realizados dentro de los 6 meses anteriores a la fecha de inicio de rodaje y gastos de posproducción realizados hasta la fecha de solicitud de la calificación de la película, los cuales se imputarán a su propio capítulo.

d) Los gastos de publicidad y promoción de la película, facturados a la empresa productora, hasta el límite del 40 por cien del coste de realización de la película y siempre que los mismos no hayan sido objeto de subvención para la empresa distribuidora de la película. En el caso de que dichos gastos hayan sido solo parcialmente subvencionados, podrán reconocerse como coste aquellos otros que no hayan sido objeto de ayuda.

e) Los gastos de adaptación de las películas, una vez terminadas, a soportes o sistemas necesarios para su exhibición o explotación cinematográfica.

f) Los gastos de doblaje y/o subtitulado y/o traducción a cualquier lengua oficial española, así como el gasto de traducción a una lengua no oficial en España.

Además, en el caso de coproducciones con empresas extranjeras, se admitirá el gasto de traducción a la lengua del país o países coproductores.

g) El gasto de realización de los soportes materiales necesarios para garantizar la preservación de la película, incluido el gasto de la copia necesaria para el cumplimiento de la obligación que incumbe a los beneficiarios de las ayudas a la producción. Asimismo, los gastos para la obtención de las copias u otros soportes siempre que estén destinados a la exhibición en salas y que no hubieran sido objeto de subvención para la empresa distribuidora de la película.

h) Los gastos del informe especial emitido por un auditor de cuentas, cuando sea este medio el empleado para acreditar el coste de la película.

i) Los gastos correspondientes a agua y electricidad producidos en locales o instalaciones directamente vinculados con el rodaje, dentro de este periodo, y siempre que dicha vinculación se justifique mediante la aportación de los correspondientes contratos.

Cuando dichos gastos se produzcan en el domicilio social principal de la productora se imputarán al capítulo de gastos generales.

Los gastos de telefonía producidos dentro del periodo de rodaje, así como los correspondientes a una única línea telefónica móvil realizados entre los 3 meses anteriores al inicio del rodaje y los 3 meses posteriores al fin del mismo, en el caso de largometrajes y entre el mes anterior al inicio y el mes posterior al fin del rodaje, en el caso de cortometrajes.

j) Los gastos de comidas realizados exclusivamente dentro de las fechas de inicio y fin de rodaje.

k) Los gastos de posproducción realizados antes de la solicitud de calificación de la película y facturados hasta un mes después de la fecha de calificación. A estos efectos, se entenderán por tales el montaje, efectos visuales, música, producción y creación de imágenes sintéticas, posproducción de sonido, laboratorio, negativo en posproducción y títulos de crédito, así como los gastos de personal siempre que se acredite su vinculación a estos procesos.

La vinculación de los citados gastos con la película se acreditará indicando el título de la misma en la factura.

l) Los gastos relativos a escenografía y decoración facturados hasta un mes después de la fecha de finalización del rodaje, siempre que sean gastos vinculados al mismo, lo que se acreditará mediante la descripción detallada del concepto y mención del título de la película en la factura correspondiente.

m) A los gastos de viajes y desplazamientos utilizando vehículo particular, se aplicará la cuantía establecida para la indemnización de este tipo de gastos en el artículo 18.1 del Real Decreto 462/2002, de 24 de mayo, sobre indemnizaciones por razón del servicio, según las revisiones periódicas que efectúe el ministerio de hacienda y administraciones públicas.

n) La utilización de los equipos y del material técnico propiedad de la empresa productora, siempre que se hayan utilizado para la realización de la película y únicamente por la parte proporcional del tiempo utilizado en la misma en la cantidad correspondiente al doble de la que en concepto de amortización quede reflejada en la contabilidad de la empresa, de acuerdo con la normativa contable que resulte de aplicación.

En el caso de los cortometrajes, se admitirá como gasto el doble del importe relativo al tiempo de rodaje y los plazos de preproducción y posproducción señalados en el artículo 2.2 b).

ñ) En las películas de cortometraje, se podrá computar el coste teórico de los trabajos que realice como guionista y/o director el productor de las mismas, siempre que sea empresario individual. Dicho coste teórico se calculará teniendo en cuenta el valor medio declarado como remuneración de los profesionales que realizan estas actividades en la producción de cortometrajes. Estos costes teóricos se harán públicos en la convocatoria anual de ayudas a cortometrajes realizados, calculados sobre la producción del año anterior.

Si concurre esta circunstancia en una coproducción entre una persona física y una empresa productora, se aplicará el baremo en función del porcentaje de participación del productor individual en la película.

2. Los gastos considerados como coste, deberán haber sido efectuados:

a) Cuando se trate de largometrajes y de películas para televisión, entre los nueve meses anteriores al comienzo del rodaje y los nueve meses posteriores al final del mismo, salvo que se trate de obras de animación o documentales, en cuyo caso los plazos citados se ampliarán a los quince meses anteriores y los doce posteriores al rodaje.

b) Cuando se trate de cortometrajes, entre los treinta días anteriores al comienzo del rodaje y los sesenta días posteriores al final del mismo. En el caso de cortometrajes de animación o de carácter documental, los plazos citados se ampliarán a los sesenta días anteriores al comienzo del rodaje y los ciento veinte días posteriores a la finalización del mismo.

c) En las películas de animación, se considerará inicio de rodaje la fecha de comienzo de movimiento en los dibujos, y final de rodaje el momento en que terminan las filmaciones y antes del proceso de mezclas y montaje. Dicho rodaje deberá acreditarse documentalmente.

d) Los gastos efectuados con motivo del desarrollo del proyecto de la película, a los que hace referencia el artículo 25.2 de la Orden CUL/2834/2009, de 19 de octubre, y los correspondientes a la publicidad y promoción de la misma, tiraje de copias y doblaje y/o subtitulado y/o traducción, e intereses de préstamos solicitados para la producción no estarán sometidos a los períodos señalados en las letras a) y b).

3. No serán computados como coste:

a) El importe del impuesto sobre el valor añadido u otros impuestos de carácter recuperable.

b) Los gastos suntuarios, las gratificaciones, las previsiones de gastos, excepto los intereses de los préstamos, las valoraciones y las capitalizaciones.

c) Los gastos superiores a 40.000 euros, en el caso de largometrajes, y superiores a 2.000 euros en el caso de cortometrajes, facturados por cada empresa vinculada a la empresa productora.

Los gastos iguales o inferiores a dichos importes facturados por empresas vinculadas serán computados como coste siempre que se realicen de acuerdo con las condiciones normales de mercado, lo que se justificará mediante la presentación de tres ofertas, salvo que por las especiales características del gasto no exista en el mercado suficiente número de entidades que presten el servicio o suministren el bien de que se trate.

No podrán fraccionarse los gastos correspondientes a una misma prestación o servicio en diferentes facturas, ni realizarse sucesivos contratos con objetos similares con la finalidad de disminuir su cuantía y eludir el cumplimiento de lo establecido en este apartado.

Se considerará que existe vinculación en los supuestos previstos en el artículo 68.2 del reglamento de la Ley 38/2003, de 17 de noviembre, general de subvenciones, aprobado por Real Decreto 887/2006, de 21 de julio.

A los efectos de lo establecido en esta letra, el informe de auditoría que presente la empresa productora de la película junto a la solicitud de reconocimiento de coste deberá incluir una relación detallada de todas las empresas vinculadas a la misma.

d) La facturación realizada entre las empresas coproductoras de la película, salvo lo dispuesto en el apartado siguiente para las coproducciones con empresas extranjeras."

Señala a continuación el artículo 36 LIS que al menos el 50 por ciento de la base de la deducción deberá corresponderse con gastos realizados en territorio español. Sobre la interpretación de este requisito de territorialización se ha pronunciado la DGT en consulta V2892-15 de 06/10/2015, en la que se dice:

"Por su parte, el apartado 32 de la Comunicación de la Comisión sobre la ayuda estatal a las obras cinematográficas y otras producciones del sector audiovisual (2013/C 332/01) establece, en cuanto al requisito de territorialización:

"32. El importe de los gastos sujetos a los requisitos de territorialización de los gastos debe ser como mínimo proporcionado respecto del compromiso financiero de un Estado miembro y no respecto del presupuesto global de producción. (…)."

Por tanto, si atendemos a una interpretación de la norma a luz del Derecho Comunitario, el requisito de territorialización previsto en el artículo 36.1 de la LIS supone que la base de deducción no podrá superar el doble de los gastos realizados en el territorio español, con independencia del coste global de la producción.

Se entenderá que los gastos han sido realizados en el territorio español cuando los servicios que originan dichos gastos se presten efectivamente en España, o tratándose de entregas de bienes cuando las mismas se realicen en dicho territorio. Todo ello con independencia de la nacionalidad del proveedor que suministre los bienes o preste los servicios."

La base de la deducción se minorará en el importe de las subvenciones recibidas para financiar las inversiones que generan derecho a deducción.

3.1.3. Porcentaje de deducción

El importe de la deducción será:

a) Del 20 por ciento respecto del primer millón de base de la deducción.

b) Del 18 por ciento sobre el exceso de dicho importe.

En el supuesto de una coproducción, los importes señalados en este apartado se determinarán, para cada coproductor, en función de su respectivo porcentaje de participación en aquella.

3.1.4. Límite de la deducción

La deducción se somete a los siguientes límites:

- El importe de la deducción no podrá ser superior a 3 millones de euros.

- El importe de la misma, conjuntamente con el resto de ayudas percibidas por el contribuyente, no podrá superar el 50 por ciento del coste de producción.

3.1.5. Requisitos para la aplicación de la deducción

Para la aplicación de la deducción se requiere el cumplimiento de los siguientes requisitos:

- Que la producción obtenga el correspondiente certificado de nacionalidad, al que nos hemos referido anteriormente, y el certificado que acredite el carácter cultural en relación con su contenido, su vinculación con la realidad cultural española o su contribución al enriquecimiento de la diversidad cultural de las obras cinematográficas que se exhiben en España, emitidos por el Instituto de Cinematografía y de las Artes Audiovisuales.

  La expedición de este certificado se regula por el artículo 22 del Real Decreto 1084/2015, de 4 de diciembre, por el que se desarrolla la Ley 55/2007, de 28 de diciembre, del Cine, y que determina que se expedirá el certificado:

  - De oficio, sin necesidad de solicitud expresa y sin tramitación específica en favor de los proyectos beneficiarios de las ayudas selectivas, al haber sido valorado y confirmado su carácter cultural por parte de la Comisión de ayudas a la producción de largometrajes y cortometrajes.

  - En el caso de las ayudas generales a la producción de largometrajes sobre proyecto, la acreditación de su carácter cultural exigirá la expedición del correspondiente certificado cultural por parte del Instituto de la Cinematografía y de las Artes Audiovisuales, que se expedirá siempre que concurran, al menos, dos de los siguientes requisitos:

    - Tenga como versión original cualquiera de las lenguas oficiales en España. En el caso de las coproducciones con empresas extranjeras, el largometraje podrá tener como versión original alguna de las lenguas oficiales de la unión europea.

    - El contenido esté ambientado principalmente en España.

    - El contenido tenga relación directa con la literatura, la música, la danza, la arquitectura, la pintura, la escultura, y en general con las expresiones de la creación artística.

- El guion sea adaptación de una obra literaria preexistente.

- El contenido tenga carácter biográfico, o en general refleje hechos o personajes de carácter histórico, sin perjuicio de las adaptaciones libres propias de un guion cinematográfico.

- El contenido incluya principalmente relatos, hechos o personajes mitológicos o legendarios que puedan considerarse integrados en cualquier patrimonio o tradición cultural del mundo.

- Permita un mejor conocimiento de la diversidad cultural, social, religiosa, étnica, filosófica o antropológica.

- El contenido esté relacionado con asuntos o temáticas que forman parte de la realidad social, cultural o política española, o con incidencia sobre ellos.

- En el relato cinematográfico, uno de los protagonistas o varios de los personajes secundarios estén directamente vinculados con esa misma realidad social, cultural o política española.

- Se dirija específicamente a un público infantil o juvenil y contenga valores acordes con los principios y fines de la educación recogidos en la Ley Orgánica 2/2006, de 3 de mayo, de Educación, o la norma que en su caso la sustituya, modificada por la Ley Orgánica 8/2013, de 9 de diciembre, para la Mejora de la Calidad Educativa.

– Que se deposite una copia nueva y en perfecto estado de la producción en la Filmoteca Española o la filmoteca oficialmente reconocida por la respectiva Comunidad Autónoma, en los términos establecidos en la Orden CUL/2834/2009.

3.1.6. Ámbito temporal de aplicación de la deducción

La deducción se generará en cada período impositivo por el coste de producción incurrido en el mismo, si bien se aplicará a partir del período impositivo en el que finalice la producción de la obra.

No obstante, en el supuesto de producciones de animación, la deducción se aplicará a partir del período impositivo en que se obtenga el certificado de nacionalidad.

EJEMPLO

Una entidad dedicada a la realización de producciones cinematográficas ha realizado un largometraje que ha obtenido los certificados de nacionalidad y de carácter cultural, cuyo coste ha supuesto 2.600.000 euros.

Además, la mencionada entidad productora ha incurrido en costes de obtención de copias y los gastos de publicidad y promoción a su cargo por importe de 1.000.000 euros.

Todos los gastos se han realizado en España.

Por la realización de esta producción se ha percibido una subvención de 600.000 euros.

Se pide determinar la deducción procedente.

La primera cuestión que debemos tener presente es la limitación de los gastos por obtención de copias y los gastos de publicidad y promoción a cargo del productor, que no podrán exceder del 40% del coste de producción. En este caso, se cumple con este límite.

La base de deducción será:

2.600.000+1.000.000-600.000=3.000.000

La deducción será de:

1.000.000*0,2=200.000

2.000.000*0,18=360.000

Se respetan, además, los límites de la deducción:

– La deducción no supera 3 millones de euros.

– El importe de la misma (560.000), conjuntamente con el resto de ayudas percibidas (600.000), no podrá superar el 50 por ciento del coste de producción (2.600.000).

3.2. *Deducción por gastos realizados en españa en producciones extranjeras*

3.2.1. Objeto de la deducción

El apartado 2 del artículo 36 LIS establece una deducción cuyo objeto principal son los gastos realizados en España en producciones cinematográficas extranjeras.

Se permite aplicar esta deducción a los productores registrados en el Registro de Empresas Cinematográficas del Ministerio de Educación, Cultura y Deporte que se encarguen de la ejecución de una producción extranjera de largometrajes cinematográficos o de obras audiovisuales que permitan la confección de un soporte físico previo a su producción industrial seriada.

El citado Registro se regula por los artículos 7 de la Ley 55/2007, de 28 de diciembre, del Cine y por el artículo 29 del Real Decreto 1084/2015, de 4 de diciembre, por el que se desarrolla la Ley 55/2007, relativo al Objeto del Registro Administrativo de Empresas Cinematográficas y Audiovisuales, que señala que el Instituto de la Cinematografía y de las Artes Audiovisuales gestionará el Registro Administrativo de Empresas Cinematográficas y Audiovisuales, cuyo objeto es la inscripción de las personas físicas o jurídicas titulares de las empresas establecidas en España a las que les sea de aplicación alguna de las medidas previstas en la Ley 55/2007, de 28 de diciembre, que desarrollen actividades de producción, distribución, exhibición y demás conexas en el sector cinematográfico y audiovisual.

3.2.2. Base de la deducción

La base de la deducción estará constituida por los siguientes gastos realizados en territorio español directamente relacionados con la producción:

1.º Los gastos de personal creativo, siempre que tenga residencia fiscal en España o en algún Estado miembro del Espacio Económico Europeo, con el límite de 50.000 euros por persona.

2.º Los gastos derivados de la utilización de industrias técnicas y otros proveedores.

Se entiende por personal creativo, según el artículo 4.j de la Ley 55/2007, de 28 de diciembre, del Cine, a las siguientes personas:

– Los autores, que a los efectos del artículo 5 de esta Ley son el director, el guionista, el director de fotografía y el compositor de la música.

– Los actores y otros artistas que participen en la obra.

– El personal creativo de carácter técnico: el montador jefe, el director artístico, el jefe de sonido, el figurinista y el jefe de caracterización.

Mientras que se consideran industrias técnicas, según el artículo 4.p de la misma Ley 55/2007, el conjunto de industrias necesarias para la elaboración de la obra cinematográfica o audiovisual, desde el rodaje hasta la consecución de la primera copia estándar o del máster digital, más las necesarias para la distribución y difusión de la obra por cualquier medio.

Sobre los distintos costes que se pueden incluir en esta deducción se ha pronunciado la DGT, entre otras, en consultas V2402-15, de 29/07/2015 y V3433-15 11/11/2015, en las que se ha considerado que, entre otros, se integran los siguientes gastos:

– Guion y música, como los gastos asociados a diálogos adicionales, traducciones, composición de música de fondo, director de orquesta, arreglista, profesores de grabación, cantantes, copistería musical, entre otros.

– Personal artístico, como actores de reparto, dobles de acción, especialistas, extras, coreógrafo, bailarines, orquesta, entre otros.

- Gastos relativos a los derechos de canciones y músicas (editoriales y discográficos).

- Gastos de figuración, dobles de luces, especialistas, dobles de acción, caballistas, dobladores, locutores, coreógrafos, siempre que no se hayan incluido ya como gastos de personal creativo.

- Equipo técnico de dirección (primer ayudante de dirección, secretario de rodaje, auxiliar de dirección y director de reparto), de producción (productor ejecutivo, director de producción, jefe de producción, primer ayudante de producción, regidor, auxiliar de producción, cajero-pagador y secretario de producción), de fotografía (segundo operador, ayudante, auxiliar de cámara y fotógrafo de escenas), de decoración (jefe de arte, decorador, ambientador, tapicero, constructor jefe, pintor y carpintero), de sastrería (figurinista, jefe de sastrería y sastra), de maquillaje y peluquería (maquillador, ayudante y auxiliar), de efectos especiales y efectos sonoros (jefe de efectos especiales, ayudante, armero, jefe de efectos sonoros, ambientes y efectos de sala), de ayudante de sonido, de montaje (ayudante y auxiliar), relacionados con los electricistas y maquinitas.

- Escenografía, como los de decoración y escenarios (construcción y montaje de decorados en plató, derribo de decorados, construcción en exteriores, construcción en interiores naturales, maquetas, forillos, alquiler de decorados, y alquiler de interiores naturales), ambientación (alquiler y compra de mobiliario, atrezzo, jardinería, armería, vehículos en escena o comidas en escena), alquiler y compra de vestuario, los relativos a semovientes y carruajes.

- Gastos relacionados con la escenografía: alquiler de lugares de rodaje (incluyendo tasas e impuestos no deducibles), agencias de localizaciones, construcción y ambientación de decorados, interiores y exteriores, alquiler de locales para ensayos, alquiler de locales para construcción y vestuario, alquiler de talleres, maquetas y forillos, andamios y estructuras, derechos plásticos, vehículos de escena, efectos especiales mecánicos, materiales para especialistas, vestuario, maquillaje y peluquería, animales (cuadras, monturas, enganches, carretas, carros y diligencias).

- Estudios de rodaje (alquiler de plató, rodaje en exteriores, fluido eléctrico del estudio e instalaciones complementarias), montaje y sonorización (salas de montaje, proyección, doblaje, efectos sonoros, grabación de mezclas, así como los gastos de grabación de banda sonora, transcripciones magnéticas, etc.), y otros varios de producción, que incluirían las copias de guion, fotocopias en rodaje, teléfono en fechas de rodaje, alquiler de camerinos, caravanas y oficina, almacenes varios, garajes en fechas de rodaje, limpieza de lugares de rodaje y comunicaciones en rodaje.

- Gastos relacionados con los lugares de rodaje: alquiler de platós y locales anexos, de estudios de montaje de imagen y sonido, de sala de montaje de imagen, de camerinos, auto-caravanas, autobús de maquillaje y peluquería, ambulancias, UVI móvil, quirófanos móviles, lanchas de salvamento, socorristas, bomberos y todo tipo de asistencia sanitaria, alquiler de locales para ensayos o figuración y alquiler de almacenes para construcción de decorados o vestuario.

- Maquinaria del rodaje (cámara principal, cámaras secundarias, objetivos especiales y complementarios, accesorios, material de iluminación, grúas, carburante, helicóptero/aviones, equipos de sonido, entre otros).

- Gastos relacionados con la maquinaria de rodaje y su transporte como: cámaras, objetivos y material subacuático, grabadores y micrófonos, material eléctrico y sus accesorios, maquinaria, grúas, cámara-car, plataformas elevadoras, generadores y grupos electrógenos, avionetas, helicópteros, globos y drones para la toma de imágenes, gastos de transporte de equipos, bienes y materiales, peajes, combustibles, alquiler de coches (con y sin conductor), furgonetas y camiones, etc.

- Transportes como los coches de producción, alquiler de coches sin conductor, furgonetas para las cámaras, camiones, autobuses, taxis en fechas de rodaje, billetes de avión, siempre que se correspondan a transportes realizados dentro del territorio nacional.

- Hoteles y comidas en fechas de rodaje.

- Laboratorio: revelado, positivado, magnético, entre otros.

- Posproducción: efectos visuales, sonoros, trabajos de animación, subtitulado, doblaje y similares.

- Seguros directamente relacionados con la producción, como el seguro de negativo, de materiales de rodaje, de responsabilidad civil, de accidentes, de interrupción de rodaje, de buen fin, entre otros.

- Impuestos y tasas no deducibles relacionados con la ejecución de la producción.

- Gastos de preproducción como los de localización, casting y similares.

Por otra parte, no podrán formar parte de la base de deducción, según las mismas consultas, los siguientes gastos:

- Gastos generales vinculados a tareas administrativas como: alquiler de oficinas, personal administrativo, mensajería, correo/telégrafo, luz, agua, limpieza, material de oficina, gestoría, asesoramiento fiscal, de seguridad social y contable.

- Gastos relacionados con la distribución y difusión, como la obtención de copias y publicidad.

- Gastos de explotación y comercio, como internegativo y copias, publicidad (trailer y making off)

- Los gastos de aduanas y fletes, en la medida en la que están relacionados con el transporte internacional.

- Los gastos financieros de intereses y gastos de negociación de préstamos oficiales, en la medida en la que sean objeto de activación.

- Gastos generales: alquiler de oficina de producción, personal administrativo, mensajería, correos, teléfono, internet, agua, electricidad, limpieza y material de oficina, asesoramiento en materia laboral, fiscal, contable o jurídica, reconocimientos médicos del personal contratado, gastos relacionados con la prevención de riesgos laborales, gastos financieros y bancarios.

- Gastos de publicidad como los relativos a la producción del tráiler en versión española

- Por último, en relación con los gastos de otro personal complementario, como asistencia sanitaria, guardas, peones y ayudantes de cualquier clase, podrán formar parte de la base de deducción en la medida en la que estén directamente relacionados con la producción y se realicen en España.

3.2.3. Porcentaje de deducción

La deducción será del 15 por ciento de los gastos realizados en territorio español, siempre que los gastos realizados en territorio español sean, al menos, de 1 millón de euros.

Como ya hemos visto, la DGT considera los gastos realizados en el territorio español cuando los servicios que originan dichos gastos se presten efectivamente en España, o tratándose de entregas de bienes cuando las mismas se realicen en dicho territorio, todo ello con independencia de la nacionalidad del proveedor que suministre los bienes o preste los servicios (consulta V2892-15 de 06/10/2015).

3.2.4. Límite de la deducción

A esta deducción se le aplican los siguientes límites:

- Su importe no podrá ser superior a 2,5 millones de euros, por cada producción realizada.

- El importe de la deducción, conjuntamente con el resto de ayudas percibidas por el contribuyente, no podrá superar el 50 por ciento del coste de producción

A esta deducción no se la aplica, sin embargo, el límite del 25% de la cuota íntegra minorada en las deducciones por doble imposición internacional y las bonificaciones, previsto en el artículo 39.1 LIS. Ni tan siquiera, a efectos del cálculo de dicho límite, se computa esta deducción.

EJEMPLO

Un productor registrado lleva a cabo una producción useña.

Parte de la producción se rueda en España, por los que se incurren en gastos en España de personal creativo y artístico, de equipo técnico, de escenografía y lugares de rodaje por importe de 2.000.000 euros. En ningún caso el gasto en personal supera los 50.000 euros por persona.

También se incurre en gastos por la producción del tráiler en versión española por importe de 200.000 euros.

Otros gastos realizados fuera de España importan 18.000.000 euros.

Se pide el importe de la deducción.

Respuesta

La aplicación de la deducción se limita al importe de los gastos en España, siempre que excedan de 1.000.000 euros.

Se integran en la base de la deducción los gastos de personal creativo y artístico, de equipo técnico, de escenografía y lugares de rodaje; pero no los de publicidad, incluyendo como tal la producción del tráiler en versión española.

Base de la deducción: 2.000.000

Importe de la deducción: 300.000

Se respetan, además, los límites de la deducción:

– La deducción no supera 2,5millones de euros.

– El importe de la misma (300.000), conjuntamente con el resto de ayudas percibidas (000), no podrá superar el 50 por ciento del coste de producción (20.200.000).

3.3. *Deducción por espectáculos en vivo de artes escénicas y musicales*

3.3.1. Objeto de la deducción

La tercera de las deducciones encuadrada en el artículo 36 LIS es la deducción para los gastos realizados en la producción y exhibición de espectáculos en vivo de artes escénicas y musicales.

A diferencia de las obras cinematográficas, no disponemos en este punto de un concepto legal de artes escénicas, por lo que debemos acudir a su concepto usual.

Las artes escénicas son el estudio y práctica de un conjunto de expresiones que requieren representación y un público que la reciba. Las artes escénicas constituyen una forma de arte vivo y efímero. Las artes escénicas básicamente comprenden el teatro, la danza y la música. El teatro y la danza tienen géneros muy diversos: ópera, zarzuela, representaciones teatrales tradicionales, performances, recitales, cabaret, guiñoles y títeres y, en definitiva, un amplísimo espectro de actividades en las que unos artistas muestran su arte a un público en un escenario. También cabe incluir entre estas artes al circo.

3.3.2. Base de la deducción

La base de la deducción estará constituida por los costes directos de carácter artístico, técnico y promocional incurridos en las referidas actividades.

3.3.3. Porcentaje de deducción

La deducción será del 20 por ciento. La base se minorará en el importe de las subvenciones recibidas para financiar los gastos que generen el derecho a su aplicación.

3.3.4. Límite de la deducción

A esta deducción se le aplican dos límites específicos:

- La deducción generada en cada período impositivo no podrá superar el importe de 500.000 euros por contribuyente.

- El importe de la deducción, junto con las subvenciones percibidas por el contribuyente, no podrá superar el 80 por ciento de dichos gastos.

3.3.5. Requisitos para su aplicación

Para la aplicación de esta deducción, será necesario el cumplimiento de los siguientes requisitos:

- Que el contribuyente haya obtenido un certificado al efecto, en los términos que se establezcan por Orden Ministerial, por el Instituto Nacional de las Artes Escénicas y de la Música.

  Se desarrolla este certificado por la Orden ECD/2836/2015, de 18 de diciembre, por la que se regula el procedimiento para la obtención del certificado del Instituto Nacional de las Artes Escénicas y de la Música, previsto en la Ley 27/2014, de 27 de noviembre, del Impuesto sobre Sociedades

– Que, de los beneficios obtenidos en el desarrollo de estas actividades en el ejercicio en el que se genere el derecho a la deducción, el contribuyente destine al menos el 50 por ciento a la realización de actividades que dan derecho a la aplicación de la deducción. El plazo para el cumplimiento de esta obligación será el comprendido entre el inicio del ejercicio en que se hayan obtenido los referidos beneficios y los 4 años siguientes al cierre de dicho ejercicio.

EJEMPLO

Una entidad dedicada a promover espectáculos de danza ha desarrollado una producción de esta arte escénica.

Los costes directos en los que ha incurrido son de 1.000.000 de euros. Las subvenciones percibidas para esta producción alcanzan los 600.000 euros.

Se pide determinar el importe de la deducción.

Respuesta

La base de la subvención está compuesta por los costes directos de la producción minorada en las subvenciones percibidas.

Base: 1.000.000-600.000=400.000

Deducción: 400.000*0,2=80.000

Se respetan, además, los límites de la deducción:

– La deducción no supera 500.000 euros.

– El importe de la misma (80.000), conjuntamente con el resto de ayudas percibidas (600.000), no podrá superar el 80 por ciento del coste de producción (1.000.000).

4. DEDUCCIÓN POR CREACIÓN DE EMPLEO

4.1. *Dedución por contratación del primer trabajador*

Se prevé una deducción de 3.000 euros para las entidades que contraten a su primer trabajador, en las siguientes condiciones:

– Que la contratación se realice a través de un contrato de trabajo por tiempo indefinido de apoyo a los emprendedores, de los definidos en el artículo 4 de la Ley 3/2012, de 6 de julio, de medidas urgentes para la reforma del mercado laboral.

El citado precepto recoge los rasgos distintivos de este contrato:

- Podrán acogerse a este contrato las empresas de menos de 50 trabajadores.

- El contrato será tiempo indefinido y se formalizará por escrito

- El régimen jurídico y los derechos y obligaciones que de él se deriven se regirán por el Estatuto de los Trabajadores, con la única excepción de la duración del periodo de prueba que será de un año en todo caso.

- Los contratos gozarán de los incentivos fiscales contemplados en el artículo 43 TRIS (actualmente, el artículo 37 LIS que estamos estudiando)

- Los contratos gozarán de una bonificación en la cuota empresarial a la Seguridad Social durante un periodo temporal, generalmente de tres años.

- No podrán concertar este contrato las empresas que, en los seis meses anteriores a la celebración del mismo, hubieran adoptado decisiones extintivas improcedentes.

- La empresa deberá mantener en el empleo al trabajador contratado al menos tres años desde la fecha de inicio de la relación laboral.

- Que el trabajador sea menor de 30 años.

4.2. Deducción por incremento de plantilla

Alternativamente, se prevé una deducción para las entidades que cumplan los siguientes requisitos:

- Que tengan una plantilla inferior a 50 trabajadores

- Que concierten contratos por tiempo indefinido de apoyo a los emprendedores, a los que ya nos hemos referido.

- Que los trabajadores contratados sean desempleados beneficiarios de una prestación contributiva por desempleo regulada en el Título III del texto refundido de la Ley General de la Seguridad Social, aprobado por el Real Decreto Legislativo 1/1994, de 20 de junio.

- Que la contratación determine un incremento de plantilla media total de la entidad, respecto de cada trabajador, en los 12 meses siguientes al inicio de la relación laboral en, al menos, una unidad respecto a la existente en los 12 meses anteriores.

  Sobre este incremento de plantilla, la DGT ha entendido, en consulta V0660-15 de 23/02/2015, que no se produce cuando el nuevo trabajador va a sustituir a una trabajadora actual de la plantilla que se jubilará antes de que transcurra un año desde la fecha de contratación de la nueva empleada.

El importe de la deducción a practicar en la cuota íntegra será el 50 por ciento de la menor de las siguientes cantidades:

- El importe de la prestación por desempleo que el trabajador tuviera pendiente de percibir en el momento de la contratación.

- El importe correspondiente a doce mensualidades de la prestación por desempleo que tuviera reconocida.

La deducción se condicionada a que el trabajador contratado hubiera percibido la prestación por desempleo durante, al menos, 3 meses antes del inicio de la relación laboral. Para la acreditación de esta circunstancia, el trabajador proporcionará a la entidad un certificado del Servicio Público de Empleo Estatal sobre el importe de la prestación pendiente de percibir en la fecha prevista de inicio de la relación laboral.

EJEMPLO

Una entidad que cuenta con 7 trabajadores ha contratado a 3 nuevos trabajadores, celebrando contratos que reúnen los requisitos de la Ley 3/2012. Dos de ellos proceden de otra empresa, pero uno de ellos estaba desempleado, percibiendo una prestación de 700 euros al mes, de la que restaban por percibir 14 mensualidades.

Respuesta

Únicamente puede acogerse a la deducción la contratación del trabajador que procede del desempleo.

El importe de la deducción será del 50% de la menor de las siguientes cantidades:

- El importe de la prestación por desempleo que el trabajador tuviera pendiente de percibir en el momento de la contratación.
- El importe correspondiente a doce mensualidades de la prestación por desempleo que tuviera reconocida.

En este caso, la deducción será de:

$700*12*0,5=4.200$ euros

4.3. Requisitos comunes

4.3.1. Ejercicio de aplicación

Las deducciones por creación de empleo se aplicarán en la cuota íntegra del periodo impositivo correspondiente a la finalización del periodo de prueba previsto en los contratos por tiempo indefinido de apoyo a los emprendedores que son condición para la aplicación de la misma.

Tal y como ha señalado la DGT en consulta V2714-15 de 21/09/2015, cuando no se aplique en el ejercicio correspondiente la deducción, la entidad podrá instar la rectificación de la autoliquidación del período, para aplicar la deducción, sin perjuicio de que las cantidades que, en su caso, no pudieran deducirse, puedan ser aplicadas en las liquidaciones de los períodos impositivos que concluyan en los quince años inmediatos y sucesivos. No obstante, si no se instase la rectificación, las cantidades correspondientes al período no deducidas, podrán aplicarse en la liquidación de los períodos sucesivo, dentro del referido plazo de quince años; siempre que se justifique su procedencia y cuantía de acuerdo con lo establecido en el artículo 105 de la LGT.

4.3.2. Mantenimiento de la relación laboral

La deducción está condicionada al mantenimiento de la relación laboral durante al menos 3 años desde la fecha de su inicio.

No obstante, no se entenderá incumplida la obligación de mantenimiento del empleo cuando el contrato de trabajo se extinga, una vez transcurrido el periodo de prueba, por causas objetivas o despido disciplinario cuando uno u otro sea declarado o reconocido como procedente, dimisión, muerte, jubilación o incapacidad permanente total, absoluta o gran invalidez del trabajador.

4.3.3. Regularización en caso de incumplimiento de los requisitos

El incumplimiento de los requisitos antes mencionados determina la pérdida de la deducción. La regularización se realizará en la forma prevista en el artículo 125.3 LIS; esto es, se ingresará, junto con la cuota del período impositivo en que tenga lugar el incumplimiento de los requisitos, el importe de la deducción practicada, además de los intereses de demora.

4.3.4. Incompatibilidad

Los trabajadores contratados que dieran derecho a estas deducciones no se computarán a efectos del incremento de plantilla para la aplicación de la libertad de amortización con creación de empleo para ERD prevista en el artículo 102 LIS.

No obstante, de acuerdo con el criterio de la DGT, cuando el trabajador hubiera generado el derecho a la deducción, pero la empresa no lo hubiera ejercitado, el mismo se podrá computar a los efectos de considerar el incremento de plantilla para la aplicar la libertad de amortización.

4.3.5. Contratos a tiempo parcial

Las presentes deducciones se aplican a los contratos indefinidos, considerando además la jornada completa. En el supuesto de contratos a tiempo parcial, las deducciones previstas en se aplicarán de manera proporcional a la jornada de trabajo pactada en el contrato, en relación con la jornada completa.

5. DEDUCCIÓN POR CREACIÓN DE EMPLEO PARA TRABAJADORES DISCAPACITADOS

5.1. *Objeto de la deducción*

El artículo 38 LIS contempla una deducción en la cuota íntegra para los incrementos de plantilla de trabajadores con discapacidad.

A pesar de que no se recoge expresamente, entendemos que esta deducción requiere que se trate de trabajadores con discapacidad activos. El concepto de trabajador activo aparece definido en el artículo 12 del RIRPF como "aquel que perciba rendimientos del trabajo como consecuencia de la prestación efectiva de sus servicios retribuidos por cuenta ajena y dentro del ámbito de organización y dirección de otra persona, física o jurídica". Tal y como ha reiterado la DGT (entre otras, consultas 0195-05, V1167-05, 0030-04 ó V0289-06), el mencionado concepto de trabajador activo exige una prestación efectiva de servicios en el marco de una relación laboral o estatutaria. La discapacidad será reconocida por los órganos competentes, debiendo ser acreditada mediante el oportuno certificado. A estos efectos, tal y como sostiene la consulta V2587-15 de 07/09/2015 a los efectos de la aplicación de la deducción no cabe diferenciar si la minusvalía es física, psíquica o sensorial.

La aplicación de la deducción requiere que se contraten trabajadores discapacitados. Así, la DGT, en consulta V1875-05 de 23/09/2005 ha entendido que no se cumple este requisito de la contratación de un trabajador con discapacidad en el caso que un trabajador que ya forma parte de la plantilla de la entidad obtenga el reconocimiento de una minusvalía, por lo que no procederá la aplicación de la deducción.

Por el contrario, en Consulta V3918-15 de 09/12/2015 ha manifestado que los trabajadores discapacitados que tenga que contratarlos una entidad como consecuencia de la sucesión de empresa en los términos previstos en la legislación laboral podrán computarse a los efectos de calcular el incremento del promedio de la plantilla de trabajadores con discapacidad aplicar la deducción prevista en el artículo 38 de la LIS.

5.2. *Importe de la deducción*

La deducción se gradúa en dos escalones en función de los incrementos de plantilla por los grados de discapacidad:

- 9.000 euros por cada persona/año de incremento del promedio de plantilla de trabajadores con discapacidad en un grado igual o superior al 33 por ciento e inferior al 65 por ciento.

- 12.000 euros por cada persona/año de incremento del promedio de plantilla de trabajadores con discapacidad en un grado igual o superior al 65 por ciento.

5.3. *Incremento de plantilla*

Aunque la condición para la aplicación de la deducción es el incremento del número de trabajadores con determinado grado de discapacidad respecto de la plantilla media de empleados con ese mismo grado de discapacidad, a diferencia de lo que ocurre en otros artículos que se refieren a la plantilla media, el artículo 38 LIS no ofrece reglas para su cómputo.

En este sentido, entendemos que procede traer a colación los criterios recogidos en la consulta V1868-13 de 6/6/2013 sobre la forma de cómputo de los trabajadores para determinar la plantilla media.

Así, para el cálculo del promedio de plantilla con discapacidad resulta indiferente la modalidad de contrato que regule la relación laboral del trabajador con la empresa. En consecuencia, se tendrán en cuenta tanto los trabajadores que formen parte de la plantilla fija de la empresa como los contratos con carácter temporal, siempre que se trate de personas empleadas en los términos previstos por la legislación laboral y con discapacidad.

Además, debe tenerse presente la duración de la jornada respecto de la jornada completa. Precisa además la consulta que los trabajadores que tienen la jornada reducida durante una parte del año en aplicación del expediente de regulación de empleo debe considerarse como jornada correspondiente al trabajador, la jornada reducida, por la parte del año a la que se extienda la reducción. Idéntica circunstancia cabe aplicar a las trabajadoras que han solicitado la reducción de jornada por cuidado de hijo que establece el artículo 37.5 del Estatuto de los Trabajadores.

5.4. *Incompatibilidad*

Los trabajadores contratados que dieran derecho a estas deducciones no se computarán a efectos del incremento de plantilla para la aplicación de la libertad de amortización con creación de empleo para ERD prevista en el artículo 102 LIS.

No obstante, de acuerdo con el criterio de la DGT, cuando el trabajador hubiera generado el derecho a la deducción, pero la empresa no lo hubiera ejercitado, el mismo se podrá computar a los efectos de considerar el incremento de plantilla para la aplicar la libertad de amortización.

EJEMPLO

En el año X, una entidad contaba en su plantilla con los siguientes trabajadores minusválidos que habían estado contratados desde 1 de enero de dicho año y que permanecían a fin de ejercicio:

– 3 trabajadores con una minusvalía igual o superior al 33% e inferior al 65%, con jornada completa.

– 2 trabajadores con una minusvalía igual o superior al 65%, con jornada completa, y uno más con la misma minusvalía y con un contrato de media jornada.

Durante el año X+1 han acontecido las siguientes circunstancias:

– El 1 de abril se contrata a un trabajador con una minusvalía igual o superior al 33% con jornada completa.

– El 1 de julio se jubila el trabajador con una minusvalía igual o superior al 65%, con media jornada.

– El 1 de septiembre se contrata a dos trabajadores con una minusvalía igual o superior al 65% y con jornada completa.

Respuesta

Las plantillas medias del año X son:

– Trabajadores con una minusvalía superior al 33% e inferior al 65: 3

– Trabajadores con una minusvalía igual o superior al 65%: 2+0,5=2,5

Las plantillas medias del año X+1 son:

– Trabajadores con una minusvalía superior al 33% e inferior al 65: 3+3/4=3,75

– Trabajadores con una minusvalía igual o superior al 65%: 2,5-(1/2*1/2)+(2*1/3)=2,91

En consecuencia, la deducción aplicable será:

– Trabajadores con minusvalía superior 33% e inferior al 65: 0,75*9.000 = 6.750

– Trabajadores con minusvalía igual o superior al 65%: 0,41*12.000 = 4.920

6. NORMAS COMUNES

6.1. *Introducción*

El artículo 39 LIS contempla una serie reglas aplicables a todas las deducciones establecidas en el Capítulo IV del Título VI de la LIS, relativo a las deducciones para incentivar determinadas actividades.

Aunque este precepto conserva su importancia, la drástica reducción de las deducciones para incentivar determinadas actividades, sin duda, ha restado complejidad al procedimiento de aplicación de las deducciones.

6.2. *Orden de aplicación de las deducciones*

Las deducciones para incentivar determinadas actividades se practicarán una vez realizadas las deducciones para evitar la doble imposición, reguladas en los artículos 31 y 32 LIS, y las bonificaciones, previstas en los artículos 33 y 34 LIS.

Como veremos, este orden en la práctica de las deducciones tiene gran relevancia, al existir un límite máximo sobre la cuota íntegra minorada en las deducciones para evitar la doble imposición y las bonificaciones para su aplicación, de tal forma que los excesos no aplicados quedan pendientes para ejercicios posteriores con los límites que estudiaremos en el apartado siguiente.

6.3. *Plazo máximo para la aplicación de las deducciones*

En los casos que por insuficiencia de cuota líquida minorada para absorber las deducciones no pudieran aplicarse éstas, las cantidades generadas en el período impositivo y no deducidas podrán aplicarse, con carácter general, en las liquidaciones de los períodos impositivos que concluyan en los 15 años inmediatos y sucesivos.

Se establece, no obstante, un plazo especial para aplicar las cantidades correspondientes a la deducción por actividades de investigación y desarrollo e innovación tecnológica, que podrán aplicarse en las liquidaciones de los períodos impositivos que concluyan en los 18 años inmediatos y sucesivos al periodo en el que se hayan generado.

El cómputo de los plazos para la aplicación de las deducciones podrá diferirse hasta el primer ejercicio en que, dentro del período de prescripción, se produzcan resultados positivos, en los siguientes casos:

a) En las entidades de nueva creación.

b) En las entidades que saneen pérdidas de ejercicios anteriores mediante la aportación efectiva de nuevos recursos, sin que se considere como tal la aplicación o capitalización de reservas.

Tal y como ha aclarado la DGT, el resultado positivo al que se refiere el precepto es el resultado contable, aunque la base imponible sea negativa en dicho ejercicio. Lógicamente cabría entender, siguiendo el mismo razonamiento, que cuando el resultado contable sea negativo pero la base imponible sea positiva no debe considerarse iniciado el plazo; aunque esta conclusión se nos antoja absurda si dicha base imponible positiva determina la existencia de aplicación de la deducción generada en años anteriores.

6.4. *Límite de las deducciones*

Como hemos avanzado, la aplicación en cada ejercicio de las deducciones generadas en el mismo o pendientes de aplicación procedentes de ejercicios anteriores se encuentra limitada a un porcentaje máximo de la cuota íntegra minorada en las deducciones para evitar la doble imposición internacional y las bonificaciones.

Con carácter general, el importe de las deducciones aplicadas en el período impositivo no podrá exceder conjuntamente del 25 por ciento.

No obstante, el límite se elevará al 50 por ciento cuando el importe de la deducción por actividades de investigación y desarrollo e innovación tecnológica, que corresponda a gastos e inversiones efectuados en el propio período impositivo, exceda del 10 por ciento de la cuota íntegra minorada en las deducciones para evitar la doble imposición internacional y las bonificaciones.

Debe tenerse presente, además, que cuando se opte por la monetización de la deducción por actividades de investigación y desarrollo e innovación tecnológica, ésta quedará excluida del citado límite sobre la cuota íntegra.

EJEMPLO

Para el cálculo de la cuota líquida de una entidad se conocen los siguientes datos:

Base imponible: 2.000.000 euros

Bonificaciones: 30.000

Deducciones por doble imposición internacional: 40.000

Deducción por I+D+I: 30.000

Deducción por creación de empleo: 35.000 euros.

Deducción por creación de empleo trabajadores minusválidos: 25.000 euros.

Deducción por inversiones en producciones cinematográficas: 50.000 euros.

Respuesta

La cuota íntegra será de 500.000 euros (2.000.000*0,25)

La cuota íntegra minorada (cuota íntegra ajustada positiva): 430.000

El límite para aplicar las deducciones para incentivar determinadas actividades se fija en el 25%, ya que la deducción por I+D+I por gastos e inversiones del ejercicio no excede del 10% de la cuota íntegra minorada. Luego el límite es de 107.500.

Las deducciones a aplicar serán de 107.500 euros, decidiendo la entidad cuales se aplican, y restando pendientes de aplicación 32.500 euros para ejercicios futuros.

Cuota líquida: 430.000-107.500=322.500 euros

6.5. *Monetización de la dedución de I+D E IT*

Como medida que permite la aplicación de la deducción por actividades de I+D e IT, más allá de la restricción que impone el límite sobre la cuota íntegra minorada, el legislador introdujo en el TRLIS, mediante la Ley 14/2013, de 27 de septiembre, de apoyo a los emprendedores y su internacionalización, la denominada monetización de la deducción. Esta medida permite aplicar la deducción, con un descuento, hasta el importe total de la cuota íntegra, incluso convertir la deducción en ayuda directa, mediante su conversión en un importe monetario, condicionada a un importe máximo a percibir. Veamos, pues, a continuación, el detalle de esta medida, mantenida en el texto de la LIS.

La primera condición para la aplicación de la monetización viene determinada por su ámbito subjetivo, solo es aplicable a las entidades que tributen al tipo general, incluyendo a las entidades de nueva creación, que al fin y al cabo no es más que una derogación temporal del tipo general, y a las entidades que tributen al tipo incrementado del 30%, a saber, entidades de crédito, así como las entidades que se dediquen a la exploración, investigación y explotación de yacimientos y almacenamientos subterráneos de hidrocarburos.

En todo caso, la aplicación de la monetización, sea mediante minoración de la cuota íntegra, sea como devolución derivada de la normativa del tributo, supondrá que la deducción se aplique con un descuento del 20 por ciento de su importe.

La deducción por I+D e IT, a través del mecanismo de la monetización y con el mencionado descuento, puede aplicarse de dos formas:

– Minorando la cuota íntegra restante después de la práctica de las deducción, sin estar sometido en este caso a la limitación del importe de las deducciones prevista en el apartado 1 de este mismo artículo 39 LIS que estamos examinando.

En este sentido, cabe destacar que la DGT, en consulta V0290-16, de 26 de enero de 2016, ha señalado que efectivamente la monetización se aplica después de las deducciones sometidas a límite. Así dice la citada consulta: "Por tanto, de acuerdo con el precepto transcrito, una vez aplicadas las deducciones de acuerdo con el apartado 1 del artículo 39 de la LIS, se aplicarán, en primer lugar las deducciones de I+D+i con un descuento del 20% sin que resulte de aplicación el límite previsto en el apartado 1 de dicho precepto, y en el caso de que la cuota del Impuesto sobre Sociedades del período sea de un importe inferior al 80% de las citadas deducciones, se podrá solicitar la devolución del exceso."

– Solicitando su abono a la Administración tributaria en la declaración de este Impuesto, una vez finalizado el plazo de un año desde su generación.

Califica el legislador esta solicitud como devolución derivada de la normativa del tributo, en los términos del artículo 31 LGT, aunque se establece como especialidad que en ningún caso se devengará el interés de demora a que se refiere el apartado 2 de dicho artículo 31, cuando la Administración no ordene la devolución en el plazo de seis meses desde el fin del plazo de declaración o desde la presentación de ésta, si se presentara fuera del plazo reglamentario de declaración.

Se establece, además, un límite cuantitativo máximo para la monetización. El importe de la deducción aplicada o abonada en el caso de las actividades de innovación tecnológica no podrá superar conjuntamente el importe de 1 millón de euros anuales. Asimismo, el importe de la deducción aplicada o abonada por las actividades de investigación y desarrollo e innovación tecnológica no podrá superar conjuntamente, y por todos los conceptos, los 3 millones de euros anuales.

En el supuesto de entidades que formen parte del mismo grupo según los criterios establecidos en el artículo 42 del Código de Comercio, con independencia de su residencia y de la obligación de formular cuentas anuales consolidadas, los citados límites se aplicarán a todo el grupo de sociedades conjuntamente.

Ha precisado la DGT, en la ya mencionada consulta V0290-16, de 26 de enero de 2016, que los límites cuantitativos a los que acabamos de hacer referencia deben calcularse después de aplicar la reducción del 20% sobre el importe de la deducción. Así se dice en la misma: "*Asimismo, la cuantía que puede ser objeto de lo previsto en el párrafo anterior, esto es, deducción "acelerada" más abono, no puede exceder de 1 millón de euros cuando se refiera a las deducciones por innovación tecnológica o de 3 millones de euros por todos los conceptos (investigación y desarrollo e innovación tecnológica), sin perjuicio de que bajo determinadas circunstancias este límite se incremente en 2 millones de euros para la deducción por gastos de investigación y desarrollo. Por tanto, el descuento no se aplica sobre el límite de 3 millones.*"

Este límite cuantitativo, no obstante, se amplía en determinadas circunstancias. Así, en el supuesto de que los gastos de investigación y desarrollo del período impositivo superen el 10 por ciento del importe neto de la cifra de negocios del mismo periodo, la deducción por actividades de I+D generada en dicho período impositivo podrá quedar excluida del límite establecido respecto de la cuota íntegra, y aplicarse o abonarse con un descuento del 20 por ciento de su importe en la primera declaración que se presente transcurrido el plazo a que se refiere el requisito de inversión al que después nos referiremos, hasta un importe adicional de 2 millones de euros.

Para la aplicación de la monetización, debe cumplirse, además, con los siguientes requisitos:

– Que transcurra, al menos, un año desde la finalización del período impositivo en que se generó la deducción, sin que la misma haya sido objeto de aplicación.

– Que la plantilla media o, alternativamente, la plantilla media adscrita a actividades de investigación y desarrollo e innovación tecnológica no se vea reducida desde el final del período impositivo en que se generó la deducción hasta la finalización del plazo a que nos referimos en el apartado siguiente.

– Que se destine un importe equivalente a la deducción aplicada o abonada, a gastos de investigación y desarrollo e innovación tecnológica o a inversiones en elementos del inmovilizado material o inmovilizado intangible exclusivamente afectos a dichas actividades, excluidos los inmuebles, en los 24 meses siguientes a la finalización del período impositivo en cuya declaración se realice la correspondiente aplicación o la solicitud de abono. A este requisito se le denomina requisito de inversión.

– Que la entidad haya obtenido un informe motivado sobre la calificación de la actividad como investigación y desarrollo o innovación tecnológica o un acuerdo previo de valoración de los gastos e inversiones correspondientes a dichas actividades, en los términos establecidos en el apartado 4 del artículo 35 de esta Ley.

La DGT emitió informe, titulado "Informe sobre la interpretación de determinadas deducciones por actividades de I+D y Patent Box", de fecha 25 de febrero de 2014, a solicitud de la Directora General de Innovación y Competitividad del Ministerio de Economía y Competitividad, en el que, en relación con el requisito del informe motivado al que acabamos de referirnos, señala lo siguiente:

– Que el informe será válido en la medida en que se refiera a la actividad realmente realizada por las entidades solicitantes.

- Que no se exige un informe motivado específico sobre el cumplimiento del "Requisito de Inversión" al que antes nos hemos referido.

- Que la mera presentación del informe por el sujeto no es condición suficiente para el cumplimiento del requisito que exige dicho informe; es necesario que el sujeto cuente con una resolución favorable.

El incumplimiento de cualquiera de estos requisitos conllevará la regularización de las cantidades indebidamente aplicadas o abonadas, en la forma establecida en el artículo 125.3 LIS; esto es, se ingresará, junto con la cuota del período impositivo en que tenga lugar el incumplimiento de los requisitos, el importe de la deducción practicada, además de los intereses de demora.

6.6. Monetización de la deducción por gastos realizados en España en producciones extranjeras

En el caso de insuficiencia de cuota en la aplicación de la deducción por gastos realizados en España en producciones extranjeras, se podrá solicitar su abono a la Administración tributaria a través de la declaración del Impuesto. A diferencia de la monetización de la deducción por actividades de I+D e IT, en este caso no se exige ningún descuento.

Este abono se regirá por lo dispuesto en el artículo 31 LGT para las devoluciones derivadas de la normativa del tributo, aunque la igual que en la monetización de la deducción por actividades de I+D e IT, en ningún caso, se producirá el devengo del interés de demora a que se refiere el apartado 2 de dicho artículo 31, cuando la Administración no ordene la devolución en el plazo de seis meses desde el fin del plazo de declaración o desde la presentación de ésta, si se presentara fuera del plazo reglamentario de declaración.

6.7. Límite en la generación de deducciones

Una misma inversión no podrá dar lugar a la aplicación de más de una deducción en la misma entidad salvo disposición expresa, ni podrá dar lugar a la aplicación de una deducción en más de una entidad.

6.8. Mantenimiento de la inversión

Los elementos patrimoniales afectos a las deducciones para incentivar determinadas actividades deberán permanecer en funcionamiento durante 5 años, o 3 años, si se trata de bienes muebles, o durante su vida útil si fuera inferior.

Si se incumpliera esta obligación, conjuntamente con la cuota correspondiente al período impositivo en el que se manifieste el incumplimiento de este requisito, se ingresará la cantidad deducida, además de los intereses de demora.

6.9. *Derecho de comprobación*

El derecho de la Administración para iniciar el procedimiento de comprobación de las deducciones aplicadas o pendientes de aplicar prescribirá a los 10 años a contar desde el día siguiente a aquel en que finalice el plazo establecido para presentar la declaración o autoliquidación correspondiente al período impositivo en que se generó el derecho a su aplicación.

Transcurrido dicho plazo, el contribuyente deberá acreditar las deducciones cuya aplicación pretenda, mediante la exhibición de la liquidación o autoliquidación y la contabilidad, con acreditación de su depósito durante el citado plazo en el Registro Mercantil.

Este pronunciamiento de la Ley 27/2014 que ratificado en la reforma de la Ley General Tributaria operada por la Ley 34/2015, que ha introducido un nuevo artículo 66.bis en dicha Ley en el que se regula el derecho a comprobar e investigar.

Comienza el citado precepto estableciendo que la prescripción de derechos establecida en el artículo 66 LGT, particularmente, la del derecho a comprobar, fijada en un plazo de 4 años, no afectará al derecho de la Administración para realizar comprobaciones e investigaciones conforme al artículo 115 LGT, salvo lo dispuesto en los apartados siguientes del mencionado artículo.

El artículo 115 LGT, referido en el artículo 66.bis LGT, establece que la Administración Tributaria podrá comprobar e investigar los hechos, actos, elementos, actividades, explotaciones, negocios, valores y demás circunstancias determinantes de la obligación tributaria para verificar el correcto cumplimiento de las normas aplicables. Dicha comprobación e investigación se podrá realizar aún en el caso de que las mismas afecten a ejercicios o periodos y conceptos tributarios respecto de los que se hubiese producido la prescripción, siempre que tal comprobación o investigación resulte precisa en relación con la de alguno de los derechos que no hubiesen prescrito. En particular, dichas comprobaciones e investigaciones podrán extenderse a hechos, actos, actividades, explotaciones y negocios que, acontecidos, realizados, desarrollados o formalizados en ejercicios o periodos tributarios prescritos que hubieran de surtir efectos fiscales en ejercicios o periodos en los que dicha prescripción no se hubiese producido

Añade el apartado 2 del artículo 66.bis LGT, relativo a la prescripción del derecho de comprobación e investigación, que el derecho de la Administración para iniciar el procedimiento de comprobación de las bases o cuotas compensadas o pendientes de compensación o de deducciones aplicadas o pendientes de aplicación (lo que, evidentemente, es el caso que ahora nos interesa especialmente) prescribirá a los diez años a contar desde el día siguiente a aquel en que finalice el plazo reglamentario establecido para presentar la declaración o autoliquidación correspondiente al ejercicio o periodo impositivo en que se generó el derecho a compensar dichas bases o cuotas o a aplicar dichas deducciones.

En los procedimientos de inspección de alcance general a que se refiere el artículo 148 de esta Ley, respecto de obligaciones tributarias y periodos cuyo derecho a liquidar no se encuentre prescrito, se entenderá incluida, en todo caso, la comprobación de la totalidad de las bases o cuotas pendientes de compensación o de las deducciones pendientes de aplicación, cuyo derecho a comprobar no haya prescrito de acuerdo con lo dispuesto en el párrafo anterior. En otro caso, deberá hacerse expresa mención a la inclusión, en el objeto del procedimiento, de la comprobación, con indicación de los ejercicios o periodos impositivos en que se generó el derecho a compensar las bases o cuotas o a aplicar las deducciones que van a ser objeto de comprobación.

La comprobación y, en su caso, la corrección o regularización de bases o cuotas compensadas o pendientes de compensación o deducciones aplicadas o pendientes de aplicación respecto de las que no se hubiese producido la prescripción conforme al precepto que estudiamos sólo podrá realizarse en el curso de procedimientos de comprobación relativos a obligaciones tributarias y periodos cuyo derecho a liquidar no se encuentre prescrito.

En todo caso, la limitación a la facultad de comprobación e investigación, no afectará a la obligación de aportación de las liquidaciones o autoliquidaciones en que se incluyeron las bases, cuotas o deducciones y la contabilidad con ocasión de procedimientos de comprobación e investigación de ejercicios no prescritos en los que se produjeron las compensaciones o aplicaciones señaladas en dicho apartado

7. DEDUCCIONES PENDIENTES DE APLICACIÓN A LA ENTRADA EN VIGOR DE LA LEY 27/2014

La LIS consagra su DT 24ª a regular el régimen transitorio de las deducciones para incentivar determinadas actividades pendientes de aplicar.

7.1. *Deducciones por inversiones en activos fijos materiales nuevos*

Las deducciones por inversiones en activos fijos materiales nuevos generadas de acuerdo con el artículo 26 de la Ley 61/1978, respecto de las que el contribuyente hubiese optado por aplicarlas en los períodos impositivos en que se realicen los pagos de acuerdo con lo establecido en el artículo 218.3 del RIS 1982, se seguirán aplicando en las liquidaciones de los períodos impositivos en los que se efectúan los referidos pagos, en las condiciones y requisitos previstos en la citada norma.

Estas deducciones deberán respetar el límite sobre cuota líquida que corresponda según lo establecido en la citada LIS 1978 y en las correspondientes Leyes de Presupuestos Generales del Estado.

A estos efectos se entenderá por cuota líquida la resultante de minorar la cuota íntegra en las deducciones para evitar la doble imposición internacional y las bonificaciones aplicables con la LIS 2014.

Las deducciones procedentes de diferentes modalidades o períodos impositivos del artículo 26 de la LIS 1978, no podrán rebasar un límite conjunto del 35 por ciento de la cuota líquida, a la que nos acabamos de referir.

Estas deducciones se practicarán una vez realizadas deducciones para evitar la doble imposición internacional y las bonificaciones y, a continuación, las deducciones para incentivar la realización de determinadas actividades, cuyo límite se computará independientemente al establecido para las deducciones por inversiones en activos fijos materiales LIS 1978.

7.2. *Deducciones sociedades patrimoniales*

Las deducciones en la cuota íntegra por actividades económicas establecidas en el artículo 69.2 TRIRPF 2004 generadas en períodos impositivos en que fuera de aplicación el régimen de las sociedades patrimoniales, que estuviesen pendientes de aplicar al inicio del primer período impositivo que se inicie a partir de 1 de enero de 2015, podrán deducirse a partir de dicho período impositivo, con los límites y condiciones establecidos en la LIS 2014.

7.3. *Deducciones para incentivar determinadas actividades*

Las deducciones para incentivar determinadas actividades previstas en la LIS 1995 y en el TRIS 2004 que estuviesen pendientes de aplicar al inicio del primer período impositivo que se inicie a partir de 1 de enero de 2015, esto es, el primer periodo impositivo de aplicación de la LIS 2014, podrán deducirse a partir de dicho período impositivo, con los requisitos previstos en su respectiva normativa de aplicación con anterioridad a esa fecha, pero en el plazo y con las condiciones establecidos en el artículo 39 LIS 2014 (15 años y 25% de cuota íntegra minorada, salvo la deducción por I+D+I que se aplicará en 18 años y con el límite del 50% de la cuota íntegra minorada si los gastos e inversiones del periodo exceden del 10% de la cuota íntegra minorada).

También se aplica el límite establecido del artículo 39 LIS sobre la deducción por reinversión de beneficios extraordinarios del artículo 42 TRIS 2004, computándose dicha deducción a efectos del cálculo del citado límite.

Además, para las entidades que tengan deducciones por doble imposición interna pendientes de aplicar procedentes de la aplicación del artículo 30 TRIS 2004, el límite establecido en el último párrafo del apartado 1 del artículo 39 de esta Ley se aplicará sobre la cuota íntegra minorada en las deducciones para evitar la doble imposición interna e internacional y las bonificaciones aplicadas, incluyendo por tanto las procedentes del citado artículo 30 TRIS 2004.

7.4. Deducción por inversión de beneficios

Las rentas acogidas a la deducción por inversión de beneficios prevista en el artículo 37 TRIS 2004 se regularán por establecido en dicha Ley y en sus normas de desarrollo, aun cuando la inversión y los demás requisitos se produzcan en períodos impositivos iniciados a partir de 1 de enero de 2015, esto es, en los que esté vigente la LIS 2014.

7.5. Reinversión de beneficios extraordinarios

Las rentas acogidas a la reinversión de beneficios extraordinarios prevista en el artículo 21 LIS 1995, según la redacción vigente hasta 1 de enero de 2002, que no hubiesen aplicado la deducción establecida en el artículo 36 ter de la Ley 43/1995 por aplicación del apartado dos de la Disposición transitoria tercera de la Ley 24/2001, se regularán por lo establecido en el referido artículo 21 y en sus normas de desarrollo.

Por otro lado, las rentas acogidas a la deducción por reinversión de beneficios extraordinarios prevista en el artículo 42 del TRIS 2004 se regularán por lo en él establecido y en sus normas de desarrollo, aun cuando la reinversión y los demás requisitos se produzcan en períodos impositivos iniciados a partir de 1 de enero de 2015.

No obstante, como consecuencia de la reducción de los tipos de gravamen, en el caso de operaciones a plazos o con precio aplazado, los porcentajes de deducción del 12 y 17 que establecía el artículo 42 TRIS 2004 serán, respectivamente, del 10 y del 15 por ciento, cualquiera que sea el período impositivo en que se practique la deducción para las rentas integradas en la base imponible de los períodos impositivos iniciados dentro de 2015. Por idéntica razón, dichos porcentajes serán, respectivamente, del 7 y del 12 por ciento cualquiera que sea el período impositivo en que se practique la deducción para las rentas integradas en la base imponible de los períodos impositivos iniciados a partir de 1 de enero de 2016.

Artículo 40
El pago fraccionado

FAUSTINO MOYA CALATAYUD
Inspector de Hacienda del Estado

"1. En los primeros 20 días naturales de los meses de abril, octubre y diciembre, los contribuyentes deberán efectuar un pago fraccionado a cuenta de la liquidación correspondiente al período impositivo que esté en curso el día 1 de cada uno de los meses indicados.

No deberán efectuar el referido pago fraccionado ni estarán obligadas a presentar la correspondiente declaración las entidades a las que se refieren los apartados 4 y 5 del artículo 29 de esta Ley.

2. La base para calcular el pago fraccionado será la cuota íntegra del último período impositivo cuyo plazo de declaración estuviese vencido el primer día de los 20 naturales a que hace referencia el apartado anterior, minorado en las deducciones y bonificaciones que le fueren de aplicación al contribuyente, así como en las retenciones e ingresos a cuenta correspondientes a aquél.

Cuando el último período impositivo concluido sea de duración inferior al año se tomará también en cuenta la parte proporcional de la cuota de períodos impositivos anteriores, hasta completar un período de 12 meses.

La cuantía del pago fraccionado previsto en este apartado será el resultado de aplicar a la base el porcentaje del 18 por ciento.

3. Los pagos fraccionados también podrán realizarse, a opción del contribuyente, sobre la parte de la base imponible del período de los 3, 9 u 11 primeros meses de cada año natural determinada según las normas previstas en esta Ley.

Los contribuyentes cuyo período impositivo no coincida con el año natural realizarán el pago fraccionado sobre la parte de la base imponible correspondiente a los días transcurridos desde el inicio del período impositivo hasta el día anterior al inicio de cada uno de los períodos de ingreso del pago fraccionado a que se refiere el apartado 1. En estos supuestos, el pago fraccionado será a cuenta de la liquidación correspondiente al período impositivo que esté en curso el día anterior al inicio de cada uno de los citados períodos de pago.

Para que la opción a que se refiere este apartado sea válida y produzca efectos, deberá ser ejercida en la correspondiente declaración censal, durante el mes de febrero del año natural a partir del cual deba surtir efectos, siempre y cuando el período impositivo a que se refiera la citada opción coincida con el año natural. En caso contrario, el ejercicio de la opción deberá realizarse en la correspondiente declaración *censal, durante el plazo de 2 meses a contar desde el inicio de dicho período impositivo o dentro del plazo comprendido entre el inicio de dicho período impositivo y la finalización del plazo para efectuar el primer pago fraccionado correspondiente al referido período impositivo cuando este último plazo fuera inferior a 2 meses.*

El contribuyente quedará vinculado a esta modalidad del pago fraccionado respecto de los pagos correspondientes al mismo período impositivo y siguientes, en tanto no se renuncie a su aplicación a través de la correspondiente declaración censal que deberá ejercitarse en los mismos plazos establecidos en el párrafo anterior.

No obstante, estarán obligados a aplicar la modalidad a que se refiere este apartado los contribuyentes cuyo importe neto de la cifra de negocios haya superado la cantidad de 6 millones de euros durante los 12 meses anteriores a la fecha en que se inicie el período impositivo al que corresponda el pago fraccionado.

La cuantía del pago fraccionado previsto en este apartado será el resultado de aplicar a la base el porcentaje que resulte de multiplicar por cinco séptimos el tipo de gravamen redondeado por defecto. De la cuota resultante se deducirán las bonificaciones del Capítulo III del presente título, otras bonificaciones que le fueren de aplicación al contribuyente, las retenciones e ingresos a cuenta practicados sobre los ingresos del contribuyente, y los pagos fraccionados efectuados correspondientes al período impositivo.

4. Los porcentajes previstos en los dos apartados anteriores podrán ser modificados por la Ley de Presupuestos Generales del Estado.

5. El pago fraccionado tendrá la consideración de deuda tributaria".

Disposición Adicional Decimocuarta. Modificaciones en el régimen legal de los pagos fraccionados. *(En vigor a partir de 30/09/2016, disposición añadida por el artículo único del Real Decreto-ley 2/2016, de 30 de septiembre. Con efectos para los períodos impositivos que se inicien a partir de 1 de enero de 2016)*

1. Los contribuyentes cuyo importe neto de la cifra de negocios en los 12 meses anteriores a la fecha en que se inicie el período impositivo, sea al menos 10 millones de euros, deberán tener en cuenta, en relación con los pagos fraccionados que se realicen en la modalidad prevista en el apartado 3 del artículo 40 de esta Ley, las siguientes especialidades:

a) La cantidad a ingresar no podrá ser inferior, en ningún caso, al 23 por ciento del resultado positivo de la cuenta de pérdidas y ganancias del ejercicio de los 3, 9 u 11 primeros meses de cada año natural o, para contribuyentes cuyo período impositivo no coincida con el año natural, del ejercicio transcurrido desde el inicio del período impositivo hasta el día anterior al inicio de cada período de ingreso del pago fraccionado, determinado de acuerdo con el Código de Comercio y demás normativa contable de desarrollo, minorado exclusivamente en los pagos fraccionados realizados con anterioridad, correspondientes al mismo período impositivo. En el caso de contribuyentes a los que resulte de aplicación el tipo de gravamen previsto en el párrafo primero del apartado 6 del artículo 29 de esta Ley, el porcentaje establecido en este párrafo será del 25 por ciento.

Quedará excluido del resultado positivo referido, el importe del mismo que se corresponda con rentas derivadas de operaciones de quita o espera consecuencia de un acuerdo de acreedores del contribuyente, incluyéndose en dicho resultado aquella parte de su importe que se integre en la base imponible del período impositivo. También quedará excluido, a estos efectos, el importe del resultado positivo consecuencia de operaciones de aumento de capital o fondos propios por compensación de créditos que no se integre en la base imponible por aplicación del apartado 2 del artículo 17 de esta Ley.

En el caso de entidades parcialmente exentas a las que resulte de aplicación el régimen fiscal especial establecido en el capítulo XIV del título VII de esta Ley, se tomará como resultado positivo el correspondiente exclusivamente a rentas no exentas. En el caso de entidades a las que resulte de aplicación la bonificación establecida en el artículo 34 de esta Ley, se tomará como resultado positivo el correspondiente exclusivamente a rentas no bonificadas.

Lo dispuesto en esta letra no resultará de aplicación a las entidades a las que se refieren los apartados 3, 4 y 5 del artículo 29 de esta Ley ni a las referidas en la Ley 11/2009, de 26 de octubre, por la que se regulan las Sociedades Anónimas Cotizadas de Inversión en el Mercado Inmobiliario.

b) El porcentaje a que se refiere el último párrafo del apartado 3 del artículo 40 de esta Ley será el resultado de multiplicar por diecinueve veinteavos el tipo de gravamen redondeado por exceso.

2. Lo previsto en esta disposición no resultará de aplicación a los pagos fraccionados cuyo plazo de declaración haya comenzado antes de la entrada en vigor del Real Decreto-ley 2/2016, de 30 de septiembre".

DESARROLLO REGLAMENTARIO
REGLAMENTO DEL IMPUESTO SOBRE SOCIEDADES APROBADO POR REAL DECRETO 634/2015, DE 10 DE JULIO

Disposición final Unica.
"Habilitaciones al Ministro de Hacienda y Administraciones Públicas.

Se habilita al Ministro de Hacienda y Administraciones Públicas para:

(...)

d) Aprobar el modelo de pago fraccionado y determinar el lugar y forma de presentación del mismo..."

ORDEN EHA/1721/2011, de 16 de junio, por la que se aprueba el modelo 222 para efectuar los pagos fraccionados a cuenta del Impuesto sobre Sociedades en régimen de consolidación fiscal estableciéndose las condiciones generales y el procedimiento para su presentación telemática, se elimina el modelo 197 de declaración de las personas y Entidades que no hayan comunicado su Número de Identificación Fiscal a los Notarios mediante la derogación del apartado cuarto y del anexo IV de la Orden de 27 de diciembre de 1990, y se modifica la Orden EHA/769/2010, de 18 de marzo, por la que se aprueba el modelo 349 de declaración recapitulativa de operaciones intracomunitarias, así como los diseños físicos y lógicos y el lugar, forma y plazo de presentación, se establecen las condiciones generales y el procedimiento para su presentación telemática, y se modifica la Orden HAC/3625/2003, de 23 de diciembre, por la que se aprueba el modelo 309 de declaración-liquidación no periódica del Impuesto sobre el Valor Añadido, y otras normas tributarias. (BOE de 22 de junio de 2011).

ORDEN HAP/2055/2012, de 28 de septiembre, por la que se aprueba el modelo 202 para efectuar los pagos fraccionados a cuenta del Impuesto sobre Sociedades y del Impuesto sobre la Renta de no Residentes correspondiente a establecimientos permanentes y entidades en régimen de atribución de rentas constituidas en el extranjero con presencia en territorio español, y se establecen las condiciones generales y el procedimiento para su presentación telemática y se modifica la Orden EHA/1721/2011, de 16 de junio, por la que se aprueba el modelo 222 para efectuar los pagos fraccionados a cuenta del Impuesto sobre Sociedades en régimen de consolidación fiscal estableciéndose las condiciones generales y el procedimiento para su presentación telemática. (BOE de 29 de septiembre de 2012 y corrección de errores de 4 de octubre).

ORDEN HAP/523/2015, de 25 de marzo, por la que se modifica la Orden EHA/1721/2011, de 16 de junio, por la que se aprueba el modelo 222 para efectuar los pagos fraccionados a cuenta del Impuesto sobre Sociedades en régimen de consolidación fiscal estableciéndose las condiciones generales y el procedimiento para su presentación telemática y la Orden HAP/2055/2012, de 28 de septiembre, por la que se aprueba el modelo 202 para efectuar los pagos fraccionados a cuenta del Impuesto sobre Sociedades y del Impuesto sobre la Renta de no Residentes correspondiente a establecimientos permanentes y entidades en régimen de atribución de rentas constituidas en el extranjero con presencia en territorio español, y se establecen las condiciones generales y el procedimiento para su presentación telemática.

ORDEN HAP/1552/2016, de 30 de septiembre, por la que se modifica la Orden EHA/1721/2011, de 16 de junio, por la que se aprueba el modelo 222 para efectuar los pagos fraccionados a cuenta del Impuesto sobre Sociedades en régimen de consolidación fiscal estableciéndose las condiciones generales y el procedimiento para su presentación telemática.

Orden HAP/2055/2012, de 28 de septiembre, por la que se aprueba el modelo 202 para efectuar los pagos fraccionados a cuenta del Impuesto sobre Sociedades y del Impuesto sobre la Renta de no Residentes correspondiente a establecimientos permanentes y entidades en régimen de atribución de rentas constituidas en el extranjero con presencia en territorio español, y se establecen las condiciones generales y el procedimiento para su presentación telemática.

SUMARIO: 1. COMENTARIO. 2. JURISPRUDENCIA Y DOCTRINA ADMINISTRATIVA RELEVANTE. 3. EJEMPLOS.

1. COMENTARIO

1º) Como también sucede con las personas físicas titulares de actividades económicas en el IRPF o con los establecimientos permanentes en el ámbito del IRNR, los sujetos pasivos del Impuesto sobre Sociedades están obligados a realizar pagos fraccionados. Esta obligación permite a la Hacienda Pública una importante periodificación en la recaudación del impuesto, anticipando su exacción. Obviamente, por su carácter "a cuenta", el importe ingresado a través de los pagos fraccionados, junto a las retenciones soportadas y el resto de ingresos a cuenta, se deducirá en las liquidaciones o autoliquidaciones del impuesto para el cálculo de la cuota final a ingresar o a devolver.

Los modelos de pagos fraccionados a cuenta del IS son el Modelo 202, que aplican las entidades en general, incluidas las grandes empresas, y el Modelo 222 que utilizan las entidades en régimen de consolidación fiscal. En este sentido, el Modelo 202, general o común, no puede ser utilizado por los grupos fiscales, incluidos los de cooperativas, que tributen por el régimen fiscal especial establecido en el capítulo VII del título VII de la LIS y en el Real Decreto 1345/1992, de 6 de noviembre, por el que se dictan normas para la adaptación de las disposiciones que regulan la tributación sobre el beneficio consolidado a los grupos de sociedades cooperativas, los cuales habrán de utilizar, en todo caso, el Modelo 222.

Se ha establecido la obligación de realizar 3 pagos fraccionados al año. El plazo para realizar el ingreso de dichos pagos comprende los primeros 20 días naturales de los meses de abril, octubre y diciembre. Ahora bien, si el día 20 fuese sábado o festivo el plazo siempre se extiende al día laborable inmediato siguiente. Es de destacar que si se pretende utilizar como forma de ingreso la domiciliación bancaria, el pago fraccionado debe presentarse hasta el día 15 de abril, octubre y diciembre. El cargo en la cuenta bancaria se producirá el último día del plazo de pago en período voluntario (como ya se señaló, salvo excepciones, el cargo en cuenta se realizará el día 20).

Tanto el modelo 202 como el 222 deben de presentarse siempre por vía electrónica. Los colaboradores sociales autorizados a presentar, por vía electrónica, declaraciones en representación de terceras personas, de acuerdo con lo dispuesto en los artículos 79 a 81 del Reglamento General de las actuaciones y los procedimientos de gestión e inspección tributaria y de desarrollo de las normas comunes de los procedimientos de aplicación de los tributos, aprobado por el Real Decreto 1065/2007, de 27 de julio, y en la Orden HAC/1398/2003, de 27 de mayo, por la que se establecen los supuestos y condiciones en que podrá hacerse efectiva la colaboración social en la gestión de los tributos y se extiende ésta expresamente a la presentación electrónica de determinados modelos de declaración y otros documentos tributarios, podrán, por esta vía electrónica, dar traslado de las órdenes de domiciliación que previamente les hayan comunicado los sujetos pasivos de IS a los que representan.

Como regla general, todas las entidades residentes en España, sujetos pasivos del IS, están obligadas a presentar pagos fraccionados cuando les resulte cuota positiva a ingresar. Ahora bien, no están obligadas a presentar pagos fraccionados, en particular:

- Las entidades totalmente exentas del impuesto.
- Las entidades que tributan al tipo del 1%, por ejemplo, los Fondos de Inversión, SICAV, Sociedades de Inversión Inmobiliaria, etc...
- Las entidades que tributan al tipo del 0% (Fondos de pensiones).
- Las Agrupaciones de Interés Económico Españolas, AIEE y las Uniones Temporales de Empresas acogidas al régimen especial del capítulo II del título VII de la LIS, en las que sólo participen socios o miembros residentes en territorio español.
- Las Sociedades Limitadas Nueva Empresa no están obligadas a efectuar los pagos fraccionados a cuenta de las liquidaciones correspondientes a los dos primeros períodos impositivos concluidos desde su constitución (Disposición Adicional 6ª, TRL de Sociedades de Capital, Real Decreto Legislativo 1/2010, de 02 de julio de 2010).

El Modelo 202 será de presentación obligatoria para aquellos contribuyentes cuyo importe neto de la cifra de negocios sea superior a 6 millones de euros durante los 12 meses anteriores a la fecha en que se inicie el período impositivo al que corresponda el pago fraccionado. Para el resto de entidades contribuyentes, en los supuestos en que no deba efectuarse ingreso alguno en concepto de pago fraccionado en el período correspondiente, no será obligatoria la presentación de un modelo 202 con cuota 0.

Sin embargo, el Modelo 222, propio de los grupos consolidados deberá presentarse en todo caso, aunque no deba efectuarse ingreso alguno.

Una sociedad es contribuyente del Impuesto sobre Sociedades mientras ostente personalidad jurídica, y ésta se conserva hasta que se inscriba en el Registro Mercantil la escritura pública de su extinción y se cancelan los asientos registrales. Mientras esto último no ocurra, una entidad sin actividad estará obligada a efectuar los correspondientes pagos fraccionados a cuenta de la liquidación por el Impuesto sobre Sociedades del período impositivo que esté en curso, siempre que, en la declaración realizada en el último período impositivo cuyo plazo reglamentario de declaración estuviese vencido, que haya servido de base de cálculo para determinar los aludidos pagos fraccionados por el ejercicio en curso con arreglo a las normas establecidas por el apartado 2 del artículo 40 de la LIS, hubiese resultado una base positiva, y la sociedad no hubiese optado expresamente, en tiempo y forma, por la modalidad de base de cálculo del pago fraccionado contemplada por el apartado 3 del artículo 40 de la Ley del impuesto.

La obligación de efectuar pagos fraccionados no se ve afectada porque la sociedad, en el período impositivo en curso, no ejerciese ya actividad alguna, o estuviese dada de baja en el Impuesto sobre Actividades Económicas en el mismo período o en anteriores. Todo ello sin perjuicio de que en un momento posterior, y una vez efectuada la autoliquidación por el Impuesto sobre Sociedades del ejercicio en cuestión, resulte a devolver todo o parte de lo ingresado por el concepto de pagos fraccionados (Pregunta Informa 135852-SOCIEDAD DE BAJA EN I.A.E. y Resolución TEAC, de 31/10/2002).

Es claro que a una sociedad con cuotas positivas en años anteriores, pero sin actividad en el ejercicio en curso le convendría optar, en febrero, por la modalidad de cálculo del pago fraccionado en atención al resultado del propio ejercicio (art. 40.3 de la LIS). De esta forma, al no tener actividad en el ejercicio y no existir ingresos, no resultaría cuota a ingresar y no tendría que presentar el Modelo 202, evitando tener que hacer frente a unos pagos fraccionados que resultarían obligatorios en caso de aplicar la modalidad prevista en el art. 40.2 de la LIS, pagos que de todas formas acabarían siendo devueltos por la AEAT, aunque bastantes meses después, tras la presentación y tramitación de la declaración anual modelo 200.

Por las mismas razones, las sociedades en liquidación siguen estando obligadas a efectuar pagos fraccionados hasta que se extinga su personalidad jurídica, puesto que una entidad disuelta, pero con la liquidación sin realizar ni inscribir, conserva la personalidad jurídica mientras se está liquidando y hasta que la escritura final de liquidación no se presente para su inscripción en el Registro Mercantil (se atiende a la fecha de presentación aunque la fecha efectiva de inscripción por el Registrador fuese posterior).

2º) Existen dos modalidades para el cálculo del importe de los pagos fraccionados, según se dispone en los apartados 2 y 3 del art. 40 de la LIS. La primera de ellas, la contenida en el art. 40.2 de la LIS, tiene carácter supletorio y es la de aplicación más frecuente. Las entidades contribuyentes, en principio, pueden elegir entre la modalidad de pago fraccionado regulada en el art. 40.2 y la prevista en el art. 40.3, con excepción de aquellas entidades cuyo importe neto de la cifra de negocios haya superado la cantidad de 6.000.000 de euros, durante los 12 meses anteriores a la fecha en que se inicie el período impositivo al que corresponda el pago fraccionado, pues estas entidades quedan obligatoriamente sometidas a la modalidad regulada en el artículo 40.3 de la LIS.

En la modalidad prevista en el artículo 40.2 de la LIS, la base para calcular el pago fraccionado será la cuota íntegra del último período impositivo cuyo plazo de declaración estuviese vencido el primer día de los meses de abril, octubre y diciembre, minorada en las deducciones, bonificaciones, retenciones e ingresos a cuenta, correspondientes a ese mismo último período con plazo de declaración ya vencido. En concreto, de la cuota íntegra de ese período anterior, que se va a tomar como base, hay que restar:

- Las deducciones para evitar la doble imposición.
- Las bonificaciones.
- Las deducciones para incentivar la realización de determinadas actividades.
- Las retenciones e ingresos a cuenta.

Dicho de otra forma, la base para el cálculo de cada uno de los pagos fraccionados es la cuota íntegra del último período con plazo de declaración vencido, reducida en todas las minoraciones legales salvo en el importe de los propios pagos fraccionados correspondientes a ese mismo ejercicio anterior. Cuando el último período impositivo concluido hubiese tenido una duración inferior al año, para calcular esta base del pago fraccionado, hay que realizar una "elevación" al año completo que se calculará tomando como base la parte proporcional de la cuota del período o períodos impositivos anteriores, hasta completar un período de 12 meses completos.

La cuantía de cada uno de los 3 pagos fraccionados a realizar se obtiene aplicando un tipo del 18% a la correspondiente base.

En el caso de entidades de nueva creación, conforme a esta modalidad de cálculo de los pagos fraccionados, en el primer período impositivo no habría que realizar ningún pago fraccionado puesto que no existe base para su cálculo, ya que no hay cuota de períodos impositivos anteriores que permita obtener un importe positivo sobre el que cuantificar los pagos fraccionados. En el segundo período impositivo, suponiendo que éste coincida con el año natural, tampoco habría que realizar el pago fraccionado de abril, pero la obligación de realizar los pagos de octubre y diciembre ya dependerá de las cuota íntegra y minoraciones que hubiera resultado procedentes en el primer período impositivo, pues su plazo de declaración habrá vencido el 25 de julio de ese segundo año.

Evidentemente, esta primera modalidad de cálculo de los pagos fraccionados, que toma como base datos de años anteriores, no es nada flexible a las posibles fluctuaciones en la actividad económica de las empresas. Así, si en el ejercicio actual se están obteniendo pérdidas y en los ejercicios anteriores se obtuvieron importantes beneficios, los pagos fraccionados del ejercicio en curso resultan a pagar, aunque se estén produciendo esas pérdidas y luego, la AEAT deba devolver, tras la presentación y tramitación de la declaración de IS anual, la totalidad de los pagos fraccionados ingresados. Lo mismo sucede cuando una empresa, en años anteriores, obtuvo importantes ingresos atípicos o extraordinarios que difícilmente van a repetirse en el año en curso, ya que la norma no prevé ningún tipo de corrección para este tipo de situaciones de grandes fluctuaciones en los resultados. La solución posible a este tipo de problemas es obvia; presentar en el mes de febrero una declaración censal (Modelo 036) manifestando la voluntad de aplicar el sistema de cálculo de los pagos fraccionados previsto en el art. 40.3 de la LIS, que permite ajustar los pagos fraccionados a realizar durante el ejercicio en curso a los beneficios realmente obtenidos en el propio período impositivo.

3º) La segunda modalidad de cálculo de los pagos fraccionados viene regulada en el apartado 3 del artículo que estamos comentando y consiste en la aplicación de un porcentaje sobre la parte de la base imponible del período de los 3, 9 u 11 primeros meses de cada año natural (en aquellos casos en que el ejercicio social coincide con el año natural), base imponible que se determinará según las normas del impuesto. Es decir, para el cálculo de esta base de los pagos fraccionados se utilizan las reglas generales de determinación de la base imponible previstas para la declaración anual del impuesto. Concretamente, se aplica el artículo 10.3 de la LIS que establece que en el régimen de estimación directa la base imponible se calculará corrigiendo, mediante la aplicación de los preceptos establecidos en la LIS, el resultado contable determinado de acuerdo con las normas previstas en el Código de Comercio, en las demás leyes relativas a dicha determinación y en las disposiciones que se dicten en desarrollo de las citadas normas. Así, por ejemplo, la Pregunta del INFORMA 135853-TRATAMIENTO DE LAS EXISTENCIAS señala:

> *"... a estos efectos debe entenderse que el resultado contable del que se debe partir para la determinación de la base imponible de los tres, nueve, u once primeros meses de cada ejercicio es el determinado según las normas contables como si concluyera el ejercicio económico en esas fechas. En consecuencia, deberá procederse a la regularización de las existencias finales, cualquiera que fuese el método utilizado para ello, para determinar la base imponible de los tres, nueve, u once meses sobre la que se aplicaría el porcentaje correspondiente para el cálculo de los pagos fraccionados".*

Igualmente, para el cálculo de esta base se tendrán en cuenta las posibles compensaciones de bases negativas procedentes de años anteriores, con las limitaciones legalmente establecidas (art. 26 de la LIS).

Con efectos para los períodos impositivos que se inicien en el año 2015, en la determinación de los pagos fraccionados que se realicen en esta concreta modalidad, se integrará en la base imponible del período respecto del cual se calcula el correspondiente pago fraccionado, el 25% del importe de los dividendos y las rentas devengadas en el mismo, que se correspondan con participaciones en el capital o en los fondos propios de entidades no residentes, a los que resulte de aplicación el artículo 21 de la LIS. Asimismo, se integrará en el correspondiente pago fraccionado, el 100% del importe de los dividendos y las rentas devengadas en el mismo, que se correspondan con participaciones en el capital o en los fondos propios de entidades residentes, a los que resulte de aplicación el referido artículo 21 (Disposición Transitoria Trigésima cuarta LIS).

Para el caso de entidades cuyo período impositivo no coincida con el año natural, los 3 pagos fraccionados obligatorios se calcularán sobre la parte de la base imponible correspondiente a los días transcurridos desde el inicio del período impositivo hasta el día anterior al inicio de cada uno de los períodos de ingreso del pago fraccionado (último día anterior a los meses de abril, octubre, diciembre). En estos supuestos, habitualmente denominados de ejercicios "quebrados" o "partidos", cada pago fraccionado se realiza a cuenta de la liquidación correspondiente al período impositivo que esté en curso el día anterior al inicio de cada uno de los citados períodos de ingreso. Así, si el ejercicio social de una entidad va del 1 de octubre del año X al 30 de septiembre del año X+1, los pagos fraccionados a realizar serían los siguientes:

–   El primer pago a realizar, imputable a este período impositivo, sería el de diciembre. El mismo se presentaría hasta el 20/12/X y se calcularía sobre la base imponible del período comprendido entre el 01/10/X y el 30/11/X.

–   El segundo pago correspondiente a este mismo período impositivo será el de abril y, se efectuaría hasta el 20/04/X+1. Su cálculo se realizaría sobre la base imponible del período comprendido entre el 01/10/X y el 31/03/X+1.

–   El tercer y último pago por este mismo período impositivo será el de octubre. Se efectuaría hasta el 20/10/X+1 y se calcularía sobre la base imponible del ejercicio social completo (período comprendido entre el 01/10/X y el 30/09/X+1).

Este sistema de cálculo de los pagos fraccionados sobre las bases producidas en el propio período impositivo en curso se ajusta mejor a los beneficios que van a acabar tributando por cada concreto período impositivo, ya que el sistema alternativo, previsto en el apartado 2 del mismo artículo 40, atiende a los datos de otros períodos anteriores que evidentemente pueden haber cambiado para el presente período impositivo.

La aplicación de la opción por la modalidad del art. 40.3 de la LIS es una elección de la entidad contribuyente que debe ejercitar a través de la correspondiente declaración censal (Modelo 036), durante el mes de febrero del año natural a partir del cual deba surtir efectos, siempre y cuando el período impositivo a que se refiera la citada opción coincida con el año natural. La opción es necesario que se realice de forma "expresa", a través de la mencionada declaración censal, no produciendo efectos una opción "tácita" que se pretendiera realizar presentando el modelo 202 con una cuota a ingresar calculada por el procedimiento del art. 40.3 de la LIS. En este tipo de situaciones, si la entidad contribuyente no ha presentado el modelo 036 en febrero, pero calcula sus pagos fraccionados por el procedimiento del art. 40.3, ingresando un importe inferior al que resultaría de aplicar las reglas del art. 40.2, previsiblemente la Administración tributaria procederá a iniciar un procedimiento de liquidación dirigido a exigir el pago de las diferencias no ingresadas.

Para el ejercicio de la opción, como es lógico, también existe una regla especial para el caso de sujetos pasivos del impuesto cuyo período impositivo no coincida con el año natural. En este caso, el ejercicio de la opción deberá realizarse en una declaración censal presentada en el plazo de 2 meses a contar desde el inicio del período impositivo "quebrado" o dentro del plazo comprendido entre el inicio de dicho período impositivo y la finalización del plazo para efectuar el primer pago fraccionado correspondiente al referido período, cuando este último plazo fuera inferior a 2 meses.

La elección de la modalidad de cálculo de pago fraccionado prevista en el art. 40.3 de la LIS vincula para todo el período impositivo y también produce efecto para los períodos impositivos siguientes, hasta que se renuncie a su aplicación a través de la correspondiente declaración censal que también debería presentarse en el mes de febrero del año en cuestión.

No existe elección para las entidades contribuyentes cuyo importe neto de la cifra de negocios haya superado la cantidad de 6 millones de euros durante los 12 meses anteriores a la fecha en que se inicie el período impositivo al que corresponda el pago fraccionado. Estas entidades deben obligatoriamente aplicar la modalidad de cálculo de pagos fraccionados prevista en el art. 40.3 de la LIS. Dicha cifra de negocios es la que individualmente haya obtenido la entidad en cuestión y no la del grupo mercantil al que pudiera pertenecer. Es de destacar que la nueva LIS (Ley 27/2014) ha supuesto un cambio en relación con este límite en particular, puesto que el límite actual atiende a que el importe neto de la cifra de negocios haya superado la cantidad de 6 millones de euros, mientras que en la regulación anterior, vigente hasta 2014, el límite era un volumen de operaciones de 6.010.121,04 euros calculado según las reglas del IVA.

Puede suceder que una entidad, en atención a su cifra de negocios habitual, venga calculando sus pagos fraccionados por la modalidad del art. 40.3 de la LIS; sin haber ejercitado ninguna opción censal para ello, puesto que simplemente está cumpliendo su obligación de aplicar esta modalidad de cálculo, pero si, en un determinado ejercicio su cifra de negocios no supera los 6.000.000 de euros, al ejercicio siguiente quedaría sometida al sistema del art. 40.2 de la LIS. En este último caso, para poder seguir aplicando la modalidad del 40.3 de la LIS, debería presentar en plazo la correspondiente declaración censal optando por ella, pues en caso de olvidarlo quedaría incluida en la modalidad del art. 40.2.

Por otra parte, en el caso de entidades de nueva constitución, en su primer período impositivo no habrá una cifra de negocio del período anterior que se pueda tomar como referencia. En estos casos, la entidad podrá elegir libremente qué modalidad de cálculo prefiere, aplicándose supletoriamente el procedimiento del art. 40.2 que la eximirá de la obligación de presentar pagos fraccionados durante el primer ejercicio puesto que no habrá cuota positiva base de cálculo, salvo que presente declaración censal optando por la modalidad del 40.3.

El importe del ingreso a efectuar por el pago fraccionado según esta modalidad es el resultado de aplicar a la base el porcentaje que resulte de multiplicar por 5/7 el tipo de gravamen redondeado por defecto. Así, en principio, el porcentaje para una empresa que en el ejercicio 2016 tribute al tipo general del impuesto (25%) se calcularía de la siguiente forma:

25 x 5/7= 17,85. Redondeado por defecto el porcentaje será el 17%.

No obstante, tras la entrada en vigor del Decreto-Ley 2/2016, con efectos a partir del pago fraccionado de octubre de 2016 (en la jerga tributaria aplicable a partir del 2P/2016), para el caso de una entidad que tribute al tipo general del 25% y su importe neto de la cifra de negocios, en los 12 meses anteriores, sea al menos 10.000.000 millones de euros, el porcentaje aplicable, para el cálculo del pago fraccionado de acuerdo con la modalidad del artículo 40.3 LIS, será el resultado de multiplicar por 19/20 (en lugar de 5/7) el tipo de gravamen, redondeándose por exceso. Por tanto, el porcentaje o tipo del pago fraccionado sería el siguiente:

25 x 19/20= 23,75. Redondeado por exceso el porcentaje será el 24%.

En cada uno de los pagos fraccionados, la cuota resultante de aplicar el porcentaje a la base del período se minorará en los importes de las bonificaciones del Capítulo III del Título V, otras bonificaciones que le fueren de aplicación a la entidad contribuyente, las retenciones e ingresos a cuenta y los propios pagos fraccionados anteriormente efectuados correspondientes a este mismo período impositivo. Por el contrario, en este cálculo no se minoran las deducciones para evitar la doble imposición, ni tampoco las deducciones por la realización de determinadas actividades.

Como ya hemos señalado, los porcentajes del 5/7 o 19/20 del tipo de gravamen se aplican a partir de 2016. Durante 2015 se debieron aplicar los porcentajes previstos en la DT 34ª de la LIS que se pueden resumir así:

a) Tratándose de contribuyentes cuyo importe neto de la cifra de negocios no haya superado la cantidad de 6 millones de euros durante los 12 meses anteriores a la fecha en que se inicien los períodos impositivos dentro del año 2015, el resultado de multiplicar por cinco séptimos el tipo de gravamen redondeado por defecto. Así, en el caso que la entidad tribute al tipo general del impuesto, el porcentaje para el cálculo del pago fraccionado será el 20% (5/7 del 28%).

b) Tratándose de contribuyentes cuyo importe neto de la cifra de negocios haya superado la cantidad de 6 millones euros durante los 12 meses anteriores a la fecha en que se inicien los períodos impositivos dentro del año 2015:

   – El resultado de multiplicar por 5/7 el tipo de gravamen redondeado por defecto, cuando en esos 12 meses el importe neto de la cifra de negocios sea inferior a 10 millones de euros.

   – El resultado de multiplicar por 15/20 el tipo de gravamen redondeado por exceso, cuando en esos 12 meses el importe neto de la cifra de negocios sea al menos 10 millones de euros, pero inferior a 20 millones de euros.

   – El resultado de multiplicar por 17/20 el tipo de gravamen redondeado por exceso, cuando en esos 12 meses el importe neto de la cifra de negocios sea al menos 20 millones de euros, pero inferior a 60 millones de euros.

   – El resultado de multiplicar por 19/20 el tipo de gravamen redondeado por exceso, cuando en esos 12 meses el importe neto de la cifra de negocios sea al menos 60 millones de euros.

Asimismo, durante 2015 también estuvieron en vigor unos importes mínimos a ingresar establecidos por la citada Disp. Trans. Trigésima cuarta de la LIS y que se calculan sobre el resultado contable de Pérdidas y Ganancias. Concretamente la cantidad a ingresar correspondiente a los pagos fraccionados en la modalidad del apartado 3 del artículo 40 de la LIS, para aquellos contribuyentes que estén obligados a aplicar esta modalidad y cuyo importe neto de la cifra de negocios en los 12 meses anteriores a la fecha en que se inicien los períodos impositivos dentro del año 2015 sea al menos 20 millones de euros, no podrá ser inferior, en ningún caso, al 12 % del resultado positivo de la cuenta de pérdidas y ganancias del ejercicio de los 3, 9 u 11 primeros meses de cada año natural, o para contribuyentes cuyo período impositivo no coincida con el año natural, del ejercicio transcurrido desde el inicio del período impositivo hasta el día anterior al inicio de cada período de ingreso del pago fraccionado, determinado de acuerdo con el Código de Comercio y demás normativa contable de desarrollo, minorada en los pagos fraccionados realizados con anterioridad, correspondientes al mismo período impositivo. Quedará excluido del resultado

positivo referido, el importe del mismo que se corresponda con rentas derivadas de operaciones de quita o espera consecuencia de un acuerdo de acreedores
del contribuyente, incluyéndose en dicho resultado aquella parte de su importe
que se integre en la base imponible del período impositivo.

No obstante, el porcentaje establecido en el párrafo anterior será del 6 %
para aquellas entidades allí referidas, en las que al menos el 85% de los ingresos de los 3, 9 u 11 primeros meses de cada año natural o, para contribuyentes
cuyo período impositivo no coincida con el año natural, del ejercicio transcurrido desde el inicio del período impositivo hasta el día anterior al inicio de
cada período de ingreso del pago fraccionado, correspondan a rentas a las que
resulte de aplicación las exenciones previstas en los artículos 21 o 22 de la LIS.

A partir de 2016, de nuevo las necesidades presupuestarias han obligado
a establecer, en determinados supuestos, un "mínimo a ingresar" (Real Decreto-ley 2/2016, de 30 de septiembre) calculado sobre el resultado positivo de la
cuenta de pérdidas y ganancias. Comentamos dicho mínimo en el número 7º
siguiente.

4º) Los porcentajes o tipos para el cálculo de los pagos fraccionados previstos en los dos puntos anteriores pueden ser modificados por las leyes anuales
de Presupuestos Generales del Estado.

La nueva LIS (Ley 27/2014) ha introducido aquí una modificación con relación a la regulación anterior. así, el artículo 45.4 del TRLIS, aprobado por RD
Legislativo 4/2004, remitía al porcentaje aprobado por la LPGE de cada año
Por lo tanto, era necesario que las respectivas LPGE aprobaron los concretos
porcentajes de pagos fraccionados a aplicar en cada ejercicio. Sin embargo, en
la actual LIS, los porcentajes se han incorporado al propio texto del artículo 40
(apartados 2 y 3) por lo que ya no es necesario que el legislador presupuestario
regule cada año esta concreta cuestión, pudiendo modificarlos sólo si lo estima
pertinente, como lamentable ya ha sucedido con relación a las empresas con
cifra de negocios de al menos 10.000.000 de euros (Decreto-Ley 2/2016).

5º) El pago fraccionado tiene la consideración de deuda tributaria. Por tanto, su falta de presentación puede dar lugar a la práctica de liquidaciones administrativas, con la habitual exigencia de intereses de demora y la imposición de
las sanciones correspondientes, en caso de concurrir la culpabilidad necesaria,
por aplicación del régimen general sancionador tributario regulado en la LGT.

Como ya hemos señalado, los pagos fraccionados tienen carácter de "a
cuenta" de la autoliquidación anual que la entidad deberá presentar por el
período impositivo que esté en curso el día 1 de cada uno de los meses abril,
octubre y diciembre. Por tanto, los pagos fraccionados, autoliquidados por los
sujetos pasivos o liquidados por la propia Administración, se deducirán de la
cuota íntegra en la declaración anual del período impositivo correspondiente,
pudiendo dar lugar a devoluciones, en su caso. Partiendo de este carácter "a

cuenta" y de su accesoriedad respecto a la obligación principal del impuesto, la practica administrativa habitual supone que la Administración tributaria no liquida la falta de presentación de los pagos fraccionados una vez ya presentada la declaración anual del impuesto por el período impositivo en cuestión, puesto que, si en esta declaración anual se ha realizado el pago completo de la cuota correcta del impuesto, se puede entender que la entidad contribuyente ha regularizado sus posibles incumplimientos iniciales en relación a los pagos fraccionados, aunque lo haya hecho por una vía indirecta como es la correcta declaración e ingreso de la deuda tributaria resultante de la obligación tributaria principal anual.

En este sentido, los órganos administrativos encargados de la gestión del impuesto realizan requerimientos y comprobaciones dirigidos a regularizar la falta de presentación de los pagos fraccionados o su presentación con cuantías incorrectas, pero estas "campañas" de comprobación se ejecutan siempre antes de que se presente la declaración anual, puesto que una vez ya presentada la declaración modelo 200 se entiende cumplida la obligación "completa" por IS y subsanado el incumplimiento anterior, por lo que la Administración ya no procede a exaccionar los pagos fraccionados incumplidos. Todo ello sin perjuicio de que pudieran imponerse sanciones y exigirse intereses de demora por dichos incumplimientos tributarios, asociados a la falta de presentación correcta y en plazo de los pagos fraccionados.

6°) La vigencia transitoria durante 2015 de las reglas antes comentadas dirigidas a incrementar los importes recaudados con los pagos fraccionados que afectan tanto a la base de cálculo (incorporación de determinados dividendos exentos) como a la aplicación de mayores tipos o porcentajes para calcular el importe a ingresar en atención a la cifra de negocio de la entidad, junto al establecimiento de unas cuotas mínimas a ingresar calculadas sobre el resultado positivo de Pérdidas y Ganancia (Disp. Trans. Trigésima cuarta LIS) supusieron una gran complejidad en el cálculo de los pagos fraccionados de ese ejercicio 2015.

Asimismo, el adecuado control de la corrección de los importes ingresados obligó a incluir información complementaria adicional en los Modelos 202 y 222. Esta comunicación de datos adicionales a la declaración sólo era obligatoria para los contribuyentes cuyo importe neto de la cifra de negocios, en los doce meses anteriores a la fecha en que se inicie el período impositivo sea al menos 20 millones de euros.

En cuanto a la correcta cumplimentación, las instrucciones de los modelos, entre otras cosas, señalan lo siguiente:

– Ejercicio: se consignarán en esta casilla los 4 dígitos del año en el que corresponde efectuar el pago fraccionado (año en curso).

– Fecha de inicio del período impositivo: se consignará en esta casilla la fecha de inicio del período impositivo (6 dígitos).

– Período: se consignará en esta casilla, según el mes en que corresponda realizar el pago fraccionado, la siguiente clave: 1/P para el pago a efectuar en los veinte primeros días naturales del mes de abril, 2/P para el correspondiente al mismo período del mes de octubre y 3/P para el correspondiente al mismo período del mes de diciembre.

En el caso de la modalidad del art. 40.3 de la LIS, teniendo en cuenta las reglas legales, las instrucciones para el cálculo de la base del pago fraccionado (clave 04), en el caso de sujetos pasivos cuyo periodo impositivo no coincida con el año natural, también indican que realizarán el pago fraccionado sobre la parte de la base imponible correspondiente a los días transcurridos desde el inicio del período impositivo hasta el día anterior al 1 de abril (para el 1/P), 1 de octubre (para el 2/P) ó 1 de diciembre (para el 3/P).

Si la entidad, por ejemplo (Pregunta 135847-IDENTIFICACIÓN DE LOS PERÍODOS EN EL MODELO) tiene un período impositivo que comienza el 1 de octubre y termina el 30 de septiembre del año siguiente, consignará en el apartado Devengo del modelo los siguientes datos durante el período impositivo 1-10-2015 / 30-9-2016:

– Pago fraccionado a efectuar en los primeros veinte días naturales del mes de diciembre de 2015: Ejercicio 2015, Fecha de inicio del período impositivo 01/10/2015, Período 3/P.

– Pago fraccionado a efectuar en los primeros veinte días naturales del mes de abril de 2016: Ejercicio 2016, Fecha de inicio del período impositivo 01/10/2015, Período 1/P.

– Pago fraccionado a efectuar en los primeros veinte días naturales del mes de octubre de 2016: Ejercicio 2016, Fecha de inicio del período impositivo 01/10/2015, Período 2/P.

7º) La reducción del déficit público y las exigencias de las instituciones europeas a nivel presupuestario obligaron al Gobierno a aprobar una medida encaminada a incrementar la recaudación tributaria por este impuesto. Tal medida consiste en una importante subida de los pagos fraccionados y es aplicable únicamente a las empresas de mayor tamaño (cifra de negocios de al menos 10 millones de euros).

La modificación se aprobó por medio del Real Decreto-Ley 2/2016, de 30 de septiembre, por el que se introducen medidas tributarias dirigidas a la reducción del déficit público (BOE 30/09/2016) que añadió una nueva disposición adicional decimocuarta a la LIS. En principio, la disposición aprobada tiene vigencia indefinida y produce efectos para todos los períodos impositivos que se inicien a partir de 1 de enero de 2016, si bien el primer pago fraccionado en el que se han aplicado fue el de octubre siguiente (2P/2016). No obstante, la exposición de motivos del Decreto-Ley, señala que la modificación podrá ser objeto de revisión en el futuro, en función de la evolución de los ingresos del Estado.

La subida, como ya hemos señalado, se aplica sólo a las entidades contribuyentes cuyo importe neto de la cifra de negocios, en los 12 meses anteriores a la fecha en que se inicie el período impositivo, sea al menos 10 millones de euros y se instrumentó en dos vertientes, por un lado elevando el tipo o porcentaje del pago fraccionado al 24% (19/20 del tipo de gravamen, modificación ya comentada en puntos anteriores) y por otro a través del establecimiento de un nuevo pago mínimo calculado sobre el saldo de Pérdidas y Ganancias, que procedemos a comentar ahora.

En concreto, el pago fraccionado mínimo, a comparar con el resultado de aplicar las reglas previstas en el art. 40.3 de la LIS (se debe ingresar el mayor de los dos), se calcula con los siguientes elementos:

A) Base: Es el resultado positivo de la cuenta de Pérdidas y Ganancias de los 3, 9 u 11 primeros meses del año para las empresas cuyo ejercicio social coincide con el año natural.

Para contribuyentes cuyo período impositivo no coincida con el año natural (ejercicio social quebrado), se atiende al resultado positivo de la cuenta de Pérdidas y Ganancias correspondiente al período transcurrido desde el inicio del período impositivo hasta el día anterior al inicio del período de ingreso de cada uno de los pagos fraccionados.

El resultado de la cuenta de Pérdidas y Ganancias se debe determinar conforme con el Código de Comercio y demás normativa contable de desarrollo Obviamente, si el resultado de la cuenta de Pérdidas y Ganancias es negativo no habrá un pago mínimo a realizar, aplicándose las reglas generales del artículo 40.3 de la LIS.

Para calcular esta base del pago mínimo o resultado positivo de la cuenta de Pérdidas y Ganancias debemos excluir:

- El importe del resultado positivo correspondiente a rentas derivadas de operaciones de quita o espera, consecuencia de un acuerdo de acreedores del contribuyente. No se excluye aquella parte de estas rentas que conforme a la LIS deba integrarse en la base imponible del impuesto para ese período impositivo.

- Los resultados positivos consecuencia de operaciones de aumento de capital o fondos propios por compensación de créditos, resultados que no se integren en la base imponible del impuesto por aplicación del artículo 17.2 de la LIS.

- En el caso de entidades parcialmente exentas, a las que resulte de aplicación el régimen fiscal especial establecido en el capítulo XIV del título VII de la LIS, no se tendrán en cuenta las rentas exentas y sólo se computará como base la parte del saldo positivo de Pérdidas y Ganancias que corresponda a rentas no exentas.

– En el caso de entidades a las que resulte de aplicación la bonificación del 99%, establecida en el artículo 34 de la LIS y vinculada a la prestación de servicios públicos locales comprendidos en el apartado 2 del artículo 25 o en el apartado 1.a), b) y c) del artículo 36 de la Ley 7/1985, de 2 de abril, Reguladora de las Bases del Régimen Local, se atenderá únicamente al resultado positivo correspondiente a rentas no bonificadas.

B) Para determinar el pago fraccionado mínimo, sobre la base expuesta, se aplicará el Porcentaje que corresponda entre ls 2 siguientes:

– El 23%, con carácter general.

– El 25%, en el caso de contribuyentes a los que resulte de aplicación el tipo de gravamen del 30% previsto en el párrafo primero del artículo 29.6 de la LIS. Es decir, el porcentaje del 25% se aplicará a las entidades de crédito y a las entidades que se dediquen a la exploración, investigación y explotación de yacimientos y almacenamientos subterráneos de hidrocarburos en los términos establecidos en la Ley 34/1998, de 7 de octubre, del sector de hidrocarburos.

C) Minoraciones:

El resultado de aplicar a la Base señalada en la letra A anterior el porcentaje (23% o 25%) que corresponda según lo expuesto en la letra B se minorará exclusivamente en los pagos fraccionados anteriormente presentados, correspondientes al mismo período impositivo.

D) Entidades exentas de la aplicación del pago fraccionado mínimo:

– Las entidades a las que se refieren el artículo 29.3 de la LIS. Es decir, las entidades que tributan al 10%, por aplicación el régimen fiscal especial establecido en la Ley 49/2002 de régimen fiscal de las entidades sin fines lucrativos y de los incentivos fiscales al mecenazgo.

– Las entidades a las que se refieren el artículo 29.4 del LIS, siempre que cumplan los requisitos para tributar al 1%. Concretamente la exclusión afecta a: Sociedades de Inversión de Capital Variable reguladas por la Ley 35/2003; Fondos de Inversión de carácter financiero; Sociedades de Inversión Inmobiliaria y los Fondos de Inversión Inmobiliaria; Fondo de Regulación del Mercado Hipotecario. Cuando estas entidades cumplan los requisitos que su normativa específica exige para tributar al 1%, no se verán afectadas por las reglas del pago fraccionado mínimo contenido de la DA 14ª de la LIS.

– Las Fondos de Pensiones, a que se refieren el artículo 29.5 de la LIS, que tributan al 0 %.

– Las Sociedades Anónimas Cotizadas de Inversión en el Mercado Inmobiliario (SOCIMIs), reguladas por la Ley 11/2009.

8°) La nueva disposición adicional 14ª de la LIS nada dijo respecto a si el resultado positivo de la cuenta de Pérdidas y Ganancias, a tener en cuenta para fijar el pago fraccionado mínimo, se podría minorar en alguna cantidad en determinados supuestos especiales por razón del territorio. Es decir, no hizo mención alguna a las entidades contribuyentes de IS que tuvieran derecho a aplicar la minoración por dotación a la Reserva para Inversiones en Canarias (RIC), ni a las entidades que apliquen el régimen fiscal de la Zona Especial Canaria (ZEC), ni a las entidades que tengan derecho a la bonificación establecida en el artículo 33 de la LIS (bonificación 50% para rentas obtenidas en Ceuta y Melilla).

Por ello, se hizo necesario incorporar una Disposición Final Primera a la Ley Orgánica 1/2016, de 31 de octubre (BOE de 1 de noviembre), de reforma de la Ley Orgánica 2/2012, de 27 de abril, de Estabilidad Presupuestaria y Sostenibilidad Financiera, que dio nueva redacción, con efectos para los períodos impositivos que se inicien a partir de 1 de enero de 2016, a la Disposición Adicional Quinta de la LIS

La redacción actual de la Disposición Adicional Quinta de la LIS (redactada por dicha Disp. Final Primera de la Ley Orgánica 1/2016) establece lo siguiente:

"Quinta. Incidencia del Régimen Económico Fiscal de Canarias y de la bonificación por rentas obtenidas en Ceuta o Melilla en el cálculo de los pagos fraccionados.

1. A efectos de lo dispuesto en el apartado 3 del artículo 40 de esta Ley, podrá reducirse de la base imponible el importe de la reserva para inversiones en Canarias, regulada en el artículo 27 de la Ley 19/1994, de 6 de julio, de modificación del Régimen Económico y Fiscal de Canarias, que prevea realizarse, prorrateada en cada uno de los períodos de los 3, 9 u 11 primeros meses del período impositivo y con el límite máximo del 90 por ciento de la base imponible de cada uno de ellos.

Si el importe de la reserva que efectivamente se dote fuera inferior en más de un 20 por ciento del importe de la reducción en la base imponible realizada para calcular la cuantía de cada uno de los pagos fraccionados elevados al año, la entidad estará obligada a regularizar dichos pagos por la diferencia entre la previsión inicial y la dotación efectiva, sin perjuicio de la liquidación de los intereses y recargos que, en su caso, resulten procedentes.

2. A efectos de lo dispuesto en la letra a) del apartado 1 de la Disposición adicional decimocuarta de esta Ley, el resultado positivo allí referido se minorará en el importe de la reserva para inversiones en Canarias que prevea realizarse de acuerdo con lo establecido en el apartado anterior.

Asimismo, ese resultado positivo se minorará en el 50 por ciento de los rendimientos que tengan derecho a la bonificación prevista en el artículo 26 de la Ley 19/1994.

3. En el caso de entidades que apliquen el régimen fiscal de la Zona Especial Canaria, regulado en el Título V de la Ley 19/1994, a efectos de lo dispuesto en la letra a) de la Disposición adicional decimocuarta de esta Ley, no se compu-

tará aquella parte del resultado positivo que se corresponda con el porcentaje señalado en el apartado 4 del artículo 44 de la Ley 19/1994, salvo que proceda aplicar lo dispuesto en la letra b) del apartado 6 de dicho artículo, en cuyo caso el resultado positivo a computar se minorará en el importe que resulte de aplicar lo dispuesto en esa letra.

4. A efectos de lo dispuesto en la letra a) del apartado 1 de la Disposición adicional decimocuarta de esta Ley, el resultado positivo allí referido se minorará en el 50 por ciento de aquella parte del resultado positivo que se corresponda con rentas que tengan derecho a la bonificación prevista en el artículo 33 de esta Ley.

5. Lo dispuesto en los apartados 2, 3 y 4 de esta disposición resultará de aplicación a los pagos fraccionados cuyo plazo de declaración haya comenzado a partir de la entrada en vigor del Real Decreto-ley 2/2016, de 30 de septiembre, por el que se introducen medidas tributarias dirigidas a la reducción del déficit público".

2. JURISPRUDENCIA Y DOCTRINA ADMINISTRATIVA RELEVANTE

CONSULTA VINCULANTE DGT, de 29-05-2015, V1702/2015: Dado que la norma mercantil en materia contable establece, en una operación de fusión por absorción entre empresas del grupo, como fecha a efectos contables de la operación, la correspondiente al inicio del ejercicio en que se aprueba la fusión, la imputación fiscal de las rentas de las operaciones realizadas por la sociedad absorbida que se extingue a causa de la fusión, se realizará de acuerdo con la referida fecha. De acuerdo con esto, dicha fecha tendrá los efectos previstos en el art. 10 de la LIS respecto del criterio de imputación de rentas, desde el punto de vista fiscal, es decir, se acepta fiscalmente la retroacción contable. Las sociedades absorbentes y absorbidas deben realizar los pagos fraccionados según la situación jurídica individual existente en ese momento, esto es, considerando que las rentas derivadas de las operaciones realizadas se imputan a ellas sin perjuicio de que, una vez tenga efectos jurídicos la fusión, la sociedad absorbente asuma la imputación de dichas rentas a efectos del IS, así como el importe de dichos pagos fraccionados. Una vez extinguidas las sociedades absorbidas por haber producido efectos jurídicos la operación de fusión, la sociedad absorbente estará obligada a efectuar los pagos fraccionados. En el caso concreto planteado es necesario tener en cuenta que si bien la sociedad absorbente venía aplicando la modalidad de pago fraccionado prevista el el art. 40.2 de la LIS, sin haber optado por la modalidad prevista en el apartado. 3 de dicho artículo ni estar obligada a ella, la sociedad por ella absorbida tenía la obligación, de aplicar la modalidad del apartado. 3. Ello permite interpretar que la sociedad absorbente ha de asumir esa misma obligación, de manera que en el siguiente pago fraccionado deberá aplicar la modalidad prevista en el mencionado apartado. Lo indicado resulta aplicable con independencia de que a la operación de fusión le resulte o no de aplicación el régimen especial del capítulo VII del título VII de la LIS.

AUDIENCIA NACIONAL. Sentencia de 11 de febrero de 2015, recurso n.º 236/2013: La recurrente no puede invocar el efecto sorpresivo en la aplicación del RD 1578/2008 (Retribución de la actividad de producción de energía eléctrica mediante tecnología solar fotovoltaica para instalaciones posteriores a la fecha límite de mantenimiento de la retribución del Real Decreto 661/2007, de 25 de mayo, para dicha tecnología), que le obligaría a cambiar la frecuencia de la facturación, pues, efectivamente, era conocedora de la posibilidad real de publicación de dicha norma desde el inicio de su fase de elaboración y muy particularmente durante el período de información pública. Además, en el caso de tratarse de una circunstancia de la envergadura que proclama la recurrente habría afectado al conjunto de todas las empresas eléctricas que se hallan en la misma situación, lo que no consta que haya ocurrido. Así, ha de entenderse que incumplió de forma voluntaria sus obligaciones pues los hechos se desarrollaron en su esfera organizativa, y por tanto de su diligencia empresarial, que pudo y debió prever los acontecimientos tal y como se desarrollaron. Las propias deficiencias de organización, en este caso, de previsión del sistema informático de una serie de alteraciones de la práctica habitual seguida hasta un momento dado, no pueden ser invocadas como causa de justificación para el incumplimiento de los plazos que rigen las obligaciones tributarias, sin que sea admisible sostener jurídicamente que la entidad –a la que se supone bien asesorada en el plano de la observancia de sus deberes tributarios, sustantivos y formales– no tuvo oportunidad de presentar su autoliquidación del pago fraccionado, de forma correcta, y dentro del plazo conferido por las normas jurídicas, antes al contrario, la citada formulación tardía debe reputarse un acto estrictamente voluntario, que bien pudo formalizar dentro del plazo la autoliquidación del pago fraccionado. En definitiva, estamos ante un acto espontáneo, voluntario y tardío en el cumplimiento de un deber de declaración e ingreso, que es exactamente el presupuesto de hecho preciso para establecer el recargo recurrido.

TRIBUNAL SUPERIOR DE JUSTICIA DE MADRID. Sentencia 762/2014 de 10 de junio de 2014: Aunque la sociedad se dio de baja en la actividad el 31 de diciembre de 2008, el sujeto pasivo sigue existiendo en 2009 y por tanto tenía obligación de presentar el pago fraccionado. Procede la liquidación de la cuota y los intereses de demora. La presentación de la autoliquidación del IS de 2009 no afecta a la validez de esa liquidación del pago fraccionado pues esta se había dictado cuando todavía no se había presentado la autoliquidación.

CONSULTA VINCULANTE DGT, de 28-03-2008, V0605/2008: Al no haber optado el sujeto pasivo por la modalidad establecida en el art. 45.3 del TRLIS para determinar los pagos fraccionados correspondientes al ejercicio 2007, ni tampoco serle de aplicación obligatoria dicha modalidad, todos los pagos fraccionados de dicho ejercicio se deberán determinar según la modalidad establecida en el art. 45.2, cualquiera que fuese el importe de la base imponible de 2007, aun cuando en los períodos anteriores existan unos resultados extraordinarios por enajenaciones de activos que no van a repetirse en el ejercicio en curso.

TRIBUNAL SUPERIOR DE JUSTICIA DE CANTABRIA. Sentencia 548/2010, de 14 de junio de 2010: No constando que la tributación de la sociedad por la modalidad prevista en el art. 45.3 del TRLIS obedeciera a su voluntad, la cual vincularía a la aplicación de este precepto no habiendo causado baja, sino a su condición de gran empresa conforme el art. 62 de la Ley 42/2006 (PGE para 2007), desaparecido el presupuesto que dio origen a la modalidad, decae esta obligación impuesta por la ley y no por voluntad del contribuyente.

CONSULTA VINCULANTE DGT, 25-09-2015, V2790/2015: Los dividendos intragrupo no han de tenerse en cuenta a los efectos del cálculo de los pagos fraccionados del IS en 2015. Si bien la disposición transitoria trigésimo cuarta de la LIS, a los efectos del cálculo de los pagos fraccionados para los periodos impositivos iniciados dentro del año 2015 según la modalidad del artículo 40.3 de la citada normativa, obliga a integrar en la base imponible de los mismos el 100% de los dividendos obtenidos por el contribuyente procedentes de entidades residentes en territorio español, aun cuando a los mismos les resulte de aplicación lo dispuesto en el artículo 21 de la LIS, dicha regulación no resulta de aplicación a los dividendos distribuidos entre entidades que formen parte del mismo grupo de consolidación fiscal, al traer causa esta medida en paliar el impacto negativo en el pago fraccionado de las entidades derivado del cambio de mecanismo para eliminar la doble imposición interna. Por ello, dado que en este caso, los dividendos intragrupo nunca han sido tenidos en cuenta en la base imponible de los pagos fraccionados del grupo fiscal, dichos dividendos no deben formar parte de la base imponible, ni siquiera a efectos de los pagos fraccionados, no resultándoles de aplicación, por tanto, lo dispuesto en la disposición transitoria trigésima cuarta de la LIS.

EJEMPLOS

1. Cálculo de los pagos fraccionados para el período impositivo X+2, en la Modalidad prevista en el art. 40.2 de la LIS. Suponga que se trata de una entidad cuyo ejercicio social coincide con el año natural y los datos son los siguientes:

	EJERCICIO X	EJERCICIO X+1
Cuota íntegra	90.000	60.000
Deducciones	10.000	10.000
Retenciones	10.000	10.000

RESPUESTA

– Pago fraccionado de abril de X+2.

Este pago se calcula tomando como referencia la cuota íntegra del año X (90.000), último período impositivo cuyo plazo reglamentario de declaración (venció el 25/07/X+1) está vencido a fecha 01/04/X+2. Esta CI se debe minorar en las deducciones y retenciones del año X (20.000). Por tanto, la base son 70.000 euros y el importe del pago fraccionado a ingresar será:

70.000 x 18%= 12.600 euros.

– Pagos fraccionados de octubre y diciembre de X+2.

Estos 2 pagos serán iguales y se calcularán tomando como referencia la CI del año X+1 (60.000), último período impositivo cuyo plazo reglamentario de declaración está vencido (venció el 25/07/x+2), tanto situándonos en el día 01/10/X+2 como en el 01/12/X+2. Esta CI se debe minorar en las deducciones y retenciones del año X+1 (20.000). Por tanto, la base son 40.000 euros y el importe de cada uno de estos 2 pagos fraccionados a ingresar será:

40.000 x 18%= 7.200 euros.

2. Cálculo de los pagos fraccionados para el período impositivo X, en la Modalidad prevista en el art. 40.3 de la LIS. Suponga que se trata de una entidad cuyo ejercicio social coincide con el año natural y su importe neto de la cifra de negocios en los 12 meses anteriores fue inferior a los 10.000.000 de euros. Los datos son los siguientes:

	Hasta 31/03/X	Hasta 30/09/X	Hasta 30/11/X
P y G	250.000	320.000	500.000
Base Imponible	200.000	300.000	600.000
Deducciones	10.000	15.000	20.000
Retenciones	10.000	15.000	20.000

RESPUESTA

a) Pago fraccionado de abril del año X.

Para calcular los pagos fraccionados de esta entidad no hay que tener en cuenta el pago mínimo previsto en la DA 14ª de la LIS, pues el importe neto de la cifra de negocios en los 12 meses anteriores fue inferior a los 10.000.000 de euros.

El primer pago se calcula tomando como referencia la Base Imponible obtenida en el período de los 3 primeros meses del año que son 200.000 euros, sobre la que se aplicará el porcentaje del 17%, obteniéndose una cuota de 34.000 euros.

Sobre la cantidad anterior se deducirán las retenciones soportadas por 10.000 euros.

En consecuencia, el importe del pago fraccionado a ingresar serán 24.000 euros (34.000 – 10.000 euros). En esta modalidad las posibles deducciones en la cuota a que tenga derecho la entidad no se toman en consideración

b) Pago fraccionados de octubre del año X.

Este segundo pago se calcula tomando como referencia la Base Imponible obtenida en el período de los 9 primeros meses del año que según el enunciado son 300.000 euros, sobre la que se aplicará el porcentaje del 17%, obteniéndose una cuota de 51.000 euros.

Sobre la cantidad anterior se deducirán las retenciones por 15.000 euros y el importe del primer pago fraccionado que ya se ha ingresado.

En consecuencia, el importe del pago fraccionado a ingresar por el 2/P serán 12.000 euros (51.000 – 15.000 – 24.000 euros). Como ya hemos señalado, las posibles deducciones en la cuota a que tenga derecho la entidad no se toman en consideración

c) Pago fraccionados de diciembre del año X.

El tercer pago se calcula tomando como referencia la Base Imponible obtenida en el período de los 11 primeros meses del año que según el enunciado son 600.000 euros. Sobre la misma se aplicará el porcentaje del 17%, obteniéndose una cuota de 102.000 euros.

Sobre la cantidad anterior se deducirán las retenciones por 20.000 euros y el importe de los 2 pagos fraccionados anteriormente realizados.

En consecuencia, el importe del pago fraccionado a ingresar por el 3/P serán 46.000 euros (102.000 – 20.000 –24.000 –12.000). Reiteramos que las posibles deducciones en la cuota a que tenga derecho la entidad no se tienen en cuenta.

3. Cálculo de los pagos fraccionados para el período impositivo 2017, en la Modalidad prevista en el art. 40.3 de la LIS. Suponga que se trata de una entidad cuyo ejercicio social coincide con el año natural y su importe neto de la cifra de negocios en los 12 meses anteriores alcanzó los 10.000.000 de euros. Los datos son los siguientes:

	Hasta 31/03/17	Hasta 30/09/17	Hasta 30/11/17
Saldo de P y G	250.000	320.000	500.000
Base Imponible	200.000	300.000	600.000
Deducciones	10.000	15.000	20.000
Retenciones	10.000	15.000	20.000

RESPUESTA

a) Pago fraccionado de abril de 2017.

Dado que el importe neto de la cifra de negocios de la empresa, obtenido en los 12 meses anteriores, fue mayor o al menos igual a

10.000.000 de euros, para calcular los pagos fraccionados del año sí que debe tomarse en consideración el límite de pago mínimo previsto en la DA 14ª de la LIS Dicho "pago mínimo" se calcula sobre el saldo de Pérdidas y Ganancias.

Comenzaremos aplicando las reglas del art. 40.3 de la LIS, para después comparar con el pago fraccionado mínimo previsto en la citada DA 14ª de la LIS:

El primer pago se calcula tomando como referencia la Base Imponible obtenida en el período de los 3 primeros meses del año que son 200.000 euros, sobre la que se aplicará el porcentaje del 24% (19/20% del tipo general redondeado por exceso), obteniéndose una cuota de 48.000 euros.

Sobre la cantidad anterior se deducirán las retenciones soportadas por 10.000 euros.

En principio, el importe del pago fraccionado a ingresar serán 38.000 euros (48.000 – 10.000 euros). En esta modalidad las posibles deducciones en la cuota, a que tenga derecho la entidad, no se toman en consideración.

El pago mínimo, calculado sobre el saldo de P y G del período y conforme a lo dispuesto en la DA 14ª de la LIS), sería el siguiente:

250.000 x 23%= 57.500 euros.

Por tanto, **el importe del pago fraccionado a ingresar en abril, serán 57.500 euros.**

b) Pago fraccionados de octubre del año 2017.

El segundo pago, en principio, se calcula tomando como referencia la Base Imponible obtenida en el período de los 9 primeros meses del año que según el enunciado son 300.000 euros, sobre la que se aplicará el porcentaje del 24%, obteniéndose una cuota de 72.000 euros.

Sobre la cantidad anterior se deducirán las retenciones por 15.000 euros y el importe del primer pago fraccionado que ya se ingresó.

En consecuencia, el importe del pago fraccionado a ingresar por el 2/P en principio sería 0 euros (72.000 – 15.000 de retenciones – 57.500 euros ingresados con el primer pago fraccionado, hacen que el importe del segundo pago salga negativo).

No obstante, se aplica el pago mínimo conforme a lo dispuesto en la DA 14ª de la LIS. Partimos del saldo de P y G del período y aplicamos el porcentaje del 23%:

320.000 x 23%= 73.600 euros.

Sobre dicha cantidad sólo se puede minorar el primer pago ya ingresado de 57.500 euros, de lo que resulta un importe positivo a ingresar de 16.100 euros que funciona como importe mínimo. Por tanto, el importe del segundo pago fraccionado, a ingresar en octubre, son 16.100 euros.

c) Pago fraccionados de diciembre del año 2017.

El tercer pago del año se calcula tomando, primeramente, como referencia la Base Imponible obtenida en el período de los 11 primeros meses del año que según el enunciado son 600.000 euros. Sobre la misma se aplicará el porcentaje del 24%, obteniéndose una cuota de 144.000 euros.

Sobre la cantidad anterior se deducirán las retenciones por 20.000 euros y el importe de los 2 pagos fraccionados anteriormente realizados.

En consecuencia, el importe del pago fraccionado a ingresar serían 50.400 euros (144.000 – 20.000 –57.500 –16.100). Reiteramos que las posibles deducciones en la cuota a que tenga derecho la entidad no se tienen en cuenta.

No obstante, es necesario comparar con el pago mínimo conforme a lo dispuesto en la DA 14ª de la LIS. Partimos del saldo de P y G del período y aplicamos el porcentaje del 23%:

500.000 x 23%= 115.000 euros.

Sobre dicha cantidad se minoran los 2 pagos ya ingresados que ascienden a 57.500 euros y 16.100 euros respectivamente:

115.000 – 57.500 – 16.100 = 41.400 euros

En este caso, como el límite resultante de aplicar la DA 14ª de la LIS (41.400 euros) es inferior a la cantidad resultante de aplicar el art. 40.3 de la LIS (50.400 euros), el importe del tercer pago fraccionado, a ingresar en diciembre, son 50.400 euros. En definitiva, hay que ingresar el importe mayor entre el que resulta de aplicar el art. 40.3 de la LIS y el resultante de aplicar la DA 14ª de la misma norma.

Artículo 41
Deducción de las retenciones, ingresos a cuenta y pagos fraccionados

FAUSTINO MOYA CALATAYUD
Inspector de Hacienda del Estado

"Serán deducibles de la cuota íntegra:
a) Las retenciones a cuenta.
b) Los ingresos a cuenta.
c) Los pagos fraccionados.
Cuando dichos conceptos superen la cantidad resultante de practicar en la cuota íntegra del Impuesto las bonificaciones y las deducciones que resulten de aplicación al contribuyente por este Impuesto, la Administración tributaria procederá a devolver, de oficio, el exceso".

DESARROLLO REGLAMENTARIO
REGLAMENTO DEL IMPUESTO SOBRE SOCIEDADES, APROBADO POR EL RD 634/2015, DE 10 DE JULIO (ARTÍCULOS 60 A 68)

Artículo 60. Rentas sujetas a retención o ingreso a cuenta.
"1. Deberá practicarse retención, en concepto de pago a cuenta del Impuesto sobre Sociedades correspondiente al perceptor, respecto de:
a) Las rentas derivadas de la participación en fondos propios de cualquier tipo de entidad, de la cesión a terceros de capitales propios y las restantes rentas comprendidas en el artículo 25 de la Ley 35/2006, de 28 de noviembre, del Impuesto sobre la Renta de las Personas Físicas y de modificación parcial de las leyes de los Impuestos sobre Sociedades, sobre la Renta de no Residentes y sobre el Patrimonio.
b) Los premios derivados de la participación en juegos, concursos, rifas o combinaciones aleatorias, estén o no vinculados a la oferta, promoción o venta de determinados bienes, productos o servicios.
c) Las contraprestaciones obtenidas como consecuencia de la atribución de cargos de administrador o consejero en otras sociedades.
d) Las rentas procedentes de la cesión del derecho a la explotación de la imagen o del consentimiento o autorización para su utilización, aun cuando constituyan ingresos derivados de explotaciones económicas.
e) Las rentas procedentes del arrendamiento o subarrendamiento de inmuebles urbanos, aun cuando constituyan ingresos derivados de explotaciones económicas.

f) Las rentas obtenidas como consecuencia de las transmisiones o reembolsos de acciones o participaciones representativas del capital o patrimonio de instituciones de inversión colectiva.

g) Las rentas obtenidas como consecuencia de la reducción de capital con devolución de aportaciones y de la distribución de la prima de emisión realizadas por sociedades de inversión de capital variable reguladas en la Ley de Instituciones de Inversión Colectiva no sometidas al tipo general de gravamen u organismos de inversión colectiva equivalentes a las sociedades de capital variable registrados en otro Estado, con independencia de cualquier limitación que tuvieran respecto de grupos restringidos de inversiones, en la adquisición, cesión o rescate de sus acciones, así como por las sociedades amparadas en la Directiva 2009/65/CE del Parlamento Europeo y del Consejo, de 13 de julio de 2009 por la que se coordinan las disposiciones legales, reglamentarias y administrativas sobre determinados organismos de inversión colectiva en valores mobiliarios.

2. Cuando un mismo contrato comprenda prestaciones de servicios o la cesión de bienes inmuebles, conjuntamente con la cesión de bienes y derechos de los incluidos en el apartado 4 del artículo 25 de la Ley 35/2006, deberá practicar retención sobre el importe total.

Cuando un mismo contrato comprenda el arriendo, subarriendo o cesión de fincas rústicas, conjuntamente con otros bienes muebles, no se practicará la retención excepto si se trata del arrendamiento o cesión de negocios o minas.

3. Deberá practicarse un ingreso a cuenta del Impuesto sobre Sociedades correspondiente al perceptor respecto de las rentas de los apartados anteriores, cuando sean satisfechas o abonadas en especie".

Artículo 61. Excepciones a la obligación de retener y de ingresar a cuenta.

"No existirá obligación de retener ni de ingresar a cuenta respecto de:

a) Los rendimientos de los valores emitidos por el Banco de España que constituyan instrumento regulador de intervención en el mercado monetario y los rendimientos de las Letras del Tesoro.

No obstante, las entidades de crédito y demás instituciones financieras que formalicen con sus clientes contratos de cuentas basadas en operaciones sobre Letras del Tesoro, estarán obligadas a retener respecto de los rendimientos obtenidos por los titulares de las citadas cuentas.

b) Los intereses que constituyan derecho a favor del Tesoro como contraprestación de los préstamos del Estado al crédito oficial.

c) Los intereses y comisiones de préstamos que constituyan ingreso de las entidades de crédito y establecimientos financieros de crédito inscritos en los registros especiales del Banco de España, residentes en territorio español.

La excepción anterior no se aplicará a los intereses y rendimientos de las obligaciones, bonos u otros títulos emitidos por entidades pú-

blicas o privadas, nacionales o extranjeras, que integran la cartera de valores de las referidas entidades.

d) Los intereses de las operaciones de préstamo, crédito o anticipo, tanto activas como pasivas que realice la Sociedad Estatal de Participaciones Industriales con sociedades en las que tenga participación mayoritaria en el capital, no pudiendo extenderse esta excepción a los intereses de cédulas, obligaciones, bonos u otros títulos análogos.

e) Los intereses percibidos por las sociedades de valores como consecuencia de los créditos otorgados en relación con operaciones de compra o venta de valores a que hace referencia el artículo 63.2 b) de la Ley 24/1988, de 28 de julio, del Mercado de Valores, así como los intereses percibidos por las empresas de servicios de inversión respecto de las operaciones activas de préstamos o depósitos mencionados en el apartado 2 del artículo 49 del Real Decreto 217/2008, de 15 de febrero, sobre el régimen jurídico de las empresas de servicios de inversión y de las demás entidades que prestan servicios de inversión y por el que se modifica parcialmente el Reglamento de la Ley 35/2003, de 4 de noviembre, de Instituciones de Inversión Colectiva, aprobado por el Real Decreto 1309/2005, de 4 de noviembre.

Tampoco existirá obligación de practicar retención en relación con los intereses percibidos por sociedades o agencias de valores, en contraprestación a las garantías constituidas para operar como miembros de los mercados de futuros y opciones financieros, en los términos a que hacen referencia los capítulos IV y V del Real Decreto 1282/2010, de 15 de octubre, por el que se regulan los mercados secundarios oficiales de futuros, opciones y otros instrumentos financieros derivados.

f) Las primas de conversión de obligaciones en acciones.

g) Las rentas derivadas de la distribución de la prima de emisión de acciones o participaciones efectuadas por entidades distintas de las señaladas en la letra g) del apartado 1 del artículo 60 de este Reglamento.

h) Los beneficios percibidos por una sociedad matriz residente en España de sus sociedades filiales residentes en otros Estados miembros de la Unión Europea, en relación con la retención prevista en el apartado 2 del artículo 62 de este Reglamento, cuando concurran los requisitos establecidos en la letra h) del apartado 1 del artículo 14 del texto refundido de la Ley del Impuesto sobre la Renta de no Residentes, aprobado por Real Decreto Legislativo 5/2004, de 5 de marzo.

i) Los rendimientos procedentes del arrendamiento y subarrendamiento de bienes inmuebles urbanos en los siguientes supuestos:

1.º Cuando se trate de arrendamientos de vivienda por empresas para sus empleados.

2.º Cuando la renta satisfecha por el arrendatario a un mismo arrendador no supere los 900 euros anuales.

3.º Cuando la actividad del arrendador esté clasificada en alguno de los epígrafes del grupo 861 de la sección primera de las tarifas del Impuesto sobre Actividades Económicas, aprobadas por el Real Decreto Legislativo 1175/1990, de 28 de septiembre, o en algún otro epígrafe que faculte para la actividad de arrendamiento o subarrendamiento de bienes inmuebles urbanos, y aplicando al valor catastral de los inmuebles destinados al arrendamiento o subarrendamiento las reglas para determinar la cuota establecida en los epígrafes del citado grupo 861, no hubiese resultado cuota cero.

A estos efectos, el arrendador deberá acreditar frente al arrendatario el cumplimiento del citado requisito, en los términos que establezca el Ministro de Hacienda y Administraciones Públicas.

4.º Cuando los rendimientos deriven de los contratos de arrendamiento financiero a que se refiere el artículo 106 de la Ley del Impuesto, en cuanto tengan por objeto bienes inmuebles urbanos.

j) Los rendimientos que sean exigibles entre una agrupación de interés económico española o europea y sus socios, así como los que sean exigibles entre una unión temporal y sus empresas miembros.

k) Los rendimientos de participaciones hipotecarias, préstamos u otros derechos de crédito que constituyan ingreso de los fondos de titulización.

l) Los rendimientos de cuentas en el exterior satisfechos o abonados por establecimientos permanentes en el extranjero de entidades de crédito y establecimientos financieros residentes en España.

m) Los rendimientos satisfechos a entidades que gocen de exención por el Impuesto en virtud de lo dispuesto en un tratado internacional suscrito por España.

n) Los dividendos o participaciones en beneficios, intereses y demás rendimientos satisfechos entre sociedades que formen parte de un grupo que tribute en el régimen de consolidación fiscal.

ñ) Los dividendos o participaciones en beneficios repartidos por agrupaciones de interés económico, españolas o europeas, y por uniones temporales de empresas, salvo aquellas que deban tributar conforme a las normas generales del Impuesto, que correspondan a socios que deban soportar la imputación de la base imponible y procedan de períodos impositivos durante los cuales la entidad haya tributado según lo dispuesto en el régimen especial del capítulo II del título VII de la Ley del Impuesto.

o) Las rentas obtenidas por las entidades exentas a que se refiere el apartado 1 del artículo 9 de la Ley del Impuesto.

La condición de entidad exenta podrá acreditarse por cualquiera de los medios de prueba admitidos en derecho. Mediante la resolución del órgano competente de la Agencia Estatal de Administración Tributaria que corresponda de acuerdo con su estructura orgánica, podrán establecerse los medios y forma para acreditar la condición de entidad exenta.

Por Orden del Ministro de Hacienda y Administraciones Públicas se podrá determinar el procedimiento para poder hacer efectiva la exoneración de la obligación de retención o ingreso a cuenta en relación con los rendimientos derivados de los títulos de la deuda pública del Estado percibidos por las entidades exentas a que se refiere el apartado 1 del artículo 9 de la Ley del Impuesto.

p) Los dividendos o participaciones en beneficios a que se refiere el apartado 1 del artículo 21 de la Ley del Impuesto.

A efectos de lo dispuesto en esta letra, la entidad perceptora deberá comunicar a la entidad obligada a retener que concurren los requisitos establecidos en el citado artículo. La comunicación contendrá, además de los datos de identificación del perceptor, los documentos que justifiquen el cumplimiento de los referidos requisitos.

q) Las rentas obtenidas por los contribuyentes del Impuesto sobre Sociedades procedentes de activos financieros, siempre que cumplan los requisitos siguientes:

1.º Que estén representados mediante anotaciones en cuenta.

2.º Que se negocien en un mercado secundario oficial de valores español, o en el Mercado Alternativo de Renta Fija, sistema multilateral de negociación creado de conformidad con lo previsto en el título XI de la Ley 24/1988.

No obstante, las entidades de crédito y demás entidades financieras que formalicen con sus clientes contratos de cuentas basadas en operaciones sobre activos financieros estarán obligadas a retener respecto de los rendimientos obtenidos por los titulares de las citadas cuentas.

Las entidades financieras a través de las que se efectúe el pago de intereses de los valores comprendidos en esta letra o que intervengan en la transmisión, amortización o reembolso de los mismos, estarán obligadas a calcular el rendimiento imputable al titular del valor e informar del mismo tanto al titular como a la Administración tributaria, a la que asimismo, proporcionarán los datos correspondientes a las personas que intervengan en las operaciones antes enumeradas.

El Ministro de Hacienda y Administraciones Públicas establecerá, asimismo, las obligaciones de intermediación e información correspondientes a las separaciones, transmisiones, reconstituciones, reembolsos o amortizaciones de los valores de Deuda pública para los que se haya autorizado la negociación separada del principal y de los cupones. En tales supuestos, las entidades gestoras del Mercado de Deuda Pública en Anotaciones estarán obligadas a calcular el rendimiento imputable a cada titular e informar del mismo, tanto al titular como a la Administración tributaria, a la que, asimismo, proporcionarán la información correspondiente a las personas que intervengan en las operaciones sobre estos valores.

Se faculta al Ministro de Hacienda y Administraciones Públicas para establecer el procedimiento para hacer efectiva la exclusión de retención regulada en esta letra.

r) Los premios a que se refiere el párrafo b) del apartado 1 del artículo anterior, cuando su importe no sea superior a 300 euros, así como los premios de loterías y apuestas que, por su cuantía, estén exentos del gravamen especial a que se refiere la disposición adicional trigésima tercera de la Ley 35/2006, de 28 de noviembre, del Impuesto sobre la Renta de las Personas Físicas y de modificación parcial de las leyes de los Impuestos sobre Sociedades, sobre la Renta de no Residentes y sobre el Patrimonio.

s) Las rentas obtenidas por los contribuyentes del Impuesto sobre Sociedades procedentes de Deuda emitida por las Administraciones públicas de países de la OCDE y activos financieros negociados en mercados organizados de dichos países.

No obstante, las entidades de crédito y demás entidades financieras que formalicen con sus clientes contratos de cuentas basadas en operaciones sobre los activos financieros a que se refiere el párrafo precedente, estarán obligadas a retener respecto de los rendimientos obtenidos por los titulares de las citadas cuentas.

Las entidades financieras a través de las que se efectúe el pago de intereses de los valores comprendidos en esta letra o que intervengan en la transmisión, amortización o reembolso de los mismos, estarán obligadas a calcular el rendimiento imputable al titular del valor e informar del mismo tanto al titular como a la Administración tributaria, a la que, asimismo, proporcionarán los datos correspondientes a las personas que intervengan en las operaciones antes enumeradas.

Se faculta al Ministro de Hacienda y Administraciones Públicas para establecer el procedimiento para hacer efectiva la exclusión de retención regulada en esta letra.

t) Las rentas derivadas de la transmisión o reembolso de acciones o participaciones representativas del capital o patrimonio de instituciones de inversión colectiva obtenidas por:

1.º Los fondos de inversión de carácter financiero y las sociedades de inversión de capital variable regulados en la Ley 35/2003, de 4 de noviembre, de Instituciones de Inversión Colectiva, en cuyos reglamentos de gestión o estatutos tengan establecida una inversión mínima superior al 50 por ciento de su patrimonio en acciones o participaciones de varias instituciones de inversión colectiva de las previstas en los párrafos c) y d), indistintamente, del artículo 48.1 del Reglamento de desarrollo de la Ley 35/2003, de 4 de noviembre, de instituciones de inversión colectiva, aprobado por Real Decreto 1082/2012, de 13 de julio.

2.º Los fondos de inversión de carácter financiero y las sociedades de inversión de capital variable regulados en la Ley 35/2003, en cuyos reglamentos de gestión o estatutos tengan establecida la inversión de, al menos, el 85 por ciento de su patrimonio en un único fondo de inversión de carácter financiero de los regulados en el primer inciso del artículo 3.3 del Reglamento de desarrollo de la Ley 35/2003. Cuando esta política de inversión se refiera a un compartimento del fondo o de la sociedad de inversión, la excepción a la obligación de retener e ingresar a cuenta prevista en esta letra solo será aplicable respecto de las inversiones que integren la parte del patrimonio de la institución atribuida a dicho compartimento.

La aplicación de la exclusión de retención prevista en esta letra t) requerirá que la institución inversora se encuentre incluida en la co-

rrespondiente categoría que, para los tipos de inversión señalados en los párrafos 1 y 2, tenga establecida la Comisión Nacional del Mercado de Valores, la cual deberá constar en su folleto informativo.

u) Las cantidades satisfechas por entidades aseguradoras a los fondos de pensiones como consecuencia del aseguramiento de planes de pensiones.

v) Las rentas obtenidas por el cambio de activos en los que estén invertidas las provisiones de los seguros de vida en los que el tomador asume el riesgo de la inversión.

Para la aplicación de lo dispuesto en el párrafo anterior, las entidades de seguros deberán comunicar a las entidades obligadas a practicar la retención, con motivo de la transmisión o reembolso de activos, la circunstancia de que se trata de un contrato de seguro en el que el tomador asume el riesgo de la inversión y en el que se cumplen los requisitos previstos en el artículo 14.2.h) de la Ley 35/2006. La entidad obligada a practicar la retención deberá conservar la comunicación debidamente firmada.

w) Las rentas derivadas del ejercicio de las funciones de liquidación de entidades aseguradoras y de los procesos concursales a que estas se encuentren sometidas obtenidas por el Consorcio de Compensación de Seguros, en virtud de lo dispuesto en el párrafo tercero del apartado 1 del artículo 24 del texto refundido del Estatuto Legal del Consorcio de Compensación de Seguros, aprobado por el Real Decreto Legislativo 7/2004, de 29 de octubre.

x) La renta que se ponga de manifiesto en las empresas tomadoras como consecuencia de la variación en los compromisos por pensiones que estén instrumentados en un contrato de seguro colectivo que haya sido objeto de un plan de financiación, en tanto no se haya dado cumplimiento íntegro al mismo, conforme a lo dispuesto en el artículo 36.5, segundo párrafo, del Reglamento sobre la instrumentación de los compromisos por pensiones de las empresas con los trabajadores y beneficiarios, aprobado por Real Decreto 1588/1999, de 15 de octubre.

y) Las rentas derivadas del reembolso o transmisión de participaciones en los fondos regulados por el artículo 79 del Reglamento de desarrollo de la Ley 35/2003.

z) Las remuneraciones y compensaciones por derechos económicos que perciba la Sociedad de Gestión de los Sistemas de Registro, Compensación y Liquidación de Valores por los préstamos de valores realizados en cumplimiento de lo establecido en el artículo 57 del Real Decreto 116/1992, de 14 de febrero, sobre representación de valores por medio de anotaciones en cuenta y compensación y liquidación de operaciones bursátiles.

Asimismo, la entidad mencionada en el párrafo anterior tampoco estará obligada a practicar retención por las remuneraciones y compensaciones derivadas de los préstamos de valores tomados en cumplimiento de lo previsto en el citado artículo 57, que abone a las entidades o personas prestamistas. Todo ello sin perjuicio de la sujeción de dichas rentas a la retención que corresponda, de acuerdo con la normativa reguladora del correspondiente impuesto personal del prestamista, que, cuando proceda, deberá practicarla la entidad participante que intermedie en su pago a aquél, a cuyo efecto no se entenderá que efectúa una simple mediación de pago".

Artículo 62. Sujetos obligados a retener o a efectuar un ingreso a cuenta.

"1. Estarán obligados a retener o ingresar a cuenta cuando satisfagan o abonen rentas de las previstas en el artículo 60 de este Reglamento:

a) Las personas jurídicas y demás entidades, incluidas las comunidades de bienes y de propietarios y las entidades en régimen de atribución de rentas.

b) Los contribuyentes por el Impuesto sobre la Renta de las Personas Físicas que ejerzan actividades económicas, cuando satisfagan rentas en el ejercicio de sus actividades.

c) Las personas físicas, jurídicas y demás entidades no residentes en territorio español, que operen en él mediante establecimiento permanente.

2. No se considerará que una persona o entidad satisface o abona una renta cuando se limite a efectuar una simple mediación de pago, entendiéndose por tal el abono de una cantidad por cuenta y orden de un tercero, excepto que se trate de entidades depositarias de valores extranjeros propiedad de residentes en territorio español o que tengan a su cargo la gestión de cobro de las rentas de dichos valores. Las citadas entidades depositarias deberán practicar la retención correspondiente siempre que tales rentas no hayan soportado retención previa en España.

3. En el caso de premios estará obligado a retener o a ingresar a cuenta la persona o entidad que los satisfaga.

4. En las operaciones sobre activos financieros estarán obligados a retener:

a) En los rendimientos obtenidos en la amortización o reembolso de activos financieros, la persona o entidad emisora. No obstante, en caso de que se encomiende a una entidad financiera la materialización de esas operaciones, el obligado a retener será la entidad financiera encargada de la operación.

Cuando se trate de instrumentos de giro convertidos después de su emisión en activos financieros, a su vencimiento estará obligado a retener el fedatario público o institución financiera que intervenga en la presentación al cobro.

b) En los rendimientos obtenidos en la transmisión de activos financieros incluidos los instrumentos de giro a los que se refiere el apartado anterior, cuando se canalice a través de una o varias insti-

tuciones financieras, el banco, caja o entidad financiera que actúe por cuenta del transmitente.

A efectos de lo dispuesto en este número, se entenderá que actúa por cuenta del transmitente el banco, caja o entidad financiera que reciba de aquél la orden de venta de los activos financieros.

c) En los casos no recogidos en los apartados anteriores, el fedatario público que obligatoriamente debe intervenir en la operación.

5. En las transmisiones de valores de la Deuda del Estado deberá practicar la retención la entidad gestora del Mercado de Deuda Pública en Anotaciones que intervenga en la transmisión.

6. En las transmisiones o reembolsos de acciones o participaciones representativas del capital o patrimonio de las instituciones de inversión colectiva, deberán practicar retención o ingreso a cuenta las siguientes personas o entidades:

a) En el caso de reembolso de las participaciones de fondos de inversión, las sociedades gestoras, salvo por las participaciones registradas a nombre de entidades comercializadoras por cuenta de partícipes, respecto de las cuales serán dichas entidades comercializadoras las obligadas a practicar la retención o ingreso a cuenta.

b) En el caso de recompra de acciones por una sociedad de inversión de capital variable cuyas acciones no coticen en bolsa ni en otro mercado o sistema organizado de negociación de valores, adquiridas por el contribuyente directamente o a través de comercializador a la sociedad, la propia sociedad, salvo que intervenga una sociedad gestora; en este caso, será esta.

c) En el caso de instituciones de inversión colectiva domiciliadas en el extranjero, las entidades comercializadoras o los intermediarios facultados para la comercialización de las acciones o participaciones de aquellas y, subsidiariamente, la entidad o entidades encargadas de la colocación o distribución de los valores entre los potenciales suscriptores, cuando efectúen el reembolso.

d) En el caso de gestoras que operen en régimen de libre prestación de servicios, el representante designado de acuerdo con lo dispuesto en el artículo 55.7 y la disposición adicional segunda de la Ley 35/2003, de 4 de noviembre, de Instituciones de Inversión Colectiva.

e) En los supuestos en los que no proceda la práctica de retención conforme a los párrafos anteriores, estará obligado a efectuar un pago a cuenta el socio o partícipe que efectúe la transmisión u obtenga el reembolso. El mencionado pago a cuenta se efectuará de acuerdo con las normas contenidas en los artículos 64.4 párrafo primero, 65.3 y 66 de este Reglamento.

7. En las operaciones de reducción de capital con devolución de aportaciones y de distribución de la prima de emisión, realizadas por sociedades de inversión de capital variable reguladas en la Ley de Instituciones de Inversión Colectiva no sometidas al tipo general de gravamen, deberá practicar la retención o ingreso a cuenta la propia sociedad.

En el caso de instituciones de inversión colectiva reguladas por la Directiva 2009/65/CE del Parlamento Europeo y del Consejo, de 13 de julio de 2009, por la que se coordinan las disposiciones legales, reglamentarias y administrativas sobre determinados organismos de inversión colectiva en valores mobiliarios, constituidas y domiciliadas en algún Estado miembro de la Unión Europea e inscritas en el registro especial de la Comisión Nacional del Mercado de Valores, a efectos de su comercialización por entidades residentes en España, estarán obligados a practicar retención o ingreso a cuenta las entidades comercializadoras o los intermediarios facultados para la comercialización de las acciones o participaciones de aquellas y, subsidiariamente, la entidad o entidades encargadas de la colocación o distribución de los valores, que intervengan en el pago de las rentas

Cuando se trate de organismos de inversión colectiva equivalentes a las sociedades de inversión de capital variable registrados en otro Estado, con independencia de cualquier limitación que tuvieran respecto de grupos restringidos de inversiones, en la adquisición, cesión o rescate de sus acciones, la obligación de practicar la retención o ingreso a cuenta corresponderá a la entidad depositaria de los valores o que tenga encargada la gestión de cobro de las rentas derivadas de los mismos.

En los supuestos en los que no proceda la práctica de retención o ingreso a cuenta conforme a los párrafos anteriores, estará obligado a efectuar un pago a cuenta el socio o partícipe que reciba la devolución de las aportaciones o la distribución de la prima de emisión. El mencionado pago a cuenta se efectuará de acuerdo con las normas contenidas en los artículos 64.8, 65.1 y 66 de este Reglamento.

8. En las operaciones realizadas en España por entidades aseguradoras que operen en régimen de libre prestación de servicios, estará obligado a practicar retención o ingreso a cuenta el representante designado de acuerdo con lo dispuesto en el artículo 86.1 del texto refundido de la Ley de ordenación y supervisión de los seguros privados, aprobado por el Real Decreto Legislativo 6/2004, de 29 de octubre.

9. Los sujetos obligados a retener asumirán la obligación de efectuar el ingreso en el Tesoro, sin que el incumplimiento de aquella obligación pueda excusarles de ésta.

La retención e ingreso correspondiente, cuando la entidad pagadora del rendimiento sea la Administración del Estado, se efectuará de forma directa".

Artículo 63. Calificación de los activos financieros y requisitos fiscales para la transmisión, reembolso y amortización de activos financieros.

"1. Tendrán la consideración de activos financieros con rendimiento implícito aquellos en los que el rendimiento se genere mediante diferencia entre el importe satisfecho en la emisión, primera colocación

o endoso y el comprometido a reembolsar al vencimiento de aquellas operaciones cuyo rendimiento se fije, total o parcialmente, de forma implícita, a través de cualesquier valores mobiliarios utilizados para la captación de recursos ajenos.

Se incluyen como rendimientos implícitos las primas de emisión, amortización o reembolso.

Se excluyen del concepto de rendimiento implícito las bonificaciones o primas de colocación, giradas sobre el precio de emisión, siempre que se encuadren dentro de las prácticas de mercado y que constituyan ingreso en su totalidad para el mediador, intermediario o colocador financiero, que actúe en la emisión y puesta en circulación de los activos financieros regulados en esta norma.

Se considerará como activo financiero con rendimiento implícito cualquier instrumento de giro incluso los originados en operaciones comerciales, a partir del momento en que se endose o transmita, salvo que el endoso o cesión se haga como pago de un crédito de proveedores o suministradores.

2. Tendrán la consideración de activos financieros con rendimiento explícito aquellos que generen intereses y cualquier otra forma de retribución pactada como contraprestación a la cesión a terceros de capitales propios y que no esté comprendida en el concepto de rendimientos implícitos en los términos que establece el apartado anterior.

3. Los activos financieros con rendimiento mixto seguirán el régimen de los activos financieros con rendimiento explícito cuando el efectivo anual que produzcan de esta naturaleza sea igual o superior al tipo de referencia vigente en el momento de la emisión, aunque en las condiciones de emisión, amortización o reembolso se hubiese fijado, de forma implícita, otro rendimiento adicional. Este tipo de referencia será, durante cada trimestre natural, el 80 por ciento del tipo efectivo correspondiente al precio medio ponderado redondeado que hubiera resultado en la última subasta del trimestre precedente, correspondiente a bonos del Estado a tres años, si se tratara de activos financieros con plazo igual o inferior a cuatro años; a bonos del Estado a cinco años, si se tratara de activos financieros con plazo superior a cuatro años pero igual o inferior a siete, y a obligaciones del Estado a 10, 15 o 30 años si se tratara de activos con plazo superior. En el caso de que no pueda determinarse el tipo de referencia para algún plazo, será de aplicación el del plazo más próximo al de la emisión planeada.

A efectos de lo dispuesto en este apartado, respecto de las emisiones de activos financieros con rendimiento variable o flotante, se tomará como interés efectivo de la operación su tasa de rendimiento interno, considerando únicamente los rendimientos de naturaleza explícita y calculada, en su caso, con referencia a la valoración inicial del parámetro respecto del cual se fije periódicamente el importe definitivo de los rendimientos devengados.

No obstante lo anterior, si se trata de deuda pública con rendimiento mixto, cuyos cupones e importe de amortización se calculan con referencia a un índice de precios, el porcentaje del primer párrafo será el 40 por ciento.

4. Para proceder a la enajenación u obtención del reembolso de los títulos o activos financieros con rendimiento implícito y de activos financieros con rendimiento explícito que deban ser objeto de retención en el momento de su transmisión, amortización o reembolso, habrá de acreditarse la previa adquisición de los mismos con intervención de los fedatarios o instituciones financieras obligados a retener, así como el precio al que se realizó la operación.

Cuando un instrumento de giro se convierta en activo financiero después de su puesta en circulación, ya el primer endoso o cesión deberá hacerse a través de fedatario público o institución financiera, salvo que el mismo endosatario o adquirente sea una institución financiera. El fedatario o institución financiera consignarán en el documento su carácter de activo financiero, con identificación de su primer adquirente o tenedor.

5. A efectos de lo dispuesto en el apartado anterior, la persona o entidad emisora, la institución financiera que actúe por cuenta de ésta, el fedatario público o la institución financiera que actúe o intervenga por cuenta del adquirente o depositante, según proceda, deberán extender certificación acreditativa de los siguientes extremos:

a) Fecha de la operación e identificación del activo.

b) Denominación del adquirente.

c) Número de identificación fiscal del citado adquirente o depositante.

d) Precio de adquisición.

De la mencionada certificación, que se extenderá por triplicado, se entregarán dos ejemplares al adquirente, quedando otro en poder de la persona o entidad que certifica.

6. Las instituciones financieras o los fedatarios públicos se abstendrán de mediar o intervenir en la transmisión de estos activos cuando el transmitente no justifique su adquisición de acuerdo con lo dispuesto en este artículo.

7. Las personas o entidades emisoras de los activos financieros a los que se refiere el apartado 4 no podrán reembolsar los mismos cuando el tenedor no acredite su adquisición previa mediante la certificación oportuna, ajustada a lo indicado en el apartado 5 anterior.

El emisor o las instituciones financieras encargadas de la operación que, de acuerdo con el párrafo anterior, no deban efectuar el reembolso al tenedor del título o activo deberán constituir por dicha cantidad depósito a disposición de la autoridad judicial.

La recompra, rescate, cancelación o amortización anticipada exigirán la intervención o mediación de institución financiera o de fedatario público, quedando la entidad o persona emisora del activo como mero adquirente en el caso de que vuelva a poner en circulación el título.

8. El tenedor del título, en caso de extravío de un certificado justificativo de su adquisición, podrá solicitar la emisión del correspondiente duplicado de la persona o entidad que emitió tal certificación.

Esta persona o entidad hará constar el carácter de duplicado de ese documento, así como la fecha de expedición de ese último.

9. En los casos de transmisión lucrativa se entenderá que el adquirente se subroga en el valor de adquisición del transmitente, en tanto medie una justificación suficiente del referido coste".

Artículo 64. Base para el cálculo de la obligación de retener e ingresar a cuenta.

"1. Con carácter general, constituirá la base para el cálculo de la obligación de retener la contraprestación íntegra exigible o satisfecha.

En el caso de arrendamiento o subarrendamiento de inmuebles urbanos, la base de la retención estará constituida por todos los conceptos que se satisfagan al arrendador, excluido el Impuesto sobre el Valor Añadido.

2. En el caso de la amortización, reembolso o transmisión de activos financieros constituirá la base para el cálculo de la obligación de retener la diferencia positiva entre el valor de amortización, reembolso o transmisión y el valor de adquisición o suscripción de dichos activos. Como valor de adquisición se tomará el que figure en la certificación acreditativa de la adquisición. A estos efectos, no se minorarán los gastos accesorios a la operación.

Sin perjuicio de la retención que proceda al transmitente, en el caso de que la entidad emisora adquiera un activo financiero emitido por ella, se practicará la retención e ingreso sobre el rendimiento que obtenga en cualquier forma de transmisión ulterior del título, excluida la amortización.

3. Cuando la obligación de retener tenga su origen en virtud de lo previsto en la letra b) del apartado 1 del artículo 60 de este Reglamento, constituirá la base para el cálculo de la misma el importe del premio.

En el caso de premios de loterías y apuestas que, por su cuantía, estuvieran sujetos y no exentos del gravamen especial de determinadas loterías y apuestas a que se refiere la disposición adicional trigésima tercera de la Ley 35/2006, de 28 de noviembre, del Impuesto sobre la Renta de las Personas Físicas y de modificación parcial de las leyes de los Impuestos sobre Sociedades, sobre la Renta de no Residentes y sobre el Patrimonio, la retención se practicará sobre el importe del premio sujeto y no exento, de acuerdo con la referida disposición.

4. Cuando la obligación de retener tenga su origen en virtud de lo previsto en la letra f) del apartado 1 del artículo 60 de este Reglamento, la base de retención será la diferencia entre el valor de transmisión o reembolso y el valor de adquisición de las acciones o participaciones. A estos efectos se considerará que los valores transmitidos o reembolsados por el contribuyente son aquellos que adquirió en primer lugar.

Cuando se trate de reembolso de participaciones en fondos de inversión regulados por la Ley 35/2003, de 4 de noviembre, de Institu-

ciones de Inversión Colectiva, para las que, por aplicación de lo previsto en el artículo 40.3 de la citada Ley, exista más de un registro de partícipes, o de transmisión o reembolso de acciones o participaciones en instituciones de inversión colectiva domiciliadas en el extranjero, comercializadas, colocadas o distribuidas en territorio español, la regla de antigüedad a que se refiere el párrafo anterior se aplicará por la entidad gestora o comercializadora con la que se efectúe el reembolso o transmisión respecto de los valores que figuren en su registro de partícipes o accionistas.

5. Cuando la obligación de ingresar a cuenta tenga su origen en virtud de lo previsto en el apartado 3 del artículo 60 de este Reglamento, constituirá la base para el cálculo de la misma el valor de mercado del bien.

A estos efectos, se tomará como valor de mercado el resultado de incrementar en un 20 por ciento el valor de adquisición o coste para el pagador.

6. Cuando no pudiera probarse la contraprestación íntegra exigible o satisfecha, la Administración tributaria podrá computar como tal una cantidad de la que, restada la retención procedente, arroje la efectivamente percibida.

7. Cuando la obligación de retener o ingresar a cuenta tenga su origen en el ajuste secundario derivado de lo previsto en el artículo 18.11 de la Ley del Impuesto, constituirá la base de la misma la diferencia entre el valor convenido y el valor de mercado.

8. En el caso de las rentas a que se refiere la letra g) del apartado 1 del artículo 60 de este Reglamento, la base de retención será la cuantía a integrar en la base imponible calculada de acuerdo con lo establecido en el apartado 6 del artículo 17 de la Ley del Impuesto".

Artículo 65. Nacimiento de la obligación de retener y de ingresar a cuenta.

"1. Con carácter general, las obligaciones de retener y de ingresar a cuenta nacerán en el momento de la exigibilidad de las rentas, dinerarias o en especie, sujetas a retención o ingreso a cuenta, respectivamente, o en el de su pago o entrega si es anterior.

En particular, se entenderán exigibles los intereses en las fechas de vencimiento señaladas en la escritura o contrato para su liquidación o cobro, o cuando de otra forma se reconozcan en cuenta, aun cuando el perceptor no reclame su cobro o los rendimientos se acumulen al principal de la operación, y los dividendos en la fecha establecida en el acuerdo de distribución o a partir del día siguiente al de su adopción a falta de la determinación de la citada fecha.

2. En el caso de rendimientos derivados de la amortización, reembolso o transmisión de activos financieros, la obligación de retener o ingresar a cuenta nacerá en el momento en que se formalice la operación.

3. En el caso de rentas obtenidas como consecuencia de las transmisiones o reembolsos de acciones o participaciones representativas del capital o patrimonio de instituciones de inversión colectiva, la obligación de retener o ingresar a cuenta nacerá en el momento en que se formalice la operación, cualesquiera que sean las condiciones de cobro pactadas".

Artículo 66. Porcentaje de retención e ingreso a cuenta.
"El porcentaje de retención o ingreso a cuenta será el siguiente:
a) Con carácter general, el 19 por ciento. Cuando se trate de rentas procedentes del arrendamiento o subarrendamiento de inmuebles urbanos situados en Ceuta, Melilla o sus dependencias, obtenidas por entidades domiciliadas en dichos territorios o que operen en ellos mediante establecimiento o sucursal, dicho porcentaje se dividirá por dos.
b) En el caso de rentas procedentes de la cesión del derecho a la explotación de la imagen o del consentimiento o autorización para su utilización, el 24 por ciento.
c) En el caso de premios de loterías y apuestas que, por su cuantía, estuvieran sujetos y no exentos del gravamen especial de determinadas loterías y apuestas a que se refiere la disposición adicional trigésima tercera de la Ley 35/2003, de 28 de noviembre, del Impuesto sobre la Renta de las Personas Físicas y de modificación parcial de las leyes de los Impuestos sobre Sociedades, sobre la Renta de no Residentes y sobre el Patrimonio, el 20 por ciento".

Artículo 67. Importe de la retención o del ingreso a cuenta.
"El importe de la retención o del ingreso a cuenta se determinará aplicando el porcentaje a que se refiere el artículo anterior a la base de cálculo".

Artículo 68. Obligaciones del retenedor y del obligado a ingresar a cuenta.
"1. El retenedor y el obligado a ingresar a cuenta deberán presentar en los primeros veinte días naturales de los meses de abril, julio, octubre y enero, ante el órgano competente de la Administración tributaria, declaración de las cantidades retenidas y de los ingresos a cuenta que correspondan por el trimestre natural inmediato anterior e ingresar su importe en el Tesoro Público.
No obstante, la declaración e ingreso a que se refiere el párrafo anterior se efectuará en los 20 primeros días naturales de cada mes, en relación con las cantidades retenidas y los ingresos a cuenta que correspondan por el inmediato anterior, cuando se trate de retenedores u obligados en los que concurran las circunstancias a que se refiere el apartado 3.1.º del artículo 71 del Reglamento del Impuesto sobre el Valor Añadido, aprobado por el Real Decreto 1624/1992, de 29 de diciembre.
No procederá la presentación de declaración negativa cuando no se hubieran satisfecho en el período de la declaración rentas sometidas a retención o ingreso a cuenta.

2. El retenedor u obligado a ingresar a cuenta deberá presentar en los primeros 20 días naturales del mes de enero una declaración anual de las retenciones e ingresos a cuenta efectuados. No obstante, en el caso de que esta declaración se presente en soporte directamente legible por ordenador o haya sido generado mediante la utilización, exclusivamente, de los correspondientes módulos de impresión desarrollados, a estos efectos, por la Administración tributaria, el plazo de presentación será el comprendido entre el 1 de enero y el 31 de enero del año siguiente al del que corresponde dicha declaración.

En esta declaración, además de sus datos de identificación, podrá exigirse que conste una relación nominativa de los perceptores con los siguientes datos:

a) Denominación de la entidad.

b) Número de identificación fiscal.

c) Renta obtenida, con indicación de la identificación, descripción y naturaleza de los conceptos, así como del ejercicio en que dicha renta se hubiera devengado.

d) Retención practicada o ingreso a cuenta efectuado.

A las mismas obligaciones establecidas en los párrafos anteriores estarán sujetas las entidades domiciliadas, residentes o representadas en España, que paguen por cuenta ajena rentas sujetas a retención o que sean depositarias o gestionen el cobro de las rentas de valores.

3. El retenedor u obligado a ingresar a cuenta deberá expedir en favor del contribuyente certificación acreditativa de las retenciones practicadas, o de los ingresos a cuenta efectuados, así como de los restantes datos referentes al contribuyente que deben incluirse en la declaración anual a que se refiere el apartado anterior.

La citada certificación deberá ponerse a disposición del contribuyente con anterioridad al inicio del plazo de declaración de este Impuesto.

A las mismas obligaciones establecidas en los párrafos anteriores estarán sujetas las entidades domiciliadas, residentes o representadas en España, que paguen por cuenta ajena rentas sujetas a retención o que sean depositarias o gestionen el cobro de rentas de valores.

4. Los pagadores deberán comunicar a los contribuyentes la retención o ingreso a cuenta practicados en el momento en que satisfagan las rentas, indicando el porcentaje aplicado.

5. Las declaraciones a que se refiere este artículo se realizarán en los modelos que para cada clase de rentas establezca el Ministro de Hacienda y Administraciones Públicas, quien asimismo podrá determinar los datos que deben incluirse en las declaraciones, de los previstos en el apartado 2 anterior, estando obligado el retenedor u obligado a ingresar a cuenta a cumplimentar la totalidad de los datos así determinados y contenidos en las declaraciones que le afecten.

La declaración e ingreso se efectuarán en la forma y lugar que determine el Ministro de Hacienda y Administraciones Públicas.

6. La declaración e ingreso del pago a cuenta a que se refiere la letra e) del artículo 62.6 de este Reglamento, se efectuará en la forma, lugar y plazo que determine el Ministro de Hacienda y Administraciones Públicas".

SUMARIO: 1. COMENTARIO. 2. DOCTRINA ADMINISTRATIVA.

1. COMENTARIO

En el IS, como en otros grandes impuestos estatales (IRPF o IRNR), la recaudación del impuesto no se realiza de forma completa y única al presentar la correspondiente declaración anual, sino que ésta se anticipa por medio de un complejo sistema de pagos a cuenta, cuyos componentes principales son las retenciones y los pagos fraccionados. Como es lógico, dado su carácter "a cuenta", el importe ingresado por los pagos fraccionados, junto a las retenciones soportadas y el resto de ingresos a cuenta, se deducirá en las liquidaciones o autoliquidaciones del impuesto anual para el cálculo de la cuota final a ingresar o a devolver.

En concreto son deducibles y por tanto minoran la cuota diferencial final a ingresar o incrementan la cuota devolver:

a) Las retenciones a cuenta. La retención es una obligación que el legislador impone a los pagadores de determinadas rentas cuando concurren en ellos las circunstancias normativamente previstas. El nacimiento de la obligación de retener siempre va unido a la existencia de una retribución dineraria e implica una detracción que el pagador de las rentas realizará sobre la prestación monetaria a satisfacer al perceptor de la renta. Dicha retención debe realizarse por el pagador en el momento de efectuar el pago correspondiente, procediendo a su posterior ingreso en el Tesoro público por medio de las autoliquidaciones correspondientes (por ejemplo, a través del modelo 115 si la retención se aplica sobre el importe de las cuotas arrendaticias en un inmueble urbano). Este sistema implica que el perceptor de las rentas "empieza" a soportar la carga impositiva por IS mucho antes de la presentación de la declaración anual de dicho impuesto, anticipándose dicha carga al momento de la percepción de las rentas.

b) Los ingresos a cuenta. Cuando el pago monetario no existe tampoco se puede aplicar una retención, en estos casos puede surgir la obligación de realizar los llamados "ingresos a cuenta". En particular, la obligación de realizar ingresos a cuenta nace cuando el pagador de la renta no la abona en dinero, sino que lo hace en especie (entregando bienes o derechos).

Con frecuencia, el concepto de ingreso a cuenta se utiliza en un sentido estricto, como lo hace el art. 41 b) de la LIS que estamos comentado. Pero hay ocasiones en que los términos de "ingresos a cuenta" se utiliza con un sentido mucho más amplio para hacer también referencia al resto de pagos a cuenta (retenciones y pagos fraccionados).

c) Los pagos fraccionados. Nos remitimos a lo ya comentado con relación a este tema en páginas anteriores (comentario del artículo 40 LIS).

El esquema liquidatorio del impuesto, a grandes rasgos y prescindiendo de otro muchos ajustes y reglas especiales legalmente previstas que influyen en el resultado final de la declaración de IS, se basa en la aplicación del tipo de gravamen a la Base Imponible. Sobre la Cuota Íntegra, resultante de la aplicación del tipo de gravamen, se minorarán las bonificaciones y las deducciones en la cuota, ya sean para evitar la doble imposición o por la realización de determinadas actividades, obteniéndose la Cuota Líquida.

A continuación, de la Cuota Líquida se descontarán las retenciones, ingresos a cuenta y pagos fraccionados, obteniéndose la Cuota Diferencial final, que puede resultar a ingresar o a devolver. Es decir, cuando la suma de retenciones, ingresos a cuenta y pagos fraccionados, supere la Cuota Líquida, la Administración tributaria deberá proceder a la devolución de dicho exceso. En el caso de declaraciones con solicitud de devolución presentadas dentro de plazo, la Administración dispone de un plazo de 6 meses, contado desde el final del plazo de declaración, para tramitar dicha solicitud de devolución. Cuando la declaración hubiera sido presentada fuera de plazo, los 6 meses se computarán desde la fecha de tal presentación extemporánea (art 127.1 de la LIS).

2. DOCTRINA ADMINISTRATIVA

CONSULTA VINCULANTE DGT, de 09-03-2015, V0763/2015: Se practicará retención, en concepto de pago a cuenta del IS correspondiente al perceptor, sobre las rentas obtenidas como consecuencia de la transmisión o reembolso de acciones o participaciones representativas del capital o patrimonio de instituciones de inversión colectiva, tomando como base para su cálculo la diferencia entre el valor de transmisión o reembolso y el valor de adquisición de las acciones o participaciones. No obstante, las retenciones a cuenta que se practiquen en el ejercicio de la transmisión o reembolso de acciones o participaciones representativas del capital o patrimonio de instituciones de inversión colectiva, aplicando las normas anteriores, serán deducibles de la cuota íntegra, conforme lo señalado por el art. 41 de la LIS, independientemente de las rentas que proceda integrar en la base imponible de dicho ejercicio de enajenación.

EJEMPLO

Cálculo de la cuota diferencial final de una sociedad sujeto pasivo del IS que tributa al tipo general. Los datos disponibles son los siguientes:

Base Imponible positiva: 200.000 euros.

Deducciones en la cuota: 2.000 euros.

Retenciones soportadas: 10.000 euros

Pagos fraccionados realizados: 8.000 euros.

RESPUESTA

Base Imponible positiva:	200.000 euros.
Tipo de gravamen general:	25%
Cuota íntegra:	50.000 euros
Deducciones en la cuota:.....................	-2.000 euros.
Cuota Líquida:....................................	48.000 euros
Retenciones soportadas:.......................	-10.000 euros
Pagos fraccionados realizados:.............	-8.000 euros
Cuota diferencial a ingresar:	30.000 euros

Artículos 42 a 47

Regímenes tributarios especiales. Régimen especial de agrupaciones de interés económico, españolas y europeas, y de uniones temporales de empresas

Javier María Bas Soria

Inspector de Hacienda del Estado. Doctor en Derecho

Artículo 42. Definición y reglas de aplicación.
"1. Son regímenes tributarios especiales los regulados en este título, sea por razón de la naturaleza de los contribuyentes afectados o por razón de la naturaleza de los hechos, actos u operaciones de que se trate.

2. Las normas contenidas en este título se aplicarán, con carácter preferente, respecto de las previstas en el resto de títulos de esta Ley, que tendrán carácter supletorio".

Artículo 43. Agrupaciones de interés económico españolas.
"1. A las agrupaciones de interés económico reguladas por la Ley 12/1991, de 29 de abril, de Agrupaciones de Interés Económico, se aplicarán las normas generales de este Impuesto con las siguientes especialidades:

a) Estarán sujetas a las obligaciones tributarias derivadas de la aplicación de esta Ley, a excepción del pago de la deuda tributaria por la parte de base imponible imputable a los socios residentes en territorio español.

En el supuesto de que la entidad aplique la modalidad de pagos fraccionados regulada en el apartado 3 del artículo 40 de esta Ley, la base de cálculo no incluirá la parte de la base imponible atribuible a los socios que deban soportar la imputación de la base imponible. En ningún caso procederá la devolución a que se refiere el artículo 41 de esta Ley en relación con esa misma parte.

b) Se imputarán a sus socios residentes en territorio español o no residentes con establecimiento permanente en el mismo:

1.º Los gastos financieros netos que, de acuerdo con el artículo 16 de esta Ley, no hayan sido objeto de deducción en estas entidades en el período impositivo. Los gastos financieros netos que se imputen a sus socios no serán deducibles por la entidad.

2.º La reserva de capitalización que, de acuerdo con lo dispuesto en el artículo 25 de esta Ley, no haya sido aplicada por estas entidades en el período impositivo. La reserva de capitalización que se impute *a sus socios no podrá ser aplicada por la entidad, salvo que el socio sea contribuyente del Impuesto sobre la Renta de las Personas Físicas.*

3.º Las bases imponibles positivas, minoradas o incrementadas, en su caso, en la reserva de nivelación a que se refiere el artículo 105 de esta Ley, o negativas, obtenidas por estas entidades. Las bases imponibles negativas que imputen a sus socios no serán compensables por la entidad que las obtuvo.

4.º Las bases de las deducciones y de las bonificaciones en la cuota a las que tenga derecho la entidad. Las bases de las deducciones y bonificaciones se integrarán en la liquidación de los socios, minorando la cuota según corresponda por aplicación de las normas de este Impuesto o del Impuesto sobre la Renta de las Personas Físicas.

5.º Las retenciones e ingresos a cuenta correspondientes a la entidad.

La reserva de nivelación de bases imponibles a que se refiere el artículo 105 de esta Ley se adicionará, en su caso, a la base imponible de la agrupación de interés económico.

2. Los dividendos y participaciones en beneficios que correspondan a socios no residentes en territorio español tributarán en tal concepto, de conformidad con las normas establecidas en el Texto Refundido de Ley del Impuesto sobre la Renta de no Residentes, aprobado por el Real Decreto Legislativo 5/2004, de 5 de marzo, y los convenios para evitar la doble imposición suscritos por España.

3. Los dividendos y participaciones en beneficios que correspondan a socios que deban soportar la imputación de la base imponible y procedan de períodos impositivos durante los cuales la entidad se hallase en el presente régimen, no tributarán por este Impuesto ni por el Impuesto sobre la Renta de las Personas Físicas.

El importe de estos dividendos o participaciones en beneficios no se integrará en el valor de adquisición de las participaciones de los socios a quienes hubiesen sido imputadas. Tratándose de los socios que adquieran las participaciones con posterioridad a la imputación, se disminuirá su valor de adquisición en dicho importe.

4. En la transmisión de participaciones en el capital, fondos propios o resultados de entidades acogidas al presente régimen, el valor de adquisición se incrementará en el importe de los beneficios sociales que, sin efectiva distribución, hubiesen sido imputados a los socios como rentas de sus participaciones en el período de tiempo comprendido entre su adquisición y transmisión.

Igualmente, el valor de adquisición se minorará en el importe de las pérdidas sociales que hayan sido imputadas a los socios. No obstante, cuando así lo establezcan los criterios contables, el valor de adquisición se minorará en el importe de los gastos financieros, las bases imponibles negativas, la reserva de capitalización, y las deducciones y bonificaciones, que hayan sido imputadas a los socios en el período de tiempo comprendido entre su adquisición y transmisión, hasta que se anule el referido valor, integrándose en la base imponible igualmente el correspondiente ingreso financiero.

5. Este régimen fiscal no será aplicable en aquellos períodos impositivos en que se realicen actividades distintas de las adecuadas a su objeto o se posean, directa o indirectamente, participaciones en sociedades que sean socios suyos, o dirijan o controlen, directa o indirectamente, las actividades de sus socios o de terceros".

Artículo 44. Agrupaciones europeas de interés económico.

"1. A las agrupaciones europeas de interés económico reguladas por el Reglamento (CEE) n.º 2137/1985 del Consejo, de 25 de julio de 1985, y sus socios, se aplicarán lo establecido en el artículo anterior, con las siguientes especialidades:

a) Estarán sujetas a las obligaciones tributarias derivadas de la aplicación de esta Ley, a excepción del pago de la deuda tributaria.

Estas entidades no efectuarán los pagos fraccionados a los que se refiere el artículo 40 de esta Ley, ni tampoco procederá para ellas la devolución que recoge el artículo 41 de la misma Ley.

b) Si la entidad no es residente en territorio español, sus socios residentes en España integrarán en la base imponible del Impuesto sobre Sociedades o del Impuesto sobre la Renta de las Personas Físicas, según proceda, la parte correspondiente de los beneficios o pérdidas determinadas en la agrupación, corregidas por la aplicación de las normas para determinar la base imponible establecidas en esta Ley.

Cuando la actividad realizada por los socios a través de la agrupación hubiere dado lugar a la existencia de un establecimiento permanente en el extranjero, serán de aplicación las normas previstas en esta Ley o en el respectivo convenio para evitar la doble imposición internacional suscrito por España.

c) Los socios no residentes en territorio español, con independencia de que la entidad resida en España o fuera de ella, estarán sujetos por el Impuesto sobre la Renta de no Residentes únicamente si, de acuerdo con lo establecido en el artículo 13 del texto refundido de Ley del Impuesto sobre la Renta de no Residentes, aprobado por el Real Decreto Legislativo 5/2004, de 5 de marzo, o en el respectivo convenio de doble imposición internacional, resultase que la actividad realizada por aquéllos a través de la agrupación da lugar a la existencia de un establecimiento permanente en dicho territorio.

d) Los beneficios imputados a los socios no residentes en territorio español que hayan sido sometidos a tributación en virtud de normas del Impuesto sobre Rentas de no Residentes no estarán sujetos a tributación por razón de su distribución.

2. El régimen previsto en los apartados anteriores no será de aplicación en el período impositivo en que la agrupación europea de interés económico realice actividades distintas a las propias de su objeto o las prohibidas en el apartado 2 del artículo 3 del Reglamento CEE 2137/1985, de 25 de julio".

Artículo 45. Uniones temporales de empresas.

"1. Las uniones temporales de empresas reguladas en la Ley 18/1982, de 26 de mayo, sobre régimen fiscal de agrupaciones y uniones temporales de Empresas y de Sociedades de desarrollo industrial regional, e inscritas en el registro especial del Ministerio de Hacienda y Administraciones Públicas, así como sus empresas miembros, tributarán con arreglo a lo establecido en el artículo 43 de esta Ley, excepto en relación con la regla de valoración establecida en el segundo párrafo del apartado 4 del citado artículo.

En el caso de participaciones en uniones temporales de empresas, el valor de adquisición se minorará en el importe de las pérdidas sociales que hayan sido imputadas a los socios.

2. Las empresas miembros de una unión temporal de empresas que opere en el extranjero, así como las entidades que participen en obras, servicios o suministros que realicen o presten en el extranjero mediante fórmulas de colaboración análogas a las uniones temporales, podrán acogerse por las rentas procedentes del extranjero a la exención prevista en el artículo 22 o a la deducción por doble imposición prevista en el artículo 31 de esta Ley, siempre que se cumplan los requisitos allí establecidos.

3. Lo previsto en el presente artículo no será aplicable en aquellos períodos impositivos en los que el contribuyente realice actividades distintas a aquéllas en que debe consistir su objeto social".

Artículo 46. Criterios de imputación.

"1. Las imputaciones a que se refiere el presente capítulo se efectuarán a las personas o entidades que ostenten los derechos económicos inherentes a la cualidad de socio o de empresa miembro el día de la conclusión del período impositivo de la entidad sometida al presente régimen, en la proporción que resulte de los estatutos de la entidad.

2. La imputación se efectuará:

a) Cuando los socios o empresas miembros sean entidades sometidas a este régimen, en la fecha de finalización del período impositivo de la entidad sometida a este régimen.

b) En los demás supuestos, en el siguiente período impositivo, salvo que se decida hacerlo de manera continuada en la misma fecha de finalización del período impositivo de la entidad sometida a este régimen.

La opción se manifestará en la primera declaración del impuesto en que haya de surtir efecto y deberá mantenerse durante tres años".

Artículo 47. Identificación de socios o empresas miembros.

"Las entidades a las que sea de aplicación lo dispuesto en este capítulo deberán presentar, conjuntamente con su declaración del Impuesto sobre Sociedades, una relación de las personas que ostenten los derechos inherentes o la cualidad de socio o empresa miembro el *último día de su período impositivo, así como la proporción en la que cada una de ellas participe en los resultados de dichas entidades".*

SUMARIO: 1. INTRODUCCIÓN. 2. AGRUPACIONES DE INTERÉS ECONÓMICO ESPAÑOLAS. 2.1. Régimen sustantivo. 2.2. Régimen fiscal especial en el IS. 2.2.1. Imputaciones a los socios. 2.2.1.1. Gastos financieros trasladados a socios que sean residentes o entidades no residentes que operen mediante establecimiento permanente. 2.2.1.2. Reserva de capitalización trasladada a socios que sean residentes o entidades no residentes que operen mediante establecimiento permanente. 2.2.1.3. Base imponibles, positivas o negativas, trasladada a socios que sean residentes o entidades no residentes que operen mediante establecimiento permanente. 2.2.1.4. Deducciones y bonificaciones trasladada a socios que sean residentes o entidades no residentes que operen mediante establecimiento permanente. 2.2.1.5. Retenciones e ingresos a cuenta trasladados a socios que sean residentes o entidades no residentes que operen mediante establecimiento permanente. 2.2.2. Pagos fraccionados. 2.2.3. Distribución de dividendos. 2.2.4. Valor de adquisición de las participaciones en el capital de las AIEE. 3. AGRUPACIONES EUROPEAS DE INTERÉS ECONÓMICO. 3.1. Régimen sustantivo. 3.2. Régimen fiscal. 3.2.1. Pago de deuda y pagos fraccionados. 3.2.2. Imputación de bases imponibles. 3.2.2.1. Socios residentes. 3.2.2.2. Socios no residentes. 3.2.3. Distribución de dividendos. 4. UNIONES TEMPORALES DE EMPRESAS. 4.1. Régimen sustantivo. 4.2. Registro contable de las UTE. 4.2.1. Negocios conjuntos. 4.2.2. Tipos de negocios conjuntos. 4.2.3. Registro contable de los negocios en común. 4.3. Régimen fiscal. 5. NORMAS COMUNES A AIEE, AEIE Y UTE: CRITERIOS DE IMPUTACIÓN E IDENTIFICACIÓN DE SOCIOS. 5.1. Criterios de imputación. 5.2. Obligación de información.

1. INTRODUCCIÓN

El Capítulo II del Título VII de la LIS, que comprende los artículos 43 a 47 de la misma, contempla el régimen especial aplicable a las agrupaciones de interés económico, españolas y europeas, y a las uniones temporales de empresas.

A pesar de las diferencias sustantivas entre las figuras tratadas, siendo la más destacable el reconocimiento de personalidad jurídica a las Agrupaciones de interés económico (en adelante, AIE) frente a las Uniones Temporales de Empresas (en adelante, UTE) que carecen de ella, estas tres entidades tienen un contenido similar, como fórmulas de colaboración empresarial, con un objeto determinado, bien sea la realización de una actividad auxiliar de interés mutuo, bien sea llevar a cabo y en común una obra, servicio o suministro concreto (UTE).

El régimen fiscal especial se va a caracterizar por una transparencia de las entidades, que cumplirán con sus obligaciones propias, salvo el pago de la deuda tributaria por el Impuesto sobre Sociedades, imputando a sus partícipes las bases imponibles y demás magnitudes relevantes para el cálculo del Impuesto sobre Sociedades.

Cabe destacar que la decisión del legislador de transparentar estas entidades no afecta, en principio, al importe global de la deuda tributaria a satisfacer, en la medida que el gravamen en el Impuesto sobre Sociedades es proporcional, tanto para las entidades en régimen especial como para las entidades partícipes, y en ambas se aplicarán las mismas reglas para el cálculo y cuantificación de la base imponible, de forma que las cantidades imputadas serán las mismas. Evidentemente la acumulación de las operaciones de la entidad en régimen especial con su partícipe tiene efectos en el cálculo del importe de la deuda a satisfacer, por ejemplo, en la aplicación de los límites para gozar de determinados beneficios o incentivos; el ejemplo más sencillo de lo que expresamos puede ser la pérdida de la condición de entidad de reducida dimensión al acumular al importe de la cifra de negocios propia de una entidad con la parte correspondiente de una UTE en la que participe.

Debemos hacer notar que aunque las tres formas colaborativas que estudiamos disponen de normas propias que regulan su régimen sustantivo, dichas normas no contienen especialidades para el IS (de hecho, las especialidades que inicialmente contuvieron estas normas fueron derogadas).

2. AGRUPACIONES DE INTERÉS ECONÓMICO ESPAÑOLAS

2.1. *Régimen sustantivo*

Las Agrupaciones de interés económico españolas (AIEE) se regulan por la Ley 12/1991. Se configuran como entidades con personalidad jurídica y carácter mercantil, que se rigen por la citada Ley y, supletoriamente, por las normas de la sociedad colectiva que resulten compatibles con su específica naturaleza. Las AIEE deberán inscribirse en el Registro Mercantil.

Su finalidad es el desarrollo de una actividad económica auxiliar de la que desarrollen sus socios para facilitar el desarrollo o mejorar los resultados de la actividad de éstos. La AIEE no tiene un ánimo de lucro para sí misma, aunque, evidentemente pueden tenerlo sus socios.

Quizá sea esta cuestión la más problemática, delimitar que debe entenderse por actividad auxiliar, aunque no se trata de una cuestión eminentemente tributaria, indudablemente afecta a la aplicación del régimen especial, en la medida que el artículo 29 de la cita Ley 12/1991, señala que el régimen fiscal establecido en la misma para las AIEE no será de aplicación en aquellos ejercicios en que realicen actividades distintas de las adecuadas a su objeto y que la Inspección de los tributos verificará el cumplimiento de estas condiciones y practicará, cuando proceda, la regularización procedentes de su situación tributaria. Ahora que el régimen fiscal especial no se encuentra ya en la propia Ley 12/1991, sino en la LIS, es el apartado 5 del artículo 43 el que ratifica esta competencia específica a la Inspección tributaria para la calificación de la accesoriedad a los efectos de excluir del régimen especial, cuando dispone que el régimen fiscal no será aplicable en aquellos períodos impositivos en que se realicen actividades distintas de las adecuadas a su objeto o se posean, directa o indirectamente, participaciones en sociedades que sean socios suyos, o dirijan o controlen, directa o indirectamente, las actividades de sus socios o de terceros.

En este sentido, podemos traer a colación la sentencia TSJ de Madrid n° 876/2003, de 18 junio de 2003 (Recurso contencioso-administrativo n°. 1305/2000) en la que se examinan las dos cuestiones que acabamos de exponer, esto es, por una parte, la facultad administrativa de comprobación, concluyendo la competencia de la Inspección para calificar la actividad como auxiliar a los efectos de aplicar el régimen especial, y por otra parte, la exclusión de una actividad como auxiliar, cuando los socios no son destinatarios principales de los servicios de la AIEE. Así se dice en el FJ Cuarto de la mencionada sentencia:

> *Por tanto, corresponde a la Inspección de los tributos comprobar si la Agrupación realiza las actividades adecuadas a su objeto y es precisamente esta actividad de verificación de las actividades la realizada por la Inspección en el presente caso, pues en ningún caso efectúa una calificación del objeto, sino simplemente determina la relación de las actividades concretas realizadas con el objeto social fijado en los estatutos de la Agrupación demandante inscritos en el Registro Mercantil. Teniendo tal verificación el alcance que dicho precepto determina, es decir, si es aplicable en el ejercicio controvertido el régimen fiscal establecido para las referidas agrupaciones de interés económico, régimen económico que no es otro que el régimen de transparencia fiscal previsto en el art. 19 de la Ley 61/1978, de 27 de diciembre (RCL 1978\2837), sin limitaciones, respecto a la imputación de pérdidas, de acuerdo con lo dispuesto en el art. 24 de la Ley 12/1991 citada. Por tanto, no puede estimarse que se haya producido una extralimitación por parte de la Inspección de los Tributos en el presente caso.*

> *En cuanto a la verificación de las actividades realizadas y su adecuación al objeto social, como señala la recurrente el objeto social consiste en: «Realizar en favor de sus miembros primordialmente operaciones de transporte aéreo, bien por medios propios bien utilizando los que sean propiedad de sus miembros, o arrendándolos a terceras personas», por lo que teniendo en cuenta que, según señala la Administración en base a la facturación realizada por Gestair, SA la explotación comercial por parte de los socios de la Agrupación recurrente y de las entidades relacionadas de la aeronave cedida a Gestair, SA supone únicamente el 17,62% de la explotación comercial total de la aeronave, lo que evidencia que la adquisición y cesión de la aeronave no constituye una actividad dirigida primordialmente a efectuar operaciones de transporte aéreo a favor de sus miembros por lo que no puede considerarse una actividad económica auxiliar de la que desarrollen sus socios, como requiere el art. 3 de la Ley 12/1991, siendo indiferente, a estos efectos, como señala el Abogado del Estado, la interpretación que se dé a la expresión «primordialmente», pues si se refiere a la actividad,*

tal y como sostiene la recurrente, excluiría que pueda ser utilizada la aeronave por otras entidades que no sean los socios de la Agrupación, lo que evidencia el incumplimiento del objeto social, pues mayoritariamente ha sido utilizada por otras entidades, como ya se ha indicado, y si la expresión «primordialmente» se refiere a los sujetos, como mantiene la Administración, evidentemente el 17,62% no puede considerarse que sea un porcentaje mayoritario, no pudiendo admitirse las aleaciones de la recurrente referidas a que pudieron existir utilizaciones de la aeronave en forma gratuita, pues no acredita tal circunstancia, como le correspondía de acuerdo con lo dispuesto en el art. 114.1 de la Ley General Tributaria (RCL 1963\2490), pues la Administración únicamente tiene en cuenta los términos del contrato de cesión de la aeronave.

Pueden ser socios de las AIEE personas físicas o jurídicas que desempeñen actividades empresariales, agrícolas o artesanales, entidades no lucrativas dedicadas a la investigación y quienes ejerzan profesiones liberales.

Debemos acabar esta exposición recordando que las agrupaciones portuarias de interés económico, figura creada por la transformación de las sociedades estatales de estiba y desestiba, no son AIE, y, en consecuencia, no les resulta de aplicación el régimen especial previsto para las mismas, tal y como declaró la DGT en consulta V0411-10 de 5/3/2010[1].

2.2. *Régimen fiscal especial en el IS*

Las AIEE son entidades con personalidad jurídica, siendo por tanto sujetos pasivos del IS por aplicación del artículo 7.1.a LIS, sin necesidad de mención expresa en el listado contenido en el mencionado artículo.

Las AIEE aplicarán las normas generales previstas en el IS con las especialidades que prevé este régimen especial.

Las AIEE aplicarán las normas generales previstas en el IS con las especialidades que prevé este régimen especial.

En cuanto a la determinación de la base imponible, no se contempla regla especial. Las AIEE determinan su resultado contable mediante la aplicación de las normas contables generales, siendo su única excepción específica la obligación contemplada en el artículo 28 Ley 12/1991 para los socios residentes en España de Agrupaciones de interés económico de llevar en sus registros contables cuentas perfectamente diferenciadas para reflejar las relaciones que, como consecuencia de la realización del objeto de la Agrupación, mantengan con ella.

---

[1]   "En consecuencia, las agrupaciones portuarias de interés económico, procedentes de la transformación de las sociedades estatales de estiba y desestiba, no son Agrupaciones de Interés Económico a que se refiere la Ley 12/1991, por lo que tributan según el régimen general del Impuesto sobre Sociedades, impuesto del que son sujetos pasivos por tener personalidad jurídica".

Igualmente deberán aplicar las normas del IS que determinen la existencia de diferencias de valoración, de imputación o de calificación de ingresos, gastos o valoraciones fiscales previstas para la determinación de la base imponible.

Como especialidades en la determinación de la base imponible destaca la no compensación de las bases imponibles negativas obtenidas por al AIEE en periodos en los que se haya tributado por este régimen especial y que hayan sido imputadas a sus socios, tal y como señala el artículo 43.1. b.3º LIS. La justificación de esta exclusión es clara. Las bases imponibles negativas son objeto de imputación a sus socios, quienes las aplican en su propio cálculo del impuesto, por lo que han sido ya efectivamente aplicadas. Si se permitiera la compensación posterior por la AIEE, evidentemente, se produciría un doble cómputo de la base negativa, en sede de los socios que recibieron la imputación de la mismas, y por la propia AIE.

También se impone como limitación específica la prevista en el artículo 21.8 LIS, que dispone que no se aplicará la exención prevista en dicho precepto para los dividendos y rentas derivadas de la transmisión de valores representativos de los fondos propios de entidades residente y no residentes, cuando, al menos uno de sus socios, tenga la condición de persona física. A nuestro juicio, la presencia de personas físicas a los efectos de determinar la aplicabilidad de la exención debe constatarse en el momento del cierre del ejercicio de la AIEE y no en el momento del reparto del dividendo o de la obtención de la plusvalía por la transmisión, aunque ciertamente la ley no dice nada al respecto.

Las AIEE no prosiguen con el cálculo del impuesto tras la determinación de la base imponible. Como hemos señalado, este régimen especial es un régimen de transparencia de las entidades, que imputan sus bases y otros beneficios a sus socios residentes y a los no residentes que cuenten con establecimiento permanente. Por ello, quedan dispensadas de la obligación de cálculo y de pago de la deuda tributaria por la parte de base imponible imputable a los socios residentes en territorio español.

2.2.1. Imputaciones a los socios

una vez determinada la base imponible de la AIEE, en la parte correspondiente a los socios residentes, como hemos señalado, no se produce la tributación en el IS, sino que se aplica un régimen de transparencia que supone la imputación a los socios de las principales magnitudes de la entidad.

Esta imputación deberá integrarse en la base imponible de los socios personas jurídicas como un ajuste extracontable. Los resultados obtenidos por la AIEE deben registrarse contablemente por los socios en la parte correspondiente a su participación, incrementando su valor de adquisición. En las personas físicas se integrará en su base imponible general.

No obstante, en la parte de la base imponible que corresponda a personas o entidades no residentes, la AIEE queda sujeta al IS como una entidad más. Detengámonos unas líneas en esta excepción. Podría parecer que el legislador trata de condicionar la presencia de personas o entidades no residentes en las AIEE, complicándoles la tributación; aunque nada más lejos de la realidad a nuestro juicio, siendo una mera decisión técnica. La transparentación de las bases a las personas o entidades no residentes supone problemas a la calificación de las rentas obtenidas por el no residente procedentes de la AIEE y aun de su consideración como renta obtenida con mediación de establecimiento permanente en el territorio español o sin mediación de tal establecimiento, en la medida que, aunque no cuente con establecimiento propio, la propia organización de la AIEE en España, que desarrolla la actividad por la que se imputaría la base, podría constituir un establecimiento permanente, por lo que parece lógico excluir la parte que corresponde a estos sujetos del régimen especial.

2.2.1.1. *Gastos financieros trasladados a socios que sean residentes o entidades no residentes que operen mediante establecimiento permanente*

como sabemos, el artículo 16 LIS limita el importe de los gastos financieros que pueden ser objeto de deducción al 30 por ciento del beneficio operativo del ejercicio, admitiéndose en todo caso que se pueda deducir un importe de 1 millón de euros, independientemente de cual sea el beneficio operativo de la entidad. Este límite puede verse incrementado en los excesos pendientes de aplicación procedentes de los cinco ejercicios anteriores, en los términos que se explican en el comentario del artículo 16 LIS, al que nos remitimos. Las cantidades que no puedan ser objeto de deducción por exceder de tales límites podrán ser objeto de deducción en los periodos impositivos siguientes.

Las AIEE, como hemos visto, proceden a aplicar las normas generales del IS para determinar la base imponible. Ello supone que cuantificarán sus gastos financieros de acuerdo con la norma contable, en la medida que el IS no tiene excepción en cuanto a su cálculo, y deducirán tales gastos financieros aplicando el artículo 16 LIS al que antes hemos hecho referencia.

En el caso que se superen los límites previstos en dicho precepto, en vez de trasladarlos a los ejercicios futuros, las AIEE imputan a sus socios los gastos financieros netos que no hayan sido objeto de deducción en el período impositivo. Los socios que reciben tales imputaciones pueden aplicarlos y deducirlos. Debemos destacar que el artículo 16 LIS establece, de forma expresa, que el importe de los gastos financieros imputados computa dentro del propio límite de deducción de las entidades que sean socios de la AIEE.

Evidentemente, los gastos financieros netos que se imputen a sus socios no serán deducibles por la AIEE; cualquier otra solución sería una duplicación del cómputo del mismo gasto, análoga a la que antes nos referíamos en relación con las bases imponibles negativas.

Esta regla es una evidente ventaja para las AIEE. No solo porque la creación de la entidad instrumental permite la duplicación del límite, al menos el cuantitativo de 1 millón de euros, sino porque permite además una doble opción para la deducción de los gastos financieros de la AIEE, en sede de la propia AIEE, o en sede de sus socios.

Una duda que, a nuestro juicio, subsiste, es si la imputación de los gastos financieros no deducidos en la AIEE es obligatoria o si por el contrario puede optarse por no realizarla, ya sea porque los socios, por aplicación de los propios límites, no pueden deducirla o bien sea porque se prefiera aplicarla en un ejercicio posterior. Aún más, podemos plantear si realizada la imputación a los socios y no habiendo deducido éstos los gastos financieros imputados, puede recuperarse la cantidad imputada y ser deducida por la propia AIEE.

Ciertamente, los términos del precepto parecen tratar esta imputación como una norma imperativa. No obstante, nos inclinamos por la solución contraria, por varios motivos. En primer lugar, porque se trata de un beneficio fiscal, por lo que no parece lógico imponer que se disfrute del mismo de forma imperativa. Pero, más allá, por una mera cuestión de lógica. La imputación, por ley, se realiza exclusivamente a residentes y no residentes con establecimiento permanente, y según el artículo 46, en la proporción determinada en los estatutos; por lo que, en la medida que existan socios que sean entidades no residentes sin establecimiento permanente, parece lógico que igual que las cantidades correspondientes a los mismos van a poder trasladarse a ejercicios futuros, beneficiando a todos los socios (si se minora la base imponible con tales gastos financieros no imputados, también lo hace en beneficio de los socios entidades residentes y entidades no residentes con establecimiento permanente que ya recibieron además su parte de gastos no deducidos imputada) resulta lógico que, cuanto menos, la ley no consagre esta diferencia de trato y permita que las partes puedan llegar a un acuerdo con el que no se beneficie una parte (el socio que recibió la imputación) a costa de otro socio (el que no pudo imputar su parte del gasto financiero no deducido por la AIEE y que ve como ahora, al aplicar la AIEE la parte de su saldo, le aprovecha por igual a el que a la socio que recibió la imputación).

2.2.1.2. *Reserva de capitalización trasladada a socios que sean residentes o entidades no residentes que operen mediante establecimiento permanente*

El artículo 25 LIS ha creado la reserva de capitalización, como una reducción en la base imponible reducción, del 10 por ciento del importe del incremento de los fondos propios de la entidad que la dota, siempre que se cumplan los siguientes requisitos:

a) Que el importe del incremento de los fondos propios de la entidad se mantenga durante un plazo de 5 años desde el cierre del período impositivo en el que se dote esta reducción, salvo por la existencia de pérdidas contables en la entidad.

b) Que se dote una reserva por el importe de la reducción, que deberá figurar en el balance con absoluta separación y título apropiado y será indisponible durante el plazo de cinco años de mantenimiento del incremento de los fondos propios.

La finalidad de la mencionada reserva es favorecer la autofinanciación de las entidades, superando claramente a la deducción por reinversión, a la que viene a sustituir, por dos razones: se aplica cualquiera que sea el origen de los fondos que se destinan a la autofinanciación, frente a la deducción que se limitaba a la reinversión de beneficios extraordinarios procedentes del inmovilizado o carteras de control; y su destino es libre, ya no debe ser, necesariamente, la adquisición de nuevo inmovilizado o carteras de control, como ocurría con la deducción por reinversión.

Al igual que veíamos con los gastos financieros, la AIEE tiene derecho a la aplicación de esta reserva, aunque se encuentra limitada, por el artículo 25 LIS, a una cuantía máxima del 10 por ciento de la denominada base imponible previa, constituida por la base imponible positiva del período impositivo previa a esta reducción, a la integración de los activos por impuesto diferido procedentes de deterioros de créditos por razones distintas al cumplimiento del plazo de 6 meses y por provisiones por retribuciones al personal, a los que se refiere el artículo 11.12 LIS y a la compensación de bases imponibles negativas.

Al igual que ocurría con los gastos financieros, también aquí las cantidades que no hayan podido ser objeto de aplicación en la AIEE se imputarán a sus socios. La imputación de la reserva de capitalización a sus socios determina que decaiga el derecho a su aplicación por la AIEE, como ya hemos explicado, para evitar un doble cómputo del mismo beneficio.

Se establece una excepción cuando la imputación corresponde a un socio que sea contribuyente del Impuesto sobre la Renta de las Personas Físicas, supuesto en el que no se pierde el derecho a la aplicación de la reserva por la AIEE. Resulta lógico ya que las personas físicas no pueden aplicar este beneficio fiscal, al carecer de fondos propios diferenciados y autónomos para la actividad, que se puedan incrementar, no existiendo, en consecuencia, la posibilidad de cumplir con las condiciones legalmente previstas para la aplicación de este beneficio.

2.2.1.3. *Base imponibles, positivas o negativas, trasladada a socios que sean residentes o entidades no residentes que operen mediante establecimiento permanente*

El elemento esencial de la transparentación de rentas que supone este régimen especial y aquel que da sentido a la exclusión del cálculo del impuesto por la propia AIEE es la imputación de la base imponible, positiva o negativa, obtenida por la AIEE a sus socios.

Como hemos visto en apartados anteriores, los elementos objeto de imputación referidos al cálculo de la base imponible de la propia AIEE que son objeto de imputación (gastos financieros y reserva de capitalización) lo son, únicamente en la medida que no se han podido deducir por la propia AIEE para la cuantificación de su base imponible; pero, como ya advertíamos en el comentario de tales apartados, la AIEE debe cuantificar su propia base imponible.

La base imponible obtenida por la entidad, positiva o negativa, debe ser calculada por la propia AIEE.

Como ya se ha comentado, la imputación de las bases negativas permite su compensación por los socios que han recibido la misma. Las bases imponibles negativas imputadas a sus socios no serán compensables por la AIEE que las obtuvo, en la medida que ello supondría un doble cómputo de la misma, cuestión a la que ya nos hemos referido anteriormente. Cabe reproducir en relación con las bases imponibles negativas las consideraciones sobre la obligatoriedad o no de la imputación que realizábamos en relación con los gastos financieros, llegando a idéntica conclusión que la que allí postulábamos: la imputación de la base imponible negativa es un derecho, no una obligación, y la base imponible, aunque imputada, que no haya sido compensada por los socios podría compensarse por la AIEE, aunque ello obligaría a que los socios presentaran declaraciones complementarias minorando sus propias bases negativas (solo si el resultado del socio fue también una base imponible negativa, la base imponible negativa imputada por una AIEE no se habría compensado, aunque se habría incluido en la propia base negativa del socio, generando un importe mayor en la misma, por lo que la forma de corregir tal base imponible declarada para cuantificar una menor sería la presentación de una declaración complementaria).

Una pequeña reflexión debe hacerse sobre la posibilidad de imputar bases imponibles negativas por las AIEE. En ocasiones se ha manifestado extrañeza porque estas entidades puedan obtener bases imponibles negativas, sosteniendo que al desarrollar primordialmente una actividad auxiliar a favor de sus socios, estas entidades realizarán mayoritariamente operaciones vinculadas con los mismos, lo que determina que cubran todos sus costes y aun obtengan algún beneficio. Esta opinión, frecuentemente sostenida, equivoca un elemento esencial de la operación vinculada. La vinculación obliga a valorar una operación por su valor de mercado, que es el que hubieran convenido partes independientes, lo que no supone, como parece desprenderse de la idea anterior que criticamos, un beneficio. Si la gestión de la AIEE es antieconómica, ya sea por la propia naturaleza de la misma, por la ineptitud de sus gestores o por cualquier otra causa, las operaciones realizadas con sus socios, aun valoradas a precio de mercado, pueden dar lugar a la existencia de una base negativa.

Se establece que las bases positivas a imputar serán, minoradas o incrementadas, según proceda, en la reserva de nivelación a que se refiere el artículo 105 LIS. La citada reserva es un beneficio especial establecido para las entidades de reducida dimensión, que les permite diferir parte del impuesto en previsión de la eventual obtención de bases imponibles negativas en el futuro, reintegrando la cantidad diferida si, finalizado el plazo de cinco años previsto para esta reserva, no se han obtenido bases negativas. Por decirlo de una forma llana, es una compensación de bases negativas antes de su obtención. Así, se establece que las entidades de reducida dimensión podrán minorar su base imponible positiva hasta el 10 por ciento de su importe, sin que tal minoración pueda superar el importe de 1 millón de euros. Las cantidades minoradas se adicionarán a la base imponible de los períodos impositivos que concluyan en los 5 años inmediatos y sucesivos a la finalización del período impositivo en que se realice dicha minoración, siempre que el contribuyente tenga una base imponible negativa, y hasta el importe de la misma. El importe restante se adicionará a la base imponible del período impositivo correspondiente a la fecha de conclusión del referido plazo.

Como hemos visto, el artículo 21.8 LIS limita la posibilidad de aplicar la exención para dividendos y plusvalías procedentes de participaciones en los fondos propios d entidades residentes y no residentes, cuando en la AIEE exista un socio persona física, por lo que las rentas obtenidas e incluidas en la base imponible, en este caso, se imputarán a los socios. Cabe plantearse, no obstante, si cumpliendo los socios las condiciones previstas en el artículo 21 LIS en relación con el dividendo o plusvalía imputado podrán aplicar la exención contemplada en dicho artículo. A nuestro juicio la respuesta debe ser afirmativa. Aunque referida al TRIS, la DGT, en consulta V1955-05, al examinar idéntica limitación a la que ahora recoge el artículo 21.8 LIS, entendió que la razón de esta exclusión es evitar que las personas físicas, que no disfrutan de una exención para evitar la doble imposición análoga a la que se aplica a los sujetos pasivos del IS, puedan conseguirla mediante la interposición de una AIEE, pero que no obstante, los socios personas jurídicas que cumplan con las condiciones para aplicar la exención, podrán hacerlo.

2.2.1.4. *Deducciones y bonificaciones trasladada a socios que sean residentes o entidades no residentes que operen mediante establecimiento permanente*

Tal y como señala el artículo 56.5 LGT, la cuota líquida será el resultado de aplicar sobre la cuota líquida las deducciones, bonificaciones, adiciones o coeficientes previstos, en su caso en la ley de cada tributo.

Resulta evidente de este concepto que la aplicación de las deducciones y bonificaciones requiere el cálculo previo de la cuota íntegra, cálculo que con el régimen de transparencia que se aplica a las AIEE no se va a producir. Por ello, deducciones y bonificaciones a las que tengan derecho las AIEE deben imputarse a sus socios, sin que en este caso, puede discutirse su aplicabilidad por la AIEE, salvo en el importe correspondiente a socios no residentes sin mediación de establecimiento permanente y personas físicas, que no recibiendo la imputación de las bases imponibles correspondientes, tributan por el IS.

En todo caso, conviene destacar que, tal y como ha determinado el TEAC en resoluciones de 3/4/2008 (RG 2265/06) y de 18/05/2011 (RG 00/718/2010), para determinar si la entidad, efectivamente, tiene derecho a la aplicación de la reducción o bonificación habrá que estar a la propia AIEE y no a las condiciones de la actividad de los socios que reciban la imputación. En este mismo sentido se pronunció la DGT en consulta vinculante V0134-05, de 02/02/2005.

2.2.1.5. *Retenciones e ingresos a cuenta trasladados a socios que sean residentes o entidades no residentes que operen mediante establecimiento permanente*

Los pagos a cuenta son un mecanismo de periodificación de los ingresos tributarios que permite, por un parte, al obligado tributario ir acomodando el pago de los impuestos a medida que se va realizando el hecho imponible: según se van obteniendo rentas se van realizando pagos a cuenta de la obligación definitiva; y, por otra parte, supone para la Administración un mecanismo que le permite adelantar la percepción del tributo y hasta asegurarla, al ser en muchos de los pagos a cuenta el pagador de las rentas el que descuenta de la cantidad a entregar el importe del pago y lo ingresa ante la Hacienda.

El artículo 23 LGT contempla tres modalidades de pago a cuenta: el pago fraccionado, la retención y el ingreso a cuenta.

El pago fraccionado es la obligación que tienen algunos sujetos pasivos de realizar pagos a cuenta de su propia obligación tributaria. Este es, precisamente, el rasgo más característico del pago fraccionado: la obligación que se está adelantando es la propia del sujeto que realiza el pago fraccionado.

La retención es la obligación que impone la ley de detraer, con ocasión de los pagos que se realizan a un tercero, determinadas cantidades e ingresarlas en el Tesoro. Los elementos esenciales que cabe destacar son que la retención se practica por el retenedor, a cuenta de la obligación de un tercero –el obligado a soportar la retención– y que se instrumenta como detracción del importe monetario que aquél debe satisfacer a éste último.

La tercera y última modalidad de pago a cuenta es el ingreso a cuenta. Comparte los rasgos de la retención, pero en este caso, los pagos realizados al obligado a soportar el ingreso a cuenta no son monetarios, sino en especie generalmente, por lo que no puede detraerse cantidad alguna. En consecuencia, el obligado a realizar el ingreso a cuenta deberá realizar el ingreso de una cantidad de dinero que se imputará al obligado a soportarlo. También puede existir un ingreso a cuenta sobre cantidades dinerarias, cuando la ley determine que procede realizar el ingreso y el pago dinerario no sea exigible por su perceptor (por ejemplo, rendimientos explícitos con una periodicidad trienal, respecto de los que debe hacerse un ingreso a cuenta sobre cada devengo anual).

Añade, finalmente, el artículo 56.6 LGT que la cuota diferencial se obtendrá minorando de la cuota líquida los ingresos a cuenta realizados por el contribuyente.

Establece el precepto que ahora estudiamos la imputación a los socios que sean entidades residentes o no residentes con establecimiento permanente de los pagos a cuenta realizados, con excepción del pago fraccionado.

Esta disposición resulta justificada, como en el caso de la imputación de deducciones o bonificaciones, por la inexistencia de obligación de cuantificación de la deuda tributaria en la propia AIEE. El traslado de la base imponible, con la obligación de liquidación para los socios, supone que se trasladen los demás elementos que afectan al cálculo de la cantidad a ingresar, como son los pagos a cuenta efectuados.

La no imputación de los pagos a cuenta se justifica, como veremos a continuación, en la ausencia de obligación de efectuar pagos a cuenta, en la parte de la base imponible que vaya a ser imputada y por la que no se va a tributar en el IS. Nos remitimos, por tanto, al punto siguiente.

EJEMPLO

Una AIEE ha obtenido en el ejercicio 1 un resultado contable (sin incluir el IS) de 3.000.000. El resultado contable incluye un dividendo por importe de 1.000.000 y que cumple los requisitos para la aplicación del artículo 21 LIS. Los gastos financieros contabilizados han sido de 4.000.000 y el beneficio operativo de 10.000.000. El incremento de los fondos en el ejercicio ha sido de 4.000.000, por capitalización del resultado del ejercicio anterior. La entidad tiene dos socios, personas jurídicas, que participan al 50% en la entidad.

RESPUESTA

La base imponible se determina de acuerdo con el artículo 10.3 LIS

No se integrará en el resultado fiscal el dividendo exento por el artículo 21 LIS y sin que, al tratarse de socios personas jurídicas, resulte aplicable la limitación del artículo 21.8 LIS.

Los gastos financieros deducibles se limitan, por el artículo 16 LIS, al 30% del beneficio operativo, por lo que solo serán deducibles 3.000.000. El millón restante se imputará a sus socios.

La entidad podrá aplicar la reserva de capitalización a que se refiere el artículo 25 LIS, siendo su importe de 400.000 euros, aunque su importe aplicable en la AIEE se limita al 10% de la base imponible previa, que en el presente caso es de 300.000 euros. Los 100.000 euros restantes se imputarán a sus socios.

Resultado contable	3.000.000
Gastos financieros	+1.000.000
Dividendo exento	-1.000.000
Reserva de capitalización	-300.000
BASE IMPONIBLE:	2.700.000
Imputaciones a cada socio (50%):	
Base imponible:	1.350.000
Gastos financieros:	500.000
Reserva de capitalización:	50.000

2.2.2. Pagos fraccionados

Las AIEE en las que todos sus socios sean entidades residentes o no residentes con establecimiento permanente no tienen obligación de realizar pagos fraccionados, consecuencia lógica de la ausencia de obligación de tributar en el Impuesto. No obstante, cuando entre sus miembros se encuentren personas físicas o entidades no residentes, a las que no se imputa la base imponible. Así lo consideró la DGT en consulta 0362-98, de 04/03/1998, si perjuicio de los cambios de en la que dice:

> "Cuando todos los miembros de la agrupación sean personas residentes fiscales en España, aquélla no tendrá que tributar por el Impuesto sobre Sociedades, no deberá practicar liquidación y no estará obligada a practicar pagos fraccionados. Por el contrario, cuando existan partícipes no residentes en territorio español, la agrupación deberá presentar declaración por el Impuesto sobre

Sociedades diferenciando el carácter de residentes o no residentes de aquéllos, al objeto de determinar la base imponible correspondiente a unos y otros, y proceder a tributar por la correspondiente a los socios no residentes. En este caso, deberá proceder a calcular el correspondiente pago fraccionado en función de la participación que en la misma tengan los partícipes no residentes en territorio español."

Los pagos fraccionados, como sabemos, se pueden determinar en dos modalidades. La modalidad general, prevista en al artículo 40.2 LIS, en la que se aplica un porcentaje (del 18%) a la cuota íntegra del último período impositivo cuyo plazo de declaración estuviese vencido el primer día para la realización del mismo. La modalidad especial, que se aplica obligatoriamente a las grandes empresas y a las demás que hayan optado por esta modalidad, en el que el importe del pago fraccionado se calcula sobre el importe de la base imponible obtenida en el periodo al que se refiere el pago fraccionado, aplicando el porcentaje que resulte de multiplicar por cinco séptimos el tipo de gravamen redondeado por defecto.

Pues bien, en el supuesto de que la entidad aplique la segunda modalidad de pago fraccionado regulada, la base de cálculo no incluirá la parte de la base imponible atribuible a los socios que deban soportar la imputación de la base imponible. Resulta lógica esta previsión, ya que como hemos visto, no existe obligación de realizar el pago fraccionado por la parte de base imponible que no va a tributar, por ser objeto de imputación a los socios.

2.2.3. Distribución de dividendos

Recogen los apartados 3 y 4 del artículo 43 LIS el régimen aplicable a los dividendos satisfechos por las AIEE a sus socios.

Los dividendos y participaciones en beneficios que correspondan a socios no residentes sin establecimiento permanente en territorio español tributarán en concepto de dividendos, de conformidad con las normas del IRNR y los convenios para evitar la doble imposición suscritos por España.

Supone ello, de acuerdo con el artículo 13.1.f LIRNR la existencia de una renta de fuente española, al ser distribuido el dividendo por una AIEE, necesariamente residente en España por haberse constituido conforme a la legislación española, sujeta al impuesto.

A esta renta le serán de aplicación, en su caso, las exenciones previstas en la propia normativa del IRNR (artículo 14) y las disposiciones de los Convenios de Doble Imposición suscritos por España. En este punto, conviene recordar que el artículo 10 del Modelo de Convenio de la OCDE prevé la tributación compartida para los dividendos, que pueden someterse a tributación en el estado de la fuente, aunque establece unos gravámenes máximos sobre el importe del dividendo distribuido cuando el beneficiario efectivo de los mismos sea residente en el otro Estado contratante del Convenio: el 5 por 100 del importe bruto de los dividendos si el beneficiario efectivo es una sociedad (excluidas las sociedades de personas –partnerships–) que posea directamente al menos el 25 por 100 del capital de la sociedad que paga los dividendos; y el 15 por 100 del importe bruto de los dividendos en los demás casos.

Debemos recordar que la AIEE se encuentra sujeta al IS por la parte de base imponible que corresponde a los socios no residentes sin establecimiento permanente, por lo que la entidad tributa en esa parte como cualquier otra entidad, y sus dividendos tributan también, por esa parte, como los dividendos de cualquier otra entidad sujeta al IS para su socio no residente.

Frente a tal sujeción, los dividendos y participaciones en beneficios que correspondan a socios que deban soportar la imputación de la base imponible, que, como sabemos, son los residentes y los no residentes con establecimiento permanente, siempre que además los dividendos distribuidos procedan de períodos impositivos durante los cuales la entidad se hallase en el presente régimen, es decir, en los que se imputó la base imponible, no tributarán por este Impuesto ni por el Impuesto sobre la Renta de las Personas Físicas.

No supone, con carácter general, especial beneficio esta disposición para las entidades sujetas al IS, en la medida que el artículo 21 LIS declara exentos los dividendos de una entidad residente obtenidos por los socios residentes de la misma, siempre que se posea una participación de, al menos, el 5% en su capital o fondos propios. La ventaja vendrá, exclusivamente, para las participaciones menores del 5% en la AIEE, que reciben el mismo beneficio que en una participación de una entidad distinta de una AIEE no recibirían.

Indudablemente los grandes beneficiados son los contribuyentes del IRPF. Tras la reforma operada en 2006, en el Impuesto sobre Sociedades existe una doble imposición, querida y no corregida, de los dividendos repartidos por una sociedad. Con la imputación de la base imponible y la exención de los dividendos, en las AIEE se está gravando la renta en sede del socio, sin que existe en absoluto doble tributación económica de la renta obtenida por la AIEE.

Puede inducir a error, a nuestro juicio, la redacción literal del texto literal de la ley, que señala que la exención de los dividendos se producirá siempre que se perciban por un residente y que procedan de un periodo en el que además procedía la imputación, sin exigir, además, que tales beneficios hayan sido efectivamente imputados a un socio residente. Nos referimos a un caso en el que se imputara parte de la base imponible y parte no, por corresponder a un no residente, y con posterioridad se adquiriese la participación por un residente, que recibe ahora los dividendos procedentes de aquel ejercicio. No solo es que la interpretación sistemática de este precepto muestra, a nuestro juicio, el error de esta consideración amparada en el texto literal estricto. La realidad difícilmente va a ofrecer estos ejemplos, más teóricos que prácticos, en el que además sería requisito ineludible que la participación transmitida fuera inferior al 5%, pues si se superase dicho umbral, quedaría exento el dividendo por el artículo 21 LIS.

2.2.4. Valor de adquisición de las participaciones en el capital de las AIEE

Se establecen, finalmente, determinadas reglas especiales para el cálculo del valor de las participaciones en el capital o fondos propios de las AIEE, para el evento de una transmisión. Las reglas que ahora vamos a comentar son un remedo del valor de adquisición y tenencia que acuñara para las sociedades transparentes y patrimoniales, mientras tales regímenes especiales fueron de aplicación, lo que no deja de ser completamente lógico ya que este régimen es, esencialmente, un régimen de transparencia.

Así, el valor de adquisición participaciones en el capital o fondos propios de las AIEE se incrementará en el importe de los beneficios sociales que, sin efectiva distribución, hubiesen sido imputados a los socios como rentas de sus participaciones en el período de tiempo comprendido entre su adquisición y transmisión, esto es, se incrementa en el importe de las bases imponibles positivas imputadas y se minora en el importe de los dividendos distribuidos que hayan gozado de exención de tributación. Igualmente, se minorará en el importe de las pérdidas sociales que hayan sido imputadas a los socios como bases imponibles negativas.

Se añade además que cuando así lo establezcan los criterios contables, el valor de adquisición se minorará en el importe de los gastos financieros, las bases imponibles negativas, la reserva de capitalización, y las deducciones y bonificaciones, que hayan sido imputadas a los socios en el período de tiempo comprendido entre su adquisición y transmisión, hasta que se anule el valor, integrándose en la base imponible igualmente el correspondiente ingreso financiero.

Tal valor se tendrá presente a los efectos de determinar el resultado habido en la transmisión de los valores de la AIEE, ya que no supone esta regla una exención de tal ganancia, sino exclusivamente una regla de determinación del valor de adquisición. A la posible ganancia obtenida le será de aplicación, en su caso, la exención prevista en el artículo 21 LIS.

3. AGRUPACIONES EUROPEAS DE INTERÉS ECONÓMICO

3.1. *Régimen sustantivo*

Las Agrupaciones europeas de interés económico (AEIE) son entidades asociativas o societarias, dotadas de la capacidad propia de las personas jurídicas, dirigidas a desarrollar, en régimen de Derecho comunitario, actividades auxiliares o complementarias de las de sus miembros, los cuales deben pertenecer a dos o más Estados miembros de la UE, respondiendo éstos personal, solidaria e ilimitadamente de las deudas de la entidad.

A las mismas se refiere también el artículo 22 de la Ley 12/1991 que establece que las AEIE regidas por el Reglamento CEE 2137/1985, de 25 de julio, que tengan su domicilio en España, tendrán personalidad jurídica y se les aplicará lo dispuesto en la Ley 12/1991 en aquellos aspectos en los que el citado Reglamento remita o habilite a la legislación interna.

La AEIE y los actos inscribibles relativos a la misma se inscribirán en el Registro Mercantil en virtud de escritura pública o de documento privado con firmas legitimadas notarialmente.

En cuanto a la aplicación del régimen fiscal que a continuación expondremos, regula el artículo 44.2 LIS que no será de aplicación el régimen especial en los períodos impositivos en que la AEIE realice actividades distintas a las propias de su objeto o las prohibidas en el apartado 2 del artículo 3 del Reglamento CEE 2137/1985, y que, en esencia, son: ejercer de forma, directa o indirecta, el poder de control las actividades de sus miembros o de las actividades de otra empresa, poseer, directa o indirectamente, participación en una empresa miembro, emplear más de 500 asalariados, o ser utilizada para realizar un préstamo a un directivo de una sociedad o persona relacionada, cuando tales préstamos estén sujetos a restricción o control.

3.2. Régimen fiscal

El artículo 44 LIS regula el régimen fiscal de las AEIE, comenzando con una remisión al régimen de las AIEE que acabamos de exponer y que, básicamente, se caracterizaba por la imputación a los socios residentes y no residentes en territorio español con establecimiento permanente de la base imponible, positiva o negativa de la entidad, así como de las demás magnitudes tributarias obtenidas por la AIEE y que influyen en la cuantificación del impuesto, como deducciones, bonificaciones, retenciones e ingresos a cuenta; la ausencia de tributación en el IS por la parte de base imponible imputada, dispensando, igualmente, de la obligación de realizar pago fraccionado por esa parte; y la exención de los dividendos recibidos por residentes procedentes de bases imputadas a los socios.

3.2.1. Pago de deuda y pagos fraccionados

Las AEIE están exentas del pago de la deuda tributaria en todo caso, y no solo en la parte que corresponda a socios residentes, como ocurría en la AIEE.

Tampoco tendrán obligación de efectuar pagos fraccionados. Por otro lado, no tienen el derecho a obtener la devolución de oficio del impuesto en los términos del artículo 41 LIS, cuando los pagos a cuenta superen la cuota líquida, obtenida al practicar en la cuota íntegra del Impuesto las bonificaciones y las deducciones que resulten de aplicación al contribuyente.

3.2.2. Imputación de bases imponibles

3.2.2.1. Socios residentes

La imputación a los socios se hace depender de la residencia de la AEIE. Como sabemos, la residencia a efectos del IS se regula en el artículo 8 LIS, considerándose residentes en España las entidades que cumplan con cualquiera de los siguientes requisitos: constitución conforme a las leyes españolas; domicilio social en territorio español; o sede de dirección efectiva en territorio español. Las AEIE no se consideran constituidas con arreglo a la normativa española, ya que como hemos visto, se rigen por el Reglamento CEE 2137/1985 desarrollan su actividad en régimen de Derecho comunitario. Por consiguiente, su residencia dependerá de la existencia de domicilio o sede de dirección efectiva en territorio español, remitiéndonos a estos efectos a lo comentado en relación con el artículo 8 LIS.

Cuando la AEIE sea residente en territorio español, según los criterios anteriores, la imputación a sus socios residentes se realizará de idéntica forma a la que hemos visto para las AIEE.

Si la AEIE no tiene la consideración de residente en territorio español, los socios residentes en España integrarán en la base imponible del IS o del IRPF, según proceda, la parte correspondiente de los beneficios o pérdidas determinadas en la agrupación, corregidas por la aplicación de las normas para determinar la base imponible establecidas en esta Ley. Es decir, no existe diferencia en este punto.

La previsión especial que se incluye es que, cuando la actividad realizada por los socios a través de la agrupación hubiere dado lugar a la existencia de un establecimiento permanente en el extranjero, serán de aplicación las normas previstas en la propia LIS o en los convenios para evitar la doble imposición internacional que resulten de aplicación.

Cabe recordar, en este punto, que el artículo 7 del Convenio modelo, relativo a la tributación de los beneficios empresariales, prevé que la existencia de un establecimiento permanente es el presupuesto para gravar en el país de la fuente las rentas procedentes de las actividades empresariales ejercidas por la entidad no residente. Para determinar la posible existencia de un establecimiento permanente procede acudir al artículo 5 del Convenio modelo. Este precepto contiene, en su apartado 1, un concepto general del «establecimiento permanente», definido como un lugar fijo de negocios mediante el cual una empresa realiza toda o parte de su actividad. El apartado segundo propone una lista no cerrada de establecimientos permanentes; consagrándose los restantes apartados a precisar supuestos que no dan lugar a la existencia de establecimiento permanente (fundamentalmente, actividades preparatorias y auxiliares) y a especificar determinadas figuras especiales (agente dependiente o sociedad dependiente).

De la extensa enumeración contenida en el artículo 5 del Convenio, interesa destacar los rasgos generales de un establecimiento fijo de negocios, ya que estos rasgos, con sus particularidades, son los que van a estar presentes en las restantes figuras, cuyo detalle es simplemente aclaratorio. El artículo 5 del Convenio sienta la definición general del establecimiento permanente como aquel lugar fijo de negocios mediante el cual una empresa realiza todo o parte de su actividad. Tres son los rasgos por tanto que resultan de esta definición, según expone el párrafo 2 de los Comentarios al Artículo 5:

– la existencia de un «lugar de negocios»,

– este lugar de negocios debe ser «fijo» y,

– a través de este lugar de negocios deben «llevarse a cabo las actividades de la empresa».

El párrafo 4 de los Comentarios al Artículo 5 considera que el término «lugar de negocios» incluye cualquier local o instalaciones que sean utilizados para la realización de la actividad económica de la empresa, ya sean utilizadas o no en exclusividad para este fin. Resulta indiferente si la utilización de los locales se realiza como propietario o como arrendatario de los mismos. Es más, no sería ni siquiera precisa la existencia de ningún derecho legal de uso sobre el espacio utilizado.

Este lugar de negocios debe ser «fijo». Este concepto, contenido de forma esencial en los párrafos 5, 6 y 20 de los Comentarios al Artículo 5 ha ido evolucionando y flexibilizándose; ya no se requiere necesariamente de una estabilidad física en un lugar concreto del territorio, y se admite en cambio cierta movilidad del lugar de negocios, teniendo relevancia el hecho de que se produzca un cierto grado de permanencia en el tiempo en el territorio del Estado. En este punto, resulta decisiva la finalidad con la que se estableció el lugar de negocios. Si desde un inicio fue un lugar de negocios de carácter temporal, entonces no estaremos ante un Establecimiento Permanente. Por el contrario, se estableció con una finalidad de permanencia continuada en el territorio, constituirá un establecimiento permanente desde el inicio, y ello, aunque posteriormente los acontecimientos pudieran haber determinado una vida corta del establecimiento.

La tercera nota exige que el espacio físico del lugar de negocios sea efectivamente utilizado para el desarrollo de una actividad empresarial. Los párrafos 7 a 10 de los Comentarios al Artículo 5 desarrollan esta exigencia del desarrollo de actividad empresarial, incluyendo, entre otras matizaciones, que la actividad no tiene porqué ser «productiva», ni tampoco necesita ser realizada de forma ininterrumpida, aunque sí debe producirse con regularidad.

Finalmente, debemos destacar también que el artículo 22 LIS establece una exención para las rentas obtenidas en el extranjero mediante establecimiento permanente, cuando el mismo haya estado sujeto y no exento a un impuesto de naturaleza idéntica o análoga a este Impuesto con un tipo nominal de, al menos, un 10 por ciento.

3.2.2.2. *Socios no residentes*

Los socios no residentes en territorio español, con independencia de que la AEIE resida en España o fuera de ella, estarán sujetos por el IRNR únicamente si, de acuerdo con lo establecido en el artículo 13 LIRNR o el respectivo convenio de doble imposición internacional, resultase que la actividad realizada por aquéllos a través de la agrupación da lugar a la existencia de un establecimiento permanente en el territorio nacional.

Para determinar la existencia de un establecimiento permanente tendremos que acudir, según proceda, al artículo 13 LIRNR, cuando se trate de un socio que esté establecido en un país que no tenga convenio de doble imposición suscrito con España, o a las disposiciones del convenio correspondientes (aunque en el punto anterior hemos hecho referencia a los términos generales de modelo de Convenio, debemos tener presente que los distintos Convenios pueden diferir en aspectos puntuales de lo establecido en el modelo, siendo de aplicación las reglas específicas del propio Convenio suscrito), cuando se trate de un socio residente a efectos del Convenio en un país con Convenio de Doble Imposición suscrito con España.

En este punto, cabe destacar que sin duda nos encontraremos primordialmente en este segundo supuesto, pues generalmente se tratará de socios residentes en otro Estado comunitario, disponiendo España de Convenio de Doble Imposición con todos los socios comunitarios.

Supone esta disposición que cuando se entienda que no existe establecimiento permanente en España del socio no residente, la parte de base imponible correspondiente al mismo no va a ser objeto de tributación en España. No lo es en sede de la AEIE, que está dispensada del pago del IS, en todo caso, ni los erá en sede del socio no residente, ya que no debe tributar en el IRNR por la parte de base que procede imputar.

3.2.3. Distribución de dividendos

La distribución de dividendos a los socios residentes sigue el régimen general, de tal forma que cuando los dividendos distribuidos procedan de períodos impositivos durante los cuales la entidad se hallase en el presente régimen, es decir, en los que se imputó la base imponible, no tributarán por el IS ni por el IRPF.

Los dividendos distribuidos a los socios no residentes, por el contrario, siguen otro régimen. Los que deriven de beneficios imputados a los socios no residentes en territorio español sometidos a tributación en el IRNR no estarán sujetos a tributación por razón de su distribución. Por el contrario, los que no se encontrasen sometidos a tributación en el IRNR, que como sabemos, son aquellos que se consideren obtenidos sin mediación de establecimiento permanente en territorio español, se someterán a tributación. Debemos en este punto recordar que para que exista sujeción al IRNR de estos dividendos debe entenderse además que existe una renta obtenida en el territorio español, lo que de acuerdo con el artículo 13.1.f.1º LIRNR requerirá que la AEIE se considere residente en España.

4. UNIONES TEMPORALES DE EMPRESAS

4.1. Régimen sustantivo

La Unión Temporal de Empresas (UTE) es el sistema de colaboración entre empresarios por tiempo cierto, determinado o indeterminado para el desarrollo o ejecución de una obra, servicio o suministro.

La UTE carece de personalidad jurídica independiente. Sus miembros serán empresarios, personas físicas o jurídicas, y residentes en España o en el extranjero.

Su objeto exclusivo será desarrollar o ejecutar exclusivamente una obra, servicio o suministro concreto, dentro o fuera de España. También podrán desarrollar o ejecutar obra y servicios complementarios y accesorios del objeto principal.

Las UTE tienen una duración temporal limitada, que es la de la obra, servicio o suministro que constituya su objeto. En cualquier caso, no podrá exceder de veinticinco años, salvo que se trate de contratos que comprendan la ejecución de obras y explotación de servicios públicos, en cuyo caso, la duración máxima será de cincuenta años.

Disponen de un Gerente único, con poderes suficientes de todos y cada uno de sus miembros para ejercitar los derechos y contraer las obligaciones correspondientes. Las actuaciones de la UTE se realizarán a través del Gerente, haciéndolo constar en cuantos actos y contratos suscriba en nombre de la UTE.

Se formalizan en escritura pública, con expresión de la identidad de los otorgantes, su voluntad de constituir una UTE y los estatutos o pactos que han de regir el funcionamiento de la misma.

La aplicación del régimen fiscal especial que vamos a estudiar se condiciona a que la UTE se inscriba en el registro especial que se lleva en la Dirección General de Tributos y que no realice actividades distintas a aquéllas en que debe consistir su objeto social en el periodo impositivo en el que se pretende aplicar aquél.

4.2. *Registro contable de las UTE*

4.2.1. **Negocios conjuntos**

La NRV 20ª contempla los criterios aplicables a los negocios conjuntos, a los que caracteriza por la existencia de una gestión compartida de una actividad por dos o más empresas, sin que se llegue a crear una empresa diferenciada de estas. Aunque también se refiera la NRV 20ª a la existencia de negocios conjuntos con creación de una empresa diferenciada, remite su regulación a la NRV 21ª, relativa a operaciones entre empresas del grupo, razón por la cual cabe excluir estas operaciones de la consideración de negocios conjuntos.

Los rasgos distintivos de los negocios conjuntos frente a otras operaciones en las que se actúa sobre un negocio son:

– En el caso de las combinaciones de negocio, existe una empresa que asume el control de un negocio que desarrollaba otra empresa, por el contrario, en el negocio conjunto no existe tal traslado, sino control compartido del negocio.

– En el caso de las operaciones entre empresas GMA, especialmente cuando nos referimos a las multigrupo, como empresas controladas por varias empresas simultáneamente, existe una personalidad diferencia de la empresa controlada, circunstancia que no concurre en este caso.

La NRV 20ª define los negocios conjuntos como una actividad económica controlada conjuntamente por dos o más personas físicas o jurídicas. Los principales elementos para entender esta definición son los siguientes:

– Un negocio es un conjunto de elementos patrimoniales constitutivos de una unidad económica dirigida y gestionada con el propósito de proporcionar un rendimiento, menores costes u otros beneficios económicos a sus propietarios o partícipes.

– El control es la facultad de dirigir las políticas financiera y de explotación sobre una actividad económica con el fin de obtener beneficios económicos. En el caso de un negocio en común, el control debe ser conjunto entre varias empresas, denominadas partícipes en la NRV, y fundado en un acuerdo estatutario o contractual. Pueden existir otras personas que participen en el negocio, sin asumir el control, que son denominados inversores.

–   Un acuerdo estatutario o contractual es el convenio celebrado entre dos o más partícipes por el que convienen compartir el control del negocio, de forma que las decisiones en las que se manifieste dicho control requieran el consentimiento unánime de todos los partícipes.

Esto no quiere decir que las reglas para la adopción de decisiones requieran necesariamente la unanimidad, pero expresa que necesariamente la formación de la voluntad para la dirección de los negocios debe recoger la suma de voluntades de todos los partícipes, aunque existan reglas para la adopción de decisiones fundadas en sus participaciones respectivas en los negocios.

4.2.2. Tipos de negocios conjuntos

El PGC se refiere a dos formas de llevar a cabo los negocios conjuntos que no se manifiestan a través de la constitución de una empresa ni el establecimiento de una estructura financiera independiente de los partícipes:

a)   Explotaciones controladas de forma conjunta, considerando como tales las actividades que implican el uso de activos y otros recursos propiedad de los partícipes. El caso más frecuente de esta operación son las UTEs a las que nos vamos a referir.

b)   Activos controlados de forma conjunta, que se refiere a los casos en los que los activos son propiedad o están controlados conjuntamente por los partícipes. Su ejemplo más común son las Comunidades de Bienes.

4.2.3. Registro contable de los negocios en común

El principio fundamental que rige el registro contable de los negocios en común es el reflejo de la parte proporcional, según su grado de participación, que corresponde a cada partícipe.

a) Elementos de balance

Los elementos de balance se registrarán en la parte que proporcionalmente corresponda en los siguientes casos:

–   Cuando se trate de activos controlados de forma conjunta

–   Cuando se trate de explotaciones controladas de forma conjunta, de los activos controlados conjuntamente y de los pasivos incurridos conjuntamente.

No obstante, los activos que sean propiedad de un partícipe, afectos a la explotación conjunta, y los pasivos incurridos por un partícipe como consecuencia del negocio conjunto, se registrarán exclusivamente y en su totalidad por dicho partícipe.

b) Pérdidas y ganancias

Cada partícipe reconocerá en su cuenta de pérdidas y ganancias la parte que le corresponda de los ingresos generados y de los gastos incurridos por el negocio conjunto.

Los gastos en los que incurra un partícipe en relación con su participación en el negocio conjunto y que deban ser imputados a la cuenta de pérdidas y ganancias, se registrarán por dicho partícipe y por su importe íntegro.

c) Restantes cuentas anuales

En el estado de cambios en el patrimonio neto y estado de flujos de efectivo del partícipe estará integrada igualmente la parte proporcional de los importes de las partidas del negocio conjunto que le corresponda en función del porcentaje de participación establecido en los acuerdos alcanzados.

Se deberán eliminar los resultados no realizados que pudieran existir por transacciones entre el partícipe y el negocio conjunto, en proporción a la participación que corresponda a aquél. También serán objeto de eliminación los importes de activos, pasivos, ingresos, gastos y flujos de efectivo recíprocos.

d) Cuentas del negocio en común

Los negocios en común, dado que no son empresas por sí mismos, no están sometidos a la obligación mercantil de llevanza de contabilidad separada que se aplica para todo empresario.

No obstante, pueden elaborar cuentas propias por diversas razones. Puede venir impuesta dicha obligación por una norma de otra naturaleza, como es la norma fiscal, que obliga a la llevanza de contabilidad con efectos fiscales para las UTEs. Puede servir simplemente para finalidades de control del propio negocio, para sí o para los partícipes.

En cualquier caso, si el negocio conjunto elabora estados financieros a efectos del control de su gestión, se podrá operar integrando los mismos en las cuentas anuales individuales de los partícipes en función del porcentaje de participación y sin perjuicio de que debe registrarse conforme a lo previsto en el artículo 28 del Código de Comercio. Dicha integración se realizará una vez efectuada la necesaria homogeneización temporal, atendiendo a la fecha de cierre y al ejercicio económico del partícipe, la homogeneización valorativa en el caso de que el negocio conjunto haya utilizado criterios valorativos distintos de los empleados por el partícipe, y las conciliaciones y reclasificaciones de partidas necesarias.

4.3. *Régimen fiscal*

Aunque carecen de personalidad jurídica, las UTE son contribuyentes por el IS, por disposición expresa del artículo 7.1.d LIS

El régimen fiscal de las UTE se despacha con una mera remisión al régimen fiscal previsto para las AIEE, previsto en el artículo 43 LIS (y comentado en el punto 2 anterior). Sin perjuicio de remitirnos al mismo, podemos recordar que los rasgos esenciales son los siguientes:

– Cálculo de la base imponible obtenida por la propia entidad, aplicando las normas del IS.

– Ausencia de obligación de tributar por el IS y de realizar pagos fraccionados por la parte de la base imponible que se impute a los miembros de la UTE residentes o no residentes con establecimiento permanente.

– Imputación a los miembros de la UTE residentes o no residentes con establecimiento permanente de base imponible obtenida por la UTE, positiva o negativa, los gastos financieros y la reserva de capitalización no aplicados por la UTE, las deducciones y bonificaciones a que tenga derecho la UTE, y las retenciones e ingresos a cuenta soportados por la UTE.

– Obligación de liquidar el IS y de efectuar pagos a cuenta por la parte de la base imponible que corresponda a miembros de la UTE no residentes sin establecimiento permanente.

– Los dividendos satisfechos a miembros de la UTE residentes o no residentes con establecimiento permanente que hayan soportado la imputación de la parte correspondiente de la base imponible no tributarán en la imposición personal de su preceptor. Los satisfechos a miembros de la UTE no residentes sin establecimiento permanente tributará en el IRNR.

– El valor de transmisión de la participación en la UTE de miembros de la misma residentes o no residentes se obtendrá de incrementar el valor de adquisición en las bases imponibles que les hayan sido imputadas y de minorarlo en el importe de las pérdidas imputadas y los dividendos no sujetos a tributación percibidos.

Como especialidad propia de las UTE, se señala que las empresas miembros de una UTE que opere en el extranjero, así como las entidades que participen en obras, servicios o suministros que realicen o presten en el extranjero mediante fórmulas de colaboración análogas a las uniones temporales, podrán acogerse por las rentas procedentes del extranjero a la exención prevista en el artículo 22, cuando la actuación de la UTE suponga la existencia de un establecimiento permanente y se cumplan el resto de requisitos establecidos en dicho precepto, destacando el sometimiento a un impuesto de naturaleza idéntica o análoga al IS, con un tipo nominal de, al menos, un 10 por ciento, o a la deducción por doble imposición prevista en el artículo 31 de esta Ley, siempre que se cumplan los requisitos previstos para ésta, esencialmente, el sometimiento a un impuesto extranjero análogo al IS.

5. NORMAS COMUNES A AIEE, AEIE Y UTE: CRITERIOS DE IMPUTACIÓN E IDENTIFICACIÓN DE SOCIOS

5.1. Criterios de imputación

El artículo 46 LIS establece unas normas comunes a las tres entidades para la imputación de los elementos tributarios. Resulta evidente que en un régimen de transparencia esta cuestión es esencial, regulándose el sujeto que debe soportar la imputación, el criterio que debe regir el reparto de las magnitudes a imputar y el momento temporal –periodo impositivo– al que el sujeto de la imputación debe aplicar tal imputación.

Se establece en primer lugar, como hemos avanzado, los sujetos que deben recibir la imputación, efectuándose a las personas o entidades que ostenten los derechos económicos inherentes a la cualidad de socio o de empresa miembro el día de la conclusión del período impositivo de la entidad sometida al régimen especial.

La segunda cuestión es la forma en la que se debe realizar el reparto, estableciendo que se realizará en la proporción que resulte de los estatutos de la entidad. Previamente se estableció, como cláusula de cierre en defecto de pacto expreso, que se imputaría por partes iguales, si bien ha desaparecido esta previsión por ser una mención obligatoria de estatutos.

En este sentido, cabe traer a colación, por ejemplo, la Consulta Vinculante V0091/2005, de 28/1/05, que acepta la potencia contratada en dos centrales nucleares como criterio de reparto en una AIEE constituida para la gestión de las citadas centrales nucleares, propiedad pro indiviso de varias compañías eléctricas.

Debemos destacar también que frente a la absoluta libertad de pactos que parece consagrar el precepto, la DGT ha entendido, en consulta vinculante V1045/2012, de 11/5/12[2], que la atribución que derive de los estatutos debe ser la que corresponda a las respectivas participaciones en el capital social. Cuando se atribuyan importes superiores a la participación social en la imputación, se

---

[2] "En el supuesto concreto planteado se señala que la imputación de bases imponibles y bases de deducción, bonificaciones y pagos a cuenta generados en sede de la AIE se realizará, en

estará realizando una atribución patrimonial distinta del socio que renuncia a su parte al socio que la recibe.

En cuanto al momento de la imputación se reconocen dos situaciones diferentes. Cuando los socios o empresas miembros sean entidades sometidas a su vez al régimen especial, en la fecha de finalización del período impositivo de la entidad sometida a este régimen. En los demás supuestos, en el siguiente período impositivo. No obstante, se permite que, por opción, se decida imputar de manera continuada en la misma fecha de finalización del período impositivo de la entidad sometida a este régimen. La opción se manifestará en la primera declaración del impuesto en que haya de surtir efecto y deberá mantenerse durante tres años.

5.2. Obligación de información

El artículo 47 LIS establece una obligación de información específica para AIEE, AEIE y UTE, consistente en la obligación de presentar, conjuntamente con su declaración del IS, una relación de las personas que ostenten los derechos inherentes o la cualidad de socio o empresa miembro el último día de su período impositivo, así como la proporción en la que cada una de ellas participe en los resultados de dichas entidades.

Resulta lógica esta obligación, ya que como hemos visto, el régimen especial es, esencialmente, un régimen de transparencia fiscal, y con esta obligación se trata de acreditar que la imputación se realiza a las personas a las que corresponde.

---

favor de la sociedad C, a tenor de unos porcentajes de imputación, estatutariamente establecidos, superiores a los que se corresponderían con su respectiva cuota de participación.

Pese a la existencia de un pacto especial recogido en estatutos, la imputación de las bases imponibles y de las bases de deducción a que se refiere el artículo 51 del TRLIS se realizará atendiendo a la cuota de capital que le corresponde a cada socio, en proporción a las aportaciones que cada uno hubiere realizado a la agrupación. En efecto, con cada aportación se le asigna el porcentaje de participación que le corresponde en el capital social y en los intereses de la sociedad. Dicha cuota de capital únicamente podría verse alterada mediante incremento o reducción de las aportaciones al capital, pero no, mediante pactos inter partes, aun cuando consten estatutariamente recogidos.

En definitiva, la imputación de los gastos financieros, bases (imponibles y de deducción) e ingresos a cuenta generados en sede de la AIE a favor de sus socios deberá realizarse "en la proporción que resulte de la escritura de constitución de la entidad", entendiéndose como tal el porcentaje de participación que corresponde a cada socio en el capital social y en los intereses de la sociedad a tenor de la aportación realizada por cada uno de ellos.

Por último, cabe señalar que el tratamiento fiscal de las rentas puestas de manifiesto con ocasión de las transferencias de fondos derivadas del pacto especial estatutariamente recogido y alcanzado entre los distintos socios no ha sido objeto de la presente consulta por lo que este Centro Directivo no puede pronunciarse sobre el mismo."

Entidades dedicadas al arrendamiento de viviendas

José Miguel Soriano Bel
Inspector de Hacienda del Estado

Artículo 48. Ámbito de aplicación.

"1. *Podrán acogerse al régimen previsto en este capítulo las sociedades que tengan como actividad económica principal el arrendamiento de viviendas situadas en territorio español que hayan construido, promovido o adquirido. Dicha actividad será compatible con la realización de otras actividades complementarias, y con la transmisión de los inmuebles arrendados una vez transcurrido el período mínimo de mantenimiento a que se refiere la letra b) del apartado 2 siguiente.*

A efectos de la aplicación de este régimen especial, únicamente se entenderá por arrendamiento de vivienda el definido en el artículo 2.1 de la Ley 29/1994, de 24 de noviembre, de Arrendamientos Urbanos, siempre que se cumplan los requisitos y condiciones establecidos en dicha Ley para los contratos de arrendamiento de viviendas.

Se asimilarán a viviendas el mobiliario, los trasteros, las plazas de garaje con el máximo de dos, y cualesquiera otras dependencias, espacios arrendados o servicios cedidos como accesorios de la finca por el mismo arrendador, excluidos los locales de negocio, siempre que unos y otros se arrienden conjuntamente con la vivienda.

2. La aplicación del régimen fiscal especial regulado en este capítulo requerirá el cumplimiento de los siguientes requisitos:

a) Que el número de viviendas arrendadas u ofrecidas en arrendamiento por la entidad en cada período impositivo sea en todo momento igual o superior a 8.

b) Que las viviendas permanezcan arrendadas u ofrecidas en arrendamiento durante al menos 3 años. Este plazo se computará:

1.º En el caso de viviendas que figuren en el patrimonio de la entidad antes del momento de acogerse al régimen, desde la fecha de inicio del período impositivo en que se comunique la opción por el régimen, siempre que a dicha fecha la vivienda se encontrara arrendada. De lo contrario, se estará a lo dispuesto en el párrafo siguiente.

2.º En el caso de viviendas adquiridas o promovidas con posterioridad por la entidad, desde la fecha en que fueron arrendadas por primera vez por ella.

El incumplimiento de este requisito implicará para cada vivienda, la pérdida de la bonificación que hubiera correspondido. Junto con la cuota del período impositivo en el que se produjo el incumplimiento, deberá ingresarse el importe de las bonificaciones aplicadas en la tota-

*lidad de los períodos impositivos en los que hubiera resultado de apli-
cación este régimen especial, sin perjuicio de los intereses de demora,
recargos y sanciones que, en su caso, resulten procedentes.*

*c) Que las actividades de promoción inmobiliaria y de arrenda-
miento sean objeto de contabilización separada para cada inmueble
adquirido o promovido, con el desglose que resulte necesario para conocer la renta correspondiente a cada vivienda, local o finca registral
independiente en que éstos se dividan.*

*d) En el caso de entidades que desarrollen actividades comple-
mentarias a la actividad económica principal de arrendamiento de
viviendas, que al menos el 55 por ciento de las rentas del período
impositivo, excluidas las derivadas de la transmisión de los inmuebles
arrendados una vez transcurrido el período mínimo de mantenimiento a que se refiere la letra b) anterior, o, alternativamente que al menos
el 55 por ciento del valor del activo de la entidad sea susceptible de
generar rentas que tengan derecho a la aplicación de la bonificación a
que se refiere el artículo 49.1 de esta Ley.*

*3. La opción por este régimen deberá comunicarse a la Adminis-
tración tributaria. El régimen fiscal especial se aplicará en el período
impositivo que finalice con posterioridad a dicha comunicación y en
los sucesivos que concluyan antes de que se comunique a la Administración tributaria la renuncia al régimen.*

*4. Cuando a la entidad le resulte de aplicación cualquiera de los
restantes regímenes especiales previstos en este Título VII, excepto el
de consolidación fiscal, transparencia fiscal internacional y el de las
fusiones, escisiones, aportaciones de activo, canje de valores y el de
determinados contratos de arrendamiento financiero, no podrá optar
por el régimen regulado en este capítulo, sin perjuicio de lo establecido en el párrafo siguiente.*

*Las entidades a las que, de acuerdo con lo establecido en el artícu-
lo 101 de esta Ley, les sean de aplicación los incentivos fiscales para
las empresas de reducida dimensión previstos en el Capítulo XI de
este Título VII, podrán optar entre aplicar dichos incentivos o aplicar
el régimen regulado en este capítulo".*

Artículo 49. Bonificaciones.

*"1. Tendrá una bonificación del 85 por ciento la parte de cuota
íntegra que corresponda a las rentas derivadas del arrendamiento de
viviendas que cumplan los requisitos del artículo anterior.*

*La bonificación prevista en este apartado resultará incompatible,
en relación con las rentas bonificadas, con la reserva de capitalización
prevista en el artículo 25 de esta Ley.*

*2. La renta que se bonifica derivada del arrendamiento esta-
rá integrada para cada vivienda por el ingreso íntegro obtenido,
minorado en los gastos fiscalmente deducibles directamente relacionados con la obtención de dicho ingreso y en la parte de los*

gastos generales que correspondan proporcionalmente al citado ingreso.

Tratándose de viviendas que hayan sido adquiridas en virtud de los contratos de arrendamiento financiero a los que se refiere el Capítulo XII del Título VII de esta Ley, para calcular la renta que se bonifica no se tendrán en cuenta las correcciones derivadas de la aplicación del citado régimen especial.

3. En el caso de dividendos o participaciones en beneficios distribuidos con cargo a las rentas a las que haya resultado de aplicación la bonificación prevista en el apartado 1 anterior, la exención prevista en el artículo 21 de esta Ley se aplicará sobre 50 por ciento de su importe. No serán objeto de eliminación dichos dividendos o participaciones en beneficios cuando la entidad tribute en el régimen de consolidación fiscal. A estos efectos, se considerará que el primer beneficio distribuido procede de rentas no bonificadas.

En el caso de rentas derivadas de la transmisión de participaciones en el capital de entidades que hayan aplicado este régimen fiscal, se aplicarán las reglas generales de este Impuesto. No obstante, en caso de que proceda la aplicación del artículo 21 de esta Ley, la parte de la renta que se corresponda con reservas procedentes de beneficios no distribuidos bonificados, tendrá derecho a la exención prevista en el mismo sobre el 50 por ciento de dichas reservas. No serán objeto de eliminación dichas rentas cuando la transmisión corresponda a una operación interna dentro de un grupo fiscal".

SUMARIO: 1. INTRODUCCIÓN. 2. ÁMBITO DE APLICACIÓN DEL RÉGIMEN ESPECIAL. 2.1. Requisitos relativos a la actividad de la entidad. 2.2. Requisitos relativos a las viviendas objeto de arrendamiento. 2.3. Requisitos relativos a la contabilidad de la entidad. 2.4. Requisitos relativos a las actividades complementarias. 2.5. Requisitos formales. La opción por el régimen especial. 2.6. Incompatibilidades. 3. CONTENIDO DEL RÉGIMEN ESPECIAL: BONIFICACIÓN. 4. RÉGIMEN DE TRIBUTACIÓN DE LOS SOCIOS. 4.1. Dividendos o participaciones en beneficios distribuidos por la entidad en régimen especial. a) Socios sujetos pasivos del IRPF . b) Socios sujetos pasivos del Impuesto sobre Sociedades . 4.2. Rentas derivadas de la transmisión de las participaciones en el capital de la entidad en régimen especial.

1. INTRODUCCIÓN

El régimen de las entidades dedicadas al arrendamiento de viviendas fue creado por el Real Decreto-ley 2/2003, de 25 de abril, de medidas de reforma económica, en vigor desde el 27 de abril de 2003, con la finalidad de estimular el mercado inmobiliario de viviendas en alquiler.

Dicho régimen, que tenía y tiene carácter optativo, se aplicaba a aquellas sociedades que tuvieran por objeto social exclusivo el arrendamiento de viviendas situadas en territorio español, aunque era compatible con la inversión en locales de negocio y plazas de garaje para su arrendamiento.

Para acceder al régimen especial se exigían determinados requisitos en las viviendas objeto de arrendamiento, tanto respecto al número de viviendas en alquiler como a las características de las viviendas arrendadas u ofrecidas en arrendamiento.

Y el régimen fiscal consistía en aplicar una bonificación sobre la parte de la cuota íntegra correspondiente a las rentas derivadas del arrendamiento o de la transmisión de viviendas arrendadas.

El Real Decreto-ley 2/2003 fue derogado por la Ley 36/2003, de 11 de noviembre, dando nueva redacción a los artículos de la Ley 43/1995 que se ocupaban del régimen especial.

Posteriormente fue la Ley 62/2003, de medidas fiscales, administrativas y del orden social, la que modifica, de nuevo, este régimen especial.

La exposición de motivos del Real Decreto-ley 2/2003 nos daba claramente una pista de la finalidad de la creación de este régimen especial al decir que *"el título II del real decreto-ley agrupa las medidas de política de vivienda establecidas para potenciar el mercado de arrendamiento de viviendas en España"*.

Dicho régimen sería de aplicación a las entidades cuyo objeto social exclusivo fuera el alquiler de viviendas, queriéndose con ello *"estimular el mercado inmobiliario de viviendas en alquiler y dar respuesta a la necesidad social de contar con un parque de viviendas en alquiler, hoy muy limitado"*.

El Real Decreto-ley 2/2003 fue derogado por la Ley 36/2003, de 11 de noviembre, dando nueva redacción a los artículos de la Ley 43/1995 relativos a este régimen especial. Posteriormente fue la Ley 62/2003, de medidas fiscales, administrativas y del orden social, la que modifica, otra vez más, este régimen especial.

En línea con la reforma efectuada en el ámbito de las instituciones de inversión colectiva inmobiliarias, la Ley 23/2005, de 18 de noviembre, de reformas en materia para impulso de la productividad, también modificó el régimen especial de entidades dedicadas al arrendamiento de viviendas, dando nueva redacción a los artículos 53 y 54 del TRLIS. Modificaciones dirigidas, evidentemente, a estimular la realización de esta actividad, eliminando algunas restricciones que impedían el correcto funcionamiento de este régimen especial e introduciendo otros requisitos para dar una mayor coherencia a su aplicación.

Entre otras novedades, la Ley 23/2005 dirigió el régimen especial no ya a aquellas sociedades que tuvieran por objeto social exclusivo el arrendamiento de viviendas, como habían hecho las sucesivas normas que trataron y modificaron este régimen especial, sino a las que tuvieran como actividad económica principal el arrendamiento de viviendas situadas en territorio español que hayan construido, promovido o adquirido. Dicha ley mantuvo únicamente la bonificación del 85 por ciento de la cuota íntegra para las rentas procedentes del arrendamiento de viviendas, pero suprimió la bonificación para las rentas derivadas de su transmisión.

Posteriormente, el apartado 2 del artículo 53 del TRLIS fue objeto de nueva redacción por la Ley 16/2012, de 27 de diciembre, modificación dirigida, según su exposición de motivos, a flexibilizar *"los criterios específicos que permiten la aplicación del régimen fiscal especial de arrendamiento de viviendas, reduciéndose el número mínimo de viviendas requerido y el período de tiempo en que deben mantenerse las mismas en arrendamiento, al tiempo que se suprimen los requisitos de tamaño de las viviendas. Asimismo, se suprime el requisito de tamaño de cada vivienda arrendada"*.

Y llegamos a la Ley 27/2014, de 27 de noviembre, del Impuesto sobre Sociedades (LIS). La LIS dedica el capítulo III, entre los regímenes tributarios especiales de su título VII, al régimen de entidades dedicadas al arrendamiento de viviendas, concretamente los artículos 48 y 49.

Pocas son las novedades introducidas por la LIS. El régimen sigue siendo aplicable a las sociedades que tengan como actividad económica principal el arrendamiento de viviendas. Su contenido no difiere del establecido en la anterior ley y en el TRLIS, concretándose en la aplicación de una bonificación sobre la parte de cuota íntegra que corresponda a los rendimientos obtenidos de la actividad de arrendamiento de viviendas, siempre que se cumplan determinados requisitos.

La aplicación del régimen sigue sin ser automática, pues se exige para su aplicación que se opte expresamente por el mismo, mediante su comunicación a la Administración Tributaria, pero no se requiere autorización de la misma.

Las únicas novedades se centran en los siguientes puntos:

- Desaparece la bonificación del 90%, prevista en el TRLIS, en el caso de rentas derivadas del arrendamiento de viviendas por discapacitados y que en las mismas se hubieran realizado obras de adecuación.

- Se establece la incompatibilidad de la bonificación del 85%, en que consiste este régimen especial, con la reserva de capitalización prevista en el artículo 25 de la LIS.

- En caso de dividendos o participaciones en beneficios distribuidos con cargo a rentas que se hayan acogido a la bonificación del 85%, podrá aplicarse la exención del artículo 21 de la LIS, pero sobre el 50 por ciento de su importe.

2. ÁMBITO DE APLICACIÓN DEL RÉGIMEN ESPECIAL

2.1. Requisitos relativos a la actividad de la entidad

Podrán acogerse a este régimen las sociedades que tengan como actividad económica principal el arrendamiento de viviendas situadas en territorio español que hayan construido, promovido o adquirido.

Dicha actividad será compatible con la realización de otras actividades complementarias y con la transmisión de los inmuebles arrendados una vez transcurrido el período mínimo de mantenimiento de tres años, a que se refiere el artículo 48.2.b) de la LIS.

Estos requisitos plantean varias cuestiones:

a) En cuanto a la actividad de la entidad, la LIS habla de sociedades que tengan como actividad económica principal el arrendamiento de viviendas.

A este respecto, el artículo 5.1 de la LIS define lo que se entenderá por actividad económica: la ordenación por cuenta propia de los medios de producción y de recursos humanos o de uno de ambos con la finalidad de intervenir en la producción o distribución de bienes o servicios, añadiendo que, *"en el caso de arrendamiento de inmuebles, se entenderá que existe actividad económica, únicamente cuando para su ordenación se utilice, al menos, una persona empleada con contrato laboral y jornada completa"*.

Se observa, por tanto, que el nuevo texto incorpora un nuevo requisito, de manera implícita, cuando define el ámbito de aplicación del régimen especial. Al exigir el artículo 48.1 de la LIS que la sociedad, para poder aplicar el régimen especial, tenga como actividad económica principal el arrendamiento de viviendas está exigiendo, en combinación con el artículo 5.1, que se utilice una persona empleada con contrato laboral y a jornada completa.

En cuanto al requisito de persona empleada con contrato laboral y a jornada completa, debe rechazarse el contrato del administrador, al encontrarse incluido en el régimen especial de autónomos, pero, si tuviera un contrato laboral y trabajara a jornada completa percibiendo su remuneración por la prestación a la entidad de servicios propios de su objeto social y, por tanto, distintos de los derivados de su mera pertenencia al órgano de administración, dicho requisito se entendería cumplido a los efectos de calificar el arrendamiento de inmuebles como actividad económica (ved DGT V0606/08 de 28-03-2008 y DGT V2185-13, de 04-07-2013).

La referencia a "actividad económica principal" no es nueva. Al contrario, fue creada por la Ley 23/2005, en sustitución de otra referencia menos amplia, en apariencia, pero de un claro o marcado tinte formalista: "objeto social exclusivo".

Sin embargo, en el TRLIS de 2004 no existía un concepto de actividad económica y menos aún del arrendamiento de inmuebles como actividad económica, lo que no evitó plantear la cuestión, suscitada por la Administración tributaria, de que solo podían acceder al régimen especial las entidades dedicadas al arrendamiento de viviendas cuya actividad de arrendamiento se ejerciera como actividad económica en los términos establecidos por el artículo 27.2 de la LIRPF, de modo que, al no contar con una persona empleada con contrato laboral y a jornada completa, la entidad no podía acogerse al régimen especial de las entidades dedicadas al arrendamiento de viviendas, todo ello al margen del cumplimiento de los restantes requisitos previstos en el TRLIS. Y ello en clara consonancia con el criterio mantenido por la propia Administración, en base a determinadas resoluciones del TEAC, sobre la exigencia de dicho requisito en el caso de la aplicación del régimen de las empresas de reducida dimensión.

A este respecto, la DGT sostuvo el criterio de que de la redacción del artículo 53.1 TRLIS se desprendía que la actividad de arrendamiento de viviendas requerida era calificada por la norma legal como de actividad económica y que, en este sentido, para determinar la existencia de actividad económica, habría que atenderse al artículo 27 LIRPF (DGT V0606-08 de 28-03-2008, V1115-10 de 25-05-2010, V1025-11 de 20-04-2011, V2699-13 de 10-09-2013 y V0867-13, de 19-03-2013).

En igual sentido se ha manifestado algún Tribunal de Justicia (ved sentencia 524/2013, de 24-06– 2013, del TSJ de las Islas Baleares y sentencia 758/2014, de 22-12-2014, del TSJ de Galicia), criterio que no ha sido compartido por otros tribunales (ved sentencia 117/2014, de 19-03-2014, del TSJ de Cantabria).

Aun cuando se trata de una cuestión superada con la actual LIS, es de interés entrar a conocer los argumentos sostenidos en contra de la tesis de la Administración tributaria. En efecto, razones basadas en una interpretación histórica como finalista del precepto del TRLIS, que regulaba la materia, hacían difícil o, cuanto menos, dudosa la interpretación defendida por la Administración.

Atendiendo a la evolución histórica del precepto en cuestión desde su redacción originaria hasta la ofrecida por la Ley 16/2012, se observaba que la intención del legislador había sido siempre la de crear un régimen de incentivo fiscal, para, decía la exposición de motivos del Real Decreto-ley 2/2003, *"estimular el mercado inmobiliario de viviendas en alquiler y dar respuesta a la necesidad social de contar con un parque de viviendas en alquiler, hoy muy limitado"*, añadiendo que *"el régimen especial beneficiará a quienes ofrezcan en alquiler viviendas que, por sus dimensiones y precios de alquiler, vayan destinadas a los sectores de poder adquisitivo medio o bajo"*.

Teniendo por tanto como objetivo el estimular el mercado de alquiler de viviendas, las modificaciones posteriores, tanto la de la Ley 23/2005 como la Ley

16/2012, fueron dirigidas, fundamentalmente, a eliminar algunas restricciones que impedían el correcto funcionamiento del régimen fiscal especial de arrendamiento de viviendas y a flexibilizar los criterios específicos que permitieran su aplicación.

Así, se observa que la primera modificación que introduce la Ley 23/2005 es la de suprimir, en cuanto al requisito relativo a la actividad de la entidad, la referencia al "objeto social exclusivo", para sustituirlo por un concepto más amplio y menos formalista: la actividad económica principal. Dicha actividad será principalmente el arrendamiento de viviendas.

En efecto, mientras que el artículo 53.1 de la LIS en su redacción originaria decía que *"podrán acogerse al régimen previsto en este capítulo las sociedades que tengan por objeto social exclusivo el arrendamiento de viviendas situadas en territorio español"*, el artículo 53 en la redacción dada por la Ley 23/2005 estableció que *"podrán acogerse al régimen previsto en este capítulo las sociedades que tengan como actividad económica principal el arrendamiento de viviendas situadas en territorio español que hayan construido, promovido o adquirido"*.

Se observa, por tanto, que en la redacción dada por el Real Decreto-ley 2/2003 una sociedad podía acceder al régimen especial cuando, entre otros requisitos, tuviera por objeto social exclusivo el arrendamiento de viviendas, aun cuando no ejerciera una actividad económica, en los términos del artículo 27.2 de la LIRPF, por no contar con un empleado con contrato laboral y a jornada completa, mientras que en la redacción dada por la Ley 23/2005, en la que es patente la intención del legislador de eliminar restricciones y flexibilizar requisitos para aplicar el régimen especial y, por lo tanto, de incrementar el número de entidades a las que podría serles de aplicación, dicha sociedad no podría acceder al mismo por no contar con un empleado con contrato laboral y a jornada completa, en el caso de resultar aplicable la interpretación que liga el término actividad económica principal con los requisitos del artículo 27.2 de la LIRPF.

Resultaba claro que la Ley 23/2005, al hablar de las sociedades que tengan como actividad económica principal, no estaba queriendo restringir los requisitos para acceder al régimen especial, introduciendo uno nuevo que no estaba en el Real Decreto-ley 2/2003, como era que la entidad contara con un empleado con contrato laboral y a jornada completa, al contrario quería ampliar el número de entidades que pudiera acogerse al régimen especial mediante una flexibilización de requisitos, mediante la eliminación de una restricción, como era que la entidad tuviera como objeto social exclusivo el arrendamiento de viviendas, para exigir, simplemente, que la actividad económica principal fuera el arrendamiento de viviendas.

Sin embargo, el requisito de persona contratada no se exigía de una manera explícita por el indicado precepto, sino que resultaba de una interpretación de lo que debe entenderse por el arrendamiento de inmuebles como actividad económica en base a lo dispuesto en el artículo 27.2 de la LIRPF, un precepto al que el artículo 53 del TRLIS no llamaba en ningún momento. Si a ello se une que la exigencia del requisito en cuestión ni elimina restricciones ni flexibiliza los criterios específicos para aplicar el régimen especial, sino que, al contrario, constituye una restricción para su aplicación, resultaba claro que no cumplía el objetivo de la norma de estimular el mercado de alquiler de viviendas y que, de exigirse, constituiría un claro impedimento para aplicar el régimen especial, no querido expresamente por el legislador.

Y, como se apuntó, ha sido de interés exponer las razones para defender que la exigencia de una persona empleada con contrato laboral y a jornada completa, si bien en la actual LIS puede tener una clara defensa desde el punto de vista de la política económica, como es el objetivo de la creación de empleo, dichas razones se encuentran todavía vigentes, al menos a efectos "de lege ferenda", en tanto que suponen una clara traba o impedimento para que el régimen especial pueda tener una eficaz aplicación práctica, máxime cuando para gestionar el arrendamiento de viviendas no es en muchos casos necesario contar con una persona empleada con contrato laboral, incluso en sociedades con un gran número de viviendas alquiladas o con una elevada cifra de negocio, sociedades que explotan habitual y organizadamente viviendas en alquiler, en la que resulta obvia su finalidad de intervenir en el mercado de alquiler de viviendas, actividad que puede gestionarse solo con el trabajo del administrador.

Finalmente, en el supuesto de entidades que formen parte de un mismo grupo mercantil, el concepto de actividad económica se determinará teniendo en cuenta a todas las que formen parte del mismo.

b) Junto a la actividad económica principal pueden ejercerse otras actividades complementarias, sin que la LIS se manifieste expresamente sobre la naturaleza de las mismas, pero la aplicación del régimen especial en cada período impositivo queda condicionada a que las rentas objeto de bonificación superen un determinado porcentaje del total rentas obtenidas, incluidas las complementarias, o que un determinado porcentaje del valor del activo sea susceptible de generar rentas que tengan derecho a la aplicación de la bonificación.

c) La actividad principal de arrendamiento de viviendas también será compatible con la de transmisión de los inmuebles arrendados, es decir, no se impide la aplicación del régimen especial por el hecho de transmitir los inmuebles arrendados, siempre que haya transcurrido el periodo mínimo de mantenimiento a que se refiere el artículo 48.2.b) de la LIS.

El hecho de que la actividad económica principal de arrendamiento de viviendas sea compatible con la transmisión de los inmuebles arrendados una vez transcurrido este período mínimo de mantenimiento ha llevado a la DGT a entender que la transmisión de los inmuebles arrendados antes de tal plazo ocasiona la incompatibilidad de aplicar este régimen especial. En consecuencia, dice la DGT, en el período impositivo en que se produce la transmisión, no resultará posible para la entidad consultante aplicar este régimen especial, por lo que la entidad no podría aplicar la bonificación sobre ninguna de las rentas obtenidas. No obstante, se considera que ello no impide que, en los períodos impositivos posteriores, mientras la entidad no renuncie al régimen, se pueda seguir aplicando el mismo, si se cumplen todos los requisitos previstos para ello (DGT V2146-07 de 11-10-2007 y V0334-09 de 19-02-2009).

Por otra parte, pero relacionado con lo anterior, el artículo 48.2.b) de la LIS exige como requisito "que las viviendas permanezcan arrendadas u ofrecidas en arrendamiento durante al menos tres años", estableciendo que la consecuencia del incumplimiento del mismo será, para cada vivienda, la pérdida de la bonificación que hubiera correspondido, lo que incluye tanto el ingreso de la cuota del período impositivo en el que se produjo el incumplimiento como el importe de las bonificaciones aplicadas en la totalidad de los períodos impositivos en los que hubiera resultado de aplicación este régimen especial.

Por consiguiente, teniendo en cuenta lo dispuesto tanto en el artículo 48.1 como en el artículo 48.2.b) de la LIS, parece desprenderse que las consecuencias de la transmisión de uno de los inmuebles afectos a la actividad de arrendamiento de viviendas antes de haber transcurrido el citado plazo de 3 años serían:

De un lado, la pérdida, para esa vivienda, de la bonificación tanto del período impositivo en el que se produjo el incumplimiento como de las bonificaciones aplicadas en la totalidad de los períodos impositivos en los que hubiera resultado de aplicación este régimen especial.

Y, de otro, la incompatibilidad de aplicar este régimen especial, lo que debe significar que en el período impositivo en que se produce la transmisión no resultará posible aplicar este régimen especial, por lo que la entidad no podría aplicar la bonificación sobre ninguna de las rentas obtenidas, lo que no impide que, en los períodos impositivos posteriores, mientras la entidad no renuncie al régimen, se pueda seguir aplicando el mismo, si se cumplen todos los requisitos previstos para ello.

A todo ello, la DGT ha aclarado que no se considera que ninguna de las dos consecuencias derivadas del incumplimiento del requisito de que alguna de las viviendas permanezca arrendada u ofrecida en arrendamiento durante al menos siete años (tres años en el actual texto), por su transmisión antes de dicho plazo, pueda obviarse por el hecho de que el importe obtenido por la transmisión se reinvierta en la compra de una vivienda que cumpla los requisitos legales y que se afecte a la actividad económica principal de arrendamiento de viviendas (DGT V2146-07 de 11-10-2007).

d) Define la LIS lo que debe entenderse por arrendamiento de vivienda a los efectos del régimen especial: únicamente se entenderá por arrendamiento de vivienda el definido en el artículo 2.1 de la Ley 29/1994, de 24 de noviembre, de Arrendamientos Urbanos, siempre que se cumplan los requisitos y condiciones establecidos en dicha Ley para los contratos de arrendamiento de viviendas.

El apartado 1 del artículo 2 de la Ley 29/1994 define el arrendamiento de vivienda como aquel arrendamiento que recae sobre una edificación habitable cuyo destino primordial es satisfacer la necesidad permanente de vivienda del arrendatario.

Es decir, el arrendamiento no podrá tener por objeto edificaciones no habitables, las no destinadas a viviendas, por ejercerse en las mismas una actividad económica, y los arrendamientos de temporada, por no satisfacer una necesidad permanente de vivienda del arrendatario. Se trata de arrendamientos para uso distinto del de vivienda, a que se refiere el artículo 3 de la Ley 29/1994, es decir, aquel arrendamiento que, recayendo sobre una edificación, tenga como destino primordial uno distinto del establecido en el artículo segundo.

En especial, el apartado 2 del citado artículo 3 considera como arrendamientos para uso distinto del de vivienda *"los arrendamientos de fincas urbanas celebrados por temporada, sea ésta de verano o cualquier otra, y los celebrados para ejercerse en la finca una actividad industrial, comercial, artesanal, profesional, recreativa, asistencial, cultural o docente, cualesquiera que sean las personas que los celebren"*.

Asimismo, el artículo 5 de la Ley 29/1994 relaciona los arrendamientos excluidos del ámbito de aplicación de la Ley diciendo que *"quedan excluidos del ámbito de aplicación de esta ley:*

a) El uso de las viviendas que los porteros, guardas, asalariados, empleados y funcionarios, tengan asignadas por razón del cargo que desempeñen o del servicio que presten.

b) El uso de las viviendas militares, cualquiera que fuese su calificación y régimen, que se regirán por lo dispuesto en su legislación específica.

c) Los contratos en que, arrendándose una finca con casa-habitación, sea el aprovechamiento agrícola, pecuario o forestal del predio la finalidad primordial del arrendamiento. Estos contratos se regirán por lo dispuesto en la legislación aplicable sobre arrendamientos rústicos.

d) El uso de las viviendas universitarias, cuando éstas hayan sido calificadas expresamente como tales por la propia Universidad propietaria o responsable de las mismas, que sean asignadas a los alumnos matriculados en la correspondiente Universidad y al personal docente y de administración y servicios dependiente de aquélla, por razón del vínculo que se establezca entre cada uno de ellos y la

Universidad respectiva, a la que corresponderá en cada caso el establecimiento de las normas a que se someterá su uso".

En consecuencia, para la aplicación de este régimen especial, únicamente se entiende por arrendamiento de vivienda el definido en el artículo 2.1 de la Ley 29/1994, de manera que el arrendamiento debe tener por destino primordial satisfacer la necesidad permanente de vivienda del arrendatario, siempre que se cumplan los requisitos y condiciones establecidos en dicha Ley para los contratos de arrendamiento de viviendas, por lo que se excluyen de la aplicación del régimen especial los arrendamientos para uso distinto de la vivienda a que se refiere el artículo 3 y los arrendamientos excluidos del ámbito de aplicación de la Ley 24/1994, a que se refiere su artículo 5.

Así, por ejemplo, quedan fuera del ámbito de aplicación del régimen especial el uso de las viviendas universitarias (DGT V1875/07, de 12-09-2007).

Dado que la LIS exige que el destino primordial del arrendamiento ha de ser satisfacer la necesidad permanente de vivienda del arrendatario, debe entenderse, de acuerdo con el criterio de la DGT, manifestado en la contestación V0379-08 de 20 de febrero de 2008, que no es arrendamiento de vivienda el efectuado a una sociedad que la destinará, a su vez, a su cesión a personas físicas.

Ello no obstante, la propia DGT ha mantenido posteriormente el criterio (DGT CV0867-13 de 19-03-2013) de que no es obstáculo en el caso concreto planteado que, a estos efectos, el contrato se realice con un organismo público, responsable de la gestión de los arrendamientos, que cubre al arrendador del riesgo de impago de los arrendatarios finales de las viviendas, que en este caso se asimila a un intermediario entre la entidad consultante y el arrendatario final, siempre que el destino del inmueble sea el de viviendas y que se cumplan el resto de los requisitos.

Finalmente, se observa que no se incluyen dentro del concepto los bienes o servicios a que se refiere el apartado 2 del artículo 2 de la Ley 29/1994, aunque, como veremos, la intención del legislador es incluirlos con ciertas limitaciones.

e) En efecto, el concepto de arrendamiento de vivienda no queda limitado exclusivamente al concepto suministrado por el artículo 2.1 de la Ley 29/1994. La LIS establece que *"se asimilarán a viviendas el mobiliario, los trasteros, las plazas de garaje con el máximo de dos, y cualesquiera otras dependencias, espacios arrendados o servicios cedidos como accesorios de la finca por el mismo arrendador, excluidos los locales de negocio, siempre que unos y otros se arrienden conjuntamente con la vivienda".*

Es decir, el arrendamiento podrá tener por objeto no sólo la vivienda sino también el mobiliario, los trasteros, las plazas de garaje hasta dos y otras dependencias, espacios o servicios cedidos como accesorios, con la única condición de se arrienden conjuntamente con las viviendas por el mismo arrendador. Quedan excluidos, evidentemente, los locales de negocio.

Una interpretación literal de lo que debe entenderse por "se arrienden conjuntamente con las viviendas por el mismo arrendador" lleva a considerar que, para que resulte de aplicación la bonificación a las rentas derivadas del arrendamiento de trasteros, plazas de garaje, dependencias u otros espacios, será necesario que unos y otros se encuentren en el mismo edificio o complejo inmobiliario de la vivienda y que el arrendamiento, tanto de la vivienda como de los restantes elementos, se produzca en el mismo acto.

f) Respecto de la fuente u origen de las viviendas arrendadas, el texto del Real Decreto-ley 2/2003, de 25 de abril, permitía la aplicación del régimen especial al arrendamiento de viviendas adquiridas por compra, incluso sobre plano, o por otro título. Fue la Ley 62/2003 la que amplió el elenco del origen de las viviendas. El actual texto permite aplicar el régimen especial al arrendamiento de viviendas no sólo adquiridas, por compra o por cualquier otro título, incluido el arrendamiento financiero, sino también a las construidas o promovidas por el sujeto pasivo.

A este respecto, constituye título para la adquisición del dominio, por ejemplo, las aportaciones no dinerarias a sociedades y las adjudicaciones de bienes en caso de disolución, fusión y escisión de sociedades.

En efecto, la aportación de unas viviendas en una ampliación de capital puede considerarse como adquisición de las mismas, a efectos de la aplicación del régimen especial de arrendamiento de viviendas, y ello porque, salvo que en el momento de la aportación se haga constar de forma expresa lo contrario, las viviendas son aportadas a título de propiedad y, por lo tanto, se consideran viviendas adquiridas (ved DGT V0387/14 de 14-02-2014).

Igualmente, puede considerarse como adquisición de viviendas la adjudicación a una sociedad beneficiaria de una escisión parcial de las viviendas que se quieran destinar al alquiler. En cuanto si la entidad puede acogerse al régimen especial de fusiones, con el que el régimen de arrendamiento de viviendas es compatible, dependerá de si el patrimonio segregado constituye una rama de actividad y de la existencia en la operación de motivos económicos válidos o que la operación se efectúe sin la mera finalidad de conseguir una ventaja fiscal.

Cosa distinta es la creación dentro de la propia sociedad de una rama de actividad dedicada única y exclusivamente al arrendamiento de viviendas, a la que podrá afectarse como mínimo las viviendas necesarias para poder acogerse al régimen especial de las entidades dedicadas al arrendamiento de viviendas, pues en este caso deberá atenderse a los requisitos relativos a las actividades complementarias, pues subsistirán tanto rentas no bonificadas como bonificadas o con derecho a la aplicación de la bonificación.

2.2. *Requisitos relativos a las viviendas objeto de arrendamiento*

Para la aplicación del régimen especial exige la LIS en su artículo 48.2 determinados requisitos relativos a las viviendas objeto de arrendamiento. Así:

a) Que el número de viviendas arrendadas u ofrecidas en arrendamiento por la entidad en cada período impositivo sea en todo momento igual o superior a 8.

El requisito de que el número de viviendas arrendadas u ofrecidas en arrendamiento por la entidad en cada período impositivo sea igual o superior a 8 ha de cumplirse "en todo momento". Ello significa que, si la sociedad no tiene durante todo el período impositivo ocho o más viviendas arrendadas u ofrecidas en arrendamiento, no podrá aplicar el régimen especial en dicho período (vid. DGT V2379-08 de 16-12-2008).

En el caso de que la propiedad de alguna de las viviendas arrendadas u ofrecidas en arrendamiento pertenezca pro indiviso a varias personas o entidades, considera la DGT que el cumplimiento de estos requisitos debe valorarse en sede de la entidad consultante, considerando todas las viviendas propiedad de la misma incluidas las viviendas tenidas a través de la comunidad de bienes (DHT V0380-08 de 20-02-2008, DGT V0272-09 de 13-02-2009, DGT V2578/10 de 29-11-2010 y DGT V0116/14 de 20-01-2014).

Debe rechazarse que la propia comunidad de bienes pueda aplicar el régimen especial, pues las comunidades de bienes no son sujetos pasivos del Impuesto sobre Sociedades, sin perjuicio de su posible aplicación a los comuneros que sean sujetos pasivos por este impuesto.

Es decir, dicho régimen no será de aplicación a los comuneros personas físicas, dado que la normativa del IRPF no regula este régimen especial (DGT V0805-06, de 24-04-2006).

b) Que las viviendas permanezcan arrendadas u ofrecidas en arrendamiento durante al menos tres años.

De acuerdo con lo dispuesto en el artículo 48.2 de la LIS, *"este plazo se computará:*

> *1.º En el caso de viviendas que figuren en el patrimonio de la entidad antes del momento de acogerse al régimen, desde la fecha de inicio del período impositivo en que se comunique la opción por el régimen, siempre que a dicha fecha la vivienda se encontrara arrendada. De lo contrario, se estará a lo dispuesto en el párrafo siguiente.*

> *2.º En el caso de viviendas adquiridas o promovidas con posterioridad por la entidad, desde la fecha en que fueron arrendadas por primera vez por ella.*

Contempla dicho precepto el incumplimiento de este requisito diciendo que *"implicará, para cada vivienda, la pérdida de la bonificación que hubiera correspondido. Junto con la cuota del período impositivo en el que se produjo el incumplimiento, deberá ingresarse el importe de las bonificaciones aplicadas en la totalidad de los períodos impositivos en los que hubiera resultado de aplicación este régimen especial, sin perjuicio de los intereses de demora, recargos y sanciones que, en su caso, resulten procedentes".*

La vivienda puede dejar de arrendarse o de ofrecerse en arrendamiento tanto si permanece en el patrimonio de la entidad como si es transmitida. Por ello, debe entenderse que este precepto se refiere a las consecuencias derivadas del incumplimiento del requisito de permanencia en arrendamiento o en ofrecimiento en arrendamiento durante el plazo mínimo de tres años, tanto en un caso como en otro: la pérdida para cada vivienda de la bonificación que le hubiera correspondido, incluidas las bonificaciones aplicadas en todos los períodos en los que hubiera resultado de aplicación el régimen especial.

Si, además, dichas circunstancias se han producido, obviamente, porque la vivienda se ha transmitido, las consecuencias son distintas según que la transmisión se haya efectuado transcurrido o no el periodo mínimo de mantenimiento de tres años. Si no ha transcurrido dicho periodo mínimo, la transmisión trae como consecuencia, según hemos visto, además de la pérdida para cada vivienda de la bonificación, la inaplicabilidad del régimen en el periodo de la transmisión a todas las rentas obtenidas por la entidad.

La LIS ha mantenido los mismos requisitos establecidos en la Ley 16/2012, la cual, respecto de la normativa vigente, vino a reducir el número mínimo de viviendas requerido y el período de tiempo en que deben mantenerse las mismas en arrendamiento, y a suprimir el requisito de tamaño de cada vivienda arrendada.

2.3. *Requisitos relativos a la contabilidad de la entidad*

La LIS exige que las actividades de promoción inmobiliaria y de arrendamiento sean objeto de contabilización separada para cada inmueble adquirido o promovido, con el desglose que resulte necesario para conocer la renta correspondiente a cada vivienda, local o finca registral independiente en que éstos se dividan.

Del citado precepto subyace la idea de que, a los efectos de aplicación de este régimen especial, es necesario conocer la renta correspondiente a cada vivienda arrendada, a la que se vaya a aplicar la bonificación. Por ello la actividad de arrendamiento de viviendas deberá ser objeto de contabilización separada para cada inmueble, y no para el conjunto de las viviendas dedicadas al arrendamiento.

De ahí que se entienda, de acuerdo con el criterio de la DGT, que, en cuanto a las rentas correspondientes a los locales, oficinas u otros inmuebles a los que no sea aplicable la bonificación, no parece que también deban cumplir el requisito de contabilización separada para cada inmueble, pues a los efectos de aplicación de este régimen especial no resulta necesario conocer la renta correspondiente a cada uno de ellos, sino únicamente las rentas a las que se vaya a aplicar la bonificación (ved DGT V0805-06, de 24-04-2006 y DGT V0652-11 de 15-03-2011).

Puesto que, a efectos de las rentas derivadas del arrendamiento, se asimilan a viviendas los trasteros y las plazas de garaje con el máximo de dos, siempre que se arrienden conjuntamente con la vivienda, la contabilización separada deberá referirse a la vivienda junto con dichos trasteros y plazas de garaje.

En caso de que durante un año natural un trastero o una plaza de garaje hayan estado cedidos con viviendas diferentes, resultará posible identificar la renta correspondiente a cada vivienda e, igualmente, los ingresos que correspondan a cada una de ellas, distribuyéndose los gastos directamente relacionados con la obtención de dichos ingresos en función del principio de correlación de ingresos y gastos, y los gastos generales en proporción a los citados ingresos (ved DGT V0805-06, de 24-04-2006).

2.4. *Requisitos relativos a las actividades complementarias*

Según vimos, permite la LIS que, junto a la actividad económica principal de arrendamiento de viviendas, puedan ejercerse otras actividades complementarias, sin que por ello se impida la aplicación del régimen especial a las rentas derivadas del arrendamiento de viviendas (rentas bonificadas), pero con la condición de que las rentas objeto de bonificación superen un determinado porcentaje del total rentas obtenidas, incluidas las complementarias, o que un determinado porcentaje del valor del activo sea susceptible de generar rentas que tengan derecho a la aplicación de la bonificación.

Por tanto, en el caso de entidades que desarrollen actividades complementarias a la actividad económica principal de arrendamiento de viviendas, se requiere que al menos el 55 por 100 de las rentas del período impositivo, excluidas las derivadas de la transmisión de los inmuebles arrendados una vez transcurrido el período mínimo de mantenimiento de tres años, a que se refiere el artículo 48.2.b) de la LIS, tengan derecho a la aplicación de la bonificación a que se refiere el artículo 49.1 de la LIS, o, alternativamente, que al menos el 55 por ciento del valor del activo de la entidad sea susceptible de generar rentas que tengan derecho a la aplicación de la bonificación a que se refiere el artículo 49.1 de la LIS.

Se observa que para la aplicación del régimen especial las rentas bonificadas han de llegar como mínimo al 55 por ciento del total de las rentas, pero, también, si al menos el 55 por ciento del valor del activo de la entidad es susceptible de generar rentas que tengan derecho a la aplicación de la bonificación, se entendería cumplido el requisito anterior, con independencia del porcentaje de sus rentas que tengan derecho a la aplicación de la citada bonificación (ved DGT V0116/14 de 20-01-2014).

Ahora bien, la interpretación de lo que debe entenderse por "activo de la entidad es susceptible de generar rentas que tengan derecho a la aplicación de la bonificación" ha de hacerse de modo contextual, es decir, teniendo en cuenta que el régimen se aplica cuando existan en todo momento viviendas arrendadas u ofrecidas en arrendamiento en número igual o superior a ocho y durante al menos tres años, lo que significa que, si bien una vivienda por sí misma es susceptible de generar rentas con derecho a la bonificación, esto es, de ser arrendada, hasta que no se destine u ofrezca en arrendamiento, en todo momento durante el ejercicio, no debería computarse como activo susceptible de generar rentas bonificadas.

Dado que la norma no aclara si, para el cómputo del valor del activo, debe considerarse el valor contable del mismo o su valor de mercado, nos inclinamos, ante el silencio de la ley, que dicho valor debería ser el suministrado por la contabilidad.

Aclara la DGT que el incumplimiento de este requisito supone que no puede aplicarse la bonificación sobre ninguna de las rentas obtenidas, pero no debe afectar a las bonificaciones aplicadas en periodos anteriores ni a las que pueda aplicar en los posteriores, si se cumplieron o se vuelven a cumplir los requisitos para la aplicación del régimen.

En efecto, en caso de que en un período impositivo las rentas que tengan derecho a la aplicación de la bonificación del artículo 48 de la LIS representen menos del 55 por ciento del total de las rentas del período, excluidas, en su caso, las derivadas de la transmisión de los inmuebles arrendados una vez transcurrido el período mínimo de mantenimiento, se estaría incumpliendo uno de los requisitos para la aplicación del régimen fiscal especial, por lo que no podría aplicarse la bonificación sobre ninguna de las rentas obtenidas. Este incumplimiento no afectará a las bonificaciones que, en su caso, se aplicaron en períodos impositivos anteriores en que se cumplieron los requisitos para la aplicación del régimen especial, y se considera que tampoco impide que en los períodos impositivos posteriores, mientras la entidad no renuncie al régimen, se puedan seguir aplicando, si las rentas que tengan derecho a la bonificación vuelven a superar el porcentaje del 55 por ciento (ved DGT V0571-07 de 19-03-2007 y DGT V0334-09 de 19-02-2009).

Además, debe entenderse que el incumplimiento de este requisito afecta de manera exclusiva a aquellos periodos impositivos en que se produzca, de modo que en los posteriores en que se mantenga su cumplimiento podrá seguir aplicándose el régimen especial sin necesidad de volver a solicitarlo.

En el cálculo de las rentas del período impositivo sobre las que se calculará el porcentaje del 55 por ciento a que se refiere el artículo 48.2.d) de la LIS, se incluirán todos aquellos ingresos y gastos que, de acuerdo con los preceptos establecidos en la LIS, integren la renta que constituye la base imponible del período impositivo, incluido los ingresos extraordinarios (ved DGT V0652-11 de 15-03-2011).

Las rentas estarán integradas para cada vivienda por el ingreso íntegro obtenido, minorado en los gastos directamente relacionados con la obtención de dicho ingreso y en la parte de los gastos generales que correspondan proporcionalmente al citado ingreso.

EJEMPLO

Supongamos que una entidad, dedicada a la promoción, venta y arrendamiento de edificaciones, tanto viviendas como locales, se acogió en el año 1 al régimen especial de arrendamiento de viviendas, contando con 10 viviendas arrendadas u ofrecidas en arrendamiento, cuyo valor contable era de 150.000 € cada una, dos locales arrendados u ofrecidos en arrendamiento, cuyo valor contable era de 250.000 € cada uno, y cuatro viviendas destinadas a la venta, también de valor contable de 150.000 €.

En el año 2 las rentas con derecho a bonificación alcanzaron la cifra de 120.000 €. Las rentas procedentes del alquiler de los locales llegaron a 40.000 €. Y la entidad transmitió uno de las viviendas destinadas a la venta obteniendo una renta de 200.000 €. En este periodo la entidad decidió destinar al arrendamiento una de las viviendas destinadas a la venta, siendo arrendada efectivamente a finales del año.

– Tributación del año 2:

– Rentas totales: 360.000 €

– Rentas con derecho a la bonificación: 120.000 €

– Rentas sin derecho a la bonificación: 240.000 €

– Porcentaje de rentas con derecho a la bonificación respecto de las rentas totales: 33 %

– Valor total activo: 2.600.000 €

– Valor del activo susceptible de generar rentas con derecho a la aplicación de la bonificación: 1.500.000 €

– Valor del activo no susceptible de generar rentas con derecho a la aplicación de la bonificación: 1.100.000 €

– Porcentaje del activo susceptible de generar rentas con derecho a la aplicación de la bonificación respecto del total activo: 57%

Aun cuando el porcentaje de las rentas con derecho a bonificación no alcanza el 55% sí lo hace el porcentaje del activo susceptible de generar rentas con derecho a deducción, por lo que debe entenderse cumplido este requisito.

Debe aclararse que no hemos incluido entre el activo susceptible de generar rentas con derecho a deducción el correspondiente a la vivienda destinada al arrendamiento a finales del ejercicio, pues el cómputo de este activo debería incluir, lógicamente, el correspondiente a todas las viviendas arrendadas u ofrecidas en arrendamiento "en todo momento" durante el ejercicio.

2.5. *Requisitos formales. La opción por el régimen especial*

El régimen especial es optativo. La opción por el mismo deberá comunicarse a la Administración tributaria, aplicándose en el período impositivo que finalice con posterioridad a dicha comunicación y en los sucesivos que concluyan antes de que se comunique a la Administración tributaria la renuncia al régimen.

Si el sujeto pasivo desea aplicarlo en el presente ejercicio, debe comunicarlo a la Administración Tributaria con anterioridad al 31 de diciembre, si el ejercicio económico coincide con el año natural, o con anterioridad a la finalización del período impositivo en otro caso.

Comunicada la opción por la aplicación del régimen, éste resultará aplicable en los períodos impositivos siguientes, en tanto no se renuncie expresamente al mismo.

Igualmente, la renuncia a la aplicación del régimen especial debe comunicarse expresamente a la Administración Tributaria.

2.6. *Incompatibilidades*

Este régimen especial es compatible con el de consolidación fiscal, transparencia fiscal internacional y el de las fusiones, escisiones, aportaciones de activo y canje de valores y el de determinados contratos de arrendamiento financiero, de forma que, si a la entidad le resulta de aplicación cualquiera de los restantes regímenes especiales previstos en el título VII de la LIS, no podrá optar por el régimen de empresas dedicadas al arrendamiento de viviendas, sin perjuicio de que, si a la entidad le fueran de aplicación, de acuerdo con lo establecido en el artículo 108 de la LIS, los incentivos fiscales para las empresas de reducida dimensión, pueda optar entre aplicar los incentivos de ese régimen o aplicar el régimen de las empresas dedicadas al arrendamiento de viviendas.

Debe entenderse que la opción por los beneficios fiscales de las empresas de reducida dimensión no supone una renuncia al régimen de entidades dedicadas al arrendamiento de viviendas, por lo que dicha opción no exige comunicación alguna a la Administración Tributaria. En consecuencia, la entidad, no obstante haber optado por los incentivos fiscales de las empresas de reducida dimensión, seguirá en el régimen especial de arrendamiento de viviendas, sin perjuicio de no aplicarlo en dicho período impositivo, pero con la posibilidad de continuar aplicándolo en los sucesivos sin necesidad de nueva comunicación.

En efecto, la aplicación del régimen de las entidades dedicadas al arrendamiento de vivienda es incompatible en un mismo período impositivo con la aplicación de los incentivos fiscales de las empresas de reducida dimensión, tanto si dichos incentivos proceden de ese mismo período impositivo en el que la entidad cumpla los requisitos para ser considerada como de reducida dimensión o de otro anterior, pudiendo optar la entidad por uno u otro régimen fiscal (DGT V0805-06, de 24-04-2006).

Nada dice la LIS sobre la compatibilidad de este régimen con el de las "entidades de nueva creación", creado por la disposición adicional decimonovena del texto refundido de la Ley del Impuesto sobre Sociedades, aprobado por el Real Decreto Legislativo 4/2004, de 5 de marzo.

La disposición transitoria vigésima segunda de la LIS se refiere a este régimen en su apartado 1 diciendo que *"las entidades de nueva creación constituidas entre 1 de enero de 2013 y 31 de diciembre de 2014, que realicen actividades económicas, tributarán de acuerdo con lo establecido en la Disposición adicional decimonovena del texto refundido de la Ley del Impuesto sobre Sociedades, aprobado por el Real Decreto Legislativo 4/2004, de 5 de marzo"*.

Dicho régimen se caracteriza por la aplicación de un tipo reducido (el 15 por ciento aplicable a la parte de base imponible comprendida entre 0 y 300.000, y el 20 por ciento a la parte de base imponible restante) y, puesto que afecta a las entidades de nueva creación, constituidas a partir de 1 de enero de 2013, que realicen actividades económicas, en el primer período impositivo en que la base imponible resulte positiva y en el siguiente, puede ocurrir que dicho régimen pueda convivir con el de arrendamiento de viviendas.

La DGT (contestación V2218-10, de 06-10-2010), respecto de la compatibilidad del régimen de entidades dedicadas al arrendamiento de viviendas con el de la disposición adicional duodécima del TRLIS, que regulaba la aplicación de un tipo de gravamen reducido en el Impuesto sobre Sociedades por mantenimiento o creación de empleo, se inclinó por su incompatibilidad, pues, teniendo en cuenta que la disposición adicional duodécima del TRLIS establece una serie de requisitos relativos al importe neto de la cifra de negocios y a la plantilla media, dichos requisitos las convierten en entidades de reducida dimensión y, aunque la disposición adicional duodécima del TRLIS no ha introducido ninguna modificación en la regulación del régimen especial de las entidades dedicadas al arrendamiento de viviendas relativa a la compatibilidad de ambos incentivos, ni contiene en sí misma ninguna indicación al respecto, parece razonable interpretar que, por su carácter de entidades de reducida dimensión, las entidades a las que, de acuerdo con lo establecido en la disposición adicional duodécima, les sea de aplicación la misma, podrán optar entre aplicar ésta o aplicar el régimen especial de las entidades dedicadas al arrendamiento de vivienda.

Se observa que las razones esgrimidas por la DGT para entender que el régimen de la disposición adicional duodécima del TRLIS es, por su carácter de reducida dimensión, incompatible con este régimen de arrendamiento de viviendas han desaparecido cuando se trata de compararlo con el de las empresas de nueva creación, pues ya no se exige respecto de las misma una determinada cifra de negocios sino simplemente, como su nombre indica, que se trate de entidades constituidas entre 1 de enero de 2013 y 31 de diciembre de 2014, que realicen actividades económicas.

Así las cosas, y a la espera de un pronunciamiento administrativo, pensamos que donde no distingue el legislador no debe distinguir el intérprete, lo que supone admitir su compatibilidad, aunque evidentemente pueda tener poca aplicación práctica. Así, el supuesto pasa por la circunstancia de que la entidad, constituida entre 1 de enero de 2013 y 31 de diciembre de 2014, haya tenido en dichos ejercicios bases imponibles negativas y que el primer ejercicio con bases positivas sea el 2015, de modo que aplicaría el régimen de las entidades de nueva creación en los ejercicios 2015 y 2016, y, aunque compensara dichas bases negativas con las positivas obtenidas en estos periodos, podrían quedar bases positivas que podrían beneficiarse tanto del tipo de reducido como de la bonificación.

3. CONTENIDO DEL RÉGIMEN ESPECIAL: BONIFICACIÓN

El régimen especial se caracteriza por la aplicación de una bonificación del 85 por ciento a la parte de cuota íntegra que corresponda a las rentas derivadas del arrendamiento de viviendas que cumplan los requisitos del régimen especial.

En cuanto a la renta bonificada o base de la bonificación, se determina vivienda por vivienda. Así, dice la LIS en su artículo 49.2 que la renta que se bonifica derivada del arrendamiento estará integrada para cada vivienda por el ingreso íntegro obtenido, minorado en los gastos directamente relacionados con la obtención de dicho ingreso y en la parte de los gastos generales que correspondan proporcionalmente al citado ingreso.

Puede entenderse que este ingreso íntegro es el obtenido por el arrendamiento de las viviendas tal y como se define en el artículo 2.1 de la Ley 29/1994, es decir, por el arrendamiento propiamente dicho, percibido, en principio, del arrendatario, cuya necesidad permanente de vivienda se trata de satisfacer con la edificación correspondiente.

Por ello, no se considera que entre las rentas correspondientes a la cuota íntegra a bonificar puedan entenderse incluidas determinadas rentas extraordinarias como las subvenciones recibidas para la realización del arrendamiento. Según la DGT, parece posible considerar que la bonificación regulada en dicho régimen no debe minorarse con motivo de las subvenciones recibidas para la realización del arrendamiento, pero tampoco parece posible entender que las mismas se incluyan en la renta sobre la que se determina la bonificación a aplicar (DGT V1697/10 de 23-07-2010).

En cuanto a la imputación de los gastos generales, el artículo 49.2 LIS es claro al respecto: la imputación de los gastos generales ha de hacerse "proporcionalmente a dicho ingreso", no cabiendo, a nuestro juicio, otros criterios de reparto, aunque sean más razonables o lógicos, distintos en función del gasto de carácter general a imputar, como podría ser la superficie o el valor de los inmuebles.

Esta era, asimismo, la opinión de la DGT en contestación a una consulta sobre si el reparto por inmuebles de los gastos generales y de aquellos gastos que afecten a más de un inmueble se debe realizar en proporción de los ingresos o puede atenderse a otros criterios de reparto, como pudieran ser la superficie o el valor de los inmuebles, diciendo, durante la vigencia del TRLIS, que el ingreso íntegro obtenido se minorará, aparte de en los gastos directamente relacionados con su obtención, en la parte de los gastos generales que correspondan proporcionalmente al citado ingreso respecto de los ingresos totales obtenidos por la entidad de su actividad ordinaria (DGT V0805-06, de 24-04-2006).

Nada dice la LIS sobre el orden en que se aplicará la bonificación por el régimen especial, si bien, en nuestra opinión, dicha bonificación debería practicarse con carácter previo a las deducciones en cuota para incentivar la realización de determinadas actividades que se regulan en los artículos 35 a 39 LIS, y ello aunque el apartado 1 artículo 39 LIS no haga una mención expresa a la bonificación del régimen de entidades dedicadas al arrendamiento de viviendas, cuando se establece el orden de aplicación de las deducciones por inversiones, haciendo referencia exclusivamente a las "deducciones y bonificaciones de los Capítulos II y III de este Título", pues el límite para la aplicación de deducciones previsto en el propio artículo 39.1 LIS se calcula sobre "la cuota íntegra minorada en las deducciones para evitar la doble imposición internacional y las bonificaciones" y en esta últimas debe encontrarse, en ausencia de excepciones, la correspondiente a este régimen especial.

La bonificación opera sobre la parte de cuota íntegra correspondiente a las rentas bonificadas, de modo que, si junto a rentas susceptibles de bonificación, se obtienen, por las actividades complementarias que se pueden realizar, rentas negativas, éstas inciden en la cuantificación de la bonificación (ved DGT V0571-07, 19-03-2007).

EJEMPLO

Supongamos que una entidad acogida al régimen de entidades dedicadas al arrendamiento de viviendas tiene una base imponible del ejercicio de 50.000 €.

La indicada base imponible es la resultante de compensar los beneficios obtenidos en la actividad de arrendamiento de viviendas por importe de 80.000 € con las pérdidas derivadas del ejercicio de las actividades complementarias por importe de 30.000 €.

Así:

– Base imponible: 50.000 €

– Cuota íntegra al 28%: 14.000 €

– Bonificación arrendamiento viviendas (0,85% x 0,28% x 50.000 €) = 11.900

– Cuota íntegra ajustada positiva: 2.100 €

Se observa que la base imponible correspondiente a rentas con derecho a bonificación es de 80.000 €, pero la base de la bonificación será de 50.000 €, pues la cuota íntegra corresponde a este último importe y no a 80.000 €.

Otra cosa sería la consecuencia derivada de la existencia de rentas negativas correspondientes a viviendas que cumplen los requisitos para tener derecho a la bonificación y, más concretamente, si la bonificación se aplicará solo sobre esas rentas positivas o sobre el resultado de compensar las positivas con las negativas.

El hecho de que la bonificación deba calcularse individualmente para cada vivienda nos llevaría a entender que la bonificación se aplicará sobre las rentas positivas. Sin embargo, para la DGT, a efectos de determinar la base de la bonificación conjunta correspondiente a la totalidad de rentas de las viviendas susceptibles de bonificación, deben tenerse en cuenta las rentas negativas, es decir, *"si para una vivienda en concreto la renta derivada de su arrendamiento resulta negativa, la misma se compensará con las rentas positivas del resto de viviendas arrendadas"* (ved DGT V1115-10 de 25-05-2010).

EJEMPLO

Supongamos que una entidad acogida al régimen de entidades dedicadas al arrendamiento de viviendas tiene una base imponible en el ejercicio de 50.000 €. La citada base imponible es el resultado de la suma de una parte de base imponible positiva correspondiente a actividades complementarias por importe de 20.000 € y de una parte de base imponible positiva correspondiente al arrendamiento de viviendas con derecho a bonificación por importe de 40.000 €, menos la parte de base imponible negativa correspondiente al arrendamiento de viviendas con derecho a bonificación por importe de – 10.000 €

Así:

– Base imponible: 50.000 € (20.000 + 40.000 – 10.000)

– Cuota íntegra 28%: 14.000 €

– Bonificación arrendamiento viviendas (0,85 x 0,28 x 30.000 €) = 7.140

– Cuota íntegra ajustada positiva: 6.860 €

Si la bonificación se hubiera aplicado exclusivamente sobre las rentas positivas, la bonificación sería de 9.520 € (0,85 x 0,28 x 40.000).

Sin embargo, la bonificación deberá aplicarse sobre el resultado de compensar las positivas con las negativas. Así, el importe de la bonificación será de 7.140 € (0,85 x 0,28 x 30.000).

Tratándose de viviendas que hayan sido adquiridas en virtud de los contratos de arrendamiento financiero a los que se refiere el Capítulo XII del Título VII de la LIS, para calcular la renta que se bonifica no se tendrán en cuenta las correcciones derivadas de la aplicación del citado régimen especial.

Finalmente, la LIS ha suprimido la bonificación del 90 por ciento en el caso de rentas derivadas del arrendamiento de viviendas por discapacitados y con obras de adecuación.

4. RÉGIMEN DE TRIBUTACIÓN DE LOS SOCIOS

4.1. *Dividendos o participaciones en beneficios distribuidos por la entidad en régimen especial*

El TRLIS, derogado por la LIS, recogía los dos métodos tradicionales para evitar la doble imposición de los dividendos y participaciones en beneficios: deducción y exención, pero limitado este último para rentas de fuente extranjera a condición de que se cumplieran determinados requisitos.

Este diferente tratamiento fiscal de la doble imposición y la exigencia de distintos requisitos en función del origen de la renta fue cuestionado por el dictamen motivado de la Comisión Europea nº 2010/4111, relativo al tratamiento fiscal de los dividendos. Puesto que uno de los objetivos de la LIS era adaptarse o cumplir con el derecho comunitario, fue necesario revisar el mecanismo de la eliminación de la doble imposición recogida en el Impuesto sobre Sociedades, con dos objetivos fundamentales:

– Equiparar el tratamiento de las rentas derivadas de participaciones en entidades residentes y no residentes, tanto en materia de dividendos como de transmisión de las mismas;

– Establecer un régimen de exención general en el ámbito de las participaciones significativas en entidades residentes.

A este respecto la LIS suprime la deducción por doble imposición interna e incorpora un régimen de exención general para participaciones significativas, aplicable tanto en el ámbito interno como internacional.

Dicho régimen de exención es muy similar al previsto en el artículo 21 del derogado TRLIS para las rentas de fuente extranjera, con dos modificaciones de interés:

– Se elimina el requisito relativo a que la entidad participada realice una actividad económica.

– Se añade un requisito de tributación mínima de la entidad participada, que se establece en el 10 por ciento de tipo nominal, entendiéndose cumplido este requisito en el supuesto de países con los que se haya suscrito un Convenio para evitar la doble imposición internacional.

En cuanto a la tributación, por parte de los socios de la entidad en régimen especial, de los dividendos o participaciones en beneficios distribuidos por la entidad, podemos distinguir entre el socio sujeto pasivo del IRPF y el socio sujeto pasivo del Impuesto sobre Sociedades, y entre rentas bonificadas y no bonificadas. Veamos las especialidades:

a) Socios sujetos pasivos del IRPF

La LIRPF no contiene ninguna particularidad en la tributación de los dividendos y participaciones en beneficios percibidos de entidades acogidas al régimen especial de arrendamiento de viviendas y que se correspondan con beneficios bonificados, por lo que resultarán aplicables a los mismos las reglas generales. Así, los socios personas físicas integrarán en la base imponible del ahorro los dividendos y participaciones en beneficios distribuidos con cargo a rentas bonificadas por su importe íntegro (ved art. 25 Ley 35/2006 del IRPF).

Consecuentemente, los socios sujetos pasivos del IRPF no pueden aplicar la deducción por doble imposición de dividendos respecto de los dividendos o participaciones en beneficios distribuidos con cargo a rentas bonificadas.

Los dividendos o participaciones distribuidos con cargo a rentas no bonificadas se rigen, igualmente, por el régimen general, sin ninguna especialidad. Es decir, su integración en la renta del preceptor se hace por su importe íntegro, sin deducción alguna de la cuota por doble imposición.

b) Socios sujetos pasivos del Impuesto sobre Sociedades

Pueden aplicar, en el caso de dividendos o participaciones en beneficios distribuidos con cargo a las rentas bonificadas, la exención prevista en el artículo 21 de la LIS, pero sobre 50 por ciento de su importe. Y ello independientemente de su porcentaje de participación en la sociedad que distribuye el dividendo.

En cuanto a los dividendos o participaciones distribuidos con cargo a rentas no bonificadas disfrutan del régimen general, sin ninguna especialidad, esto es, se podrá aplicar la exención regulada en el artículo 21. Ahora bien, se considera, a estos efectos, que el primer beneficio distribuido procede de rentas no bonificadas.

Si el dividendo distribuido procede de beneficios generados en períodos en los que no fue de aplicación este régimen especial, la tributación correspondiente a tales dividendos se rige por las reglas generales, esto es, integración en la base imponible de los socios según su impuesto personal con derecho a practicar el método para eliminar la doble imposición de dividendos que corresponda.

Si la entidad obtiene tanto rentas bonificadas como otras rentas no bonificadas en el mismo período impositivo, a efectos de aplicar la exención del artículo 21, se entiende, según el artículo 49.3 de la LIS, que el primer beneficio distribuido procede de rentas no bonificadas.

Vemos que, para aplicar este régimen en la distribución de dividendos, la entidad tendrá que distinguir adecuadamente la parte del beneficio procedente de rentas bonificadas, así como el ejercicio cuyos beneficios se distribuyen, a fin de darles el tratamiento adecuado a su origen, con la salvedad expuesta, para el caso de obtención de rentas bonificadas y no bonificadas en el mismo periodo, de que debe entenderse que el primer beneficio distribuido procede de rentas no bonificadas.

Prevé igualmente el artículo 49.3 de la LIS que, cuando la entidad tribute en el régimen de consolidación fiscal, no serán objeto de eliminación dichos dividendos o participaciones en beneficios.

En la tributación por el régimen de consolidación fiscal los dividendos internos, esto es, los distribuidos a otra sociedad del mismo grupo, son objeto de eliminación a efectos de determinar la base imponible consolidada. Sin embargo, cuando la entidad acogida al régimen especial de arrendamientos de viviendas forme parte de un grupo, los dividendos distribuidos dentro del grupo con cargo a beneficios generados con rentas bonificadas no serán objeto de eliminación, integrándose en la base imponible consolidada del grupo fiscal, sin perjuicio de que la sociedad perceptora del dividendo pueda aplicar, para calcular su base imponible individual, la exención prevista en el artículo 21 de la LIS en un 50 por ciento de su importe.

4.2. Rentas derivadas de la transmisión de las participaciones en el capital de la entidad en régimen especial

No existen especialidades en cuanto a la tributación de las rentas derivadas de la transmisión de las participaciones en el capital de las entidades que hayan aplicado este régimen fiscal, sea el socio sujeto pasivo del IRPF o del Impuesto sobre Sociedades. En el caso del Impuesto sobre Sociedades, se aplicarán, por tanto, las reglas generales del impuesto.

La única especialidad se refiere al método para evitar la doble imposición de dividendos o participaciones en beneficios que, en su caso, correspondería al socio sujeto pasivo del Impuesto sobre Sociedades.

Así, los socios sujetos pasivos del Impuesto sobre Sociedades pueden aplicar, en su caso, la exención del artículo 21 de la LIS. Si así fuera, la parte de la renta que se corresponda con reservas procedentes de beneficios no distribuidos bonificados tendrá derecho a la exención prevista en el citado artículo sobre el 50 por ciento de dichas reservas.

Contempla nuevamente la LIS en su artículo 49.3 el supuesto de transmisión de la participación de una entidad acogida a este régimen especial a otra sociedad con la que forma parte de un grupo de sociedades que tributa en el régimen de consolidación fiscal, diciendo que no serán objeto de eliminación dichas rentas, integrándose, por tanto, en la base imponible consolidada del grupo fiscal.

Se trata, como en el caso de los dividendos distribuidos entre sociedades del grupo, de una excepción a la regla general, según la cual los resultados de operaciones internas son objeto de eliminación, a efectos de determinar la base imponible consolidada.

Artículo 50
Entidades de capital-riesgo y sus socios

PABLO ROMÁ BOHORQUES

Abogado. Socio Director de Romá Bohorques Abogados Tributarios

"1. Las entidades de capital-riesgo, reguladas en la Ley 22/2014, de 12 de noviembre, por la que se regulan las entidades de capital-riesgo, otras entidades de inversión colectiva de tipo cerrado y las sociedades gestoras de entidades de inversión colectiva de tipo cerrado, y por la que se modifica la Ley 35/2003, de 4 de noviembre, de Instituciones de Inversión Colectiva, estarán exentas en el 99 por ciento de las rentas positivas que obtengan en la transmisión de valores representativos de la participación en el capital o en fondos propios de las entidades de capital-riesgo a que se refiere el artículo 3 de la Ley 22/2014, en relación con aquellas rentas que no cumplan los requisitos establecidos en el artículo 21 de esta Ley, siempre que la transmisión se produzca a partir del inicio del segundo año de tenencia computado desde el momento de adquisición o de la exclusión de cotización y hasta el decimoquinto, inclusive.

Excepcionalmente, podrá admitirse una ampliación de este último plazo, hasta el vigésimo año, inclusive. Reglamentariamente se determinarán los supuestos, condiciones y requisitos que habilitan para dicha ampliación.

Con excepción del supuesto previsto en el párrafo anterior, no se aplicará la exención en el primer año y a partir del decimoquinto.

No obstante, tratándose de rentas que se obtengan en la transmisión de valores representativos de la participación en el capital o en fondos propios de las empresas a que se refiere la letra a) del apartado 2 del artículo 9 de la Ley 22/2014 que no cumplan los requisitos establecidos en el artículo 21 de esta Ley, la aplicación de la exención quedará condicionada a que, al menos, los inmuebles que representen el 85 por ciento del valor contable total de los inmuebles de la entidad participada estén afectos, ininterrumpidamente durante el tiempo de tenencia de los valores, al desarrollo de una actividad económica en los términos previstos en el Impuesto sobre la Renta de las Personas Físicas, distinta de la financiera, tal y como se define en la Ley 22/2014.

En el caso de que la entidad participada acceda a la cotización en un mercado de valores regulado, la aplicación de la exención prevista en los párrafos anteriores quedará condicionada a que la entidad de capital-riesgo proceda a transmitir su participación en el capital de la empresa participada en un plazo no superior a 3 años, contados desde la fecha en que se hubiera producido la admisión a cotización de esta última.

2. Las entidades de capital-riesgo, reguladas en la Ley 22/2014, podrán aplicar la exención prevista en el artículo 21.1 de esta Ley a los dividendos y participaciones en beneficios procedentes de las sociedades o entidades que promuevan o fomenten, cualquiera que sea el porcentaje de participación y el tiempo de tenencia de las acciones o participaciones.

3. Los dividendos o participaciones en beneficios percibidos por los socios de las entidades de capital-riesgo tendrán el siguiente tratamiento:

a) Darán derecho a la exención prevista en el artículo 21.1 de esta Ley cualquiera que sea el porcentaje de participación y el tiempo de tenencia de las acciones o participaciones cuando su perceptor sea un contribuyente de este Impuesto o del Impuesto sobre la Renta de no Residentes con establecimiento permanente en España.

b) No se entenderán obtenidos en territorio español cuando su perceptor sea una persona física o entidad contribuyente del Impuesto sobre la Renta de no Residentes sin establecimiento permanente en España.

4. Las rentas positivas puestas de manifiesto en la transmisión o reembolso de acciones o participaciones representativas del capital o los fondos propios de las entidades de capital-riesgo tendrán el siguiente tratamiento:

a) Darán derecho a la exención prevista en el artículo 21.3 de esta Ley, cualquiera que sea el porcentaje de participación y el tiempo de tenencia de las acciones o participaciones cuando su perceptor sea un contribuyente de este Impuesto o del Impuesto sobre la Renta de no Residentes con establecimiento permanente en España.

b) No se entenderán obtenidas en territorio español cuando su perceptor sea una persona física o entidad contribuyente del Impuesto sobre la Renta de no Residentes sin establecimiento permanente en España.

5. Lo dispuesto en este artículo no será de aplicación en relación con aquella renta que se obtenga a través de un país o territorio calificado como paraíso fiscal o cuando el adquirente resida en dicho país o territorio.

6. No será aplicable la exención prevista en el apartado 1 de este artículo en caso de no cumplirse los requisitos establecidos en el artículo 21 de esta Ley, cuando:

a) El adquirente resida en un país o territorio calificado como paraíso fiscal.

b) La persona o entidad adquirente esté vinculada con la entidad de capital-riesgo, salvo que sea otra entidad de capital-riesgo, en cuyo caso, esta última se subrogará en el valor y la fecha de adquisición de la entidad transmitente.

c) *Los valores transmitidos hubiesen sido adquiridos a una perso-*
na o entidad vinculada con la entidad de capital-riesgo".

SUMARIO: 1. INTRODUCCIÓN. 2. PLUSVALÍAS OBTENIDAS POR LA ECR. 2.1.
Exención prevista en el artículo 21 LIS. 2.2. Exención del 99% de la renta obtenida.
2.3. Casos particulares de exención parcial. 2.3.1. Activo de la entidad participada
constituido en más de un 50% por inmuebles. 2.3.2. Entidad participada acceda a
cotización en un mercado de valores regulado. 2.4. Excepciones a la aplicación de la
exención parcial. 3. DIVIDENDOS OBTENIDOS POR LA ECR. 4. TRIBUTACIÓN
DE LOS DIVIDENDOS DISTRIBUIDOS A LOS SOCIOS DE LAS ECR. 4.1. Sujetos
pasivos del Impuesto sobre Sociedades o Impuesto sobre la Renta de No Residentes
con establecimiento permanente. 4.2. Socios no residentes sin establecimiento permanente. 4.3. Socio persona física. 5. RENTAS POSITIVAS EN LA TRANSMISIÓN DE
ACCIONES DE LAS ECR. 5.1. Sujetos pasivos del Impuesto sobre Sociedades o Impuesto sobre la Renta de no Residentes con establecimiento permanente. 5.2. Socios no
residentes sin establecimiento permanente. 5.3. Socio persona física residente.

1. INTRODUCCIÓN

Este artículo 50 de la Ley 27/2014 viene a regular el régimen fiscal aplicable
a las Entidades de Capital Riesgo y la tributación de sus socios o partícipes, cuya
finalidad es favorecer las inversiones fomentando el capital riesgo como fuente de
financiación alternativa y complementaria a la financiación tradicional.

Las Entidades de Capital Riesgo tienen su marco regulador en la Ley
22/2014, de 12 de noviembre, por la que se regulan las entidades de capital-riesgo, otras entidades de inversión colectiva de tipo cerrado y las sociedades gestoras de entidades de inversión colectiva de tipo cerrado, y por la que
se modifica la Ley 35/2003, de 4 de noviembre, de Instituciones de Inversión
Colectiva (en adelante, LECR).

En concreto, son entidades de capital riesgo aquellas entidades de inversión colectiva de tipo cerrado que obtienen capital de una serie de inversores
mediante una actividad comercial cuyo fin mercantil es generar ganancias o
rendimientos para los inversores y cuyo objeto principal consiste en la toma de
participaciones temporales en el capital de empresas de naturaleza no inmobiliaria ni financiera que no coticen en el primer mercado de bolsas de valores
o en cualquier otro mercado regulado equivalente de la Unión Europea o del
resto de países miembros de la OCDE.

La referida Ley 22/2014, vino a sustituir a la Ley 25/2005, de 24 de noviembre, reguladora de las entidades de capital riesgo y sus sociedades gestoras.

La reforma operada en 2014 responde a una triple motivación[1]:

1. La necesidad de transponer e incorporar al derecho nacional la Directiva 2011/61/UE del Parlamento Europeo y del Consejo, de 8 de junio de 2011.

    A través de esta Directiva se regularon, por vez primera en el derecho comunitario, los gestores de fondos de inversión alternativos (como los *hedge funds*, los fondos y sociedades de inversión inmobiliaria y las entidades de capital-riesgo).

    Hasta la aprobación de la Ley 22/2014, la legislación española en materia de inversión colectiva sólo se había armonizado a través de la modificación de la Ley 35/2003, de 4 de noviembre, de Instituciones de Inversión Colectiva, que regula las IIC de tipo abierto, así como otras IIC no armonizadas. Esta modificación supuso la adecuación de dicha Ley a la Directiva 2009/65/CE del Parlamento Europeo y del Consejo, de 13 de julio de 2009, por la que se coordinan las disposiciones legales, reglamentarias y administrativas sobre determinados organismos de inversión colectiva en valores mobiliarios.

    Por tanto, se hacía necesaria una norma interna que regulara lo relativo a las entidades de capital-riesgo y a las instituciones de inversión colectiva distintas a las reguladas por la Ley 35/2003, de conformidad con la Directiva 2011/61. Esta norma es la Ley 22/2014.

2. La creación de una nueva figura: las entidades de capital riesgo PYME.

    El Reglamento 345/2013, del Parlamento Europeo y del Consejo, sobre los fondos de capital-riesgo europeos, incluía por vez primera regulaciones para gestoras de capital riesgo que por su pequeño tamaño quedaban fuera de la Directiva 2011/61. Esta regulación ha inspirado la creación a nivel nacional de las Entidades de Capital Riesgo-PYME.

3. Incentivar la captación de fondos que permita la financiación de un mayor número de empresas, especialmente las de pequeño y mediano tamaño en sus primeras etapas de desarrollo y expansión.

Por otro lado, las ECR pueden adoptar la forma jurídica de Sociedad de Capital Riesgo (en adelante, SCR) o de Fondos de Capital Riesgo (en adelante, FCR). Respecto a las SCR, éstas han de tener necesariamente la forma de sociedad anónima. Su capital social mínimo será de 1.200.000 euros. En relación con los FCR, son patrimonios separados, pertenecientes a una pluralidad de inversores, administrados por una sociedad gestora, que tiene el mismo objeto principal que el de las SCR. Su capital social mínimo será de 1.650.000 euros.

---

[1]   Exposición de motivos de la LECR.

Según dispone el artículo 13 de la LECR, el coeficiente obligatorio de inversión del activo de una ECR en instrumentos financieros que provean de financiación a las empresas que son objeto de su actividad <u>debe ser, como mínimo, del 60%</u>.

Además, se prevé una limitación a la inversión para promover la diversificación. En concreto, las ECR no podrán invertir más del 25 por ciento de su activo computable en una misma empresa, ni más del 35 por ciento en empresas pertenecientes al mismo grupo de sociedades, entendiéndose por tal el definido en el artículo 42 del Código de Comercio

Adicionalmente a lo anterior, como ya se ha indicado, la Ley 22/2014, ha creado la figura de la Entidad de Capital Riesgo Pyme (en adelante ECR-PYME) con un régimen financiero más flexible que las ECR.

Las principales diferencias entre las ECR y las ECR-PYME se manifiestan en los siguientes aspectos:

– El capital social. En el caso de las ECR-PYME el capital mínimo será de 900.000 euros.

– El coeficiente obligatorio de inversión. En el caso de las ECR-PYME será del 75%.

– Las limitaciones de grupo y diversificación de la inversión. En el caso de las ECR-PYME el límite de inversión en una misma empresa o en empresas de un mismo grupo se fija en un 40%.

Por otro lado, tal y como prevé el artículo 9 Ley 22/2014, el objeto de las ECR consiste en la realización de las siguientes inversiones:

– La toma de participaciones temporales en el capital de empresas de naturaleza no inmobiliaria ni financiera que, en el momento de la toma de participación, no coticen en el primer mercado de bolsas de valores o en cualquier otro mercado regulado equivalente de la Unión Europea o del resto de países miembros de la OCDE.

– La inversión en valores emitidos por empresas cuyo activo esté constituido en más de un 50 por ciento por inmuebles, siempre que al menos los inmuebles que representen el 85 por ciento del valor contable total de los inmuebles de la entidad participada estén afectos, ininterrumpidamente durante el tiempo de tenencia de los valores, al desarrollo de una actividad económica en los términos previstos en la Ley 35/2006, de 28 de noviembre, del Impuesto sobre la Renta de las Personas Físicas.

– La toma de participaciones temporales en el capital de empresas no financieras que coticen en el primer mercado de bolsas de valores o en cualquier otro mercado regulado equivalente de la Unión Europea o del resto de países miembros de la OCDE, siempre y cuando tales empresas sean excluidas de la cotización dentro de los doce meses siguientes a la toma de la participación.

– La inversión en otras ECR.

– Conceder préstamos participativos, así como otras formas de financiación.

– Actividades de asesoramiento dirigidas a las empresas que constituyan el objeto principal de inversión de las ECR, estén o no participadas por las propias ECR.

En este sentido, para que nos hagamos una idea de la importancia que tienen este tipo de entidades en nuestro país, a la fecha de redacción de la presente obra existen en España 101 Sociedades de Capital Riesgo, 13 Sociedades de Capital Riesgo-Pyme, 167 Fondos de Capital Riesgo y 12 Fondos de Capital Riesgo-Pyme[2].

Respecto a la fiscalidad de las ECR, las mismas son sujetos pasivos del Impuesto sobre Sociedades. En concreto, en relación con los FCR, el artículo 7.e) LIS establece que serán sujetos pasivos del Impuesto sobre Sociedades:

> *"e) Los fondos de capital-riesgo, y los fondos de inversión colectiva de tipo cerrado regulados en la Ley 22/2014, de 12 de noviembre, por la que se regulan las entidades de capital-riesgo, otras entidades de inversión colectiva de tipo cerrado y las sociedades gestoras de entidades de inversión colectiva de tipo cerrado, y por la que se modifica la Ley 35/2003, de 4 de noviembre, de Instituciones de Inversión Colectiva."*

Son también sujetos pasivos del Impuesto sobre Sociedades los Fondos de Capital Riesgo Europeos constituidos conforme a lo dispuesto en el Reglamento (UE) nº 345/2013 del Parlamento Europeo y del Consejo, de 17 de abril de 2013. Así lo ha entendido la Dirección General de Tributos en su consulta V3448-15, de 11 de noviembre, en la que señala que:

> *"En este sentido, la Ley 22/2014, de 12 de noviembre (BOE de 13 de noviembre), por la que se regulan las entidades de capital-riesgo, otras entidades de inversión colectiva de tipo cerrado y las sociedades gestoras de entidades de inversión colectiva de tipo cerrado, y por la que se modifica la Ley 35/2003, de 4 de noviembre, de Instituciones de Inversión Colectiva, resulta de aplicación, de acuerdo con lo dispuesto en la letra f) del artículo 5.1, a "los Fondos de Capital Riesgo Europeos (FCRE) regulados por el Reglamento (UE) n.º 345/2013 del Parlamento Europeo y del Consejo, de 17 de abril de 2013, sobre los fondos de capital riesgo europeos, que tengan su domicilio social en España en el caso de sociedades, que se hayan constituido en España en el caso de fondos, o que se comercialicen en España en virtud de dicho Reglamento europeo."*

Entrando ya en el contenido de este artículo 50, tal y como se ha indicado anteriormente, las ECR gozan de un régimen tributario especial cuya finalidad es favorecer las inversiones realizadas por medio de este tipo de entidades. En

---

2   Información obtenida de la página web de la Comisión Nacional del Mercado de Valores: https://www.cnmv.es/Portal/Consultas/Busqueda.aspx?id=16

concreto, el régimen especial alcanza a las plusvalías generadas en la transmisión de participaciones de una ECR (artículo 50.1 LIS), a los dividendos obtenidos por las ECR (artículo 50.2 LIS), a los dividendos repartidos por parte de las ECR a sus socios (artículo 50.3 LIS) y a las plusvalías obtenidas por los socios de ECR en la transmisión de participaciones (artículo 50.4 LIS).

2. PLUSVALÍAS OBTENIDAS POR LA ECR

El apartado 1 del artículo 50 regula la tributación de las plusvalías que obtenga una ECR por la transmisión de sus sociedades participadas. No obstante, deberemos de tener en cuenta, además, lo dispuesto en el artículo 21 de la LIS.

Así, partiendo de lo anterior, nos encontraremos con las siguientes exenciones de las rentas positivas obtenidas por una ECR:

– Exención prevista en el artículo 21 LIS.

– Exención del 99% de la renta positiva.

2.1. *Exención prevista en el artículo 21 LIS*

Resultará de aplicación la exención prevista en el artículo 21 LIS a las plusvalías obtenidas por las ECR en la transmisión de sus sociedades participadas, sin que exista ninguna especialidad respecto del régimen general, siempre que se cumplan los siguientes requisitos:

i) Que el porcentaje de participación, directa o indirecta, en el capital o en los fondos propios de la entidad participada sea, al menos, del 5 por ciento o bien que el valor de adquisición de la participación sea superior a 20 millones de euros.

ii) Que la participación se haya poseído de manera ininterrumpida durante el año anterior al día en que se transmita la participación.

Adicionalmente se deberán cumplir el resto de requisitos previstos en el artículo 21 LIS para que la ECR pueda disfrutar de esta exención. En este sentido, nos remitimos al capítulo que desarrolla el artículo 21 LIS de esta obra.

EJEMPLO

La Sociedad ECR adquirió en 2014 un porcentaje del 6,50% sobre la entidad ALFA.

En 2015 ECR acudió a una ampliación de capital en la que aumentó el porcentaje de participación sobre ALFA al 7%.

En 2016 ECR vendió un 1% a un tercero, manteniendo un 6% de ALFA.

En enero de 2017 ECR acudió a una nueva ampliación de capital de ALFA en la que aumentó su porcentaje sobre ALFA al 6,12%.

En marzo de 2017 ECR transmite toda su participación sobre ALFA, generándose una plusvalía en la venta.

En cada ampliación de capital se crean nuevas participaciones. Las participaciones emitidas en la ampliación de capital de enero de 2017 han estado tan solo dos meses en el patrimonio de ECR en el momento de la transmisión.

¿Tendrá ECR derecho a la exención prevista en el artículo 21 LIS?

SOLUCIÓN

La ECR podrá aplicarse la exención del artículo 21 LIS sobre la renta positiva procedente de la totalidad de las participaciones transmitidas, incluidas las participaciones que tengan menos de un año de antigüedad siempre que ECR haya mantenido, al menos, un 5% de participación sobre la entidad ALFA durante un año.

La Dirección General de Tributos ha considerado, en su consulta vinculante V0539-14 de 28 de febrero[3], que la entidad de capital riesgo puede aplicar la exención del artículo 21 LIS sobre la totalidad de la plusvalía obtenida, incluso en el supuesto en que, en el momento de la venta, parte de las participaciones que transmite tengan menos de un año de antigüedad, siempre que el porcentaje del 5% se haya mantenido durante el referido periodo de un año.

2.2. *Exención del 99% de la renta obtenida*

En el supuesto de que no resulte de aplicación la exención total por el incumplimiento de los requisitos de porcentaje de participación y tiempo de tenencia a los que se ha hecho referencia, la LIS, en su artículo 50.1, ha previsto un régimen especial aplicable a las plusvalías obtenidas por las ECR.

---

[3] *"En este sentido, se considera que el sujeto pasivo, una vez que ha mantenido durante un año un porcentaje de participación de, al menos, el 5% del capital de una entidad no residente, podrá disfrutar de la exención de la totalidad de la renta obtenida en la transmisión de toda su participación, incluso por aquella parte de la misma respecto de la que no haya transcurrido el citado lapso temporal de un año de mantenimiento de la participación.*
En el caso planteado en el escrito de consulta, el fondo de capital riesgo de régimen simplificado posee un porcentaje de participación en el capital de la entidad S de al menos el 6% que se ha poseído durante el año anterior al día en que se transmitiría la participación, si bien posee asimismo participaciones que no se han mantenido durante ese tiempo. Por tanto, de acuerdo con lo señalado, la entidad consultante podrá aplicar la exención prevista en el artículo 21.2 del TRLIS, siempre que se cumplan los requisitos necesarios para su aplicación."

El referido régimen consiste en una exención parcial del 99% de las rentas *positivas*[4] obtenidas por las ECR derivadas de la transmisión de valores representativos de la participación en el capital o en fondos propios de las entidades en las que participan.

Según DE FRUTOS RAMIREZ, el régimen de exención parcial es de aplicación exclusivamente a las rentas puestas de manifiesto en la transmisión de participaciones en entidades que se comprendan dentro del coeficiente obligatorio de inversión de las ECR, quedando fuera del ámbito de la exención las rentas generadas en la trasmisión de aquellas participaciones que formen parte del coeficiente de libre disposición[5].

Para que aplique la exención parcial, la transmisión de las entidades participadas por la ECR debe producirse a partir del inicio del segundo año de tenencia computado desde el momento de adquisición o de la exclusión de cotización y hasta el decimoquinto, inclusive.

Excepcionalmente, podrá admitirse una ampliación de este último plazo, hasta el vigésimo año, inclusive. Según se indica en el artículo 50.1 LIS *"Reglamentariamente se determinarán los supuestos, condiciones y requisitos que habilitan para dicha ampliación"*. A la fecha de la redacción de esta obra, esta previsión no ha sido objeto de desarrollo reglamentario[6].

EJEMPLO

ECR participa en las siguientes sociedades residentes en España:

– ALFA en un 7%, desde hace más de un año.

– BETA en un 4% desde hace 4 años.

---

[4]   Se ha incluido en la redacción de la LIS de forma expresa que la exención tan solo aplica a las rentas positivas obtenidas por las ECR.
La redacción del anterior TRLIS no incluía la mención expresa y la Dirección General de Tributos vino a resolver las dudas que se pudiesen generar señalando en su consulta vinculante V1199-14, de 29 de abril que *" la exención del 99% prevista en el artículo 55 del TRLIS se aplicará a las rentas positivas derivadas de las transmisiones de valores a que el mismo se refiere y <u>no a las rentas negativas derivadas de dichas transmisiones, que se integrarán en la base imponible por su importe total</u>, teniendo en cuenta que, en base a la información facilitada en el escrito de consulta, no se considera que ningún otro precepto del TRLIS resultaría de aplicación a efectos de corregir el resultado contable en este sentido."*
Por tanto, las rentas negativas se integran en la base imponible conforme al régimen general del Impuesto. En la actualidad, el artículo 21 LIS no permite la integración de las rentas negativas derivadas de la transmisión de participaciones que cumplan los requisitos de dicho precepto.

[5]   DE FRUTOS RAMÍREZ, G.; Guía del Impuesto sobre Sociedades, CISS 2015, pág. 696.

[6]   La previsión legal sobre el desarrollo reglamentario ya se incluía en el artículo 55.1 del Real Decreto Legislativo 4/2004, de 5 de marzo, por el que se aprueba el texto refundido de la Ley del Impuesto sobre Sociedades y tampoco llegó a desarrollarse en el Real Decreto 1777/2004, de 30 de julio.

– OMEGA 4% desde hace 16 años.

ECR transmite su participación en las tres sociedades.

¿Cuál será la tributación de la renta obtenida por ECR en la transmisión de sus participadas?

SOLUCIÓN

Renta de ALFA: Exenta al 100% por cumplir los requisitos del artículo 21 LIS.

Renta BETA: Exenta al 99% por aplicación del régimen especial del artículo 50.1 LIS.

Renta OMEGA: No exenta por exceder del plazo previsto en el artículo 50.1 LIS para la aplicación del régimen especial y no cumplir los requisitos del artículo 21 LIS.

2.3. *Casos particulares de exención parcial*

Existen dos casos particulares de aplicación de la exención parcial, que el propio artículo 50 recoge en su apartado primero:

– Activo de la entidad participada constituido en más de un 50% por inmuebles.

– La entidad participada accede a cotización en un mercado de valores regulado.

2.3.1. Activo de la entidad participada constituido en más de un 50% por inmuebles

En aquellas sociedades participadas por la ECR cuyo activo esté constituido en más de un 50% por inmuebles, la exención parcial está condicionada a que al menos el 85% del valor *contable* –no el valor de mercado o valor real– de los inmuebles estén afectos a actividades económicas durante todo el tiempo de tenencia de la participación. La norma señala de forma expresa que la actividad económica a la que deben estar afectos los inmuebles debe ser distinta de la actividad financiera[7].

Para determinar el concepto de actividad financiera, la LIS en el artículo 50.1 remite a la LECR, que en su artículo 7 señala que tienen la consideración de entidades financieras las siguientes:

---

[7]   En la redacción inicial del artículo 50.1 el legislador excluyó tanto la actividad financiera como la inmobiliaria. Sin embargo, mediante la Disposición Final 6º de la Ley 34/2016, de modificación parcial de la Ley General Tributaria, se eliminó dicha mención a la actividad inmobiliaria.

"1. A los efectos de esta Ley, tendrán la consideración de entidades financieras aquellas que estén incluidas en alguna de las siguientes categorías:

a) Entidades de crédito y establecimientos financieros de crédito.

b) Las empresas a las que se refiere el artículo 1.1 de la Ley 2/2009, de 31 de marzo, por la que se regula la contratación con los consumidores de préstamos o créditos hipotecarios y de servicios de intermediación para la celebración de contratos de préstamo o crédito.

c) Empresas de servicios de inversión.

d) Entidades aseguradoras y reaseguradoras.

e) Sociedades de inversión colectiva, financieras o no financieras.

f) SGIIC y sociedades gestoras de fondos de pensiones o de fondos de titulización.

g) SCR, SICC y SGEIC.

h) Entidades cuya actividad principal sea la tenencia de acciones o participaciones, emitidas por entidades financieras, tal y como se definen en este apartado.

i) Las sociedades de garantía recíproca.

j) Las entidades de dinero electrónico.

k) Las entidades de pago.

l) Los FCR, los FICC, los fondos de inversión de tipo abierto, los fondos de pensiones y los fondos de titulización.

m) Las entidades extranjeras, cualquiera que sea su denominación o estatuto, que, de acuerdo con la normativa que les resulte aplicable, ejerzan las actividades típicas de las anteriores.

2. A los efectos de esta Ley, tendrán la consideración de empresas no financieras, además de aquellas que no queden incluidas en las categorías previstas en el apartado anterior, las entidades cuya actividad principal sea la tenencia de acciones o participaciones emitidas por empresas pertenecientes a sectores no financieros."

A su vez, el propio artículo señala que el concepto de actividad económica deberá entenderse en los términos previstos en la Ley del Impuesto sobre la Renta de las Personas Físicas.

Por tanto, no aplicará la exención parcial del 99% a las plusvalías obtenidas por la ECR derivadas de la transmisión de participadas cuyo activo esté constituido en más de un 50% por inmuebles si, al menos, el 85% del valor contable de los mismos no está afecto a actividades económicas.

2.3.2. Entidad participada acceda a cotización en un mercado de valores regulado

Tal y como ya ha sido objeto de comentario en la Introducción de este capítulo, las entidades de capital riesgo no tienen por objeto la toma de participaciones en entidades cotizadas. En consecuencia, para aquellos supuestos en los que la sociedad participada por una ECR acceda a cotización en un mercado de valores, la Ley permite la aplicación de la exención parcial siempre que la ECR transmita su participación en la entidad en el plazo de tres años desde la fecha de su admisión a cotización.

Pasado dicho plazo, la renta obtenida en la transmisión se integrará en la base imponible sin reducción alguna; al margen de que, en caso de cumplir sus requisitos, pueda aplicar la exención por doble imposición del artículo 21[8].

2.4. *Excepciones a la aplicación de la exención parcial*

No se aplicará la exención parcial, tal y como señala el artículo 50.6 LIS en los siguientes supuestos:

- <u>Cuando el adquirente resida en un país o territorio calificado como paraíso fiscal</u>[9].

  No resultará de aplicación la exención parcial en la transmisión de participaciones por parte de una ECR cuando el adquirente resida en un país que tenga la consideración de paraíso fiscal.

- <u>Cuando la persona o entidad adquirente esté vinculada con la entidad de capital-riesgo.</u>

  Se entenderá por vinculación cualquiera de los supuestos contemplados en el artículo 18.2 LIS[10].

---

[8]   LÓPEZ-SANTACRUZ MONTES; Memento Impuesto sobre Sociedades, Lefebvre-El Derecho. 2015, 5543.

[9]   La consideración de un país o territorio como paraíso fiscal viene establecida por el Real Decreto 1080/1991, de 5 de julio. En el capítulo correspondiente al artículo 54 se detallan la lista de países que tienen la consideración de paraíso fiscal.

[10]   Articulo 18.2 LIS:
"Se considerarán personas o entidades vinculadas las siguientes:
a) Una entidad y sus socios o partícipes.
b) Una entidad y sus consejeros o administradores, salvo en lo correspondiente a la retribución por el ejercicio de sus funciones.
c) Una entidad y los cónyuges o personas unidas por relaciones de parentesco, en línea directa o colateral, por consanguinidad o afinidad hasta el tercer grado de los socios o partícipes, consejeros o administradores.
d) Dos entidades que pertenezcan a un grupo.
e) Una entidad y los consejeros o administradores de otra entidad, cuando ambas entidades pertenezcan a un grupo.
f) Una entidad y otra entidad participada por la primera indirectamente en, al menos, el 25 por ciento del capital social o de los fondos propios.
g) Dos entidades en las cuales los mismos socios, partícipes o sus cónyuges, o personas unidas por relaciones de parentesco, en línea directa o colateral, por consanguinidad o afinidad

Cabe resaltar que, en la regulación anterior contenida en el TRLIS, se establecía en el apartado 9 del artículo 55 el detalle de qué se debía entender por vinculación a los efectos del régimen de entidades de capital riesgo.

En concreto se señalaba lo siguiente:

"A efectos de lo dispuesto en los apartados 6, 7 y 8 anteriores se entenderá por vinculación la participación, directa o indirecta en, al menos, el 25 por ciento del capital social o de los fondos propios.".

Esta mención específica ha desaparecido en la redacción del artículo 50 LIS debiendo acudir, por tanto, a la regulación general de las operaciones vinculadas recogida en el artículo 18. La supresión parece obedecer al hecho de que en el artículo 18 de la LIS la vinculación socio-sociedad ya se establece en el 25%, a diferencia de lo previsto en el artículo 16 del TRLIS, que la establecía en el 5%.

El propio artículo 50.6 LIS señala que la excepción a la aplicación de la exención no aplicará –y, por tanto, se podrá aplicar la exención parcial del 99%– en el supuesto de que la adquirente sea otra entidad de capital riesgo.

En este caso, la ECR adquirente se subrogará en el valor y la fecha de adquisición de la entidad transmitente, por lo que el plazo máximo de quince años de mantenimiento de la inversión previsto en el artículo 50.1 LIS para la aplicación de la exención parcial, computará desde que la adquirió la primera entidad de capital riesgo hasta la transmisión posterior por parte de la segunda entidad de capital riesgo[11].

En este caso, la vinculación debe apreciarse en el momento de la trasmisión, independientemente de la vinculación que pudiese existir en el momento de adquisición de la participación.

EJEMPLO

ECR ostenta un 4% de la entidad BETA. Va a transmitir su participación a la entidad ECR2 que tiene la consideración de entidad de capital riesgo y que es entidad vinculada con ECR.

¿Aplicará la exención parcial a la plusvalía generada en la transmisión?

SOLUCIÓN

Sí que aplicará en la medida en que la adquirente, a pesar de ser una entidad vinculada con ECR, tiene la consideración de entidad de ca-

---

hasta el tercer grado, participen, directa o indirectamente en, al menos, el 25 por ciento del capital social o los fondos propios.
h) Una entidad residente en territorio español y sus establecimientos permanentes en el extranjero."
11 LÓPEZ-SANTACRUZ MONTES, J.A; Memento Impuesto sobre Sociedades; Lefebvre-El Derecho. 2015, 5544.

pital riesgo. De acuerdo con lo previsto en la letra b del artículo 50.6 LIS, ECR2 se subroga en el valor y en la fecha de adquisición de la entidad transmitente a efectos de aplicar la exención parcial en una trasmisión posterior.

EJEMPLO

ECR ostenta un 4% de la entidad BETA. Va a transmitir su participación a la entidad OMEGA, vinculada con ECR en el momento de la transmisión y que no tiene la consideración de entidad de capital riesgo.

¿Aplicará la exención parcial a la plusvalía generada en la transmisión?

SOLUCIÓN

No aplicará la exención parcial a la plusvalía generada, dado que existe vinculación en el momento de la transmisión.

–   Cuando los valores transmitidos hubiesen sido adquiridos a una persona o entidad vinculada con la entidad de capital-riesgo.

En este supuesto, la vinculación debe apreciarse en el momento de la adquisición de la participación.

A pesar de que no lo reconoce expresamente el precepto, con la anterior Ley, la Dirección General de Tributos[12] interpretó que puede aplicarse la exención parcial a la renta generada en la transmisión de valores por

---

12   Consulta Dirección General de Tributos V1853-08, de 14 de octubre, señala lo siguiente: *"[...] cabe plantearse si, dado que entre adquirente y transmitente (fondos A y B) existe una vinculación, cuando el fondo B, en un momento posterior, transmita la participación adquirida, debe aplicarse la restricción establecida en el apartado 7 del artículo 55 del TRLIS. A estos efectos, aun cuando el fondo B parece encontrarse en el supuesto de hecho previsto en ese apartado, una interpretación razonable e integradora de la norma nos llevaría a considerar que no procede la aplicación de tal restricción. Debe tenerse en cuenta que, precisamente, el apartado 8 establece unas reglas especiales de subrogación en fecha y valor de transmisión con la finalidad de evitar la transmisión de valores entre entidades de capital-riesgo vinculadas eludiendo el plazo limitativo de posesión establecido en el apartado 1 del mismo artículo. De manera que, cuando se transmiten títulos entre entidades de capital-riesgo vinculadas, el valor y la fecha de adquisición a tener en cuenta debe ser único, esto es, como si no hubieran existido las transmisiones entre dichas entidades, cumpliendo la finalidad de inversión a medio plazo que debe cumplirse en las entidades de capital-riesgo. Por ello, carecería de sentido que, por el hecho de que una entidad de capital-riesgo hubiera adquirido títulos a una entidad vinculada sometida al régimen de capital-riesgo, la transmisión posterior de las participaciones perdiera el derecho a aplicar la exención señalada en el apartado 1."*
En conclusión, la transmisión posterior de las participaciones poseídas por el fondo B y que fueron adquiridas al fondo A podrán aplicar la exención señalada en el artículo 55 del TRLIS, en la medida en que se cumplan los requisitos exigidos para ello, sin que proceda la aplicación de la restricción señalada en el apartado 7 de dicho artículo."

una entidad de capital riesgo, cuando previamente fueron adquiridos a una entidad vinculada a la que también le resultaba de aplicación el régimen de capital riesgo.

Sin embargo, en la nueva redacción el legislador opta por no incluir tal excepción en la redacción de la letra c) del artículo 50.6, a diferencia de lo que sucede en la letra b) del mismo artículo en la que sí que prevé la excepción. A la fecha de redacción de la presente obra la Dirección General de Tributos no se ha pronunciado sobre esta cuestión, por lo que una interpretación literal del artículo debería llevar a entender que, en ningún caso, aplicará la exención del artículo 50.1 LIS cuando las participaciones que ahora transmite la ECR hayan sido previamente adquiridas a una entidad vinculada.

3. DIVIDENDOS OBTENIDOS POR LA ECR

El artículo 50.2 LIS establece un régimen de exención sobre los dividendos que las entidades de capital riesgo reciben de sus participadas.

En concreto, el artículo 50.2 establece que las entidades de capital-riesgo podrán aplicar la exención prevista en el artículo 21.1 de la LIS a los dividendos y participaciones en beneficios procedentes de las sociedades o entidades que promuevan o fomenten, cualquiera que sea el porcentaje de participación y el tiempo de tenencia de las acciones o participaciones, siempre que se cumplan el resto de requisitos previstos en el artículo 21 LIS.

Además de lo anterior, de conformidad con lo previsto en el artículo 128[13] LIS, no existirá obligación de practicar retención sobre los dividendos repartidos.

Sin embargo, haciendo una interpretación literal del artículo, podría entenderse que sí habría obligación de retener cuando resulte de aplicación esta regla especial del artículo 50.2 LIS, es decir, en aquellos supuestos en los que no se cumpla el requisito de participación mínima del 5% (o un valor de adquisición superior a 20 millones de euros) con un año de antigüedad, dado que la exclusión a la obligación de practicar retención es para aquellos supuestos en los que se cumpla lo previsto en el artículo 21.1 LIS[14].

---

[13]   El apartado 4 del artículo 128 LIS establece que:
4. Reglamentariamente se establecerán los supuestos en los que no existirá retención. En particular, no se practicará retención en:
[...]
d) Los dividendos o participaciones en beneficios a que se refiere el apartado 1 del artículo 21 de esta Ley."

[14]   LÓPEZ-SANTACRUZ MONTES, J.A; Memento Impuesto sobre Sociedades; Lefebvre-El Derecho. 2015, 5546.

4. TRIBUTACIÓN DE LOS DIVIDENDOS DISTRIBUIDOS A LOS SOCIOS DE LAS ECR

El tratamiento fiscal de los dividendos que una ECR distribuye a sus socios viene regulado en el apartado 3° del artículo 50 LIS. En concreto, el referido apartado contempla dos supuestos distintos atendiendo a la condición del perceptor de la renta:

- Sujetos pasivos del Impuesto sobre Sociedades o Impuesto sobre la Renta de No Residentes con Establecimiento Permanente y
- Socio No residente sin Establecimiento Permanente.

Adicionalmente, a pesar de que no viene regulado en la LIS, se expondrá el tratamiento fiscal de las rentas percibidas por un socio persona física residente en España.

4.1. *Sujetos pasivos del Impuesto sobre Sociedades o Impuesto sobre la Renta de No Residentes con Establecimiento Permanente*

Se establece como norma general que estarán exentos en su totalidad los dividendos procedentes de las ECR cualquiera que sea el porcentaje de participación y el tiempo de tenencia de las acciones o participaciones, y siempre que se cumplan el resto de requisitos previstos en el artículo 21 LIS.

De este modo, aunque el socio de una ECR no llegase a ostentar un 5% del capital en la ECR, podrá aplicar la exención en el supuesto de que obtenga dividendos de la referida ECR[15].

---

[15]   Así lo ha entendido la Dirección General de Tributos, en su consulta V5220-16, de 7 de diciembre, referente a un supuesto de una sociedad residente que ostenta participaciones en varios fondos de capital riesgo (FCR) en un porcentaje inferior al 5%, en la que señala que: *"El tratamiento previsto en los apartados tercero y cuarto del artículo 50 de la LIS, resulta de aplicación a los dividendos o participaciones en beneficios, así como las rentas positivas puestas de manifiesto en la transmisión o reembolso de acciones o participaciones representativas del capital o de los fondos propios de las entidades de capital-riesgo, percibidos por los socios de las mismas.*
Por tanto, en el presente caso, la entidad X podrá aplicar la exención del artículo 21 de la LIS en relación a las participaciones en beneficios, así como a las rentas positivas puestas de manifiesto en la transmisión de sus participaciones en FCR, con independencia del porcentaje de participación y tiempo de tenencia de las mismas, sin perjuicio del cumplimiento del resto de requisitos exigidos por el mencionado artículo 21 LIS."

EJEMPLO

La Sociedad BETA, entidad residente en España, posee, desde hace de 9 meses, el 4% de una ECR residente en España. En 2017, BETA percibe de la ECR unos dividendos que ascienden a 400.000 euros.

¿Cuál será la tributación de estos dividendos?

SOLUCIÓN

BETA no integrará en su base imponible los dividendos percibidos de ECR, pues, a pesar de que no posee un 5% de participación sobre la ECR, en aplicación del artículo 50.3, letra a) LIS, podrá disfrutar de la exención del artículo 21.1 siempre que se cumplan el resto de requisitos.

Resultado contable	400.000,00
Exención	-400.000,00
Base imponible	0,00
Cuota tributaria	0,00

Por tanto, la tributación de BETA por la obtención del dividendo de ECR será de 0 euros.

Sin embargo, si el socio directo de la ECR distribuye dividendos a sus socios, para que, en ese caso, resulte de aplicación la exención prevista en el artículo 21 LIS a esa segunda distribución de dividendo sí que se requiere que los socios últimos tengan como mínimo un 5% de participación sobre el socio de la ECR o bien que el valor de adquisición de la participación sea superior a 20 millones de euros. Asimismo, es necesario que dicha participación –sobre el socio directo de la ECR– se haya poseído de manera ininterrumpida durante el año anterior al día en que sea exigible el beneficio que se distribuya o, en su defecto, mantenida posteriormente durante el tiempo necesario para completar el referido plazo de un año.

EJEMPLO

La Sociedad BETA, entidad residente en España, posee, desde hace 9 meses, el 4% de una ECR residente en España. En 2017, BETA percibe de la ECR unos dividendos que ascienden a 400.000 euros.

Con posterioridad al reparto de dividendo de ECR a BETA, ésta última distribuye un dividendo de 100.000 a sus socios. En este caso, OMEGA, entidad residente en España, posee, desde hace de 5 años, el 25% de BETA.

El esquema de la estructura societaria es el siguiente:

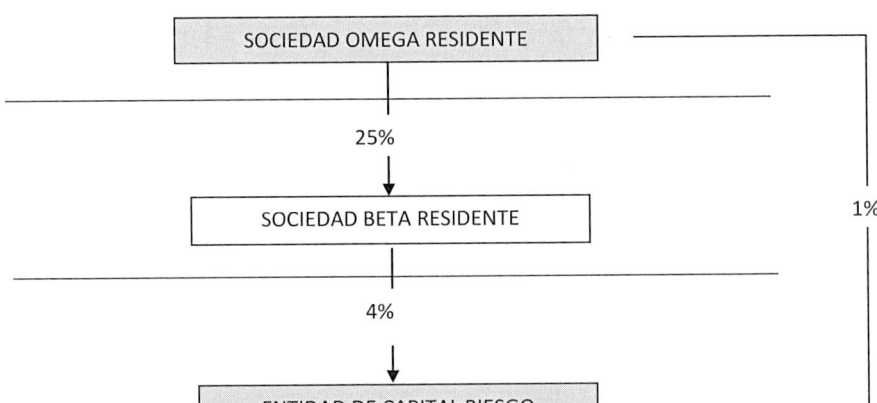

¿Cuál será la tributación de estos dividendos?

SOLUCIÓN

<u>Primer reparto de dividendos de ECR a BETA</u>

La solución es la misma que en el ejemplo anterior.

BETA no integrará en su base imponible los dividendos percibidos de ECR, pues, a pesar de que no posee un 5% de participación sobre la ECR, en aplicación del artículo 50.3, letra a) LIS, podrá disfrutar de la exención del artículo 21.1 siempre que se cumplan el resto de requisitos.

Resultado contable	400.000,00
Exención	-400.000,00
Base imponible	0,00
Cuota tributaria	0,00

Por tanto, la tributación de BETA por la obtención del dividendo de ECR será de 0 euros.

<u>Segundo reparto de dividendos de BETA a OMEGA</u>

OMEGA no integrará en su base imponible los dividendos percibidos de BETA, pues cumple con el requisito del 5% de participación sobre la entidad BETA y el requisito de mantenimiento de la inversión durante más de un año.

Resultado contable	100.000,00
Exención	-100.000,00
Base imponible	0,00
Cuota tributaria	0,00

Por tanto, la tributación de OMEGA por la obtención del dividendo de BETA será de 0 euros.

Como se ha visto en los ejemplos anteriores, el socio del socio de la ECR deberá de tener un porcentaje superior de participación al 5% en el segundo. Sin embargo, resulta necesario traer a colación lo previsto en el artículo 21.1 a) segundo párrafo LIS. Según señala el referido artículo:

"En el supuesto de que la entidad participada obtenga dividendos, participaciones en beneficios o rentas derivadas de la transmisión de valores representativos del capital o de los fondos propios de entidades en más del 70 por ciento de sus ingresos, la aplicación de esta exención respecto de dichas rentas requerirá que el contribuyente tenga una participación indirecta en esas entidades que cumpla los requisitos señalados en esta letra."

Por tanto, en atención al artículo transcrito, si los ingresos del socio de la ECR provienen en más de un 70% de dividendos y rentas derivadas de la transmisión de valores, para que los socios últimos puedan aplicar la exención del artículo 21, sería necesario, en principio, que aquéllos – los socios últimos– tengan una participación indirecta en las ECR que cumpla el porcentaje del 5% y periodo de tenencia de un año.

No obstante lo anterior, la Dirección General de Tributos ha entendido en su consulta V5220-16, de 7 de diciembre, lo siguiente:

"teniendo en cuenta la aplicación conjunta de los artículos 21 y 50 de la LIS, debe indicarse que el segundo exime del requisito del porcentaje de participación y tiempo de tenencia previsto en la letra a) del artículo 21 de la LIS a aquellos dividendos o rentas derivadas de la transmisión de entidades de capital-riesgo en los términos señalados en el citado artículo 50. Por tanto, a la hora de determinar si procede la aplicación del artículo 21 de la LIS en sede de los socios de X, por los dividendos percibidos de X, deberá igualmente eximirse el cumplimiento de dicho requisito respecto del porcentaje de participación indirecta que dichos socios posean en las entidades de capital riesgo a las que les resulte de aplicación el artículo 50 de la LIS (en el presente caso, FCR, siempre que cumpla los requisitos del artículo 50 de la LIS). En otras palabras, se entenderá cumplido el requisito de participación significativa exigido en el artículo 21.1.a) de la LIS en relación a las participaciones indirectas que los socios de X ostenten en FCR a través de X, a pesar de que dicha participación indirecta sea inferior al 5% o no se haya ostentado de manera ininterrumpida durante el año anterior."

EJEMPLO

La Sociedad BETA, entidad residente en España, posee, desde hace de 9 meses, el 4% de una ECR residente en España. En 2017, BETA percibe de la ECR unos dividendos que ascienden a 400.000 euros. Los ingresos de BETA provienen en más de un 70% de dividendos y rentas derivadas de la transmisión de valores.

Con posterioridad al reparto de dividendo de ECR a BETA, ésta última distribuye un dividendo de 100.000 a sus socios. En este caso, OMEGA, entidad residente en España, posee, desde hace de 5 años, el 25% de BETA. Por tanto, OMEGA ostenta de forma indirecta un 1% de ECR.

¿Cuál será la tributación de estos dividendos?

SOLUCIÓN

Primer reparto de dividendos de ECR a BETA

La solución es la misma que en el ejemplo anterior.

BETA no integrará en su base imponible los dividendos percibidos de ECR, pues, a pesar de que no posee un 5% de participación sobre la ECR, en aplicación del artículo 50.3, letra a) LIS, podrá disfrutar de la exención del artículo 21.1 siempre que se cumplan el resto de requisitos.

Resultado contable	400.000,00
Exención	-400.000,00
Base imponible	0,00
Cuota tributaria	0,00

Por tanto, la tributación de BETA por la obtención del dividendo de ECR será de 0 euros.

Segundo reparto de dividendos de BETA a OMEGA

OMEGA no integrará en su base imponible los dividendos percibidos de BETA, pues a pesar de que según lo previsto en el artículo 21.1.a) segundo párrafo de la LIS, sería necesario que ostentase de forma indirecta al menos un 5% del capital de ECR, la aplicación conjunta del artículo 50.3 LIS y del 21.1 LIS exime a OMEGA del cumplimiento del porcentaje de participación en la ECR, por lo que resultará de aplicación la exención siempre que se cumplan el resto de requisitos del artículo 21 LIS.

Resultado contable	100.000,00
Exención	-100.000,00
Base imponible	0,00
Cuota tributaria	0,00

Por tanto, la tributación de OMEGA por la obtención del dividendo de BETA –siendo que BETA obtiene más del 70% de sus ingresos procedentes de dividendos y rentas derivadas de la transmisión de valores– será igualmente de 0 euros.

Por último, resaltar que, a pesar de que la redacción de la norma no hace una mención expresa a las ECR-PYME, entendemos que son plenamente aplicables a las mismas en atención a lo dispuesto en el artículo 9 de la LECR que señala que *"las ECR-Pyme se considerarán a todos los efectos un tipo especial de ECR cuando cumplan con lo establecido en la sección 3.ª del capítulo II del título I en materia del régimen de inversiones."*

Por lo que respecta a la obligación de retener nos remitimos a lo dicho en el apartado 2.2 de este capítulo.

4.2. *Socios no residentes sin Establecimiento Permanente*

Cuando el socio o partícipe es un contribuyente del IRNR que no dispone en España de un establecimiento permanente, el dividendo repartido por la ECR española no se considerará obtenido en territorio español, salvo que el socio resida en un país o territorio calificado como paraíso fiscal.

La consideración de paraíso fiscal de un país o de un territorio viene establecida en la Disposición Adicional Primera de la Ley 36/2006, de 29 de noviembre vigente a la fecha de redacción de la presente obra:

"1. Tienen la consideración de paraísos fiscales los países y territorios que se determinen reglamentariamente.

2. La relación de países y territorios que tienen la consideración de paraísos fiscales se podrá actualizar atendiendo a los siguientes criterios:

a) La existencia con dicho país o territorio de un convenio para evitar la doble imposición internacional con cláusula de intercambio de información, un acuerdo de intercambio de información en materia tributaria o el Convenio de Asistencia Administrativa Mutua en Materia Fiscal de la OCDE y del Consejo de Europa enmendado por el Protocolo 2010, que resulte de aplicación.

b) Que no exista un efectivo intercambio de información tributaria en los términos previstos por el apartado 4 de esta disposición adicional.

c) Los resultados de las evaluaciones inter pares realizadas por el Foro Global de Transparencia e Intercambio de Información con Fines Fiscales."

Por tanto, a estos efectos, para saber si un territorio o país tiene la consideración de paraíso fiscal hay que acudir a la lista establecida por el Real Decreto 1080/1991, de 5 de julio. En el capítulo correspondiente al artículo 54 se detallan la lista de países que tienen la consideración de paraíso fiscal.

Deja de resultar de aplicación, en este sentido, la previsión que venía establecida en la Disposición adicional primera de la Ley 36/2006, de 29 de noviembre
de medidas para la prevención del fraude fiscal, – y que ha sido modificada con
la entrada en vigor de la Ley 26/2014– que establecía que tendrían la consideración de paraíso fiscal los países que se determinasen reglamentariamente, salvo
que tuviesen firmado con España un Convenio para evitar la doble imposición
y para prevenir la evasión fiscal con cláusula de intercambio de información.

Por tanto, desde 1 de enero de 2015, lo relevante es que el país no figure en
la lista establecida en el RD 1080/1991, de 5 de julio, y será el gobierno quien
tenga la potestad de actualizar la relación de países y territorios que tengan la
consideración de paraíso fiscal, no teniendo la actualización de la lista carácter
automático, sino que deberá realizarse de manera expresa. Así lo ha entendido
la Dirección General de Tributos en su consulta V0886-15, de 23 de marzo[16].

---

[16]   *"En cuanto a la calificación como paraíso fiscal, en España existe una lista cerrada de territorios considerados paraísos fiscales, recogida en el artículo 1 del Real Decreto 1080/1991,
de 5 de julio, por el que se determinan los países o territorios a que se refieren los artículos
2º, apartado tres, número 4, de la Ley 17/1991, de 27 de mayo, de Medidas Fiscales Urgentes, y 62 de la Ley 31/1990, de 27 de diciembre, de Presupuestos Generales del Estado para
1991 (BOE de 13 de julio).
Hasta el 1 de enero de 2015 en que ha entrado en vigor la Ley 26/2014, la disposición adicional primera de la Ley 36/2006, de 29 de noviembre, de medidas para la prevención del
fraude fiscal (BOE de 30 de noviembre), establecía que "tendrán la consideración de paraíso
fiscal los países o territorios que se determinen reglamentariamente", para continuar señalando que "dejarán de tener la consideración de paraíso fiscal aquellos países o territorios
que firmen con España un convenio para evitar la doble imposición internacional con cláusula de intercambio de información o un acuerdo de intercambio de información en materia
tributaria en el que expresamente se establezca que dejan de tener dicha consideración, desde el momento en que estos convenios o acuerdos se apliquen. Los países o territorios a los
que se refiere el párrafo anterior volverán a tener la consideración de paraíso fiscal a partir
del momento en que tales convenios o acuerdos dejen de aplicarse.".
Los Emiratos Árabes Unidos figuran en la lista de paraísos fiscales a que se refiere el Real
Decreto 1080/1991. Sin embargo, puesto que actualmente está en vigor el Convenio entre
el Reino de España y los Emiratos Árabes Unidos para evitar la doble imposición y prevenir
la evasión fiscal en materia de impuestos sobre la renta y sobre el Patrimonio, hecho en Abu
Dhabi el 5 de marzo de 2006 (BOE 23 enero 2007 y corrección errores BOE 28 marzo
2007), en adelante el CDI, dicho país ha dejado de tener la consideración de paraíso fiscal en
la medida en que el citado CDI contiene cláusula de intercambio de información y siempre
que se cumplan todos los demás requisitos necesarios para que el mismo resulte aplicable a
la sociedad consultante.
Por su parte, respecto a Curaçao, se debe tener en cuenta que España suscribió un Acuerdo
sobre el Intercambio de Información en materia tributaria con el Reino de los Países Bajos
en nombre de las Antillas Holandesas, el 10 de junio de 2008 (BOE de 24 de noviembre de
2009), que entro en vigor el 27 de enero de 2010.
Como consecuencia de un cambio constitucional en el Reino de los Países Bajos, a partir del
10 de octubre de 2010, las Antillas Holandesas han dejado de existir, estando formado el*

4.3. Socio persona física

En el supuesto de que el socio de la ECR sea una persona física, se aplica el régimen general para las rentas del ahorro previsto en la Ley 35/2006, de 28 de diciembre, del Impuesto sobre la Renta de las Personas Físicas (en adelante, LIRPF).

5. RENTAS POSITIVAS EN LA TRANSMISIÓN DE ACCIONES DE LAS ECR

El régimen fiscal de las rentas positivas obtenidas por la transmisión de una ECR viene regulado en el apartado 4 del artículo 50 LIS. Del mismo modo que en el apartado anterior relativo a la distribución de dividendos, el tratamiento fiscal depende de la naturaleza del socio de la ECR:

–	Sujetos pasivos del Impuesto sobre Sociedades o Impuesto sobre la Renta de No Residentes con Establecimiento Permanente

–	Socio no residente sin Establecimiento Permanente.

Reino de los Países Bajos por cuatro partes, los Países Bajos, Aruba, Curaçao y San Martín. Por tanto, Curaçao, continúa sin tener la consideración de paraíso fiscal.

Como ya se ha indicado, ésta era la situación hasta la entrada en vigor de la Ley 26/2014, por la que se modifican la Ley 35/2006, de 28 de noviembre, del Impuesto sobre la Renta de las Personas Físicas, el TRLIRNR y otras normas tributarias, cuya disposición final segunda ha modificado la disposición adicional primera de la Ley 36/2006, de 29 de noviembre, antes citada, con relación a la definición de paraíso fiscal, de nula tributación y de efectivo intercambio de información tributaria.

Se han incluido nuevos criterios actualizadores de la lista de paraísos fiscales. La modificación, asimismo, habilita al Gobierno para actualizar la relación de países y territorios que tengan la consideración de paraíso fiscal, por lo tanto, la actualización de la lista no tendrá carácter automático, sino que deberá realizarse de manera expresa.

En este sentido, se ha publicado un Informe de este Centro Directivo, la Dirección General de Tributos, de 23 de diciembre de 2014, sobre la vigencia de la lista actual de paraísos fiscales aprobada por el Real Decreto 1080/1991, de 5 de julio, con las exclusiones derivadas de la aplicación de la modificación introducida por el Real Decreto 116/2003, de 31 de enero, respecto a la entrada en vigor de la disposición final segunda de la Ley 26/2014.

Por lo que al caso respecta, el informe establece que en tanto no se apruebe una nueva relación, se seguirá aplicando la vigente lista de territorios derivada del Real Decreto 1080/1991, modificado por el Real Decreto 116/2003.

En conclusión, teniendo en cuenta lo anterior, los socios de la CV holandesa, la consultante X y la sociedad de Curaçao, no se considerarán residentes en un paraíso fiscal, y en consecuencia les resultará aplicable lo dispuesto en el régimen de entidades de capital riesgo, en concreto en el artículo 50, apartados 3 y 4, de la LIS."

Asimismo, al igual que en el apartado anterior, a pesar de que no viene regulado en la LIS, se expondrá, brevemente, el tratamiento fiscal de las rentas percibidas por un socio persona física residente en España.

5.1. *Sujetos pasivos del Impuesto sobre Sociedades o Impuesto sobre la Renta de no Residentes con Establecimiento Permanente*

Se establece como norma general que estarán exentos las rentas obtenidas por la transmisión de ECR cualquiera que sea el porcentaje de participación y el tiempo de tenencia de las acciones o participaciones, y siempre que se cumplan el resto de requisitos previstos en el artículo 21 LIS.

De este modo, aunque el socio de una ECR no llegase a ostentar un 5% del capital en la ECR, podrá aplicar la exención sobre las rentas positivas obtenidas por la transmisión de una ECR.

Sin embargo, una de las restricciones previstas en el artículo 21 para la aplicación de la exención a las plusvalías generadas por la transmisión de participaciones que sí que se debe tener en cuenta es la referente a la consideración de entidad patrimonial de la entidad participada que se transmite.

En concreto, el artículo 21.5 señala lo siguiente:

> *"5. No se aplicará la exención prevista en el apartado 3 de este artículo:*
>
> *a) A aquella parte de las rentas derivadas de la transmisión de la participación, directa o indirecta, en una entidad que tenga la consideración de entidad patrimonial, en los términos establecidos en el apartado 2 del artículo 5 de esta Ley, que no se corresponda con un incremento de beneficios no distribuidos generados por la entidad participada durante el tiempo de tenencia de la participación."*

En este caso, procede analizar si la ECR que se transmite puede tener la consideración de entidad patrimonial. Así, el artículo 5.2 LIS establece lo siguiente:

> *"2. A los efectos de lo previsto en esta Ley, se entenderá por entidad patrimonial y que, por tanto, no realiza una actividad económica, aquella en la que más de la mitad de su activo esté constituido por valores o no esté afecto, en los términos del apartado anterior, a una actividad económica.*
>
> *[...]*
>
> *A estos efectos, no se computarán como valores:*
>
> *a) <u>Los poseídos para dar cumplimiento a obligaciones legales y reglamentarias.</u>*
>
> *b) Los que incorporen derechos de crédito nacidos de relaciones contractuales establecidas como consecuencia del desarrollo de actividades económicas.*
>
> *c) Los poseídos por sociedades de valores como consecuencia del ejercicio de la actividad constitutiva de su objeto.*

d) Los que otorguen, al menos, el 5 por ciento del capital de una entidad y se posean durante un plazo mínimo de un año, con la finalidad de dirigir y gestionar la participación, siempre que se disponga de la correspondiente organización de medios materiales y personales, y la entidad participada no esté comprendida en este apartado. Esta condición se determinará teniendo en cuenta a todas las sociedades que formen parte de un grupo de sociedades según los criterios establecidos en el artículo 42 del Código de Comercio, con independencia de la residencia y de la obligación de formular cuentas anuales consolidadas."

De acuerdo con lo anterior, no computarán como valor para tener la consideración de entidad patrimonial aquellos que se posean para dar cumplimiento a obligaciones legales y reglamentarias.

Dado que la entidad de capital riesgo tiene la obligación de invertir, tal y como prevé el artículo 13 de la LECR, al menos, un 60% (75% en el supuesto de ECR-PYME) de su activo en participaciones temporales en empresas objeto de su actividad, de acuerdo con el antecitado artículo 5.2 LIS, dichas participaciones no computarán como valor, en la medida en que la adquisición de dichas participaciones viene motivada por una obligación legal.

En este mismo sentido lo ha interpretado la DGT en su Resolución a la Consulta Vinculante V1612-15, de 26 de mayo de 2015. La DGT concluye que en las ECR no computan como valores aquellos incluidos en el coeficiente obligatorio de inversión, de acuerdo con lo siguiente:

"Por tanto, teniendo en cuenta que los valores que forman parte del activo de los fondos de capital-riesgo se posean mayoritariamente con el objeto de cumplir con la obligación del coeficiente obligatorio de inversión, dichos valores no se computarán a los efectos de lo dispuesto en el artículo 5.2 del TRLIS, puesto que dichos valores se poseerían para dar cumplimiento a una obligación legal. Por lo que estos fondos no tendrán la consideración de entidades patrimoniales.

[...]

En consecuencia, para que los valores que formen parte del activo de los fondos de capital-riesgo no residentes no se computen a los efectos del artículo 5.2 de la LIS, los mismos se deben poseer con el objeto de dar cumplimiento a las obligaciones legales y reglamentarias previstas en sus respectivas normativas reguladoras para poder tener la consideración de entidades de capital-riesgo.

De acuerdo con lo anterior, en la medida en la que el valor tanto de los valores poseídos por los fondos de capital-riesgo a los efectos de cumplir con las obligaciones legales y reglamentarias exigidas por su normativa reguladora como de los previstos en la letra d) del artículo 5.2 de la LIS, suponga al menos la mitad del valor de su activo, dichos fondos no tendrán la consideración de entidades patrimoniales."

5.2. *Socios no residentes sin Establecimiento Permanente*

Cuando el socio o partícipe es un contribuyente del IRNR que no dispone en España de un establecimiento permanente, la renta positiva generada en la transmisión de la ECR española no se considerará obtenida en territorio español, salvo que se obtenga a través de un país o territorio calificado como paraíso fiscal[17].

A los efectos de aplicar lo dispuesto en el artículo 50.4 LIS, por inversores no residentes, el requisito de no residencia en un paraíso fiscal debe valorarse en el momento de obtención de la renta.

Así lo ha entendido la Dirección General de Tributos, en la mencionada consulta vinculante V1612-15, de 26 de mayo:

> *"De acuerdo con el artículo 50 de la LIS, los dividendos o participaciones en beneficios y las rentas positivas puestas de manifiesto en la transmisión o reembolso de acciones o participaciones representativas del capital o los fondos propios de las entidades de capital riesgo, no se entenderán obtenidos en territorio español cuando su perceptor sea una persona física o entidad, contribuyentes del Impuesto sobre la Renta de no Residentes sin establecimiento permanente en España.*
>
> *No obstante, el apartado 5 del artículo 50 de la LIS determina que lo indicado no será de aplicación cuando la renta se obtenga a través de un país o territorio calificado como paraíso fiscal o cuando el adquirente resida en dicho país o territorio.*
>
> *Por tanto, para determinar si procede la exclusión contenida en el artículo 50.5 de la LIS habrá que atender al momento de obtención la renta, y si la misma no tiene lugar a través de un paraíso fiscal, los inversores no residentes podrán aplicar lo dispuesto en la letra b) del artículo 50.4 de la LIS."*

Tal y como se desprende de la consulta transcrita este criterio resulta también aplicable a la distribución de dividendos.

EJEMPLO

La sociedad BETA residente en el Sultanato de Omán adquirió en 2013 el 4% de una ECR residente en España. En fecha 15 de diciembre de 2016 BETA ha transmitido las participaciones en ECR obteniendo una plusvalía por importe de 100.000 euros.

¿Cuál será la tributación de la renta obtenida por la transmisión de la ECR por parte de la entidad BETA residente en Omán?

---

[17]   Nos remitimos a todo lo manifestado en este capítulo en relación a los paraísos fiscales.

SOLUCIÓN

En el momento de la adquisición de la participación de la ECR por parte de BETA el Sultanato de Omán era un país que tenía la consideración de paraíso fiscal. Sin embargo, de acuerdo con el Informe de la Dirección General de Tributos de 3 de noviembre de 2015, el Sultanato de Omán ha dejado de tener la consideración de paraíso fiscal.

Por tanto, atendiendo a que, en el momento de obtención de la renta por parte de la sociedad BETA el Sultanato de Omán no tiene la consideración de paraíso fiscal, resulta plenamente aplicable lo previsto en el artículo 50.4.b) LIS y, en consecuencia, no se entenderá obtenida en territorio español la renta obtenida por la transmisión de la ECR por parte de BETA.

5.3. Socio persona física residente

en el supuesto de que el socio de la ECR sea una persona física, se aplica el régimen general para las rentas del ahorro previsto en la LIRPF.

Artículo 51
Socios de las sociedades de desarrollo industrial regional

PABLO ROMÁ BOHORQUES

Abogado. Socio Director de Romá Bohorques Abogados Tributarios

"Los dividendos o participaciones en beneficios percibidos de las sociedades participadas por las sociedades de desarrollo industrial regional reguladas en la Ley 18/1982, de 26 de mayo, sobre régimen fiscal de agrupaciones y uniones temporales de Empresas y de las Sociedades de desarrollo industrial regional, disfrutarán de la exención prevista en el artículo 21.1 de esta Ley cualquiera que sea el porcentaje de participación y el tiempo de tenencia de las acciones o participaciones".

SUMARIO: 1. INTRODUCCIÓN. 2. TRIBUTACIÓN DE LOS DIVIDENDOS PROCEDENTES DE ENTIDADES PARTICIPADAS. 3. TRIBUTACIÓN DE LAS RENTAS POSITIVAS OBTENIDAS EN LA TRANSMISIÓN DE PARTICIPACIONES EN ENTIDADES PARTICIPADAS POR SOCIEDADES DE DESARROLLO INDUSTRIAL REGIONAL.

1. INTRODUCCIÓN

La creación de las Sociedades de desarrollo industrial regional (SODIS) parte del artículo 14 del Real Decreto-Ley de 8 de octubre de 1976 por el que se autorizaba al Gobierno para regular por Decreto el contenido, funciones y régimen fiscal y financiero de estas sociedades.

A partir de esta autorización, el Gobierno fue encomendando al Instituto Nacional de Industria la creación de diversas sociedades de desarrollo industrial regional: la Sociedad para el Desarrollo Industrial de Galicia (SODIGA), la Sociedad de Desarrollo Industrial de Aragón (SODIAR) y la Sociedad de Desarrollo Industrial de Extremadura (SODIEX), entre otras[18].

---

[18] La creación de las Sociedades de Desarrollo Industrial al amparo del Real Decreto-Ley de 8 de octubre de 1976 se contempla en la exposición de motivos de los Reales Decreto por los que se encomienda la creación de cada una de ellas al Instituto Nacional de Industria. A modo de ejemplo, en el Real Decreto 430/1977, de 22 de marzo por el que se crea la

El régimen fiscal de las sociedades de desarrollo industrial regional está regulado por la Ley 18/1982, de 26 de mayo, sobre régimen fiscal de agrupaciones y uniones temporales de Empresas y de las Sociedades de desarrollo industrial regional. Dicha ley establecía inicialmente el régimen fiscal de las agrupaciones de empresas, las uniones temporales de empresas, las cesiones de unidades de obras y las sociedades de desarrollo regional.

No obstante, con la entrada en vigor, a partir del 20 de mayo de 1991, de la Ley 12/1991, de 29 de abril, de Agrupaciones de Interés Económico (publicada el 30 de abril de 1991), las agrupaciones de empresas y las cesiones de unidades de obras desaparecen del contenido de la Ley 18/1982[19].

Las sociedades de desarrollo industrial regional son sociedades públicas de carácter mercantil, con la forma de sociedades anónimas. Estas entidades tienen por objeto la promoción industrial regional, mediante la participación en el capital de otras sociedades, el otorgamiento de préstamos, la prestación de servicios en el ámbito del desarrollo y fomento empresarial, la realización de estudios para promover e impulsar el desarrollo industrial, entre otros[20].

Sociedad de Desarrollo Industrial de Extremadura (SODIEX) se establece que: *"(…) de acuerdo con lo establecido por el citado artículo catorce del Real Decreto-Ley 18/1976, de 8 de octubre y concurriendo la circunstancia del alto interés nacional prevista en el párrafo uno c) del articulo cinco del texto refundido de la Ley del Plan de desarrollo económico y social, aprobado por Decreto 1541/1972, de 15 de junio, a propuesta del Consejo de Ministros en su reunión del día 11 de marzo de 1977, dispongo: Artículo primero.– Se encomienda al Instituto Nacional de Industria la creación de una Sociedad para el Desarrollo Industrial de Extremadura (SODIEX)."*

[19] Tal y como establece la Exposición de Motivos de la Ley 12/1991, de 29 de abril, de Agrupaciones de Interés Económico: *"Dada su finalidad, la Agrupación de Interés Económico viene a sustituir a la vieja figura de las Agrupaciones de Empresas reguladas primero por la Ley 196/1963, de 28 de diciembre, y más recientemente por la Ley 18/1982, de 26 de mayo, cuyo régimen sustantivo, parco y estrecho, no estaba ya en condiciones de encauzar la creciente necesidad de cooperación interempresarial que imponen las nuevas circunstancias del mercado, especialmente ante la perspectiva de la integración europea.*
II. La función que está llamada a desempeñar la Agrupación de Interés Económico en el mercado interior la desenvuelve en el ámbito comunitario la figura de la Agrupación Europea de Interés Económico. Esta figura se halla regulada por el Reglamento (CEE) 2137/1985 del Consejo, de 25 de julio, que en diversos puntos remite o habilita a la legislación de los Estados miembros para el desarrollo o concreción de sus propias previsiones. La ejecución de esas previsiones del texto comunitario se lleva a cabo, como resultaba obligado, en esta misma Ley, que aspira a regular, conjunta y homogéneamente, ambas figuras, estableciendo, en los límites permitidos por el Reglamento comunitario, el carácter supletorio de la figura española respecto de la europea".

[20] Las funciones propias de las Sociedades de Desarrollo Industrial se contemplan en el Real Decreto por el que se encomienda la creación de cada una de ellas al Instituto Nacional de Industria. A modo de ejemplo, el artículo 3 del Real Decreto 2884/1983, de 28 de septiembre por el que se crea la Sociedad de Desarrollo Industrial de Aragón (SODIAR) y el artículo 3 del Real Decreto 3004/1981, de 13 de noviembre, por el que se crea la Sociedad de Desarrollo Industrial de Castilla-La Macha (SODICAMAN).

Como señala LÓPEZ-SANTACRUZ MONTES[21], el capital de las Sociedades de desarrollo industrial regional está poseído, normalmente, por entidades locales, cajas de ahorros, cooperativas de crédito y entidades bancarias, así como por la SEPI DESARROLLO EMPRESARIAL, S.A. (SEPIDES). Las principales SODI existentes son las de Galicia (SODIGA), Andalucía (SODIAN), Canarias (SODICAN), Extremadura (SODIEX), Castilla y León (SODICAL), Castilla-La Mancha (SODICAMAN) y Aragón (SODIAR). En la actualidad únicamente están participadas por SEPI, de forma indirecta a través de SEPIDES S.A., SODIAN, SODIEX, SODICAMAN y SODIAR.

Por su carácter de sociedades anónimas mercantiles, son contribuyentes del Impuesto sobre Sociedades, en la medida en que tienen su residencia en territorio español. Así, aunque el apartado 1 del artículo 7 de la LIS[22] no hace referencia expresa a las Sociedades de desarrollo industrial regional (como sí ocurre con las uniones temporales de empresas reguladas también por la Ley 18/1982), su obligación de contribución en el Impuesto sobre Sociedades deriva de la letra a) del apartado 1, en la que deben entenderse incluidas las Sociedades de desarrollo industrial regional por su carácter de persona jurídica.

Con carácter previo a la entrada en vigor de la LIS, el régimen fiscal de las Sociedades de desarrollo industrial regional previsto en el Real Decreto Legislativo 4/2004, de 5 de marzo, por el que se aprueba el texto refundido de la Ley del Impuesto sobre Sociedades[23], contemplaba dos especialidades:

---

[21] LÓPEZ-SANTACRUZ MONTES; Memento Impuesto sobre Sociedades, FRANCIS LEFEBVRE, 5552 y siguientes.

[22] El apartado 1 del artículo 7 de la LIS establece que: *"1. Serán contribuyentes del Impuesto, cuando tengan su residencia en territorio español:*
a) Las personas jurídicas, excluidas las sociedades civiles que no tengan objeto mercantil.
b) Las sociedades agrarias de transformación, reguladas en el Real Decreto 1776/1981, de 3 de agosto, por el que se aprueba el Estatuto que regula las Sociedades Agrarias de Transformación.
c) Los fondos de inversión, regulados en la Ley 35/2003, de 4 de noviembre, de Instituciones de Inversión Colectiva.
d) Las uniones temporales de empresas, reguladas en la Ley 18/1982, de 26 de mayo, sobre régimen fiscal de las agrupaciones y uniones temporales de Empresas y de las Sociedades de desarrollo industrial regional."

[23] El artículo 56 del Real Decreto Legislativo 4/2004, de 5 de marzo, por el que se aprueba el texto refundido de la Ley del Impuesto sobre Sociedades establecía que: *"1. Las sociedades de desarrollo industrial regional reguladas en la Ley 18/1982, de 26 de mayo, sobre régimen fiscal de agrupaciones y uniones temporales de empresas y de las sociedades de desarrollo industrial regional, disfrutarán de exención parcial por las rentas que obtengan en la transmisión de acciones y participaciones en el capital de las empresas en que participen en los términos dispuestos en el apartado 1 del artículo anterior.*
2. Los dividendos y, en general, las participaciones en beneficios percibidos de las sociedades participadas por las sociedades de desarrollo industrial regional disfrutarán de la deducción prevista en el artículo 30.2 de esta ley cualquiera que sea el porcentaje de participación y el tiempo de tenencia de las acciones o participaciones."

i) una exención parcial por las rentas obtenidas en la transmisión de acciones y participaciones en el capital de entidades participadas por las Sociedades de desarrollo industrial regional, y

ii) la aplicación de la deducción por doble imposición prevista en el artículo 30.2 del TRLIS sobre los dividendos percibidos de las sociedades participadas por las Sociedades de desarrollo industrial regional, cualquiera que fuera el porcentaje de participación y el tiempo de tenencia de las acciones o participaciones[24].

De esta forma, las especialidades contenidas en el artículo 56 del TRLIS ampliaban el alcance de los mecanismos generales para evitar la doble imposición económica de las Sociedades de desarrollo industrial regional por los beneficios obtenidos de entidades en las que participen dichas sociedades, frente a los mecanismos de doble imposición aplicables por el resto de sociedades.

Por un lado, contemplaba una exención parcial en las rentas obtenidas en la transmisión de acciones y participaciones en el capital de entidades participadas por las Sociedades de desarrollo industrial regional frente al mecanismo de deducción por doble imposición previsto en el apartado 5 del artículo 30 del TRLIS.

Por otro lado, en relación con los dividendos procedentes de las sociedades participadas por las Sociedades de desarrollo industrial regional, extendía los supuestos de aplicación de la deducción por doble imposición prevista en el apartado 2 del artículo 30 del TRLIS a aquellos supuestos en los que se percibieran dividendos de sociedades en los que no se cumpliera con el porcentaje mínimo de participación o con el período de mantenimiento de las acciones o participaciones por parte de la sociedad que percibe los dividendos, aunque, en la práctica, como veremos más adelante, esta regla especial revista de poca importancia.

2. TRIBUTACIÓN DE LOS DIVIDENDOS PROCEDENTES DE ENTIDADES PARTICIPADAS

Tal y como establece la exposición de motivos de la Ley 27/2014, de 27 de noviembre, del Impuesto sobre Sociedades, uno de los aspectos más novedosos de esta Ley es el tratamiento de la doble imposición. Así, tras el dictamen motivado de la Comisión Europea nº 2010/4111, relativo al tratamiento fiscal de

---

[24] El artículo 140.4.d) del TRLIS excluía la obligación de practicar retención a los supuestos de dividendos o participaciones en beneficios a los que resulte de aplicación el artículo 30.2 del TRLIS. En consecuencia, los dividendos percibidos por Sociedades de desarrollo industrial regional no estarán sometidos a retención.

los dividendos, la LIS regula un régimen de exención general en el ámbito de las participaciones significativas en entidades residentes[25].

En particular, el artículo 21 de la LIS regula el método de exención como mecanismo para evitar la doble imposición económica[26], tanto para beneficios de fuente interna como externa. La exención regulada en el artículo 21 de la LIS consiste en declarar exenta la renta obtenida que haya sido ya sometida a tributación con carácter previo o que se haya generado sobre la base de unos beneficios que ya han estado sujetos a gravamen, de manera que la misma no se integraría en la base imponible del obligado tributario perceptor.

Así, los socios que tengan la consideración de entidades sujetas al Impuesto sobre Sociedades no deberán integrar en su base imponible los dividendos percibidos por entidades participadas cuando se cumplan los requisitos previstos

---

[25]   Tal y como establece la exposición de motivos de la LIS: "*Uno de los aspectos más novedosos de esta Ley es el tratamiento de la doble imposición. Tras el dictamen motivado de la Comisión Europea no 2010/4111, relativo al tratamiento fiscal de los dividendos, resulta completamente necesaria una revisión del mecanismo de la eliminación de la doble imposición recogida en el Impuesto sobre Sociedades, con dos objetivos fundamentales: (i) equiparar el tratamiento de las rentas derivadas de participaciones en entidades residentes y no residentes, tanto en materia de dividendos como de transmisión de las mismas, y (ii) establecer un régimen de exención general en el ámbito de las participaciones significativas en entidades residentes.*
La presente Ley incorpora un régimen de exención general para participaciones significativas, aplicable tanto en el ámbito interno como internacional, eliminando en este segundo ámbito el requisito relativo a la realización de actividad económica, si bien se incorpora un requisito de tributación mínima que se establece en el 10 por ciento de tipo nominal, entendiéndose cumplido este requisito en el supuesto de países con los que se haya suscrito un Convenio para evitar la doble imposición internacional.
Este nuevo mecanismo de exención constituye un mecanismo de indudable relevancia para favorecer la competitividad y la internacionalización de las empresas españolas. Asimismo, el régimen de exención en el tratamiento de las plusvalías de origen interno simplifica considerablemente la situación previa, que incluía un complejo mecanismo para garantizar la eliminación de la doble imposición. Este tratamiento de las rentas derivadas de la tenencia de participaciones se complementa con una importante reforma del régimen de transparencia fiscal internacional, reestructurándose todo el tratamiento de la doble imposición con un conjunto normativo cuyo principal objetivo es atraer a territorio español la tributación de aquellas rentas pasivas, en su mayoría, que se localizan fuera del territorio español con una finalidad eminentemente fiscal."

[26]   Como se ha dicho, el Real Decreto-ley 3/2016, de 2 de diciembre, por el que se adoptan medidas en el ámbito tributario dirigidas a la consolidación de las finanzas públicas y otras medidas urgentes en materia social, ha modificado la denominación originaria del título del artículo 21 LIS (Exención para evitar la doble imposición sobre dividendos y rentas derivadas de la transmisión de valores representativos de los fondos propios de entidades residentes y no residentes en territorio español) por el de "*Exención sobre dividendos y rentas derivadas de la transmisión de valores representativos de los fondos propios de entidades residentes y no residentes en territorio español*".

en el art. 21.1 LIS, por lo que, dependiendo de su tratamiento contable, lo excluirán de la base imponible mediante un ajuste extracontable.

Es por ello que, a partir del 1 de enero de 2015, con la entrada en vigor de la LIS y la modificación de los mecanismos para evitar la doble imposición económica en el régimen general, se adaptan a su vez los mecanismos previstos en el régimen especial de las Sociedades de desarrollo industrial regional.

Tal y como ya hiciera el artículo 56 del TRLIS con anterioridad al 1 de enero de 2015, el artículo 51 de la LIS amplía el alcance de los mecanismos para evitar la doble imposición económica para las participaciones en entidades titularidad de Sociedades de desarrollo industrial regional.

El título del artículo 51 de la LIS ("Socios de las sociedades de desarrollo industrial regional"), puede dar lugar a confusión, dado que no se está regulando la tributación de los socios de las Sociedades de desarrollo industrial regional, sino la tributación de los dividendos percibidos por las Sociedades de desarrollo industrial regional por su participación en otras sociedades[27].

Este artículo reconoce la posibilidad de aplicar la exención prevista en el artículo 21.1 de la LIS por los dividendos percibidos de las entidades participadas por las Sociedades de desarrollo industrial regional, sin necesidad de que se cumplan los requisitos previstos en dicho artículo.

Generalmente, la aplicación de la exención está supeditada al cumplimiento de los requisitos previstos en el artículo 21.1 de la LIS, que fundamentalmente se resumen en lo siguiente:

i) Que el porcentaje de participación, directa o indirecta, en el capital o en los fondos propios de la entidad sea, al menos, del 5 por ciento, o bien, que el valor de adquisición de la participación sea superior a 20 millones de euros.

ii) Que la participación correspondiente se haya poseído de manera ininterrumpida durante el año anterior al día en que sea exigible el beneficio que se distribuya o, en su defecto, se mantenga posteriormente durante el tiempo necesario para completar dicho plazo.

---

[27] Así lo ha reconocido la Dirección General de Tributos en su resolución a la consulta vinculante V4061-16, de 22 de septiembre, en la que se pronuncia sobre el régimen especial de las Sociedades de desarrollo industrial regional previsto en la LIS: "*Cabe indicar que aunque el título del artículo 51 de la LIS es "Socios de las sociedades de desarrollo industrial regional", de la redacción de este precepto se desprende que el mismo resulta de aplicación a las sociedades de desarrollo industrial regional reguladas en la Ley 18/1982, o literalmente, a los perceptores de los dividendos o participaciones en beneficios percibidos de las sociedades participadas por las sociedades de desarrollo industrial regional reguladas en la Ley 18/1982.*"

iii) Adicionalmente, en el caso de participaciones en el capital o en los fondos propios de entidades no residentes en territorio español, que la entidad participada haya estado sujeta y no exenta por un impuesto extranjero de naturaleza idéntica o análoga a este Impuesto a un tipo nominal de, al menos, el 10 por ciento en el ejercicio en que se hayan obtenido los beneficios que se reparten o en los que se participa, con independencia de la aplicación de algún tipo de exención, bonificación, reducción o deducción sobre aquellos.

De acuerdo con el artículo 51 de la LIS, el cumplimiento de los requisitos anteriores no es necesario para aplicar la exención prevista en el artículo 21 de la LIS por parte de las Sociedades de desarrollo industrial regional, de manera que estas sociedades gozan de una exención total en los dividendos percibidos de otras entidades. De esta forma, los dividendos percibidos por Sociedades de desarrollo industrial regional estarán siempre exentos en el Impuesto sobre Sociedades.

Como consecuencia de lo anterior, de conformidad con el artículo 128.4.d) de la LIS[28], los dividendos repartidos a las Sociedades de desarrollo industrial regional no soportan retención alguna.

Veamos un ejemplo de esta ventaja fiscal.

EJEMPLO

La sociedad INDUSTRIA REGIONAL VALENCIANA, S.A. desarrolla su actividad industrial en las comarcas del interior de la provincia de Valencia desde hace 20 años. En 2016, los socios deciden dar entrada en el capital social de INDUSTRIA REGIONAL VALENCIANA, S.A. a dos nuevos accionistas, PARTICIPACIONES INDUSTRIALES VALENCIA, S.A. y SODIVAL, Sociedad de desarrollo industrial regional, con una participación del 5% para cada uno de ellos.

La inversión realizada para la adquisición del 5% de las acciones es de 500.000 euros por cada uno de ellos.

---

[28]   El apartado 4 del artículo 128 de la LIS establece: "*4. Reglamentariamente se establecerán los supuestos en los que no existirá retención. En particular, no se practicará retención en: a) Las rentas obtenidas por las entidades a que se refiere el artículo 9.1 de esta Ley. b) Los dividendos o participaciones en beneficios repartidos por agrupaciones de interés económico, españolas y europeas, y por uniones temporales de empresas que correspondan a socios que deban soportar la imputación de la base imponible y procedan de períodos impositivos durante los cuales la entidad haya tributado según lo dispuesto en el régimen especial del Capítulo II del Título VII de esta Ley. c) Los dividendos o participaciones en beneficios, intereses y otras rentas satisfechas entre sociedades que formen parte de un grupo que tribute en el régimen de consolidación fiscal. d) Los dividendos o participaciones en beneficios a que se refiere el apartado 1 del artículo 21 de esta Ley.*"

Pasados seis meses desde la toma de participación por parte de los socios minoritarios, INDUSTRIA REGIONAL VALENCIANA, S.A. reparte un dividendo de 300.000 euros.

¿Cuál será la tributación de estos dividendos para PARTICIPACIONES INDUSTRIALES VALENCIA, S.A.? ¿Cuál será la tributación de estos dividendos para SODIVAL?

SOLUCIÓN

A PARTICIPACIONES INDUSTRIALES VALENCIA, S.A. le corresponde un importe de 15.000 euros de los dividendos repartidos por INDUSTRIA REGIONAL VALENCIANA, S.A. (300.000 euros x 5% de participación en el capital social).

PARTICIPACIONES INDUSTRIALES VALENCIA, S.A. integrará en su base imponible el importe de los dividendos percibidos, salvo que la participación se mantenga durante un período adicional de al menos 6 meses. Dado que no procede la aplicación del artículo 21 de la LIS, dichos dividendos no estarán exentos.

Resultado contable	15.000
Base imponible	15.000
Exención artículo 21 LIS	No aplica
Tipo de gravamen	25%
Cuota	3.750

Por tanto, la tributación de PARTICIPACIONES INDUSTRIALES VALENCIA, S.A. por los dividendos percibidos por la sociedad industrial ascenderá a 3.750 euros.

A SODIVAL le corresponde un importe de 15.000 euros de los dividendos repartidos por INDUSTRIA REGIONAL VALENCIANA, S.A. (300.000 euros x 5% de participación en el capital social).

SODIVAL no integrará en su base imponible el importe de los dividendos percibidos dado que, de acuerdo con el artículo 51 de la LIS, resultará de aplicación la exención del artículo 21 de la LIS, aunque no se mantenga la participación en la entidad durante un plazo de un año y, por lo tanto, a pesar de no cumplir con los requisitos del artículo 21.1 de la LIS.

Resultado contable	15.000
Base imponible	0
Exención artículo 21 LIS	Aplica
Tipo de gravamen	25%
Cuota	0

Por tanto, la tributación de SODIVAL por los dividendos percibidos por la sociedad industrial será de 0 euros.

3. TRIBUTACIÓN DE LAS RENTAS POSITIVAS OBTENIDAS EN LA TRANSMISIÓN DE PARTICIPACIONES EN ENTIDADES PARTICIPADAS POR SOCIEDADES DE DESARROLLO INDUSTRIAL REGIONAL

El artículo 51 de la LIS no hace referencia a las rentas positivas producidas en la transmisión de participaciones en el capital social o en los fondos propios de entidades participadas por las Sociedades de desarrollo industrial regional, por lo que se ha eliminado la exención parcial por las rentas obtenidas en dichas participaciones prevista en el artículo 56.1 del TRLIS hasta el 1 de enero de 2015.

Así lo reconoce la Dirección General de Tributos en su resolución a la consulta vinculante V4061-16, de 22 de septiembre, en la que establece que:

> *"Del análisis de ambos textos normativos se desprende que la LIS ha supuesto la modificación el régimen especial aplicable a las sociedades de desarrollo industrial regional para los períodos impositivos que se inicien a partir de 1 de enero de 2015.*
>
> *Así, para las sociedades de desarrollo industrial regional reguladas en la Ley 18/1982, de 26 de mayo, sobre régimen fiscal de agrupaciones y uniones temporales de Empresas y de las Sociedades de desarrollo industrial regional, deja de existir una especialidad para las rentas que obtengan en la transmisión de acciones y participaciones en el capital de las empresas en que participen, de manera que las mismas tributarán por el régimen general del Impuesto sobre Sociedades, sin que les resulte de aplicación lo establecido en el artículo 50 de la LIS para las entidades de capital-riesgo."*

Según DE FRUTOS RAMÍREZ, la eliminación de la exención parcial se debe a la carencia de efectos prácticos que esta tendría a partir de la entrada en vigor del artículo 21 LIS, dado que, por la naturaleza de las Sociedades de Desarrollo Industrial Regional, las participaciones mantenidas por dichas sociedades tendrían la condición de participación significativa con derecho a la exención total del artículo 21 LIS[29].

Coincidimos con esta apreciación, por cuanto las Sociedades de desarrollo industrial regional pueden participar en el capital social de entidades (promovidas por éstas o ya existentes) con un porcentaje comprendido entre el 5% y el

---

[29]   DE FRUTOS RAMÍREZ, GONZALO; Guía del Impuesto sobre Sociedades, CISS 2015, pág. 704.

45% durante un plazo máximo de 10 años[30]. De esta manera, los requisitos legales establecidos para las Sociedades de desarrollo industrial regional suponen que cualquier participación social adquirida por una Sociedad de desarrollo industrial cumplirá con el requisito de participación significativa previsto en el artículo 21.1 de la LIS.

Por ello, a las rentas positivas obtenidas en la transmisión de entidades en las que participen las Sociedades de desarrollo industrial regional les resulta de aplicación el régimen general de exención previsto en el artículo 21.3 de la LIS[31].

---

[30]   A modo de ejemplo, el artículo 4 del Real Decreto 2884/1983, de 28 de septiembre por el que se crea la Sociedad de Desarrollo Industrial de Aragón (SODIAR) y el artículo 4 del Real Decreto 3004/1981, de 13 de noviembre, por el que se crea la Sociedad de Desarrollo Industrial de Castilla-La Macha (SODICAMAN).

[31]   El apartado 3 del artículo 21 de la LIS establece que: "*3. Estará exenta la renta positiva obtenida en la transmisión de la participación en una entidad, cuando se cumplan los requisitos establecidos en el apartado 1 de este artículo. El mismo régimen se aplicará a la renta obtenida en los supuestos de liquidación de la entidad, separación del socio, fusión, escisión total o parcial, reducción de capital, aportación no dineraria o cesión global de activo y pasivo. El requisito previsto en la letra a) del apartado 1 de este artículo deberá cumplirse el día en que se produzca la transmisión. El requisito previsto en la letra b) del apartado 1 deberá ser cumplido en todos y cada uno de los ejercicios de tenencia de la participación.*
No obstante, en el caso de que el requisito previsto en la letra b) del apartado 1 no se cumpliera en alguno o algunos de los ejercicios de tenencia de la participación, la exención prevista en este apartado se aplicará de acuerdo con las siguientes reglas:
a) Respecto de aquella parte de la renta que se corresponda con un incremento neto de beneficios no distribuidos generados por la entidad participada durante el tiempo de tenencia de la participación, se considerará exenta aquella parte que se corresponda con los beneficios generados en aquellos ejercicios en los que se cumpla el requisito establecido en la letra b) del apartado 1.
b) Respecto de aquella parte de la renta que no se corresponda con un incremento neto de beneficios no distribuidos generados por la entidad participada durante el tiempo de tenencia de la participación, la misma se entenderá generada de forma lineal, salvo prueba en contrario, durante el tiempo de tenencia de la participación, considerándose exenta aquella parte que proporcionalmente se corresponda con la tenencia en los ejercicios en que se haya cumplido el requisito establecido en la letra b) del apartado 1.
En el caso de transmisión de la participación en el capital o en los fondos propios de una entidad residente o no residente en territorio español que, a su vez, participara en dos o más entidades respecto de las que sólo en alguna o algunas de ellas se cumplieran los requisitos previstos en las letras a) o b) del apartado 1, la exención prevista en este apartado se aplicará de acuerdo con las siguientes reglas:
1.° Respecto de aquella parte de la renta que se corresponda con un incremento neto de beneficios no distribuidos generados por las entidades indirectamente participadas durante el tiempo de tenencia de la participación, se considerará exenta aquella parte de la renta que se corresponda con los beneficios generados por las entidades en las que se cumpla el requisito establecido en la letra b) del apartado 1.
2.° Respecto de aquella parte de la renta que no se corresponda con un incremento neto de beneficios no distribuidos generados por las entidades indirectamente participadas durante el tiempo de tenencia de la participación, se considerará exenta aquella parte que proporcio-

El apartado 3 del artículo 21 supedita la aplicación de dicha exención sobre dichas rentas positivas al cumplimiento de los requisitos previstos en el apartado 1 del mismo artículo.

Así, en el caso de que se produzcan rentas positivas para una Sociedad de desarrollo regional industrial en el momento en que se transmitan participaciones en otras entidades, dado que el artículo 51 de la LIS no contempla regla especial alguna, para aplicar la exención prevista en el artículo 21.3 de la LIS será necesario el cumplimiento de los requisitos referidos anteriormente.

En particular, será necesario que la participación correspondiente se haya poseído de manera ininterrumpida durante el año anterior al día en que se transmita la participación. Como ya hemos dicho, el requisito relativo al porcentaje de participación será cumplido en todo caso en aquellas participaciones adquiridas por las Sociedades de desarrollo industrial regional.

Veamos un ejemplo de lo dispuesto anteriormente.

EJEMPLO

PARTICIPACIONES INDUSTRIALES VALENCIA, S.A. y SODIVAL, Sociedad de desarrollo industrial regional, que mantienen una participación del 5% cada una de ellas en la sociedad INDUSTRIA REGIONAL VALENCIANA, S.A. han decidido desinvertir su participación en esta sociedad.

Para ello, en el 2015, cada una de ellas transmitirá el 5% de las acciones que ostentan por un importe de 600.000 euros. Las acciones que van a transmitir fueron adquiridas en el mismo ejercicio, habiendo transcurrido menos de 12 meses desde la toma de participación, por un importe de 500.000 euros por cada uno de los socios.

¿Cuál será la tributación de la renta obtenida en la transmisión para PARTICIPACIONES INDUSTRIALES VALENCIA, S.A.? ¿Cuál será la tributación de la renta obtenida en la transmisión para SODIVAL?

---

nalmente sea atribuible a las entidades en que se haya cumplido el requisito establecido en la letra b) del apartado 1.

La parte de la renta que no tenga derecho a la exención en los términos señalados en este apartado se integrará en la base imponible, teniendo derecho a la deducción establecida en el artículo 31 de esta Ley, en caso de proceder su aplicación, siempre que se cumplan los requisitos necesarios para ello. No obstante, a los efectos de lo establecido en la letra a) del apartado 1 del citado artículo, se tomará exclusivamente el importe efectivo de lo satisfecho en el extranjero por razón de gravamen de naturaleza idéntica o análoga a este Impuesto, por la parte que proporcionalmente se corresponda con la renta que no tenga derecho a la exención correspondiente a aquellos ejercicios o entidades respecto de los que no se haya cumplido el requisito establecido en la letra b) del apartado 1 de este artículo, en relación con la renta total obtenida en la transmisión de la participación."

SOLUCIÓN

Con motivo de la transmisión del 5% de las acciones de INDUSTRIA REGIONAL VALENCIANA, S.A. que ostenta PARTICIPACIONES INDUSTRIALES VALENCIA, S.A. se producirá una renta de 100.000 euros para PARTICIPACIONES INDUSTRIALES VALENCIA, S.A (600.000 euros – 500.000 euros).

PARTICIPACIONES INDUSTRIALES VALENCIA, S.A. integrará en su base imponible la renta obtenida en la transmisión de las participaciones. Dado que no procede la aplicación del artículo 21 de la LIS, porque la inversión en la sociedad no se ha mantenido durante un período de 12 meses, la renta obtenida no estará exenta.

Resultado contable	100.000
Base imponible	100.000
Exención artículo 21 LIS	No aplica
Tipo de gravamen	25%
Cuota	25.000

Por tanto, la tributación de PARTICIPACIONES INDUSTRIALES VALENCIA, S.A. por las rentas obtenidas en la transmisión ascenderá a 100.000 euros.

Con motivo de la transmisión del 5% de las acciones de INDUSTRIA REGIONAL VALENCIANA, S.A. que ostenta SODIVAL se producirá una renta de 100.000 euros para SODIVAL (600.000 euros – 500.000 euros).

SODIVAL integrará en su base imponible la renta obtenida en la transmisión de las participaciones. Dado que no procede la aplicación del artículo 21 de la LIS, porque la inversión en la sociedad no se ha mantenido durante un período de 12 meses, la renta obtenida no estará exenta.

Resultado contable	100.000
Base imponible	100.000
Exención artículo 21 LIS	No aplica
Tipo de gravamen	25%
Cuota	25.000

Por tanto, la tributación de SODIVAL por las rentas obtenidas en la transmisión ascenderá a 100.000 euros.

Artículo 52
Tributación de las Instituciones de Inversión Colectiva

PABLO ROMÁ BOHORQUES

Abogado. Socio Director de Romá Bohorques Abogados Tributarios

"1. Las Instituciones de Inversión Colectiva reguladas en la Ley 35/2003, de 4 de noviembre, de Instituciones de Inversión Colectiva con excepción de las sometidas al tipo general de gravamen, no tendrán derecho a la exención prevista en el artículo 21 de esta Ley ni a las deducciones para evitar la doble imposición internacional previstas en los artículos 31 y 32 de esta Ley.

2. Cuando el importe de los pagos fraccionados, retenciones e ingresos a cuenta practicados sobre los ingresos supere la cuantía de la cuota íntegra, la Administración tributaria procederá a devolver, de oficio, el exceso".

1. INTRODUCCIÓN

Las Instituciones de Inversión Colectiva tienen su marco regulador en la Ley 35/2003, de 4 de noviembre, de Instituciones de Inversión Colectiva (en adelante, LIIC). Estas figuras tienen como primeros antecedentes los «Investment Trust» británicos, que se desarrollaron en el Reino Unido en el decenio de 1860, como las primeras Instituciones de Inversión Colectiva asimilables a las que se conocen en la actualidad. De una manera paralela y también a partir de 1893, comenzaron a proliferar en Estados Unidos Instituciones similares, como el «Boston Personal Property Trust» y la «Railway and Light Securities Company». Sin embargo, hay que esperar hasta los años veinte para que este tipo de Instituciones alcanzara una amplia difusión al amparo de la euforia bursátil e inmobiliaria que se vivió en el país. En 1920 existían 40 Sociedades de Inversión y en 1929, superaban las 300. Las Instituciones de Inversión Colectiva tuvieron un escaso desarrollo en países como Alemania, Bélgica, Francia e Italia, hasta después de la Segunda Guerra Mundial, por razones estrictamente fiscales, que hacían recaer una doble imposición sobre estas Instituciones[32].

En nuestro país, el primer antecedente lo encontramos en la Ley de 15 de julio de 1952 del régimen jurídico-fiscal de las sociedades de inversión mobiliaria (B.O.E. de 16 de julio de 1952)[33], en la que únicamente se preveía, tal y como establecía su título, la creación de sociedades de inversión. Posteriormente, en

---

[32]   GARCÍA CARNERO, F; «*Las Instituciones de Inversión Colectiva en España desde una perspectiva histórica*», Asociación Española de Historia Económica 2003. Apud RABADÁN FORNIÉS, M.; "*Capítulo 2. La inversión colectiva: concepto y evolución. Sus funciones. situación actual y perspectivas*" en Situación actual y perspectiva de las Instituciones de Inversión Colectiva, Fundación de Estudios Financieros 2009, pág. 28.

[33]   La exposición de motivos de esta Ley señalaba lo siguiente: "*Persuadido el Gobierno de la conveniencia de estimular y movilizar el ahorro nacional, canalizándolo hacia aquellas inversiones mobiliarias que la industrialización del país demanda, no puede desconocer que un considerable sector de dicho ahorro, subdividido en millares de economías individuales, dispersas por todo el área nacional y alejadas muchas veces de los grandes centros de contratación de capitales, carece del conocimiento y de la información necesaria para saber dónde y cómo situarse de modo conveniente. Sin garantía de seguridad, de rápida realización y de rentabilidad, el mediano y pequeño ahorro vacilará y quedará en definitiva ausente de la necesaria cooperación a los fines enunciados. De aquí que las llamadas Sociedades de Inversión o de Cartera, que, ajenas a todo cometido industrial directo, se limitan a ofrecer a sus accionistas un conjunto de participaciones simultáneas en valores mobiliarios de naturaleza diversa, dentro de una escrupulosa selección, compensando así riesgos y beneficios, se ofrezcan como un dispositivo financiero apto para la colocación de ese ahorro disperso y desorientado.*
Pero, por otra parte, la experiencia de otros países, que debe ser aprovechada demuestra que tales Sociedades no cumplirán plenamente su cometido si no se las sustrae a los efectos de la plurimposición y de ahí la necesidad de concederles como requisito vital las exenciones fiscales que en la parte dispositiva se establecen siempre que cumplan las condiciones que en la misma se señalan.
Mas debe advertirse que con este proyecto no se pretende crear una nueva figura jurídica, ni siquiera estimular la formación de esta clase d sociedades. Se acude tan solo a remover el obstáculo que les impide actualmente tener en nuestro mercado de capitales el desarrollo alcanzado en otros países. Y como una simple concesión de beneficios fiscales sin una subsiguiente regulación de su actividad podía producir un efecto contrario al que persigue el Gobierno de aquí la procedencia de que la concesión y disfrute de tales beneficios se condicione a que no se desnaturalice el instrumento así configurado pretendiendo convertirse en órgano de influencia para el gobierno de las Empresas participadas o en poderosos auxiliar financiero de algunas de ellas. A fin de evitar estos riesgos, se impone una limitación a la cuantía del capital propio que la inversora podría suscribir en una Empresa y otro límite a la participación que estas Sociedades de Cartera pueden cubrir en relación con el capital de cada Entidad participada.
En orden a la mayor garantía y seguridad para el accionista se establece que todos los títulos tengan iguales derechos; se impone la constitución de reservas creándose un sistema de autofinanciación para su fortalecimiento interno y la máxima estabilidad y la de un fondo de fluctuación de valores en determinadas coyunturas; se ordena la publicación de balances semestrales; se exige la preexistencia y vida normal en los valores que puedan nutrir las carteras de las Sociedades a que esta Ley se refiere; y para evitar toda posible confusión con otras actividades financieras se les prohíbe emitir obligaciones y admitir depósito ni cuentas

el marco temporal del plan de estabilización, se promulgó la Ley de 26 de diciembre de 1958 sobre Régimen Jurídico Fiscal de las Sociedades de Inversión Mobiliaria. En la década de los 60, se aprobó el Decreto-Ley 7/64, de 30 de abril, sobre Sociedades y Fondos de Inversión y Bolsas de Comercio (BOE 7 de mayo) en el que se modificó, parcialmente, la Ley de 26 de diciembre de 1958 y en la que se reguló, por primera vez en nuestro país, la figura de los fondos de inversión[34].

Como consecuencia de las dos crisis del petróleo de los años 70 y, especialmente, del impacto de la reforma fiscal de 1978, se produjo una disolución de más de la mitad de las Instituciones de Inversión Colectiva, al establecer, en determinados supuestos, un régimen de transparencia fiscal, que dada su complejidad desestimuló el mantenimiento de muchas de estas Instituciones[35].

En la década de los 80, se promulgó la Ley 46/1984, de 26 de diciembre, de Instituciones de Inversión Colectiva. Esta norma dio un impulso a la creación de sociedades y fondos de inversión dado que la normativa vigente hasta esa fecha no respondía a las exigencias de un sistema financiero moderno[36].

Quizás el impulso más definitivo a las Instituciones de Inversión Colectiva procede de la nueva reforma fiscal del año 1991 que, en el Impuesto de Sociedades, clarificó el régimen fiscal de las Instituciones de Inversión Colectiva, al establecer, para evitar la doble tributación, que ésta recayese en el socio o partícipe y no en la Sociedad o Fondo de Inversión, a pesar de lo cual estos últimos tributan al tipo del 1% en el Impuesto de Sociedades. De esta manera, se reconoce expresamente y con absolutos efectos, el régimen de neutralidad fiscal para estas Instituciones, desplazando la tributación a sus socios y partícipes y, eliminando la doble imposición que haría inviable su funcionamiento[37].

En la actualidad, el Capítulo V del Título VII de la Ley 27/2014, de 27 de noviembre, del Impuesto sobre Sociedades regula, parcialmente, la tributación de las Instituciones de Inversión Colectiva (en adelante, IIC) y de sus socios.

---

corrientes, sometiendo finalmente, la concesión de beneficios fiscales a la aprobación del Ministerio de Hacienda.

[34]   El artículo séptimo de la citada Ley establecía que: "Se podrán crear Fondos de Inversión Mobiliaria de cuantía variable integrados por un conjunto de valores mobiliarios y dinero pertenecientes a una pluralidad de inversores, que tendrán sobre los mismos un derecho de propiedad, representado por un certificado de participación.
El fin exclusivo de estos Fondos de Inversión habrá de ser la adquisición, tenencia, disfrute, administración en general y enajenación de valores mobiliarios admitidos a la cotización oficial para compensar, por una adecuada composición de sus activos, los riesgos y los tipos de rendimiento de sus diferentes inversiones, sin participación mayoritaria económica o política en otras Sociedades."

[35]   RABADÁN FORNIÉS, M. Op, cit. pág. 30.

[36]   Exposición de motivos de la Ley 46/1984.

[37]   RABADÁN FORNIÉS, M; Op. cit. pág. 31

Tales instituciones tienen la consideración de contribuyentes del Impuesto sobre Sociedades[38] y, por lo tanto, están sujetas a los preceptos de la citada ley. Tradicionalmente, el legislador les ha dado un tratamiento fiscal favorable con unos tipos de gravamen reducidos.

Dicho tratamiento fiscal a las IIC contenido en la LIS ha tenido y tiene como propósito general estimular que el ahorro de sociedades y particulares se invierta en los mercados financieros[39], pieza clave para la obtención de financiación de las empresas.

En este sentido, tal y como señala la exposición de motivos de la Ley 35/2003, *"la inversión colectiva es el canal natural para la participación de los hogares españoles en los mercados de capitales. Su doble condición de fórmula de financiación desintermediada y de instrumento de ahorro privilegiado de los inversores minoristas la convierten en un sector de atención prioritaria para la política financiera española. En efecto, el buen funcionamiento de la inversión colectiva tiene implicaciones directas para los dos objetivos fundamentales de la política financiera: la eficiencia en la asignación del ahorro a las oportunidades de inversión y en la gestión de riesgos y la protección a los inversores menos informados."*

Así, dada la importancia de la inversión colectiva, el legislador ha pretendido incentivarla a través de la política fiscal, especialmente, con una tributación muy ventajosa de sus beneficios mediante la aplicación de un tipo de gravamen del 1% sobre los mismos. No obstante, dicha tributación reducida a una de las IIC, en concreto, a las Sociedades de Inversión de Capital Variable, está siendo cuestionada constantemente desde hace unos años por diversos sectores

---

[38]   El artículo 7 de la Ley 27/2014 establece que:
"1. Serán contribuyentes del Impuesto, cuando tengan su residencia en territorio español:
a) Las personas jurídicas, excluidas las sociedades civiles que no tengan objeto mercantil.
(...)
c) Los fondos de inversión, regulados en la Ley 35/2003, de 4 de noviembre, de Instituciones de Inversión Colectiva.
(...)
e) Los fondos de capital-riesgo, y los fondos de inversión colectiva de tipo cerrado regulados en la Ley 22/2014, de 12 de noviembre, por la que se regulan las entidades de capital-riesgo, otras entidades de inversión colectiva de tipo cerrado y las sociedades gestoras de entidades de inversión colectiva de tipo cerrado, y por la que se modifica la Ley 35/2003, de 4 de noviembre, de Instituciones de Inversión Colectiva."

[39]   A noviembre de 2016, el patrimonio de la inversión colectiva en España (Fondos y Sociedades) alcanzó el importe de 385.632 millones de euros, ascendiendo su número de partícipes a 10.349.577. Datos de instituciones de inversión colectiva 30 de noviembre 2016; Asociación de Instituciones de Inversión Colectiva y Fondos de Pensiones, http://www.inverco. es/38/39/101/2016/11.

sociales y partidos políticos, siendo previsible su modificación[40]. Sin embargo, a fecha de la redacción de la presente obra, su regulación fiscal no ha sido aún objeto de modificación.

Entrando ya en el contenido de este Capítulo V, los artículos 52 y siguientes regulan, parcialmente, la tributación de estas entidades de inversión colectiva y también la de sus socios personas jurídicas. Hacemos hincapié en "parcialmente" dado que la regulación de su tipo de gravamen no viene establecida en este Capítulo V sino en el artículo 29 de la LIS, al igual que el resto de sociedades. En este sentido, el artículo 52 LIS se titula *Tributación de las Instituciones de Inversión Colectiva"*. No obstante su título, dicho precepto se limita a establecer prevenciones para evitar la aplicación de cualquier mecanismo que corrija la doble imposición. Se pretende evitar, así, que las IIC se beneficien de las exenciones y deducciones previstas en la Ley 27/2014.

2. APARTADO 1

2.1. *Consideración de Institución de Inversión Colectiva*

El régimen especial regulado en los artículos 52 a 54 de la LIS es de aplicación a las Instituciones de Inversión Colectiva. Así, deberemos determinar, en primer lugar, qué es una Institución de Inversión Colectiva. La LIS no específica qué se entiende por Institución de Inversión Colectiva y se remite a lo dispuesto en la LIIC para determinar qué entidades tienen dicha consideración. En este sentido, el artículo 1 de la LIIC señala que:

> *"1. Son Instituciones de Inversión Colectiva (IIC, en adelante) aquellas que tienen por objeto la captación de fondos, bienes o derechos del público para gestionarlos e invertirlos en bienes, derechos, valores u otros instrumentos, financieros o no, siempre que el rendimiento del inversor se establezca en función de los resultados colectivos."*

En cuanto a su forma jurídica, la LIIC establece en el apartado 2 de su artículo 1 que *las IIC revestirán la forma de sociedad de inversión o fondo de inversión.*

---

[40]   Desde finales de 2015, se está observando una tendencia de disminución de SICAVs como consecuencia de los anuncios de la modificación del régimen de la SICAV por los partidos políticos en sus respectivos programas electorales. En este sentido, se está dando un aumento de absorciones de SICAV por parte de fondos de inversión y, por consiguiente, un aumento de consultas planteadas ante la Dirección General de Tributos sobre este tipo de operaciones. Según el portal de estadísticas de la Comisión Nacional del Mercado de Valores (https://www.cnmv.es/DocPortal/Estadisticas/IIC/Estadisticas_IIC_2016_2T.pdf), hasta el 2º trimestre de 2016, había habido una sola alta de sociedades de inversión y 24 bajas.

Por su parte, el apartado 3 de este mismo artículo dispone, además, que *las IIC podrán ser de carácter financiero o no financiero, en los términos establecidos en el título III de esta ley.*

De acuerdo con este precepto, tendrán, pues, la consideración de institución de inversión colectiva las siguientes entidades:

a) De carácter financiero:

  – Fondos de inversión.

  – Sociedades de inversión de capital variable.

b) De carácter no financiero:

  – Fondos de inversión inmobiliaria.

  – Sociedades de inversión inmobiliaria.

Veamos cuales son las características de cada una de estas entidades.

2.1.1. Fondos inversión

En relación con los fondos de inversión (en adelante, FI), el artículo 3 de la LIIC los define como IIC *configuradas como patrimonios separados sin personalidad jurídica, pertenecientes a una pluralidad de inversores, incluidos entre ellos otras IIC (…) y cuyo objeto es la captación de fondos, bienes o derechos del público para gestionarlos e invertirlos en bienes, derechos, valores u otros instrumentos, financieros o no, siempre que el rendimiento del inversor se establezca en función de los resultados colectivos.*

El propio artículo 3 señala además que la gestión y representación de un FI corresponde a una sociedad gestora, que ejerce las facultades de dominio sin ser propietaria del fondo, con el concurso de un depositario.

Asimismo, el propio artículo 3 prevé la creación de compartimentos en los propios fondos de inversión.

En cuanto al número de partícipes, el artículo 5 de la LIIC establece que su número no podrá ser inferior a 100.

Por su parte el artículo 75 Real Decreto 1082/2012, de 13 de julio, por el que se aprueba el Reglamento de desarrollo de la Ley 35/2003, de 4 de noviembre, de Instituciones de Inversión Colectiva (en adelante, RIIC) regula el capital mínimo de los fondos de inversión. En concreto, el citado artículo señala que:

> *"Los fondos de inversión de carácter financiero tendrán un patrimonio mínimo de tres millones de euros, que deberá ser mantenido mientras estén inscritos en los registros de la CNMV, sin perjuicio de lo dispuesto en el artículo 16.1.*

En el caso de los fondos por compartimentos, cada uno de los compartimentos deberá tener un patrimonio mínimo de 600.000 euros, sin que, en ningún caso, el patrimonio total del fondo sea inferior a tres millones de euros."

Además, tal y como señala el artículo 29 de la LIIC, las IIC de carácter financiero (fondos de inversión y SICAV) tendrán por objeto la inversión en activos e instrumentos financieros, conforme a las prescripciones definidas en esta ley y en su desarrollo reglamentario. Dichos activos e instrumentos financieros serán los siguientes:

a) Valores negociables e instrumentos financieros, de los previstos en el artículo 2, primer inciso y párrafo a) del segundo inciso, de la Ley del Mercado de Valores, admitidos a cotización en bolsas de valores o en otros mercados o sistemas organizados de negociación, cualquiera que sea el Estado en que se encuentren radicados, siempre que, en todo caso, se cumplan los siguientes requisitos:

1.º Que se trate de mercados que tengan un funcionamiento regular;

2.º Que ofrezcan una protección equivalente a los mercados oficiales radicados en territorio español;

3.º Que dispongan de reglas de funcionamiento, transparencia, acceso y admisión a negociación similares a las de los mercados secundarios oficiales.

Las sociedades gestoras y las sociedades de inversión deberán asegurarse, con anterioridad al inicio de las inversiones, que los mercados en los que pretendan invertir cumplen tales requisitos y recoger en el folleto explicativo de la IIC y en el documento con los datos fundamentales para el inversor una indicación sobre los mercados en que se va a invertir.

b) Los valores e instrumentos negociables mencionados en el párrafo anterior respecto de los cuales esté solicitada su admisión a negociación en alguno de los mercados o sistemas a los que se refiere dicho párrafo.

A dichos valores e instrumentos se equipararán aquellos en cuyas condiciones de emisión conste el compromiso de solicitar la admisión a negociación, siempre que el plazo inicial para cumplir dicho compromiso sea inferior a un año. En el caso de que no se produzca su admisión a negociación en el plazo de seis meses desde que se solicite o no se cumpla el compromiso de presentar en el plazo determinado la correspondiente solicitud de admisión, deberá reestructurarse la cartera en los dos meses siguientes al término de los plazos antes señalados. Si dicho plazo resultara insuficiente se podrá, justificadamente, solicitar su prórroga a la CNMV. Dicha prórroga no podrá exceder de un plazo adicional de dos meses.

c) Acciones y participaciones de otras IIC autorizadas conforme a la Directiva 2009/65/CE, siempre que el reglamento, los estatutos, o alternativamente el folleto de la IIC cuyas participaciones o acciones se prevea adquirir, no autoricen a invertir más de un 10 por ciento del activo de la institución en participaciones o acciones de otras IIC.

d) Acciones y participaciones de otras IIC no autorizadas conforme a la Directiva 2009/65/CE, siempre que estas últimas no tengan por finalidad invertir, a su vez, en otras IIC, y siempre que cumplan los siguientes requisitos: que el reglamento de los fondos o alternativamente el folleto de la IIC cuyas participaciones o acciones se prevea adquirir no autoricen a invertir más de un 10 por ciento del activo de la institución en participaciones o acciones de otras IIC; que la sociedad gestora o, en su caso, la sociedad de inversión estén sujetas a una supervisión que las autoridades europeas competentes consideren equivalente a la que establece el Derecho de la Unión Europea y que asegure la cooperación entre las autoridades; que el nivel de protección de sus partícipes y accionistas sea equivalente al establecido en esta Ley en virtud de lo que la CNMV determine; y que se informe de su actividad empresarial en un informe semestral y otro anual para permitir la evaluación de los activos y pasivos, ingresos y operaciones durante el período objeto de la información.

e) Depósitos en entidades de crédito que sean a la vista o puedan ser retirados, con un vencimiento no superior a 12 meses, siempre que la entidad de crédito tenga su sede en un Estado miembro de la Unión Europea o, si el domicilio social de la entidad de crédito está situado en un Estado no miembro, esté sujeta a normas prudenciales equivalentes a las que exige la normativa española, en virtud de lo que la CNMV determine.

f) Instrumentos financieros derivados negociados en un mercado o sistema de negociación que cumpla los requisitos señalados en el párrafo a) anterior siempre que el activo subyacente consista en activos o instrumentos de los mencionados en el presente apartado, índices financieros, tipos de interés, tipos de cambio o divisas, en los que la IIC de carácter financiero pueda invertir según su política de inversión declarada en el folleto y en el documento con los datos fundamentales para el inversor.

g) Instrumentos financieros derivados no negociados en un mercado o sistema de negociación que cumpla los requisitos señalados en el párrafo a) anterior, siempre que: se cumplan los requisitos establecidos en el párrafo f) en cuanto a la composición del activo subyacente, las contrapartes de las operaciones de derivados sean entidades sujetas a supervisión prudencial y pertenezcan a las categorías aprobadas por la CNMV, las posiciones en derivados estén sujetas a una valoración diaria fiable y puedan liquidarse en cualquier momento a su valor de mercado mediante una operación de signo contrario a iniciativa de la IIC de carácter financiero.

Los requisitos señalados en el segundo y tercer guion de este párrafo también resultarán exigibles a los instrumentos financieros derivados señalados en el párrafo f) excepto si se negocian en un mercado que exija el depósito de garantías en función de las cotizaciones o de ajuste de pérdidas y ganancias y exista un centro de compensación que registre las operaciones realizadas y se interponga entre las partes contratantes actuando como comprador ante el vendedor y como vendedor ante el comprador.

h) Instrumentos del mercado monetario siempre que sean líquidos y tengan un valor que pueda determinarse con precisión en todo momento, no negociados en un mercado o sistema de negociación que cumpla los requisitos señalados en el párrafo a) anterior, siempre que se cumpla alguno de los siguientes requisitos:

  – Que estén emitidos o garantizados por el Estado, las comunidades autónomas, las entidades locales, el Banco de España, el Banco Central Europeo, la Unión Europea, el Banco Europeo de Inversiones, el Banco Central de alguno de los Estados miembros, cualquier Administración pública de un Estado miembro, un tercer país o, en el caso de Estados federados, por uno de los miembros integrantes de la Federación, o por un organismo público internacional al que pertenezcan uno o más Estados miembros.

  – Que estén emitidos por una empresa cuyos valores se negocien en un mercado que cumpla los requisitos señalados en el párrafo a) anterior.

  – Que estén emitidos o garantizados por una entidad sujeta a supervisión prudencial.

  – Que estén emitidos por entidades pertenecientes a las categorías que determine la CNMV.

i) Valores o instrumentos financieros distintos de los previstos en los párrafos anteriores.

j) En el caso de las sociedades de inversión, las mismas podrán adquirir los bienes muebles e inmuebles indispensables para el ejercicio directo de su actividad.

2.1.2. Sociedades de inversión de capital variable

Las Sociedades de Inversión de Capital Variable, también conocidas como SICAV, son IIC de carácter financiero que adoptan la forma societaria y deberán invertir en los mismos activos e instrumentos financieros que los señalados más arriba para los fondos de inversión.

Según el artículo 80 del RIIC, su capital mínimo desembolsado de las SICAV será de 2.400.000 euros y deberá ser mantenido mientras la sociedad figure inscrita en el registro. El capital inicial deberá estar íntegramente suscrito y desembolsado desde el momento de la constitución de la sociedad. El capital estatutario máximo no podrá superar en más de diez veces el capital inicial.

En el caso de SICAV por compartimentos, cada uno de los compartimentos deberá tener un capital mínimo desembolsado de 480.000 euros, sin que, en ningún caso, el capital total mínimo desembolsado sea inferior a 2.400.000 euros.

Asimismo, tal y como establece el artículo 9.4 de la LIIC, el número de accionistas de la SICAV no podrá ser inferior a 100.

2.1.3. Sociedades de inversión inmobiliaria de capital variable

De acuerdo con el artículo 92 RIIC, las sociedades de inversión inmobiliaria serán sociedades anónimas que solo podrán adoptar la forma de capital fijo. El capital social mínimo de las sociedades de inversión inmobiliaria será de nueve millones de euros. En el caso de sociedades por compartimentos, cada uno de estos deberá tener un capital mínimo de 2,4 millones de euros, sin que, en ningún caso, el capital total de la sociedad sea inferior a nueve millones de euros.

Según el artículo 86 del RIIC, las IIC inmobiliaria (sociedades y fondos de inversión inmobiliario) son aquellas de carácter no financiero que tienen por objeto principal la inversión en bienes inmuebles de naturaleza urbana para su arrendamiento. A los efectos previstos en este reglamento, se considerarán inversiones en inmuebles de naturaleza urbana:

a)   Las inversiones en inmuebles finalizados.

b)   Las inversiones en inmuebles en fase de construcción, incluso si se adquieren sobre plano, siempre que al promotor o constructor le haya sido concedida la autorización o licencia para edificar.

c)   La compra de opciones de compra cuando el valor de la prima no supere el 5% del precio de ejercicio del inmueble, así como los compromisos de compra a plazo de inmuebles, siempre que el vencimiento de las opciones y compromisos no supere el plazo de dos años y que los correspondientes contratos no establezcan restricciones a su libre trans-misibilidad.

d) La titularidad de cualesquiera otros derechos reales sobre bienes inmuebles, siempre que les permita cumplir su objetivo de ser arrendados.

e) La titularidad de concesiones administrativas que permita el arrendamiento de inmuebles.

2.1.4. Fondos de inversión inmobiliaria

En relación con los fondos de inversión, el artículo 93 del Reglamento de la LIIC señala que los fondos de inversión inmobiliaria deberán tener un patrimonio mínimo inicial de nueve millones de euros, totalmente desembolsado. En el caso de fondos por compartimentos, cada uno de estos deberá tener un patrimonio mínimo de 2,4 millones de euros sin que, en ningún caso, el patrimonio total del fondo sea inferior a nueve millones de euros.

2.2. *Exclusión de medidas para evitar la doble imposición*

Entrando ya en materia fiscal, el apartado 1 de este artículo 52 de la Ley 27/2014 señala que las IIC no tendrán derecho a la exención prevista en el artículo 21 de esta Ley ni a las deducciones para evitar la doble imposición internacional previstas en los artículos 31 y 32 de esta Ley, siempre y cuando tributen al tipo del 1% previsto en el artículo 29. Recordemos que según el artículo 29.4 de la LIS:

> *"4. Tributarán al tipo del 1 por ciento:*
>
> *a) Las sociedades de inversión de capital variable reguladas siempre que el número de accionistas requerido sea, como mínimo, el previsto en su artículo 9.4.*
>
> *b) Los fondos de inversión de carácter financiero previstos en la citada Ley, siempre que el número de partícipes requerido sea, como mínimo, el previsto en su artículo 5.4.*
>
> *c) Las sociedades de inversión inmobiliaria y los fondos de inversión inmobiliaria regulados en la citada Ley, distintos de los previstos en la letra d) siguiente, siempre que el número de accionistas o partícipes requerido sea, como mínimo, el previsto en los artículos 5.4 y 9.4 de dicha Ley y que, con el carácter de instituciones de inversión colectiva no financieras, tengan por objeto exclusivo la inversión en cualquier tipo de inmueble de naturaleza urbana para su arrendamiento.*
>
> *d) Las sociedades de inversión inmobiliaria y los fondos de inversión inmobiliaria regulados en la Ley de Instituciones de Inversión Colectiva que, además de reunir los requisitos previstos en la letra c), desarrollen la actividad de promo-*

ción exclusivamente de viviendas para destinarlas a su arrendamiento y cumplan las siguientes condiciones:

1.ª Las inversiones en bienes inmuebles afectas a la actividad de promoción inmobiliaria no podrán superar el 20 por ciento del total del activo de la sociedad o fondo de inversión inmobiliaria.

2.ª La actividad de promoción inmobiliaria y la de arrendamiento deberán ser objeto de contabilización separada para cada inmueble adquirido o promovido, con el desglose que resulte necesario para conocer la renta correspondiente a cada vivienda, local o finca registral independiente en que éstos se dividan, sin perjuicio del cómputo de las inversiones en el total del activo a efectos del porcentaje previsto en la letra c).

3.ª Los inmuebles derivados de la actividad de promoción deberán permanecer arrendados u ofrecidos en arrendamiento por la sociedad o fondo de inversión inmobiliaria durante un período mínimo de 7 años. Este plazo se computará desde la fecha de terminación de la construcción. A estos efectos, la terminación de la construcción del inmueble se acreditará mediante el certificado final de obra a que se refiere el artículo 6 de la Ley 38/1999, de 5 de noviembre, de Ordenación de la Edificación.

(…)"

De este modo, en el supuesto en que las IIC tributen al tipo del 1%, no tendrán derecho a los mecanismos para evitar la doble imposición previstos en los artículos 21, 31 y 32 de LIS. Así, los dividendos procedentes de entidades, residentes o no residentes, así como las rentas puestas de manifiesto por la transmisión de participaciones entidades no gozarán de la exención o deducción para evitar la doble imposición.

Lo anterior es lógico, no sólo porque de lo contrario alcanzarían una tributación negativa, sino porque las deducciones tratan, con carácter general, de incentivar la realización de determinadas actividades que las IIC, debido a su naturaleza y objeto social, no pueden llevar a cabo[41].

Por el contrario, cuando la IIC tribute al tipo general, la misma sí que tendrá derecho a la aplicación de la exención del artículo 21 y de la deducción de los artículos 31 y 32 LIS. Las IIC tributarán al tipo general, especialmente, en aquellos supuestos en que no cumplan el requisito del número mínimo de 100 accionistas o partícipes.

En estos casos, como regla general, corresponderá a la Comisión Nacional del Mercado de Valores determinar si una IIC cumple con los requisitos, especialmente, los requeridos a la SICAV respecto a su número de accionistas. La Disposición Adicional Tercera de la Ley 23/2005, de 18 de noviembre, de re-

---

[41]   JAQUOTOT GARRE, N.; "Capítulo XXXIX. Instituciones de Inversión Colectiva" en Guía del Impuesto sobre Sociedades, CISS 2008; pág. 839.

formas en materia tributaria para el impulso a la productividad[42], vino a zanjar la controversia que había surgido en torno a los intentos de regularización por parte de la Inspección de Hacienda de aquellas SICAVs que, a su entender, no cumplían los requisitos por la Ley 35/2003 –especialmente en lo referente al número mínimo de accionistas– y que, por tanto, no tenían derecho a la aplicación del tipo reducido del 1%.

No obstante, con posterioridad a la promulgación de la Ley 23/2005, el Tribunal Económico-Administrativo Central, refiriéndose a la normativa anterior,

---

[42]   En concreto, la mencionada Disposición Adicional Tercera establece: *1. En los supuestos previstos en el artículo 13 de la Ley 35/2003, de 4 de noviembre, de Instituciones de Inversión Colectiva, no resultará de aplicación el régimen especial de tributación previsto en la Ley del Impuesto sobre Sociedades con efectos desde el período impositivo en el que se hubieran producido las circunstancias determinantes de la suspensión o revocación acordada por la Comisión Nacional del Mercado de Valores.*
2. La iniciación de oficio de los procedimientos de suspensión o revocación, por parte de la Comisión Nacional del Mercado de Valores, comprenderá la incoación mediante petición razonada de la Administración tributaria.
3. Cuando la Administración tributaria comunique la existencia de circunstancias o hechos distintos de los que motivaron la inscripción en los Registros previstos en el artículo 16 del Reglamento de desarrollo de la Ley 35/2003 de los que pueda apreciarse la concurrencia de alguno de los supuestos previstos en el citado artículo 13, la Comisión Nacional del Mercado de Valores se pronunciará sobre la improcedencia de incoar expediente de revocación o suspensión o dictará acuerdo declarando o no la suspensión o revocación en el plazo de seis meses desde que la comunicación haya tenido entrada en cualquiera de los registros de la Comisión.
El transcurso de dicho plazo sin que se haya producido el pronunciamiento o el acuerdo de la Comisión a los que se refiere el párrafo anterior habilitará a la Administración tributaria para dictar el acto de liquidación que procediera, si bien las calificaciones que lo motiven sólo tendrán efectos tributarios.
Cuando la Comisión dicte con posterioridad al acto de liquidación pronunciamiento en el que se declare la improcedencia de la incoación del expediente o acuerdo en el que no se declare la suspensión o revocación, resultará de aplicación lo dispuesto en el artículo 219 de la Ley 58/2003, de 18 de diciembre, General Tributaria.
4. Todas las revocaciones y suspensiones acordadas por la Comisión deberán ser comunicadas a la Administración tributaria.
La Administración tributaria podrá practicar la regulación que, en su caso, sea procedente en atención a los acuerdos de revocación o suspensión que sean ejecutivos, sin perjuicio de la aplicación del citado artículo 219 de la Ley General Tributaria a la vista de la resolución de los recursos interpuestos contra aquéllos.
5. Se considerará período de interrupción justificado, a efectos de lo dispuesto en el apartado 2 del artículo 104 de la Ley General Tributaria, el tiempo que transcurra entre la comunicación efectuada por la Administración tributaria y la recepción por ésta del pronunciamiento o acuerdo de la Comisión, o el plazo de seis meses a que alude el apartado 3 anterior de no recibirse aquéllos en ese término. Si la ejecución del acuerdo de la Comisión resultara suspendida, el período de interrupción abarcará hasta la finalización de la suspensión del acuerdo."

zanjó también esta polémica en su Resolución 569/2007 de 20 de diciembre de 2007[43], al considerar que el único organismo competente para determinar si

---

[43] La mencionada resolución del TEAC establece en su fundamento de Derecho noveno: "*El régimen de las instituciones de inversión colectiva se concibe como un todo, en el que inciden interrelacionados circunstancias o aspectos del mercado de valores, administrativos-regulatorios y fiscales. Como expone la justificación parlamentaria trascrita, ha de dispensarse un tratamiento unitario a las relaciones jurídicas de las IIC, evitando que una institución de inversión colectiva pueda ser considerada como tal a todos los efectos regulatorios y no lo sea a efectos fiscales; lo que sucedería si en un período determinado estuviera obligada a asumir todas las obligaciones derivadas del régimen administrativo y mercantil de las IIC, y simultáneamente se viese privada del régimen fiscal que se regula indisolublemente unido al resto del régimen especial y que es concebido como una parte más del mismo. En este orden de cosas, lleva razón la entidad reclamante ante el TEAR al afirmar que no es dable fraccionar un régimen legal especial de carácter unitario, aislando las decisiones tributarias del conjunto de circunstancias que configuran su tratamiento global. No cabe duda que resulta paradójica la situación de unas entidades que ontológicamente son y no son, al mismo tiempo, instituciones de inversión colectiva.*
Es impensable, no sólo en términos de seguridad jurídica sino de mera lógica jurídica, que una sociedad pueda tener la consideración de IIC para la CNMV y no tener tal consideración para la Agencia Tributaria, cuando la normativa tributaria, en lo que a este régimen se refiere, se ha remitido en bloque a lo dispuesto en una normativa, ajena a la fiscal, cuya aplicación e interpretación corresponden a la CNMV, ligando a la consideración que en aquel ámbito tenga, sin introducir matices o particulares exigencias a efectos tributarios, los efectos fiscales que a dicho régimen corresponden. Son indudables las disfunciones a que daría lugar una SIMCAV pierda el régimen fiscal especial pero, a la vez, el órgano supervisor le siga considerando tal y, por ende, siga sometida al régimen administrativo especial de estas entidades, siendo así que el primero está fundamentado en la existencia del segundo. Como puede apreciarse del análisis de la Disposición Adicional Tercera de la Ley 23/2005 llevado a cabo en fundamentos anteriores, ésta es la interpretación que la misma valida, haciendo hincapié, en el apartado 1, en esa unidad del régimen especial de las IIC y, consiguientemente, en su caso, la simultaneidad en la pérdida de la eficacia financiera y fiscal de dicho régimen.
El juicio de la Inspección y del Centro Directivo recurrente de que ello sería «a los solos efectos tributarios» implicaría la consecuencia que el legislador desea evitar («... evitando el potencial riesgo de que una institución de inversión colectiva pueda ser considerada como tal a todos los efectos regulatorios, pero no lo sea a efectos fiscales, con el consiguiente desequilibrio entre derechos y obligaciones y la incidencia patrimonial sobre quienes hubieran confiado en la información bursátil y de los Registros Oficiales».); esto es, la distorsión que introduciría en el mercado financiero la alteración retroactiva del valor liquidativo de una institución por la posterior modificación del régimen fiscal que el inversor no podía prever, más aún, tenía sólidos fundamentos para confiar en que ello no era así.
La valoración del régimen jurídico material de las instituciones de inversión colectiva corresponde al órgano supervisor y de ella es consecuencia el régimen fiscal pues así lo ha dispuesto el legislador tributario al remitirse en bloque a las condiciones reseñadas; y más aún cuando el presupuesto jurídico del disfrute de un determinado régimen jurídico fiscal (tratarse de una IIC conforme a la Ley 46/84 y estar admitido a negociación en Bolsa) requiere una actuación administrativa de autorización, supervisión, control e inspección, encomendados con independencia funcional a una Entidad independiente, la CNMV, que centraliza en esta materia y, por consiguiente, en las dos cuestiones que nos ocupan, los criterios interpretativos de su normativa sustantiva; y, llegado el caso, agotando dicha Comi-

una IIC cumple o no con los requisitos para tener tal consideración corresponden a la Comisión Nacional del Mercado de Valores.

Veamos un ejemplo de lo dispuesto en este apartado 1.

EJEMPLO

La SICAV MARY JO se constituyó en 2009 cumpliendo todos los requisitos para que le sea de aplicación el tipo de gravamen del 1%. Desde el ejercicio 2014, posee, ininterrumpidamente, más del 5% de las sociedades A y B. En 2016, dichas sociedades proceden a distribuir dividendo.

¿Tendrá derecho la entidad MARY JO SICAV a aplicar la exención prevista en el artículo 21 de la LIS por los dividendos percibidos en 2016 procedentes de las sociedades A y B?

SOLUCIÓN

Dado que MARY JO SICAV posee más del 5% de las sociedades A y B, tendría derecho a aplicar la exención prevista en el artículo 21.1 LIS. No obstante, al tributar a un tipo de gravamen del 1%, el artículo 52 de la LIS impide que pueda aplicar dicha exención.

Asimismo, en el supuesto en que la IIC se dé baja como tal en el Registro de la CNMV, tal cambio no tiene como única consecuencia la aplicación de tipo general en lugar del especial del 1%; será de aplicación, además, el artículo 27.2 de LIS, según el cual:

"2. En todo caso concluirá el período impositivo:

(...).

d) Cuando se produzca la transformación de la forma societaria de la entidad, o la modificación de su estatuto o de su régimen jurídico, y ello determine la modificación de su tipo de gravamen o la aplicación de un régimen tributario distinto.

---

sión la vía administrativa, sometidos al juicio de la jurisdicción contencioso-administrativa. Piénsese que, si en relación con la misma normativa financiera o bursátil, el Órgano público supervisor aplica unos criterios y la Inspección de los Tributos otros diferentes, la materia del Mercado de Valores llegaría a ser competencia de la vía económico-administrativa, lo que indudablemente no parece ser lo previsto por el legislador.

La Inspección tiene sin duda competencia para comprobar si proceden o no los regímenes de tributación especial que la normativa tributaria alberga pero ello siempre dentro de los términos en que estos están concebidos, por lo que, respecto al que nos ocupa, del tenor de éste se desprende la de constatar los datos, que el legislador tributario ha querido como fácticos, por tanto, sin la apreciación jurídica subyacente, de ser una IIC y cotizar en Bolsa; competencia, en suma, para recabar de la entidad en cuestión la acreditación de ser una IIC y estar admitida a cotización en Bolsa (inscripción en el correspondiente Registro de la CNMV, certificación de ésta, en su caso, respecto a tal circunstancia, certificación de la pertinente sociedad rectora de Bolsa u organismo equivalente)."

La renta derivada de la transmisión posterior de los elementos patrimoniales existentes en el momento de la transformación o modificación, se entenderá generada de forma lineal, salvo prueba en contrario, durante todo el tiempo de tenencia del elemento transmitido. La parte de dicha renta generada hasta el momento de la transformación o modificación se gravará aplicando el tipo de gravamen y el régimen tributario que hubiera correspondido a la entidad de haber conservado su forma, estatuto o régimen originario."

En virtud de dicha baja, se producirá la conclusión del periodo impositivo de la sociedad y, por consiguiente, el inicio de un nuevo periodo impositivo en la que ya se aplicará el tipo general del Impuesto. En este sentido se manifiesta la Dirección General de Tributos, en su consulta vinculante V3146-15, de 19 de febrero, al señalar que:

"La aplicación de dicho precepto exige que se cumplan dos condiciones: la primera, que tenga lugar la transformación de la forma jurídica de la entidad o la modificación de su estatuto o de su régimen jurídico; la segunda, que ello suponga la aplicación de un tipo de gravamen diferente del aplicable hasta entonces o la aplicación de un régimen tributario especial. Esta segunda condición, se produce en este caso concreto, ya que la consultante, sociedad que tributaba en el Impuesto sobre Sociedades al tipo impositivo del 1%, pasará a tributar al tipo general de gravamen del Impuesto. En relación con la primera condición señalada, se produce una alteración en el régimen jurídico de la entidad consultante, puesto que, con carácter previo a su transformación, se encontraba sometida a la normativa propia de las instituciones de inversión colectiva, es decir, a la Ley 35/2003, de 4 de noviembre, de Instituciones de Inversión Colectiva.

En definitiva, en el supuesto descrito en la consulta será de aplicación lo establecido en el artículo 27.2.d) de la LIS, por lo que la transformación de la consultante, en virtud de la cual deja de tener la consideración de sociedad de inversión inmobiliaria, supondrá, en primer lugar, la conclusión del período impositivo en la fecha en que dicha transformación produzca sus efectos jurídicos y, en segundo lugar, el inicio de un nuevo período impositivo en que la sociedad tributará con arreglo a un régimen tributario distinto en el Impuesto sobre Sociedades, debiendo calcular la renta generada en la transmisión de elementos patrimoniales que se produzca con posterioridad a la fecha de transformación, según indica el segundo párrafo del citado precepto."

EJEMPLO

Una IIC de carácter no financiero, dada de alta como tal desde el 2 de enero de 2011, posee varios bienes inmuebles, uno de ellos adquirido también el 2 de enero de dicho año por 5 millones de euros. Con efectos 30 de junio de 2015, se da de baja en el Registro de Sociedades de Inversión inmobiliaria. El 31 de diciembre de 2015 transmite dicho inmueble por 6 millones.

¿Cómo tributará el beneficio generado por la transmisión del mencionado inmueble?

SOLUCIÓN

En primer lugar, debido a la baja del registro de sociedades de inversión inmobiliaria, se produce, de conformidad con el artículo 27.2 LIS, la conclusión del periodo impositivo de la entidad el 30 de junio de 2015. La entidad tendrá, pues, durante el ejercicio 2015 dos periodos impositivos:

– El primero, de 1 de enero a 30 de junio de 2015, en el que la entidad habrá estado sujeto al régimen de instituciones de inversión colectiva, tributando al 1%.

– El segundo, de 1 de julio a 31 diciembre de 2015, en el que tributará al tipo general.

En segundo lugar, como consecuencia de lo anterior, la entidad deberá tributar de acuerdo con lo dispuesto en la letra d) del apartado 2 del artículo 27. Se determinará el beneficio o renta *generada de forma lineal*. Para ello, deberá de calcular previamente qué parte del beneficio generado corresponde al tiempo en que fue aplicación del tipo del 1% y qué parte el tipo general.

De acuerdo con los datos, la entidad ha generado la plusvalía durante un tiempo de 5 años, de los cuales 4,5 años (de 2 de enero de 2011 a 30 de junio de 2015) se corresponde al periodo en que era de aplicación el tipo del 1% y 0,5 años (1 de julio a 31 de diciembre) al tipo del 25%.

Así, dado que la entidad ha obtenido un beneficio de 1.000.000 de euros, el beneficio que tributará al tipo del 1% y el que lo hará al tipo del 25% serán los siguientes:

Al tipo del 1%: 1.000.000/5x4,5=900.000 euros.

Al tipo del 25%: 1.000.000/5x0,5=100.000 euros

La cuota resultante ascenderá a 34.000 euros (900.000x1% + 100.000x25%).

3. DEVOLUCIÓN

El apartado 2 de este artículo 52 prevé la devolución a las IIC de los pagos fraccionados, retenciones e ingresos a cuenta cuando éstos superen el importe de la cuota íntegra. De este modo, las IIC no soportan una carga tributaria superior al 1%[44].

---

[44]   JAQUOTOT GARRE, N.; Op. cit. pág. 840

Las IIC, como cualquier otra entidad sujeta al IS, estarán obligadas a realizar el pago fraccionado. Recordemos que, dependiendo de su importe neto de la cifra de negocios[45], la modalidad de la base del pago fraccionado podrá ser la del artículo 40.2 ó 40.3 de la LIS.

Así, habrá que determinar cuál es importe de neto de la cifra de negocios de una IIC. La Dirección General de Tributos, en su informe de 29 noviembre 2012 sobre la obligación de pago fraccionado de IIC, vino a señalar qué debe de entenderse por tal:

> *"En relación con el concepto de "importe neto de la cifra de negocios", debe señalarse que no se encuentra definido en la normativa tributaria, por lo que debemos recurrir a la legislación mercantil. En este sentido, el segundo párrafo del apartado 2 del artículo 35 del Código de Comercio establece que la cifra de negocios comprenderá los importes de venta de los productos y de la prestación de servicios u otros ingresos correspondientes a las actividades ordinarias de la empresa, deducidas las bonificaciones y demás reducciones sobre las ventas así como el Impuesto sobre el Valor Añadido, y otros impuestos directamente relacionados con la mencionada cifra de negocios, que deban ser objeto de repercusión.*
>
> *(...)*
>
> *Así, respecto de las Instituciones de Inversión Colectiva de carácter financiero se considerará que constituyen ingresos de sus actividades ordinarias:*
>
> *– Las comisiones de descuento de suscripciones y/o reembolsos y las retrocedidas a la IIC. No obstante, estas últimas no se tendrán en cuenta en la medida en que se deriven de la aplicación de la normativa financiera que limita la acumulación de comisiones, teniendo, por tanto, la naturaleza de un menor gasto.*
>
> *– Los ingresos financieros, y*
>
> *– Los resultados por enajenaciones de sus instrumentos financieros, siempre que su importe total resulte de signo positivo.*
>
> *En relación con las Instituciones de Inversión Colectiva de carácter inmobiliario, se considerará que constituyen ingresos de sus actividades ordinarias:*
>
> *– Las comisiones, tanto de descuento por suscripciones y/o reembolsos como retrocedidas a la IIC. No obstante, estas últimas no se tendrán en cuenta en la medida en que deriven de la aplicación de la normativa que limita la acumulación de comisiones, teniendo por tanto, la naturaleza de un menor gasto.*
>
> *– Los ingresos procedentes del arrendamiento, y*

---

[45]   Con anterioridad, el texto refundido de la Ley del Impuesto sobre Sociedades no condicionaba la modalidad de pago fraccionado al importe neto de la cifra de negocios sino al volumen de ventas definido en la Ley del Impuesto sobre el Valor Añadido.

– Los resultados por enajenaciones de inmovilizado, siempre que su importe total resulte de signo positivo."

Por último, otra de las consecuencias de la no aplicación de la exención del artículo 21 de la LIS, además de la tributación de los dividendos, es la retención que deben de soportar por la percepción de los mismos. Recordemos que el Reglamento del Impuesto sobre Sociedades (artículo 61.p) excluye de retención a los dividendos o participaciones en beneficios a que se refiere el apartado 1 del artículo 21 de la Ley del Impuesto sobre Sociedades.

Artículo 53
Tributación de los socios o partícipes de las Instituciones de Inversión Colectiva

Pablo Romá Bohorques

Abogado. Socio Director de Romá Bohorques Abogados Tributarios

"1. Los socios o partícipes de las Instituciones de Inversión Colectiva a que se refiere el artículo anterior, que tengan la consideración de contribuyentes de este Impuesto, o del Impuesto sobre la Renta de no Residentes que obtengan sus rentas mediante establecimiento permanente en territorio español, integrarán en la base imponible los dividendos o participaciones en beneficios distribuidos por esas Instituciones, así como las rentas derivadas de la transmisión de acciones o participaciones o del reembolso de estas, sin que les resulte posible aplicar la exención prevista en el artículo 21 de esta Ley, ni las deducciones para evitar la doble imposición internacional previstas en los artículos 31 y 32 de esta Ley.

2. El régimen previsto en este artículo será de aplicación a los socios o partícipes de instituciones de inversión colectiva, reguladas por la Directiva 2009/65/CE del Parlamento y del Consejo, de 13 de julio de 2009, por la que se coordinan las disposiciones legales, reglamentarias y administrativas sobre determinados organismos de inversión colectiva en valores mobiliarios, distintas de las previstas en el artículo 54 de esta Ley, constituidas y domiciliadas en algún Estado miembro de la Unión Europea e inscritas en el registro especial de la Comisión Nacional del Mercado de Valores, a efectos de su comercialización por entidades residentes en España".

SUMARIO: 1. INTRODUCCIÓN. 2. TRIBUTACIÓN DE LOS BENEFICIOS DE LOS SOCIOS. 3. TRIBUTACIÓN DE SOCIOS DE DETERMINADOS ORGANISMOS DE INSTITUCIÓN COLECTIVA. 4. TRIBUTACIÓN DE LOS SOCIOS EN OPERACIONES DE REESTRUCTURACIÓN DE IIC O OICVM. 4.1. Operaciones de reestructuración de IIC o OICVM. 4.2. Operaciones de reestructuración de compartimentos de IIC o OICVM.

1. INTRODUCCIÓN

Este artículo 53 viene a regular la tributación de los socios o partícipes de las IIC, en concreto, de aquellos socios o participes que sean contribuyentes por el Impuesto sobre Sociedades, así como por el Impuesto sobre la Renta de No Residentes que actúen en España mediante establecimiento permanente.

El legislador, a la hora de regular la tributación de los socios personas jurídicas, ha tenido en cuenta la baja tributación a la que están sometidas las IIC. En este sentido, dado el reducido tipo (1%) aplicable a las IIC, los socios o partícipes de las mismas no disfrutarán de la exención o deducción para evitar la doble imposición por la parte de las rentas percibidas de aquellas. De otro modo, se estaría produciendo en la práctica una desimposición.

En el antiguo Texto Refundido de la Ley del Impuesto sobre Sociedades de 2004 se podía encontrar, además, otros preceptos que afectaban a la tributación de los socios de las IIC, concretamente, a la inversión directa en una SICAV.

En este sentido, fue muy significativa, por ejemplo, la exclusión de la deducción por reinversión de beneficios extraordinarios prevista en el artículo 42[46] del texto refundido, de aquellas reinversiones efectuadas en valores representativos de instituciones de inversión colectiva de carácter financiero. Dicha exclusión fue introducida por la Ley 35/2006, de 28 de noviembre, del Impuesto sobre la Renta de las Personas Físicas y de modificación parcial de las leyes de los Impuestos sobre Sociedades, sobre la Renta de no Residentes y sobre el Patrimonio, siguiendo la doctrina establecida al respecto con anterioridad por la Dirección General de Tributos.

Así, con carácter previo a la exclusión introducida por la Ley 35/2006, este centro directivo ya estableció la imposibilidad de poder acogerse a dicho beneficio fiscal mediante la reinversión en SICAV[47]. En estos supuestos, la doctrina

---

[46]   La deducción por reinversión de beneficios extraordinarios prevista en el artículo 42 del TRLIS 2004 sigue siendo aplicación en los términos señalados en la Disposición transitoria vigésima cuarta de la Ley 27/2014.

[47]   La argumentación esgrimida por la Dirección General de Tributos en la consulta vinculante V0523-05, de 30 de marzo era la siguiente: "*Dicho precepto establece expresamente que, cuando la reinversión se materialice en elementos del inmovilizado material e inmaterial, éstos deben estar afectos a actividades económicas. Este requisito no parece que pueda exigirse en el caso de que la reinversión se materialice en la adquisición de participaciones en el capital de otras entidades, por cuanto, en un sentido estricto, las participaciones como elementos de inmovilizado financiero, no pueden "afectarse" a actividades económicas, si bien, esto no significa que esta operación no esté sujeta al cumplimiento de requisito alguno. Así, si toda inversión responde a una razón económica, igual acontecerá cuando la reinversión se realiza en adquisiciones de participaciones del capital de otras entidades, máxime cuando entre las personas o entidades que intervienen en la operación pudiera existir una relación de vinculación a efectos fiscales, de forma que esa transmisión puede no responder a tal razón, sino más bien a conseguir un ahorro fiscal al margen de cualquier efecto jurídico o económico relevante, en cuyo caso, no se entendería cumplido el requisito de reinversión. Dicha razón económica toma mayor relevancia cuando la reinversión se pretende materializar en la toma de participaciones en una SICAV, por cuanto al ser estas entidades instrumen-*

administrativa únicamente permitía –de forma excepcional– la aplicación de la deducción por reinversión (o, en su caso, el diferimiento por exención), cuando, indirectamente, a través de una IIC, se poseía más del 5% de una sociedad con actividad económica[48].

---

tos de ahorro de inversores minoristas donde se gestiona el riesgo de la inversión, la misma puede estar más cercana a la cesión a terceros de capitales propios que a la participación en los fondos propios de una entidad. Es más, en el caso planteado la actividad de la SICAV es la gestión de fondos de inversión, los cuales están excluidos como materialización de la reinversión, por lo que igualmente no debe entenderse como reinversión la toma de participación en el capital de estas SICAV."

[48] *En este sentido, la consulta vinculante V0851-06, de 5 de mayo, señalaba que: "De acuerdo con ello, los elementos patrimoniales en que debe materializarse la reinversión han de ser elementos del inmovilizado material o inmaterial afectos a actividades económicas, o bien valores representativos de la participación en otras entidades que otorguen una participación no inferior al 5% del capital social de las mismas, de manera que este incentivo fiscal tiene como finalidad favorecer el crecimiento económico, puesto que persigue que la reinversión se materialice en activos empresariales productivos.*
Por otra parte, de acuerdo con lo establecido en la Ley 35/2003, de 4 de noviembre, de Instituciones de Inversión Colectiva, estas entidades en general y las sociedades de inversión de capital variable (SICAV), en particular, se caracterizan por ser entidades que sirven de instrumento del ahorro de los inversores minoristas, asignando el ahorro a concretas oportunidades de inversión mediante una diversificación del riesgo, a través de las cuales los inversores participan en los mercados de capitales, es decir, permite acceder a dichos mercados de forma indirecta. De la regulación específica de estas instituciones, se desprende que su patrimonio tiene que ser invertido necesariamente en determinados instrumentos financieros, por lo que la naturaleza de estos activos es lo que debe servir para considerar válida o no la inversión en la adquisición de participaciones en el capital de una SICAV como materialización de la reinversión a los efectos establecidos en el citado artículo 42 del TRLIS.
Del análisis de tales activos se desprende que únicamente las participaciones en el capital de otras sociedades pueden cumplir los requisitos legales para considerar materializada la reinversión, caso de realizarse la reinversión de forma directa, no siendo válidos los demás activos de la SICAV a estos efectos, por lo que la simple mediación de estas sociedades entre el inversor y los activos adquiridos no debería permitir considerar cumplido en todo caso el requisito de reinversión.
En este sentido, a efectos de evitar que se otorgara un tratamiento fiscal distinto según que la reinversión se realice directamente en determinados elementos patrimoniales, o que se realizara en esos mismos elementos a través de una SICAV, lo cual no sería aceptable desde una perspectiva de lógica tributaria, el cumplimiento del requisito de la reinversión debe centrarse en el análisis de los activos en los que invierte la SICAV su patrimonio. Así, por ejemplo, si la adquisición directa de instrumentos de deuda no se consideraría como materialización de la reinversión, a esta misma conclusión debería llegarse en la adquisición de participaciones en el capital de una SICAV en la que todo su activo estuviese invertido en esos mismos instrumentos financieros.
Por tanto, de acuerdo con el principio de neutralidad, en la medida en que el inversor está invirtiendo de forma indirecta en los instrumentos financieros que integran el activo de una SICAV, el cumplimiento del requisito de reinversión estará condicionado a que los mismos

No obstante, el Tribunal Económico-Administrativo Central, en diversas resoluciones (562/2007[49], 53/2008 y 243/2008), dispuso, (en relación con su-

---

estén comprendidos entre los que el artículo 42.3 del TRLIS considera como válidos a los efectos de la materialización de la reinversión.

En consecuencia, en estos casos, se considerará materializada la reinversión en la parte del precio de adquisición de la participación en el capital de una SICAV que proporcionalmente sea imputable a las participaciones que esta última pueda tener en el capital de otras sociedades, siempre que el porcentaje de participación indirecto que el socio de la SICAV tenga en el capital de esas sociedades operativas sea al menos del 5%, al objeto de dar el mismo régimen fiscal a la inversión directa que a la indirecta por mediación de una SICAV".

[49] *En el Fundamento de Derecho decimocuarto de esta resolución se señala que: "De acuerdo con los hechos que constan en el expediente, la totalidad de la plusvalía generada se reinvirtió en bienes de inmovilizado material y en la adquisición de acciones de... SIMCAVF, en el ejercicio 2002. En este punto, la Inspección no acepta la reinversión en acciones de la SIMCAVF, apoyándose en varias consultas de la DGT, y en particular, en la publicada en fecha 30 Mar. 2005.*

En cuanto a los elementos patrimoniales en los que se puede materializar la reinversión, el artículo 36ter, en su redacción vigente en los ejercicios de referencia, señala que:

«3. Elementos patrimoniales objeto de la reinversión

Los elementos patrimoniales en los que debe reinvertirse el importe obtenido en la transmisión que genera la renta objeto de la deducción, son los siguientes:

a) Los pertenecientes al inmovilizado material o inmaterial afectos a actividades económicas.

b) Los valores representativos de la participación en el capital o en fondos propios de toda clase de entidades que otorguen una participación no inferior al 5 por 100 sobre el capital social de los mismos.

No se entenderán comprendidos en la presente letra los valores que no otorguen una participación en el capital social y los representativos de la participación en el capital social o en los fondos propios de entidades residentes en países o territorios calificados reglamentariamente como paraíso fiscal.»

La letra b) del apartado tercero del artículo 36 ter de la LIS, es claro a la hora de establecer los requisitos y exclusiones en aquellos casos en que los sujetos pasivos materialicen el importe obtenido en la transmisión en participaciones en el capital de otros entes: Incluye todo tipo de entidades expresamente, y solo excluye a aquellos valores que no den derecho a la participación en el capital social, y los relativos a entidades residentes en paraísos fiscales.

Sobre si ese era o no el espíritu del legislador cuando reguló esta medida, no se encuentra este Tribunal capacitado para contestar a esta cuestión, el hecho es que la ley es clara y las SINCAVF, aunque se trate de instrumentos de ahorro de inversores minoristas donde se gestiona el riesgo de la inversión como señala la DGT, y quizá estén más cerca de la cesión a terceros de capitales propios que a la participación en los fondos propios de una entidad, el caso es que en ningún caso, vienen excluidas por la ley, al regular el artículo 36 ter, por lo que debemos admitir como válidas este tipo de inversiones a la hora de comprobar si se ha producido o no la materialización de la reinversión, ya que se trata de sociedades anónimas, y por lo tanto sus valores otorgan una participación en el capital social de la entidad, y no se trata de entidades residentes en paraísos fiscales, y todo ello aun cuando se encuentren acogidas a la legislación específica de Instituciones de Inversión Colectiva.

Cosa distinta sería que nos encontráramos ante algún ejercicio posterior a 1 Ene. 2007, en el que fuera de aplicación la nueva redacción de la deducción por reinversión introducida por la disp. final segunda.22 de la Ley 35/2006, de 28 Nov., con la que, quizá ante la existencia de conflictos o dudas en cuanto a la interpretación y aplicación de la norma, o por la

puestos anteriores a la entrada en vigor de la Ley 35/2003 y en contra de la postura de la Dirección General de Tributos), que la reinversión en más de un 5% en una SICAV era apta a efectos de la aplicación de la deducción por reinversión de beneficios extraordinarios prevista en el antiguo artículo 36 ter de la Ley 43/1995 (posteriormente, artículo 42 del TRLIS 2004).

Por otro lado, también nos encontramos con otras normas que afectan a la tributación de los socios de una IIC y que no están en este artículo 53 de la LIS.

En concreto, el Real Decreto-ley 3/2016, de 2 de diciembre, por el que se adoptan medidas en el ámbito tributario dirigidas a la consolidación de las finanzas públicas y otras medidas urgentes en materia social, ha modificado el artículo 21 de la Ley 27/2014, introduciendo un nuevo apartado 6, en el que se prevé la no deducibilidad fiscal de las pérdidas derivadas de la transmisión en una entidad cuando la participación en la misma cumpla los requisitos establecidos en el artículo 21.3. En concreto, la redacción del mencionado apartado 6 es la siguiente:

> *"6. No se integrarán en la base imponible las rentas negativas derivadas de la transmisión de la participación en una entidad, respecto de la que se de alguna de las siguientes circunstancias:*
>
> *a) que se cumplan los requisitos establecidos en el apartado 3 de este artículo. No obstante, el requisito relativo al porcentaje de participación o valor de adquisición, según corresponda se entenderá cumplido cuando el mismo se haya alcanzado en algún momento durante el año anterior al día en que se produzca la transmisión.*
>
> *b) en caso de participación en el capital o en los fondos propios de entidades no residentes en territorio español, que no se cumpla el requisito establecido en la letra b) del apartado 1 del artículo 21 de esta Ley.*
>
> *En el supuesto de que los requisitos señalados se cumplan parcialmente, en los términos establecidos en el apartado 3 de este artículo, la aplicación de lo dispuesto en este apartado se realizará de manera parcial."*

Del citado artículo se desprende, como se ha señalado antes, que no serán deducibles fiscalmente las pérdidas generadas por la transmisión de una participación en una entidad que cumpla los requisitos previstos en el artículo 21.3. (el apartado 3 remite a su vez al apartado 1 del artículo 21; los requisitos

---

generalización de este tipo de instrumentos, se incrementan de manera expresa los supuestos en los que no se considera correcta, a los efectos de este beneficio, la reinversión en valores financieros.

A partir de dicha norma, la reinversión en SINCAV, no se considerará correcta, al tratarse de sociedades anónimas que tienen por objeto exclusivo la adquisición, tenencia, disfrute y administración en general y enajenación de valores mobiliarios y otros activos financieros para compensar por una adecuada composición de sus activos, los riesgos y los tipos de rendimientos sin participación mayoritaria económica o política en otras sociedades."

serían básicamente ostentar una participación superior al 5% durante un plazo superior a un año).

Realizando una interpretación literal del precepto transcrito conjuntamente con el artículo 53, podríamos llegar a una inquietante conclusión; las pérdidas derivadas de la transmisión de una IIC no serían fiscalmente deducibles. El articulo 53 impide la aplicación de la exención del artículo 21 precisamente en aquellos casos en que el socio cumpla los requisitos en éste exigidos. En este caso, el silogismo es fácil; si se cumple los requisitos del artículo 21.3, aplicaría automáticamente el artículo 21.6, impidiendo, por tanto, la deducción fiscal de pérdidas derivadas de la transmisión de una participación en una entidad en la que se ostente más del 5% desde hace más de un año.

Sin embargo, si efectuamos una interpretación finalista del mencionado artículo 21.6 –considerando que la finalidad del nuevo apartado 6 es impedir que un socio que tendría derecho a la exención de una renta positiva generada, no pueda, por el contrario, deducirse fiscalmente su pérdida– podríamos entender que, a pesar de que un socio de una IIC cumpla los requisitos del artículo 21.3, el mismo sí que tendría derecho a deducirse fiscalmente la pérdida generada por la transmisión de la participación en ésta dado que, en virtud de lo dispuesto en el artículo 53, no tiene derecho a la exención en el supuesto en que obtuviese un beneficio.

Dichas interpretaciones, seguramente, serán despejadas en un sentido u otro por la Dirección General de Tributos. No obstante, a la fecha de la publicación de la presente obra, el mencionado centro directivo no ha emitido ninguna consulta al respecto.

2. TRIBUTACIÓN DE LOS BENEFICIOS DE LOS SOCIOS

El apartado 1 del artículo 53 regula la tributación de los socios de las IIC. Así, las entidades sujetas al Impuesto sobre Sociedades o al Impuesto sobre la Renta de No Residentes mediante establecimiento permanente deberán integrar los dividendos percibidos por las IIC, así como las rentas obtenidas por la transmisión de sus participaciones, en su resultado contable o, dependiendo de su tratamiento contable, directamente en la base imponible mediante un ajuste extracontable[50].

---

[50] Esta circunstancia se daría en aquellos casos en los que, como consecuencia de un cambio de criterio contable o de un error y de acuerdo con la norma de valoración 22 del PGC 2007, no procediese imputar un ingreso en la cuenta de pérdidas y ganancias sino un ajuste en una partida de las reservas. En este caso, en virtud del artículo 11.3 de la Ley 27/2014, procedería imputar en la base imponible la renta derivada de dividendos o de transmisión de participaciones, siempre y cuando se trate de un cambio de criterio contable. No obstan-

Asimismo, la integración de una renta en la base imponible no dependerá, exclusivamente, de la percepción de dividendos o de la obtención de rentas por el socio de la IIC. Habrá que estar a lo previsto en la norma de valoración del Plan General de Contabilidad (en adelante, PGC 2007). Con la entrada en vigor del PGC 2007, la participación en una IIC se puede clasificar, a efectos de su valoración, en las siguientes categorías:

– Activos financieros mantenidos para negociar.

– Inversiones en el patrimonio de empresas del grupo, multigrupo y asociada.

– Activos financieros disponibles para la venta.

De conformidad con la norma de valoración 9ª del PGC 2007, dependiendo de la clasificación, al final de cada ejercicio y, por consiguiente, del periodo impositivo, el socio de una IIC deberá imputar en su cuenta de pérdidas y ganancias la diferencia positiva o negativa de la valoración. En este sentido, cuando una participación en una IIC tenga la consideración de activo financiero mantenido para negociar, tal y como señala el apartado 2.3.2. de la norma 9ª del PGC 2007, se valorará por su valor razonable, sin deducir los costes de transacción en que se pudiera incurrir en su enajenación. Los cambios que se produzcan en el valor razonable se imputarán en la cuenta de pérdidas y ganancias del ejercicio.

Por el contrario, cuando el socio ostente una participación del 20% o superior en una IIC, la misma tendrá la consideración de *Inversiones en el patrimonio de empresas del grupo, multigrupo y asociada*[51]. En este caso, se valorarán por su coste, menos, en su caso, el importe acumulado de las correcciones valorativas por deterioro, no procediendo, por tanto, imputación alguna de resul-

---

te, en el supuesto en que el ajuste en reservas se debiese a un error contable, el tratamiento fiscal será diferente; el socio de la IIC deberá imputarlo contablemente al ejercicio en que se detectó el error, pero fiscalmente deberá declararlo en el periodo impositivo que le hubiese correspondido, debiendo presentar la correspondiente declaración-liquidación complementaria.

[51] Para determinar si la participación de una sociedad tiene la consideración de empresa del grupo, multigrupo y asociadas, deberemos acudir a la norma 13ª de elaboración de las cuentas anuales del PGC 2007, donde se señala lo siguiente:

13.ª Empresas del grupo, multigrupo y asociadas

A efectos de la presentación de las cuentas anuales de una empresa o sociedad se entenderá que otra empresa forma parte del grupo cuando ambas estén vinculadas por una relación de control, directa o indirecta, análoga a la prevista en el artículo 42 del Código de Comercio para los grupos de sociedades o cuando las empresas estén controladas por cualquier medio por una o varias personas físicas o jurídicas, que actúen conjuntamente o se hallen bajo dirección única por acuerdos o cláusulas estatutarias.

Se entenderá que una empresa es asociada cuando, sin que se trate de una empresa del grupo, en el sentido señalado anteriormente, la empresa o alguna o algunas de las empresas del grupo en caso de existir éste, incluidas las entidades o personas físicas dominantes, ejerzan

tado en la cuenta de pérdidas y ganancias, de acuerdo con el apartado 2.5.2 de la norma 9ª de valoración del PGC 2007. El Instituto de Contabilidad y Auditoría de Cuentas, en una resolución de una consulta referente a la clasificación contable y, en consecuencia, a los criterios aplicables en la valoración de una participación superior al veinte por ciento en el capital social de una SICAV[52], establece lo siguiente:

> "*A la vista de estas definiciones una participación superior al veinte por ciento del capital social desencadena la presunción, que admite la prueba en contrario, de que la inversión en la citada sociedad debe calificarse como asociada. Por tanto, en principio, su tratamiento contable será el regulado en la NRV 9ª, apartado 2.5. Esto supone que la valoración inicial se efectuará al coste, que equivaldrá al valor razonable de la contraprestación entregada más los costes de transacción que les sean directamente atribuibles. La valoración posterior seguirá efectuándose al coste, menos las correcciones valorativas por deterioro que procedan en sintonía con lo previsto en el apartado 2.5.3 de la mencionada norma*".

Finalmente, una vez integrados en la base imponible del socio de la IIC los dividendos o las rentas generadas por la transmisión de participaciones, los mismos no generarán el derecho a la aplicación de la exención del artículo 21 de la LIS o, en el supuesto en que procediese su inclusión en la base imponible, a las deducciones previstas en los artículos 31 y 32 de la LIS. Este apartado 1 par-

---

sobre tal empresa una influencia significativa por tener una participación en ella que, creando con ésta una vinculación duradera, esté destinada a contribuir a su actividad.

En este sentido, se entiende que existe influencia significativa en la gestión de otra empresa, cuando se cumplan los dos requisitos siguientes:

a) La empresa o una o varias empresas del grupo, incluidas las entidades o personas físicas dominantes, participan en la empresa, y

b) Se tenga el poder de intervenir en las decisiones de política financiera y de explotación de la participada, sin llegar a tener el control.

Asimismo, la existencia de influencia significativa se podrá evidenciar a través de cualquiera de las siguientes vías:

1. Representación en el consejo de administración u órgano equivalente de dirección de la empresa participada;

2. Participación en los procesos de fijación de políticas;

3. Transacciones de importancia relativa con la participada;

4. Intercambio de personal directivo; o

5. Suministro de información técnica esencial.

Se presumirá, salvo prueba en contrario, que existe influencia significativa cuando la empresa o una o varias empresas del grupo incluidas las entidades o personas físicas dominantes, posean, al menos, el 20 por 100 de los derechos de voto de otra sociedad.

Se entenderá por empresa multigrupo aquella que esté gestionada conjuntamente por la empresa o alguna o algunas de las empresas del grupo en caso de existir éste, incluidas las entidades o personas físicas dominantes, y uno o varios terceros ajenos al grupo de empresas.

[52] BOICAC Nº 84/2010 Consulta 5 Sobre el tratamiento contable de la participación en el patrimonio de una Sociedad de Inversión de Capital Variable (SICAV).

te, implícitamente, de una premisa para que se pueda aplicar lo preceptuado en él; el socio debe de cumplir los requisitos señalados en los artículos 21, 31 ó 32 para que le sea de aplicación la exención o las deducciones previstos en éstos.

La no aplicación de la exención del artículo 21 de la LIS puede provocar casos de doble imposición[53] cuando los dividendos distribuidos por la SICAV procedan a su vez de dividendos percibidos por ésta de entidades que hayan tributado.

Veamos un ejemplo de lo dispuesto en este apartado 1 del artículo 53.

EJEMPLO

La Sociedad BASOR, entidad residente en España, posee, desde hace de 4 años, el 60% de una SICAV residente en España que cotiza en el MAB (Mercado Alternativo Bursátil). En 2016, BASOR percibe de la SICAV unos dividendos que ascienden a 100.000 euros.

¿Cuál será la tributación de estos dividendos?

SOLUCIÓN

BASOR integra en su base imponible el importe de sus dividendos. Dado que no procede la aplicación del artículo 21 de la LIS, dichos dividendos no estarán exentos.

Resultado contable	100.000
Base imponible	100.000
Exención artículo 21 LIS	No aplica
Tipo de gravamen	25%
Cuota	25.000

Por tanto, la tributación de BASOR por los dividendos percibidos por la SICAV ascenderá a 25.000 euros.

3. TRIBUTACIÓN DE SOCIOS DE DETERMINADOS ORGANISMOS DE INSTITUCIÓN COLECTIVA

El apartado 2 del artículo 53 de la LIS viene a establecer que el régimen antes expuesto será también aplicable a los socios o participes de determinados Organismos de Institución Colectiva. Estos organismos vienen regulados por la Direc-

---

[53] LÓPEZ-SANTACRUZ MONTES; Memento Impuesto sobre Sociedades, FRANCIS LEFEBVRE, 5598.

tiva 2009/65/CE del Parlamento Europeo y del Consejo de 13 de julio de 2009 por la que se coordinan las disposiciones legales, reglamentarias y administrativas sobre determinados organismos de inversión colectiva en valores mobiliarios (OICVM). En concreto, el artículo 1 de la mencionada Directiva señala que:

> "*1. La presente Directiva se aplica a los organismos de inversión colectiva en valores mobiliarios (OICVM) establecidos en el territorio de los Estados miembros.*
>
> *2. Para los fines de la presente Directiva y sin perjuicio del artículo 3, se entenderá por «OICVM» los organismos:*
>
> *a) cuyo objeto exclusivo sea la inversión colectiva, en valores mobiliarios o en otros activos financieros líquidos a que se refiere el artículo 50, apartado 1, de los capitales obtenidos del público, y cuyo funcionamiento esté sometido al principio de reparto de riesgos, y*
>
> *b) cuyas participaciones sean, a petición de los partícipes, recompradas o reembolsadas, directa o indirectamente, con cargo a los activos de estos organismos. Se asimilará a tales recompras o reembolsos el hecho de que un OICVM actúe para que el valor de sus participaciones en bolsa no se separe sensiblemente de su valor de inventario neto.*
>
> *Los Estados miembros podrán permitir que los OICVM se compongan de distintos compartimentos de inversión.*
>
> *3. Los organismos a que se refiere el apartado 2 podrán revestir la forma contractual (fondos comunes de inversión gestionados por una sociedad de gestión) o de trust (unit trust), o la forma estatutaria (sociedad de inversión)."*

EJEMPLO

La sociedad MOYACA, entidad residente en España adquirió en 2014 el 40% de una SIF luxemburguesa por 14.000.000 euros. En 2016, MOYACA transmite su participación en la SIF por 15.000.000 euros.

¿Cuál será la tributación de esta plusvalía?

SOLUCIÓN

MOYACA íntegra en su base imponible el importe del beneficio generado. Dado que no procede la aplicación del artículo 21 de la LIS, ni tampoco del artículo 31 LIS, dicho beneficio no está exento, ni generará una deducción en la cuota.

Resultado contable	1.000.000
Base imponible	1.000.000
Exención artículo 21 LIS	No aplica
Tipo de gravamen	25%
Cuota	250.000

Por tanto, la tributación de MOYACA por el beneficio derivado de la transmisión de su participación en la SIF ascenderá a 250.000 euros.

4. TRIBUTACIÓN DE LOS SOCIOS EN OPERACIONES DE REESTRUCTURACIÓN DE IIC O OICVM

4.1. *Operaciones de reestructuración de IIC o OICVM*

Tal y como hemos visto en los epígrafes anteriores, la transmisión de acciones o participaciones de una IIC o de un OICVM por parte de su socio supondrá que el beneficio derivado de la misma se integrará en la base imponible del socio.

No obstante, en el supuesto en que dicha transmisión sea consecuencia de una operación de reestructuración prevista en el Capítulo VII del Título VII de la LIS (arts. 76 y siguientes), la misma no se integrará en la base imponible del socio y, por lo tanto, no tributará siempre y cuando se cumplan los requisitos previstos en este régimen especial de neutralidad fiscal de fusiones y escisiones.

En este sentido, la cuestión parece ser pacífica, decantándose la doctrina administrativa por considerar que no procede la integración de rentas que se pongan de manifiesto por una operación de reestructuración acogida al régimen especial previsto en el Capítulo VII del Título VII de la LIS.

En concreto, la Dirección General de Tributos, en su consulta vinculante V1315-16 de 31 de marzo, referente a una fusión entre dos IIC (SICAV y Fondo de Inversión) señala que:

> *"los socios residentes en territorio español no integrarán en su base imponible las rentas que se pongan de manifiesto con ocasión de la atribución de valores de la entidad adquirente y los valores fiscales recibidos se valorarán, a efectos fiscales por el valor fiscal de los entregados."*

4.2. *Operaciones de reestructuración de compartimentos de IIC o OICVM*

En relación con estas operaciones de reestructuración de compartimentos (tanto la LIIC como la Directiva UCITS regulan la existencia de compartimentos en una IIC o OICVM.), la norma prevé que puedan efectuarse fusiones, escisiones y demás operaciones de reestructuración.

En concreto, respecto a las fusiones de compartimentos de una IIC, el artículo 36 del Real Decreto 1082/2012, de 13 de julio, por el que se aprueba el Reglamento de desarrollo de la Ley 35/2003, de 4 de noviembre, de Instituciones de Inversión Colectiva establece una definición de lo que se debe de considerar fusión. En concreto, dicho artículo dispone que:

> "1. Se considerará fusión a toda operación por la que:
>
> a) Una o varias IIC o compartimentos de inversión de IIC, IIC fusionadas en adelante, transfieran a otra IIC ya existente o a un compartimento de la misma, IIC beneficiaria en adelante, como consecuencia y en el momento de su disolución sin liquidación, la totalidad de su patrimonio, activo y pasivo, mediante la atribución a sus partícipes o accionistas de participaciones o acciones de la IIC beneficiaria y, en su caso, de una compensación en efectivo que no supere el 10 por ciento del valor liquidativo de sus participaciones o acciones en la IIC fusionada.
>
> b) Dos o varias IIC o compartimentos de inversión de IIC, las IIC fusionadas, transfieran a una IIC constituida por ellas o a un compartimento de inversión de la misma, la IIC beneficiaria, como consecuencia y en el momento de su disolución sin liquidación, la totalidad de su patrimonio, activo y pasivo, mediante la atribución a sus partícipes o accionistas de participaciones o acciones de la IIC beneficiaria y, en su caso, de una compensación en efectivo que no supere el 10% del valor liquidativo de dichas participaciones o acciones.
>
> c) Una o varias IIC o compartimentos de inversión de IIC, las IIC fusionadas, que seguirán existiendo hasta que se extinga el pasivo, transfieran sus activos netos a otro compartimento de inversión de la misma IIC, a una IIC de la que forman parte, a otra IIC ya existente o a un compartimento de inversión del mismo, la IIC beneficiaria.
>
> 2. La normativa prevista en la Ley 35/2003, de 4 de noviembre y este reglamento se aplicará a las fusiones de IIC autorizadas en España y las fusiones en las que al menos intervenga una IIC autorizada en España y otra u otras autorizadas en otros Estados Miembros de la Unión Europea conforme a la Directiva 2009/65/CE, de 13 de julio."

Por su parte, respecto de las OICVM, la propia Directiva UCITS establece una serie de definiciones en su artículo 2:

> 1. A efectos de la presente Directiva, se entenderá por:
>
> (…)
>
> p) «fusiones»: toda operación por la que:
>
> i) uno o varios OICVM o compartimentos de inversión de OICVM («los OICVM fusionados») transfieren a otro OICVM ya existente o a un compartimento de inversión del mismo («el OICVM beneficiario»), como consecuencia y en el momento de su disolución sin liquidación, la totalidad de su patrimonio, activo y pasivo, mediante la atribución a sus partícipes de participaciones del OICVM beneficiario y, en su caso, de una compensación en efectivo que no supere el 10 % del valor de inventario neto de dichas participaciones,
>
> ii) dos o varios OICVM o compartimentos de inversión de OICVM («los OICVM fusionados») transfieren a un OICVM constituido por ellos o a un compartimento de inversión del mismo («el OICVM beneficiario»), como con-

secuencia y en el momento de su disolución sin liquidación, la totalidad de su patrimonio, activo y pasivo, mediante la atribución a sus partícipes de participaciones del OICVM beneficiario y, en su caso, de una compensación en efectivo que no supere el 10 % del valor de inventario neto de dichas participaciones,

iii) uno o varios OICVM o compartimentos de inversión de OICVM («los OICVM fusionados»), que seguirán existiendo hasta que se extinga el pasivo, transfieren sus activos netos a otro compartimento de inversión del mismo OICVM, a un OICVM del que forman parte, a otro OICVM ya existente o a un compartimento de inversión del mismo («el OICVM beneficiario»);

q) «fusión transfronteriza»: una fusión de OICVM:

i) de los que al menos dos estén establecidos en Estados miembros diferentes, o ii) establecidos en el mismo Estado miembro en un OICVM recientemente constituido establecido en otro Estado miembro;

r) «fusión nacional»: una fusión de OICVM establecidos en el mismo Estado miembro, en la que al menos uno de los OICVM haya sido notificado de conformidad con el artículo 93.

En virtud de los anteriores preceptos, podríamos entender que la fusión de compartimentos de IIC o OICVM están previstas (y permitidas) y, por lo tanto, podrían, en principio, acogerse al régimen especial de neutralidad fiscal regulado en los artículos 76 y siguientes de la LIS.

Sin embargo, respecto a la fusión de compartimentos, parece que ésta no es la postura de la Administración, en concreto, de la Dirección General de Tributos. Para este centro directivo, la fusión de compartimentos de una IIC no tiene en todos los casos la consideración de tal a efectos fiscales y, por lo tanto, no puede gozar del régimen de neutralidad fiscal previsto en los artículos 76 y siguientes de la Ley 27/2014.

Así, la Dirección General de Tributos califica una fusión de un compartimento de una SICAV con otra –considerada como fusión por el artículo 35 RIIC o por el artículo 2 de la Directiva UCITS– como una segregación (en lugar de una fusión). De este modo, este centro directivo niega la consideración de fusión a esta operación, impidiendo que esta operación pueda beneficiarse del régimen especial de fusiones y escisiones previsto en la Ley 27/2014.

En concreto, en su consulta vinculante V0250-16 de 25 de enero, la DGT viene a establecer lo siguiente:

"De acuerdo con los hechos manifestados, el Compartimento A de la SICAV A (española) se disolverá sin liquidación, transmitiendo todo el patrimonio así como sus derechos y obligaciones vigentes en el momento de la disolución.

Para que una operación pueda calificarse como una fusión a los efectos del artículo 76.1 de la LIS, debe producirse la disolución sin liquidación de una entidad o contribuyente, de acuerdo con la terminología descrita en el artículo 7.3 de la LIS. Por tanto, en la medida en la que en este caso no se produce la disolución sin liquidación de una entidad (la SICAV A), sino de un compartimento, que no tiene la consideración de entidad a los efectos de la LIS, no se cumplirán los requisitos exigidos para calificar la operación descrita como fusión a los efectos de aplicar el régimen fiscal especial previsto en el capítulo VII del título VII de la LIS.

(…)

En el supuesto concreto planteado, la SICAV A va a segregar y transmitir a la SICAV B, el patrimonio correspondiente al Compartimento A, así como los derechos y obligaciones asociados al mismo.

De acuerdo con el artículo 50 de la Directiva 2009/65/CE del Parlamento Europeo y del Consejo, de 13 de julio de 2009, por la que se coordinan las disposiciones legales, reglamentarias y administrativas sobre determinados organismos de inversión colectiva en valores mobiliarios (en adelante OICVM), los OICVM deben invertir su activo en valores mobiliarios y otros instrumentos financieros, sin perjuicio de los bienes muebles e inmuebles indispensables para realizar su actividad.

Por tanto, en la medida en la que el patrimonio del Compartimento A no constituyen una explotación económica autónoma con una organización y gestión diferenciada, por lo que el bloque patrimonial integrado por los valores mobiliarios y otros activos líquidos no constituirá una rama de actividad, a efectos de lo dispuesto en el artículo 76.4 de la LIS. Por tanto, la operación de escisión parcial planteada no cumpliría la definición recogida en el artículo 76.2.1°.b) de la LIS.

Por lo tanto, y dado que la operación analizada no tiene cabida en la definición de escisión parcial del 76.2.1°.b) de la LIS, cabe plantearse si cumple la definición de operación de escisión parcial financiera. A estos efectos, el artículo 76.2.1°.c) de la LIS exige que las participaciones que se transmitan confieran la mayoría del capital social. No obstante, de acuerdo con el artículo 56.1 de la Directiva 2009/65/CE establece que estos OICVM no pueden adquirir carteras de control en las sociedades en las que participen. Por ello, la operación tampoco podrá tener la consideración de escisión financiera en los términos previstos en el artículo 76.2.1ª.c) de la LIS."

De esta doctrina administrativa, se desprende varias cuestiones:

–   La absorción de una IIC por parte de un compartimento podrá acogerse al régimen especial al tener la consideración de fusión.

–   La absorción de un compartimento por parte de otro compartimento o IIC no tendrá la consideración de fusión. En este caso, dado que el compartimento no constituye una rama de actividad, ni tampoco puede calificarse la operación de escisión financiera, la citada absorción no podrá disfrutar del régimen especial de neutralidad fiscal previsto en el Capítulo VII del Título VII, tributando por las rentas que se generen en esa operación.

Artículo 54

Tributación de los socios o partícipes de las Instituciones de Inversión Colectiva constituidas en países o territorios calificados como paraísos fiscales

PABLO ROMÁ BOHORQUES

Abogado. Socio Director de Romá Bohorques Abogados Tributarios

"1. Los contribuyentes de este Impuesto y del Impuesto sobre la Renta de no Residentes que obtengan sus rentas mediante establecimiento permanente en territorio español, que participen en Instituciones de Inversión Colectiva constituidas en países o territorios calificados reglamentariamente como paraísos fiscales, integrarán en la base imponible la diferencia positiva entre el valor liquidativo de la participación al día del cierre del período impositivo y su valor de adquisición.

La cantidad integrada en la base imponible se considerará mayor valor de adquisición.

2. Los beneficios distribuidos por la Institución de Inversión Colectiva no se integrarán en la base imponible y minorarán el valor de adquisición de la participación.

3. Se presumirá, salvo prueba en contrario, que la diferencia a que se refiere el apartado 1 es el 15 por ciento del valor de adquisición de la acción o participación".

SUMARIO: 1. INTRODUCCIÓN. 2. DETERMINACIÓN DEL IMPORTE A INTEGRAR EN LA BASE IMPONIBLE. 2.1. Consideración de paraíso fiscal. 2.2. Integración de rentas. 3. DISTRIBUCIÓN DE DIVIDENDO. 3.1. Minoración del valor adquisición. 3.2. Aplicación de deducción para evitar la doble imposición. 4. PRESUNCIÓN DEL IMPORTE A INTEGRAR EN LA BASE IMPONIBLE.

1. INTRODUCCIÓN

Este artículo 54 viene a regular la tributación de los socios o participes de aquellas IIC que hayan sido constituidas en paraísos fiscales.

2. DETERMINACIÓN DEL IMPORTE A INTEGRAR EN LA BASE IMPONIBLE

2.1. *Consideración de paraíso fiscal*

En primer lugar, para poder aplicar lo preceptuado en este artículo 54, debemos de determinar qué se entiende por paraíso fiscal. En este sentido, la consideración de un país o territorio como paraíso fiscal viene establecida por el Real Decreto 1080/1991, de 5 de julio. En concreto, según su artículo 1, tendrán la consideración de paraíso fiscal los siguientes países o territorios:

1. Principado de Andorra.

2. Antillas Neerlandesas.

3. Aruba.

4. Emirato del Estado de Bahrein.

5. Sultanato de Brunei.

6. República de Chipre.

7. Emiratos Árabes Unidos.

8. Gibraltar.

9. Hong-Kong.

10. Anguilla.

11. Antigua y Barbuda.

12. Las Bahamas.

13. Barbados.

14. Bermuda.

15. Islas Caimanes.

16. Islas Cook.

17. República de Dominica.

18. Granada.

19. Fiji.

20. Islas de Guernesey y de Jersey (Islas del Canal).

21. Jamaica.

22. República de Malta.

23. Islas Malvinas.

24. Isla de Man.

25. Islas Marianas.

26. Mauricio.

27. Montserrat.

28. República de Naurú.

29. Islas Salomón.

30. San Vicente y las Granadinas.

31. Santa Lucía.

32. República de Trinidad y Tabago.

33. Islas Turks y Caicos.

34. República de Vanuatu.

35. Islas Vírgenes Británicas.

36. Islas Vírgenes de Estados Unidos de América.

37. Reino Hachemita de Jordania.

38. República Libanesa.

39. República de Liberia.

40. Principado de Liechtenstein.

41. Gran Ducado de Luxemburgo, por lo que respecta a las rentas percibidas por las Sociedades a que se refiere el párrafo 1 del Protocolo anexo al Convenio, para evitar la doble imposición, de 3 de junio de 1986.

42. Macao.

43. Principado de Mónaco.

44. Sultanato de Omán.

45. República de Panamá.

46. República de San Marino.

47. República de Seychelles.

48. República de Singapur.

No obstante, han salido de esta lista, de acuerdo con el Informe de la Dirección General de Tributos de 23 de diciembre de 2014, las siguientes jurisdicciones.

- Principado de Andorra.

- Antillas Neerlandesas.

- Aruba.

- República de Chipre.

- Emiratos Árabes Unidos.

- Hong-Kong.

- Bahamas.

- Barbados.

- Jamaica.

- Malta
- Trinidad y Tobago
- Luxemburgo
- Panamá.
- Sultanato de Omán[54].
- San Marino
- Singapur.

2.2. Integración de rentas

El apartado 1 establece que, al término de cada periodo impositivo, los socios o participes de las Instituciones de Inversión Colectiva (en adelante, IIC) constituidas en un paraíso fiscal deberán integrar en su base imponible la diferencia positiva entre el valor liquidativo de su participación en la IIC y su valor de adquisición. Entendemos que dicha integración deberá efectuarse con independencia de lo que disponga la norma 9ª del Plan General de Contabilidad, es decir, con independencia de su tratamiento contable.

Así, el importe a integrar en la base imponible, en la medida en que no forme parte del resultado contable, se realiza practicando a dicho resultado un ajuste positivo por la cuantía de aquella diferencia[55].

De este modo, en cada periodo impositivo, el socio o participe deberá integrar la mencionada diferencia positiva (no se habla de diferencia negativa) en su base imponible. Para ello, deberá de comparar su valor de adquisición con el valor liquidativo que tenga su participación en la IIC el último día del periodo impositivo.

Para evitar situaciones de doble imposición, la norma señala que la cantidad que se integre en la base imponible se considerará mayor valor de adquisición. De este modo, en cada periodo impositivo, para determinar la diferencia positiva, habrá que partir del valor de adquisición, en su caso, "actualizado", es decir, del nuevo valor de adquisición que resulte del periodo o periodos impositivos anteriores como consecuencia de la integración de estas diferencias positivas.

EJEMPLO

La sociedad residente en España, SANPE, adquirió en 2014 el 50% de una IIC residente en un paraíso fiscal por 20.000.000 euros.

---

54   Informe de la Dirección General de Tributos de 3 de noviembre de 2015.
55   LÓPEZ-SANTACRUZ MONTES, J.A; Memento Impuesto sobre Sociedades; Lefebvre-El Derecho. 2015, 5696.

A 31 de diciembre de 2014, el valor liquidativo ascendía a 20.600.000 euros.

A 31 de diciembre de 2015, el valor liquidativo ascendía a 21.100.000 euros.

¿Cuál será la tributación en 2015 para SANPE?

SOLUCION

Para poder determinar el importe a integrar en 2015, deberemos, previamente calcular cuál fue el que se integró en 2014 y, por tanto, cual es el valor de adquisición de la IIC a 31 de diciembre de 2015.

Dado que a 31 de diciembre de 2014 el valor liquidativo ascendía a 20.600.000 euros y el de adquisición, a 20.000.000 euros, el importe a integrar en la base imponible de 2014 fue de 600.000 euros.

A 31 diciembre de 2015, el importe a integrar será el siguiente:

Valor liquidativo a 31 diciembre 2015	21.100.000
Valor adquisición (actualizado por la diferencia positiva de 2014)	20.600.000
Diferencia positiva a 31 diciembre 2015	500.000
Importe a integrar en la base imponible de 2015	500.000

Por tanto, la tributación, si aplicamos un tipo de gravamen del 25%, ascenderá a 125.000 euros.

3. DISTRIBUCIÓN DE DIVIDENDO

3.1. *Minoración del valor adquisición*

El apartado 2 de este articulo 54 regula la distribución de dividendos distribuidos por la IIC constituida en un paraíso fiscal. El citado apartado 2 establece que los dividendos que hayan sido objeto de distribución por parte de una IIC no se integrarán en la base imponible de la entidad que los percibe y minorarán, además, el valor de adquisición de la participación.

De este modo, la entidad perceptora de los dividendos, al no integrarlos en la base imponible, no deberá tributar por la obtención de los mismos. No obstante, dicha no integración supondrá:

- O bien, en el supuesto en que el valor liquidativo no haya superado nunca el valor de adquisición un diferimiento de la tributación dado que la consiguiente minoración de valor de adquisición dará como resultado una mayor diferencia positiva en ejercicios posteriores cuando se compare con el valor de liquidación. La entidad acabará, pues, tributando por la percepción de los dividendos.

– O bien, en el supuesto en que el valor liquidativo haya superado en periodos impositivos anteriores el valor de adquisición, una ausencia de tributación técnica para evitar una doble imposición (o incluso triple imposición) dado que, previamente, dicho dividendo ya se integró en la base imponible.

EJEMPLO

La sociedad RIVAFER, residente en España, adquirió en 2014 por 10.000.000 euros un 40% de una IIC constituida en un paraíso fiscal.

A finales del periodo impositivo del 2014, el valor liquidativo de su participación en la IIC fue de 10.400.000 euros y, en consecuencia, integró en su base imponible la diferencia positiva de 400.000 euros. En 2015, el valor liquidativo de su participación al cierre de su periodo impositivo fue de 10.200.000 euros, habiendo percibido en ese ejercicio 300.000 euros de dividendos.

¿Cuál será la tributación en 2015 de RIVAFER por la percepción de los citados dividendos y su valor adquisición a 31 de diciembre de 2015?

SOLUCIÓN

Debido a la diferencia positiva de 400.000 euros puesta de manifiesto en 2014 e integrada en su base imponible, el valor de adquisición para 2015 será de 10.400.000 euros. Así, la percepción de dividendos por RIVAFER determinará:

– Que no se integren en la base imponible los 300.000 euros, no tributando, por tanto, por dicha obtención.

– Que se minore el valor de adquisición en 300.000 euros. Dado que el valor de adquisición para 2015 era de 10.400.000, el valor de adquisición resultante después de la obtención de los referidos dividendos ascenderá a 10.100.000 euros (10.400.000-300.000).

Dado que el valor de adquisición en 2015 es de 10.100.000 euros como consecuencia de la distribución de dividendos y el valor liquidativo de su participación, de 10.200.000 euros, RIVAFER deberá integrar en su base imponible 100.000 euros.

3.2. *Aplicación de deducción para evitar la doble imposición*

La aplicación de la deducción para evitar la doble imposición por parte de los socios de una IIC constituida en un paraíso fiscal no será posible, en principio, dado que, como hemos visto, no procede la integración de los dividendos percibidos en la base imponible.

En este sentido, la redacción anterior del TRLIS señalaba, en su artículo 60, que:

> *"2. Los beneficios distribuidos por la institución de inversión colectiva no se integrarán en la base imponible y minorarán el valor de adquisición de la participación.*
>
> *Estos beneficios no darán derecho a deducción por doble imposición."*

Así, el TRLIS excluía, expresamente, la aplicación de la deducción por doble imposición, deducción que, sin embargo, no aparece expresamente descartada por la Ley 27/2014 por lo que se podría entender que el obligado tributario tendría derecho a disfrutarla.

En este sentido, se manifiesta LÓPEZ-SANTACRUZ MONTES[56]. Según este autor, los socios o partícipes en una IIC tendrán derecho a la aplicación de la deducción del artículo 31 de la LIS, así como de la deducción por doble imposición internacional por dividendos y participaciones en beneficios prevista en el artículo 32 de la LIS.

Asimismo, siguiendo a LÓPEZ-SANTACRUZ MONTES, en el supuesto en que perciban por una entidad dividendos distribuidos con cargo a beneficios generados con anterioridad a la adquisición, los mismos deben integrarse en la base imponible y no minorar el precio de adquisición de la participación. Según este autor, *la finalidad que parece perseguir la LIS es excluir solamente aquellos que proceden de beneficios que se han integrado en la base imponible correspondiente al aumento del valor liquidativo de la participación.*

4. PRESUNCIÓN DEL IMPORTE A INTEGRAR EN LA BASE IMPONIBLE

El apartado 3 establece una presunción *"iuris tantum"* en virtud de la cual la referida diferencia positiva entre el valor liquidativo de la participación al día de cierre del periodo impositivo y el valor de adquisición será el 15% del valor de adquisición. Dicha presunción admite prueba en contrario por parte del obligado tributario.

No obstante, dada la dificultad en ocasiones de conseguir un valor liquidativo de las IICs residentes en un paraíso fiscal o la poca consistencia como prueba frente a la Administración tributaria del certificado del valor liquidativo emitido por la IIC, dicha presunción *"iuris tantum"* se aplicaría, en la práctica,

---

[56]   Ibid.

en la mayoría de las ocasiones dado que la entidad no dispondrá de una prueba en contrario suficientemente contundente para dejarla sin efecto.

Veamos un ejemplo de este apartado 3.

EJEMPLO

La sociedad residente en España, SANPE, adquirió en 2014, el 50% de una IIC residente en un paraíso fiscal por 20.000.000 euros. La IIC no emite ningún certificado del valor liquidativo de su participación en la IIC con fecha 31 de diciembre.

¿Cuál será la tributación en 2015 para SANPE?

SOLUCION

Para poder determinar el importe a integrar en 2015, deberemos, previamente calcular cual fue el que se integró en 2014 y, por tanto, saber cuál es el valor de adquisición de la IIC a 31 de diciembre de 2015.

Así, dado que la entidad no dispone de ningún certificado del valor liquidativo de su participación, no se podrá desvirtuar la presunción del apartado 3 del artículo 54.

El importe de la renta a integrar en la base imponible y su consiguiente tributación serán los siguientes:

Valor de adquisición originario	20.000.000
Diferencia positiva a 31 de diciembre de 2014 (presunción del 15%)	3.000.000
Importe a integrar en la base imponible de 2014	3.000.000
Valor adquisición (actualizado por la diferencia positiva de 2014)	23.000.000
Diferencia positiva a 31 diciembre 2015	3.450.000
Importe a integrar en la base imponible de 2015	**3.450.000**
Valor adquisición (actualizado por la diferencia positiva de 2015)	26.450.000
Tributación en 2015 (3.450.000x25%)	**862.500**

Por lo tanto, la sociedad integró en su base imponible de 2014 el 15% de su valor de adquisición "originario" (20.000.000 euros), esto es, 3.000.000. Como consecuencia de dicha integración, su valor de adquisición aumento a 23.000.000 euros.

En 2015, al ser su valor adquisición de 23.000.000, la diferencia positiva será el 15% de 23.000.000 euros (y no de 20.000.000 euros).

Artículos 55 a 75
El régimen especial de consolidación fiscal

José Rivaya Fernández-Santa Eulalia
Inspector de Hacienda del Estado

Artículo 55. Definición.
"1. *Los grupos fiscales podrán optar por el régimen tributario previsto en el presente capítulo. En tal caso las entidades que en ellos se integran no tributarán en régimen individual.*

2. Se entenderá por régimen individual de tributación el que correspondería a cada entidad en caso de no ser de aplicación el régimen de consolidación fiscal".

Artículo 56. Contribuyente.
"1. *El grupo fiscal tendrá la consideración de contribuyente.*

2. La entidad representante del grupo fiscal estará sujeta al cumplimiento de las obligaciones tributarias materiales y formales que se deriven del régimen de consolidación fiscal. Tendrá la consideración de entidad representante del grupo fiscal la entidad dominante cuando sea residente en territorio español, o aquella entidad del grupo fiscal que este designe cuando no exista ninguna entidad residente en territorio español que cumpla los requisitos para tener la condición de dominante.

3. Las entidades que integren el grupo fiscal estarán igualmente sujetas a las obligaciones tributarias que se derivan del régimen de tributación individual, excepción hecha del pago de la deuda tributaria.

4. Las actuaciones administrativas de comprobación o investigación realizadas frente a cualquier entidad del grupo fiscal, con el conocimiento formal de la entidad representante del mismo, interrumpirán el plazo de prescripción del Impuesto sobre Sociedades que afecta al citado grupo fiscal".

Artículo 57. Responsabilidades tributarias derivadas de la aplicación del régimen de consolidación fiscal.
"*Las entidades del grupo fiscal responderán solidariamente del pago de la deuda tributaria, excluidas las sanciones".*

Artículo 58. Definición del grupo fiscal. Entidad dominante. Entidades dependientes.
"1. *Se entenderá por grupo fiscal el conjunto de entidades residentes en territorio español que cumplan los requisitos establecidos en*

este artículo y tengan la forma de sociedad anónima, de responsabilidad limitada y comanditaria por acciones, así como las fundaciones bancarias a que se refiere el apartado 3 de este artículo.

Cuando una entidad no residente en territorio español ni residente en un país o territorio calificado como paraíso fiscal, con personalidad jurídica y sujeta y no exenta a un Impuesto idéntico o análogo al Impuesto sobre Sociedades español tenga la consideración de entidad dominante respecto de dos o más entidades dependientes, el grupo fiscal estará constituido por todas las entidades dependientes que cumplan los requisitos señalados en el apartado 3 de este artículo.

A los solos efectos de aplicar el régimen de consolidación fiscal, los establecimientos permanentes de entidades no residentes se considerarán entidades residentes participadas al 100 por ciento del capital y derechos de voto por aquellas entidades no residentes.

2. Se entenderá por entidad dominante aquella que cumpla los requisitos siguientes:

a) Tener personalidad jurídica y estar sujeta y no exenta al Impuesto sobre Sociedades o a un Impuesto idéntico o análogo al Impuesto sobre Sociedades español, siempre que no sea residente en un país o territorio calificado como paraíso fiscal. Los establecimientos permanentes de entidades no residentes situados en territorio español que no residan en un país o territorio calificado como paraíso fiscal podrán ser considerados entidades dominantes respecto de las entidades cuyas participaciones estén afectas al mismo.

b) Que tenga una participación, directa o indirecta, al menos, del 75 por ciento del capital social y se posea la mayoría de los derechos de voto de otra u otras entidades que tengan la consideración de dependientes el primer día del período impositivo en que sea de aplicación este régimen de tributación.

El porcentaje anterior será de, al menos, el 70 por ciento del capital social, si se trata de entidades cuyas acciones estén admitidas a negociación en un mercado regulado. Este último porcentaje también será aplicable cuando se tengan participaciones indirectas en otras entidades siempre que se alcance dicho porcentaje a través de entidades participadas cuyas acciones estén admitidas a negociación en un mercado regulado.

c) Que dicha participación y los referidos derechos de voto se mantengan durante todo el período impositivo.

El requisito de mantenimiento de la participación y de los derechos de voto durante todo el período impositivo no será exigible en el supuesto de disolución de la entidad participada.

d) Que no sea dependiente, directa o indirectamente, de ninguna otra que reúna los requisitos para ser considerada como dominante.

e) Que no esté sometida al régimen especial de las agrupaciones de interés económico, españolas y europeas, de uniones temporales de empresas o regímenes análogos a ambos.

f) Que, tratándose de establecimientos permanentes de entidades no residentes en territorio español, dichas entidades no sean dependientes, directa o indirectamente, de ninguna otra que reúna los requisitos para ser considerada como dominante y no residan en un país o territorio calificado como paraíso fiscal.

3. Se entenderá por entidad dependiente aquella que sea residente en territorio español sobre la que la entidad dominante posea una participación que reúna los requisitos contenidos en las letras b) y c) del apartado anterior, así como los establecimientos permanentes de entidades no residentes en territorio español respecto de las cuales una entidad cumpla los requisitos establecidos en el apartado anterior.

También tendrán esta misma consideración las entidades de crédito integradas en un sistema institucional de protección a que se refiere la letra d) del apartado 3 del artículo 8 de la Ley 13/1985, de 25 de mayo, de coeficientes de inversión, recursos propios y obligaciones de información de los intermediarios financieros, siempre que la entidad central del sistema forme parte del grupo fiscal y sea del 100 por ciento la puesta en común de los resultados de las entidades integrantes del sistema y que el compromiso mutuo de solvencia y liquidez entre dichas entidades alcance el 100 por ciento de los recursos propios computables de cada una de ellas. Se considerarán también entidades dependientes las fundaciones bancarias a que se refiere el artículo 43.1 de la Ley 26/2013, de 27 de diciembre, de cajas de ahorro y fundaciones bancarias, siempre que no tengan la condición de entidad dominante del grupo fiscal, así como cualquier entidad íntegramente participada por aquellas a través de las cuales se ostente la participación en la entidad de crédito.

4. No podrán formar parte de los grupos fiscales las entidades en las que concurra alguna de las siguientes circunstancias:

a) Que no sean residentes en territorio español.

b) Que estén exentas de este Impuesto.

c) Que al cierre del período impositivo haya sido declarada en situación de concurso y durante los períodos impositivos en que surta efectos esa declaración.

d) Que al cierre del período impositivo se encuentre en la situación patrimonial prevista en el artículo 363.1.e) del Texto Refundido de la Ley de Sociedades de Capital, aprobado por el Real Decreto Legislativo 1/2010, de 2 de julio, de acuerdo con sus cuentas anuales, aun cuando no tuvieran la forma de sociedades anónimas, a menos que a la conclusión del ejercicio en el que se aprueben las cuentas anuales esta última situación hubiese sido superada.

e) Las entidades dependientes que estén sujetas al Impuesto sobre Sociedades a un tipo de gravamen diferente al de la entidad representante del grupo fiscal, salvo el supuesto previsto en el apartado siguiente.

f) Las entidades dependientes cuyo ejercicio social, determinado por imperativo legal, no pueda adaptarse al de la entidad representante.

5. *No obstante lo dispuesto en la letra e) del apartado anterior, en el supuesto de que se cumplan el resto de requisitos señalados en este artículo para la configuración de un grupo fiscal en el que se integre, al menos, una entidad de crédito, sea como entidad dominante o como entidad dependiente, con otras entidades sujetas al tipo general de gravamen, se podrá optar por la inclusión de las referidas entidades de crédito dentro del grupo fiscal, con aplicación al citado grupo del régimen previsto en este capítulo. La inclusión requerirá la adopción del correspondiente acuerdo por parte de la entidad de crédito y, en su caso, por parte de la entidad dominante el grupo fiscal y será comunicada a la Administración tributaria en los términos previstos en el artículo 61 de esta Ley.*

6. *El grupo fiscal se extinguirá cuando la entidad dominante pierda dicho carácter. No obstante, no se extinguirá el grupo fiscal cuando la entidad dominante pierda tal condición y sea no residente en territorio español, siempre que se cumplan las condiciones para que todas las entidades dependientes sigan constituyendo un grupo de consolidación fiscal, salvo que se incorporen a otro grupo fiscal.*

7. *En el supuesto de que una fundación bancaria pierda la condición de entidad dominante de un grupo fiscal en un período impositivo, la entidad de crédito se subrogará en dicha condición desde el inicio del mismo, sin que se produzcan los efectos de la extinción del grupo fiscal a que se refiere el artículo 74 de esta Ley, salvo para aquellas entidades que dejen de formar parte del grupo por no tener la condición de dependientes en los términos señalados en el apartado 3 de este artículo.*

8. *Las sociedades para la gestión de activos, constituidas de acuerdo con lo dispuesto en la Ley 8/2012, de 30 de octubre, sobre saneamiento y venta de los activos inmobiliarios del sector financiero, se incluirán en el mismo grupo fiscal de las entidades de crédito, siempre que se cumplan los requisitos establecidos en las letras b) y c) del apartado 2 de este artículo".*

Artículo 59. Inclusión o exclusión de entidades en el grupo fiscal.

"1. *Las entidades sobre las que se adquiera una participación, directa o indirecta, como la definida en la letra b) del apartado 2 del artículo anterior, y se cumplan el resto de requisitos señalados en dicho apartado, se integrarán obligatoriamente en el grupo fiscal con efecto del período impositivo siguiente.*

En el caso de entidades de nueva constitución la integración se producirá desde ese momento, siempre que se cumplan los restantes requisitos necesarios para formar parte del grupo fiscal.

2. *Las entidades dependientes que pierdan tal condición quedarán excluidas del grupo fiscal con efecto del propio período impositivo en que se produzca tal circunstancia".*

Artículo 60. Determinación del dominio y de los derechos de voto en las participaciones indirectas.

"*1. Cuando una entidad participe en otra, y esta segunda en una tercera, y así sucesivamente, para calcular la participación indirecta de la primera sobre las demás entidades, se multiplicarán, respectivamente, los porcentajes de participación en el capital social, de manera que el resultado de dichos productos deberá ser, al menos, el 75 por ciento o, al menos, el 70 por ciento del capital social, si se trata bien de entidades cuyas acciones estén admitidas a negociación en un mercado regulado o de entidades participadas, directa o indirectamente, por estas últimas.*

2. Si en un grupo fiscal coexisten relaciones de participación, directa e indirecta, para calcular la participación total de una entidad en otra, directa e indirectamente controlada por la primera, se sumarán los porcentajes de participación directa e indirecta. Para que la entidad participada deba integrarse en el grupo fiscal de sociedades, dicha suma deberá ser, al menos, el 75 por ciento o, al menos, el 70 por ciento del capital social, si se trata bien de entidades cuyas acciones estén admitidas a negociación en un mercado regulado o de entidades participadas, directa o indirectamente, por estas últimas siempre que a través de las mismas se alcance ese porcentaje.

3. Si existen relaciones de participación recíproca, circular o compleja, deberá probarse, en su caso, con datos objetivos la participación de, al menos, el 75 por ciento del capital social o, al menos, el 70 por ciento del capital social, si se trata bien de entidades cuyas acciones estén admitidas a negociación en un mercado regulado o de entidades participadas, directa o indirectamente, por estas últimas siempre que a través de las mismas se alcance ese porcentaje.

4. Para determinar los derechos de voto, se aplicará lo establecido en el artículo 3 de las Normas para la Formulación de Cuentas Anuales Consolidadas, aprobadas por el Real Decreto 1159/2010, de 17 de septiembre".

Artículo 61. Aplicación del régimen de consolidación fiscal.

"*1. El régimen de consolidación fiscal se aplicará cuando así lo acuerden todas y cada una de las entidades que deban integrar el grupo fiscal.*

2. Los acuerdos a los que se refiere el apartado anterior deberán adoptarse por el Consejo de Administración u órgano equivalente, en cualquier fecha del período impositivo inmediato anterior al que sea de aplicación el régimen de consolidación fiscal.

3. Las entidades que en lo sucesivo se integren en el grupo fiscal deberán cumplir las obligaciones a que se refieren los apartados anteriores, dentro de un plazo que finalizará el día en que concluya el primer período impositivo en el que deban tributar en el régimen de consolidación fiscal.

4. La falta de los acuerdos a los que se refieren los apartados 1 y 2 de este artículo determinará la imposibilidad de aplicar el régimen de consolidación fiscal.

La falta de los acuerdos correspondientes a las entidades que en lo sucesivo deban integrarse en el grupo fiscal constituirá infracción tributaria grave de la entidad representante. La sanción consistirá en multa pecuniaria fija de 20.000 euros por el primer período impositivo en que se haya aplicado el régimen sin cumplir este requisito y de 50.000 euros por el segundo y siguientes, y no impedirá la efectiva integración en el grupo de las entidades afectadas.

La sanción impuesta de acuerdo con lo previsto en este apartado se reducirá conforme a lo dispuesto en el apartado 3 del artículo 188 de la Ley 58/2003, de 17 de diciembre, General Tributaria.

5. Ejercitada la opción, el grupo fiscal quedará vinculado a este régimen de forma indefinida durante los períodos impositivos siguientes, en tanto se cumplan los requisitos del artículo 58 y mientras no se renuncie a su aplicación a través de la correspondiente declaración censal, que deberá ejercitarse, en su caso, en el plazo de 2 meses a contar desde la finalización del último período impositivo de su aplicación.

6. La entidad representante del grupo fiscal comunicará los acuerdos mencionados en el apartado 1 de este artículo a la Administración tributaria con anterioridad al inicio del período impositivo en que sea de aplicación este régimen.

En el supuesto de un grupo fiscal constituido en los términos establecidos en el segundo párrafo del apartado 1 del artículo 58 de esta Ley, la entidad representante comunicará, en los mismos términos previstos en el párrafo anterior, el acuerdo adoptado por la entidad dominante no residente en territorio español, por el que se designe a la entidad representante del grupo fiscal. La falta de comunicación de este acuerdo tendrá los efectos establecidos en el apartado 4 de este artículo.

Asimismo, cuando se produzcan variaciones en la composición del grupo fiscal, la entidad representante lo comunicará a la Administración tributaria, identificando las entidades que se han integrado en él y las que han sido excluidas. Dicha comunicación se realizará en la declaración del primer pago fraccionado al que afecte la nueva composición".

Artículo 62. Determinación de la base imponible del grupo fiscal.

"1. La base imponible del grupo fiscal se determinará sumando:

a) Las bases imponibles individuales correspondientes a todas y cada una de las entidades integrantes del grupo fiscal, teniendo en cuenta las especialidades contenidas en el artículo 63 de esta Ley. No obstante, los requisitos o calificaciones establecidos tanto en la normativa contable para la determinación del resultado contable, como en esta Ley para la aplicación de cualquier tipo de ajustes a aquel, en los términos establecidos en el apartado 3 del artículo 10 de esta Ley, se referirán al grupo fiscal.

b) Las eliminaciones.

c) Las incorporaciones de las eliminaciones practicadas en períodos impositivos anteriores, cuando corresponda de acuerdo con el artículo 65 de esta Ley.

d) Las cantidades correspondientes a la reserva de capitalización prevista en el artículo 25 de esta Ley, que se referirá al grupo fiscal. No obstante, la dotación de la reserva se realizará por cualquiera de las entidades del grupo.

e) Las dotaciones a que se refiere el apartado 12 del artículo 11 de esta Ley, referidas al grupo fiscal, con el límite del 70 por ciento del importe positivo de la agregación de los conceptos señalados en las letras anteriores.

f) La compensación de las bases imponibles negativas del grupo fiscal, cuando el importe de la suma de los párrafos anteriores resultase positiva, así como de las bases imponibles negativas referidas en la letra e) del artículo 67 de esta Ley.

Las cantidades correspondientes a la reserva de nivelación prevista en el artículo 105 de esta Ley minorarán o incrementarán, según proceda, la base imponible del grupo fiscal. La dotación de la citada reserva la podrá realizar cualquier entidad del grupo fiscal.

2. El importe de las rentas negativas derivadas de la transmisión de la participación de una entidad del grupo fiscal que deje de formar parte del mismo se minorará por la parte de aquel que se corresponda con bases imponibles negativas generadas dentro del grupo fiscal por la entidad transmitida y que hayan sido compensadas en el mismo".

Artículo 63. Reglas especiales aplicables en la determinación de las bases imponibles individuales de las entidades integrantes del grupo fiscal.

"Las bases imponibles individuales correspondientes a las entidades integrantes del grupo fiscal, a que se refiere la letra a) del apartado 1 del artículo anterior, se determinarán de acuerdo con las reglas generales previstas en esta Ley, con las siguientes especialidades:

a) El límite establecido en el artículo 16 de esta Ley en relación con la deducibilidad de gastos financieros se referirá al grupo fiscal. Este límite no resultará de aplicación en los supuestos de extinción de la entidad, salvo que la extinción se realice dentro del grupo fiscal y la entidad extinguida tuviera gastos financieros pendientes de deducir en el momento de su integración en el mismo.

No obstante, en el caso de entidades de crédito o aseguradoras que tributen en el régimen de consolidación fiscal conjuntamente con otras entidades que no tengan esta consideración, el límite establecido en el artículo 16 de esta Ley se calculará teniendo en cuenta el beneficio operativo y los gastos financieros netos de estas últimas entidades, así como las eliminaciones e incorporaciones que correspondan en relación con todo el grupo.

b) No se incluirá en las bases imponibles individuales la reserva de capitalización a que se refiere el artículo 25 de esta Ley.

c) No se incluirán en las bases imponibles individuales las dotaciones a que se refiere el apartado 12 del artículo 11 de esta Ley.

d) No se incluirá en las bases imponibles individuales la compensación de bases imponibles negativas que hubieran correspondido a la entidad en régimen individual.

e) No se incluirá en las bases imponibles individuales la reserva de nivelación a que se refiere el artículo 105 de esta Ley".

Artículo 64. Eliminaciones.

"Las eliminaciones se realizarán de acuerdo con los criterios establecidos en las Normas para la Formulación de Cuentas Anuales Consolidadas, aprobadas por el Real Decreto 1159/2010, de 17 de septiembre, siempre que afecten a las bases imponibles individuales y con las especificidades previstas en esta Ley".

Artículo 65. Incorporaciones.

"1. Los resultados eliminados se incorporarán a la base imponible del grupo fiscal cuando así se establezca en las Normas para la Formulación de Cuentas Anuales Consolidadas, aprobadas por el Real Decreto 1159/2010, de 17 de septiembre.

No obstante, los resultados eliminados se incorporarán a la base imponible individual de la entidad que hubiera generado esos resultados y deje de formar parte del grupo fiscal, en el período impositivo en que se produzca dicha exclusión.

2. Se incorporarán los ingresos, gastos o resultados relativos a la reducción prevista en el artículo 23 de esta Ley en la base imponible del grupo fiscal en el período impositivo en que aquellos se entiendan realizados frente a terceros y, en ese caso, la cesión de los referidos activos estará sometida a las obligaciones de documentación a que se refiere el apartado 3 del artículo 18 de esta Ley".

Artículo 66. Compensación de bases imponibles negativas.

"Si en virtud de las normas aplicables para la determinación de la base imponible del grupo fiscal ésta resultase negativa, su importe podrá ser compensado con las bases imponibles positivas del grupo fiscal en los términos previstos en el artículo 26 de esta Ley".

Artículo 67. Reglas especiales de incorporación de entidades en el grupo fiscal.

"En el supuesto de que una entidad se incorpore a un grupo fiscal, en la determinación de la base imponible del grupo fiscal resultarán de aplicación las siguientes reglas:

a) Los gastos financieros netos pendientes de deducir en el momento de su integración en el grupo fiscal a que se refiere el artículo 16 de esta Ley se deducirán con el límite del 30 por ciento del beneficio operativo de la propia entidad, teniendo en cuenta las eliminaciones e incorporaciones que correspondan a dicha entidad, de acuerdo con lo previsto en los artículos 64 y 65 de esta Ley. Estos gastos financieros se tendrán en cuenta, igualmente, en el límite a que se refiere el apartado 1 del referido artículo 16.

Asimismo, la diferencia establecida en el apartado 2 del artículo 16 de esta Ley generada por una entidad con anterioridad a su integración en el grupo fiscal será aplicable en relación con los gastos financieros generados por la propia entidad.

b) A los efectos de lo previsto en el artículo 16 de esta Ley, los gastos financieros derivados de deudas destinadas a la adquisición de participaciones en el capital o fondos propios de cualquier tipo de entidades que se incorporen a un grupo de consolidación fiscal se deducirán con el límite adicional del 30 por ciento del beneficio operativo de la entidad o grupo fiscal adquirente, teniendo en cuenta las eliminaciones e incorporaciones que correspondan, de acuerdo con lo previsto en los artículos 64 y 65 de esta Ley, sin incluir en dicho beneficio operativo el correspondiente a la entidad adquirida o cualquier otra que se incorpore al grupo fiscal en los períodos impositivos que se inicien en los 4 años posteriores a dicha adquisición. Estos gastos financieros se tendrán en cuenta, igualmente, en el límite a que se refiere el apartado 1 del referido artículo 16.

Los gastos financieros no deducibles que resulten de la aplicación de lo dispuesto en esta letra serán deducibles en períodos impositivos siguientes con el límite previsto en la misma y en el apartado 1 del artículo 16 de esta Ley.

El límite previsto en esta letra no resultará de aplicación en el período impositivo en que se adquieran las participaciones en el capital o fondos propios de entidades si la adquisición se financia con deuda, como máximo, en un 70 por ciento del precio de adquisición. Asimismo, este límite no se aplicará en los períodos impositivos siguientes siempre que el importe de esa deuda se minore, desde el momento de la adquisición, al menos en la parte proporcional que corresponda a cada uno de los 8 años siguientes, hasta que la deuda alcance el 30 por ciento del precio de adquisición.

c) Las cantidades correspondientes a la reserva de capitalización prevista en el artículo 25 de esta Ley pendientes de aplicar, se aplicarán en la base imponible del grupo fiscal, con el límite del 10 por ciento de la base imponible positiva individual de la propia entidad previa a su aplicación, a la integración de las dotaciones a que se refiere el apartado 12 del artículo 11 de esta Ley y a la compensación de bases imponibles negativas, teniendo en cuenta las eliminaciones e incorporaciones que correspondan a dicha entidad, de acuerdo con lo previsto en los artículos 64 y 65 de esta Ley.

d) Las dotaciones a que se refiere el apartado 12 del artículo 11 de esta Ley pendientes de integrar en la base imponible, se integrarán en la base imponible del grupo fiscal, con el límite del 70 por ciento de la base imponible positiva individual de la propia entidad previa a la integración de las dotaciones de la referida naturaleza y a la compensación de bases imponibles negativas, teniendo en cuenta las eliminaciones e incorporaciones que correspondan a dicha entidad, de acuerdo con lo previsto en los artículos 64 y 65 de esta Ley.

e) Las bases imponibles negativas de cualquier entidad pendientes de compensar en el momento de su integración en el grupo fiscal podrán ser compensadas en la base imponible de este, con el límite del 70 por ciento de la base imponible individual de la propia entidad, teniendo en cuenta las eliminaciones e incorporaciones que correspondan a dicha entidad, de acuerdo con lo establecido en los artículos 64 y 65 de esta Ley.

f) Las cantidades correspondientes a la reserva de nivelación de bases imponibles prevista en el artículo 105 de esta Ley pendiente de adicionar en el momento de su integración en el grupo fiscal se adicionarán a la base imponible de este".

Artículo 68. Período impositivo.

"1. El período impositivo del grupo fiscal coincidirá con el de la entidad representante del mismo.

2. Cuando alguna de las entidades dependientes concluyere un período impositivo de acuerdo con las normas reguladoras de la tributación en régimen individual, dicha conclusión no determinará la del grupo fiscal".

Artículo 69. Tipo de gravamen del grupo fiscal.

El tipo de gravamen del grupo fiscal será el correspondiente a la entidad representante del mismo.

No obstante, en el caso de un grupo de consolidación fiscal en el que se integre, al menos, una entidad de crédito, en los términos establecidos en el apartado 5 del artículo 58 de esta Ley, el tipo de gravamen será del 30 por ciento.

Artículo 70. Cuota íntegra del grupo fiscal.

"Se entenderá por cuota íntegra del grupo fiscal la cuantía resultante de aplicar el tipo de gravamen que corresponda, de acuerdo con el artículo anterior, a la base imponible del grupo fiscal.

En el supuesto de un grupo fiscal que aplique lo dispuesto en el artículo 105 de esta Ley, la cuota íntegra vendrá determinada por el resultado de aplicar el tipo de gravamen a la base imponible minorada o incrementada, según corresponda, por las cantidades derivadas del citado artículo 105".

Artículo 71. Deducciones y bonificaciones de la cuota íntegra del grupo fiscal.

"1. La cuota íntegra del grupo fiscal se minorará en el importe de las deducciones y bonificaciones previstas en los Capítulos II, III y IV del Título VI de esta Ley, así como cualquier otra deducción que pudiera resultar de aplicación.

Los requisitos establecidos para la aplicación de las mencionadas deducciones y bonificaciones se referirán al grupo fiscal.

2. Las deducciones de cualquier entidad pendientes de aplicación en el momento de su inclusión en el grupo fiscal podrán deducirse en la cuota íntegra del grupo fiscal con el límite que hubiere correspondido a dicha entidad en el régimen individual de tributación, teniendo en cuenta las eliminaciones e incorporaciones que correspondan a dicha entidad, de acuerdo con lo establecido en los artículos 64 y 65 de esta Ley".

Artículo 72. Obligaciones de información.

"1. La entidad representante del grupo fiscal deberá formular, a efectos fiscales, el balance, la cuenta de pérdidas y ganancias, un estado que refleje los cambios en el patrimonio neto del ejercicio y un estado de flujos de efectivo consolidados, aplicando el método de integración global a todas las entidades que integran el grupo fiscal.

2. Los estados consolidados se referirán a la misma fecha de cierre y período que las cuentas anuales de la entidad representante del grupo fiscal, debiendo el resto de entidades que forman parte del grupo fiscal cerrar su ejercicio social en la fecha en que lo haga aquella entidad.

3. A los documentos a que se refiere el apartado 1, se acompañará la siguiente información:

a) Las eliminaciones practicadas en períodos impositivos anteriores pendientes de incorporación.

b) Las eliminaciones practicadas en el período impositivo debidamente justificadas en su procedencia y cuantía.

c) Las incorporaciones realizadas en el período impositivo, igualmente justificadas en su procedencia y cuantía.

d) Las diferencias, debidamente explicadas, que pudieran existir entre las eliminaciones e incorporaciones realizadas a efectos de la determinación de la base imponible del grupo fiscal y las realizadas a efectos de la elaboración de los documentos a que se refiere el apartado 1".

Artículo 73. Causas determinantes de la pérdida del régimen de consolidación fiscal.

"1. El régimen de consolidación fiscal se perderá por las siguientes causas:

a) La concurrencia en alguna o algunas de las entidades integrantes del grupo fiscal de alguna de las circunstancias que de acuerdo con lo establecido en la Ley 58/2003, de 17 de diciembre, General Tributaria determinan la aplicación del método de estimación indirecta.

b) El incumplimiento de las obligaciones de información a que se refiere el apartado 1 del artículo anterior.

2. La pérdida del régimen de consolidación fiscal se producirá con efectos del período impositivo en que concurra alguna o algunas de las causas a que se refiere el apartado anterior, debiendo las entidades integrantes del grupo fiscal tributar por el régimen individual en dicho período".

Artículo 74. Efectos de la pérdida del régimen de consolidación fiscal o de la extinción del grupo fiscal.

"1. En el supuesto de pérdida del régimen de consolidación fiscal o de extinción del grupo fiscal, se procederá de la forma siguiente:

a) Las eliminaciones pendientes de incorporación se integrarán en la base imponible individual de las entidades que forman parte del mismo, en la medida en que hubieran generado la renta objeto de eliminación.

b) Las entidades que integren el grupo fiscal en el período impositivo en que se produzca la pérdida o extinción de este régimen asumirán:

1.º Los gastos financieros netos pendientes de deducir del grupo fiscal, a que se refiere el artículo 16 de esta Ley, en la proporción en que hubieren contribuido a su formación.

2.º La diferencia establecida en el apartado 2 del artículo 16 de esta Ley, en la proporción en que hubieren contribuido a su formación.

3.º Las cantidades correspondientes a la reserva de capitalización establecida en el artículo 25 de esta Ley, en la medida en que hubieran contribuido a su generación.

4.º Las dotaciones a que se refiere el apartado 12 del artículo 11 de esta Ley pendientes de integrar en la base imponible, en la proporción que hubiesen contribuido a su formación.

5.º El derecho a la compensación de las bases imponibles negativas del grupo fiscal pendientes de compensar, en la proporción que hubieren contribuido a su formación.

La compensación se realizará con las bases imponibles positivas que se determinen en régimen individual de tributación en los períodos impositivos siguientes.

6.º Las cantidades correspondientes a la reserva de nivelación de bases imponibles prevista en el artículo 105 de esta Ley pendientes de adicionar a la base imponible, en la proporción que hubiese contribuido a su formación.

7.º El derecho a la aplicación de las deducciones en la cuota del grupo fiscal pendientes de aplicar, en la proporción en que hayan contribuido a su formación.

La aplicación se practicará en las cuotas íntegras que se determinen en los períodos impositivos que resten hasta completar el plazo establecido en esta Ley para la deducción pendiente, contado a partir del siguiente o siguientes a aquél o aquellos en los que se determinaron los importes a deducir.

8.º El derecho a la deducción de los pagos fraccionados que hubiese realizado el grupo fiscal, en la proporción en que hubiesen contribuido a ellos.

2. Lo dispuesto en el apartado anterior será de aplicación cuando alguna o algunas de las entidades que integran el grupo fiscal dejen de pertenecer a este.

3. No obstante, cuando la entidad dominante de un grupo fiscal adquiera la condición de dependiente, o sea absorbida por alguna entidad a través de una operación de fusión acogida al régimen fiscal especial del Capítulo VII del Título VII de esta Ley, que determine en ambos casos que todas las entidades incluidas en un grupo fiscal se integren en otro grupo fiscal, se aplicarán las siguientes reglas:

a) No se integrarán en la base imponible las eliminaciones pendientes de incorporación en relación con las entidades que pasan a formar parte de otro grupo fiscal. Estas incorporaciones se realizarán en la base imponible de este grupo fiscal en los términos establecidos en el artículo 65 de esta Ley.

b) Los gastos financieros netos pendientes de deducir que, de acuerdo con lo previsto en el apartado 1 de este artículo, asuman las entidades que se incorporan al nuevo grupo fiscal, se deducirán con el límite del 30 por ciento del beneficio operativo de todas ellas, teniendo en cuenta las eliminaciones e incorporaciones que correspondan, de acuerdo con lo previsto en los artículos 64 y 65 de esta Ley.

Asimismo, la diferencia establecida en el apartado 2 del artículo 16 de esta Ley que asuman dichas entidades será aplicable en relación con los gastos financieros generados por dichas entidades conjuntamente.

c) Las cantidades correspondientes a la reserva de capitalización establecida en el artículo 25 de esta Ley pendientes de aplicar que asuman las entidades que se incorporan al nuevo grupo fiscal, se aplicarán en la base imponible de este, con el límite de la suma de las bases imponibles positivas de las referidas entidades previa a su aplicación, a la integración de las dotaciones a que se refiere el apartado 12 del artículo 11 de esta Ley y a la compensación de bases imponibles negativas, teniendo en cuenta las eliminaciones e incorporaciones que corresponda realizar, de acuerdo con lo previsto en los artículos 64 y 65 de esta Ley.

d) Las dotaciones a que se refiere el apartado 12 del artículo 11 de esta Ley pendientes de integrar en la base imponible que asuman las entidades que se incorporan al nuevo grupo fiscal, se integrarán en la base imponible de este, con el límite de la suma de las bases imponibles positivas de las referidas entidades previa a la integración de las dotaciones de la referida naturaleza y a la compensación de bases

imponibles negativas, teniendo en cuenta las eliminaciones e incorpo-
raciones que corresponda realizar, de acuerdo con lo previsto en los
artículos 64 y 65 de esta Ley.

e) Las bases imponibles negativas pendientes de compensación que
asuman las entidades que se incorporan al nuevo grupo fiscal, podrán
ser compensadas por este con el límite de la suma de las bases imponi-
bles de las entidades que se incorporan al nuevo grupo fiscal, teniendo
en cuenta las eliminaciones e incorporaciones que correspondan, de
acuerdo con lo establecido en los artículos 64 y 65 de esta Ley.

f) Las cantidades correspondientes a la reserva de nivelación pre-
vista en el artículo 105 de esta Ley pendientes de adicionar, se adicio-
narán de acuerdo con lo dispuesto en dicho artículo, a la base impo-
nible del grupo fiscal.

g) Las deducciones pendientes de aplicación que asuman las enti-
dades que se incorporan al nuevo grupo fiscal podrán deducirse en la
cuota íntegra de este con el límite de la suma de las cuotas íntegras de
las entidades que se incorporan al mismo".

Artículo 75. Declaración y autoliquidación del grupo fiscal.

"1. La entidad representante del grupo fiscal vendrá obligada, al
tiempo de presentar la declaración del grupo fiscal, a liquidar la deuda
tributaria correspondiente a este y a ingresarla en el lugar, forma y
plazos que se determine por el Ministro de Hacienda y Administracio-
nes Públicas. La entidad representante del grupo fiscal deberá cumplir
las mismas obligaciones respecto de los pagos fraccionados.

2. La declaración del grupo fiscal deberá presentarse dentro del
plazo correspondiente a la declaración en régimen de tributación indi-
vidual de la entidad representante del mismo".

SUMARIO: 1. DEFINICIÓN DEL RÉGIMEN. DEFINICIÓN DE GRUPO FISCAL.
(ARTÍCULOS 55 A 58 DE LA LIS). 1.1. Introducción. 1.2. Ámbito subjetivo de aplicación. 1.2.1. Definición de grupo mercantil. 1.2.1.1. Los grupos de subordinación.
Especialidades. 1.2.1.1. Sociedades multigrupo y sociedades asociadas. 1.2.2. El grupo
fiscal. el denominado *"perímetro de consolidación fiscal"*. 1.2.2.1. Definición de grupo
fiscal. 1.2.2.2. Definición de sociedad dominante. 1.2.2.2.1. Grupos en los que la sociedad dominante tiene la consideración de representante del grupo. 1.2.2.2.2. Grupos
en los que la sociedad dominante no tiene la consideración de entidad representante
del grupo. Especial referencia al establecimiento permanente como entidad dominante
del grupo de consolidación fiscal. 1.2.2.2.2.1. Establecimientos permanentes como entidades dominantes del grupo de consolidación fiscal. 1.2.2.2.2.2. Grupos formados
exclusivamente por entidades dependientes. 1.2.2.3. Definición de sociedad dependiente. 1.2.2.4. Entidades que en ningún caso pueden formar parte de un grupo fiscal.
1.2.2.4.1. Entidades no residentes. 1.2.2.4.2. Entidades exentas del impuesto. 1.2.2.4.3.
Entidades que al cierre del período impositivo hubiesen sido declaradas en concurso
de acreedores (durante los períodos en que surta efectos dicha declaración). 1.2.2.4.4.
Entidades que al cierre del período impositivo se encuentre en la situación patrimonial
prevista en el artículo 363.1.e) del TRLSC, de acuerdo con sus cuentas anuales, aun
cuando no tuvieran la forma de sociedades anónimas, a menos que la conclusión del
ejercicio en el que se aprueban las cuentas anuales esta última situación hubiese sido

1. DEFINICIÓN DEL RÉGIMEN. DEFINICIÓN DE GRUPO FISCAL. (ARTÍCULOS 55 A 58 DE LA LIS)

1.1. Introducción

El Régimen Especial de Consolidación Fiscal se encuentra regulado en el Capítulo VI (artículos 55 a 75) del Título VII ("Regímenes especiales") de la Ley 27/2014, de 27 de noviembre, del Impuesto sobre Sociedades (en adelante, LIS) y constituye uno de los dieciséis Regímenes Especiales incluidos en el citado Título VII.

Este Régimen Especial ya se encontraba previsto en el Texto Refundido de la Ley del Impuesto sobre Sociedades, aprobado por el Real Decreto Legislativo 4/2004, de 5 de marzo (en adelante, TRLIS), que dedicaba a su regulación el Capítulo VII del Título VII (artículos 64 a 82). La nueva LIS ha incorporado, sin embargo, novedades sustanciales, como son, en primer lugar, la relativa a la configuración del grupo fiscal (exigiendo, por un lado, que se posea la mayoría de los derechos de voto de las entidades incluidas en el perímetro de consolidación y permitiendo, por otro lado, la incorporación en el grupo fiscal de entidades indirectamente participadas a través de otras que no formaran parte del grupo fiscal, como puede ser el caso de entidades no residentes en territorio español o de entidades comúnmente participadas por otra no residente en dicho territorio), siendo esta su principal diferencia; en segundo lugar, la relativa a la configuración del grupo fiscal como tal, incluso en la determinación de la base imponible, de manera que cualquier requisito o calificación vendrá determinado por la configuración del grupo fiscal como única entidad; y en tercer lugar, la relativa a la integración de los grupos fiscales en otros grupos fiscales sin que tal circunstancia suponga la extinción del grupo primigenio prevaleciendo el carácter económico de este tipo de operaciones, de manera que la fiscalidad permanezca neutral en operaciones de reestructuración que afectan a grupos de consolidación fiscal. En este sentido se señala en el Preámbulo de la LIS lo siguiente:

> *"En el régimen de consolidación fiscal se incorporan novedades, en primer lugar, en la configuración del grupo fiscal, exigiendo, por un lado, que se posea la mayoría de los derechos de voto de las entidades incluidas en el perímetro de consolidación y permitiendo, por otro lado, la incorporación en el grupo fiscal de entidades indirectamente participadas a través de otras que no formaran parte del grupo fiscal, como puede ser el caso de entidades no residentes en territorio español o de entidades comúnmente participadas por otra no residente en dicho territorio.*
>
> *En segundo lugar, destaca la configuración del grupo como tal, incluso en la determinación de la base imponible, de manera que cualquier requisito o calificación vendrá determinado por la configuración del grupo fiscal como una única entidad. Esta configuración se traduce en reglas específicas para la determinación de la base imponible del grupo fiscal, de manera que determinados ajustes, como es el caso de la reserva de capitalización o de nivelación, se realicen a nivel del grupo.*
>
> *Finalmente, esta Ley establece que la integración de un grupo fiscal en otro no conlleve los efectos de la extinción de aquel, prevaleciendo el carácter económico de este tipo de operaciones, de manera que la fiscalidad permanezca neutral en operaciones de reestructuración que afectan a grupos de consolidación fiscal".*

A pesar de las citadas modificaciones, la actual regulación mantiene la característica principal del Régimen de consolidación fiscal, a saber, existe un único sujeto pasivo obligado al cumplimiento de la obligación tributaria principal consistente en el pago de la cuota tributaria (según el artículo 19 de la LIS *"La obligación tributaria principal tiene por objeto el pago de la cuota tributaria"*), siendo éste el grupo fiscal. Por ello habrá de determinarse cuál de todas las entidades que lo integran resultará obligada a cumplir, no solo con la obligación tributaria principal, sino también con la obligación formal consistente en la presentación de la autoliquidación del Impuesto (la referida al grupo pues, como veremos, todas las entidades que formen parte del grupo están obligadas a presentar autoliquidaciones del Impuesto en régimen de tributación individual, si bien no están obligadas a ingresar la cuota tributaria que resultare de las mismas). Por tanto, como tendremos ocasión de reiterar a lo largo de las próximas páginas, es el grupo el que ostenta la condición de contribuyente por el Impuesto sobre Sociedades (artículo 56 de la LIS). No obstante, una de las entidades del grupo deberá ostentar la condición de representante y será con ésta con la que la Administración tributaria deba relacionarse en el ejercicio de las funciones de control que tiene atribuidas (dicha condición recae, en el caso de los grupos españoles, en la sociedad dominante; en el caso de grupos en los que la dominante no sea residente en territorio español, en cualquiera de las dependientes que se designe a tal efecto por la dominante; y en el caso de grupos en los que la condición de dominante recaiga sobre un establecimiento permanente, en el establecimiento permanente). Al mismo tiempo, el incumplimiento de las obligaciones tributarias propias del régimen de consolidación fiscal se atribuye al representante del grupo, otorgándole el artículo de la 181.1.f) de la Ley 58/2003, de 17 de diciembre, General Tributaria (en adelante, LGT) la condición de sujeto infractor de las infracciones tributarias que aquel pueda cometer como consecuencia de su incumplimiento.

Por otro lado, el régimen se sigue configurando como un régimen de aplicación voluntaria que requiere el ejercicio de una opción en los plazos previstos en la propia LIS y con las formalidades que más adelante expondremos (principalmente la adopción de un acuerdo en tal sentido por el consejo de administración u órgano equivalente de las entidades que lo vayan a integrar, lo que sí constituye una novedad por cuanto en el TRLIS se venía exigiendo que el acuerdo se adoptara por la junta de accionistas u órgano equivalente), siendo la regulación contenida en la LIS muy parecida a la prevista en el TRLIS.

Además, otra de las características que se mantiene con respecto a la regulación contenida en el TRLIS es la relativa a la determinación de la base imponible (al menos en sus reglas esenciales). Como tendremos ocasión de ver, ésta no se cuantifica de acuerdo con el orden previsto en el artículo 10.3 de la LIS (resultado contable corregido por aplicación de los preceptos contenidos en la propia LIS), sino por la agregación de las bases imponibles individuales de todas y cada una de las sociedades integrantes del grupo de consolidación fiscal, sin perjuicio de que posteriormente deban, por un lado, eliminarse todas aquellas operaciones internas realizadas entre sí en el curso del periodo impositivo por las sociedades integrantes del grupo (también denominadas operaciones intragrupo)–en cuanto que no generan renta sometida a gravamen, al menos de momento– y, por otro lado, que deban incorporase a la base imponible del grupo estas eliminaciones cuando concurran las circunstancias previstas en la norma. A todas ellas tendremos ocasión de referirnos en el epígrafe correspondiente pero ya podemos anticipar que estos "ajustes" propios de la consolidación fiscal se encuentran íntimamente ligados a la finalidad última que el régimen de consolidación fiscal persigue, que no es otra que gravar el beneficio económico del grupo como sujeto pasivo único para lo que resulta necesario que se graven solo aquellas operaciones que se realicen con terceros ajenos al mismo.

Por último, y en lo que se refiere a la compensación de bases imponibles negativas, la LIS contempla la posibilidad de que el grupo genere sus propias bases imponibles negativas, lo que sucederá cuando la suma de las bases imponibles individuales de las sociedades del grupo, las eliminaciones e incorporaciones arroje resultado negativo (en la determinación de la base imponible del grupo la LIS incorpora elementos adicionales como la reserva de capitalización o los ajustes que se deriven de la aplicación de lo dispuesto en el artículo 11.12 de la LIS). Además, aquellas bases imponibles negativas generadas con anterioridad a la pertenencia al grupo de alguna de las sociedades que lo integran y pendientes de compensar en el periodo impositivo en el que se incorporen a éste podrán ser compensadas por el grupo con ciertas limitaciones, como también tendremos ocasión de estudiar. En relación con esta cuestión debe advertirse que, si bien el artículo 26 de la LIS contempla una limitación a la compensación de las bases imponibles negativas que para los periodos impositivos que se inicien a partir del 1 de enero de 2016 asciende al 60 por ciento (70 por ciento para los periodos impositivos que se inicien a partir del 1 de enero de 2017) de la base imponible previa a la aplicación de la reserva de capitalización y a la propia compensación de bases imponibles negativas, el Real Decreto Ley 3/2016, de 2 de diciembre, por el que se adoptan medidas en el ámbito tributario dirigidas a la consolidación de las finanzas públicas y otras medidas urgentes en materia social ha introducido, con efectos para los periodos impositivos que se inicien a partir del 1 de enero de 2016, una limitación específica para las usualmente denominadas "grandes empresas". En concreto, con el objeto de conseguir que, en aquellos períodos impositivos en que exista base imponible positiva generada, la aplicación de créditos fiscales, al reducir la base imponible o la cuota íntegra, no minore el importe a pagar en su totalidad se introduce una nueva disposición adicional decimoquinta a la LIS. Esta nueva disposición adicional introduce las siguientes novedades:

- Limitación a la compensación de bases imponibles negativas de ejercicios anteriores para grandes empresas en los siguientes porcentajes:
  - Empresas con importe neto de la cifra de negocios superior a 60 millones de euros, el 25 por 100;
  - Empresas con importe neto de la cifra de negocios entre 20 y 60 millones, el 50 por 100.
- La disposición adicional introduce también un nuevo límite para la aplicación de deducciones por doble imposición generadas o pendientes de compensar, que se cifra en el 50 por 100 de la cuota íntegra.

Esta nueva limitación (aplicable como hemos señalado para los periodos impositivos que se inicien a partir del 1 de enero de 2016) ha determinado la necesidad de modificar la disposición transitoria trigésimo sexta (*"Límite en la compensación de bases imponibles negativas y activos por impuesto diferido para el año 2016"*) que, tras la modificación operada, solo resultará de aplicación a los contribuyentes que no se hayan visto afectados por la nueva limitación introducida en la disposición adicional decimoquinta de la LIS.

Pues bien, las nuevas limitaciones también resultan de aplicación a los grupos fiscales, tanto por lo que se refiere a las bases imponibles negativas generadas por el propio grupo fiscal, como a las bases imponibles negativas generadas por cada una de las sociedades integrantes del grupo con anterioridad a su incorporación a éste.

Del mismo modo, veremos que en la determinación de la base imponible habrá de tenerse en cuenta, tanto la reducción correspondiente a la dotación de la Reserva de capitalización, como los ajustes que deban practicarse por aplicación del artículo 11.12 de la LIS o por la reducción por la dotación de la Reserva de nivelación (la reversión de los activos diferidos regulada en el artículo 11.12 también se ha visto afectada por la nueva disposición adicional decimoquinta de la LIS). También tendremos ocasión de desarrollar estas cuestiones en un momento posterior de este Capítulo.

El Régimen de Consolidación fiscal regulado en la LIS resulta de aplicación a los periodos impositivos que se inicien a partir del 1 de enero de 2015, sin perjuicio de lo dispuesto en su Disposición Transitoria Trigésimo Quinta.

A continuación, vamos a comenzar el estudio del Régimen especial de consolidación analizando el ámbito subjetivo de aplicación.

1.2. *Ámbito subjetivo de aplicación*

1.2.1. Definición de grupo mercantil

1.2.1.1. *Los grupos de subordinación. Especialidades*

En todos los manuales en los que se analiza este Régimen Especial es habitual encontrar un análisis de la composición del grupo mercantil para, a partir de esta, y por comparación, analizar la definición de Grupo de consolidación fiscal y, en particular, su composición.

Pues bien, la regulación de la definición de grupo mercantil se encuentra recogida, principalmente, en el Código de Comercio (en adelante, CCo), que dedica a esta materia la Sección Tercera ("Presentación de las cuentas de los grupos de sociedades") del Título Tercero ("De la contabilidad de los empresarios"). En concreto, la Sección Tercera abarca los artículos 42 a 49 del CCo.

Como se habrá tenido ocasión de comprobar, en los artículos de la LIS estudiados en otros Capítulos de esta obra se realizan múltiples remisiones al artículo 42 del CCo. En efecto, cuando entra en juego la variable "grupo de sociedades" la LIS se remite a los que dispone el citado precepto. De ahí su importancia y la necesidad de su estudio. Así ocurre, por ejemplo, con el artículo 101 de la LIS, en el que a efectos de determinar el importe neto de la cifra de negocios determinante de la posibilidad de aplicar o no los incentivos fiscales previstos para las "Entidades de Reducida Dimensión" se señala que *«Cuando la entidad forme parte de un grupo de sociedades en el sentido del artículo 42 del Código de Comercio, con independencia de la residencia y de la obligación de formular cuentas anuales consolidadas, el importe neto de la cifra de negocios se referirá al conjunto de entidades pertenecientes a dicho grupo, teniendo en cuenta las eliminaciones e incorporaciones que correspondan por aplicación de la normativa contable»*. Otros ejemplos de artículos en los que se realiza una remisión al artículo 42 del CCo son el artículo 21 (que regula, para los periodos impositivos iniciados en 2015 y 2016, la *"Exención para evitar la doble imposición sobre dividendos y rentas derivadas de la transmisión de valores representativos de los fondos propios de entidades residentes y no residentes en territorio español"* y, como consecuencia de las modificaciones introducidas en la LIS por el Real Decreto Ley 3/2016, para los periodos impositivos iniciados a partir de 2017 la denominada *"Exención en valores representativos de los fondos propios de entidades y establecimientos permanentes")* o en el artículo 18 (*"Operaciones vinculadas"*).

Decimos que la regulación de la configuración del grupo mercantil se contiene principalmente en los artículos 42 a 49 del CCo porque, además, existe un desarrollo reglamentario que complementa la regulación legal. En concreto, el desarrollo reglamentario se contiene en el Real Decreto 1159/2010, de 17 de septiembre, por el que se aprueban las Normas para la Formulación de Cuentas Anuales Consolidadas (en adelante, NOFCA) y se modifica el Plan General de Contabilidad aprobado por Real Decreto 1514/2007, de 16 de noviembre y el Plan General de Contabilidad de Pequeñas y Medianas Empresas aprobado por Real Decreto 1515/2007, de 16 de noviembre. Esta norma derogó el Real Decreto 1815/1991, de 20 de diciembre, por el que se aprueban las normas para formulación de las cuentas anuales consolidadas.

La aprobación por el Gobierno de este Real Decreto trae causa de la habilitación contenida en la disposición final primera de la de la Ley 16/2007, de 4 de julio, de reforma y adaptación de la legislación mercantil en materia contable para su armonización internacional con base en la normativa de la Unión Europea, en virtud de la cual, no solo se confirió al Gobierno la competencia para aprobar mediante Real Decreto el Plan General de Contabilidad, con el objetivo de configurar el correspondiente marco reglamentario sino que, además, se le habilitó –como decimos– para dictar las normas complementarias del citado Plan, en concreto, las normas para la formulación de las cuentas anuales consolidadas. Todo ello, de conformidad con lo dispuesto en las Directivas Comunitarias y teniendo en consideración las normas internacionales de información financiera adoptadas por los Reglamentos de la Unión Europea. En este sentido, en junio de 2009 se aprobaron los Reglamentos (CE) n.º 494/2009 y 495/2009 de la Comisión, de 3 de junio de 2009, que modifican el Reglamento (CE) n.º 1126/2008 por el que se adoptan determinadas Normas Internacionales de Contabilidad de conformidad con el Reglamento (CE) n.º 1606/2002 del Parlamento Europeo y del Consejo, en lo relativo, respectivamente, a la Norma Internacional de Contabilidad (NIC) 27 «Estados financieros consolidados y separados» y la Norma Internacional de Información Financiera (NIIF) 3 «Combinaciones de negocios».

No puede perderse de vista, no obstante, que el objeto de la consolidación contable no es otro que el de suministrar información financiera a aquellas personas que, por diferentes motivos, (propiedad del capital, concesión de crédito, etc.) la precisen.

Pues bien, la reforma introducida en nuestro Derecho contable por la Ley 16/2007 define dos conceptos de grupo: el grupo que se ha denominado "de subordinación", regulado en el artículo 42 del CCo, que es aquel que se encuentra formado por una sociedad dominante y otra u otras dependientes controladas por la primera; y el denominado grupo "de coordinación", integrado por empresas controladas por cualquier medio por una o varias personas, físicas o jurídicas, que actúen conjuntamente o se hallen bajo dirección única por acuerdos o cláusulas estatutarias, tipología de grupo mercantil previsto en la indicación decimotercera del artículo 260 del texto refundido de la Ley de Sociedades de Capital, aprobado por Real Decreto Legislativo 1/2010, de 2 de julio (en adelante TRLSC), y en las normas de elaboración de las cuentas anuales (NECA) n.º 13. (Empresas del grupo, multigrupo y asociadas) del Plan General de Contabilidad y n.º 11 del Plan General de Contabilidad de Pequeñas y Medianas Empresas.

A partir de 1 de enero de 2008, solo los grupos de subordinación están obligados a formular cuentas anuales consolidadas. Tal y como hemos apuntado, los grupos de subordinación se encuentran definidos en el artículo 42 del CCo, que dispone que:

> *"Existe un grupo cuando una sociedad ostente o pueda ostentar, directa o indirectamente, el control de otra u otras. En particular, se presumirá que existe control cuando una sociedad, que se calificará como dominante, se encuentre en relación con otra sociedad, que se calificará como dependiente, en alguna de las siguientes situaciones:*
>
> *a) Posea la mayoría de los derechos de voto.*
>
> *b) Tenga la facultad de nombrar o destituir a la mayoría de los miembros del órgano de administración.*

c) Pueda disponer, en virtud de acuerdos celebrados con terceros, de la mayoría de los derechos de voto.

d) Haya designado con sus votos a la mayoría de los miembros del órgano de administración, que desempeñen su cargo en el momento en que deban formularse las cuentas consolidadas y durante los dos ejercicios inmediatamente anteriores. En particular, se presumirá esta circunstancia cuando la mayoría de los miembros del órgano de administración de la sociedad dominada sean miembros del órgano de administración o altos directivos de la sociedad dominante o de otra dominada por ésta. Este supuesto no dará lugar a la consolidación si la sociedad cuyos administradores han sido nombrados, está vinculada a otra en alguno de los casos previstos en las dos primeras letras de este apartado.

A los efectos de este apartado, a los derechos de voto de la entidad dominante se añadirán los que posea a través de otras sociedades dependientes o a través de personas que actúen en su propio nombre, pero por cuenta de la entidad dominante o de otras dependientes o aquellos de los que disponga concertadamente con cualquier otra persona".

El desarrollo del artículo 42 del CCo se encuentra recogido en los artículos 1 y 2 de las NOFCA. En el primero de dichos artículos se define a la *sociedad dominante* como aquella que ejerza o pueda ejercer, directa o indirectamente, el control sobre otra u otras, que se calificarán como dependientes o dominadas, cualquiera que sea su forma jurídica y con independencia de su domicilio social

El *control*, por su parte, aparece definido como el poder de dirigir las políticas financieras y de explotación de una entidad, con la finalidad de obtener beneficios económicos de sus actividades.

Por otra parte, el artículo 2, además de reproducir las mismas circunstancias determinantes de la existencia de grupo de consolidación que se contemplan en el artículo 42 del CCo, contempla la posibilidad de que exista *control* aun en aquellos casos en los que el porcentaje de participación sea de la mitad o menos de los derechos de voto, o incluso cuando apenas se posea o no se posea participación alguna en el capital de otras sociedades, o cuando no se haya explicitado el poder de dirección refiriéndose expresamente a las denominadas *"entidades de propósito especial"*.

Para valorar si dichas entidades pueden considerarse integrantes de un grupo de consolidación por existir control, el artículo 2 de las NOFCA remite a la valoración de las siguientes circunstancias:

a) Las actividades de la entidad se dirigen en nombre y de acuerdo con las necesidades de la sociedad, de forma tal que ésta obtiene beneficios u otras ventajas de las operaciones de aquélla.

b) La sociedad tiene un poder de decisión en la entidad, o se han predefinido sus actuaciones de tal manera que le permite obtener la mayoría de los beneficios u otras ventajas de las actividades de la entidad.

c) La sociedad tiene el derecho a obtener la mayoría de los beneficios de la entidad y, por lo tanto, está expuesta a la mayor parte de los riesgos derivados de sus actividades.

d) La sociedad, con el fin de disfrutar de los beneficios económicos de las actividades de la entidad, retiene para sí, de forma sustancial, la mayor parte de los riesgos residuales o de propiedad relacionados con la misma o con sus activos.

La justificación de la regulación que se contiene en el artículo 2 de las NOF-CA, que va mucho más allá en la definición de grupo que lo que lo hace el artículo 42 del CCo, se contiene en la Exposición de Motivos del Real Decreto 1159/2010, de 17 de septiembre, por el que se aprueban las Normas para la Formulación de Cuentas Anuales Consolidadas y se modifica el Plan General de Contabilidad aprobado por Real Decreto 1514/2007. En ella se señala que:

> *"Además, las normas de consolidación definen el control como el poder de dirigir las políticas, financiera y de explotación, de una entidad, con la finalidad de obtener beneficios económicos de sus actividades. En particular, si bien la participación en otra sociedad y el ejercicio de los correspondientes derechos de voto se configura como el supuesto más habitual de ejercicio de control, no es menos cierto que lo verdaderamente relevante es que se posea o se pueda poseer el mismo, circunstancia que da entrada en los grupos de subordinación a la creación de vínculos dominante-dependiente y, en consecuencia, a la obligación de consolidar, en virtud de un acuerdo o contrato, así como al hecho de que para evaluar dicho control también deban considerarse los derechos potenciales de voto.*
>
> *En definitiva, la cuestión relevante desde una perspectiva estrictamente contable para calificar a la unidad jurídico-económica resultante de estos acuerdos como un grupo mercantil de los previstos en el artículo 42 del Código de Comercio, es si como consecuencia del acuerdo alcanzado puede concluirse que una entidad, que se calificaría como dominante y sobre la cual recaería la obligación de consolidar, ostenta o puede ostentar, directa o indirectamente, el control de las otras.*
>
> *Por lo tanto, en aquellas modalidades de combinación en que como consecuencia de los acuerdos alcanzados entre varias entidades surge una nueva entidad que las agrupa, será requisito sine qua non para calificar a la nueva entidad como adquirente que dicho control sea efectivo, esto es, que lejos de constituir una mera simulación, en la nueva entidad radique el control del grupo, habiéndolo perdido los antiguos socios o propietarios de las entidades que participan en la operación".*

Por lo tanto, la idea de control de una sociedad por otra es el aspecto clave para identificar la relación dominante-dependiente y, en consecuencia, la obligación de consolidar, pudiendo llegarse a dicha conclusión, aunque el control sea pasivo, es decir, ante la mera posibilidad de su ejercicio, sin que éste resulte efectivo. En este sentido, insistimos en que las NOFCA han desarrollado el artículo 42 del CCo contemplando la posibilidad de que el control se ejerza sin ostentar una participación en el capital de la sociedad *controlada*. Como anticipábamos, estas entidades reciben la denominación, en el ámbito de la consolidación contable, de *"entidades de propósito especial"*. Se trata de sociedades (dependientes) en cuyos riesgos y beneficios participa otra sociedad (dominante) a pesar de no estar participadas por esta última.

En este sentido, se ha planteado en ocasiones la posibilidad de que los denominados grupos familiares encabecen grupos mercantiles. Así, en un informe del Instituto de Contabilidad y Auditoría de Cuentas (en adelante, ICAC) de fecha 6 de abril de 2015 se afirma lo siguiente:

> *"(..). La opinión de este Instituto sobre la calificación como empresas del grupo a los efectos del artículo 42 del CdC de sociedades participadas por familiares próximos está publicada en la consulta 1 del BOICAC nº 83, de septiembre de 2010, y en la consulta 4 del BOICAC nº 92, de diciembre de 2012. El criterio incluido en estas consultas puede resumirse en los siguientes párrafos.*
>
> *La relación de subordinación a que se refiere el artículo 42 del CdC es la consecuencia lógica de poseer la mayoría de los derechos de voto de una sociedad, o de la facultad de nombrar o haber designado a la mayoría de los miembros de su órgano de administración, circunstancia que también requiere, con carácter general, gozar de los derechos de voto.*
>
> *Sin embargo, no es menos cierto que el artículo 42 del CdC contempla la posibilidad de que el control se puede ejercer sin participación, configurándose a partir de esta hipótesis una nueva tipología de sociedades dependientes, las denominadas entidades de propósito especial, para cuya identificación uno de los aspectos más relevantes a considerar es la participación de una sociedad en los riesgos y beneficios de otra. A tal efecto y para facilitar la tarea de identificar estos supuestos, el artículo 2, apartado 2, de las Normas para la Formulación de Cuentas Anuales Consolidadas, desarrolla el concepto de control sin participación.*
>
> *En este contexto regulatorio, en principio, cabe concluir que la calificación como empresas del grupo de un entramado societario es una cuestión de hecho, que viene determinada por la existencia o la posibilidad de control entre sociedades o de una empresa por una sociedad, para cuya apreciación concreta sería preciso analizar todos los antecedentes y circunstancias del correspondiente caso.*
>
> *Es decir, las sociedades integradas en lo que podríamos denominar un grupo "familiar", como regla general, constituyen grupos sometidos a la misma unidad de decisión, que pueden reconocerse a la vista de la coincidencia de las personas que componen los órganos de administración de las empresas, y de las propias relaciones económicas cruzadas que la unidad de decisión teje entre las sociedades titulares de los activos y pasivos que "administran" directa o indirectamente las personas físicas que integran el "grupo familiar".*
>
> *Sin embargo, no es menos cierto que identificar relaciones de subordinación entre esas sociedades puede llevar a un resultado arbitrario o infundado (porque la unidad económica puede adoptar diferentes estructuras jurídicas en función de los intereses en liza en cada momento), como se puede colegir de la solución legal que se ha seguido para designar a la sociedad que debe informar en la memoria de las cuentas anuales individuales del grupo "ampliado" (la sociedad de mayor activo, ante la imposibilidad de hacer recaer dicha obligación en las personas físicas que ejercen el control de todas ellas)."*

Las conclusiones del ICAC expuestas en los párrafos anteriores han sido asumidas tanto por la legislación como por la doctrina administrativa tributaria. Así, en la consulta vinculante V1251/2015 de la Dirección General de Tributos (en adelante, DGT) de 24 de abril, se concluye lo siguiente a propósito de la necesidad de agregar las cifras de negocios de todas las sociedades controladas por un grupo familiar tal y como exige el artículo 101 de la LIS (artículo 108 del TRLIS):

> *"(...) De acuerdo con todo lo anterior, la consideración de Grupo Global a los Grupos A y B, sometidos a una misma unidad de decisión, es una cuestión de hecho que deberá ser probada por cualquier medio de prueba válido en Derecho. Si de conformidad con lo anterior, estas entidades formaran parte de un grupo mercantil, a efectos de lo dispuesto en el artículo 42 del C.Com, a efectos de computar el importe neto de la cifra de negocios habido en el período impositivo inmediato anterior, a que se refiere el artículo 108.1 del TRLIS, deberá tomarse en consideración, conjuntamente, el importe neto de la cifra de negocios de todas las sociedades que integran el grupo mercantil (A y B), correspondiente al período impositivo inmediato anterior, a efectos de determinar si resultan de aplicación los incentivos fiscales para las empresas de reducida dimensión regulados en el capítulo XII del título VII del TRLIS".*

En lo que se refiere al cómputo de los derechos de voto la cuestión se encuentra regulada en el artículo 3 de las NOFCA. Según se desprende de dicho precepto, para determinar si existe o no control sobre una entidad en función de los derechos de voto que se posea sobre ella habrá que computar no solo los derechos de voto que se posean directamente por la sociedad dominante, sino también los que correspondan a otras sociedades dependientes de ésta o que posea a través de otras personas que actúen en nombre propio pero por cuenta de alguna sociedad del grupo y aquellos de los que disponga concertadamente con cualquier otra persona.

En relación con el número de los derechos de voto que se posean a través de las sociedades dependientes, se señala en el artículo 3 que será el que corresponda a la sociedad dependiente que posea directamente los derechos de voto sobre éstas o a las personas que actúen por cuenta de o concertadamente con alguna sociedad del grupo (participaciones indirectas).

1.2.1.1. *Sociedades multigrupo y sociedades asociadas*

El concepto de sociedad multigrupo se recoge en los artículos 47 del CCo y 4 de las NOFCA. Así, se consideran sociedades multigrupo (a los únicos efectos de la consolidación de cuentas) aquellas sociedades que, no siendo dependientes, sean gestionadas por una o varias sociedades del grupo con otra u otras personas ajenas al mismo, ejerciendo sobre ella el control conjunto (se entiende que existe control conjunto sobre otra sociedad cuando, además de participar en el capital, existe un acuerdo estatutario o contractual en virtud del cual las decisiones estratégicas, tanto financieras como de explotación, relativas a la actividad requieran el consentimiento unánime de todos los que ejercen el control conjunto de la sociedad).

El concepto de sociedad asociada se recoge en los mismos artículos. A estos efectos se reputará asociada una sociedad cuando una otra incluida en la consolidación ejerza una influencia significativa en la gestión de aquélla, no incluida en la consolidación, pero con la que esté asociada por tener una participación en ella que, creando con ésta una vinculación duradera, esté destinada a contribuir a su actividad.

Se presume, salvo prueba en contrario, que existe una participación en el sentido expresado, cuando una o varias sociedades del grupo posean, al menos, el 20 por ciento de los derechos de voto de una sociedad que no pertenezca al grupo.

Se considera que existe influencia significativa en la gestión de otra sociedad, cuando se cumplan los dos requisitos siguientes:

a) Una o varias sociedades del grupo participen en la sociedad; y

b) Se tenga el poder de intervenir en las decisiones de política financiera y de explotación de la participada, sin llegar a tener el control, ni el control conjunto de la misma.

Asimismo, teniendo participación en la sociedad la existencia de influencia significativa se podrá evidenciar a través de cualquiera de las siguientes vías:

a) Representación en el consejo de administración u órgano equivalente de dirección de la sociedad participada;

b) Participación en los procesos de fijación de políticas, entre las que se incluyen las decisiones sobre dividendos y otras distribuciones;

c) Transacciones de importancia relativa con la participada;

d) Intercambio de personal directivo; o

e) Suministro de información técnica esencial.

Podemos anticipar que, como a continuación veremos, ni las sociedades multigrupo ni las sociedades asociadas formarán parte del perímetro de la consolidación fiscal.

1.2.2. El grupo fiscal. el denominado *"perímetro de consolidación fiscal"*

1.2.2.1. Definición de grupo fiscal

La definición de grupo fiscal se encuentra recogida en el artículo 58.1 de la LIS, artículo ya transcrito en páginas anteriores. De dicha norma podemos extraer las siguientes características configuradoras de los grupos fiscales:

a) Solo pueden formar parte del grupo fiscal las entidades residentes en territorio español que reúnan alguna de las formas jurídicas previstas en el artículo, a saber: sociedad anónima, sociedad de responsabilidad limitada, sociedades comanditarias por acciones y fundaciones bancarias constituidas con arreglo a las disposiciones contenidas en el TRLSC, o, en el caso de las fundaciones bancarias, de acuerdo con la Ley 26/2013, de 27 de diciembre, de cajas de ahorros y fundaciones bancarias.

De acuerdo con la Ley anteriormente citada son fundaciones bancarias aquellas fundaciones cuya participación en una entidad de crédito sobrepase un determinado porcentaje. En concreto, de acuerdo con su artículo 32, se entenderá por fundación bancaria aquella que mantenga una participación en una entidad de crédito que alcance, de forma directa o indirecta, al menos, un 10 por ciento del capital o de los derechos de voto de la entidad, o que le permita nombrar o destituir algún miembro de su órgano de administración.

Pues bien, las fundaciones bancarias quedan sujetas al régimen jurídico previsto en la Ley 26/2013, de 27 de diciembre, y supletoriamente por la Ley 50/2002, de 26 de diciembre de Fundaciones, pudiendo integrarse en un grupo fiscal.

Asimismo, y por mor de lo dispuesto en la Disposición Final Primera de la LIS, podrán tributar en régimen de declaración consolidada las sociedades cooperativas si bien la citada disposición se remite a lo previsto en el Real Decreto 1345/1992, de 6 de noviembre, por el que se dictan las normas para la adaptación de las disposiciones que regulan la tributación sobre el beneficio consolidado a los grupos de sociedades cooperativas.

Hay que entender, por último, que las sociedades civiles con personalidad jurídica y objeto mercantil, que en la LIS han pasado a tener la condición de contribuyentes del Impuesto, no podrán integrarse en un grupo fiscal en la medida en que no reúnen ninguna de las formas jurídicas previstas en el artículo 58.1 de la LIS.

b) Por otro lado, y al margen de las anteriores, los establecimientos permanentes de entidades no residentes que no residan en un país o territorio calificado como paraíso fiscal también pueden formar parte de un grupo de consolidación fiscal.

La normativa española dispone de una norma con rango reglamentario en la que se enumeran los países y territorios que merecen la calificación de paraíso fiscal. Se trata del Real Decreto 1080/1991, de 5 de julio, por el que se determinan los países o territorios a que se refieren los artículos 2.°, apartado 3, número 4, de la Ley 17/1991, de 27 de mayo, de Medidas Fiscales Urgentes, y 62 de la Ley 31/1990, de 27 de diciembre, de Presupuestos Generales del Estado para 1991. El artículo 1 del Real Decreto contiene una enumeración de los países y territorios que en el ámbito interno merecen la calificación de paraíso fiscal si bien el artículo 2 dispone a continuación que:

> *"Los países y territorios a los que se refiere el artículo 1.° que firmen con España un acuerdo de intercambio de información en materia tributaria o un convenio para evitar la doble imposición con cláusula de intercambio de información dejarán de tener la consideración de paraísos fiscales en el momento en que dichos convenios o acuerdos entren en vigor".*

Por otro lado, la Disposición Adicional Primera de la Ley 36/2006, de medidas para la prevención del fraude fiscal (modificada por la disposición final segunda de Ley 26/2014, de 27 de noviembre, por la que se modifican la Ley 36/2006, de 28 de noviembre, del Impuesto sobre la Renta de las Personas Físicas, el texto refundido de la Ley del Impuesto sobre la Renta de no Residentes, aprobado por el Real Decreto Legislativo 5/2004, de 5 de marzo, y otras normas tributarias) contiene una definición de paraíso fiscal, de territorio de nula tributación y de efectivo intercambio de información tributaria. Así, aunque en principio la Ley de Medidas de Prevención del Fraude Fiscal considera paraísos fiscales aquellos países o territorios que figuran en el listado aprobado por el Real Decreto 1080/1991 (en realidad el apartado primero contiene una mera remisión a la correspondiente norma reglamentaria que no es otra que el citado Real Decreto), a continuación, el apartado 2 establece la necesidad de actualizar el listado en función de los siguientes criterios:

a) La existencia con dicho país o territorio de un convenio para evitar la doble imposición internacional con cláusula de intercambio de información, un acuerdo de intercambio de información en materia tributaria o el Convenio de Asistencia Administrativa Mutua en Materia Fiscal de la OCDE y del Consejo de Europa enmendado por el Protocolo 2010, que resulte de aplicación.

b) Que no exista un efectivo intercambio de información tributaria en los términos previstos por el apartado 4 de esta disposición adicional.

c) Los resultados de las evaluaciones inter pares realizadas por el Foro Global de Transparencia e Intercambio de Información con Fines Fiscales.

A estos efectos se considera que se da el efectivo intercambio de información cuando exista:

a) Un convenio para evitar la doble imposición internacional con cláusula de intercambio de información, siempre que en dicho convenio no se establezca expresamente que el nivel de intercambio de información tributaria es insuficiente a los efectos de esta disposición;

b) Un acuerdo de intercambio de información en materia tributaria; o

c) El Convenio de Asistencia Administrativa Mutua en Materia Fiscal de la OCDE y del Consejo de Europa enmendado por el Protocolo 2010.

No obstante lo anterior, reglamentariamente se podrán fijar los supuestos en los que, por razón de las limitaciones del intercambio de información, no exista efectivo intercambio de información tributaria.

Además, la norma define lo que debe entenderse por territorio de nula tributación:

> *"Existe nula tributación cuando en el país o territorio de que se trate no se aplique un impuesto idéntico o análogo al Impuesto sobre la Renta de las Personas Físicas, al Impuesto sobre Sociedades o al Impuesto sobre la Renta de no Residentes, según corresponda.*

> *A efectos de lo previsto en esta disposición, tendrán la consideración de impuesto idéntico o análogo los tributos que tengan como finalidad la imposición de la renta, siquiera parcialmente, con independencia de que el objeto del mismo lo constituya la propia renta, los ingresos o cualquier otro elemento indiciario de esta. En el caso del Impuesto sobre la Renta de las Personas Físicas, también tendrán dicha consideración las cotizaciones a la Seguridad Social en las condiciones que reglamentariamente se determinen.*

> *Se considerará que se aplica un impuesto idéntico o análogo cuando el país o territorio de que se trate tenga suscrito con España un convenio para evitar la doble imposición internacional que sea de aplicación, con las especialidades previstas en el mismo".*

No obstante, como hemos visto, el artículo 58 de la LIS solo exige que la entidad titular del establecimiento permanente no resida en un país o territorio calificado como paraíso fiscal, pero nada dice de las entidades residentes en territorios en los que no se aplique un Impuesto de naturaleza idéntica o análoga al Impuesto sobre Sociedades español y puedan calificarse, en consecuencia, como territorios de nula tributación.

Por otro lado, el Director General de Tributos emitió el 23 de diciembre de 2014 un informe sobre la vigencia de la lista actual de paraísos fiscales aprobada por el Real Decreto 1080/1991, de 5 de julio, con las exclusiones derivadas de la aplicación de la modificación introducida por el Real Decreto 116/2003, de 31 de enero, respecto a la entrada en vigor de la disposición final segunda de la Ley 26/2014. En concreto, se señala en dicho informe que:

> *"Desde el 2 de febrero de 2003, fecha de entrada en vigor de esa modificación, han salido de la lista original los siguientes territorios: Principado de Andorra, Antillas Neerlandesas[1], Aruba, República de Chipre, Emiratos Árabes Unidos, Hong-Kong, Las Bahamas, Barbados, Jamaica, República de Malta,*

---

[1]   Con efecto 10 de noviembre de 2010 las Antillas Neerlandesas dejaron de existir como tales. A partir de esa fecha San Martín y Curaçao tienen el mismo estatus que Aruba (forman parte del Reino de los Países Bajos, pero gozan de independencia), mientras que el resto de islas de las antiguas Antillas Neerlandesas (Saba, San Eustaquio y Bonaire) ha pasado a formar parte de los Países Bajos. A San Martín y Curaçao le es aplicable el firmado con Antillas

República de Trinidad y Tobago, Gran Ducado de Luxemburgo, República de Panamá, República de San Marino y República de Singapur.

En consecuencia, la vigente lista de territorios, con las modificaciones derivadas y que se deriven de lo establecido en el Real Decreto 116/2003, seguirá siendo de aplicación en tanto no se apruebe una nueva relación".

Finalmente, en el informe se recuerda que tras la modificación del apartado 2 de la Disposición Adicional Primera de la Ley de Medidas de Prevención del Fraude la relación de países y territorios que tienen la consideración de paraísos fiscales se podrá actualizar atendiendo a los criterios que ya hemos señalado. Por lo tanto, a partir de la entrada en vigor de esta modificación la actualización de la lista no tendrá carácter automático, sino que deberá realizarse de manera expresa y, a esos efectos, se tendrán en cuenta los antedichos criterios.

Hasta el momento no ha habido ninguna modificación expresa del listado previsto en el Real Decreto por lo que salvo aquellos territorios que ya han salido del listado y que aparecen enumerados en el propio informe el resto seguirá teniendo la consideración de paraíso fiscal.

Volviendo a los establecimientos permanentes y a su posible pertenencia a un grupo fiscal presume la Ley, a los exclusivos efectos de la aplicación del Régimen especial, que se encuentran participados en un 100 por cien por la sociedad no residente que opere a través de él en territorio español (a dicha entidad se la denomina usualmente "Casa central").

Debe señalarse que los establecimientos permanentes carecen de personalidad jurídica propia pues constituyen meras prolongaciones de su casa central (la entidad no residente en territorio español). Es por esto que ha resultado necesario que la LIS recoja esta presunción pues, de lo contrario, no podrían integrarse en un grupo fiscal español (recuérdese que, por definición, el grupo se integra por sociedades dominantes y sociedades dependientes entre las que existe una relación de dominio o control). Además, como después veremos (al detenernos en el análisis del establecimiento permanente como entidad dominante del grupo fiscal), los establecimientos permanentes pueden integrarse en el grupo fiscal, tanto en su condición de sociedades dominantes, respecto de las sociedades dependientes (de la matriz no residente) cuyas participaciones se encuentren afectas al establecimiento, como en su condición de dependientes cuando la entidad no residente de la que formen parte sea dependiente de una sociedad que reúna los requisitos para ser considerada dominante (artículo 58.3 de la LIS). En este sentido véase la Consulta Vinculante 3781/2015, de 30 de noviembre.

Neerlandesas, mientras que a las otras tres islas les es de aplicación el CDI con Países Bajos. Por ello ninguna de las islas tiene actualmente la consideración de paraíso fiscal.

c) En tercer lugar, la LIS incorpora también la posibilidad de que las sociedades residentes en España que sean dependientes de sociedades (dominantes) no residentes puedan formar un grupo de consolidación fiscal. En estos casos el grupo estará constituido únicamente por las sociedades dependientes que sean residentes en España (son las denominadas "*entidades hermanas*" que formarán los denominados "grupos horizontales"). Para ello, la sociedad dominante debe tener personalidad jurídica propia, debe residir en un Estado que no tenga la consideración de paraíso fiscal y debe tributar de manera efectiva (la norma exige que esté sujeta y no exenta) por un Impuesto idéntico o análogo al Impuesto sobre Sociedades español (la ley sí excluye en este caso a las entidades residentes en territorios de nula tributación de acuerdo con la definición de los mismos que ofrece la Disposición Adicional Primera de la Ley 36/2006, de 29 de noviembre, de Medidas para la Prevención del Fraude Fiscal).

Además, solo cabe entender la existencia de un grupo cuando la entidad no residente tenga, al menos, dos sociedades dependientes residentes en territorio español. Es decir, que en estos casos el grupo fiscal estará formado, exclusivamente, por sociedades dependientes; en concreto, por dos o más sociedades dependientes residentes en territorio español. Precisamente por constituirse un grupo sin sociedad dominante la sociedad dominante no residente deberá designar como representante del grupo, tal y como se expondrá más adelante, a una de las sociedades residentes que vayan a formar parte del mismo (artículo 56.2 de la LIS). Por último, la sociedad no residente no podrá depender directa o indirectamente de ninguna otra que reúna los requisitos para ser considerada como dominante (artículo 58.2.d) de la LIS). En estos casos, la dependiente residente (participada indirectamente a través de la no residente) podrá formar parte del grupo fiscal encabezado por esta dominante.

La posibilidad de que las entidades dependientes de una sociedad no residente puedan configurar un grupo de consolidación fiscal constituye una de las principales novedades de la regulación del denominado "perímetro de consolidación" y constituye una traslación al ordenamiento interno de los criterios contenidos en las Sentencias de 12 de julio de 2014 dictadas por la Sala 2ª del Tribunal de Justicia de la Unión Europea recaídas en los asuntos C-39/13, C-40/13 y C-41/13 (que fueron resueltos acumuladamente), en las que se dilucidó si el Tratado se oponía a una configuración de un grupo de consolidación fiscal (Holanda) que no permitía la inclusión en el mismo de filiales cuya participación se ostentase a través de entidades no residentes o que no permitiese la consideración de dicho grupo cuando la entidad dominante no era residente en Holanda. En los dos casos las entidades no residentes en Holanda eran residentes en Alemania. En dichos asuntos el Tribunal calificó la norma como restrictiva al constatar que la configuración del grupo de consolidación fiscal implicaba una diferencia de trato –en detrimento de las situaciones transfronterizas– en comparación con las situaciones internas, diferencia de la que se infirió la restricción.

La sentencia indica que el régimen de consolidación tiene por objeto tratar por igual a una empresa que tenga varios establecimientos que a una sociedad que tenga varias filiales y subfiliales. Pues bien, esa igualdad de trato se consigue aceptando la configuración del grupo fiscal en función de relaciones de dependencia tanto internas como transfronterizas, y, más ampliamente, aceptando la configuración de una unidad fiscal mediante la agrupación de todas las entidades residentes en una determinada jurisdicción fiscal, aunque la matriz resida en otra jurisdicción fiscal.

El fallo de la sentencia fue el siguiente:

> *"En los asuntos C-39/13 y C-41/13, los artículos 49 TFUE y 54 TFUE deben interpretarse en el sentido de que se oponen a una normativa de un Estado miembro en virtud de la cual una sociedad matriz residente puede constituir una unidad fiscal única con una subfilial residente si la controla mediante una o varias sociedades residentes pero no puede si la controla mediante sociedades no residentes que carecen de establecimiento permanente en dicho Estado miembro.*
>
> *En el asunto C-40/13, los artículos 49 TFUE y 54 TFUE deben interpretarse en el sentido de que se oponen a una normativa de un Estado miembro en virtud de la cual se concede un régimen de unidad fiscal única a una sociedad residente que controla determinadas filiales residentes pero se excluye para sociedades hermanas residentes cuya sociedad matriz común no tiene su domicilio social en ese Estado miembro ni cuenta en él con un establecimiento permanente".*

En definitiva, con la nueva regulación, no solo podrán formar un grupo de consolidación aquellas sociedades dependientes (ya hemos dicho que deben ser al menos dos) de una dominante no residente, sino también aquellas sociedades residentes que se encuentren indirectamente participadas por sociedades residentes en España. Para ello bastará con que la sociedad dominante tenga una participación indirecta –a través de una no residente– de, al menos, el 75 por ciento en la sociedad residente (siempre que, además, posea, directa o indirectamente, la mayoría de los derechos de voto de esta última). Esta última posibilidad constituye una novedad sustancial con respecto a la regulación anterior ya que, de acuerdo con el artículo 67.4.d) del TRLIS, no podían formar parte del grupo fiscal aquellas sociedades cuya participación se alcanzase a través de otra sociedad que no reuniese los requisitos establecidos para formar parte del grupo fiscal. De esta forma, en la medida en que la participación indirecta se alcanzase a través de una sociedad no residente, dado que éstas no podían formar parte del grupo fiscal, la sociedad dependiente tampoco podía integrarse en él. Al desaparecer esta restricción del artículo 58.4 de la LIS, cabe entender, como decíamos, que también podrán incorporarse al grupo fiscal las sociedades residentes indirectamente participadas a través de sociedades no residentes.

Los siguientes esquemas muestran ambas posibilidades:

A) Grupo fiscal formado por sociedades dependientes residentes en territorio español:

En este supuesto el grupo fiscal estará formado por las sociedades B y C, sociedades dependientes residentes en España. Se trata de un grupo fiscal cuya peculiaridad radica en que en él no se integra ninguna sociedad dominante debiendo la sociedad no residente designar a una de las dependientes en España como representante del grupo.

B) Grupo fiscal formado por la sociedad dominante española y sus dependientes, directa o indirectamente participadas, incluso a través de sociedades no residentes:

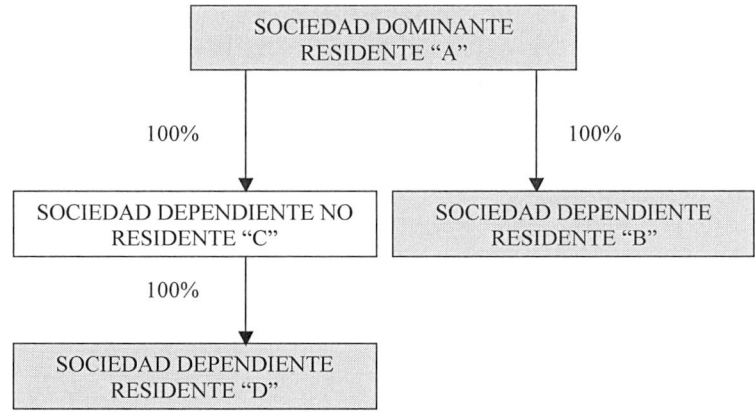

En este caso el grupo fiscal estará formado por la sociedad dominante "A" y por las sociedades dependientes "B" y "D", todas residentes, siendo irrelevante a estos efectos el hecho de que la participación en esta última se alcance a través de una entidad no residente, circunstancia esta que sí le impedía formar parte del grupo fiscal de acuerdo con la normativa anterior. Además, la conclusión anterior no se ve empañada por el hecho de que la sociedad no residente lo sea en un Estado no miembro de la Unión Europea pues, si bien las sentencias del Tribunal de Justicia del Unión Europea se referían exclusivamente a esta última situación, lo cierto es que la norma interna ha ido más allá al no restringir el lugar de residencia de la sociedad a través de la cual se participe en la dependiente residente. En este sentido, podría darse el caso, incluso, de que dicha participación se alcanzase a través de una sociedad residente en un paraíso fiscal.

Y no solo eso. Al no contener la LIS un precepto similar al artículo 67.4.d) del TRLIS también podrá incorporarse a un grupo fiscal una sociedad dependiente cuya participación indirecta de al menos el 75 por ciento se alcance a través de entidades que no puedan formar parte del perímetro de consolidación por concurrir alguna de las circunstancias previstas en el artículo 58.4 de la LIS. En concreto, podrán integrarse en el grupo fiscal aquellas entidades cuya participación indirecta –en el porcentaje mínimo indicado– se alcance a través de una entidad exenta del Impuesto sobre Sociedades, o en situación de concurso, o en situación de desequilibrio patrimonial, o sujeta a un tipo de gravamen diferente al de la entidad representante del grupo, o de una entidad cuyo ejercicio social, determinado por imperativo legal, no pueda adaptarse al de la entidad representante del grupo fiscal.

Por otro lado, en el supuesto de que una sociedad residente en España viniese formando (hasta la entrada en vigor de la Ley) un grupo fiscal junto con sus sociedades dependientes, también residentes, y tuviese, a su vez, la condición de dependiente de una entidad no residente, ello no impedirá que este continúe tributando como tal tras la entrada en vigor de la LIS, pero si la entidad no residente tuviese la condición de dominante de otra sociedad residente en España que no formase parte del grupo fiscal por no tener la condición de dependiente del subgrupo español, esta última deberá integrarse en el grupo fiscal, que pasará a estar formado por el subgrupo primigenio y por la sociedad "hermana" (Disposición Transitoria vigésimo quinta apartado segundo).

Veamos un ejemplo:

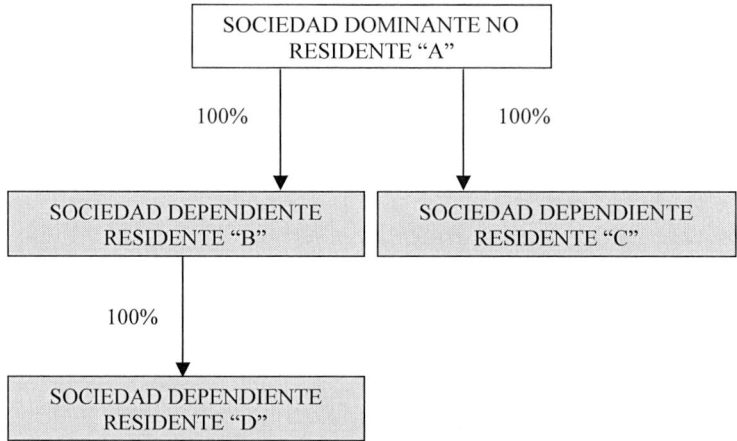

En este ejemplo, el grupo fiscal español pasará a estar formado por las sociedades residentes "B" y "D" (que lo integraban hasta la entrada en vigor de la LIS) y, con efectos en el primer periodo impositivo que se inicie a partir de 2015, también por la sociedad "C". Y es que, de acuerdo con la disposición transitoria vigésimo quinta, la nueva configuración del grupo no determinará la extinción del grupo fiscal primigenio que, como decimos, pasará a estar también integrado por la sociedad "C". Ahora bien, la entidad dependiente que de acuerdo con la nueva configuración del grupo pase a integrar el grupo fiscal deberá adoptar los acuerdos correspondientes a la aplicación del régimen especial en el periodo impositivo de 2015. Se trataría este de un supuesto de incorporación a un grupo fiscal ya existente (véase la Consulta Vinculante 1051/2016, de 16 de marzo).

Incluso podría plantearse el caso de sociedades indirectamente participadas (en el porcentaje de participación mínimo) a través de sociedades residentes en los Territorios Históricos del País Vasco y sometidas a la normativa foral (y que, por tanto, no tienen la consideración de sujetos pasivos del Impuesto sobre Sociedades), respecto de las que cabría también entender que deben integrarse en el grupo fiscal.

Además, de acuerdo con lo dispuesto en la Disposición Adicional duodécima de la LIS los grupos fiscales en los que la entidad dominante sea una entidad residente en territorio español y sometida a la normativa foral en el Impuesto sobre Sociedades de conformidad con el Concierto Económico con la Comunidad Autónoma del País Vasco, se equipararán en su tratamiento fiscal a los grupos fiscales en los que la entidad dominante sea no residente en territorio español.

1.2.2.2. *Definición de sociedad dominante*

A continuación, y una vez determinadas las entidades que pueden entrar a formar parte de un grupo de consolidación fiscal, debe analizarse qué entidad tiene la consideración de dominante y cuáles serán consideradas dependientes.

Como ya se ha avanzado, la calificación como dominante conllevará, al menos en el caso de los grupos "españoles", su consideración como sociedad representante del grupo, y lo que es más importante, la atribución a ésta de la obligación presentar la correspondiente autoliquidación del Impuesto y la de ingresar la deuda tributaria resultante de aquélla. Por tal motivo, resulta de enorme relevancia la correcta identificación de la sociedad que vaya a tener la consideración de sociedad dominante del grupo fiscal.

En el caso de los grupos dominados por una entidad no residente ésta no tendrá la consideración de representante del grupo, condición que recaerá, como vimos anteriormente, ya en una de las sociedades dependientes, ya en el establecimiento permanente al que se encuentren afectas las participaciones de las entidades dependientes residentes.

La determinación concreta de la sociedad que merece la calificación de sociedad dominante se realiza por el propio artículo 58 de la LIS en su apartado segundo.

Tras su lectura podemos distinguir entre aquellos grupos en los que la sociedad dominante tiene la consideración de representante del grupo, de aquellos otros en los que la representación recae sobre cualesquiera otra de las entidades que lo integran (sociedades dependientes) o sobre el establecimiento permanente.

Analicemos a continuación cada uno de estos dos tipos de grupos de sociedades:

1.2.2.2.1. Grupos en los que la sociedad dominante tiene la consideración de representante del grupo

En este tipo de grupos fiscales la sociedad dominante debe tener personalidad jurídica y estar sujeta y no exenta al Impuesto sobre Sociedades. En consecuencia, no podrán ser sociedades dominantes ni las sociedades civiles carentes de personalidad jurídica (ni aquellas que, teniéndola, no tengan objeto mercantil), ni las entidades del artículo 9.1 de la LIS, por tratarse de entidades exentas, ni, en general, los Fondos que carecen de personalidad jurídica (Fondos de inversión de carácter financiero, los fondos de inversión inmobiliaria, el fondo de regulación del mercado hipotecario, los fondos de pensiones, etc.).

Vemos como el artículo 58.2.a) se aparta en este punto de lo que prevé el apartado inmediatamente anterior. En efecto, recuérdese que en el primer apartado del artículo 58 se establece que las sociedades integrantes del grupo fiscal, además de ser residentes en territorio español, deben tener forma de sociedad anónima, de responsabilidad limitada y comanditaria por acciones, así como las fundaciones bancarias a que se refiere el apartado 3 de este artículo.

Por su parte, el apartado segundo, al definir la sociedad dominante simplemente exige que ésta tenga personalidad jurídica y que esté sujeta y no exenta al Impuesto sobre Sociedades.

Es decir que, en aplicación del apartado primero, no podrían ser consideradas sociedades dominantes de un grupo fiscal, por no reunir ninguna de las formas jurídicas señaladas, ni las sociedades colectivas, ni las sociedades comanditarias simples, ni las sociedades civiles con personalidad jurídica y objeto mercantil (éstas contribuyentes del Impuesto con efectos en los periodos impositivos que se inicien el 1 de enero de 2016), mientras que si atendemos a lo dispuesto en el segundo apartado parece que sí podrían serlo.

Por otro lado, contrasta la redacción del artículo 58.2.a) con la del artículo 67.2.a) del TRLIS en el que se contemplaba la posibilidad de que fueran consideradas sociedades dominantes aquellas que tuvieran forma jurídica de sociedad anónima, limitada, comanditaria por acciones *o en su defecto,* que tuviera personalidad jurídica y estuviera sujeta y no exenta al Impuesto sobre Sociedades.

Pues bien, cabe entender que al haberse suprimido la expresión *o en su defecto* las únicas entidades que pueden adquirir la condición de sociedad dominante a efectos de la constitución de un grupo fiscal son las que adopten la forma de sociedad anónima, limitada, o comanditaria por acciones, quedando excluidas, por tanto, las formas societarias a las que antes nos referíamos.

En este sentido, parece que el legislador al referirse nuevamente en el apartado segundo a la necesidad de que la sociedad dominante tenga personalidad jurídica no está tratando de establecer un régimen distinto del previsto en el apartado primero sino que con dicha expresión trata de diferenciar a las entidades con personalidad jurídica (que para integrarse en un grupo ya sea como dominantes o como dependientes deben adoptar alguna de las formas jurídicas previstas en el apartado 1) de los establecimientos permanentes, carentes de personalidad jurídica.

Sin embargo, existe algún autor[2] que se manifiesta contrario a esta conclusión al entender que, aunque la normativa del IS no es lo suficientemente transparente en este tema, debe prevalecer la condición de tener personalidad jurídica y estar sujeta y no exenta al IS sobre la forma jurídica para alcanzar la condición de dominante. Así entiende que no estaría justificado que, por ejemplo, una fundación no residente que estuviese sujeta a un Impuesto similar al Impuesto sobre Sociedades español pueda ser dominante de sus entidades dependientes residentes en territorio español, y por lo tanto, que estas entidades formaran parte un grupo fiscal y, por el contrario, no pueda formarse un grupo fiscal si la misma fundación tuviese su residencia en territorio español y estuviese sujeta al tipo general de gravamen del IS (25%) al igual que sus entidades dependientes.

La DGT ha secundado esta interpretación. Así, en la contestación a la Consulta Vinculante número V0318/2016, de 27 de enero, se mantiene el siguiente criterio:

> *"La regla contenida en la letra a) del artículo 58.2 de la LIS, que exige que la entidad dominante goce de personalidad jurídica, prevalece sobre la establecida en el artículo 58.1 de la LIS, que dispone que la forma jurídica de las entidades del grupo fiscal debe ser la de sociedad anónima, de responsabilidad limitada o comanditaria por acciones, la cual debe quedar restringida para las entidades dependientes.*
>
> *Por tanto, que la entidad consultante sea una sociedad comanditaria simple, no es óbice para que tenga la consideración de entidad dominante del grupo fiscal, puesto que goza de personalidad jurídica propia y está sujeta y no exenta al Impuesto sobre Sociedades.*

---

2   José Antonio López Santacruz; Memento Impuesto sobre Sociedades; Lefevbre-El Derecho. 2016.

En conclusión, la entidad consultante (X), junto con sus entidades dependientes, en la medida en la que cumplan los requisitos recogidos en el artículo 58 de la LIS, tomando en consideración lo explicado previamente, formarán parte del grupo fiscal del que la entidad consultante tendrá la consideración de entidad dominante".

Por otro lado, el porcentaje de participación que la LIS exige para que una sociedad pueda ser considerada como dominante de otra que tendrá la condición de dependiente es del 75 por ciento, siendo necesario, además, que posea la mayoría de los derechos de voto de dichas entidades. Ambos requisitos deben cumplirse, además, durante todo el periodo impositivo. Para determinar los derechos de voto, el artículo 59 de la LIS se remite a las NOFCA, regulación que se contiene en el artículo 3 de las citadas normas y que, por su interés, reproducimos a continuación:

"1. Para determinar los derechos de voto, se añadirán a los que directamente posea la sociedad dominante, los que correspondan a las sociedades dependientes de ésta o que posea a través de otras personas que actúen en nombre propio pero por cuenta de alguna sociedad del grupo y aquellos de los que disponga concertadamente con cualquier otra persona.

2. A efectos de lo previsto en el apartado anterior el número de votos que corresponde a la sociedad dominante, en relación con las sociedades dependientes indirectamente de ella, será el que corresponda a la sociedad dependiente que posea directamente los derechos de voto sobre éstas o a las personas que actúen por cuenta de o concertadamente con alguna sociedad del grupo.

3. Al calcular si una determinada sociedad posee o puede disponer de la mayoría de los derechos de voto de otra, se tomará en consideración la existencia de derechos de voto potenciales derivados de instrumentos financieros que sean en ese momento ejercitables o convertibles, incluyendo los derechos de voto potenciales poseídos por cualquier persona ajena al grupo.

Al evaluar si los derechos de voto potenciales contribuyen al control, se examinarán todos los hechos y circunstancias, incluidas las condiciones de ejercicio de tales derechos potenciales y cualquier otro acuerdo contractual, considerados aislada o conjuntamente, que afecten a esos derechos potenciales, sin tener en cuenta ni la intención de la dirección de ejercerlos o convertirlos ni la capacidad financiera para llevarlo a cabo.

Los derechos de voto potenciales no se tendrán en cuenta para calcular la participación de los socios externos de acuerdo con el artículo 27 de estas normas, así como las proporciones del resultado y de los cambios en el patrimonio neto, asignadas a la sociedad dominante y a los socios externos a las que hace referencia el artículo 28. Estos importes se determinarán sobre la base de las participaciones efectivas en la propiedad que existan en ese momento, y en consecuencia no reflejarán el posible ejercicio o conversión de los citados derechos de voto".

Por otro lado, y por lo que se refiere a la regulación de los derechos de voto debe tenerse en cuenta lo dispuesto en los artículos 188 a 190 del TRLSC. Destacan las siguientes normas:

- En la sociedad de responsabilidad limitada, salvo disposición contraria de los estatutos sociales, cada participación social concede a su titular el derecho a emitir un voto.

- En la sociedad anónima no será válida la creación de acciones que de forma directa o indirecta alteren la proporcionalidad entre el valor nominal de la acción y el derecho de voto.

- En la sociedad anónima, los estatutos podrán fijar con carácter general el número máximo de votos que pueden emitir un mismo accionista, las sociedades pertenecientes a un mismo grupo o quienes actúen de forma concertada con los anteriores.

En otro orden de cosas, el referido porcentaje de participación mínimo –del 75 por ciento– puede alcanzarse de forma directa o indirecta. Y a efectos de su determinación en el caso de participaciones indirectas (cuando una sociedad participe en otra y esta segunda en una tercera, y así sucesivamente) el artículo 60 de la LIS señala que para calcular dicho porcentaje se multiplicarán, respectivamente, los porcentajes de participación en el capital social, de manera que el resultado de dichos productos deberá ser, al menos, el 75 por ciento (o el 70 por ciento si se trata de entidades cuyas acciones estén admitidas a negociación en un mercado regulado o de entidades participadas, directa o indirectamente, por estas últimas).

Veamos a continuación unos ejemplos que permitan ilustrar mejor el modo en que debe determinarse el porcentaje de participación indirecto a efectos de determinar si la sociedad es o no dominante:

EJEMPLO 1

Una sociedad A, residente, ostenta las siguientes participaciones en el capital de otras sociedades, también residentes:

– Sociedad B: 80%

– Sociedad C: 75%

– Sociedad D: 40%

– Sociedad E: 20% (participada también en un 80% por la sociedad B)

SOLUCIÓN EJEMPLO 1

A efectos del artículo 58 LIS la sociedad A será dominante, siempre que tenga también la mayoría de sus derechos de voto, de las sociedades B (participación directa superior al 75 por ciento), C (participación directa de, al menos, el 75 por ciento) y de E (participación, directa o indirecta, del 84 por ciento). La participación en E se calcularía mediante la suma del porcentaje de participación directo más el porcentaje de participación indirecto:

Porcentaje de participación directo en E + (Porcentaje de participación directo en B x Porcentaje de participación de B en E) = 20% + (80% x 80%) = 20% + 64% = 84%.

Véase la Consulta Vinculante 0428/2016, de 3 de febrero de la DGT.

Además, el porcentaje de participación indirecta debe computarse con independencia de que el porcentaje de participación directa en los distintos eslabones de la cadena de participación sea inferior al 75 por ciento.

EJEMPLO 2

Una sociedad A, residente, ostenta las siguientes participaciones en el capital de otras sociedades, también residentes:

– Sociedad B: 80%

– Sociedad C: 75%

– Sociedad D: 40%

– Sociedad E: 20% (participada también en un 60% por la sociedad B)

SOLUCIÓN EJEMPLO 2

A efectos del artículo 58 LIS la sociedad A será dominante, siempre que tenga la mayoría de sus derechos de voto, de las sociedades B (participación directa superior al 75 por ciento) y C (participación directa de, al menos, el 75 por ciento).

En este caso, la participación indirecta en E no alcanza el porcentaje mínimo del 75% (participación directa o indirecta del 68 por ciento). La participación indirecta en E se calcularía de la siguiente forma:

Porcentaje de participación directo en E + (Porcentaje de participación directo en B x Porcentaje de participación de B en E) = 20% + (80% x 60%) = 20% + 48% = 68%.

Por otro lado, y además del porcentaje de participación, se requiere, como ya se ha apuntado, que la participación y los derechos de voto en la participada se mantengan durante todo el periodo impositivo (salvo en el supuesto de disolución de la sociedad participada). Por lo tanto, y para el caso de que se incumpla en el curso del ejercicio el requisito de mantenimiento de la participación respecto de alguna de ellas cabe plantearse cuál sería la consecuencia que tal incumplimiento produce respecto de la aplicabilidad del régimen de especial. La respuesta la encontramos en el artículo 59 de la LIS, en el que se regula el régimen de la entrada y salida del grupo y en el que se limitan las consecuencias de dicho incumplimiento a la exclusión del grupo de la sociedad que pierda la condición de dependiente, surtiendo efectos la exclusión en el periodo impositivo en el que se produzca dicha circunstancia. A esta cuestión nos referiremos cuando analicemos las normas relativas a la inclusión o exclusión de sociedades en el grupo fiscal.

Además, la sociedad dominante no puede ser, a su vez, dependiente (directa o indirectamente) de otra que reúna los requisitos para ser considerada dominante. En este sentido no cabe entender posible la existencia de subgrupos fiscales.

EJEMPLO 3

Mismo supuesto que el Ejemplo 2 pero en este caso la sociedad A está participada en un 100% por una sociedad holding residente en España.

SOLUCIÓN EJEMPLO 3

En este caso, la sociedad A no podría ser considerada dominante al tener la consideración de dependiente de la sociedad holding. En consecuencia, el grupo fiscal estaría formado por la sociedad holding (dominante) y por las sociedades dependientes que reúnan los requisitos de participación mínima (directa o indirecta) de, al menos, el 75 por ciento y mayoría de derechos de voto.

Por último, señalar que la sociedad dominante no puede estar sometida al régimen especial de agrupaciones de interés económico españolas y europeas, uniones temporales de empresas o regímenes análogos a ambos (regímenes de atribución de bases imponibles). Y es que dichos regímenes de tributación se caracterizan por la imputación a sus miembros residentes de las bases imponibles, no estando obligadas a ingresar la cuota tributaria que resultaría de la autoliquidación del Impuesto, lo que hace inviable su integración en un grupo fiscal.

1.2.2.2.2. Grupos en los que la sociedad dominante no tiene la consideración de entidad representante del grupo. Especial referencia al establecimiento permanente como entidad dominante del grupo de consolidación fiscal

1.2.2.2.2.1. Establecimientos permanentes como entidades dominantes del grupo de consolidación fiscal

Para que los establecimientos permanentes de entidades no residentes en territorio español puedan ser considerados "entidades dominantes" de un grupo de consolidación fiscal español es necesario, por un lado, que la casa central tribute por un impuesto de naturaleza idéntica o análoga al Impuesto sobre Sociedades español y, por otro lado, que aquélla no resida en un país o territorio calificado como paraíso fiscal (el artículo 58.1 último párrafo exige a los establecimientos permanentes el cumplimiento de los mismos requisitos que para las entidades no residentes que deseen formar en España un grupo fiscal integrado por sus entidades dependientes). Además, tampoco puede tener la consideración de dependiente (directa o indirectamente) de otras sociedades que reúnan los requisitos para ser consideradas como dominantes. En estos casos ya hemos señalado que el establecimiento permanente se integrará en el grupo fiscal como dependiente.

Cumplidos estos requisitos, los establecimientos permanentes de entidades no residentes en territorio español tendrán la consideración de entidades dominantes de un grupo de consolidación fiscal español respecto de las sociedades cuyas participaciones se afecten al mismo.

Para comprender mejor la figura del establecimiento permanente como entidad dominante de un grupo fiscal debemos profundizar un poco en su concepto y en su configuración jurídica. Así en primer lugar, cabe precisar que las entidades no residentes pueden organizar sus actividades empresariales en otros Estados de dos formas (principalmente): a través de sociedades filiales legalmente constituidas en el Estado donde aquella entidad pretenda operar (constituyéndola o adquiriendo las participaciones representativas del capital de una sociedad preexistente); o a través de un establecimiento permanente, que, a diferencia de la filial, no goza de personalidad jurídica propia, sino que es la extensión misma de una parte de la entidad no residente.

Desde la óptica de la fiscalidad internacional (ámbito de la fiscalidad en el que el estudio de los establecimientos permanentes cobra una especial relevancia) la cualidad más relevante del "establecimiento permanente" es que constituye una categoría tributaria determinante de la tributación en el estado de la fuente. En efecto, según Néstor Carmona «*El ánimo que late bajo dicha categoría jurídica no es sino la circunstancia o conjunto de circunstancias que denotan la existencia de una actividad sustancial y estable en un Estado distinto del de residencia por parte de una empresa determinada, y, bajo los parámetros del MC [Modelo de Convenio], se erige en la razón única y clave para que una empresa no residente tribute en el aquel Estado por razón de su actividad, cuando media –como suele– un convenio sobre doble imposición (CDI) entre los dos países afectados*»[3]. En este sentido, la importancia que tiene el hecho de que una entidad no residente opere en otro Estado a través de un establecimiento permanente estriba en el hecho de que las rentas que obtenga a través del mismo puedan ser gravadas por el Estado de la fuente (en donde se ubica el establecimiento permanente). Y es que, en ausencia de un establecimiento permanente, el artículo 7 del Modelo de Convenio para evitar la doble imposición

[3]   Néstor Carmona Fernández. «La noción de establecimiento permanente en los Tribunales: las estructuras operativas mediante filiales comisionistas». Crónica Tributaria, Núm 145/2012. Pp 39 – 57.

en materia de Renta y de Patrimonio de la OCDE atribuye en exclusiva la potestad de gravar las rentas procedentes de actividades económicas (beneficios empresariales en la terminología del Convenio) al Estado de la residencia (de la casa central), por lo que, en estos casos, el Estado de la fuente no podrá gravar las rentas que deriven de la realización de tales actividades en su territorio.

Los Convenios para evitar la doble imposición en materia de Renta y de Patrimonio son normas de Derecho Internacional Público que realizan un reparto de la soberanía fiscal entre los Estados firmantes, pudiendo atribuirse a uno de los dos Estados contratantes de forma exclusiva (Estado de la fuente en exclusiva o Estado de la residencia en exclusiva), o a ambos, en cuyo caso el propio Convenio prevé los mecanismos que los Estados deben arbitrar en orden a corregir la posible doble imposición (jurídica o económica) que se pueda producir como consecuencia del ejercicio por ambos Estados de dicha potestad. Y es que la finalidad primordial de los Convenios para evitar la doble imposición es, precisamente, la de evitar la doble imposición internacional (aunque en los últimos años se está profundizando en la utilización de los Convenios como auténticos instrumentos de lucha contra el fraude fiscal).

Así, el artículo 7.1 del Modelo de Convenio de la OCDE, al que antes nos referíamos, establece que «*Los beneficios de una empresa de un Estado contratante solamente pueden someterse a imposición en ese Estado, a no ser que la empresa realice su actividad en el otro Estado contratante por medio de un establecimiento permanente situado en él. Si la empresa realiza su actividad de dicha manera, los beneficios imputables al establecimiento permanente de conformidad con las disposiciones del apartado 2 pueden someterse a imposición en ese otro Estado*». Es decir que, como advertíamos anteriormente, la potestad para gravar la renta, mediando un establecimiento permanente, es compartida.

Pues bien, centrándonos ya en el concepto de establecimiento permanente, se recoge en el artículo 5 del Modelo de Convenio de la OCDE, que define la expresión "establecimiento permanente" como un lugar fijo de negocios mediante el cual una empresa realiza toda o parte de su actividad. Esta expresión comprende, según el mismo artículo: las sedes de dirección; las sucursales; las oficinas; las fábricas; los talleres; las minas, los pozos de petróleo o de gas, las canteras o cualquier otro lugar de extracción de recursos naturales; o una obra o proyecto de construcción o instalación cuando su duración exceda de doce meses.

Además, y sin perjuicio de los supuestos anteriores, el apartado cinco también considera la existencia de un establecimiento permanente cuando una persona distinta de un agente independiente actúe por cuenta de una empresa y tenga y ejerza habitualmente en un Estado contratante poderes que la faculten para concluir contratos en nombre y por cuenta de la empresa (esta es la figura del denominado "agente dependiente").

Por su parte, el artículo 13.1.a) del Texto Refundido de la Ley del Impuesto sobre la Renta de no Residentes aprobado por Real Decreto Legislativo 5/2004, de 5 de marzo (en adelante TRLIRNR) considera que una persona o entidad no residentes operan en territorio español mediante un establecimiento permanente cuando por cualquier título disponga en éste, de forma continuada o habitual, de instalaciones o lugares de trabajo de cualquier índole, en los que realice toda o parte de su actividad, o actúe en él por medio de un agente autorizado para contratar, en nombre y por cuenta del contribuyente que ejerza con habitualidad dichos poderes.

En particular, se considera que constituyen establecimiento permanente las sedes de dirección, las sucursales, las oficinas, las fábricas, los talleres, los almacenes, tiendas u otros establecimientos, las minas, los pozos de petróleo o de gas, las canteras, las explotaciones agrícolas, forestales o pecuarias o cualquier otro lugar de exploración o de extracción de recursos naturales, y las obras de construcción, instalación o montaje cuya duración exceda de seis meses. Tales supuestos constituyen una lista abierta que no cierra las distintas posibilidades en las que se puede manifestar la existencia de un establecimiento permanente.

Nótese cómo, si bien a grandes rasgos los conceptos que nos dan ambas normas coinciden en lo sustancial, existen ciertas diferencias en algunos de los supuestos contenidos en la enumeración que nos ofrece, por un lado, el Modelo de Convenio y, por el otro, el TRLIRNR. No obstante, hay más notas que los asemejan frente a las que los diferencian. En concreto, para que pueda considerarse la existencia de un establecimiento permanente es esencial –en ambas definiciones– la existencia de una fuerte vinculación o presencia física del no residente en el otro Estado. Sin embargo, la creciente importancia de la economía digital, de la prestación de servicios transnacionales y la creciente operativa con intangibles ha provocado que el concepto tradicional de establecimiento permanente haya entrado en una profunda crisis. Esta circunstancia ha provocado que en diversos Foros internacionales se haya planteado la necesidad de revisarlo para adaptarlo a los nuevos tiempos de la economía (es el caso del Proyecto BEPS, Base Erosion and Profit Shifting o *Erosión de Bases y Deslocalización de beneficios,* auspiciado por de la OCDE, y cuyas acciones 1ª y 7ª se han concentrado precisamente en la modernización del concepto de establecimiento permanente).

En definitiva, la consecuencia más relevante que se deriva de la implantación de una empresa en un Estado distinto al de su residencia mediante un establecimiento permanente es que las rentas procedentes de las actividades empresariales que a dicho establecimiento le sean atribuibles puedan someterse a imposición en aquel Estado, rentas que en otro caso no podrían gravarse sino en el Estado de residencia.

El estudio en profundidad del establecimiento permanente excede, sin embargo, de esta obra, aunque sí debemos analizar los requisitos que, además de los que se exigen por el artículo 5 del Modelo de Convenio y 13.2 del TRLIR-NR, debe reunir un establecimiento permanente para que pueda ser considerado como una "entidad dominante" de un grupo de consolidación fiscal en España. Como ya se ha anticipado en páginas anteriores, la calificación de un establecimiento permanente como "entidad dominante" se producirá respecto de aquellas sociedades cuyas participaciones se encuentren afectas al mismo y siempre que se disponga del porcentaje mínimo de control que se exige en el artículo 58.2 de la LIS. Sin embargo, ni la LIS ni el TRLIRNR regulan las condiciones que deben reunirse para que pueda entenderse que las participaciones de sociedades residentes en España se encuentran afectas a un establecimiento permanente. Porque, en la medida en que el establecimiento permanente no tiene personalidad jurídica propia distinta de la de su casa central sino que, como ya hemos indicado, aquél constituye una extensión de la misma, la titularidad de la participación corresponde en última instancia a la entidad no residente, por lo que se hace necesario concretar bajo qué condiciones puede entenderse que la participación en una sociedad residente puede entenderse afecta al establecimiento permanente.

Pues bien, la regulación de los elementos patrimoniales afectos al establecimiento permanente se recoge en el artículo 1 del Real Decreto 1776/2004, de 30 de julio, por el que se aprueba el Reglamento del Impuesto sobre la Renta de No Residentes en el que se exige que el establecimiento permanente sea una sucursal registrada en el Registro Mercantil y que, además, se cumplan dos requisitos:

a) Que dichos activos se reflejen en los estados contables del establecimiento permanente; y

b) Que el establecimiento permanente disponga, para dirigir y gestionar esas participaciones, de la correspondiente organización de medios materiales y personales.

Podemos concluir, pues, que no todo establecimiento permanente es apto para tener la consideración de entidad dominante de un grupo de consolidación fiscal, sino solo aquellos que adopten la forma de sucursal y se inscriban en el Registro Mercantil. En este sentido, hemos de acudir al Reglamento del Registro Mercantil, aprobado por Real Decreto 1784/1996, de 19 de julio, para encontrar el régimen jurídico de la inscripción en el Registro Mercantil de las sucursales. El citado reglamento ofrece una definición que no difiere en mucho de la que se maneja a efectos fiscales, al establecer en su artículo 295 que «*A efectos de lo prevenido en este Reglamento, se entenderá por sucursal todo establecimiento secundario dotado de representación permanente y de cierta autonomía de gestión, a través del cual se desarrollen, total o parcialmente, las actividades de la sociedad*». Como vemos, utiliza el Reglamento del Registro Mercantil un concepto bastante aproximado al concepto de "establecimiento permanente" tributario en cuanto que lo define, precisamente, como un "establecimiento" a través del cual se desarrollan total o parcialmente las actividades de una sociedad.

Por otro lado, el cumplimiento del requisito de la inscripción no ofrece, en principio, mayor dificultad de cumplimiento más allá de la necesidad de respetar las formalidades que se establecen en los artículos 295 a 308 del Reglamento del Registro Mercantil.

No puede decirse lo mismo, sin embargo, del requisito relativo a la necesidad de contar con la correspondiente organización de medios materiales y personales para poder dirigir y gestionar la participación. La dificultad en su aplicación estriba en que estamos en presencia de conceptos jurídicos indeterminados, es decir, términos que, siendo utilizados por la propia norma jurídica, no son definidos o determinados por ésta con precisión, lo que obliga a su interpretación de acuerdo con los criterios hermenéuticos previstos en el artículo 12 de la LGT y, por ende, en el artículo 3 del Código Civil (al que el primero se remite). Y dicha dificultad afecta, no solo al obligado tributario, cuya seguridad jurídica puede verse mermada al no conocer con exactitud si los medios con los que el establecimiento permanente cuenta pueden considerarse suficientes o no a efectos de entender cumplido el requisito previsto en el artículo 1 del RIRNR, sino también a la propia Administración tributaria, que en las actuaciones de comprobación que, en su caso, inicie en relación con el grupo fiscal deseará verificar si el establecimiento dispone de dicha organización mínima.

A priori, no parece que el establecimiento permanente que se erija como tal con el único propósito de constituirse en entidad dominante del grupo de consolidación deba tener una presencia física relevante. El motivo de tal afirmación estriba en que lo que se le exige al establecimiento permanente no es gestionar las actividades de las sociedades participadas, sino su participación en ella, actividad con un contenido indudablemente menor. Sin embargo, lo que sí parece deba exigírsele es, al menos, un mínimo de organización pues, de lo contrario, no se entendería su permanente inclusión en la normativa reguladora de este régimen especial.

No ayuda a comprender mejor el verdadero alcance del requisito que estamos analizando el hecho de que no existan pronunciamientos de Tribunales que nos ayuden a configurar mejor sus contornos. Sí existe, sin embargo, alguna –pocas– consultas tributarias formuladas a la DGT en relación con esta cuestión. Tales consultas, no obstante, fueron formuladas en relación con otro Régimen Especial para cuya aplicación se exige el cumplimiento de este mismo requisito. Es el caso de las Entidades de Tenencia de Valores Extranjeros (régimen español de sociedades holding), actualmente reguladas en los artículos 107 y 108 de la LIS. En concreto, el artículo 107 (al igual que lo hacía su predecesor, el artículo 116 del TRLIS) exige que la sociedad a la que vaya a resultar de aplicación el Régimen de ETVE disponga de la correspondiente organización de medios materiales y personales para dirigir y gestionar la participación en las entidades no residentes.

Pues bien, en la contestación a la consulta número V0411/2012 de la DGT se afirma lo siguiente:

> "*En particular, el TRLIS exige unos medios organizativos suficientes no para controlar la gestión de la entidad participada sino para ejercer los derechos y cumplir con las obligaciones derivadas de la condición de socio, así como tomar las decisiones relativas a la propia participación. Por ello, no se entendería cumplido el requisito de organización de medios materiales y personales si la totalidad de la gestión y dirección de las participaciones en las entidades extranjeras se contratase con una empresa externa de servicios, cediéndose así a una organización ajena las actividades que deberían corresponder a la entidad de tenencia o bien cuando, parcialmente, se contratan medios personales y materiales ajenos atribuyéndoles las facultades de gestión y dirección de las participaciones*".

Por lo tanto, en el caso de las ETVE no se entenderá cumplido el requisito del que estamos tratando cuando la sociedad subcontrate los medios materiales y personales necesarios para poder llevar a cabo la gestión y dirección de las participaciones en la(s) entidad(es) no residente(s). Esta misma conclusión podría trasladarse a los establecimientos permanentes.

Por otro lado, de la consulta número V2137/2013 de la DGT se señala lo siguiente:

> "*En este punto, la consultante manifiesta que la sociedad F cuenta con dos personas contratadas, y un local afecto al desarrollo de la actividad, así como con un administrador único que llevará a cabo la dirección y gestión de las participaciones. Por su parte, las sociedades Y y C contarán con un administrador único que gestionará y administrará sus participaciones en las sociedades filiales, contando a su vez con los medios materiales necesarios para llevar a cabo la mencionada actividad.*
>
> *Al respecto, cabe señalar que las ETVE deben gestionar y administrar una cartera de valores y, para ello, han de disponer de la correspondiente organización de medios materiales y personales.*
>
> *En particular, el TRLIS exige unos medios organizativos suficientes no para controlar la gestión de las entidades participadas sino para ejercer los derechos y cumplir con las obligaciones derivadas de la condición de socio, así como tomar las decisiones relativas a la propia participación.*
>
> *En el supuesto concreto planteado, de los hechos recogidos en el escrito de consulta, parece desprenderse que las sociedades F, Y, C, así como S1 a S5 contarán con medios materiales y humanos necesarios para llevar a cabo la gestión y dirección de las participaciones poseídas, en los términos previstos en el artículo 116 del TRLIS. No obstante, se trata de una cuestión de hecho que deberá ser probada por cualquier medio de prueba admitido en Derecho y cuya comprobación corresponderá a los órganos competentes en materia de comprobación de la Administración Tributaria*".

Esta contestación no ayuda demasiado a comprender mejor qué es lo que, en concreto, pretendía el legislador al exigir el cumplimiento de este requisito pues, en última instancia, el órgano consultivo se remite a lo que el obligado tributario pueda probar en el curso del correspondiente procedimiento de comprobación, cuando éste tenga por objeto la comprobación de tales circunstancias.

Por otro lado, el hecho de que las participaciones se encuentren funcionalmente vinculadas al establecimiento permanente determina que los dividendos que se perciban puedan someterse a imposición en el Estado de la fuente (lugar en el que resida la/s sociedad/es participadas) sin limitación alguna. En efecto, el artículo 10.4 del Modelo de Convenio de la OCDE establece que:

> *"Las disposiciones de los apartados 1 y 2 no son aplicables si el beneficiario efectivo de los dividendos, residente de un Estado contratante, realiza en el otro Estado contratante, del que es residente la sociedad que paga los dividendos, una actividad empresarial a través de un establecimiento permanente situado allí y la participación que genera los dividendos está vinculada efectivamente a dicho establecimiento permanente. En dicho caso son aplicables las disposiciones del artículo 7".*

De este artículo se desprende que cuando la participación se encuentre vinculada al establecimiento permanente, la tributación de los dividendos en el Estado de la fuente tendrá lugar por aplicación de lo dispuesto en el artículo 7 del Modelo de Convenio de la OCDE, (artículo que como ya tuvimos ocasión de ver, regula la tributación de las rentas obtenidas en alguno de los Estados firmantes a través de un establecimiento permanente). La consecuencia práctica que se deriva de esta afirmación es muy importante pues si en el artículo 10 del Modelo de Convenio de la OCDE se contempla la posibilidad de que los dividendos puedan someterse a tributación en el Estado de la fuente, lo cierto es que esta potestad es limitada, al establecerse en dicho precepto unos porcentajes máximos de tributación del 5 o 15 por ciento, según que el porcentaje de participación en la entidad que lo distribuye sea o no de al menos un 25 por ciento. Por el contrario, si el dividendo tributa por aplicación de lo dispuesto en el artículo 7 del Modelo de Convenio de la OCDE, la renta podría someterse a tributación sin limitación alguna. Esta conclusión se desprende del párrafo 31 de los Comentarios al apartado 4 del artículo 10 Modelo de convenio de la OCDE. No obstante, se precisa que las participaciones deben formar parte del activo del establecimiento permanente o estar vinculadas funcionalmente a ellos. En este sentido, y con el objeto de evitar abusos, se aclara en el párrafo 32 que:

> *"32. Independientemente del hecho de que dichas operaciones abusivas puedan desencadenar la aplicación de disposiciones antiabuso nacionales, se ha de reconocer que un determinado emplazamiento solo constituye un establecimiento permanente si en él se realiza una actividad o negocio; y, como se explica a continuación, la exigencia de que la participación en el capital ha de estar "vinculada efectivamente" con este emplazamiento implica algo más que la mera contabilización del capital en los libros del establecimiento permanente a los simples efectos contables.*

> *32.1 Una participación respecto de la que se paguen dividendos estará vinculada efectivamente al establecimiento permanente y formará por tanto parte de los activos empresariales si la propiedad económica de la participación se atribuye a ese establecimiento permanente conforme a los principios desarrollados en el informe del Comité titulado "Atribución de beneficios a los establecimientos permanentes" (…). En el contexto de ese apartado, la propiedad económica de la participación tiene un significado equivalente a la propiedad a los efectos del impuesto sobre la renta por una entidad independiente, con los beneficios y las cargas que conlleva (por ej. el derecho a los dividendos imputables a la propiedad de la participación y la potencialidad de ganancias y pérdidas derivadas del incremento o reducción del valor de la participación).*

Vemos pues que también en el ámbito de la Fiscalidad internacional se exige la constitución de una mínima organización en España para entender que las participaciones se encuentran, en efecto, vinculadas al establecimiento permanente de forma que solo en ese caso los dividendos pueden gravarse en el Estado de la fuente sin limitación alguna. A estos efectos habrá que entender, no obstante, que el cumplimiento del requisito puede satisfacerse por cualquiera de las entidades del grupo (artículo 62.1.a) de la LIS).

1.2.2.2.2.2. Grupos formados exclusivamente por entidades dependientes

Como venimos apuntando, la LIS contempla la posibilidad de que la sociedad dominante no sea residente en territorio español, supuesto en el cual el grupo fiscal estará formado por aquellas sociedades (dependientes) residentes en las que se den las circunstancias previstas en el artículo 58.3 de la LIS. En este caso, la entidad (dominante) no residente vendrá obligada a designar como representante del grupo fiscal en España a una de las sociedades dependientes.

El principal requisito a que se condiciona la aplicación del régimen especial es, en estos casos, la sujeción de la dominante en su Estado de residencia a Impuesto idéntico o análogo al Impuesto sobre Sociedades español, y a que no sea residente en un país o territorio calificado como paraíso fiscal. Además, se requiere la existencia de, al menos, dos sociedades dependientes.

En relación con la calificación del Impuesto extranjero como de naturaleza idéntica o análoga se plantea en la Consulta Vinculante número V2713/2015 de 21 de septiembre, el siguiente supuesto de hecho:

> *"La consultante (A) es una sociedad residente en España y dominante de un grupo de consolidación fiscal, formado por ella misma y otra sociedad dependiente (B).*
>
> *La consultante se encuentra participada al 100% por una entidad residente en Suiza (S) que a su vez participa en el 100% del capital de otras dos entidades Españolas (C y D) que hasta 1 de enero de 2015 no formaban parte del grupo de consolidación fiscal de A.*

La entidad S se encuentra sujeta a tributación en Suiza a nivel cantonal y federal. Debido a que se trata de una entidad holding, ésta no paga impuestos a nivel cantonal por la renta obtenida, sólo un 0,05% sobre sus fondos propios, con arreglo a la normativa suiza del cantón de Basilea. No obstante, a nivel federal se encuentra sujeta a un impuesto directo, cuya base imponible está constituida por el beneficio del ejercicio sin incluir los ingresos provenientes de dividendos o ganancias patrimoniales que se deriven de la participación en entidades residentes o no residentes, siempre que el porcentaje de participación sea de al menos un 10% o la inversión tenga un valor de mercado superior a 1 millón de francos suizos. El tipo de gravamen de este impuesto asciende a un 8,5%".

Se preguntaba a la DGT si se cumplían los requisitos para ser sociedad dominante y si se consideraba que dicha entidad se encontraba sometida a un tributo de naturaleza idéntica o análoga al Impuesto sobre Sociedades español. Y la DGT contesta:

"En el presente caso, de acuerdo con los hechos manifestados en el escrito de la consulta, la entidad S está sometida a un impuesto federal en Suiza que grava los beneficios de las sociedades al 8,5%, excluyendo los dividendos y plusvalías de determinados valores representativos de la participación en fondos propios de otras entidades. A estos efectos, para considerar que un impuesto es de naturaleza idéntica o análoga al Impuesto sobre Sociedades, es necesario atender a su naturaleza, a la luz de lo dispuesto en el artículo 1 de la LIS, es decir, debe ser un "tributo de carácter directo y naturaleza personal que grava la renta de las sociedades y demás entidades jurídicas de acuerdo con las normas de esta ley". El impuesto federal suizo descrito es un impuesto sobre los beneficios. Por tanto, se trata de un impuesto que grava las rentas obtenidas por la entidad S considerándose idéntico o análogo al Impuesto sobre Sociedades español".

Por otro lado, se analiza también en la consulta la nueva configuración del grupo tras la entrada en vigor de la LIS. En concreto, tras concluir que la sociedad suiza puede ser dominante del grupo español y previa transcripción de la disposición final duodécima de la LIS, señala:

"De acuerdo con lo anterior, la entidad consultante (A) que era dominante de un grupo fiscal dejará de serlo en los períodos impositivos que se inicien a partir de 1 de enero de 2015 por aplicación de lo dispuesto en el artículo 58 de la LIS, pasando a ser dominante la entidad S. En este caso, con arreglo a lo previsto en el segundo párrafo del apartado 2 de la disposición transitoria vigésima quinta de la LIS, no se producirá la extinción del grupo fiscal y, por tanto, conservaría el mismo número de grupo fiscal. A estos efectos, en el período impositivo 2015, la entidad S deberá designar a la entidad representante del grupo fiscal a través de un escrito enviado al efecto a la Administración Tributaria a lo largo del período impositivo 2015".

1.2.2.3. Definición de sociedad dependiente

Son entidades dependientes de acuerdo con el artículo 58.3 de la LIS:

a) Las sociedades residentes en territorio español sobre las que la entidad dominante posea una participación directa o indirecta superior al 75 por ciento y la mayoría de los derechos de voto (70 por ciento en el caso de acciones admitidas a negociación en un mercado regulado) siempre que ambos se mantengan durante todo el periodo impositivo. Es importante recalcar que la participación sobre la entidad dependiente debe mantenerse durante todo el periodo impositivo pues de lo contrario la sociedad dependiente quedará excluida del grupo de consolidación fiscal en los términos previstos en el artículo 59.2 de la LIS, exclusión que producirá efectos en el mismo periodo impositivo en el que se dé esta causa de exclusión (Consulta Vinculante V1449/2015, de 11 de mayo).

b) Los establecimientos permanentes de entidades no residentes que sean dependientes de una entidad que cumpla los requisitos señalados anteriormente.

c) Entidades de crédito integradas en un sistema institucional de protección siempre que la entidad central del sistema forme parte del grupo fiscal y sea del 100 por ciento la puesta en común de los resultados de las entidades integrantes del sistema y que el compromiso mutuo de solvencia y liquidez entre dichas entidades alcance el 100 por ciento de los recursos propios computables de cada una de ellas.

d) Fundaciones bancarias a que se refiere el artículo 43.1 de la Ley 26/2013, de 27 de diciembre, de cajas de ahorro y fundaciones bancarias, siempre que no tengan la condición de entidad dominante del grupo fiscal, así como cualquier entidad íntegramente participada por aquellas a través de las cuales se ostente la participación en la entidad de crédito

1.2.2.4. *Entidades que en ningún caso pueden formar parte de un grupo fiscal*

El artículo 59 de la LIS contiene, como hemos visto, una delimitación positiva del grupo fiscal al definir con precisión las entidades que, a efectos de la aplicación del régimen, pueden tener la consideración de "entidad dominante" o "entidad dependiente", respectivamente. Además, el citado artículo también nos ofrece en su apartado cuatro una delimitación negativa. En efecto, en él se enumeran una serie de entidades que, en ningún caso pueden formar parte de un grupo fiscal.

En concreto, no pueden formar parte del grupo de consolidación (artículo 58.4 de la LIS):

a) Las entidades no residentes.

b) Las entidades exentas del Impuesto.

c) Las entidades que al cierre del periodo impositivo hubiesen sido declaradas en concurso de acreedores (durante los periodos en los que surta efectos esta declaración).

d) Las entidades que se encuentren en situación de insolvencia patrimonial de acuerdo con lo previsto en el artículo 363.1.e) del TRLSC *de acuerdo con sus cuentas anuales* a menos que a la conclusión del ejercicio en el que se aprueben las cuentas anuales esta situación hubiese sido superada.

e) Entidades sujetas a un tipo de gravamen diferente al de la entidad representante del grupo fiscal.

f) Entidades dependientes cuyo ejercicio social, determinado por imperativo legal, no pueda adaptarse al de la entidad representante.

Pasamos a desarrollar, a continuación, alguno de los supuestos que se acaban de enumerar.

1.2.2.4.1. Entidades no residentes

Como ya se ha analizado en otro capítulo de esta obra la LIS atribuye la condición de contribuyente por este Impuesto a aquellas entidades que se hayan constituido con arreglo a las leyes españolas, tengan su domicilio social en España, o tenga su sede de dirección efectiva en territorio español. Recuérdese, además, que la Administración tributaria española puede presumir que una entidad radicada en algún país o territorio de nula tributación, según lo previsto en el apartado 2 de la Disposición adicional primera de la Ley 36/2006, de 29 de noviembre, de medidas para la prevención del fraude fiscal, o calificado como paraíso fiscal, según lo previsto en el apartado 1 de la referida disposición, tiene su residencia en territorio español cuando sus activos principales, directa o indirectamente, consistan en bienes situados o derechos que se cumplan o ejerciten en territorio español, o cuando su actividad principal se desarrolle en éste, salvo que dicha entidad acredite que su dirección y efectiva gestión tienen lugar en aquel país o territorio, así como que la constitución y operativa de la entidad responde a motivos económicos válidos y razones empresariales sustantivas distintas de la gestión de valores u otros activos.

Aquellas en las que se dé alguna de estas circunstancias y sean consideradas contribuyentes del Impuesto deberán tributar por la renta mundial (según el literal del artículo 7.2 de la LIS *"por la totalidad de la renta que obtengan, con independencia del lugar donde se hubiere producido y cualquiera que sea la residencia del pagador"*).

Las entidades que, por el contrario, no tengan su residencia en territorio español no tienen la condición de contribuyentes por este Impuesto debiendo tributar por la renta que obtengan en territorio español de acuerdo con las normas del IRNR (sin perjuicio de lo que establecen los Convenios para evitar la doble imposición en materia de renta y de patrimonio y para evitar el fraude fiscal que haya suscrito España con el Estado de residencia de la entidad en cuestión). Es lógico, por tanto, que si una entidad no es contribuyente por el Impuesto sobre Sociedades no pueda tampoco entrar a formar parte de un grupo de consolidación fiscal previsto en la normativa de este Impuesto. En definitiva, solo si la entidad se encuentra sometida en España a la imposición de su renta mundial ésta podrá integrarse en un grupo fiscal español.

Lo anterior no empece para que las entidades dependientes de una entidad no residente que ostente la condición de dominante puedan formar un grupo fiscal a efectos del Impuesto sobre Sociedades español, si bien la renta obtenida por la dominante no se integrará en la base imponible del grupo.

Por otro lado, los establecimientos permanentes de entidades no residentes, a pesar de no ostentar la condición de contribuyentes por el Impuesto y de serlo del IRNR, sí pueden tener la condición de entidades dominantes de un grupo de consolidación fiscal, ostentando la condición de tales respecto de las sociedades cuyas participaciones se encuentren vinculadas funcionalmente a la actividad del establecimiento. Los establecimientos permanentes, sin embargo, y a diferencia de las entidades no residentes que obtienen rentas en territorio español sin mediación de establecimiento permanente, tributan –también– por su renta mundial. En efecto, la renta que se somete a gravamen en sede de un establecimiento permanente no se circunscribe a la que, de acuerdo con los puntos de conexión previstos en el artículo 13 del TRLIRNR, pueda considerarse obtenida en nuestro territorio. Al contrario, tal y como se establece en el artículo 15.1 del citado Texto Refundido, *"Los contribuyentes que obtengan rentas mediante establecimiento permanente situado en territorio español tributarán por la totalidad de la renta imputable a dicho establecimiento, cualquiera que sea el lugar de su obtención"*. Además, la citada renta tributa –con ciertas especialidades– de acuerdo con las normas relativas a la determinación de la base imponible del Impuesto sobre Sociedades, por lo que su equivalencia con la base imponible de las entidades residentes en casi absoluta. Ello justifica, al menos desde un punto de vista técnico, la procedencia de su inclusión en un grupo fiscal.

1.2.2.4.2. Entidades exentas del impuesto

Las entidades exentas son las previstas en el artículo 9 de la LIS. En dicho artículo se enumeran aquellas entidades que se encuentran totalmente exentas del Impuesto (apartado 1) y aquellas otras que lo están parcialmente (apartado 2). Como hemos visto, el artículo 59 de la LIS no concreta si las entidades a las que se refiere son solo las entidades del artículo 9.1 (totalmente exentas) o si la imposibilidad de aplicar el Régimen de consolidación fiscal se extiende también a las entidades parcialmente exentas, es decir, a aquellas entidades que tributan solo por una parte de la renta obtenida en el periodo impositivo. Esta última –imposibilidad de integrarse en un grupo fiscal– no parece ser la interpretación que se desprende de la Consulta de la DGT número 1489/2002 en la que, a propósito de la posibilidad de que las sociedades de capital riesgo puedan formar parte de un grupo fiscal, la DGT concluye lo siguiente:

> *"De acuerdo con el artículo 81 de la Ley del IS, no podrán formar parte de los grupos fiscales aquellas entidades que estén exentas del Impuesto. No obstante, esta exención parece referirse a los supuestos previstos en el artículo 9. ° de la Ley del IS.*
>
> *Las sociedades de capital riesgo no se encuentran mencionadas en el artículo 9.° de la Ley del IS, que regula las entidades exentas del Impuesto, lo que permite determinar que las sociedades de capital riesgo son entidades sujetas y no exentas del IS.*
>
> *No obstante, este tipo de sociedades puede aplicarse la exención prevista en el artículo 69 de la Ley del IS antes citado exclusivamente en alguna de sus rentas, sin que ello determine la propia exención de la entidad, por lo que la exención de una parte de sus rentas no debe ser causa que impida que las sociedades de capital riesgo puedan formar parte del grupo fiscal, siempre que cumplan todos los demás requisitos previstos en el artículo 81 de la Ley del IS".*

No obstante, el hecho de que la entidad esté parcialmente exenta no es en sí mismo determinante de la posibilidad de formar parte de un grupo fiscal. De acuerdo con la interpretación administrativa podrán serlo siempre que cumplan el resto de las condiciones necesarias para ello. En este sentido en la Consulta Vinculante número V0028/2013, de 3 de enero de 2013 (el mismo criterio se desprende de la consulta número V2063/2010, de 12 de febrero), se sostiene lo siguiente:

> *"A los efectos del Impuesto sobre Sociedades, de acuerdo con el artículo 9.3.e) del TRLIS, las mutuas de accidentes de trabajo y enfermedades profesionales de la Seguridad Social que cumplan los requisitos establecidos por su normativa reguladora, estarán parcialmente exentas del Impuesto en los términos previstos en el capítulo XV del título VII del TRLIS. Asimismo, de acuerdo con el artículo 28.2.a) del TRLIS, tributarán al tipo de gravamen del 25%.*
>
> *(...)*
>
> *Según establece el apartado 1 del artículo 67 del TRLIS, se entiende por grupo fiscal el conjunto de sociedades anónimas, limitadas y comanditarias por acciones, así como las entidades de crédito a que se refiere el apartado 3 de este artículo, residentes en territorio español, formado por una sociedad dominante y todas las sociedades dependientes de ésta.*
>
> *A su vez, el apartado 2 del artículo 67 del TRLIS establece como uno de los requisitos que ha de cumplir la sociedad dominante, el tener alguna de las formas jurídicas establecidas en el apartado 1 o, en su defecto, tener personalidad jurídica y estar sujeta y no exenta al Impuesto sobre Sociedades.*
>
> *Asimismo, el apartado 4 del artículo 67 del TRLIS incluye entre las entidades que no podrán formar parte de los grupos fiscales a las sociedades dependientes que estén sujetas al Impuesto sobre Sociedades a un tipo de gravamen diferente al de la sociedad dominante.*

La mutua de accidentes de trabajo y enfermedades profesionales de la Seguridad Social a que se refiere el escrito de consulta, no tiene ninguna de las formas jurídicas establecidas en el apartado 1 del artículo 67 del TRLIS, pero tiene personalidad jurídica, y no está totalmente exenta, sino parcialmente exenta. No obstante, tributa a un tipo de gravamen del 25%, frente al tipo general de gravamen del 30% al que tributan la sociedad consultante y las sociedades S1 y S2. Por tanto, no es posible la existencia del grupo fiscal en el que la mutua fuera la sociedad dominante, ya que no habría sociedades dependientes sujetas a su mismo tipo de gravamen".

En definitiva, parece que el principal escollo que pueden encontrar las entidades parcialmente exentas para poder integrarse en un grupo de consolidación fiscal se encuentra en el tipo de gravamen que les resulte de aplicación. Y es que, para poder formar parte de un grupo fiscal las entidades que lo vayan a integrar deben estar sujetas al mismo tipo de gravamen. En este sentido, bajo la vigencia del TRLIS se hacía difícil que una entidad parcialmente exenta pudiese entrar a formar parte de un grupo fiscal dado que, al margen de su condición de entidad parcialmente exenta, su tipo de gravamen resultaba ser inferior al tipo general del Impuesto (tratándose, por ejemplo, de entidades incluidas en el ámbito de aplicación de la Ley 49/2002, de 23 de diciembre, de fundaciones e incentivos fiscales al mecenazgo su tipo era del 10 por ciento y no estándolo del 25 por ciento). La cosa, sin embargo, puede cambiar tras la entrada en vigor de la LIS (particularmente para los periodos impositivos iniciados a partir del día 1 de enero de 2016) pues las entidades parcialmente exentas que no puedan acogerse a las disposiciones de la Ley 49/2002 dejan de tener un tipo de gravamen específico pasando a tributar al tipo general del Impuesto (que con efectos para los periodos impositivos que se inicien a partir del 1 de enero de 2016, ha quedado fijado en el 25 por ciento de acuerdo con lo dispuesto en el artículo 29.1 y la letra i) de la Disposición Transitoria Trigésima cuarta de la LIS). Por lo tanto, este tipo de entidades sí podría formar parte del grupo, según la consulta citada "ut supra".

1.2.2.4.3. Entidades que al cierre del período impositivo hubiesen sido declaradas en concurso de acreedores (durante los períodos en que surta efectos dicha declaración)

Para que opere esta circunstancia impeditiva de la posibilidad de integrarse en un grupo resulta necesario analizar el momento concreto en el que la declaración de concurso surte efectos.

Para ello debemos acudir a la Ley 22/2003, de 9 de julio, Concursal (en adelante LC) de la que se desprende que el auto de declaración concursal surte efectos inmediatamente. Así es, dispone el artículo 21.2 de la LC que "*El auto producirá sus efectos de inmediato, abrirá la fase común de tramitación del concurso, que comprenderá las actuaciones previstas en los cuatro primeros títulos de esta ley, y será ejecutivo aunque no sea firme".*

Podría plantearse la posibilidad de que los efectos de la declaración de concurso se pospusiesen al momento en que el auto por el que se declara el concurso haya sido publicado en el BOE pues, solo en la medida en que la citada declaración haya accedido al citado Boletín oficial ésta surte efectos frente a terceros, al ser ese el momento a partir del cual comienza a correr el plazo para que por los acreedores del deudor concursado puedan presentar sus créditos ante el Juzgado de lo Mercantil. Sin embargo, el artículo 21.3 de la LC parece tajante en cuanto al momento de producción de efectos de la declaración de concurso –de inmediato– por lo que habrá que atender a la fecha del auto para, en su caso, valorar el periodo impositivo en el que se debe producir la exclusión de una sociedad del grupo de consolidación.

EJEMPLO 4

La sociedad B, participada en el 100 por ciento de su capital por la sociedad A (sociedad dominante de un grupo formado por otras cuatro sociedades) instó su declaración de concurso el pasado 4 de diciembre de 2016. El Juez de lo Mercantil competente dicta el auto de declaración de concurso el día 30 de diciembre, publicándose en el BOE del 8 de enero de 2017.

¿En qué periodo impositivo quedará excluida del grupo?

SOLUCIÓN EJEMPLO 4

Veremos más adelante que los efectos de la exclusión de una entidad dependiente del grupo fiscal se producen en el mismo periodo impositivo en el que se produzca la pérdida de su condición de tal. No obstante, como hemos visto, el problema que se plantea en el supuesto de que una de las entidades dependientes sea declarada en concurso de acreedores tiene que ver con el momento en el que debe entenderse producida esta circunstancia: en el de la declaración por el Juez de la situación de insolvencia a través del correspondiente auto o en el de la publicación en el BOE de tal circunstancia. Pues bien, como hemos apuntado nos decantamos por la primera alternativa, lo que en el ejemplo que hemos planteado nos llevaría a concluir que la sociedad "B" debería tributar en régimen de tributación individual en el periodo impositivo correspondiente a 2016, aun cuando el auto se haya dictado el penúltimo día del periodo impositivo.

Lo que no parece tan claro es cuándo deja de surtir efectos la declaración de concurso. Si acudimos a su precedente en el TRLIS, esta causa impeditiva de la posibilidad de reincorporarse al grupo (o de seguir formando parte de éste) se encontraba regulada en el artículo 67.4.b) (junto con la circunstancia relativa a la situación patrimonial de desequilibrio que analizaremos a continuación), habiéndose interpretado por la DGT, de acuerdo con el último inciso del precepto, que esta circunstancia operaba *"a menos que con anterioridad a la conclusión del ejercicio en el que se aprobasen las cuentas anuales esta última situación hubiese sido superada"*, lo que en el caso del concurso podía tener lugar cuando, tras la aprobación del correspondiente Convenio, los administradores recuperasen sus facultades de administración y disposición sobre el patrimonio de la sociedad concursada. En este sentido, en la Consulta Vinculante número V2026/2014, de 28 de julio se afirma lo siguiente:

> *"(…) Durante el mes de junio de 2010, la entidad consultante se declaró en situación de concurso voluntario, circunstancia que, de conformidad con lo establecido en el artículo 67.4.b) del TRLIS anteriormente reproducido impedía que, tanto esta entidad, como sus sociedades dependientes pudieran quedar incluidas dentro del Grupo.*

> *No obstante lo anterior, en el período impositivo en que se supere la situación de concurso, la entidad consultante volverá a formar parte del grupo de consolidación fiscal.*

> *La entidad consultante plantea si debe considerarse superada la situación de concurso en la fecha de aprobación del Convenio de acreedores, en diciembre de 2011 puesto que no se establecieron limitaciones en dicho convenio relativas a las facultades de administración de los administradores de la Sociedad. Por tanto, plantea si ésta sociedad, así como sus sociedades participadas que cumplen el resto de requisitos exigidos pueden quedar integradas en el Grupo.*

> *Al respecto, es preciso traer a colación lo dispuesto en el artículo 133 de la Ley 22/2003, de 9 de julio, Concursal, en virtud del cual:*

> *"1. El convenio adquirirá eficacia desde la fecha de la sentencia que lo apruebe, salvo que el juez, por razón del contenido del convenio, acuerde, de oficio o a instancia de parte, retrasar esa eficacia a la fecha en que la aprobación alcance firmeza.*

> *Al pronunciarse sobre el retraso de la eficacia del convenio, el juez podrá acordarlo con carácter parcial.*

> *2. Desde la eficacia del convenio cesarán todos los efectos de la declaración de concurso, quedando sustituidos por los que, en su caso, se establezcan en el propio convenio, salvo los deberes de colaboración e información establecidos en el artículo 42, que subsistirán hasta la conclusión del procedimiento.*

> *Los administradores concursales rendirán cuentas de su actuación ante el juez del concurso, dentro del plazo que éste señale.*

> *(…).".*

> *No obstante lo anterior, con arreglo a lo dispuesto en el artículo 137 de la Ley Concursal:*

> *"1. El convenio podrá establecer medidas prohibitivas o limitativas del ejercicio de las facultades de administración y disposición del deudor. Su infracción constituirá incumplimiento del convenio, cuya declaración podrá ser solicitada del juez por cualquier acreedor.*

2. Las medidas prohibitivas o limitativas serán inscribibles en los registros públicos correspondientes y, en particular, en los que figuren inscritos los bienes o derechos afectados por ellas. La inscripción no impedirá el acceso a los registros públicos de los actos contrarios, pero perjudicará a cualquier titular registral la acción de reintegración de la masa que, en su caso, se ejercite.".

Adicionalmente, con arreglo a lo dispuesto en el artículo 138 del mismo texto legal, el deudor, con periodicidad semestral, contada desde la fecha de la sentencia aprobatoria del convenio, informará al juez del concurso acerca de su cumplimiento.

A estos efectos, cabe considerar que la exclusión del grupo fiscal de una sociedad dependiente, como consecuencia de haber sido declarada en concurso de acreedores, prevista en el artículo 67.4.b) del TRLIS, trae causa de la pérdida, por parte de la sociedad concursada, de su capacidad para administrar y disponer de sus bienes, al transferirse dicha capacidad a los órganos del concurso, desapareciendo, en tal supuesto, el poder de decisión centralizada o unidad de decisión de la sociedad dominante.

No obstante, en este caso, la aprobación de dicho convenio en la medida en que en el mismo no se ha establecido ninguna limitación a las facultades de administración de los administradores de la sociedad, esto no supone ninguna pérdida o limitación para la sociedad concursada para administrar y disponer de sus bienes, por lo tanto, se debe considerar superada la situación de concurso por lo que la entidad consultante se integrará en el grupo fiscal en el periodo impositivo 2011.

En el mismo sentido que la anterior se pronuncia la Consulta Vinculante número V0249/2015, de 21 de enero. En la contestación a esta consulta resulta de aplicación también el TRLIS.

Pues bien, considerando que la actual redacción del artículo 58.4.c) de la LIS recoge la misma necesidad de que la situación de concurso haya cesado en sus efectos para que una entidad dependiente declarada en concurso de acreedores pueda regresar un grupo fiscal (o no dejar de formar parte de él), hay que entender que cabe aplicar la misma interpretación que la realizada hasta ahora acerca del momento en que la cesación de efectos tiene lugar (véase el artículo 133.2 de la LC).

1.2.2.4.4. Entidades que al cierre del período impositivo se encuentre en la situación patrimonial prevista en el artículo 363.1.e) del TRLSC, de acuerdo con sus cuentas anuales, aun cuando no tuvieran la forma de sociedades anónimas, a menos que la conclusión del ejercicio en el que se aprueban las cuentas anuales esta última situación hubiese sido superada

El citado artículo del TRLSC obliga a una sociedad a disolverse cuando su patrimonio neto haya quedado reducido, como consecuencia de las pérdidas acumuladas o del propio ejercicio, a una cantidad inferior a la mitad del capital social, a no ser que éste se aumente o se reduzca de manera suficiente, y siempre que no proceda la declaración de concurso.

Se trata esta de una de las restricciones más relevantes para poder formar parte de un grupo de consolidación fiscal por cuanto la Administración tributaria ha hecho uso de ella en numerosos procedimientos de inspección al objeto de excluir del grupo a aquellas sociedades que se encontraban incursas en el presupuesto de hecho que en ella se contiene.

En relación con este supuesto se plantean diversas cuestiones. La primera de ellas es la relativa a las facultades de las que dispone la Inspección para determinar cuándo una sociedad se encuentra en la situación prevista en el artículo 363.1.e) del TRLSC, en particular, si la Inspección, en uso de las facultades que le otorga el artículo 120 de la LIS (o su predecesor artículo 143 del TRLIS), puede, como consecuencia de la incorrecta contabilización de una concreta operación, recalcular el patrimonio neto de alguna de las sociedades del grupo y así considerar que, de haberse contabilizado correctamente, la sociedad se hallaría incursa en la situación del artículo 363.1.e) del TRSLC y, por tanto, debía excluírsele del grupo de consolidación, o si por el contrario debe limitarse a verificar que concurre tal circunstancia mediante el análisis de los datos que resulten de las cuentas anuales.

Adicionalmente, se plantea el problema de si la causa de exclusión opera solo cuando la sociedad haya instado su disolución o si basta con que por parte de la Inspección se constate la concurrencia de dicha causa para que la exclusión opere sin necesidad de mayores formalidades.

Esta cuestión ha sido analizada por la Sentencia de la Sala de lo Contencioso Administrativo del Tribunal Supremo (en adelante, TS) de 11 de febrero de 2013 (recurso número 3736/2010). Así, en su Fundamento de Derecho Noveno se afirma lo siguiente:

> *"Sostiene, en síntesis, que la capacidad para determinar si se da en una compañía [en el caso «Inversiones Marítimas del Mediterráneo, S.A.»] la situación a que se refiere el artículo 260.1.4 de la Ley de Sociedades Anónimas, a efectos de determinar su exclusión del grupo consolidado, no corresponde a la Inspección de los Tributos. Las facultades que le otorgan la Ley General Tributaria (artículo 140 de la de 1963) y la Ley del Impuesto sobre Sociedades (artículo 148) no le permiten corregir una apreciación que ha de hacerse desde parámetros mercantiles y por las instancias competentes para ello.*
>
> *La Sala de instancia defiende, sin embargo, que la competencia de la Inspección se encuentra amparada por los preceptos citados en último lugar.*
>
> *Para solventar tal discrepancia, conviene retener que no pueden formar parte de un grupo de sociedades aquellas compañías que, como consecuencia de las pérdidas sufridas dejen reducido el patrimonio neto a una cantidad inferior a la mitad del capital social, a no ser que se aumente o se reduzca en*

la medida suficiente y siempre que no sea procedente solicitar la declaración de concurso [artículo 81.4.b) de la Ley 43/1995, en relación con el 260.1.4 del texto refundido de la Ley de Sociedades Anónimas]. Pues bien, ha de tenerse presente que esa situación, descrita en el mencionado artículo 260.1.4, constituye, con arreglo a dicho precepto, causa de disolución de la sociedad. Siendo así, para que se produzca tal debe mediar un acuerdo de disolución de la junta general (artículo 261.1) debidamente convocada por los administradores o, en su defecto, si no se produjese la convocatoria o el acuerdo no se alcanzase, un pronunciamiento judicial a instancia de cualquier interesado (artículo 262, apartados 3 y 4).

En otras palabras, quedan fuera del grupo aquellas sociedades en las que concurra la causa de disolución contemplada en el artículo 260.1.4., cuya apreciación corresponde a la junta general o, en su defecto, y a instancia de parte interesada, a la autoridad judicial. Por ello, si esa apreciación no se ha producido, no le es dable a la Inspección de los Tributos sustituirla, ya que las facultades que le corresponden ex artículos 148 de la Ley 43/1995 y 140 de la Ley General Tributaria de 1963 alcanzan a la determinación del resultado contable a los solos efectos de integrar y fijar la base imponible mediante las actuaciones de comprobación, pero no a la comprobación de si una compañía se encuentra incursa en una precisa causa de disolución a efectos de excluirla del grupo consolidado. Téngase en cuenta que en nuestro sistema jurídico y en la disciplina de la Ley Concursal [Ley 22/2003, de 9 de julio (BOE de 10 de julio) se trata de la apreciación de una situación objetiva de insolvencia que es presupuesto del concurso, para cuya declaración son competentes los jueces de lo mercantil (artículos 2 y 8).

En definitiva, si las cuentas anules aprobadas por la junta general de una sociedad no reflejan una situación como la contemplada en el artículo 260.1.4 del texto refundido de la Ley de Sociedades Anónimas, ni, por consiguiente, nadie de los legitimados para ello ha instado su disolución, la Inspección de los Tributos no puede excluirla del grupo consolidado, sin perjuicio de su potestad de corregir el resultado contable a los solos efectos de fijar la base imponible.

Estas reflexiones que, como nos enseña la entidad recurrente en este noveno motivo de casación, han motivado un cambio de criterio del Tribunal Económico-Administrativo Central, precisamente en relación con «Inversiones Marítimas del Mediterráneo, S.A.», justifican la estimación de la queja y la casación de la sentencia de instancia en este punto.

Resolviendo el debate en los términos suscitados, tal y como nos impone el artículo 95.2.d) de la Ley reguladora de esta jurisdicción, procede estimar en parte el recurso contencioso-administrativo, revocando la resolución del Tribunal Económico– Administrativo impugnada y la liquidación tributaria de la que trae causa en cuanto excluyen del impuesto sobre sociedades del grupo consolidado 17/89, correspondiente al ejercicio 1999, a la mencionada «Inversiones Marítimas del Mediterráneo, S.A.» ".

No parece, sin embargo, que esta interpretación pueda sostenerse. Al contrario, de la lectura, no solo del artículo 58.4.d) de la LIS, sino también 67.4.b) del TRLIS, se desprende que los citados artículos contienen únicamente una remisión a la normativa mercantil a los solos efectos de definir la situación patrimonial que a la conclusión del período impositivo resulta determinante de la exclusión del grupo de alguna de sus entidades dependientes (patrimonio neto inferior a la mitad del capital social), y ello con independencia de que los administradores de la sociedad hayan acordado –o que los accionistas y acreedores que estén legitimados para ello hayan instado– la disolución de la sociedad. Entender lo contrario supondría en la práctica dejar en manos del grupo la exclusión de la sociedad afectada, lo que no parece ajustarse al espíritu y finalidad de esta norma. Es más, la nueva redacción del precepto incorpora como novedad –frente al 67.4.b) del TRLIS– la necesidad de que la situación de desequilibrio patrimonial resulte de las cuentas anuales de la sociedad, pero nada dice respecto de la necesidad de que por el órgano legitimado para ello se haya instado la disolución de la sociedad. A la vista de esta nueva remisión (el TRLIS no la contenía) a las cuentas anuales, cabe concluir, además, que la Inspección no podrá recalcular el resultado contable de la entidad a efectos de reformular sus cuentas anuales aunque dicha reformulación lo fuera a los meros efectos de constatar la concurrencia de esta causa de exclusión del grupo[4].

Además, la causa de exclusión (o de no inclusión) del grupo opera no solo respecto de las sociedades anónimas (hubiese sido más correcto referirse genéricamente a las sociedades de capital ya que la disolución de éstas se regula conjuntamente sin que la causa de exclusión que estamos analizando constituya una especialidad aplicable exclusivamente a las sociedades anónimas), sino también respecto de cualquier otro tipo de entidad distinta de las anteriores que pueda integrarse en un grupo fiscal (como establecimientos permanentes, sociedades cooperativas o fundaciones bancarias).

Esta misma interpretación parece desprenderse de la Consulta Vinculante número V2657/2011, de 7 de noviembre e incluso de la Resolución del Tribunal Económico Administrativo Central (en adelante, TEAC) de fecha 25/07/2007 (Reclamación número R.G. 1435/2004).

En otro orden de cosas, la concurrencia de la situación de desequilibrio patrimonial prevista en este artículo 57.4.d) de la LIS debe concurrir al cierre del periodo impositivo. Por lo tanto, si el periodo impositivo del grupo coincidiera con el año natural éste debería comprobar si a 31 de diciembre de cada año alguna de las sociedades del grupo (o alguna de las sociedades que cumpla los

---

4   La interpretación que hemos realizado se ajusta a las conclusiones contenidas en el informe del Departamento de Inspección Financiera y Tributaria de la AEAT titulado "Cuestiones relacionadas con la situación de desequilibrio patrimonial por pérdidas como causa de exclusión del régimen de consolidación del IS" publicado en la página web de la AEAT (apartado "Criterios de carácter general en la aplicación de los tributos").

requisitos previstos en el artículo 57.3 de la LIS para poder tener la considera-ción de entidad dependiente de un grupo fiscal) se encuentra en dicha situación. Si así fuera operaría la causa de exclusión.

Sin embargo, la LIS deja la puerta abierta a que la entidad afectada resta-blezca su situación patrimonial antes de la conclusión del ejercicio en el que se aprueben las cuentas anuales, es decir, antes de la conclusión del ejercicio siguiente. En este caso, la causa de exclusión no operaría y la sociedad afectada por tal causa seguiría formando parte del grupo.

Además, la LIS, a diferencia de lo que establece el artículo 363.1. e) del TR-LSC, no exige que el restablecimiento del equilibrio patrimonial se produzca por la vía de la ampliación o reducción de capital pudiéndose, por ejemplo, recuperarse dicho equilibrio como consecuencia de la obtención de resultados positivos que, aplicados a compensar las pérdidas de ejercicios anteriores, per-mitan incrementar el patrimonio neto de la sociedad.

EJEMPLO 5

La sociedad C, dependiente de un grupo fiscal integrado además por las sociedades A (dominante) y "B" (dependiente) incurre en la situación prevista en el artículo 57.4.d) de la LIS al cierre del periodo impositivo de 2016. ¿Queda C excluida del grupo fiscal en todo caso?

SOLUCIÓN EJEMPLO 5

La contestación es que no, dado que la situación de desequilibrio pa-trimonial podría superase antes de la conclusión del ejercicio 2017, lo que permitiría que la sociedad C continuase formando parte del gru-po fiscal. Ahora bien, si la situación de desequilibrio patrimonial no se hubiese superado a 31 de diciembre de 2017, la exclusión operaría con efectos para el periodo impositivo de 2016.

El hecho de que la causa de exclusión deba concurrir en un momento tem-poral concreto (al cierre del periodo impositivo de 2016 en el ejemplo anterior) y de que ésta pueda subsanarse antes del cierre del año siguiente (31 de diciem-bre de 2017) plantea el problema de si en la autoliquidación a presentar por el grupo debe incluirse a la sociedad afectada o no. La contestación debe ser afirmativa, sin perjuicio de que, de no subsanarse aquella, el grupo deba presen-tar una autoliquidación regularizando su situación y la sociedad excluida deba presentar su autoliquidación en régimen de tributación individual determinan-do e ingresando la deuda tributaria resultante de la misma.

Por último, debe precisarse que en el caso de que la circunstancia que es-tamos analizando se produzca en la entidad dominante, ello determinará la extinción del grupo.

1.2.2.4.5. Entidades dependientes que estén sujetas al Impuesto sobre Sociedades a un tipo de gravamen diferente al de la entidad representante del grupo fiscal, salvo el supuesto previsto en el artículo 57.5 de la LIS

Esta limitación opera, a diferencia de las anteriores, exclusivamente respecto de las entidades dependientes. Éstas deben estar sometidas a un tipo de gravamen idéntico al de la sociedad dominante. La única excepción a esta regla la encontramos en el artículo 57.5 de la LIS, según el cual, si se cumplen el resto de los requisitos señalados en el artículo 57 para formar grupo fiscal y en él se integra, como dominante o como dependiente, una entidad de crédito junto con otras que estén sujetas al tipo general de gravamen, se podrá optar por la inclusión de las referidas entidades de crédito dentro del grupo fiscal, si bien la inclusión requiere la adopción del correspondiente acuerdo por la entidad de crédito y, en su caso, por la entidad dominante del grupo fiscal, debiendo ser comunicada dicha inclusión a la Administración tributaria en la forma prevista en el artículo 61 de la LIS al que posteriormente nos referiremos. Por otra parte, y de acuerdo con lo dispuesto en el segundo párrafo del artículo 69 de la LIS, en estos casos el tipo de gravamen será el general (30%) (dispone el precepto que *"en el caso de un grupo de consolidación fiscal en el que se integre, al menos, una entidad de crédito, en los términos establecidos en el apartado 5 del artículo 58 de esta Ley, el tipo de gravamen será del 30 por ciento"*).

Pues bien, a la vista de lo dispuesto en el artículo 57.5 de la LIS y planteada a la DGT la cuestión de si los grupos de consolidación fiscal que hubieran venido aplicando dicho régimen durante 2014, en los que se encontrasen integrados, tanto entidades de crédito como entidades de otro tipo, podían a partir de 1 de enero de 2015 continuar aplicando el régimen de consolidación fiscal dentro de un mismo grupo, sin necesidad de adoptar acuerdo alguno, salvo los acuerdos que tuvieran que adoptar, en su caso, las entidades que a partir de dicha fecha se incorporasen al mismo por reunir los requisitos para ello, se ofrece la siguiente contestación en la CV 1069/2015, de 8 de abril:

> *"Por tanto en el supuesto de grupos fiscales que, hasta la entrada en vigor de la LIS estaban integradas por entidades de crédito y entidades que no tuvieran tal condición, el artículo 58, en sus apartados 4.e) y 5 dispone dos opciones:*
>
> *1ª. La aplicación de las reglas generales de consolidación, de acuerdo con el artículo 58.4.e) de la LIS. Es decir, como consecuencia del diferente tipo de gravamen al que están sometidas unas y otras entidades, puede existir (i) un grupo de consolidación fiscal conformado por entidades de crédito y las sociedades de gestión de activos, cuando se cumplan los requisitos establecidos en las letras b) y c) del apartado 2 del artículo 58 de la LIS, sujeto al tipo de gravamen del 30 por ciento, y, en su caso (ii) otro grupo de consolidación fiscal constituido por*

entidades sometidas el tipo de gravamen general, siempre que se cumplan los requisitos para su configuración.

2ª. La posibilidad de que exista un único grupo de consolidación fiscal constituido por, al menos, una entidad de crédito y otra u otras de no crédito, respecto de las que se cumplan los requisitos relativos al porcentaje de participación, derechos de voto, mantenimiento de la participación, y demás requisitos, que tributará al tipo del 30 por ciento.

El supuesto planteado en el escrito de consulta parece referirse a la 2ª opción, en la medida en que se plantea la continuidad del grupo fiscal existente en el período impositivo 2014, por lo que la presente contestación se refiere a la misma.

La disposición transitoria vigésima quinta de la LIS establece que:

"1. Las entidades que estuvieran aplicando el régimen de consolidación fiscal a la entrada en vigor de esta Ley continuarán en su aplicación, de acuerdo con las normas contenidas en el Capítulo VI del Título VII de esta Ley.

2. Las entidades que, de acuerdo con lo dispuesto en el artículo 58 de esta Ley, cumplan las condiciones para ser consideradas como dependientes de un grupo de consolidación fiscal, sin que formaran parte del mismo con anterioridad a la entrada en vigor de esta Ley por no cumplir los requisitos necesarios para ello, se integrarán en el mencionado grupo en el primer período impositivo que se inicie a partir de 1 de enero de2015. La opción y comunicación a que se refiere el artículo 61 de esta Ley deberá realizarse dentro del referido período impositivo.

No se extinguirá el grupo fiscal cuando la entidad dominante del mismo en períodos impositivos iniciados con anterioridad a 1 de enero de 2015, se convierta en dependiente de una entidad no residente en territorio español por aplicación de lo dispuesto en el artículo 58 de esta Ley en el primer período impositivo que se inicie a partir de dicha fecha, salvo que dicho grupo fiscal se integre en otro ya existente. En este último caso, resultarán de aplicación los efectos previstos en el apartado 3 del artículo 74 de esta Ley, y la opción y comunicación a que se refiere el apartado 6 del artículo 61 de esta Ley deberá realizarse dentro del primer período impositivo que se inicie en 2015.

(...)".

De acuerdo con el citado régimen transitorio, pueden producirse, a su vez, dos circunstancias:

a) Que la condición de entidad dominante siga recayendo en una entidad con residencia en territorio español, la misma que tenía la condición de dominante en el período impositivo 2014. En este supuesto, de acuerdo con el apartado 1 de la disposición transitoria vigésima quinta de la LIS, el grupo fiscal existente en el período impositivo 2014 podrá seguir aplicando el régimen de consolidación fiscal en 2015, sin necesidad de adoptar nuevamente acuerdos por parte de las entidades integrantes del mismo, salvo en el caso de entidades que, en su caso, pudieran estar indirectamente participadas por la entidad dominante a través de otras que no formaran parte del grupo fiscal en 2014, y que deberán integrarse en el grupo fiscal en el período impositivo 2015 en el supuesto de que tuvieran la condición de dependientes. En este último caso, dichas entidades dependientes deberán adoptar los acuerdos correspondientes a la aplicación del régimen de consolidación fiscal en el período impositivo 2015, sin perjuicio de que se integren en el mismo en el primer pago fraccionado correspondiente a dicho período impositivo, aun cuando el acuerdo se adopte con posterioridad en dicho período impositivo. Esto es, se trataría de un supuesto de incorporación de entidades a un grupo fiscal ya existente.

b) Que la condición de entidad dominante recaiga sobre una entidad no residente en territorio español que posea participación suficiente y cumpla el resto de requisitos respecto a la anterior entidad dominante y sus dependientes. Ello significa que la entidad que tenía la condición de dominante en el período impositivo 2014 se convierte en dependiente en el período impositivo 2015, junto con aquellas otras que tenían dicha condición. En este supuesto, de acuerdo con el segundo párrafo del apartado 2 de la disposición transitoria vigésima quinta de la LIS, no se produce la extinción del grupo fiscal que se mantiene, y se conserva el mismo número de grupo fiscal. A estos efectos, no obstante, en el período impositivo 2015, la entidad dominante no residente en territorio español deberá designar a la entidad representante del grupo fiscal a través de un escrito enviado al efecto a la Administración tributaria a lo largo del período impositivo 2015, sin perjuicio de que todas las entidades integrantes del nuevo perímetro de consolidación fiscal (el mismo existente en el período impositivo 2014 o, en su caso, incorporando nuevas entidades dependientes de la entidad dominante no residente en territorio español) debieran incluirse en el grupo fiscal en el primer pago fraccionado del período impositivo 2015, aun cuando dicha designación se realice con posterioridad en dicho período impositivo . Con carácter general, esta designación debiera recaer en la anterior entidad dominante española, si bien ello depende de la entidad dominante no residente en territorio español".

1.2.2.4.6. Entidades dependientes cuyo ejercicio social por imperativo legal no pueda adaptarse al de la entidad representante

Como veremos más adelante, y de acuerdo con lo dispuesto en el artículo 68 de la LIS el periodo impositivo del grupo debe ser coincidente con el de la entidad representante del mismo. Por otro lado, el hecho de que el periodo impositivo de alguna de las entidades dependientes no sea coincidente con el de la representante no determina su exclusión del grupo, sino que éstas deberán adaptarlo al de la dominante.

Por lo tanto, esta causa de exclusión del grupo solo opera respecto de aquellas entidades para las que su normativa sectorial específica imponga un ejercicio social distinto del año natural. Puede citarse como ejemplo el de las sociedades anónimas deportivas. En efecto, en el artículo 8 del Real Decreto 1251/1999, de 16 de julio, sobre sociedades anónimas deportivas, relativo a las menciones que necesariamente deben constar en los estatutos sociales de este tipo de entidades (al margen de las que con carácter general deben figurar en estos según el TRLSC) se señala que *"La fecha de cierre del ejercicio social, que necesariamente se fijará de conformidad con el calendario establecido por la liga profesional correspondiente, que, salvo que establezca otra cosa, será el 30 de junio de cada año"*. En consecuencia, una sociedad anónima deportiva no podría integrarse en un grupo de consolidación fiscal en la medida en que el ejercicio social de ésta no puede adaptarse al de la entidad dominante. La solución, sin embargo, pasará en estos casos por adaptar el ejercicio social de la sociedad dominante al de la dependiente.

2. APLICACIÓN DEL RÉGIMEN. INCLUSIÓN Y EXCLUSIÓN DE ENTIDADES EN EL GRUPO DE CONSOLIDACIÓN FISCAL (ARTÍCULOS 59 Y 61)

2.1. *Aplicación y renuncia del régimen de consolidación fiscal*

2.1.1. Aplicación. Requisitos

Como hemos indicado en la introducción del presente capítulo, el Régimen de consolidación fiscal se configura como un régimen de aplicación voluntaria para los contribuyentes, si bien para ello se exige el cumplimiento de determinadas formalidades.

En concreto, el artículo 61 de la LIS exige para la aplicación del Régimen el acuerdo de todas y cada una de las sociedades que deban integrarlo. Por lo tanto, en el caso de grupos integrados exclusivamente por entidades españolas dependientes de otras no residentes, los acuerdos deberán adoptarse solo por estas últimas en la medida en que solo éstas van a formar parte del grupo. Por otro lado, si el grupo estuviera integrado por el establecimiento permanente y las sociedades españolas cuyas participaciones se encontrasen funcionalmente vinculadas a aquél, los acuerdos deberán adoptarlos tanto el establecimiento permanente como las sociedades españolas que vayan a formar parte del grupo en su condición de entidades dependientes.

El artículo 61 exige el cumplimiento de dos tipos de requisitos: uno de carácter subjetivo (relativo al órgano competente para adoptarlo) y otro de carácter temporal (que se refiere al momento a partir del cual el acuerdo válidamente adoptado comienza a desplegar sus efectos).

Con respecto al órgano competente para adoptarlo, el artículo 61 de la LIS exige que el acuerdo se adopte por el Consejo de administración u órgano equivalente. Por lo tanto, sin que por dicho órgano se adopte el correspondiente acuerdo no será posible la aplicación del régimen. En relación con esta cuestión debe recordarse que, en puridad, la normativa mercantil reguladora del régimen jurídico de las sociedades, esto es el TRLSC (artículo 210), no exige la formación, en todo caso, de un Consejo de administración. De hecho, la citada norma solo exige su constitución en la sociedad anónima cuando la administración conjunta se confíe a más dos administradores. En definitiva, la constitución de un Consejo de administración es obligatoria solo en este caso, siendo potestativa en el resto de los casos. En este sentido, y por lo que se refiere a las sociedades de responsabilidad limitada, el TRLSC (artículo 210.3) se remite a lo que al efecto dispongan los estatutos sociales atribuyendo a la junta de socios la facultad de decidir el modo concreto en que deba organizarse la administración de la sociedad de entre los previstos en los estatutos. Finalmente, y en relación con las sociedades comanditarias por acciones, el TRLSC se remite al régimen previsto para las sociedades anónimas, si bien la administración debe conferirse necesariamente a los socios colectivos.

Hay que entender, pues, que en aquellos casos en los que la administración y representación de la sociedad no se haya confiado a un Consejo de administración, será el órgano de administración al que se hayan atribuido tales facultades el que deba adoptar el acuerdo por el que se opta por la aplicación del Régimen especial. Así, si la administración se hubiese confiado a un administrador único éste será el que deba adoptar el acuerdo; si, por el contrario, se hubiese confiado a varios administradores para que actúen de forma solidaria, cualquiera de ellos podrá adoptarlo válidamente; y si se hubiera confiado a varios administradores mancomunadamente, la decisión les corresponderá a todos ellos de forma conjunta.

Con la atribución de esta competencia al órgano de administración de la sociedad entendemos se dota de mayor flexibilidad al régimen pues en la medida en que fuese la junta de socios (o de accionistas) la competente para hacerlo (como exigía el TRLIS) ello implicaría la necesidad de que la sociedad cumpliera, además, con todas las formalidades previstas en el TRLSC para la válida adopción de acuerdos de su competencia. En este sentido, y salvo que se convocara una junta extraordinaria al efecto, la sociedad no podía hacerlo sino en el momento en que se celebrase la junta ordinaria, es decir, una vez al año y dentro de los seis primeros meses de cada ejercicio. En este sentido, el TRLSC dedica los artículos 166 a 177 al régimen jurídico de la convocatoria de la junta; los artículos 179 a 190 a la asistencia, representación y voto; y los artículos 191 a 201 a la constitución y adopción de acuerdos. En definitiva, la adopción del acuerdo para la aplicación del régimen especial de consolidación se encontraba con la regulación anterior vinculada a la válida convocatoria, constitución y la aprobación por ésta, en los términos previstos en los artículos citados, del correspondiente acuerdo.

Además, los acuerdos válidamente adoptados por la junta podían ser recurridos por los accionistas o socios de la entidad, lo que impedía que el acuerdo surtiera efectos en tanto se resolvía el correspondiente recurso. En este sentido, el artículo 70.2 del TRLIS disponía que "*Los acuerdos (…) surtirán efectos cuando no hayan sido impugnados o no sean susceptibles de impugnación*".

Por lo tanto, insistimos en que el actual régimen simplifica notablemente el cumplimiento de este requisito al atribuirse –como venimos señalando– esta competencia al órgano de administración y no a la Junta General

En segundo lugar, y por lo que se refiere al requisito de índole temporal (segundo de los requisitos de necesaria observancia para que la opción por la aplicación del régimen especial surta efectos) es necesario que el acuerdo se adopte en cualquier fecha del periodo impositivo (que comenzaría a surtir efectos a partir del periodo impositivo siguiente) anterior a aquel en que vaya a resultar de aplicación el régimen de consolidación fiscal. Por lo tanto, el acuerdo del consejo de administración adoptado tras el inicio del periodo impositivo impediría al grupo la aplicación del régimen de consolidación en dicho periodo impositivo y ello a pesar de que el devengo del Impuesto no se produce sino en el momento de la finalización del ejercicio económico de la sociedad, es decir, el último día del periodo impositivo (artículos 27 y 28 de la LIS). Ello obliga a que por las sociedades deba realizarse el análisis sobre la conveniencia o no de su aplicación en el año anterior a aquel en el que deba resultar de aplicación anticipando así su decisión al citado periodo impositivo.

Por último, debe insistirse en el hecho de que todas y cada una de las sociedades que deban integrarse en el grupo fiscal –de acuerdo con la definición que del mismo proporciona el artículo 58 de la LIS– deberán adoptar el acuerdo a través de su respectivo órgano de administración, de forma que la falta de adopción del acuerdo por alguna de ellas supondrá la imposibilidad de aplicar el régimen por todas las sociedades que debieran integrarlo. En definitiva, la LIS no proporciona una vía de escape para que, en su caso, pueda resultar de aplicación el régimen solo a aquellas entidades que sí hubiesen adoptado el acuerdo y no al resto. En conclusión, o se aplica a todas y cada una de las sociedades que integren el grupo fiscal o a ninguna.

EJEMPLO 6

La sociedad A, que participa en el 100 por ciento del capital de las sociedades B y C, decide optar –por las ventajas que ello le puede reportar desde el punto de vista del posible diferimiento en el pago del Impuesto– por el régimen de consolidación fiscal. Así, su órgano de administración adopta el acuerdo por el que se decide su aplicación para el periodo impositivo de 2017, el día 19 de noviembre de 2016. Por su parte, el órgano de administración de la sociedad "B" adopta el acuerdo el día 10 de diciembre de 2016. Sin embargo, la sociedad "C", cuya administración le corresponde a un administrador único no ha podido adoptar válidamente el acuerdo antes del cierre del ejercicio, al encontrarse aquél ingresado en la UCI a consecuencia de los graves daños que le ha ocasionado un accidente de automóvil.

SOLUCIÓN EJEMPLO 6

En este caso, el régimen de consolidación fiscal no podría aplicarse al grupo formado por "A", "B" y "C" al no haberse adoptado el acuerdo previsto en el artículo 61 de la LIS por todas y cada una de las sociedades antes del cierre del periodo impositivo. Mientras que "A" y "B" sí lo habrían hecho válidamente y en plazo, no así "C" que inhabilita con ello al grupo a aplicar el régimen.

Por otro lado, la entidad representante del grupo fiscal debe comunicar a la Administración tributaria la adopción de los acuerdos mencionados anteriormente (en el caso de que la entidad dominante sea no residente, se le exige, además, la comunicación del acuerdo por el que se designa a la entidad representante del grupo fiscal, sancionándose el incumplimiento de esta obligación con una multa pecuniaria fija de 20.000 euros por el primer periodo impositivo en el que se haya aplicado el régimen o de 50.000 euros por el segundo y siguientes).

Esta obligación formal se desarrolla por el artículo 47 del RIS en el que se exige la comunicación del ejercicio de la opción a la Delegación de la AEAT del domicilio fiscal de la entidad representante, a las Dependencias Regionales de Inspección, o a la Delegación Central de Grandes Contribuyentes, cuando la entidad representante se halle adscrita a ellas (los criterios de atribución de competencias en el ámbito del Departamento de Inspección financiera se encuentran recogidos en la Resolución de 24 de marzo de 1992, de la Agencia Estatal de Administración Tributaria, sobre organización y atribución de funciones a la Inspección de los Tributos en el ámbito de la competencia del Departamento de Inspección Financiera y Tributaria). Dicha comunicación deberá contener los siguientes datos:

a) Identificación de las entidades que formen el grupo fiscal (incluida la entidad no residente que tenga la condición de dominante de las entidades del grupo fiscal español así como de la entidad no residente a la que pertenece el establecimiento permanente que se constituya como entidad dominante de las participadas residentes en territorio español).

b) Copia de los acuerdos por los que las entidades del grupo hayan optado por el régimen de consolidación fiscal y, en el caso de que la entidad dominante sea no residente en territorio español, documento por el que se designe a la entidad representante.

c) Relación del porcentaje de participación directo o indirecto mantenido por la entidad dominante respecto de todas y cada una de las entidades que integran el grupo fiscal, porcentaje de derechos de voto poseídos sobre las mismas y la fecha de adquisición de las respectivas participaciones.

2.1.1. Renuncia al régimen

Una vez adoptados los acuerdos y ejercitada la opción, el grupo fiscal quedará vinculado al régimen de forma indefinida durante los periodos impositivos siguientes mientras se cumplan los requisitos previstos en el artículo 58 de la LIS para que exista grupo, y mientras no se renuncie a su aplicación tal y como ya se ha expuesto.

La renuncia deberá comunicarse a la Administración tributaria mediante la presentación de una declaración censal de modificación (modelo 036), según se desprende del artículo 10.2.n) del Real Decreto 1065/2007, de 27 de julio, por el que se aprueba el Reglamento General de las actuaciones y los procedimientos de gestión e inspección tributaria y de desarrollo de las normas comunes de los procedimientos de aplicación de los tributos (en adelante, RGAT). Dicha declaración censal deberá ser presentada en el plazo de dos meses a contar desde la finalización del último periodo impositivo de su aplicación (este plazo es superior al plazo general de un mes del que disponen los obligados tributarios para presentar las declaraciones censales de modificación).

2.2. Inclusión de sociedades en el grupo fiscal. obligaciones

La cuestión se encuentra regulada en el artículo 59.1 de la LIS. Se trata ésta de una norma imperativa en virtud de la cual las sociedades que se conviertan en dependientes por haberse adquirido sobre ellas una participación (directa o indirecta) de, al menos, el 75 por ciento del capital social (o 70 por ciento en el caso de sociedades cotizadas) y por adquirirse la mayoría de sus derechos de voto, deben integrarse obligatoriamente en el grupo de consolidación fiscal con efectos el periodo impositivo siguiente. No obstante, si la entidad respecto de la que se adquiere la participación es una sociedad de nueva constitución, la aplicación del régimen no se demora al siguiente periodo impositivo, sino que comienza a desplegar sus efectos en el mismo periodo impositivo en el que se suscriban las acciones o participaciones de aquélla.

Dichas entidades (tanto las que sean de nueva constitución como las que no lo sean) vienen obligadas, además, a adoptar el acuerdo a que se refiere el artículo 61 de la LIS (opción por la aplicación del régimen). No en vano –recuérdese– el citado artículo exige que la opción se ejercitada por todas y cada una de las entidades que vayan a formar parte del grupo. Entendemos lógico, por tanto, que si para la válida opción por la aplicación del régimen se exige la adopción del correspondiente acuerdo por todas y cada una de las entidades que integren el grupo, deba también exigirse el cumplimiento de esta formalidad a las entidades que, en lo sucesivo, y tras haberse iniciado su aplicación, pasen a encontrarse en alguna de las situaciones a las que el artículo 58 anuda la consecuencia de considerarlas como entidades dependientes.

Hasta tal punto resulta relevante el cumplimiento de este requisito, y grave su incumplimiento, que precisamente dicho incumplimiento constituye una infracción tributaria grave, tal y como se prevé en el artículo 61.4 de la LIS. Dicha infracción puede sancionarse con una multa pecuniaria fija de 20.000 euros por el primer periodo impositivo en que se haya aplicado el régimen sin cumplir el requisito y de 50.000 euros por el segundo y siguientes. Sobre la sanción que proceda imponer serán de aplicación, por expresa disposición del artículo 61.4 *in fine* de la LIS, las reducciones previstas en el artículo 188.3 de la LGT, de forma que si la sanción reducida se ingresa dentro del plazo de ingreso en periodo voluntario –artículo 62.2 de la LGT– abierto con la notificación de la resolución que ponga fin al procedimiento sancionador o en el plazo o plazos fijados en el acuerdo de aplazamiento o fraccionamiento que la Administración tributaria hubiera concedido con garantía de aval o certificado de seguro de caución y que el obligado al pago hubiera solicitado con anterioridad a la finalización del plazo del apartado 2 del artículo 62 de esta Ley (y siempre que no se interponga recurso o reclamación contra la sanción), se aplicará una reducción del 25 por ciento de su importe.

Sin embargo, el hecho de que no se adopte el acuerdo no impide que la entidad se integre de forma efectiva en el grupo fiscal, a diferencia de lo que ocurre respecto del incumplimiento de la obligación de adoptar el acuerdo para la primera aplicación del régimen. Este último incumplimiento, como ya se indicó, determina la imposibilidad de aplicar el régimen por el grupo (y no solo por la entidad que no hubiera adoptado el acuerdo).

En definitiva, el incumplimiento determinaría la imposición de la correspondiente sanción, pero no impediría que el régimen resultase de aplicación y que en el grupo se integrase la nueva entidad dependiente.

Además, junto a la necesidad de cumplir con el requisito de que por el consejo de administración u órgano equivalente se adopte el correspondiente acuerdo, la LIS también exige que este acuerdo se adopte antes de una fecha determinada. En concreto, el acuerdo debe adoptarse dentro de un plazo que concluirá el día en que finalice el primer periodo impositivo en el que deban tributar en el régimen de consolidación fiscal (recuérdese que, salvo en el caso de constitución de una nueva sociedad, los efectos de la inclusión se producen en el periodo impositivo siguiente a aquel en que se adquirió la condición de dependiente).

En definitiva, el acuerdo puede adoptarse en el curso del periodo impositivo en el que se haya adquirido la participación en una sociedad que la convierta en dependiente y hasta el cierre del periodo impositivo en el que el régimen comienza a desplegar sus efectos, esto es, el periodo impositivo siguiente al de la fecha de adquisición de la participación.

EJEMPLO 7

La sociedad anónima A, residente en territorio español, tiene la condición de sociedad dominante de un grupo de consolidación fiscal que está formado por dicha sociedad y por las sociedades B, C, y D.

La sociedad A adquiere el día 15 de junio de 2016 el 80% de las participaciones sociales de la sociedad "E" que, además le otorgan la mayoría de los derechos de voto de esta última.

SOLUCIÓN EJEMPLO 7

La sociedad E se integrará obligatoriamente en el grupo de consolidación fiscal del que ostenta la condición de sociedad dominante (A) a partir del periodo impositivo correspondiente a 2017, pudiéndose adoptar el correspondiente acuerdo el órgano de administración de la sociedad dependiente (E) hasta el 31 de diciembre de 2017 (suponiendo que el periodo impositivo coincida con el año natural).

EJEMPLO 8

Mismo supuesto que el anterior pero la sociedad E es una sociedad de nueva constitución, suscribiéndose por A el 80 por ciento de las participaciones sociales emitidas.

SOLUCIÓN EJEMPLO 8

En este caso la sociedad "E" se integrará obligatoriamente en el grupo de consolidación fiscal de su sociedad dominante ("A") en el mismo periodo impositivo de su constitución (2016), pudiéndose adoptar el correspondiente acuerdo por el órgano de administración de la sociedad E hasta el 31 de diciembre de 2016 (día en que concluye el primer período impositivo en el que deban tributar en el régimen de consolidación fiscal).

Por otra parte, la entidad representante del grupo viene obligada a comunicar a la Administración tributaria las variaciones en la composición del grupo fiscal, particularmente cuando dicha variación venga motivada por la inclusión en el grupo de nuevas sociedades. El cumplimiento de esta obligación deberá realizarse en la declaración del primer pago fraccionado al que afecte la nueva composición (artículo 61.6 *in fine* de la LIS).

2.3. Exclusión de sociedades del grupo fiscal

Dispone el artículo 59.2 de la LIS que las entidades dependientes que pierdan tal condición quedarán excluidas del grupo fiscal con efecto en el propio periodo impositivo en que se produzca tal circunstancia. Es decir, que aquellas entidades respecto de las que dejen de cumplirse las circunstancias previstas en el artículo

58.3 de la LIS (porcentaje de participación, directo o indirecto, de al menos el 75 por ciento –70 por ciento si se trata de entidades cuyas acciones estén admitidas a negociación en un mercado regulado– con mayoría de derechos de voto y mantenimiento de ambas circunstancias durante todo el periodo impositivo), dejarán formar parte del grupo de consolidación y, en consecuencia, dejarán de ser consideradas a efectos de la liquidación del Impuesto del grupo fiscal, produciéndose su salida del grupo en el mismo periodo impositivo en el que aquéllas dejen de cumplirse. No obstante, el régimen podrá continuar aplicándose respecto de aquellas entidades que continúen teniendo la condición de dependientes.

En estos casos, a diferencia de lo que ocurre con la primera aplicación y con la inclusión sobrevenida de sociedades dependientes, no es necesaria la adopción de acuerdo alguno por el órgano de administración ya que la exclusión opera por mandato legal. Sin embargo, la alteración en la composición del grupo motivada por la exclusión de alguna de las sociedades que lo integraban deberá comunicarse a la Administración tributaria (al igual que ocurría con las alteraciones motivadas por la inclusión de alguna sociedad) en la declaración del primer pago fraccionado al que afecte la nueva composición del grupo (artículo 61.6 *in fine* de la LIS).

La exclusión de alguna sociedad del grupo activará la aplicación del artículo 74.2, que provoca las siguientes consecuencias:

a) Las eliminaciones pendientes de incorporación se integrarán en su base imponible individual –la de la sociedad dependiente– en la medida en que hubiera generado la renta objeto de eliminación.

b) Los gastos financieros netos pendientes de deducir del grupo fiscal, a que se refiere el artículo 16 de la LIS se le atribuirán en la proporción que hubieren contribuido a su formación.

c) La diferencia establecida en el apartado 2 del artículo 16 de la LIS, se le atribuirá en la proporción que hubieren contribuido a su formación.

d) Las cantidades correspondientes a la reserva de capitalización establecida en el artículo 25 de la LIS, se le atribuirá en la medida en que hubieran contribuido a su generación.

e) Las dotaciones a que se refiere el apartado 12 del artículo 11 de de la LIS pendientes de integrar en la base imponible, se le atribuirá en la proporción que hubiesen contribuido a su formación.

f) El derecho a la compensación de las bases imponibles negativas del grupo fiscal pendientes de compensar, se le atribuirá en la proporción que hubieren contribuido a su formación.

    La compensación se realizará con las bases imponibles positivas que se determinen en régimen individual de tributación en los períodos impositivos siguientes.

g) Las cantidades correspondientes a la reserva de nivelación de bases imponibles prevista en el artículo 105 de la LIS pendientes de adicionar a la base imponible, se le atribuirá en la proporción que hubiese contribuido a su formación.

h) El derecho a la aplicación de las deducciones en la cuota del grupo fiscal pendientes de aplicar, se le atribuirá en la proporción en que hayan contribuido a su formación.

EJEMPLO 9

La sociedad anónima A, residente en territorio español, tiene la condición de sociedad dominante de un grupo de consolidación fiscal que está formado por dicha sociedad y por las sociedades B, C, y D, de las que ostenta el 100 por ciento del capital y de los derechos de voto.

El día 15 de junio de 2016 vende el 80% de las participaciones sociales de la sociedad D, perdiendo también la mayoría de los derechos de voto de esta última.

SOLUCIÓN EJEMPLO 9

Al no poder considerarse entidad dependiente (no se dispone de un porcentaje de participación de al menos el 75 por ciento y la mayoría de los derechos de voto de la sociedad durante todo el periodo impositivo pues solo se cumplen estas circunstancias desde el 1 de enero hasta el 15 de junio de 2016, fecha en que se produce la venta del 80 por ciento) dicha sociedad deja de formar parte del grupo con efectos en el propio periodo impositivo de 2016. La sociedad "A", como representante del grupo, deberá informar a la Administración tributaria de la variación en la composición del grupo en la declaración del pago fraccionado a presentar en octubre (primer pago fraccionado al que afecta la nueva composición).

3. LA BASE IMPONIBLE DEL GRUPO DE CONSOLIDACIÓN FISCAL. (ARTÍCULOS 62, 63, 64, 65, 66 Y 67 LIS)

3.1. Introducción

Tal y como se avanzó en la introducción del presente Capítulo la base imponible de los grupos de consolidación fiscal no se determina a partir del resultado consolidado del grupo. Tampoco mediante la agregación de los resultados contables de las sociedades que lo integran. Como allí se señaló, la base imponible del grupo de consolidación fiscal se forma a partir de la agregación de las bases imponibles individuales de todas y cada una de las sociedades que lo integran. Además, habrá que atender a la existencia de normas especiales (cómputo del límite de la deducibilidad de los gastos financieros, reserva de capitalización, ajustes por aplicación del artículo 11.12, compensación de bases imponibles negativas individuales o reserva de nivelación) que incidirán notablemente en el cálculo de la base imponible y que se encuentran reguladas conjuntamente en el artículo 63 de la LIS.

El contenido de este último precepto es muy importante (y novedoso), por cuanto atribuye al grupo la realización de algunos de los ajustes previstos en los artículos en los que se regula el régimen de tributación individual, no pudiéndose encontrar un precepto equivalente en el TRLIS. Incluso exige que el cumplimiento de los requisitos necesarios para practicar dichos ajustes, se analicen a nivel de grupo. De hecho, bajo la vigencia del TRLIS, y ante la ausencia de una norma que dijera lo que actualmente dice actual artículo 63 de la LIS, la doctrina administrativa se inclinó por considerar que los requisitos necesarios para la aplicación de determinados preceptos (deducciones por reinversión de beneficios extraordinarios, reserva para inversiones en Canarias, libertad de amortización de la disposición adicional undécima del TRLIS, etc.) debían cumplirse individualmente en cada una de las sociedades que generase el derecho a su aplicación y no de forma consolidada (o a nivel de grupo). Sin embargo, tanto el artículo 62.1.a) como el artículo 63 de la LIS, optan por seguir un camino totalmente distinto, obligando a verificar el cumplimiento de tales requisitos, límites y condiciones a nivel de grupo. Así, por ejemplo, la nueva limitación a la deducibilidad de las atenciones a clientes (1 por ciento del importe neto de la cifra de negocios), la nueva regla que permite la libertad de amortización de los elementos del inmovilizado de escaso valor (cuyo valor unitario no exceda de 300 euros con un límite máximo global de 25.000 euros), o la limitación a la deducibilidad de gastos financieros (el TRLIS ya contemplaba su determinación por referencia al grupo fiscal) son ejemplos de normas para cuya aplicación habrá de considerarse al grupo fiscal en su conjunto y no a cada una de las sociedades que puedan estar individualmente pudieran verse –individualmente– afectadas por su aplicación.

Así, por ejemplo, y por lo que se refiere a la limitación a la deducibilidad de las atenciones a clientes, en la Consulta Vinculante V1474/2016, de 7 de marzo, formulada por una sociedad holding dedicada a la gestión y dirección de participaciones y la prestación de servicios de apoyo a la gestión en las áreas administrativa, financiera, comercial y de producción que soporta gastos considerados como atenciones a clientes y proveedores realizados para promocionar, directa o indirectamente, la venta de bienes del Grupo industrial, y correlacionados con los ingresos del Grupo, se plantea la cuestión de si el límite del 1 por ciento del importe neto de la cifra de negocios establecido por el artículo 15 e) ha de aplicarse sobre la cifra individual o consolidada del Grupo fiscal. Así, tras repasar el contenido de los artículos 10.3, 15.1.e), 58 y 62 de la LIS, la DGT concluye lo siguiente:

"De conformidad con lo anterior, el límite del 1 por ciento del importe neto de la cifra de negocios establecido por el artículo 15 e) se aplicará sobre la cifra consolidada del Grupo fiscal en los términos previstos en el artículo 62 de la LIS, no estableciendo el artículo 63 de la LIS ninguna regla especial aplicable en la determinación de las bases imponibles individuales de las entidades integrantes del grupo fiscal en relación con el artículo 15 e) de la LIS".

Por otro lado, nótese que el artículo 62.1.a) de la LIS no solo exige la aplicación de los ajustes que se derivan de la aplicación de lo dispuesto en el artículo 10.3 de la LIS por referencia al grupo fiscal, también señala que los requisitos o calificaciones establecidos en la normativa contable para la determinación del resultado contable se referirán al grupo fiscal. En este sentido en la Consulta Vinculante V2155/2016, de 19/05/2016 se señala que:

"De conformidad con el precepto transcrito, los requisitos o calificaciones establecidos en la normativa contable o fiscal se referirán al grupo fiscal a la hora de determinar las bases imponibles individuales. Ello supone realizar una homogeneización con el objeto de que la base imponible individual de cada entidad que forme parte del grupo de consolidación fiscal, tenga en cuenta, precisamente, su pertenencia al referido grupo. Por tanto, aquel gasto registrado en la cuenta de pérdidas y ganancias individual de A, que no forme parte del resultado consolidado mercantil por cuanto está registrado en el patrimonio neto a nivel del grupo mercantil, tampoco formará parte de la base imponible del grupo fiscal teniendo en cuenta el perímetro de configuración de este, por cuanto no formará parte de la base imponible individual de acuerdo con lo señalado en el artículo 62.1.a) de la LIS".

Es decir que, de acuerdo con lo dispuesto en el artículo 62.1.a) de la LIS, los gastos (o ingresos) contabilizados en alguna de las sociedades del grupo que no se califiquen como gasto (o ingreso) en la consolidación tampoco serán gasto (o ingreso) fiscal.

Detengámonos a continuación en el análisis de cada una de los elementos constitutivos de la base imponible consolidada.

3.2. Determinación de la base imponible del grupo fiscal

3.2.1. Reglas generales

La regulación normativa la encontramos en el artículo 62 de la LIS. De dicho artículo se desprende que la base imponible del grupo se determina sumando:

a) Las bases imponibles individuales correspondientes a todas y cada una de las entidades integrantes del grupo fiscal, teniendo en cuenta las especialidades contenidas en el artículo 63 de esta Ley y que más adelante se analizarán.

Las bases imponibles individuales se determinarán mediante la aplicación de lo dispuesto en el artículo 10.3 de la LIS, para lo que deberá tenerse presente que –como ya se ha anticipado– en el análisis del cumplimiento de los requisitos para la aplicación de los distintos ajustes con los que proceda corregir el resultado contable habrá de tomarse como referencia al grupo fiscal en su conjunto y no a cada una de las sociedades individualmente. El problema, que no resuelve la LIS será el de la atribución a cada una de las sociedades del ajuste en cuestión. Así, por ejemplo, en aquellos casos en los que el grupo realice inversiones en elementos de escaso valor que superen a lo largo del periodo impositivo la cifra de 25.000 euros habrá que arbitrar algún procedimiento para atribuir a cada una de las sociedades del grupo el importe que pueden llevar a su base imponible en concepto de libertad de amortización. Este no está previsto en la LIS aunque bien pudiera servir el criterio para repartir los gastos financieros no deducibles contenido en la Resolución de la DGT de 12 de julio de 2012 a la que más adelante nos referiremos.

b) Las eliminaciones y las incorporaciones de las eliminaciones practicadas en periodos impositivos anteriores cuando corresponda de acuerdo con el artículo 65 de la LIS[5].

d) Las cantidades correspondientes a la reserva de capitalización prevista en el artículo 25 de la LIS, que se referirá al grupo fiscal (sin perjuicio de que la dotación de la reserva pueda efectuarse por cualquiera de las sociedades del grupo).

Al formar parte de la base imponible del grupo y ser necesaria la verificación –también a nivel de grupo– del cumplimiento de los requisitos a que el artículo 25 de la LIS condiciona su aplicación, las bases imponibles individuales no incluyen la reducción por la reserva de capitalización que cada sociedad pudiera aplicar, sino que ésta se incorpora en un estadio posterior, cuando, una vez cuantificadas y agregadas las bases individuales, y practicadas las eliminaciones e incorporaciones de los resultados de las operaciones internas, se haya cuantificado la base imponible previa a la reducción, a las dotaciones a que se refiere el artículo 11.12 de la LIS y a la compensación de las bases imponibles negativas. Solo si esta es de suficiente importe como para absorber la reducción, podrá ser aplicada. De lo contrario, y cumplidos los requisitos para su aplicación –insistimos, a nivel de grupo– la reducción podrá aplicarse en los periodos impositivos que concluyan en los dos años siguientes respetando el límite previsto en el artículo 25.1 (ver último párrafo del mismo artículo 25.1 de la LIS).

e) Las dotaciones a que se refiere el artículo 11.12 de la LIS, referidas también al grupo fiscal, con el límite del 70 por ciento del importe positivo de la agregación de los conceptos señalados en las letras anteriores.

Téngase en cuenta que, según lo dispuesto en la Disposición Transitoria trigésima cuarta h) de la LIS, para los periodos impositivos que se inicien en 2015 (y solo para estos), las dotaciones por deterioro de los créditos u otros

---

[5]   Al estudio de esta cuestión dedicaremos el epígrafe 3.2.3

activos derivados de las posibles insolvencias de deudores así como los correspondientes a dotaciones o aportaciones a sistemas de previsión social y, en su caso, prejubilación, a que se refiere el artículo 11.12 se integrarán en la base imponible con el límite de la base imponible positiva previa a su integración y a la compensación de bases imponibles negativas. No obstante, dicha integración estará sometida a los límites señalados en la Disposición Transitoria trigésima cuarta g) de la Ley, cuando se den las circunstancias allí establecidas. En concreto, para los contribuyentes cuyo volumen de operaciones, calculado conforme a lo dispuesto en el artículo 121 de la Ley 37/1992, de 28 de diciembre, del Impuesto sobre el Valor Añadido, haya superado la cantidad de 6.010.121,04 euros durante los 12 meses anteriores a la fecha en que se inicien los períodos impositivos dentro del año 2015 y, además, hubieran tenido un volumen de operaciones superior a 20 millones de euros los límites son de 50 por ciento de la base imponible previa a la previa a la integración de las referidas dotaciones y a la compensación de bases imponibles negativas, cuando en esos 12 meses el importe neto de la cifra de negocios sea al menos de 20 millones de euros pero inferior a 60 millones de euros; y del 25 por ciento de la base imponible previa a la integración de las referidas dotaciones y a la compensación de bases imponibles negativas, cuando en esos 12 meses el importe neto de la cifra de negocios sea al menos de 60 millones de euros,

Dichos límites se aplicarán –insistimos– sobre la base imponible positiva previa a la integración de las referidas dotaciones y a la compensación de bases imponibles negativas.

Por otra parte, el Real Decreto Ley 3/2016, de 2 de diciembre, por el que se adoptan medidas en el ámbito tributario dirigidas a la consolidación de las finanzas públicas y otras medidas urgentes en materia social, ha introducido una nueva disposición adicional decimoquinta a la LIS con efectos para los periodos impositivos que se inicien a partir de 1 de enero de 2016 que afecta a la aplicación de esta norma. En concreto, la modificación, como ya vimos en páginas anteriores, tiene por objeto conseguir que, en aquellos períodos impositivos en que exista base imponible positiva generada, la aplicación de créditos fiscales, al reducir la base imponible o la cuota íntegra, no minore el importe a pagar en su totalidad. Se trata de una limitación específica a la aplicación de créditos fiscales que habrán de aplicar las denominadas "grandes empresas".

Pues bien, los créditos fiscales afectados por esta nueva limitación son, no solo los derivados de la compensación de bases imponibles negativas (respecto de los que ya hablamos en páginas anteriores), sino también los derivados de la reversión de los activos por impuesto diferido a que se refiere el artículo 11.12 de la LIS. En concreto, y al igual que para la compensación de bases imponibles negativas, se introducen las siguientes limitaciones adicionales a la reversión de los activos por impuesto diferido para grandes empresas en los siguientes porcentajes:

- Empresas con importe neto de la cifra de negocios superior a 60 millones de euros, el 25 por 100;

- Empresas con importe neto de la cifra de negocios entre 20 y 60 millones, el 50 por 100.

Como puede apreciarse los límites a la integración de los ajustes de los activos por impuestos diferidos no solo se sujetan a límites específicos en el periodo impositivo de 2015 sino también, y con vigencia indefinida, para los periodos impositivos que se inicien en 2016 y siguientes.

En consecuencia, aquellos grupos fiscales que no se vean afectados por la nueva limitación estarán sujetos a las limitaciones previstas para 2015, 2016 y 2017 en la disposición transitoria trigésimo cuarta, disposición transitoria trigésimo sexta (a la que ha dado nueva redacción el Real Decreto Ley 3/2016) y artículo 11.12, respectivamente, de la LIS. Es decir, que la limitación para estos grupos será para 2015 el ya señalado y para 2016 y 2017 del 60% y del 70%, respectivamente.

f) La compensación de bases imponibles negativas del grupo fiscal, cuando la suma de los conceptos señalados en las letras anteriores sea positiva, así como, en su caso, las bases imponibles negativas de las sociedades integrantes del grupo que se hubieran generado con anterioridad a su incorporación al grupo y que en el momento de su incorporación se encontrasen pendientes de compensación podrán compensarse, según lo previsto en el artículo 67.a) de la LIS, con el límite del 70 por ciento –60 por ciento para los periodos impositivos que se inicien a partir de 1 de enero en 2016 según disposición transitoria trigésimo sexta de la LIS– de la base imponible individual de la propia entidad que la haya generado, con un mínimo de 1.000.000 euros, y previa la aplicación de las eliminaciones e incorporaciones que afecten a la entidad de acuerdo con lo establecido en los artículos 64 y 65.

Veremos en próximas páginas que las normas que se refieren a las distintas bases imponibles negativas y a la posibilidad de su compensación son, por un lado, el artículo 62.1.f), del que en este epígrafe venimos tratando; el artículo 66, relativo a la compensación de bases imponibles negativas generadas por el grupo; y, por último, el artículo 67.e) relativo a la compensación de bases imponibles negativas individuales generadas por alguna de las sociedades del grupo antes de su incorporación a éste. Pues bien, una de las cuestiones que se ha planteado en relación con la compensación de las bases imponibles negativas es la relativa al orden de compensación. Es decir, ¿deben compensarse primero las bases imponibles negativas del grupo y solo si tras dicha compensación quedase base suficiente se compensarían las bases imponibles generadas por las sociedades que lo integran con anterioridad a su incorporación al grupo?

La respuesta nos la ha dado la DGT en la contestación a la consulta número V4163/2015, de 30 de diciembre, en la que se concluye que no existe orden de prelación alguno en la aplicación de bases imponibles negativas respetando los límites que en cada artículo se señalan. En concreto, se afirma por la DGT que:

> Por su parte, respecto a la compensación de las bases imponibles negativas el artículo 66 de la LIS establece:
>
> "Si en virtud de las normas aplicables para la determinación de la base imponible del grupo fiscal ésta resultase negativa, su importe podrá ser compensado con las bases imponibles positivas del grupo fiscal en los términos previstos en el artículo 26 de esta Ley".
>
> El artículo 67.e) de la LIS respecto a las reglas especiales de incorporación de entidades en el grupo fiscal, establece:
>
> "e) Las bases imponibles negativas de cualquier entidad pendientes de compensar en el momento de su integración en el grupo fiscal podrán ser compensadas en la base imponible de este, con el límite del 70 por ciento de la base imponible individual de la propia entidad, teniendo en cuenta las eliminaciones e incorporaciones que correspondan a dicha entidad, de acuerdo con lo establecido en los artículos 64 y 65 de esta Ley".
>
> Por último, tal y como se ha indicado, el artículo 62.f) de la LIS establece la compensación de bases imponibles negativas, tanto para las generadas dentro del grupo, como para las existentes en alguna entidad del grupo con carácter previo a su incorporación al grupo fiscal, sin que dicho precepto establezca orden alguno respecto a la compensación de bases imponibles negativas. Por tanto, la LIS no establece una prelación en la aplicación de bases imponibles negativas, pudiendo aplicarse tanto las previas a la consolidación como las generadas dentro del grupo fiscal, siempre que se cumplan los límites y condiciones señaladas dentro del régimen fiscal especial". Por lo tanto, las bases imponibles negativas generadas por alguna de las sociedades del grupo con anterioridad a su incorporación al grupo solo podrán compensarse en la medida en que tras corregirse la base imponible consolidada en el importe de las eliminaciones, incorporaciones, reserva de capitalización, ajustes del artículo 11.12, en su caso, las bases imponibles negativas del grupo fiscal y reserva de nivelación, exista base imponible suficiente para absorberla.

Es más, en la medida en que la compensación de bases imponibles negativas es un derecho ejercitable por el contribuyente sin sujeción a plazo alguno, éste podría optar por no compensar sus propias bases imponibles negativas y compensarlas en periodos posteriores para de esta forma compensar en mayor medida las bases imponibles negativas generadas por alguna de las sociedades antes de su incorporación al grupo fiscal. Con ello se estaría anticipando su compensación evitando así el riesgo de que en periodos impositivos posteriores las bases imponibles individuales no fueran positivas y ello impidiera su compensación.

g) Las cantidades correspondientes a la reserva de nivelación prevista en el artículo 105 de la LIS minorarán o incrementarán, según proceda, la base imponible del grupo fiscal. No obstante, y al igual que con la reserva de capitalización aquí también la LIS permite que la dotación de la reserva se realice por cualquier entidad integrante del grupo.

Por último, el segundo apartado del artículo 62 contempla una regla para evitar el doble aprovechamiento de pérdidas por el grupo. En efecto, cuando alguna de las sociedades del grupo genere bases imponibles negativas durante el periodo de pertenencia a éste (esta norma no se refiere a las bases imponibles negativas individuales generadas con anterioridad a la pertenencia al grupo), compensándose éstas con las bases imponibles positivas del resto de sociedades y, posteriormente, se transmita su participación, generándose con ocasión de dicha transmisión una renta negativa, la renta negativa generada en esta operación deberá ser minorada en el importe de aquellas bases imponibles negativas que efectivamente fueron compensadas.

EJEMPLO 10

Sea un grupo fiscal formado por la sociedad A, la sociedad B y la sociedad C. La sociedad A tiene la condición de dominante, participando en el 100 por cien del capital de las sociedades B y C, respectivamente. Durante los últimos 5 periodos impositivos, las bases imponibles individuales generadas por cada una de las sociedades, presenta el siguiente detalle:

SOCIEDAD/ BASES IMPONIBLES INDIVIDUALES	AÑO 1	AÑO 2	AÑO 3	AÑO 4	AÑO 5
A	1.000.000	1.500.000	500.000	700.000	1.200.000
B	-100.000	-50.000	100.000	150.000	200.000
C	250.000	300.000	150.000	200.000	300.000

El grupo fiscal ha compensado las bases imponibles negativas generadas por la sociedad B en cada uno de los periodos impositivos en los que aquellas se generaron minorando con ello la base imponible del grupo.

En el periodo impositivo correspondiente al año 6, la sociedad A vende su participación en el capital de la sociedad B por 500.000 euros siendo su valor de adquisición de 1.000.000 euros. La participación en B no se encontraba deteriorada.

SOLUCIÓN EJEMPLO 10

Como consecuencia de la transmisión de la participación en la sociedad "B" se genera en la entidad transmitente (sociedad "A") una renta negativa de 500.000 euros (por diferencia entre el valor de transmisión y su valor de adquisición: 500.000 – 1.000.000), que no podrá integrarse totalmente en la base imponible del grupo (que tras la salida de la sociedad B estará formado por la sociedad "A" por la sociedad "C" y por la sociedad "D"). En concreto, el importe que no podrá integrarse será de 150.000 euros, importe equivalente a las bases imponibles negativas de la sociedad B compensadas por el grupo en los años 1 y 2.

Hay que entender que el ajuste que se deriva de la aplicación de lo previsto en el artículo 62.2 de la LIS deberá ser aplicado en la base imponible individual de la sociedad transmitente en cuya base imponible individual se habrá integrado la renta negativa de 500.000 euros. Pues bien, a efectos del cálculo de la base imponible consolidada, procederá practicar en ella un ajuste positivo de 150.000 euros.

Una norma similar (aunque entendemos que dirigida a evitar una desimposición) es la que se contiene en el artículo 21.7 de la LIS en el que se limita la posibilidad de integrar en la base imponible de una sociedad las rentas negativas derivadas de la transmisión de la participación en otra entidad cuando se hubiesen percibido de ella dividendos o participaciones en beneficios a partir del período impositivo que se haya iniciado en el año 2009, siempre que los referidos dividendos o participaciones en beneficios no hayan minorado el valor de adquisición y que hayan tenido derecho a la aplicación de la exención prevista en el apartado 1 del artículo 21 de la LIS, relativo a la exención para evitar la doble imposición.

Este artículo ha sido modificado con efectos para los periodos impositivos que se inicien a partir de 1 de enero de 2017. En efecto, el Real Decreto Ley 3/2016 ha introducido una importante novedad en la LIS en relación con la exención del artículo 21 pues con el objetivo de ensanchar las bases imponibles de las entidades españolas se adopta una medida consistente en la no deducibilidad de las pérdidas realizadas en la transmisión de participaciones en entidades siempre que se trate de participaciones con derecho a la exención en las rentas positivas obtenidas (dividendos y plusvalías). Del mismo modo, queda excluida de integración en la base imponible cualquier tipo de pérdida que se genere por la participación en entidades ubicadas en paraísos fiscales o en territorios que no alcancen un nivel de tributación adecuado. En definitiva, el legislador español, teniendo en cuenta el derecho comparado y la evolución de las propuestas normativas realizadas por la Unión Europea, ha considerado que resultaba aconsejable adaptarse a normativas análogas a las previstas en países de nuestro entorno, descartando la incorporación de cualquier renta, positiva o negativa, que pueda generar la tenencia de participaciones en otras entidades, a través de un auténtico régimen de exención (tanto para las ganancias como para las pérdidas).

No obstante, esta nueva regla de "exención de las pérdidas" solo resulta de aplicación a las entidades a las que resulte de aplicación la exención de los dividendos y plusvalías (tanto por la participación en entidades residentes como no residentes) por cumplirse los requisitos previstos en el apartado 3 del artículo 21 de la LIS (porcentaje de participación cualificado en la entidad cuyas participaciones se transmiten y periodo de tenencia en el caso de entidades residentes) y no cumplir el previsto en el artículo 21.1.b) de la LIS (tributación mínima, en el caso de entidades no residentes).

Por lo tanto, a las entidades que no se encuentren en las circunstancias anteriormente señaladas se les seguirá aplicando, en los mismos términos que antes de la modificación, las reglas del apartado séptimo del artículo 21 de la LIS.

3.2.2. Reglas especiales aplicables en la determinación de las bases imponibles individuales de las sociedades integrantes del grupo fiscal

El artículo 63 de la LIS contiene, como anticipábamos en el epígrafe anterior, una serie de reglas especiales que van a incidir en el cálculo de las bases imponibles individuales de las sociedades integrantes del grupo fiscal. Tales reglas especiales afectan a las siguientes materias:

a) Límite a la deducibilidad de los gastos financieros previsto en el artículo 16 de la LIS.

b) Reserva de capitalización prevista en el artículo 25 de la LIS.

c) Dotaciones a las que se refiere el artículo 11.12 de la LIS.

d) Bases imponibles negativas hubieran correspondido a la entidad en régimen individual.

e) Reserva de nivelación a que se refiere el artículo 105 de la LIS.

Estas reglas, en la medida en que se separan de las reglas generales para la determinación de la base imponible que se contienen en los artículos 10 y siguientes de la LIS habrán de ser aplicadas con absoluta preferencia.

Una de las principales novedades que el Régimen de consolidación fiscal incorpora en esta materia afecta, como ya se ha apuntado, a la verificación de los requisitos y a la cuantificación de determinados límites a que se condiciona la aplicación de los ajustes que en virtud de lo previsto en el artículo 10.3 de la LIS proceda practicar para determinar la base imponible del Impuesto. En concreto, a efectos del cálculo de tales límites y del control del cumplimiento de los citados requisitos, habrá de ser considerado el grupo fiscal en su conjunto y no cada una de las entidades individualmente. Además, se establecen particularidades en cuanto al modo en que determinadas partidas, necesarias para la cuantificación de la base imponible, van a poder incidir en ella.

Al primer grupo de especialidades pertenece la contenida en el artículo 63.a) de la LIS, en el que se regula el modo en que debe efectuarse el cálculo del límite a la deducibilidad de gastos financieros previsto en el artículo 16 de la LIS. En este sentido, el límite –nos dice este precepto– se referirá al grupo fiscal, si bien no resultará de aplicación en los supuestos de extinción de la entidad, salvo que la extinción se realice dentro del grupo fiscal y la entidad extinguida tuviera gastos financieros pendientes de deducir en el momento de su integración en el mismo y sin perjuicio de las especialidades previstas para las entidades de crédito.

En el segundo grupo de especialidades se encuentran las reglas relativas al modo en que la reserva de capitalización, las dotaciones a que se refiere el artículo 11.12, la compensación de bases imponibles individuales o la reserva de nivelación, entran en juego para la determinación de la base imponible del grupo. En concreto, de este artículo se desprende que ninguna de ellas será tenida en cuenta en la determinación de la base imponible individual de las sociedades que integren el grupo. En efecto, si en el régimen general de tributación las reducciones por la dotación de la reserva de capitalización o de nivelación, o la compensación de bases imponibles negativas o las dotaciones a que se refieren el artículo 11.12 entran directamente en juego para determinar la base imponible de cada contribuyente, en el régimen de consolidación fiscal habrán de calcularse las bases imponibles individuales de las sociedades que integren el grupo sin considerar dichos componentes. Esto quiere decir que su incorporación técnica en la determinación de la base imponible del grupo se produce a posteriori, una vez se ha producido la agregación de todas las bases imponibles individuales.

Veamos a continuación cada una de ellas.

3.2.2.1. Limitación a la deducibilidad de gastos financieros

En páginas anteriores de esta obra se ha analizado la limitación a la deducibilidad de los gastos financieros previsto en el artículo 16 de la LIS. En esencia, la limitación impide a los contribuyentes de este Impuesto deducir los gastos financieros netos que superen el 30 por ciento del beneficio operativo de la entidad (recuérdese que por gastos financieros netos entendemos el resultado de minorar los gastos financieros en el exceso de los rendimientos derivados de la cesión a terceros de capitales propios devengados en el periodo impositivo y excluyendo para el cálculo aquellos gastos financieros que no sean deducibles por aplicación de las letras g), h) y j)).

La limitación a la deducibilidad de los gastos financieros nació como respuesta del legislador a los abusos que cometieron un buen número de grupos multinacionales al deducir desmesuradamente los gastos financieros que el grupo "colocaba" convenientemente en España debido a la ausencia en nuestra normativa de una prohibición o limitación a la deducibilidad de tales gastos[6].

La norma se incorporó al TRLIS por el Real Decreto-Ley 12/2012, de 30 de marzo, por el que se introducen diversas medidas tributarias y administrativas dirigidas a la reducción del déficit público. Dicho Real Decreto Ley dio nueva redacción al artículo 20 del TRLIS en el que se regulaba la "clásica" regla anti-subcapitalización, que se consideró superada por esta nueva disposición. La norma nació en su redacción originaria para ser aplicada por los grupos mercantiles y así se justificaba en la Exposición de Motivos del Real Decreto Ley:

> "En segundo lugar, se introducen medidas con carácter indefinido en la Ley del Impuesto sobre Sociedades. Destaca por importancia, entre ellas, la limitación que se introduce en relación con la deducción de gastos financieros, teniendo en cuenta que la reforma aquí recogida se asemeja a la tendencia legislativa en Estados de nuestro entorno económico. En concreto, **se establece el carácter no deducible para aquellos gastos financieros generados en el seno de un grupo mercantil**, y destinados a la realización de determinadas operaciones entre entidades que pertenecen al mismo grupo, respecto de los cuales se venía reaccionando por parte de la Administración Tributaria cuando no se apreciaba la concurrencia de motivos económicos válidos. En consonancia con lo anterior, este precepto permite su inaplicabilidad, en la medida en que las operaciones sean razonables desde la perspectiva económica, como pueden ser supuestos de reestructuración dentro del grupo, consecuencia directa de una adquisición a terceros, o bien aquellos supuestos en que se produce una auténtica gestión de las entidades participadas adquiridas desde el territorio español.
>
> Adicionalmente, se introduce una limitación general en la deducción de gastos financieros, que se convierte en la práctica en una **regla de imputación temporal específica**, permitiendo la deducción en ejercicios futuros de manera similar a la compensación de bases imponibles negativas. Esta medida favorece de manera indirecta la capitalización empresarial y responde, con figuras análogas a nuestro derecho comparado, al tratamiento fiscal actual de los gastos financieros en el ámbito internacional".

Vemos pues como la norma nace para atajar un problema muy concreto, como era la excesiva permisividad de la norma española en materia de deducción de gastos financieros, para lo que se decide aproximar su regulación a figuras análogas a nuestro derecho comparado.

Sin embargo, la norma en cuestión, que había entrado en vigor a partir del 31 de marzo de 2012 (con efectos para los periodos impositivos que se iniciasen

---

[6]   Hasta tal punto la cuestión es todavía hoy objeto de preocupación por los Gobiernos de los Estados miembros de la OCDE que la acción 4 de BEPS se ha centrado, en exclusiva, en el análisis de este problema, diseñándose soluciones para evitar el abuso de la deducibilidad de gastos financieros, soluciones que España tiene, en buena medida, incorporadas ya a su regulación interna (LIS).

a partir de 1 de enero de 2012), fue inmediatamente modificada por el Real Decreto Ley 20/2012, de julio, en vigor desde el 15 de julio y con efectos para los periodos impositivos iniciados a partir de 1 de enero de 2012. La modificación introducida implicó la generalización de la regla de la limitación a la deducibilidad de los gastos financieros a todos los contribuyentes del Impuesto, y no solo a las sociedades que pertenecieran a un grupo mercantil. Esta última redacción es la que ha permanecido vigente hasta la derogación del TRLIS.

Debido a su complejidad técnica la DGT (dependiente del Ministro de Hacienda y Administraciones Públicas a través de la Secretaría de Estado de Hacienda) órgano que, entre otras, tiene atribuida la competencia para elaborar los anteproyectos de Ley de modificación de las leyes tributarias, así como para contestar las consultas vinculantes que los contribuyentes tengan a bien plantearle de acuerdo con lo dispuesto en el artículo 88 de la LGT, hubo de interpretar el citado artículo y lo hizo a través de una Resolución en la que trasladaba a todos los operadores implicados en su aplicación los criterios interpretativos que debían presidirla. Dicha Resolución se dictó con fecha 16 de julio de 2012 (BOE de 17 de julio de 2012).

Pues bien, ciñéndonos a las especialidades que en materia de deducibilidad de gastos financieros resultan aplicables a los grupos fiscales, el apartado cuatro del derogado artículo 20 del TRLIS disponía que:

> *"Tratándose de entidades que tributen en el régimen de consolidación fiscal, el límite previsto en este artículo se referirá al grupo fiscal.*
>
> *No obstante, los gastos financieros netos de una entidad pendientes de deducir en el momento de su integración en el grupo fiscal se deducirán con el límite del 30 por ciento del beneficio operativo de la propia entidad.*
>
> *En el supuesto de que alguna o algunas de las entidades que integran el grupo fiscal dejaran de pertenecer a este o se produjera la extinción del mismo, y existieran gastos financieros netos pendientes de deducir del grupo fiscal, estos tendrán el mismo tratamiento fiscal que corresponde a las bases imponibles negativas del grupo fiscal pendientes de compensar, en los términos establecidos en el artículo 81 de esta Ley".*

Por su parte, la Resolución de la DGT de 16 de julio de 2012 dedicó un apartado entero (el sexto) a las especialidades que la aplicación de la regla de la limitación a la deducibilidad de los gastos financieros podía tener en el ámbito de los grupos de consolidación fiscal. Así, en la Resolución se afirmaba:

> *"Tal y como dispone el apartado 4 del artículo 20 del TRLIS, en el supuesto de entidades que tributen en el régimen de consolidación fiscal, el límite relativo a la deducibilidad de gastos financieros netos se referirá al grupo fiscal.*
>
> *En el caso de grupos de consolidación fiscal, la base imponible del grupo se determina en los términos establecidos en el artículo 71 del TRLIS, mediante la suma de las bases imponibles individuales de las entidades del grupo, las eliminaciones, las incorporaciones que corresponda realizar y la compensación de las*

bases imponibles negativas del grupo fiscal. Ello significa que cada entidad del grupo fiscal es ajena a su participación en el mismo a la hora de determinar su base imponible, de manera que sólo a partir del momento en que se produce la suma de bases imponibles de las entidades que conforman el perímetro de consolidación fiscal, el grupo es tratado a efectos fiscales como tal.

No obstante, el TRLIS establece una excepción a dicha regla general, en el caso de la determinación de la deducibilidad de gastos financieros de entidades del grupo de consolidación fiscal, de manera que, en aplicación de lo establecido en el artículo 20 del TRLIS, en el cálculo de la base imponible individual de cada entidad que forma parte del grupo deberán tenerse en cuenta los gastos financieros netos que resulten deducibles por aplicación del límite del 30 por ciento del beneficio operativo o de 1 millón de euros, determinado a nivel del grupo fiscal.

Esta configuración en la determinación de la deducibilidad de los gastos financieros supone considerar, excepcionalmente a nivel de base imponible individual, al grupo como una única entidad, teniendo en cuenta tanto los gastos financieros netos totales del período impositivo como el beneficio operativo del grupo fiscal, a efectos de determinar el ajuste a realizar en la base imponible de las entidades que forman parte del mismo. Es decir, se determinarán los gastos financieros netos del grupo fiscal, los cuales estarán limitados por el 30 por ciento del beneficio operativo del mismo, determinado a través de los estados contables consolidados del grupo fiscal, o bien por el importe de 1 millón de euros.

Esto significa que los gastos financieros netos que quedan sometidos a la limitación del artículo 20 del TRLIS son aquellos que el grupo fiscal tiene respecto a terceros y que no se ven afectados por la aplicación del artículo 14.1.h), pero no aquellos que son objeto de eliminación, precisamente porque carece de sentido técnico someter a limitación unos gastos financieros que no son reales para el grupo fiscal, en la medida en que se ostenta con otra entidad que también pertenece a este. De la misma manera, los ingresos financieros que minoran los gastos financieros netos serán aquellos existentes respecto a personas o entidades ajenas al grupo de consolidación fiscal, pero no los que son objeto de eliminación en la determinación de la base imponible del grupo.

Asimismo, el beneficio operativo del grupo fiscal deberá tener en cuenta todas las eliminaciones que corresponda realizar, tanto las correspondientes a partidas intragrupo, como las de resultados por operaciones internas, así como sus incorporaciones, siempre que se refieran a operaciones que se incluyen en el propio beneficio operativo. Dichas eliminaciones incluirán, en la medida en que formen parte del importe neto de la cifra de negocios a los dividendos o participaciones en beneficios de entidades del mismo grupo de consolidación fiscal que corresponda realizar de acuerdo con lo establecido en el artículo 46 del Código de Comercio y en el Real Decreto 1159/2010, de 17 de septiembre, por el que se aprueban las Normas para la Formulación de Cuentas Anuales Consolidadas y se modifica el Plan General de Contabilidad, por beneficios generados dentro del grupo o con carácter previo al mismo, de manera que los mismos no se incluirán en el beneficio operativo del grupo fiscal, sino que este incluirá aquellos dividendos o participaciones en beneficios que cumplan lo establecido en el tercer párrafo del apartado 1 del artículo 20 del TRLIS y que correspondan a entida-

des que no forman parte del grupo de consolidación fiscal. De igual manera, no se adicionarán los dividendos o participaciones en beneficios de entidades del grupo fiscal que no formen parte del importe neto de la cifra de negocios, por cuanto, con la misma razón de ser, no deben incluirse en el beneficio operativo.

Adicionalmente, el importe máximo de 1 millón de euros a que hace referencia el párrafo cuarto del apartado 1 del artículo 20 del TRLIS debe calcularse a nivel del grupo de consolidación fiscal.

Igualmente, en este caso, los gastos financieros que procedan de períodos impositivos anteriores serán objeto de deducción sólo cuando los gastos financieros netos del propio período impositivo, correspondientes al grupo fiscal, no alcancen el límite del 30 por ciento del beneficio operativo o de 1 millón de euros.

Así, en el supuesto en que los gastos financieros netos del grupo fiscal no alcancen el límite del 30 por ciento del beneficio operativo o bien el importe de 1 millón de euros, todos los gastos financieros del grupo fiscal generados en dicho período impositivo resultarán fiscalmente deducibles, por lo que cada entidad individual deducirá sus respectivos gastos financieros netos en su totalidad, a la hora de determinar su base imponible individual.

En el supuesto de que los gastos financieros netos del grupo fiscal superen el importe de 1 millón de euros y el 30 por ciento del beneficio operativo del grupo fiscal, existirán gastos financieros no deducibles que deberán distribuirse entre las distintas entidades que forman parte del grupo fiscal, con el objeto de que cada entidad del grupo determine sus gastos financieros netos deducibles a la hora de calcular su base imponible individual.

En este sentido, este Centro Directivo considera que la distribución de los gastos financieros no deducibles debe realizarse, en primer lugar, entre aquellas entidades en las que sus gastos financieros netos, individualmente considerados, excedan del 30 por ciento de su propio beneficio operativo, en proporción a todos los excesos que, sobre dicho límite individual, tengan las entidades del grupo, siempre teniendo en cuenta su pertenencia al grupo fiscal. Es decir, serán no deducibles, en primer lugar, los gastos financieros que excedan del 30 por ciento del beneficio operativo de cada entidad individualmente considerada, pero teniendo en cuenta su pertenencia al grupo de consolidación fiscal.

Esto significa que tanto los gastos financieros netos como el beneficio operativo de cada entidad son los que esta aporta al grupo de consolidación fiscal, es decir, teniendo en cuenta las eliminaciones e incorporaciones que dicha entidad tiene a nivel de grupo fiscal. Así, los gastos financieros netos de la entidad que forma parte del grupo serán aquellos que no son objeto de eliminación posterior por su integración al grupo fiscal. Igualmente, el beneficio operativo de la entidad individual deberá tener en cuenta las eliminaciones e incorporaciones de dicha entidad en el seno del grupo fiscal y que afecten a dicho beneficio operativo.

En el supuesto en que el importe de los gastos financieros netos no deducibles del grupo sean superiores a todos los gastos financieros netos excedentarios sobre el 30 por ciento del beneficio operativo de cada entidad, de existir todavía gastos financieros netos no deducibles, estos se distribuirán entre todas las entidades, de manera proporcional a sus correspondientes gastos financieros netos, una vez descontados los ya considerados como no deducibles".

De la Resolución transcrita se pueden extraer los siguientes aspectos clave:

a) En el cálculo de la base imponible individual de cada entidad que forma parte del grupo deberán tenerse en cuenta los gastos financieros netos que resulten deducibles por aplicación del límite del 30 por ciento del beneficio operativo o de 1 millón de euros, determinado a nivel del grupo fiscal.

b) El beneficio operativo del mismo se determinará a través de los estados contables consolidados del grupo fiscal.

c) Los gastos financieros netos que quedan sometidos a la limitación del artículo 20 del TRLIS son aquellos que el grupo fiscal tiene respecto a terceros, no aquellos que son objeto de eliminación.

d) Los ingresos financieros que minoran los gastos financieros netos serán aquellos existentes respecto a personas o entidades ajenas al grupo de consolidación fiscal, pero no los que son objeto de eliminación en la determinación de la base imponible del grupo.

e) El beneficio operativo del grupo fiscal deberá tener en cuenta todas las eliminaciones que corresponda realizar, tanto las correspondientes a partidas intragrupo, como las de resultados por operaciones internas, así como sus incorporaciones, siempre que se refieran a operaciones que se incluyen en el propio beneficio operativo.

f) El importe de 1.000.000 euros que constituye el "puerto seguro" (*safe harbour*) para la deducibilidad de los gastos financieros debe calcularse a nivel de grupo.

g) Si no se alcanza el límite a nivel de grupo todas las entidades que lo integren podrán deducir los gastos financieros netos en sus respectivas bases individuales.

h) Los gastos financieros netos no deducibles se distribuyen entre todas las sociedades que integren en grupo de consolidación. Así, se atribuirán en primer lugar a aquellas entidades cuyos gastos financieros netos individualmente considerados excedan del 30 por ciento de su propio beneficio operativo, debiéndose entender a estos efectos que tanto los gastos financieros netos como el beneficio operativo son los que aporta al grupo (después de eliminaciones e incorporaciones).

Los criterios interpretativos que se recogieron en la Resolución de 16 de julio de 2012 fueron posteriormente reiterados en las contestaciones a las consultas vinculantes formuladas a la DGT (véase la Consulta Vinculante V1966/2013, de 14 de junio o, más recientemente y ya vigente la LIS la Consulta Vinculante V2155/2015, de 14 de julio y la número V0889/2015, de 23 de marzo).

Pues bien, en lo sustancial ninguna diferencia encontramos en el tratamiento que la actual LIS otorga a la limitación a la deducibilidad de los gastos financieros con respecto a la regulación contenida en el TRLIS. Sí se advierte, sin embargo, en el ánimo del legislador la decidida voluntad por sistematizar el conjunto de reglas especiales que afectando a preceptos concretos de la LIS, deban tener su incidencia en la determinación de la base imponible del grupo. Así, la regla que antes encontrábamos en el antiguo artículo 20 apartado 4 del TRLIS ahora se recoge en uno de los artículos que forma parte del conjunto de normas dedicadas a la determinación de la base imponible de los grupos fiscales, el artículo 63 de la LIS.

Se introduce, además, una matización y es que con la actual norma no resultará de aplicación el límite en los supuestos de extinción de la entidad salvo que la extinción se realice dentro del grupo fiscal y la entidad extinguida tuviera gastos financieros pendientes de deducir en el momento de su integración en el mismo.

También se añade (al igual que lo hacía el artículo 20 del TRLIS) una especialidad para las entidades de crédito o aseguradoras que tributen en el régimen de consolidación al señalar que cuando estas entidades tributen en dicho régimen conjuntamente con otras entidades que no tengan aquella consideración, el límite establecido en el artículo 16 de la Ley se calculará teniendo en cuenta el beneficio operativo y los gastos financieros netos de estas últimas entidades, así como las eliminaciones e incorporaciones que correspondan en relación con todo el grupo.

Veamos a continuación los ejemplos que se proponen en la Resolución de la DGT:

EJEMPLO 11

Las sociedades "A", "B", "C" y "D" forman un grupo de consolidación fiscal siendo el beneficio operativo (BO) de cada entidad de 1.000.000 euros. Se presume que no hay eliminaciones ni incorporaciones por operaciones internas (cifras en miles de euros).

Los gastos financieros netos de cada una de las entidades (se entiende con son todos con terceros) ascienden a los siguientes importes en el año 20X0:

A: 200.000 euros

B: 100.000 euros

C: 500.000 euros

D: 600.000 euros

SOLUCIÓN EJEMPLO 11

Los datos que resultan del planteamiento anterior son los que se recogen en la siguiente tabla:

	A	B	C	D	Grupo
Beneficio operativo (BO)	1.000.000	1.000.000	1.000.000	1.000.000	4.000.000
Gastos financieros	200.000	100.000	500.000	600.000	1.400.000
Límite (30% BO)	300.000	300.000	300.000	300.000	1.200.000
Exceso	-	-	-200.000	-300.000	-200.000
Reparto exceso			80.000	120.000	

El límite a la deducibilidad de los gastos financieros netos del grupo asciende a 1.200.000, esto es, el 30 por ciento del beneficio operativo del grupo (30% x 4.000.000).

Dado que los gastos financieros netos del grupo ascienden a 1.400.000 euros hay un exceso de 200.000 de gasto no deducible. La distribución del gasto no deducible se realizará, inicialmente, entre las entidades del grupo fiscal que individualmente sean excedentarias de gasto financiero respecto de su propio beneficio operativo teniendo en cuenta eliminaciones e incorporaciones.

En este caso, todas las entidades del grupo tienen un límite de gasto financiero de 300.000 euros.

Al ser excedentarias de gastos financieros sobre su límite individual C en 200.000 euros y D en 300.000 euros, el gasto financiero no deducible se distribuye entre ellas. El exceso total de estas dos entidades es de 500.000 euros.

Por lo tanto:

En C serán gasto financiero no deducibles 200.000 × 200.000/500.000 = 80.000

En D serán gasto financiero no deducibles 300.000 × 200.000/500.000 = 120.000

En total, A y B se deducen todo su gasto financiero (no llegan al 30 % del BO), C se deduce 420.000 (quedan pendientes 80.000) y D se deduce 480.000 (quedan pendientes 120.000).

EJEMPLO 12

"A", "B", "C" y "D" forman un grupo de consolidación fiscal; se presume que no hay eliminaciones ni incorporaciones por operaciones internas.

BO de A: 1.000.000; GF: 400.000

BO de B: 2.000.000; GF: 400.000

BO de C: 1.000.000; GF: 600.000

BO del grupo: 4.000.000

GF del grupo: 1.400.000

SOLUCIÓN EJEMPLO 12

Los datos que resultan del planteamiento anterior son los que se recogen en la siguiente tabla:

	A	B	C	Grupo
Beneficio operativo (BO)	1.000.000	2.000.000	1.000.000	4.000.000
Gastos financieros	400.000	400.000	600.000	1.400.000
Límite (30% BO)	300.000	600.000	300.000	1.200.000
Exceso	-100.000	-	-300.000	-200.000
Reparto exceso	50.000		150.000	

El límite a la deducibilidad de los gastos financieros netos del grupo asciende a 1.200.000, esto es, el 30 por ciento del beneficio operativo del grupo (30% x 4.000.000).

Dado que los gastos financieros netos del grupo ascienden a 1.400.000 euros hay un exceso de 200.000 de gasto no deducible. La distribución del gasto no deducible se realizará, inicialmente, entre las entidades del grupo fiscal que individualmente sean excedentarias de gasto financiero respecto de su propio beneficio operativo teniendo en cuenta eliminaciones e incorporaciones.

Al ser excedentarias de gastos financieros sobre su límite individual C en 200.000 euros y D en 300.000 euros, el gasto financiero no deducible se distribuye entre ellas. El exceso total de estas dos entidades es de 400.000 euros.

Por lo tanto:

En A serán gasto financiero no deducibles 200.000 × 100.000/400.000 = 50.000

En D serán gasto financiero no deducibles 200.000 × 300.000/400.000 = 150.000

En total, en A son deducibles gastos financieros por importe de 350.000 y quedan pendientes 50.000 para ejercicios futuros. En B son deducibles gastos financieros por importe de 400.000 en su totalidad y en C son deducibles gastos financieros por importe de 450.000 y quedan pendientes 150.000 para ejercicios futuros.

El grupo fiscal tiene GF no deducibles para aplicar en períodos impositivos futuros por importe de 200.000

EJEMPLO 13

A, B y C, forman un grupo de consolidación fiscal; se presume que no hay eliminaciones ni incorporaciones por operaciones internas (cifras en millones de euros).

BO de A: 100.000; GF: 20.000

BO de B: 200.000; GF: 40.000

BO de C: –100.000; GF: 20.000

BO del grupo: 200.000

SOLUCIÓN EJEMPLO 13

Los datos que resultan del planteamiento anterior son los que se recogen en la siguiente tabla:

	A	B	C	Grupo
Beneficio operativo (BO)	1.000.000	200.000	-100.000	200.000
Gastos financieros	20.000	40.000	20.000	80.000
Límite (30% BO)	30.000	60.000	-	60.000
Exceso	-	-	-20.000	-20.000
Reparto exceso			20.000	

El límite a la deducibilidad de los gastos financieros netos del grupo asciende a 60.000, esto es, el 30 por ciento del beneficio operativo del grupo (30% x 200.000).

Dado que los gastos financieros netos del grupo ascienden a 80.000 euros hay un exceso de 20.000 de gasto no deducible. La distribución del gasto no deducible se realizará, inicialmente, entre las entidades del grupo fiscal que individualmente sean excedentarias de gasto financiero respecto de su propio beneficio operativo teniendo en cuenta eliminaciones e incorporaciones.

Y como C es la única excedentaria será a esta a la que se atribuya el exceso de los gastos financieros no deducibles.

EJEMPLO 14

A, B y C, forman un grupo de consolidación fiscal; se presume que no hay eliminaciones ni incorporaciones por operaciones internas.

BO de A: 100.000; GF: 40.000

BO De B: 200.000; GF: 30.000

BO de C: –100.000; GF: 20.000

BO del grupo: 200.000

GF del grupo: 90.000

SOLUCIÓN EJEMPLO 14

Los datos que resultan del planteamiento anterior son los que se recogen en la siguiente tabla:

	A	B	C	Grupo
Beneficio operativo (BO)	100.000	200.000	-100.000	200.000
Gastos financieros	40.000	30.000	20.000	90.000
Límite (30% BO)	30.000	60.000	-	60.000
Exceso	-10.000	-	-20.000	-30.000
Reparto exceso	10.000		20.000	

El límite a la deducibilidad de los gastos financieros netos del grupo asciende a 60.000, esto es, el 30 por ciento del beneficio operativo del grupo (30% x 200.000).

Dado que los gastos financieros netos del grupo ascienden a 90.000 euros hay un exceso de 30.000 de gasto no deducible. La distribución del gasto no deducible se realizará, inicialmente, entre las entidades del grupo fiscal que individualmente sean excedentarias de gasto financiero respecto de su propio beneficio operativo teniendo en cuenta eliminaciones e incorporaciones.

Al ser excedentarias de gastos financieros sobre su límite individual A en 10.000 euros y C en 20.000 euros, el gasto financiero no deducible se distribuye entre ellas. El exceso total de estas dos entidades es de 30.000 euros.

En total: A se deduce gastos financieros por importe de 30.000, B se deduce gastos financieros por importe de 30.000 y C no se deduce gastos financieros.

El grupo tiene pendientes para años siguientes gastos financieros por importe de 30.000.

EJEMPLO 15

A, B, C y D, forman un grupo de consolidación fiscal; se presume que no hay eliminaciones ni incorporaciones por operaciones internas (cifras en millones de euros).

BO de A: 100; GF: 20.

BO de B: 100; GF: 40.

BO de C: –200; GF: 20.

BO de D: 100; GF: 30.

BO del grupo: 100.

GF del grupo: 110.

Límite 30 % del BO = 30.

SOLUCIÓN EJEMPLO 15

Los datos que resultan del planteamiento anterior son los que se recogen en la siguiente tabla:

	A	B	C	D	Grupo
Beneficio operativo (BO)	100.000	100.000	-200.000	100.000	100.000
Gastos financieros	20.000	40.000	20.000	30.000	110.000
Límite (30% BO)	30.000	30.000	-	30.000	30.000
Exceso	-	-10.000	-20.000	-	-80.000
Reparto exceso	12.500	28.750	38.750		

El límite a la deducibilidad de los gastos financieros netos del grupo asciende a 30.000, esto es, el 30 por ciento del beneficio operativo del grupo (30% x 100.000).

Dado que los gastos financieros netos del grupo ascienden a 110.000 euros hay un exceso de 80.000 de gasto no deducible. La distribución del gasto no deducible se realizará, inicialmente, entre las entidades del grupo fiscal que individualmente sean excedentarias de gasto financiero respecto de su propio beneficio operativo teniendo en cuenta eliminaciones e incorporaciones.

Al ser excedentarias de gastos financieros sobre su límite individual B en 10.000 euros y C en 20.000 euros, el gasto financiero no deducible se distribuye inicialmente entre ellas. El exceso total de estas dos entidades es de 30.000 euros.

Adicionalmente, debe distribuirse el importe de los gastos financieros netos del grupo que excede de la suma de las cantidades excedentarias de gastos financieros netos determinada individualmente para cada una de las sociedades del grupo. En nuestro caso, procede distribuir los 50.000 que faltan, en proporción al resto de gastos financieros: (A tiene 20.000, a B le quedan 30.000 y a D le quedan 30.000).

A: 20 × 50.000/80.000 = 12.500 no deducibles.

B: 30 × 50.000/80.000 = 18.750 no deducibles (aparte de las 10.000).

D: 30 × 50/80 = 18.750 no deducibles.

En total: A tiene gastos deducibles por 7.500 y no deducibles por 12.500; B tiene gastos deducibles por 11.250 y no deducibles por 28.750; C tiene gastos no deducibles por 20.000, y D tiene gastos deducibles por 11.250 y no deducibles por 18.750.

Al grupo le quedan pendientes gastos financieros por importe de 80.000 para deducir en periodos impositivos siguientes.

3.2.2.2. *Reserva de capitalización en la consolidación fiscal*

La Reserva de capitalización ha sido estudiada al analizar el artículo 25 de la LIS. Recordemos, no obstante, sus notas características:

a) Es una reducción en base imponible;

b) El importe de la reducción es del 10 por ciento del incremento de los fondos propios (y siempre que el referido incremento se mantenga durante un plazo de 5 años desde el cierre del período impositivo al que corresponda esta reducción, salvo por la existencia de pérdidas contables en la entidad);

c) El límite de la reducción es el 10 por ciento de la base imponible positiva del período impositivo previa a esta reducción, a la integración a que se refiere el apartado 12 del artículo 11 de la LIS y a la compensación de bases imponibles negativas;

d) En caso de insuficiencia de base imponible, el importe de la reducción no aplicada podrá aplicarse en los dos periodos impositivos siguientes;

e) Debe dotarse una reserva indisponible por el importe de la reducción, que deberá mantenerse en el balance de la sociedad durante el plazo señalado en la letra a) anterior.

Pues bien, la no inclusión de la reserva de capitalización en el procedimiento para determinar las bases imponibles individuales de las sociedades integrantes del grupo fiscal se encuentra motivada por la inclusión en la base imponible consolidada como un elemento más determinante de su importe.

En efecto, como ya habíamos anticipado la reserva de capitalización se referirá al grupo fiscal por lo que no formará parte de la base imponible individual de cada una de las sociedades que lo integren.

En consecuencia, y a efectos de determinar el incremento de fondos propios que establece el apartado 2 del artículo 25 habrá de atenderse a la suma de los fondos propios de todas las entidades que integran el grupo fiscal en los términos establecidos en dicho artículo. Solo si el grupo en su conjunto cumple con el requisito previsto en el artículo 25.2 podrá resultar de aplicación este incentivo fiscal.

Recordemos que el artículo 25.2 de la LIS cuantifica el importe del incremento de los fondos propios mediante la diferencia positiva entre los fondos propios existentes al cierre del ejercicio, sin incluir los resultados del mismo, y los fondos propios existentes al inicio del mismo sin incluir los resultados del ejercicio anterior. Además, debe tenerse en cuenta que a efectos de determinar el citado incremento de fondos propios no se tendrán en cuenta:

a) Las aportaciones de los socios.

b) Las ampliaciones de capital o fondos propios por compensación de créditos.

c) Las ampliaciones de fondos propios por operaciones con acciones propias o de reestructuración.

d) Las reservas de carácter legal o estatutario.

e) Las reservas indisponibles que se doten por aplicación de lo dispuesto en el artículo 105 de esta Ley y en el artículo 27 de la Ley 19/1994, de 6 de julio, de modificación del Régimen Económico y Fiscal de Canarias.

f) Los fondos propios que correspondan a una emisión de instrumentos financieros compuestos.

g) Los fondos propios que se correspondan con variaciones en activos por impuesto diferido derivadas de una disminución o aumento del tipo de gravamen de este Impuesto

Pues bien, es fácil colegir de lo hasta aquí expuesto que dado que el cumplimiento del requisito del incremento de fondos propios debe cumplirse a nivel de grupo bien podría ocurrir que alguna de las sociedades que lo integran sí hayan incrementado sus fondos propios en los términos previstos en el artículo 25.2 de la LIS y otras no. Será la suma algebraica de dichos incrementos (o decrementos) la que determine la base para el cálculo de la reducción por la reserva de capitalización.

Además, la norma permite que la dotación de la reserva indisponible a que se condiciona su aplicación se realice por cualquiera de las entidades que integra el grupo fiscal, dándole así una cierta flexibilidad al cumplimiento del requisito.

Finalmente, habrá que tener en cuenta la posibilidad de que la base imponible del grupo resulte insuficiente para aplicar la reducción, en cuyo caso, habrá que entender, de acuerdo con lo que establece el artículo 25.1 *in fine*, que la reducción podrá aplicarse en los dos años siguientes.

En relación con la aplicación de la reserva de capitalización por los grupos fiscales, la Consulta Vinculante 4962/2016 de 15 de noviembre señala que:

> *"(...) Cuando un grupo de entidades tribute conforme al régimen especial de consolidación fiscal, regulado en el capítulo VI de su título VII de la LIS, la reserva de capitalización, según se desprende del artículo 62.1.d) de la LIS, se referirá al grupo fiscal.*
>
> *A efectos de determinar el incremento de fondos propios que establece el apartado 2 del artículo 25 de la LIS, habrá de atenderse a los fondos propios de las entidades que integran cada uno de los dos grupos (GS y GX) en el ejercicio 2015 (y siguientes), es decir, a la diferencia de fondos propios entre el inicio y final del período impositivo 2015 (y siguientes) en los términos establecidos en el artículo 25 de la LIS existente en cada grupo fiscal en el período impositivo 2015 (y siguientes).*
>
> *Por tanto, el cómputo del incremento de los fondos propios de cada grupo fiscal se efectúa teniendo en cuenta la suma de los fondos propios de las sociedades que forman el grupo, sin realizar eliminaciones ni incorporaciones.*

A estos efectos, se atenderá a lo dispuesto en la normativa contable sobre las partidas que componen los fondos propios integrantes del balance de las entidades, sin perjuicio de las que deben excluirse de conformidad con lo dispuesto en el artículo 25.2 de la LIS. Al respecto, efectuamos los siguientes matices:

– Los ingresos o aumentos de reservas derivados de las liberaciones de provisiones por deterioro de activos tendrán la consideración de incrementos de fondos propios. No obstante, los ingresos contables registrados en los supuestos de capitalización de créditos, no formarán parte de los fondos propios de las entidades, en aplicación de lo dispuesto en el artículo 25.2.b) de la LIS.

– Dentro del concepto de reserva legal del artículo 25.2.d) de la LIS deben incluirse todas aquellas reservas cuya dotación venga impuesta por algún precepto legal, y no exclusivamente la reserva legal regulada en el artículo 274 del Real Decreto Legislativo 1/2010, de 2 de julio, por el que se aprueba el texto refundido de la Ley de Sociedades de Capital (TRLSC).

– En cuanto a la referencia que efectúa el artículo 25.2.c) de la LIS a las ampliaciones de fondos propios por operaciones con acciones propias o de reestructuración, deben entenderse incluidas las reservas generadas contablemente como consecuencia de procesos de fusión de una entidad participada acogidos o no al régimen especial de neutralidad fiscal.

– Finalmente, la parte del beneficio del año que no puede distribuirse libremente por tener que aplicarse a la compensación de pérdidas de ejercicios anteriores, en virtud de lo previsto en el artículo 273 del TRLSC, deberá tener la consideración de una reserva de carácter legal de las previstas en el artículo 25.2.d) de la LIS.

Por otro lado, y por lo que se refiere a la forma en que resulta de aplicación el límite previsto en el artículo 25.1 de la LIS y a la determinación de la sociedad que debe dotar la reserva indisponible prevista en el mismo apartado la DGT sostiene lo siguiente:

"No obstante, debe recordarse que la reserva de capitalización debe dotarse por el importe de la reducción, que viene condicionado por el límite previsto en el apartado 1 del artículo 25 de la LIS.

En el presente caso, el límite del artículo 25.1 de la LIS supondrá que la reducción no puede superar el importe del 10% de la base imponible positiva del grupo fiscal del período impositivo previa a esta reducción, a la integración a que se refiere el apartado 12 del artículo 11 de la LIS y a la compensación de bases imponibles negativas. Si la sociedad que genera el incremento de fondos propios tuviera una base imponible positiva pero la base imponible del grupo fiscal fuera negativa o cero, no se podría aplicar la reducción en dicho período impositivo. No obstante, si la sociedad que genera el incremento de fondos propios tuviera una base imponible negativa o cero pero la base imponible del grupo fiscal fuera positiva, sí se podría aplicar la reducción en dicho período impositivo con los requisitos y condiciones establecidos en el artículo 25 de la LIS y las peculiaridades dispuesta en el régimen especial de consolidación fiscal.

En caso de insuficiente base imponible del grupo fiscal para aplicar la reducción, las cantidades pendientes podrán ser objeto de aplicación en los períodos impositivos que finalicen en los 2 años inmediatos y sucesivos al cierre del período impositivo en que se haya generado el derecho a la reducción. En concreto, a efectos de aplicar la reducción en la base imponible del período impositivo 2015 (en el caso de que el ejercicio económico de la entidad coincida con el año natural), siendo insuficiente la base imponible del grupo fiscal de 2015, las cantidades pendientes podrán ser objeto de aplicación en los períodos impositivos que finalicen hasta el 31 de diciembre de 2017.

En cuanto a la dotación de la reserva indisponible, de conformidad con el artículo 62.1.d) de la LIS, se realizará por cualquiera de las entidades del grupo. Consecuentemente, no es necesario que la reserva la dote la entidad representante del grupo ni las entidades que hayan generado el incremento de fondos propios. Asimismo, en cada período impositivo en el que se cumplan los requisitos que generan la reserva de capitalización, podrá variar la entidad o entidades del grupo fiscal que doten la reserva indisponible".

Es importante resaltar a la vista de esta consulta que si la sociedad que genera la base imponible individual es positiva pero la del grupo no lo es entonces el grupo no podrá aplicar la reducción. Sin embargo, a la inversa, esto es, la sociedad que genera el incremento de fondos propios tiene una base imponible individual negativa mientras que la base imponible del grupo fiscal es positiva, entonces sí podrá aplicarse la reducción. Con ello pretendemos destacar, de nuevo, la importancia que tiene el hecho de que esta reducción la aplica el grupo y no cada una de las sociedades individualmente.

3.2.2.3. *Dotaciones a las que se refiere el artículo 11.12 de la LIS*

Por el mismo motivo que se acaba de exponer al analizar la forma en que debe ser considerada la reserva de capitalización en la cuantificación de la base imponible del grupo, tampoco formará parte de la base imponible individual de cada una de las sociedades que lo integren las dotaciones a las que se refiere el artículo 11.12 de la LIS (ajustes por la reversión de activos por impuesto diferido). En definitiva, en la medida en que tales dotaciones también vienen referidas al grupo fiscal (aplicándose igualmente a nivel de grupo el límite del 70 por ciento[7] del importe positivo resultante de sumar las bases imponibles individuales, las eliminaciones, las incorporaciones y la reserva de capitalización determinada a nivel de grupo) no cabrá incluirlas en las bases imponibles individuales.

---

[7] Para periodos impositivos iniciados a partir de 1 de enero de 2017 ya que para los periodos impositivos que se inicien a partir de 1 de enero de 2016 el límite es del 60 por ciento. Además, para las entidades afectadas por la Disposición adicional decimoquinta (introducida en la LIS por el Real Decreto Ley 3/2016) los límites ascienden al 50 y 25 por ciento según que el importe neto de la cifra de negocios haya sido de al menos 20 millones de euros e inferior a 60 o de al menos 60 millones de euros, respectivamente.

El artículo 11.12 de la LIS, como se ha visto al analizar las normas de imputación temporal del Impuesto, es una norma que establece una limitación en la reversión de los activos por impuesto diferido correspondiente a las pérdidas por deterioro de los créditos u otros activos derivadas de las posibles insolvencias de los deudores no vinculados con el contribuyente, los derivados de créditos no adeudados por entidades de derecho público y aquellos cuya deducibilidad no se produzca por aplicación de lo dispuesto en el artículo 13.1.a) de esta Ley, así como los derivados de la aplicación de los apartados 1 y 2 del artículo 14 de esta Ley, correspondientes a dotaciones o aportaciones a sistemas de previsión social y, en su caso, prejubilación.

El límite se cifra en el 70 por ciento de la base imponible previa a su integración, a la aplicación de la reserva de capitalización establecida en el artículo 25 de la LIS y a la compensación de bases imponibles negativas.

Pues bien, dado que la aplicación de esta norma debe hacerse a nivel de grupo el límite del 70% habrá de calcularse a partir de los datos agregados de todas las sociedades integrantes en el grupo de consolidación.

3.2.2.4. *Bases imponibles negativas que hubieran correspondido a la entidad en régimen de tributación individual*

De acuerdo con la norma aquellas bases imponibles negativas individuales que se hubiesen generado con anterioridad a su incorporación al grupo fiscal no se compensarán con las bases imponibles positivas que con posterioridad se generen por aquéllas. Como veremos más adelante al analizar las reglas especiales de incorporación de entidades en el grupo fiscal, tales bases imponibles negativas podrán ser compensadas con la base imponible del grupo, aunque con el límite del 70 por ciento de la base imponible individual de la propia entidad y teniendo en cuenta las eliminaciones e incorporaciones que correspondan a dicha entidad según lo previsto en los artículos 64 y 65 de la LIS. A estos efectos habrá de tenerse en cuenta el régimen transitorio previsto para periodos impositivos iniciados en 2015 y las limitaciones introducidas por el Real Decreto Ley 3/2016 (a través de la disposición adicional decimoquinta) que ya hemos comentado en páginas anteriores.

3.2.2.5. *Reserva de nivelación*

La reserva de nivelación constituye una reducción en base imponible que pueden aplicar aquellas entidades que cumplan en el periodo impositivo las condiciones previstas en el artículo 101 de la LIS, es decir, que puedan aplicar los incentivos fiscales previstos para las Entidades de Reducida Dimensión y apliquen el tipo de gravamen del apartado 1 del artículo 29 (tipo general de gravamen: 28,5 por ciento en 2015 y 25 por ciento en 2016).

Tal reducción podrá ser de hasta el 10 por ciento de la base imponible sin que pueda superar el importe de 1 millón de euros. La reducción se aplica a condición de que en los periodos impositivos que concluyan en los 5 años siguientes la sociedad integre en la base imponible correspondiente a cada uno de ellos el importe de la reducción aplicada y en el mismo importe de la base imponible generada en cada uno de aquellos. Si no se generasen bases imponibles negativas suficientes para absorber el importe íntegro de la reducción, su importe deberá ser integrado en la base imponible de periodo impositivo correspondiente a la fecha de conclusión del referido plazo.

Esta reducción, al igual que la reducción por la reserva de capitalización, requiere la dotación de una reserva que será indisponible hasta el periodo impositivo en que se produzca la adición a la base imponible de la entidad de las cantidades en que se hubiese reducido la base imponible.

Pues bien, tampoco en este caso la reducción deberá aplicarse sobre la base imponible individual de las sociedades que integren el grupo. Por el contrario, el artículo 62 también determina que servirá para minorar o incrementar, en su caso, la base imponible del grupo fiscal, admitiéndose en este caso que la dotación de la reserva de nivelación pueda realizarla cualquiera de las entidades integrantes del grupo.

3.2.3. Eliminaciones

3.2.3.1. Introducción

Como vemos, el artículo 64 se remite expresamente las NOFCA. En este sentido destaca el hecho de que ya no se realice una remisión al artículo 46 del CCo, tal y como hacía el TRLIS en su artículo 71.

En relación con las eliminaciones la DGT sostiene que éstas proceden en la medida en que afecten a la base imponible individual de las sociedades intervinientes en la operación intragrupo a eliminar. Esta norma tiene su razón de ser en el hecho de que la base imponible del grupo se forme a partir de la suma de las bases imponibles individuales de las sociedades que lo integran. Por lo tanto, aquellos resultados por operaciones internas que no hayan trascendido a la base imponible individual de aquéllas no deberán ser objeto de eliminación. En concreto, apunta la DGT en la Consulta Vinculante V4163/2015, de 30 de diciembre:

> *"Las eliminaciones, de acuerdo con el artículo 64 de la LIS, se realizarán, de acuerdo con la normativa contable, tanto de partidas intragrupo como resultados por operaciones internas, siempre que afecten a las bases imponibles individuales y con las especificidades previstas en la LIS.*
>
> *En este sentido, de acuerdo con lo dispuesto en el artículo 62 de la LIS, las eliminaciones de partidas de ingreso y gastos por operaciones intragrupo se rea-*

lizan con carácter previo a la compensación de las bases imponibles negativas individuales previas a la consolidación de cada sociedad.

Por otra parte, las incorporaciones se realizarán de acuerdo con lo establecido en el artículo 65 de la LIS, cuando así se establezcan en las NOFCA, con la especialidad que contiene el referido artículo 65 respecto de la reducción establecida en el artículo 23 de la LIS. En este sentido, las eliminaciones de partidas de ingresos y gastos por idéntico importe no son objeto de incorporación posterior, por lo que la misma no se producirá en ejercicios futuros".

Y la Consulta Vinculante V2751/2016, de 17 de junio, añade:

"En este sentido, los ingresos y gastos recíprocos, una vez homogeneizados, y en la medida en que no producen renta alguna a nivel consolidado, no deben ser objeto de eliminación. De lo contrario, se estaría generando una situación de desplazamiento patrimonial entre las entidades intervinientes en la operación, que resultaría contrario a la filosofía del régimen de consolidación fiscal. Por tanto, de acuerdo con lo señalado, las operaciones intragrupo que no generen renta a nivel de grupo consolidado no serán objeto de eliminación en la base imponible individual de las entidades integrantes del mismo.

Así, en el caso de arrendamiento de inmuebles entre entidades del grupo fiscal, en la medida en que el gasto y el ingreso tengan el mismo importe desde el punto de vista fiscal, no serán objeto de eliminación a la hora de determinar la base imponible individual de cada una de las entidades, por cuanto es una operación meramente interna del grupo fiscal que no produce renta alguna a nivel consolidado.

Por su parte, los resultados por operaciones internas que generan renta a nivel consolidado, serán objeto de eliminación, debiendo incorporarse en el período impositivo en que se entiendan realizados frente a terceros. Este sería el supuesto de la compraventa de mercaderías que a su vez no hayan sido realizadas frente a terceros ajenos al grupo fiscal".

En el mismo sentido se pronuncia, por último, la Consulta Vinculante V4316/2016, de 6 de octubre, en la que se pregunta por el consultante acerca de la necesidad de eliminar resultados derivados de las prestaciones de servicios intragrupo que determinan el registro de un ingreso y un gasto, respectivamente, en las cuentas individuales de las entidades prestadora y perceptora de los servicios. A dicha consulta contesta la DGT que:

"(...) los ingresos y gastos recíprocos, una vez homogeneizados, y en la medida en que no producen renta alguna a nivel consolidado, no deben ser objeto de eliminación. De lo contrario, se estaría generando una situación de desplazamiento patrimonial entre las entidades intervinientes en la operación, que resultaría contrario a la filosofía del régimen de consolidación fiscal. Por tanto, de acuerdo con lo señalado, las operaciones intragrupo que no generen renta a nivel de grupo consolidado no serán objeto de eliminación en la base imponible individual de las entidades integrantes del mismo".

Por lo tanto, la realización de eliminaciones exige, por un lado, que el resultado de la operación intragrupo haya trascendido a la base imponible individual de las sociedades que hayan intervenido en ella y, además, que haya generado una renta a nivel de grupo consolidado.

Por otro lado, en el artículo 46 del CCo se dispone que:

"Los activos, pasivos, ingresos y gastos de las sociedades del grupo se incorporarán en las cuentas anuales consolidadas aplicando el método de integración global. En particular, se realizará mediante la aplicación de las siguientes reglas:

1.ª Los valores contables de las participaciones en el capital de las sociedades dependientes que posea, directa o indirectamente, la sociedad dominante, se compensarán, en la fecha de adquisición, con la parte proporcional que dichos valores representen en relación con el valor razonable de los activos adquiridos y pasivos asumidos, incluidas, en su caso, las provisiones en los términos que reglamentariamente se determinen.

Reglamentariamente se regulará el tratamiento contable en el caso de adquisiciones sucesivas de participaciones.

2.ª La diferencia positiva que subsista después de la compensación señalada se inscribirá en el balance consolidado en una partida especial, con denominación adecuada, que será comentada en la memoria, así como las modificaciones que haya sufrido con respecto al ejercicio anterior en caso de ser importantes. Esta diferencia se tratará conforme a lo establecido para el fondo de comercio en el artículo 39.4 de este Código.

Si la diferencia fuera negativa deberá llevarse directamente a la cuenta de pérdidas y ganancias consolidada.

3.ª Los elementos del activo y del pasivo de las sociedades del grupo se incorporarán al balance consolidado, previa aplicación de lo establecido en el artículo 45 de este Código, con las mismas valoraciones con que figuran en los respectivos balances de dichas sociedades, excepto cuando sea de aplicación la regla 1.ª, en cuyo caso se incorporarán sobre la base del valor razonable de los activos adquiridos y pasivos asumidos, incluidas, en su caso, las provisiones en los términos que reglamentariamente se determinen, en la fecha de primera consolidación, una vez consideradas las amortizaciones y deterioros producidos desde dicha fecha.

4.ª Los ingresos y los gastos de las sociedades del grupo, se incorporarán a las cuentas anuales consolidadas, salvo en los casos en que aquéllos deban eliminarse conforme a lo previsto en la regla siguiente.

5.ª Deberán eliminarse generalmente los débitos y créditos entre sociedades comprendidas en la consolidación, los ingresos y los gastos relativos a las transacciones entre dichas sociedades, y los resultados generados a consecuencia de tales transacciones, que no estén realizados frente a terceros. Sin perjuicio de las eliminaciones indicadas, deberán ser objeto, en su caso, de los ajustes procedentes las transferencias de resultados entre sociedades incluidas en la consolidación".

En este artículo se recoge el denominado método de integración global, siendo la regla 5ª la que recoge la necesidad de eliminar los débitos y los créditos entre las sociedades comprendidas en la consolidación, así como los ingresos y los gastos relativos a las operaciones internas, es decir, aquellos que no supongan la realización de un resultado frente a terceros.

Pues bien, si el artículo 71 del TRLIS se remitía al artículo 46 del CCo, aho-ra, el artículo 64 de la LIS se remite genéricamente, como vemos, a las NOFCA.

En el artículo 10 de las NOFCA se señalan como métodos de la consolida-ción el de integración global y el de integración proporcional. El método de integración global se aplicará a las sociedades dependientes y el de integración proporcional a las sociedades multigrupo.

Pues bien, el método de integración global se define en el artículo 15 de las NOFCA en los siguientes términos:

> *"(…) tiene como finalidad ofrecer la imagen fiel del patrimonio, de la situación financiera y de los resultados de las sociedades del grupo considerando el conjunto de dichas sociedades como una sola entidad que informa. De esta forma, el grupo de sociedades debe calificar, reconocer, valorar y clasificar las transacciones en el marco de estas normas de conformidad con la sustancia económica de las mismas y consi-derando que el grupo actúa como un sujeto contable único, con independencia de la forma jurídica y del tratamiento contable que hayan recibido dichas transacciones en las cuentas anuales individuales de las sociedades que lo componen.*
>
> *En consecuencia, la aplicación del método de integración global consiste en la incorporación al balance, a la cuenta de pérdidas y ganancias, al estado de cambios en el patrimonio neto y al estado de flujos de efectivo de la sociedad obligada a consolidar, de todos los activos, pasivos, ingresos, gastos, flujos de efectivo y demás partidas de las cuentas anuales de las sociedades del grupo, una vez realizadas las homogeneizaciones previas y las eliminaciones que resulten pertinentes, conforme a lo dispuesto en los artículos siguientes".*

No debe perderse de vista que la consolidación contable pretende, en última instancia, trasladar a aquellos operadores económicos que estén interesados en ello una información fiable de la situación económica y financiera del grupo de sociedades en su conjunto, como si de una unidad económica se tratara. A estos efectos las NOFCA configuran el método de integración global como el más adecuado para presentar al grupo como sujeto que informa y no como una mera prolongación de las cuentas anuales individuales de la sociedad dominan-te y sus sociedades dependientes.

Pues bien, antes de analizar las normas relativas a la eliminación de las ope-raciones internas (únicas normas a las que se remite el artículo 64 de la LIS) se contempla en las NOFCA una fase previa de homogenización temporal y valorativa de las cuentas individuales de las sociedades que integran el grupo de consolidación respecto de las que cabría plantearse su posible incidencia en el ámbito de la consolidación fiscal.

Tal homogeneización se recoge en los artículos 16 y 17 de las NOFCA. Por un lado, la homogeneización temporal, prevista en el artículo 16 de las NOF-CA, obliga a que las cuentas anuales consolidadas se cierren en la misma fecha que las cuentas anuales de la sociedad obligada a consolidar. Sin embargo, cuando una sociedad cierre sus cuentas anuales en fecha distinta, ésta no se ve obligada a cerrar su ejercicio económico en la misma fecha a las que se refieran las cuentas consolidadas pues el artículo 16 le permite en estos casos elaborar unos estados contables intermedios referidos a la misma fecha y periodo que las cuentas anuales consolidadas.

Habrá advertido el lector que esta problemática no se da en el ámbito de la consolidación fiscal toda vez que, como ya señalamos al analizar los artículos 68 y 58.4.f) de la LIS, las sociedades dependientes deben ajustar su ejercicio económico al de la entidad representante del grupo. Hasta tal punto es esto necesario que la imposibilidad de adaptación del ejercicio social al de la entidad representante determina la imposibilidad de que esta sociedad pueda incluirse en el grupo de consolidación fiscal.

Pues bien, la homogeneización temporal no tiene incidencia en la base imponible consolidada toda vez que, si bien los ajustes que se puedan derivar de la citada homogeneización sí afectan a las cuentas anuales consolidadas no incidirán en las bases imponibles individuales de las sociedades que lo integran, siendo la agregación de éstas la magnitud a partir de la cual se determina la base consolidada. Por lo tanto, tales reglas no habrán de considerarse en la determinación de la base imponible del grupo fiscal.

En cuanto a la homogeneización valorativa, ésta se contempla en el artículo 17 de las NOFCA a cuyo tenor los elementos del activo y del pasivo, los ingresos y gastos, y demás partidas de las cuentas anuales de las sociedades del grupo, deben ser valorados siguiendo métodos uniformes y de acuerdo con los principios y normas de valoración establecidos en el CCo, texto refundido de la Ley de Sociedades de Capital y Plan General de Contabilidad y demás legislación que sea específicamente aplicable.

Si algún elemento del activo o del pasivo o algún ingreso o gasto, u otra partida de las cuentas anuales ha sido valorado según criterios no uniformes respecto a los aplicados en la consolidación, tal elemento debe ser valorado de nuevo y, a los solos efectos de la consolidación, conforme a tales criterios, realizándose los ajustes necesarios, salvo que el resultado de la nueva valoración ofrezca un interés poco relevante a los efectos de alcanzar la imagen fiel del grupo.

Además, podría ocurrir que por razón de las distintas actividades realizadas por las sociedades integrantes del grupo de consolidación, éstas se encontrasen sometidas a distintas normas contables producto de la existencia, por ejemplo, de adaptaciones sectoriales que les obligasen a contabilizar de forma distinta. Sería el caso de una empresa financiera o el de una empresa promotora o constructora, para las que se contemplan adaptaciones sectoriales a las normas contenidas en el Plan General de Contabilidad. En estos casos, las operaciones realizadas se pueden haber registrado en la contabilidad según criterios o principios distintos, lo que obliga a homogeneizar la información al objeto de proporcionar una información adecuada.

En este sentido, el artículo 17 de las NOFCA obliga a respetar las normativas específicas explicando detalladamente los criterios empleados, sin perjuicio de que, para aquellos criterios que presenten opciones, deba realizarse la necesaria homogeneización de los mismos considerando el objetivo de imagen fiel, circunstancia que motivará homogeneizar las operaciones considerando el criterio aplicado en las cuentas individuales de la sociedad cuya relevancia en el seno del grupo sea mayor para la citada operación. Cuando la normativa específica no presente opciones deberá mantenerse el criterio aplicado por dicha entidad en sus cuentas individuales.

Pues bien, la cuestión que podría plantearse es si dicha homogeneización trasciende a la base imponible consolidada del grupo fiscal y la contestación también en este caso debe ser negativa, siendo la razón para tal afirmación la misma que ya apuntábamos anteriormente, es decir, la base imponible consolidada se determina por agregación de las bases imponibles individuales de las sociedades integrantes del grupo por imperativo de la ley, no obligando ésta nada más que a efectuar las correcciones que procedan por las operaciones internas que generen resultados que trasciendan a los resultados individuales de las sociedades internas y, por ende, a sus bases imponibles individuales (o que, en su caso, generen renta a nivel consolidado).

A la eliminación de las operaciones por operaciones internas se refieren los artículos 42 y siguientes de las NOFCA. A estos efectos debe entenderse por operaciones internas, según el artículo 42, las realizadas entre dos sociedades del grupo desde el momento en que ambas sociedades pasaron a formar parte del mismo. Además, también desarrolla el mismo precepto qué debe entenderse por resultados, siendo éstos tanto los recogidos en la cuenta de pérdidas y ganancias como los ingresos y gastos imputados directamente en el patrimonio neto, de acuerdo con lo previsto en el Plan General de Contabilidad. Debe precisarse respecto de estos últimos que dado que no inciden en la determinación del resultado del ejercicio (en tanto no se den las circunstancias que en cada caso exige el Plan General de Contabilidad para ser traspasadas a la cuenta de pérdidas y ganancias) por imputarse directamente a cuentas de patrimonio neto, tampoco formarán parte de las bases imponibles individuales de las sociedades integrantes del grupo fiscal, lo que determinará que no deba realizarse eliminación alguna en la consolidación fiscal. En este sentido debe recordarse que la base imponible se define en el artículo 10 por referencia al resultado contable del contribuyente, que habrá de ser modificado al alza o a la baja por aplicación de los preceptos contenidos en la LIS. Pues bien, si no existe ingreso o gasto contabilizado tampoco lo habrá (como regla general) desde el punto de vista fiscal por lo que nada habrá que eliminar.

Por otro lado, señala el artículo 42.2 *in fine* de las NOFCA que las pérdidas habidas en operaciones internas pueden indicar la existencia de un deterioro de valor que exigiría, en su caso, su reconocimiento en las cuentas anuales consolidadas. De igual modo el beneficio producido en transacciones internas puede indicar la existencia de una recuperación en el deterioro de valor del activo objeto de transacción que previamente hubiera sido registrado. En su caso, ambos conceptos deberán presentarse en las cuentas anuales consolidadas conforme a su naturaleza.

No obstante, entendemos que estas operaciones tampoco tendrán que ser objeto de eliminación. El motivo de tal afirmación se encuentra en que, como se aprecia, la norma exige el registro contable del deterioro o, en su caso, la recuperación de valor de los activos objeto de las operaciones intragrupo a los meros efectos de la consolidación. En efecto, el artículo 42.2 *in fine* viene a exigir tan solo su *presentación* en las cuentas anuales consolidadas conforme a su naturaleza. Por lo tanto, ni el deterioro, ni la recuperación de valor que resulte de estas operaciones se habrán registrado en la cuenta de pérdidas y ganancias de las sociedades intervinientes en las operaciones intragrupo, y tampoco habrán trascendido a la base imponible individual de aquéllas. En consecuencia, nada habrá que eliminar.

Además, debe tenerse presente el nuevo marco regulatorio de los deterioros de valor de elementos patrimoniales introducido por la LIS. En efecto, el nuevo régimen relativo a la deducibilidad de los deterioros de valor de los elementos patrimoniales parte de la no deducibilidad de tales deterioros. En este sentido en el Preámbulo de la LIS se afirma:

> "*Por otro lado, se establece la no deducibilidad del deterioro correspondiente a aquellos activos cuya imputación como gasto en la base imponible ya se realiza de manera sistemática. En estos casos, la amortización de los elementos patrimoniales o el mantenimiento de una regla especial de imputación del gasto en la base imponible cuando no existe dicha amortización, como ocurre con los activos intangibles de vida útil indefinida, incluido el fondo de comercio, permiten la integración en la base imponible de las inversiones de una manera proporcionada en el tiempo, favoreciendo la nivelación de la base imponible, con independencia del devenir de la actividad económica, y sin que se pueda considerar que las diferencias de valor atribuibles de manera excepcional a dichos elementos patrimoniales deban influir sobre la capacidad fiscal de los contribuyentes*".

De esta forma, el artículo 13 de la LIS establece el carácter no deducible de la práctica totalidad de los deterioros de valor de los elementos patrimoniales que integran el activo de una sociedad (inmovilizado material, inversiones inmobiliarias, inmovilizado intangible, valores representativos de la participación en el capital o en los fondos propios de entidades, pérdida por deterioro de valores representativos de deuda), deducibilidad que se retrasa al momento en que se produzca alguna de las circunstancias previstas en artículo 20 de la LIS (amortización sistemática del elemento patrimonial cuyo deterioro no ha sido deducible, transmisión a terceros, o baja en cuentas).

No obstante, debe advertirse que tras las modificaciones introducidas por el Real Decreto Ley 3/2016, de 2 de diciembre, por el que se adoptan medidas en el ámbito tributario dirigidas a la consolidación de las finanzas públicas y otras medidas urgentes en materia social, tanto en el artículo 13 como en el artículo 15 de la LIS, la no deducibilidad de los deterioros de los valores representativos de la participación en el capital o en los fondos propios de entidades se regirá por el primero de los artículos –el artículo 13 de la LIS– cuando el contribuyente no cumpla el requisito establecido en el artículo 21.1.a) de la LIS (participación significativa) y siempre que, adicionalmente, en el caso de participaciones en entidades no residentes, se cumpla el requisito establecido en el artículo 21.1.b) de la LIS (tributación mínima). En estos casos, los deterioros serán deducibles, como hemos señalado, en el periodo impositivo en el que se produzcan las circunstancias previstas en el artículo 20 de la LIS.

Por su parte, se añaden al artículo 15 de la LIS dos nuevas letras (k y l) en las que se establece, por un lado, la no deducibilidad de las pérdidas por deterioro de los valores representativos de la participación en entidades cuando se cumpla el requisito previsto en el artículo 21.1.a) de la LIS (participación significativa) o, alternativamente, en el caso de participación en entidades no residentes cuando no se cumpla el requisito establecido en el artículo 21.1.b) de la LIS; y por otro lado, la no deducibilidad de las disminuciones de valor originadas por aplicación del criterio del valor razonable correspondientes a valores representativos de las participaciones en el capital o en los fondos propios de entidades a que se refiere la letra k, que se imputen en la cuenta de pérdidas y ganancias, salvo que, con carácter previo, se haya integrado en la base imponible, en su caso, un incremento de valor correspondiente a valores homogéneos del mismo importe.

La principal diferencia técnica existente entre un artículo y otro (artículo 13 vs. artículo 15) estriba en que mientras el primero genera (en la terminología contable) una diferencia temporaria (la propia LIS, en su artículo 20, prevé la forma en que revertirá la diferencia entre la diferente valoración contable y fiscal), el segundo da lugar a una diferencia permanente (como lo son todos los ajustes que derivan de la no deducibilidad prevista en el propio artículo), por lo que en ningún caso revertirá. En este sentido, recuérdese que el artículo 21.6 de la LIS (también en la redacción dada por el Real Decreto Ley 3/2016) establece la no integración en la base imponible de las rentas negativas derivadas de la transmisión de la participación en una entidad respecto de la que se cumpla el requisito de participación significativa o, tratándose de participaciones en entidades no residentes, no se cumpla el requisito de tributación mínima previsto en la letra b) del mismo artículo y apartado. Por lo tanto, carecería de sentido que lo que no es deducible en el ámbito de la tributación individual sí lo fuera en la consolidación fiscal. Es por ello que la LIS no contiene regla especial al respecto permitiendo a los contribuyentes rectificar la base imponible consolidada en el importe de los deterioros (o recuperaciones de valor) que se pongan de manifiesto con ocasión de la realización de las operaciones a las que se refiere el artículo 42.2 *in fine* de las NOFCA.

En definitiva, identificadas las operaciones internas que hayan generado resultados imputados a las cuentas de pérdidas y ganancias de las sociedades intervinientes y a sus bases imponibles individuales o, en su caso, que haya afluido al resultado consolidado deberá procederse a su eliminación y a su diferimiento hasta el momento en que los resultados se realicen en operaciones con terceros ajenos al grupo. En relación con este último momento el artículo 42.4 de las NOFCA nos remite a los artículos 43 a 47.

A continuación, analizaremos, siquiera someramente, las eliminaciones que sí van a incidir en la determinación de la base imponible consolidada.

3.2.3.2. *Eliminaciones por operaciones internas de existencias*

El artículo 43 de la NOFCA considera operaciones internas de existencias todas aquellas en las que una sociedad del grupo compra existencias a otra (también del grupo) con independencia de que para la sociedad que vende el elemento patrimonial transmitido existencias, inmovilizado o inversiones inmobiliarias.

Por lo tanto, resulta de aplicación esta norma siempre que para la sociedad adquirente los bienes tengan la calificación de existencias. En estos casos procederá eliminar tanto el ingreso –o, en su caso, pérdida– registrado por la sociedad transmitente, como el gasto registrado en la contabilidad de la sociedad adquirente con motivo del deterioro, en su caso, sufrido por los bienes adquiridos. No obstante, debe precisarse que si las existencias no se venden en el mismo ejercicio, el gasto registrado por la compra se verá neutralizado en el propio ejercicio con el ingreso correspondiente a la variación de existencias por lo que, en puridad, no se genera resultado alguno en la sociedad compradora y, por tanto, tampoco habrá de ser eliminada.

Además, en aquellos casos en los que el elemento patrimonial transmitido tenga para la sociedad transmitente la consideración de inmovilizado material o de inversión inmobiliaria, en la medida en que la sociedad adquirente sea una sociedad del grupo, de acuerdo con los criterios establecidos en el artículo 42 del CCo (con independencia de la residencia y de la obligación de formular cuentas anuales consolidadas), y se genere, con motivo de la operación, una renta negativa (resultado negativo) en sede de la sociedad transmitente, procederá aplicar, con carácter previo, y a los efectos de determinar la base imponible individual de esta sociedad, lo dispuesto en el artículo 11.9 de la LIS a tenor del cual tales rentas negativas se imputarán en el periodo impositivo en el que dichos elementos patrimoniales sean transmitidos a terceros ajenos al referido grupo de sociedades o cuando la entidad transmitente o la adquirente dejen de formar parte del mismo. No obstante, en el caso de elementos patrimoniales amortizables, las rentas negativas se integrarán, antes de que se produzcan dichas circunstancias, en los períodos impositivos que restarán de vida útil a los elementos transmitidos, en función del método de amortización utilizado respecto de los referidos elementos. La norma (artículo 11.9 de la LIS) también se extiende a los elementos del inmovilizado intangible y a los valores representativos de deuda aunque, por motivos obvios, estos difícilmente constituirán existencias para la sociedad adquirente.

Pues bien, si la renta negativa ya se ha "eliminado" de la base imponible individual de la sociedad transmitente por la vía de la aplicación de la norma especial de imputación temporal prevista en el artículo 11.9 de la LIS, ningún resultado habrá que eliminar en la sociedad transmitente para determinar la base imponible de esta sociedad. No se puede decir lo mismo, sin embargo, de la sociedad adquirente pues entendemos que esta sí deberá proceder a eliminar el resultado que le haya generado la compra del elemento patrimonial en cuestión.

No obstante, algún autor[8] considera que a efectos de la deducción de la pérdida debe tenerse en consideración la regla según la cual las calificaciones establecidas en la normativa contable para determinar el resultado contable se deben referir al grupo fiscal (artículo 62.1 de la LIS). Por eso, si para la adquirente esos elementos tienen la calificación de existencias, la referida pérdida generada en la transmisión interna debe ser deducible al responder a una depreciación sobre un elemento del circulante a nivel de grupo.

EJEMPLO 16

"A" y "B" forman parte del mismo grupo de sociedades en el sentido del artículo 42 del CCo. En el año 1 "A" le vende a "B" un inmueble en el que desarrollaba parte de su actividad. "B" es una sociedad del mismo grupo de sociedades para la que la operación debe registrarse como una adquisición de existencias. La operación le genera a "A" una pérdida de 1.000.000 euros.

En la transmisión posterior de "B" a "D" (realizada en el año 2), "B" obtiene una plusvalía de 1.000.000 euros.

SE PIDE: Determinar el importe de la renta negativa a integrar en base imponible suponiendo alternativamente que "B" tributa en el Impuesto sobre Sociedades al tipo general de gravamen.

SOLUCIÓN EJEMPLO 16

En el caso que se describe en el ejemplo 16 la sociedad "A" no puede integrar en su base imponible individual la renta negativa de acuerdo con lo dispuesto en el artículo 11.9 de la LIS por lo que, al haberse registrado ésta en la contabilidad deberá, practicar un ajuste extracontable positivo de 1.000.000 euros. Por tanto, dicha renta negativa no es fiscalmente deducible, en el periodo impositivo en el que

---

8   José Antonio López Santacruz. Memento Impuesto sobre Sociedades (marginal 6183). Editorial Francis Lefevbre El Derecho. Madrid 2016.

se devenga contablemente. Sí lo es, sin embargo, cuando la sociedad "B" transmite el elemento patrimonial a una sociedad no integrante del grupo, esto es, cuando se transmite a terceros. Por lo tanto, en el periodo impositivo de la transmisión a terceros "A" practicará un ajuste negativo al resultado contable (en dicho periodo impositivo no se habrá registrado en la contabilidad gasto alguno por la operación) por el mismo importe (1.000.000 euros).

Por su parte, la sociedad adquirente ("B") deberá eliminar el gasto registrado en la contabilidad con motivo de la adquisición del inmueble (en la cuenta de "Compra de mercaderías") si bien la eliminación, en este caso, trae causa de la aplicación de lo dispuesto en el artículo 64 de la LIS. Y no será hasta el momento de la transmisión cuando la sociedad "B" deba incorporar el gasto previamente eliminado (artículo 65 de la LIS).

	SOCIEDAD "A"	SOCIEDAD "B"	GRUPO FISCAL
AÑO 1			
Resultado contable	-1.000.000,00	0,00[9]	-
Ajustes			
(*) Artículo 11.9 LIS	1.000.000,00		
Base imponible individual	0,00	0,00	-
Eliminación op. Internas (artículo 64 LIS)		0,00[10]	
Base imponible consolidada	-	-	0,00
AÑO 2			
Resultado contable	0,00	1.000.000,00	
Ajustes			
(*) Artículo 11.9 LIS	-1.000.000,00		
Base imponible individual	-1.000.000,00	1.000.000,00	
Eliminación op. Internas (artículo 64 LIS)	-		
Incorporación (artículo 65 LIS)		0,00	
Base imponible consolidada	-		0,00

Finalmente, el artículo 43 de las NOFCA nos señala el ejercicio en que debe entenderse realizados los resultados de una operación interna de

---

[9]   El resultado neto generado por la sociedad "B" es neutro al registrar por un lado el gasto por la compra y, por el otro, el ingreso por la variación de existencias.

[10] Procede eliminar el gasto y el ingreso por la variación de existencias, lo que determina que el resultado global de la eliminación sea cero. Alternativamente, podría considerarse no ser necesaria eliminación alguna, por cuanto en el ejercicio de la compra el resultado de la operación interna para la sociedad compradora es inexistente.

existencias, momento en que procederá incorporar las eliminaciones previamente practicadas (artículo 65 de la LIS).

En concreto, señala el precepto que:

"Los resultados producidos en estas operaciones deberán diferirse, hasta el ejercicio en que se realicen, de acuerdo con las siguientes reglas:

a) El importe a diferir será igual a la diferencia entre el valor contable, y el precio de venta.

b) El resultado se entenderá realizado cuando se enajenen a terceros las mercaderías adquiridas o los productos de los que formen parte las existencias adquiridas.

Tratándose de pérdidas el resultado también se entenderá realizado cuando exista un deterioro respecto del valor contable de las existencias y hasta el límite de dicho deterioro. A estos efectos deberá registrarse la correspondiente pérdida por deterioro.

c) Cuando las existencias adquiridas se integren, como coste, en inmovilizados o inversiones inmobiliarias deberán aplicarse las normas del artículo 44".

3.2.3.3. *Eliminaciones por operaciones internas de inmovilizado o inversiones inmobiliarias*

De la misma forma que el artículo 43 de la NOFCA considera operaciones internas de existencias todas aquellas en las que una sociedad del grupo compra existencias a otra también del grupo, con independencia de que para la sociedad que venda constituyan existencias, inmovilizado o inversiones inmobiliarias, el artículo 44 de las NOFCA considera una operación interna de inmovilizado o de inversiones inmobiliarias aquellas en las que una sociedad del grupo compra tales elementos a otra también del grupo, con independencia de que para la sociedad que vende constituyan inmovilizado, inversiones inmobiliarias o existencias.

Es esencial, por tanto, para que deba eliminarse en la consolidación el resultado de la operación interna que en la sociedad adquirente los elementos patrimoniales deban ser registrados contablemente como inmovilizado (o como inversiones inmobiliarias) con independencia de la consideración que aquellos tengan para la sociedad transmitente.

Tal y como expusimos anteriormente, si de la operación se deriva para el transmitente la generación de una renta negativa y concurrieran las circunstancias previstas en el artículo 11.9 de la LIS la sociedad transmitente debería corregir su resultado contable para determinar su base imponible individual con carácter previo a la consolidación con lo que, de proceder en estos términos, la operación no habrá de ser eliminada de la base imponible individual pues esta "eliminación" ya se ha realizado en una fase previa a la propia consolidación fiscal.

Sirva ahora en definitiva todo aquello que se vio en el apartado anterior a propósito de esta cuestión.

No obstante, debe realizarse una precisión. Tal y como dijimos, la renta negativa podrá imputarse en el periodo impositivo en el que se produzca alguna de las circunstancias previstas en el artículo 11.9 de la LIS (recuérdese, cuando los elementos transmitidos sean dados de baja en el balance de la entidad adquirente, cuando sean transmitidos a terceros ajenos al referido grupo de sociedades, o bien cuando la entidad transmitente o la adquirente dejen de formar parte del mismo). Pues bien, si los bienes transmitidos tienen la naturaleza de amortizables las rentas negativas se integrarán (nos dice el artículo 11.9 *in fine* de la LIS), incluso antes de que se produzcan dichas circunstancias, en los períodos impositivos que restarán de vida útil a los elementos transmitidos, y en función del método de amortización utilizado respecto de los referidos elementos.

Cuando no se produzca el supuesto de hecho previsto en el artículo 11.9 de la LIS los resultados producidos en estas operaciones deberán eliminarse y diferirse hasta el ejercicio en que se realicen de acuerdo con las reglas que proporciona el artículo 44.2 de las NOFCA. En concreto, dispone este precepto que:

> *"Los resultados producidos en estas operaciones deberán diferirse, hasta el ejercicio en que se realicen, de acuerdo con las siguientes reglas:*
>
> *a) El importe a diferir será igual a la diferencia entre el valor contable, y el precio de venta.*
>
> *b) El resultado se entenderá realizado cuando:*
>
> *b.1) Se enajene a terceros el activo adquirido.*
>
> *b.2) Se enajene a terceros otro activo, al que se haya incorporado como coste la amortización del activo adquirido.*
>
> *b.3) En el caso de que la amortización no se incorpore como coste de un activo, el resultado se entenderá realizado en proporción a la amortización, deterioro o baja en balance de cada ejercicio.*
>
> *b.4) Tratándose de pérdidas, el resultado también se entenderá realizado cuando exista un deterioro de valor respecto del valor contable de los inmovilizados o inversiones inmobiliarias y hasta el límite de dicho deterioro. A estos efectos deberá registrarse la correspondiente pérdida por deterioro.*
>
> *Cuando la amortización del activo se incorpore a las existencias como coste, se deberán aplicar las normas del artículo 43".*

3.2.3.4. *Eliminaciones por operaciones internas de servicios*

El artículo 46 de las NOFCA define las operaciones internas de servicios como aquellas en las que una sociedad del grupo adquiere servicios a otra, también del grupo, incluidos los financieros.

No obstante, el artículo 46 las NOFCA solo parece obligar a la eliminación de aquellos resultados derivados de la prestación de servicios intragrupo cuando el coste del servicio vaya a incorporarse a un elemento del activo. En concreto, cuando los servicios adquiridos se incorporen como coste de un activo, los resultados producidos en estas operaciones deberán diferirse hasta el ejercicio en que se realicen, de acuerdo con las siguientes reglas:

a) El importe a diferir será igual a la diferencia entre el precio de adquisición o coste de producción y el precio de venta.

b) El resultado se entenderá realizado de acuerdo con lo dispuesto en los artículos 43 y 44.

Tratándose de pérdidas, el resultado también se entenderá realizado cuando exista un deterioro de valor respecto del precio de adquisición o coste de producción de los activos, eventualmente neto de amortizaciones, y hasta el límite de dicho deterioro. A estos efectos deberá registrarse la correspondiente pérdida por deterioro.

Y, cuando estos servicios se incorporen como coste de un elemento de inmovilizado o inversión inmobiliaria, se registrarán en la cuenta de pérdidas y ganancias consolidada en la partida «trabajos realizados por el grupo para su activo», por el importe del coste, neto de los resultados internos. De esta forma si en las bases imponibles individuales de las sociedades intervinientes se han incorporado ingresos y gastos generados, respectivamente, con ocasión de la prestación y adquisición de servicios (incluidos los financieros) y éstos no se incorporan al valor de un activo, no deben ser eliminados en la consolidación fiscal pues la operación genera ingresos y gastos recíprocos y es neutral desde el punto de vista del grupo. Esta interpretación se encuentra avalada por la Consulta Vinculante V4316/2016, de 6 de octubre, a la que ya aludimos en páginas anteriores.

Por otro lado, el artículo 45.2 de las NOFCA nos proporciona la regla a seguir en aquellos casos en los que los servicios adquiridos se incorporen como coste de un activo, en cuyo caso los resultados producidos por estas operaciones deberán diferirse hasta el ejercicio en que se realicen, de acuerdo con las siguientes reglas:

a) El importe a diferir será igual a la diferencia entre el precio de adquisición o coste de producción y el precio de venta.

b) El resultado se entenderá realizado de acuerdo con lo dispuesto en los artículos 43 y 44.

Tratándose de pérdidas, el resultado también se entenderá realizado cuando exista un deterioro de valor respecto del precio de adquisición o coste de producción de los activos, eventualmente neto de amortizaciones, y hasta el límite de dicho deterioro. A estos efectos deberá registrarse la correspondiente pérdida por deterioro.

EJEMPLO 17

La sociedad A (sociedad dominante de un grupo fiscal integrado por las sociedades A, B y C) presta, de forma centralizada, para todas sociedades que lo integran, determinados servicios (relacionados con la llevanza de la contabilidad, la gestión de recursos humanos, o relacionados con el cumplimiento de sus obligaciones) por los que las sociedades receptoras pagan su valor de mercado.

SOLUCIÓN EJEMPLO 17

De acuerdo con el artículo 46 de las NOFCA, sólo deben eliminarse los resultados producidos en operaciones de prestación de servicios cuando su valor se incorpore al coste de un activo. No es el caso del presente ejemplo, por lo que el resultado positivo y negativo generado, respectivamente, en la sociedad prestadora y en la receptora del servicio no será objeto de eliminación.

3.2.3.5. *Eliminaciones por operaciones internas de activos financieros*

En este caso, el artículo 46 de las NOFCA define las operaciones internas de activos financieros como todas aquellas en las que una sociedad del grupo adquiere activos financieros a otra también del grupo, excluidas las participaciones en el capital de sociedades del grupo (éstas reguladas en el artículo 39 de las NOFCA al que nos referiremos más adelante).

De acuerdo con lo dispuesto en el artículo 46.2 de las NOFCA, los resultados de estas operaciones deberán diferirse y, por tanto, eliminarse de las bases imponibles individuales de las sociedades intervinientes de acuerdo con las siguientes reglas:

a) El importe a diferir será igual a la diferencia entre el valor contable y el precio de venta.

b) El resultado se entenderá realizado cuando los mencionados activos financieros se enajenen a terceros.

Tratándose de pérdidas, el resultado también se entenderá realizado cuando exista un deterioro de valor respecto del valor contable de los activos y hasta el límite de dicho deterioro. A estos efectos deberá registrarse la correspondiente pérdida por deterioro. Esta pérdida por deterioro, no obstante, no será fiscalmente deducible de acuerdo con lo dispuesto en el artículo 13.2.c) de la LIS. En consecuencia, en estos casos la incorporación a la base imponible del resultado se producirá por la vía de la reversión fiscal del deterioro no deducible (artículo 20 de la LIS).

Del mismo modo, y al igual que vimos cuando analizamos las eliminaciones de los resultados generados en operaciones de existencias, o las eliminaciones de los resultados generados en operaciones de inmovilizado material y de inversiones inmobiliarias, en la medida en que la operación (realizada entre las sociedades del grupo fiscal que formen parte, además, del mismo grupo mercantil en el sentido del artículo 42 del CCo) tenga por objeto valores representativos de deuda y dé lugar en la sociedad transmitente a la contabilización de una renta negativa, procederá aplicar la regla especial de imputación temporal de la citada renta negativa prevista en el artículo 11.9 de la LIS. Por lo tanto, y con carácter previo a la consolidación fiscal en la base imponible individual de la sociedad transmitente deberá practicarse el correspondiente ajuste positivo al resultado contable. En consecuencia, desaparecida –por así disponerlo el artículo 11.9 de la LIS– de la base imponible individual la renta negativa generada en la operación interna no cabrá ya preocuparse de la necesidad de eliminar la operación en la consolidación fiscal (artículo 64 de la LIS). En efecto, como ya advertimos en su momento, el ajuste del resultado contable en sede de la transmitente es previo en este caso a la eliminación.

La citada renta negativa, no obstante, deberá ser objeto de integración en el momento en el que se produzca alguna de las circunstancias a las que se refiere el propio artículo 11.9 de la LIS, a saber: cuando sean dados de baja en el balance de la entidad adquirente, cuando sean transmitidos a terceros ajenos al referido grupo de sociedades, o bien cuando la entidad transmitente o la adquirente dejen de formar parte del mismo.

3.2.3.6. *Eliminaciones por operaciones internas de dividendos*

En el artículo 49 de las NOFCA se definen los dividendos internos como los registrados como ingresos del ejercicio de una sociedad del grupo que hayan sido distribuidos por otra perteneciente al mismo.

Por lo tanto, si una sociedad acuerda distribuir todo o parte del beneficio del ejercicio en forma de dividendos, el ingreso financiero registrado por la sociedad receptora (ingreso que se registrará en la cuenta 760 "Ingresos de participaciones en instrumentos de patrimonio") deberá ser *expulsado* de su base imponible individual.

No obstante, en relación con los dividendos internos debe efectuarse una nueva precisión y es que el artículo 21 de la LIS ha generalizado la aplicación del régimen de exención de los dividendos (que en el TRLIS se reservaba a los dividendos de fuente extranjera) a cualquier dividendo sea éste de fuente extranjera o de fuente interna. Es una de las medidas más relevantes de las adoptadas por el legislador y se justifica en el preámbulo en los siguientes términos:

> "*Uno de los aspectos más novedosos de esta Ley es el tratamiento de la doble imposición. Tras el dictamen motivado de la Comisión Europea n.º 2010/4111,*

relativo al tratamiento fiscal de los dividendos, resulta completamente necesaria una revisión del mecanismo de la eliminación de la doble imposición recogida en el Impuesto sobre Sociedades, con dos objetivos fundamentales: (i) equiparar el tratamiento de las rentas derivadas de participaciones en entidades residentes y no residentes, tanto en materia de dividendos como de transmisión de las mismas, y (ii) establecer un régimen de exención general en el ámbito de las participaciones significativas en entidades residentes.

La presente Ley incorpora un régimen de exención general para participaciones significativas, aplicable tanto en el ámbito interno como internacional, eliminando en este segundo ámbito el requisito relativo a la realización de actividad económica, si bien se incorpora un requisito de tributación mínima que se establece en el 10 por ciento de tipo nominal, entendiéndose cumplido este requisito en el supuesto de países con los que se haya suscrito un Convenio para evitar la doble imposición internacional.

Este nuevo mecanismo de exención constituye un mecanismo de indudable relevancia para favorecer la competitividad y la internacionalización de las empresas españolas. Asimismo, el régimen de exención en el tratamiento de las plusvalías de origen interno simplifica considerablemente la situación previa, que incluía un complejo mecanismo para garantizar la eliminación de la doble imposición. Este tratamiento de las rentas derivadas de la tenencia de participaciones se complementa con una importante reforma del régimen de transparencia fiscal internacional, reestructurándose todo el tratamiento de la doble imposición con un conjunto normativo cuyo principal objetivo es atraer a territorio español la tributación de aquellas rentas pasivas, en su mayoría, que se localizan fuera del territorio español con una finalidad eminentemente fiscal.

Por último, se modifica el tratamiento de la doble imposición en las operaciones de préstamo de valores y se homogeneiza con otro tipo de contratos con idénticos efectos económicos, como pudieran ser determinadas operaciones de venta con pacto de recompra de acciones o equity swap, cuando el denominador común en todas ellas es que el perceptor jurídico de los dividendos o participaciones en beneficios tiene la obligación de restituirlos a su titular económico. En este caso, se regula expresamente que la exención se aplicará, en caso de proceder, por aquella entidad que mantiene el registro contable de los valores, siempre que cumpla los requisitos necesarios para ello".

En consecuencia, la doble imposición económica (interna o internacional), que se produce cuando una renta es objeto de gravamen, por un lado, en sede del contribuyente que la genera y, posteriormente, cuando se distribuye en forma de dividendos en sede del socio, también contribuyente del Impuesto, se corrige en la LIS a través del mecanismo, denominado por la doctrina, como de exención. En efecto, en el estudio de la corrección de la doble imposición se han venido distinguiendo, tanto doctrinal como legalmente, entre dos métodos, siendo la elección de uno u otro una elección de política fiscal. Dichos métodos son, en primer lugar, el ya citado método de exención y, en segundo lugar, el método de imputación. En el primero, la renta no se tiene en cuenta para la determinación de la base imponible del perceptor, es decir, no se integra en ella junto con el resto de las rentas. En el segundo (el método de imputación), la renta sí es tenida en cuenta para calcular la cuota del impuesto, integrándose junto con las demás rentas objeto de gravamen en la base imponible si bien, a continuación, de la cuota se deduce el impuesto previamente satisfecho por el contribuyente por los beneficios con cargo a los cuales se distribuye el dividendo.

Como decimos, el legislador se ha decantado en este caso por el método de exención, si bien en el ámbito de la corrección de la doble imposición internacional el contribuyente tiene la opción de aplicar la deducción para evitar la doble imposición internacional prevista en los artículos 31 y 32 de la LIS. La aplicación de dicha deducción procederá, en definitiva, cuando el contribuyente incumpla alguno de los requisitos a que el artículo 21 de la LIS condiciona la aplicación de la exención o cuando opte por su aplicación.

Tal y como se acaba de apuntar, la aplicación de la exención prevista en el artículo 21 de la LIS está condicionada, en el caso de la exención para corregir la doble imposición de fuente interna, al cumplimiento del requisito de participación significativa y, en el caso de la corrección de la doble imposición internacional, al cumplimiento, tanto de éste, como del requisito de la efectiva tributación por un impuesto de naturaleza idéntica o análoga al Impuesto sobre Sociedades. El primer requisito se cumple cuando el porcentaje de participación directa o indirecta, en el capital o en los fondos propios de la entidad sea, al menos, del 5 por ciento o bien cuando el valor de adquisición de la participación sea superior a 20 millones de euros. Además, la participación deberá poseerse de manera ininterrumpida durante el año anterior al día en que sea exigible el beneficio que se distribuya o, en su defecto, se deberá mantener posteriormente durante el tiempo necesario para completar dicho plazo. Para el cómputo del plazo nos dice el artículo 21.1 de la LIS que se tendrá también en cuenta el período en que la participación haya sido poseída ininterrumpidamente por otras entidades que reúnan las circunstancias a que se refiere el artículo 42 del CCo para formar parte del mismo grupo de sociedades, con independencia de la residencia y de la obligación de formular cuentas anuales consolidadas.

Por su parte, la corrección de la doble imposición internacional exige no solo el cumplimiento del requisito anteriormente señalado sino también, como ya anticipábamos, el cumplimiento de la tributación por un impuesto de naturaleza idéntica o análoga al del Impuesto sobre Sociedades español a un tipo nominal de, al menos, el 10 por ciento en el ejercicio en que se hayan obtenido los beneficios que se reparten o en los que se participa, con independencia de la aplicación de algún tipo de exención, bonificación, reducción o deducción sobre aquellos. A estos efectos se entiende cumplido el requisito anterior cuando la entidad participada sea residente en un país con el que

España tenga suscrito un convenio para evitar la doble imposición internacional, que le sea de aplicación y que contenga cláusula de intercambio de información.

Pues bien, sin entrar en un análisis exhaustivo de la exención (pues la cuestión ha sido profundamente analizada en otro capítulo de esta obra), sí debe recalcarse ahora lo que anticipábamos más arriba, esto es, que en la medida en que sobre los dividendos percibidos haya procedido la aplicación de la exención del artículo 21 y se haya practicado, en consecuencia, el correspondiente ajuste extracontable de signo negativo, el dividendo habrá sido expulsado de la base imponible individual de la sociedad perceptora del dividendo lo que convertirá en innecesaria la eliminación. En caso contrario, es decir, cuando se incumpla el requisito de la participación significativa, el dividendo sí formará parte de la base imponible individual (al no estar exento) por lo que en este caso sí tendrá que eliminarse. En el caso de entidades integradas en un grupo fiscal el requisito de participación significativa siempre se cumplirá pues, como ya sabemos, para que una entidad pueda tener la condición de dependiente es necesario que la dominante tenga sobre ella una participación de, al menos, un 75 por ciento del capital además de disponer de la mayoría de los derechos de voto de esta. Esto quiere decir que en el caso de dividendos intragrupo siempre se cumplirá el requisito de la participación significativa por lo que no dándose ninguna de las restricciones previstas en el artículo 21 el dividendo siempre estará exento y, en principio, nunca habrá de eliminarse.

Habrá advertido el lector, que esta conclusión sirve para los dividendos distribuidos por sociedades residentes a favor de sociedades también residentes, ambas integrantes del grupo fiscal, es decir, siempre que la exención aplicable sea la exención para evitar la doble imposición –económica– interna pero no la internacional pues el dividendo distribuido por una dependiente no residente en favor de su dominante residente no se elimina pues la entidad no residente nunca podrá formar parte del grupo fiscal.

3.2.3.7. *Eliminación de los resultados correspondientes a las pérdidas por deterioro del valor de la participación en el capital de sociedades dependientes*

La cuestión de la eliminación de los resultados correspondientes a las pérdidas por deterioro de valor de la participación en el capital de sociedades dependientes se regula en el artículo el artículo 28.3 de las NOFCA, a tenor del cual:

> "*En todo caso, se eliminarán previamente las correcciones valorativas correspondientes a la inversión en el capital de la sociedad dependiente realizadas con posterioridad a su pertenencia al grupo*".

No obstante, debe recordarse que, en virtud de lo dispuesto en el artículo 13.2.b) de la LIS, no son deducibles las pérdidas por deterioro de valor de las participaciones en el capital o fondos propios de entidades, no serán fiscalmente deducibles en el periodo impositivo en el que se devenguen y, por tanto, se registren contablemente (para los periodos impositivos iniciados a partir del 1 de enero de 2017 la no deducibilidad del deterioro vendrá determinada por la aplicación de lo dispuesto en la nueva letra k del artículo 15 de la LIS, tras la modificación operada por el Real Decreto Ley 3/2016).

Por lo tanto, para los periodos impositivos iniciados antes de 1 de enero de 2017 la deducibilidad del deterioro tendrá lugar cuando se produzca alguna de las circunstancias previstas en el artículo 20 de la LIS. En concreto, y de acuerdo con lo dispuesto en dicho artículo, será deducible en el periodo impositivo en que se transmitan las participaciones. En este sentido, la no deducibilidad de la pérdida por deterioro determinará la diferente valoración –contable y fiscal– de las participaciones en el capital o fondos propios de la entidad dependiente. El valor fiscal coincidirá con el valor de adquisición del elemento patrimonial mientras que el valor contable será dicho valor corregido en el importe de las pérdidas por deterioro que la entidad deba registrar en cumplimiento de lo previsto en la Norma de Valoración 9ª del PGC. Ello determinará que en el momento en que tenga lugar la transmisión de la cartera la renta generada difiera del resultado contable de la operación y será en ese momento cuando, en su caso, revierta como deducible la pérdida por deterioro que nació como no deducible. Se trata, por tanto, de una norma que obliga a diferir el aprovechamiento de la pérdida al momento de su realización.

Esta norma encuentra su justificación en la necesidad de impedir el doble aprovechamiento de las pérdidas (por un lado, se deduce la pérdida por deterioro de valor de la participación y, por otro, la sociedad participada acredita bases imponibles negativas –crédito del impuesto– que podrá compensar con rentas positivas en periodos futuros). Al menos así se justificó en la Ley 16/2013, de 29 de octubre, por la que se establecen determinadas medidas en materia de fiscalidad medioambiental y se adoptan otras medidas tributarias y financieras, por la que se modificó –entre otras normas– el TRLIS y por medio de la cual se introdujo en nuestro ordenamiento la limitación a la deducibilidad de las pérdidas por deterioro. El Preámbulo la citada Ley señala que:

> "En relación con el Impuesto sobre Sociedades, como novedad sustancial, se establece la no deducibilidad del deterioro de valor de las participaciones en el capital o fondos propios de entidades, así como de las rentas negativas generadas durante el plazo de mantenimiento de establecimientos permanentes ubicados en el extranjero. Ambas medidas tratan de evitar la doble deducibilidad de las pérdidas, en un primer momento, en sede de la entidad o del establecimiento

permanente que los genera, y, en un segundo, en sede del inversor o casa central. Con esta medida, la normativa fiscal del Impuesto sobre Sociedades se aproxima a la de los países de nuestro entorno, permitiendo una mayor comparativa y competitividad fiscal respecto de estos.

Esta modificación va acompañada de un régimen transitorio que establece la recuperación".

Pues bien, en la medida en que en la base imponible individual de la entidad dominante no se haya integrado la pérdida por deterioro, tampoco será preciso proceder a su eliminación. En consecuencia, puede afirmarse que técnicamente la eliminación tendrá lugar por la vía de la aplicación del artículo 13.2.b) de la LIS (o por la vía del artículo 15 k) de la LIS para periodos impositivos iniciados a partir de 1 de enero de 2017).

Del mismo modo, si en algún ejercicio posterior se produjera la recuperación del valor de la participación en la dependiente, la sociedad dominante registraría en su contabilidad un ingreso para adaptar su valor contable a la nueva valoración, ingreso que, a nuestro juicio, tampoco tendría efectos fiscales pues, en definitiva, el valor fiscal de la participación seguiría coincidiendo con su valor de adquisición (recuérdese en este sentido que el artículo 11.5 de la LIS dispone que no se integrará en la base imponible la reversión de gastos que no hayan sido fiscalmente deducibles). En consecuencia, al no tener la recuperación del valor efectos fiscales tampoco existirá necesidad de proceder a su eliminación.

Por otro lado, insistimos en que para los periodos impositivos iniciados a partir de 1 de enero de 2017 tanto en el caso de participaciones significativas de entidades residentes en territorio español (se dan las circunstancias previstas en el artículo 21.1.a) de la LIS) como en el caso de participaciones en entidades no residentes que no cumplan los requisitos previstos en el artículo 21.1.b) de la LIS la no deducibilidad de la pérdida por deterioro de valor vendrá determinada por la aplicación del artículo 15.k) de la LIS. En estos casos, además, la renta negativa derivada de la transmisión no se integrará en la base imponible, por lo que se al no integrarse en la base imponible individual de la sociedad transmitente (artículo 21.6 de la LIS).

Cabría plantearse también si debe eliminarse el resultado positivo (en este caso fiscal) de la operación de venta intragrupo de la participación. Para contestar a esta cuestión debe recordarse que el artículo 64 de la LIS se remite a estos efectos –genéricamente– a las NOFCA. Sin embargo, habrá de tenerse en cuenta que la necesidad de eliminar el resultado de una operación intragrupo viene condicionada por su previa integración en la base imponible individual de alguna de las sociedades.

Pues bien, el artículo 21 de la LIS establece también un régimen de exención para las plusvalías derivadas de la transmisión de participaciones que cumplan los requisitos previstos en su apartado 1 (porcentaje de participación no inferior al 5 por ciento y tenencia de la participación durante un año, al menos, en la fecha de la transmisión), por lo que si la renta estuviera exenta por aplicación de lo dispuesto en aquel artículo y no trascendiera a la base imponible individual de la transmitente tampoco resultaría necesario proceder a su eliminación.

Veamos un ejemplo:

EJEMPLO 18

La sociedad "A" adquirió a finales de 20X1 su participación en "B" por un valor de adquisición de 1.000.000 euros. Dicha participación representaba el 100% del capital social de "B". Además, A participa en el 100% del capital de "C". Las tres sociedades optan por la aplicación del régimen de consolidación fiscal, siendo el primer periodo impositivo en que resulta de aplicación el correspondiente a 20X2.

Tanto en 20X2 como en 20X3, la sociedad "B" ha acumulado pérdidas por valor de 200.000 euros (a razón de 100.000 euros en cada uno de ellos) que obligaron a la sociedad "A" a dotar la correspondiente pérdida por deterioro de valor por el mismo importe.

A lo largo de 20X4 vende la participación de "B" a "C por 2.000.000 euros.

SOLUCIÓN EJEMPLO 18

Dado que, conforme a lo dispuesto en el artículo 13.2 de la LIS, las pérdidas por deterioro de la participación en "B" no constituyen un gasto fiscalmente deducible, la sociedad "A" habrá ajustado su base imponible individual en dichos periodos impositivos mediante sendos ajustes positivos al resultado contable, siendo la cuantía de los ajustes de 100.000 euros, en cada uno de ellos. Es decir, que la suma de los ajustes al resultado contable de A en los años 20X2 y 20X3 habrá ascendido a 200.000 euros. Por lo tanto, al haberse ajustado la base imponible individual de la sociedad "A" ajustando la pérdida por deterioro, no procederá *eliminar* el resultado de la operación interna en la consolidación fiscal.

Por otro lado, y como consecuencia de la no deducibilidad de la pérdida por deterioro, el valor fiscal de la participación en "B" diferirá de su valor contable. Así tendremos:

Valor contable de la participación en "B"	800.000,00
(Valor de adquisición – Pérdidas por deterioro de valor)	
Pérdidas por deterioro no deducibles	200.000,00
Valor fiscal de la participación en "B"	1.000.000,00

Por lo tanto, al calcular la renta que deriva de la transmisión en 20X4 de la participación en "B" habrá de tenerse en cuenta la diferente valoración contable y fiscal. En concreto, la renta se determinará de acuerdo con los siguientes cálculos:

Beneficio contable	**1.200.000,00**
Valor de transmisión	2.000.000,00
Valor contable	-800.000,00
Renta	**1.000.000,00**
Valor de transmisión	2.000.000,00
Valor fiscal	1.000.000,00
Ajuste	-200.000,00

Es decir, que la pérdida por deterioro de valor que no fue deducible en aquellos periodos en que fue registrada contablemente (20X2 y 20X3) revierte "fiscalmente" en el ejercicio de la transmisión (artículo 20 LIS). Pues bien, de acuerdo con lo dispuesto en el artículo 21 de la LIS, la renta generada estará exenta (artículo 21.3 de la LIS), por lo que no habrá de integrarse en la base imponible individual de "A". Por lo tanto, a pesar de que la transmisión se realiza a favor de otra sociedad del grupo, lo que la convierte en una operación intragrupo, precisamente por no haberse integrado la renta en la base individual de "A" tampoco procederá su eliminación en la consolidación.

Si, por el contrario, el resultado de la operación generase una renta negativa, ésta no se integrará en la base imponible en virtud de lo previsto en el artículo 11.10 de la LIS. Además, para los periodos impositivos que se inicien a partir de 1 de enero de 2017, habrá que distinguir según que la participación sea o no significativa o que, siendo la entidad participada no residente, se cumpla o no el requisito previsto en el artículo 21.1.b) de la LIS.

En el primer caso (participación significativa o entidad participada no residente que no cumple los requisitos del 21.1.b) de la LIS), la renta negativa no se integrará en la base imponible (artículo 21.6 de la LIS)[11].

En el segundo caso, la regla de imputación temporal aplicable a las rentas negativas derivadas de la transmisión de la participación en el capital o fondos propios a otras entidades que formen parte del mismo grupo de sociedades en los términos del artículo 42 del CCo es el artículo 11.10 de la LIS. Se trata de

---

[11]   Las pérdidas por deterioro de valor que, en su caso, se registrasen en contabilidad tampoco serían deducibles *ex* artículo 15.k) de la LIS.

una regla muy parecida a la que describimos cuando analizamos las eliminaciones de resultados por operaciones internas de elementos del inmovilizado o inversiones inmobiliarias.

En definitiva, en estos casos (transmisión de una cartera de acciones o participaciones en el capital o en los fondos propios de entidades del grupo en el sentido del artículo 42 del CCo), la renta negativa generada en el periodo impositivo en el que la operación se realice no se integrará en la base imponible del Impuesto sino hasta el período impositivo en que dichos elementos patrimoniales sean transmitidos a terceros ajenos al referido grupo de sociedades, o bien cuando la entidad transmitente o la adquirente dejen de formar parte del mismo grupo. Además, la renta negativa a integrar en la base imponible de la sociedad transmitente se minorará en el importe de las rentas positivas obtenidas en dicha transmisión a terceros (habiendo desaparecido del texto legal, en relación con las operaciones realizadas en periodos impositivos que se inicien a partir de 1 de enero de 2017, la excepción a esta necesaria minoración de la renta negativa cuando el contribuyente probase que esas rentas han tributado efectivamente a un tipo de gravamen de, al menos, un 10 por ciento). Constituía ésta una regla que tenía por objeto evitar que por la vía de la transmisión intragrupo de participaciones en otras entidades del grupo aflorasen en el Impuesto sobre Sociedades pérdidas no realizadas que podían dar lugar –incluso– a una desimposición, al generarse una pérdida que no se compensaba posteriormente –a nivel de grupo– con una plusvalía que fuera objeto de tributación efectiva.

Pues bien, ni en los supuestos en los que resulte de aplicación el 11.10 ni en aquellos en los que la no deducibilidad de la pérdida venga impuesta por el artículo 21.6 de la LIS, procederá eliminar el resultado pues la renta negativa tampoco habrá trascendido a la base imponible individual de la sociedad transmitente. Además, la integración posterior de la pérdida cuando la participación sea transmitida finalmente a terceros ajenos al grupo en aplicación del artículo 11.10 de la LIS tampoco habrá de ser eliminada pues el resultado no deriva de una operación intragrupo.

EJEMPLO 19

La sociedad "A", socia única de la sociedad "B", es la sociedad dominante de un grupo de consolidación fiscal (y mercantil) del que forman parte además de las dos sociedades ya mencionadas, la sociedad "C" en cuyo capital participa "A" con un 85 por ciento y la sociedad "D" también participada por "A" con un 90 por ciento.

"A" transmite las acciones de "C" a "B", generándose con ocasión de la transmisión una renta negativa de 1.000.000 euros. Dos años más tarde "B" las transmite a "E", sociedad ajena al grupo, generándose con la operación una renta de 1.000.000 euros.

SOLUCIÓN EJEMPLO 19

La renta negativa derivada de la transmisión de la participación en "C" (1.000.000 euros) no se integrará en la base imponible del periodo impositivo de la transmisión por lo que "A" deberá practicar un ajuste positivo al resultado contable por el mismo importe. Al no trascender a la base imponible individual, la renta negativa tampoco será objeto de eliminación.

Por otro lado, cuando "B" transmite la participación podría aplicar, en principio, la exención prevista en el artículo 21.3 de la LIS al cumplir los requisitos previstos en el apartado 1. Sin embargo, se establece en el apartado 4 letra b) del mismo artículo que "*En el supuesto de transmisiones sucesivas de valores homogéneos, la exención se limitará al exceso sobre el importe de las rentas negativas netas obtenidas en las transmisiones previas que hayan sido objeto de integración en la base imponible*". Pues bien, aunque esta es una norma que se aplica a transmisiones sucesivas de valores homogéneos realizadas por un mismo contribuyente y, por tanto, no aplicable a transmisiones sucesivas realizadas entre sujetos distintos, lo cierto es que dado que las sociedades intervinientes ("A" y "B") forman grupo fiscal (junto con "C", hasta la transmisión de sus participaciones, y junto con "D"), se verían afectadas por su aplicación pues de acuerdo con lo dispuesto en el artículo 62.1.a) de la LIS los posibles ajustes que deban practicarse al resultado contable de la sociedad transmitente deben referirse al grupo fiscal, luego si a nivel de grupo se han realizado transmisiones sucesivas de valores homogéneos la renta derivada de la transmisión solo quedará exenta si es superior a la renta negativa previamente generada en la operación intragrupo. Por lo tanto, dado que, en nuestro caso, la renta positiva generada en la transmisión por "B" de las participaciones de "C" coincide con la renta negativa obtenida por "A" no cabrá aplicar la exención del artículo 21.3 de la LIS, quedando sometida a tributación. En consecuencia, "A" procederá a integrar en su base imponible la renta negativa que no pudo integrar al haber resultado de aplicación el artículo 11.2. Y dicha integración se realizará mediante un ajuste negativo al resultado contable que tampoco habrá de eliminarse al haber salido el elemento patrimonial de la órbita del grupo. Podríamos decir que a través de este ajuste se produce a nivel de base imponible individual la "integración" de la eliminación previa del resultado de una operación intragrupo, sin bien tanto una como la otra se realizan no al amparo del artículo 64 de la LIS, sino del artículo 11.10 de la misma Ley.

Rentas a integrar por A en su base imponible

Transmisión por "A" a "B"	0,00
Transmisión por "B" a "E"	-1.000.000,00
TOTAL..	-1.000.000,00

Rentas a integrar por B

Transmisión por "B" a "E"	1.000.000,00
TOTAL..	1.000.000,00

3.2.4. Incorporaciones

Las incorporaciones de las eliminaciones se realizarán en la forma que ya hemos visto en páginas anteriores al analizar las distintas eliminaciones. Y es que las NOFCA, al regular las distintas eliminaciones de los resultados por operaciones internas que el grupo debe realizar para formular los estados contables consolidados, también regulan la forma en que deben incorporarse las citadas eliminaciones. En definitiva, son cada uno de los artículos ya analizados los que, además de disciplinar el régimen de las eliminaciones, hacen lo propio con las incorporaciones. Pues bien, esas mismas normas serán las que debamos aplicar en la consolidación fiscal.

En resumen, cuando desaparezcan las circunstancias que dieron lugar a las eliminaciones por entenderse realizado el resultado frente a terceros procederá incorporarlos al beneficio consolidado. Por lo tanto, y en la medida en que en esta materia la LIS se remite a las NOFCA, lo mismo habrá que hacer con la base imponible consolidada.

3.2.5. Compensación de bases imponibles negativas

El artículo 66 regula el régimen de compensación de bases imponibles negativas generadas por el grupo de consolidación fiscal durante el tiempo en que el régimen especial resulte de aplicación. No se está contemplando en este artículo, por tanto, el régimen de compensación de las bases imponibles negativas generadas por cada una de las sociedades integrantes del grupo con carácter previo a su incorporación al grupo fiscal. A éstas se refiere, como veremos, el artículo 67 de la LIS.

Tampoco se contempla en este artículo el régimen que deben seguir las bases imponibles negativas generadas por alguna de las sociedades integrantes del grupo fiscal cuando, por concurrir alguna de las circunstancias determinantes de su exclusión del grupo, deje de formar parte del mismo. A estas últimas se refiere, como también veremos, el artículo 74 de la LIS.

La compensación de las bases imponibles negativas generadas por el grupo fiscal se rige por lo dispuesto en el artículo 26 de la LIS, por expresa remisión del artículo 66. Además, tras la modificación introducida por el Real Decreto Ley 3/2016, resulta de aplicación, con efectos para los periodos impositivos que se inicien a partir de 1 de enero de 2016, la nueva disposición adicional decimoquinta en la que, como ya sabemos, se establece una limitación adicional a la compensación de bases imponibles negativas para las denominadas grandes empresas.

De acuerdo con el primero de los preceptos citados, las bases imponibles negativas pueden compensarse, sin limitación temporal alguna, con las rentas positivas de los períodos impositivos siguientes con el límite del 70 por ciento de la base imponible previa a la aplicación de la reserva de capitalización establecida en el artículo 25 de esta Ley y a su compensación. En todo caso podrán compensarse bases imponibles negativas hasta el importe de 1 millón de euros.

La reserva de capitalización será, en el caso de los grupos fiscales, la que corresponda al grupo pues, como ya sabemos, ésta se calcula y aplica a nivel de grupo.

El citado límite no resultó de aplicación en los periodos impositivos que se iniciaron a partir del 1 de enero de 2015 (y exclusivamente en dicho periodo impositivo) siendo del 60 por ciento en el periodo impositivo correspondiente a 2016. Así se desprende de la Disposición Transitoria Trigésimo Cuarta letra g) de la LIS (esta también modificada por el Real Decreto Ley 3/2016 para restringir el ámbito subjetivo de aplicación a aquellos contribuyentes que no encuentren afectados por las limitaciones previstas en la disposición adicional decimoquinta).

Durante 2015, y en aplicación de la Disposición Transitoria trigésimo cuarta resultó de aplicación los siguientes límites cuando el volumen de operaciones del grupo fiscal determinado de acuerdo con lo dispuesto en el artículo 121 de la LIVA hubiese sido superior a 6.010.121,04 euros durante los 12 meses anteriores a la fecha en que se inicien los períodos impositivos dentro del año 2015:

- 50 por ciento de la base imponible previa a la aplicación de la reserva de capitalización establecida en el artículo 25 de esta Ley y a dicha compensación, cuando en esos 12 meses el importe neto de la cifra de negocios sea al menos de 20 millones de euros, pero inferior a 60 millones de euros.

- 25 por ciento de la base imponible previa a la aplicación de la reserva de capitalización establecida en el artículo 25 de esta Ley y a dicha compensación, cuando en esos 12 meses el importe neto de la cifra de negocios sea al menos de 60 millones de euros.

Además, la limitación a la compensación de bases imponibles negativas no resultará de aplicación en el importe de las rentas correspondientes a quitas y esperas consecuencia de un acuerdo con los acreedores no vinculados con el contribuyente.

Por otro lado, uno los aspectos que sorprende de la nueva regulación de las bases imponibles negativas es que la compensación de bases imponibles negativas no está sujeta a plazo alguno (el último, tras sucesivas ampliaciones, se había fijado en 18 años). Por lo tanto, el grupo fiscal podrá compensar bases imponibles negativas generadas durante el periodo de tiempo en que el régimen especial haya resultado de aplicación sin limitación temporal alguna.

Esta medida resulta de aplicación, no solo a las bases imponibles negativas generadas a partir de la entrada en vigor de la LIS, sino también a las generadas con anterioridad. Así se resulta de lo previsto en la Disposición Transitoria 21ª que –insistimos– permite compensar las bases imponibles negativas generadas en periodos impositivos iniciados con anterioridad a 1 de enero de 2015, con independencia del periodo impositivo en que se hubiesen generado y siempre que a dicha fecha se encontrasen pendientes de compensación (o sea que no hubiese caducado el derecho a su compensación). En este sentido, dispone la citada Disposición Transitoria que:

> *"Las bases imponibles negativas pendientes de compensación al inicio del primer período impositivo que hubiera comenzado a partir de 1 de enero de 2015, se podrán compensar en los períodos impositivos siguientes".*

Junto con la ampliación sin límite del plazo para compensar bases imponibles negativas, el grupo fiscal se verá *afectado* por la aplicación de la regla prevista en el apartado 5 del artículo 26. En dicho artículo se regula el plazo de prescripción del derecho de la Administración tributaria para iniciar un procedimiento de comprobación e investigación que tenga por objeto la comprobación de las bases imponibles negativas compensadas o pendientes de compensación, plazo que será de diez años (a contar desde el día siguiente a aquel en que finalice el plazo establecido para presentar la declaración o autoliquidación correspondiente al período impositivo en que se generó el derecho a su compensación). Así lo recoge el artículo 26.5 de la LIS, que señala, además, que transcurrido dicho plazo, el contribuyente deberá acreditar las bases imponibles negativas cuya compensación pretenda mediante la exhibición de la liquidación o autoliquidación y la contabilidad, con acreditación de su depósito durante el citado plazo en el Registro Mercantil.

Por lo tanto, aquellos que tuvieran bases imponibles negativas pendientes de compensación al inicio del primer periodo impositivo que hubiera comenzado a partir del 1 de enero de 2015 podrán compensar dichas bases imponibles negativas sin límite temporal alguno.

Del mismo modo resultará de aplicación la Disposición Adicional Octava de la LIS, en la que se establece que lo dispuesto en el apartado 5 del artículo 26 resultará de aplicación a los procedimientos de comprobación e investigación ya iniciados a la entrada en vigor de la LIS, en los que, a dicha fecha, no se hubiese formalizado la propuesta de liquidación.

La nueva regulación que a propósito de la comprobación de las bases imponibles negativas se contiene en el apartado 5 del artículo 26 debe completarse con lo dispuesto en el nuevo artículo 66.bis, así como en la nueva redacción del artículo 115, ambos de la LGT. Dichos artículos han sido introducidos en la LGT por la Ley 34/2015, de 27 de diciembre, de modificación parcial de la Ley 58/2003, de 17 de diciembre, General Tributaria.

Lo más relevante de dicha regulación es la implantación de un plazo de prescripción de diez años (a contar desde el día siguiente a aquel en que finalice el plazo establecido para presentar la declaración o autoliquidación correspondiente al período impositivo en que se generó el derecho a su compensación) que afecta al denominado *derecho a comprobar* las bases imponibles negativas de forma que, una vez transcurrido dicho plazo, las bases imponibles negativas se entenderán debidamente acreditadas con la simple exhibición de la autoliquidación y de la contabilidad (previa justificación de su depósito en el Registro Mercantil).

Por último, se advierte que la compensación de las bases imponibles negativas del grupo operará tras la agregación de las bases imponibles individuales de cada una de las sociedades que lo integren, y tras la realización de las eliminaciones e incorporaciones que, en su caso, procedan siendo el remanente el importe que se verá aminorado en la base imponible negativa.

3.3. *Reglas especiales aplicables a la incorporación de entidades al grupo fiscal*

Varias son las reglas que se contienen el artículo 67 de la LIS, aunque todas ellas tienen por objeto disciplinar el efecto que, respecto de determinadas normas que regulan, tanto las limitaciones a la deducibilidad de determinados gastos como los beneficios fiscales de reciente creación, produce el hecho de que la sociedad que haya generado el derecho a su aplicación se incorpore a un grupo fiscal. Y ello con el objetivo de determinar en qué medida tales normas van a incidir en la determinación de la base imponible del grupo.

En este sentido, el artículo comienza regulando los efectos, que sobre los gastos financieros que, en aplicación de lo dispuesto en el artículo 16 de la LIS, no hayan podido ser fiscalmente deducibles en sede de alguna de las sociedades que con posterioridad se incorpora al grupo produce, precisamente, dicha incorporación.

Como ya tuvimos ocasión de recordar en un apartado anterior del presente capítulo, la deducibilidad de los gastos financieros se encuentra limitada, en el régimen de tributación individual, a un 30 por ciento del beneficio operativo de la entidad, pudiendo deducirse los gastos financieros que no hayan sido fiscalmente deducibles por aplicación del citado límite en los periodos impositivos siguientes sin que para ello exista limitación temporal alguna.

Pues bien, si la sociedad que no pudo deducir la totalidad de los gastos financieros devengados en un determinado periodo impositivo por haber resultado de aplicación el límite previsto en el artículo 16 se incorpora a un grupo fiscal éstos podrán ser deducidos por el grupo fiscal en el periodo impositivo en el que la sociedad se incorpore al grupo, y en los siguientes, con el mismo límite del 30 por ciento del beneficio operativo de la propia entidad. Es decir, que si bien la aplicación del límite a la deducibilidad de los gastos financieros devengados en aquellos periodos impositivos en los que resulte de aplicación el régimen especial se calcula por referencia al grupo fiscal (artículo 65 de la LIS), para los gastos financieros devengados con anterioridad a la incorporación al grupo la referencia será la del beneficio operativo de la entidad que los generó. No solo eso, para su cuantificación habrá que tener en cuenta, además, las eliminaciones e incorporaciones que deban practicarse en la base imponible individual de la sociedad con carácter previo a la consolidación.

Por otro lado, los gastos financieros netos pendientes de deducir se tendrán en cuenta a efectos de la aplicación del límite a que se refiere el apartado 1 del artículo 16.

Del mismo modo, si antes de su incorporación al grupo la sociedad hubiese tenido en algún periodo impositivo gastos financieros en cuantía inferior al límite previsto en el artículo 16 de la LIS resulta de aplicación la regla según la cual cuando, la diferencia entre el citado límite y los gastos financieros netos del período impositivo se adicionará al límite previsto en el apartado 1 del artículo 16 respecto de la deducción de gastos financieros netos en los períodos impositivos que concluyan en los 5 años inmediatos y sucesivos, hasta que se deduzca dicha diferencia.. En definitiva, cuando con carácter previo a la incorporación al grupo alguna de las sociedades haya generado el derecho a la compensación adicional de gastos financieros por no haber superado en algún periodo impositivo el límite del 30 por ciento del beneficio operativo, tal exceso podrá ser deducido respetando igual límite al que no hemos referido anteriormente.

EJEMPLO 20

La sociedad "A" tributa en régimen de tributación individual en los periodos impositivos de 20X1 y 20X2, pasando a integrarse en un grupo de consolidación fiscal a partir del 20X3. De los periodos correspondientes a 20X1 y 20X2 se dispone de la siguiente información relativa a la sociedad "A":

	20X1	20X2
Gastos financieros netos	2.500.000,00	500.000,00
Beneficio operativo (BO)	5.000.000,00	5.000.000,00
Límite (30% BO)	1.500.000,00	1.500.000,00
Gastos financieros deducibles	1.500.000,00	500.000,00
Gastos financieros no deducibles	1.000.000,00	0,00
Exceso	0,00	1.000.000,00

En 20X3 los gastos financieros netos del grupo y de la sociedad "A" han ascendido, respectivamente, a los siguientes importes:

	Grupo fiscal	Sociedad "A"
Gastos financieros netos	2.000.000,00	500.000,00
Beneficio operativo	10.000.000,00	2.000.000,00

SOLUCIÓN EJEMPLO 20

De acuerdo con lo hasta ahora expuesto la sociedad "A" dispone de gastos financieros netos no deducidos por haber resultado de aplicación el límite previsto en el artículo 16 de la LIS procedentes de 20X1 que ascienden a 1.000.000 euros y que podrá deducir el grupo fiscal en periodos impositivos futuros sin limitación temporal y con el límite del 30 por ciento del beneficio operativo de la propia sociedad "A".

Además, la sociedad aporta al grupo fiscal un *crédito* (constituido por la diferencia de los gastos financieros netos del ejercicio 20X2 y el límite aplicable en dicho ejercicio, esto es, 1.000.000 euros) que podrá aplicar para deducir en los periodos impositivos que concluyan en los 5 años siguientes gastos financieros netos por encima del límite del 30 por ciento del beneficio operativo. En concreto, la citada diferencia de 1.000.000 de euros podrá adicionarse al límite de dichos periodos impositivos al objeto de calcular la cuantía de máxima de los gastos financieros netos deducibles. (recuérdese que el artículo 16.2 de la LIS dispone para estos casos que: "*En el caso de que los gastos financieros netos del período impositivo no alcanzaran el límite establecido en el apartado 1 de este artículo, la diferencia entre el citado límite y los gastos financieros netos del período impositivo se adicionará al límite previsto en el apartado 1 de este artículo, respecto de la deducción de gastos financieros netos en los períodos impositivos que concluyan en los 5 años inmediatos y sucesivos, hasta que se deduzca dicha diferencia*").

De acuerdo con lo expuesto los gastos financieros netos a deducir por el grupo fiscal serán:

	Grupo	Sociedad "A"
Gastos financieros netos	2.000.000,00	500.000,00
Beneficio operativo	10.000.000,00	2.000.000,00
Límite	3.000.000,00	600.000,00
Gastos financieros deducibles	2.100.000,00	600.000,00

Dado que los gastos financieros netos de la sociedad "A" no exceden del límite del 30 por ciento de su propio beneficio operativo, los gastos financieros deducibles se pueden incrementar (hasta alcanzar el citado límite) en 100.000 euros (mediante un ajuste negativo al resultado contable). Estos 100.000 euros adicionales proceden de aquellos gastos que no fueron deducibles en 20X1 por haberse excedido en aquel el límite del 30 por ciento del beneficio operativo y quedarían, por tanto, 900.000 euros pendientes de deducir. Además, la deducibilidad adicional de tales gastos respeta el límite global del grupo fiscal.

La segunda de las especialidades que la LIS impone a aquellas sociedades que pasen a integrarse en un grupo fiscal afecta al límite adicional a la deducibilidad de los gastos financieros recogida en el apartado cinco del artículo 16, limitación que afecta a los gastos financieros asociados a la financiación de la adquisición de participaciones en otras entidades cuando con posterioridad a la operación de adquisición se realice una operación de fusión a la que se aplique el régimen especial regulado en el Capítulo VII del Título VII de la LIS (régimen especial de fusiones, escisiones, aportaciones de activos, canje de valores y aportaciones de activos) o pasen a tributar en régimen de consolidación fiscal. En estos casos, la deducibilidad de los gastos financieros se encuentra limitada al 30 por ciento del beneficio operativo de la entidad que realizó la adquisición sin incluir en dicho beneficio operativo el beneficio operativo de la sociedad

Respecto de la aplicación de este precepto cabe señalar que existe una consulta vinculante de la DGT que se ha pronunciado a propósito de cómo debe aplicarse la nueva limitación que se contiene en el apartado 5 del artículo 16.

En efecto, en la Consulta vinculante número V1664/2015, de 28 de mayo, se describe cuál debe ser el proceso que debe seguir la sociedad en la aplicación de los artículos 15.1.h) (no deducibilidad de los gastos financieros asociados a la adquisición intragrupo de participaciones en el capital de otra entidad del grupo con financiación intragrupo cuando en la operación no existan motivos económicos válidos), 16.5 y 16.1 de la LIS.

La DGT sostiene lo siguiente:

> "A los efectos de determinar el importe de los gastos financieros fiscalmente deducibles en la base imponible del Impuesto sobre Sociedades procederá aplicar, en primer lugar, la regla prevista en el artículo 15.1.h) de la LIS, relativa aquellos gastos que, en ningún caso, resultarán fiscalmente deducibles.

Una vez excluidos los gastos financieros no deducibles por aplicación de dicha regla, en relación con el resto de gastos financieros resultará de aplicación la limitación a la deducibilidad prevista en el artículo 16 de la LIS anteriormente transcrito.

En este sentido, el límite establecido en el apartado 5 del artículo 16 de la LIS es adicional al previsto en el apartado 1. Esto significa que se aplica el límite previsto en el apartado 5 y, una vez determinado el importe de los gastos financieros que resulten fiscalmente deducibles por aplicación de dicha regla, estos gastos se adicionan a todos los demás gastos financieros que pudiera tener la entidad, para proceder a la aplicación de lo dispuesto en el apartado 1. Esto es, el límite previsto en el apartado 1 es único para todos los gastos financieros, incluidos los previstos en el apartado 5, que tienen un límite adicional".

Y en relación con la aplicación del párrafo tercero del artículo 16.5 señala:

"2. En relación con la limitación establecida en el artículo 16.5 de la LIS, el tercer párrafo de dicho apartado establece que:

"El límite previsto en este apartado no resultará de aplicación en el período impositivo en que se adquieran las participaciones en el capital o fondos propios de entidades si la adquisición se financia con deuda, como máximo, en un 70 por ciento del precio de adquisición. Asimismo, este límite no se aplicará en los períodos impositivos siguientes siempre que el importe de esa deuda se minore, desde el momento de la adquisición, al menos en la parte proporcional que corresponda a cada uno de los 8 años siguientes, hasta que la deuda alcance el 30 por ciento del precio de adquisición.".

2.1 Respecto a la aplicación de lo establecido en el tercer párrafo se requiere, inicialmente, que la deuda que financia la adquisición de las participaciones no supere el 70 por ciento del precio de adquisición. De cumplirse esta regla, en la primera anualidad, computada desde la fecha de la adquisición, no resultará de aplicación el límite previsto en el apartado 5 del artículo 16 de la LIS. Por otra parte, dicho límite no se aplicará en las anualidades siguientes si el importe de la deuda se minora, al menos, proporcionalmente. Ello significa que, al finalizar cada anualidad, se debe comparar la deuda existente en ese momento con la deuda existente en el momento de la adquisición, siempre que fuera igual o inferior al 70 por ciento del precio de adquisición. En este caso, el límite no resultará de aplicación en una anualidad si al inicio de la misma la deuda se ha visto minorada con respecto a la existente en la fecha de adquisición en el número de anualidades transcurridas dividido entre 8.

Ello significa que:

– Aunque la deuda inicial sea inferior al 70 por ciento, ello no exime para que exista la obligación de minorar la deuda por la diferencia entre el importe de la deuda inicial y un 30 por ciento, al menos proporcionalmente en todas las anualidades.

– Si en una anualidad se minora la deuda en un importe tal que permita cubrir el importe a minorar en anualidades futuras, no resultará necesario realizar minoraciones adicionales, hasta que se alcance la minoración de la deuda que proporcionalmente corresponda.

Esto es, al final de cada anualidad se debe determinar si la deuda existente, que inicialmente fue igual o inferior al 70%, se ha minorado al menos proporcionalmente a un plazo total de 8 años. De manera que no aplicará el límite si la deuda se ha reducido, al menos, en el porcentaje que resulte de:

(Porcentaje de deuda inicial – 30%) x número de anualidades transcurridas 8

De no cumplirse dicho requisito de minoración de la deuda, la limitación a la deducibilidad de gastos financieros prevista en el artículo 16.5 de la LIS aplicará respecto de aquellos devengados en la anualidad que se inicie con posterioridad y así sucesivamente hasta que, en su caso, se vuelva a cumplir el requisito.

2.2 En el caso de que existan distintos tipos de deuda de adquisición (junior, senior, mezzanine, vendor loans, otros préstamos), la reducción puede realizarse en cualquiera de ellas, siempre que el acumulado de todas no exceda los correspondientes límites.

A estos efectos, cabe destacar que el límite del artículo 16.5 de la LIS se aplica al conjunto de los gastos financieros derivados de deudas destinadas a la adquisición de participaciones en el capital o fondos propios de cualquier tipo de entidades con independencia de la categoría de deuda. Por tanto, debe minorarse el importe de la deuda total, con independencia de que sea de uno u otro tipo.

2.3 En el caso de que en una anualidad, no fuera posible la reducción hasta el límite derivado del citado tercer párrafo del artículo 16.5, ello significa que el gasto financiero devengado con posterioridad a la finalización de dicha anualidad estará sometido al límite allí establecido. No obstante, ello no es óbice para que, si al finalizar otra anualidad posterior se compruebe que la deuda se ha minorado de acuerdo con la fórmula anteriormente señalada (por ejemplo, en la primera anualidad no se ha minorado deuda, y en la segunda anualidad se minora la parte de deuda proporcionalmente correspondiente a la primera y a la segunda), no resulte de aplicación con posterioridad la limitación indicada.

2.4 De la misma manera, si en una anualidad se minora la deuda en un importe tal que correspondería a la minoración que debería realizarse en anualidades futuras, no resultará necesario realizar minoraciones adicionales hasta que se cubra la fórmula señalada en el punto 2.1 de esta contestación. Esto es, si en una anualidad se llevase a cabo una minoración que dejase la deuda de adquisición reducida por debajo del importe acumulado que correspondería a dicha anualidad de acuerdo con lo previsto en el artículo 16.5 de la LIS (es decir, aplicando un criterio proporcional), no procedería efectuar reducciones adicionales de deuda hasta la anualidad en que el importe de la deuda de adquisición exceda la que hubiere resultado de ir reduciendo la diferencia entre el porcentaje de deuda existente en la fecha de adquisición y el 30% en 1/8 en cada uno de los años anteriores.

2.5 En el caso en que la anualidad no coincida con el periodo impositivo de la entidad, dado que la limitación aplica con posterioridad al incumplimiento por anualidades en la minoración de la deuda, y no con anterioridad al mismo, no resultará fiscalmente deducibles, en los términos señalados en el artículo 16.5 de la LIS, los gastos financieros devengados una vez incumplida la minoración

*de la deuda en la parte que corresponda. No resulta posible, por tanto, la consi-
deración de un importe de gastos financieros inicialmente deducible, hasta que
se verifique el incumplimiento, por cuanto precisamente la limitación a la deducibilidad se establece con posterioridad al incumplimiento.*

*2.6 Dada la práctica habitual del mercado en este tipo de operaciones, en
el caso de adquisiciones por parte de entidades holding, en las que se adquiere
la participación en una entidad con endeudamiento, aportaciones de socios o
participación de los anteriores accionistas, para determinar el porcentaje del 70
por ciento o inferior, se tendrán en cuenta la totalidad de las acciones o participaciones adquiridas por la entidad en unidad de acto".*

Pues bien, la misma limitación que se recoge en el apartado 5 del artículo 16
es la que inspira la redacción del artículo 67.1.b) de la LIS. En este sentido en
el Preámbulo de la LIS se señala lo siguiente:

*"(…) se prevé una limitación adicional en relación con los gastos financieros
asociados a la adquisición de participaciones en entidades cuando, posteriormente, la entidad adquirida se incorpora al grupo de consolidación fiscal al que
pertenece la adquirente o bien es objeto de una operación de reestructuración, de
manera que la actividad de la entidad adquirida o cualquier otra que sea objeto
de incorporación al grupo fiscal o reestructuración con la adquirente en los 4
años posteriores, no soporte el gasto financiero derivado de su adquisición. No
obstante, esta limitación no se aplicará cuando la deuda asociada a la adquisición de las participaciones alcance un máximo de un 70 por ciento y se reduzca
al menos de manera proporcional durante un plazo de 8 años, hasta que alcance
un nivel del 30 por ciento sobre el precio de adquisición".*

La limitación a la deducibilidad de los gastos financieros que se recoge en este
artículo 67.1.b) se encuentra inspirada, a su vez, en la necesidad de atajar una determinada tipología de fraude que se empezaba a encontrar recurrentemente en
las comprobaciones de los grupos multinacionales que operaban en España. En
ellas se advirtió que el grupo multinacional colocaba una buna parte de su carga
financiera en una sociedad residente en España y, tras optar por la aplicación del
régimen de consolidación fiscal, los beneficios generados por la sociedad operativa española se compensaban con las bases imponibles negativas generadas por
las sociedades a las que se cargaba con los citados gastos financieros.

Pues bien, el artículo 67.1.b) constituye un freno a esta forma planificación
fiscal.

Por otro lado, el artículo contiene una regla especial para determinar de qué
modo va resultar posible el aprovechamiento por el grupo de aquel importe de
la reducción correspondiente a la reserva de capitalización que la sociedad que
se incorpore al grupo no haya podido reducir en su base imponible por insuficiencia de ésta. En efecto, recuérdese que el artículo 25.1 in fine dispone que:

*"No obstante, en caso de insuficiente base imponible para aplicar la reducción,
las cantidades pendientes podrán ser objeto de aplicación en los períodos impositivos*

que finalicen en los 2 años inmediatos y sucesivos al cierre del período impositivo en
que se haya generado el derecho a la reducción, conjuntamente con la reducción que
pudiera corresponder, en su caso, por aplicación de lo dispuesto en este artículo en el
período impositivo correspondiente, y con el límite previsto en el párrafo anterior".

Es, por tanto, el importe de la reducción no aplicada la que, en caso de incorporarse la sociedad a un grupo de consolidación fiscal, podría ser aprovechada por el grupo para su aplicación a la base imponible consolidada. No obstante, en su aplicación habrá de respetarse el límite de la base imponible individual de la sociedad (que generó el derecho a la aplicación de la reducción) previa a la aplicación de la regla prevista en el artículo 11 apartado 12 y a la compensación de bases imponibles negativas. Para la determinación de la base imponible individual que constituye el límite de la aplicación de la reducción se tendrán en cuenta las eliminaciones e incorporaciones de resultados por operaciones internas a que se refieren los artículos 64 y 65 de la LIS.

La cuarta de las especialidades que rige en materia de incorporación de sociedades a un grupo fiscal es la que se refiere a la regla especial de imputación temporal aplicable a la reversión de los ajustes positivos al resultado contable producto de la no deducibilidad de determinadas pérdidas por deterioro de valor de determinados créditos, en particular de los deudores no vinculados ni adeudados por entidades de derecho público cuya deducibilidad no se produzca por aplicación de lo dispuesto en el artículos 13.1.a) de la LIS así como los derivados de la aplicación de los apartados 1 y 2 del artículo 14 de la misma Ley. Pues bien, si en el régimen de tributación individual la integración en la base imponible de tales ajustes se encuentra sujeta al límite del 70 por ciento de la base imponible positiva previa a su integración, a la aplicación de la reserva de capitalización y a la aplicación de bases imponibles negativas, cuando la sociedad se incorpore a un grupo de consolidación tales normas serán igualmente aplicables al objeto de determinar el límite de aprovechamiento por el grupo.

Con respecto a la limitación del 70 por ciento, recuérdese que la disposición adicional decimoquinta de la LIS (incorporada por el Real Decreto Ley 3/2016 dispone que:

"Los límites establecidos en el apartado 12 del artículo 11, en el primer párrafo del apartado 1 del artículo 26, en la letra e) del apartado 1 del artículo 62 y en las letras d) y e) del artículo 67, de esta Ley se sustituirán por los siguientes:

– El 50 por ciento, cuando en los referidos 12 meses el importe neto de la cifra de negocios sea al menos de 20 millones de euros, pero inferior a 60 millones de euros.

– El 25 por ciento, cuando en los referidos 12 meses el importe neto de la cifra de negocios sea al menos de 60 millones de euros".

En quinto lugar, por lo que se refiere las bases imponibles negativas generadas por alguna de las sociedades integrantes del grupo con carácter previo a su incorporación, éstas podrán ser compensadas con la base imponible del grupo fiscal con el límite del 70 por ciento de la base imponible individual de la propia entidad (para los periodos impositivos que se inicien a partir de 1 de enero de 2015 el límite de la compensación solo opera en los supuestos previstos en la disposición transitoria trigésimo cuarta, mientras que para los periodos impositivos iniciados a partir de 1 de enero de 2016 el límite es, según la disposición transitoria trigésimo sexta, del 60 por ciento para las entidades no afectadas por la disposición adicional decimoquinta de la LIS por lo que el citado límite del 70 por ciento no resultará de aplicación sino para los periodos impositivos que se inicien a partir del 1 de enero de 2017). Para la determinación del límite la base imponible de la sociedad será la que resulte de practicar, con carácter previo, las correspondientes eliminaciones e incorporaciones.

Puede afirmarse, además, que como consecuencia de la compensación de bases imponibles negativas de alguna de las sociedades del grupo y generadas con carácter previo a su incorporación a éste la base imponible del grupo no podrá ser negativa teniendo por tanto como límite la propia base imponible del grupo previa a su compensación.

En definitiva, en la compensación de las bases imponibles negativas generadas por una sociedad antes de su incorporación al grupo fiscal resulta de aplicación un doble límite. Por un lado, la base imponible individual de la sociedad que la haya generado en las condiciones que ya hemos señalado y, por otro lado, la propia base del grupo fiscal. Así lo ha declarado ya la DGT en contestación una consulta tributaria. Se trata de la consulta número V2085/2015, de 3 de julio:

> *"De acuerdo con lo anterior, la aplicación de la compensación de bases imponibles negativas del grupo fiscal o de bases imponibles negativas de sociedades individuales generadas con anterioridad a su incorporación al grupo, requiere previamente la existencia de una base imponible positiva del grupo fiscal, una vez aplicadas las eliminaciones e incorporaciones correspondientes. Esto supone que la compensación de bases imponibles negativas dentro del grupo fiscal podrá determinar que la base imponible del período impositivo puede llegar a cero como consecuencia de dicha compensación, pero nunca transformarse en una base imponible negativa, de tal manera que la base imponible del grupo fiscal sólo podrá obtenerse como consecuencia de suma de las bases imponibles individuales del período impositivo ajustada por las correspondientes eliminaciones e incorporaciones.*
>
> *Por tanto, en caso de que existan bases imponibles negativas de una sociedad pendientes de compensar en el momento de su integración en el grupo fiscal, se aplicará como límite de compensación de las mismas el menor entre la base imponible positiva generada por la sociedad individual, y la base imponible positiva del grupo fiscal".*

Si bien las condiciones y límites anteriormente expuestos se refieren al periodo impositivo de 2014 la DGT (tras reproducir el contenido de los artículos

62-1 a) y f), 63, 66, 26 y 67 de la LIS) los considera igualmente de aplicación para 2015 por lo que las mismas conclusiones, serán de aplicación, como anticipábamos, bajo la vigencia de la LIS.

Por último, y en lo que se refiere a la reserva de nivelación a que se refiere el artículo 105 de la LIS los importes pendientes de adicionar a la base imponible se adicionarán a la base imponible del grupo fiscal. Es decir, que si una sociedad aplicó la reducción prevista en el artículo 105 de la LIS con carácter previo a su incorporación al grupo fiscal y antes de ésta no había adicionado la totalidad de la reducción aplicada procederá su adición en los periodos impositivos que resten hasta completar el periodo de cinco años a que se refiere el artículo 105 de la LIS.

4. PÉRDIDA DEL RÉGIMEN DE CONSOLIDACIÓN FISCAL. EFECTOS. (ARTÍCULOS 73 Y 74 LIS)

Aunque el artículo parece, por el literal de su título, que vaya a regular tan solo las consecuencias que para las sociedades que lo integran ocasiona la pérdida del régimen de consolidación o, en su caso, la extinción del grupo fiscal, lo cierto es que en él se contemplan dos situaciones adicionales: por un lado, la salida del grupo de una de las sociedades dependientes y su inmediata integración en otro grupo fiscal cuando tal circunstancia se produzca como consecuencia de que la sociedad dominante pase a ser dependiente de otra sociedad que adquiera, a su vez, la condición de dominante; y, por otro lado, la fusión con otra entidad resultando de aplicación el Régimen especial del Capítulo VII del Título VII, y siendo de aplicación, tras la fusión, el régimen de consolidación fiscal.

Comenzando por la primera de las situaciones que se contemplan en el artículo –pérdida o extinción del grupo de consolidación fiscal– hay que recordar que, de acuerdo con lo dispuesto en el artículo 58.6, el grupo fiscal se extingue cuando la entidad dominante pierda tal carácter (salvo cuando la entidad dominante sea no residente en territorio español, y siempre que se cumplan las condiciones para que todas las entidades dependientes sigan constituyendo un grupo de consolidación fiscal, o que se incorporen a otro grupo fiscal y sin perjuicio de las especialidades que para las fundaciones bancarias y sociedades de gestión de activos se establecen en los apartados 7 y 8 del artículo 58 de la LIS).

Por otro lado, la pérdida del régimen especial se produce como consecuencia de la concurrencia de alguna de las circunstancias que se prevén en el artículo 73 de la LIS, a saber:

a)   La concurrencia en alguna o algunas de las entidades integrantes del grupo fiscal de alguna de las circunstancias que de acuerdo con lo establecido en la Ley 58/2003, de 17 de diciembre, General Tributaria determinan la aplicación del método de estimación indirecta (falta de presentación de declaraciones o presentación de declaraciones incompletas o inexactas; resistencia, obstrucción, excusa o negativa a la actuación inspectora; incumplimiento sustancial de las obligaciones contables o registrales; desaparición o destrucción, aun por causa de fuerza mayor, de los libros y registros contables o de los justificantes de las operaciones anotadas en los mismos); o

b) El incumplimiento de las obligaciones de información a que se refiere el apartado 1 del artículo 72.

Pues bien, en estos casos la pérdida del régimen (que se produce con efectos en el propio periodo impositivo en el que concurran las causas a que nos acabamos de referir y que obliga a las entidades que lo integran a tributar en el régimen de tributación individual) produce, respecto de elementos de la obligación tributaria tales como las eliminaciones pendientes de incorporación; gastos financieros pendientes de deducir; cantidades correspondientes a la reserva de capitalización; dotaciones a que se refiere el apartado 12 del artículo 11; el derecho a la compensación de bases imponibles negativas del grupo fiscal pendientes de compensar; las cantidades correspondientes a la reserva de nivelación prevista en el artículo 105 pendientes de adicionar a la base imponible; el derecho a la aplicación de deducciones en cuota del grupo fiscal pendientes de aplicar; o el derecho a la deducción de los pagos fraccionados que hubiese realizado el grupo fiscal, la consecuencia de que todos ellos deban ser objeto de reparto o distribución entre todas y cada una de las sociedades integrantes del grupo. Y el criterio de reparto elegido por el legislador no es otro que el de la proporcionalidad, de forma que se atribuirán a cada una de las sociedades en la medida o en la proporción en que haya contribuido a su generación.

Así, por ejemplo, si una sociedad del grupo no hubiese contribuido en absoluto a la generación de las bases imponibles negativas pendientes de compensación por el grupo (porque sus bases imponibles individuales hayan sido siempre positivas) no se le transmitirá crédito alguno por este concepto. Por el contrario, si esa misma sociedad hubiese sido la única en contribuir a la generación de las bases imponibles negativas pendientes de compensación por el grupo, ésta será la única que tenga derecho a aprovechar dicho crédito frente a la Hacienda Pública.

Estas mismas reglas son de aplicación cuando solo una de las sociedades del grupo deje de formar parte del mismo debiéndose en estos casos determinar su grado de participación en la generación de las bases imponibles negativas, etc.

EJEMPLO 21

La sociedad "C", sociedad dependiente en un grupo de consolidación fiscal que se encontraba formado por las sociedades "A" (dominante),

"B" y "D" (también dependientes) es declarada en concurso de acreedores en el ejercicio 20X4. El grupo arrastraba bases imponibles negativas pendientes de compensar por los siguientes importes en cada uno de los siguientes periodos impositivos:

	20X1	20X2	20X3
Bases imponibles del grupo pendientes de compensación	1.000.000,00	2.000.000,00	2.500.000,00
TOTAL Acumulado	1.000.000,00	3.000.000,00	5.500.000,00

Se plantean las siguientes alternativas:

a) A la generación de las bases imponibles negativas había contribuido exclusivamente la sociedad "C".

b) A la generación de las bases imponibles negativas ha contribuido tanto la sociedad "C" como la sociedad "A" por partes iguales.

SOLUCIÓN EJEMPLO 21

Al haber sido declarado el concurso de acreedores de la sociedad "C" ésta incurre en causa de exclusión (artículo 58.4.c) produciéndose los efectos de la exclusión en el mismo periodo impositivo en el que esta concurre, en nuestro caso, en el ejercicio 20X4.

Adicionalmente, y en virtud de lo dispuesto en el artículo 74.2 la sociedad "C" se llevará consigo aquellas bases imponibles generadas por el grupo en la medida en que hayan contribuido a su generación.

Así, en la situación a) dado que las bases imponibles negativas se han generado únicamente por la sociedad "C" ésta asumirá la totalidad de las bases imponibles negativas pendientes de compensación por el grupo que podrá compensarlas en el régimen de tributación individual en los términos previstos en el artículo 26 de la LIS.

En la situación b), sin embargo, la sociedad "C" asumirá el 50 por ciento de las bases imponibles negativas pendientes de compensar por el grupo, permaneciendo el 50 por ciento restante bajo la órbita del grupo.

Por último, para el caso de que la entidad dominante de un grupo fiscal pierda tal condición por haber pasado a ser dependiente o por haber sido absorbida por alguna entidad a través de una operación de fusión acogida al régimen especial de fusiones se aplicarán reglas algo distintas. Este diferente tratamiento viene motivado por el hecho de que las sociedades pasen a integrarse en otro grupo de consolidación fiscal sin perder en la práctica su condición de miembro de un grupo fiscal. En estos casos, la aplicación de las distintas partidas pendientes de integrar en base imponible se realizará considerando al conjunto de sociedades que formaban el grupo primitivo. Es decir, que los límites para la compensación de las bases imponibles generadas por el grupo que pasa a integrarse en un nuevo grupo se calcularán a partir de los datos correspondientes a las sociedades.

5. LA CUOTA ÍNTEGRA DEL GRUPO DE CONSOLIDACIÓN FISCAL. DEDUCCIONES DE LA CUOTA ÍNTEGRA (ARTÍCULOS 69 Y 70 DE LA LIS)

De la lectura conjunta de los artículos 69 y 70 comprobamos que en la determinación de la cuota íntegra de impuesto procederá la aplicación del tipo de gravamen que corresponda a la entidad representante del grupo, ya sea esta la sociedad dominante residente en territorio español, ya el establecimiento permanente, o aquella que sea designada para actuar ante la Administración tributaria española en representación de los grupos en los que la sociedad dominante no sea residente en España.

Recordemos que los tipos de gravamen que regula la LIS (y sin perjuicio de las especialidades que para los periodos impositivos correspondientes a 2015 resulten de la aplicación de la Disposición Transitoria 34ª de la LIS) en su artículo 29. En él se establece un tipo de gravamen general del 25% (28% para los periodos impositivos que se inicien dentro de 2015 de acuerdo con la Disposición Transitoria 34ª.i).

No obstante, el artículo parece impedir la aplicación del tipo de gravamen previsto en el segundo párrafo del apartado 1 de este artículo 29, es decir, el correspondiente a las entidades de reciente o nueva creación (15% en el primer periodo impositivo en el que la base sea positiva y en el siguiente). Así, aunque la LIS no lo excluye expresamente en su artículo 69, limitándose este artículo a señalar que el tipo de gravamen aplicable será el que corresponda a la entidad representante, lo cierto es que el artículo 29.1 establece la cautela de no considerar entidad de nueva creación a aquellas que formen parte de un grupo en los términos establecidos en el artículo 42 del CCo. Por lo tanto, y aun cuando el concepto mercantil de grupo no sea plenamente coincidente con el concepto de grupo fiscal sí parece más que probable que concurriendo las circunstancias determinantes de la existencia de grupo fiscal también lo haya desde el punto de vista mercantil. Bajo esta premisa, el tipo de gravamen de las entidades de nueva o reciente creación no podrá ser aplicado por los grupos fiscales.

Por otra parte, y en el supuesto de que en el grupo se integre, al menos, una entidad de crédito el tipo de gravamen del grupo será el 30% (artículo 29.6 de la LIS). En este sentido el artículo 58.5 dispone –recuérdese– que, a pesar de que, con carácter general, no pueden formar parte de un grupo aquellas entidades dependientes que estén sujetas al Impuesto a un tipo de gravamen distinto al de la entidad representante del grupo fiscal en la medida en que se cumplan el resto de requisitos señalados en el artículo 58 para la configuración de un grupo fiscal en el que se integre, al menos, una entidad de crédito, sea como entidad dominante o como entidad dependiente, con otras entidades sujetas al tipo general de gravamen, se podrá optar por la inclusión de las referidas entidades de crédito dentro del grupo fiscal, con aplicación al citado grupo del régimen previsto en este capítulo.

Se trata por tanto de un régimen opcional que permite a los contribuyentes decidir si la entidad de crédito se incorpora al grupo fiscal o no. Ahora bien, en el caso de que se decida su inclusión, el tipo de gravamen del grupo fiscal será el de la entidad de crédito. En este sentido se ha pronunciado la DGT, que en la contestación a la consulta vinculante número V2401/2015, de 29 de julio, aborda el planteamiento de la siguiente situación fáctica:

> *"La entidad consultante se dedica a la fabricación de automóviles, está sujeta a normativa común del Impuesto sobre Sociedades y es cabecera de un grupo de consolidación fiscal E.*
>
> *La sociedad N también se dedica a la fabricación de automóviles, está sujeta a la normativa foral en régimen de tributación individual del Impuesto sobre Sociedades y está incluida en el grupo de consolidación fiscal E.*
>
> *En el grupo también se integra la sociedad C, establecimiento de crédito.*
>
> *Hasta 31 de diciembre de 2014, por aplicación del Convenio Económico entre el Estado y la Comunidad Foral de Navarra, la sociedad N estaba integrada en el grupo de consolidación fiscal E siendo el régimen de tributación aplicable el correspondiente a la Administración del Estado, por ser la entidad consultante la sociedad dominante del citado grupo".*

La cuestión planteada fue la siguiente:

> *"Si una sociedad sujeta a la normativa foral en régimen de tributación individual del Impuesto sobre Sociedades (régimen general pero con diferente tipo impositivo) puede seguir integrada en el ejercicio 2015 y siguientes en un grupo de consolidación fiscal que tribute en régimen general, según la normativa común del Impuesto sobre Sociedades. O si la diferencia de tipo general no lo permite, si al acogerse la sociedad N a la disposición transitoria cuadragésima octava de la Ley Foral 24/1996, de 30 de diciembre, del Impuesto sobre Sociedades, al igualarse el tipo impositivo en el 30% se cumplirían las condiciones para su permanencia en el grupo fiscal".*

Y la contestación de la DGT fue la siguiente:

> *"En lo que se refiere al cumplimiento de dichos requisitos, al margen del cumplimiento de todos los demás requisitos establecidos en el citado artículo 58 de la LIS, el apartado 4.e) de dicho artículo establece que no podrán formar parte de los grupos fiscales las entidades dependientes que estén sujetas al Impuesto sobre Sociedades a un tipo de gravamen diferente al de la entidad representante del grupo fiscal, salvo el supuesto previsto en el apartado 5.*
>
> *La entidad representante del grupo fiscal, de acuerdo con el artículo 56.2 de la LIS es la entidad dominante cuando sea residente en territorio español, lo*

cual sucede en el caso concreto planteado en el escrito de consulta, en el que la entidad representante del grupo fiscal es la entidad consultante.

Partiendo del supuesto de que la entidad consultante está sujeta al tipo general de gravamen, para los períodos impositivos que se inicien dentro del año 2015, estará sujeta al tipo del 28%, y en los siguientes, al 25%.

A la hora de determinar el cumplimiento del tipo de gravamen a que se refiere el artículo 58.4.e) de la LIS, deberá tenerse en cuenta aquel que resultaría de aplicación a la entidad N de encontrarse sometida a la normativa tributaria existente en territorio común, siendo intrascendente a estos efectos, el tipo de gravamen que le resultaría de aplicación en territorio foral. Por tanto, si esta entidad N, en territorio común estaría sometida al tipo de gravamen general, de la misma manera que la entidad dominante, ello supondría dar por cumplido el mencionado requisito del artículo 58.4.e) de la LIS.

En cuanto a la sociedad C, en el escrito de consulta se manifiesta que es un establecimiento de crédito. La disposición adicional primera de la Ley 5/2015, de 27 de abril, de fomento de la financiación empresarial, que entró en vigor el 28 de abril de 2015, establece que "Los establecimientos financieros de crédito tendrán, a efectos fiscales, el tratamiento que resulte aplicable a las entidades de crédito".

El artículo 29.6 de la LIS establece que:

"6. Tributarán al tipo del 30 por ciento las entidades de crédito, (...)

(...)"

Partiendo del supuesto de que la sociedad C tenga la consideración de establecimiento financiero de crédito, en los períodos impositivos que se inicien a partir de 1 de enero de 2015, estará sujeta al tipo del 30%.

En conclusión, en el período impositivo iniciado dentro de 2015, las sociedades N y C estarán sujetas a un tipo de gravamen diferente al de la entidad consultante.

De acuerdo con el apartado 5 del artículo 58 de la LIS, en el supuesto de que se cumplan el resto de requisitos del artículo 58 para la configuración de un grupo fiscal en el que se integre, al menos, una entidad de crédito, sea como entidad dominante o como entidad dependiente, con otras entidades sujetas al tipo general de gravamen, se podrá optar por la inclusión de las referidas entidades de crédito dentro del grupo fiscal, con aplicación al citado grupo del régimen previsto en este capítulo o por excluir a dicha entidad del grupo fiscal.

Por tanto, podrá optarse por incluir a la entidad C en el grupo fiscal configurado por la dominante, sus dependientes y la entidad N, tributando el grupo al tipo de gravamen del 30 por ciento, o bien aplicar las reglas generales excluyendo a la entidad C del grupo fiscal por tener un tipo de gravamen diferente. En cualquiera de los dos supuestos, por aplicación de la disposición transitoria decimoséptima del Convenio, la entidad N podrá formar parte del grupo fiscal de la entidad dominante".

En el mismo sentido se pronuncia la Consulta Vinculante número V1069/2015, de 8 de abril.

Por otro lado, y en lo que a la determinación de la cuota íntegra se refiere, el artículo 69 contempla, como hemos visto, la posibilidad de que el grupo fiscal aplique la reserva de nivelación prevista en el artículo 105 de la LIS. Para ello, y aunque no se diga expresamente en el artículo 69 de la LIS, de acuerdo con lo dispuesto en el artículo 105.1 (al que el artículo 69 se remite) la reserva de nivelación solo podrá ser aplicada por las entidades que cumplan las condiciones previstas en el artículo 101. En consecuencia, será necesario que el importe neto de la cifra de negocios del conjunto de entidades que formen el grupo (en el sentido del artículo 42 del CCo) no supere la cifra de diez millones de euros (10.000.000 €) prevista en el artículo 101 de la LIS.

Finalmente, y en lo que se refiere a las deducciones y bonificaciones en la cuota íntegra, serán aplicables las previstas en los Capítulos II, III y IV del Título VI de la LIS, es decir:

- Deducción por doble imposición internacional:
- Deducción para evitar la doble imposición jurídica (Artículo 31);
- Deducción para evitar la doble imposición económica (Artículo 32).
- Bonificaciones:
- Bonificación por rentas obtenidas en Ceuta y Melilla (Artículo 33);
- Bonificación por prestación de servicios públicos (Artículo 34).
- Deducción para incentivar la realización de determinadas actividades:
- Deducción por actividades de investigación y desarrollo (Artículo 35);
- Deducción por inversiones en producciones cinematográficas (Artículo 36);
- Deducción por creación de empleo (Artículo 37);
- Deducción por creación de empleo para trabajadores con discapacidad (Artículo 38).

La característica principal de la aplicación del régimen de deducciones por los contribuyentes que tributen en el régimen de consolidación del IS radica en que los requisitos y condiciones a que los artículos anteriores condicionan su aplicación se referirán al grupo y no a aquella de las entidades integrantes del mismo que individualmente pudiera haber realizado la actividad generadora del derecho a la aplicación del correspondiente incentivo. Así, por ejemplo, cuando el artículo 35 dispone que la deducción por actividades de investigación será del 25 por ciento de los gastos efectuados en el periodo gastos efectuados en el período impositivo por este concepto habrá que estar a los gastos en investigación realizados por todo el grupo

Sin embargo, en la aplicación de las deducciones que se hubieran generado por una sociedad con anterioridad a la incorporación al grupo se aplicarán teniendo en cuenta que los límites para su aplicación vendrán referidos a la sociedad que generó el derecho a su aplicación, para lo que, además, deberán tenerse en cuenta las eliminaciones e incorporaciones previstas en el la Ley.

6. PERIODO IMPOSITIVO Y DEVENGO (ART. 68 LIS)

6.1. *Periodo impositivo*

El periodo impositivo del grupo de consolidación fiscal coincidirá con el de la entidad representante del mismo. Así lo establece el artículo 68 de la LIS y así lo establecía también el artículo 76 del TRLIS. La novedad que introduce el artículo 68 de la LIS frente al artículo 76 del TRLIS es la referencia a la "entidad representante" del grupo. En aquel precepto el periodo impositivo se identifica con el de la sociedad dominante. En efecto, en la regulación anterior la condición de representante del grupo siempre recaía sobre la sociedad dominante (y en el establecimiento permanente al que se encontraran vinculadas funcionalmente las participaciones de las entidades dependientes, establecimiento que a los solos efectos de la aplicación del Régimen especial de consolidación tenía la consideración de entidad dominante). Por lo tanto, si la sociedad dominante (o el establecimiento permanente) era, en tanto que la representante del grupo, la obligada al cumplimiento de las distintas obligaciones materiales y formales propias de este régimen, tenía sentido que el periodo impositivo del grupo se correspondiera con el suyo propio.

En la actual regulación, sin embargo, al contemplarse la posibilidad de que se constituyan grupos fiscales "horizontales" (recordemos, esto será posible cuando la entidad dominante no sea residente en territorio español), lo que obligará a nombrar una entidad que represente al grupo fiscal ante la Administración tributaria española, es lógico que la norma ya no se refiera al periodo impositivo de la sociedad dominante sino al de la entidad representante.

Por otro lado, ya se ha mencionado en anteriores páginas que las entidades dependientes deben ajustar su ejercicio social al de la entidad dominante. La necesidad de hacerlo deriva de la obligación que la propia LIS impone a los grupos consolidación fiscal de formular los estados consolidados referidos a la misma fecha de cierre y periodo que las cuentas anuales de la entidad representante del grupo fiscal, debiendo el resto de entidades que forman parte del grupo fiscal hacerlo en la fecha en que lo haga aquella entidad (esta obligación se recoge en el artículo 72 de la LIS en el que se regulan las obligaciones de información del grupo).

Pues bien, el artículo 68 de la LIS establece como hemos visto que "*Cuando alguna de las sociedades dependientes concluyere un período impositivo de acuerdo con las normas reguladoras de la tributación en régimen individual, dicha conclusión no determinará la del grupo fiscal*". Esto mismo disponía el artículo 76.2 del TRLIS.

En relación con esta cuestión recordemos que el artículo 26 del TRLSC señala que el ejercicio social concluye, salvo disposición estatutaria que disponga otra cosa, el 31 de diciembre de cada año. Por su parte, el artículo 27 de la LIS hace coincidir el periodo impositivo con el ejercicio económico, sin que pueda exceder de 12 meses, mientras que el artículo 28 de la LIS señala que el devengo se producirá el último día del periodo impositivo (o sea, del ejercicio económico).

La cuestión de la inadecuación del ejercicio social y, por ende, del periodo impositivo de alguna de las sociedades dependientes al de la sociedad dominante se ha planteado vigente el TRLIS y las consecuencias que respecto del grupo fiscal dicha circunstancia pudiera tener se analizaron en la Consulta Vinculante de la DGT número V1736/2008, de 26 de septiembre. En ella se planteaba el siguiente supuesto de hecho:

> *"La entidad consultante es una sociedad holding cuyo objeto es la tenencia y gestión de participaciones sociales de las sociedades que integran un grupo de consolidación fiscal. El ejercicio social y período impositivo del grupo coincide con el año natural.*
>
> *A finales de 2006, la sociedad holding ha alcanzado una participación indirecta en una sociedad anónima deportiva superior al 75% del capital, lo que supondría su inclusión en el grupo de consolidación fiscal a partir de 2007.*
>
> *Según el artículo 8.º del Real Decreto 1215/1999, de 16 de julio, de régimen jurídico de las sociedades anónimas deportivas, la fecha de cierre del ejercicio social de dichas entidades se fijará necesariamente de conformidad con el calendario de liga profesional, de manera que, si no se establece otra cosa, la previsión de cierre del ejercicio será el 30 de junio de cada año".*

Ante tal planteamiento la DGT contestó lo siguiente:

> *"(...) Respecto del período impositivo, el artículo 76 del TRLIS establece que el período impositivo del grupo fiscal coincidirá con el de la sociedad dominante, de forma que si alguna sociedad dependiente concluye un período impositivo en fecha diferente según las normas de tributación del régimen individual, dicha conclusión no determinará la del grupo fiscal.*
>
> *Por otra parte, el artículo 79 del TRLIS establece que la sociedad dominante debe formular, a los solos efectos fiscales, unos estados contables consolidados aplicando el método de integración global a todas las sociedades que integran el grupo fiscal, de forma que las cuentas anuales consolidadas se referirán a la misma fecha de cierre y período que las cuentas anuales de la sociedad dominante, debiendo las sociedades dependientes cerrar su ejercicio social en la fecha en que lo haga la sociedad dominante.*
>
> *De lo anterior se desprende la obligatoriedad de que todas las sociedades que cumplan los requisitos para ser consideradas sociedades dependientes deban formar parte del grupo fiscal a efectos de la aplicación del régimen de consolidación fiscal, de forma que el período impositivo del grupo, al ser coincidente con el de la sociedad dominante, ello obliga a que todas las sociedades dependientes concluyan igualmente su período impositivo en la misma fecha en que lo hace la dominante al objeto de agregar todas las bases imponibles de las sociedades que lo integran para determinar la base imponible consolidada del grupo.*
>
> ***Esta identidad de períodos impositivos hace necesario que los ejercicios sociales de todas las sociedades coincidan****, por cuanto la finalización del mismo determina la*

conclusión del período impositivo de acuerdo con lo establecido en el artículo 26 del TRLIS. No obstante, en un caso como el planteado en la consulta en el que una sociedad dependiente, por imperativo legal o reglamentario, está obligada a tener un ejercicio social diferente al de la dominante, por un lado, de acuerdo con lo establecido en el artículo 67 del TRLIS, ello no supone causa de exclusión del grupo, por lo que esta sociedad debe formar parte del mismo y, por otro, que esa pertenencia al grupo exige que la misma deba tener su período impositivo coincidente con el de la dominante, por lo que a los efectos de la consolidación fiscal esa sociedad deberá iniciar y finalizar su período impositivo en las mismas fechas en que lo hace la dominante, de forma que la finalización de un período impositivo en la fecha de conclusión de su ejercicio social de acuerdo con las normas de tributación individual no tiene incidencia fiscal en el grupo según lo establecido en el citado artículo 76 del TRLIS.

Por último, en cuanto a los estados contables consolidados a que se refiere el artículo 79 del TRLIS, lo son a efectos de información solamente fiscal, sin perjuicio de que el grupo deba cumplir otras obligaciones establecidas en el ámbito mercantil sobre los estados contables consolidados. (…).

En conclusión, en el régimen de consolidación fiscal, a diferencia de lo que ocurre con la consolidación contable (véase artículo 16 de las Normas para la Formulación de las Cuentas Anuales Consolidadas), los ejercicios sociales de las sociedades integrantes del grupo deben coincidir hasta el punto de que si alguna sociedad, por imperativo legal, no pudiera adaptarlo al de la sociedad dominante quedaría excluida de la consolidación fiscal.

6.2. Devengo

No existe en el Régimen especial de consolidación fiscal una norma especial sobre el devengo del Impuesto. En consecuencia, resultará de aplicación la norma general según la cual el devengo se producirá el último día del ejercicio económico, lo cual ocurrirá el último día del periodo impositivo de la sociedad dominante.

7. GESTIÓN DEL IMPUESTO Y OBLIGACIONES FORMALES (ARTÍCULOS 72 Y 75 LIS)

7.1. Autoliquidación del impuesto

La entidad representante del grupo fiscal se encuentra obligada a la presentación de la autoliquidación del grupo, ingresando la deuda tributaria resultante en el lugar, forma y plazos que se determinen por el Ministro de Hacienda y Administraciones Públicas.

En cuanto al plazo para su presentación, precisa el artículo 75.2 de la LIS que la declaración deberá presentarse en el plazo correspondiente a la declaración en régimen individual de tributación de la entidad representante del grupo. Ello nos hace remitirnos a lo dispuesto en los artículos 124 y 125 de la LIS donde se regula el régimen general de la obligación de presentación de la declaración del Impuesto, señalándose en el primero de los citados artículos que la declaración se presentará en el plazo de los 25 días naturales siguientes a los 6 meses posteriores a la conclusión del periodo impositivo.

Sin embargo, habrá que estar cada año a la Orden Ministerial que se apruebe por el Ministro de Hacienda para conocer el plazo de presentación de la declaración, forma y plazos para su presentación. En la misma Orden Ministerial se aprobará el modelo de declaración a cumplimentar por el contribuyente.

Cuando el periodo impositivo del grupo fiscal no coincida con el año natural podría ocurrir que al vencimiento del plazo señalado en el artículo 125.2 de la LIS no se hubiese aprobado la Orden Ministerial correspondiente. Para solventar los problemas que ocasiona esta circunstancia, el mismo artículo señala que la declaración se presente a los 25 días naturales siguientes a la fecha de la entrada en vigor de la Orden, si bien la norma ofrece también la posibilidad de hacerlo en el plazo de los seis meses posteriores a la conclusión del periodo impositivo mediante la presentación del modelo de declaración que se hubiese aprobado para el periodo impositivo precedente.

El modelo de declaración el Impuesto a presentar por los grupos de consolidación fiscal ha venido siendo aprobado conjuntamente con los modelos de declaración del Impuesto sobre Sociedades (Régimen general) y del Impuesto sobre la Renta de no Residentes correspondiente a establecimientos permanentes y a entidades en régimen de atribución de rentas con presencia en territorio español. La última que hasta la fecha en que se cierra la presente edición fue la Orden HAP/1067/2015, de 5 de junio (BOE de 8 de junio de 2015 y corrección de errores de 11 de junio). En ella, como venía siendo habitual en los últimos periodos impositivos se aprueba el Modelo 220 correspondiente a la Declaración del Impuesto sobre Sociedades–Régimen de consolidación fiscal correspondiente a los grupos fiscales, así como su correspondiente documento de ingreso o devolución. En concreto, el citado modelo 220, que figura como anexo II de la Orden, es aplicable a los grupos fiscales, incluidos los de cooperativas, que tributen por el régimen fiscal especial establecido en el capítulo VII del título VII del TRLIS y en el Real Decreto 1345/1992, de 6 de noviembre, por el que se dictan normas para la adaptación de las disposiciones que regulan la tributación sobre el beneficio consolidado a los grupos de sociedades de cooperativas respectivamente.

Es de esperar, pues, que la Orden por la que se aprueben los modelos de declaración para el periodo impositivo de 2015 a presentar en 2016 reproduzca el esquema seguido hasta ahora por las distintas órdenes ministeriales, en el sentido de mantener a dualidad de modelos. Por un lado, el modelo que debe ser utilizado con carácter general por los contribuyentes del Impuesto (modelo 200) y, por otro lado, el modelo a utilizar por los contribuyentes que tributen en el régimen de consolidación fiscal (220).

Debe precisarse, no obstante, que el modelo 220 deberá presentarlo la sociedad representante del grupo y se referirá a las magnitudes del grupo fiscal. Y es que, como se advertía en páginas anteriores, todas y cada una de las sociedades integrantes del grupo se encuentran obligadas a presentar su propio modelo de declaración que será cumplimentado en todos sus extremos, hasta cifrar los importes líquidos teóricos que en régimen de tributación individual habrían de ser ingresados o las devoluciones que en su caso habrían de ser obtenidas por cada una de las respectivas entidades.

En cuanto a la forma de presentación de la declaración (tanto del modelo 220 como de los modelos 200 que deben presentar todas las sociedades integradas en el grupo) se exige por la Orden HAP/1067/2015 su presentación, de acuerdo con lo previsto en el apartado a) del artículo 2 de la Orden HAP/2194/2013, de 22 de noviembre, por la que se regulan los procedimientos y las condiciones generales para la presentación de determinadas autoliquidaciones y declaraciones informativas de naturaleza tributaria, con las especialidades establecidas en los apartados siguientes de este artículo. En el artículo 2 de la Orden HAP/2194/2013, de 22 de noviembre, se regula la presentación electrónica por internet mediante firma electrónica avanzada o un sistema de identificación y autenticación, en ambos casos utilizando un certificado electrónico reconocido emitido de acuerdo a las condiciones que establece la Ley 59/2003, de 19 de diciembre, de Firma Electrónica, que resulte admisible por la Agencia Estatal de Administración Tributaria según la normativa vigente en cada momento. De ello cabe colegir que los grupos consolidación fiscal se encuentran obligados en todo caso a la presentación de sus declaraciones por internet.

En este punto debe recordarse que tras la modificación introducida en el artículo 199 de la LGT por la Ley 7/2012, de 29 de octubre, de modificación de la normativa tributaria y presupuestaria y de adecuación de la normativa financiera para la intensificación de las actuaciones en la prevención y lucha contra el fraude, constituye infracción tributaria la presentación por medios distintos de los electrónicos, informáticos y telemáticos en aquellos supuestos en que hubiera obligación de hacerlo por dichos medios. Dicha infracción tributaria se sanciona con una multa pecuniaria fija de 250 euros. Es de destacar, no obstante, que la cuantía de la sanción (como hemos dicho de 250 euros) se ha visto sensiblemente reducida tras la nueva modificación que en este precepto ha incorporado la Ley 34/2015, de 21 de septiembre, de modificación parcial de la LGT (BOE de 22 de septiembre de 2015), pues la Ley 7/2012 había previsto una sanción de 1.500 euros para estos incumplimientos. En consecuencia, y considerando que la modificación del artículo 199 de la LGT entró en vigor el pasado 12 de octubre de 2015, el incumplimiento de la obligación de presentar por medios telemáticos la declaración del Impuesto sobre Sociedades correspondiente a los periodos impositivos que se inicien a partir de la entrada en vigor de la LIS (1 de enero de 2015) será sancionado con 250 euros anuales.

7.2. Obligación de información

La obligación prevista en el apartado 1 del artículo 72 tiene su justificación en el hecho de que las sociedades que integran en el grupo fiscal no tenga porqué ser coincidente con las sociedades que formen parte del grupo mercantil.

Como vimos en la parte introductoria de este Capítulo la configuración de los grupos fiscales difiere notablemente de la configuración que de los grupos mercantiles hace la norma mercantil (CCo y NOFCA). En definitiva, se trata con esta norma de ofrecer una información contable que puede resultar de cierta utilidad en los controles que a posteriori desee establecer la Administración tributaria, información que podría estar sesgada si se obligase a la aportación de los estados contables consolidados previstos en la normativa mercantil.

Debe resaltarse, además, la circunstancia de que la obligación anterior debe cumplimentarse exclusivamente *a efectos fiscales*, luego no parece que respecto de ellos deba exigirse el cumplimiento de las formalidades y demás requisitos previstos en la normativa mercantil.

Además, el cumplimiento de la obligación prevista en el apartado primero de este artículo es esencial pues su incumplimiento desencadena la fatal consecuencia de la pérdida del régimen de consolidación fiscal. La pérdida se produce, además, con efectos en el periodo impositivo en el que se produzca el incumplimiento.

Pudiera pensarse que la *sanción* que se deriva de este incumplimiento es un tanto desproporcionada –por las graves consecuencias que su concurrencia comporta– pero lo cierto es que de ello se puede colegir que el cumplimiento de esta obligación de información resulta vital para la correcta aplicación del régimen fiscal.

8. BIBLIOGRAFÍA

Fernando Borrás Amblas y José Vicente Navarro Alcázar; Impuesto sobre Sociedades (2). Regímenes Especiales. Comentarios y casos prácticos. Ediciones CEF. 2015.

José Antonio López-Santacruz Montes; Memento Impuesto sobre Sociedades; Lefebvre-El Derecho. 2015.

José Antonio López-Santacruz y otros; Memento Grupos Consolidados; Lefebvre-El Derecho.

Jacinto Ruiz Quintanilla; La compensación de las bases imponibles negativas en el régimen de consolidación fiscal a través de cuestiones prácticas (ejercicios 2014 a 2017); Revista Contabilidad y Tributación CEF; Núm. 389 y 390 (agosto-septiembre 2015); Pp. E1-E24.

Estefanía López Llopis; La determinación de la base imponible en el Régimen de consolidación fiscal. Eliminaciones e incorporaciones de resultados internos (Primera parte). Revista Contabilidad y Tributación CEF; Núm. 384 (marzo 2015). Pp. 171-202.

Estefanía López Llopis; La determinación de la base imponible en el Régimen de consolidación fiscal. Eliminaciones e incorporaciones de resultados internos (Primera parte). Revista Contabilidad y Tributación CEF; Núm. 383 (febrero 2015). Pp. 163-206.

Régimen especial de las fusiones, escisiones, aportaciones de activos, canje de valores y cambio de domicilio social

César García Novoa

Catedrático de Derecho Financiero y Tributario.
Universidad de Santiago de Compostela

Artículo 76. Definiciones.

"1. *Tendrá la consideración de fusión la operación por la cual:*

a) Una o varias entidades transmiten en bloque a otra entidad ya existente, como consecuencia y en el momento de su disolución sin liquidación, sus respectivos patrimonios sociales, mediante la atribución a sus socios de valores representativos del capital social de la otra entidad y, en su caso, de una compensación en dinero que no exceda del 10 por ciento del valor nominal o, a falta de valor nominal, de un valor equivalente al nominal de dichos valores deducido de su contabilidad.

b) Dos o más entidades transmiten en bloque a otra nueva, como consecuencia y en el momento de su disolución sin liquidación, la totalidad de sus patrimonios sociales, mediante la atribución a sus socios de valores representativos del capital social de la nueva entidad y, en su caso, de una compensación en dinero que no exceda del 10 por ciento del valor nominal o, a falta de valor nominal, de un valor equivalente al nominal de dichos valores deducido de su contabilidad.

c) Una entidad transmite, como consecuencia y en el momento de su disolución sin liquidación, el conjunto de su patrimonio social a la entidad que es titular de la totalidad de los valores representativos de su capital social.

2. 1.° Tendrá la consideración de escisión la operación por la cual:

a) Una entidad divide en dos o más partes la totalidad de su patrimonio social y los transmite en bloque a dos o más entidades ya existentes o nuevas, como consecuencia de su disolución sin liquidación, mediante la atribución a sus socios, con arreglo a una norma proporcional, de valores representativos del capital social de las entidades adquirentes de la aportación y, en su caso, de una compensación en dinero que no exceda del 10 por ciento del valor nominal o, a falta de valor nominal, de un valor equivalente al nominal de dichos valores deducido de su contabilidad.

b) Una entidad segrega una o varias partes de su patrimonio social que formen ramas de actividad y las transmite en bloque a una o varias entidades de nueva creación o ya existentes, manteniendo en su patrimonio al menos una rama de actividad en la entidad transmitente, o bien participaciones en el capital de otras entidades que le confieran la mayoría del capital social de estas, recibiendo a cambio valores representativos del capital social de la entidad adquirente, que deberán atribuirse a sus socios en proporción a sus respectivas participaciones, reduciendo el capital social y reservas en la cuantía necesaria, y, en su caso, una compensación en dinero en los términos de la letra anterior.

c) *Una entidad segrega una parte de su patrimonio social, constituida por participaciones en el capital de otras entidades que confieran la mayoría del capital social en estas, y las transmite en bloque a una o varias entidades de nueva creación o ya existentes, manteniendo en su patrimonio, al menos, participaciones de similares características en el capital de otra u otras entidades o bien una rama de actividad, recibiendo a cambio valores representativos del capital social de estas últimas, que deberán atribuirse a sus socios en proporción a sus respectivas participaciones, reduciendo el capital social y las reservas en la cuantía necesaria y, en su caso, una compensación en dinero en los términos de la letra a) anterior.*

2.º En los casos en que existan dos o más entidades adquirentes, la atribución a los socios de la entidad que se escinde de valores representativos del capital de alguna de las entidades adquirentes en proporción distinta a la que tenían en la que se escinde requerirá que los patrimonios adquiridos por aquéllas constituyan ramas de actividad.

3. *Tendrá la consideración de aportación no dineraria de ramas de actividad la operación por la cual una entidad aporta, sin ser disuelta, a otra entidad de nueva creación o ya existente la totalidad o una o más ramas de actividad, recibiendo a cambio valores representativos del capital social de la entidad adquirente.*

4. *Se entenderá por rama de actividad el conjunto de elementos patrimoniales que sean susceptibles de constituir una unidad económica autónoma determinante de una explotación económica, es decir, un conjunto capaz de funcionar por sus propios medios. Podrán ser atribuidas a la entidad adquirente las deudas contraídas para la organización o el funcionamiento de los elementos que se traspasan.*

5. *Tendrá la consideración de canje de valores representativos del capital social la operación por la cual una entidad adquiere una participación en el capital social de otra que le permite obtener la mayoría de los derechos de voto en ella o, si ya dispone de dicha mayoría, adquirir una mayor participación, mediante la atribución a los socios, a cambio de sus valores, de otros representativos del capital social de la primera entidad y, en su caso, de una compensación en dinero que no exceda del 10 por ciento del valor nominal o, a falta de valor nominal, de un valor equivalente al nominal de dichos valores deducido de su contabilidad.*

6. El régimen tributario previsto en este capítulo será igualmente aplicable a las operaciones en las que intervengan contribuyentes de este Impuesto que no tengan la forma jurídica de sociedad mercantil, siempre que produzcan resultados equivalentes a los derivados de las operaciones mencionadas en los apartados anteriores.

7. El régimen tributario previsto en este capítulo será igualmente aplicable a las operaciones de cambio de domicilio social de una Sociedad Europea o una Sociedad Cooperativa Europea de un Estado miembro a otro de la Unión Europea, respecto de los bienes y derechos situados en territorio español que queden afectados con posterioridad a un establecimiento permanente situado en dicho territorio. A estos efectos, las reglas previstas en este régimen especial para los supuestos de transmisiones de bienes y derechos serán de aplicación a las operaciones de cambio de domicilio social, aun cuando no den lugar a dichas transmisiones".

Artículo 77. Régimen de las rentas derivadas de la transmisión.

"1. No se integrarán en la base imponible las siguientes rentas derivadas de las operaciones a que se refiere el artículo anterior:

a) Las que se pongan de manifiesto como consecuencia de las transmisiones realizadas por entidades residentes en territorio español de bienes y derechos en él situados.

Cuando la entidad adquirente resida en el extranjero sólo se excluirán de la base imponible las rentas derivadas de la transmisión de aquellos elementos que queden afectados a un establecimiento permanente situado en territorio español.

La transferencia de estos elementos fuera del territorio español determinará la integración en la base imponible del establecimiento permanente, en el período impositivo en que se produzca aquélla, de la diferencia entre el valor de mercado y el valor a que se refiere el artículo siguiente minorado, en su caso, en el importe de las amortizaciones y otras correcciones de valor reflejadas contablemente que hayan sido fiscalmente deducibles.

El pago de la deuda tributaria resultante de la aplicación de lo dispuesto en el párrafo anterior, en el supuesto de elementos patrimoniales transferidos a un Estado miembro de la Unión Europea, o del Espacio Económico Europeo con el que exista un efectivo intercambio de información tributaria en los términos previstos en el apartado 3 de la Disposición adicional primera de la Ley 36/2006, de 29 de noviembre, de medidas para la prevención del fraude fiscal, será aplazado por la Administración tributaria a solicitud del contribuyente hasta la fecha de la transmisión a terceros de los elementos patrimoniales afectados, resultando de aplicación lo dispuesto en la Ley 58/2003, de 17 de diciembre, General Tributaria, y su normativa de desarrollo, en cuanto al devengo de intereses de demora y a la constitución de garantías para dicho aplazamiento.

b) Las que se pongan de manifiesto como consecuencia de las transmisiones realizadas por entidades residentes en territorio español, de establecimientos permanentes situados en el territorio de Estados miembros de la Unión Europea, a favor de entidades que residan en ellos, revistan una de las formas enumeradas en la parte A del anexo I de la Directiva 2009/133/CE del Consejo, de 19 de octubre, relativa al régimen fiscal común aplicable a las fusiones, escisiones, escisiones parciales, aportaciones de activos y canjes de acciones realizados entre sociedades de diferentes Estados miembros y al traslado del domicilio social de una SE o una SCE de un Estado miembro a otro, y estén sujetas y no exentas a alguno de los tributos mencionados en la parte B de su anexo I.

c) Las que se pongan de manifiesto como consecuencia de las transmisiones realizadas por entidades residentes en territorio español, de establecimientos permanentes situados en el territorio de Estados no pertenecientes a la Unión Europea en favor de entidades residentes en territorio español.

d) Las que se pongan de manifiesto como consecuencia de las transmisiones realizadas por entidades no residentes en territorio español, de establecimientos permanentes en él situados.

Cuando la entidad adquirente resida en el extranjero solo se excluirán de la base imponible las rentas derivadas de la transmisión de aquellos elementos que queden afectados a un establecimiento permanente situado en territorio español.

La transferencia de estos elementos fuera del territorio español determinará la integración en la base imponible del establecimiento permanente, en el ejercicio en que se produzca aquélla, de la diferencia entre el valor de mercado y el valor a que se refiere el artículo siguiente minorado, en su caso, en el importe de las amortizaciones y otras correcciones de valor reflejadas contablemente que hayan sido fiscalmente deducibles.

El pago de la deuda tributaria resultante de la aplicación de lo dispuesto en el párrafo anterior, en el supuesto de elementos patrimoniales transferidos a un Estado miembro de la Unión Europea, o del Espacio Económico Europeo con el que exista un efectivo intercambio de información tributaria en los términos previstos en el apartado 3 de la Disposición adicional primera de la Ley 36/2006, de 29 de noviembre, de medidas para la prevención del fraude fiscal, será aplazado por la Administración Tributaria a solicitud del contribuyente hasta la fecha de la transmisión a terceros de los elementos patrimoniales afectados, resultando de aplicación lo dispuesto en la Ley General Tributaria, y su normativa de desarrollo, en cuanto al devengo de intereses de demora y a la constitución de garantías para dicho aplazamiento.

e) Las que se pongan de manifiesto como consecuencia de las transmisiones realizadas por entidades no residentes en territorio español de participaciones en entidades residentes en territorio español, en favor de entidades residentes en su mismo país o territorio, o en favor de entidades residentes en la Unión Europea siempre que, en este último caso, tanto la entidad transmitente como la adquirente revistan una de las formas enumeradas en la parte A del anexo I de la Directiva 2009/133/CE, y estén sujetas y no exentas a alguno de los tributos mencionados en la parte B de su anexo I.

No se excluirán de la base imponible las rentas derivadas de las operaciones referidas en las letras a), c) y d) anteriores, cuando la entidad adquirente se halle exenta por este Impuesto o sometida al régimen de atribución de rentas.

Se excluirán de la base imponible las rentas derivadas de las operaciones a que se refiere este apartado aunque la entidad adquirente disfrute de la aplicación de un tipo de gravamen o un régimen tributario especial. Cuando la entidad adquirente disfrute de la aplicación de un tipo de gravamen o un régimen tributario especial distinto de la transmitente, la renta derivada de la transmisión de elementos patrimoniales existentes en el momento de la operación, realizada con posterioridad a ésta, se entenderá generada de forma lineal, salvo prueba en contrario durante el tiempo de tenencia del elemento transmitido. La parte de dicha renta generada hasta el momento de realización de la operación será gravada aplicando el tipo de gravamen y el régimen tributario que hubiera correspondido a la entidad transmitente.

2. Podrá renunciarse al régimen establecido en el apartado anterior, mediante la integración en la base imponible de las rentas derivadas de la transmisión de la totalidad o parte de los elementos patrimoniales.

3. En todo caso, se integrarán en la base imponible las rentas derivadas de buques o aeronaves o de bienes muebles afectos a su explotación, que se pongan de manifiesto en las entidades dedicadas a la navegación marítima y aérea internacional cuando la entidad adquirente no sea residente en territorio español".

Artículo 78. Valoración fiscal de los bienes adquiridos.

"1. Los bienes y derechos adquiridos mediante las transmisiones derivadas de las operaciones a las que haya sido de aplicación el régimen previsto en el artículo anterior se valorarán, a efectos fiscales, por los mismos valores fiscales que tenían en la entidad transmitente antes de realizarse la operación, manteniéndose igualmente la fecha de adquisición de la entidad transmitente.

2. En el supuesto de que se ejercite la opción de renuncia prevista en el apartado 2 del artículo anterior, los bienes y derechos adquiridos se valorarán de acuerdo con las reglas establecidas en el artículo 17 de esta Ley. En este caso, la fecha de adquisición de dichos bienes y derechos será la fecha en que la adquisición tenga eficacia mercantil.

3. *En aquellos casos en que no sea de aplicación el régimen previsto en el artículo anterior se tomará el valor que proceda de acuerdo con el artículo 17 de esta Ley".*

Artículo 79. Valoración fiscal de las acciones o participaciones recibidas en contraprestación de la aportación.

"Las acciones o participaciones recibidas como consecuencia de una aportación de ramas de actividad o de elementos patrimoniales se valorarán, a efectos fiscales, por el mismo valor fiscal que tenían la rama de actividad o los elementos patrimoniales aportados.

No obstante, en el supuesto de que se ejercite la opción de renuncia prevista en el apartado 2 del artículo 77 de esta Ley, las acciones o participaciones recibidas se valorarán de acuerdo con las reglas establecidas en el artículo 17 de esta Ley".

Artículo 80. Régimen fiscal del canje de valores.

"1. No se integrarán en la base imponible de este Impuesto, del Impuesto sobre la Renta de las Personas Físicas o del Impuesto sobre la Renta de no Residentes las rentas que se pongan de manifiesto con ocasión del canje de valores, siempre que cumplan los requisitos siguientes:

a) Que los socios que realicen el canje de valores residan en territorio español o en el de algún otro Estado miembro de la Unión Europea o en el de cualquier otro Estado siempre que, en este último caso, los valores recibidos sean representativos del capital social de una entidad residente en España.

Cuando el socio tenga la consideración de entidad en régimen de atribución de rentas, no se integrará en la base imponible de las personas o entidades que sean socios, herederos, comuneros o partícipes en dicho socio, la renta generada con ocasión del canje de valores, siempre que a la operación le sea de aplicación el régimen fiscal establecido en el presente capítulo o se realice al amparo de la Directiva 2009/133/CE del Consejo, de 19 de octubre, relativa al régimen fiscal común aplicable a las fusiones, escisiones, escisiones parciales, aportaciones de activos y canje de valores realizados entre sociedades de diferentes Estados miembros y al traslado del domicilio social de una SE o una SCE de un Estado miembro a otro, y los valores recibidos por el socio conserven la misma valoración fiscal que tenían los canjeados.

b) Que la entidad que adquiera los valores sea residente en territorio español o esté comprendida en el ámbito de aplicación de la Directiva 2009/133/CE.

2. Los valores recibidos por la entidad que realiza el canje de valores se valorarán, a efectos fiscales, por el valor fiscal que tenían en el patrimonio de los socios que efectúan la aportación, según las normas de este Impuesto, del Impuesto sobre la Renta de las Personas Físi-

cas o del Impuesto sobre la Renta de no Residentes, manteniéndose, igualmente, la fecha de adquisición de los socios aportantes.

No obstante, en aquellos casos en que las rentas generadas en los socios no estuviesen sujetas a tributación en territorio español, se tomará el valor de mercado. En este caso, la fecha de adquisición de las acciones será la correspondiente a la fecha de realización de la operación de canje de valores.

3. Los valores recibidos por los socios se valorarán, a efectos fiscales, por el valor fiscal de los entregados, determinado de acuerdo con las normas de este Impuesto, del Impuesto sobre la Renta de las Personas Físicas o del Impuesto sobre la Renta de no Residentes, según proceda. Esta valoración se aumentará o disminuirá en el importe de la compensación complementaria en dinero entregada o recibida.

Los valores recibidos conservarán la fecha de adquisición de los entregados.

4. En el caso de que el socio pierda la cualidad de residente en territorio español, se integrará en la base imponible del Impuesto sobre la Renta de las Personas Físicas o de este Impuesto del último período impositivo que deba declararse por estos impuestos, la diferencia entre el valor de mercado de las acciones o participaciones y el valor a que se refiere el apartado anterior, salvo que las acciones o participaciones queden afectos a un establecimiento permanente situado en territorio español.

El pago de la deuda tributaria resultante de la aplicación de lo dispuesto en el párrafo anterior, cuando el socio adquiera la residencia en un Estado miembro de la Unión Europea, o del Espacio Económico Europeo con el que exista un efectivo intercambio de información tributaria en los términos previstos en el apartado 3 de la Disposición adicional primera de la Ley 36/2006, de 29 de noviembre, de medidas para la prevención del fraude fiscal, será aplazado por la Administración tributaria a solicitud del contribuyente hasta la fecha de la transmisión a terceros de las acciones o participaciones afectadas, resultando de aplicación lo dispuesto en la Ley 58/2003, de 17 de diciembre, General Tributaria, y su normativa de desarrollo, en cuanto al devengo de intereses de demora y a la constitución de garantías para dicho aplazamiento.

Si el obligado tributario adquiriese de nuevo la condición de contribuyente de este Impuesto o del Impuesto sobre la Renta de las Personas Físicas sin haber transmitido la titularidad de las acciones o participaciones, podrá solicitar la rectificación de la autoliquidación al objeto de obtener la devolución de las cantidades ingresadas correspondientes a las ganancias patrimoniales reguladas en este artículo. La solicitud de rectificación podrá presentarse a partir de la finalización del plazo de declaración correspondiente al primer período impositivo en que deba presentarse una autoliquidación de este Impuesto o del Impuesto sobre la Renta de las Personas Físicas.

La devolución a que se refiere el párrafo anterior se regirá por lo dispuesto en el artículo 31 de la Ley 58/2003, de 17 de diciembre, General Tributaria, salvo en lo concerniente al abono de los intereses de demora, que se devengarán desde la fecha en que se hubiese realizado el ingreso hasta la fecha en que se ordene el pago de la devolución.

5. El régimen previsto en este artículo no resultará de aplicación en relación con aquellas operaciones en las que intervengan entidades domiciliadas o establecidas en países o territorios calificados como paraísos fiscales u obtenidas a través de ellos".

Artículo 81. Tributación de los socios en las operaciones de fusión y escisión.

"1. No se integrarán en la base imponible las rentas que se pongan de manifiesto con ocasión de la atribución de valores de la entidad adquirente a los socios de la entidad transmitente, siempre que sean residentes en territorio español o en el de algún otro Estado miembro de la Unión Europea o en el de cualquier otro Estado siempre que, en este último caso, los valores sean representativos del capital social de una entidad residente en territorio español.

Cuando el socio tenga la consideración de entidad en régimen de atribución de rentas, no se integrará en la base imponible de las personas o entidades que sean socios, herederos, comuneros o partícipes en dicho socio, la renta generada con ocasión de dicha atribución de valores, siempre que a la operación le sea de aplicación el régimen fiscal establecido en el presente capítulo o se realice al amparo de la Directiva 2009/133/CE del Consejo, de 19 de octubre, relativa al régimen fiscal común aplicable a las fusiones, escisiones, escisiones parciales, aportaciones de activos y canje de valores realizados entre sociedades de diferentes Estados miembros y al traslado del domicilio social de una SE o una SCE de un Estado miembro a otro, y los valores recibidos por el socio conserven la misma valoración fiscal que tenían los canjeados.

2. Los valores recibidos en virtud de las operaciones de fusión y escisión, se valoran, a efectos fiscales, por el valor fiscal de los entregados, determinado de acuerdo con las normas de este Impuesto, del Impuesto sobre la Renta de las Personas Físicas o del Impuesto sobre la Renta de no Residentes, según proceda. Esta valoración se aumentará o disminuirá en el importe de la compensación complementaria en dinero entregada o recibida. Los valores recibidos conservarán la fecha de adquisición de los entregados.

3. En el caso de que el socio pierda la cualidad de residente en territorio español, se integrará en la base imponible del Impuesto sobre la Renta de las Personas Físicas o de este Impuesto del último período impositivo que deba declararse por estos impuestos, la diferencia entre el valor de mercado de las acciones o participaciones y el valor a que se refiere el apartado anterior, salvo que las acciones o partici-

paciones queden afectos a un establecimiento permanente situado en territorio español.

El pago de la deuda tributaria resultante de la aplicación de lo dispuesto en el párrafo anterior, cuando el socio adquiera la residencia en un Estado miembro de la Unión Europea, o del Espacio Económico Europeo con el que exista un efectivo intercambio de información tributaria en los términos previstos en el apartado 3 de la Disposición adicional primera de la Ley 36/2006, de 29 de noviembre, de medidas para la prevención del fraude fiscal, será aplazado por la Administración tributaria a solicitud del contribuyente hasta la fecha de la transmisión a terceros de las acciones o participaciones afectadas, resultando de aplicación lo dispuesto en la Ley 58/2003, de 17 de diciembre, General Tributaria, y su normativa de desarrollo, en cuanto al devengo de intereses de demora y a la constitución de garantías para dicho aplazamiento.

Si el obligado tributario adquiriese de nuevo la condición de contribuyente de este Impuesto o del Impuesto sobre la Renta de las Personas Físicas sin haber transmitido la titularidad de las acciones o participaciones, podrá solicitar la rectificación de la autoliquidación al objeto de obtener la devolución de las cantidades ingresadas correspondientes a las ganancias patrimoniales reguladas en este artículo. La solicitud de rectificación podrá presentarse a partir de la finalización del plazo de declaración correspondiente al primer período impositivo en que deba presentarse una autoliquidación de este Impuesto o del Impuesto sobre la Renta de las Personas Físicas.

La devolución a que se refiere el párrafo anterior se regirá por lo dispuesto en el artículo 31 de la Ley 58/2003, de 17 de diciembre, General Tributaria, salvo en lo concerniente al abono de los intereses de demora, que se devengarán desde la fecha en que se hubiese realizado el ingreso hasta la fecha en que se ordene el pago de la devolución.

4. Se integrarán en la base imponible de este Impuesto, del Impuesto sobre la Renta de las Personas Físicas o del Impuesto sobre la Renta de no Residentes las rentas obtenidas en operaciones en las que intervengan entidades domiciliadas o establecidas en países o territorios calificados como paraísos fiscales u obtenidas a través de ellos".

Artículo 82. Participaciones en el capital de la entidad transmitente y de la entidad adquirente.

"1. Cuando la entidad adquirente participe en el capital o en los fondos propios de la entidad transmitente en, al menos un 5 por ciento, no se integrará en la base imponible de aquella la renta positiva o negativa derivada de la anulación de la participación. Tampoco se producirá dicha integración con ocasión de la transmisión de la participación que ostente la entidad transmitente en el capital de la adquirente cuando sea, al menos, de un 5 por ciento del capital o de los fondos propios.

2. Cuando la entidad adquirente participe en el capital de la enti-dad transmitente en un porcentaje inferior al 5 por ciento, se integrará en la base imponible de aquella la renta positiva o negativa derivada de la anulación de la participación. Dicha integración se producirá, igualmente, con ocasión de la transmisión de la participación que ostente la entidad transmitente en el capital de la adquirente cuando sea inferior al 5 por ciento del capital o de los fondos propios".

Artículo 83. Limitación en la deducción de gastos financieros destinados a la adquisición de participaciones en el capital o en los fondos propios de entidades.

"A los efectos de lo previsto en el artículo 16 de esta Ley, los gastos financieros derivados de deudas destinadas a la adquisición de participaciones en el capital o fondos propios de cualquier tipo de entidades se deducirán con el límite adicional del 30 por ciento del beneficio operativo de la propia entidad que realizó dicha adquisición, sin incluir en dicho beneficio operativo el correspondiente a cualquier entidad que se fusione con aquella en los 4 años posteriores a dicha adquisición, cuando la fusión aplique este régimen fiscal especial. Estos gastos financieros se tendrán en cuenta, igualmente, en el límite a que se refiere el apartado 1 del referido artículo 16.

Los gastos financieros no deducibles que resulten de la aplicación de lo dispuesto en este apartado serán deducibles en períodos impositivos siguientes con el límite previsto en este artículo y en el apartado 1 del artículo 16 de esta Ley.

El límite previsto en este apartado no resultará de aplicación en el período impositivo en que se adquieran las participaciones en el capital o fondos propios de entidades si la adquisición se financia con deuda, como máximo, en un 70 por ciento del precio de adquisición. Asimismo, este límite no se aplicará en los períodos impositivos siguientes siempre que el importe de esa deuda se minore, desde el momento de la adquisición, al menos en la parte proporcional que corresponda a cada uno de los 8 años siguientes, hasta que la deuda alcance el 30 por ciento del precio de adquisición".

Artículo 84. Subrogación en los derechos y las obligaciones tributarias.

"1. Cuando las operaciones mencionadas en el artículo 76 u 87 de esta Ley determinen una sucesión a título universal, se transmitirán a la entidad adquirente los derechos y obligaciones tributarias de la entidad transmitente.

Cuando la sucesión no sea a título universal, se transmitirán a la entidad adquirente los derechos y obligaciones tributarias que se refieran a los bienes y derechos transmitidos.

La entidad adquirente asumirá el cumplimiento de los requisitos necesarios para continuar aplicando los beneficios fiscales o consolidar los aplicados por la entidad transmitente.

2. Se transmitirán a la entidad adquirente las bases imponibles negativas pendientes de compensación en la entidad transmitente, siempre que se produzca alguna de las siguientes circunstancias:

a) La extinción de la entidad transmitente.

b) La transmisión de una rama de actividad cuyos resultados hayan generado bases imponibles negativas pendientes de compensación en la entidad transmitente. En este caso, se transmitirán las bases imponibles negativas pendientes de compensación generadas por la rama de actividad transmitida.

Cuando la entidad adquirente participe en el capital de la transmitente o bien ambas formen parte de un grupo de sociedades a que se refiere el artículo 42 del Código de Comercio, con independencia de su residencia y de la obligación de formular cuentas anuales consolidadas, la base imponible negativa susceptible de compensación se reducirá en el importe de la diferencia positiva entre el valor de las aportaciones de los socios, realizadas por cualquier título, correspondiente a la participación o a las participaciones que las entidades del grupo tengan sobre la entidad transmitente, y su valor fiscal.

3. Las subrogaciones comprenderán exclusivamente los derechos y obligaciones nacidos al amparo de las leyes españolas".

Artículo 85. Pérdidas de los establecimientos permanentes.

"Las rentas generadas en la transmisión de un establecimiento permanente aplicarán el régimen establecido en el artículo 22 de esta Ley.

No obstante, si no se cumplen los requisitos establecidos en el artículo 22 de esta Ley, el importe de la renta positiva que supere las rentas negativas netas obtenidas por el establecimiento permanente se integrará en la base imponible de la entidad transmitente, sin perjuicio de que se pueda deducir de la cuota íntegra el impuesto que, de no ser por las disposiciones de la Directiva 2009/133/CE, del Consejo, de 19 de octubre, relativa al régimen fiscal común aplicable a las fusiones, escisiones, escisiones parciales, aportaciones de activos y canje de valores realizados entre sociedades de diferentes Estados miembros y al traslado del domicilio social de una SE o una SCE de un Estado miembro a otro, hubiera gravado esa misma renta integrada en la base imponible, en el Estado miembro en que esté situado dicho establecimiento permanente, con el límite del importe de la cuota íntegra correspondiente a esa renta integrada en la base imponible".

Artículo 86. Obligaciones contables.

"1. La entidad adquirente deberá incluir en la memoria anual la información que seguidamente se cita, salvo que la entidad transmitente haya ejercitado la facultad a que se refiere el artículo 77.2 de *esta Ley en cuyo caso únicamente se cumplimentará la indicada en la letra d):*

a) Período impositivo en el que la entidad transmitente adquirió los bienes transmitidos.

b) Último balance cerrado por la entidad transmitente.

c) Relación de bienes adquiridos que se hayan incorporado a los libros de contabilidad por un valor diferente a aquél por el que figuraban en los de la entidad transmitente con anterioridad a la realización de la operación, expresando ambos valores así como las correcciones valorativas constituidas en los libros de contabilidad de las dos entidades.

d) Relación de beneficios fiscales disfrutados por la entidad transmitente, respecto de los que la entidad deba asumir el cumplimiento de determinados requisitos de acuerdo con lo establecido en el apartado 1 del artículo 84 de esta Ley.

A los efectos previstos en este apartado, la entidad transmitente estará obligada a comunicar dichos datos a la entidad adquirente.

2. Los socios personas jurídicas deberán mencionar en la memoria anual los siguientes datos:

a) Valor contable y fiscal de los valores entregados.

b) Valor por el que se hayan contabilizado los valores recibidos.

3. Las menciones establecidas en los apartados anteriores deberán realizarse mientras permanezcan en el inventario los valores o elementos patrimoniales adquiridos o deban cumplirse los requisitos derivados de los incentivos fiscales disfrutados por la entidad transmitente.

La entidad adquirente podrá optar, con referencia a la segunda y posteriores memorias anuales, por incluir la mera indicación de que dichas menciones figuran en la primera memoria anual aprobada tras la operación, que deberá ser conservada mientras concurra la circunstancia a la que se refiere el párrafo anterior.

4. El incumplimiento de las obligaciones establecidas en los apartados anteriores tendrá la consideración de infracción tributaria grave. La sanción consistirá en multa pecuniaria fija de 1.000 euros por cada dato omitido, en cada uno de los primeros 4 años en que no se incluya la información, y de 5.000 euros por cada dato omitido, en cada uno de los años siguientes, con el límite del 5 por ciento del valor por el que la entidad adquirente haya reflejado los bienes y derechos transmitidos en su contabilidad.

La sanción impuesta de acuerdo con lo previsto en este apartado se reducirá conforme a lo dispuesto en el apartado 3 del artículo 188 de la Ley 58/2003, de 17 de diciembre, General Tributaria".

Artículo 87. Aportaciones no dinerarias.

"1. El régimen previsto en el presente capítulo se aplicará, a opción del contribuyente de este Impuesto, del Impuesto sobre la Renta de las Personas Físicas o del Impuesto sobre la Renta de no Residentes,

a las aportaciones no dinerarias en las que concurran los siguientes requisitos:

a) Que la entidad que recibe la aportación sea residente en territorio español o realice actividades en este por medio de un establecimiento permanente al que se afecten los bienes aportados.

b) Que una vez realizada la aportación, el contribuyente aportante de este Impuesto, del Impuesto sobre la Renta de las Personas Físicas o del Impuesto sobre la Renta de no Residentes, participe en los fondos propios de la entidad que recibe la aportación en, al menos, el 5 por ciento.

c) Que, en el caso de aportación de acciones o participaciones sociales por contribuyentes del Impuesto sobre la Renta de las Personas Físicas o del Impuesto sobre la Renta de no Residentes sin establecimiento permanente en territorio español, se tendrán que cumplir además de los requisitos señalados en las letras a) y b), los siguientes:

1.º Que a la entidad de cuyo capital social sean representativos no le sean de aplicación el régimen especial de agrupaciones de interés económico, españolas o europeas, y de uniones temporales de empresas, previstos en esta Ley, ni tenga como actividad principal la gestión de un patrimonio mobiliario o inmobiliario en los términos previstos en el artículo 4.ocho.dos de la Ley 19/1991, de 6 de junio, del Impuesto sobre el Patrimonio.

2.º Que representen una participación de, al menos, un 5 por ciento de los fondos propios de la entidad.

3.º Que se posean de manera ininterrumpida por el aportante durante el año anterior a la fecha del documento público en que se formalice la aportación.

d) Que, en el caso de aportación de elementos patrimoniales distintos de los mencionados en la letra c) por contribuyentes del Impuesto sobre la Renta de las Personas Físicas o del Impuesto sobre la Renta de no Residentes que sean residentes en Estados miembros de la Unión Europea, dichos elementos estén afectos a actividades económicas cuya contabilidad se lleve con arreglo a lo dispuesto en el Código de Comercio o legislación equivalente.

2. El régimen previsto en el presente capítulo se aplicará también a las aportaciones de ramas de actividad, efectuadas por los contribuyentes del Impuesto sobre la Renta de las Personas Físicas y del Impuesto sobre la Renta de no Residentes que sean residentes en Estados miembros de la Unión Europea, siempre que lleven su contabilidad de acuerdo con el Código de Comercio o legislación equivalente".

Artículo 88. Normas para evitar la doble imposición.

"1. A los efectos de evitar la doble imposición que pudiera producirse por aplicación de las reglas de valoración previstas en los artículos 79, 80.2 y 87 de esta Ley, los beneficios distribuidos con cargo a rentas imputables a los bienes aportados darán derecho a la exención

sobre dividendos, cualquiera que sea el porcentaje de participación del socio y su antigüedad.

Igual criterio se aplicará respecto de las rentas generadas en la transmisión de la participación o a través de cualquier otra operación societaria cuando, con carácter previo, se hayan integrado en la base imponible de la entidad adquirente las rentas imputables a los bienes aportados.

2. Cuando no hubiera sido posible evitar la doble imposición, la entidad adquirente practicará, en el momento de su extinción, los ajustes de signo contrario a los que hubiere practicado por aplicación de las reglas de valoración establecidas en los artículos 79, 80.2 y 87 de esta Ley. La entidad adquirente podrá practicar los referidos ajustes de signo contrario con anterioridad a su extinción, siempre que pruebe que se ha transmitido por los socios su participación y con el límite de la cuantía que se haya integrado en la base imponible de estos con ocasión de dicha transmisión".

Artículo 89. Aplicación del régimen fiscal.

"1. Se entenderá que las operaciones reguladas en este capítulo aplican el régimen establecido en el mismo, salvo que expresamente se indique lo contrario a través de la comunicación a que se refiere el párrafo siguiente.

La realización de las operaciones a que se refieren los artículos 76 y 87 de esta Ley deberá ser objeto de comunicación a la Administración tributaria, por la entidad adquirente de las operaciones, salvo que la misma no sea residente en territorio español, en cuyo caso dicha comunicación se realizará por la entidad transmitente. Esta comunicación deberá indicar el tipo de operación que se realiza y si se opta por no aplicar el régimen fiscal especial previsto en este capítulo.

Tratándose de operaciones en las cuales ni la entidad adquirente ni la transmitente sean residentes en territorio español, la comunicación señalada en el párrafo anterior deberá ser presentada por los socios, que deberán indicar que la operación se ha acogido a un régimen fiscal similar al establecido en este capítulo.

Dicha comunicación se presentará en la forma y plazos que se determine reglamentariamente. La falta de presentación en plazo de esta comunicación constituye infracción tributaria grave. La sanción consistirá en multa pecuniaria fija de 10.000 euros por cada operación respecto de la que hubiese de suministrarse información.

2. No se aplicará el régimen establecido en el presente capítulo cuando la operación realizada tenga como principal objetivo el fraude o la evasión fiscal. En particular, el régimen no se aplicará cuando la operación no se efectúe por motivos económicos válidos, tales como la reestructuración o la racionalización de las actividades de las entidades que participan en la operación, sino con la mera finalidad de conseguir una ventaja fiscal.

Las actuaciones de comprobación de la Administración tributaria que determinen la inaplicación total o parcial del régimen fiscal especial por aplicación de lo dispuesto en el párrafo anterior, eliminarán exclusivamente los efectos de la ventaja fiscal".

Disposición Transitoria decimosexta (redactada, con efectos para los períodos impositivos que se inicien a partir de 1 de enero de 2016, por el apartado dos del número primero del artículo 3 del R.D.-ley 3/2016, de 2 de diciembre, por el que se adoptan medidas en el ámbito tributario dirigidas a la consolidación de las finanzas públicas y otras medidas urgentes en materia social («B.O.E.» 3 diciembre). Vigencia: 3 diciembre 2016Efectos / Aplicación: 1 enero 2016).

Régimen transitorio aplicable a las pérdidas por deterioro de los valores representativos de la participación en el capital o en los fondos propios de entidades, y a las rentas negativas obtenidas en el extranjero a través de un establecimiento permanente, generadas en períodos impositivos iniciados con anterioridad a 1 de enero de 2013.

"1. La reversión de las pérdidas por deterioro de los valores representativos de la participación en el capital o en los fondos propios de entidades que hayan resultado fiscalmente deducibles de la base imponible del Impuesto sobre Sociedades de acuerdo con lo establecido en el apartado 3 del artículo 12 del Texto Refundido de la Ley del Impuesto sobre Sociedades, aprobado por el Real Decreto Legislativo 4/2004, de 5 de marzo, en períodos impositivos iniciados con anterioridad a 1 de enero de 2013, con independencia de su imputación contable en la cuenta de pérdidas y ganancias, se integrará en la base imponible del período en el que el valor de los fondos propios al cierre del ejercicio exceda al del inicio, en proporción a su participación, debiendo tenerse en cuenta las aportaciones o devoluciones de aportaciones realizadas en él, con el límite de dicho exceso. A estos efectos, se entenderá que la diferencia positiva entre el valor de los fondos propios al cierre y al inicio del ejercicio, en los términos establecidos en este párrafo, se corresponde, en primer lugar, con pérdidas por deterioro que han resultado fiscalmente deducibles.

Igualmente, serán objeto de integración en la base imponible las referidas pérdidas por deterioro, por el importe de los dividendos o participaciones en beneficios percibidos de las entidades participadas, excepto que dicha distribución no tenga la condición de ingreso contable.

Lo dispuesto en este apartado no resultará de aplicación respecto de aquellas pérdidas por deterioro de valor de la participación que vengan determinadas por la distribución de dividendos o participaciones en beneficios y que no hayan dado lugar a la aplicación de la deducción por doble imposición interna o bien que las referidas pérdidas no hayan resultado fiscalmente deducibles en el ámbito de la deducción por doble imposición internacional.

2. *La reversión de las pérdidas por deterioro de los valores repre-sentativos de la participación en el capital o en los fondos propios de entidades que coticen en un mercado regulado a las que no haya resultado de aplicación el apartado 3 del artículo 12 del texto refundi-do de la Ley del Impuesto sobre Sociedades, en períodos impositivos iniciados con anterioridad a 1 de enero de 2013, se integrará en la base imponible del Impuesto sobre Sociedades del período impositivo en que se produzca la recuperación de su valor en el ámbito contable.*

3. *En todo caso, la reversión de las pérdidas por deterioro de los valores representativos de la participación en el capital o en los fondos propios de entidades que hayan resultado fiscalmente deducibles en la base imponible del Impuesto sobre Sociedades en períodos impo-sitivos iniciados con anterioridad a 1 de enero de 2013, se integrará, como mínimo, por partes iguales en la base imponible correspondien-te a cada uno de los cinco primeros períodos impositivos que se ini-cien a partir de 1 de enero de 2016.*

En el supuesto de haberse producido la reversión de un importe superior por aplicación de lo dispuesto en los apartados 1 o 2 de esta disposición, el saldo que reste se integrará por partes iguales entre los restantes períodos impositivos.

No obstante, en caso de transmisión de los valores representativos de la participación en el capital o en los fondos propios de entidades durante los referidos períodos impositivos, se integrarán en la base im-ponible del período impositivo en que aquella se produzca las canti-dades pendientes de revertir, con el límite de la renta positiva derivada de esa transmisión.

4. *En el caso de que un establecimiento permanente hubiera obte-nido rentas negativas netas que se hubieran integrado en la base impo-nible de la entidad en períodos impositivos iniciados con anterioridad a 1 de enero de 2013, la exención prevista en el artículo 22 de esta Ley o la deducción a que se refiere el artículo 31 de esta Ley sólo se aplicarán a las rentas positivas obtenidas con posterioridad a partir del momento en que superen la cuantía de dichas rentas negativas.*

5. *En el caso de transmisión de un establecimiento permanente en períodos impositivos que se inicien a partir de 1 de enero de 2016, la base imponible de la entidad transmitente residente en territorio español se incrementará en el importe del exceso de las rentas nega-tivas netas generadas por el establecimiento permanente en períodos impositivos iniciados con anterioridad a 1 de enero de 2013 sobre las rentas positivas netas generadas por el establecimiento permanente en períodos impositivos iniciados a partir de esta fecha, con el límite de la renta positiva derivada de la transmisión del mismo.*

6. *En el caso de una unión temporal de empresas que, habiéndose acogido al régimen de exención previsto en el artículo 50 del Texto Refundido de la Ley del Impuesto sobre Sociedades, según redacción vigente para períodos impositivos iniciados con anterioridad a 1 de enero de 2015, hubiera obtenido rentas negativas netas en el extran-*

jero que se hubieran integrado en la base imponible de las entidades miembros en períodos impositivos iniciados con anterioridad a 1 de enero de 2013, cuando en sucesivos ejercicios la unión temporal obtenga rentas positivas, las empresas miembros integrarán en su base imponible, con carácter positivo, la renta negativa previamente imputada, con el límite del importe de dichas rentas positivas.

La misma regla resultará de aplicación en el supuesto de entidades que participen en obras, servicios o suministros en el extranjero mediante fórmulas de colaboración análogas a las uniones temporales de empresas que se hubieran acogido al régimen de exención señalado.

7. En el supuesto de operaciones de reestructuración acogidas al régimen fiscal especial establecido en el Capítulo VII del Título VII de esta Ley:

a) Si el socio pierde la cualidad de residente en territorio español, la diferencia a que se refieren el apartado 4 del artículo 80 y el apartado 3 del artículo 81 de esta Ley, se corregirá, en su caso, en el importe de las pérdidas por deterioro del valor que hayan sido fiscalmente deducibles en períodos impositivos iniciados con anterioridad a 1 de enero de 2013.

b) A efectos de lo previsto en el apartado 2 del artículo 84 de esta Ley, en ningún caso serán compensables las bases imponibles negativas correspondientes a pérdidas sufridas por la entidad transmitente que hayan motivado la depreciación de la participación de la entidad adquirente en el capital de la transmitente, o la depreciación de la participación de otra entidad en esta última cuando todas ellas formen parte de un grupo de sociedades al que se refiere el artículo 42 del Código de Comercio, con independencia de su residencia y de la obligación de formular cuentas anuales consolidadas, cuando cualquiera de las referidas depreciaciones se haya producido en períodos impositivos iniciados con anterioridad a 1 de enero de 2013.

8. El límite establecido en el párrafo primero del apartado 1 del artículo 26 de esta Ley no resultará de aplicación en el importe de las rentas correspondientes a la reversión de las pérdidas por deterioro que se integren en la base imponible por aplicación de lo dispuesto en los apartados anteriores de esta disposición transitoria siempre que las pérdidas por deterioro deducidas durante el período impositivo en que se generaron las bases imponibles negativas que se pretenden compensar hubieran representado, al menos, el 90 por ciento de los gastos deducibles de dicho período. En caso de que la entidad tuviera bases imponibles negativas generadas en varios períodos iniciados con anterioridad a 1 de enero de 2013, este requisito podrá cumplirse mediante el cómputo agregado del conjunto de los gastos deducibles de dichos períodos impositivos".

*Disposición Transitoria decimoctava. Endeudamiento de opera-
ciones de adquisición de participaciones en el capital o en los fondos
propios de entidades.*

"1. Lo dispuesto en la letra b) del artículo 67 de esta Ley no resultará de aplicación a las entidades que se hayan incorporado a un
grupo fiscal en períodos impositivos iniciados con anterioridad a 20
de junio de 2014.

2. Lo dispuesto en el apartado 5 del artículo 16 y en el artículo 83
de esta Ley no resultará de aplicación a las operaciones de reestructuración realizadas con anterioridad a 20 de junio de 2014. Tampoco
resultará de aplicación lo dispuesto en aquellos preceptos en relación
con aquellas operaciones de reestructuración realizadas a partir de 20
de junio de 2014 entre entidades pertenecientes al mismo grupo de
consolidación fiscal en períodos impositivos iniciados con anterioridad a dicha fecha".

*Disposición Transitoria decimonovena Rentas derivadas de la
transmisión de participaciones.*

"1. En el supuesto de transmisión de participaciones en el capital o
en los fondos propios de entidades, respecto de las que el contribuyente haya efectuado alguna corrección de valor que haya resultado fiscalmente deducible, la corrección de valor se integrará, en todo caso,
en la base imponible del contribuyente, a los efectos de determinar la
exención a que se refiere el artículo 21 de esta Ley.

2. El importe de las rentas negativas derivadas de la transmisión de
la participación en una entidad residente se minorará en el importe de
los dividendos o participaciones en beneficios recibidos de la entidad
participada a partir de los períodos impositivos que se hayan iniciado
en el año 2009 hasta aquellos períodos impositivos que se hayan iniciado con anterioridad a 1 de enero de 2015, siempre que los referidos
dividendos o participaciones en beneficios no hayan minorado el valor
de adquisición de la misma y hayan tenido derecho a la aplicación de
la deducción por doble imposición interna prevista en el apartado
2 del artículo 30 del texto refundido de la Ley del Impuesto sobre
Sociedades, aprobado por el Real Decreto Legislativo 4/2004, de 5
de marzo".

*Disposición Transitoria vigésima séptima Participaciones en el
capital de la entidad transmitente y de la entidad adquirente.*

"1. No obstante lo establecido en el artículo 78 de esta Ley, en el
supuesto de operaciones acogidas al régimen fiscal especial establecido en el Capítulo VII del Título VII de esta Ley, cuando la entidad
adquirente participe en el capital de la entidad transmitente, en al
menos, un 5 por ciento, el importe de la diferencia entre el valor fiscal
de la participación y los fondos propios que se corresponda con el
porcentaje de participación adquirido en un período impositivo que,

en el transmitente, se hubiera iniciado con anterioridad a 1 de enero de 2015 se imputará a los bienes y derechos adquiridos, aplicando el método de integración global establecido en el artículo 46 del Código de Comercio y demás normas de desarrollo, y la parte de aquella diferencia que no hubiera sido imputada será fiscalmente deducible de la base imponible, con el límite anual máximo de la veinteava parte de su importe, siempre que se cumplan los siguientes requisitos:

a) Que la participación no hubiere sido adquirida a personas o entidades no residentes en territorio español o a personas físicas residentes en territorio español, o a una entidad vinculada cuando esta última, a su vez, adquirió la participación a las referidas personas o entidades.

El requisito previsto en esta letra a) se entenderá cumplido:

1.º Tratándose de una participación adquirida a personas o entidades no residentes en territorio español o a una entidad vinculada con la entidad adquirente que, a su vez, adquirió la participación de las referidas personas o entidades, cuando el importe de la diferencia mencionada en el párrafo anterior ha tributado en España a través de cualquier transmisión de la participación.

Igualmente, procederá la deducción de la indicada diferencia cuando el contribuyente pruebe que un importe equivalente a esta ha tributado efectivamente en otro Estado miembro de la Unión Europea, en concepto de beneficio obtenido con ocasión de la transmisión de la participación, soportando un gravamen equivalente al que hubiera resultado de aplicar este Impuesto, siempre que el transmitente no resida en un país o territorio calificado como paraíso fiscal.

2.º Tratándose de una participación adquirida a personas físicas residentes en territorio español o a una entidad vinculada cuando esta última, a su vez, adquirió la participación de las referidas personas físicas, cuando se pruebe que la ganancia patrimonial obtenida por dichas personas físicas se ha integrado en la base imponible del Impuesto sobre la Renta de las Personas Físicas.

b) Que la entidad adquirente y la transmitente no formen parte de un grupo de sociedades, según los criterios establecidos en el artículo 42 del Código de Comercio, con independencia de la residencia y de la obligación de formular cuentas anuales consolidadas.

El requisito establecido en esta letra b) no se aplicará respecto del precio de adquisición de la participación satisfecho por la persona o entidad transmitente cuando, a su vez, la hubiese adquirido de personas o entidades no vinculadas residentes en territorio español.

Cuando se cumplan los requisitos a) y b) anteriores, la valoración que resulte de la parte imputada a los bienes del activo fijo adquirido tendrá efectos fiscales, siendo deducible de la base imponible, en el caso de bienes amortizables, la amortización contable de dicha parte imputada, en los términos previstos en el artículo 12 de esta Ley, siendo igualmente aplicable la deducción establecida en el apartado 3 del artículo 13 de esta Ley.

El importe de la diferencia fiscalmente deducible a que se refiere esta Disposición se minorará en la cuantía de las bases imponibles negativas pendientes de compensación en la entidad transmitente que puedan ser compensadas por la entidad adquirente, en proporción a la participación.

2. El régimen previsto en el apartado anterior resultará igualmente de aplicación al importe de las diferencias a que se refiere su párrafo primero, generadas con ocasión de las operaciones realizadas en períodos impositivos iniciados con anterioridad a 1 de enero de 2015".

Disposición Adicional primera. Restricciones a la exención por doble imposición de dividendos.

"No tendrán derecho a la exención prevista en el artículo 21 de esta Ley:

a) Los beneficios distribuidos con cargo a las reservas constituidas con los resultados correspondientes a los incrementos de patrimonio a que se refiere el apartado 1 del artículo 3 de la Ley 15/1992, de 5 de junio, sobre medidas urgentes para la progresiva adaptación del sector petrolero al marco comunitario.

b) Los dividendos distribuidos con cargo a beneficios correspondientes a rendimientos bonificados de acuerdo con lo previsto en el artículo 2 de la Ley 22/1993, de 29 de diciembre, de medidas fiscales, de reforma del régimen jurídico de la función pública y de la protección por desempleo, y de rendimientos procedentes de sociedades acogidas a la bonificación establecida en el artículo 19 de la Ley Foral 12/1993, de 15 de noviembre, y en la Disposición adicional quinta de la Ley 19/1994, de 6 de julio, de modificación del Régimen Económico y Fiscal de Canarias, o de entidades a las que sea aplicable la exención prevista en las normas forales 5/1993, de 24 de junio, de Vizcaya, 11/1993, de 26 de junio, de Guipúzcoa, y 18/1993, de 5 de julio, de Álava.

En caso de distribución de reservas se atenderá a la designación contenida en el acuerdo social, y en su defecto, se considerarán aplicadas las últimas cantidades abonadas a dichas reservas".

Disposición Adicional séptima. Entidades Deportivas.

"El régimen fiscal previsto en el Capítulo VII del Título VII de esta Ley resultará de aplicación en el supuesto de adscripción de un equipo profesional a una Sociedad Anónima Deportiva de nueva creación, siempre que se ajuste plenamente a las normas previstas en la Ley 10/1990, de 15 de octubre, del Deporte, y en los Reales Decretos 1084/1991, de 5 de julio, y 1251/1999, de 16 de julio, sobre Sociedades Anónimas Deportivas".

Disposición Final duodécima. Entrada en vigor

"La presente Ley entrará en vigor el día 1 de enero de 2015 y será de aplicación a los períodos impositivos que se inicien a partir de la expresada fecha, salvo las Disposiciones finales cuarta a séptima, que entrarán en vigor al día siguiente de la publicación de esta Ley en el «Boletín Oficial del Estado» y serán de aplicación en los términos en ellas establecidos".

DESARROLLO REGLAMENTARIO
REGLAMENTO DEL IMPUESTO SOBRE SOCIEDADES
APROBADO POR RD 634/2015, DE 10 DE JULIO
(ARTÍCULOS 48 Y49)

Artículo 48. Comunicación del régimen especial.

"1. La realización de las operaciones reguladas en el capítulo VII del título VII de la Ley del Impuesto deberá ser objeto de comunicación a la Administración tributaria.

La comunicación será efectuada por la entidad adquirente de las operaciones, salvo que la misma no sea residente en territorio español, en cuyo caso dicha comunicación se efectuará por la entidad transmitente.

No obstante, tratándose de operaciones en las cuales ni la entidad adquirente ni la transmitente sean residentes en territorio español, la comunicación deberá ser efectuada por los socios de la entidad transmitente, siempre que sean residentes en territorio español. En caso contrario, la comunicación la realizará la entidad transmitente.

2. La comunicación deberá efectuarse dentro del plazo de los tres meses siguientes a la fecha de inscripción de la escritura pública en que se documente la operación.

Si la inscripción no fuera necesaria, el plazo se computará desde la fecha en que se otorgue la escritura pública o documento equivalente que corresponda a la operación.

En las operaciones de cambio de domicilio social, la comunicación deberá efectuarse dentro del plazo de los tres meses siguientes a la fecha de inscripción en el registro del Estado miembro del nuevo domicilio social de la escritura pública o documento equivalente en que se documente la operación.

No obstante, tratándose de operaciones en las cuales ni la entidad adquirente ni la transmitente sean residentes en territorio español, la comunicación se realizará en el plazo previsto para la presentación de las declaraciones o autoliquidaciones correspondientes a los socios de la entidad transmitente, siempre que sean residentes en territorio español. En caso contrario, se aplicará el plazo previsto en el primer párrafo de este apartado.

3. La comunicación se dirigirá a la Delegación de la Agencia Estatal de Administración Tributaria del domicilio fiscal de las entidades, o establecimientos permanentes si se trata de entidades no residentes, que, conforme a los apartados anteriores, estén obligadas a efectuarla, o a las Dependencias Regionales de Inspección o a la Delegación Central de Grandes Contribuyentes, tratándose de contribuyentes adscritos a las mismas".

Artículo 49. Contenido de la comunicación.

"La comunicación deberá contener:

a) Identificación de las entidades participantes en la operación y descripción de la misma.

b) Copia de la escritura pública o documento equivalente que corresponda a la operación.

c) En el caso de que las operaciones se hubieran realizado mediante una oferta pública de adquisición de acciones, también deberá aportarse copia del correspondiente folleto informativo.

d) Indicación, en su caso, de la no aplicación del régimen fiscal especial del capítulo VII del título VII de la Ley del Impuesto".

SUMARIO: 1. EL RÉGIMEN ESPECIAL DE OPERACIONES DE REESTRUCTURACIÓN. 2. INTRODUCCIÓN AL RÉGIMEN ESPECIAL DE OPERACIONES DE REESTRUCTURACIÓN Y DEFINICIONES (ARTÍCULO 76 DE LA LIS). 2.1. Operaciones a las que se aplica el régimen especial. Fusión. 2.2. Escisión. 2.3. Aportación de activos y canje de valores. 2.3.1. La LBO como alternativa. 2.4. Cambio de domicilio social. 3. CONTENIDO DEL RÉGIMEN ESPECIAL PARA LAS OPERACIONES DE REESTRUCTURACIÓN. 3.1. Régimen de las rentas derivadas de la transmisión. 3.2. Valoración fiscal de los bienes adquiridos. 4. APLICACIÓN DEL RÉGIMEN ESPECIAL DE REESTRUCTURACIÓN DE SOCIEDADES. 5. OPERACIONES DE REESTRUCTURACIÓN Y CÓMPUTO DEL INCREMENTO DE FONDOS PROPIOS EN LA RESERVA DE NIVELACIÓN. 6. LÍMITES A LA DEDUCCIÓN DE GASTOS FINANCIEROS EN LAS OPERACIONES DE REESTRUCTURACIÓN. 7. DESAPARICIÓN DEL TRATAMIENTO ESPECIAL DEL FONDO DE COMERCIO DE FUSIÓN. 8. MECANISMOS DESTINADOS A CORREGIR LA DOBLE IMPOSICIÓN. 9. *EXIT TAX* EN EL CASO DE CANJE DE VALORES. 10. NO INTEGRACIÓN EN LA BASE IMPONIBLE DE LA REVERSIÓN DE GASTOS QUE NO HAYAN SIDO FISCALMENTE DEDUCIBLES. 11. OPERACIONES DE REESTRUCTURACIÓN Y LEGISLACIÓN CONCURSAL. 12. RÉGIMEN FISCAL ESPECIAL APLICABLE A LAS OPERACIONES DE REESTRUCTURACIÓN Y RESOLUCIÓN DE ENTIDADES DE CRÉDITO.

1. EL RÉGIMEN ESPECIAL DE OPERACIONES DE REESTRUCTURACIÓN

El Capítulo VII del Título VII de la Ley del Impuesto sobre Sociedades (LIS) contiene un régimen especial de tributación de las fusiones, escisiones, aportaciones de activos y canje de valores. Se trata de un régimen especial que a través del diferimiento pretende implantar la neutralidad en la reestructuración de empresas.

Dicho régimen, por mandato del artículo 3 del Real Decreto-ley 18/2012, de 11 de mayo, sobre saneamiento y venta de los activos inmobiliarios del sector financiero, es aplicable a las transmisiones de activos y pasivos que se realicen en cumplimiento de lo dispuesto en dicha norma, aunque las operaciones a las que se recurre no se correspondan exactamente con las mencionadas en el régimen especial.

La idea de *reestructuración* de una empresa hace referencia a una serie de medidas, que incluyen la reorganización financiera y de la estructura de una sociedad. En tiempos de crisis, más aún cuando esta crisis viene caracterizada por un fuerte endeudamiento de las empresas, las reestructuraciones financieras están a la orden del día. Pero la reestructuración financiera, como se entiende en la actualidad, es algo más que la simple refinanciación, pues comprende, no sólo modificaciones en las operaciones de financiación de una compañía (inyección adicional de recursos líquidos para mejorar las disponibilidades a corto plazo), sino también la concertación de *pactos adicionales que procuran la mejora de la estructura de la financiación*, y que pueden incidir en toda la estructura u organización del grupo[1].

Así, la Unión Europea, en sus Directrices comunitarias sobre ayudas estatales de salvamento y de reestructuración de empresas en crisis de 1999 (DO C 288 de 9.10.1999, p. 2.), ha diferenciado entre *salvamento (rescue)* y *reestructuración de empresas (restructuring),* definiéndose la primera como el mantenimiento en activo de una empresa en crisis durante un período correspondiente al tiempo necesario para elaborar un plan de reestructuración, y el segundo, como el plan que permite la supervivencia de la empresa.

Según estas disposiciones comunitarias, la reestructuración es algo más que la simple adopción de medidas coyunturales para facilitar la liquidez. En efecto, cuando la Comunicación de la Comisión de Directrices comunitarias sobre ayudas estatales de salvamento y de reestructuración de empresas en crisis (2004/C 244/02) define la *ayuda de reestructuración* en contraste con la *ayuda de salvamento*, dice que esta última proporciona a la empresa en crisis *un breve respiro que no puede ser superior a seis meses* y que las medidas consistirán en *ayudas de tesorería*, esto es, aportaciones suplementarias de fondos.

La reestructuración del pasivo requiere, evidentemente, aportaciones suplementarias de fondos. Las mismas pueden hacerse vía préstamo o vía ampliación de capital. La opción por una u otra vía está sujeta a múltiples variables, entre las cuales, sabido es que se encuentran las de tipo fiscal, centradas en la

---

[1]   HOWARD, C.-HEDGER, B., *Restructuring Law and Practice*, Ed. Lexis Nexis, 2008, pág. 1.

deducibilidad de los intereses frente a la no deducibilidad de los dividendos. Pero cuando la operación pretende una verdadera reestructuración, unida a una intención de redistribuir las participaciones, la vía razonable en términos objetivos es la ampliación de capital de capital. Es obvio decir, que, en supuestos de crisis severas con caída continuada de los beneficios, la necesidad de *recapitalizar* parece evidente; esa necesidad se expresa en medidas previas que suelen tomarse, como el no reconocimiento de dividendos a los socios. La recapitalización se pone de manifiesto a través de operaciones de ampliación de capital (que, incluso, pueden ir precedidas de *operaciones acordeón*) o con la constitución de nuevas sociedades, de las que se suscribe íntegramente todo el capital.

Por eso, en las fórmulas más comunes de reestructuración de pasivos se prevé, no sólo la aportación de nuevos recursos líquidos sino el reforzar el capital frente al pasivo exigible, o, lo que es lo mismo, robustecer los fondos propios frente a los ajenos. Así ocurre, por ejemplo, con los servicios de *Business Recovery* que suelen ofertar las grandes firmas del sector, que incluyen no sólo *Restructuración de deudas* sino la *Reconversión Operativa*.

Por tanto, normalmente, la idea de reestructuración del pasivo irá acompañada de una reestructuración de un grupo operativo, que incluye la racionalización de las actividades. Una reestructuración de la deuda implica un análisis de la estructura financiera y la aportación de soluciones que no pueden limitarse a concretas aportaciones económicas sino a reestructurar para establecer las condiciones para que en el futuro pueda existir un correcto equilibrio entre los distintos fondos del pasivo de la empresa. Para ello puede ser necesaria una reorganización de todo el Grupo, en la línea de establecer las condiciones para acomodar la financiación externa concedida a los flujos de *cash-flow* generados por los distintos proyectos que en el futuro se pretenden emprender.

Así lo reconoce la Unión Europea en la citada Comunicación de la Comisión de 2004, en la cual se dice, en su punto 17, que *una reestructuración forma parte de un plan realista, coherente y de amplio alcance destinado a restablecer la viabilidad a largo plazo de una empresa. Por lo general, contiene uno o más de los siguientes elementos: la reorganización y racionalización de las actividades de la empresa sobre una base más eficiente, que consiste, por lo general, en que la empresa se desprenda de sus actividades deficitarias, reestructure aquéllas cuya competitividad pueda ser restablecida y, en ocasiones, se diversifique orientándose hacia nuevas actividades viables.* A ello le llama la Comisión, *reestructuración industrial* y la misma resulta complementaria de la simple *reestructuración financiera* que incluye inyecciones de capital.

Esa inyección de capital puede tener lugar a través de el redimensionamiento de la empresa, con la entrada de nuevos fondos en concepto de capital, creando una nueva entidad resultado de fusionar las sociedades anteriores o determinando la absorción de una sociedad con otra, de manera que la fusión de sociedades se erige en instrumento adecuado para reorganizar estructuras empresariales.

A través de las fusiones se llevan a cabo reorganizaciones empresariales, redimensionándolas con la adquisición de las acciones o participaciones de otras. Aunque con la peculiaridad de que a través de la fusión se adquiere el patrimonio neto de otra sociedad incorporando a los socios de la adquirente. Y así, se diferencia de otras formas clásicas de adquisición de empresa, que consisten en obtener todas las acciones, participaciones o cuotas sociales de otra entidad pero sin incorporar a los socios[2].

En efecto; la adquisición de una empresa puede tener lugar a través de la pura compraventa de sus acciones o participaciones. Tal compraventa, cuando se refiere a acciones que cotizan, tiene en España la condición de *operación en el mercado secundario*, pues como señala el artículo 83,1 del Real Decreto Legislativo 4/2015, de 23 de octubre, por el que se aprueba el Texto Refundido de la Ley del Mercado de Valores, "tendrán la consideración de operaciones de un mercado secundario oficial de valores las transmisiones por título de compraventa, u otros negocios onerosos característicos de cada mercado, cuando se realicen sobre valores negociables o instrumentos financieros admitidos a negociación en el mismo", siendo ordinarias las realizadas con sujeción a las reglas de funcionamiento del mercado. Pero las acciones o participaciones pueden ser adquiridas a través de mecanismos de canje. El canje de valores es una operación que habitualmente se liga a la fusión, siendo, por ejemplo, un caso de fusión con canje de valores el que protagoniza la sentencia *Leur Bloem* el Tribunal de Justicia de la Unión Europea, a la que nos referiremos después. A través del canje se han consagrado una serie de operaciones basadas en la *causa abstracta de organización*, es decir, a través del fin de creación de una estructura, a que hace referencia PALAO TABOADA[3]. Y a estas operaciones se refiere la Dirección General de Tributos (DGT), al afirmar, en su resolución de 27 de julio de 2001, que en este tipo de canjes se "trata de conseguir una gestión más eficaz y una mayor rentabilidad de las actividades empresariales desarrolladas por las sociedades afectadas...". Así también se ha pronunciado el propio Centro Directivo en diversas contestaciones a consultas de fecha 22, 28 y 30 de junio de 1999 y 1 de abril de 2000.

Para facilitar estas reestructuraciones, la legislación tributaria viene reconociendo, desde tiempo atrás, un régimen especial de diferimiento, de cuyo alcance se ha ocupado con profusión la doctrina de la Dirección General de Tributos (DGT). Este régimen especial es aplicable a cualquier entidad que sea sujeto pa-

---

[2]   URIA, R.-MENENDEZ, A.-IGLESIAS PRADA, J.L., *Curso de Derecho Mercantil* I, segunda edición, Thomson, Civitas, Pamplona, 2006, pag. 1391.

[3]   PALAO TABOADA, C., "Los motivos económicos válidos en el régimen fiscal de las reorganizaciones empresariales", *Revista de Contabilidad y Tributación*, nº 25, 2002, pag. 90.

sivo del Impuesto de Sociedades. Así lo reconoce la Dirección General de Tributos, por ejemplo, respecto a las Sociedades Agrarias de Transformación (SAT) en la consulta de 3 de julio de 1997, al decir que "en el caso de que se acuerde la disolución de la SAT, si se procediera a la liquidación de la misma para la posterior constitución de la Comunidad de Regantes, el régimen aplicable a la operación sería también el previsto en el artículo 15 de la LIS, por aplicación en este caso de lo previsto en la letra c) de su apartado 2, si mediara la entrega de los elementos patrimoniales a los socios de la SAT…si no se procediera a la liquidación del patrimonio social y éste se transmite en bloque a la entidad de nueva creación, el régimen tributario de la operación podría beneficiarse de lo previsto para las fusiones en el Capítulo VIII del Título VIII de la Ley 43/1995, a la vista de la definición que de las mismas se contiene en su artículo 97.1".

El régimen especial se incluía tradicionalmente en un Capítulo de la Ley del Impuesto de Sociedades. La nueva Ley 27/14, del Impuesto de Sociedades lo recoge en el Capítulo VII, artículos 76 a 89, con alguna novedad importante como la previsión del artículo 88 de una regla de limitación en la deducción de gastos financieros destinados a la adquisición de participaciones en el capital o en los fondos propios de entidades.

Este régimen especial supuso la superación del modelo incluido en la Ley 76/1980, sobre régimen fiscal de fusiones de empresas, que se basaba en la concesión discrecional de una bonificación de hasta el 99 % de la cuota derivada de los incrementos de patrimonio manifestados. La Directiva 90/434/CEE, de 23 de julio, relativa al régimen fiscal común aplicable a las fusiones, a las escisiones, a las aportaciones de activos y a los canjes de acciones entre sociedades de diferentes Estados miembros, implanta un régimen opcional de diferimiento, que tiene su antecedente inmediato en el citado Programa de armonización fiscal presentado por la Comisión al Consejo el 8 de febrero de 1967. Este régimen opcional de diferimiento se incluiría en la Ley 29/1991, de 16 de diciembre, de adecuación de determinados conceptos impositivos a las Directivas y Reglamentos de las Comunidades Europeas, y posteriormente, en la Ley reguladora del Impuesto sobre Sociedades. Tal Ley no se iba a limitar a regular las fusiones y escisiones de empresas, derogando la Ley 76/1980, sino que se ocupó del régimen de otras operaciones de concentración y reestructuración, con la idea de implantar un régimen de neutralidad y abandonar el periclitado sistema de bonificaciones discrecionales a favor de un sistema de diferimiento y aplazamiento del pago de los tributos correspondientes a las plusvalías que generan las operaciones de reestructuración.

La Ley 29/1991, sería derogada por la Ley 43/1995, de 27 de diciembre, reguladora del Impuesto sobre Sociedades, que introduce algunas novedades significativas, por ejemplo, el permitir compensar bases negativas como consecuencia de operaciones de fusión, canje o aportación de rama de actividad, el prever deducciones en casos de doble imposición o el incluir entre las operaciones a las que se puede aplicar el beneficio del diferimiento algunas novedosas, como las aportaciones no dinerarias especiales. Esto es; parcialmente se admite que la subrogación en el derecho a compensación de bases imponibles no se supedita a la extinción de la sociedad transmitente, algo que había proclamado el TEAC en su resolución de 18 de diciembre de 2008, refrendando la postura de la Dirección General de Tributos en la respuesta a consulta vinculante V0042-03, de 25 de junio de 2003. Pero el propio Centro Directivo se había posicionado en sentido contrario, respecto a escisiones parciales o aportaciones de rama de actividad[4].

Con posterioridad, la Ley 14/2000, de 29 diciembre, con efectos para los períodos impositivos que se inicien a partir de 1 de enero de 2001, introdujo distintas modificaciones en la Ley 43/1995. De forma que los apartados 1 y 2 del art. 110 quedaron redactados de la siguiente forma: "...la aplicación del régimen establecido en el presente Capítulo requerirá que se opte por el mismo de acuerdo con las siguientes reglas: a) En las operaciones de fusión o escisión la opción se incluirá en el proyecto y en los acuerdos sociales de fusión o escisión de las entidades transmitentes y adquirentes que tengan su residencia fiscal en España. Tratándose de operaciones a las que sea de aplicación el régimen establecido en el artículo 98 de esta Ley y en las cuales ni la entidad transmitente ni la adquirente tengan su residencia fiscal en España, la opción se ejercerá por la entidad adquirente y deberá constar en escritura pública en que se documente la transmisión. b) En las aportaciones no dinerarias la opción se ejercerá por la entidad adquirente y deberá constar en el correspondiente acuerdo social o, en su defecto, en la escritura pública en que se documente el oportuno acto o contrato. Tratándose de operaciones en las cuales la entidad adquirente no tenga su residencia fiscal o un establecimiento permanente en España, la opción se ejercerá por la entidad transmitente. c) En las operaciones de canje de valores la opción se ejercerá por la entidad adquirente y deberá constar en el correspondiente acuerdo social o, en su defecto, en la escritura pública en que se documente el oportuno acto o contrato. En las ofertas públicas de adquisición de acciones la opción se ejercerá por el órgano social competente para promover la operación y deberá constar en el folleto explicativo. Tratándose de operaciones en las cuales ni la entidad adquirente de los valores ni la entidad participada cuyos valores se canjean sean residentes en España, el socio que transmite dichos valores deberá demostrar que a la entidad adquirente se le ha aplicado el régimen de la Directiva 90/434/CEE. En cualquier caso, la opción deberá comunicarse al Ministerio de Hacienda en la forma y plazo que reglamentariamente se determinen. 2. No se aplicará el régimen establecido en el presente capítulo cuando la operación realizada tenga como principal

---

[4]   Así, respecto a la rama de actividad, se había pronunciado en este sentido la Dirección General de Tributos en respuesta a consulta vinculante V0533, de 10 de marzo de 2008.

objetivo el fraude o la evasión fiscal. En particular, el régimen no se aplicará cuando la operación no se efectúe por motivos económicos válidos, tales como la reestructuración o la racionalización de las actividades de las entidades que participan en la operación, sino con la mera finalidad de conseguir una ventaja fiscal. En los términos previstos en el artículo 107 de la Ley 230/1963, de 28 de diciembre, General Tributaria, los interesados podrán formular consultas a la Administración tributaria sobre la aplicación y cumplimiento de este requisito en operaciones concretas, cuya contestación tendrá carácter vinculante para la aplicación del régimen especial del presente Capítulo en éste y cualesquiera otros tributos".

La reforma de la Directiva 90/434/CEE tuvo lugar, en primer lugar, por la Directiva 2005/19/CE, de 17 de febrero de 2005, y, posteriormente, por la Directiva 2009/133/CE, de 19 de octubre de 2009, que deroga la Directiva 90/434/CEE.

Y, finalmente, como antecedente inmediato a la Ley 27/2014, el régimen de diferimiento se incluiría con características similares al actual, aunque como un régimen opcional, en el Capítulo VII del Título VII del Texto Refundido de la Ley del Impuesto sobre Sociedades (TRLIS), aprobado por Real Decreto Legislativo 4/2004, de 5 de marzo.

2. INTRODUCCIÓN AL RÉGIMEN ESPECIAL DE OPERACIONES DE REESTRUCTURACIÓN Y DEFINICIONES (ARTÍCULO 76 DE LA LIS)

Las operaciones de reestructuración constituyen un aspecto esencial de la reorganización de las empresas en busca de la eficiencia, en especial de aquéllas que tienen dimensión o actividad multinacional.

El régimen fiscal de las operaciones de reestructuración ha experimentado también novedades tras la aprobación de la nueva Ley 27/2014, de 27 de noviembre, del Impuesto sobre Sociedades (en adelante, LIS), que incorpora básicamente cinco cambios importantes respecto al régimen fiscal especial aplicable a las operaciones de reestructuración societaria o lo que es igual en relación al "Régimen Especial de Diferimiento Fiscal".

El régimen de operaciones de reestructuración se contiene en la LIS en el Capítulo VIII del título VII de esta Ley, aunque la regulación del mismo está condicionado por la normativa europea, y la misma (integrada por diversas Directivas) constituyen un marco elemental, cuya evolución hay que comentar.

Hay que recordar, en este sentido, que el Derecho Europeo ha venido en los últimos años insistiendo en la necesidad de crear un marco normativo para favorecer la integración económica de las unidades empresariales, en especial a través de las denominadas reorganizaciones transfronterizas. Como señala NAVARRO EGEA, se trataría de impulsar la "transformación de los elementos que integran la empresa dentro del proceso de crecimiento económico al que se ve abocada para dar respuesta a las más variadas exigencias que se derivan de las condiciones económicas, sociales y políticas de cada espacio geográfico e histórico"[5].

Siendo los posibles costes fiscales de estas operaciones uno de los factores que mayor importancia puede adquirir a la hora de impulsar estos procesos de integración empresarial, se ha venido insistiendo en la necesidad de implementar un régimen *fiscalmente neutro*. Se invoca la necesidad de neutralidad referida a los procesos de transformación de la empresa, procesos que se canalizan a través de diversos mecanismos jurídicos, pero que, en cualquier caso, pueden reconducirse a modos de transformación de la estructura organizativa empresarial.

Dadas las tradicionales dificultades de la armonización de la imposición directa[6], VAN THIEL ha invocado el denominado *dinamismo intrínseco* del Derecho de la Unión Europea para defender que la Unión puede legislar sobre cualquier área que afecte al mercado interior[7]. Y en virtud del mismo se suele invocar el artículo 115 del Tratado de Funcionamiento de la Unión Europea, vigente desde el 1 de enero de 2013 (antiguo 94 del Tratado), según el cual *sin perjuicio del artículo 114, el Consejo adoptará, por unanimidad con arreglo a un procedimiento legislativo especial, y previa consulta al Parlamento Europeo y al Comité Económico y Social, directivas para la aproximación de las disposiciones legales, reglamentarias y administrativas de los Estados miembros*

---

5   NAVARRO EGEA, M., *Fiscalidad de la reestructuración empresarial*, Marcial Pons. Madrid, 1997, pag. 21.

6   El vigente artículo 113 del Tratado de la Unión Europea, antiguo 93 del Tratado de la Comunidad Europea, bajo la rúbrica de disposiciones fiscales, sigue diciendo que *el Consejo, por unanimidad con arreglo a un procedimiento legislativo especial, y previa consulta al Parlamento Europeo y al Comité Económico y Social, adoptará las disposiciones referentes a la armonización de las legislaciones relativas a los impuestos sobre el volumen de negocios, los impuestos sobre consumos específicos y otros impuestos indirectos, en la medida en que dicha armonización sea necesaria para garantizar el establecimiento y el funcionamiento del mercado interior y evitar las distorsiones de la competencia*. Este precepto sigue configurando un ámbito limitado para la armonización directa, circunscrito a los impuestos indirectos. Fuera quedaría todo el ámbito de la imposición directa, a la que, por virtud de una interpretación incorrecta y expansiva del principio de competencias de atribución y del principio de subsidiariedad, se la llegó a caracterizar como una competencia exclusiva de los estados miembros, aunque en contra de esta tesis se han barajado teorías acerca de competencias periféricas o habilitaciones generales, que facultarían buscar apoyos en el Tratado para la armonización directa.

7   VAN THIEL, S., "Free movement of persons an Income Tax Law: TJCE European Court in search of principles", *International Boureau of fiscal Documentation, doctoral series, 2002*.

que incidan directamente en el establecimiento o funcionamiento del mercado interior[8].

Y aunque este precepto habla de aproximación de legislaciones y no de armonización, el mismo ha constituido la base jurídica de las pocas Directivas en materia de imposición directa. Así, la competencia genérica de armonización en materias con incidencia en el mercado común, a través del antiguo artículo 94 del Tratado de la Comunidad Europea, ha servido de fundamento jurídico a la Directiva 90/434/CEE, relativa al régimen fiscal común aplicable a las fusiones, escisiones, aportaciones de activos y canjes de acciones realizados entre sociedades de diferentes Estados miembros, comúnmente conocida como *Directiva de fusiones*. Culmina de este modo un largo proceso que comenzó poco tiempo después de la entrada en vigor de esta disposición.

Esta Directiva incluye, como núcleo sustancial de la misma, la implementación de un *beneficio* para las operaciones de reestructuración empresarial, construido a partir de un régimen opcional para el contribuyente llamado *régimen de diferimiento,* con el fin de incentivar la neutralidad. Este fomento de la neutralidad se percibía en la literalidad del preámbulo de la Directiva 90/434/CEE, según el cual las *"fusiones, escisiones, aportaciones de activos y canjes de acciones entre sociedades de diferentes Estados miembros pueden ser necesarios para crear en la Comunidad condiciones análogas a las de un mercado interior, y para garantizar así el establecimiento y el buen funcionamiento del mercado común"* no debiéndose ver aquéllas *"obstaculizadas por restricciones, desventajas o distorsiones particulares derivadas de las disposiciones fiscales de los Estados miembros*

La Directiva 90/434/CEE fue derogada por la Directiva 2005/19/CE[9], cuyo antecedente es la propuesta del año 2003 (COM(2003) 613 final, de 17 de octubre de 2003)[10], presentada al Consejo y remitida al Parlamento Europeo el

---

[8]   LÓPEZ RODRÍGUEZ, J., "Comentarios a la Directiva del régimen fiscal de reorganizaciones empresariales", *Documentos del Instituto de Estudios Fiscales*, nº 10, 2005, pag. 5.

[9]   Una de las cuestiones en las que se insistía con más énfasis era la relativa a la falta de coordinación entre la Directiva de fusiones y la directiva matriz-filial. En su comunicación titulada "Hacia un mercado interior sin obstáculos fiscales", antes citada, la Comisión, haciéndose eco de las conclusiones del estudio en esta materia, afirma lo siguiente: "Las operaciones de reestructuración transfronterizas originan importantes cargas fiscales. La Directiva de fusiones (90/434) prevé el aplazamiento del impuesto sobre sociedades sobre tales operaciones pero su alcance es demasiado limitado y su aplicación es muy diferente en los distintos Estados miembros, lo cual reduce su eficacia. Los impuestos sobre plusvalías y los que gravan las transacciones en las operaciones de reestructuración transfronterizas son a menudo prohibitivamente altos, lo que obliga a las empresas a mantener estructuras económicamente subóptimas".

[10] La exposición de motivos de la propuesta de 2003 cita también entre sus antecedentes la comunicación de la Comisión del año 2001 titulada "Política fiscal en la Unión Europea – Prioridades para los próximos años". En el apartado relativo al impuesto sobre sociedades

17 de octubre[11]. En el origen de la Directiva se encontraba una propuesta de la Comisión avalada por un denso informe técnico; el estudio *Company Taxation in the Internal Market*, SEC(2001) 1681, en cuya parte III se reflexiona sobre los obstáculos derivados de la imposición sobre las sociedades para la actividad económica transfronteriza en el mercado interior.

La propuesta estaba guiada por la finalidad de reordenar el ámbito de incidencia subjetiva de la Directiva. Fundamentalmente se trataba de extender el *régimen de diferimiento* a todas las entidades con forma societaria, y no sólo, como hasta entonces, a las sociedades de capital (anónimas, comanditarias por acciones, de responsabilidad limitada y entidades de derecho público que operen en régimen de derecho privado). Se pretendía ampliar la aplicación de la Directiva a todas las sociedades que se sometiesen en los Estados miembros al mismo régimen jurídico-tributario que las sociedades de capital[12]. La pretensión era que el alcance de las Directivas debería incluir a todas las entidades sujetas al impuesto sobre sociedades y especialmente a las empresas que se regirán en el futuro por el Estatuto de la Sociedad Europea (Societas Europaea – SE)[13].

A partir de la entrada en vigor de la Directiva 2005/19/CE, el 24 de marzo de 2005, ésta pasó a ser la norma de referencia, en materia de fiscalidad de las

---

(3.2.2) hace este documento una alusión a los problemas fiscales de las reorganizaciones empresariales. "Este tipo de reorganización suele ir acompañada de fusiones y adquisiciones transfronterizas, cuyo resultado, en este momento, es una combinación de un coste único con los impuestos corrientes. Otro elemento que tiene que intervenir al establecerse el régimen fiscal de las empresas europeas es el reciente acuerdo sobre el Estatuto de la Sociedad Europea. Habrá que modificar la actual legislación fiscal de la UE (y las propuestas de legislación) para incluir a las sociedades europeas".

[11] En su exposición de motivos se mencionan como antecedentes el citado estudio de la Comisión sobre la tributación de las sociedades en el mercado interior, titulado *Company Taxation in the Internal Market*, SEC(2001) 1681 y la Comunicación de la Comisión al Consejo, al Parlamento Europeo y al Comité Económico y Social "Hacia un mercado interior sin obstáculos fiscales. Una estrategia destinada a dotar a las empresas de una base imponible consolidada del impuesto sobre sociedades para sus actividades a escala comunitaria", COM(2001) 582 final, de 23 de octubre de 2001, sobre las medidas políticas a adoptar en relación con dicha imposición basada en el documento anterior. Véase, CALDERÓN CARRERO, J.M., *Convenios fiscales internacionales y fiscalidad de la Unión Europea*, (cood. Carmona Fernández), Ciss, Valencia, 2008, pag. 982.

[12] Como dice LÓPEZ RODRÍGUEZ, J., "se resolverían así problemas de neutralidad y se obviarían futuras negociaciones tanto en el proceso de ampliación de la Unión Europea (UE, en adelante) a nuevos Estados miembros como en caso de creación de nuevas formas sociales", "Comentarios a la Directiva del régimen fiscal de reorganizaciones empresariales", Documentos del IEF, nº 10, 2005, pag. 7. Se trataba de corregir algún defecto la Directiva 90/434/CEE, como que la misma no comprendiese a las sociedades personalistas (partnerships) cuando se les aplica un régimen de transparencia por su legislación nacional.

[13] El Estatuto de la Sociedad Anónima Europea (SE) fue aprobado por el Reglamento (CE) nº 2157/2001 del Consejo, de 8 de octubre de 2001. El Reglamento (CE) 1435/2003 del Consejo, de 22 de julio de 2003 aprobó el Estatuto de la Sociedad Cooperativa Europea (SCE).

reorganizaciones empresariales en la Unión Europea. La Directiva 2005/19/CE procedió a concretar las diversas operaciones a las que resultaría de aplicación el régimen especial, lo que tiene una gran incidencia en las operaciones contempladas en la ley interna española y a las que se les aplica el régimen especial. La misma fue objeto de transposición por el Real Decreto-Legislativo 4/2004, momento a partir del cual el régimen especial pasa a referirse a fusiones, escisiones, aportaciones de activos, canje de valores y cambio de domicilio social de una Sociedad Europea o una Sociedad Cooperativa Europea de un Estado miembro a otro de la Unión Europea.

Al margen de la polémica acerca de si la norma tributaria debe incluir una definición de las operaciones a las que se atribuye la posibilidad de acogerse al régimen especial o si la ley debe remitirse al concepto mercantil de las mismas[14], lo cierto es que se prevén ciertas operaciones de reestructuración, las cuales, en el ordenamiento interno español se han visto afectas por las definiciones contenidas en la Ley 3/2009, de 3 de abril, sobre modificaciones estructurales (en adelante, LME) de las sociedades mercantiles y por el régimen sustantivo incluido en el Real Decreto Legislativo 1/2010, de 2 de julio, por el que se aprueba el texto refundido de la Ley de Sociedades de Capital.

En el caso concreto de la LME, la Dirección General de Tributos (DGT), como recuerda PRADA LARREA[15], defiende una "comunicación de conceptos desde la ley mercantil —como ley de origen— a la tributaria o de destino", a través de un *modus operandi* consistente en entender aplicable el régimen especial en la medida en que, tras un análisis de la operación mercantil, ésta responda a la verdadera naturaleza de la operación a la que la norma tributaria atribuye tal ventaja. Esto es; el Centro Directivo opta por la *calificación unitaria*, aceptando que las operaciones mencionadas en la ley fiscal deben calificarse de acuerdo con el régimen de las mismas, que será el que se desprenda del Derecho Mercantil, aun a riesgo de que un órgano tributario sea el que finalmente se pronuncie sobre la verdadera naturaleza de los negocios en el Derecho Privado. Valga como muestra los múltiples pronunciamientos de la Dirección General de Tributos, valorando operaciones como la fusión horizontal

---

[14]   El Informe de la Asociación Española de Asesores Fiscales, *Régimen Especial de las operaciones de reestructuración empresarial: observaciones y propuestas de la AEDAF*, AEDAF, Madrid, marzo de 2011, pag. 24, señala que *se propone que la normativa fiscal se limite a señalar las condiciones que deben reunir las operaciones que mercantilmente merecen la calificación de fusión o escisión para disfrutar del régimen especial. Se alcanzaría así el efecto pretendido y, al mismo tiempo, se evitarían las dudas interpretativas que la existencia de una definición tributaria no enteramente coincidente con la mercantil ha venido provocando, dudas que por lo demás se han visto incrementadas por la incorrecta redacción de las definiciones fiscales vigentes.*

[15]   PRADA LARREA, J.L., "Consecuencias fiscales en el Impuesto sobre Sociedades de la nueva Ley de Modificaciones Estructurales", *Revista Técnica Tributaria*, nº 86, 2009, pag. 25.

o gemelar con socio común persona física; la fusión inversa *versus* disolución y liquidación de sociedades; o la escisión subjetiva a favor de una sola beneficiaria, por contraposición a la separación de socios[16]. De lo que se trata, como dice LÓPEZ-HERMOSO AGIUS, es de que "lo que se califique como fusión o escisión a efectos mercantiles sea automáticamente una fusión o escisión a efectos del régimen fiscal especial"[17].

Sin embargo, hay que recordar que la ley fiscal, a efectos de fijar un gravamen o un beneficio fiscal, puede asignar a los conceptos procedentes de otras ramas del Derecho, un significado específico, propio de la ley fiscal. Por tanto, el régimen especial se aplicará a una serie de operaciones (fusión, escisión, aportación no dineraria, canje de valores, y el cambio de domicilio, incorporado por la reforma por la Ley 25/2006), en tanto las mismas estén definidas en la propia norma tributaria, por lo que no puede defenderse, más allá de una consideración *de lege ferenda*, la traslación automática de las calificaciones de la LME al ámbito del régimen especial.

Por tanto, no todas las definiciones de las operaciones de fusión recogidas en la LME cumplen la definición fiscal de fusión. Lo que supone que sólo se aplicará el régimen especial a las operaciones contempladas en la LIS, y sólo en la medida en que concurran los requisitos de las mismas contempladas en la normativa fiscal. De no existir una referencia específica en la Ley del Impuesto sobre Sociedades, habrá que acudir a la descripción que de tales operaciones haga la norma mercantil; singularmente la LME.

Pues bien; el artículo 76 de la Ley del Impuesto de Sociedades se dedica a dar una serie de definiciones de las operaciones de reestructuración que pueden acogerse al régimen especial. Dado que la ley fiscal puede promover un concepto diferenciado de cualquier término que utilice, en muchas ocasiones, como veremos, la definición de la ley tributaria no se ajusta exactamente a la contenida en la normativa mercantil.

Sobre estas premisas, la Ley 3/2009 define las operaciones de modificación estructural como "alteraciones de la sociedad que van más allá de las simples modificaciones estatutarias para afectar a la estructura patrimonial o personal

---

16   Sin embargo, en más de una ocasión, la Dirección General de Tributos ha optado por implementar conceptos propios, como en el supuesto contenido en consulta vinculante 0534-08, relativa a una SICAV (Sociedad de Inversión de Capital Variable), en que el Centro Directivo propone un concepto de transformación distinto del propiamente mercantil, manejando maneja un concepto de transformación que abarca, no sólo la transformación del tipo societario en términos mercantiles, sino también aquellas modificaciones en las que se produce una alteración del estatuto o régimen jurídico de la sociedad.

17   LÓPEZ-HERMOSO AGIUS, J.C., "Operaciones de reestructuración empresarial: alcance del régimen fiscal especial a la luz de la Ley 3/2009 de Modificaciones Estructurales de Sociedades Mercantiles", ponencia inédita. Santiago de Compostela, noviembre, 2010.

de la sociedad", e incluye dentro de las mismas las de fusión y escisión, añadiendo la operación de cesión global de activos y pasivos.

En cualquier caso, la nueva Ley del Impuesto de Sociedades mantiene las mismas definiciones de las operaciones de reestructuración que pueden acogerse al régimen fiscal especial: fusión: la escisión total, parcial y financiera, el canje de valores, las aportaciones no dinerarias de actividad y las aportaciones no dinerarias especiales.

Por lo demás, el texto legal extiende este régimen especial a cualquier contribuyente del Impuesto de Sociedades, aunque no tenga la forma jurídica de sociedad mercantil siempre que produzca resultados equivalentes a los derivados de las operaciones expresamente mencionadas.

En primer lugar, esta regla de los *resultados equivalentes* parece una referencia obvia, ya que, al encontrarnos ante un régimen especial del impuesto, tal régimen será aplicable a todos los contribuyentes del mismo, contemplados en el artículo 7 de la Ley del Impuesto.

En la práctica la previsión será aplicable, sobre todo a las sociedades civiles con objeto mercantil, las cuales fueron incluidas por la Ley 27/2014 entre los contribuyentes del Impuesto de Sociedades. También a procesos de fusión de fundaciones (Título VI de la Ley 50/2002) y de integración de asociaciones, mediante los cuales una de las asociaciones integra por admisión en bloque a todos los asociados de la segunda, en un acto formal de asamblea general en la que se adoptan los nuevos estatutos (operación mal llamada fusión por el Real Decreto 949/2015, de 23 de octubre, por el que se aprueba el Reglamento del Registro Nacional de Asociaciones. Y en el caso de las sociedades civiles con personalidad jurídica y objeto mercantil, sin entrar ahora en el problema que supone aceptar un modelo de sociedad que no se constituye de acuerdo con el Código de Comercio como sería lo propio atendiendo a su objeto (mercantil), sino de acuerdo con el Código Civil, sí es posible imaginar operaciones con resultados equivalentes a las aquí previstas. Pero si la sociedad civil con objeto mercantil no tiene acceso al Registro Mercantil porque así lo viene entendiendo la Dirección General de Registros y Notariado (por ejemplo, resolución de 21 de mayo de 2013) esa *equivalencia* no será plena y suscitará dudas permanentes. Así, por ejemplo, si las sociedades civiles, no pueden fusionarse, ¿la disolución de dos sociedades civiles para crear una nueva con incorporación de patrimonios tiene resultados equivalentes a una fusión? Por supuesto sí será aplicable lo aquí señalado sobre la operación de transformación a la transformación de sociedades civiles en mercantiles, expresamente prevista en la LME y sobre la que se ha pronunciado la DGT, por ejemplo, en la respuesta a consulta de 20 de marzo de 2012.

2.1. Operaciones a las que se aplica el régimen especial. Fusión

El artículo 76 de la LIS, aprobada por Ley 27/2014, incluye una serie de definiciones, para el ámbito estrictamente tributario, de las operaciones de reorganización empresarial que pueden verse beneficiadas por el régimen especial.

Así, entre las operaciones a las que se aplica el régimen especial, se incluye la fusión. La fusión de sociedades es la operación de restructuración por excelencia, y se puede sintetizar en una serie de notas distintivas. A saber; transmisión universal del patrimonio activo y pasivo de una sociedad, disolución de la transmitente sin liquidación y atribución a los socios de la transmitente de la condición de accionistas de la sociedad adquirente[18].

La primera modalidad es la conocida fusión por absorción. Según el artículo 76,1, a) de la LIS, es fusión el supuesto en que una o varias entidades transmiten en bloque a otra entidad ya existente, como consecuencia y en el momento de su disolución sin liquidación, sus respectivos patrimonios sociales, mediante la atribución a sus socios de valores representativos del capital social de la otra entidad y, en su caso, de una compensación en dinero que no exceda del 10 por ciento del valor nominal o, a falta de valor nominal, de un valor equivalente al nominal de dichos valores deducido de su contabilidad.

Son notas características de esta fusión, un aumento de capital en la sociedad absorbente y la atribución de valores al socio de la entidad que desaparece, pero que no se liquida. Ambas notas parecen ser fundamentales, de manera que si no concurren no habría fusión; especialmente la exigencia de un aumento de capital en la absorbida, requisito que la DGT ha considerado fundamental en el caso en que la sociedad absorbida esté participada por los mismos socios que la absorbente (consulta de 9 de junio de 2009).

La compensación en metálico se utilizará para la fijación precisa y correcta de la ecuación de canje y, como dice la norma, el importe de tal compensación no podrá exceder del 10 por ciento del valor nominal o, a falta de valor nominal, de un valor equivalente al nominal de los títulos deducido de la contabilidad. El cumplir este límite máximo es fundamental, pues de lo contrario la operación no tendrá la consideración fiscal de fusión y no estará amparada por el régimen especial.

En segundo lugar, también es fusión el supuesto en que dos o más entidades transmiten en bloque a otra nueva, como consecuencia y en el momento de su disolución sin liquidación, la totalidad de sus patrimonios sociales, mediante la atribución a sus socios de valores representativos del capital social de la nueva

---

[18] LÓPEZ-HERMOSO AGIUS, J.C., "Operaciones de reestructuración empresarial: alcance del régimen fiscal especial a la luz de la Ley 3/2009 de Modificaciones Estructurales de Sociedades Mercantiles", ponencia inédita. Santiago de Compostela, noviembre, 2010.

entidad y, en su caso, de una compensación en dinero que no exceda del 10 por ciento del valor nominal o, a falta de valor nominal, de un valor equivalente al nominal de dichos valores deducido de su contabilidad. Se trata de la fusión con constitución o creación de una nueva sociedad, en la cual la beneficiaria es la sociedad nueva[19]. Señalemos, como una observación de alcance general, que la utilización del término *valores representativos del capital social* ha sido objeto de crítica, en la medida que parecía presuponer que la entidad beneficiaria de estas operaciones debería estar organizada bajo una forma mercantil[20].

En la fusión por creación existe la configuración de una nueva sociedad con un capital y la atribución de valores al socio de la entidad que desaparece, como notas esenciales.

Por último, también es fusión la denominada fusión impropia, que incluye el caso en que una entidad transmite, como consecuencia y en el momento de su disolución sin liquidación, el conjunto de su patrimonio social a la entidad que es titular de la totalidad de los valores representativos de su capital social. Estaríamos ante la modalidad, prevista primero en el artículo 250 de la Ley de Sociedades Anónimas, cuyo Texto Refundido fue aprobado por el Real Decreto Legislativo 1564/1989, de 22 de diciembre, y, posteriormente recogida por la Ley 3/2009, y que puede denominarse *fusión por absorción de sociedad íntegramente participada*, aunque también tienen la condición de fusión, la fusión por absorción de sociedad participada por el 90 por 100, la fusión inversa y la fusión de sociedades íntegramente participadas por el mismo socio. La fusión impropia suele darse como operación subsiguiente a la adquisición de acciones o participaciones de una empresa por otra (compra de empresas), tras la cual la entidad adquirente (absorbente) participa en el capital de la entidad transmitente (absorbida), que se encuentra íntegramente participada por la absorbente. En estos casos la absorbente no amplía capital; simplemente, anula su participación en la entidad filial a cambio de recibir directamente el patrimonio societario de esta última.

---

[19] Al mismo tiempo se admite la subrogación del establecimiento permanente en las situaciones tributarias de la sociedad ("provisiones o reservas debidamente constituidas por la SE o la SCE antes del traslado del domicilio social... parcial o totalmente exentas de imposición y no [provenientes] de un establecimiento permanente en el extranjero"). La versión de la Directiva 2005/19/CE en lengua española se refiere en el apartado 1 de este artículo al Estado miembro al que se traslada en domicilio, mientras que la versión en lengua inglesa se refiere a ambos Estados miembros, lo cual tiene más sentido, puesto que el Estado del antiguo domicilio y ahora del establecimiento permanente tendrá que reconocer la subrogación en la aplicación del impuesto a éste.

[20] El Informe de la Asociación Española de Asesores Fiscales, *Régimen Especial de las operaciones de reestructuración empresarial: observaciones y propuestas de la AEDAF*, op. cit., pag. 18, propone que con la expresión *valores representativos del capital social* no sólo se hace referencia a acciones, sino también a participaciones o cuotas sociales; en suma, a todo tipo de partes sociales.

A pesar de que parece ser requisito esencial de la fusión impropia a efectos de que se acepte la aplicación del régimen especial, que la absorbente ostente la titularidad íntegra del capital de la absorbida, se ha admitido por la DGT la aplicación de este régimen especial en casos en que no se tiene la totalidad del capital de forma directa, pero sí de forma indirecta, y la absorbente compensa a la otra sociedad que no participa en la fusión y que tiene una parte del capital de la absorbida por el valor razonable de esa operación (consultas de 18 de diciembre de 2009 y 15 de enero de 2010).

Esta fusión por absorción conlleva la anulación de la participación que la absorbente tiene en la absorbida. Esta anulación determinará la existencia de un valor teórico de la participación de la absorbida en el momento de su anulación que puede ser superior al valor de adquisición de la misma. Por otro lado, esa anulación será correlativa a la adquisición por la sociedad absorbente de los activos de la sociedad adquirida, siendo frecuente que sus valores reales (en especial, cuando se trata de bienes inmuebles) sean superiores a sus valores contables. O, en lo que aquí nos interesa, será frecuente que la sociedad transmitente, en este caso una participada, tenga un fondo de comercio no recogido en su contabilidad, por lo que su valor *real* sea superior a su valor contable. Consecuencia de ello, esta anulación de la participación que la matriz tiene con la filial con la que se fusiona, y que es consecuencia del proceso de fusión, pone de manifiesto una renta en la primera entidad.

En cuanto a la anulación de la participación, el artículo 82 de la Ley 27/2014, al igual que el 89,2 del derogado Texto Refundido de la Ley del Impuesto de Sociedades, dispone que no se integrará en la base imponible del Impuesto de Sociedades de la sociedad adquirente la renta positiva o negativa derivada de la anulación de la participación ni de la ulterior transmisión de la participación, cuando la adquirente participe en el capital o fondos propios de la transmitente en, al menos, un 5 %. Por el contrario, sí se incluirá en la base imponible cuando la entidad adquirente participe en el capital de la entidad transmitente en un porcentaje inferior al 5 %. El precepto de la actual ley habla de que se incluirá en la base gravable, la *renta generada por la anulación*, que obviamente será, como decía el artículo 89,2 del derogado Texto Refundido de la Ley del Impuesto de Sociedades, *la diferencia entre el valor normal de mercado de los elementos patrimoniales recibidos proporcionalmente atribuible a la participación y el valor contable de la misma*. Pero el gravamen derivado de esta integración provoca una sobreimposición, resultado de la tributación de la renta obtenida por los sujetos que con anterioridad poseyeron la participación ahora anulada en las sucesivas transmisiones de la misma y del gravamen futuro en la sociedad adquirente, como consecuencia de la aplicación del régimen de diferimiento. Por eso es necesario reconocer a la sociedad transmitente residente la aplicación de la deducción por doble imposición, incluida en el artículo 31 de la Ley 27/2014. Deducción que debe aplicarse también, respecto a la sociedad adquirente, que puede no haber obtenido renta positiva alguna por la anulación de la participación (por ejemplo, porque el valor contable de la participación equivale al valor de mercado de los elementos recibidos). Parece obvio que, en estos casos, se debería aplicar la deducción por doble imposición, en relación con las reservas expresas, e incluso con las tácitas (plusvalías y/o fondo de comercio).

Entre las novedades del vigente artículo 82 de la Ley 27/2014 respecto al 89,2 del derogado Texto Refundido de la Ley del Impuesto de Sociedades, está en que el texto actual ha eliminado la referencia contenida en la norma derogada, según la cual para que no se integre la renta derivada de la anulación de la participación ésta ha de corresponderse "con reservas de la entidad transmitente". Se trataba de una referencia legal que suscitaba grandes controversias, sobre todo con relación al alcance del término reservas. No sólo porque el TEAC había señalado que debía incluirse la prima de emisión que figurase entre las reservas de la entidad (resolución de 18 de diciembre de 2008) sino porque se entendía que el vocablo debería abarcar también las reservas tácitas (plusvalías y fondo de comercio que haya podido aflorar con motivo de la operación). Este fondo de comercio era la denominada *diferencia de fusión* que se correspondía con el *fondo de comercio de consolidación*. Respecto a este fondo se plantearía la deducibilidad del fondo de comercio en todas las operaciones de reestructuración, cuestión a la que vamos a referirnos más adelante.

Dese el punto de vista mercantil, la regulación de la fusión se contiene en el Título II de la LME ("Título II. De la fusión"), que se divide en dos Capítulos distintos. El primero contiene propiamente el régimen sustantivo de la operación ("Capítulo I. De la fusión en general"), y se subdivide, a su vez, en nueve Secciones, que, en su conjunto, comprenden de los artículos 22 a 53 de la Ley. La norma sigue diferenciando las dos modalidades clásicas de fusión en función de si el resultado final conduce o no a la creación de una nueva sociedad (artículo 23)[21].

Pues bien: la Ley 3/2009 incluye, en primer lugar, una definición de fusión en su artículo 22, según la cual "...dos o más sociedades mercantiles inscritas se integran en una única sociedad mediante la transmisión en bloque de sus patrimonios y la atribución a los socios de las sociedades que se extinguen de acciones, participaciones o cuotas de la sociedad resultante, que puede ser de nueva creación o una de las sociedades que se fusionan", manteniéndose, a con-

---

[21] Tras la entrada en vigor de la Ley de Modificaciones Estructurales han quedado derogados los artículos 233 a 251 del Texto Refundido de la Ley de Sociedades Anónimas (a su vez derogada desde el 1 de septiembre de 2010 por el Real Decreto Legislativo 1/2010, de 2 de julio, por el que se aprueba el Texto Refundido de la Ley de Sociedades de Capital), que constituían el referente normativo de la regulación de la fusión de las sociedades mercantiles, dado que su alcance no quedaba limitado a las fusiones entre sociedades anónimas.

tinuación, la tradicional distinción entre fusión por absorción o por creación de una sociedad nueva.

Se trata de una definición que pone énfasis en la integración de dos sociedades en una única sociedad, lo que supone destacar el efecto sucesorio que incorpora la fusión, frente a la versión de la LIS, que, como impuesto que grava la renta social, pone énfasis en el efecto de transmisión patrimonial que conlleva la fusión. En esta línea, la Directiva 2011/35/UE, define la operación de fusión a partir de la transmisión en bloque de un activo y un pasivo, pero también el efecto de que los accionistas de la sociedad que se extingue se convertirán en accionistas de la sociedad absorbente y atribuyéndose a los socios de las sociedades que se extinguen acciones, participaciones o cuotas de la sociedad resultante.

Pero el efecto sucesorio es esencial en la fusión como una consecuencia directa de la extinción de la sociedad transmitente, que el artículo 83,1 del derogado Texto Refundido de la Ley del Impuesto de Sociedades señalaba tradicionalmente como un elemento distintivo del régimen de fusión, pero caracterizando la extinción de la sociedad transmitente como una *disolución* sin liquidación, que sería una consecuencia de la transmisión a título universal. Pero a partir de la LME queda claro que la disolución se identifica con el acto jurídico que señala el momento que abre el proceso de liquidación, y que es esta liquidación la que determina la extinción de la sociedad. Y la sociedad se liquida transmitiendo la totalidad de su activo y pasivo. Por tanto, la transmisión a título universal precede en el plano lógico a la extinción de la sociedad, y ésta es fruto de la liquidación. La sociedad transmitente se extingue porque la totalidad de sus relaciones patrimoniales relaciones patrimoniales imputables a la sociedad lo que provoca su liquidación.

Pero lo más importante de la LME no es que se incluya una definición de fusión, sino que la norma hace referencia a ciertas modalidades de fusión sobre cuyo encaje en la normativa anterior existían serias dudas. Para ello se relativizan ciertas características tradicionales de la fusión. Así, por ejemplo, no se vincula de forma inevitable la operación de fusión a la verificación de una ampliación de capital de la absorbente y a la necesidad de un canje, admitiéndose incluso la calificación como fusiones de operaciones que normalmente sólo implicarían la disolución de la absorbida. Algunas de éstas han sido admitidas por la DGT como fusiones, a efectos de aplicación del régimen especial, como por ejemplo una fusión entre sociedades íntegramente participada, de forma directa o indirecta, por una persona física y en al que no se amplía capital (consulta de 8 de octubre de 2012).

La Ley añade, además, dos casos de fusión impropia. Ello supone la incorporación *de pleno derecho* al ámbito de las fusiones de buena parte de las denominadas fusiones impropias, a que hacía referencia el derogado artículo

250 del Texto Refundido de la Ley de Sociedades Anónimas, y a la que hace mención la Directiva 2011/35/UE.

Así, en primer lugar, se prevé la absorción de una sociedad íntegramente participada. Así, se dice que tendrá la consideración de fusión el supuesto en que "una entidad transmite, como consecuencia y en el momento de su disolución sin liquidación, el conjunto de su patrimonio social a la entidad que es titular de la totalidad de los valores representativos de su capital social".

La incorporación de esta operación es consecuencia del mandato de la Directiva 2011/35/UE, para que los Estados miembros organicen, en el ámbito exclusivo de las sociedades anónimas, "la operación por la que una o varias sociedades se disolverán sin liquidación y transferirán la totalidad de su patrimonio activa y pasivamente a otra sociedad que fuera titular de todas sus acciones y demás títulos que confieran derecho a voto en la Junta general", aun cuando es una operación en la que no hay aumento de capital de la sociedad absorbente y los informes sobre administradores y expertos sobre el proyecto de fusión.

Para esta operación se fija un régimen de flexibilidad en cuanto a la necesidad de un examen para los accionistas del proyecto de fusión por un perito independiente, permitiendo eximir de su emisión cuando la totalidad de los accionistas estén de acuerdo. Esta posibilidad ya está contemplada en el artículo 34.5 de la Ley 3/2009, en cuanto permite prescindir del informe "cuando así lo haya acordado la totalidad de los socios con derecho de voto... de cada una de las sociedades que intervienen en la fusión". Pero este precepto, de acuerdo con la Resolución de la Dirección General de los Registros y del Notariado, de 2 de febrero de 2011, debe ser interpretado en el sentido de que dicha renuncia puede tener como objeto únicamente el informe sobre el proyecto común de fusión, es decir, respecto de la valoración de la relación de canje, pero no puede extenderse al informe sobre la integridad patrimonial de la contraprestación del aumento del capital de la sociedad absorbente. La valoración del patrimonio no dinerario que ha sido transmitido a la sociedad anónima beneficiaria, debe ser siempre objeto de informe por experto independiente, que ha de versar sobre la equivalencia entre el patrimonio aportado y el aumento del capital de la sociedad absorbente.

Se contempla, además, en el artículo 50 de la Ley de modificaciones estructurales, el supuesto de absorción de sociedad participada al 90 por 100. La citada Directiva 2011/35/UE en su artículo 29 prevé la aplicación de las previsiones establecidas para la fusión impropia, a las operaciones "por las que una o varias sociedades se disuelvan sin liquidación y transfieran la totalidad de su patrimonio activa y pasivamente a otra sociedad si el 90 por 100 o más, pero no la totalidad de las acciones y demás títulos indicados en el artículo 27 de la o de las sociedades absorbidas pertenecieran a la sociedad absorbente y/o a personas que poseyeran estas acciones y estos títulos en su propio nombre pero por cuenta de esta sociedad". En la línea de flexibilizar requisitos y exigencias procedimentales en este tipo de operaciones se dispone que para la fusión impropia *al 90 por 100*, no serán necesarios los informes de administradores y de expertos sobre el proyecto de fusión, siempre que en éste se ofrezca por la sociedad absorbente a los socios de las sociedades absorbidas la adquisición de sus acciones o participaciones sociales, estimadas en su valor razonable, dentro de un plazo determinado que no podrá ser superior a un mes.

Por su parte, la Ley 3/2009 en su artículo 52, viene a considerar supuestos asimilados a la absorción de sociedades íntegramente participadas, los casos de fusiones gemelares u horizontales (entre hermanas) y el supuesto de la denominada *fusión inversa*[22].

En el caso de las fusiones gemelares u horizontales nos hallamos ante dos sociedades íntegramente participadas por una tercera. En la fusión de estas dos sociedades hermanas no hay ni atribución de valores al socio de la sociedad absorbida ni un aumento de capital en la absorbente, lo que supuso que la DGT haya mantenido una postura reacia a su inclusión entre las operaciones de fusión amparadas por el régimen especial, apoyada, no tanto en la literalidad de la norma mercantil sino en la objeción general de que el ordenamiento privado no permite calificar como fusiones aquellas operaciones en las que la sociedad absorbente no amplía capital social, a pesar de que esta circunstancia ha venido siendo considerada como no impeditiva de la aplicación del régimen general[23]. El cambio de criterio de la DGT se produce, fundamentalmente, con las consultas de 31 de enero de 2008 y 21 de octubre de 2010.

La inclusión de este tipo de fusiones dentro del concepto más amplio de fusión resulta muy importante, de cara a su traslación al ámbito tributario, pues supondría superar definitivamente las limitaciones del artículo 83,1 del derogado Texto Refundido de la Ley del Impuesto de Sociedades, que al fiar la definición de la fusión a la atribución de valores, permitía entender que las operaciones en las que no se produce tal atribución no tenían cabida en la definición tributaria de la fusión a efectos de aplicación del régimen especial.

---

[22] El artículo 52,1 de la Ley 3/2009 dispone "lo dispuesto para la absorción de sociedades íntegramente participadas será de aplicación, en la medida que proceda, a la fusión, en cualquiera de sus clases, de sociedades íntegramente participadas de forma directa o indirecta por el mismo socio, así como a la fusión por absorción cuando la sociedad absorbida fuera titular de forma directa o indirecta de todas las acciones o participaciones de la sociedad absorbente".

[23] Así ocurre con la respuesta a Consulta V1357-09 de 9 de junio de 20009, donde se dice que "por tanto, en aplicación de la Directiva comunitaria, la realización de la operación por la cual una entidad absorbe a dos entidades entre las que no existe ningún porcentaje de participación, requiere como condición *sine qua non* la existencia de una ampliación de capital en la entidad absorbente, con la finalidad de atribuir títulos a los socios de las sociedades absorbidas".

De todas formas, cabía una interpretación correctora que tuviese en cuenta que también en la fusión de hermanas se puede llevar a producir fines de reestructuración empresarial dignos de protección, tal y como entendió la DGT en respuesta a consulta V0403-09 de 26 de febrero de 2009.

Más significativo es el caso de la denominada fusión inversa, que es definida por el artículo 53 de la Ley 3/2009, como uno de los supuestos asimilados a la absorción de sociedad íntegramente participada. Se trata de una modalidad de fusión impropia, caracterizada porque una entidad, participada al 100 por 100 por otra entidad, absorbe a esta última y entrega a sus socios acciones propias recibidas como consecuencia de la operación de fusión. Dentro de la misma se incluiría la fusión inversa indirecta, que es uno de los clásicos supuestos en que la doctrina del Centro Directivo dudaba, cuando no rechazaba expresamente, que le fuera aplicable el régimen especial de reestructuración, en tanto se cuestionaba que se tratase de una verdadera fusión.

Pero, aunque, en este caso, la absorción se produzca en cabeza de la entidad participada, la fusión inversa constituye una auténtica fusión; así lo ha reconocido la DGT, que en su Consulta de 8 de marzo de 2006 (V0403-06). La fusión inversa tiene las notas fiscales características de la fusión, y, por tanto, las posturas doctrinales que negaban la aplicación a esta modalidad de fusión, el régimen especial, carecían de fundamento.

Si bien esta doctrina evolucionó, y así, por ejemplo, en la respuesta a consulta V0965-06, de 19 de mayo de 2006, se manifestó, respecto a una fusión inversa que "...si la operación proyectada se realiza en el ámbito mercantil al amparo de lo dispuesto en el artículo 233 del derogado Texto Refundido de la Ley de Sociedades Anónimas, cumpliría las condiciones establecidas en el TRIS para ser considerada como una operación de fusión y, por tanto, podría acogerse al régimen fiscal establecido en el capítulo VIII del título VII del TRIS en las condiciones y requisitos exigidos en el mismo". Sin embargo, la negativa a aplicar el régimen especial se solía situar en la supuesta falta de motivo económico al entender que estas operaciones se hacían para acogerse a las ventajas fiscales, eludiendo alcanzar similar resultado económico mediante la disolución y liquidación de la absorbida.

En el fondo, tras estas argumentaciones se encontraba la idea de que toda fusión requería, como un rasgo definitorio de la misma, una ampliación de capital en la absorbente, de manera que las nuevas acciones o participaciones fruto de esa ampliación de capital, se atribuyan al socio o socios de la sociedad absorbida. Si la absorbente fuese titular de todas las acciones o participaciones de la absorbida tal ampliación deviene innecesaria, al igual que no procede el establecimiento de la relación de canje para la incorporación de los socios de la absorbida a la absorbente.

La Ley 3/2009 califica estas operaciones como fusiones, lo que permite la aplicación a las mismas del *régimen de diferimiento*. La Ley viene a facilitar la tesis más reciente asumida por la propia Dirección General de Tributos, entre otras en la citada consulta V0965-06, de 19 de mayo de 2006, donde señalaba que el régimen de las fusiones "...no distingue que los valores atribuidos a los socios de la entidad disuelta procedan de una ampliación de capital de la sociedad adquirente o bien de acciones propias que ésta última recibiera como consecuencia de la operación de fusión".

Se acepta también, como novedad, la denominada *fusión apalancada*, contenida en el artículo 35. Se trata de una operación de fusión, es decir, una integración jurídica de dos entidades, una de las cuales se ha endeudado para adquirir el control de la otra. Es decir, una fusión precedida de una compra apalancada de empresas o *forward merger leveraged buy-out*. La entidad adquirente puede ser la dominante que adquiere la dominada o viceversa. Lo que se excluye es que el endeudamiento proceda de un préstamo que la adquirida concede a la adquirente. Es decir, existe lo que se denomina prohibición general de asistencia financiera, proscribiendo a las sociedades el anticipo de fondos, la concesión de préstamos, la prestación de garantías y la concesión de cualquier tipo de asistencia financiera dirigida a permitir la adquisición por un tercero de la propia entidad. Y aunque la Ley 3/2009 no modifica la prohibición general de asistencia financiera, parece que el legislador sí ha querido excluir de dicha prohibición a las fusiones posteriores a compras apalancadas. Respecto a estas operaciones de LBO, los artículos 16.5, 67.b) y 83 de la Ley 27/2014 incorporan una regulación específica, que incluye una *franquicia* del 70% sobre el valor de adquisición de la participación, y que no se aplicaría cuando la LBO conlleve una asistencia financiera por parte de la sociedad adquirida.

De todas formas, el gran problema de estas fusiones, así como de las compras apalancadas en general es el de la admisibilidad de la operación; esto es, la cuestión de si las mismas tienen motivo económico o sin son o no simuladas. En tal sentido, resulta clásica la respuesta a consulta de la DGT de 28 de mayo de 2007, V 1088-2007, según la cual es motivo económico válido la existencia de una compra apalancada seguida de una fusión impropia o inversa, al decir que "la fusión permitirá cumplir los requisitos exigidos por las entidades financieras que han concedido la financiación precisa para que la consultante adquiriera las dos entidades participadas, lo que asegura la liquidez necesaria para garantizar la devolución del préstamo, situando a las entidades financieras en el mismo rango de prioridad que los acreedores de las sociedades absorbidas...". No obstante, la Audiencia Nacional (por ejemplo, sentencia de 7 de mayo de 2007)[24] venía manifestando un rechazo medular a la aceptación fiscal de las

---

[24]		*La Ley* 5295/2007. Según esta resolución "no habiendo acreditado la actora que la operación de fusión realizada responda a un auténtico interés económico, la única conclusión que

fusiones apalancadas, al entender que en estos casos se carece de una razón reestructuradora o armonizadora.

Por su parte, el Tribunal Supremo aceptó que se declarase simulado el préstamo que dio lugar a una compra apalancada dentro de un mismo grupo con la financiación de una matriz en el exterior a una filial española residente. El Alto Tribunal acepta, incluso, que esta calificación tuviese lugar respecto a períodos prescritos; así se defiende en la sentencia de 5 de febrero de 2015, en la que se llega a afirmar que la potestad administrativa de comprobación no prescribe y que, en consecuencia, la Administración puede usar esa potestad en relación con periodos no prescritos para comprobar e investigar operaciones realizadas en periodos prescritos.

Por último, ya hemos dicho que la LME incluye dentro de las operaciones estructurales la cesión global de activos y pasivos de una sociedad a sus socios. La DGT no ha aceptado la traslación de esta operación al ámbito de las amparadas por el régimen especial, por tratarse, a efectos mercantiles, de una liquidación, y no cumplirse, pues, la exigencia de disolución sin liquidación (consulta de 22 de febrero de 2011).

Tanto en los casos de fusión, como, en parte, en los de escisión, la reforma no da respuesta a algunas inconsistencias de la regulación anterior. Destaca, por ejemplo, el problema del efecto que en los socios de la sociedad absorbente y absorbida produce la operación, y, en particular, el cambio de porcentaje de la participación, ya que se va a producir una dilución del porcentaje de participación. Aun cuando el artículo 21 de la Ley no regule nada al respecto, el régimen de neutralidad debería suponer conservar los mismos derechos en el socio respecto de las rentas diferidas en el canje; esto es, la exención de dividendos y reservas existentes en el momento de la fusión sobre las plusvalías existentes en ese momento[25].

2.2. Escisión

La segunda operación que se incluye dentro de las que pueden quedar sujetas al régimen especial de reestructuraciones es, en términos generales, la escisión. La figura de la escisión de sociedades, como recuerda URIA, tiene un origen fiscal, a diferencia de otras operaciones de reordenación empresarial que

---

se alcanza es que se trató de una complicada operación articulada con la única finalidad de obtener un beneficio fiscal, como es que los beneficios obtenidos por MISA desde el año 1998 se reduzcan en el importe del préstamo y en el de la amortización del fondo de comercio generado".

[25] RAMOS SÁNCHEZ, S., "Escisión parcial. Escisión de un negocio de una sociedad dependiente a su sociedad dominante", op. cit., pag. 8.

han surgido en el derecho mercantil para ser contempladas posteriormente por la norma tributaria[26].

Ese origen fiscal explica quizás la existencia de una definición menos extensa en la LIS, que la prevé en la legislación mercantil, en concreto en la LME. La Ley 3/2009 califica como operaciones de escisión la escisión total, la escisión parcial, la segregación y la constitución de sociedad íntegramente participada[27].

Es característica común de la escisión que el patrimonio social de una entidad se divide en dos o más partes. Como veremos, la Ley prevé junto con la escisión que podemos denominar total, la escisión parcial, aunque el tratamiento fiscal de ambas modalidades de escisión adolece de algunas asimetrías. Así, como se verá, el régimen de la escisión parcial es más riguroso, al exigirse que lo escindido forme una unidad económica (artículo 70,1 de la LME) mientras que, ni mercantil, ni tributariamente, no se establece requisito cualitativo alguno en relación con las escisiones totales. En la práctica ello se traduce en una falta de neutralidad y que muchos operadores económicos acudan al recurso artificial y más costoso de la escisión parcial.

Así, en la LIS tiene la consideración de escisión, en primer lugar, la operación por la cual una entidad divide en dos o más partes la totalidad de su patrimonio social y los transmite en bloque a dos o más entidades ya existentes o nuevas, como consecuencia de su disolución sin liquidación, mediante la atribución a sus socios, con arreglo a una norma proporcional, de valores representativos del capital social de las entidades adquirentes de la aportación y, en su caso, de una compensación en dinero que no exceda del 10 por ciento del valor nominal o, a falta de valor nominal, de un valor equivalente al nominal de dichos valores deducido de su contabilidad.

Esta escisión que puede catalogarse como escisión total recae, como se señala, sobre la totalidad del patrimonio social de la entidad preexistente, que se transmite en bloque a las escindidas. Esa transmisión incluye la de las posiciones jurídico-tributarias. Si tales posiciones se vinculan a ciertos elementos o a un conjunto de elementos patrimoniales deben atribuirse a la sociedad que, como consecuencia de la escisión, resulte receptora de tales elementos. Es así, que la Dirección General de Tributos, en respuesta a consulta vinculante V1801-06, de 8 de septiembre de 2006, defendió que, cuando resulta de aplicación el régimen general de reestructuraciones, si surge tras la escisión total una obligación tributaria pendiente relacionada exclusivamente con la parte del patrimonio de la que ha sido receptora, en solitario, una de las beneficiadas "la sociedad que

---

[26]　　URIA, R., *Derecho Mercantil*, 22ª ed., Marcial Pons, Madrid, 1995, pag. 397.

[27]　　ROJO FERNÁNDEZ-RÍO, A., "La escisión de sociedades anónimas", en ALONSO UREBA y otros, *La reforma del Derecho español de sociedades de capital*, Madrid, Civitas, 1987, pags. 694 y 695.

reciba la parte del patrimonio a que se refiere la obligación tributaria pendiente...será a la que se transmita tal obligación". Pero si no hay tal vinculación de las posiciones jurídico-tributarias a bienes o un conjunto de bienes, el reparto de las mismas debe realizarse con un criterio de proporcionalidad que resulte razonable en términos económicos, como ha defendido la Audiencia Nacional en sentencia de 15 de junio de 2009. Lo que supone reconocer a los operadores económicos una libertad de distribución de tales posiciones, condicionada a que se acredita la mencionada proporcionalidad.

También se incluye la escisión parcial, la cual, inicialmente no estaba prevista en la Directiva 90/434/CEE[28], pero sí se encontraba en el artículo 83,2, 1, b) y c) de la Ley del Impuesto sobre Sociedades, además den el artículo 70 de la LME.

En concreto, el artículo 70, de la Ley 3/2009, de 3 de abril, sobre Modificaciones Estructurales, define la escisión parcial como "...el traspaso en bloque por sucesión universal de una o varias partes del patrimonio de una sociedad, cada una de las cuales forme una unidad económica, a una o varias sociedades de nueva creación o ya existentes, recibiendo los socios de la sociedad que se escinde un número de acciones, participaciones o cuotas sociales de las sociedades beneficiarias de la escisión proporcional a su respectiva participación en la sociedad que se escinde y reduciendo ésta el capital social en la cuantía necesaria". Destaca de esta definición, la exigencia de reducción del capital, lo que disipa ciertas dudas que con anterioridad, y al amparo del artículo 252, 2 del derogado Texto Refundido de la Ley de Sociedades Anónimas, existían[29].

---

[28] RODRÍGUEZ ARTIGAS, F., "Escisión (artículos 252 a 259)", T. IX, Vol. 3º, de URÍA, R.; MENÉNDEZ, A.; OLIVENCIA, M. (dirs.), Comentario al régimen legal de las sociedades mercantiles,, Civitas, Madrid, 1993, págs. 81 y ss.

[29] Las dudas provenían del hoy derogado artículo 252, 2 del derogado Texto Refundido de la Ley de Sociedades Anónimas que decía que la escisión se llevaría cabo "reduciendo la sociedad, en su caso, y simultáneamente, el capital social", lo que llevaba a pensar que tal reducción sólo procedía cuando el patrimonio se encontraba por debajo de la cifra de capital social. Por el contrario, la Ley 3/2009, de 3 de abril, simplemente dice, al definir la escisión parcial en su artículo 70 que la misma tendrá lugar "...reduciendo ésta el capital social en la cuantía necesaria". La referencia legal no es de importancia menor, ya que parece que es conditio sine qua non que en toda escisión parcial, sea cual sea la cifra de patrimonio, debe producirse una reducción de capital. Por ello, sólo habrá una verdadera operación de reestructuración a la que será de aplicación el régimen especial si se produce tal reducción de capital. Si la reducción tiene como objeto las reservas, la operación no será una escisión parcial, sino que habrá de ser calificada de otra manera. Habrá, en este caso, como un mero reparto de dividendos o una atribución gratuita de beneficios a ciertos socios, devengando las correspondientes ganancias patrimoniales a favor de éstos, que se gravarán en IRPF o en el Impuesto de Donaciones. Vid DE PABLO VARONA, C., La tributación del socio en el IRPF, Edersa, Madrid, 2002, pag. 722.

Esta modalidad de escisión se caracteriza porque una entidad segrega una o varias partes de su patrimonio social, pero no la totalidad del mismo. Las partes segregadas han de integrar ramas de actividad y transmitirse en bloque a una o varias entidades de nueva creación o ya existentes, manteniéndose al menos una rama de actividad en la entidad transmitente. Los socios de la segregada reciben valores representativos del capital social de las de nueva creación en proporción a sus respectivas participaciones, con la consiguiente reducción de capital social y reservas en la cuantía necesaria, y, en su caso, una compensación en dinero en los términos de la letra anterior. Es la definición de la letra b) bis del artículo 2 de la Directiva 2005/19/CE, que exige además, que la posible compensación en dinero no exceda del 10 por 100 del valor nominal o, a falta de valor nominal, de un valor equivalente al nominal de dichos títulos deducido de su contabilidad. Además, es requisito esencial de la escisión, tanto a efectos mercantiles como fiscales, el que se guarde la debida proporción en la atribución a los socios de las acciones de las sociedades adquirentes, en relación con la participación que tenían en la escindida. Este respeto a la proporcionalidad es un requisito inexcusable para la aplicación del régimen fiscal especial.

La proporcionalidad es una exigencia que intenta evitar, como dice el TEAC en resolución de 1 de junio de 2006, RG 3077/2003, que mediante las ecuaciones de canje se favorezca a determinados socios respecto de otros. Esta situación suele darse en supuestos de escisión venta en sociedades cuyas acciones son propiedad en parte de personas físicas y personas jurídicas, al tratar de atribuir a los socios personas físicas (porque, por ejemplo, tienen derecho a aplicar coeficientes reductores en el IRPF) las acciones de la sociedad beneficiaria en las que se ha localizado el conjunto patrimonial que se desea transmitir. En estos casos a los socios con derecho a los coeficientes de abatimiento se les suele entregar un patrimonio con un valor económico real superior al que tenían en la escindida. La exigencia de proporcionalidad pretendería evitar situaciones como esta.

No obstante, el TEAC, en resolución de 12 de mayo de 2009, (JUR\2009\ 380395), ha afirmado que la proporcionalidad no puede ser interpretada en un sentido restrictivo que lleve a entender que los socios de la entidad escindida deben recibir participaciones de cada una de las sociedades beneficiarias en la misma proporción a la participación que ostentaban en la que se escinde. Para el TEAC "la proporcionalidad (...) en modo alguno impone que, tratándose de una escisión parcial (...) las participaciones de cada uno de los socios en ambas sociedades, la escindida y la resultante de la escisión parcial, deban reproducir simétricamente el porcentaje de todos los socios en una y otra, pues tal es una exigencia que no deriva de una interpretación razonable de la ley, sin perjuicio de que esa interpretación de la norma dejaría al margen del régimen de neutralidad supuestos (...) perfectamente válidos, lícitos y conformes con las exigencias o conveniencias de un mercado libre...".

La Ley 25/2006, de 17 de julio, por la que se modifica el régimen fiscal de las reorganizaciones empresariales y del sistema portuario, y se aprueban medidas tributarias para la financiación sanitaria y para el sector del transporte por carretera, modificó parcialmente el régimen de asignación de la fracción patrimonial que conserva la sociedad parcialmente escindida. Lo novedad más importante, en relación con la necesaria proporcionalidad en el reparto de las acciones, participaciones o cuotas sociales de la sociedad adquirente, es la incluida en el artículo 24,2 de la Ley 3/2009 de Modificaciones Estructurales de las Sociedades Mercantiles y que hace referencia al supuesto en que existan socios industriales en la transmitente y este tipo de socios no pueda existir en la adquirente, por tratarse de una mercantil que no admite la categoría de los socios industriales. En tal caso, la participación del socio industrial en la sociedad transmitente, y de acuerdo con el citado artículo 24,2 de la Ley 3/2009, *se determinará atribuyendo a cada uno de ellos la participación en el capital de la sociedad extinguida correspondiente a la cuota de participación que le hubiera sido asignada en la escritura de constitución, o en su defecto, la que se convenga entre todos los socios de dicha sociedad, reduciéndose proporcionalmente en ambos casos la participación de los demás socios.*

Además, no se olvide que en la escisión, y en la medida en que se reciben títulos, es necesario otorgar a las acciones, participaciones o cuotas sociales recibidas el valor individualizado y la antigüedad de las acciones o participaciones entregadas. Si el número de participaciones recibidas no coincide con las entregadas para calcular el nuevo coste medio unitario se dividirá el coste total de las participaciones entregadas (reducido, en su caso, en el importe de la compensación dineraria recibida) por el número de las recibidas. Se atribuirá a las participaciones recibidas la antigüedad de las entregadas con arreglo a la proporción del canje. En las operaciones de escisión surge el problema de distribuir el coste de las participaciones que se poseían con anterioridad entre los grupos de participaciones recibidas de las distintas sociedades beneficiarias. Si la escisión es parcial, entre estos grupos y el conjunto integrado por las participaciones que no han sido transmitidas. La lógica impone que en este caso haya de atenderse a la proporción existente entre, por un lado, el valor real de la parte o fracción patrimonial que se adquirió por cada sociedad beneficiaria o, en su caso, de la facción patrimonial no transmitida y, por otro, el valor patrimonial total de la sociedad escindida.

Por otro lado, como señala LÓPEZ RODRÍGUEZ, la escisión se caracteriza por la reducción del tamaño de una sociedad a través del cese en el ejercicio de alguna o algunas de sus explotaciones económicas, que pasan a ser desarrolladas por otra entidad nueva o preexistente[30]. En suma, la sociedad se deshace de parte de su actividad, pero continúa con otras explotaciones.

Esa parte de la actividad, puede definirse como un *patrimonio segregado*. Y es aquí donde entra en juego uno de los principales requisitos para que la escisión parcial pueda acogerse al régimen especial; como señala la DGT "... sólo aquellas operaciones de escisión parcial en las que el patrimonio segregado constituya una unidad económica y permita por sí mismo el desarrollo de una explotación económica en sede de la adquirente, manteniéndose asimismo bajo la titularidad de la entidad escindida elementos patrimoniales que igualmente constituyan una o varias ramas de actividad o bien participaciones en el capital de otras entidades que le confieran la mayoría del capital social de estas, podrán disfrutar del régimen especial del capítulo VII del título VII de la LIS" (consulta V4141-15 de 28 de diciembre de 2015).

Por tanto, es condición indispensable que lo escindido sea, en términos generales, una *unidad económica*.

Surgen aquí las diferencias entre la norma mercantil y la tributaria, ya desde el contenido del artículo 253 del Texto Refundido de la Ley de Sociedades Anónimas. Este precepto requería que, para la atribución a los accionistas de la sociedad que se escinde de acciones o participaciones de una sola de ellas, concurriese necesariamente el consentimiento individual de los afectados. Por el contrario, la normativa tributaria siempre puso el énfasis en que los patrimonios segregados constituyan rama de actividad, identificable ya en sede de la entidad transmitente e interpretado por una constante doctrina del TEAC (resoluciones de 30 de septiembre de 2005, RG 2126/2003 y de 27 de julio de 2006, RG 4549/2004).

La diferencia radica en que la norma mercantil (LME) exige que las partes del patrimonio traspasado "formen una unidad económica", mientras que el artículo 76,2, 1º, b) de la LIS habla de que "una entidad segrega una o varias partes de su patrimonio social que formen ramas de actividad" (requisito incorporado en la reforma operada en el artículo 97 de la Ley del Impuesto sobre Sociedades por la Ley 14/2000, de 29 de diciembre de Medidas Fiscales, Administrativas y del Orden Social[31]).

---

[30]   LÓPEZ RODRÍGUEZ, J., "Comentarios a la Directiva del régimen fiscal de reorganizaciones empresariales", *Crónica Tributaria*, nº 116, 2005, pag. 83.

[31]   CAZORLA PRIETO, L.M.; JIMÉNEZ DE CISNEROS CID, F.J.; PEÑA ALONSO, J.L.; PORTUGAL BARRIUSO, R.M.; SALA ARQUER, J.M.; TOROLLO GONZÁLEZ, F.J., en *Comentarios a la Ley 14/2000, de 29 de diciembre de Medidas Fiscales, Administrativas y del Orden Social*, señalan, "...la incorporación de este párrafo pretende evitar que la atribución a los socios de los valores representativos del capital de la empresa suponga más que una reestructuración de la sociedad una liquidación de la sociedad escindida", Aranzadi, Pamplona, 2001, pag. 41. Además, LÓPEZ-SANTACRUZ MONTES, J.A., "Modificaciones

Además, tanto el artículo 83,2, 2º del derogado Texto Refundido de la Ley del Impuesto de Sociedades, como el vigente 76,2, 2º, señalan que en los casos en que existan dos o más entidades adquirentes, la atribución a los socios de la entidad que se escinde de valores representativos del capital de alguna de las entidades adquirentes en proporción distinta a la que tenían en la que se escinde requerirá que los patrimonios adquiridos por aquéllas constituyan *ramas de actividad*, intentando evitar, de esta manera, que se beneficien del régimen general operaciones que no pretenden la reestructuración sino resultados equivalentes a la separación de socios o a la liquidación de la entidad. Al margen de lo que pueda significar el concepto de rama de actividad, lo cierto es que tal previsión puede obstaculizar operaciones con fines de reestructuración empresarial, y hacer imposible la división de la empresa a través de una escisión subjetiva que cumpla el requisito indicado, ya que sólo podrá hacerse en el improbable caso de que el valor de cada rama de actividad sea equivalente al valor de las cuotas sociales del correspondiente socio o grupo de socios. Se impiden también que se atribuya como parte patrimonial asignada un paquete de participación mayoritario en el capital. Por eso es un precepto que concita muchas críticas.

No es una cuestión baladí la discusión en torno a si los términos *unidad económica* y *rama de actividad* tienen un significado coincidente. Como señala LÓPEZ TELLO, "si las nociones de *unidad económica* y *rama de actividad* fueran equivalentes, una vez calificada una escisión parcial como tal por el registrador mercantil cabría dudar de la capacidad de la Administración tributaria para volver sobre la cuestión y negar que el patrimonio segregado constituyera una unidad económica, y por tanto una rama de actividad" [32].

La rama de actividad se define en el artículo 76,4 de la Ley 27/2014, como el conjunto de elementos patrimoniales que sean susceptibles de constituir una unidad económica autónoma determinante de una explotación económica, es decir, un conjunto capaz de funcionar por sus propios medios. Se añade como novedad (a la que nos referiremos) que "podrán ser atribuidas a la entidad adquirente las deudas contraídas para la organización o el funcionamiento de los elementos que se traspasan".

El concepto de rama de actividad, desde la perspectiva fiscal, se identifica con el conjunto de elementos patrimoniales que constituyen una unidad eco-

---

en el Impuesto sobre Sociedades introducidas por normas aprobadas a lo largo del año 2000", *Fiscal Mes a Mes*, Ed. Lefebvre, nº 61, 2001, pag. 10; SANZ GADEA, E., "Novedades introducidas en la normativa del Impuesto sobre Sociedades por las Leyes 13/2000 y 14/2000", *Revista de Contabilidad y Tributación*, *Centro de Estudios Financieros*, nº 215, 2001, pag. 120.

[32] LÓPEZ TELLO.J., "Una nueva visión del régimen fiscal especial de escisiones: la sentencia de la Audiencia Nacional de 16 de febrero de 2011", Documentos Uría, Número Extraordinario en Homenaje al Profesor Iglesias Prada, pag. 175.

nómica autónoma determinante de una explotación económica. Es decir, un conjunto capaz de funcionar por sus propios medios, que no se refiere a un conjunto de activos (por ejemplo, la DGT admite que se traspasen las cuentas de clientes y proveedores, aunque su no inclusión no implica que se pierda la condición de rama de actividad – consulta de 28 de febrero de 1994–), sino también de pasivos.

La DGT ha venido ligando la existencia de rama de actividad a la necesidad de que concurra una actividad diferenciada, con alta en el IAE, con gestión separada e independiente, con capital humano y material diferenciado...Esta doctrina no resultaba muy acorde con el criterio expresado por el Tribunal de Justicia de la Unión Europea, desde la perspectiva del Derecho de la Unión Europea, que sólo habla de un conjunto de medios que puedan funcionar de manera autónoma, sin requerir el grado de diferenciación que venía exigiendo la Administración tributaria española.

En tal sentido, el Tribunal de Justicia de la Unión Europea, en la sentencia de 15 de enero de 2002, *Andersen og Jensen* (asunto C.43/00), ha recordado que la aplicación de la Directiva a una aportación de activos exige que ésta se refiera al conjunto de los elementos de activo y de pasivo relativos a una rama de actividad, es decir, a un conjunto capaz de funcionar por sus propios medios, idea que implica la transferencia de todos los elementos del activo y del pasivo inherentes a una rama de actividad (apartados 24 y 25). En relación con la noción de *actividad autónoma*, ha indicado que debe apreciarse, en primer lugar, desde el punto de vista del funcionamiento (los activos transferidos deben poder funcionar como una empresa autónoma, sin necesidad a tal fin de inversiones o aportaciones adicionales) y sólo en segundo lugar desde el punto de vista financiero, tarea que corresponde a los jueces nacionales (apartados 35 y 37). Esta misma idea está presente en la sentencia de 13 de octubre de 1992, *Commerz Credit Bank*, donde se alude al concepto de rama de actividad como a cualquier parte de una empresa que constituya un conjunto organizado de bienes y de personas que contribuyan a realizar una actividad determinada, añadiendo nada más que para ello no resulta menester que esa parte goce de personalidad jurídica propia (apartados 12 y 16). La idea clave es, pues, la de la *autonomía operativa*, como se cuidó de precisar el propio Tribunal de Justicia en la sentencia de 13 de diciembre de 1991, *Muwi Bouwgroep* (asunto C.164/90, apartado 22).

En consonancia con el posicionamiento antes expuesto, el Centro Directivo defiende también que la existencia de una unidad económica independiente en la transmitente presupone que ésta desarrolla, al menos, dos actividades diferenciadas. Señala la consulta de V1025-15 de 17 de abril de 2015 que "... en efecto, de los hechos manifestados en la consulta se desprende la existencia de una sola actividad económica en sede de la entidad escindida, la agrícola ganadera, explotación económica única a la que están afectos la totalidad de sus inmuebles destinados a dicho fin, y que como no puede ser de otra forma desde el punto de vista de la racionalidad económica, dispone de una sola organización empresarial, lo cual imposibilita considerar rama de actividad, a los efectos fiscales de cada uno de los bloques escindidos. En consecuencia, esto impediría la aplicación del régimen fiscal especial al no cumplir los requisitos establecidos en el Capítulo VII del Título VII de la Ley del Impuesto sobre Sociedades, 27/2014, de 27 de noviembre".

Por su parte, el Tribunal Supremo, ha definido la rama de actividad, en la sentencia de 290 de octubre de 2009 (cas. 7162/2004), atendiendo a las siguientes notas distintivas: a) ha de tratarse de un conjunto de bienes y, en ocasiones, también de personas. b) el conjunto de elementos patrimoniales ha de ser de activo y pasivo. c) ha de tratarse de una rama de actividad de la propia sociedad aportante. d) los bienes han de formar una unidad económica coherente, autónoma e independiente de otras. e) ese conjunto de bienes ha de ser capaz de funcionar por sus propios medios. f) la rama de actividad ha de existir cuando se realiza la aportación; no basta que se trate, meramente, de una suma de elementos patrimoniales que potencialmente puedan llegar, en un futuro, a constituir una unidad económica autónoma. g) la sociedad que recibe los bienes debe desarrollar una actividad empresarial en la explotación de los elementos recibidos en la aportación.

Y la DGT ha cambiado su doctrina sobre el concepto de rama de actividad, superando la idea anteriormente expuesta de una actividad diferenciada, con gestión separada e independiente y capital humano y material diferenciado. Así en la Consulta de la DGT de 11 de octubre de 2013, se pasa a considerar rama de actividad al conjunto de elementos patrimoniales susceptibles de constituir una unidad económica autónoma determinante de una explotación económica, es decir, simplemente un conjunto capaz de funcionar por sus propios medios.

En cuanto a la *unidad económica*, a la que se refiere la normativa mercantil, el TEAC ha defendido que es un término que no debe coincidir necesariamente en su significado con el de rama de actividad, puesto que "la Ley tributaria no tiene por qué beneficiar toda escisión mercantil, pudiendo delimitar en los términos que considere oportuno el ámbito del régimen especial como efectivamente hace" (resolución del TEAC de 19 enero 2007 (JT\2007\680). Se invoca, en suma, la denominada *autonomía calificadora* del Derecho Tributario[33].

Esta tesis ha sido, en cierta medida, superada por la jurisprudencia de la Audiencia Nacional de 16 de febrero de 2011, quien entiende que la unidad económica "...se caracteriza por la reunión de los elementos patrimoniales bajo

---

[33]   NAVAS VÁZQUEZ, R., "Interpretación y calificación en Derecho Tributario", *Comentarios a la Ley General Tributaria y Líneas para su Reforma*, (I), Homenaje a Sainz de Bujanda, Vol. I, IEF, Madrid, 1991, pags. 396 y 397.

una idea organizativa común, concepto que es coincidente en ello con el requerido a efectos tributarios". Esto es; la Audiencia Nacional opta por una identificación en lo sustancial de ambos conceptos. Añade el tribunal que la principal consecuencia práctica de una identificación de ambos conceptos es que la ley fiscal vendría a ser una especie de norma en blanco, de manera que "...una vez inscrita la escisión parcial en el Registro Mercantil, (...) tendríamos un concepto agotadoramente perfilado por la norma mercantil, de suerte que habiendo probadamente *unidad económica*, también se daría inexcusablemente, dada esa identidad objetiva, el requisito de la *rama de actividad* a los pertinentes efectos fiscales, liberando a la empresa titular de la inscripción de toda carga probatoria al respecto".

Otro tema a dilucidar es la relativa a si la rama de actividad debe concurrir tanto en sede de la entidad transmitente como de la adquirente. Se trata de una cuestión que ha suscitado una cierta polémica, pues se planteó la disyuntiva si para que pueda hablarse de rama de actividad es preciso que los elementos aportados constituyan una explotación económica autónoma de manera efectiva en la entidad transmitente o si basta que sean susceptibles de determinar dicha explotación de forma autónoma en sede de la entidad adquirente de la rama de actividad.

Para el TEAC (por ejemplo, en resolución de 22 de octubre de 2009), sólo aquellas operaciones de escisión parcial en las que el patrimonio segregado constituya o sea susceptible de constituir una unidad económica y permita por sí mismo el desarrollo de una explotación económica en sede de la adquirente podrán disfrutar del régimen especial del capítulo VIII del título VIII de la LIS. Ahora bien, tal concepto fiscal no excluye la exigencia, implícita en los conceptos de "rama de actividad" y de "unidad económica", de que la actividad económica que la adquirente desarrollará de manera autónoma exista también previamente en sede de la transmitente, por lo que el TEAC defiende la postura de que también debe concurrir rama de actividad en la transmitente, con el argumento de que "la escisión parcial implica que se desgaje una rama de actividad lo cual implica que se parta de la previa existencia de la misma antes de la operación de escisión en la entidad transmitente y tal individualización es la que permite que la entidad receptora del patrimonio escindido pueda continuar ejerciendo dicha actividad (dicho criterio es recogido también por la Dirección General de Tributos, en la Consulta vinculante de 21 de mayo de 2002 (V0017/2002).

El Tribunal Supremo defendió que, efectivamente, es necesario que la rama de actividad exista como tal en el patrimonio de la sociedad transmitente (sentencias de 29 de octubre de 2009 (casa. 7162/2004) y 21 de junio de 2010 (casa. 5045/2005) y no sólo de la adquirente. En tal sentido, la sentencia del TS de 23 de abril de 2015 (3946/2012), dice que "...llegamos así a la conclusión de que, para que una escisión parcial de rama de actividad pueda acogerse al régimen fiscal especial de diferimiento, el conjunto de elementos transmitidos, deben constituir rama de actividad en sede de la transmitente, de manera que puedan ser identificados como *afectos* y *necesarios* para el desarrollo de la actividad económica en cuestión". Por tanto, el régimen especial de neutralidad fiscal porque éste exige que la actividad económica que la entidad adquirente desarrollará de manera autónoma exista también previamente en sede de la sociedad transmitente.

En este sentido, la Ley 27/2014 exige que la actividad escindida mantenga al menos una actividad en su patrimonio después de la escisión o bien participaciones en el capital de otras entidades que le confieran la mayoría del capital social de éstas. La reforma se limita a suprimir la previsión del Texto Refundido de la Ley del Impuesto de Sociedades de que se mantenga otra rama de actividad con posterioridad a la escisión.

En cualquier caso, lo fundamental es la posibilidad de desarrollo autónomo de una actividad económica, por lo que las actividades que no gozan de tal autonomía no formarán parte de una rama de actividad; así ocurre con las actividades que pueden considerarse consustanciales a la realización de otras. Estas actividades, aunque para su realización se cuente con medios materiales y humanos propios, no pueden considerarse que se desarrollen de forma autónoma y diferenciada de la principal y no constituyen rama de actividad (respuesta a consulta de la DGT de 16 de diciembre de 2010). Tampoco serán autónomos los elementos esenciales para otras actividades; si el elemento no es esencial puede ser constitutivo de una rama autónoma aun cuando no se incluya en el patrimonio escindido (consulta de 19 de diciembre de 2008).

Por último, también se contempla como escisión la operación (conocida como escisión financiera) en que una entidad segrega una parte de su patrimonio social, constituida por participaciones en el capital de otras entidades que confieran la mayoría del capital social en estas, manteniendo en su patrimonio al menos participaciones de similares características en el capital de otra u otras entidades. La escisión financiera se introdujo por la Ley 50/1998, de 30 de diciembre, de Medidas Fiscales, Administrativas y del Orden Social.

En el caso de la escisión parcial no se requiere que las participaciones transmitidas constituyan una rama de actividad ni que constituyan por sí mismas una explotación económica. La Ley 25/2006, de 17 de julio, por la que se modifica el régimen fiscal de las reorganizaciones empresariales y del sistema portuario, y se aprueban medidas tributarias para la financiación sanitaria y para el sector del transporte por carretera, introdujo algunas modificaciones para introducir ciertos requisitos relativos a la fracción patrimonial que conserva la sociedad parcialmente escindida, y a la que haremos referencia.

En este caso, es la sociedad transmitente la que recibe a cambio valores representativos del capital de la entidad adquirente, pero deberá atribuirlos a los socios en proporción a sus respectivas participaciones, reduciendo el capital social y las reservas en la cuantía necesaria. Si la atribución a los socios de la entidad que se escinde de valores representativos del capital de alguna de las entidades adquirentes se hace en proporción distinta a la que tenían en la que se escinde, no regirá, lo que DE PABLO VARONA llama "principio de libertad en materia de división del patrimonio"[34].

Este tipo de escisiones financieras, para poder acogerse al régimen fiscal especial han de cumplir los requisitos mercantiles. Es fundamental que la cartera forme parte de una unidad económica más amplia que las simples participaciones en el en el capital de otras sociedades (consulta de 18 de mayo de 2005).

En los casos en que existan dos o más entidades adquirentes, la atribución a los socios de la entidad que se escinde de valores representativos del capital de alguna de las entidades adquirentes en proporción distinta a la que tenían en la que se escinde requerirá que los patrimonios adquiridos por aquéllas constituyan ramas de actividad.

En suma; del concepto de "escisión" que se deduce de la norma europea se basa en una serie de características que podemos resumir en las siguientes: es presupuesto de la escisión la disolución sin liquidación de una sociedad y el traspaso de todo el activo y pasivo de la sociedad disuelta a una pluralidad de sociedades existentes o que se constituyen[35].

En segundo lugar, la sociedad escindida desaparece del mundo jurídico y a sus socios se atribuyen títulos de las sociedades resultantes de la escisión. En tercer lugar, la atribución de esos títulos representativos ha de hacerse de acuerdo con una "norma proporcional", expresión ésta cuyo alcance analizaremos más adelante. Como consecuencia de todo ello, las sociedades resultantes de la escisión se subrogan en la posición jurídica de la escindida, sustituyendo a ésta en todas sus relaciones jurídicas, por lo que la escisión constituye un fenómeno de "sucesión universal"[36]. Fenómeno que supone la transmisión de "derechos y obligaciones perfectos y consumados", no de simples expectativas, como señaló la Audiencia Nacional en sentencia de 23 de mayo de 2013.

---

[34] DE PABLO VARONA, C., *El Impuesto sobre Operaciones Societarias*, Aranzadi, Pamplona, 1995,pag. 292.

[35] SEQUEIRA MARTÍN, A., "La fusión y la escisión de sociedades en la CEE (Tercera y Sexta Directiva), *Cuadernos de Derecho y Comercio*, 5 de junio de 1989, pags. 155 y ss.

[36] LÓPEZ-SANTACRUZ MONTES, J.A., "Modificaciones en el Impuesto sobre Sociedades introducidas por normas aprobadas a lo largo del año 2000", *Fiscal Mes a Mes*, Ed. Lefebvre, nº 61, 2001, pag. 10; SANTOS MARTINEZ, V., "La escisión de sociedades anónimas en el Derecho Comunitario europeo", *Estudios en Homenaje a J. Girón Tena*, Civitas, Madrid, 1991, pags. 963 y ss. Aun cuando este efecto de escisión universal se relativice, en el sentido de que existen, por ejemplo, no se transmiten "cuentas representativas de neto patrimonial".

Si bien la escisión incluye un fenómeno de sucesión universal, en el caso concreto de la escisión parcial estaríamos ante una figura híbrida entre el efecto sucesorio de la escisión común y el efecto traslaticio de la aportación de activos. Sin embargo, la nueva LIS (Ley 27/2014) refuerza ese efecto sucesorio ya que, respecto a la compensación de bases imponibles negativas, y con efectos de 1 de enero de 2015, dispone que, ante una adquisición de rama de actividad por un contribuyente del Impuesto sobre Sociedades, procederá la subrogación de la entidad adquirente en las bases imponibles negativas generadas por dicha rama de actividad en el pasado, de manera que con independencia de quién sea el titular jurídico, dichas bases imponibles negativas acompañen a la actividad que las haya generado (modificación del artículo 84,2 de la Ley 27/2014). Como señala, acertadamente, SANCHEZ MANZANO, este efecto de subrogación es consecuencia directa, fundamentalmente, del efecto de extinción de la sociedad transmitente[37]. El único supuesto en que se prevé una situación especial, en la que, por mandato de ley, se recoge este efecto, es en de la aportación de rama de actividad, en el que se prevé la subrogación de bases negativas "generadas por la rama de actividad trasmitida", aun cuando no exista extinción de la sociedad transmitente.

No obstante, el problema surgía del limbo jurídico en que, a partir de entonces, quedaba la escisión financiera, pues las dudas sobre su posible encaje o no en el campo de escisión parcial se acrecentaron de forma importante[38]. La nueva definición de escisión parcial hacía más problemática de lo que ya lo era la figura de la llamada *escisión financiera*, que no tenía encaja en la escisión parcial en sentido estricto[39].

En relación con la escisión se venían planteando similares problemas a los ya expuestos respecto a la fusión, sobre todo teniendo en cuenta que el artículo 83,2, 1° del derogado Texto Refundido de la Ley del Impuesto de Sociedades incluía una referencia expresa a la atribución de valores representativos del capital social de la entidad adquirente y, en su caso, de una compensación complementaria en dinero, unido a la reducción del capital social y de las reservas *en la cuantía necesaria*. Estos requisitos no fueron alterados como consecuencia de la reforma por Ley 25/2006, de 17 de julio, por la que se modifica el régimen fiscal de las reorganizaciones empresariales y del sistema portuario y

---

[37] SÁNCHEZ MANZANO, J.D., "Notas en torno a la complejidad y confusión interpretativa existente en el marco del régimen fiscal especial de la reestructuración empresarial. Particular mención a la subrogación de derechos y obligaciones tributarias", *Quincena Fiscal*, n° 1, 2016, pag. 9.

[38] En el marco de lo establecido por la Ley 3/2009 de Modificaciones Estructurales de las Sociedades Mercantiles, no se consideran ramas de actividad una cartera de valores o una *unidad financiera*.

[39] SÁNCHEZ OLIVÁN, J., *Fusión y escisión de sociedades*, Centro de Estudios Financieros, Madrid, 2004, págs. 461 y ss.

se aprueban medidas tributarias para la financiación sanitaria y para el sector del transporte en carretera. Como se ha dicho para la fusión, las operaciones en que faltan esos elementos pueden perseguir finalidades de reestructuración dignas de protección. Por lo que, desde la perspectiva de este precepto era razonable entender que no resultaba imprescindible ni la atribución de valores, ni la reducción de capital y reservas, para que las operaciones que mercantilmente merecen la calificación de escisión[40].

Por último, también quedaba en el aire la posible necesidad de incorporar expresamente la aplicación del régimen especial a la *filialización* de un sucursal, en el bien entendido caso de que se admitiese que la misma no resultaba comprendida en el artículo 84,1 del Texto Refundido de la Ley del Impuesto sobre Sociedades, en tanto si bien no se gravan las rentas que se pongan de manifiesto como consecuencia de las transmisiones realizadas por entidades residentes en territorio español de bienes y derechos en él situados, y el concepto *bienes* debe abarcar una sucursal, se exige expresamente que "cuando la entidad adquirente resida en el extranjero sólo se excluirán de la base imponible las rentas derivadas de la transmisión de aquellos elementos que queden afectados a un establecimiento permanente situado en territorio español".

Frente a estas dudas sobre la aplicación del régimen especial a ciertas operaciones asimiladas a la escisión, conviene señalar que la LME pretendió en su momento implementar un mismo régimen para todas las figuras que contempla. Superada la ya mencionada inclusión de la escisión parcial y la *filialización*, la novedad se centra en la previsión de la segregación. Por un lado, el artículo 68 de la LME señala que la escisión puede revestir no sólo la modalidad de escisión total o parcial, sino también la de segregación. Pero la referencia legal a la segregación aparece por primera vez en el artículo 71 de la LME, disponiendo, además, la asimilación a la escisión, con aplicación de sus normas reguladoras. Dicho artículo define la segregación como "el traspaso en bloque por sucesión universal de una o varias partes del patrimonio de una sociedad, cada una de las cuales forme una unidad económica, a una o varias sociedades, recibiendo a cambio la sociedad segregada acciones, participaciones o cuotas de las sociedades beneficiarias". Queda fuera del ámbito de esa expresión aquella operación a través de la cual una sociedad transmite en bloque todo su patrimonio a otra sociedad a cambio de todas las acciones, participaciones o cuotas de socio de la sociedad beneficiaria cuando, además, esta sociedad beneficiaria es de nueva creación.

Y ello, porque desde la perspectiva del derogado Texto Refundido de la Ley del Impuesto de Sociedades, y del contenido del ya citado artículo 83,2, se

---

[40]   *Régimen Especial de las operaciones de reestructuración empresarial: observaciones y propuestas de la AEDAF*, op. cit., pag. 22.

exigía la atribución de las acciones o participaciones en favor de la sociedad transmitente, por lo que la segregación no encajaría dentro de las operaciones a las que se les aplica el régimen si no tuviese encaje en las definiciones de las aportaciones no dinerarias protegidas. Pero el citado artículo 71 de la LME permite la asimilación de la segregación a la escisión, y la aplicación de su normativa, de manera que la segregación puede ser calificada como una nueva modalidad de escisión que materialmente se asimila a una aportación no dineraria de rama de actividad, con la singularidad de que las acciones las recibe la sociedad y no el socio. Y, al tiempo, cuando el artículo 72 de la LME prevé la modalidad de constitución de sociedad íntegramente participada mediante transmisión de patrimonio, se pone de manifiesto, con meridiana claridad, la existencia de un supuesto donde la propia Ley recalifica la aportación de rama de actividad en segregación[41].

En esa complejidad, propia del régimen de la escisión, podemos detectar ciertas operaciones cuya verdadera naturaleza de escisión parcial es dudosa, y respecto a las cuales podría la Administración acudir a la calificación contemplada en el artículo 13 de la Ley General Tributaria. Como señala la sentencia del Tribunal Supremo de 1 de marzo de 2014 (nº rec. 1340/2011), sería posible en casos como estos que la Administración acudiese a la calificación para determinar si el contrato "adolece de vicio en la causa" o se aparta de la causa típica. Sería el caso, por ejemplo, de una escisión financiera impropia, en la que la entidad escindida segrega una rama a favor de un socio único. Se trata de una operación que puede producir efectos equivalentes a una reducción de capital con devolución de aportaciones[42] o a una distribución de reservas en especie. Si la calificación no es de escisión no puede acogerse al régimen especial. La calificación como segregación o como una devolución que no es una operación de reestructuración y que generará plusvalías gravables en el socio (normalmente, una persona física sujeta al IRPF) tendrá mucho que ver con la existencia en la operación de motivo económico válido y con la utilización abusiva o elusiva del negocio a partir de la existencia en el mismo de un defecto de causa[43].

---

[41] ELVIRA BENITO, D., "El concepto de aportación de rama de actividad y el tipo aplicable en el Impuesto sobre Operaciones Societarias", *CT*, nº 75, 1995, pags. 114-115.

[42] PRADA LARREA, J.L., "Consecuencias fiscales en el Impuesto sobre Sociedades de la nueva Ley de Modificaciones Estructurales", op. cit., pag.46. Véase al respecto, FALCON Y TELLA, R., "Reducciones de capital con devolución de aportaciones: la calificación como ganancias del exceso sobre el valor de adquisición y sus consecuencias", Quincena Fiscal, nº 19, 2000, pag.6.

[43] DIEZ PICAZO, L., "El concepto de causa en el negocio jurídico", *ADC*, Madrid, 1993, pag. 32. Sobre la causa como instrumento de control del fraude y del abuso en las operaciones de reestructuración, véase DURAN SINDREU BUXADE, A., "El art. 110, 2 de la Ley 43/1995: análisis y propuesta de reforma", *Revista de Técnica Tributaria*, nº 55, 2001, pag. 23.

Pero al igual que ocurre en otro tipo de reestructuraciones, también en la escisión se pretenden localizar unos rasgos distintivos o signos de identidad sin cuya concurrencia no estaríamos ante la citada figura. Si en la fusión este rasgo se pretendía situar en la ampliación de capital de la sociedad absorbente, en la escisión parcial se suele hablar de que es necesario que concurra una reducción de capital por parte de la escindida[44].

Finalmente, es necesario recordar, que en relación a la dimensión contable de la escisión, señalar que la normativa para la valoración contable de las operaciones de escisión en grupos de sociedades se ha desarrollado en el Real Decreto 1159/2010, de 17 de septiembre, que aprueba las Normas para la modificación de cuentas anuales consolidadas y se modifica el Plan General de Contabilidad aprobado por Real Decreto 1514/2007, de 16 de noviembre. Se incluyen novedades en la Norma de registro y Valoración 21ª de operaciones entre empresas del grupo. Y ello por la necesidad de que, cuando se produzcan operaciones de reestructuración empresarial, no sólo se atienda a la existencia de vínculos entre las sociedades participantes sino también entre sus socios[45].

2.3. *Aportación de activos y canje de valores*

Son también operaciones de reestructuración a efectos del régimen especial en el Impuesto de Sociedades, las operaciones de aportación de activos, singularmente, la aportación de rama de actividad, junto con la aportación no dineraria especial y el canje de valores.

La reforma de la Ley 27/2014, no introduce en sus definiciones y conceptos grandes novedades. Todo lo más, conviene señalar que la Ley 27/2014, modifica los artículos 76 y 87 y de la Disposición Adicional 7 y 8, para ampliar el ámbito de varias operaciones de reestructuración, como la escisión parcial o aportaciones no dinerarias. Adicionalmente se extiende el ámbito de aportaciones no dinerarias a las realizadas por sujetos pasivos residentes en la Unión Europea que lleven contabilidad. Se mantienen las particularidades aplicables a determinadas reestructuraciones de entidades de crédito y operaciones de resolución.

La aportación no dineraria especial, tendrá como objeto acciones o participaciones de otra entidad, siempre de al menos el 5% del capital o fondos propios de la participada. Cuando la aportación tenga como objeto una rama

---

[44] RODRÍGUEZ ARTIGAS, F., "Escisión. Concepto. Función Económica y Clases. Requisitos", en *Modificaciones estructurales de las sociedades mercantiles*, Aranzadi, Pamplona, 2010, pag. 1850.

[45] Véase, sobre el tema, RAMOS SÁNCHEZ, S., "Escisión parcial. Escisión de un negocio de una sociedad dependiente a su sociedad dominante", *Quincena Fiscal*, nº 19, 2014, pag. 7.

de actividad, la misma consiste en que una entidad aporta, sin ser disuelta, a otra entidad de nueva creación o ya existente la totalidad o una o más ramas de actividad, recibiendo a cambio valores representativos del capital social de la entidad adquirente. A esta operación se refiere el artículo 2, b) bis de la Directiva 2005/19/CE. La *rama actividad* habrá de entenderse en el sentido ya expuesto; como hemos dicho, la misma consiste en el conjunto de elementos patrimoniales que sean susceptibles de constituir una unidad económica autónoma determinante de una explotación económica, es decir, un conjunto capaz de funcionar por sus propios medios, con los matices y las características que hemos expuesto al hablar de la operación de escisión.

La definición de estas operaciones responde, en la nueva ley, a las mismas características generales que se incluían en el artículo 94 del Texto Refundido de la Ley del Impuesto de Sociedades, al decir que estamos ante una operación de este tipo cuando la entidad que recibe la aportación sea residente en territorio español o tenga aquí un establecimiento permanente al que se afecten los bienes aportados. Además, una vez realizada la aportación, el sujeto pasivo aportante de este impuesto o el contribuyente del IRPF, debe participar en los fondos propios de la entidad que recibe la aportación en, al menos, el 5 %. Y se exige que, en el caso de aportación de acciones o participaciones sociales por contribuyentes del IRPF tendrán que cumplir, además: 1. Que la entidad de cuyo capital social sean representativos, sea residente. 2. Que representen una participación de al menos un 5 % de los fondos propios de la entidad. 3. Que se posean de manera ininterrumpida por el aportante durante el año anterior a la fecha del documento público en que se formalice la aportación. d) Que, en el caso de aportación de elementos patrimoniales distintos de los mencionados en la letra c) por contribuyentes del IRPF, dichos elementos estén afectos a actividades económicas cuya contabilidad se lleve con arreglo a lo dispuesto en el Código de Comercio.

En relación con la aportación de activos o aportaciones no dinerarias (artículo 87 de la Ley del Impuesto) las únicas novedades significativas que incluye la reforma por Ley 27/2014 es la concerniente a aportaciones no dinerarias de rama de actividad, en los casos en que la entidad transmitente tenga bases imponibles negativas pendientes de compensación. En tales casos, aun cuando la aportante no se extingue, el derecho a la compensación de las bases negativas imputables a la rama de actividad se transmite a la adquirente (artículo 90 de la nueva Ley del Impuesto de Sociedades). También, cuando la aportante sea una persona física, y si las aportaciones consistentes en participaciones en el capital de otras entidades esas entidades pueden ser tanto residentes en territorio español como en el extranjero; en el Texto Refundido de la Ley del Impuesto de Sociedades sólo podían ser participaciones de entidades residentes).

Por otro lado, la reforma ha sido una ocasión excelente para incluir en el texto algunas conclusiones que pretenden resolver conflictos relativos a las aportaciones no dinerarias, como el concerniente a la posibilidad de efectuar aportaciones de activos conjuntamente con deudas no expresamente contraídas para financiar la adquisición de dichos activos. La Ley debería haber recogido el criterio de la Dirección General de Tributos, reflejado en consultas vinculantes V0392-04 y V1100-06, de que sólo es posible la aportación conjunta de activos y pasivos cuando los pasivos estén directamente vinculados con los activos transmitidos, esto es, cuando la deuda se haya contraído para la financiación de los bienes y derechos transmitidos.

También debería haberse aclarado si en el concepto de aportación no dineraria se incluyen las ampliaciones de capital con cargo a créditos de los accionistas o partícipes que son compensados (y que, normalmente, proceden de préstamos realizados previamente por el accionista o partícipe). En tal sentido, el artículo 65 del Texto Refundido de la Ley de Sociedades de Capital, aprobado por Real Decreto Legislativo 1/2010, de 2 de julio, permite que en las ampliaciones de capital se hagan aportaciones no dinerarias, incluyendo derechos de crédito. El artículo 301 del Texto Refundido de la Ley de Sociedades de Capital, aprobado por Real Decreto Legislativo 1/2010, de 2 de julio, menciona el "aumento de capital por compensación de créditos", en las sociedades limitadas. Las exigencias para que esta operación se adecúe a la ley son que los créditos sean líquidos y exigibles. Además, se exige que el administrador ponga a disposición de los socios (en este caso, socio único) un informe sobre la naturaleza y características de los créditos a compensar, la identidad de los aportantes, el número de participaciones sociales o de acciones que hayan de crearse o emitirse y la cuantía del aumento. Se ha de justificar que los datos de los créditos coinciden con los reflejados en la contabilidad. Este informe se debe incluir en la escritura pública de aumento del capital. Además, se debe consignar en la escritura las fechas en que fueron contraídos los créditos (resolución de la Dirección General de los Registros y del Notariado de 19 de enero de 2012)[46].

La cuestión es si este aumento de capital con compensación de créditos es propiamente un aumento con aportación no dineraria. Y la respuesta ha de ser negativa, pues se entiende que en estos casos el desembolso de la aportación consiste en la extinción del crédito del socio a cambio de aportaciones sociales. Lo que ocurre es que el socio extingue una obligación monetaria en los términos del artículo 1156 del Código Civil. Estamos pues ante un aumento dinerario en el que el pago o cumplimiento de la obligación del socio se realiza,

---

[46]   Se trata de operaciones muy habituales en los últimos tiempos, por las ventajas fiscales de las mismas derivadas de la regulación del Decreto Ley 4/2014, de 7 de marzo, por el que se adoptan medidas urgentes en materia de refinanciación y reestructuración de deuda empresarial.

no mediante la entrega de dinero, sino mediante compensación. Por tanto, en estas aportaciones no puede entenderse que hay una aportación de activos[47].

Por su parte, el canje de valores representativos del capital social es la operación por la cual una entidad adquiere una participación en el capital social de otra que le permite obtener la mayoría de los derechos de voto en ella o, si ya dispone de dicha mayoría, adquirir una mayor participación, mediante la atribución a los socios, a cambio de sus valores, de otros representativos del capital social de la primera entidad y, en su caso, de una compensación en dinero que no exceda del 10 por ciento del valor nominal o, a falta de valor nominal, de un valor equivalente al nominal de dichos valores deducido de su contabilidad. Se trata de una definición que también procede de la Directiva 2005/19/CE, que modificó la definición de canje de acciones contenida en el artículo 2, letra d) de la Directiva 90/434/CEE y que se incluía en el artículo 83,5 del derogado Texto Refundido de la Ley del Impuesto de Sociedades, en redacción dada por Ley 25/2006, de 17 de julio.

Pero, además, se exigía la concurrencia de una serie de requisitos subjetivos que se incluían en el artículo 87,1 del citado Texto Refundido de la Ley del Impuesto de Sociedades; así que los socios que realicen el canje de valores residan en territorio español o en el de algún otro Estado miembro de la Unión Europea o en el de cualquier otro Estado siempre que, en este último caso, los valores recibidos sean representativos del capital social de una entidad residente en España. Y que la entidad que adquiera los valores sea residente en territorio español o esté comprendida en el ámbito de aplicación de la Directiva 90/434/CEE. Quedaban fuera de la aplicación del régimen especial las operaciones en que los socios que por sí mismos permiten a la entidad adquirente alcanzar la mayoría de los derechos de voto en la entidad participada, o bien incrementar dicha mayoría, fuesen residentes fuera de la Unión Europea.

La exclusión de estas operaciones del ámbito de aplicación del régimen especial puede resultar incompatible con la Directiva comunitaria de fusiones y generar una restricción injustificada al ejercicio efectivo de la libertad de establecimiento y a la libre circulación de capitales garantizado por el Derecho

---

[47]   El problema se ha suscitado en torno a la cuestión de si hay derechos de suscripción preferente en estos aumentos de capital, ya que los derechos de suscripción están reservados a los supuestos en que hay aportaciones dinerarias. El problema viene por la uniformización de la ampliación con compensación de créditos en el artículo 304 de la Ley de Sociedades de Capital. Como el aumento de capital contra aportaciones dinerarias y el aumento por compensación de créditos están regulados en preceptos distintos (arts. 299 y 301 LSC respectivamente) y el art. 304 Ley de Sociedades de Capital se refiere a los aumentos contra "aportaciones dinerarias" exclusivamente para reconocer la existencia de derecho a asumir las nuevas participaciones, se ha defendido que no hay derecho de suscripción en el caso de aumentos por compensación de créditos. Y que, por tanto, éstas no son ampliaciones con aportaciones dinerarias.

comunitario originario. Por lo que habría que concluir que cuando la sociedad dominante esté incluida en el ámbito de aplicación de la Directiva 2009/133/CE, el régimen especial es de aplicación a los socios residentes en el territorio de la Unión Europea, aunque la mayoría de los derechos de voto se adquiera de socios no residentes en territorio de la Unión. Esta interpretación, razonable y armonizadora con los criterios del Derecho de la Unión, no fue la que en respuesta a consulta V1617-08, de 31 de julio de 2008[48], aunque el Centro Directivo cambiaría posteriormente de criterio en la contestación a la consulta V1226-10 de 2 de junio de 2010, ya que para una operación similar a la planteada en la consulta anterior (la V1617-08), se propone "...una interpretación de la normativa española en base al principio de no discriminación establecido en el artículo 43 del Tratado de la Comunidad Europea, permite considerar que el concepto de canje de valores se defina en función de todos los socios que participan en la operación, aun cuando sólo una parte de los mismos sean

---

[48] El contenido de esta respuesta a consulta hace referencia a una aportación de participaciones en el capital de una sociedad domiciliada en los Estados Unidos en favor de una sociedad holding residente en Gran Bretaña. Varias personas físicas residentes en territorio español aportan participaciones que representan aproximadamente el 25 por 100 del capital, mientras que el resto de las participaciones se aportan por una LLC residentes en los Estados Unidos de América. La DGT, tras señalar que la operación no cumple los requisitos previstos en el artículo 87.1 TRLIS, añade lo siguiente: "la propuesta de Directiva del Consejo por la que se proponía modificar la Directiva 90/434/CEE, de 23 de julio, proponía una modificación del artículo 8, en particular, su apartado 12 modificaba el ámbito de aplicación de dicha Directiva a las operaciones de canje de valores en el sentido de que incorporaba a las operaciones por las que una sociedad adquiría una participación en la sociedad dominada a socios con residencia fiscal en un Estado no perteneciente a la Comunidad, precepto que conjuntamente con otras medidas inicialmente propuestas no se incorporaron a la Directiva 2005/19/CE de 17 de febrero finalmente aprobada de modificación de la Directiva 90/434/CEE, lo cual es una manifestación de la voluntad de exclusión de esta operación del ámbito de aplicación del régimen fiscal protegido". El citado órgano directivo no tiene en cuenta, en cambio, que en una de las declaraciones para el acta del Consejo que aprobó la citada Directiva 2005/19/CE (Documento 15341/04 FISC 251, Anexo 2) se señala que "El Consejo y la Comisión convienen en que el artículo 8 de la Directiva 90/434/CEE no priva a los socios residentes en los Estados miembros de los beneficios de la Directiva en caso de que la participación mayoritaria se adquiera de residentes en la Comunidad y de residentes de terceros países". En el comunicado de prensa de la Comisión de 25 de junio de 2009, IP/09/1019, se anuncia que la Comisión ha solicitado formalmente a España, en el marco de un procedimiento por infracción de la Directiva y las libertades de establecimiento y de circulación de capitales, que modifique su legislación relativa a los canjes de valores por no aplicarse el régimen de diferimiento a los canjes de acciones cuando la mayoría de los accionistas residen fuera de la Unión Europea y las acciones que se les asignan representan el capital de una sociedad cuya sede no está en España. La Comisión cree que estas normas infringen la Directiva sobre las fusiones, los artículos 43 y 56 del Tratado CE y los artículos correspondientes del Acuerdo EEE, porque es probable que disuadan a las sociedades de ejercer su derecho a la libertad de establecimiento. Además, también constituirían un obstáculo a la libre circulación de capitales, ya que los accionistas recibirían un peor trato si la sociedad de la que reciben las acciones tiene su sede en un Estado miembro distinto a España.

residentes en el ámbito de la Unión Europea. Así, pues, en un supuesto en que la mayoría del capital social de la sociedad aportada está en manos de socios no residentes en la Unión Europea, mientras que los socios residentes en ésta son minoritarios, la participación de todos ellos en la operación será determinante para la definición de canje de valores". Ello supondría que cuando la sociedad dominante esté comprendida en el ámbito de aplicación de la Directiva 2009/133/CE, el régimen especial resulta aplicable a los socios residentes en el territorio de la Unión Europea, aunque la mayoría de los derechos de voto se adquiera de socios no residentes en este territorio.

En lo relativo a la LIS vigente, la norma dedica el artículo 80 al canje de valores, incluyendo un régimen especial que, en sustancia, supone la no integración en la base imponible del IS, IRPF o Impuesto sobre la Renta de no Residentes de las rentas que se pongan de manifiesto con ocasión del canje de valores, al tiempo que los valores recibidos por la entidad que realiza el canje de valores se valorarán, a efectos fiscales, por el valor fiscal que tenían en el patrimonio de los socios que efectúan la aportación. Se prevé la excepción en los casos en que las rentas generadas en los socios no estuviesen sujetas a tributación en territorio español, en que se tomará el valor de mercado y la fecha de adquisición de las acciones será la correspondiente a la fecha de realización de la operación de canje de valores. Además, los valores recibidos por los socios se valorarán, a efectos fiscales, por el valor fiscal de los entregados, de acuerdo con las normas del IS o del IRPF.

Ese concepto de canje de acciones no sólo incluye la adquisición directamente derivada del canje sino las otras *adquisiciones subsiguientes*: esto es, adquisición de paquetes adicionales de títulos una vez que se disponga de una mayoría del capital social que vendría garantizada por una mayoría simple de los derechos de voto. Adquisiciones que pueden ser necesarias según estatutos sociales si se pretende obtener el control completo de la sociedad[49]. Se trata, como señala CALDERÓN CARRERO, de un concepto amplio de canje de acciones[50], que viene a superar una carencia en el ordenamiento jurídico español en el que no se admitía que pudiesen considerarse canje de acciones los casos de adquisiciones posteriores a aquella mediante la cual se adquiere la mayoría de voto[51].

---

[49]   Véase FONSECA CAPDEVILA, "El régimen especial de las fusiones, escisiones, aportaciones de activos y canjes de valores español ante el principio de la no discriminación", *Noticias de la Unión Europea*, nº 239, 2004, pags. 32 y 33.

[50]   CALDERÓN CARRERO, J.M., *Convenios fiscales internacionales y fiscalidad de la Unión Europea*, op. cit., pag. 982.

[51]   Por eso se hizo necesario modificar el concepto contenido en el entonces vigente artículo 83.5 de la Ley del Impuesto sobre Sociedades para añadir el caso en el que la sociedad adquirente de los valores ya poseyese la mayoría de los derechos de voto de la sociedad domi-

En el canje son los socios de la sociedad adquirida los que entregan títulos, y reciben a cambio, acciones de la adquirente, nuevas o procedentes de la autocartera. En la medida que entregan tales títulos, existe la posibilidad de ganancias patrimoniales que, en su caso, serían gravadas en el país de residencia de tales socios. Al tiempo, las acciones entregadas por la sociedad adquirente generarían un resultado extraordinario, gravable en principio en el país de residencia de tales socios, sean estos personas físicas o jurídicas.

Y en la medida en que se reciben títulos, es necesario otorgar a las acciones, participaciones o cuotas sociales recibidas el valor individualizado y la antigüedad de las acciones o participaciones entregadas. Dicha atribución no encierra gran complejidad cuando el número de participaciones recibidas coincide con las entregadas, pero si no existe esa coincidencia, el canje comportará una alteración del coste medio unitario de las acciones o participaciones. Para calcular el nuevo coste medio unitario se dividirá el coste total de las participaciones entregadas (reducido, en su caso, en el importe de la compensación dineraria recibida) por el número de las recibidas. Se atribuirá a las participaciones recibidas la antigüedad de las entregadas con arreglo a la proporción del canje[52].

Para el caso específico del canje de valores, el artículo 80 de la Ley 27/2014 señala que no se integrarán en la base imponible del Impuesto sobre Sociedades ni del Impuesto sobre la Renta de las Personas Físicas o del Impuesto sobre la Renta de no Residentes las rentas que se pongan de manifiesto con ocasión del canje de valores, siempre que cumplan una serie de requisitos señalados en la ley.

En primer lugar, que los socios que realicen el canje de valores residan en territorio español o en el de algún otro Estado miembro de la Unión Europea o en el de cualquier otro Estado siempre que, en este último caso, los valores recibidos sean representativos del capital social de una entidad residente en España. Cuando el socio tenga la consideración de entidad en régimen de atribución de rentas, no se integrará en la base imponible de las personas o entidades que sean socios, herederos, comuneros o partícipes en dicho socio, la renta generada con ocasión del canje de valores, siempre que a la operación le sea de aplicación el régimen fiscal establecido en el presente capítulo o se realice al amparo de la Directiva 2009/133/CE del Consejo, de 19 de octubre, relativa al régimen fiscal común aplicable a las fusiones, escisiones, escisiones

---

nada y mediante la operación solamente amplia dicha mayoría, de manera que el concepto de canje de valores abarcase todas las adquisiciones subsiguientes.

[52] En el caso de que el socio sea una persona física que tribute por el IRPF, si el número de participaciones recibidas no coincide con el número de las entregadas, el artículo 37,2 de la Ley del Impuesto exige una valoración individualizada de cada participación con arreglo al precio de adquisición y que, tratándose de "valores homogéneos", se entienden transmitidos en primer lugar los primeramente adquiridos.

parciales, aportaciones de activos y canje de valores realizados entre sociedades de diferentes Estados miembros y al traslado del domicilio social de una SE o una SCE de un Estado miembro a otro, y los valores recibidos por el socio conserven la misma valoración fiscal que tenían los canjeados. Y en segundo lugar, que la entidad que adquiera los valores sea residente en territorio español o esté incluida en el ámbito de aplicación de la Directiva 2009/133/CE.

Por lo demás, la Administración tributaria viene prestando especial atención a las operaciones de canje cuando intervienen entidades residentes en paraísos fiscales, aun cuando la operación incluya la creación de una sociedad instrumental residente en la Unión Europea.

2.3.1. La LBO como alternativa

Estas aportaciones de acciones son la alternativa racional a muchas operaciones de compra apalancada de sociedades. Esto es, a operaciones de adquisición de participaciones internas a una entidad del grupo mercantil mundial residente en territorio español, financiadas con endeudamiento interno, dentro de lo que se llama LBO o *Leveraged Buy Out* que suponen la adquisición de una compañía utilizando para su financiación una cantidad importante de deuda que será pagada por la sociedad adquirida. Para ello una sociedad existente o creada al efecto (*sociedad vehículo*, *holding company*, *venture capital company* o *newco*) se endeuda para adquirir el control de otra. Y posteriormente, la adquirente pasa a absorber la *target* o controlada[53], lo que supone que con una inversión reducida tomar el control de una empresa de gran dimensión que además está garantizada por los activos de la empresa comprada.

La gran cuestión, con relación a este tipo de operaciones, es si las mismas tiene racionalidad económica; esto es, si se puede predicar de este tipo de operaciones la concurrencia de un motivo económico válido.

La DGT ha entendido que la operación a analizar, en estos casos, es la fusión por absorción de la target, que el Centro Directivo califica como *impropia*. En la contestación a la consulta V1088-07, de 28 de mayo de 2007, dice que hay motivo válido cuando se invoca la necesidad de "cumplir los requisitos exigidos por las entidades financieras que han concedido la financiación precisa para que la consultante adquiriera las dos entidades participadas, lo que asegura la liquidez necesaria para garantizar la devolución del préstamo".

Por el contrario, tanto el TEAC como la Audiencia Nacional se han montado contrarias a este criterio, destacando, entre otras, la sentencia de la Au-

---

[53] Ello da lugar a una fusión hacia delante o *forward LBO* o bien es absorbida por ella, produciéndose la fusión inversa o *reverse LBO*.

diencia Nacional de 7 de mayo de 2007 (LA LEY 52952/2007), aduciendo que "la absorbente antes de la fusión tampoco realizaba una actividad económica propia" y que "desde un punto de vista económico, los motivos alegados tampoco son válidos, ya que no es admisible que una sociedad pague el coste de adquisición de, precisamente, esa sociedad por un tercero, y no sea éste, el adquirente, el que cargue con los gastos de su adquisición". En la misma línea, otras sentencias posteriores de la Audiencia Nacional, como las de 1 de julio de 2009 (LA LEY 121554/2009) y 20 de mayo de 2010 (LA LEY 63263/2010), en las que se afirma que no todo motivo extrafiscal es válido y entiende que la operación no permite alcanzar "una mayor eficiencia en la gestión".

Por su parte, el Tribunal Supremo, se pronunció respecto a este tipo de operaciones, en la sentencia de 26 de febrero de 2015 (RJ/2015/1281), en el llamado asunto *Glaxo*, ha defendido que tienen racionalidad económica cuando van seguidas de una fusión a nivel mundial de los dos grupos multinacionales a los que las entidades pertenecían, sobre todo cuando la Administración no acreditó que la operación se hubiese realizado exclusivamente por razones fiscales. Y ello, aunque la operación se haya llevado a cabo de la manera más perniciosa desde la perspectiva de los intereses recaudatorios, pues si las acciones hubieran sido adquiridas vía aportación se hubiera logrado el mismo efecto práctico.

En cualquier caso, en la operación a la que se refiere la citada sentencia, la consecuencia era que la estructura financiera del grupo español, después de la reorganización, conducía a un sobreendeudamiento derivado de la operación de adquisición apalancada y a un endeudamiento muy superior al del grupo mundial consolidado. Ello conduce a una concentración artificial de gastos deducibles en la jurisdicción española, lo que permitiría cuestionar la operación, como señala el voto particular de los Magistrados Fernández Montalvo y Martín Timón. No obstante, no cabe negar el sustrato económico de las *Leveraged Buy Out*. Es más, aunque los gastos financieros derivados de una operación de este tipo no serían gastos deducibles

Respecto a estas operaciones de LBO, la Ley 27/2014, entre sus muchas novedades, hace referencia a las mismas en los artículos 16.5, 67.b) y 83 de la Ley 27/2014. En el conjunto de estos preceptos, la nueva Ley del Impuesto de Sociedades, incorpora una regulación específica, que incluye una *franquicia* del 70% sobre el valor de adquisición de la participación, y que no se aplicaría cuando la LBO conlleve una asistencia financiera por parte de la sociedad adquirida. Además, en estas operaciones se adquieren filiales con endeudamiento, y se devuelve el préstamo y se pagan los intereses con los beneficios de la adquirida, en la medida en que esos beneficios se incorporaban como consecuencia de la consolidación, o bien incorporando la compañía adquirida en la adquirente (mediante una absorción o un canje de valores). Esta última era una forma de proceder no sólo habitual en la práctica, sino que contaba con el beneplácito de diversas consultas de la Dirección General de Tributos, que aceptaban como motivo económico válido, el superar limitaciones financieras existentes antes de realizar la operación (consulta de 30 de enero de 2014; V0226-14) o las reestructuraciones dentro del grupo consecuencia directa de adquisiciones a terceros (consulta de 10 de marzo de 2015; V0775-15). Por eso, la nueva Ley del Impuesto dice que el límite del 30 % operará también respecto a los beneficios de la compañía que se adquiere, en la medida en que si esos beneficios se están incluyendo en un grupo fiscal como consecuencia de una operación de reestructuración, no hay que tenerlos en cuenta en el cálculo del límite del 30 %. En tal sentido se pronuncia el artículo 67, b) de la Ley del Impuesto de Sociedades, cuando señala que las participaciones en el capital o fondos propios de cualquier tipo de entidades que se incorporen a un grupo de consolidación fiscal se deducirán con el límite adicional del 30 por ciento del beneficio operativo de la entidad o grupo fiscal adquirente, teniendo en cuenta las eliminaciones e incorporaciones que correspondan, de acuerdo con lo previsto en los artículos 64 y 65 de esta Ley, sin incluir en dicho beneficio operativo el correspondiente a la entidad adquirida o cualquier otra que se incorpore al grupo fiscal en los períodos impositivos que se inicien en los 4 años posteriores a dicha adquisición. Estos gastos financieros se tendrán en cuenta, igualmente, en el límite a que se refiere el apartado 1 del referido artículo 16. Los gastos financieros no deducibles que resulten de la aplicación de lo dispuesto en esta letra serán deducibles en períodos impositivos siguientes con el límite previsto en la misma y en el apartado 1 del artículo 16 de esta Ley.

2.4. *Cambio de domicilio social*

Además, la Directiva ha recogido normativamente la figura conocida como *filialización* de sucursales y el tratamiento del traslado del domicilio social de una Sociedad Europea o de una Sociedad Cooperativa Europea. Recordemos que la referencia al cambio de domicilio de una de una Sociedad Europea o de una Sociedad Cooperativa Europea se incluye en la Directiva 2005/19/CE y tal previsión fue objeto de transposición por el Real Decreto-Legislativo 4/2004. En concreto, la Directiva dedica el artículo 12 a esta operación.

Recuérdese que el Estatuto de la Sociedad Europea se aprobó por el Reglamento CE nº 2157/2001, del Consejo, de 8 de octubre de 2001, y entró en vigor el 2004. Por su parte, el Estatuto de la Sociedad Cooperativa Europea se adoptó mediante el Reglamento CE nº 1435/2003, de 22 de julio y fue completado por la Directiva 2003/72/CE del Consejo. Respecto a ambas entidades, sus reglamentos respectivos señalan que su domicilio social será el lugar en que tenga su administración central; es decir, su verdadero centro de operaciones. No obstante, podrán trasladar dicho domicilio dentro de la Unión Europea sin tener que disolver la entidad original y crear una nueva.

En lo concerniente a la denominada *filialización* de una sucursal, la misma consiste en la conversión de una sucursal en una filial, mediante la operación consistente en la transmisión de un establecimiento permanente (operación consistente en no vender la filial sino liquidarla y vender, por el contrario, el establecimiento permanente), obviamente por una sociedad que es la casa central, a favor de una sociedad de nueva creación en el mismo Estado del establecimiento. El artículo 10 de la Directiva 2005/19/CE previó el supuesto de transmisión de un establecimiento permanente en un Estado miembro de la Unión Europea distinto de aquel en que reside la sociedad transmitente e incluye la expresa previsión de que la Directiva es aplicable a las operaciones de *filialización*.

Y, por último, la Ley 25/2006 introdujo el cambio de domicilio como operación beneficiaria del régimen especial, regulando íntegramente su régimen a través de un nuevo título, el IV. Viene definida como la operación en virtud de la cual una Sociedad Europea o una Sociedad Cooperativa Europea traslada su domicilio social de un Estado miembro a otro, sin que ello dé lugar a la disolución de la sociedad ni a la creación de una nueva persona jurídica. Esto es; el régimen fiscal especial sólo se aplica a las entidades que tengan la condición de Sociedad Europea o Sociedad Cooperativa Europea.

El traslado tiene diferencias sustanciales con el resto de operaciones, calificables como de reestructuración. En el traslado de domicilio no hay una transmisión, por lo que la aplicación del régimen de diferimiento requiere una adaptación conceptual a la misma. Singularmente, que en las operaciones de fusión, escisión o aportación de activos se produce un cambio de titular de los elementos patrimoniales lo que supone que en la operación participan dos sociedades: la transmitente y la beneficiaria. En el caso concreto de la fusión, la Directiva 2011/35/UE prevé como beneficiaria a la sociedad a la cual se "transfiere" la totalidad del patrimonio activa y pasivamente de las fusionadas, que puede ser una sociedad preexistente (fusión por absorción del artículo 3) o una sociedad nueva (artículo 4). Por el contrario, en el cambio de domicilio el titular sigue siendo el mismo, en tanto que interviene una única sociedad[54]. En puridad, el traslado de domicilio no es una operación de *reestructuración*

---

[54]   Al mismo tiempo se admite la subrogación del establecimiento permanente en las situaciones tributarias de la sociedad ("provisiones o reservas debidamente constituidas por la SE o la SCE antes del traslado del domicilio social... parcial o totalmente exentas de imposición y no [provenientes] de un establecimiento permanente en el extranjero"). La versión de la Directiva 2005/19/CE en lengua española se refiere en el apartado 1 de este artículo al Estado miembro al que se traslada en domicilio, mientras que la versión en lengua inglesa se refiere a ambos Estados miembros, lo cual tiene más sentido, puesto que el Estado del antiguo domicilio y ahora del establecimiento permanente tendrá que reconocer la subrogación en la aplicación del impuesto a éste.

en sentido estricto, pues no se afecta a la estructura sino a un elemento formal como el domicilio[55].

En efecto; en este caso ni hay propiamente una transmisión, ni la reorganización no afecta a la estructura de la forma jurídica con que opera la empresa, sino a un rasgo de trascendencia puramente interna: se trata de una reorganización que altera sólo el lugar de implantación de la empresa[56].

Se dispone, además, que el domicilio social deberá estar situado dentro de la Comunidad, en el mismo Estado miembro que su Administración central. Si tenemos en cuenta que en materia de residencia de sociedades se aplica la normativa interna y que ésta suele fundarla tanto el domicilio social como la sede de dirección efectiva (como ocurre con el artículo 8,1 de la LIS, la identificación de *administración central* con *dirección efectiva*, permitiría que un traslado de domicilio sin el cambio de sede de dirección efectiva significase la realización de la operación de traslado sin perder la residencia en el Estado de procedencia[57]. Podrían existir así supuestos de doble residencia, que frustrarían la pretensión de eliminar la tributación en el país de procedencia. Y que sólo podrán ser evitados mediante una interpretación uniforme y comunitaria del concepto *administración central*, junto con una exégesis teleológica que llevase a entender que sólo se pretende aplicar el régimen del traslado de domicilio a supuestos en que se pierda la residencia en el estado de procedencia. De hecho, la circunstancia de que la Directiva reformada incluyese como presupuesto de esta operación el supuesto en que una Sociedad Europea o una Sociedad Cooperativa Europea que sea residente en el primer Estado miembro deje de ser residente en dicho Estado miembro y pase a serlo en otro Estado miembro, juega el rol de un auténtico *rule of tie break*, a efectos de evitar supuestos de doble residencia. Así, sólo resulta aplicable el *régimen de diferimiento* previsto en la Directiva cuando se verifique pérdida en origen de la residencia y adquisición en destino[58].

---

[55]　No obstante, la normativa europea mantiene la idea de otorgar la posibilidad de que "una entidad cruce fronteras manteniendo su personalidad jurídica y un régimen jurídico básico común; LÓPEZ RODRÍGUEZ, J., "Comentarios a la Directiva del régimen fiscal de reorganizaciones empresariales",op. cit., pag.108.

[56]　LÓPEZ RODRÍGUEZ, J., "Comentarios a la Directiva del régimen fiscal de reorganizaciones empresariales",op. cit., pag. 6.

[57]　Así, según LÓPEZ RODRÍGUEZ, J., la armonización aprobada no viene a resolver los casos de doble residencia, solo se dispone la ausencia de gravamen en el lugar de partida. La cuestión deberá resolverse a la luz del convenio bilateral de doble imposición aplicable.

[58]　Véase JARAMILLO, J.F., "La residencia en el ámbito del Derecho Tributario Internacional", *Estudios de Derecho Tributario Internacional. Los Convenios de Doble Imposición*, Legis-ICDT, Bogotá 2006, pags. 105 y 106; COLLADO YURRITA, M.A., *Estudios sobre Fiscalidad Internacional y Comunitaria*, Colex-Universidad de Castilla La Mancha, Madrid, 2005, pag. 110.

En función de esa filosofía, el Título IV *ter* de la Directiva modificada, estableció, en su artículo 10 ter, el principio básico del diferimiento, en el Estado del antiguo domicilio, de la imposición de las plusvalías que se manifiesten en los elementos patrimoniales que queden afectos a un establecimiento permanente situado en dicho Estado, a condición de que su valoración fiscal permanezca inalterada.

Se trata de aplicar al traslado del domicilio la filosofía general del *diferimiento*, que, en este caso, estaría condicionado a la garantía de la tributación futura como consecuencia del mantenimiento en el Estado miembro de origen de un establecimiento permanente. Es por eso que el artículo 76,7 de la nueva LIS dispone que las reglas previstas en este régimen especial para los supuestos de transmisiones de bienes y derechos serán de aplicación a las operaciones de cambio de domicilio social, aun cuando no den lugar a dichas transmisiones.

Son las ganancias patrimoniales vinculadas a elementos patrimoniales que queden afectos a ese establecimiento permanente las que se difieren, pues se prevé expresamente el cálculo futuro de rentas fiscales sobre la base de los valores de los activos, como si tal traslado no hubiera ocurrido.

El párrafo 7 del artículo 76 de la nueva LIS vigente desde el 1 de enero de 2015, señala que el régimen especial será igualmente aplicable a las operaciones de cambio de domicilio social de una Sociedad Europea o una Sociedad Cooperativa Europea de un Estado miembro a otro de la Unión Europea, respecto de los bienes y derechos situados en territorio español que queden afectados con posterioridad a un establecimiento permanente situado en dicho territorio. La referencia a que el traslado tiene que ser entre *Estados miembros* permite disipar las dudas que se generaban con relación a operaciones en que, teniendo la Sociedad Europea o la Sociedad Cooperativa Europea un establecimiento permanente en territorio español, España no era origen ni destino del traslado[59]. Por tanto, no quedarían excluidos del régimen especial los casos de traslado de una Sociedad Europea o Sociedad Cooperativa del territorio español a otro Estado miembro de la Unión Europea.

Atendiendo a lo ya dicho de aplicar al cambio del domicilio la filosofía general del *diferimiento*, son las ganancias patrimoniales vinculadas a elementos patrimoniales que queden afectos a ese establecimiento permanente las que se

---

[59] En efecto, la referencia a los "bienes y derechos situados en territorio español que queden afectados con posterioridad a un establecimiento permanente situado en dicho territorio" contenida en el primer inciso del artículo 83.7 TR-LIS llevaba a pensar que el régimen especial sólo resulta aplicable a los casos de traslado de una SE o SCE del territorio español a otro Estado miembro de la Unión Europea.

difieren, pues se prevé expresamente el cálculo futuro de rentas fiscales sobre la base de los valores de los activos, como si tal traslado no hubiera ocurrido.

De esta manera, la legislación española se adapta a lo dispuesto en la Directiva 2009/133/CE, en cuyo artículo 10 se contienen una serie de reglas específicas para el caso de que, con motivo de alguna operación de restructuración, se transmita un establecimiento permanente. En tal caso, el Estado miembro de la sociedad transmitente renunciará a los derechos de imposición sobre dicho establecimiento permanente y el Estado en que esté situado el establecimiento permanente junto con el Estado miembro de la sociedad beneficiaria, aplicarán a dicha aportación las disposiciones de la presente Directiva como si el Estado miembro donde esté situado el establecimiento permanente fuese el Estado miembro de la sociedad transmitente.

Conviene señalar que la Ley 22/2003, de 9 de julio, Concursal, en su artículo 93,2, prohíbe expresamente que las sociedades declaradas en concurso se acojan al traslado de domicilio.

3. CONTENIDO DEL RÉGIMEN ESPECIAL PARA LAS OPERACIONES DE REESTRUCTURACIÓN

Una vez mencionadas las operaciones amparadas por el régimen especial hay que ver cuál es el contenido específico del mismo.

Como vemos, casi todas las operaciones comentadas (con excepción del cambio de domicilio) se basan en la existencia de una trasmisión de activos y de acciones o participaciones, a través de una *aportación*. Dichas transmisiones generan, para las partes intervinientes, ciertos rendimientos que, en principio, estaría gravados en el IRPF, si el perceptor fuese una persona física residente, en el Impuesto sobre la Renta de los No Residentes si fuese un No Residente, y en el Impuesto sobre Sociedades si fuese una entidad con personalidad jurídica.

El régimen especial es un régimen de beneficio fiscal, que incorpora un diferimiento de la tributación de las rentas generadas por la transmisión de los elementos patrimoniales producida con ocasión de las operaciones incorporadas al régimen especial. De ahí que al régimen especial se le conozca como *régimen de diferimiento* significa que no se exigirán ganancias de patrimonio o rendimientos extraordinarios como consecuencia de la transmisión de bienes y derechos con ocasión de las operaciones de reestructuración, siendo un elemento clave para ello el que los elementos patrimoniales aportados conservarán el valor que tenían en la entidad transmitente, de manera que el gravamen de las plusvalías se pospone hasta que, eventualmente, los bienes sean enajenados. La Directiva recoge una regla de continuidad en la valoración, imponiendo además los mismos criterios de determinación del resultado que se venían aplicando antes de la operación y facultando a que los Estados miembros permitan que las sociedades beneficiarias de las operaciones asuman las pérdidas de las sociedades transmitentes[60].

Este régimen especial tiene su origen en la Directiva 90/434/CEE, de 23 de julio, relativa al régimen fiscal común aplicable a las fusiones, a las escisiones, a las aportaciones de activos y a los canjes de acciones entre sociedades de diferentes Estados miembros. Su precedente más remoto hay que situarlo en el Programa de armonización fiscal presentado por la Comisión al Consejo el 8 de febrero de 1967[61]. Esta Directiva 90/434/CEE, y así lo señala su art. 1, disciplina un régimen jurídico que será aplicable exclusivamente a operaciones "relativas a sociedades de dos o más Estados miembros", esto es, a operaciones de reestructuración empresarial "comunitarias". Pero la Directiva ampara lo que han hecho la mayoría de los Estados miembros de la CEE, que es acudir al mismo criterio, tanto en operaciones comunitarias de reestructuración como en operaciones *interiores*. Cuando la normativa doméstica aplica este régimen a operaciones interiores la sentencia *Leur-Bloem*, de 17 de julio de 1997 (As. 28/95), entiende que la regulación interna, cuando toma como modelo el régimen comunitario, es también materia objeto de cuestión prejudicial, incorporando a la normativa interna y para las operaciones de reestructuración interna, la filosofía de la Directiva. La Directiva 90/434/CEE ha sido modificada por la Directiva 2005/19/CE del Consejo, de 17 de febrero de 2005. A partir de esta reforma, el art. 11.1 a) de la Directiva 90/434/CEE permite que un Estado podrá inaplicar el *régimen de diferimiento* cuando la operación de fusión, de escisión, de escisión parcial, de aportación de activos, de canje de acciones o de traslado del domicilio social de una SE o una SCE, *tenga como principal objetivo o como uno de los principales objetivos el fraude o la evasión fiscal; el hecho de que una de las operaciones contempladas en el artículo 1 no se efectúe por motivos económicos válidos, como son la reestructuración o la racionaliza-*

---

[60] No obstantes, este régimen de diferimiento puede generar distorsiones en los casos de aplicación a la sociedad adquirente de un tipo de gravamen o de un régimen tributario distinto del aplicado a la sociedad transmitente. Así lo preveía, con un carácter eminentemente restrictivo el artículo 84,1 del derogado Texto Refundido de la Ley del Impuesto de Sociedades.

[61] La Directiva 90/434/CEE vería la luz en el año 1990, fijándose como fecha de referencia para que los Estados miembros pusieran en vigor las disposiciones contenidas en la misma, el 1 de enero de 1993, coincidiendo con el Mercado Único Europeo. Su contenido gira en torno a la implementación de un *beneficio* para las operaciones de reestructuración empresarial, construido a partir de un régimen opcional para el contribuyente, llamado *régimen de diferimiento* el cual, a grandes rasgos, significa que no se exigirán las plusvalías (diferencia entre el valor normal de mercado de los elementos transmitidos y el valor neto contable) que se generen como consecuencia de la transmisión de bienes y derechos con ocasión de las operaciones de reestructuración, ya que estos elementos patrimoniales conservarán el valor que tenían en la entidad transmitente, de manera que el gravamen de tales plusvalías se pospone hasta que, eventualmente, los bienes sean enajenados.

ción de las actividades de las sociedades que participan en la operación, puede constituir una presunción de que esta operación tiene como objetivo principal o como uno de sus principales objetivos el fraude o la evasión fiscal.

A lo que se añade que tampoco se aplicará este régimen de diferimiento cuando la operación, *tenga por resultado que una sociedad, que participe o no en la operación, ya no reúna las condiciones necesarias para la representación de los trabajadores en los órganos de la sociedad según las modalidades aplicables antes de la operación en cuestión".*

La LIS diferencia, a la hora de perfilar la fiscalidad vinculada a este régimen especial, entre las rentas derivadas de la transmisión y las obtenidas o que pueda obtener el perceptor a partir de la incorporación de los bienes transmitidos. A unas y otras vamos a referirnos por separado.

3.1. Régimen de las rentas derivadas de la transmisión

Con carácter general, podemos decir que el régimen de las rentas derivadas de la transmisión en la Ley 27/2014, se mantiene en términos prácticamente idénticos a los previstos en el Texto Refundido la Ley del Impuesto de Sociedades. Y tal régimen se basa en el *diferimiento*. El diferimiento se traduce en la no tributación de las rentas puestas de manifiesto como consecuencia de la operación, que no se integran en la base imponible de la sociedad transmitente. Así lo describe, de forma recurrente, la doctrina de la Dirección General de Tributos (por ejemplo, respuestas a consultas de 8 de abril de 2015 – V1064-15– y 28 de septiembre de 2015 – V2804-15–. También el Tribunal Supremo ha insistido en que la aplicación del régimen especial (a diferencia de lo que ocurre cuando se renuncia al mismo) conlleva la no integración en la base imponible de las rentas derivadas de la transmisión de las acciones (sentencia del Tribunal Supremo de 13 de diciembre de 2013, –3835/2011–).

Los supuestos de diferimiento se articulan como casos de no integración en la base imponible del Impuesto de Sociedades de las rentas derivadas de las operaciones de reestructuración, y se relacionan en el artículo 77,1 de la Ley del Impuesto de Sociedades. Se incluyen los casos de rentas puestas de manifiesto como consecuencia de las siguientes transmisiones. Por un lado, las realizadas por entidades residentes en territorio español que tengan por objeto de bienes y derechos en él situados o establecimientos permanentes situados en el territorio de Estados miembros de la Unión Europea, a favor de entidades que residan en ellos, y de establecimientos permanentes situados fuera de la Unión Europea. Y, por otro, las realizadas por entidades no residentes en territorio español, de establecimientos permanentes en él situados, sea a favor de residentes o de no residentes.

Se trata de supuestos que ya se incluían en el artículo 84,1 del derogado Texto Refundido de la Ley del Impuesto de Sociedades. La única novedad destacable radica, precisamente, en que se introduce un nuevo supuesto de diferimiento (la letra e) referido a operaciones de fusión, escisión o aportaciones de activos realizadas por entidades no residentes, a través de las cuales se transmiten participaciones en el capital de entidades residentes, siempre que la entidad adquirente resida en el mismo país o territorio que la entidad transmitente o la entidad adquirente resida en la Unión Europea, y en este último caso, tanto la entidad transmitente como la adquirente revistan alguna de las formas enumeradas en la parte A del Anexo I de la Directiva 2009/133/CE de 19 de noviembre de 2009 (se trata de sociedades en los distintos países europeos equivalentes a lo que en España es la sociedad anónima, la comanditaria por acciones y la limitada) y que esté sujeta y no exenta a alguno de los tributos mencionados en la parte B del Anexo I (equivalentes al español Impuesto de Sociedades).

El diferimiento consiste en la no tributación en el momento en que tiene lugar la operación y la traslación de tal tributación al futuro. Por tanto, la norma tiene que determinar la no tributación, mediante una disposición de no gravamen. A ello se refiere el artículo 77 de la LIS cuando dice que no se integrarán en la base imponible, y, por tanto, no se gravarán, ciertas rentas derivadas de estas transmisiones que tienen lugar en el marco de una operación de reestructuración, a la que resulta aplicable el régimen general.

En primer lugar, las que se pongan de manifiesto como consecuencia de las transmisiones realizadas por entidades residentes en territorio español de bienes y derechos en él situados. Esto es, se dispone que no se gravarán las rentas que, por otro lado, tributarían por aplicación del régimen general. De acuerdo con este régimen general del Impuesto de Sociedades en la entidad transmitente se produce una renta por diferencia entre el valor normal de mercado de los elementos transmitidos y su valor fiscal, corregido en su caso, por los ajustes derivados de la transmisión. Estas rentas, aunque figuren en la contabilidad, no se incluirán en la base imponible, por lo que habrá que aplicar el correspondiente ajuste negativo.

En el caso de la fusión, la renta fiscal se genera en cabeza de la sociedad o sociedades que se disuelven; en la escisión en la sociedad que se escinde; en la aportación en la sociedad que realiza la aportación y en el cambio de domicilio, en la sociedad afectada por dicho cambio.

Si la entidad adquirente reside en el extranjero sólo se excluyen de la base imponible las rentas correspondientes a los elementos que queden efectivamente vinculados a un establecimiento permanente situado en territorio español.

Por su parte, el Decreto-Ley 3/2016, de 2 de diciembre, introduce especialidades en el cómputo de la exención de plusvalías procedentes de participaciones en función de la naturaleza del socio de la entidad participada. Y, en concreto, cuando se trate operaciones de reestructuración respecto de las cuales se hubiera determinado la no integración de las rentas en la base imponible del impuesto sobre sociedades o del impuesto sobre la renta de los no residentes, la exención no resultará aplicable sobre la renta diferida derivada de operaciones de aportación no dineraria de elementos patrimoniales y las de aportación de participaciones cuando no cumplan el porcentaje de participación o valor de adquisición de la participación, o bien cuando la entidad cuyas participaciones se aportan no cumpliese en alguno de los ejercicios el requisito de tributación a un tipo nominal mínimo del 10 %. Y cuando la no integración de rentas en la base imponible se produzca en el ámbito del IRPF y venga derivada de aportaciones de participaciones en entidades, la transmisión de las participaciones por la entidad que las reciba en los dos años posteriores a la fecha de aportación determinará la no aplicación de la exención por la diferencia positiva entre el valor fiscal (por ejemplo, valor de adquisición del socio persona física aportante) y el valor de mercado en el momento de la aportación, salvo que el socio persona física hubiera transmitido su participación en la entidad habiendo tributado en el IRPF.

Si los elementos patrimoniales existentes en el momento de la fusión, escisión o aportación son transmitidos con posterioridad a la operación, hay una regla especial de imputación prevista para cuando la entidad adquiriente disfrute de un tipo de gravamen o de un régimen tributario especial distinto al de la entidad transmitente. Aunque, con carácter general, esta renta no se incluiría en la base imponible de la entidad transmitente, la regla especial en materia de imputación presume, salvo prueba en contrario, que la renta se ha obtenido de modo lineal, durante todo el tiempo de tenencia del elemento transmitido. La parte de renta de la entidad transmitente, generada con anterioridad a que hubiese tenido lugar la operación de reestructuración, se gravará aplicando el tipo de gravamen y el régimen tributario que hubiese correspondido a la entidad transmitente de no haberse llevado a cabo las operaciones. Y la renta que, según esta regla de imputación lineal, correspondiese al período de tiempo posterior a las respectivas operaciones se grava aplicando el tipo de gravamen y el régimen tributario que corresponda a la entidad adquiriente. Además, cuando la entidad adquiriente resida en el extranjero sólo se excluirán de la base imponible las rentas derivadas de la transmisión de aquellos elementos que queden afectados a un establecimiento permanente situado en territorio español (artículo 77,1, d) de la Ley 27/2014) [62].

---

[62]   En virtud de esta previsión legal, la Dirección General de Tributos entiende aplicable el régimen especial de operaciones de reestructuración a una operación consistente en la fusión por absorción de la entidad H, residente en Holanda, por su socio único, la entidad X también residente en Holanda, manifestándose en el escrito de consulta que le resultan de aplicación las disposiciones de la Directiva 2009/133/CE del Consejo, de 19 de octubre de 2009, relativa al régimen fiscal común aplicable a las fusiones, escisiones, escisiones parcia-

Este precepto procede del artículo 84,1 del derogado Texto Refundido de la Ley del Impuesto sobre Sociedades, y su aplicación generaba muchas dudas que aún no han sido aclaradas. En la nueva Ley del Impuesto el contenido de este precepto pasa al artículo 27, 2, b) en sede de tipo de gravamen. Dice este precepto que *cuando se produzca la transformación de la forma societaria de la entidad, o la modificación de su estatuto o de su régimen jurídico, y ello determine la modificación de su tipo de gravamen o la aplicación de un régimen tributario distinto la renta derivada de la transmisión posterior de los elementos patrimoniales existentes en el momento de la transformación o modificación, se entenderá generada de forma lineal, salvo prueba en contrario, durante todo el tiempo de tenencia del elemento transmitido. La parte de dicha renta generada hasta el momento de la transformación o modificación se gravará aplicando el tipo de gravamen y el régimen tributario que hubiera correspondido a la entidad de haber conservado su forma, estatuto o régimen originario.*

El derogado artículo 84,1 Texto Refundido de la Ley del Impuesto sobre Sociedades sugería algunas dudas que el precepto actual no disipa, y que llevó a una interpretación flexible del precepto basada en la idea de que la finalidad de la norma es gravar la plusvalía existente en la fecha de la operación de acuerdo con el régimen de la entidad transmitente. Ello supondría que la medida se debería aplicar cuando el tipo de gravamen o el régimen tributario de la entidad adquirente fuese distinto del de la entidad transmitente, y por eso se aplicaría no sólo si el tipo de gravamen soportado por la adquirente es inferior al soportado por la transmitente, sino también si es superior. O cuando el régimen especial de alguna de las sociedades que intervienen en la operación no se aplica a la otra. Y ello debería venir determinado por la diferencia de formas jurídicas. Se suscitaba la duda de qué debería entenderse por *forma jurídica*. Obviamente, no debería entenderse por tal *forma mercantil* sino aquellos elementos que determinan la aplicación de un régimen o de un tipo de gravamen diferente[63]. La redacción actual contenida en la Ley 27/2014, ya no exige que ese distinto tipo o régimen especial sea como consecuencia de la diferente forma jurídica.

La transferencia de estos elementos fuera del territorio español determinará la integración en la base imponible del establecimiento permanente, en el período impositivo en que tal transmisión se produzca, de la diferencia entre el valor de mercado y el valor fiscal que los bienes tenían en la entidad transmitente antes de realizarse la operación, y a los que se refería el artículo 78 de la Ley del

---

les, aportaciones de activos y canjes de acciones realizados entre sociedades de diferentes Estados miembros y al traslado del domicilio social de una SE o una SCE de un Estado miembro a otro. Así lo señala la Consulta vinculante V2140-14 de 4 agosto 2014.

63　　Véase Informe de la Asociación Española de Asesores Fiscales, *Régimen Especial de las operaciones de reestructuración empresarial: observaciones y propuestas de la AEDAF*, op. cit., pag. 52.

Impuesto de Sociedades antes de realizar la operación. Este valor se minorará, en su caso, en el importe de las amortizaciones y otras correcciones de valor reflejadas contablemente que hayan sido fiscalmente deducibles.

En segundo lugar, también se excluyen de la base imponible, las rentas que se pongan de manifiesto como consecuencia de las transmisiones realizadas por entidades residentes en territorio español, de establecimientos permanentes situados en el territorio de Estados miembros de la Unión Europea, siempre y cuando los mismos revistan algunas de las formas enumeradas en la parte A del anexo I de la Directiva 2009/133/CE, y estén sujetas y no exentas a alguno de los tributos mencionados en la parte B de su anexo I.

En relación con los mecanismos para combatir la doble imposición la Ley 27/2014 incluye importantes novedades. La más importante es la desaparición de la deducción por doble imposición interna contemplada en el artículo 30 del derogado Texto Refundido de la Ley del Impuesto de Sociedades. Los dividendos recibidos de entidades residentes en España en las que se participa en, al menos, el 5% (o con un valor de adquisición superior a 20 millones de euros) con un período de tenencia mínimo de un año (se computa la tenencia por otras entidades del grupo) quedan exentos de tributación. Eso significa que desaparecen también alguno de los problemas clásicos de la aplicación de esta deducción respecto a operaciones de reestructuración. Por ejemplo, y como señala SIMÓN YARZA, el relativo al artículo 30,3 del Texto Refundido que suscitaba la duda de si, además de las operaciones de fusión, escisión total y cesión global de activo y pasivo, la escisión parcial daba o no derecho a aplicar la deducción[64]. De todas formas, la Disposición Transitoria 24º de la Ley 27/2014, prevé que, para aquellas entidades que tengan deducciones por doble imposición interna pendientes de aplicar procedentes de la aplicación del artículo 30 del Texto Refundido de la Ley del Impuesto sobre Sociedades, en períodos impositivos iniciados con anterioridad a 1 de enero de 2015, las mismas se aplicarán sobre la cuota íntegra minorada en las deducciones para evitar la doble imposición interna e internacional y las bonificaciones aplicadas.

En cuanto a la doble imposición internacional, la Ley 27/2014 mantiene los mecanismos internos para corregir la doble imposición (método de exención –artículo 21– y de deducción –artículos 31 y 32–). En el caso de la exención,

---

[64]   SIMÓN YARZA, M.E., *La exención de dividendos y plusvalías para corregir la doble imposición en el Impuesto sobre Sociedades*, Thomson Reuters, Lex Nova, Cizur Menor, 2015., pag. 258. El articular 30,3 del Texto Refundido del Impuesto sobre Sociedades decía: "la deducción también se aplicará en los supuestos de liquidación de sociedades, separación de socios, adquisición de acciones o participaciones propias para su amortización y disolución sin liquidación en las operaciones de fusión, escisión total o cesión global del activo y pasivo, respecto de las rentas computadas derivadas de dichas operaciones, en la parte que correspondan a los beneficios no distribuidos".

la nueva Ley contempla la exención de las rentas obtenidas en el extranjero a través de un establecimiento permanente en el art. 22, si bien se especifica la tributación mínima a un tipo nominal de, al menos, un 10%, siendo de aplicación las particularidades previstas para el supuesto de exención de rentas procedentes de participaciones en entidades no residentes (existencia de Convenio de Doble Imposición con cláusula de intercambio de información). Las que están exentas, en este caso, son las rentas positivas obtenidas por el establecimiento permanente y la renta positiva generada en la transmisión, mientras que las rentas negativas no se integran en la base imponible de la matriz española si las positivas están exentas.

A ello hay que añadir que el Decreto-Ley 3/2016 incluye un límite conjunto a las deducciones para evitar la doble imposición internacional (arts. 31 y 32 de la LIS). Así, con efectos también para los periodos impositivos que se inicien a partir del 1 de enero del 2016, para los contribuyentes cuyo importe neto de la cifra de negocios sea de al menos 20 millones de euros, durante los doce meses anteriores a la fecha de inicio del periodo impositivo, se introduce un límite conjunto del 50 % de la cuota íntegra del contribuyente sobre el importe de las deducciones para evitar la doble imposición jurídica y económica internacional.

Como es sabido, la aplicación del método de exención plantea el problema de que si el establecimiento permanente tiene pérdidas, no es posible compensar esas pérdidas con las bases imponibles positivas generadas en el país de residencia. Por eso, la Comisión Europea propone la compensación de tales pérdidas con los beneficios que se obtengan en el país de residencia, con la condición de que el país de residencia pueda gravar los importes deducidos por tal compensación si el establecimiento permanente es enajenado. Es lo que se conoce como "cláusula de recaptura"[65]. De ahí que la Ley 27/2014 señale que en el caso de que la renta negativa se hubiera generado en la transmisión, su importe se minorará en el importe de la renta positiva neta obtenida con anterioridad a que haya estado exenta o haya aplicado la deducción por doble imposición internacional. Esta exención debe operar, incluso, cuando las rentas negativas no superen a las positivas imputadas por el establecimiento permanente en el pasado, incluyendo (y ello pese a la confusa redacción del artículo 92 del derogado Texto Refundido de la Ley del Impuesto de Sociedades), los supuestos en que no se haya imputado renta negativa alguna. Dado que se permite esta integración de la renta negativa, la regla general es el gravamen derivado de la transmisión de establecimientos permanentes y el artículo 77,1 de la Ley 27/2014 prevé su no integración en la base imponible del Impuesto de Sociedades cuando la transmisión se lleve a cabo a través de una operación de reestructuración.

---

[65]   DEL ARCO RUETE, L., Doble Imposición Internacional y Derecho Tributario Español. Escuela de Inspección Financiera. Ministerio de Hacienda. Madrid 1999, pag 290.

Desde el 1 de enero de 2015, si el establecimiento permanente no cumple los requisitos para la exención, de acuerdo con los artículos 31 y 85 de la Ley del Impuesto de Sociedades, las rentas positivas obtenidas por el establecimiento permanente tendrán que integrarse en la base imponible de la matriz española. En la base de la entidad transmitente se incluirá el importe de la renta positiva generada en la transmisión, pudiendo deducirse en la cuota íntegra el impuesto extranjero que, de no ser de aplicación la Directiva 2009/133/CE, hubiera gravado esa misma renta incluida en la base imponible en el estado de residencia del establecimiento permanente. En este último caso, con el límite del importe de la cuota íntegra correspondiente a esa renta integrada en la base imponible de la entidad residente transmitente del establecimiento permanente.

En cuanto a las rentas negativas, éstas no se integran en la base imponible de la matriz española, ni tampoco las positivas que no hayan excedido de las negativas. Sin embargo, se incluye en la base imponible de la entidad transmitente, el importe de la renta positiva generada en la transmisión, en la medida en que supere a las rentas negativas. En este caso es posible deducir de la cuota íntegra el impuesto extranjero que, de no ser de aplicación la Directiva 2009/133/CE, hubiera gravado esa misma renta integrado en la base imponible en el estado de residencia del establecimiento permanente, con el límite del importe de la cuota íntegra correspondiente a esa renta integrada en la base imponible de la entidad residente transmitente del establecimiento permanente.

En este supuesto, la Disposición Transitoria Decimosexta de la Ley del Impuesto de Sociedades de 2014, incluye un régimen transitorio especial para transmisiones realizadas por entidades residentes en territorio español de establecimiento permanentes situados en Estados miembros de la Unión Europea, a favor de entidades que residan en tales Estados. Se trata de transmisiones amparadas por la Directiva 2009/133/CE. El régimen está previsto para casos en que, antes de la transmisión, el establecimiento permanente hubiese generado rentas negativas que se hayan integrado en la base imponible de la entidad transmitente residente en períodos impositivos iniciados a partir del uno de enero de 2013. Esto es; lo que se regula es un régimen transitorio específico para rentas negativas obtenidas en el extranjero a través de un establecimiento permanente.

En estos casos, las rentas generadas en la transmisión no se integran en la base imponible al resultar de aplicación el régimen de diferimiento mencionado en líneas anteriores. No obstante, la base imponible de la entidad transmitente residente en territorio español se debe incrementar en el importe del exceso de las rentas negativas sobre las positivas imputadas por el establecimiento permanente en períodos impositivos iniciados antes del 1 de enero de 2013, con el límite de la renta positiva derivada de la transmisión de dicho establecimiento permanente si esta última es inferior.

Sobre esta cuestión ha incidido también el Decreto-Ley 3/2016, de 2 de diciembre, por el que se adoptan medidas en el ámbito tributario dirigidas a la consolidación de las finanzas públicas y otras medidas urgentes en materia social. En concreto, este Decreto-Ley, en su artículo 3, Primero, Dos, modifica la Disposición Transitoria Decimosexta. En concreto, el párrafo 5 introduce nuevamente una medida que afecta a una situación anterior agotada, como es la deducibilidad de rentas negativas netas de un establecimiento permanente generadas antes de 1 de enero de 2013. Nuevamente se incide mediante Decreto-Ley en la carga tributaria, al ordenar que, en caso de transmisión del establecimiento permanente, en períodos que se inicien a partir del 1 de enero de 2016, la base imponible de la entidad residente en territorio español se incrementará en el importe del exceso de las rentas negativas generadas por el establecimiento permanente en períodos anteriores al 1 de enero de 2013. Esto es; se modifica sobrevenidamente la cuantificación de la renta generada por la transmisión del establecimiento permanente, obligando a tributar por unas rentas negativas excedentes generadas con anterioridad. Se establece como límite el importe de la renta positiva generada con la transmisión, surgiendo la duda de si esta previsión afecta (como parece) sólo a las entidades cotizadas a que se refiere el artículo 12,3 del Texto Refundido del Impuesto sobre Sociedades. Consiguientemente, con efectos a partir del 1 de enero del 2017, se excluye la integración de las rentas negativas derivadas de la transmisión de establecimientos permanentes y se mantiene, en cambio, la integración de dichas rentas negativas en caso de cese en la actividad con los mismos límites que se preveían en la redacción anterior.

Además, y de acuerdo con el contenido del artículo 89,4 de la Ley del Impuesto de Sociedades de 2014, hay que contemplar el caso en el que, en una fusión la entidad transmitente disponga de una participación en el capital de la sociedad adquirente con anterioridad a la operación. En este supuesto, no se integra en la base imponible del impuesto de sociedades de la entidad transmitente la renta que se ponga de manifiesto como consecuencia de la transmisión de la participación. Ello supone atribuir un tratamiento fiscal comparativamente más beneficioso para la fusión inversa en el ordenamiento español. Además, en cuanto fusión, puede acogerse al régimen especial de diferimiento previsto en el capítulo VIII del título VII del TRLIS, en las condiciones y requisitos exigidos en el mismo. Para períodos impositivos iniciados con posterioridad al 1 de enero de 2015 esta no integración de renta en la base imponible de la entidad transmitente requiere un porcentaje de participación de, al menos, un 5 % en la adquirente. Para períodos impositivos anteriores al 1 de enero de 2015 no se exigía ningún porcentaje de participación.

En tercer y último lugar, no se integran en la base imponible de la transmitente, las rentas que se pongan de manifiesto como consecuencia de las transmisiones realizadas por entidades no residentes en territorio español de participaciones en entidades residentes en territorio español, en favor de entidades residentes en su mismo país o territorio, o en favor de entidades residentes en la Unión Europea siempre que, en este último caso, tanto la entidad transmitente como la adquirente revistan una de las formas enumeradas en la parte A del anexo I de la Directiva 2009/133/CE, y estén sujetas y no exentas a alguno de los tributos mencionados en la parte B de su anexo I.

Conviene puntualizar que no se excluirán de la base imponible las rentas derivadas de las operaciones referidas en las letras a), c) y d) anteriores, cuando la entidad adquirente se halle exenta por este Impuesto o sometida al régimen de atribución de rentas. Se excluirán de la base imponible las rentas derivadas de las operaciones a que se refiere este apartado, aunque la entidad adquirente disfrute de la aplicación de un tipo de gravamen o un régimen tributario especial.

Además, se estaba dando con asiduidad el supuesto práctico en el cual, en el caso de aportaciones de acciones y participaciones respecto a las cuales se había dado un diferimiento de la tributación por aplicación del régimen especial de operaciones de reestructuración, tal aportación iba seguida de la venta de las acciones recibidas. En tal venta se pretendía aplicar la exención del artículo 21 de la Ley 27/2014, del Impuesto de Sociedades, para evitar la doble imposición sobre dividendos y rentas derivadas de la transmisión de valores representativos de los fondos propios de entidades residentes y no residentes en territorio español.

Así, el Decreto-Ley 3/2016, de 2 de diciembre, dispone, para períodos impositivos que se inicien a partir del 1 de enero de 2017, y como especialidad en el cálculo de la exención de rentas derivadas de la transmisión de valores, una limitación a la aplicación de dicha exención. De esta manera, el polémico Decreto-Ley 3/2016, incluye una medida orientada a afrontar las consecuencias fiscales en la transmitente de las acciones o participaciones, limitando la aplicación de la exención cuando la renta no hubiese tributado en la aportante por aplicación del régimen especial[66].

En el caso de que quien hubiera hecho la aportación fuese una persona física, sujeto pasivo del IRPF, y la renta derivada de dicha aportación no se hubiese integrado en la base imponible del impuesto sobre la renta, si la participación adqui-

---

[66]   Se trata de una medida más de limitación del ámbito de aplicación de la exención por doble imposición internacional de las previstas en el Decreto-Ley 3/2016, de 2 de diciembre. Destacan, también, las que se refieren a la limitación de la integración de rentas negativas. Así, por ejemplo, en relación con el párrafo 6 del citado artículo 21, según el cual no se integrarán las rentas negativas derivadas de la transmisión de valores cuando, o bien que se cumpla durante el año anterior a la transmisión el requisito de participación o valor de adquisición o, en el caso de entidades no residentes, que no se cumpla el requisito de tributación mínima (a menos que resulte de aplicación un convenio de Doble Imposición Internacional que contenga cláusula de intercambio de información), se añade que si los requisitos se cumplen parcialmente, la integración de las rentas negativas será también parcial. En el caso del párrafo 7 del citado artículo 21, que establece que se aplicarán las reglas especiales cuando, o bien no se se cumpla durante el año anterior a la transmisión el requisito de participación o valor de adquisición o, en el caso de entidades no residentes, que sí se cumpla el requisito de tributación mínima, en el caso de que previamente se hubiera adquirido la participación a una empresa del grupo mercantil: las rentas negativas se minorarán en el importe de la renta positiva generada en la transmisión precedente que hubiera quedado exenta.

rida se transmite en un plazo de dos años desde el momento en que se lleva a cabo la aportación, la exención del artículo 21 de la Ley del Impuesto de Sociedades no se aplica sobre la diferencia positiva entre el valor fiscal de las participaciones recibidas por la adquirente y el valor de mercado en el momento de la adquisición. Se establece la salvedad de que no se aplicará esta exclusión si se acredita que las personas físicas han transmitido su participación en la entidad, que recibió la aportación y que ahora transmite, durante el referido plazo de dos años.

En el supuesto de que quien hubiera hecho la aportación fuese un sujeto pasivo del Impuesto de Sociedades o del Impuesto de la Renta de No Residentes, también opera esta limitación a la exención. Si la aportación hubiese determinado la no integración de rentas en la base imponible del Impuesto sobre Sociedades o del Impuesto de la Renta de No Residentes en relación con participaciones que no cumplen los requisitos de participación (5 % de los fondos propios de la filial) o valor de adquisición (20 millones de euros) o, total o parcialmente, el requisito de tributación mínima, u otros elementos patrimoniales distintos a las participaciones en el capital o fondos propios de entidades, la exención no se aplica sobre el importe de la renta diferida en la entidad transmitente, como consecuencia de la operación de reestructuración. Y ello, salvo que se acredite que la entidad adquirente ha integrado esa renta en su base imponible.

Como novedad derivada de la nueva Ley del Impuesto de Sociedades, 27/2014, los artículos 11, 9, 10 y 11 mantienen para las transmisiones de acciones o participaciones sociales a entidades del Grupo o UTEs o fórmulas de colaboración análogas en el extranjero (excepto en supuestos de extinción de entidades no acogidos a régimen de reestructuración fiscalmente protegido) y para transmisiones de establecimientos permanentes que no suponen su cese de actividad, la limitación de imputación de rentas negativas.

La referencia a entidades del grupo se efectúa según el perímetro del artículo 42 del Código de Comercio, con independencia de la residencia y de la obligación de formular cuentas anuales consolidadas. Recordemos que el artículo 42 del Código de Comercio ha tenido varias redacciones. Destaquemos la que le dio la Ley 62/2003, de 30 de diciembre, de medidas fiscales, administrativas y de orden social, y con vigencia desde el 1 de enero de 2005, que introdujo una nueva definición de lo que se entendía por grupo a efectos de determinar la obligación de consolidar cuentas. Según esta nueva definición, la idea de grupo se iba a construir en torno a la existencia de *unidad de decisión*, lo que incluía los denominados *grupos horizontales*, abandonando el criterio normativo que exigía que una sociedad fuera socia de otra y, además, tuviera sobre ella relación de dominio, resumida en la posibilidad de disponer de la mayoría de los derechos de voto o en la capacidad de nombrar o de destituir a la mayoría de sus administradores.

Pero es un criterio que pronto fue modificado, y el artículo 106 de la Ley 60/2003, de 30 de diciembre, ha dado una nueva redacción a los apartados 1 y 2 del artículo 42 del Código de Comercio, estableciendo que toda sociedad dominante de un grupo de sociedades estará obligada a formular las cuentas anuales y el informe de gestión consolidados en la forma prevista en esta sección y dejando claro que existe grupo cuando una sociedad *"ostente o pueda ostentar, directa o indirectamente, el control de otra u otras"*.

En el Plan General de Contabilidad (NRV 19ª) se define control como *"el poder de dirigir las políticas financieras y de explotación de un negocio con la finalidad de obtener beneficios económicos de sus actividades"*. Y ello, aunque se admita la vigencia del artículo 1 de las NOFCAC, en el que se indica que un grupo de sociedades está formado por la sociedad dominante y por una o varias sociedades dependientes y que el artículo 2 de las NOFCAC defina el grupo de sociedades a partir de la enumeración de una serie de situaciones entre las sociedades que lo integran (mayoría de derechos de voto, potestad de nombrar el consejo de administración, etc.).

Entre esas situaciones se incluye, conviene recordar, la participación de un grupo de empresas "en los riesgos y en los beneficios de otra u otras entidades", así como en los casos en que el primero tiene sobre éstas "capacidad para participar en las decisiones de explotación y financieras", lo que incluiría las denominadas Entidades de Propósito Especial.

Aunque el concepto de control fiscal o contable no sea coincidente, hay que reconocer que, desde el 1 de enero de 2004, fecha de entrada en vigor de la Ley 60/2003, de 30 de diciembre, la definición de grupo de sociedades no puede ser otra que la prevista en el artículo 42 del Código de Comercio, con excepción de las sociedades multigrupo y asociadas. El grupo se fundamenta, por tanto, en el control (que una sociedad sea socia de otra con relación de dominio) y no en la *unidad de decisión*. Este criterio se ha expandido al ámbito concursal, como lo recoge la sentencia del Tribunal Supremo de 4 de marzo de 2016, según la cual el grupo de empresas, a efectos concursales, es el que viene caracterizado por el control que ostenta, directa o indirectamente, una sociedad sobre otra u otras y no por la existencia de una unidad de decisión en el mismo.

Además, en relación con los grupos, conviene señalar que la nueva ley del Impuesto sobre Sociedades pretende dar plena cobertura legal a todos aquéllos procesos de reestructuración que afecten a grupos fiscales, extendiendo la idea de que no se penalice la reestructuración a las entidades integradas en grupos.

La Dirección General de Tributos, en consulta como la de 28 de diciembre de 2015 (V4141-15), había entendido plenamente aplicable el régimen especial y el principio de subrogación inherente al mismo respecto a la entidad beneficiaria que posea participaciones en entidades dependientes con las que puede configurar un grupo de consolidación fiscal, recordando que se subroga en la posición de la dominante. Este derecho de subrogación se transmite en el momento en que tiene efectos la operación de escisión parcial, es decir, en el momento de su inscripción en el Registro Mercantil.

La nueva redacción del artículo 74,3 de la Ley del Impuesto de Sociedades se refiere a la situación en que una entidad dominante adquiere la condición de dependiente o es absorbida y resulta integrado su grupo en otro grupo fiscal. La reforma pretende que, en este caso, el proceso opere con neutralidad sin los efectos de extinción del grupo original. A ello se refiere también el apartado cuarto de la disposición transitoria vigésima quinta. La nueva norma extiende este régimen a las integraciones obligatorias de unos grupos en otros que se produzcan como consecuencia del nuevo régimen de consolidación horizontal.

3.2. *Valoración fiscal de los bienes adquiridos*

Si el artículo 77 de la Ley del Impuesto de Sociedades se ocupa de lo que constituye el elemento nuclear del régimen de diferimiento, como es la no integración en la base imponible del Impuesto de Sociedades de las rentas correspondientes a las transmisiones ocasionadas por las operaciones de reestructuración, el artículo 78 hace mención al otro aspecto de este régimen especial; la especial valoración a efectos fiscales de los bienes adquiridos.

Esta valoración especial se recoge en el párrafo 1, del citado artículo 78, donde se dice que "los bienes y derechos adquiridos mediante las transmisiones derivadas de las operaciones a las que haya sido de aplicación el régimen previsto en el artículo anterior se valorarán, a efectos fiscales, por los mismos valores fiscales que tenían en la entidad". Esta es la segunda *pata* del régimen de diferimiento, y el mismo se mantiene en la Ley 27/2014, con la única salvedad de que se suprime la remisión que el artículo 89,3 del derogado Texto Refundido de la Ley del Impuesto de Sociedades efectuaba al artículo 85 del mismo texto legal. La nueva Ley de Impuesto de Sociedades no introduce novedades en las valoraciones de los bienes recibidos en las distintas operaciones que integran las operaciones a las que les resulta aplicable el régimen especial.

Se trata de la denominada *regla de continuidad en la valoración*, a la que se refería la Directiva 90/434/CEE, y que supone que los bienes recibidos por la sociedad adquirente en la operación de reestructuración, se valorarán por los mismos valores que tenían en la entidad transmitente antes de realizarse la operación, manteniéndose igualmente la fecha de adquisición de la entidad transmitente, corrigiendo dichos valores *en el importe de las rentas que hayan tributado efectivamente con ocasión de la operación*. Son consecuencias colaterales de este régimen mismos criterios de determinación del resultado que se venían aplicando antes de la operación y facultando a que los Estados miembros permitan que las sociedades beneficiarias de las operaciones asuman las pérdidas de las sociedades transmitentes.

La continuidad conlleva diversas consecuencias en diversos ámbitos (por ejemplo, en el de las amortizaciones, ya que los bienes amortizables incorporados al patrimonio de la sociedad adquirente no tendrán nunca la condición de usados)

Las acciones y participaciones recibidas en contraprestación de la aportación, según el artículo 79, se valorarán, a efectos fiscales, por el mismo valor fiscal que tenía la rama de actividad o los elementos patrimoniales aportados. En el caso concreto de la operación de canje de valores, operación en la cual tanto lo aportado como lo recibido son valores, el artículo 80 de la Ley del Impuesto de Sociedades de 2014, señala que los valores recibidos por la entidad que realiza el canje de valores se valorarán, a efectos fiscales, por el valor fiscal que tenían en el patrimonio de los socios que efectúan la aportación, según las normas de este Impuesto, del Impuesto sobre la Renta de las Personas Físicas o del Impuesto sobre la Renta de no Residentes, manteniéndose, igualmente, la fecha de adquisición de los socios aportantes. No obstante, en aquellos casos en que las rentas generadas en los socios no estuviesen sujetas a tributación en territorio español, se tomará el valor de mercado. En este caso, la fecha de adquisición de las acciones será la correspondiente a la fecha de realización de la operación de canje de valores.

La entidad, a cambio de los valores recibidos entrega valores a los socios. Como señala el artículo 80,3 de la Ley "los valores recibidos por los socios se valorarán, a efectos fiscales, por el valor fiscal de los entregados, determinado de acuerdo con las normas de este Impuesto, del Impuesto sobre la Renta de las Personas Físicas o del Impuesto sobre la Renta de no Residentes, según proceda". Se prevé además que la valoración se corrija, aumentándose o disminuyéndose, en el importe de la compensación complementaria en dinero entregada o recibida. También aquí, los bienes, en este caso los valores, recibidos conservan la fecha de adquisición de los entregados.

Por eso llaman la atención el contenido de consultas como la V2932-16, de 23 de junio, relativa a la fusión por absorción de una SICAV por un fondo de inversión. El Centro Directivo niega la aplicación del régimen de neutralidad en la valoración ya que tiene lugar el posterior traspaso de las participaciones del fondo, adquiridas en virtud de la fusión. Por ello, la renta diferida con ocasión de la fusión correspondiente a las participaciones transmitidas tributará sin aplicar el régimen especial. Lo que resulta llamativo, teniendo en cuenta que la norma, simplemente, se refiere a que, cuando el importe obtenido como consecuencia del reembolso o transmisión de participaciones en fondos de inversión se destine a la adquisición de otras participaciones en fondos, no procederá computar la ganancia o pérdida patrimonial y las nuevas participaciones conservarán el valor y la fecha de adquisición de las anteriores.

Pero la posición jurídico-tributaria de la entidad adquirente no puede limitarse a la aplicación de una determinada regla de valoración, sino que, respecto a la adquirente opera el denominado principio de subrogación de derechos y obligaciones tributarias, que el artículo 84 de la Ley del Impuesto prevé a favor de la entidad beneficiaria. Este precepto diferencia la sucesión a título universal propia de las fusiones de otras operaciones que no conllevan tal efecto.

Por un lado, si la sucesión tiene ese mencionado alcance general, su carácter universal debe extenderse a todos los bienes del activo y a todos los pasivos de la adquirida, incluida, como veremos, las pérdidas y las bases imponibles negativas pendientes de compensación. Incluso, para la Dirección General de Tributos, se incluían aquí los beneficios no distribuidos de la sociedad adquirida, "independientemente de que, con motivo de la absorción se hubiesen incorporado de una u otra manera en los fondos propios de la entidad absorbente" (consulta V0038-03 de 28 de abril de 2003). Y, en concreto, las reservas de la entidad transmitente, que acabarían reflejándose en la adquirente en concepto de capital o prima de emisión, como consecuencia de la fusión o escisión[67].

Por otro lado, si la sucesión no es a título universal, se transmitirán a la entidad adquirente los derechos y obligaciones tributarias que se refieran a los bienes y derechos transmitidos. Y la entidad adquirente asumirá el cumplimiento de los requisitos necesarios para continuar aplicando los beneficios fiscales o consolidar los aplicados por la entidad transmitente.

En este sentido, ya bajo la vigencia del derogado Texto Refundido de la Ley del Impuesto de Sociedades se empezó a cuestionar una interpretación, demasiado apegada a la literalidad de la norma, y según la cual, en los casos de escisiones parciales y subrogaciones el efecto sucesorio se limitaba a los bienes transmitidos. La propia Dirección General de Tributos había flexibilizado este criterio, especialmente en relación con la escisión parcial, al reconocer que la misma tiene de transmisión a título universal. Así, la respuesta a consulta V2766-09, de 14 de diciembre de 2009, defendía respecto a una operación de este tipo la aplicación del régimen sucesorio "...por cuanto la subrogación de derechos y obligaciones tributarias de la entidad adquirente respecto de la transmitente se produce a título universal". Por consiguiente, y respecto a una entidad adquirente en una escisión parcial, sostiene que "...asumirá el cumplimiento de los requisitos derivados de los incentivos fiscales de la entidad transmitente referidos a los elementos patrimoniales que recibe". Lo razonable, no obstante, sería entender que, dado que se trata de una transmisión a título

---

[67] Lo que generaba importantes problemas de sobreimposición que se corregían con la aplicación de la deducción por doble imposición contemplada en el artículo 30 1 y 2 del derogado Texto Refundido de la Ley del Impuesto de Sociedades. Según la citada consulta V0038-03 de 28 de abril de 2003, en los casos de reparto de reservas procedentes de la sociedad transmitente, a efectos de determinar el porcentaje de deducción "deberá tenerse en cuenta la participación de los socios en las entidades absorbidas y el período de posesión de ésta". Y ello, aunque parece más lógico atender al porcentaje que el socio tiene en el momento en que se dan las circunstancias exigidas, y ello aunque se produzcan cambios en el porcentaje de participación.

universal, debería aceptarse la subrogación en posiciones jurídico-tributarias no vinculadas a los bienes y derechos transmitidos[68].

Esta asunción de pérdidas no admitía dudas en los casos en que la operación de reestructuración se traducía en una situación que conllevaba una sucesión universal, como una fusión o una escisión universal, pero no en aquellos casos en que no se producía este efecto, puesto que la operación podía equipararse a una simple transmisión[69]. En la adquisición de rama de actividad no había sucesión universal (entre otras cosas, porque, como dijimos, no existía extinción de la sociedad transmitente), por lo que no se traspasaban pérdidas.

Pues bien; en esta línea el nuevo artículo 84,2 de la Ley 27/2014 establece expresamente la subrogación de la entidad adquirente en las bases imponibles negativas "generadas por una rama de actividad", cuando la misma es objeto de transmisión por otra entidad, de manera que las bases imponibles acompañan a la actividad que las ha generado, cualquiera que sea el titular jurídico de la misma. Se trata de una situación que, con anterioridad, no se encontraba expresamente prevista. Además, la entidad adquirente se subrogará en las bases imponibles negativas de la transmitente en casos de extinción de esta[70].

Por otro lado, también aquí tiene trascendencia el hecho de que se haya suprimido el plazo máximo para compensar bases imponibles hacia adelante. Siendo esta la solución general del artículo 26 de la Ley 27/2014, en el caso de compensación de bases negativas por las sociedades resultantes de la fusión, la absorbente, las escindidas o las ramas de actividad, no habrá tampoco limitaciones temporales.

Lo que no cabe permitir, en cualquier caso, es que el aprovechamiento de bases imponibles negativas por la entidad adquirente por aplicación del mencionado principio de subrogación, suponga un doble aprovechamiento de tales bases. Esto es, no cabe aceptar que, al tiempo que el adquirente aplica las bases negativas pendientes, exista un aprovechamiento de tales pérdidas en el transmitente de la participación, al computar una pérdida por diferencia entre el valor de adquisición y el de transmisión, habida cuenta de las pérdidas generadas mientras fue titular de la participación. A la legitimidad para limitar este doble aprovechamiento se ha referido el TEAC, diciendo que es posible incluso cuando las pérdidas soportadas por los socios antiguos no hayan sido

[68] Informe de la Asociación Española de Asesores Fiscales, *Régimen Especial de las operaciones de reestructuración empresarial: observaciones y propuestas de la AEDAF*, op. cit., pags. 67 y 68.
[69] RUIBAL PEREIRA, L., *La sucesión en Derecho Tributario. Especial referencia a la sucesión de empresa*, Lex Nova, Valladolid, 1997, pag. 250.
[70] Sobre el alcance de esta novedad, SANCHEZ MANZANO, J.D., "Notas en torno a la complejidad y confusión interpretativa existente en el marco del régimen fiscal especial de la reestructuración empresarial. Particular mención a la subrogación de derechos y obligaciones tributarias", op. cit., pag. 11.

efectivamente aplicadas en España (resolución del TEAC de 16 de febrero de 2006 (R.G. 3594/2002)).

En general, el ordenamiento español experimenta un proceso de exclusión de situaciones de doble utilización de pérdidas o de ventajas fiscales, que tiene su fundamento en las medidas contra los dobles aprovechamientos de beneficios, que se vincula con las medidas contra el *double dip* previstas, por ejemplo, en la Acción 2 de BEPS. En este sentido, el Decreto Ley 3/2016, de 2 de diciembre, consolida la idea de no computar ningún tipo de pérdida en la transmisión de participaciones exentas[71].

En efecto; el Decreto Ley 3/2016, en relación con períodos impositivos que se inicien a partir del 1 de enero de 2017, hace referencia a las pérdidas generadas por adquisiciones de participaciones a entidades del mismo grupo mercantil, diferidas hasta la transmisión a un tercero o cuando adquirente o transmitente dejen de formar parte del mismo grupo.

En tal sentido, se dispone, que para la integración de las pérdidas (minoradas en el importe de las rentas positivas obtenidas en la transmisión) es necesario que en ningún momento durante el año anterior se haya poseído una participación de al menos el 5%, o un coste de adquisición de al menos 20 millones de euros. Y si, además, la entidad transmitida es no residente, en el período impositivo debe cumplirse el requisito de tributación mínima.

Además, y como se dijo, nunca serán deducibles las pérdidas generadas en la transmisión a otra empresa del grupo de participaciones a las que resulte de aplicación la exención del artículo 21 de la Ley del Impuesto de Sociedades. Y, esto es lo importante, este régimen especial se aplicará a todos los supuestos de reorganización empresarial (acogidas o no al régimen especial del Capítulo VII del Título VII), y se amplía a los supuestos en que se continúe el ejercicio de la actividad bajo cualquier otra forma jurídica.

La respuesta a consulta de la DGT de 20 de octubre de 2004 (V0214-04) trataba la cuestión de que los bienes adquiridos fuesen objeto de un contrato de arrendamiento financiero por parte de la transmitente. Señala la citada consulta que "...las condiciones del contrato de arrendamiento financiero no se ven alteradas por el hecho de realizarse la operación de fusión, los efectos fiscales de dicho contrato son los mismos que los existentes antes de realizarse dicha operación, en base a lo establecido en el artículo 90 del TRLIS, por lo que el límite de la cuota fiscalmente deducible prevista en el artículo 115.6 del TRLIS no se modifica por la operación de fusión". Esto es; el principio de subrogación de

---

[71] De la misma manera se determina que no serán deducibles las disminuciones de valor por aplicación del criterio de valor razonable para las entidades a las que sea de aplicación la exención del art 21, salvo que con anterioridad se haya integrado en la BI un incremento de valor por el mismo importe.

la adquirente afecta también a las condiciones del contrato de arrendamiento financiero de los bienes transmitidos.

En suma; el régimen especial se apoya en buena medida en el hecho de que los bienes y derechos adquiridos en virtud de la operación de reestructuración quedan valorados fiscalmente por el mismo importe por el que estaban en la entidad transmitente quedando de esta forma diferidas las plusvalías tácitas hasta su materialización por parte de la adquirente. Por tanto, resulta fundamental que cuando se determine la renta en la ulterior transmisión por la entidad adquirente se tenga en cuenta ese valor fiscal congelado y no tomar en consideración, como se hace con frecuencia, el valor contable otorgado al bien en la operación de reestructuración y que puede ser superior (como sucede, por ejemplo, en las aportaciones no dinerarias, en las que la entidad adquirente contabiliza el bien recibido por el valor de la ampliación de capital).

De manera que, si no se aplica el régimen especial, es decir si se renuncia a la exención, los elementos se valoran de acuerdo con el valor normal de mercado. Ello contrastaba con el texto del artículo 85,2 del derogado Texto Refundido de la Ley del Impuesto de Sociedades, que disponía que en caso de que no fuese de aplicación el régimen especial, "se tomará el valor convenido por las partes con el límite del valor de mercado", lo que provocaba problemas de sobreimposición – por ejemplo, cuando el valor convenido por las partes era inferior al normal de mercado –. A la luz de la vigente Ley 27/2014, resulta de aplicación la regla general según la cual, si la renta que se pone de manifiesto está sometida al Impuesto de Sociedades, la falta de aplicación del régimen de diferimiento supondrá la integración en la base imponible de la entidad transmitente de esa renta. La cuantificación de la misma tendrá lugar de acuerdo con el artículo 17,4 de la Ley, según el cual se valorarán por su valor de mercado los siguientes elementos patrimoniales "…los aportados a entidades y los valores recibidos en contraprestación, salvo que resulte de aplicación el régimen previsto en el Capítulo VII del Título VII de esta Ley", cifrándose la renta en la diferencia entre el valor normal de mercado (el que hubiera sido acordado entre partes independientes) y su valor contable.

4. APLICACIÓN DEL RÉGIMEN ESPECIAL DE REESTRUCTURACIÓN DE SOCIEDADES

Se trata, sin duda alguna, de la cuestión en la que el cambio es más radical. Mediante la nueva redacción de los artículos, 17.3, 17.4, 77.2, 78.2, 79.2 y 89.1 de la Ley 27/2014, se produce una mutación en la filosofía de la aplicación del régimen especial, de manera que el régimen se configura como el aplicable con carácter general. De esta manera, ya no ha de optarse por él, bastando una obligación genérica de comunicación.

A esta comunicación se refiere el artículo 48 del Reglamento del Impuesto de Sociedades, aprobado por el Real Decreto 634/2015, de 10 de julio. Así la comunicación será efectuada por la entidad adquirente de las operaciones, salvo que la misma no sea residente en territorio español, en cuyo caso dicha comunicación se efectuará por la entidad transmitente. No obstante, tratándose de operaciones en las cuales ni la entidad adquirente ni la transmitente sean residentes en territorio español, la comunicación deberá ser efectuada por los socios de la entidad transmitente, siempre que sean residentes en territorio español. En caso contrario, la comunicación la realizará la entidad transmitente. Se presentará dentro del plazo de los tres meses siguientes a la fecha de inscripción de la escritura pública en que se documente la operación. Si la inscripción no fuera necesaria, el plazo se computará desde la fecha en que se otorgue la escritura pública o documento equivalente que corresponda a la operación. La comunicación se dirigirá a la Delegación de la Agencia Estatal de Administración Tributaria del domicilio fiscal de las entidades, o establecimientos permanentes si se trata de entidades no residentes, que, conforme a los apartados anteriores, estén obligadas a efectuarla, o a las Dependencias Regionales de Inspección o a la Delegación Central de Grandes Contribuyentes, tratándose de contribuyentes adscritos a las mismas.

En cuanto al contenido de la comunicación, el artículo 49 del propio Reglamento del Impuesto de Sociedades señala que deberá contener la identificación de las entidades participantes en la operación y descripción de la misma, una copia de la escritura pública o documento equivalente que corresponda a la operación y, en el caso, de que las operaciones se hubieran realizado mediante una oferta pública de adquisición de acciones, también deberá aportarse copia del correspondiente folleto informativo. En su caso, se indicará la no aplicación del régimen fiscal especial del capítulo VII del título VII de la Ley del Impuesto.

Así desaparece la opción como uno de los requisitos procedimentales sobre los que pivotaba la aplicación del régimen general, ya que el artículo 96,1 del derogado Texto Refundido de la Ley del Impuesto sobre Sociedades, 96.1 TR-LIS y en el artículo 42.1 del Reglamento del Impuesto de Sociedades, la aplicación del régimen "requerirá que se opte por el mismo".

La opción por el régimen especial venía presentando muchos problemas. En primer lugar, no estaba prevista en la Directiva, y podía entenderse como una restricción injustificada a un derecho establecido de forma incondicional. Así lo vino a decir la Sentencia del TJUE de 9 de julio de 2009 (asunto C-397/07, Comisión Europea contra el Reino de España) que consideró que la necesidad de optar por el régimen especial "para el ejercicio de un derecho incondicionalmente reconocido por la Directiva 69/335 (sobre el derecho de aportación) constituye un obstáculo contrario a ésta". Por eso se venía postulando una flexibilización en el régimen de opción, sobre todo en aquellas operaciones que no era necesario aprobar por la Junta General.

También la comunicación planteaba problemas. Así, se suscitaba la duda de si era posible supeditar a dicha comunicación la aplicación del régimen general. La cuestión se reconduce al problema general de si es posible condicionar el disfrute de beneficios fiscales al cumplimiento de requisitos formales. En el presente caso, el Tribunal Supremo, en sentencia de 16 de junio, ha sido muy claro al decir que «*resulta con claridad meridiana que el establecimiento de la comunicación al MEH constituye un obstáculo contrario a la Directiva 90/434, al restringir la normativa nacional un derecho incondicionalmente reconocido por la norma europea, pudiendo esta Sala desplazar la aplicación del derecho interno*.

Era habitual en la práctica omitir esta comunicación por razones de estrategia empresarial, pero tras la nueva Ley del Impuesto, el incumplimiento de la obligación de comunicar es sancionable. La no comunicación constituye infracción grave, con una sanción de 10.000 euros por operación no comunicada. Cabe, no obstante, la renuncia tácita al régimen, que tendrá lugar mediante la integración en la base imponible de las rentas derivadas de la transmisión de la totalidad o parte de los elementos patrimoniales. En cualquier caso, se integrarán en la base imponible las rentas derivadas de buques o aeronaves o de bienes muebles afectos a su explotación, que se pongan de manifiesto en las entidades dedicadas a la navegación marítima y aérea internacional cuando la entidad adquirente no sea residente en territorio español.

Como se puede ver, la renuncia se articulará por el hecho concluyente de la inclusión de las rentas en la base imponible. Aunque debería hacerse referencia a la misma en el acuerdo de la Junta y en la escritura pública.

La cuestión relativa a la aplicación del régimen especial ha sido una de las más discutidas, en toda la compleja regulación del mismo. Esa regulación se basaba en la opción por el régimen y en la condición *sine qua non*, de que concurriesen *motivos económicos válidos*.

La concurrencia o no de motivos económicos como elemento legitimador en la aplicación del régimen especial ha dado lugar a una profusa doctrina que ahora no es posible más que resumir. Recordemos, no obstante, que el Tribunal Supremo, en sentencia de 30 de mayo de 2011, RJ 2011/4838, señala que "el *motivo económico válido* se convierte en *test* para la apreciación de la economía de opción. Y su ausencia engloba diversas técnicas que conducen a negar la protección jurídica, desde el punto de vista tributario, a aquellos actos o negocios que carecer de dicho motivo y responden de manera exclusiva a la obtención de una ventaja tributaria que no está directamente contemplada en la norma para tales actos o negocios".

Recordemos que la evolución reciente del concepto de motivo económico válido no puede dejar de lado que su origen es la inclusión de una previsión anti-elusiva en la Directiva 90/434/CEE que prohíbe la aplicación del régimen especial cuando no concurra un *motivo económico válido*, de manera que el régimen no se aplicará *cuando la operación no se efectúe por motivos económicos válidos*, *tales como la reestructuración o la racionalización de las actividades de las entidades que participan en la operación, sino con la mera finalidad de conseguir una ventaja fiscal.* La exigencia de un motivo económico fue interpretado por la sentencia *Leur-Bloem* de 17 de julio de 1997 (As. C-28/95)[72], del Tribunal de Justicia de la Unión Europea, en el sentido de que el concepto de motivos económicos válidos es más amplio que la mera búsqueda de una ventaja puramente fiscal, debe querer decir que cualquier operación de fusión, escisión, aportación de activos y/o de canje de valores tiene en sí misma una razón económica y está inescindiblemente unida a un propósito comercial de reorganización, que es el sustrato económico inherente a la misma, con el único límite de que la fusión, aportación, escisión o canje sean negocios "impropios o artificiosos", como cualquier acto o negocio del mundo jurídico. Frente a ello, la Administración Tributaria, propuso, en el Informe de la Agencia de 6 de febrero de 2002, una interpretación más restrictiva que venía a entender que la mera búsqueda de una ventaja puramente fiscal no podía constituir un motivo económico válido.

Al mismo tiempo, la doctrina del Tribunal de Justicia de la Unión Europea recordaba que la ausencia de motivo económico "ha de estar plenamente acreditado", porque el artículo 11.1, letra a), de la Directiva 90/434 debe interpretarse de manera estricta y teniendo en cuenta su tenor, su finalidad y el contexto en el que se inscribe" (apartado 46 de la sentencia de 20 de mayo de 2010, *Modehuis A. Zwijnenburg*).

Frente a ello la Dirección General de Tributos consagró una serie de motivos económicos estándar, destacando los supuestos de *"reestructuración o la racionalización de las actividades que participan en la operación"* (). En estos casos suele advertirse por parte de la Dirección General de Tributos la existencia de lo que FALCÓN Y TELLA denomina *"finalidad de organización o de creación de una estructura"*, a la que se le asigna un carácter abstracto que suele catalogarse como *"motivo económico válido"*[73].

Del mismo modo, en las operaciones de compras apalancadas se abrió una vía para aceptar las existencia de motivos económicos válidos, así por ejemplo, la respuesta a consulta de 28 de mayo de 2007, consulta V 1088-2007), donde se dice que es motivo económico válido la existencia de una compra apalancada seguida de una fusión impropia o inversa, al decir que "la fusión permitirá cumplir los requisitos exigidos por las entidades financieras que han concedido la financiación precisa para que la consultante adquiriera las dos entidades par-

---

72   HOENJET, F., "The Leur-Bloem judgment: the jurisdiction of the European Court of Justice and the interpretation of the anti-abuse clause in the Merger Directive", *EC TAX REVIEW*, nº 4, 1997, págs. 206 y ss.

73   FALCÓN Y TELLA, R., "La nueva redacción de la cláusula antiabuso en el régimen de fusiones, escisiones y aportaciones de activos: artículo 110.2 LIS"., *Quincena Fiscal*, febrero 2001/II. pág. 6.

ticipadas, lo que asegura la liquidez necesaria para garantizar la devolución del préstamo, situando a las entidades financieras en el mismo rango de prioridad que los acreedores de las sociedades absorbidas. Estos motivos se pueden considerar económicamente válidos a los efectos de lo previsto en el artículo 96.2 del TRLIS". Con carácter general, y cuando de reorganizaciones internacionales se trataba, se venía aceptando la concurrencia de motivos económicos válidos en los supuestos de reestructuración dentro del grupo, consecuencia directa de una adquisición a terceros —lo que podría dar encaje a algunas operaciones de *debt push down*—, o bien aquellos supuestos en los que se produce una auténtica gestión de las entidades participadas adquiridas desde territorio español.

La concurrencia o no de motivos económicos debe hacerse, no obstante, caso por caso, y así, se admite por parte de la Dirección General de Tributos la concurrencia de motivo económico válido cuando la finalidad de la operación sea separar el patrimonio personal de la persona física, del patrimonio inmobiliario afecto a la actividad económica. (respuesta a consulta de 20 de enero de 2014 –CV 1019-14–), y, en general, cuando se trata de conseguir una simplificación de los costes administrativos o laborales, y ahorro de cargas burocráticas, lograr una simplificación de las obligaciones mercantiles y fiscales, y facilitar la llevanza de la contabilidad, o mejorar la capacidad comercial, de administración y de negocios con terceros.

Casos más conflictos han sido los de aprovechamiento de bases imponibles negativas de sociedades absorbidas, o bien, que las bases negativas se encuentren en la absorbente y se proceda a la absorción de una entidad que posee activos sobre los que recaen importantes plusvalías tácitas que luego son transmitidos desde la entidad adquirente, ya sin tributación por aplicación de aquellas, supuesto que se plantea en la resolución del TEAC de 31 de mayo de 2007 (RG 2651/2005). La doctrina administrativa y la jurisprudencia vienen rechazando la existencia de motivo económico válido en operaciones en las que interviene alguna sociedad sin actividad y que tienen por objeto la compensación de bases imponibles negativas. Sobre este particular se ha pronunciado el TEAC en, entre otras, la resolución de 30 de abril de 2004 (RG 1808/2003), así como la Audiencia Nacional, en sus sentencias de 9 de julio de 2007 (Rec 220/2006) y de 20 de septiembre de 2007 (Rec 518/2004), en la línea de la sentencia del Tribunal de la Unión Europea *Foggia*, de 10 de noviembre de 2011(C-126/10). que dice que "puede constituir una presunción de que dicha operación no se ha realizado por motivos económicos válidos en el sentido de dicha disposición, el hecho de que, en la fecha de la operación de fusión, la sociedad absorbida no ejerza ninguna actividad, no posea ninguna participación financiera y sólo transfiera a la sociedad absorbente pérdidas fiscales de importe elevado y origen indeterminado". Por su parte, el Tribunal Supremo, en sentencias 23 octubre y 19 de noviembre del 2104, entiende que no hay motivo válido cuando el único propósito de la operación es el aprovechamiento de las bases negativas pendientes de compensar de la sociedad absorbida.

También el Alto Tribunal ha rechazado que puedan concurrir motivos económicos válidos en supuestos en los que el propósito de la operación es la separación de los socios al menor coste fiscal posible y no la reestructuración de la sociedad (sentencia de 20 de julio del 2014) o cuando la única finalidad de la operación es la revalorización de los activos (sentencia de 18 noviembre del 2013).

Y si una cuestión ha suscitado dudas en torno a la concurrencia de motivos económicos, esa ha sido las de las denominadas operaciones apalancadas. En relación con la concurrencia del motivo económico válido en las operaciones de restructuración relacionadas con compra apalancadas, es de destacar la trascendental aportación de la sentencia del Tribunal Supremo de 26 de febrero de 2015 (RJ 2015/1281) –sentencia *Glaxo*– que se pronunciaba sobre la metodología para llevar a cabo la valoración de la existencia de motivos económicos en este tipo de operaciones, reproduciendo planteamientos que había efectuado la Dirección General de Tributos en consulta V0775/2015, de 10 de marzo del 2015.

Según la importante sentencia *Glaxo*, el análisis de los *motivos económicos válidos* que deben presidir y sustentar las operaciones de reestructuración empresarial efectuadas con compras apalancadas debe hacerse en dos niveles, debiéndose superar en ambos el *test* de la sustancia económica de la operación.

En un primer nivel debe analizarse la concurrencia de motivos económicos en los términos expuestos. En un segundo nivel, habrá que verificar si las operaciones concretas llevadas a cabo para la reestructuración empresarial se adecuan a los objetivos de ésta o, por el contrario, resultan innecesarias o superfluas para conseguir los objetivos de la reestructuración. De manera que, aun cuando la operación de reestructuración se ampare en motivos económicos válidos (por ejemplo, la simplificación de la estructura accionarial de una sociedad del grupo, la simplificación y agilización en la toma de decisiones, la mayor flexibilidad estratégica y financiera del negocio en España o la optimización de los flujos de tesorería) la compra apalancada puede no adecuarse a la razón de ser propia de esa operación de reestructuración. Esto es; las operaciones deben estar orientadas a efectuar la reestructuración. Así, en la sentencia *Glaxo* el Tribunal Supremo se adentra en el análisis de los motivos económicos que subyacen en los negocios concretos realizados para llevarla a cabo la reestructuración, esto es, la compraventa de acciones mediante la obtención de un préstamo intragrupo, dilucidando si tal compraventa es acorde con la finalidad que se pretende con la reestructuración.

Ahí radica uno de los problemas principales de las compras apalancadas en el marco de operaciones de reestructuración: se solía asumir que, aunque una reestructuración fuese aceptable, deberían llevarse a cabo aportaciones no dinerarias en lugar de recurrir a un préstamo intragrupo.

La gran aportación del Tribunal Supremo en la sentencia *Glaxo* es el afirmar que tales préstamos intragrupo están dotados de *habitualidad y normalidad en el mercado*, lo que le lleva a concluir que, "prescindiendo del caso concreto, y con carácter general", el mecanismo utilizado resulta normal y racional dentro de los procesos de reestructuración empresarial. Para añadir que en la operación concreta analizada, aunque con la misma se obtiene un beneficio fiscal, ésta no es la única finalidad perseguida con carácter general, ya que pueden constatarse otras tales como permitir a la actora ejercer todas las funciones como titular de capital y del grupo en España, facilitarle la posibilidad de llevar a cabo todas las operaciones de reestructuración en los años siguientes y lograr así una mejora en la gestión y en los resultados del grupo[74]. Y en otras sentencias en las que el Tribunal Supremo e pronuncia en sentido contrario (sentencias de 9 y 12 de febrero del 2015), el Alto Tribunal asume igualmente la existencia de tales motivos económicos en una operación de adquisición apalancada.

Por eso llaman la atención el contenido de consultas como la V2932-16, de 23 de junio, relativa a la fusión por absorción de una SICAV por un fondo de inversión. El Centro Directivo niega la aplicación del régimen de neutralidad en la valoración ya que tiene lugar el posterior traspaso de las participaciones del fondo, adquiridas en virtud de la fusión. Por ello, la renta diferida con ocasión de la fusión correspondiente a las participaciones transmitidas tributará sin aplicar el régimen especial. Lo que resulta llamativo, teniendo en cuenta que la norma, simplemente, se refiere a que, cuando el importe obtenido como consecuencia del reembolso o transmisión de participaciones en fondos de inversión se destine a la adquisición de otras participaciones en fondos, no procederá computar la ganancia o pérdida patrimonial y las nuevas participaciones conservarán el valor y la fecha de adquisición de las anteriores.

Sin embargo, no conviene olvidar el importante cambio que ha supuesto en la valoración de la concurrencia de motivos económicos válidos, la sentencia *Foggia* del Tribunal de Justicia de la Unión Europea, de 10 de noviembre de 2011(C-126/10)[75]. Aunque se refiere a un caso muy concreto y extremo (uti-

---

[74]   En el FJ Noveno de la sentencia del Tribunal Supremo de 26 de febrero de 2015 se dice que "el endeudamiento en procesos de reestructuración no sólo es habitual y razonable siendo empleado con frecuencia en el tráfico mercantil, sino que incluso reporta en determinadas circunstancias indudables ventajas económicas y mercantiles, como parece que así ha sido respecto de la entidad demandante. El que se hubiera podido llevar a cabo la reestructuración mediante una aportación no dineraria, en lugar de la compra, lo que indica es que en definitiva la operación de unificación de las sociedades resultaba necesaria, por lo que cabe descubrir en la compra, al perseguir dicho objetivo, que no sólo eran razones fiscales las únicas tenidas en cuenta en la operación". La sentencia cuenta con un voto particular de los Magistrados Fernández Montalvo y Martín Timón, en los que se dice que "lo realmente importante, desde el punto de vista tributario, no es el cuestionamiento de la reorganización empresarial contemplada, sino la consideración del préstamo realizado en cuanto generador de unos gastos financieros" y que el "endeudamiento muy superior al del Grupo mundial consolidado".

[75]   A la sentencia *Foggia* se refiere la sentencia del Tribunal Supremo de 25 de abril de 2013 (5431/2010).

lización de una sociedad interpuesta inactiva), la sentencia propone rechazar que el simple ahorro de costes estructurales resultantes de los gastos administrativos y de gestión derivados de una reestructuración o una racionalización sea, apriorísticamente, un motivo económico válido. Sugiere la sentencia una labor de aquilatamiento o ponderación de los beneficios fiscales obtenidos con las ventajas alegadas por la reestructuración propuesta. Así, señala que "si se admite sistemáticamente que el ahorro de costes estructurales de la reducción de los gastos administrativos y de gestión constituye un motivo económico válido, sin tener en cuenta otros objetivos de la operación proyectada, y más en particular las ventajas fiscales, la regla enunciada en la Directiva 90/434 se vería privada completamente de su finalidad, que consiste en salvaguardar los intereses financieros de los Estados miembros al establecer, con arreglo al noveno considerando de dicha Directiva, la facultad de estos últimos de denegar la aplicación de las disposiciones previstas por la Directiva en caso de fraude o de evasión fiscal".

En esta línea, el Tribunal Supremo ha venido entendiendo que no se pueden apreciar motivos económicos válidos cuando la optimización de recursos alegada queda eclipsada por la obtención de unos beneficios impropios. Así, en la sentencia de 19 de febrero de 2015, (STS 730/2015) señala el Alto Tribunal que "....el motivo económico válido invocado por la entidad actora consistente en la optimización de los recursos, así como el reforzamiento de la posición económica de la entidad en su política de inversiones, queda enervado por la sucesión de hechos expuestos, en los que se puede apreciar que, en un primer momento, la transmisión de los referidos inmuebles, anterior a las operaciones de absorción y escisión acontecidas, carecen de sustento o razonamiento económico que pueda albergar que dichas operaciones obedecían a una estrategia empresarial tendente a la reestructuración de la sociedad, reduciendo costes y teniendo un impacto económico, que es el dato que califica al motivo para que sea válido.

El Tribunal Supremo no sólo viene admitiendo esta ponderación, sino que ha descartado definitivamente que sólo podamos hablar de ausencia de motivo económico válido en los casos de fraude o elusión tributaria. Así, en la sentencia de 7 de abril de 2011 (recurso de casación 4939/2007), caso *Aguas de Mondariz*, sostiene que la exigencia de motivo económico no debe entenderse como una remisión a la figura del fraude fiscal contenida en el artículo 24 de la Ley General Tributaria y que, por el contrario, en aplicación del artículo 11.1.a) de la Directiva 90/434/CEE, del Consejo, de 23 de julio de 1990, " los Estados miembros pueden negarse a aplicar total o parcialmente las disposiciones de esta Directiva o a retirar el beneficio de las mismas cuando la operación de canje".

Pues bien; la comprobación de las operaciones de reestructuración suele tener como objeto principal la valoración de la concurrencia de motivo económico especial. Pero, además, la comprobación suele tener otras finalidades.

Así, se analizará si se cumplen las definiciones mercantiles y fiscales, y sólo si la operación encaja en algunas de las beneficiadas por el régimen especial y tiene motivo económico válido, se valorará si se ha aplicado correctamente el régimen fiscal especial.

Entre las novedades más destacadas de la Ley 27/2014 relativas a la aplicación del régimen especial de reestructuración cabría señalar, además de la citada idea de que es el régimen aplicable por defecto (desaparece la opción), la posibilidad de que la Administración, a la hora de comprobar la correcta aplicación del régimen, pueda llevar a cabo una inaplicación parcial. Esto es; que si se cuestiona en fase de comprobación la aplicación del régimen de neutralidad, y lo que la Administración pone en tela de juicio es la aplicabilidad de la ventaja fiscal, el acta pueda limitarse a *descontar la ventaja fiscal*. Esta posibilidad se incluye en el artículo 89, 2 de la Ley 27/2014 y faculta a la Administración tributaria para que proceda a la inaplicación total o parcial del régimen especial de diferimiento en aquellos supuestos en que observe la inexistencia de dichos motivos, de manera que se eliminarán exclusivamente los efectos de la ventaja fiscal conseguida, manteniéndose la aplicación del régimen con carácter general. Esto es; la regularización puede limitarse exclusivamente al ámbito de la ventaja fiscal obtenida en este tipo de operaciones.

Esta novedad es muy plausible, aunque entendemos que la ley podría haber ido un poco más allá, y permitir que la posibilidad de corrección parcial fuese a solicitud del contribuyente.

Por ejemplo; la regularización puede limitarse a negar la aplicación del régimen especial de diferimiento. Así, las actuaciones de comprobación de la Administración tributaria que determinen la inaplicación total o parcial del régimen fiscal especial, eliminarán exclusivamente los efectos de la ventaja fiscal, de modo que un cuestionamiento de los motivos económicos válidos no producirá la inaplicación general del régimen.

No obstante, como la comprobación de la operación en relación con el período impositivo en que la misma haya tenido lugar se proyectará en otros períodos impositivos anteriores y se va a producir una tributación distinta como consecuencia de la aplicación de los elementos en los que se fundamente la regularización, estaremos ante lo que el artículo 68, 9 de la Ley General Tributaria tras la reforma por Ley 34/2015 denomina *obligaciones conexas*. Y las consecuencias de este precepto son muy claras: cualquier interrupción de la prescripción respecto del período en el que se ha llevado a cabo la operación cuestionada supone también la interrupción de la prescripción de los demás conexos. Y aquí surge de nuevo la cuestión de la interrupción parcial de la prescripción.

Es por eso que, como señala DELGADO PACHECO, sería bueno dar carta de naturaleza a la prescripción parcial (rechazada por el Tribunal Supremo en sentencia de 6 de noviembre de 2008), pues de lo contrario, en casos como este, si el contribuyente recurre, instando el reconocimiento del régimen especial que la Administración ha negado, "no habrá prescripción del impuesto sobre sociedades en general en relación con todos los periodos impositivos afectados por las consecuencias de la estimación de un recurso o reclamación que vuelva a hacer aplicable el régimen especial". Y es obvio que este efecto es claramente desproporcionado[76].

5. OPERACIONES DE REESTRUCTURACIÓN Y CÓMPUTO DEL INCREMENTO DE FONDOS PROPIOS EN LA RESERVA DE NIVELACIÓN

El artículo 25 de Ley 27/2014, que regula el nuevo Impuesto sobre Sociedades, contempla la figura de la reserva de capitalización. Se trata de una medida que forma parte de los instrumentos que se habilitan para fomentar la financiación propia de las empresas, mediante la capitalización, y que se orientan a restaurar la neutralidad fiscal entre financiación propia y financiación ajena.

La reserva de capitalización pretende incentivar el incremento del patrimonio neto de las empresas y se articula como una reducción en la base imponible, mediante la no tributación de aquella parte del beneficio que se destine a la constitución de una reserva indisponible, sin que se establezca requisito de inversión alguno de esta reserva en algún tipo concreto de activo.

El incentivo se traduce en la posibilidad de deducir un 10 % importe del incremento de fondos propios de la entidad, siempre que el importe tal incremento se mantenga durante los 5 años siguientes desde el ejercicio al que corresponde la reducción, salvo por la existencia de pérdidas contables en la entidad.

Se define el incremento de fondos propios como la diferencia positiva entre los fondos propios existentes al cierre del ejercicio, sin incluir los resultados del mismo y los fondos propios al inicio del mismo, sin incluir los resultados del ejercicio anterior.

Pues bien; la redacción del artículo 25 de la Ley del Impuesto dispone que para el cálculo del incremento de fondos propios no se computarán, entre otras, las aportaciones de los socios (a capital o de otra forma), ni ampliaciones de capital o fondos propios por compensación de créditos, operaciones sobre acciones propias o de reestructuración.

---

[76]   DELGADO PACHECO, A., "La interrupción parcial de la prescripción", Garrigues, Artículos Profesionales, http://garrigues.com/es_ES/noticia/la-interrupcion-parcial-de-la-prescripcion,

El posible aumento de capital mediante una operación de reestructuración no es consecuencia de una decisión de optar por la financiación propia, esto es, no es consecuencia de la legítima opción de la empresa de retener beneficios para capitalizarse. Por eso, aunque conlleve un aumento de fondos propios, no es el aumento de fondos propios que se quiere incentivar con la reserva de capitalización.

Al mismo tiempo, como se ha dicho, la posibilidad de deducción depende de que el importe del incremento de fondos propios se mantenga durante los 5 años siguientes desde el ejercicio al que corresponde la reducción. Tal mantenimiento no se verá afectado por una operación de reestructuración, ya que una operación de reestructuración no es una disposición a efectos del cómputo del plazo mínimo de cinco años de mantenimiento de la reserva indisponible. Una previsión semejante se contiene respecto a la reserva de nivelación.

6. LÍMITES A LA DEDUCCIÓN DE GASTOS FINANCIEROS EN LAS OPERACIONES DE REESTRUCTURACIÓN

La limitación de la deducibilidad de los gastos financieros es una constante en los últimos años en el ordenamiento tributario español. Ya el Informe de la Comisión de Expertos consideraba necesario fomentar el crecimiento económico e impulsar el proceso de desapalancamiento que está llevando a cabo la economía española (pag. 72 del Informe), con la finalidad de mitigar el alto nivel de endeudamiento de las empresas españolas.

Este alto nivel de endeudamiento tiene muchas causas; en lo estrictamente fiscal hay un factor que influye, que es el distinto tratamiento tributario del endeudamiento de las empresas frente a la financiación con recursos propios. Es lo que, en la terminología fiscal, se denomina la contraposición *debt-equity*. El distinto tratamiento fiscal de la deuda y del capital es una de las expresiones más claras de la falta de neutralidad del sistema fiscal. Como apunta DELGADO PACHECO, "el sistema no es neutral en cuanto a la forma de financiación de una compañía, pues la ubicación del beneficio gravable dependerá de los gastos financieros que se detraigan o deduzcan del beneficio de la actividad"[77]. La deducibilidad de los gastos financieros tiene, pues, enorme importancia.

Ello adquiere singular relevancia cuando el endeudamiento, y en especial, el endeudamiento vinculado, se produce en el seno de operaciones entre sociedades en distintos Estados, dentro de lo que podemos denominar, con carácter general, grupos multinacionales. Por eso la limitación del endeudamiento, cuando se proyecta en el ámbito internacional, tiene, además, una importante

---

[77]   DELGADO PACHECO, A., "Las medidas antielusión en la fiscalidad internacional", *Nuevas tendencias en Economía y Fiscalidad Internacional*, nº 825, septiembre, octubre, 2005. pag. 101.

vertiente anti-elusiva, pues sirve para combatir el traslado artificial de beneficios a jurisdicciones de fiscalidad más reducida (*tax degradation*). En tal sentido, el documento *Base Erosion and Profit Shifting* (BEPS), de la OCDE de 2013, al que tanta importancia se le atribuye en la actualidad, recuerda entre sus medidas para evitar la erosión de bases imponibles y la traslación de beneficios a jurisdicciones favorables, la necesidad de "limitar la deducción de gastos financieros".

Esta deducibilidad puede tener su origen en operaciones de compras apalancadas que constituyen la alternativa a operaciones de reestructuración, como señala la sentencia *Glaxo* del TS de 26 de febrero de 2015 y que, según algunas sentencias del TS, como la de 9 de febrero de 2015 –RJ 2015\903 y RJ 2015\902 (Ponente Frías Ponce)–, y resoluciones del TEAC, como la 00/2563/2006 de 17 de mayo de 2007, constituyen *generación artificiosas de pasivos*78.

En suma, las fórmulas de financiación no son neutrales. Es más ventajoso financiar a las compañías subsidiarias con fondos de su empresa matriz recibidos en forma de préstamos que mediante una ampliación de capital o mediante cualquier mecanismo de aportación de fondos propios, teniendo en cuenta el concepto amplio de tales aportaciones que viene manejando el Tribunal Supremo (por ejemplo, en la sentencia de 6 de marzo de 2012, donde considera aportación de fondos la condonación de préstamos a una filial si se hace con *animus donandi*).

Y aunque en otros ordenamientos como en el de Estados Unidos, la opción entre realizar préstamos a la sociedad o realizar aportaciones de capital no tiene visos elusivos (en la normativa USA sobre cláusula anti-abuso contenida en la modificación de la Sección 7701 del Internal Revenue Code por la *US Health Care* se considera una *base operation*) en la mayoría de los ordenamientos de Derecho Comparado se considera que la ventaja de la financiación ajena provoca una situación próxima a lo que se suele denominar arbitraje fiscal (*tax arbitrage*) que consiste en la posibilidad de obtener un tratamiento fiscal asimétrico para las distintas facetas de una operación que derivan en la obtención de una ventaja fiscal79. Se trata, en suma, de operaciones que, como dice RING, aunque no sean económicamente rentables antes de impuestos, lo son a partir de su tratamiento fiscal[80].

---

[78] Para la sentencia del TS de 9 de febrero de 2015 –RJ 2015\903–, Lo que se buscó a través del préstamo fue erosionar su base imponible, incrementando su pasivo, al mismo tiempo que trasladaba los intereses y los beneficios a otro país de baja, o en este caso nula tributación, sin otra razón económica o empresarial que lo justificara.

[79] SHAVIRO, D.N., *Corporate Tax Shelters in a Global Economy. Why They are a Problem and We Can Do About It*, American Enterprise Institute Press, Washington, DC, 2004, pags. 36 y 37.

[80] RING, D.M., "One Nation Among Many: Policy Implications of Cross Border Tax Arbitrage", *Boston College Tax Review*, vol. 44, 2002, pag. 79.

Dado los problemas de la subcapitalización desde el punto de vista del Derecho comunitario y el Derecho Internacional (destacados por la sentencia del TS de 17 de marzo de 2011 (RJ\2011\2189), Ponente Montero Fernández, y de 2 de noviembre de 2011 (RJ\2012\3477): Ponente Frías Ponce, la normativa española optó por un límite general a la deducción de gastos financieros, que se incluyó originariamente en el Decreto-Ley 12/2012, de 30 de marzo, y que, en la actualidad se incorporó al artículo 16 de la Ley 27/2014, del Impuesto de Sociedades, a lo que hay que unir la no deducibilidad de gastos financieros en operaciones intra-grupo, que se incluye en el artículo 15 h) de la Ley del Impuesto sobre Sociedades.

Así, en primer lugar, el artículo 15 h) de la nueva Ley del Impuesto sobre Sociedades dispone que no serán deducibles los gastos financieros devengados en el período impositivo, derivados de deudas con entidades del grupo según los criterios establecidos en el artículo 42 del Código de Comercio, con independencia de la residencia y de la obligación de formular cuentas anuales consolidadas, destinadas a la adquisición, a otras entidades del grupo, de participaciones en el capital o fondos propios de cualquier tipo de entidades, o a la realización de aportaciones en el capital o fondos propios de otras entidades del grupo, salvo que el contribuyente acredite que existen motivos económicos válidos para la realización de dichas operaciones.

Se pretende con esta norma se pretenden resolver las controversias suscitadas entre la Administración tributaria y numerosos contribuyentes en torno a la deducibilidad del gasto financiero incurrido en operaciones de compra apalancada de filiales intragrupo con deuda de otra entidad vinculada. Esta limitación a la deducción parece tener la condición de una cláusula especial anti-abuso, para superar la situación en que la Administración Tributaria y el TEAC habían tenido que aplicar a operaciones de este tipo las cláusulas de *conflicto* o *simulación d*e la LGT. Valga como ejemplo la Resolución número 00/2563/2006, de 17 de mayo de 2007, en la que el TEAC aprecia la existencia de fraude a la ley tributaria en una operación encadenada de compras intragrupo de participaciones de filiales y posteriores ampliaciones de capital en las filiales adquiridas, financiando esas operaciones con préstamos facilitados por otras sociedades también del grupo. El TEAC justifica el fraude en la existencia de un conjunto de negocios jurídicos todos ellos válidos en sí mismos e individualmente considerados, pero que, tomados en su conjunto, parecen tener la finalidad de crear un artificio con vistas a la disminución ilegítima de la deuda tributaria del grupo fiscal. El TEAC considera, por tanto, que el grupo creó una estructura artificiosa en la que se llevaron a cabo unas reubicaciones de cartera intragrupo carentes de contenido patrimonial real y, por tanto, destinadas a propiciar una aparente necesidad de endeudamiento que erosionó vía pago de intereses la base imponible del grupo en España.

La no deducibilidad está condicionada, como ocurre con frecuencia en las cláusulas especiales anti-abuso, a la prueba por parte del sujeto pasivo de la no concurrencia de motivos económicos válidos. Aunque no existe una definición clara de la concurrencia de estos motivos, la doctrina de la DGT viene admitiendo como tales (y así lo recoge la Exposición de Motivos de la Ley 27/2014) supuestos de reestructuración dentro del grupo, consecuencia directa de una adquisición a terceros —lo que podría dar encaje a algunas operaciones de *debt push down*—, o bien aquellos supuestos en los que se produce una auténtica gestión de las entidades participadas adquiridas desde territorio español.

En segundo lugar, se fija un límite general a la deducibilidad de gastos del 30 %, calculado sobre una magnitud denominada *beneficio operativo*, que, en términos generales, puede equipararse al EBITDA, (beneficio antes de intereses, impuestos, amortizaciones y deterioro), con una regulación semejante a la llevada a cabo por Italia, Alemania, Francia y Holanda. Dicha limitación no opera cuando el volumen de intereses pagados sea inferior a un millón de euros.

La limitación se refiere a los gastos financieros netos, y éstos han de entenderse como el exceso de gastos financieros respecto de los ingresos derivados de la cesión a terceros de capitales propios devengados en el período impositivo, excluidos gastos financieros intra-grupo para la adquisición de participaciones en empresas del grupo o para la aportación de capital o fondos propios en referidas entidades[81]. El límite de gastos se calcula en relación con el *beneficio operativo*, determinado a partir del resultado de explotación de la cuenta de pérdidas y ganancias de acuerdo con el Código de Comercio. De esta suma se eliminan las partidas correspondientes a amortizaciones del inmovilizado y subvenciones de inmovilizado no financiero y se suman los ingresos financieros de participaciones en instrumentos de patrimonio, siempre que correspondan con dividendos o participaciones en beneficios de entidades de las que se posea una participación que supere el 5 % o cuyo valor de adquisición haya sido superior a 6.000.000 euros.

Al margen de las críticas que merece esta medida (por limitar la deducción de gastos y no tener en cuenta el endeudamiento neto del grupo, como ocurre

---

[81] La norma no aclara qué se entiende por gastos financieros. Si por una parte es evidente que tal concepto incluye los intereses, no está tan clara la inclusión de otras magnitudes, como los gastos de cobertura o las variaciones del valor razonable de instrumentos financieros. Con la finalidad de disipar estas dudas, la Dirección General de Tributos aprobó la Resolución de 16 de julio de 2012 (publicada en el BOE de 17 de julio). Este instrumento hermenéutico utiliza el razonable criterio de considerar que existen gastos financieros cuando, de acuerdo con la normativa contable, se genere un pasivo financiero. De esta manera, no se incluyen los gastos que se incorporen al valor de activos ni los derivados de la actualización de provisiones. Y respecto a las coberturas, sólo se incluirán cuando sus efectos estén vinculados con el endeudamiento directo, esto es, deriven del endeudamiento y se hayan integrado en la cuenta de pérdidas y ganancias. Menos clara es la citada resolución respecto a las variaciones de valor razonable de los instrumentos financieros. Éstas, contablemente, no se incluyen en la partida de gastos, pero en la medida en que procedan de un cambio en el valor razonable de un pasivo financiero, deben considerarse, también, gastos financieros; DE LA TORRE DIAZ, F., "La limitación de la deducibilidad de los gastos financieros en el RDL 12/2012", *Actum Fiscal*, nº 63, mayo 2012, pag. 53.

en Alemania) lo cierto es que se hacía necesario extrapolarla al ámbito de las operaciones de reestructuración.

Esta puede ser la función de los artículos 16.5, 67 b) y 83 de la Ley 27/2014. Estos preceptos, y en especial el artículo 16,5, prevén un límite adicional con relación a los gastos financieros asociados a la adquisición de participaciones en entidades cuando, posteriormente, la entidad adquirida se incorpora al grupo de consolidación fiscal al que pertenece la adquirente o bien es objeto de una operación de reestructuración, de manera que la actividad de la entidad adquirida o cualquier otra que sea objeto de incorporación al grupo fiscal o reestructuración con la adquirente en los 4 años posteriores, no soporte el gasto financiero derivado de su adquisición. Según estos preceptos, los gastos financieros por endeudamiento para la adquisición de participaciones se deducirán con referencia al 30% del beneficio operativo de la entidad que realizó la adquisición, sin incluir el de cualquier otra entidad con la que se fusione sin neutralidad fiscal en los cuatro años posteriores a la adquisición. Se permite no aplicar esta restricción en el año de adquisición cuando el importe de la deuda asociada a la adquisición sea igual o inferior al 70% del precio de adquisición de la sociedad adquirida, y en los ejercicios siguientes si el nivel de dicha deuda se reduce de manera proporcional desde la adquisición en un plazo de ocho años hasta situarse en un nivel máximo del 30% del precio de adquisición. En el régimen de consolidación, el beneficio operativo a considerar será el de la propia sociedad o grupo adquirente, pero no el de la sociedad adquirida ni el de cualquier otra sociedad que se integre en el grupo en los cuatro años siguientes.

También el artículo 67 que incluye una serie de reglas especiales para la incorporación de entidades en el grupo fiscal, se prevé en su apartado b) una regla específica sobre la deducibilidad de gastos financieros en relación con la determinación de la base imponible del grupo fiscal. En tal sentido, los gastos financieros derivados de deudas destinadas a la adquisición de participaciones en el capital o fondos propios de cualquier tipo de entidades que se incorporen a un grupo de consolidación fiscal se deducirán con el citado límite del 30 % del beneficio operativo de la entidad o grupo fiscal adquirente, pero siempre teniendo en cuenta las eliminaciones propias del régimen de consolidación. En dicho beneficio operativo no se incluirá el correspondiente a la entidad adquirida o cualquier otra que se incorpore al grupo fiscal en los períodos impositivos que se inicien en los 4 años posteriores a dicha adquisición. Estos gastos financieros se tendrán en cuenta, igualmente, en el límite general del artículo 16,1 de la Ley del Impuesto de Sociedades. El gasto financiero que no exceda de estos límites se somete al límite general con el resto del gasto financiero del período.

La Disposición Transitoria 18 de la Ley 27/2014 determina la aplicación de esta regla a las entidades que se hayan incorporado a un grupo fiscal en períodos impositivos iniciados con posterioridad a 20 de junio de 2014. Recordemos que esta disposición transitoria limita la aplicación a operaciones de reestructuración efectuadas antes de esa fecha de las novedades contenidas en los artículos 16,5, 83 y 67,b).

La finalidad de este conjunto de previsiones legales no es otra que evitar que los gastos financieros incurridos en adquisiciones apalancadas o LBO *contaminen* los gastos financieros deducibles, tanto en casos de operaciones de reestructuración como en el régimen de consolidación fiscal. La redacción final de la noma convierte el régimen en más liviano al limitar su ámbito de aplicación a operaciones fuertemente apalancadas (cuando en el año de adquisición el importe de la deuda sea superior al 70% del precio de adquisición de la sociedad adquirida).

De todas formas, se trata de una previsión legal que parte de una visión negativa de este tipo de operaciones que quizás no encaja con la perspectiva desarrolla por la sentencia *Glaxo* del TS de 26 de febrero de 2015. Para esta sentencia, las operaciones de compras apalancadas deben analizarse caso por caso y no siempre serán elusivas, ya que el FJ Décimo de la sentencia, " ...que se hubiera podido llevar a cabo la reestructuración mediante una aportación no dineraria, en lugar de la compra, lo que indica es que en definitiva la operación de unificación de las sociedades resultaba necesaria, por lo que cabe descubrir en la compra, al perseguir dicho objetivo, que no sólo eran razones fiscales las únicas tenidas en cuenta en la operación".

7. DESAPARICIÓN DEL TRATAMIENTO ESPECIAL DEL FONDO DE COMERCIO DE FUSIÓN

La Ley 27/2014 incide también, especialmente en el artículo 82 y en la Disposición Transitoria 27º, en la desaparición del tratamiento especial que se dispensaba al *fondo de comercio de fusión*, conjuntamente con la extensión del régimen de exención en la transmisión de participaciones de entidades residentes en España. Así, se dice en el artículo 82 de la Ley que "cuando la entidad adquirente participe en el capital o en los fondos propios de la entidad transmitente en, al menos un 5 %, no se integrará en la base imponible de aquella la renta positiva o negativa derivada de la anulación de la participación. Tampoco se producirá dicha integración con ocasión de la transmisión de la participación que ostente la entidad transmitente en el capital de la adquirente cuando sea, al menos, de un 5 % o de los fondos propios.

En efecto; el fondo de comercio de fusión tenía un tratamiento especial que se recogía en el artículo 89. 3 del Texto Refundido de la Ley del Impuesto de Sociedades. Este precepto que, como veremos, presentaba muchos problemas de aplicabilidad práctica, señalaba que "...cuando la entidad adquirente participe en el capital de la entidad transmitente, en al menos, un 5 %, el importe de la diferencia entre el precio de adquisición de la participación y los fondos propios se imputará a los bienes y derechos adquiridos, aplicando el método de integración global establecido en el artículo 46 del Código de Comercio y demás normas de desarrollo, y la parte de aquella diferencia que no hubiera sido imputada será fiscalmente deducible de la base imponible, con el límite anual máximo de la veinteava parte de su importe". Se requerían dos exigencias que veremos, pero que, en sustancia, consistían en que la participación no hubiere sido adquirida a personas o entidades no residentes en territorio español o a vinculadas y que la entidad adquirente y la transmitente no formen parte de un grupo de sociedades según los criterios establecidos en el artículo 42 del Código de Comercio. Este tratamiento especial y, por tanto, la consiguiente exigencia de imputación de la diferencia a bienes y derechos singulares desaparece con la nueva Ley del Impuesto de Sociedades, lo que supone que ya no se van a plantear en el futuro muchas de las dudas que este régimen suscitaba, como la posibilidad de atribuir relevancia fiscal a la diferencia imputada a los elementos del activo corriente –lo que fue rechazado por el TEAC en resoluciones de 25 de junio de 2004 y 16 de diciembre de 2005–. A pesar de la desaparición del régimen *pro futuro*, la Disposición Transitoria 27º permite seguir aplicando la deducibilidad de la diferencia de fusión generada en operaciones realizadas con posterioridad a la entrada en vigor de la nueva Ley siempre que la adquisición se hubiese realizado con anterioridad a al 1 de enero de 2015.

Conviene recordar que el fondo de comercio de fusión es una modalidad de lo que se conoce como *fondo de comercio financiero*. Y éste, a su vez, del concepto más general de *fondo de comercio*[82]. El concepto de *fondo de comercio*

---

[82] La regulación del fondo de comercio ha venido estando condicionada por la catalogación, de ciertas expresiones de esta figura, como ayuda de Estado. Destaca, en primer lugar, la Decisión de la Comisión 2011/282/UE, de 12 de enero de 2011 (amortización del fondo de comercio en el supuesto de adquisiciones realizadas fuera de la Unión Europea). Por su parte, la Decisión de la Comisión 2011/5/CE, de 28 de octubre de 2009, relativa a la amortización del fondo de comercio financiero para la adquisición de participaciones extranjeras (As. C 45/07), relativa a la amortización del fondo de comercio financiero en el caso de adquisiciones de participaciones en sociedades extranjeras pero dentro de la Unión Europea, considera que la medida es una ayuda de Estado porque constituye una excepción frente al régimen general del impuesto, ya que en la adquisición de participaciones en sociedades residentes el fondo de comercio financiero no podía deducirse por la mera adquisición de las participaciones, sino sólo cuando afloraba a través de la absorción de la sociedad adquirida. Hay selectividad porque la medida controvertida pretende favorecer la exportación de capital desde España, para reforzar la posición de las empresas españolas en el extranjero, mejorando así la competitividad de los beneficiarios del régimen. En la sentencia del Tribunal General de la Unión Europea, *Banco de Santander-Santusa Holding*, de 7 de noviembre de 2014 (As. T-399/11), que anula la Decisión de la Comisión, la resolución da un paso atrás al negar que una ventaja fiscal de este tipo pueda ser selectiva, cuando dice que...*para que se cumpla el requisito de selectividad, debe en todo caso identificarse una categoría de empresas que sean las únicas favorecidas por la medida en cuestión y que no se puede admitir que*

hace referencia a un activo intangible de la empresa, que comprende una serie de elementos que le otorgan un valor superior al que los bienes y derechos materiales que representan. Se pone de manifiesto en el acto de adquisición de la empresa y puede definirse como la diferencia entre el precio de adquisición y el valor real de los activos tangibles e intangibles de la empresa menos los pasivos.

Por su parte, el fondo de comercio financiero constituye una especie del género fondo de comercio y se define como la diferencia entre el coste de participación de una sociedad o los fondos propios de una entidad y el valor teórico contable de la misma. Esta figura ha sido objeto de diversas definiciones. Por un lado, en España, la DGT, en respuesta a Consulta nº V0379-05, de fecha 9 de marzo de 2005, entendió por fondo de comercio financiero *la diferencia entre el precio pagado por la adquisición de acciones o participaciones de una empresa y su valor neto contable*. Esta diferencia puede tener, básicamente, dos componentes, a saber, las plusvalías tácitas y, en su caso, un verdadero fondo de comercio. Con carácter general, se identifica al fondo de comercio financiero con la diferencia que no sea imputable a plusvalías tácitas de los bienes y derechos identificables en la entidad adquirida[83].

En las Normas Internacionales de Contabilidad/Normas Internacionales de Información Financiera (NIC's/NIIF) de la el IASB – *International Accounting Standars Borrad*, hay una referencia a este fondo en la NIC 38 (2004), al tratar *las combinaciones de negocios, los activos intangibles procedentes de este tipo de operaciones y el fondo de comercio*[84].

---

se declare que tiene carácter selectivo cualquier medida fiscal cuyo disfrute esté supeditado al cumplimiento de determinados requisitos. Y añade que *la selectividad no puede derivarse únicamente de la constatación de que se ha establecido una excepción a un régimen general o "normal" de tributación*". (apartados 45 y 49). Algo similar ocurre con el *Autogrill España* (T-219/10). Sin embargo, el 21 de diciembre de 2016 se dio a conocer la sentencia del Tribunal de Justicia de la Unión Europea, que anula la decisión del Tribunal General, al entender que incurrió en error de hecho al definir la selectividad. La sentencia reproduce las consideraciones del Abogado General publicadas el 28 de julio de 2016. El Tribunal, mediante esta medida, abraza de nuevo un concepto extenso de ayudas de Estado, al decir que para que una medida tenga carácter selectivo *no resulta preciso identificar a un conjunto de empresas con características propias y diferenciadas que se beneficien de ella*. De esta forma, incluso aunque cualquier contribuyente pudiera beneficiarse de la amortización fiscal del fondo de comercio, la misma puede constituir ayuda de Estado. Habría selectividad, simplemente, si la medida "beneficia a las empresas que realizan operaciones transfronterizas y no a las empresas que realizan las mismas operaciones en el ámbito nacional".

[83] VILLAR EZCURRA, M., "La amortización del fondo de comercio financiero en España y su problemática jurídico-comunitaria ¿un nuevo caso de ayuda de Estado?, *Revista Española de Contabilidad y Tributación*, CEF, nº 3, 2008, pag. 84.

[84] CAÑIBANO CALVO, L.-GISBERT CLEMENTE, A.; "Los intangibles en las Normas Internacionales de Información Financiera", *Noticias de la Unión Europea*, nº 259-260, 2006, pag. 5.

Al mismo tiempo, en España, el Instituto de Contabilidad y Auditoría de Cuentas (ICAC), en Resolución de su presidente de 21 de enero de 1992, establece que "se entiende por fondo de comercio el conjunto de bienes inmateriales, tales como la clientela, nombre o razón social, localización de la empresa, cuota de mercado, nivel de competencia comercial, capital humano, canales comerciales y otros de naturaleza humana que impliquen valor para la empresa". Contablemente se admite que en las combinaciones de negocios, se reconoce un fondo de comercio por la diferencia positiva entre el coste de la combinación de negocios (coste de adquisición) y el valor de los activos y pasivos.

Desde una perspectiva económica, se le identifica como un elemento generador de ingresos y en su concepto se incluyen también las expectativas que presentan la estructura y organización empresarial en cuanto a la obtención de beneficios en el futuro. En suma, el concepto de fondo de comercio abarca la capacidad que tenga la empresa para lograr unos beneficios superiores a los habituales en el sector de actividad de que se trate[85] y coincide, a efectos económicos, con una expectativa de beneficio futuro en atención a un inmovilizado inmaterial determinado, identificable, por ejemplo, con carteras de clientes o cualquier otro elemento análogo[86].

Pero como activo inmaterial, el fondo de comercio tiene una nota distintiva, y es su esencial *latencia*, ya que, por definición, la potencialidad para obtener un ingreso se encuentra presente en la actividad empresarial, pero sólo se monetiza cuando la empresa se transmite. En especial, la latencia se dará cuando el fondo haya sido creado por la propia sociedad. El fondo de comercio será ese conjunto de factores inmateriales, diferenciable de los supuestos individuales que lo componen. Y se transmite con el conjunto de la actividad, normalmente de modo implícito.

En relación con el tratamiento fiscal del fondo de comercio, la Ley 16/2007 modificó el Texto Refundido de la Ley del Impuesto de Sociedades suprimiendo la posibilidad de amortización fiscal del fondo de comercio. Tal amortización se preveía en el artículo 12, 6 del Texto Refundido de la Ley del Impuesto sobre Sociedades. La modificación legal supuso la introducción de la posibilidad de una corrección por deterioro equivalente a un 5 por 100 del importe satisfecho o puesto de manifiesto en la adquisición del fondo de comercio. Ello suponía la deducibilidad del precio de adquisición originario correspondiente al fondo de comercio, con el límite anual máximo de la veinteava parte de su importe, sin necesidad de inscripción contable y con un efecto práctico semejante a la amor-

---

[85]   DIÉGUEZ NIETO, C., "Las medidas antiabuso en el Impuesto sobre Sociedades: el fondo de comercio financiero y las operaciones de reestructuración empresarial", *Hacienda Pública Española*, 2008, pag. 2.

[86]   AROCA MORAL, D., Opinión Profesional, *Jurisprudencia Tributaria Aranzadi*, nº 13, 2006, pag. 7.

tización[87]. De manera que contablemente el fondo de comercio no era amortizable, pero fiscalmente, en la práctica, sí lo era. Dicha amortización dependía de que el fondo de comercio fuese adquirido a título oneroso y de que adquirente y transmitente no formasen parte de un grupo de sociedades según los criterios establecidos en el artículo 42 del Código de Comercio, *con independencia de la residencia y de la obligación de formular cuentas anuales consolidadas*. Al concepto de grupo ya nos hemos referido[88].

Además, para que dicho importe pudiera ser objeto de deducción, es necesaria la dotación de una reserva indisponible de, al menos, el importe fiscalmente deducible (5 por 100 del valor originario del fondo). Cuando los beneficios/reservas disponibles fuesen inferiores al 5 por 100 del valor originario del fondo, la práctica de la amortización deducible estará condicionada a que la reserva se dote con cargo a beneficios futuros. Finalmente, cabe destacar que la deducibilidad fiscal del fondo de comercio de fusión parece ser compatible con la deducibilidad del deterioro anual del mismo.

Entre esta norma y el 1 de enero de 2015, se aprobaría el Real decreto ley 12/2012 de 30 de marzo, que limitaría la deducción del fondo de comercio para los períodos impositivos iniciados en 2012 y 2013 y hasta el 2015 a la centésima parte de su importe, extendiendo en consecuencia implícitamente el plazo para la aplicación de dicha deducción. Se trataba de una medida adoptada por razones recaudatorias en un contexto de crisis económica.

Y, en esa misma línea, para los períodos impositivos que se inicien a partir de 1 de enero de 2013, la Ley 16/2013, de 29 de octubre, modificó el artículo 14,1, j) del Texto Refundido de la Ley del Impuesto de Sociedades (actual artículo 13,2, b) de la Ley 27/2014) para decir que no tendrían la condición de gastos deducible "las pérdidas por deterioro de los valores representativos de

---

[87] La norma española sigue la línea trazada por países como Italia o Francia a la hora de identificar la base imponible del Impuesto sobre Sociedades con el resultado contable. Y ello, frente a Gran Bretaña y Alemania, que desvinculan totalmente la fiscalidad de la contabilidad. Así, el TR de la Ley del Impuesto sobre Sociedades, dice en su artículo 10,3 que "en el método de estimación directa, la base imponible se calculará, corrigiendo, mediante la aplicación de los preceptos establecidos en esta Ley, el resultado contable determinado de acuerdo con las normas previstas en el Código de Comercio, en las demás Leyes relativas a dicha determinación y en las disposiciones que se dicten en desarrollo de las citadas normas". De esta manera la norma fiscal se apoya en la contabilidad y en la función externa de la misma, como elemento de satisfacción de exigencias de terceros; ROJO, A., "La contabilidad", en *Lecciones de Derecho Mercantil*, dir. A. Menéndez, Thomson, Civitas, Navarra, 2008, pag. 142.; CID-HARGUNDEY ROMERO, A.-GARCIA-ROZADO GONZALEZ, B., "La Base Imponible Común Consolidada: un proyecto de futuro en la Unión Europea"; *Cuadernos de Formación*, Instituto de Estudios Fiscales, Volumen 3/2007, pag. 52.

[88] PÉREZ-FADON MARTÍNEZ, J.J., "Análisis de la nueva regulación del art. 108 de la ley del Mercado de Valores", *Revista Tributaria de las Oficinas Liquidadoras*, Suplemento 2007, pag. 12.

la participación en el capital o en los fondos propios de entidades", como precedente de la regla general de no deducibilidad de las pérdidas por deterioro de los valores representativos de deuda, y del inmovilizado material, inversiones inmobiliarias e inmovilizado intangibles, incluido el fondo de comercio.

En cualquier caso, hay que señalar, en relación con la no deducibilidad de las pérdidas por deterioro, que el Decreto-Ley 3/2016, de 2 de diciembre, por el que se adoptan medidas en el ámbito tributario dirigidas a la consolidación de las finanzas públicas y otras medidas urgentes en materia social, dispone en el artículo 3, Primero, Dos la modificación de la disposición transitoria decimosexta, a efectos de disponer una reversión mínima de las pérdidas por deterioro de valores mobiliarios que hayan sido fiscalmente deducibles con anterioridad al 1 de enero de 2013. Dichas pérdidas se integrarán, como mínimo, por partes iguales en la base imponible del impuesto durante los cinco períodos impositivos iniciados a partir del 1 de enero de 2016. En este sentido, la nueva regulación dispone que si el incremento de fondos propios o los ingresos por dividendos superan ese mínimo, se integrarán los primeros. Y que, una vez integrados, el saldo pendiente de revertir, se integrará en partes iguales en los años períodos impositivos restantes hasta cumplir los cinco años. En el caso de que, durante esos cinco períodos impositivos, se transmitan las participaciones, se integrará el importe pendiente de revertir, con el límite de la renta positiva obtenida en la transmisión.

Por su parte, el ICAC, en consulta de 28 de febrero de 2017, ha aclarado que, contablemente, se imputará en 2016 la quinta parte de la reversión del deterioro. En los cuatro ejercicios siguientes, la reversión conllevará un ajuste positivo en la base imponible del Impuesto de Sociedades. Dado los términos de la reforma operada por el Decreto-Ley 3/2016, la diferencia tendrá carácter permanente. Consiguientemente, y de acuerdo con la Norma de Registro y Valoración 13ª, la reversión de las pérdidas por deterioro no supondrá registrar un pasivo por impuesto diferido.

La previsión contenida en este Decreto-Ley es altamente criticable; tanto porque gravar, en concepto de reversión, una pérdida por deterioro deducida con anterioridad, supone un hecho imponible nuevo por Decreto-Ley, y, sobre todo, constituye un atentado a la seguridad jurídica ya que el Tribunal Constitucional dice en su sentencia 173/1996, de 31 de octubre, que quiebra la seguridad jurídica cuando se modifica de forma imprevisible el quantum del deber de contribuir. Es más; estaríamos ante una retroactividad en grado máximo que incidiría sobre una situación agotada (la pérdida generada en 2013 y ya deducida) y por tanto, ante una retroactividad auténtica que afecta a la protección de la confianza legítima y a la seguridad jurídica (sentencia del Tribunal Constitucional 197/1992, de 19 de noviembre –F.J. 4º–).

También se previó una regla especial de imputación las inversiones en intangibles; en el artículo 13.3 de la Ley del Impuesto de Sociedades se disponía que los activos intangibles de vida útil indefinida, incluido el fondo de comercio, podrán integrarse en la base imponible de una manera proporcionada en el tiempo con el límite anual máximo de la veinteava parte de su importe. Esta previsión fue derogada como consecuencia de la reforma por por el apartado dos de la disposición final quinta de la Ley 22/2015, de 20 de julio, de Auditoría de Cuentas.

Finalmente, la Ley 27/2014 insiste en la línea de que el fondo de comercio no es amortizable. Por su parte, el artículo 13.2 de la Ley de 2014, establece que no tendrán carácter de deducibles las pérdidas contabilizadas referidas a este tipo de inmovilizado (estarán anotadas en el subgrupo contable 69), para decir, a continuación, en el 13, 3, que sí será deducible el precio de adquisición del activo intangible de vida útil indefinida, incluido el correspondiente a fondos de comercio con el límite anual máximo de la veinteava parte de su importe. Esta deducción no está condicionada a su imputación contable en la cuenta de pérdidas y ganancias y las cantidades deducidas minorarán el valor fiscal de los elementos del intangible o fondo de comercio. Por tanto, se elimina el requisito de dotación de una reserva indisponible con cargo a los beneficios del ejercicio.

El *fondo de fusión*, como ejemplo de fondo de comercio financiero, surge en la toma de participación accionarial en una sociedad (incorporación, sin fusión, de las acciones o participaciones de otra entidad al patrimonio de una sociedad), y se define como la diferencia entre el precio satisfecho por dicha participación y el valor de mercado de los activos y pasivos contabilizados que se corresponde con la participación adquirida. Y, en concreto, la *diferencia de fusión*, que no es otra cosa que la diferencia entre el precio de adquisición de las participaciones y el patrimonio neto que reste tras la imputación correspondiente a los bienes y derechos de la entidad absorbida, en los mismos términos y con los mismos requisitos fijados hasta la fecha. Su valoración se determinaba por la diferencia entre el precio pagado en la adquisición de los activos y pasivos de una empresa y la suma de los valores reales identificables (sin exceder del valor de mercado) de los activos individuales adquiridos menos los pasivos asumidos en la adquisición. En el activo, estos valores reales se componen del valor contable y de las plusvalías tácitas imputables a esos activos.

De la diferencia de fusión se puede hablar en todos aquellos procesos de fusión en los que existe una entidad transmitente de acciones y participaciones y otra que recibe tales acciones o participaciones. Así, la aportación de acciones o participaciones, en lo que supone de anulación de cartera, generaría una plusvalía gravable en el Impuesto sobre Sociedades del aportante. De manera que la entidad transmitente de las acciones o participaciones tendría que integrar en su base imponible la renta generada por la diferencia entre valor contable de su patrimonio y valor de mercado del mismo[89].

Como hemos dicho, el Texto Refundido de la Ley del Impuesto de Sociedades preveía un tratamiento específico para el denominado *fondo de comercio de fusión*, que se incluía en el artículo 89,3 aplicable siempre que la entidad adquirente participara en el capital de la transmitente en al menos un 5 por 100 y siempre que existiese una parte del importe del coste de adquisición que no pueda ser imputada a bienes y derechos adquiridos. La existencia y cuantía de esa diferencia se determinaba y calculaba en relación con la fecha de adquisición de la participación[90].

Como también hemos dicho, es este régimen especial es el que ahora desaparece.

---

[89]   De todas formas en España los tribunales administrativo-tributarios han venido interpretando este precepto en el sentido de que el mismo no tiene, como finalidad exclusiva, facilitar la deducibilidad del fondo de comercio sino evitar la doble imposición. La finalidad de la norma, como ha dicho el Tribunal Económico-Administrativo Central (TEAC) en su resolución de 16 diciembre 2005 (JT 2006\842), sería clara: eliminar la posible doble imposición que se produciría si se hiciera tributar la diferencia entre el precio pagado por la participación y el valor teórico de la misma, en primer lugar, en sede del anterior tenedor de la participación y, posteriormente, al impedir que este coste pagado tuviera la consideración de coste de adquisición a efectos fiscales, con lo que se sometería de nuevo a imposición. Siendo esta la finalidad, entiende el Tribunal que no puede aceptarse que el legislador sólo haya querido eliminar el exceso de imposición cuando ésta se materializa como consecuencia *de plusvalía tácitas identificables como fondo de comercio*, pero que no haya querido hacerlo en el caso de que estas plusvalías se correspondan con otros activos, "conclusión a la que no se le encuentra una apoyatura razonable". La cuestión es, sin embargo, si esta interpretación siempre ha podido ser defendida o si la misma sólo es admisible a partir de la modificación de la Ley del Impuesto sobre Sociedades por la disposición transitoria sexta de la Ley 24/2001 de Medidas Fiscales, Administrativas y del Orden Social, en vigor desde el 1 de enero 2002, que afecta al equivalente del vigente artículo 89, 3 del Texto Refundido, que en la ley anterior era el art. 103.3 . A partir de esta reforma la cuestión a tratar es la de respecto a qué bienes tendrá efectos fiscales la mayor valoración; si sólo respecto al fondo de comercio o si también se predicarían esos efectos fiscales a la valoración resultante de la imputación a los bienes y derechos adquiridos. Parece que esta segunda opción es la más aceptable. En suma, la valoración resultante de la imputación a los bienes amortizables del inmovilizado que corresponda a la diferencia entre el precio de adquisición de la participación y su valor teórico tendrá efectos fiscales para aquellas operaciones que se hayan inscrito a partir de 1 de enero de 2002. Esos efectos fiscales, no se aplicarán sólo al fondo de comercio, sino a la revalorización imputable a bienes concretos. Entre estos bienes se incluirán los del activo circulante, por ejemplo, las existencias. Al igual que ocurre con el fondo de comercio común tras las modificaciones introducidas por las NIC's/NIIF, el fondo de comercio de fusión no se amortizaba, sino que se sometía anualmente a la comprobación del deterioro de su valor, no siendo dicho deterioro objeto de reversión.

[90]   Ello generaba importantes problemas prácticos cuando, por ejemplo, existían diferencias en el importe de fondos propios entre la fecha de adquisición de la participación por la sociedad absorbente o beneficiaria y la fecha de eficacia de la operación de reestructuración.

La deducibilidad de este fondo de comercio presuponía la existencia de una diferencia positiva entre el precio de adquisición que se anulaba mediante la operación de reestructuración, y el valor de los fondos propios correspondientes (valor teórico de la participación). Esa diferencia positiva, como ha dicho la DGT, en Consulta de 7 de octubre de 2004 (V0166-04), ha de determinarse, en el momento en que se produce la adquisición del patrimonio de la entidad transmitente como consecuencia de la operación de fusión realizada, y, por tanto, en la fecha de inscripción de la operación de fusión en el Registro Mercantil, y no en la fecha de adquisición de la participación. De la misma manera, la respuesta a Consulta de la DGT de 14 de junio de 2005, V1096-05, señala que "en primer lugar, deberá determinarse la diferencia entre el precio de adquisición de la participación y su valor teórico" y que "este valor teórico de la entidad absorbida a tener en cuenta a los efectos del artículo 89.3 del TRLIS será el existente en la fecha de inscripción de la operación de fusión en el Registro Mercantil". No integran dicho valor teórico las rentas de las operaciones realizadas entre la fecha de retroacción contable y la fecha de inscripción de la fusión que tengan su fundamento en aquello que hubieran acordado las partes en el proyecto de fusión.

En segundo lugar, procedería la imputación fiscal de esta diferencia. Dicha diferencia de fusión se imputaba, en primer lugar, a los bienes y derechos que la entidad adquirente obtuviese de la transmitente como consecuencia de la fusión, es decir, a aquellos que la entidad transmitente tiene en su patrimonio en el momento de inscripción de la fusión y que efectivamente se traspasan de una entidad a otra. Por tanto, estos efectos fiscales no se aplicaban con relación a los valores que posee la entidad transmitente en su patrimonio y que resultan enajenados con anterioridad a la inscripción de la fusión. No obstante, esta parte de la diferencia de fusión, en la medida en que no pueda atribuirse a otros bienes y derechos, y se cumplan los requisitos del artículo 89.3, apartados a) y b), podrá ser objeto de deducción de la base imponible de la entidad consultante, una vez realizada la operación de fusión, con el límite anual máximo de la veinteava parte de su importe (respuesta a consulta de la DGT de 14 de junio de 2005, V1096-05).

La imputación se llevaba a cabo por el método de integración global, al que hace referencia el artículo 46 del Código de Comercio[91]. Así, el propio artículo

---

[91] Según este método, Los valores contables de las participaciones en el capital de las sociedades dependientes que posea, directa o indirectamente, la sociedad dominante se compensarán, en la fecha de adquisición, con la parte proporcional que dichos valores representen en relación con el valor razonable de los activos adquiridos y pasivos asumidos, incluidas, en su caso, las provisiones en los términos que reglamentariamente se determinen. La diferencia positiva que subsista después de la compensación señalada se inscribirá en el balance consolidado en una partida especial. Si la diferencia fuera negativa deberá llevarse directamente a la cuenta de pérdidas y ganancias consolidadas. Los elementos del activo y del pasivo de

89,3 del TRLIS disponía que "cuando la entidad adquirente participe en el capital de la entidad transmitente, en al menos, un cinco por cien, el importe de la diferencia entre el precio de adquisición de la participación y los fondos propios se imputará a los bienes y derechos adquiridos, aplicando el método de integración global establecido en el artículo 46 del Código de Comercio y demás normas de desarrollo, y la parte de aquella diferencia que no hubiera sido imputada será fiscalmente deducible de la base imponible, con el límite anual máximo de la veinteava parte de su importe".

El precio de adquisición a que hacía referencia el precepto suscitaba dudas. La Dirección General de Tributos optaba por una interpretación teleológica, y atendiendo a la finalidad del precepto, consideraba que precio de adquisición sería el valor a efectos fiscales de esa participación en la sociedad adquirente (respuesta a Consulta vinculante V0232-04 de 26 de octubre de 2004). Lo que suponía que si el valor a efectos fiscales y el valor contable no coincidían porque la adquisición de la participación había tenido lugar a través de una operación de reestructuración con aplicación del régimen de diferimiento, el precio de adquisición sería el valor fiscal y no el contable, ya que de lo contrario se estaría aceptando la deducción fiscal de una renta que no se sometió a gravamen.

Esa amortización tenía un límite anual máximo de la veinteava parte de la cantidad que se va a amortizar, lo que supone una deducción de un 5 por 100 del valor de adquisición del fondo (no de su valor en el activo). Desde el 1 de enero de 2008, la deducción fiscal de este fondo de comercio no está condicionada a su imputación contable en la cuenta de pérdidas y ganancias, según la remisión que el propio artículo 89.3 del TRLIS hace al artículo 12.6 del mismo texto legal. Respecto a los fondos de comercio generados con anterioridad a 1 de enero de 2008, los mismos se seguirán deduciendo como lo venían haciendo hasta dicha fecha.

Además, para que dicho importe pudiera ser objeto de deducción, era necesaria la dotación de una reserva indisponible de, al menos, el importe fiscalmente deducible (5 por 100 del valor originario del fondo). Cuando los beneficios/reservas disponibles fuesen inferiores al 5 por 100 del valor originario del fondo, la práctica de la amortización deducible estará condicionada a que la reserva se dote con cargo a beneficios futuros. Finalmente, cabe destacar que la

---

las sociedades del grupo se incorporarán al balance consolidado, previa aplicación de lo establecido en el artículo 45 de este Código, con las mismas valoraciones con que figuran en los respectivos balances de dichas sociedades Y los ingresos y los gastos de las sociedades del grupo, se incorporarán a las cuentas anuales consolidadas, salvo en los casos en que aquéllos deban eliminarse conforme a lo previsto en la regla siguiente. Deberán eliminarse generalmente los débitos y créditos entre sociedades comprendidas en la consolidación, los ingresos y los gastos relativos a las transacciones entre dichas sociedades, y los resultados generados a consecuencia de tales transacciones, que no estén realizados frente a terceros.

deducibilidad fiscal del fondo de comercio de fusión parece ser compatible con la deducibilidad del deterioro anual del mismo.

En cualquier caso, dos eran los requisitos que la norma establecía para que se pudiera aplicar este precepto.

En primer lugar, que la participación no hubiera sido adquirida a personas o entidades no residentes en territorio español o a personas físicas residentes en territorio español, o a una entidad vinculada cuando esta última, a su vez, adquirió la participación a las referidas personas o entidades, entendiéndose cumplido este requisito, en el caso de una participación adquirida a personas o entidades no residentes en territorio español o a una entidad vinculada con la entidad adquirente que, a su vez, adquirió la participación de las referidas personas o entidades, cuando el importe de la diferencia mencionada en el párrafo anterior haya tributado en España a través de cualquier transmisión de la participación. Se admitía, no obstante, la deducción de dicha *diferencia de fusión* cuando un importe equivalente haya tributado efectivamente en otro Estado miembro de la Unión Europea en concepto de beneficio obtenido con ocasión de la transmisión de la participación y soportando un gravamen equivalente al que hubiera resultado de aplicar este impuesto, siempre que el transmitente no resida en un país o territorio considerado como paraíso fiscal[92].

Y si la participación se había adquirido a personas físicas residentes en territorio español o a una entidad vinculada cuando esta última, a su vez, adquirió la participación de las referidas personas físicas, la deducción depende de que se pruebe que la ganancia patrimonial obtenida por dichas personas físicas se ha integrado en la base imponible del Impuesto sobre la Renta de las Personas Físicas.

Y, en segundo lugar, se exigía que adquirente y transmitente no formen parte de un grupo de sociedades según los criterios establecidos en el artículo 42 del Código de Comercio, *con independencia de la residencia y de la obligación de formular cuentas anuales consolidadas.* Al concepto de grupo ya nos hemos referido[93].

Respecto a esta previsión legal se defendió que su finalidad era eliminar la posible doble imposición que se produciría si se hiciera tributar la diferencia entre el precio pagado por la participación y el valor teórico de la misma, en primer lugar, en sede del anterior tenedor de la participación y, posteriormente, al impedir que este coste pagado tuviera la consideración de coste de adquisición a efectos fiscales, con lo que se sometería de nuevo a imposición. Aunque

---

[92]   LUCAS DURÁN, M., *La tributación de los dividendos internacionales*, Lex Nova, Valladolid, 2000, pags. 32 y ss.

[93]   PÉREZ-FADÓN MARTÍNEZ, J.J., "Análisis de la nueva regulación del art. 108 de la ley del Mercado de Valores", *Revista Tributaria de las Oficinas Liquidadoras*, Suplemento 2007, pag. 12.

la finalidad fuera esa, sin embargo, el TEAC entendió que no puede aceptarse que el legislador sólo haya querido eliminar el exceso de imposición cuando ésta se materializa como consecuencia *de plusvalía tácitas identificables como fondo de comercio*, pero que no haya querido hacerlo en el caso de que estas plusvalías se correspondan con otros activos, "conclusión a la que no se le encuentra una apoyatura razonable" exclusiva facilitar la deducibilidad del fondo de comercio sino evitar la doble imposición[94].

El precepto, como se apuntó, generaba muchas dudas aplicativas; por ejemplo, con relación a la exigencia de que el importe de la diferencia de fusión o escisión haya tributado anteriormente con motivo de la transmisión de la participación, no estaba claro si se debería tener en cuenta únicamente la última transmisión de la participación (o las dos últimas, de intervenir una entidad vinculada), o si se aplicaba el precepto cuando la adquisición hubiera tenido lugar por una persona física no residente. También se criticaba que recayese sobre la entidad adquirente la carga de la prueba del cumplimiento de los requisitos contenidos en el artículo 89,3 del Texto Refundido de la Ley del Impuesto de Sociedades, pues, en ocasiones, era un requisito de imposible cumplimiento[95].

En cualquier caso, este tratamiento especial del fondo de comercio de fusión desaparece completamente tras la Ley 27/2014, a la par que la ley extiende el régimen de exención en la transmisión de participaciones de entidades residentes en España. Como hemos señalado, la Disposición Transitoria 27, prevé un régimen transitorio para adquisiciones de entidades participadas que el transmitente hubiera imputado en periodos impositivos iniciados con anterioridad al 1 de enero de 2015. De manera que, por ejemplo, si una sociedad absorbe a otra en el ejercicio de 2015 y posteriores, si el precio de adquisición de la participación excede de los fondos propios de la absorbida en el momento de la fusión, el exceso tiene efectos fiscales, es decir, de cumplirse las condiciones exigidas al respecto del transmitente de la participación, ese exceso se imputaría a los bienes y derechos de la absorbida así como al fondo de comercio que resulte de la fusión. En el período 2015 el límite anual máximo de amortización cuando opere el régimen transitorio es el 1%.

---

[94]   La respuesta a consulta de 20 de octubre de 2004 (V0214-04) señalaba que la finalidad del artículo 89,3 del Texto Refundido de la Ley del Impuesto de Sociedades era trata de establecer un mecanismo para aquellos supuestos en que la participación anulada como consecuencia de la fusión por absorción recoja un valor superior a su valor teórico, de tal manera que, cuando se dé esta circunstancia, el importe del referido exceso de valor podría llegar a tributar doblemente en territorio español, en primer lugar, en la persona o entidad a la que se adquirió la participación y, en segundo lugar, en la entidad adquirente, una vez realizada la operación.

[95]   Informe de la Asociación Española de Asesores Fiscales, *Régimen Especial de las operaciones de reestructuración empresarial: observaciones y propuestas de la AEDAF*, op. cit., pags. 67 y 68.

Las razones que han empujado al legislador a eliminar esta previsión era que no resultaba útil ni necesaria, como consecuencia de que ya no es necesario plantearse la eliminación de la doble imposición que se produciría si se hiciera tributar la diferencia entre el precio pagado por la participación y el valor teórico de la misma, en primer lugar, en sede del anterior tenedor de la participación y, posteriormente, al impedir que este coste pagado tuviera la consideración de coste de adquisición a efectos fiscales, con lo que se sometería de nuevo a imposición. Y ello, como consecuencia, como veremos, de que el nuevo artículo 21 de la Ley del Impuesto de Sociedades, aplica el sistema de exención a las ganancias derivadas de la venta de filiales españolas, idéntico al que existía en relación con las filiales en el exterior. Al aplicarse un sistema de exención, no hay doble imposición que compensar. Esto es; si una sociedad en la que se puede reconocer fondo de comercio es absorbida por otra, la anulación de la participación no genera ninguna renta gravada en la absorbente anulada su participación, salvo el caso en que la sociedad transmitente participe en la adquirente en menos de un 5 por 100, en cuyo caso se integrará en la base imponible la renta positiva o negativa derivada de la anulación de la participación.

El fondo de comercio en la absorbida sí genera una renta, pero se compensaría al aplicar la corrección del valor del fondo de comercio que sería posible, al amparo del artículo 13,3 de la Ley 27/2014.

Es verdad que la extensión en la Ley de 2014 del régimen de exención en la transmisión de participaciones de entidades residentes en España condicionaba la aplicación futura del tratamiento fiscal aplicable al fondo de comercio de fusión, contenido en el tantas veces citado artículo 89,3 del Texto Refundido de la Ley del Impuesto de Sociedades, y podía aconsejar su modificación e, incluso su eliminación. Y también es verdad que era un régimen complejo, que dificultaba la aplicación del impuesto, en especial en lo concerniente a la prueba de una tributación en otro contribuyente.

Quizás por eso el legislador haya optado por su supresión en la Ley 27/2014. Pero quizás, lo que haya aconsejado su desaparición hayan sido las operaciones fraudulentas detectadas por la Agencia Tributaria en relación con la aplicación del mismo; por ejemplo, en tanto la parte imputable al fondo de comercio era deducible en veinte años se tendía a imputar dicha diferencia a otros bienes o la interposición de sociedades residentes a las que una persona física que tenía derecho a aplicar coeficientes de abatimiento transmitía previamente las participaciones, para que fuese la interpuesta la que finalmente transmitiese las participaciones a favor de la adquirente final por ese mismo valor (y, en consecuencia, sin que aflore renta alguna en la persona jurídica). Estas operaciones frecuentes eran difíciles de detectar y por ello quizás, se entendió que era mejor suprimir la cobertura normativa de las mismas.

8. MECANISMOS DESTINADOS A CORREGIR LA DOBLE IMPOSICIÓN

Las operaciones expuestas conllevaban, habitualmente, supuestos de doble imposición. Basta como ejemplo, el canje de valores. Los socios tributarán cuando transmitan las acciones recibidas y, de la misma manera, la sociedad adquirente radicada en un Estado distinto del de residencia de los socios de la adquirida que transmiten sus títulos, puede generar plusvalías cuando enajene las acciones o participaciones. Se produce un efecto de duplicación de la plusvalía diferida y de potencial doble imposición que, originariamente, se pretendió conjurar en las normas armonizadores a través del expeditivo método de atribuir a las acciones recibidas el valor real y no el valor histórico que tuviesen en el patrimonio de los transmitentes.

Dado que nos estamos refiriendo a una materia en la que tiene un gran peso el Derecho de la Unión Europea, hay que señalar que a esta cuestión se refería la Directiva 2005/19/CE, que intentaba afrontar el problema de la Doble Imposición en las aportaciones de activos y canje de acciones, cuestión a la que se había referido el estudio de 2001 de la Comisión. Sobre todo, la Directiva se refería a la cuestión de qué Estado tendría que asumir la responsabilidad de eliminar la doble imposición, partiendo de que en las operaciones de reestructuración transfronterizas podemos hablar de dos países intervinientes: el Estado de residencia de la sociedad transmitente y el de residencia de la adquirente o dominante.

De las reglas contenidas en la Directiva a partir de las propuestas del citado estudio de la Comisión, se desprende que en las aportaciones de activos la sociedad transmitente debe valorar los títulos del capital social de la entidad beneficiaria por el valor real que tuviesen los elementos de activo y de pasivo transferidos inmediatamente antes de la aportación de activos, por lo que debe corregir la doble imposición el estado de residencia de tal sociedad transmitente. En un canje de acciones, es la dominante la que debe valorar los títulos recibidos por el valor real de los títulos atribuidos a los socios de la sociedad dominada[96]. Por tanto, debería entenderse que corresponde al Estado de residencia de la sociedad dominante eliminar la doble imposición.

Se trata de reglas implícitas que, no obstante, no concuerdan con las reglas asentadas en el Derecho Internacional Tributario. Según los principios internacionales, la responsabilidad de la eliminación de la doble imposición recae

---

[96] El comentario a esta norma en la propuesta de Directiva se refería a esta operación describiéndola como aquélla en que la sociedad beneficiaria es titular de acciones propias y, en lugar de incrementar su capital escriturado, decide transferirlas, mediante canje, a los socios de la sociedad dominada.

sobre el Estado de residencia del perceptor de la renta (así, se desprende, por ejemplo, del artículo 23 del Modelo OCDE). En lugar de esta regla, las opciones que se barajaron en la Directiva toman en consideración, para asignar la responsabilidad de eliminar la doble imposición, la probabilidad de que las ganancias de capital generadas en la operación de reestructuración vayan a seguir estando sometidas al poder fiscal del Estado en cuestión.

Así, en el caso de la sociedad transmitente, el vínculo con su estado de residencia se mantendrá en la medida en que se conserve una sucursal o establecimiento permanente en dicho Estado[97]. En el canje de valores, por el contrario, la asignación de la responsabilidad de eliminar la doble imposición al Estado de la sociedad dominante se basa en la idea de la continuidad de sujeción al poder tributario de este Estado de las plusvalías relativas a las acciones de la sociedad dominante recibidas por los socios que acudieron al canje. No obstante, si los socios son residentes en otro Estado y entre ambos hay un Convenio de Doble Imposición que siga los criterios del modelo de la OCDE, las plusvalías se gravaran en el Estado de residencia (artículo 13,5 del Modelo OCDE) de los socios, como Estado de residencia del perceptor y el Estado de la sociedad dominante se verá privado de la capacidad de gravarlas.

Por ello, cuando las acciones se reciban por socios que residan en un tercer Estado, y sobre todo, cuando tal Estado no sea miembro de la Unión Europea, en virtud del especial juego de los Convenios en estos casos, era necesario prever unas reglas especiales de Derecho Europeo.

Así la propuesta de la Comisión, respecto a la redacción del artículo 8 de la Directiva 90/434/CEE, incluía una referencia específica a que el hecho de que la adquisición de participaciones en la sociedad dominada a socios con residencia fiscal en un Estado no perteneciente a la Comunidad, no será obstáculo para el reconocimiento de las ventajas fiscales de la Directiva. Esta mención no pasó en estos términos literales al texto de la Directiva pero el Acta del Consejo señala que el artículo 8 de la Directiva no priva a los socios residentes en los Estados miembros de los beneficios de la misma, aun cuando la participación mayoritaria se adquiera de residentes de terceros países ajenos a la Comunidad, aunque esta directriz sólo tendrá valor en tanto se admite que el contenido del acta puede jugar como un criterio de interpretación auténtica (en contra el Tribunal de Justicia en la sentencia *Antonissen*)[98].

---

[97]   Cosa que no ocurrirá en todo caso, ya que, por ejemplo, en la operación de *filialización* ya expuesta, en la cual el establecimiento permanente es aportado el mismo acabará estando radicado en el Estado de la sociedad adquirente.

[98]   Sobre la naturaleza del contenido de las actas como reglas de interpretación, véase DÍEZ-HOCHLEITNER, J. y MARTÍNEZ CAPDEVILA, C., *Derecho de la Unión Europea*, McGraw-Hill, Madrid, 2001, pong. 720, nota al artículo 13 del Reglamento interno del

En cualquier caso, en el ámbito interno, la mitigación de la doble imposición en las operaciones de reestructuración se incluía en el artículo 95 del Texto Refundido del Impuesto sobre Sociedades, en el cual, bajo el epígrafe de *normas para evitar la doble imposición*, reconoce el derecho a la deducción para evitar la doble imposición interna a partir de los beneficios distribuidos con cargo a las rentas imputables y que tales beneficios darán derecho a la exención o a la deducción para evitar la doble imposición internacional de dividendos cualquiera que sea el grado de participación del socio. Se trata de una medida que se introdujo en la Ley 43/1995, de 27 de diciembre y que, como muchas de este complejo régimen especial suscitaba dudas interpretativas: singularmente en lo relativo a si el requisito de que los beneficios fuesen distribuidos con cargo a a las rentas imputables a los bienes aportados era aplicable cuando la participación de la sociedad aportante en el capital de la sociedad adquirente no alcanzase el 100 por 100[99].

No obstante, una de las novedades de la Ley 27/2014, es la introducción de una nueva exención para evitar la doble imposición de dividendos y plusvalías de fuente española (esto es, obtenidos de entidades filiales españolas), similar a la que ya existía respecto a los dividendos y plusvalías de fuente extranjera, unificando ambas exenciones en el nuevo artículo 21 de la Ley.

En la práctica ello supone que las plusvalías generadas en lo que podríamos llamar venta de compañías españolas, ya no tributan, lo que supone que el no haber tributación en el transmitente en la venta de una filial española; las reglas referidas al tratamiento del fondo de fusión y de aumento del activo, a las que nos hemos referido como instrumentos para mitigar la doble imposición en las operaciones de reestructuración, desaparece.

Recordemos que el tratamiento del fondo de comercio de fusión se justificaba por la necesidad de eliminar la posible doble imposición que se produciría si se hiciera tributar la diferencia entre el precio pagado por la participación y el valor teórico de la misma, en primer lugar, en sede del anterior tenedor de la participación y, posteriormente, al impedir que este coste pagado tuviera la consideración de coste de adquisición a efectos fiscales, con lo que se sometería de nuevo a imposición. Al no haber tributación en sede del anterior tenedor, por aplicarse un sistema de exención, el tratamiento del

---

Consejo. El TJCE (actual TJUE) ha negado que tengan alcance interpretativo, por ejemplo, en la sentencia de 26 de febrero de 1991, asunto *Antonissen*, C-292/89).

[99] En tal caso se venía entendiendo que el citado artículo 95,1 del Texto Refundido de la Ley del Impuesto de Sociedades se aplicaba, no sólo respecto a los beneficios imputables a los bienes aportados, sino también a las reservas expresas o tácitas. Véase, al respecto, el l Informe de la Asociación Española de Asesores Fiscales, *Régimen Especial de las operaciones de reestructuración empresarial: observaciones y propuestas de la AEDAF*, op. cit., pag. 72.

fondo en lo que a su vertiente de corrección de doble imposición se refiere, perdía buena parte de su sentido.

Sin embargo, el texto del nuevo artículo 21 de la Ley del Impuesto de Sociedades incluye una limitación expresa al importe de la exención, en el caso de transmitir participaciones en filiales que hubieran gozado del régimen de diferimiento. Es una limitación que opera en el supuesto en que dichas participaciones en filiales no cumplieran con los requisitos del artículo 21 de la Ley al momento de realizarse la operación de fusión o reorganización empresarial, o en el caso de aportaciones no dinerarias de activos (distintos de participaciones en filiales) que hubieran determinado igualmente la no integración de rentas en el impuesto del aportante con motivo de una operación de reorganización empresarial. En estos supuestos, la exención aplicable a la ganancia derivada de una transmisión posterior se limitará a la parte de la renta que se corresponda con un incremento de valor de la participación (generado con posterioridad a la operación reorganización empresarial). La renta diferida se integrará, por consiguiente, en la base imponible del contribuyente tributando conforme a las reglas generales[100].

Igualmente, es necesario corregir la doble imposición que puede producirse cuando una residente en España transmite a otra residente en territorio español un establecimiento permanente situado fuera de la Unión Europea, y el Estado de localización del establecimiento permanente grava las rentas que se ponen de manifiesto con ocasión de la operación. La doble imposición será el resultado de la aplicación por la transmitente del régimen de diferimiento, que supone una tributación en el futuro, por lo que la única opción para mitigar la doble imposición en un caso como este es la aplicación de los mecanismos internos para corregir la doble imposición internacional.

Por último, el Decreto-Ley 3/2016, de 2 de diciembre, introduce una serie de especialidades en el cómputo de la exención de plusvalías procedentes de participaciones y régimen aplicable a las rentas negativas derivadas de la transmisión de participaciones (art. 21). En concreto, y en lo que aquí nos interesa, se excluye la integración de las rentas negativas en su totalidad, con independencia de su pertenencia a un grupo en los términos artículo 42 del Código de Comercio, para el caso de que la entidad cumpla los requisitos para aplicar la exención de las plusvalías en la transmisión de participaciones prevista en el apartado 3 del artículo 21 de la Ley del Impuesto sobre Sociedades.

---

[100] PONS,P.M., "Comentarios a la nueva exención para evitar la doble imposición en el Impuesto sobre Sociedades español: impacto en grupos españoles e internacionales y otros inversores", *Actualidad Jurídica Uría Menéndez*, nº 39, 2015, pags. 78 y 79.

9. *EXIT TAX* EN EL CASO DE CANJE DE VALORES

El artículo 17. 1 del derogado Texto Refundido de la Ley del Impuesto de Sociedades ya disponía que se integrará en la base imponible la diferencia entre el valor normal de mercado y el valor contable de los siguientes elementos patrimoniales: a) los que sean propiedad de una entidad residente en territorio español que traslada su residencia fuera de éste, excepto que dichos elementos patrimoniales queden afectados a un establecimiento permanente situado en territorio español de la mencionada entidad. Si los bienes quedaran afectados a un establecimiento permanente se aplicará la regla de valoración para bienes transmitidos en el marco de operaciones de reestructuración en el caso de establecimientos permanentes, a la que ya hemos hecho referencia.

Este gravamen ligado al traslado de residencia se denomina tradicionalmente *exit tax*; tanto la reforma de la Ley 35/2006 del IRPF, por Ley 26/2014, como la nueva Ley 27/2014, han insistido en esta modalidad de tributo que grava ganancias tácitas derivadas de acciones o participaciones en entidades relevantes que se pongan de manifiesto en los supuestos en los que el contribuyente traslade su residencia fiscal a otro país antes de enajenar dicha cartera. En la Ley 27/2014, la referencia a este gravamen se encuentra en el artículo 19,1 de la Ley del Impuesto de Sociedades. Este precepto señala que "se integrará en la base imponible la diferencia entre el valor de mercado y el valor fiscal de los elementos patrimoniales que sean propiedad de una entidad residente en territorio español que traslada su residencia fuera de éste, excepto que dichos elementos patrimoniales queden afectados a un establecimiento permanente situado en territorio español de la mencionada entidad".

La cuestión de los *exit tax* en el Derecho europeo es un tema extremadamente complejo, pues respecto a este tipo de impuestos siempre está presente la espada de Damocles de la posible vulneración del Derecho de la Unión Europea. Tales impuestos pueden gravar con ocasión del abandono de un país a quienes todavía son residentes, normalmente por plusvalías latentes o rentas estimadas. O bien, hacer tributar a los residentes una vez que salgan del país, por las plusvalías realizadas ya fuera del territorio, para lo cual el Estado tendrá que tener un título para gravar a quien no permanece ya en su territorio. Así será cuando el Estado, o bien sigue el criterio de la nacionalidad, o bien prolonga residencia, como sucede en el caso español en el caso de que el cambio de residencia se haga hacia un paraíso, pues el artículo 8,2 de la Ley del IRPF incluye la regla de mantenimiento de la residencia en caso de traslado a un paraíso fiscal durante los cuatro períodos impositivos siguientes.

Los *exit tax* son de dudosa compatibilidad con el Derecho de la Unión Europea, como se desprende de la doctrina tradicional del Tribunal de Justicia de la Unión Europea a partir de la sentencia *Hughes de Lasteyrie du Saillant* de 11 de marzo de 2004 (As. C-9/02). En relación con este tipo de imposición, el

Tribunal de Justicia de la Unión Europea ya ha condenado al Reino de España por establecer impuestos de salida desproporcionados (Asunto C-269/09, *Comisión vs. España*). No existe un parámetro objetivo para determinar cuándo un impuesto de estas características es proporcional. El Tribunal de Luxemburgo, en alguna ocasión ha dicho que esa proporcionalidad requiere, cuando menos, que si se gravan plusvalías latentes con motivo de la salida de un país, se tengan en cuenta las minusvalías futuras, por el Estado de destino o por el de salida, si tiene título para gravar. Esto es; el gravamen de la plusvalía latente (y, por lo tanto, ficticia) supondrá una revalorización de los bienes, y por tanto, una menor plusvalía o una minusvalía en el momento de la venta. Así, en la sentencia *N*, de 7 de septiembre de 2006, As. C-470/04, el Tribunal defiende que no resultaba compatible con la libertad de establecimiento gravar, con ocasión del traslado de domicilio al extranjero de una persona física, sin tener en cuenta las minusvalías futuras, aunque la posterior Sentencia *National Grid Indus*, [de 29 de noviembre de 2011, As. C-371/10, dice que el Estado de origen puede exigir un impuesto de salida sin tener en cuenta dichas minusvalías. En el caso español, la norma debería tener en cuenta esa minusvalía cuando la venta real se grave en España, cosa que la ley no prevé. Se trata de una deficiencia que podría ser paliada por vía reglamentaria.

En suma, y como dice RIBES RIBES, "de acuerdo con la jurisprudencia del Tribunal de Justicia, para asegurar la libertad de circulación y establecimiento en el Mercado Único, el Estado de origen no puede ejercitar su poder de imposición sobre las ganancias latentes en los términos previstos en los regímenes nacionales de *exit taxes*, al menos en el momento del paso a otra jurisdicción tributaria"[101]. De acuerdo con esta doctrina, para residentes en la Unión Europea la Ley 27/2014 no va disponer un gravamen específico, sino que fijará un deber formal de comunicación. También se establece un período de diez ejercicios en los que el contribuyente deberá tributar en el supuesto de transmitir estos valores o perder la condición de residente fiscal de un Estado miembros de la Unión europeo. Parece que este dato permitiría defender la compatibilidad de la medida con el Derecho de la Unión Europea, de acuerdo con la doctrina del Tribunal de Justicia de la Unión Europea, por ejemplo, en la sentencia *Hughes de Lasteyrie du Saillant* de 11 de marzo de 2004 (As. C-9/02), que apreciaba en estos impuestos de salida un gravamen desproporcionado y, por tanto, discriminatorio, pero abría la posibilidad de sustituir el impuesto por una mera obligación de comunicación. Pero ello no eclipsa otras críticas a la medida, como, por ejemplo, que puede conllevar una potencial doble tributación que puede recaer en el contribuyente al salir, o incluso, al regresar a España, si las

---

[101] RIBES RIBES, A., *Los impuestos de salida*, Tirant Tributario, Tirant Lo Blanch, Valencia, 2014., pag. 140.

eventuales minusvalías futuras no son tenidas en cuenta, en los términos que señalamos.

No obstante, hay que precisar que se trata de una medida inspirada exclusivamente por un afán recaudatorio, ya que no puede considerarse una medida anti-elusiva, pues no tiene en cuenta, ni las circunstancias de la salida del país, ni las características fiscales del país de destino.

La Ley 27/2014 también se refiere a esta medida en varios preceptos (artículos 77.1, 80.4 y 81.3) con la finalidad de adaptar el *exit tax* a los cambios de residencia derivados de operaciones de reestructuración. Así, el artículo 80 de la Ley 27/2014 viene a aplicar un criterio similar al establecido en el artículo 19 de la Ley del Impuesto de Sociedades. En estos supuestos se aplicará también, a efectos de que la previsión legal no contravenga el Derecho de la Unión Europea, un sistema de aplazamiento con garantía en caso de que el desplazamiento que determina la pérdida de residencia en España sea a un país de la Unión o del Espacio Económico Europea con el que exista un acuerdo de intercambio de información. Se regulan también los mecanismos de recuperación del *exit tax*, mediante la correspondiente devolución, si se recupera la residencia fiscal en España sin haber transmitido las acciones o participaciones.

En tal sentido, el artículo 70,1 de la Ley del Impuesto dispone, con la finalidad de ajustar la exigencia de esta tributación por cambio de residencia al Derecho de la Unión, que el pago de la deuda tributaria resultante de la aplicación de lo dispuesto en el párrafo anterior, en el supuesto de elementos patrimoniales transferidos a un Estado miembro de la Unión Europea, o del Espacio Económico Europeo con el que exista un efectivo intercambio de información tributaria...será aplazado por la Administración tributaria a solicitud del contribuyente hasta la fecha de la transmisión a terceros de los elementos patrimoniales afectados...". A diferencia de lo que recogían los artículo 87,4 y 88,3 del derogado Texto Refundido de la Ley del Impuesto sobre Sociedades, según los cuales el pago de esta parte de la deuda "*podrá aplazarse, ingresándose conjuntamente con la declaración correspondiente al período impositivo en que se transmitan los valores*" (momento en que los socios que no pierden la cualidad de residente en territorio español deben integrar en su base imponible esa renta), "*a condición de que el sujeto pasivo garantice el pago de aquélla*", la redacción actual no hace referencia a tal garantía. Esto es; el derogado Texto Refundido disponía el aplazamiento previa prestación de garantía, lo cual podía resultar incompatible con el Derecho de la Unión Europea.

La aplicación de una regla de aplazamiento en lugar de la tributación efectiva del gravamen podría servir para salvar la incompatibilidad con el Derecho de la Unión Europea, desde la perspectiva de la sentencia *Hughes de Lasteyrie du Saillant* de 11 de marzo de 2004 (As. C-9/02) y del Comunicado de Prensa de la Comisión de 8 de octubre de 2009, IP/09/1460[102]. Pero el aplazamiento debe ser, en todo caso, una medida incondicional y no estar supeditado a la aportación de garantía.

10. NO INTEGRACIÓN EN LA BASE IMPONIBLE DE LA REVERSIÓN DE GASTOS QUE NO HAYAN SIDO FISCALMENTE DEDUCIBLES

Entre otras cosas, la Ley 27/2014 incluye en el artículo 11, 5 una previsión relativa a la no integración en la base imponible del Impuesto de Sociedades de la reversión de gastos que no hayan sido fiscalmente deducibles. La redacción del artículo 11 dice que las rentas negativas generadas en la transmisión de elementos del inmovilizado material, inversiones inmobiliarias, inmovilizado intangible y valores representativos de deuda, a una entidad del mismo grupo, con independencia de la residencia y de la obligación de consolidar, se imputarán en el período impositivo en que dichos elementos patrimoniales sean dados de baja del balance, transmitidos a terceros ajenos al grupo o cuando transmitente y adquirente dejen de formar parte del mismo grupo.

Esta previsión afecta a las rentas negativas generadas en la transmisión de valores representativos de la participación en el capital social o en los fondos propios de entidades, a una entidad del mismo grupo, con independencia de la residencia y de la obligación de consolidar. Las rentas se imputarán en el período impositivo en que dichos elementos patrimoniales sean dados de baja del balance, transmitidos a terceros ajenos al grupo, o cuando transmitente y adquirente dejen de formar parte del mismo grupo, minoradas en el importe de las rentas positivas obtenidas por la transmisión a terceros.

Así ocurrirá en el supuesto de transmisión de participaciones en UTES, o formas análogas de colaboración situadas en el extranjero. No se aplica esta previsión si la entidad transmitida se extingue, salvo que la transmisión sea consecuencia de una operación de reestructuración acogida al régimen especial de la Ley del Impuesto.

---

[102]   Para la Comisión, el hecho de integrar en la base imponible del Impuesto sobre Sociedades las plusvalías no realizadas en caso de traslado de domicilio a la Unión Europea, en tanto que las plusvalías no realizadas correspondientes a operaciones de ámbito estrictamente nacional no se incluyen en la base imponible, "...*penaliza a las sociedades que desean abandonar [...] España o transferir sus activos al exterior, pues supone aplicarles un trato menos favorable que a las sociedades que permanecen en el país o que transfieren sus activos dentro del territorio nacional*", de tal forma que las disposiciones controvertidas pueden «*disuadir a las sociedades de ejercer su derecho de libre establecimiento*". No ocurre lo mismo sí hay aplazamiento, pero si el aplazamiento no se aplica porque no se puede garantizar se estaría también vulnerando la libertad de establecimiento.

11. OPERACIONES DE REESTRUCTURACIÓN Y LEGISLACIÓN CONCURSAL

A estos efectos conviene tener en cuenta lo establecido en la Ley Concursal 22/2003, de 9 de julio en su artículo 100, 3, redactado por el número 8 del apartado uno del artículo único de la Ley 9/2015, de 25 de mayo, de medidas urgentes en materia concursal («B.O.E.» 26 mayo).Vigencia: 27 mayo 2015

> *En ningún caso la propuesta podrá consistir en la liquidación global del patrimonio del concursado para satisfacción de sus deudas, ni en la alteración de la clasificación de créditos establecida por la Ley, ni de la cuantía de los mismos fijada en el procedimiento, sin perjuicio de las quitas que pudieran acordarse y de la posibilidad de fusión, escisión o cesión global de activo y pasivo de la persona jurídica concursada.*

> *Sólo podrá incluirse la cesión en pago de bienes o derechos a los acreedores siempre que los bienes o derechos cedidos no resulten necesarios para la continuación de la actividad profesional o empresarial y que su valor razonable, calculado conforme a lo dispuesto en el artículo 94, sea igual o inferior al crédito que se extingue. Si fuese superior, la diferencia se deberá integrar en la masa activa. Si se tratase de bienes afectos a garantía, será de aplicación lo dispuesto por el artículo 155.4.*

> *En ningún caso se impondrá la cesión en pago a los acreedores públicos.*

Ya hemos dicho que, a pesar de que la legislación fiscal puede tener sus propias definiciones de las operaciones que pueden acogerse al régimen especial, las mismas tendrán como base las operaciones definidas en la legislación mercantil, y, singularmente, en la Ley 3/2009, de 3 de abril, sobre modificaciones estructurales. La cuestión a dilucidar es qué ocurre cuándo estas operaciones se llevan a cabo en el marco de un concurso de acreedores.

Recordemos que la finalidad de la Ley Concursal 22/2003, de 9 de julio, no es otra que la conservación del patrimonio empresarial, y la reflotación y continuidad de la empresa, concibiendo la desaparición de la misma como algo absolutamente excepcional. No es de extrañar, por tanto, que siendo las operaciones de reestructuración una vía para reorganizar y racionalizar las empresas de cara a garantizar su continuidad, puedan acudir a ellas entidades en concurso.

Así, con relativa frecuencia, las empresas en concurso acuden a las operaciones de reestructuración a las que cabe aplicar el régimen especial como vía para intentar superar las situaciones de insolvencia o bien como elemento definidor de un convenio con los acreedores o como instrumento para concluir el concurso. No obstante, ante el silencio de la Ley Concursal resultarían aplicables las previsiones de la Ley de Modificaciones Estructurales. Sin embargo, y a pesar de ese señalado silencio de la Ley Concursal, habría que entender que la operación de reestructuración debería ser tutelada por el juez del concurso y contar con el conocimiento de la administración concursal. Por ejemplo, la administración podría oponerse a aquellas operaciones que supusieran la disolución de la sociedad, en tanto la disolución puede llevar a una liquidación global, que no puede ser objeto de convenio, según el artículo 100, 3 de la Ley Concursal, aunque este mismo precepto sí permite la posibilidad de incluir en el convenio la posibilidad de fusión o escisión de la persona jurídica concursada.

Por el contrario, en tanto el procedimiento concursal se articula como un instrumento para la satisfacción de los acreedores, y el artículo 100, 2 de la Ley Concursal dispone que puedan incluirse en la propuesta de convenio proposiciones de enajenación, bien del conjunto de bienes y derechos del concursado afectos a su actividad empresarial o profesional o a determinadas unidades productivas, a favor de una persona natural o jurídica determinada, nada impide que dicha *enajenación* tenga lugar a través de una operación de reestructuración, por ejemplo, una escisión parcial. El único requisito es que estas proposiciones incluyan la asunción por el adquirente de la continuidad de la actividad empresarial o profesional propia de las unidades productivas a las que afecte y del pago de los créditos de los acreedores, en los términos expresados en la propuesta de convenio.

Admitido esto, surgen diversos problemas, como por ejemplo si el deudor puede incluir en su propuesta de convenio el anuncio de una modificación estructural, comprometiéndose a cumplir con los términos y plazos de dicha ley durante el tiempo que discurra entre la presentación de la propuesta hasta su definitiva aprobación, o sí, por el contrario, el juez sólo podrá aceptar convenios que propongan modificaciones estructurales cuando las mismas hayan sido ya aprobadas conforme a la Ley de Modificaciones Estructurales. A nuestro juicio, cualquier modificación estructural debe acomodarse a lo previsto en la Ley 3/2009, de 3 de abril, y ni siquiera la inclusión de la misma en la propuesta de convenio exime del cumplimiento de los requisitos de la ley de modificaciones estructurales.

Por último, se plantea el problema de qué ocurre cuando se plantea una modificación estructural, en plena tramitación de un convenio o vigente un convenio aprobado y pendiente de cumplimiento. De las pocas disposiciones que la Ley de Modificaciones Estructurales dedican a esta cuestión (y que se limitan a exigir la aprobación del proyecto de fusión por las juntas de socios y fijar en el artículo 44 el plazo de un mes para que los acreedores impugnen tal acuerdo), y aunque la Ley Concursal no se pronuncie al respecto, cabe deducir que, en el caso de un convenio en tramitación, el juez, en interés del concurso, puede suspender su tramitación hasta que se haya aprobado definitivamente el proceso de absorción o segregación parcial.

En el caso de que el convenio esté vigente y pendiente de cumplimiento, si la sociedad ha iniciado una modificación estructural fuera del ámbito del convenio –no prevista en el mismo– no parece que deba fijarse ninguna restricción incluso en los supuestos en los que la modificación haya de suponer la extinción o liquidación de la sociedad inicialmente declarada en concurso. Y ello porque cualquier otra conclusión supondría desconocer las medidas específicas de tutela de los acreedores previstas en la Ley de Modificaciones Estructurales. Todo lo más habría que estar a la sentencia de aprobación del convenio, ya que la misma podría incluir prohibiciones específicas de que la sociedad concursada lleve a cabo modificaciones estructurales que supusieran la extinción de la sociedad.

Si la sentencia no contempla esta posibilidad, deberían aceptarse, vigente el concurso, las modificaciones estructurales, incluso las que determinen la extinción de la personalidad del deudor concursado. Estas modificaciones pasarían a ser un modo anormal, pero legal, de conclusión del concurso.

12. RÉGIMEN FISCAL ESPECIAL APLICABLE A LAS OPERACIONES DE REESTRUCTURACIÓN Y RESOLUCIÓN DE ENTIDADES DE CRÉDITO

También aquí hay que tener en cuenta alguna legislación específica que incide sobre nuestro objeto de estudio.

Ley 8/2012, de 30 de octubre, sobre saneamiento y venta de los activos inmobiliarios del sector financiero.

RÉGIMEN FISCAL DE LAS OPERACIONES DE APORTACIÓN DE ACTIVOS A SOCIEDADES PARA LA GESTIÓN DE ACTIVOS

Artículo 8. Régimen fiscal.

1. El régimen fiscal establecido en el Capítulo VIII del Título VII del Texto Refundido de la Ley del Impuesto sobre Sociedades, aprobado por el Real Decreto Legislativo 4/2004, de 5 de marzo, para las operaciones mencionadas en el artículo 83 de dicha Ley, incluidos sus efectos en los demás tributos, se aplicará a las transmisiones de activos y pasivos que se realicen en cumplimiento de lo dispuesto en el artículo 3 de esta Ley, aun cuando no se correspondan con las operaciones mencionadas en el artículo 83 y 94 de la Ley del Impuesto sobre Sociedades.

2. No será de aplicación la excepción a la exención prevista en el apartado 2 del artículo 108 de la Ley 24/1988, de 28 de julio, del Mercado de Valores, a las transmisiones posteriores de las participaciones recibidas como consecuencia de la aportación de activos a las sociedades para la gestión de activos previstas en el artículo 3 de esta Ley y de las participaciones de entidades de crédito afectadas por planes de integración aprobados en el marco de la normativa de reestructuración bancaria y reforzamiento de los recursos propios de las entidades de crédito.

3. Las entidades de crédito que realicen las operaciones mencionadas anteriormente, podrán instar al Banco de España que solicite informe a la Dirección General de Tributos del Ministerio de Hacienda y Administraciones Públicas, sobre las consecuencias tributarias que se deriven de las operaciones a que se refiere el apartado 1 de este artículo.

El informe se emitirá en el plazo máximo de un mes, y tendrá efectos vinculantes para los órganos y entidades de la Administración tributaria encargados de la aplicación de los tributos.

Disposición adicional decimoséptima de la Ley 9/2012, de 14 de noviembre, de reestructuración y resolución de entidades de crédito.

RÉGIMEN FISCAL DE LOS FONDOS DE ACTIVOS BANCARIOS Y DE SUS PARTÍCIPES

1. Los Fondos de Activos Bancarios a que se refiere la Disposición adicional décima de esta Ley tributarán, en el Impuesto sobre Sociedades, al tipo de gravamen del 1 por ciento y les resultará de aplicación el régimen fiscal previsto para las Instituciones de Inversión Colectiva en el capítulo V del título VII del texto refundido de la Ley del Impuesto Sobre Sociedades, aprobado por el Real Decreto Legislativo 4/2004, de 5 de marzo.

2. Los partícipes de los Fondos de Activos Bancarios tendrán el siguiente tratamiento fiscal:

a) Cuando se trate de partícipes que sean sujetos pasivos del Impuesto sobre Sociedades, del Impuesto sobre la Renta de no Residentes que obtengan sus rentas mediante establecimiento permanente en territorio español, o contribuyentes del Impuesto sobre la Renta de las Personas Físicas les resultará de aplicación el régimen fiscal previsto para los socios o partícipes de las Instituciones de Inversión Colectiva, reguladas en la Ley 35/2003, de 4 de noviembre, de Instituciones de Inversión Colectiva.

No obstante, tratándose de contribuyentes del Impuesto sobre la Renta de las Personas Físicas no resultará de aplicación lo dispuesto en el segundo párrafo de la letra a) del apartado 1 del artículo 94 de la Ley 35/2006, de 28 de noviembre, del Impuesto sobre la Renta de las Personas Físicas y de modificación parcial de las leyes de los impuestos sobre Sociedades, sobre la Renta de no Residentes y sobre el Patrimonio.

b) Cuando se trate de contribuyentes del Impuesto sobre la Renta de no Residentes sin establecimiento permanente, las rentas obtenidas estarán exentas de dicho impuesto en los mismos términos estableci-

dos para los rendimientos derivados de la deuda pública en el artículo 14 del texto refundido de la Ley del Impuesto sobre la Renta de no Residentes, aprobado por el Real Decreto Legislativo 5/2004, de 5 de marzo.

3. El régimen fiscal previsto en los apartados anteriores resultará de aplicación durante el período de tiempo de mantenimiento de la exposición del Fondo de Reestructuración Ordenada Bancaria a estos Fondos, previsto en el apartado 10 de la Disposición adicional décima de esta Ley.

4. Una vez transcurrido el período de tiempo a que se refiere el apartado anterior, los Fondos de Activos Bancarios tributarán al tipo general del Impuesto sobre Sociedades.

El transcurso del referido plazo determinará la conclusión del período impositivo de los Fondos de Activos Bancarios, en los términos establecidos en la letra d) del apartado 2 del artículo 26 del texto refundido de la Ley del Impuesto sobre Sociedades, aprobado por el Real Decreto Legislativo 4/2004, de 5 de marzo.

5. Las rentas que se generen en los partícipes de los Fondos de Activos Bancarios con posterioridad al período de tiempo a que se refiere el apartado 3 de esta disposición que procedan de períodos impositivos durante los cuales aquellos hayan estado sujetos al tipo de gravamen previsto en el apartado 1 anterior, aplicarán el régimen fiscal previsto en el apartado 2 de esta disposición.

DISPOSICIÓN ADICIONAL VIGÉSIMO PRIMERA DE LA LEY 9/2012, DE 14 DE NOVIEMBRE, DE REESTRUCTURACIÓN Y RESOLUCIÓN DE ENTIDADES DE CRÉDITO

RÉGIMEN FISCAL DE LA SOCIEDAD DE GESTIÓN DE ACTIVOS PROCEDENTES DE LA REESTRUCTURACIÓN BANCARIA

1. A efectos de lo previsto en el artículo 20 del texto refundido de la Ley del Impuesto sobre Sociedades, aprobado por el Real Decreto Legislativo 4/2004, de 5 de marzo, la Sociedad de Gestión de Activos Procedentes de la Reestructuración Bancaria tendrá la consideración de entidad de crédito.

La misma consideración tendrá la Sociedad, a efectos de los intereses y comisiones de préstamos que constituyan ingreso y que se le hayan transferido, de acuerdo con lo establecido en el artículo 48 del Real Decreto 1559/2012, de 15 de noviembre, por el que se establece el régimen jurídico de las sociedades de gestión de activos.

2. Estarán exentas de la cuota gradual de documentos notariales de la modalidad de actos jurídicos documentados del Impuesto sobre Transmisiones Patrimoniales y Actos Jurídicos Documentados, la constitución de garantías para la financiación de las adquisiciones de bienes inmuebles a la Sociedad de Gestión de Activos Procedentes de la Reestructuración Bancaria, a entidades participadas directa o indirectamente por dicha Sociedad en al menos el 50 por ciento del capital, fondos propios, resultados o derechos de voto de la entidad participada en el momento inmediatamente anterior a la transmisión o como consecuencia de la misma o a los Fondos de Activos Bancarios, mientras se mantenga la exposición a dichas entidades por parte del Fondo de Reestructuración Ordenada Bancaria.

Asimismo, se aplicarán los beneficios fiscales establecidos en la Ley 2/1994, de 30 de marzo, sobre subrogación y modificación de préstamos hipotecarios, a las novaciones modificativas de los préstamos pactados de común acuerdo entre el acreedor y el deudor, cuando la condición de acreedor recaiga en la Sociedad de Gestión de Activos Procedentes de la Reestructuración Bancaria, en las entidades participadas directa o indirectamente por dicha Sociedad en al menos el 50 por ciento del capital, fondos propios, resultados o derechos de voto de la entidad participada, o en los Fondos de Activos Bancarios, y se cumplan los restantes requisitos y condiciones establecidos en la citada Ley.

3. Las aportaciones o transmisiones de inmuebles que realice la Sociedad de Gestión de Activos Procedentes de la Reestructuración Bancaria regulada en la disposición adicional séptima de la Ley 9/2012, de 14 de noviembre, de reestructuración y resolución de entidades de crédito, no se tendrán en cuenta para el cálculo de la cuota de los epígrafes 833.1 y 833.2 de la sección primera de las Tarifas del Impuesto sobre Actividades Económicas, aprobadas por el Real Decreto Legislativo 1175/1990, de 28 de septiembre.

Se mantiene finalmente, una previsión específica para las operaciones de reestructuración y resolución de entidades de crédito.

Así, se declara la vigencia del artículo 8 y la disposición transitoria segunda de la Ley 8/2012, de 30 de octubre, sobre saneamiento y venta de los activos inmobiliarios del sector financiero, así como de las disposiciones adicionales 17 y 21 de la Ley 9/2012, de 14 de noviembre, de reestructuración y resolución de entidades de crédito. Recordemos que se trata de una norma especial que pretende atribuir neutralidad fiscal a las operaciones de aportación de activos bancarios a sociedades para la gestión de activos, y regula el régimen fiscal de la SAREB y de los Fondos de Activos Bancarios.

Por su parte, la Disposición Adicional Decimoctava, recoge el régimen fiscal especial aplicable a las operaciones de reestructuración y resolución de entidades de crédito. En esta Disposición Adicional se dice que el régimen especial para las operaciones de reestructuración será de aplicación a las transmisiones del negocio o de activos o pasivos realizadas por entidades de crédito a favor de otra entidad de crédito.

Las entidades de crédito que participen en tales operaciones podrán instar al Banco de España o al Fondo de Reestructuración Ordenada Bancaria, que solicite informe a la Dirección General de Tributos del Ministerio de Hacienda y Administraciones Públicas, sobre las consecuencias tributarias que se deriven de las mismas. Dicho informe habrá de emitirse en el plazo máximo de un mes.

Artículo 90
Entidades mineras: libertad de amortización

José Miguel Soriano Bel
Inspector de Hacienda del Estado

> *"1. Las entidades que desarrollen actividades de exploración, investigación y explotación o beneficio de yacimientos minerales y demás recursos geológicos clasificados en la Sección C), apartado uno, del artículo tercero de la Ley 22/1973, de 21 de julio, de Minas, y en la Sección D) creada por la Ley 54/1980, de 5 de noviembre, de modificación de la Ley de Minas, con especial atención a los recursos minerales energéticos, así como de los que reglamentariamente se determinen con carácter general entre los incluidos en las Secciones A) y B) del artículo citado, podrán gozar, en relación con sus inversiones en activos mineros y con las cantidades abonadas en concepto de canon de superficie, de libertad de amortización durante 10 años contados a partir del comienzo del primer período impositivo en cuya base imponible se integre el resultado de la explotación.*
>
> *2. No se considerará entre las actividades mencionadas en el apartado anterior la mera prestación de servicios para la realización o desarrollo de las citadas actividades".*

SUMARIO: 1. INTRODUCCIÓN. 2. LA LIBERTAD DE AMORTIZACIÓN. 2.1. Ideas previas. A) La forma de aplicar la libertad de amortización. el ajuste extracontable. aspectos contables. B) La libertad de amortización como un instrumento de desaceleración de la amortización de un bien de inmovilizado. C) La aplicación de la libertad de amortización como el ejercicio de un derecho dentro de un plazo o como el ejercicio de una opción. 2.2. Ámbito de aplicación.

1. INTRODUCCIÓN

La Ley 27/2014 dedica dentro del Título VII, relativo a los regímenes especiales, el Capítulo VIII al régimen especial de la minería, concretamente los artículos 90 a 94. Dicho régimen apenas difiere del regulado en el TRLIS, aprobado por el Real Decreto Legislativo 4/2004, y de la Ley 43/1995 del Impuesto sobre Sociedades. Se trata de un régimen especial que es de aplicación a un determinado sector industrial caracterizado por las siguientes circunstancias peculiares:

- Las especiales características de los bienes objeto de la actividad minera, los recursos minerales, que son limitados y se agotan como consecuencia de su explotación, lo que comporta, a su vez, la pérdida por inutilidad de los activos inmateriales (gastos geológicos, de prospección e investigación de dicho yacimiento, que se activaron, así como la propia concesión administrativa) y de los materiales (inversiones necesarias para la explotación, como pozos, galerías, rampas, maquinas, medios de transporte, e incluso de las instalaciones, de clasificación, preparación y beneficio de los minerales obtenidos), siendo necesaria la búsqueda de nuevos recursos, para evitar el cese de la actividad.

- Los elevados costes que comporta el ejercicio de la actividad minera, dada la rigidez de la ubicación de la explotación, absolutamente dependiente de la del yacimiento y normalmente de difícil acceso o localización, los altos costes de personal, habida cuenta de los elevados riesgos de la actividad, así como de los costes de desplazamiento y los altos costes de inversión en inmovilizado, así como del reacondicionamiento obligatorio de terrenos al concluir la explotación.

- El mayor riesgo que implica el periodo de maduración del capital invertido dada la frecuente incertidumbre del volumen de reservas de los yacimientos.

- La importancia estratégica de ciertos minerales, que exige su búsqueda y explotación por necesidades de la economía nacional.

Dadas estas circunstancias, la existencia de un régimen especial se justifica por la necesidad de favorecer y estimular la inversión y la actividad minera, tanto mediante la puesta en explotación de nuevos yacimientos como la sustitución de los criaderos agotados, y compensar, en definitiva, los elevados costes que trae consigo el ejercicio de esta actividad.

A tal fin, la Ley 27/2014, al igual que las leyes que la precedieron, desde la Ley 6/1977, de 4 de enero, de Fomento en la Minería, y el Real Decreto 1167/1978, de 2 de mayo, que desarrolló sus aspectos fiscales, recoge las dos medidas tributarias o los dos beneficios fiscales, a efectos del Impuesto sobre Sociedades, que pueden aplicar las empresas mineras y que constituyen el contenido básico de este régimen especial:

- La libertad de amortización de las inversiones en activos mineros y de las cantidades abonadas en concepto de canon de superficie.

- La reducción de la base imponible en las cantidades destinadas al "factor agotamiento".

2. LA LIBERTAD DE AMORTIZACIÓN

2.1. Ideas previas

No encontramos definición más precisa de la amortización, desde el punto de vista económico y contable, que la suministrada por el Plan General de

Contabilidad: la amortización no es más que la expresión de la depreciación sistemática anual efectiva sufrida por el inmovilizado, material e inmaterial, por su aplicación al proceso productivo.

Desde el punto de vista fiscal, la amortización será aquella depreciación del inmovilizado que se considera gasto deducible, lo que exige que la pérdida de valor sea efectiva, se encuentre contabilizada y se refiera a un periodo impositivo.

El artículo 12.1 de la LIS recoge esta idea al decir que serán deducibles las cantidades que, en concepto de amortización del inmovilizado material, intangible y de las inversiones inmobiliarias, correspondan a la depreciación efectiva que sufran los distintos elementos por su funcionamiento, uso, disfrute u obsolescencia.

Pues bien, la libertad de amortización se configura como un beneficio fiscal que permite deducir como gasto, no la amortización correspondiente a la depreciación efectiva de un bien de inmovilizado, sino una cantidad libremente decidida por el contribuyente y al margen de la amortización registrada contablemente en cada ejercicio.

A) La forma de aplicar la libertad de amortización. el ajuste extracontable. aspectos contables

La aplicación de la libertad de amortización debe hacerse mediante ajuste extracontable, pues no afecta a la amortización por depreciación efectiva contabilizada. Por ello, si la contabilidad refleja en cada ejercicio la depreciación efectiva producida en el inmovilizado según el método de amortización elegido, cuando el contribuyente pretenda aplicar la libertad de amortización y, por tanto, deducirse una cantidad superior a la amortización contabilizada, deberá efectuar los correspondientes ajustes extracontables al presentar la declaración del impuesto.

A este respecto, la norma 13ª de registro y valoración del PGC de 2007 incluye entre las diferencias temporarias (las derivadas de la diferente valoración, contable y fiscal, atribuida a los activos, pasivos y determinados instrumentos de patrimonio propio de la empresa, en la medida en que tengan incidencia en la carga fiscal futura) las diferencias temporales entre la base imponible y el resultado contable antes de impuestos, cuyo origen se encuentra en los diferentes criterios temporales de imputación empleados para determinar ambas magnitudes y que, por tanto, revierten en períodos subsiguientes, como ocurre con las diferencias entre la amortización contable y la amortización fiscal, consecuencia de aplicar la libertad de amortización.

La norma de valoración 13ª clasifica las diferencias temporarias en diferencias temporarias imponibles y diferencias temporarias deducibles. Las diferencias temporarias imponibles son aquellas que darán lugar a mayores cantidades a pagar o menores cantidades a devolver por impuestos en ejercicios futuros, normalmente a medida que se recuperen los activos o se liquiden los pasivos de los que se derivan.

Así, la aplicación de la libertad de amortización dará lugar a una diferencia temporaria imponible en el ejercicio en que se contabilice la amortización en función de la depreciación efectiva del inmovilizado y se aplique la libertad de amortización. En los ejercicios posteriores, cuando se siga contabilizando de acuerdo con la depreciación efectiva, se contabilizará la reversión de la diferencia temporaria imponible.

A su vez, la norma de valoración 13ª del PGC 2007 distingue entre los impuestos sobre el beneficio, como aquellos impuestos directos, ya sean nacionales o extranjeros, que se liquidan a partir de un resultado empresarial calculado de acuerdo con las normas fiscales que sean de aplicación, y el impuesto corriente, que es la cantidad que satisface la empresa como consecuencia de las liquidaciones fiscales del impuesto o impuestos sobre el beneficio relativas a un ejercicio.

La aplicación de la libertad de amortización dará lugar a un menor importe del impuesto corriente.

Pues bien, partiendo de los conceptos expuestos, el PGC 2007 entiende que no sólo deben registrarse las diferencias temporarias, imponibles o deducibles, sino también el efecto impositivo derivado de las indicadas diferencias, a fin de que la contabilidad suministre la información necesaria para conocer el impuesto pendiente de pago en ejercicios futuros o el impuesto pagado por anticipado.

Ahora bien, en el PGC 2007 los impuestos diferidos y los impuestos anticipados pasan a denominarse, respectivamente, pasivos y activos por impuesto diferido, con la finalidad de adecuar la norma española a la terminología empleada por las normas internacionales adoptadas en Europa. Así, habrá que reconocer un pasivo por impuesto diferido por todas las diferencias temporarias imponibles, salvo en determinadas situaciones.

La cuenta en la que debe figurar, en el pasivo no corriente del balance, el importe íntegro de los pasivos por impuesto diferido será la 479. Pasivos por diferencias temporarias imponibles. Dicha cuenta se abonará por el importe de los pasivos por diferencias temporarias imponibles originados en el ejercicio, o por el aumento de los mismos, con cargo, generalmente, a la cuenta 6301 o a la 633.

Y se cargará por las reducciones de los pasivos por diferencias temporarias imponibles, o cuando se cancelen los pasivos, con abono, generalmente, a la cuenta 638 o a la 6301.

El PGC de 1990 contenía también la cuenta 479. Impuesto sobre beneficios diferido, que venía a recoger el exceso del Impuesto sobre Sociedades devengado como gasto contable (cta. 630, Impuesto sobre el beneficio) sobre el Impuesto sobre Sociedades a pagar a la Hacienda Pública (cta. 4752, HP acreedora por Impuesto sobre Sociedades). Dicha diferencia o exceso se originaba a consecuencia de la existencia de gastos fiscales superiores a los contables, por la posibilidad de aplicar, por ejemplo, el régimen de la libertad de amortización de determinados activos, de modo que el impuesto a pagar es inferior al impuesto que debe contabilizarse como gasto, diferencia que resulta de realizar en la declaración ajustes fiscales negativos. Dicha cuenta informaba, por tanto, del efecto impositivo de los ajustes fiscales negativos realizados (igual al resultado de aplicar el tipo de gravamen sobre los ajustes negativos). Dado que en un ejercicio posterior debe producirse la reversión de los ajustes negativos, cuando el gasto contable supera al gasto fiscal, resulta obligado realizar ajustes extracontables positivos.

Finalmente, respecto de los activos por impuesto diferido, para el PGC 2007, de acuerdo con el principio de prudencia, sólo se reconocerán activos por impuesto diferido en la medida en que resulte probable que la empresa disponga de ganancias fiscales futuras que permitan la aplicación de estos activos. Siempre que se cumpla la condición anterior, se reconocerá un activo por impuesto diferido, entre otros supuestos, por las ventajas fiscales no utilizadas, que queden pendientes de aplicar fiscalmente, como sería el caso de una libertad de amortización todavía no aplicada.

B) La libertad de amortización como un instrumento de desaceleración de la amortización de un bien de inmovilizado

Por lo general, la libertad de amortización ha sido un concepto estrechamente ligado al de beneficio fiscal basado en el diferimiento o aplazamiento del pago del impuesto, pues permite anticipar el gasto de inversión de un bien de inmovilizado. En esta línea de pensamiento, la sentencia del Tribunal Supremo de 22 de mayo de 2004 considera que la libertad de amortización es una medida fiscal de fomento de las inversiones, por la cual la Hacienda Pública facilita un crédito, sin interés, cifrado en un porcentaje de la inversión realizada y a devolver en unos plazos establecidos. Considera dicha sentencia que la libertad de amortización supone la existencia de un beneficio que permite anticipar, pero solo a efectos fiscales, la amortización del elemento patrimonial afectado.

Igualmente, la sentencia del Tribunal Supremo de 23 de abril de 2012 (STS 2724/2012) considera que esta medida fiscal no altera ni debe alterar el proceso normal de la amortización contable, conforme a la depreciación efectiva de los activos, pues en el puro terreno fiscal implica la disminución de la base imponible del Impuesto sobre Sociedades, debido a la deducción como gasto fiscal.

Ello no obstante, la libertad de amortización también podría ser entendida como un simple instrumento de política fiscal de la empresa, de modo que no necesariamente deba tender a la anticipación del gasto, si el contribuyente decide, de acuerdo con su situación tributaria y libertad de criterio, retrasar la deducción del gasto por amortización, esto es, deducir una cantidad inferior a la contabilizada como amortización o, incluso, no deducir fiscalmente cantidad alguna.

Pensemos en aquellos ejercicios en que anticipar la deducción del gasto resulta estéril por existir bases imponibles negativas, mientras que, a la vista de resultados positivos futuros, resulte más conveniente, desde el punto de vista fiscal, retrasar la deducción del gasto.

No es este el criterio mantenido por la DGT, entre otras, en las contestaciones V1301/12 de 15 junio y V2016/12, de 19 de octubre de 2012. Para la DGT, *"la aplicación del beneficio fiscal de la libertad de amortización en el Impuesto sobre Sociedades implica para el sujeto pasivo la posibilidad de efectuar un ajuste negativo sobre el resultado contable por la diferencia entre la amortización contable del elemento acogido al incentivo en cuestión y el gasto fiscal derivado de la aplicación del mismo, aun cuando su aplicación dé lugar a una base imponible negativa"*.

De este criterio extrae la Administración varias conclusiones:

- La libertad de amortización se encuentra limitada por la vida útil de los elementos patrimoniales objeto de inversión. Esto significa, a nuestro entender, que se podrá amortizar libremente dentro del periodo de vida útil, de modo que no es posible amortizar libremente un bien de inversión más allá de dicho periodo de vida útil.

- Dado que la amortización contable refleja la depreciación sistemática y racional de un bien en base a su funcionamiento, uso y disfrute, y que no existe precepto alguno que permita optar por no aplicar en la base imponible la deducción de las amortizaciones contabilizadas, siempre que éstas se hayan ajustado a los requisitos legales, a la hora de aplicar la libertad de amortización, se tendrá en cuenta siempre la amortización contabilizada, y ajustada a lo establecido en la LIS, como amortización fiscal mínima.

- Por el contrario, en el supuesto de que se optase por considerar que la amortización contabilizada, que se corresponde con la deprecación efectiva, es susceptible de ser imputada a la base imponible de períodos impositivos posteriores, mediante el correspondiente ajuste extracontable positivo, ello daría lugar a un resultado contrario al perseguido por el legislador.

Puede pensarse que este criterio se sustenta en lo dispuesto en el artículo 4.1 del RIS, precepto que constituye una especificación de lo dispuesto en el artículo 11.3.1° de la LIS, en el que se recoge una excepción al principio de inscripción contable aplicable a los elementos patrimoniales que puedan amortizarse libremente y que permite que la amortización contabilizada en un ejercicio posterior al que correspondería, según el sistema de amortización empleado por el sujeto pasivo, sea deducible en el ejercicio de su contabilización, salvo que ello determine una tributación inferior a la que hubiera correspondido si el gasto se hubiera imputado al período impositivo en el que se haya devengado.

El artículo 4.1 de la LIS limita, no obstante, el importe de la deducción de la dotación contabilizada, al decir que, cuando se hubiere amortizado un bien contablemente en algún periodo impositivo por un importe inferior a la amortización mínima, los excesos de amortizaciones contabilizadas en posteriores periodos sobre la amortización máxima se entenderán que corresponden al periodo citado en primer lugar hasta el importe de la amortización mínima. Ello significa que en los periodos posteriores, donde se contabilizaron los excesos de amortización, no será fiscalmente deducible nada más que el importe correspondiente a la amortización mínima.

Así, por ejemplo, en el caso de una amortización no practicada en el año 1, que no fue deducible en la medida en que no se contabilizó, deviene en deducible, por aplicación de lo previsto en los artículos 11.3 y 4.1 de la LIS, en el año de su contabilización (año 2). En dicho año 2 el importe de la amortización que resulte de la aplicación del coeficiente de amortización lineal máximo previsto en las tablas aprobadas oficialmente será gasto computable en dicho período impositivo y constituirá el importe máximo deducible en concepto de amortización. El exceso de amortización contabilizada en dicho año respecto de esta cuantía, practicada por el sujeto pasivo con el objeto de recoger las que no fueron practicadas en el ejercicio anterior constituirá gasto fiscalmente deducible del período impositivo en el que se practiquen contablemente (año 2) hasta el límite del coeficiente lineal derivado del período máximo de amortización según tablas (amortización mínima) (vid. DGT 14-08-2003).

C) La aplicación de la libertad de amortización como el ejercicio de un derecho dentro de un plazo o como el ejercicio de una opción

El beneficio fiscal por libertad de amortización, incluida la aplicable a los activos mineros, se realiza mediante un ajuste extracontable negativo (disminución de la base imponible a partir del resultado contable), lo que supone una quiebra al principio de inscripción contable de los gastos. Dicho ajuste extracontable negativo debe realizarse por el propio obligado tributario en la declaración del Impuesto sobre Sociedades del periodo impositivo en que pretenda aplicarla.

En consecuencia, es condición estricta y necesaria que el obligado tributario en su correspondiente declaración del Impuesto sobre Sociedades realice el ajuste negativo en aplicación de la libertad de amortización. Lo que se plantea en esta apartado es si es posible, en el caso de que no se hubiera practicado dicho ajuste negativo en la declaración del Impuesto sobre Sociedades en un determinado periodo en el que se cumplían ya los requisitos legales para gozar de dicho incentivo fiscal, pretender una aplicación posterior y directa de la libertad de amortización sin practicar ajustes extracontables, una vez realizada la comprobación inspectora, tanto para minorar los excesos de amortización no deducibles fiscalmente como para minorar los incrementos de base imponible regularizados en la actuación inspectora.

La cuestión ha sido tratada por diferentes resoluciones y sentencias, que han dado lugar a pronunciamientos dispares, incluso contradictorios.

La resolución del TEAC de 21 de febrero de 1996 se refiere a un contribuyente que en la declaración de Sociedades de 1986 no aplicó la deducción por I+D, por entender que no tenía derecho a ella (aunque cumplió todos los requisitos legales para practicar dicha deducción). No admitida la deducción por la Inspección, el TEAC consideró, por el contrario, que, *"si durante el proceso de comprobación se pone de manifiesto que el sujeto pasivo, en el ejercicio inspeccionado, podía disfrutar de un determinado beneficio fiscal que no aplica en el momento de efectuar la correspondiente declaración impositiva, por desconocimiento o por cualquier otra razón, la Inspección, una vez que verifique que concurren todos los requisitos necesarios para disfrutar de aquel beneficio, deberá tenerlo en cuenta a la hora de concretar la correspondiente deuda tributaria, ya que, de no hacerlo así, la regularización tributaria no sería completa."*

La resolución del TEAC de 19 de enero de 2001, referida a deducciones en la cuota pendientes de aplicar por la limitación fiscal (límite sobre la cuota íntegra), entiende que en la regularización a practicar se aplique la deducción pendiente de aplicar por dicho límite, aunque la deducción no aplicada en el periodo impositivo la hubiere aplicado el obligado tributario en periodos posteriores, que deberán ser, lógicamente, rectificados.

Por último, la resolución del TEAC de 20 de noviembre de 2008 estima las pretensiones del obligado tributario por entender que el motivo en el que la Inspección basó la falta de aplicación del beneficio fiscal era que *"la Inspección desconoce, por falta de aportación de pruebas, si las cantidades a las que solicita el interesado aplicar la libertad de amortización corresponden a las inversiones que generan tal beneficio fiscal"*, sin entrar a enjuiciar el resto de razones y motivaciones que la Inspección pone de manifiesto en el acta para la no aplicación de dicho beneficio fiscal, y es por ello por lo que el TEAC establece que *"...dicho desconocimiento no puede eximir al actuario de practicar las procedentes comprobaciones, de modo que se llegue a la determinación de si los activos para los que la sociedad reclama la libertad de amortización son o no aptos para ello conforme al transcrito art. 111.1 de la LIS, cosa que no ha hecho, razón por la cual hay que estimar las pretensiones actoras al respecto".*

De estas resoluciones se infiere que la regularización efectuada por la Inspección debe ser completa, lo que significa que, a tenor de la misma, deben aplicarse por parte de la Inspección todos aquellos beneficios fiscales de que gozara el contribuyente y no pudo aplicar en su momento al impedirlo las propias limitaciones establecidas en las normas fiscales y, también, cuando, por desconocimiento o por cualquier otra razón, no los aplicó. En definitiva, aunque el derecho a la libertad de amortización se ejercita al realizar el ajuste extracontable negativo en la declaración del Impuesto sobre Sociedades y por el importe de dicho ajuste negativo, ello no debe impedir que no se pueda aplicar el beneficio fiscal con posterioridad sobre la totalidad o parte de la base imponible positiva que surja de las regularizaciones a practicar por la Inspección.

Entendemos, en consecuencia, que la posibilidad de aplicar la libertad de amortización en un ejercicio u otro, o por uno u otro importe, se puede calificar como un derecho, por cuanto su aplicación depende de la voluntad del obligado tributario y no de la directa aplicación de la norma. Ahora bien, dicho derecho, nacido con el cumplimiento de determinados requisitos legales, básicamente el haber realizado una inversión en activos mineros aptos para disfrutar de la libertad de amortización, se ejercita en la propia declaración del impuesto mediante una corrección o ajuste sobre el resultado contable y por la cuantía que el obligado tributario estime por conveniente, pues no existe ninguna limitación en cuanto al importe aplicable en el ejercicio ni está supeditada a aplicarse en el momento del cumplimiento de los requisitos (por ejemplo en el periodo impositivo de la inversión....). De ello puede inferirse que, no habiéndose practicado dicho ajuste negativo en la declaración del Impuesto sobre Sociedades, no se puede pretender una aplicación directa de la libertad de amortización sin practicar ajustes extracontables, una vez realizada la comprobación inspectora, tanto para minorar los excesos de amortización no deducibles fiscalmente como para minorar los incrementos de base imponible.

Dicho criterio se sustenta en varias sentencias de la Audiencia Nacional, alguna de ellas incluso aplicable al caso específico de la libertad de amortización de activos mineros. Así, por ejemplo, la sentencia de la Audiencia Nacional de fecha 8 de octubre de 2009 (e, igualmente, la sentencia de 30 de septiembre de 2009), en la que se indica que no cabe una aplicación directa de la libertad de amortización por activos mineros, sin realizar ajustes extracontables dado que el obligado tributario no se acogió a dicho régimen el tiempo de presentar la declaración, y por lo tanto no es admisible la pretensión del obligado tributario de que los excesos de amortización contabilizados sobre los previstos en las tablas (y que no resultan deducibles) se correspondan con esta pretendida aplicación directa de la libertad de amortización en la contabilidad y, por este motivo, sin realizar ajustes extracontables. En conclusión, la aplicación de la libertad de amortización, para el caso de los activos mineros, implica que el obligado tributario realice el ajuste extracontable negativo al presentar la declaración del impuesto del periodo en el que pretende aplicarla.

Es decir, utilizando las palabras de la sentencia de la Audiencia Nacional de 8 de octubre de 2009, *"la libertad de amortización, como medida exclusivamente fiscal, opera a efectos de determinar la base imponible mediante un ajuste fiscal negativo extracontable que disminuye la base imponible por la diferencia entre la depreciación efectiva y la amortización libre, sin que tenga, por tanto, ninguna incidencia en el resultado contable"* y *"que no habiéndose acogido la entidad al beneficio fiscal de la libertad de amortización en el momento de presentar su declaración, no cabe aceptar su aplicación con posterioridad, para amparar así la deducción de los excesos de amortización registrados y puestos de manifiesto por la Inspección"*.

Ahora bien, en el supuesto contemplado por la sentencia transcrita se observa que la entidad recurrente quería amparar su voluntad de ejercitar la libertad de amortización en los excesos de amortización contabilizados, esto es, el beneficio fiscal de libertad de amortización de los activos mineros lo aplicó directamente en su contabilidad, a través de los excesos de amortización contabilizados sobre los previstos en las tablas y que se consideran no deducibles en tanto que no responden a una depreciación efectiva.

Se observa que la práctica en la correspondiente declaración del Impuesto sobre Sociedades del periodo impositivo en que se pretenda aplicar el ajuste extracontable negativo por libertad de amortización no tiene, a diferencia de los supuestos de compensación de bases imponibles negativas o de créditos tributarios pendientes de aplicación, ningún límite en la base imponible ni en la cuota, de manera que no es necesaria la existencia de base imponible previa positiva para que se pueda realizar el ajuste por libertad de amortización en activos mineros, pudiéndose aplicar aunque su base imponible consecuencia de este ajuste hubiera dado un resultado negativo. Por ello, si el obligado tributario no practicó un importe superior de ajustes extracontables negativos respecto a estos activos u otros, es porque quiso realizarlo exclusivamente por dicho importe, puesto que no existía ningún impedimento para que se practicase un ajuste negativo superior (el obligado tributario distribuye la libertad de amortización a su voluntad, mediante los ajustes extracontables negativos procedentes en la declaración del Impuesto sobre Sociedades).

Esta circunstancia permite explicar la diferencia que encontramos entre este criterio y aplicable a otros casos distintos, como, por ejemplo, la compensación de bases imponibles procedentes de ejercicios anteriores que solo puede realizarse hasta el importe de la base imponible previa positiva. Por ello, en este caso, si en las actuaciones de comprobación se produce un aumento de la base imponible declarada, sí que cabe la posibilidad de que se aplique la compensación de bases imponibles negativas de periodos anteriores en un importe superior al aplicado inicialmente por el obligado tributario. En este caso el derecho a compensar bases imponibles nació en periodos impositivos anteriores y no ha podido ser ejercitado en su totalidad por las limitaciones fiscales. Una vez que dichos limites se aumentan (la base imponible previa declarada se aumenta), procede en su caso aplicar una compensación de bases superiores a la declarada, como consecuencia de la limitación. Y lo mismo cabe decir de la existencia de créditos tributarios sobre la cuota íntegra, como, por ejemplo, la deducción por reinversión, cuyo derecho a la misma nació en periodos anteriores por haber realizado las inversiones procedentes y que no pudo ser ejercitado en su totalidad por las limitaciones fiscales (dicha deducción no puede dar lugar a una cuota líquida negativa, de modo que solo se puede deducir hasta un importe de la cuota íntegra). Una vez que dichos límites se aumentan (la cuota íntegra se aumenta), procede en su caso aplicar una deducción en la cuota superior a la declarada.

Como hemos visto, dicho criterio procedería aplicarlo en aquellos casos en que, no habiéndose efectuado ajuste extracontable negativo por aplicación de la libertad de amortización, el contribuyente pretende ampararla con un exceso de amortización contabilizado al aplicar contablemente un porcentaje superior al máximo previsto en las tablas de amortización oficialmente aprobadas, cuando ni siquiera en las memorias de la entidad se hizo mención alguna a este respecto, haciéndose constar en las mismas que: *la dotación anual por amortizaciones se ha calculado, en función de los métodos degresivo y lineal, aplicando los coeficientes en función de la vida útil y la depreciación efectiva de los mismos*. Como dice la sentencia del Tribunal Supremo de 22 de mayo de 2004, la libertad de amortización no altera ni debe alterar el proceso normal de amortización contable, el cual ha de ajustarse a la depreciación efectiva de los activos, sin que se modifique el beneficio contable del ejercicio con motivo de la misma (ved SAN Rec. nº 150/2006 de 30-09-2009 y STS Rec. nº 6572/2009 de 24-11-2011).

Ahora bien, no contradice de plano el anterior criterio el que el obligado tributario, habiendo plasmado su voluntad de aplicar la libertad de amortización en la declaración del impuesto y, por tanto, habiendo ejercitado dicho derecho, mediante una corrección sobre el resultado contable, hasta una determinada cuantía, modifique esta en fase de comprobación inspectora, para amparar, por ejemplo, un exceso de amortización contabilizada no deducible o cualquier otra circunstancia que pudiera implicar un aumento de la base imponible. En consecuencia, esta tercera línea doctrinal es acorde con la consideración del régimen de la libertad de amortización como un derecho o facultad y no como una opción irrevocable y viene a significar que, al igual que en la compensación de pérdidas o en la deducción por doble imposición intersocietaria o en la deducción por reinversión, en la libertad de amortización, una vez ejercitado el derecho a la misma en la propia declaración mediante un ajuste extracontable, puede modificarse la cuantía a aplicar en la regularización que, en su caso, se efectúe en fase de comprobación.

Finalmente, tras la publicación de la Ley 58/2003 la cuestión podría ser abordada desde otro punto de vista (lo que permitiría explicar el carácter de irrevocable del ejercicio del derecho a la libertad de amortización, que parece subyacer en el criterio sostenido por la Audiencia Nacional en las sentencias citadas), en el sentido de que el ejercicio de la libertad de amortización pueda equipararse al ejercicio de una de las opciones fiscales a que se refiere el artículo 119.3 de la LGT. No compartimos dicha posibilidad. Las opciones fiscales vienen claramente marcadas en la Ley, como la opción por el método de cálculo de la base de los pagos fraccionados o por la aplicación de determinados regímenes especiales. El ejercicio de la opción tiene carácter obligatorio, no se puede no elegir, pues, si no se ejercita, la norma establece la aplicación del régimen general. El ejercicio de la opción sí está sometido a un plazo riguroso, conforme al artículo 119.3 de la LGT, de modo que, una vez ejercitada determinada opción, ésta no podrá ser modificada. La libertad de amortización es un derecho que puede no ejercitarse y, cuando el sujeto pasivo pudo ejercitar una facultad o un derecho y no lo hizo, puede instar la rectificación de su autoliquidación en los términos del artículo 120 de la LGT en el plazo de prescripción. El artículo 97.1 del TRLIS no regula una opción en los términos del artículo 119.3 de la LGT, sino un derecho.

2.2. *Ámbito de aplicación*

1) RESPECTO DE LA ACTIVIDAD DE LA ENTIDAD MINERA

Según dispone el artículo 90.1 de la LIS, pueden acceder a este beneficio las entidades que desarrollen actividades de exploración, investigación, explotación o beneficio de yacimientos minerales y demás recursos geológicos clasificados en la Sección C), apartado uno, del artículo tercero de la Ley 22/1973, de 21 de julio, de Minas, y en la Sección D), creada por la Ley 54/1980, de 5 de noviembre, que modifica la Ley de Minas, con especial atención a los recursos minerales energéticos, así como de aquellos que reglamentariamente se determinen con carácter general entre los incluidos en las Secciones A) y B) del artículo citado.

El apartado 2 del citado artículo añade que *"no se considerará entre las actividades mencionadas en el apartado anterior la mera prestación de servicios para la realización o desarrollo de las citadas actividades"*.

El citado precepto permite hacer las siguientes consideraciones:

a) Las actividades que deben realizar las empresas mineras han de ser las de exploración, investigación, explotación o beneficio de yacimientos minerales y demás recursos geológicos clasificados en las siguientes secciones del apartado uno del artículo tercero de la Ley 22/1973, de 21 de julio, de Minas:

– Sección A), que incluye recursos geológicos de escaso valor económico y comercialización geográficamente restringida, y aquellos cuyo aprovechamiento único sea el de obtener fragmentos de tamaño y forma apropiados para su utilización directa en obras de infraestructura, construcción y otros usos que no exigen más operaciones que las de arranque, quebranto y calibrado.

– Sección B), que incluye las aguas minerales, las termales, las estructuras subterráneas y los yacimientos formados como consecuencia de operaciones reguladas en la Ley de Minas.

– Sección C, que incluye cuantos yacimientos minerales y recursos geológicos no estén incluidos en las secciones anteriores (A y B) y sean objeto de aprovechamiento conforme a dicha ley.

– Sección D, que incluye los carbones, los minerales radiactivos, los recursos geotérmicos, las rocas bituminosas y cualesquiera otros yacimientos minerales o recursos geológicos de interés energético que el Gobierno acuerde incluir en esta sección.

Fue la Ley 54/1980, de 5 de noviembre, la que modificó la clasificación de los recursos geológicos establecida en el citado artículo 3.1 de la Ley de Minas, excluyendo de la sección C) los recursos geológicos citados, que pasaron a constituir una nueva sección denominada D).

b) No se incluyen entre las actividades mencionadas la mera prestación de servicios para la realización o desarrollo de las citadas actividades.

Para la doctrina administrativa por "mera prestación de servicios" debe entenderse aquella actividad que no tiene otra finalidad económica anterior o posterior; que se agota en sí misma.

Así, por ejemplo, en una empresa cuya única actividad es la minera, hay que entender que las ambulancias, los vehículos con los que transporta y distribuye los materiales que extrae, y aquellos con los que transporta a sus empleados, necesariamente están afectos a la actividad minera y constituyen activos mineros, sin que pueda ser considerada como actividad de prestación de servicios, excluida del beneficio fiscal (ved RTEAC 29-9-1993, 27-10-1993 y 01-12-1993, y SAN 3-11-2011).

c) No es preciso que la empresa sea titular de los derechos mineros sobre la explotación, siendo suficiente ser titular de algún derecho que faculte para proceder al ejercicio de la actividad.

Así lo ha venido entendiendo la DGT en varias contestaciones a consultas (DGT 177/1998, de 10 de febrero, 477/2004, de 3 de marzo, 131/2006 de 23 de enero) en las que se indicaba que, para disfrutar de este beneficio fiscal, no es preciso cumplir ninguna otra condición, por lo que una entidad arrendataria de una cantera que se dedica a su explotación puede acogerse a los beneficios si cumple los restantes requisitos.

2) RESPECTO DE LOS BIENES AFECTOS A LA LIBERTAD DE AMORTIZACIÓN.

La amortización afecta exclusivamente a inversiones realizadas en activos mineros y a las cantidades abonadas en concepto de canon de superficie de minas.

a) En cuanto a la inversión en activos mineros, para que puedan acogerse a la libertad de amortización, deben reunir, en nuestra opinión, los siguientes requisitos:

– Que se trate de activos mineros que por su naturaleza sean amortizables.

En principio queda clara la exclusión del activo circulante, el cual, por su naturaleza, en ningún caso puede ser objeto de amortización.

Igualmente, deben excluirse de la libertad de amortización los gastos en que incurre la empresa minera que no constituyan activo inmovilizado.

Pensemos, por ejemplo, en los gastos periódicos de mantenimiento, acondicionamiento o conservación en buen uso de los caminos de acceso a la mina, cuando, como ocurre generalmente, dichos caminos de dominio público no son bienes cedidos en exclusiva o, al menos, con carácter preferencial a la empresa minera, sino de uso general, no particular. Puesto que los caminos son de titularidad pública, no privada, los gastos en que incurre la empresa minera para realizar dichas obras mal pueden casar con su consideración de activo inmovilizado material amortizable, sin que obste a su calificación de gasto el hecho de que tengan una periodicidad superior al año.

Pero tampoco, por no ser depreciables, se pueden acoger a la libertad de amortización determinados elementos del inmovilizado, como los yacimientos minerales, los recursos geológicos y las viales interiores (DGT 01-03-1996).

Tampoco puede aplicarse este régimen a los terrenos en los que estaban ubicadas las canteras, puesto que no son bienes amortizables (RTEAC 23-01-2002).

A este respecto, cabe decir que las canteras no son activos depreciables en el sentido de que se desgastan por el uso o por el transcurso del tiempo, sino que son activos agotables que, evidentemente, experimentan una pérdida de valor pero por agotamiento, en función del tonelaje de mineral que se extraiga, y no por depreciación (RTEAC 20-12-1995).

Ello no obstante, debe precisarse que, desde el punto de vista del Plan General de Contabilidad de 2007, las minas, si bien son bienes del inmovilizado material objeto de agotamiento, sí *"se amortizarán aplicando el método que mejor refleje el patrón con arreglo al cual se estima que vayan a ser consumi-*

dos. En particular las minas se amortizarán en función del tonelaje extraído o utilizando otros criterios racionales que se apoyen en bases firmes de gestión".

Así se manifiesta la resolución de 1 de marzo de 2013, del Instituto de Contabilidad y Auditoría de Cuentas, por la que se dictan normas de registro y valoración del inmovilizado material y de las inversiones inmobiliarias, que añade: *"5. Por su parte, los terrenos tienen una vida ilimitada y por tanto no se amortizan, dejando al margen algunas excepciones como minas, canteras y vertederos, o algunos componentes depreciables como los cierres. Si el coste de un terreno incluye los costes de desmantelamiento, traslado y rehabilitación, esa porción del coste del terreno se amortizará a lo largo del periodo en el que se obtengan beneficios por haber incurrido en esos costes".*

Por tanto, los activos mineros, susceptibles de la libertad de amortización, serán aquellos que se deprecien necesariamente por su utilización física, por la acción del progreso técnico o por el simple paso del tiempo (RTEAC 29-01-1999, 22-12-2000 y 23-01-2002).

Los instrumentos financieros no son elementos patrimoniales susceptibles de amortización. De ahí que no cabe plantearse la posibilidad de aplicar libertad de amortización respecto de las participaciones en una entidad no residente en territorio español cuyos activos principales son activos mineros y derechos de explotación de yacimientos mineros (DGT V0226-08 de 06-02-2008).

Al estar fuera del ámbito de aplicación de la Ley 22/1973, de Minas, la adquisición de un derecho de superficie fuera del territorio nacional, mar territorial o plataforma continental española no puede considerarse como inversión en activos mineros apta para aplicar el mecanismo de libertad de amortización, a efectos del artículo 97 TRLIS (art. 90 de la Ley 27/2014) (DGT V0226-08 de 06-02-2008).

Finalmente, debe puntualizarse que la norma no exige, para gozar de la libertad de amortización, que los activos mineros sean nuevos.

– Que los activos mineros se utilicen o se incardinen directa y exclusivamente en el proceso de la actividad minera (ved DGT V131/2006, de 23 de enero).

Quedan excluidos, por tanto, aquellos activos, propiedad de la empresa minera, que no se encuentren vinculados directamente a la explotación del mineral realizada por esta (DGT V950/2012, de 4 de mayo).

Ahora bien, el uso exclusivo no debe significar que el activo no sea susceptible, por su naturaleza, de ser utilizado para otros fines, que tenga una naturaleza intrínsecamente minera. Lo determinante en su vinculación efectiva, inmediata y exclusiva a la actividad minera.

Recordemos que la resolución del TEAC de 27 de octubre de 1993 considera activos mineros, respecto de una empresa cuya única actividad es la minera, las ambulancias, los vehículos con los que transporta y distribuye los materiales que extrae, y aquellos con los que transporta a sus empleados, pues los mismos necesariamente están afectos a la actividad minera y constituyen activos mineros.

Si bien un vehículo de transporte no es por naturaleza de uso exclusivo en la actividad minera, sino que puede tener otros usos, será activo minero cuando se use en exclusiva en la actividad minera, es decir, cuando el vehículo se utilice exclusivamente en el transporte de los empleados de la empresa minera.

En cambio, no debe considerarse activos mineros las instalaciones de oficinas sitas en lugar distinto de la explotación minera, al no estar inmediatamente relacionadas con la actividad minera (RTEAC 29-09-1993).

A nuestro juicio, la Orden de 10 de febrero de 1984, por la que se aprueban las normas de adaptación del Plan General de Contabilidad a las empresas de la minería del carbón, constituye un referente perfectamente válido para la minería en general por cuanto la problemática contable que puede presentarse no está en relación con el mineral que se extrae sino en relación a las características específicas y particulares de la actividad minera.

En las citadas normas de adaptación del PGC a las empresas de la minería del carbón, la cuenta 201 "Infraestructura y obras mineras especializadas" incluye como activos mineros las obras en el interior de las minas, las obras en el exterior y el "desmonte inicial" y otras obras de infraestructura para la minería a cielo abierto, en definitiva, activos que constituyen obras para el acceso y explotación de la mina.

En concreto, la introducción de las normas de adaptación del Plan de Cuentas para la minería del carbón hace mención específica de las características de los elementos a incluir en las cuentas del grupo 201 "Infraestructuras y obras mineras especializadas", señalando que en dicha cuenta *se contabilizarán inversiones mineras muy características, tales como cañas de pozo, galerías transversales, socavones con su entibación o materiales de sostenimiento y similares, obras del interior y del exterior, tales como carreteras, caminos y accesos, plazas, escombreras, etc., siempre que tengan clara significación minera en su conjunto. Se contabilizará también el desmonte inicial así como otras obras de infraestructura para la minería de cielo abierto*.

No cabe duda, porque la norma de adaptación los incluye expresamente entre las obras mineras especializadas, que los gastos incurridos por la empresa minera por el desmonte inicial o retirada y extracción de la "cobertera" o de la capa exterior de la montaña, que permita el acceso de las máquinas al mineral, constituyen activos mineros, que pueden disfrutar de la libertad de amortización. Aunque las normas de adaptación no los mencione expresamente, pensamos que, dado que son costes directamente vinculados a la actividad minera, también constituyen activos mineros, susceptibles de acceder a la libertad de amortización, los costes de extracción de lo que en el sector de la minería se conoce como "intrínseco", esto es, las capas intermedias de materia "estéril", donde se alterna el mineral y la arena, costes que son necesarios para acceder al mineral aprovechable.

b) **En cuanto a las cantidades abonadas en concepto de canon de superficie de minas,** constituye una novedad de la Ley 27/2014 que dichas cantidades puedan ser amortizadas libremente durante los diez primeros años contados a partir del comienzo del primer período impositivo en cuya base imponible se integre el resultado de la explotación.

El canon de superficie de minas reviste tres modalidades, recogidas en tres tarifas en el artículo 41 de la Ley 6/1977, de 4 de enero, de Fomento de la Minería:

– Permisos de explotación.

– Permisos de investigación.

– Concesiones de explotación.

Las cantidades invertidas en las tres modalidades se encuadran en el inmovilizado intangible y pueden gozar de la libertad de amortización.

Es muy frecuente que la empresa minera incurra en determinados gastos previos a la explotación de una mina o cantera, como, por ejemplo, gastos de mediciones topográficas, gastos de sondeos para la búsqueda de mineral, efectuados en una concesión, o gastos de prospección arqueológica y paleontológica. Dichos gastos tienen la consideración de inmovilizado intangible, siendo su finalidad la de investigar la existencia de recursos minerales.

Igualmente, los estudios realizados por la empresa minera para un proyecto de explotación de una mina o para solicitar la licencia de actividad en una concesión minera forman parte, también, del activo intangible.

En todos estos casos la amortización de produce de acuerdo con la vida útil del gasto, salvo que los trabajos o estudios realizados fueran improductivos y viniesen a demostrar la inviabilidad económica de la explotación o que las minas no contenían reservas suficientes que hicieran rentable su explotación, por lo que, al decidir la empresa no explotar la mina, se modificaría su vida útil y los amortizaría en su totalidad.

Pues bien, el conjunto de actividades descritas, se enmarcan dentro de los permisos de exploración e investigación, solicitados por la empresa minera, de modo que las cantidades satisfechas por la misma para conseguir tales permisos pueden gozar del beneficio de la libertad de amortización.

3) RESPECTO DEL PLAZO DE DISFRUTE DE LA LIBERTAD DE AMORTIZACIÓN.

El plazo para el disfrute de la libertad de amortización es de 10 años, contados a partir del comienzo del primer período impositivo en cuya base imponible se integre el resultado de la explotación.

Se observa que la norma no condiciona la aplicación de la libertad de amortización a que la explotación tenga resultados positivos.

La vinculación de la aplicación del beneficio fiscal al inicio de una explotación minera debe significar que cada vez que una misma entidad inicie una nueva explotación podrá aplicar la libertad de amortización respecto de los activos mineros afectos a dicha nueva explotación.

Transcurrido el período de 10 años, a la parte de activos mineros que quede pendiente de amortizar se le podrá aplicar la normativa general sobre amortizaciones, por el período restante de su vida útil (DGT 6-02-1987).

En cuanto al cómputo del plazo de diez años, el criterio reiterado de la DGT ha sido entender que el plazo de diez años (del actual artículo 90.1 LIS) debe computarse desde el momento en que cada una de las inversiones se incorpora a la actividad minera y no desde el momento en que ésta se inicia (DGT 21-12-2000, 2295/2005 de 14 de noviembre, 131/2006 de 23 de enero)

Igualmente, el TEAC, en su resolución de 16 de noviembre de 2001, ha mantenido dicho criterio, desde el punto de vista de una interpretación finalista de la norma, rechazando que el plazo se compute desde la apertura de la mina o desde el inicio de la explotación del yacimiento, pues una interpretación literal llevaría al absurdo de que no podrían gozar del beneficio fiscal las inversiones nuevas efectuadas en una mina que lleva más de diez años abierta.

La resolución del TEAC de 2 de marzo de 2006 ha matizado la anterior doctrina diciendo que no basta con que se hayan incorporado al activo sino que deben haber entrado en funcionamiento, colaborando en la obtención de los ingresos del ejercicio. De ahí que, si el bien se incorpora al activo el último día del ejercicio económico, no puede considerarse que la base imponible de ese ejercicio incorpore el resultado de la explotación del mismo, pues dicho bien no ha colaborado en la obtención de los ingresos de la actividad, por lo que dicha inversión no puede acogerse aún a la libertad de amortización. Y, en igual sentido se ha manifestado la sentencia de la Audiencia Nacional de 3 de noviembre de 2011.

EJEMPLO

Pensemos en una entidad, dedicada a la actividad minera, que adquirió en el año 1 un activo minero por importe 50.000 €, activo que por su naturaleza puede acogerse al régimen de la libertad de amortización. Dicho activo tiene fijado en las tablas de amortización un coeficiente lineal máximo del 12% y un periodo máximo de 18 años. La entidad aplica un porcentaje lineal de amortización del 10%, con lo que amortiza 5.000 € en cada uno de los diez primeros años.

La entidad aplica la libertad de amortización en el año 1 y en el 5, efectuando ajustes positivos por 2.000 € en cada ejercicio, y en el 4 y en el 7, efectuando ajustes negativos por 10.000 y 9.000 €.

A partir del año octavo revierte la amortización contabilizada, por lo que la entidad en los años 8, 9 y 10 efectúa ajustes positivos por importe de 5.000 € por año.

Año	Amortizac. Contable	Amortizac. Fiscal	Ajuste extracontable	Amortizac. Acumulada contable	Amortizac. Acumulada fiscal
1	5.000	3.000	+2.000	5.000	3.000
2	5.000	5.000	0	10.000	8.000
3	5.000	5.000	0	15.000	13.000
4	5.000	15.000	-10.000	20.000	28.000
5	5.000	3.000	+2.000	25.000	31.000
6	5.000	5.000	0	30.000	36.000
7	5.000	14.000	−9.000	35.000	50.000
8	5.000	0	+5.000	40.000	
9	5.000	0	+5.000	45.000	
10	5.000	0	+5.000	50.000	
11					
12					
13					
14					
15					
16					
17					
18					
Total	50.000	50.000	0		

Vemos que la entidad ha cumplido con lo dispuesto en el artículo 90.1 de la LIS, pues ha aplicado la libertad de amortización dentro de los diez años contados a partir del comienzo del primer período impositivo en cuya base imponible se integre el resultado de la explotación. Cualquier aplicación posterior a los diez años haría que ese importe se perdiera fiscalmente como gasto fiscalmente deducible. Es decir, finalizado el plazo de 10 años, el importe máximo de la amortización fiscal pendiente de aplicar no puede ser superior a la amortización que falta por practicar contablemente, pues, de lo contrario, se perdería parte de la amortización fiscal del bien. En definitiva, la amortización acumulada fiscal, transcurrido el plazo de 10 años, ha de ser igual, al menos, a la amortización acumulada contable.

Ahora bien, hay que recordar el criterio interpretativo de la DGT, recogido en las contestaciones V1301/12, de 15 junio, y V2016/12, de 19 de octubre, según el cual debe entenderse como amortización fiscal mínima la amortización contabilizada y ajustada a lo establecido en el art. 11.1 de la LIS.

En el presente caso, no tendrían efectos fiscales los ajustes positivos por importe de 2.000 € practicados en los años 1 y 5. La amortización contabilizada de 5.000 € practicada en los años 1 y 5 tendría la consideración, a efectos fiscales, de amortización mínima, con todo lo que ello pueda significar en cuanto a los ajustes negativos posteriores, que no podrían absorber el exceso de amortización contabilizada sobre la fiscal, perdiéndose, en consecuencia, dicha diferencia de 2.000 € cada año, y respecto de la transmisión posterior del elemento del activo.

Artículo 91
Factor de agotamiento: ámbito de aplicación y modalidades

José Miguel Soriano Bel

Inspector de Hacienda del Estado

"1. Podrán reducir la base imponible, en el importe de las cantidades que destinen, en concepto de factor de agotamiento, los contribuyentes que realicen, al amparo de la Ley 22/1973, de 21 de julio, de Minas, al aprovechamiento de uno o varios de los siguientes recursos:

a) Los comprendidos en la Sección C) del apartado uno del artículo tercero de la Ley 22/1973, de 21 de julio, de Minas, y en la Sección D) creada por la Ley 54/1980, de 5 de noviembre, de modificación de la Ley de Minas, con especial atención a los recursos minerales energéticos.

b) Los obtenidos a partir de yacimientos de origen no natural pertenecientes a la Sección B) del apartado uno del referido artículo, siempre que los productos recuperados o transformados se hallen clasificados en la Sección C) o en la Sección D) creada por la Ley 54/1980, de 5 de noviembre, que modifica la Ley de Minas.

2. El factor de agotamiento no excederá del 30 por ciento de la parte de base imponible correspondiente a los aprovechamientos señalados en el apartado anterior.

3. Las entidades que realicen los aprovechamientos de una o varias materias primas minerales declaradas prioritarias en el Real Decreto 647/2002, de 5 de julio, por el que se declaran las materias primas minerales y actividades con ellas relacionadas, calificadas como prioritarias a efectos de lo previsto en la Ley 43/1995, de 27 de diciembre, del Impuesto sobre Sociedades, podrán optar, en la actividad referente a estos recursos, por que el factor de agotamiento sea de hasta el 15 por ciento del valor de los minerales vendidos, considerándose también como tales los consumidos por las mismas empresas para su posterior tratamiento o transformación. En este caso, la dotación para el factor de agotamiento no podrá ser superior a la parte de base imponible correspondiente al tratamiento, transformación, comercialización y venta de las sustancias obtenidas de los aprovechamientos señalados y de los productos que incorporen dichas sustancias y otras derivadas de ellas.

4. En el caso de que varias personas físicas o jurídicas se hayan asociado para la realización de actividades mineras sin llegar a constituir una personalidad jurídica independiente, cada uno de los partícipes podrá destinar, a prorrata de su participación en la actividad común,

el importe correspondiente en concepto de factor de agotamiento con las obligaciones establecidas en los siguientes artículos".

SUMARIO: 1. EL FACTOR DE AGOTAMIENTO. 1.1. Introducción. 1.2. Ámbito de aplicación y modalidades. 1.2.1. Ámbito de aplicación. 1.2.2. Modalidades del factor de agotamiento. Condiciones y límites.

1. EL FACTOR DE AGOTAMIENTO

1.1. Introducción

El factor de agotamiento es un incentivo fiscal que fue incorporado a nuestro sistema tributario gracias a la Ley de Hidrocarburos, de 27 de junio de 1974, y, en especial, a la Ley 6/1977, de 4 de enero, de Fomento en la Minería, que lo concibió, básicamente, como una medida de política económica tendente a estimular y a favorecer la investigación y la inversión minera y la puesta en explotación de nuevos yacimientos, permitiendo, por lo tanto, sustituir los criaderos agotados por otros mediante el descubrimiento y removilización de nuevas reservas.

El factor agotamiento se regulaba en los artículos 30 y 31 de la Ley 6/1977, artículos que fueron derogados por la Ley 43/1995, de 27 de diciembre, del Impuesto de Sociedades, pero en razón de que integró su contenido en su articulado, permitiendo de esta forma que el beneficio fiscal estuviera recogido en una norma tributaria y no en la sectorial sustantiva.

La jurisprudencia ha recalcado su naturaleza de incentivo fiscal a la inversión en explotaciones mineras, dado el especial carácter de la actividad minera, en la que el mineral explotado se agota, siendo precisa la búsqueda de nuevos recursos (STS de 23-04-2009 y de 24-10-2003).

Igualmente, el factor agotamiento ha sido destacado como un instrumento o medida fiscal que no solo tiene presente la existencia de activos agotables –lo que comporta la pérdida por inutilidad de los activos inmateriales (gastos geológicos, de prospección e investigación de dicho yacimiento, que se activaron, así como la propia concesión administrativa) y de los activos materiales (inversiones necesarias para la explotación, como pozos, galerías, rampas, maquinas, medios de transporte, e incluso de las instalaciones, de clasificación, preparación y beneficio de los minerales obtenidos), así como, a consecuencia de ello, la necesidad de descubrir nuevos yacimientos, mediante la prospección y la investigación minera– sino también los elevados costes y riesgos empresariales que conlleva la explotación minera, motivados por la difícil localización de la explotación y del yacimiento, y por la frecuente incertidumbre del volumen de reservas de los yacimientos, e, incluso, la importancia estratégica de ciertos minerales, que exige su búsqueda y explotación por necesidades de la economía nacional (ved. STS de 22-05-2004).

Pues bien, el Derecho Tributario foráneo ha respondido a estas circunstancias mediante dos instrumentos fiscales específicos, entre los cuales hay que destacar la "Depletion allowance", norteamericana, y el "Reconstitution de Gisement", francés, que han servido de precedente a nuestro factor de agotamiento, establecido por la Ley 6/1977, de 4 de enero, de Fomento de la Minería. Esta ley, si bien se inspiró en el modelo norteamericano, consistente en dotar una reserva para reponer o hacer frente a la pérdida de los activos materiales e inmateriales afectos a las explotaciones mineras, cuyos yacimientos se agotan, contiene medidas propias del otro modelo, que atiende fundamentalmente al descubrimiento de nuevos yacimientos, inspirado en el "Reconstitution de Gisement" francés, que consiste en una medida de fomento fiscal de las inversiones e investigaciones geológicas, de prospección y de descubrimiento de nuevos yacimientos.

La técnica fiscal que utilizó la Ley 6/1977 fue la de una modalidad específica del régimen de la previsión para inversiones, que fue suprimida por la Ley 61/1978, del Impuesto sobre Sociedades, sustituyéndola por la deducción por inversiones.

Pero tanto en un caso como en otro se destaca que este instrumento fiscal tiene por finalidad incentivar o estimular la actividad minera, en concreto la investigación y la explotación de nuevos yacimientos minerales, mediante la creación de un fondo o reserva, con cargo a los beneficios obtenidos en el desarrollo de las actividades mineras, destinado a la realización de determinadas inversiones en un determinado periodo de tiempo, fondo o reserva que será considerada como una reducción de la base imponible en el Impuesto sobre Sociedades.

Así, el factor de agotamiento es en la actual LIS una reserva constituida por las cantidades destinadas a ese concepto por los contribuyentes dedicados a la actividad de aprovechamiento de determinados recursos minerales. Las cantidades destinadas a esa reserva reducirán la base imponible hasta un límite determinado y con la condición de que, en un determinado plazo (10 años), se inviertan en gastos, trabajos e inmovilizados directamente relacionados con las actividades mineras relacionadas con la exploración e investigación de nuevos yacimientos y mejora de los preexistentes.

Con la actual ley, y al igual que en las leyes precedentes, al condicionar la deducibilidad del fondo a la realización de determinadas inversiones en la actividad minera, se manifiesta la consideración del factor de agotamiento como una medida para favorecer la inversión y no, por el contrario, como una forma de recuperar la inversión minera, pues, como se ha destacado por la doctrina, para recuperar las inversiones se cuenta con la amortización, incluida, como no, la libertad de amortización de los activos mineros.

No solo esta circunstancia, a nuestro entender, caracteriza a este instrumento fiscal, sino, además, la naturaleza económica de los bienes objeto de la explotación, los recursos minerales, que tienen caracteres propios del activo inmovilizado como del activo circulante, pues un mismo bien es utilizado en la explotación, la mina, y, al mismo tiempo, constituye el objeto de la misma desde el momento en que se extrae y se obtiene el mineral, es decir, que la mina no es un activo depreciable en el sentido de que se desgaste por el uso o por el transcurso del tiempo, sino que es un activo agotable que experimenta una pérdida de valor pero por agotamiento, en función del tonelaje de mineral que se extraiga, y no por depreciación (ved RTEAC 20-12-1995).

En definitiva, mientras que con la libertad de amortización se pretende facilitar la recuperación de las inversiones en activos mineros amortizables, entre los que no se encuentran ni la mina ni el mineral, con el factor agotamiento se pretende incentivar la inversión en la actividad minera, la exploración e investigación de nuevos yacimientos y mejora de los preexistentes, incluido el propio terreno donde se efectúe la citada actividad, terreno que por su naturaleza no es un activo depreciable o amortizable sino simplemente agotable.

1.2. Ámbito de aplicación y modalidades

1.2.1. Ámbito de aplicación

El ámbito de aplicación de este incentivo fiscal se delimita desde el punto de vista subjetivo y objetivo.

– Subjetivo, en tanto que pueden acogerse al factor agotamiento no solo las entidades jurídicas, que sean sujetos pasivos del Impuesto sobre Sociedades, sino también las demás entidades que tributen en régimen de atribución de rentas y las personas físicas que ejerzan una actividad económica.

A este respecto, prevé el artículo 91.4 de la LIS que *"en el caso de que varias personas físicas o jurídicas se hayan asociado para la realización de actividades mineras sin llegar a constituir una personalidad jurídica independiente, cada uno de los partícipes podrá destinar, a prorrata de su participación en la actividad común, el importe correspondiente en concepto de factor de agotamiento con las obligaciones establecidas en los siguientes artículos"*.

– Objetivo, en tanto que dichos contribuyentes han de realizar necesariamente el aprovechamiento de uno o varios de los siguientes recursos:

a)   Los comprendidos en la Sección C) del apartado uno del artículo tercero de la Ley 22/1973, de 21 de julio, de Minas, y en la Sección D) creada por la Ley 54/1980, de 5 de noviembre, de modificación de la Ley de Minas, con especial atención a los recursos minerales energéticos.

b) Los obtenidos a partir de yacimientos de origen no natural pertenecientes a la Sección B) del apartado uno del referido artículo, siempre que los productos recuperados o transformados se hallen clasificados en la Sección C) o en la Sección D) creada por la Ley 54/1980, de 5 de noviembre, que modifica la Ley de Minas.

No plantea mayores problemas la lista de los recursos minerales cuyo aprovechamiento puede permitir la aplicación del factor de agotamiento. Nos remitimos a lo expresado en el apartado relativo a la libertad de amortización.

En cambio, constituye una cuestión de amplio debate y trascendencia la relativa al concepto y alcance que debe darse al llamado "aprovechamiento minero", pues solo se puede acceder a este incentivo fiscal por aquellos contribuyentes que realicen el aprovechamiento de uno o varios recursos minerales.

Para fijar la noción de "aprovechamiento", a los efectos de delimitar el tratamiento fiscal de factor de agotamiento minero, la sentencia del Tribunal Supremo de 7 de febrero de 2013, rec. 658/2010, se inclina por entender que el aprovechamiento consiste y queda circunscrito a la actividad extractiva del mineral, idea recogida en otras sentencias del alto tribunal, como las sentencias de 24 de noviembre de 2011 (casación 6572/09, FJ 5°) y 5 de julio de 2012 (casación 3239/09, FJ 3°), al delimitar la interpretación del concepto tanto al amparo de la Ley 6/1977 como del artículo 112 de la Ley 43/1995.

Recuerda la indicada sentencia que la razón de ser de esta reducción en la base imponible del Impuesto sobre Sociedades y el alcance con el que fue introducida en la Ley del tributo se remonta a la Ley 6/1977, de Fomento de la Minería, cuyo régimen jurídico fue posteriormente integrado y asumido por la Ley 43/1995 y en cuyo artículo 2.1 precisaba su alcance diciendo que el incentivo fiscal se aplicaría a las actividades de explotación e investigación mineras, de aprovechamiento de yacimientos de origen natural o artificial y de otros recursos mineros, así como al tratamiento, beneficio o primera transformación de materias primas minerales, con exclusión de las actividades consistentes en la mera prestación de servicios para la realización o desarrollo de las mismas.

De ahí que *"el criterio de aprovechamiento como equivalente a extracción u obtención y distinto de la actividad de tratamiento, beneficio o primera transformación queda claro en el referido artículo 2, en el que se menciona distinguiéndolo claramente del resto de las actividades".*

Y, en consecuencia –añade la indicada sentencia–, *"de lo que antecede se ha de concluir que la actividad de aprovechamiento presupone la explotación de yacimientos mineros, de forma que, si una entidad realiza sólo actividades de beneficio o tratamiento, pero no de aprovechamiento, no puede acogerse al beneficio del factor de agotamiento, pudiendo disfrutar del incentivo del factor de agotamiento, cuando extraigan dichas materias primas para su venta y, también, cuando decidan realizar por sí mismas la actividad de beneficio de las propias materias primas extraídas.*

Vemos, pues, a la vista de la jurisprudencia del Tribunal Supremo, que aprovechamiento minero equivale a explotación de yacimientos minerales o extracción del mineral, y no a tratamiento, transformación o beneficio de los minerales extraídos.

En la misma línea de pensamiento se enmarca tanto el criterio de la DGT como criterio reiterado del TEAC.

En cuanto al primero, la contestación de la DGT de 1 de octubre de 1999 ha manifestado que el factor de agotamiento solamente alcanza a las actividades de aprovechamiento, esto es, a la explotación de yacimientos de recursos minerales a los que se refiere la Ley de minas, o bien el aprovechamiento de alguna de las materias primas minerales declaradas prioritarias en el Plan Nacional de Abastecimiento, por lo que las operaciones de beneficio de tales recursos minerales y geológicos no determinan el derecho a reducir la base imponible en concepto de factor de agotamiento.

En cuanto al segundo, sirva de ejemplo la resolución de 15 de marzo de 2012 en la que se dice que, sobre la base de lo dispuesto en el artículo 2.1 de la Ley 7/1977, este TEAC en reiteradas resoluciones (entre otras las recaídas en los expedientes con R.G. 3877/03, 2147/05, ..., 1682/06, o 1804/06 promovido por la propia actora) ha venido conceptuando como actividades distintas el "aprovechamiento" y el "tratamiento o beneficio", restringiendo el concepto de aprovechamiento minero a la explotación del yacimiento o, en términos más precisos, a la extracción del mineral, primero de los estadios que en sucesivas etapas conducen a la obtención de las "material primas minerales" en su acepción técnico-minera.

Dicha postura no sólo ha sido mantenida uniformemente por el Tribunal Central sino que se ha confirmado y respaldado por la Audiencia Nacional (ved SAN de 23-04-2009, rec. 613/2005) en reiteradas ocasiones y se ha asumido por el Tribunal Supremo en sus sentencias de 24 de junio de 2010 (rec. casación nº 2579/2005), de 24 de noviembre de 2011 (rec. casación nº 6572/2009), de 5 de julio de 2012, de 7 de febrero de 2013 y otras muchas, de las que el TEAC destaca las siguientes ideas:

  – *"La finalidad con que la Ley 6/77 de Fomento de la Minería creó el F.A., indudable beneficio fiscal, fue la de favorecer la investigación y descubrimiento de nuevos yacimientos mineros habida cuenta de que tales yacimientos se agotan con su explotación, entendida ésta como la extracción de los recursos minerales que contienen.*

- *Evidente corolario de lo anterior es que el beneficio fiscal se limite a la actividad extractiva.*

- *Conforme a la Ley de Minas y su Reglamento, si la explotación de yacimientos minerales está sujeta al régimen de concesión administrativa (en cuanto a la mayoría de los recursos de la sección B y todos los de la sección C del art. 3.1 de la Ley 22/73 de Minas), las actividades de preparación, concentración y beneficio lo están al de simple "autorización administrativa".*

- *Siendo claramente diferenciables conforme a la legislación minera las actividades de extracción y las posteriores de "preparación", "concentración" y "beneficio" de los recursos extraídos (términos estos últimos que pueden asimilarse al "tratamiento" de que habla el art. 112.3 de la LIS y 98.3 del TRLIS), es perfectamente factible que la primera se realice por empresa distinta de la que acomete las posteriores, en cuyo caso sólo la empresa extractora (concesionaria de la explotación del yacimiento) gozará del beneficio fiscal, pues éste está vinculado (como su denominación indica) al agotamiento del yacimiento, necesariamente implicado en su explotación conceptuada ésta como la extracción del mineral (o del todo uno si se quiere en términos mineros)".*

A este respecto, según la sentencia del Tribunal Supremo de 24 de noviembre de 2011 (rec. casación nº 6066/2009), ha de tenerse en cuenta que, *"si una empresa realizara la actividad de extracción y vendiera las materias primas obtenidas a otra que llevara a cabo su tratamiento, resultaría absurdo que ambas gozaran del beneficio fiscal de factor agotamiento pues sólo la primera sería concesionaria de la explotación del yacimiento minero".*

Por ello, entiende la sentencia citada, la actividad de "aprovechamiento" ha de ceñirse a la explotación de yacimiento o extracción del mineral, sin que se pueda considerar incluida ni la separación de la ganga ni la elaboración de un compuesto diferente, pues la explotación y aprovechamiento de yacimientos son actividades diferentes del tratamiento, beneficio o transformación de las materias primas.

En definitiva, según el criterio expuesto, el aprovechamiento minero como simple extracción del mineral no debe incluir actividades de tratamiento previas o posteriores a la extracción, actividades que tienen un alcance técnico diferente según el tipo de material de que se trate, pues mientras que en unos minerales es suficiente una simple modificación física en otros se requiere de un complejo proceso de tratamiento para la obtención de un producto comercializable o vendible.

En el caso analizado por la sentencia citada, la entidad recurrente realizaba la extracción de arena feldespática y la sometía a un proceso de lavado o concentración por flotación, de forma que solo así obtenía el mineral, feldespato potásico, que constituía el producto vendible. Es decir, para que pudiera obtener feldespato potásico, tenía que realizar el tratamiento de la arena extraída de la cantera, ya que éste no se encuentra en la naturaleza de forma pura, sino incorporado a arenas (feldespáticas). Por tanto, de las dos actividades realizadas por la entidad (de un lado, las dirigidas a la extracción del mineral y cuyo proceso finaliza con la obtención de la "mena" y, de otro, las encaminadas al enriquecimiento de la misma, mediante la separación de la "ganga" o material inservible, mediante procedimientos físicos o químicos, y las de preparación para su utilización en ulteriores destinos) solo las segundas corresponderían a la fase de tratamiento o beneficio.

Mientras que la sociedad dedujo en su base imponible del ejercicio una cantidad equivalente al 30% de su actividad, considerando que toda ella se correspondía con una actividad de aprovechamiento minero, la sentencia considera que el factor de agotamiento calculado es excesivo, ya que debe distinguirse entre la actividad extractiva de las arenas feldespáticas (que la Administración y la sentencia recurrida equiparan al concepto de aprovechamiento) y la necesaria actividad de tratamiento de dichas arenas extraídas para la extracción de un producto vendible, el feldespato potásico, actividad última que no se encuentra amparada por el régimen del factor de agotamiento.

Finalmente, no cabe duda que el criterio jurisprudencial restringe en gran medida la aplicabilidad del incentivo fiscal, al dejar fuera una serie de actividades que en muchos casos, y según el tipo de mineral de que se trate, son necesarias para la obtención del mineral vendible. Ello no obstante, como veremos a continuación, la LIS, así como la normativa que la precedió, admite que, al menos para la modalidad particular de dotación al fondo de hasta el 15 por ciento de los minerales vendidos, las actividades declaradas prioritarias, esto es, las de exploración, investigación, explotación, aprovechamiento, tratamiento y beneficio asociadas a las materias primas minerales prioritarias, se puedan acoger a los beneficios recogidos en la Ley para las mismas, pero en tal caso la dotación no podrá ser superior a la parte de base imponible correspondiente al tratamiento, transformación, comercialización y venta de las sustancias y productos obtenidos del aprovechamiento minero, cuando la empresa se dedique también a esa actividad de tratamiento y transformación.

1.2.2. Modalidades del factor de agotamiento. Condiciones y límites

El artículo 91 de la LIS contempla dos modalidades diferentes de dotación al fondo de reserva del factor agotamiento, dependiendo del tipo de aprovechamiento.

1) **La modalidad general** consiste en reducir la base imponible del impuesto en el importe de las dotaciones o cantidades destinadas a la reserva del factor de agotamiento para aquellos contribuyentes que realicen el aprovechamiento de uno o varios de los recursos a que hemos hecho referencia en el apartado anterior, esto es, los comprendidos en la Sección C) y en la Sección

D) de la Ley de Minas, y los obtenidos a partir de yacimientos de origen no natural pertenecientes a la Sección B), siempre que los productos recuperados o transformados se hallen clasificados en la Sección C) o en la Sección D) de la Ley de Minas.

En esta modalidad general, la dotación al fondo no puede superar el 30% de la parte de la base imponible que proceda de los rendimientos mineros.

Ello significa:

– Que el importe de las cantidades destinadas al fondo se refiere al rendimiento o beneficio (ingresos menos costes y gastos correlacionados con los ingresos) obtenido del aprovechamiento minero.

– Que, si el contribuyente realiza varias actividades económicas, habrá que diferenciar en la cuenta de pérdidas y ganancias los resultados que corresponden a cada una de tales actividades, aplicando el beneficio de la dotación al factor agotamiento exclusivamente sobre la parte del resultado correspondiente a la actividad que genera este beneficio fiscal.

– Que, para proceder al cálculo de la dotación al factor de agotamiento, el límite del 30% debe aplicarse sobre la base imponible del impuesto minorada en el ajuste extracontable correspondiente a la propia dotación al factor de agotamiento.

En decir, el importe máximo en que se pude reducir la base imponible por el factor agotamiento no es el importe de la base imponible previa a dicha reducción sino la base imponible una vez practicada la reducción en concepto de dotación. Ello implica hacer un cálculo matemático circular (un proceso matemático para hallar el porcentaje sobre el que, acudiendo a la parte de la base imponible procedente exclusivamente de los citados aprovechamientos, puede aplicarse el factor de agotamiento), ya que el límite máximo de dotación al factor de agotamiento que puede reducir la base imponible es una magnitud que se obtiene a su vez después de aplicar dicho beneficio fiscal.

El cálculo matemático circular podría expresarse, por ejemplo, mediante la fórmula: $D = 0,30 \, (BIP-D)$, siendo D la dotación en concepto de factor agotamiento y BIP la base imponible previa a la dotación.

Este criterio ha sido mantenido reiteradamente tanto por la DGT (DGT de 5-04-2006), por el TEAC (RTEAC de 16-06-2005 (RG 3624/02), 16-12-2005 (RG 3844/02) y de 19-01-2007 (rec. 2147/2005), por la Audiencia Nacional (ved SAN de 5-03-2007, de 2-02-2009, de 28-02-2009 y de 17-12-2009) como por el Tribunal Supremo (ved STS de 22-10-2012 (rec. 5432/2010 7-02-2013, rec. 658/2010, 30-04-2013 rec. 5151/2010, 16-05-2013 (rec. 4812/2010) y 19-07-2013 (rec. 2352/2010).

Para la sentencia del Tribunal Supremo de 26 de marzo de 2015, este criterio debe mantenerse *"en función de a) la naturaleza específica del factor de agotamiento: b) la propia estructura del Impuesto de Sociedades, tras la aprobación de la Ley de 1995; c) el hecho de que la Ley del Impuesto cuando quiere que los beneficios fiscales se apliquen sobre la base imponible "previa" a la reducción, lo dice expresamente. Y d) la evolución normativa en la regulación del factor de agotamiento".* Y añade: *"por tanto, la base imponible resulta de practicar en el resultado contable las reducciones establecidas en la ley y entre ellas el factor de agotamiento que se debe reflejar en un ajuste extracontable de carácter negativo equivalente a la dotación a la cuenta de reservas. Y, por ello, es esa base imponible determinada por la reducción del resultado contable que supone la dotación del factor de agotamiento, la que ha de servir de límite a ésta última".*

A título de curiosidad, no han faltado sentencias contrarias al indicado criterio. Basta mencionar la sentencia del Tribunal Superior de Justicia de Castilla y León, de 20 de diciembre de 2012, que entiende que dicho cálculo matemático circular *"carece de cobertura legal, es un invento administrativo tan imaginativo como artificioso y ayuno de legalidad que lo sustente, pues la base imponible que actúa como límite para ser absorbida, en su caso, por el factor de agotamiento no es otra que la base imponible minera entera que corresponda a la actividad de tratamiento. Esto y no otra cosa es lo que dispone la ley, sin que le quepa a la Administración imaginar intenciones ni fórmulas matemáticas que no están en la normativa ni en la naturaleza de la figura, y que han confundido a otros órganos jurisdiccionales, dicho sea con el máximo respeto a la interpretación sostenida por ellos respecto de una normativa oscura y difícil de aplicar pacíficamente".*

En nuestra opinión, el cálculo matemático circular da, en la práctica, un límite porcentual del 23,04%, muy alejado del previsto en la norma del 30% Cabría preguntarse, entonces, si, con independencia de la estructura del impuesto, el legislador quería que ese límite fuera del 23,04% y, si lo quería, por qué no redactó la norma con la suficiente claridad para evitar interpretaciones engañosas. Ello no obstante, al regular el factor agotamiento del régimen fiscal de la investigación y explotación de hidrocarburos el legislador en su artículo 95 habla, al fijar el porcentaje y el límite de esta reducción, de la "base imponible previa", algo que no hace cuando habla de ese límite en el factor agotamiento del régimen fiscal de la minería. A este respecto, la resolución del TEAC de 19 de enero de 2007, (rec. 2147/2005) dice que, *"si en el régimen especial de la minería no se hace mención expresa, como así ocurre en el régimen especial de hidrocarburos, debe entenderse que la base imponible a que hace referencia al determinar el límite para el cálculo de la dotación al factor de agotamiento debe ser después de deducir el propio factor de agotamiento, lo que supone un menor importe de la cuantía a deducir por el mismo".*

En definitiva, una vez conocida esa parte de la base imponible se pueden aplicar los porcentajes a los que se refieren los apartados 2 y 3 del artículo 91 para determinar el límite máximo de la deducción que al impuesto se puede llevar por esta dotación.

Finalmente, la reducción de la base imponible deberá efectuarse mediante un ajuste extracontable negativo en la base imponible del impuesto.

2) La modalidad opcional solo podrá ser utilizada por las entidades que realicen el aprovechamiento de una o varias materias primas minerales declaradas prioritarias en el Real Decreto 647/2002, de 5 de julio, por el que se declaran las materias primas minerales y actividades con ellas relacionadas, calificadas como prioritarias a efectos de lo previsto en la Ley 43/1995, de 27 de diciembre, del Impuesto sobre Sociedades, y consiste en poder optar, en la actividad referente a estos recursos, por que el factor de agotamiento sea de hasta el 15 por ciento del valor de los minerales vendidos, considerándose también como tales los consumidos por las mismas empresas para su posterior tratamiento o transformación. En este caso –aclara la LIS–, la dotación para el factor de agotamiento no podrá ser superior a la parte de base imponible correspondiente al tratamiento, transformación, comercialización y venta de las sustancias obtenidas de los aprovechamientos señalados y de los productos que incorporen dichas sustancias y otras derivadas de ellas.

Al tratarse de una opción, nada impide que la entidad, que realiza el aprovechamiento de materias primas declaradas prioritarias, pueda aplicar la modalidad general.

Esta modalidad opcional plantea varias cuestiones:

a) Solo podrá ser utilizada por las entidades que realicen el aprovechamiento de una o varias de las siguientes materias primas minerales declaradas prioritarias en el Real Decreto 647/2002, de 5 de julio: barita, caolín, carbones, celestina, cinc, cobre, cuarzo, diatomitas y trípoli, estaño, feldespatos, fluorita, fosfatos, glauberita y thenardita, hierro, magnesita, manganeso, materiales arcillosos especiales [attapulgita, caolinita, montmorillonita (bentonita), sepiolita y vermiculita], mercurio, metales preciosos, níquel, piritas, plomo, potasas, recursos geotérmicos, rocas ornamentales (arenisca, basalto, caliza, cuarcita, diabasa, dolomita, fonolita, gabro, granito, mármol, pizarra, serpentina y traquita), talco, uranio y wolframio y la wollastonita.

b) Pueden acogerse a los beneficios recogidos en la ley para tales actividades las actividades declaradas prioritarias en relación con las materias primas minerales prioritarias. Así, el propio Real Decreto en su artículo 2 declaró como actividades prioritarias las de exploración, investigación, explotación, aprovechamiento, tratamiento y beneficio asociadas a las materias primas minerales antes relacionadas.

Aunque, a efectos del Impuesto sobre Sociedades, la LIS no establece ningún precepto al objeto de diferenciar la actividad de aprovechamiento de un mineral de la actividad de tratamiento o transformación del mismo, parece claro que, si una entidad realiza sólo actividades de beneficio o tratamiento, pero no de aprovechamiento, no puede acogerse al beneficio del factor de agotamiento.

Pero, si realiza ambas actividades, explotación y tratamiento o beneficio del mineral, se produce el consumo del mineral por parte de la empresa, el mineral obtenido es objeto de un tratamiento o beneficio posterior, obteniéndose un producto distinto, por lo que se entiende que hay autoconsumo de este mineral en la propia entidad.

Por lo tanto, cuando se trate de materias primas minerales declaradas prioritarias, las entidades podrán disfrutar del incentivo del factor agotamiento, cuando extraigan dichas materias primas para su venta y, también, cuando decidan realizar por sí mismas la actividad de beneficio de las propias materias primas extraídas (ved RTEAC de 19-01-2007 rec. 2147/2005).

Ahora bien, no se considera que existe tratamiento ni transformación del mineral cuando, sin alterar sus condiciones físicas o químicas, la única operación realizada ha consistido en reducir el tamaño del mineral extraído, con la que podrá tener una aplicación práctica inmediata en su utilización que solo lo impide el tamaño (ved DGT de 5-04-2006).

Un ejemplo de lo que se expone nos lo da la sentencia del Tribunal Supremo de 1 de octubre de 2004 (número de recurso 6148/2000) respecto de la explotación de canteras de pizarra, diciendo: *"la utilización de la pizarra para su utilización directa en obras de infraestructura, construcción y otros usos exige no solo su arranque, quebrantado y calibrado, sino que su preparación para el mercado implica una verdadera industria, pues es necesario el arranque del "rachón" en la cantera, mediante explosivos u otros medios mecánicos, la preparación del mismo en tamaños adecuados para colocarlos en las plataformas de las sierras, su aserrado en bloques paralelepípedicos de varios tamaños mediante sierras de carro o disco móvil, el tajado y exfoliación de los bloques en las mesas de labrado, ya sea manualmente o mediante máquinas exfoliadoras automáticas y el cortado de las lajas, en varias formas y tamaños, ya sean mediante tijeras, cizallas o troqueladoras, así como su posterior clasificación y embalaje (...)"*.

Por tanto, en el ejemplo propuesto, desde la extracción del mineral hasta sus aplicaciones en la construcción, el proceso productivo de la pizarra abarca diferentes fases con medios tecnológicos, materiales y humanos completamente diferentes en cada una de ellas, pudiéndose distinguir en el proceso industrial de la pizarra dos procesos bien diferenciados: extracción y elaboración ó transformación. Cada uno de ellos requiere varias fases y están perfectamente delimitadas hasta el punto de que se suelen realizar en emplazamientos distintos: la cantera y la nave de elaboración. En la cantera se realizan los trabajos destinados a la obtención del material mientras que en la nave de elaboración se produce la transformación del material. Así pues, la materia prima mineral original se somete a transformación dando como resultado un producto distinto al extraído del yacimiento mineral, es decir, a parte del propio mineral se comercializan otros productos distintos.

Esta segunda actividad de la empresa, es decir, la de preparación y corte la realiza con la mena extraída de la primera actividad, es decir, el producto obtenido en la primera actividad es utilizado como materia prima en la segunda (ved RTEAC de 19-01-2007, rec. 2147/2005).

c) En esta modalidad el factor de agotamiento podrá ser de hasta el 15 por ciento del valor de los minerales vendidos, incluidos los consumidos por la misma empresa para su posterior tratamiento o transformación.

En cuanto al valor de los minerales en los supuestos de autoconsumo, la LIS no establece nada al respecto. Ello no obstante, la sentencia del Tribunal Supremo de 7 de febrero de 2013 (rec. 658/2010) e, igualmente, la de 5 de julio de 2012 y la de 25 de junio de 2013, siguiendo el criterio sentado por el TEAC, en su resolución de 19 de enero de 2007, y por la Audiencia Nacional, en su sentencia de 17 de diciembre de 2009, considera que es obligada la remisión a la normativa especial, de la que se deduce que el valor de los minerales será el de su contabilización.

"En este sentido –dice la STS citada–, como recoge la resolución impugnada, el artículo 4 del Real Decreto 1167/78, de 2 de mayo, que desarrolla el Título III, Capítulo II, de la Ley 6/1977, de Fomento de la Minería, establece que: "C) Se entenderá por valor de los minerales:

a) En las ventas en el mercado interior, el importe total o precio de la contraprestación, sin que en el mismo puedan comprenderse las prestaciones accesorias que se realicen con cargo o por cuenta del comprador, tales como portes, seguros, impuestos indirectos que graven la venta y demás créditos efectivos frente al mismo.

b) En las operaciones de exportación, el precio declarado a dicho efecto en la Oficina de Aduanas correspondiente, incrementado, en su caso, con las cantidades devengadas en concepto de desgravación fiscal a la exportación.

c) En los supuestos de autoconsumo por la propia Empresa para su posterior tratamiento o transformación, el de contabilización, que no podrá a estos efectos exceder al de referencia, que deberá fijar el Ministerio de Industria y Energía".

La Disposición Derogatoria única, apartado 2 de la Ley del Impuesto sobre Sociedades indica expresamente que a su entrada en vigor, quedaran derogados los artículos de la Ley 6/1977, de Fomento de la Minería, referidos al denominado factor de agotamiento, por lo que, en principio, deben considerarse derogadas las normas reglamentarias que lo desarrollaban y, por tanto, el artículo 4 del Real Decreto 1167/1978. Sin embargo, en la exposición de motivos de la citada Ley se indica que respecto a los regímenes especiales, el principal aspecto de la reforma reside en que se recogen en esta Ley la práctica totalidad de los mismos, de forma que, se incorpora a la Ley del Impuesto sobre Sociedades el régimen tributario que se contenía en la Ley de Fomento a la Minería".

En consecuencia, el límite del 15% que la entidad habrá de tener en cuenta para reducir la base imponible en concepto de factor de agotamiento conforme a lo establecido en la opción contemplada en el apartado 3 del artículo 91 de la LIS, comprende el importe obtenido por la venta de los minerales sin transformar y el valor de los minerales que se consumen para su transformación, valor este último que vendrá dado por la contabilidad (que a estos efectos no podrá exceder del de referencia que fijará el Ministerio del ramo), por lo que en ningún caso coincidirá con el importe de la contraprestación por la venta del mineral ya transformado ni se corresponde con el valor de la venta del mismo en un mercado hipotético.

d) Cuando el factor de agotamiento se determine en función del valor de los minerales vendidos, dedicándose la empresa también al tratamiento, transformación, comercialización y venta de las sustancias obtenidas de los aprovechamientos señalados y de los productos incorporados a ellas, e incluyendo dentro del valor de los minerales vendidos el valor de los consumidos por la misma empresa para su tratamiento o transformación posterior, la dotación no podrá ser superior a la parte de base imponible correspondiente al tratamiento, transformación, comercialización y venta de las sustancias obtenidas de los aprovechamientos señalados y de los productos que incorporen dichas sustancias y otras derivadas de las mismas.

Es decir, el límite se establece para que el incentivo fiscal ampare solo la actividad ordinaria de la empresa minera, sin que pueda extenderse a beneficios financieros o extraordinarios, como, por ejemplo, los ingresos procedentes de la venta de inmovilizado, esté afecto o no a la actividad minera, las subvenciones de capital, las indemnizaciones percibidas (ved RTEAC de 5-12-2007) o un incremento patrimonial derivado de cancelación de deudas como consecuencia de un procedimiento de quita (ved STS de 25-10-2013).

Como consecuencia de ello, si la entidad desarrolla varias actividades, únicamente la parte de base imponible, que corresponda a la actividad minera que genere derecho al factor agotamiento, podrá reducirse con la dotación del factor de agotamiento, operando dicha parte de base imponible como límite máximo de reducción.

e) La elección por uno u otro método de dotación al factor de agotamiento constituye una opción, de modo que, como prevé el artículo 119.1 y 3 de la LGT, no puede rectificarse con posterioridad al momento de presentación de la declaración, salvo que la rectificación se presente en el periodo reglamentario de declaración.

Fundamenta dicho criterio la resolución del TEAC de 9 de abril de 2015 diciendo que, puesto que los artículos que el TRLIS dedica al régimen especial de la minería no señalan plazo alguno para ejercitar la opción entre los métodos de dotación al factor de agotamiento posibles, cuando de minerales prioritarios se trata, debe regir la regla general del artículo 119.3 de la L.G.T.

f) La opción escogida será aplicable a todos los aprovechamientos de materias primas prioritarias, de los que sea titular la empresa, una vez compensados los rendimientos negativos procedentes de alguno o alguno de los aprovechamientos, en su caso (ved DGT de 30-10-2000 y RTEAC de 16-05-2005).

A este respecto, la resolución del TEAC de 9 de abril de 2015, refiriéndose al caso de una empresa minera que realizaba dos actividades de "aprovechamiento" de minerales diferentes, unos con beneficio y otro con pérdidas, entiende que la parte de base imponible, correspondiente a aquel aprovechamiento explotado que haya resultado negativa, no debe implicar una minoración del límite de dotación al factor de agotamiento. Lo contrario supondría una penalización, nunca pretendida al instaurarse el régimen especial de la minería. En cambio, tradicionalmente se han basado los privilegios fiscales de la actividad minera en circunstancias tan claras como los mayores riesgos y costes de lo que en general tienen las empresas.

Ahora bien, la opción por esta modalidad, respecto de la actividad referente a dichos recursos, no supone que no se pueda aplicar la modalidad general respecto de otros aprovechamientos que permitan la aplicación del factor de agotamiento. En este caso, cabe dotar por el factor agotamiento por la modalidad general, sin incluir la parte de base imponible correspondiente a la actividad de aprovechamiento de minerales prioritarios, y, al mismo tiempo, la modalidad opcional, respecto de esta última actividad.

g) La deducción fiscal del factor agotamiento en esta modalidad opcional se efectuará, como en la modalidad general, a través de un ajuste extracontable negativo, dado que contablemente la dotación del factor de agotamiento se realiza cargando la cuenta de pérdidas y ganancias y abonando una de reservas.

En efecto, la Orden Ministerial de 10 de febrero de 1984, de adaptación del Plan General de Contabilidad a las empresas de la minería del carbón, establece que la cuenta "Reserva Factor Agotamiento" debe figurar en el pasivo del balance abonándose con cargo a la cuenta 890 de pérdidas y ganancias, por el importe de la dotación de cada ejercicio. El importe de la reserva debe figurar en el pasivo del balance como una aplicación de resultados, una vez formulada la cuenta de pérdidas y ganancias en la que no debe figurar la dotación a la reserva, lo que determinará la realización del correspondiente ajuste extracontable negativo.

El tratamiento fiscal de la modalidad opcional no difiere del propio de la modalidad general, esto es, el de una reducción de la base imponible, a diferencia de lo que ocurría con la Ley 43/1995, en la que la dotación al fondo en la modalidad opcional era considerada como un gasto deducible integrado en la cuenta de pérdidas y ganancias.

EJEMPLO

Una entidad realiza el aprovechamiento de varios recursos minerales comprendidos en la sección A), que no permite la aplicación del factor de agotamiento, en la sección C) y D), que sí permiten su aplicación, y de materias primas minerales declaradas prioritarias, siendo la parte de base imponible correspondiente a cada uno de los aprovechamientos citados la siguiente:

– Recursos de la sección A) *100*

– Recursos de la sección C) y D) *2.200*

– Minerales prioritarios *1.800*

El valor de los minerales prioritarios vendidos asciende a 5.400 unidades.

La entidad posee bases imponibles negativas procedentes de ejercicios anteriores pendientes de aplicación en los siguientes importes:

– Recursos de la sección A) *160*

– Recursos de la sección C) y D) *0*

– Minerales prioritarios *1.200*

a) Cálculo de la dotación del factor de agotamiento por la modalidad general:

La base imponible de los aprovechamientos de recursos con derecho al factor de agotamiento (secciones C) y D) y minerales prioritarios) asciende a 2.800 unidades (2.200+1.800-1.200). No se compensan las bases negativas procedentes de otros aprovechamientos que no permiten la aplicación del factor de agotamiento (sección A). Prescindiendo del cálculo matemático circular, la dotación será del 30% de la base imponible citada, esto es, 840 unidades (2.800 x 0,30).

El cálculo matemático circular (D=0,30 (BIP-D) daría una dotación de 646 unidades.

D= 0,30 (2.800-D)

D= 840-0,30D

D+0,30D= 840

D= 840/1,30= 646

b) Cálculo de la dotación del factor de agotamiento por la modalidad opcional:

La aplicación de la modalidad opcional supone distinguir entre la parte de base imponible correspondiente a los aprovechamientos de recursos con derecho al factor de agotamiento (secciones C) y D), sin incluir la de los minerales prioritarios, y la correspondiente al aprovechamiento de minerales prioritarios.

– En cuanto a la primera, asciende a 2.200 unidades (no hay en dicho aprovechamiento bases negativas para compensar). No se compensan las bases negativas procedentes de otros aprovechamientos que no permiten la aplicación del factor de agotamiento (sección A). Prescindiendo del cálculo matemático circular, la dotación será del 30% de la base imponible citada, esto es, 660 unidades (2.200 x 0,30).

El cálculo matemático circular (D=0,30 (BIP-D) daría una dotación de 507 unidades.

D= 0,30 (2.200-D)

D= 660-0,30D

D+0,30D= 660

D= 660/1,30= 507

– En cuanto a la segunda, la dotación sería igual al 15% del valor de los minerales prioritarios vendidos, esto es, 5.400 x 0,15= 810 unidades.

Ahora bien, recordemos que la dotación para el factor de agotamiento no podrá ser superior a la parte de base imponible correspondiente al tratamiento, transformación, comercialización y venta de las sustancias obtenidas de los aprovechamientos de minerales prioritarios y de los productos que incorporen dichas sustancias y otras derivadas de ellas. Dicha parte de base imponible viene referida a cada uno de los aprovechamientos de los que sea titular la empresa, de modo que el de las materias primas prioritarias supone compensar los rendimientos negativos con los positivos procedentes de dicho aprovechamiento. Así, el límite sería de 600 unidades (1.800-1.200).

En definitiva, la entidad podrá reducir la base imponible en concepto de factor de agotamiento:

– *646 u 840 unidades, según se efectúe o no el cálculo circular, por la modalidad general, o*

– *1.107 (507 + 600) o 1.260 (660 + 600) unidades, según se efectúe o no el cálculo circular, por la modalidad opcional.*

Artículo 92
Factor de agotamiento: inversión

José Miguel Soriano Bel

Inspector de Hacienda del Estado

"Las cantidades que redujeron la base imponible en concepto de factor de agotamiento sólo podrán ser invertidas en los gastos, trabajos e inmovilizados directamente relacionados con las actividades mineras que a continuación se indican:

a) Exploración e investigación de nuevos yacimientos minerales y demás recursos geológicos.

b) Investigación que permita mejorar la recuperación o calidad de los productos obtenidos.

c) Suscripción o adquisición de valores representativos del capital social de empresas dedicadas exclusivamente a las actividades referidas en las letras a), b) y d) de este artículo, así como a la explotación de yacimientos minerales y demás recursos geológicos clasificados en la Sección C), apartado uno del artículo tercero de la Ley 22/1973, de 21 de julio, de Minas, y en la Sección D) creada por la Ley 54/1980, de 5 de noviembre, de modificación de la Ley de Minas, con especial atención a los recursos minerales energéticos, en lo relativo a minerales radiactivos, recursos geotérmicos, rocas bituminosas y cualesquiera otros yacimientos minerales o recursos geológicos de interés energético que el Gobierno acuerde incluir en esta sección, siempre que, en ambos casos los valores se mantengan ininterrumpidamente en el patrimonio de la entidad por un plazo de 10 años.

En el caso de que las empresas de las que se suscribieron las acciones o participaciones, con posterioridad a la suscripción, realizaran actividades diferentes a las mencionadas, el contribuyente deberá realizar la liquidación a que se refiere el artículo 94.1 de esta Ley, o bien, reinvertir el importe correspondiente a aquella suscripción, en otras inversiones que cumplan los requisitos. Si la nueva reinversión se hiciera en valores de los mencionados en el primer párrafo, éstos deberán mantenerse durante el período que restase para completar el plazo de los 10 años.

d) Investigación que permita obtener un mejor conocimiento de la reserva del yacimiento en explotación.

e) Laboratorios y equipos de investigación aplicables a las actividades mineras de la empresa.

f) Actuaciones comprendidas en los planes de restauración previstos en el Real Decreto 975/2009, de 12 de junio, sobre gestión de los residuos de las industrias extractivas y de protección y rehabilitación del espacio afectado por actividades mineras".

El artículo 92 de la LIS contempla y desarrolla, bajo el epígrafe "Factor de agotamiento: inversión", uno de los requisitos que deben cumplirse para que la empresa minera pueda acogerse a este incentivo fiscal: los gastos, trabajos e inmovilizados en que deben invertirse las cantidades que redujeron la base imponible en concepto de factor de agotamiento.

En efecto, de acuerdo con lo dispuesto en el artículo 93 de la LIS, la empresa minera deberá incrementar en cada periodo impositivo la cuenta de reservas en el importe que redujo la base imponible en concepto de factor de agotamiento. Dicho importe, que aparece en las reservas, deberá invertirse en el plazo de 10 años a partir de la conclusión del periodo impositivo en que se redujo la base imponible solo en los gastos, trabajos e inmovilizados directamente relacionados con las actividades mineras que se relacionan en el citado artículo 92, que, a efectos de su estudio, podemos agrupar en tres categorías:

1ª) *La exploración e investigación de nuevos yacimientos minerales y demás recursos geológicos.*

– *La investigación que permita mejorar la recuperación o calidad de los productos obtenidos.*

– *La investigación que permita obtener un mejor conocimiento de la reserva del yacimiento en explotación.*

– *Los laboratorios y equipos de investigación aplicables a las actividades mineras de la empresa.*

Por lo que se refiere a esta primera categoría, puede distinguirse, de acuerdo con la Ley 22/1973, de Minas (arts. 1.1, 2.1 y 3.1) y con la Ley 6/1977, de Fomento de la Minería (art. 2), entre la actividad de aprovechamiento de yacimientos de origen natural o artificial de la del simple tratamiento, beneficio o primera transformación de las materias primas minerales. La actividad de aprovechamiento consiste en la explotación de yacimientos mineros de origen natural y demás recursos geológicos existentes en el territorio nacional, mar territorial y plataforma continental. De ahí que solo serán aptas para materializar las inversiones en concepto de factor de agotamiento las cantidades invertidas en la actividad de aprovechamiento (no las simple tratamiento, beneficio o primera transformación), que incluye, según hemos visto:

– La exploración e investigación de nuevos yacimientos minerales,

– La investigación que permita mejorar la recuperación o calidad de los productos obtenidos u obtener un mejor conocimiento de la reserva del yacimiento en explotación.

– Los laboratorios y equipos de investigación aplicables a las actividades mineras de la empresa.

De ahí que, según la doctrina administrativa, sería apta para materializar el factor de agotamiento la inversión en la adquisición de un terreno para realizar actividades de exploración de yacimientos minerales siempre que sobre el mismo se realice una actividad efectiva de exploración e investigación de nuevos yacimientos minerales, esto es, que no tenga yacimientos conocidos, por cuanto que la inversión en este inmovilizado estaría directamente relacionado con dicha actividad (DGT 1201/03, de 5-09).

Y, por el contrario, según la doctrina administrativa, no se encuentran recogidas entre las alternativas de inversión consideradas como aptas en las que se puede materializar el factor de agotamiento:

–   La adquisición de un sistema de selección de minerales que suponga una mejora en la calidad del material obtenido y que se destina a mejorar las condiciones para la explotación directa de un yacimiento (DGT 09-03-2005).

–   Los gastos e inversiones destinados a establecer la infraestructura necesaria para la explotación directa de un nuevo yacimiento, como la construcción de viales para facilitar el acceso a la explotación de los medios de transporte y maquinaria idónea para la extracción del mineral, la construcción de las restantes infraestructuras necesarias para poner el yacimiento en condiciones de explotación, la construcción de las instalaciones necesarias para la clasificación del mineral a extraer, y la preparación y desmonte de terrenos para el inicio de la explotación (DGT V0389/05, de 10-03-2005).

–   Las cantidades invertidas en conexión con la transformación de minerales adquiridos en el extranjero.

Para la resolución del TEAC de 7 de junio de 2003, el beneficio del factor de agotamiento está relacionado con la explotación de yacimientos mineros de origen natural y demás recursos geológicos existentes en el territorio nacional y no otras actividades o sustancias.

Finalmente, el factor de agotamiento solo es aplicable en el ámbito individual de una sociedad, no en el de un grupo fiscal, siendo también individual el compromiso de inversión que conlleva.

En efecto, será de aplicación sólo en el ámbito de cada sociedad individual por articularse como una reducción en la base imponible, magnitud que se calcula inicialmente en el régimen individual de tributación, ya que en el régimen de consolidación fiscal establecido en la LIS ésta se determina de manera independiente en cada sociedad, procediéndose después a la suma de las mismas, a efectos de determinar la base imponible del grupo. Asimismo, es individual el compromiso de inversión que conlleva, de manera que cada sociedad que haya dotado en su balance la reserva y haya practicado la reducción en su base imponible será la obligada a realizar la inversión que justifica el beneficio fiscal, ya que su opción por la tributación en el régimen de consolidación fiscal y la condición de sujeto pasivo de éste, afirmada en el artículo 79.1 de la LIS al decir que *"el grupo fiscal tendrá la consideración de sujeto pasivo"* (ved art. 56.1 de la actual LIS), no significa una anulación completa de su individualidad ni la subrogación total de sus derechos y obligaciones tributarias en el grupo. Bien al contrario, coexisten como sujetos de obligaciones y de derechos tributarios el grupo y las sociedades que lo integran, siendo la norma la encargada de marcar cuándo corresponden a uno y cuándo a los otros (DGT V1689/2003, de 22-10-2003).

Así resulta con claridad de lo dispuesto en el apartado 3 del artículo 65 del TRLIS (art. 56.3 de la actual LIS), que con alcance de regla general establece que: *"3. La sociedad dominante y las sociedades dependientes estarán igualmente sujetas a las obligaciones tributarias que se deriven del régimen de tributación individual, excepción hecha del pago de la deuda tributaria"*. Habida cuenta de lo dispuesto en este precepto y ante la inexistencia de norma alguna que permita que, excepcionalmente, sea el grupo y no cada una de sus sociedades integrantes quien deba cumplir el compromiso de inversión asumido, éste permanecerá en el ámbito individual, en la sociedad concreta que se aplicó el beneficio fiscal del que deriva. De lo que se desprende que la sociedad que realice la mencionada reducción en la base imponible en concepto de factor agotamiento será la que deba proceder a su inversión cumpliendo todos los requisitos necesarios para ello, sin que sea posible, por lo tanto, que el cumplimiento de los citados requisitos se realice por parte de otra sociedad del grupo fiscal, con independencia de que también realice actividades de aprovechamiento de recursos naturales comprendidos en la sección C) señalada (DGT 276/05 de 18-11-2005).

2ª) Suscripción o adquisición de valores representativos del capital social de empresas dedicadas exclusivamente a las actividades referidas en las letras a), b) y d) de este artículo, así como a la explotación de yacimientos minerales y demás recursos geológicos clasificados en la Sección C), apartado uno del artículo tercero de la Ley 22/1973, de 21 de julio, de Minas, y en la Sección D) creada por la Ley 54/1980, de 5 de noviembre, de modificación de la Ley de Minas, con especial atención a los recursos minerales energéticos, en lo relativo a minerales radiactivos, recursos geotérmicos, rocas bituminosas y cualesquiera otros yacimientos minerales o recursos geológicos de interés energético que el Gobierno acuerde incluir en esta sección, siempre que, en ambos casos los valores se mantengan ininterrumpidamente en el patrimonio de la entidad por un plazo de 10 años.

En el caso de que las empresas de las que se suscribieron las acciones o participaciones, con posterioridad a la suscripción, realizaran actividades diferentes a las mencionadas, el contribuyente deberá realizar la liquidación a que se refiere el artículo 94.1 de esta Ley, o bien, reinvertir el importe correspondiente a aquella suscripción, en otras inversiones que cumplan los requisitos. Si la nueva reinversión se hiciera en valores de los mencionados en el primer párrafo, éstos deberán mantenerse durante el período que restase para completar el plazo de los 10 años.

La finalidad perseguida con el requisito de la inversión en gastos, trabajos y bienes de inmovilizado relacionados con la actividad minera es la de fomentar las actividades de exploración, investigación, mejora y restauración de los yacimientos mineros, finalidad que también puede alcanzarse, de forma indirecta, mediante la suscripción o adquisición de valores representativos del capital social de empresas. Para ello la LIS, en su artículo 92.c), exige dos condiciones:

Primera: que dichas empresas se dediquen exclusivamente a las actividades referidas en las letras a), b) y d) de dicho artículo, así como a la explotación de yacimientos minerales y demás recursos geológicos clasificados en la Sección C), apartado uno del artículo tercero de la Ley 22/1973, de 21 de julio, de Minas, y en la Sección D) creada por la Ley 54/1980, de 5 de noviembre, de modificación de la Ley de Minas, con especial atención a los recursos minerales energéticos, en lo relativo a minerales radiactivos, recursos geotérmicos, rocas bituminosas y cualesquiera otros yacimientos minerales o recursos geológicos de interés energético que el Gobierno acuerde incluir en esta sección.

Segunda: que los valores de la sociedad participada se mantengan ininterrumpidamente en el patrimonio de la entidad beneficiaria del factor agotamiento por un plazo de 10 años.

El incumplimiento de cualquiera de los requisitos mencionados (realizar la entidad participada, después de la suscripción y antes del plazo de diez años, actividades distintas de las mencionadas o transmitir la entidad beneficiaria del factor de agotamiento los valores antes del transcurso del plazo de diez años) acarreará las consecuencias previstas en el párrafo segundo del artículo 92.c) de la LIS, a saber: la empresa beneficiaria del factor de agotamiento deberá realizar la liquidación a que se refiere el artículo 94.1 de esta Ley, o bien reinvertir el importe correspondiente a aquella suscripción en otras inversiones que cumplan los requisitos.

En el caso de que la nueva reinversión se hiciera en valores de los mencionados en el primer párrafo del artículo 92.c) de la LIS, estos deberán mantenerse durante el periodo que restase para completar el plazo de los 10 años.

En materia de plazos hay que distinguir entre el plazo para realizar la reinversión, a que se refiere el artículo 93.1 de la LIS, y el plazo para mantener la reinversión, a que se refiere el artículo 92.c) de la LIS. De la redacción de este último precepto se deduce que el plazo mencionado es de mantenimiento, por lo que en estos casos ha de interpretarse que los plazos han de mantenerse en su integridad, es decir, ha de mantenerse la inversión 10 años desde el origen de la misma. En este sentido, se recuerda que el precepto señala que la reinversión en valores *"deberán mantenerse durante el plazo que reste para completar el plazo de los 10 años"*.

En esta línea, la norma pretende que la inversión se mantenga durante 10 años a contar desde un momento determinado, por lo que cualquier contingencia que posteriormente surja debe respetar dicho plazo sin que se entienda que pueda haber interrupciones.

Por otra parte, no puede perderse de vista que en el caso de que deba reinvertirse dicha reinversión no podrá ser inmediata al nacimiento de la contingencia que la motiva, pero los plazos no pueden ser de una consideración tal que pueda estimarse que el continuo de 10 años se ha interrumpido.

Para la contestación de la DGT V1337-12, de 20 de junio de 2012, *"en este caso, la reinversión se ha de realizar en un plazo lo suficientemente razonable como para que no se entienda interrumpido el mismo. En este sentido, la reinversión en el mismo ejercicio no parece que rompa en continuo señalado. En el caso de que sea necesaria la reinversión al final de un ejercicio, la inversión debería realizarse en el plazo que transcurre desde que se produjo la contingencia hasta la presentación de la autoliquidación, es decir, durante el lapso temporal hasta que deba regularizarse la situación según lo dispuesto en el artículo 101 de la ley.*

La interpretación ofrecida es coherente con la obligación que tiene el obligado tributario de presentar la autoliquidación del artículo 101 de la ley, de tal forma que, en el momento de terminación del plazo de presentación de la autoliquidación del impuesto, el obligado tributario deberá haber procedido de dos formas:

- *o bien haber reinvertido.*
- *o bien haber autoliquidado"*.

Resulta evidente que las acciones o participaciones adquiridas deben serlo de una sociedad cuyo objeto sea la exploración, investigación y explotación de recursos minerales (DGT V0084/99 de 04-10-1999).

En consecuencia, no se cumple el requisito de la inversión con la adquisición de participaciones en el capital de una entidad cuyo objeto es el beneficio de yacimientos minerales y demás recursos geológicos.

Tal es el caso, por ejemplo, de la empresa participada que tiene por objeto la elaboración y comercialización de mármoles y granitos y la distribución, venta y colocación, al por mayor y al por menor, de dichos materiales y sus derivados, y que ha obtenido la calificación como establecimiento de beneficio. Dichas actividades no son de exploración o de investigación, ni tampoco de explotación puesto que, de la redacción de la Ley de Minas, en particular su artículo 37 y siguientes, tienen la consideración de actividades de aprovechamiento la exploración, investigación y explotación como diferenciadas de las actividades de beneficio (DGT 16-11-2012).

Ahora bien, la sociedad participada debe realizar su actividad económica de explotación de yacimientos mineros en territorio nacional, mar territorial y plataforma continental española, no resultando relevante que el capital de dichas sociedades sea total, mayoritaria o parcialmente, nacional o extranjero (DGT 27-07-1999).

La actividad desarrollada por la entidad participada destinada a la exploración, investigación y explotación de recursos minerales ha de serlo, según hemos visto, con exclusividad, y ello con independencia del hecho de que vinieran desarrollando o no la citada actividad en exclusiva desde el momento de su constitución (ved CDGT V1337-12, de 20-06-2012).

La empresa cuyas participaciones se adquieren con las cantidades dotadas al factor de agotamiento ha de tener como única actividad la de explotación de yacimientos minerales y demás recursos geológicos a que se refiere el artículo 92.c) de la LIS. Lo contrario supondría una manifiesta e injustificada desigualdad de trato entre la deducción en caso de inversión en bienes dedicados a tales actividades, que solo podrán dar lugar a la deducción cuando se trate de bienes dedicados directamente a tales actividades, y la inversión a través de participaciones sociales en empresas dedicadas a este tipo de actividades que podrían generar la deducción aun cuando las mismas, y por tanto sus medios materiales y humanos, estuviesen dedicados a otro tipo distinto de actividades que, aunque sean de tipo minero, o estén relacionadas con el sector minero, no sean las concretas actividades a que se vincula este beneficio fiscal.

Razona la sentencia del Tribunal Supremo de 21 de junio de 2010 lo expuesto diciendo que, atendiendo al objetivo de la norma o a la voluntad del legislador, para poder gozar del beneficio, las sumas dotadas al factor de agotamiento se han de invertir en la adquisición de participaciones de compañías mineras dedicadas con exclusividad a las actividades que la Ley 6/1977 quiso fomentar, pues, de otro modo y por un cauce indirecto, se permitiría disfrutar de la ventaja a las cantidades colocadas en actividades distintas de las que el legislador quiso incentivar: aquellas otras que las empresas adquiridas realizasen además de las propias actividades contempladas en la norma.

Y añade: *"Por consiguiente, de igual manera que no podría una sociedad del sector descontar de la base imponible del impuesto sobre sociedades las sumas dotadas a la cuenta del factor de agotamiento que invirtiese, por ejemplo, en la comercialización de los productos mineros acabados, tampoco cabría que se beneficien de la ventaja los importes invertidos en una empresa que, realizando labores de exploración, investigación, explotación y beneficios mineros, se dedicase también a aquella comercialización. Si no se entendiera así, se obtendría el efecto, claramente no querido por el legislador, de extender el beneficio a cantidades que, en realidad, no se emplean en las citadas tareas de exploración, investigación y explotación, al invertirse en la compra de empresas que tenien-*

do por objeto social esas ocupaciones también se dedican a otras actividades, relacionadas o no con la minería".

Nótese que la norma habla de empresas dedicadas exclusivamente a determinadas actividades o a la realización de determinadas actividades, lo que significa que no se exige que tales actividades sean las que consten en exclusiva en el objeto social de la entidad siempre que la entidad se dedique exclusiva y efectivamente a dichas actividades.

Dicha actividad ha de consistir, en exclusiva, en alguna de las mencionadas en la letra c) del artículo 92, esto es, actividades de exploración e investigación de nuevos yacimientos minerales y demás recursos geológicos, de investigación que permita mejorar la recuperación o calidad de los productos obtenidos o de investigación dirigida a un mejor conocimiento de las reservas del yacimiento en explotación, así como a la explotación de yacimientos minerales y demás recursos geológicos incluidos en la sección C), apartado uno del artículo 3 de la Ley 22/1973 y en la sección D) del mismo artículo, en lo relativo a minerales radiactivos, recursos geotérmicos, rocas bituminosas y cualesquiera otros yacimientos minerales o recursos geológicos de interés energético que el Gobierno acuerde incluir en esta sección. Además, los recursos de la suscripción de capital deben destinarse a la realización efectiva de dichas actividades, esto es, a la exploración y explotación de yacimientos, pues ese es el destino propio de las cantidades que se dotaron en concepto de factor de agotamiento. Por lo tanto, si la entidad participada no destinase los fondos obtenidos en la suscripción de capital a realizar las citadas actividades, dicha inversión no podría entenderse como válida materialización de la dotación.

Por ejemplo, sería apta la suscripción de acciones o participaciones en el capital de una entidad que se dedicara exclusivamente a la explotación de una concesión de explotación, derivada de un permiso de investigación, esto es, que la entidad participada fuera cesionaria de la referida concesión de explotación (DGT de 16-11-2012).

Igualmente, la norma habla de las consecuencias derivadas del incumplimiento del requisito anterior, esto es, de realizar actividades diferentes respecto del supuesto de suscripción de acciones o participaciones y con posterioridad a la suscripción, lo que una interpretación literal llevaría a entender que tales consecuencias no se producen en el supuesto de adquisición de acciones o participaciones.

Ahora bien, la resolución del TEAC de 8 de noviembre de 2006 considera que no cabe entender incumplido el requisito de permanencia de diez años en los casos en que las pérdidas de la entidad participada hayan obligado a reducir su capital social para restablecer el equilibrio patrimonial y evitar su disolución, mediante la amortización de las acciones suscritas.

Entiende el TEAC que *"la Ley 6/1977, cuyo objetivo último es la promoción de la actividad minera como señala en su Exposición de Motivos llegando in-*

cluso a subvencionarla y a la concesión de líneas especiales de crédito oficial, no puede desconocer que tal actividad minera, como cualquier otra actividad empresarial y en ciertos aspectos con mayor motivo, está sujeta al riesgo inherente a toda actividad de tal tipo. Y el riesgo que caracteriza la actividad empresarial entraña tanto la posibilidad de beneficio como de pérdida. La Ley desde luego no distingue a la hora de configurar el beneficio fiscal del factor agotamiento entre el éxito o el fracaso de la actividad minera acogida al mismo; y desde luego, no obliga a reponer las pérdidas sufridas en la filial cuyas participaciones constituyen materialización del factor agotamiento, ni a mantener inactiva la sociedad filial que lo ha perdido todo o casi todo sin posibilidad de disolverla".

La suscripción y total desembolso de las participaciones sociales de una sociedad filial es apta para la inversión del factor de agotamiento, por el importe efectivamente desembolsado en la suscripción. Pero, si la entidad participada no destinara los fondos obtenidos de la suscripción de capital en la realización de las citadas actividades, dicha inversión no podría entenderse como válida materialización de la dotación (DGT V0693/2008, de 07-04-2008).

Sin embargo, no se considera una inversión, apta para la materialización de las cantidades reducidas de la base imponible en concepto de factor de agotamiento, la adquisición-suscripción de acciones o participaciones propias con cargo a la reserva factor de agotamiento.

Y ello porque, mercantilmente, atendiendo al principio de realidad y conservación del capital social, la adquisición de las acciones o participaciones propias o de la sociedad dominante, o está prohibida absolutamente, o está restringida a unos casos concretos y en unas condiciones que impide el cumplimiento de lo dispuesto en la letra c) del artículo 99 del TRLIS (art. 92.c) de la actual LIS), como bien de inversión apto para la inversión de las cantidades reducidas de la base imponible en concepto de factor de agotamiento, dado que ello no representaría una inversión en el capital de una tercera sociedad, supuesto válido al que se refiere el artículo 99 del TRLIS (art. 92 de la actual LIS), ni gastos, trabajos o inmovilizados directamente relacionados con las actividades mineras establecidas en el citado precepto legal como materialización del factor de agotamiento (DGT 690/07, de 4-04).

Por último, la DGT (DGT 298/2006 de 20-02-2006) ha aclarado, a los efectos de las consecuencias derivadas del incumplimiento de los requisitos mencionados (realizar, después de la suscripción y antes del plazo de diez años, actividades distintas de las citadas o transmitir los valores antes del transcurso del plazo de diez años), que la sociedad participada realiza una actividad distinta, dejando de cumplir los requisitos indicados, si vendiese una de las concesiones mineras que explota o transmitiera o cediera el uso de los derechos mineros de que fuera titular, antes de transcurrido el plazo de diez años referido. E, igualmente, si transmitiera los recursos mineros que poseyera y cesara en la actividad, pasando a partir de ese momento a estar inactiva hasta adquirir otra concesión, en que realizar alguna de las actividades recogidas en la Ley, por lo que, en consecuencia, se deberá realizar la liquidación a que se refiere el artículo 101.1 del TRLIS (art. 94.1 de la actual LIS) o bien reinvertir el importe correspondiente a aquella suscripción en otras inversiones que cumplan los requisitos indicados, con la peculiaridad de que, si la nueva reinversión se hiciera de nuevo en valores que cumplan las condiciones indicadas, éstos deberán mantenerse durante el período que restase para completar el plazo de los 10 años.

3ª) Las actuaciones comprendidas en los planes de restauración previstos en el Real Decreto 975/2009, de 12 de junio, sobre gestión de los residuos de las industrias extractivas y de protección y rehabilitación del espacio afectado por actividades mineras.

Este apartado f) del artículo 92 fue redactado por la Ley 2/2011, de 4 de marzo, de Economía Sostenible. El texto anterior se refería a Actuaciones comprendidas en los planes de restauración previstos en el Real Decreto 2994/1982, de 15 de octubre, sobre restauración de espacios naturales afectados por actividades extractivas.

No son pocos los casos en que la empresa minera está obligada efectuar una serie de inversiones, cuando el yacimiento se acabe, para restaurar el espacio natural afectado por las labores mineras, ya que se trata de una instalación a cielo abierto o por los trabajos realizados en el exterior que afecten al espacio natural en el caso de minas de interior.

A este fin, la empresa minera puede acometer dichos gastos directamente, una vez se agote el yacimiento, en cuyo caso serían aptos, a efectos de la materialización del factor de agotamiento, los gastos directamente relacionados con la restauración del espacio natural afectado por las labores mineras, si, de acuerdo con lo establecido en el Real Decreto 975/2009, de 12 de junio, se trata de aprovechamientos de explotaciones a cielo abierto o de minas de interior cuyas instalaciones o trabajos en el exterior alteren sensiblemente el espacio natural.

Entendemos, asimismo y siempre que se trate actuaciones comprendidas en los planes de restauración previstas en citado real decreto, sobre gestión de los residuos de las industrias extractivas y de protección y rehabilitación del espacio afectado por actividades mineras, que la inversión podrá realizarse mediante **la aplicación a su finalidad**, cuando se agote el yacimiento, de las provisiones dotadas en ejercicios anteriores a través de la **provisión por desmantelamiento, retiro o rehabilitación del inmovilizado o de la provisión para actuaciones medioambientales**, dotadas en los periodos anteriores al abandono de la cantera, que se hicieron para evitar, de este modo, la imputación de todo el gasto a un solo periodo.

El tratamiento fiscal de dicha provisión es diferente según que dicha provisión afecte al inmovilizado, en tanto que en este caso la provisión podrá ser amortizada en la misma medida que lo es el inmovilizado al que afecte, o que se trate de gastos corrientes a incurrir en el futuro para atender a las obligaciones de descontaminación y de restauración del espacio natural afectado por la explotación minera, cuestión que es tratada con mayor detalle en el **epígrafe 2.9.**

Artículo 93
Factor de agotamiento: requisitos

José Miguel Soriano Bel
Inspector de Hacienda del Estado

"1. El importe que en concepto de factor de agotamiento reduzca la base imponible en cada período impositivo deberá invertirse en el plazo de 10 años, contados a partir de su conclusión.

2. Se entenderá efectuada la inversión cuando se hayan realizado los gastos o trabajos a que se refiere el artículo anterior o recibido el inmovilizado.

3. En cada período impositivo deberán incrementarse las cuentas de reservas de la entidad en el importe que redujo la base imponible en concepto de factor de agotamiento.

4. El contribuyente deberá recoger en la memoria de los 10 ejercicios siguientes a aquel en el que se realizó la correspondiente reducción el importe de ésta, las inversiones realizadas con cargo a esta y las amortizaciones realizadas, así como cualquier disminución habida en las cuentas de reservas que se incrementaron como consecuencia de lo previsto en el apartado anterior y el destino de aquélla. Estos hechos podrán ser objeto de comprobación durante este mismo período.

5. Sólo podrá disponerse libremente de las reservas constituidas en cumplimiento de lo dispuesto en el apartado 3, en la medida en que se vayan amortizando las inversiones, o una vez transcurridos 10 años desde que se suscribieron las correspondientes acciones o participaciones financiadas con dichos fondos.

6. Las inversiones financiadas por aplicación del factor agotamiento no podrán acogerse a las deducciones previstas en el Capítulo IV del Título VI".

Junto al requisito recogido en el artículo 92 de la LIS, relativo a la inversión de las cantidades dotadas en concepto de factor de agotamiento, el artículo 93 contempla el resto de los requisitos exigidos para que la empresa minera pueda acogerse a este incentivo fiscal, esto es:

a) La empresa minera deberá incrementar en cada periodo impositivo la cuenta de reservas en el importe que redujo la base imponible en concepto de factor de agotamiento.

Se entiende cumplido este requisito si la sociedad dota lo que ella llama la reserva por factor de agotamiento por el mismo importe aplicado a reducir su base imponible, no siendo necesario dotar otra reserva para recoger el mismo importe (ved DGT 1201/2004, de 12-05).

b) Dicho importe deberá invertirse en el plazo de 10 años a partir de la conclusión del periodo impositivo en que se redujo la base imponible solo en los gastos, trabajos e inmovilizados directamente relacionados con las actividades mineras que se relacionan en el citado artículo 92.

Debe puntualizarse, de acuerdo con el criterio establecido por la DGT (DGT 276/2005, de 18-11, DGT 1189/2006, de 20-06, DGT V0413/11, de 22-02, entre otras), que el beneficio fiscal recogido en el régimen fiscal de la minería resultará de aplicación en el ámbito individual de cada sociedad, aun cuando formen parte de un grupo fiscal, siendo también individual el compromiso de inversión que conlleva.

Es decir, será de aplicación sólo en el ámbito de cada sociedad individual por articularse el régimen como una reducción en la base imponible, magnitud que se calcula inicialmente en el régimen individual de tributación, ya que en el régimen de consolidación fiscal ésta se determina de manera independiente en cada sociedad, procediéndose después a la suma de las mismas, a efectos de determinar la base imponible del grupo fiscal.

Asimismo, es individual el compromiso de inversión que conlleva, de manera que cada sociedad que haya dotado en su balance la reserva y haya practicado la reducción en su base imponible será la obligada a realizar la inversión que justifica el beneficio fiscal.

Ante la inexistencia de norma alguna que permita que, excepcionalmente, sea el grupo y no cada una de sus sociedades integrantes quien deba cumplir el compromiso de inversión asumido, éste permanecerá en el ámbito individual, en la sociedad concreta que se aplicó el beneficio fiscal del que deriva.

De lo que se desprende que la sociedad que realice la mencionada reducción en la base imponible en concepto de factor agotamiento será la que deba proceder a su inversión cumpliendo todos los requisitos necesarios para ello.

Mientras no haya transcurrido el plazo de 10 años desde la conclusión del periodo impositivo en que se redujo la base imponible con el concepto de factor de agotamiento, el régimen no se perderá. Ello significa que, en el caso de que se efectúe una inversión no apta para gozar de este régimen especial, no se producirá la pérdida del mismo, si antes de la finalización del plazo de 10 años se realiza otra inversión apta a estos efectos.

c) Las reservas dotadas en concepto de factor de agotamiento podrán disponerse libremente solo en la medida en que se vayan amortizando las inversiones, o una vez transcurridos 10 años desde que se suscribieron las correspondientes acciones o participaciones financiadas con dichos fondos.

En consecuencia, la libre disponibilidad de las reservas dotadas por el concepto del factor de agotamiento se demora hasta la amortización de la inversión realizada, de modo que no es suficiente con que se haya realizado la inversión para disponer de la reserva. Amortizados los bienes, se podrá disponer libremente de la reserva, traspasándola a otra reserva o distribuyéndola.

En el caso de que la inversión se haya realizado mediante la suscripción de acciones o participaciones, habrá que esperar 10 años para disponer de la reserva por factor de agotamiento.

Ahora bien, habrá que tener en cuenta la naturaleza del bien en que se ha invertido, pues tratándose de bienes no amortizables, como los terrenos, no se podrá disponer libremente de la reserva hasta que no se enajene el terreno o se dé de baja en la contabilidad, sin que sea preciso esperar al plazo de diez años para disponer de la reserva a que se refiere la norma para el supuesto específico de inversión mediante suscripción de acciones o participaciones sociales.

Así se ha manifestado la DGT (DGT 1201/2003 de 5-09-2003) diciendo que, si el factor de agotamiento se hubiera materializado en la adquisición de un terreno, apto para disfrutar del incentivo fiscal, la reserva dotada que se corresponda con el factor de agotamiento que redujo la base imponible no será libremente disponible hasta que el terreno se enajene o se dé de baja en contabilidad. Dado que no se trata de una inversión amortizable no es posible ir disponiendo gradualmente de la reserva, sino que será totalmente disponible en el momento de su enajenación o baja de contabilidad, no resultando aplicable la norma específica de las participaciones que establece un plazo de diez años para disponer de la reserva desde su suscripción

Igualmente, si la inversión se efectúa en gastos corrientes, no activables, la disponibilidad de la reserva debe ser paralela al devengo y contabilización de los gastos, que es como si contabilizara la amortización de una inversión.

En efecto, en el caso, por ejemplo, de que el factor de agotamiento se hubiera materializado en gastos directamente relacionados con la restauración del espacio natural afectado por las labores mineras, aptos a efectos de la materialización del factor de agotamiento, sí cabría ir disponiendo libremente de la misma a medida que se va incurriendo y contabilizando dichos gastos. A diferencia de lo que ocurre con el terreno, en este caso la sociedad sí contabiliza un gasto a medida que va realizando los trabajos de restauración, de igual forma que al amortizar las inversiones se va contabilizando el gasto correspondiente, lo cual permite ir disponiendo paralelamente de la reserva.

–   Debe subrayarse que la amortización de las inversiones que permite disponer de las reservas es la amortización contable (DGT 30-06-1997).

–   Aclara la norma que se entenderá efectuada la inversión cuando se hayan realizado los gastos o trabajos a que se refiere el artículo 92 LIS, o recibido el inmovilizado, no cuando se pagan los gastos ni cuando entre en funcionamiento el inmovilizado.

- La limitación en la disposición de las reservas afecta exclusivamente a la reserva procedente de la dotación anual al factor agotamiento. El resto de reservas puede distribuirse sin aplicar estas limitaciones (DGT 08-09-2000).

- Finalmente, en cuanto a la posibilidad de que la inversión de la reserva del factor de agotamiento se pueda anticipar a su dotación, la contestación de la DGT CV1728-08 de 24 de septiembre 2008 entiende que del TRLIS no se deduce la posibilidad de realizar inversiones anticipadas a la dotación de la reserva del factor de agotamiento, por consiguiente el exceso de inversión no se puede aplicar en ningún caso a las dotaciones futuras de la mencionada reserva. No existe, por tanto, ningún procedimiento legal o reglamentario para aplicar las inversiones efectuadas en exceso a las dotaciones futuras de la reserva ni siquiera mediante un plan de inversiones que pueda aprobar la Administración.

Artículo 94
Factor de agotamiento: incumplimiento de requisitos

José Miguel Soriano Bel
Inspector de Hacienda del Estado

"1. Transcurrido el plazo de 10 años sin haberse invertido o habiéndose invertido inadecuadamente el importe correspondiente, se integrará en la base imponible del período impositivo concluido a la expiración de dicho plazo o del ejercicio en el que se haya realizado la inadecuada disposición, debiendo liquidarse los correspondientes intereses de demora que se devengarán desde el día en que finalice el período de pago voluntario de la deuda correspondiente al período impositivo en que se realizó la correlativa reducción.

2. En el caso de liquidación de la entidad, el importe pendiente de aplicación del factor de agotamiento se integrará en la base imponible en la forma y con los efectos previstos en el apartado anterior.

3. Del mismo modo se procederá en los casos de cesión o enajenación total o parcial de la explotación minera y en los de fusión o transformación de entidades, salvo que la entidad resultante, continuadora de la actividad minera, asuma el cumplimiento de los requisitos necesarios para consolidar el beneficio disfrutado por la entidad transmitente o transformada, en los mismos términos en que venía figurando en la entidad anterior".

SUMARIO: 1. INCUMPLIMIENTO DE REQUISITOS. 2. INCOMPATIBILIDADES. 3. OBLIGACIONES CONTABLES. 4. LA INCIDENCIA DE LA PRESCRIPCIÓN. 5. LA PROVISIÓN POR DESMANTELAMIENTO, RETIRO O REHABILITACIÓN DEL INMOVILIZADO Y LA PROVISIÓN PARA ACTUACIONES MEDIOAMBIENTALES.

1. INCUMPLIMIENTO DE REQUISITOS

A la vista del citado precepto, las consecuencias del incumplimiento de los requisitos son:

a) En el caso de no realizar las inversiones en el plazo de diez años, se procederá a integrar en la base imponible del primer ejercicio que concluya a la expiración del plazo citado el importe de la reducción realizada que no haya sido objeto de inversión, con liquidación de los intereses de de-mora, que se devengarán desde el día en que finalice el período de pago voluntario de la deuda correspondiente al período impositivo en que se realizó la correlativa reducción.

b) En el caso de realizar una inversión inadecuada y en el caso de disponer inadecuadamente de la reserva por factor de agotamiento, el importe de la reducción realizada se integrará en la base imponible del período im-positivo concluido a la expiración del plazo de diez años o del ejercicio en el que se haya realizado la inadecuada disposición. También deberán liquidarse los intereses de demora desde el día en que finalice el período de pago voluntario de la deuda correspondiente al período impositivo en que se realizó la correlativa reducción.

– En cuanto a la **inversión inadecuada**, a la vista del texto legal, podría entenderse que basta la inadecuada inversión para regularizar, sin embargo, una interpretación tanto literal como finalista conduce a entender que la inversión en un gasto o trabajo o activo inadecuado no produce por sí misma una integración en la base imponible, sal-vo si se ha procedido a una disposición de la cuenta de reservas. En consecuencia, la inversión en un elemento inadecuado constituiría un defecto subsanable siempre que no haya transcurrido un plazo de diez años desde la realización de la reducción de la base imponi-ble o se haya dispuesto de la correspondiente cuenta de reserva. Así tendrían un tratamiento igualitario los sujetos pasivos que inviertan prioritariamente, pero que posteriormente modifican su plan de in-versiones, respecto de otros sujetos pasivos que invierten al final del plazo, salvo que, habiendo invertido en gastos o en activos no ade-cuados, dispongan de las reservas conforme vayan amortizando el activo o imputando los gastos a la cuenta de pérdidas y ganancias.

El Tribunal Económico-Administrativo Central es de esta opinión en su resolución de 17 mayo de 2007 (rec. 4071/2005), en la que se indica que, *"de esta forma se evitan situaciones injustas, como la que se plantearía en el caso de un sujeto pasivo que optase por in-vertir (inadecuadamente) al inicio del plazo de los 10 años, a quien se colocaría en peor condición, frente a aquel otro sujeto pasivo que retrasase su inversión al décimo año. En consecuencia, entendemos que las inversiones inadecuadas que se realicen en el período de los 10 años contados desde la conclusión del período impositivo en el que redujo la base imponible, no impiden que éstas se reali-cen posteriormente dentro del citado plazo; y que sólo es causa de incumplimiento, durante ese período de los 10 primeros años, la liberación o disposición de las reservas. Criterio ya mantenido por este Tribunal Económico Administrativo Central en Resolución de 4 May. 2007, RG: 3205-05".*

– En cuanto al concepto de **inadecuada disposición de las reservas**, la LIS se limita a señalar que en cada período impositivo la entidad debe incrementar sus cuentas de reservas en el importe que redujo la base imponible en concepto de factor de agotamiento, sin establecer ningún método contable para realizar las dotaciones al factor agotamiento ni la cuenta específica que debe recoger estas dotaciones. Ello no obstante, puede entenderse aplicable la Orden Ministerial de 10 de febrero de 1984 de adaptación del Plan General de Contabilidad a las empresas de la minería del carbón, que establece que la cuenta "Reserva Factor Agotamiento" debe figurar en el pasivo del balance abonándose con cargo a la cuenta 890 de pérdidas y ganancias, por el importe de la dotación de cada ejercicio.

Sobre esta base, entendemos que la inadecuada disposición de las reservas tendrá lugar cuando las mismas se repartan, esto es, que se destinen a la distribución de dividendos e, incluso, al aumento del capital social, pero es dudoso que exista inadecuada disposición por el hecho de trasladarse a otra cuenta de reservas, mientras no se utilice, de registrarse dentro de las reservas voluntarias, por ejemplo, lo que podría considerarse, en su caso, como una irregularidad puramente formal, insuficiente para eliminar por sí sola el incentivo fiscal.

Por el contrario, la resolución del TEAC de 17 de mayo de 2007, entendiendo el término «disposición» como reparto o liberación de la reserva, considera que se ha producido la disposición del factor de agotamiento al cargarse dicha reserva por factor de agotamiento con abono a la reserva de libre disposición, sobre las que no existe indisponibilidad.

c) En el caso de **liquidación de la entidad**, el importe pendiente de aplicación del factor de agotamiento se integrará en la base imponible en la forma y con los efectos previstos en el apartado anterior.

d) En los casos de **cesión o enajenación** total o parcial de la **explotación minera** y en los de **fusión o transformación de entidades**, se procederá del mismo modo, esto es, adicionando a la base imponible el importe de las cantidades no invertidas de la cuenta "Factor de agotamiento Ley 6/1977", salvo que la entidad resultante, continuadora de la actividad minera, asuma el cumplimiento de los requisitos necesarios para consolidar el beneficio disfrutado por la entidad transmitente o transformada, en los mismos términos en que venía figurando en la entidad anterior.

2. INCOMPATIBILIDADES

El artículo 93.6 de la LIS establece la incompatibilidad del régimen del factor de agotamiento con las deducciones para incentivar la realización de las actividades mencionadas en los artículos 35 a 39 de la misma LIS (Capítulo IV del Título VI), por lo que las inversiones financiadas por aplicación del factor agotamiento no podrán acogerse a dichas deducciones.

Igualmente, el artículo 25.3 de la LIS establece la incompatibilidad entre la reducción correspondiente a la reserva de capitalización prevista en dicho artículo en el mismo período impositivo con la reducción en base imponible en concepto de factor de agotamiento prevista en los artículos 91 y 95 de dicha Ley.

3. OBLIGACIONES CONTABLES

A nuestro juicio, la Orden de 10 de febrero de 1984, por la que se aprueban las normas de adaptación del Plan General de Contabilidad a las empresas de la minería del carbón, constituye un referente perfectamente válido para la minería en general por cuanto la problemática contable que puede presentarse no está en relación con el mineral que se extrae sino en relación a las características específicas y particulares de la actividad minera.

De acuerdo con dicha orden ministerial, la cuenta "Reserva Factor Agotamiento" debe figurar en el pasivo del balance abonándose con cargo a la cuenta 890 de pérdidas y ganancias, por el importe de la dotación de cada ejercicio. Esta regla debe interpretarse como la obligación de la empresa minera de reflejar en el pasivo del balance el importe de la reserva como aplicación de resultados, tras la formulación de la cuenta de pérdidas y ganancias. Por ello, en dicha cuenta no debe figurar la dotación a la reserva, la cual reducirá la base imponible mediante el correspondiente ajuste extracontable negativo.

Finalmente, el contribuyente deberá recoger en la memoria de los 10 ejercicios siguientes a aquel en el que se realizó la correspondiente reducción el importe de ésta, las inversiones realizadas con cargo a esta y las amortizaciones realizadas, así como cualquier disminución habida en las cuentas de reservas que se incrementaron como consecuencia de las reducciones en la base imponible en concepto de factor de agotamiento y el destino de aquélla.

4. LA INCIDENCIA DE LA PRESCRIPCIÓN

Considera el artículo 93.4 de la LIS que los hechos indicados podrán ser objeto de comprobación durante este mismo período, es decir, durante los 10 ejercicios siguientes a aquel en el que se realizó la correspondiente reducción. Por lo tanto, la facultad de comprobación de la Administración tributaria se extiende al plazo de diez años durante los cuales el contribuyente puede materializar las inversiones dotadas y que hayan reducido la base imponible, sin perjuicio de la prescripción del derecho a liquidar los ejercicios que la hayan ganado por el transcurso del plazo de cuatro años.

> *EJEMPLO*
>
> *En el año 1 la entidad redujo la base imponible en concepto de factor agotamiento, incrementando la cuenta de reservas "Factor de agotamiento" en el importe de la reducción. Hasta el año 11 tiene la entidad plazo para invertir, pero no invierte. En el año 15 la Administración tributaria comprueba los ejercicios anteriores. Es evidente que el año 1 ganó la prescripción del derecho a liquidarlo (e, igualmente, otros posteriores), pero ello no impide que pueda ser comprobado, para analizar si se han cumplido los requisitos legales, en concreto si se ha invertido. Dado que la regularización, en caso de no inversión en plazo, se efectuará en el periodo impositivo concluido a la expiración del plazo de diez años, en este caso en el año 11, sí cabe regularizar dicho año, pues el derecho a liquidarlo no ha prescrito todavía cuando la Administración, en el año 15, notifica el inicio de la comprobación. La liquidación que se realice incluirá los intereses de demora.*
>
> *Por el contrario, el 25 de julio del año 16 (4 años desde que finalizó el plazo voluntario de declaración del año 11) finalizará el plazo para ejercitar el derecho a liquidar el año 11, porque a partir de aquella fecha no podrá comprobarse la reducción de la base imponible efectuada en el año 1 ni, por consiguiente, la regularización que debió hacerse en el año 11.*

5. LA PROVISIÓN POR DESMANTELAMIENTO, RETIRO O REHABILITACIÓN DEL INMOVILIZADO Y LA PROVISIÓN PARA ACTUACIONES MEDIOAMBIENTALES

No son pocos los casos en que la empresa minera está obligada efectuar una serie de inversiones, cuando el yacimiento se acabe, para restaurar el espacio natural afectado por las labores mineras, ya que se trata de una instalación a cielo abierto o por los trabajos realizados en el exterior que afecten al espacio natural en el caso de minas de interior.

A este fin, la empresa minera puede acometer dichos gastos directamente, una vez se agote el yacimiento, en cuyo caso serían aptos, a efectos de la materialización del factor de agotamiento, los gastos directamente relacionados con la restauración del espacio natural afectado por las labores mineras, si, de acuerdo con lo establecido en el Real Decreto 975/2009, de 12 de junio, se trata de aprovechamientos de explotaciones a cielo abierto o de minas de interior cuyas instalaciones o trabajos en el exterior alteren sensiblemente el espacio natural.

Entendemos, asimismo y siempre que se trate actuaciones comprendidas en los planes de restauración previstas en citado real decreto, sobre gestión de los residuos de las industrias extractivas y de protección y rehabilitación del espacio afectado por actividades mineras, que la inversión podrá realizarse mediante la aplicación, cuando se agote el yacimiento, de las provisiones dotadas en ejercicios anteriores a través de la provisión por desmantelamiento, retiro o rehabilitación del inmovilizado o de la provisión para actuaciones medioambientales, dotadas en los periodos anteriores al abandono de la cantera, que se hicieron para evitar, de este modo, la imputación de todo el gasto a un solo periodo.

El tratamiento fiscal de dicha provisión es diferente según que dicha provisión afecte al inmovilizado o que se trate de gastos corrientes a incurrir en el futuro para atender a las obligaciones de descontaminación y de restauración del espacio natural afectado por la explotación minera.

a) En el primer caso nos encontraríamos con **la provisión por desmantelamiento, retiro o rehabilitación del inmovilizado.**

Desde el punto de vista contable, el Plan General de Contabilidad de 2007 prevé el registro y valoración, en el inmovilizado material, del valor actual de la provisión por desmantelamiento, retiro o rehabilitación surgida por disposición legal, contractualmente o bien por una obligación implícita o tácita.

Para el Plan General de Contabilidad de 2007 también se amortiza contablemente la parte del valor correspondiente a las obligaciones asumidas derivadas del desmantelamiento o retiro y otras asociadas al citado activo, tales como los costes de rehabilitación del lugar sobre el que se asienta, siempre que estas obligaciones hayan dado lugar al registro de provisiones de acuerdo con lo dispuesto en la norma aplicable a éstas.

La resolución de 1 de marzo de 2013, del Instituto de Contabilidad y Auditoría de Cuentas, por la que se dictan normas de registro y valoración del inmovilizado material y de las inversiones inmobiliarias, entiende que, en particular, formarán parte del precio de adquisición o del coste de producción de un bien del inmovilizado material los costes por desmantelamiento o retiro y los costes de rehabilitación en los términos previstos en el apartado siguiente de esta norma.

Considera, igualmente, que, si bien los terrenos tienen una vida ilimitada y por tanto no se amortizan, existen excepciones a esta regla como las minas, las canteras y los vertederos, o algunos componentes depreciables como los cierres. De ahí que si el coste de un terreno incluye los costes de desmantelamiento, traslado y rehabilitación, esa porción del coste del terreno se amortizará a lo largo del periodo en el que se obtengan beneficios por haber incurrido en esos costes.

Admitida, desde el punto de vista contable, la amortización de la provisión por desmantelamiento, retiro y rehabilitación del inmovilizado, en la misma medida en que se amortice el inmovilizado al que afecte, cabe preguntarse sobre su tratamiento fiscal.

Desde el punto de vista fiscal, no cabe duda que el gasto contable por la amortización de ese inmovilizado será fiscalmente deducible en los términos establecidos en el artículo 11 del TRLIS (actual artículo 12.1 LIS), en tanto que el importe de la estimación inicial del valor de las obligaciones asumidas derivadas de la rehabilitación forma parte del valor del inmovilizado material y, por tanto, se considera integrante del precio de adquisición a efectos contables (DGT V0296/10 de 18-02).

b) El segundo supuesto se refiere a **la provisión para actuaciones medioambientales**.

La deducibilidad fiscal de dicha provisión fue, en su momento, controvertida, pues, asimilada a una provisión para responsabilidades, se podría permitir su deducción siempre que no se tratara de provisionar gastos posibles o eventuales, y en el presente caso los gastos de abandono, si bien de cuantía indeterminada, podrían ser gastos ciertos.

Tras la modificación operada en el TRLIS por la Ley 16/2007, la cuestión pasó a resolverse acudiendo al artículo 14.3 de la LIS, según el cual no sería fiscalmente deducible si el gasto, asociado a la provisión, derivaba de una obligación implícita o tácita. La actual LIS en nada ha modificado el tratamiento fiscal de los gastos asociados a provisiones derivados de obligaciones implícitas o tácitas, que siguen siendo no deducibles.

La provisión está destinada a prevenir o reparar daños sobre el medioambiente, cubriendo los gastos de descontaminación y restauración de lugares contaminados, eliminación de residuos acumulados y cierre o eliminación de activos inmovilizados. El Plan General de Contabilidad de 2007 contempla dicha provisión para actuaciones medioambientales a largo plazo en la cuenta 145 y a corto plazo en la 5295, que recogerán el importe que resulte de las estimaciones de los gastos a incurrir en el futuro para atender las obligaciones de descontaminación y restauración.

Pues bien, su deducibilidad fiscal depende de que los gastos, asociados a provisiones, deriven de una obligación legal o contractual, o en un compromiso adquirido por la entidad, pero de cuantía indeterminada. En caso contrario, las dotaciones a estas provisiones, en tanto basadas en obligaciones implícitas o tácitas, no serán fiscalmente deducibles.

Ahora bien, la LIS, en su artículo 14.4 contempla expresamente el caso comentado, el de los gastos correspondientes a actuaciones medioambientales, dando a entender que las mismas no serán fiscalmente salvo que se correspondan a un plan formulado por el contribuyente y aceptado por la Administración tributaria, añadiendo que reglamentariamente se establecerá el procedimiento para la resolución de los planes que se formulen. A este respecto el artículo 10 del Reglamento del Impuesto sobre Sociedades, aprobado por el Real Decreto 634/2015, de 10 de julio, contiende el procedimiento de solicitud y resolución de los planes de gastos correspondientes a actuaciones medioambientales.

Finalmente, el artículo 14.5 de la LIS contiene una regla de imputación temporal de estos gastos que no hubieran resultado fiscalmente deducibles. No lo serán en el periodo en que se dote contablemente la provisión sino en el periodo en que se aplique la provisión o se destine el gasto a su finalidad.

Régimen fiscal de la investigación y explotación de hidrocarburos

José Miguel Soriano Bel
Inspector de Hacienda del Estado

Artículo 95. Exploración, investigación y explotación de hidrocarburos: factor de agotamiento.

"Las sociedades cuyo objeto social sea exclusivamente la exploración, investigación y explotación de yacimientos y de almacenamientos subterráneos de hidrocarburos naturales, líquidos o gaseosos, existentes en el territorio español y en el subsuelo del mar territorial y de los fondos marinos que estén bajo la soberanía del Reino de España, en los términos de la Ley 34/1998, de 7 de octubre, del sector de hidrocarburos, y con carácter complementario de éstas, las de transporte, almacenamiento, depuración y venta de los productos extraídos, tendrán derecho a una reducción en su base imponible, en concepto de factor de agotamiento, que podrá ser, a elección de la entidad, cualquiera de las dos siguientes:

a) El 25 por ciento del importe de la contraprestación por la venta de hidrocarburos y de la prestación de servicios de almacenamiento, con el límite del 50 por ciento de la base imponible previa a esta reducción.

b) El 40 por ciento de la cuantía de la base imponible previa a esta reducción".

Artículo 96. Factor de agotamiento: requisitos.

"1. Las cantidades que redujeron la base imponible en concepto de factor de agotamiento deberán invertirse por el concesionario en las actividades de exploración, investigación y explotación de yacimientos o de almacenamientos subterráneos de hidrocarburos que desarrolle en el territorio español y en el subsuelo del mar territorial y de los fondos marinos que estén bajo la soberanía del Reino de España, así como en el abandono de campos y en el desmantelamiento de plataformas marinas, en el plazo de 10 años contados desde la conclusión del período impositivo en el que se reduzca la base imponible en concepto de agotamiento. La misma consideración tendrán las actividades de exploración, investigación y explotación realizadas en los 4 años anteriores al primer período impositivo en que se reduzca la base imponible en concepto de agotamiento.

A estos efectos, se entenderá por exploración o investigación los estudios preliminares de naturaleza geológica, geofísica o sísmica, así como todos los gastos realizados en el área de un permiso de exploración o investigación, tales como los sondeos de exploración, así como los de evaluación y desarrollo, si resultan negativos, los gastos de obras para el acceso y preparación de los terrenos y de localización de dichos sondeos. También se considerarán gastos de exploración o investigación los realizados en una concesión y que se refieran a trabajos para la localización y perforación de una estructura capaz de contener o almacenar hidrocarburos, distinta a la que contiene el yacimiento que dio lugar a la concesión de explotación otorgada. Se entenderá por abandono de campos y desmantelamiento de plataformas marinas los trabajos necesarios para desmantelar las instalaciones productivas terrestres o las plataformas marinas dejando libre y expedito el suelo o el espacio marino que aquellas ocupaban en la forma establecida por el decreto de otorgamiento.

Se entenderá, a estos efectos, por inversiones en explotación las realizadas en el área de una concesión de explotación, tales como el diseño, la perforación y la construcción de los pozos, las instalaciones de explotación, y cualquier otra inversión, tangible o intangible, necesaria para poder llevar a cabo las labores de explotación, siempre que no se correspondan con inversiones realizadas por el concesionario en las actividades de exploración o de investigación referidas anteriormente.

Se incluirán como explotación, a estos efectos, los sondeos de evaluación y de desarrollo que resulten positivos.

2. En cada período impositivo deberán incrementarse las cuentas de reserva de la entidad en el importe que redujo la base imponible en concepto de factor de agotamiento.

3. Solo podrá disponerse libremente de las reservas constituidas en cumplimiento del apartado anterior, en la medida en que se vayan amortizando los bienes financiados con dichos fondos.

4. El contribuyente deberá recoger en la memoria de los 10 ejercicios siguientes a aquel en el que se realizó la correspondiente reducción el importe de esta, las inversiones realizadas con cargo a esta y las amortizaciones realizadas, así como cualquier disminución en las cuentas de reservas que se incrementaron como consecuencia de lo previsto en el apartado 2 y el destino de aquélla.

Estos hechos podrán ser objeto de comprobación durante este mismo período, para lo cual el contribuyente deberá aportar la contabilidad y los oportunos soportes documentales que acrediten el cumplimiento de los requisitos exigidos al factor de agotamiento.

5. Las inversiones financiadas por aplicación del factor de agotamiento no podrán acogerse a las deducciones previstas en el Capítulo IV del Título VI".

Artículo 97. Factor de agotamiento: incumplimiento de requisitos.
"1. Transcurrido el plazo de 10 años sin haberse invertido o habiéndose invertido inadecuadamente el importe correspondiente, se

integrará en la base imponible del período impositivo concluido a la expiración de dicho plazo o del ejercicio en el que se haya realizado la inadecuada disposición, debiendo liquidarse los correspondientes intereses de demora que se devengarán desde el día en que finalice el período de pago voluntario de la deuda correspondiente al período impositivo en que se realizó la correlativa reducción.

2. En el caso de liquidación de la entidad o de cambio de su objeto social, el importe pendiente de aplicación del factor de agotamiento se integrará en la base imponible en la forma y con los efectos previstos en el apartado anterior.

3. Del mismo modo se procederá en los casos de cesión o enajenación total o parcial, fusión o transformación de la entidad, salvo que la entidad resultante continuadora de la actividad, tenga como objeto social, exclusivamente, el establecido en el artículo 95 de esta Ley y asuma el cumplimiento de los requisitos necesarios para consolidar el beneficio disfrutado por la entidad transmitente o transformada, en los mismos términos en que venía figurando en la entidad anterior".

Artículo 98. Titularidad compartida.

"En el caso de que varias sociedades tengan la titularidad compartida de un permiso de investigación o de una concesión de explotación, se atribuirán a cada una de las entidades copartícipes, los ingresos, gastos, rentas derivadas de la transmisión de elementos patrimoniales e inversiones, que le sean imputables, de acuerdo con su grado de participación".

Artículo 99. Amortización de inversiones intangibles y gastos de investigación. Compensación de bases imponibles negativas.

"1. Los activos intangibles y gastos de naturaleza investigadora realizados en permisos y concesiones vigentes, caducados o extinguidos, se considerarán como activo intangible, desde el momento de su realización, y podrán amortizarse con una cuota anual máxima del 50 por ciento. Se incluirán en este concepto los trabajos previos geológicos, geofísicos y sísmicos y las obras de acceso y preparación de terrenos así como los sondeos de exploración, evaluación y desarrollo y las operaciones de reacondicionamiento de pozos y conservación de yacimientos.

No existirá período máximo de amortización de los activos intangibles y gastos de investigación.

2. Los elementos tangibles del activo podrán ser amortizados, siguiendo el criterio de «unidad de producción», conforme a un plan aceptado por la Administración en los términos de la letra d) del apartado 1 del artículo 12 de esta Ley.

3. Las entidades a que se refiere el artículo 95 de esta Ley compensarán las bases imponibles negativas mediante el procedimiento de reducir las bases imponibles de los ejercicios siguientes en un importe máximo anual del 50 por ciento de cada una de aquéllas.

Este procedimiento de compensación de bases imponibles negativas sustituye al establecido en el artículo 26 de esta Ley".

Disposición Transitoria segunda. Régimen fiscal de la investigación y explotación de hidrocarburos y de fomento de la minería

"1. Las disposiciones establecidas en esta Ley para las actividades de investigación y de explotación de hidrocarburos serán de aplicación a las entidades con permiso de investigación y concesiones de explotación que continúen rigiéndose por la Ley 21/1974, de 27 de junio, sobre la Investigación y Explotación de Hidrocarburos.

2. Los activos que a la entrada en vigor de la Ley 43/1995, de 27 de diciembre, del Impuesto sobre Sociedades se estuvieran amortizando de acuerdo con los coeficientes máximos de amortización establecidos en el apartado B.1 del artículo 47 del Real Decreto 2362/1976, de 30 de julio, por el que se aprueba el Reglamento de la Ley sobre Investigación y Explotación de Hidrocarburos de 27 de junio de 1974, podrán amortizarse aplicando los mencionados coeficientes, debiendo quedar totalmente amortizados en el plazo máximo de 20 años, a contar desde la citada fecha de entrada en vigor.

3. Los saldos pendientes de inversión correspondientes a sujetos pasivos que, de acuerdo con el apartado 4 de la Disposición transitoria segunda del Texto Refundido de la Ley del Impuesto sobre Sociedades, aprobado por el Real Decreto Legislativo 4/2004, de 5 de marzo, según redacción vigente en períodos impositivos iniciados con anterioridad a 1 de enero de 2015, hubieren optado por aplicar el régimen fiscal de la Investigación y Explotación de Hidrocarburos establecido en el Capítulo X del Título VIII de la Ley 43/1995, según redacción vigente el 31 de diciembre de 2002, se aplicarán en la forma establecida en el artículo 96 de esta Ley.

El plazo a que se refiere el artículo 96 de esta Ley, no será de aplicación cuando las cantidades se destinen al abandono de campos o al desmantelamiento de plataformas marinas siempre que correspondan a explotaciones existentes a la entrada en vigor de la Ley 53/2002, de 30 de diciembre, de Medidas Fiscales, Administrativas y del Orden Social".

SITORIA SEGUNDA APLICABLE AL RÉGIMEN FISCAL DE LA INVESTIGACIÓN Y EXPLOTACIÓN DE HIDROCARBUROS Y DE FOMENTO DE LA MINERÍA.

1. ÁMBITO DE APLICACIÓN Y MODALIDADES

1.1. Ámbito de aplicación

La Ley 27/2014 dedica dentro del Título VII, relativo a los regímenes especiales, el Capítulo IX al régimen especial de la investigación y explotación de hidrocarburos, concretamente los artículos 95 a 99. La disposición transitoria segunda regula determinados aspectos del régimen transitorio establecido por la Ley 43/1995, como son la amortización de elementos afectos a la explotación de hidrocarburos y el destino de los saldos pendientes de inversión de las dotaciones al factor de agotamiento.

Dicho régimen apenas difiere del regulado en el TRLIS, aprobado por el Real Decreto Legislativo 4/2004, y de la Ley 43/1995 del Impuesto sobre Sociedades.

Se trata de un régimen especial que es de aplicación a un determinado sector industrial caracterizado porque, a diferencia de otras actividades económicas, las de explotación de hidrocarburos están sometidas a una duración limitada en el tiempo, condicionada al "agotamiento" de los yacimientos o explotaciones.

Dada esta circunstancia, la existencia de un régimen especial se justifica por la necesidad de generar recursos suficientes para investigar, encontrar y poner en condiciones de explotación otros nuevos a fin de continuar la actividad desarrollada.

A tal fin, la LIS, al igual que las leyes que la precedieron, recoge la medida tributaria o el beneficio fiscal que, a efectos del Impuesto sobre Sociedades, pueden aplicar las sociedades indicadas y que constituye el contenido básico de este régimen especial: la reducción de la base imponible en las cantidades destinadas al "factor agotamiento".

Se trata, por tanto, de un instrumento fiscal que tiene por finalidad incentivar o estimular la actividad de investigación y explotación de hidrocarburos, mediante la creación de un fondo o reserva, con cargo a los beneficios obtenidos en el desarrollo de dichas actividades, destinado a la realización de determinadas inversiones en un determinado periodo de tiempo, fondo o reserva que será considerada como una reducción de la base imponible en el Impuesto sobre Sociedades.

Así, el factor de agotamiento es en la actual LIS una reserva constituida por las cantidades destinadas a ese concepto por los contribuyentes dedicados a la actividad de investigación y explotación de hidrocarburos. Las cantidades destinadas a esa reserva reducirán la base imponible hasta un límite determinado y con la condición de que, en un determinado plazo (4 años anteriores y 10 años posteriores), se inviertan en las actividades de exploración, investigación y explotación de yacimientos o de almacenamientos subterráneos de hidrocarburos, así como en el abandono de campos y en el desmantelamiento de plataformas marinas.

Con la actual ley, y al igual que en las leyes precedentes, al condicionar la deducibilidad del fondo a la realización de determinadas inversiones en la actividad de investigación y explotación de hidrocarburos, se manifiesta la consideración del factor de agotamiento como una medida para favorecer la inversión y no, por el contrario, como una forma de recuperar la inversión, pues para recuperar las inversiones se cuenta con la amortización, incluida, como no, la libertad de amortización de los activos mineros.

El ámbito de aplicación de este incentivo fiscal se delimita desde el punto de vista subjetivo y formal.

– Subjetivo, en tanto que pueden acogerse al factor agotamiento solo las sociedades, que sean sujetos pasivos del Impuesto sobre Sociedades. A diferencia del régimen especial de la minería, no cabe que puedan acogerse al mismo las demás entidades que tributen en régimen de atribución de rentas y las personas físicas que ejerzan una actividad económica.

   En el caso de que varias sociedades tengan la titularidad compartida de un permiso de investigación o de una concesión de explotación, el artículo 98 de la LIS prevé que *"se atribuirán a cada una de las entidades copartícipes, los ingresos, gastos, rentas derivadas de la transmisión de elementos patrimoniales e inversiones, que le sean imputables, de acuerdo con su grado de participación"*.

– Formal, por cuanto el régimen fiscal especial resulta de aplicación a las sociedades cuyo objeto social sea exclusivamente la exploración, investigación y explotación de yacimientos y de almacenamientos subterráneos de hidrocarburos naturales, líquidos o gaseosos, existentes en el territorio del Estado y en el subsuelo del mar territorial y de los fondos marinos que estén bajo la soberanía del Reino de España, en los términos establecidos en la Ley 43/1998, de 7 de octubre, del Sector de Hidrocarburos, y con carácter complementario de éstas, las de transporte, almacenamiento, depuración y venta de los productos extraídos.

Dicho requisito de carácter formal conoce, no obstante, una excepción, aplicable a las entidades que desarrollen exclusivamente la actividad de almacenamiento de hidrocarburos propiedad de terceros. En este caso, no se atiende al objeto social de la sociedad sino a la actividad que desarrollen, que, si es la actividad de almacenamiento de hidrocarburos propiedad de terceros, no se aplicará el régimen especial, tributando, además, la entidad al tipo del 25 por ciento, según dispone el artículo 29.6 de la LIS.

Ello significa que, aunque una entidad tenga como objeto social exclusivo cualquiera de los previstos en el artículo 95 de la LIS, si en la práctica desarrolla exclusivamente la actividad de almacenamiento de hidrocarburos propiedad de terceros no le resultará de aplicación el régimen especial de hidrocarburos, sino que estará sometida al régimen general. Es decir, en la medida en que la entidad obtuviera exclusivamente ingresos procedentes de la actividad de almacenamiento de gas propiedad de terceros, sin obtener ingresos de otro tipo de actividad, esta entidad se encuadraría dentro del último párrafo del apartado 6 del artículo 29 antes mencionado, por lo que no le resultaría aplicable el régimen especial (CDGT 1961/03 de 21.11.2003).

En cuanto a la exclusividad del objeto social, deben puntualizarse dos cosas:

De un lado, el carácter de exclusividad del objeto social no exige que una entidad tenga como objeto social todas y cada una de las actividades mencionadas en el artículo 95, para poder acogerse al régimen mencionado, tanto principales (exploración, investigación y explotación de yacimientos y de almacenamientos subterráneos de hidrocarburos naturales), como complementarias (transporte, almacenamiento, depuración y venta de los productos extraídos), sino que basta con que una de las actividades que hemos denominado principales constituya el objeto social de una entidad con carácter de exclusividad, para poder acogerse al régimen especial (CDGT 1961/03 de 21.11.2003).

De otro, la exclusividad del objeto social no puede verse afectada por la obtención de rentas extraordinarias, como puede ser la enajenación de activos. Así, el ejercicio habitual de cualquier tipo de actividad no impide la posibilidad de obtener rentas que excepcionalmente no procedan de dicho ejercicio habitual, sin que por ello se vea desvirtuado su objeto social, por lo que la obtención de rentas extraordinarias, como puede ser la enajenación de activos, no afecta a la exclusividad del objeto social, de tal forma que una entidad acogida al régimen de hidrocarburos puede obtener rentas extraordinarias sin que esto suponga la exclusión del régimen (CDGT 1961/03 de 21. 11.2003).

1.2. Modalidades del factor de agotamiento. condiciones y límites

El artículo 95 de la LIS contempla dos modalidades diferentes de reducción de la base imponible, en concepto de factor agotamiento, a las que tendrán derecho las sociedades a las que resulte de aplicación el régimen fiscal especial, y a su elección:

a) El 25% del importe de la contraprestación por la venta de los hidrocarburos y de la prestación de los servicios de almacenamiento, con el límite del 50% la base imponible previa a esta reducción.

b) El 40% de la base imponible previa a esta reducción.

La elección por uno u otro sistema se realizará por el contribuyente en cada ejercicio.

Se observa que el porcentaje de la reducción a elegir se gira sobre un distinto parámetro. En la primera opción sobre del importe de la contraprestación por la venta de los hidrocarburos y de la prestación de los servicios de almacenamiento, si bien con el límite del 50% la base imponible previa a esta reducción. Y en la segunda sobre la base imponible previa a esta reducción.

Ello significa que, si la entidad obtiene, por ejemplo, ingresos de terceros por almacenamiento de gas de su propiedad, los mismos sí se tendrían en cuenta para la reducción de la base imponible en concepto de factor agotamiento, pues tanto se incluyen de forma explícita en la letra a) del artículo 95 como en la letra b), ya que son ingresos que forman parte de la base imponible de la entidad, cualquiera que sea la opción elegida por la entidad para determinar el factor agotamiento.

Por el contrario, si la entidad percibiera subvenciones, en la opción de la letra a), las subvenciones recibidas no se incluirán en la determinación del factor agotamiento al no constituir una contraprestación por venta de hidrocarburos o por prestación de servicios de almacenamiento, salvo que dichas subvenciones fuesen concedidas para vincularlas directamente al precio del producto.

Si la opción elegida por la entidad para determinar el factor agotamiento fuera la prevista en la letra b) del artículo 95, al establecer ésta un porcentaje sobre la base imponible y, dado que la base imponible es una magnitud única determinada según lo establecido en el artículo 10 de la LIS que incluirá las cantidades recibidas en concepto de subvenciones, éstas últimas sí que se incluirán en el porcentaje establecido en la citada letra b) (DGT 1961/03 de 21-11-2003).

Se observa que, a diferencia del régimen especial de la minería, en el de hidrocarburos tanto el límite de la reducción (letra a) como el porcentaje de la reducción (letra b) se practica sobre la base imponible previa, por lo que para determinar el importe de la reducción o el límite para el cálculo de la dotación al factor de agotamiento no debe deducirse el propio factor de agotamiento, es decir, no debe realizarse ningún cálculo matemático circular.

Finalmente, la reducción de la base imponible deberá efectuarse mediante un ajuste extracontable negativo en la base imponible del impuesto.

2. REQUISITOS

2.1. Introducción

El artículo 96 de la LIS contempla y desarrolla, bajo el epígrafe "Factor de agotamiento: requisitos", los requisitos que deben cumplirse para que la sociedad pueda acogerse a este incentivo fiscal, esto es:

a) La empresa minera deberá incrementar en cada periodo impositivo la cuenta de reservas en el importe que redujo la base imponible en concepto de factor de agotamiento.

Se entiende cumplido este requisito si la sociedad dota lo que ella llama la reserva por factor de agotamiento por el mismo importe aplicado a reducir su base imponible, no siendo necesario dotar otra reserva para recoger el mismo importe (ved DGT 1201/2004, de 12-05).

b) Dicho importe deberá invertirse en el plazo comprendido entre los cuatro años anteriores al primer período impositivo en que en que se efectuó la reducción en la base imponible y los diez posteriores contados desde la conclusión del período impositivo en el que se reduzca la base imponible en concepto de agotamiento.

c) La inversión deberá hacerse en actividades de exploración, investigación y explotación de yacimientos o almacenamientos subterráneos en el territorio antes indicado, así como en el abandono de campos y en el desmantelamiento de plataformas marinas.

Se observa que se puede invertir la reserva procedente del factor de agotamiento no sólo en las actividades de investigación sino también en las de exploración y explotación. A estos efectos el artículo 96 de la LIS desarrolla o aclara tales conceptos de inversiones.

–   Así, se entenderá por exploración o investigación los estudios preliminares de naturaleza geológica, geofísica o sísmica, así como todos los gastos realizados en el área de un permiso de exploración o investigación, tales como los sondeos de exploración, así como los de evaluación y desarrollo, si resultan negativos, los gastos de obras para el acceso y preparación de los terrenos y de localización de dichos sondeos.

–   También se considerarán gastos de exploración o investigación los realizados en una concesión y que se refieran a trabajos para la localización y perforación de una estructura capaz de contener o almacenar hidrocarburos, distinta a la que contiene el yacimiento que dio lugar a la concesión de explotación otorgada.

–   Se entenderá por abandono de campos y desmantelamiento de plataformas marinas los trabajos necesarios para desmantelar las instalaciones productivas terrestres o las plataformas marinas dejando libre y expedito el suelo o el espacio marino que aquellas ocupaban en la forma establecida por el decreto de otorgamiento.

–   Se entenderá, a estos efectos, por inversiones en explotación las realizadas en el área de una concesión de explotación, tales como el diseño, la perforación y la construcción de los pozos, las instalaciones de explotación, y cualquier otra inversión, tangible o intangible, necesaria para poder llevar a cabo las labores de explotación, siempre que no se correspondan con inversiones realizadas por el concesionario en las actividades de exploración o de investigación referidas anteriormente.

–   Se incluirán como explotación, a estos efectos, los sondeos de evaluación y de desarrollo que resulten positivos.

Por ejemplo, en el caso de concesiones, la DGT, en contestación nº 1961/03 de 21 noviembre de 2003, ha aclarado que el factor de agotamiento debe destinarse a la localización y perforación de una estructura capaz de almacenar hidrocarburos, distinta de la estructura que dio lugar a la concesión de la explotación, por lo que la materialización del factor de agotamiento por parte de una entidad en la adquisición de las concesiones obtenidas por otra entidad no parece que cumpla los requisitos establecidos en el artículo 117 (art. 96 de la actual LIS), en la medida que, en el caso de concesiones, se exige la inversión en estructuras distintas de aquella que dio lugar a la concesión, no incluyéndose las inversiones en la adquisición de una concesión a otra entidad. Igualmente, la posibilidad de que una entidad adquiera las inversiones de investigación realizadas en los cuatro años anteriores por otra entidad, esta materialización del factor de agotamiento, en principio, podría cumplir los requisitos del artículo 117 (art. 96 de la actual LIS), siempre que esta última entidad no hubiera reducido la base imponible en concepto de agotamiento en los mencionados años.

Mientras no haya transcurrido el plazo de 10 años desde la conclusión del periodo impositivo en que se redujo la base imponible con el concepto de factor de agotamiento, el régimen no se perderá. Ello significa que, en el caso de que se efectúe una inversión no apta para gozar de este régimen especial, no se producirá la pérdida del mismo, si antes de la finalización del plazo de 10 años se realiza otra inversión apta a estos efectos.

d) Las reservas dotadas en concepto de factor de agotamiento podrán disponerse libremente solo en la medida en que se vayan amortizando los bienes financiados con dichos fondos.

En consecuencia, la libre disponibilidad de las reservas dotadas por el concepto del factor de agotamiento se demora hasta la amortización de la inversión realizada, de modo que no es suficiente con que se haya realizado la inversión para disponer de la reserva. Amortizados los bienes, se podrá disponer libremente de la reserva, traspasándola a otra reserva o distribuyéndola.

2.2. *Obligaciones contables*

De acuerdo con el apartado 4 del artículo 96 de la LIS, el contribuyente deberá recoger en la memoria de los diez ejercicios siguientes al ejercicio en que se realizó la correspondiente reducción el importe de ésta, las inversiones realizadas con cargo a la misma y las amortizaciones realizadas, así como cualquier disminución habida en las cuentas de reservas que se incrementaron como consecuencia de las reducciones en la base imponible en concepto de factor de agotamiento y el destino de aquella.

A nuestro juicio, la Orden de 10 de febrero de 1984, por la que se aprueban las normas de adaptación del Plan General de Contabilidad a las empresas de la minería del carbón, constituye un referente perfectamente válido para la minería en general y para las empresas dedicadas a la explotación de hidrocarburos, por cuanto la problemática contable que puede presentarse no está en relación con el mineral que se extrae sino en relación a las características específicas y particulares de la actividad minera y de la actividad de investigación y explotación de hidrocarburos.

De acuerdo con dicha orden ministerial, la cuenta "Reserva Factor Agotamiento" debe figurar en el pasivo del balance abonándose con cargo a la cuenta 890 de pérdidas y ganancias, por el importe de la dotación de cada ejercicio. Esta regla debe interpretarse como la obligación de la empresa minera de reflejar en el pasivo del balance el importe de la reserva como aplicación de resultados, tras la formulación de la cuenta de pérdidas y ganancias. Por ello, en dicha cuenta no debe figurar la dotación a la reserva, la cual reducirá la base imponible mediante el correspondiente ajuste extracontable negativo.

2.3. La incidencia de la prescripción

Considera el artículo 96.4 de la LIS que los hechos indicados podrán ser objeto de comprobación durante este mismo período (es decir, durante los 10 ejercicios siguientes a aquel en el que se realizó la correspondiente reducción), para lo cual el contribuyente deberá aportar la contabilidad y los oportunos soportes documentales que acrediten el cumplimiento de los requisitos exigidos al factor de agotamiento.

Por lo tanto, la facultad de comprobación de la Administración tributaria se extiende al plazo de diez años durante los cuales el contribuyente puede materializar las inversiones dotadas y que hayan reducido la base imponible, sin perjuicio de la prescripción del derecho a liquidar los ejercicios que la hayan ganado por el transcurso del plazo de cuatro años.

EJEMPLO

En el año 1 la entidad redujo la base imponible en concepto de factor agotamiento, incrementando la cuenta de reservas "Factor de agotamiento" en el importe de la reducción. Hasta el año 11 tiene la entidad plazo para invertir, pero no invierte. En el año 15 la Administración tributaria comprueba los ejercicios anteriores. Es evidente que el año 1 ganó la prescripción del derecho a liquidarlo (e, igualmente, otros posteriores), pero ello no impide que pueda ser comprobado, para analizar si se han cumplido los requisitos legales, en concreto si se ha invertido. Dado que la regularización, en caso de no inversión en plazo, se efectuará en el periodo impositivo concluido a la expiración del plazo de diez años, en este caso en el año 11, sí cabe regularizar dicho año, pues el derecho a liquidarlo no ha prescrito todavía cuando la Administración, en el año 15, notifica el inicio de la comprobación. La liquidación que se realice incluirá los intereses de demora.

Por el contrario, el 25 de julio del año 16 (4 años desde que finalizó el plazo voluntario de declaración del año 11) finalizará el plazo para ejercitar el derecho a liquidar el año 11, porque a partir de aquella fecha no podrá comprobarse la reducción de la base imponible efectuada en el año 1 ni, por consiguiente, la regularización que debió hacerse en el año 11.

2.4. Incompatibilidades

El artículo 96.5 de la LIS establece la incompatibilidad del régimen del fondo de agotamiento con las deducciones para incentivar la realización de las actividades mencionadas en los artículos 35 a 39 de la misma LIS (Capítulo IV del Título VI), por lo que las inversiones financiadas por aplicación del factor agotamiento no podrán acogerse a las indicadas deducciones.

Igualmente, el artículo 25.3 de la LIS establece la incompatibilidad entre la reducción correspondiente a la reserva de capitalización prevista en dicho artículo en el mismo período impositivo con la reducción en base imponible en concepto de factor de agotamiento prevista en los artículos 91 y 95 de dicha Ley.

EJEMPLO

Una entidad, cuyo objeto social es exclusivamente la explotación de hidrocarburos, obtuvo unas rentas netas en el periodo por importe de 60 millones de euros, importe que coincide con la base imponible del ejercicio. El valor de los hidrocarburos vendidos en el periodo ascendió a 240 millones de euros

La entidad puede elegir entre dos modalidades de la reducción del factor de agotamiento:

La modalidad a) la cuantía de la reducción es igual al 25% del importe de la contraprestación por la venta de los hidrocarburos, con el límite del 50% la base imponible previa a esta reducción. Esto es, 240 x 0,25= 60, con el límite de 60 x 0,50= 30.

La modalidad b) la cuantía de la reducción es igual al 40% de la base imponible previa a esta reducción. Esto es, 60 x 0,40= 24.

La entidad sabe, en consecuencia, que la dotación máxima sería de 30, si aplica, lógicamente, la primera modalidad, por lo que la base imponible sometida a gravamen será de 30 (60 – 30). El tipo de gravamen aplicable, de acuerdo con lo dispuesto en el artículo 29.6 de la LIS, será del 30 por ciento.

3. INCUMPLIMIENTO DE REQUISITOS

A la vista de lo que dispone el artículo 97 de la LIS, las consecuencias del incumplimiento de los requisitos son:

a) En el caso de no realizar las inversiones en el plazo de diez años, se procederá a integrar en la base imponible del primer ejercicio que concluya a la expiración del plazo citado el importe de la reducción realizada que no haya sido objeto de inversión, con liquidación de los intereses de demora, que se devengarán desde el día en que finalice el período de pago voluntario de la deuda correspondiente al período impositivo en que se realizó la correlativa reducción.

b) En el caso de realizar una inversión inadecuada y en el caso de disponer inadecuadamente de la reserva por factor de agotamiento, el importe de la reducción realizada se integrará en la base imponible del período impositivo concluido a la expiración del plazo de diez años o del ejercicio en el que se haya realizado la inadecuada disposición. También deberán liquidarse los intereses de demora desde el día en que finalice el período de pago voluntario de la deuda correspondiente al período impositivo en que se realizó la correlativa reducción.

– En cuanto a la **inversión inadecuada**, a la vista del texto legal, podría entenderse que basta la inadecuada inversión para regularizar, sin embargo, una interpretación tanto literal como finalista conduce a entender que la inversión en un gasto o trabajo o activo inadecuado no produce por sí misma una integración en la base imponible, salvo si se ha procedido a una disposición de la cuenta de reservas. En consecuencia, la inversión en un elemento inadecuado constituiría un defecto subsanable siempre que no haya transcurrido un plazo de diez años desde la realización de la reducción de la base imponible o se haya dispuesto de la correspondiente cuenta de reserva. Así tendrían un tratamiento igualitario los sujetos pasivos que inviertan prioritariamente, pero que posteriormente modifican su plan de inversiones, respecto de otros sujetos pasivos que invierten al final del plazo, salvo que, habiendo invertido en gastos o en activos no adecuados, dispongan de las reservas conforme vayan amortizando el activo o imputando los gastos a la cuenta de pérdidas y ganancias.

El Tribunal Económico-Administrativo Central es de esta opinión en sus resoluciones de 4 de mayo (rec. 3205/2005) y de 17 mayo de 2007 (rec. 4071/2005), en las que se indica que, *"de esta forma se evitan situaciones injustas, como la que se plantearía en el caso de un sujeto pasivo que optase por invertir (inadecuadamente) al inicio del plazo de los 10 años, a quien se colocaría en peor condición, frente a aquel otro sujeto pasivo que retrasase su inversión al décimo año. En consecuencia, entendemos que las inversiones inadecuadas que se realicen en el período de los 10 años contados desde la conclusión del período impositivo en el que redujo la base imponible, no impiden que éstas se realicen posteriormente dentro del citado plazo; y que sólo es causa de incumplimiento, durante ese período de los 10 primeros años, la liberación o disposición de las reservas. Criterio ya mantenido por este Tribunal Económico Administrativo Central en Resolución de 4 May. 2007, RG: 3205-05"*.

— En cuanto al concepto de **inadecuada disposición de las reservas**, la LIS se limita a señalar que en cada período impositivo la entidad debe incrementar sus cuentas de reservas en el importe que redujo la base imponible en concepto de factor de agotamiento, sin establecer ningún método contable para realizar las dotaciones al factor agotamiento ni la cuenta específica que debe recoger estas dotaciones. Ello no obstante, puede entenderse aplicable la Orden Ministerial de 10 de febrero de 1984 de adaptación del Plan General de Contabilidad a las empresas de la minería del carbón, que establece que la cuenta "Reserva Factor Agotamiento" debe figurar en el pasivo del balance abonándose con cargo a la cuenta 890 de pérdidas y ganancias, por el importe de la dotación de cada ejercicio.

Sobre esta base, entendemos que la inadecuada disposición de las reservas tendrá lugar cuando las mismas se repartan, esto es, que se destinen a la distribución de dividendos e, incluso, al aumento del capital social, pero es dudoso que exista inadecuada disposición por el hecho de trasladarse a otra cuenta de reservas, mientras no se utilice, de registrarse dentro de las reservas voluntarias, por ejemplo, lo que podría considerarse, en su caso, como una irregularidad puramente formal, insuficiente para eliminar por sí sola el incentivo fiscal.

Por el contrario, la resolución del TEAC de 17 de mayo de 2007, entendiendo el término «disposición» como reparto o liberación de la reserva, considera que se ha producido la disposición del factor de agotamiento al cargarse dicha reserva por factor de agotamiento con abono a la reserva de libre disposición, sobre las que no existe indisponibilidad.

c) En el caso de **liquidación de la entidad o de cambio de su objeto social**, el importe pendiente de aplicación del factor de agotamiento se integrará en la base imponible en la forma y con los efectos previstos en el apartado anterior.

d) En los casos de **cesión o enajenación** total o parcial y en los de **fusión o transformación de la entidad,** se procederá del mismo modo, esto es, adicionando a la base imponible el importe de las cantidades no invertidas de la cuenta "Factor de agotamiento Ley 6/1977", salvo que la entidad resultante, continuadora de la actividad, tenga como objeto social, exclusivamente, el establecido en el artículo 95 de la LIS y asuma el cumplimiento de los requisitos necesarios para consolidar el beneficio disfrutado por la entidad transmitente o transformada, en los mismos términos en que venía figurando en la entidad anterior.

4. TITULARIDAD COMPARTIDA

Ley 34/1998, de 7 de octubre, del sector de hidrocarburos establece en su artículo 8, apartado 2, que *"los permisos de investigación y las concesiones de explotación sólo podrán ser otorgados, individualmente o en titularidad compartida, a sociedades mercantiles que acrediten su capacidad técnica y financiera para llevar a cabo las operaciones de investigación y, en su caso, de explotación de las áreas solicitadas.*

Las sociedades mercantiles a que se hace referencia en el párrafo anterior deberán incluir en su objeto social la realización de actividades de exploración, investigación o explotación de hidrocarburos o de almacenamientos subterráneos", añadiendo el apartado 3 que *"en el caso de titularidad compartida de permisos de investigación o concesiones de explotación, el conjunto de titulares deberá designar a uno de ellos como operador, sin perjuicio de su responsabilidad solidaria frente a la Administración por todas las obligaciones que de ellos se deriven.*

El operador será el representante del conjunto de titulares ante la Administración a los efectos de presentación de documentación, gestión de garantías y responsabilidades técnicas de las labores de prospección, evaluación y explotación".

Pues bien, el artículo 98 de la LIS contempla los supuestos de titularidad compartida de permisos de investigación o de concesiones de explotación de hidrocarburos, estableciendo que el Impuesto de Sociedades se liquida por cada uno de los partícipes a prorrata, según su cuota o grado de participación. A tal fin, se atribuirán a cada una de las entidades copartícipes, los ingresos, gastos, rentas derivadas de la transmisión de elementos patrimoniales e inversiones, que le sean imputables.

5. AMORTIZACIÓN DE INVERSIONES INTANGIBLES Y GASTOS DE INVESTIGACIÓN. COMPENSACIÓN DE BASES IMPONIBLES NEGATIVAS

El artículo 99 de la LIS contempla un régimen específico de amortización para los activos intangibles y gastos de investigación, así como un procedimiento especial de compensación de bases imponibles negativas. Dicho precepto también contiene una norma de amortización aplicable a los elementos tangibles del activo. Veamos:

a) En cuanto a la amortización de las inversiones en bienes intangibles y gastos de naturaleza investigadora, realizados en permisos y concesiones vigentes, caducados o extinguidos, se consideran activo intangible, desde el momento de su realización, pudiendo amortizarse con una cuota anual máxima del 50 por ciento. Se incluirán en este concepto los trabajos previos geológicos, geofísicos y sísmicos y las obras de acceso y preparación de terrenos, así como los sondeos de exploración, evaluación y desarrollo y las operaciones de reacondicionamiento de pozos y conservación de yacimientos.

La norma aclara que no existirá período máximo de amortización de los activos intangibles y gastos de investigación, es decir, amortización mínima, como ocurre con las tablas generales de amortización.

Este régimen específico de amortización para los activos intangibles y gastos de investigación, dado que se encuentra regulado en el artículo 99, dentro del régimen fiscal de la investigación y explotación de hidrocarburos, será de aplicación a aquellas entidades que puedan acogerse al mismo, al cumplir los requisitos establecidos en el artículo 95, lo que supone que este coeficiente de amortización no podrá aplicarse a entidades que no cumplan la exclusividad de objeto social requerida, aun cuando la entidad se dedique a la exploración, investigación y explotación de yacimientos o a la exploración, investigación y explotación de almacenes subterráneos (ved DGT 1961/03 de 21-11-2003).

b) En cuanto a las amortizaciones de los elementos tangibles del activo, podrán seguir el criterio de "unidad de producción", conforme a un plan aceptado por la Administración Tributaria en los términos establecidos en la letra d) del apartado 1 del artículo 12 de la LIS.

Debe recordarse que la **disposición transitoria segunda de la LIS**, en su apartado 2, contiene un régimen transitorio aplicable a los activos que, a la entrada en vigor de la Ley 43/1995, se estuvieran amortizando de acuerdo con los coeficientes máximos de amortización establecidos en el apartado B.1 del artículo 47 del Real Decreto 2362/1976, de 30 de julio, por el que se aprueba el Reglamento de la Ley sobre Investigación y Explotación de Hidrocarburos de 27 de junio de 1974, según el cual dichos activos podrán amortizarse aplicando los indicados coeficientes, es decir, podrán seguir con el mismo régimen hasta su total amortización, pero debiendo quedar totalmente amortizados en el plazo máximo de 20 años, a contar desde la citada fecha de entrada en vigor.

En consecuencia, la sociedad podrá escoger entre el régimen general de amortizaciones o el régimen específico para la amortización de los elementos del inmovilizado que estuviesen siendo amortizados a la entrada en vigor de la Ley 43/1995.

c) Respecto de la compensación de bases imponibles negativas, el procedimiento específico se caracteriza porque se realiza mediante la reducción de las bases positivas de los ejercicios siguientes en un importe máximo anual del 50 por ciento de cada una de aquellas.

Este procedimiento específico de compensación sustituye al general, establecido en el artículo 26 de la LIS. Debe entenderse, pues, que no serán de aplicación las reglas especiales de compensación previstas para los períodos impositivos iniciados dentro del año 2015, recogidas en la disposición transitoria trigésima cuarta, letra g).

6. TIPO DE GRAVAMEN EN LA COMPENSACIÓN DE BASES IMPONIBLES NEGATIVAS EN EL RÉGIMEN FISCAL DE LA INVESTIGACIÓN Y EXPLOTACIÓN DE HIDROCARBUROS

Contempla la LIS, en su artículo 29.6 LIS, un tipo de gravamen especial del 30 por ciento para las entidades que se dediquen a la exploración, investigación y explotación de yacimientos y almacenamientos subterráneos de hidrocarburos en los términos establecidos en la Ley 34/1998, de 7 de octubre, del sector de hidrocarburos. Si bien, y de acuerdo con lo dispuesto en la disposición transitoria trigésimo cuarta, en los períodos impositivos iniciados dentro del año 2015 el tipo de gravamen será del 33 por ciento.

Por el contrario, las actividades relativas al refino y cualesquiera otras distintas de las de exploración, investigación, explotación, transporte, almacenamiento, depuración y venta de hidrocarburos extraídos, o de la actividad de almacenamiento subterráneo de hidrocarburos propiedad de terceros, quedarán sometidas al tipo general de gravamen del 25 por ciento (28% para el 2015).

Igualmente se aplicará el tipo de gravamen general del 25 por ciento (28% para el 2015) a las entidades que desarrollen exclusivamente la actividad de almacenamiento de hidrocarburos propiedad de terceros, a las que no les resultará aplicable el régimen especial de investigación y explotación de hidrocarburos.

Las entidades a las que resulta de aplicación el régimen especial de investigación y explotación de hidrocarburos tienen asignado un tipo, distinto del general, lo cual supone que las mismas, no pueden disfrutar del doble tipo de gravamen establecido para las empresas de reducida dimensión, aun cuando tuviesen esta condición (DGT 06-08-1997).

El régimen especial de hidrocarburos, al igual que el régimen general previsto en la LIS, no establece ninguna distinción en cuanto al origen o fuente de la renta obtenida. De ahí que las rentas extraordinarias, como puede ser las procedentes de la enajenación de activos, que se obtengan por las entidades que se dediquen a las actividades antes mencionadas, formarán parte de la base imponible obtenida por la entidad estando sometidas el tipo de gravamen especial del 30 por 100, de la misma forma que ocurre con el resto de sus rentas (DGT 1961/03 de 21-11-2003).

7. RÉGIMEN DE LA DISPOSICIÓN TRANSITORIA SEGUNDA APLICABLE AL RÉGIMEN FISCAL DE LA INVESTIGACIÓN Y EXPLOTACIÓN DE HIDROCARBUROS Y DE FOMENTO DE LA MINERÍA

Sin perjuicio del régimen transitorio establecido en la disposición transitoria segunda de la LIS para la amortización de activos, que se expone en el anterior epígrafe 5, dicha disposición transitoria contempla el régimen transitorio aplicable al régimen fiscal de la investigación y explotación de hidrocarburos y de fomento de la minería, distinguiendo dos situaciones:

– Las disposiciones establecidas en esta Ley para las actividades de investigación y de explotación de hidrocarburos serán de aplicación a las entidades con permiso de investigación y concesiones de explotación que continúen rigiéndose por la Ley 21/1974, de 27 de junio, sobre la Investigación y Explotación de Hidrocarburos.

– Los saldos pendientes de inversión correspondientes a sujetos pasivos que, de acuerdo con el apartado 4 de la disposición transitoria segunda del TRLIS, según redacción vigente en períodos impositivos iniciados con anterioridad a 1 de enero de 2015, hubieren optado por aplicar el régimen fiscal de la Investigación y Explotación de Hidrocarburos establecido en el Capítulo X del Título VIII de la Ley 43/1995, según redacción vigente el 31 de diciembre de 2002, se aplicarán en la forma establecida en el artículo 96 de esta Ley.

El plazo, a que se refiere el artículo 96 de esta Ley, no será de aplicación cuando las cantidades se destinen al abandono de campos o al desmantelamiento de plataformas marinas siempre que correspondan a explotaciones existentes a la entrada en vigor de la Ley 53/2002, de 30 de diciembre, de Medidas Fiscales, Administrativas y del Orden Social.

Artículo 100
Imputación de rentas positivas obtenidas por entidades no residentes

MIGUEL A. CAAMAÑO ANIDO

Catedrático de Derecho Financiero y Tributario.
Universidad A Coruña. Abogado

"1. Los contribuyentes imputarán en su base imponible las rentas positivas a que se refieren los apartados 2 o 3 de este artículo cuando se cumplan las circunstancias siguientes:

a) Que por sí solas o conjuntamente con personas o entidades vinculadas en el sentido del artículo 18 de esta Ley tengan una participación igual o superior al 50 por ciento en el capital, los fondos propios, los resultados o los derechos de voto de la entidad no residente en territorio español, en la fecha del cierre del ejercicio social de esta última.

El importe de la renta positiva a imputar se determinará en proporción a la participación en los resultados y, en su defecto, en proporción a la participación en el capital, los fondos propios o los derechos de voto.

b) Que el importe satisfecho por la entidad no residente en territorio español, imputable a alguna de las clases de rentas previstas en el apartado 2 o 3 de este artículo por razón de gravamen de naturaleza idéntica o análoga a este Impuesto, sea inferior al 75 por ciento del que hubiera correspondido de acuerdo con las normas de aquel.

2. Los contribuyentes imputarán la renta total obtenida por la entidad no residente en territorio español, cuando esta no disponga de la correspondiente organización de medios materiales y personales para su realización, incluso si las operaciones tienen carácter recurrente. No obstante, en el caso de dividendos, participaciones en beneficios o rentas derivadas de la transmisión de participaciones, se atenderá, en todo caso, a lo dispuesto en el apartado 4 de este artículo.

Se entenderá por renta total el importe de la base imponible que resulte de aplicar los criterios y principios establecidos en esta Ley y en las restantes disposiciones relativas a este Impuesto para la determinación de aquella.

Este apartado no resultará de aplicación cuando el contribuyente acredite que las referidas operaciones se realizan con los medios materiales y personales existentes en una entidad no residente en territorio español perteneciente al mismo grupo, en el sentido del artículo 42 del Código de Comercio, con independencia de su residencia y de la obligación de formular cuentas anuales consolidadas, o bien que su constitución y operativa responde a motivos económicos válidos.

La aplicación de lo dispuesto en el primer párrafo de este apartado prevalecerá sobre lo previsto en el apartado siguiente.

3. En el supuesto de no aplicarse lo establecido en el apartado anterior, se imputará únicamente la renta positiva que provenga de cada una de las siguientes fuentes:

a) Titularidad de bienes inmuebles rústicos y urbanos o de derechos reales que recaigan sobre estos, salvo que estén afectos a una actividad económica, o cedidos en uso a entidades no residentes, pertenecientes al mismo grupo de sociedades de la titular en el sentido del artículo 42 del Código de Comercio, con independencia de su residencia y de la obligación de formular cuentas anuales consolidadas, e igualmente estuvieren afectos a una actividad económica.

b) Participación en fondos propios de cualquier tipo de entidad y cesión a terceros de capitales propios, en los términos previstos en los apartados 1 y 2 del artículo 25 de la Ley 35/2006, de 28 de noviembre, del Impuesto sobre la Renta de las Personas Físicas y de modificación parcial de las leyes de los Impuestos sobre Sociedades, sobre la Renta de no Residentes y sobre el Patrimonio. No se entenderá incluida en esta letra la renta positiva que proceda de los siguientes activos financieros:

1.º Los tenidos para dar cumplimiento a obligaciones legales y reglamentarias originadas por el ejercicio de actividades económicas.

2.º Los que incorporen derechos de crédito nacidos de relaciones contractuales establecidas como consecuencia del desarrollo de actividades económicas.

3.º Los tenidos como consecuencia del ejercicio de actividades de intermediación en mercados oficiales de valores.

4.º Los tenidos por entidades de crédito y aseguradoras como consecuencia del ejercicio de sus actividades, sin perjuicio de lo establecido en la letra g).

La renta positiva derivada de la cesión a terceros de capitales propios se entenderá que proceden de la realización de actividades crediticias y financieras a que se refiere la letra g), cuando el cedente y el cesionario pertenezcan a un grupo de sociedades en el sentido del artículo 42 del Código de Comercio, con independencia de la residencia y de la obligación de formular cuentas anuales consolidadas, y los ingresos del cesionario procedan, al menos en el 85 por ciento, del ejercicio de actividades económicas.

c) Operaciones de capitalización y seguro, que tengan como beneficiaria a la propia entidad.

d) Propiedad industrial e intelectual, asistencia técnica, bienes muebles, derechos de imagen y arrendamiento o subarrendamiento de negocios o minas, en los términos establecidos en el apartado 4 del artículo 25 de la Ley 35/2006.

e) Transmisión de los bienes y derechos referidos en las letras a), b), c) y d) anteriores que genere rentas.

f) Instrumentos financieros derivados, excepto los designados para cubrir un riesgo específicamente identificado derivado de la realización de actividades económicas.

g) Actividades crediticias, financieras, aseguradoras y de prestación de servicios realizadas, directa o indirectamente, con personas o entidades residentes en territorio español y vinculadas en el sentido del artículo 18 de esta Ley, en cuanto determinen gastos fiscalmente deducibles en dichas entidades residentes.

No se incluirá la renta positiva prevista en esta letra cuando más del 50 por ciento de los ingresos derivados de las actividades crediticias, financieras, aseguradoras o de prestación de servicios realizadas por la entidad no residente procedan de operaciones efectuadas con personas o entidades no vinculadas en el sentido del artículo 18 de esta Ley.

4. No se imputarán las rentas previstas en las letras b) y e) anteriores, en el supuesto de valores derivados de la participación en el capital o en los fondos propios de entidades que otorguen, al menos, el 5 por ciento del capital de una entidad y se posean durante un plazo mínimo de un año, con la finalidad de dirigir y gestionar la participación, siempre que disponga de la correspondiente organización de medios materiales y personales, y la entidad participada no cumpla los requisitos establecidos en el apartado 2 del artículo 5 de esta Ley.

En el supuesto de entidades que formen parte del mismo grupo de sociedades según los criterios establecidos en el artículo 42 del Código de Comercio, con independencia de la residencia y de la obligación de formular cuentas anuales consolidadas, los requisitos relativos al porcentaje de participación, así como la existencia de una dirección y gestión de la participación se determinará teniendo en cuenta a todas las que formen parte del mismo.

5. No se imputarán las rentas previstas en el apartado 3 de este artículo cuando la suma de sus importes sea inferior al 15 por ciento de la renta total obtenida por la entidad no residente, excepto las rentas a que se refiere la letra g) de dicho apartado, que se imputarán en su totalidad.

6. No se imputarán las rentas a que hace referencia el apartado 3 de este artículo, cuando se correspondan con gastos fiscalmente no deducibles de entidades residentes en territorio español.

7. Estarán obligadas a la imputación prevista en este artículo las entidades residentes en territorio español comprendidas en la letra a) del apartado 1 que participen directamente en la entidad no residente o bien indirectamente a través de otra u otras entidades no residentes. En este último caso el importe de la renta positiva será el correspondiente a la participación indirecta.

8. La imputación se realizará en el período impositivo que comprenda el día en que la entidad no residente en territorio español haya concluido su ejercicio social que, a estos efectos, no podrá entenderse de duración superior a 12 meses.

9. El importe de las rentas positivas a imputar se calculará de acuerdo con los principios y criterios establecidos en esta Ley y en las restantes disposiciones relativas a este Impuesto para la determinación de la base imponible.

A estos efectos se utilizará el tipo de cambio vigente al cierre del ejercicio social de la entidad no residente en territorio español.

En ningún caso se imputará una cantidad superior a la renta total de la entidad no residente.

10. No se integrarán en la base imponible los dividendos o participaciones en beneficios en la parte que corresponda a la renta positiva que haya sido incluida en la base imponible. El mismo tratamiento se aplicará a los dividendos a cuenta.

En caso de distribución de reservas se atenderá a la designación contenida en el acuerdo social, entendiéndose aplicadas las últimas cantidades abonadas a dichas reservas.

Una misma renta positiva solamente podrá ser objeto de imputación por una sola vez, cualquiera que sea la forma y la entidad en que se manifieste.

11. Serán deducibles de la cuota íntegra los siguientes conceptos:

a) Los impuestos o gravámenes de naturaleza idéntica o análoga a este Impuesto, efectivamente satisfechos, en la parte que corresponda a la renta positiva imputada en la base imponible.

Se considerarán como impuestos efectivamente satisfechos, los pagados tanto por la entidad no residente como por sus participadas, siempre que sobre éstas tenga aquélla el porcentaje de participación establecido en el artículo 32.3 de esta Ley.

b) El impuesto o gravamen efectivamente satisfecho en el extranjero por razón de la distribución de los dividendos o participaciones en beneficios, sea conforme a un convenio para evitar la doble imposición o de acuerdo con la legislación interna del país o territorio de que se trate, en la parte que corresponda a la renta positiva imputada con anterioridad en la base imponible.

Cuando la participación sobre la entidad no residente sea indirecta a través de otra u otras entidades no residentes, se deducirá el impuesto o gravamen de naturaleza idéntica o análoga a este Impuesto efectivamente satisfecho por aquélla o aquéllas en la parte que corresponda a la renta positiva imputada con anterioridad en la base imponible.

Estas deducciones se practicarán aun cuando los impuestos correspondan a períodos impositivos distintos a aquel en el que se realizó la imputación.

En ningún caso se deducirán los impuestos satisfechos en países o territorios calificados como paraísos fiscales.

La suma de las deducciones de las letras a) y b) de este apartado no podrá exceder de la cuota íntegra que en España corresponda pagar por la renta positiva incluida en la base imponible.

12. *Para calcular la renta derivada de la transmisión de la participación, directa o indirecta, el valor de adquisición se incrementará en el importe de los beneficios sociales que, sin efectiva distribución, se correspondan con rentas que hubiesen sido imputadas a los socios como rentas de sus acciones o participaciones en el período de tiempo comprendido entre su adquisición y transmisión.*

En el caso de entidades que tengan la consideración de entidad patrimonial en los términos establecidos en el apartado 2 del artículo 5 de esta Ley, el valor de transmisión a computar será como mínimo, el valor del patrimonio neto que corresponda a los valores transmitidos resultante del último balance cerrado, una vez sustituido el valor contable de los activos por el valor que tendrían a efectos del Impuesto sobre el Patrimonio o por el valor de mercado si éste fuere inferior.

13. *Los contribuyentes a quienes sea de aplicación lo previsto en el presente artículo deberán presentar conjuntamente con la declaración por este Impuesto los siguientes datos relativos a la entidad no residente en territorio español:*

a) Nombre o razón social y lugar del domicilio social.

b) Relación de administradores y lugar de su domicilio fiscal.

c) El balance, la cuenta de pérdidas y ganancias y la memoria.

d) Importe de la renta positiva que deba ser objeto de imputación en la base imponible.

e) Justificación de los impuestos satisfechos respecto de la renta positiva que deba ser objeto de imputación en la base imponible.

14. *Cuando la entidad participada resida en un país o territorio calificado como paraíso fiscal o en un país o territorio de nula tributación, se presumirá que:*

a) Se cumple la circunstancia prevista en la letra b) del apartado 1.

b) Las rentas de la entidad participada reúnen las características del apartado 3 de este artículo.

c) La renta obtenida por la entidad participada es el 15 por ciento del valor de adquisición de la participación.

Las presunciones contenidas en los párrafos anteriores admitirán prueba en contrario.

15. *A los efectos del presente artículo se entenderá que el grupo de sociedades a que se refiere el artículo 42 del Código de Comercio incluye las entidades multigrupo y asociadas en los términos de la legislación mercantil.*

16. *Lo previsto en este artículo no será de aplicación cuando la entidad no residente en territorio español sea residente en otro Estado miembro de la Unión Europea, siempre que el contribuyente acredite que su constitución y operativa responde a motivos económicos válidos y que realiza actividades económicas o se trate de una institución de inversión colectiva regulada en la Directiva 2009/65/CE del Parlamento Europeo y del Consejo, de 13 de julio de 2009, por la que se coordinan las disposiciones legales, reglamentarias y administrativas sobre determinados organismos de inversión colectiva en valores mo-*

biliarios, distintas de las previstas en el artículo 54 de esta Ley, consti-
tuida y domiciliada en algún Estado miembro de la Unión Europea".

SUMARIO: 1. EL ORIGEN DEL NUEVO RÉGIMEN DE TRANSPARENCIA FIS-
CAL INTERNACIONAL. 2.   PRESUPUESTOS DE APLICACIÓN DEL NUEVO
RÉGIMEN DE TRANSPARENCIA FISCAL INTERNACIONAL. 3.   T I P O S
DE ENTIDADES Y DE RENTA A LOS QUE SE APLICA EL RÉGIMEN DE TRANS-
PARENCIA FISCAL INTERNACIONAL. 4. QUID EN EL CASO DE LAS ENTI-
DADES HOLDING. 5. LA APLICACIÓN DEL RÉGIMEN DE TFI DENTRO DEL
TERRITORIO COMUNITARIO EUROPEO.

1. EL ORIGEN DEL NUEVO RÉGIMEN DE TRANSPARENCIA FISCAL INTERNACIONAL

El artículo 100 de la recién estrenada Ley del Impuesto de Sociedades 27/2014, de 28 de Noviembre, viene a introducir en nuestra normativa intere-santes novedades en relación con el régimen de la transparencia fiscal interna-cional, acogiéndose a cierto movimiento de "ensanchamiento" de los límites de esa figura, como los recogidos en los informes finales, publicados en 2015, del Proyecto OCDE/G20 sobre la Erosión de la Base Imponible y el Traslado de Beneficios, y que forma parte de una serie de trabajos sobre las distintas accio-nes y objetivos incardinados en el Proyecto BEPS (siglas en inglés por las que se conoce el Plan de Acción contra la erosión de la base imponible y el traslado de beneficios). Los mencionados trabajos se remiten al Plan de acción BEPS del G20/OCDE del año 2013, y giran en torno 15 acciones centradas en tres líneas de actuación fundamentales: dotar de coherencia a aquellas normas de Derecho interno que abordan actividades transfronterizas; reforzar las exigencias de ac-tividad sustancial en los actuales estándares internacionales para así establecer la conexión entre los tributos y el lugar de realización de las actividades eco-nómicas y de creación de valor; y mejorar la transparencia y seguridad jurídica para empresas y administraciones.

Lo que pretende la OCDE, en definitiva, es llevar a cabo una reforma in-tegral, coherente y coordinada de la normativa tributaria internacional a fin de que se reduzca la pérdida de recaudación de los países como consecuencia de traslados artificiosos de las empresas hacia territorios de baja o nula tri-butación.

Precisamente, la nueva LIS parece tratar de implementar alguna de las me-didas BEPS. Y es que, como se señala en el propio Preámbulo de la norma, entre los objetivos de la reforma de este impuesto se encontraba el de la lucha contra el fraude, reconociendo que "*en este ámbito, los últimos trabajos elabo-rados por la Organización para la Cooperación y el Desarrollo Económico y materializados en los planes de acción contra la erosión de la base imponible y el traslado de beneficios, constituyen una herramienta fundamental de análisis del fraude fiscal internacional"*, de modo tal que se anticipan *"medidas encaminadas a este objetivo, como es el caso del tratamiento de los híbridos, o las modificaciones realizadas en materia de transparencia fiscal internacional u operaciones vinculadas."*

2. PRESUPUESTOS DE APLICACIÓN DEL NUEVO RÉGIMEN DE TRANSPARENCIA FISCAL INTERNACIONAL

Sobre la base del espíritu BEPS, el legislador español ha modificado el régimen de la transparencia fiscal internacional. El nuevo régimen de TPI "ampliado" – en tanto conjunto de técnicas tributarias encaminadas a la lucha contra el fraude fiscal que penaliza la creación de sociedades en otros estados con menor tributación, de forma tal que se entiende que una sociedad española ha percibido cierta renta por imputación en la base imponible del impuesto de rentas positivas, obtenidas, en realidad, por otra entidad no residente en la que ostenta cierto grado de participación– se aplicará siempre y cuando se cumplan los presupuestos definidos en el apartado 1 del artículo 100 de la LIS:

a) Por un lado, y sin que suponga novedad alguna respecto al contenido del antiguo artículo 107 del TRLIS, será necesario que la entidad española, de forma individual o conjuntamente con otras personas o entidades vinculadas (eso sí, en los términos de vinculación ahora redefinidos en el nuevo artículo 18 de la LIS, y que han supuesto la elevación del umbral de participación necesario hasta el 25% para el caso de relaciones socio-sociedad), ostente una participación igual o superior al 50 % en el capital, los fondos propios, los resultados o los derechos de voto de la entidad no residente en territorio español, en la fecha del cierre del ejercicio social de esta última.

De acuerdo con lo anterior, basta con que exista un grupo integrado por entidades y personas vinculadas entre sí que dispongan del señalado grado de participación sobre la entidad no residente. Es decir, la imputación de rentas se podrá realizar tanto en relación con participaciones directas como en relación con participaciones indirectas (en este último caso el importe de la renta positiva a imputar será el correspondiente sólo a la participación indirecta, tal como aclara el 100.7 LIS), por lo que sería perfectamente posible que se produzca una doble imputación respecto a algún tipo de rentas si dos estados diferentes aplican idéntico régimen de transparencia fiscal internacional.

b) Igualmente, y sin que suponga tampoco ninguna novedad respecto al régimen anteriormente contenido en el TRLIS, para que resulte de aplicación el artículo 100 de la LIS, será preciso que el importe satisfecho por la entidad no residente por razón de gravamen de naturaleza idéntica o análoga a este Impuesto, sea inferior al 75 por ciento del que hubiera correspondido de acuerdo con las normas de nuestro IS (es decir, para el tipo impositivo general fijado a partir de 2015 en el 25%, la tributación mínima para que no aplique el régimen será del 18,75%).

A este respecto, y si bien la LIS no define lo que se entiende por gravamen de naturaleza idéntica o análoga al IS, debemos entender que se está refiriendo a todo tributo que tenga por objeto gravar las rentas obtenidas por la entidad no residente, con independencia del elemento que se tome para determinar dicha renta. Y así ha aclarado nuestra DGT, por ejemplo, que un impuesto que se determina aplicando un porcentaje al valor del patrimonio no es un impuesto análogo al IS, al no gravar la renta, por lo que puede ser aplicable la transparencia fiscal internacional (CV 2701/13).

En cuanto al concepto de importe satisfecho, deben considerarse los impuestos de todo tipo pagados por la entidad no residente por la obtención de rentas en calidad de contribuyente, cualquiera que fuese el Estado que la hubiera gravado, y tanto en concepto de cuota a ingresar como de retenciones o ingresos a cuenta.

Por otro lado, cabe puntualizar que, tal como se aclara en el apartado 14 del artículo 100 LIS, se presumirá (presunción iuris tantum) que se cumple la circunstancia indicada, en el supuesto de que la entidad participada resida en un país o territorio calificado como paraíso fiscal o de nula tributación.

3. TIPOS DE ENTIDADES Y DE RENTA A LOS QUE SE APLICA EL RÉGIMEN DE TRANSPARENCIA FISCAL INTERNACIONAL

El nuevo régimen de transparencia fiscal internacional parte de radical diferenciación entre aquellas entidades no residentes con sustancia económica respecto a otras que no cuentan con dicha sustancia. De este modo:

a) De acuerdo a lo establecido en el apartado 2 del artículo 100, se deberá imputar a la sociedad española la totalidad de la renta positiva obtenida por la entidad no residente en el supuesto de que ésta no disponga de una organización de medios materiales y personales para la realización de su actividad empresarial (que puede tener, incluso, el carácter de recurrente).

La regulación contenida en nuestra normativa asigna al contribuyente la carga de la prueba en relación con la existencia de motivos económicos válidos para la constitución y operativa de la entidad no residente, así como respecto a la realización de una actividad económica por parte de la misma. De esa prueba, se deriva la eventual aplicación de ciertas excepciones en el régimen de imputación de la renta total:

i.   Cuando el contribuyente acredite que la entidad no residente, a pesar de no contar con medios propios, desarrolla su actividad contando con los medios materiales y personales de otra entidad no residente que pertenece al mismo grupo (en los términos de grupo definidos en el artículo 42 del Código de Comercio, de forma tal que se van a incluir las entidades multigrupo y asociadas en los términos de la legislación mercantil).

ii.   O cuando se acredite que la constitución y operativa de esa entidad no residente responde a motivos económicos válidos.

b) Sin embargo, en el caso de que la entidad no residente sí disponga de los medios personales y materiales para la realización de su actividad empresarial, sólo se imputarán determinadas rentas:

i.   Las que procedan de la titularidad de bienes inmuebles rústicos y urbanos o de derechos reales que recaigan sobre estos, a excepción de los siguientes supuestos (que para nada se refieren a la ubicación de los inmuebles ni al propio concepto de inmueble a considerar):

1.   Las rentas derivadas de inmuebles afectos a actividades empresariales desarrolladas por la entidad instrumental.

2.   Las rentas derivadas de inmuebles que estén cedidos en uso a otras entidades no residentes si ambas entidades pertenecen al mismo grupo mercantil, con independencia de su residencia y de la obligación de formular cuentas anuales consolidadas, siempre que estén afectos a una actividad económica en la entidad cesionaria.

ii.   Las que tengan su origen en la participación en fondos propios de cualquier tipo de entidad y cesión a terceros de capitales propios, a excepción de ciertos supuestos:

1.   Los tenidos para dar cumplimiento a obligaciones legales y reglamentarias originadas por el ejercicio de actividades económicas.

2.   Los que incorporen derechos de crédito nacidos de relaciones contractuales establecidas como consecuencia del desarrollo de actividades económicas.

3.   Los tenidos como consecuencia del ejercicio de actividades de intermediación en mercados oficiales de valores.

4. Los tenidos por entidades de crédito y aseguradoras como consecuencia del ejercicio de sus actividades, sin perjuicio de que sean objeto de imputación aquellas rentas derivadas de operaciones realizadas con entidades residentes en territorio español que sean deducibles a efectos fiscales en estas últimas entidades y estén vinculadas con la entidad instrumental no residente.

    Mención aparte merece el caso de las entidades holding que se comentará más tarde.

iii. Rentas derivadas de la realización de operaciones de capitalización y seguro que tengan como beneficiaria a la propia entidad extranjera así como rentas que procedan de instrumentos financieros derivados (excepto los designados para cubrir un riesgo específicamente identificado derivado de la realización de actividades económicas) y las procedentes de actividades crediticias, financieras, aseguradoras y de prestación de servicios realizadas, directa o indirectamente, con personas o entidades residentes en territorio español y vinculadas en el sentido del artículo 18 de la LIS, en cuanto determinen gastos fiscalmente deducibles en dichas entidades residentes (a no ser que más del 50% de los ingresos de dichas actividades crediticias, financieras, aseguradoras o de prestación de servicios procedan de operaciones efectuadas con personas o entidades no vinculadas).

    Las rentas positivas derivadas de la cesión a terceros de capitales propios, se entenderá que proceden en realidad de este tipo de actividades crediticias cuando el cedente y el cesionario pertenezcan al mismo grupo de sociedades en el sentido del art. 42 del Código de Comercio (con independencia de su residencia y de si formulan o no cuentas consolidadas) y los ingresos del cesionario procedan, al menos en un 85% del ejercicio de actividades económicas.

    Además, la doctrina administrativa ya ha matizado una serie de supuestos en los que, a pesar de cumplirse con los requisitos establecidos para ello, no se aplica este régimen, por ejemplo:

    1. No se aplica este régimen cuando la entidad no residente capte recursos en los mercados internacionales para prestarlos a otras no residentes (DGT 23-2-96).

    2. Cuando una entidad no residente presta capitales propios al establecimiento permanente de una entidad residente del mismo grupo, no puede entenderse que se está realizando la cesión a entidades no residentes del mismo grupo, por lo que las rentas que se obtengan deben incluirse en la base imponible de esta última (DGT 26-2-96).

3. Aunque se cumplan los requisitos para incluir las rentas derivadas de la prestación de servicios en este régimen, si por el tipo de servicio (por ejemplo: transporte de gas) el mismo sólo puede prestarse en un territorio extranjero concreto, de una interpretación finalista se deriva la no aplicación de dicho régimen especial (CV 0471/08).

iv. Rentas que procedan de la propiedad industrial e intelectual, asistencia técnica, bienes muebles, derechos de imagen y arrendamiento o subarrendamiento de negocios o minas, en los términos establecidos en el apartado 4 del artículo 25 de la Ley 35/2006.

v. Rentas que procedan de la transmisión de determinados bienes y derechos (titularidad o derechos reales sobre bienes inmuebles no afectos, participación en fondos propios de cualquier entidad, determinados activos financieros y seguros, propiedad industrial e intelectual, bienes muebles, derechos de imagen y derechos de arrendamiento o subarrendamiento de negocios o minas no afectos o que no constituyan actividades económicas).

    – A pesar de lo indicado, el régimen de transparencia fiscal internacional no se aplicará a entidades con sustancia en el caso de que la suma de las rentas que se acaba de comentar sea inferior al 15% de la renta total obtenida por la entidad no residente (excepto las rentas derivadas de actividades crediticias, financieras, aseguradoras y de prestación de servicios que se imputarán en su totalidad).

    – Igualmente, tampoco procede el régimen de transparencia fiscal internacional en el caso de entidades con sustancia, cuando las rentas comentadas se correspondan con gastos fiscalmente no deducibles de entidades residentes. A este respecto, nuestra doctrina administrativa ya ha aclarado que no se imputan en la base imponible de la entidad residente las rentas que corresponden a las variaciones de provisiones por depreciación (actualmente, deterioros de valor) de las inversiones financieras que tenga la entidad no residente (DGT 12-11-96).

4. QUID EN EL CASO DE LAS ENTIDADES HOLDING

Al margen de los grandes grupos de tipos de entidades a las que puede aplicarse la transparencia fiscal internacional, la nueva LIS hace una mención especial al caso de entidades holding que perciban rentas derivadas de la participación en el capital o en los fondos propios de otras entidades no residentes o también para el caso de que perciban rentas que procedan de la transmisión de determinados bienes y derechos a las que nos referimos en el punto v) anterior, de forma que el apartado 4 del citado artículo 100 especifica que no procede la imputación de rentas en el caso de que la sociedad española posea una participación del 5% o más durante el plazo de 1 año con la finalidad de dirigir y gestionar la participación, siempre que disponga de la correspondiente organización de medios materiales y personales y la entidad participada no se califique como entidad patrimonial (que, en los términos del artículo 5 de la LIS, es decir, aquella en la que más de la mitad de su activo esté constituido por valores o no esté afecto a una actividad económica).

La causa por la que estas rentas no son imputables parece encontrarse en el hecho de que el régimen de transparencia fiscal internacional tiene por objeto imputar exclusivamente rentas pasivas y nunca rentas procedentes de la realización de actividades empresariales. En consecuencia, gravar ese tipo de supuestos supondría, en contra de la finalidad que persigue este régimen especial, la imputación indirecta de rentas empresariales.

5. LA APLICACIÓN DEL RÉGIMEN DE TFI DENTRO DEL TERRITORIO COMUNITARIO EUROPEO

El apartado 16 del precepto que nos ocupa, a través de la configuración de lo que se ha dado en llamar como "excepción comunitaria", deja fuera de la aplicación del régimen de transparencia fiscal internacional los casos en que la participada resulte ser una empresa residente en otro Estado de la Unión Europea, siempre y cuando:

i.   Se acredite que constitución y operativa responde a motivos económicos válidos y que realiza una actividad económica,

ii.   O que tengan la consideración de institución de inversión colectiva de las reguladas en la Directiva 2009/65/CE (UCITS UE), que estén constituidas y domiciliadas en algún Estado miembro de la UE.

En primer lugar, hay que incidir en el hecho de que este supuesto de exclusión del régimen de TFI no está haciendo referencia alguna a ciertas estructuras internacionales como el caso de los establecimientos permanentes, ni tampoco puede ampliarse más allá de filiales residentes en otro estado UE, por lo que otros acuerdos, como consecuencia de la existencia de un CDI firmado entre España y un estado tercero, por ejemplo, no encontrarían amparo bajo su paraguas protector.

Ya respecto a los casos de aplicación de la "excepción comunitaria" y, en concreto, por lo que se refiere al primer supuesto, entendemos que se ha de superar un doble juicio: el de no tener un motivo exclusivamente fiscal (*business purpose*) y el de tener una actividad económica real. Para su verificación se podría acometer el denominado test de los motivos (conocido como *business purpose test*) en el que se analizarían los factores determinantes para que el sujeto pasivo realice la operación, y que debe ser interpretado a la luz de la jurisprudencia europea, pero este test puede presentar algunos problemas, ya que no se especifican las pruebas que ha de aportar el contribuyente y, por ejemplo, puede llegar a dejar fuera supuestos en los que se persigue una finalidad puramente fiscal pero se cuenta con una estructura económica adecuada.

Por lo que se refiere al concepto de actividad económica, no parece muy clara la aplicación del contenido del artículo 5 de la nueva LIS, sino que debiéramos remitirnos al concepto de actividad económica a nivel comunitario o, lo que es lo mismo, a un concepto de actividad económica genuina a través de un establecimiento real en el otro estado.

Por otro lado, parece que ciertas instituciones de inversión colectiva no armonizadas por la Directiva 2009/65/CE, como ciertos fondos muy populares en los mercados financieros, en la medida en que (i) no dispongan de la correspondiente organización de medios materiales y personales, (ii) su constitución y operativa no responda a motivos económicos válidos o al desarrollo de actividades económicas, y (iii) tengan la consideración de instituciones de inversión colectiva no armonizadas por la Directiva, quedarían fuera del ámbito de exclusión que estamos analizando.

Si bien pareciese que la restricción de las UCITS comunitarias debería ser meramente ejemplificativa (de hecho existe jurisprudencia comunitaria que podría dar argumentos a este criterio, como la del caso Olsen y Comisión/Reino Unido), nuestra DGT no parece compartir este criterio: a este respecto, la consulta de la DGT CV2701-13, emitida para el caso de una entidad que, en el marco de su actividad ordinaria, se planteaba poder llevar a cabo ciertas inversiones tomando una participación en una SIF luxemburguesa, con forma jurídica de sociedad de inversión de capital variable (SICAV) y estructura abierta (accesible a inversores que cumplieran con la condición de ser inversores "bien informados"), cuya operativa se lleva efectivamente a cabo en su integridad en Luxemburgo, contando para ello con una sociedad gestora y un consejo de administración, aclaró (eso sí, en relación con el antiguo artículo 107 del TRLIS "*15. Lo previsto en este artículo no será de aplicación cuando la entidad no residente en territorio español sea residente en otro Estado miembro de la Unión Europea, siempre que el sujeto pasivo acredite que su constitución y operativa responde a motivos económicos válidos y que realiza actividades empresariales*") que, dado que la entidad no residente a que se refería la consulta es residente en otro Estado miembro de la Unión Europea, no sería de aplicación el régimen de transparencia fiscal internacional pero sólo si acredita que su constitución y operativa responde a motivos económicos válidos y que realiza actividades empresariales.

Por otra parte, también desde la perspectiva comunitaria europea, hemos de estar muy atentos a la doctrina del TJUE (particularmente la relativa a las cláusulas antiabuso), con interesantísimos pronunciamientos que condicionan la normativa interna (y su interpretación) de los Estados miembros. De acuerdo con la doctrina comunitaria, cualquier medida que adopte un estado miembro en este ámbito debe cumplir con los siguientes requisitos:

a) Que se apliquen de modo no discriminatorio.

b) Que estén justificadas por razones de interés general.

c) Que sean adecuadas para garantizar la realización del objetivo perseguido (proporcionalidad).

d) Que no excedan de lo necesario para alcanzar dicho objetivo.

– Desde la perspectiva del principio de proporcionalidad, el TJUE confió al mismo (el control de proporcionalidad), por encima de cualquier otro criterio, la concreción de los límites que nunca debe de exceder cada juicio de legalidad desde el punto de vista de la protección de las libertades comunitarias. El TJUE así lo manifestó expresamente en *Leur-Bloen* a propósito de las cláusulas anti-abuso. A renglón seguido consagró en la sentencia *Lankhorst-Hohorst* la tesis en virtud del cual los Estados miembros pueden adoptar las medidas antiabuso que consideren adecuadas para la protección de su sistema tributario, pero dichas medidas sólo serán admisibles si respetan el canon de proporcionalidad, esto es, si están justificadas y son proporcionadas al fin que persiguen.

El TJUE concluyó que cualquier medida restrictiva o que interfiera en el pleno ejercicio de las libertades comunitarias vulnera el principio de proporcionalidad y, por consiguiente, es contraria al ordenamiento comunitario, siempre que persiga situaciones distintas a los "montajes puramente artificiales". Este canon de proporcionalidad fue luego invocado en *Lasteyrie du Saillant, Marks & Spencer, Cadbury Schweppes, Thin Cap Group Litigation* y en *Rewe Zentral-Finanz*.

– Asimismo, el TJUE viene abundando desde hace casi dos décadas en que se encuentran prohibidas las cláusulas generales, presunciones y ficciones jurídicas, pronunciándose en el ámbito de la fiscalidad directa por primera vez al respecto en *Leur-Bloem* (En relación con la normativa holandesa que recortaba el concepto de fusión, concluyó el Tribunal que "*el establecimiento de una regla de carácter general que excluya automáticamente ciertas categorías de operaciones de un determinado beneficio fiscal sobre la base de criterios objetivos y "estandarizados" (presunciones iuris et de iure), excedería de aquello que es estrictamente necesario para evitar dicho fraude o evasión, y perjudicaría el objetivo perseguido por la Directiva*"). El TJUE no se afana en distinguir entre cláusulas generales, presunciones o ficciones: sencillamente, cualquier medida que constituya una cláusula general o bien una exclusión automática de una determinada categoría de sujetos, será considerada como excesiva y contraria al ordenamiento comunitario siempre que imponga, en operaciones trasnacionales, un sacrificio superior al que sería estrictamente necesario para evitar el fraude o abuso.

– Sobre la base de que el cumplimiento del ordenamiento comunitario no puede depender de cualquier poder discrecional conferido a la Administración, el TJUE rechaza también las medidas nacionales injerentes que permitan una intervención discrecional de la Administración. En *Leur-Bloem*, después de señalar, según hemos visto anteriormente, que "*el establecimiento de una regla de carácter general que excluya automáticamente ciertas categorías de operaciones de un determinado beneficio fiscal sobre la base de criterios objetivos y "estandarizados" (presunciones iuris et de iure) excedería de aquello que es estrictamente necesario para evitar dicho fraude o evasión fiscales*", concluye que "*estaríamos en la misma situación si la aplicación de la regla fuese discrecional para la Administración*".

– Incluso en el ámbito de las ayudas de Estado, la discrecionalidad en favor de la Administración relativa al reconocimiento de una deducción fiscal favorece la prueba del carácter selectivo de la medida, tal como se desprende de *la sentencia Comisión/España (STJUE de 15 de julio de 2004, C-501/00).*

– En Marks & *Spencer (STJUE de 13 diciembre 2005)* el TJUE, enjuiciando el régimen británico que supeditaba la deducción de pérdidas intra-grupo a la circunstancia de que todas las sociedades del grupo tuviesen su sede en Gran Bretaña, formula por primera vez la que podía ser llamada "regla de la necesidad", de modo tal que se resuelve la causa en base al concepto de "imposibilidad": la medida que impide la deducción de las pérdidas del grupo a las filiales residentes es excesiva, esto es, contraria al principio de proporcionalidad cuando le resulte imposible a la filial no residente deducir las pérdidas en el Estado de residencia.

– La regla de la "imposibilidad", expresión primera del principio de proporcionalidad (*vid. O´SHEA: Marks & Spencer v Halsey –HM Inspector of Taxes–: Restriction, Justification and Proporcionality, EC Tax Review, vol. 15, 2, 2006*), vuelve a ser ratio decidendi, esta vez con el adjetivo de "manifiesta", en los asuntos N *(STJUE de 7 septiembre 2006, C-470/04*, relativo al régimen holandés que sometía a tributación las plusvalías latentes puestas de manifiesto en el momento del desplazamiento del domicilio a otro Estado miembro), *Rewe Zentralfi-*

nanz (STFUE 29 marzo 2007, C-347/04, sobre deducción de pérdidas sufridas por la sociedad matriz, residente en Alemania, en virtud de la depreciación del valor nominal de sus participaciones en las filiales), en *Deutsche Shell (STJUE de 28 febrero 2008, C-293/06*, con ocasión de la deducibilidad, por parte de la sociedad matriz, de las pérdidas generadas por un establecimiento permanente ubicado en Italia) y, en fin, en *Lidl Belgium (STJUE de 15 mayo 2008, C-414/06*, a propósito de la pretensión de la recurrente, sociedad con sede en Alemania, de deducir las pérdidas operaciones causadas por un establecimiento permanente ubicado Luxemburgo).

– La ya mencionada sentencia *Cadbury Schweppes* (sentencia del Tribunal de Justicia Europeo de l2-9-2006, asunto C-196/04, constituye una referencia o sentencia guía sobre la compatibilidad comunitaria de la normativa interna de un país.

Se pronuncia sobre un caso del grupo empresarial británico homónimo, que fue obligado por la Administración británica a integrar en la base imponible del impuesto los beneficios obtenidos por dos filiales de Dublín (creadas en sustitución de una estructura anterior que utilizaba filiales en isla de Jersey), habida cuenta que dichos beneficios estarían sujetos a una tributación notoriamente inferior a la del estado de residencia de la matriz. *Cadbury Schweppes* acabó recurriendo dicha liquidación al entender que se estaría atentando contra derechos fundamentales reconocidos por el ordenamiento comunitario, en particular, contra la libertad de establecimiento prevista en el artículo 43 de la CE, la libre prestación de servicios a que se refiere el artículo 49 de la CE y a la libre circulación de capitales enunciada en el artículo 56 de la CE.

El TJUE entendió que la normativa británica establecía diferencias de tributación para las entidades residentes en función del estado en el que se ubicasen sus filiales, creando una desventaja para aquellas a las que resultaban de aplicación las reglas de la TFI y pudiendo suponer una limitación al ejercicio de la libertad de establecimiento. Se aclara, además, que este tipo de restricciones sólo serían posible en el caso de que existieran razones de interés general y se aplicasen medidas adecuadas para garantizar el fin perseguido sin ir más allá de lo necesario para alcanzarlo, algo que no concurría en dicho supuesto (no resultando suficiente que pueda existir una filial con una carga fiscal menor, de forma tal que el estado de la matriz – Reino Unido– proceda a dar un trato fiscal desfavorable a esa matriz como si de una compensación se tratase).

Asimismo, esta sentencia sentó algunos puntos básicos para la validez de las normas estatales antielusión:

1.° Las medidas de TFI deben estar justificadas por razones imperiosas de interés general, como la lucha contra la evasión fiscal, y ser proporcionadas a su objetivo específico.

2.º La medida antielusión se justifica cuando pretenda restringir los montajes puramente artificiales, resultando esencial examinar la realidad de la implantación de la filial (si hay establecimiento secundario, filial, sucursal o agencia, que sea real y efectivo, con independencia de la existencia de motivos económicos válidos o no, dotado de consistencia material y humana, no puede invocarse desde el Estado de residencia del controlante una presunción general de fraude fiscal).

3.º La constatación del montaje puramente artificial exige un elemento subjetivo que consiste en la voluntad de obtener una ventaja fiscal, pero ésta ha de soportarse por elementos objetivos y verificables por terceros (incumplimiento de los presupuestos objetivos de la norma que se trate), ya que la mera búsqueda de la ventaja fiscal es lícita siempre y cuando se pruebe la realidad jurídica efectiva de la filial y la actividad empresarial que realiza, encontrándose realmente implantada en el otro estado y ejerciendo dichas actividades de modo efectivo. Es decir, el abuso no existiría cuando, a pesar de existir una motivación fiscal de ahorro principalmente, se verifica la concurrencia de los elementos objetivos y finalidad de la norma de cobertura.

Esta posición se ha confirmado en la sentencia del Tribunal de Justicia de 13 -11-2014 (Comisión Europea/Reino Unido de Gran Bretaña e Irlanda del Norte, Asunto C-112/14), que a continuación se comentará, así como en otros pronunciamientos recientes –donde el TJUE rechaza la compatibilidad con el Derecho UE de medidas nacionales que restringen el acceso a ventajas fiscales por parte de contribuyentes residentes de un Estado miembro por tratarse de situaciones transfronterizas respecto a de las cuales la Administración Tributaria no posee el mismo nivel de información: SSTJUE de 22 de Octubre de 2014, C-344/13 y C-367/13, *Blanco y Fabretti* y de 9 de Octubre de 2014, C-326/12, *van Caster & van Caster*)–.

La sentencia *Cadbury Schweppes* tiene consecuencias directas en el ordenamiento interno español, ya que cualquier norma antiabuso de carácter general que incluya en su ámbito de aplicación operaciones que posean una actividad económica real y sustancia económica, aunque tengan una motivación fiscal principal, serán consideradas como contrarias al Derecho comunitario (incluso parece dejar fuera supuestos abusivos en los que existe una cierta implantación económica fabricada para escapar del régimen de la TFI).

– Más recientemente, la sentencia del Tribunal de Justicia de 13 -11-2014 (Comisión Europea/Reino Unido de Gran Bretaña e Irlanda del Norte, Asunto C-112/14), que también se fundamenta en la libre circulación de capitales regulada en el TFUE (artículo 63) y en el Acuerdo sobre el Espacio Económico Europeo (artículo 40), declara que el Reino Unido de Gran Bretaña e Irlanda del Norte han incumplido las obligaciones que le incumben en virtud de tales preceptos, adoptando y manteniendo una legislación tributaria relativa a la imputación de plusvalías a los partícipes de sociedades no residentes que supone una diferencia de trato entre las actividades nacionales y las actividades transfronterizas (ya que la norma anti-abuso analizada obligaba a que, en el caso de las "close companies" no residentes en el Reino Unido, imputasen sus ganancias de capital a sus accionistas, aunque no hayan sido distribuidas. La atribución del beneficio a los socios se excluye si se demuestra que el bien enajenado estaba vinculado al ejercicio de una actividad comercial ('trade') fuera del Reino Unido).

El Tribunal, amparándose en la doctrina de la sentencia *Cadbury Schweppes* antes referida, declara que este tipo de discriminación sólo podría considerarse adecuada a Derecho Comunitario si tuviera por objeto atacar montajes puramente artificiales – que simplemente pretendan eludir la aplicación de la legislación del estado miembro de que se trate– a través de una norma justificada por razones de interés general y proporcionada a los fines que pretende conseguir. Sin embargo, según el criterio del TJUE, la normativa británica no cumplía con el principio de proporcionalidad, habida cuenta que se aplica a montajes artificiales que sólo tienen una finalidad fiscal pero que también podía afectar a estructuras reales, al no dejar abierta la puerta a que el contribuyente pudiera demostrar que su comportamiento no es fraudulento y responde a una realidad económica al margen del fraude o abuso fiscal.

– Por otra parte, muy interesante resulta también la Resolución del Consejo de la Unión Europea, de 8 de junio de 2010, sobre la coordinación de las normas sobre transparencia fiscal internacional y subcapitalización en la Unión Europea (2010/C 156/01), que termina recomendando a los estados miembros que, cuando apliquen en la UE normas transfronterizas sobre transparencia fiscal internacional utilicen indicadores que sugieran que los beneficios han podido desviarse artificialmente a una sociedad extranjera controlada. En particular, podrían verificarse los siguientes (lista no exhaustiva):

a) Insuficiencia de razones económicas o comerciales válidas para la atribución de beneficios, lo que por tanto no refleja la realidad económica.

b) La constitución no corresponde esencialmente a un establecimiento real que realice actividades económicas genuinas.

c) No existe una correlación proporcionada entre las actividades aparentemente realizadas por la sociedad extranjera controlada y su existencia material, en términos de instalaciones, personal y equipos.

d) La sociedad no residente está sobrecapitalizada, es decir, tiene mucho más capital que el necesario para llevar a cabo su actividad.

e) El sujeto pasivo ha celebrado acuerdos que carecen de realidad económica, tienen una finalidad empresarial escasa o nula, o pueden ser contrarios a los intereses generales de la sociedad, o haberse celebrado incluso para eludir el pago de impuestos.

A la vista de lo expuesto, pocas dudas quedan sobre la singularidad de nuestra regulación interna sobre la TFI. A título de ejemplo:

1. En términos de aplicación de la "excepción comunitaria" asigna al contribuyente la carga de la prueba a la hora de acreditar que la constitución y operativa de la sociedad extranjera responde a motivos económicos válidos y que además realiza una actividad económica. Y es que el criterio de los "motivos" ni se deriva directamente de la jurisprudencia europea, ni de las recomendaciones del Consejo de la Unión Europea, de 8 de junio de 2010.

2. Cabe puntualizar, además, que el criterio de los motivos a aplicar en el caso de las entidades residentes en un estado de la UE, nada tiene que ver con aquel que excluye la aplicación de las reglas de TFI en el caso de las entidades sin sustancia, puesto que se exige además que la entidad comunitaria realice actividades económicas.

En consecuencia, no bastaría con acreditar que no existe un montaje puramente artificioso, o que existe una actividad real, sino que se ha de probar que la estructura responde a motivos económicos válidos. Sin embargo, parece que el "test de los motivos" debiera configurarse de modo tal que, la realización de actividades económicas genuinas a través de un establecimiento real en el Estado miembro que se trate, excluyese la aplicación del régimen de TFI (exista o no la intención de obtener, además, una ventaja fiscal a través del montaje de esa estructura).

Además, el TJUE ya ha insistido en el denominado "test de proporcionalidad" que deben cumplir este tipo de normas, de modo tal que sólo pueden proyectarse sobre montajes totalmente artificiales que no respondan a realidad económica alguna, y siempre que el contribuyente no pueda probar (sin excesivas dificultades administrativas) que se trata de una operación que posee sustancia económica genuina.

Finalmente, cabe incidir de nuevo en el contexto de reformas en el que a nivel internacional nos encontramos en materia de TFI, esencialmente como consecuencia del Proyecto OCDE/G20 sobre la Erosión de la Base Imponible y el Traslado de Beneficios del que se ha hablado al inicio de este comentario sobre el artículo 100 de la LIS, que podría conllevar el endurecimiento de los requisitos materiales que se exigen para que una *base company* se encuentre protegida por los principios comunitarios en los términos de la jurisprudencia aludida. Asimismo, cualquier reforma sobre la materia afectará sin remedio a la normativa de precios de transparencia, a las actuales reglas para la limitación de la deducibilidad fiscal de gastos, así como en los métodos previstos para eliminar la doble imposición (ya que se está sustituyendo la lucha por evitar la doble imposición, a la lucha por evitar la doble no imposición), amén de mayores exigencias para acreditar el requisito de sustancia económica.

La Comunicación de la Comisión al Parlamento Europeo y al Consejo sobre la transparencia fiscal para luchar contra la evasión y la elusión fiscales /COM/2015/0136 final ya puso de relieve que son necesarias más medidas (como establecer una rigurosa transparencia de las resoluciones fiscales, racionalizar la legislación sobre el intercambio automático de información, estudiar otras posibles iniciativas en materia de transparencia, revisar el Código de Conducta sobre la Fiscalidad de las Empresas, cuantificar mejor el déficit tributario, impulsar un aumento de la transparencia fiscal a nivel internacional) que permitan a los Estados miembros proteger sus bases fiscales y a las empresas competir en el mercado interior en condiciones de equidad, garantizando, al mismo tiempo, el cumplimiento de los derechos fundamentales, tales como el derecho a la protección de los datos personales.

Artículos 101 a 105

Incentivos fiscales para las entidades de reducida dimensión

Claudio García Diez

Dr. en Derecho. Profesor de Derecho Financiero
y Tributario. Universidad a Distancia de Madrid. Abogado

Artículo 101.– *Ámbito de aplicación. Cifra de negocios.*
"1. *Los incentivos fiscales establecidos en este capítulo se aplicarán siempre que el importe neto de la cifra de negocios habida en el período impositivo inmediato anterior sea inferior a 10 millones de euros.*

No obstante, dichos incentivos no resultarán de aplicación cuando la entidad tenga la consideración de entidad patrimonial en los términos establecidos en el apartado 2 del artículo 5 de esta Ley.

2. Cuando la entidad fuere de nueva creación, el importe de la cifra de negocios se referirá al primer período impositivo en que se desarrolle efectivamente la actividad. Si el período impositivo inmediato anterior hubiere tenido una duración inferior al año, o la actividad se hubiere desarrollado durante un plazo también inferior, el importe neto de la cifra de negocios se elevará al año.

3. Cuando la entidad forme parte de un grupo de sociedades en el sentido del artículo 42 del Código de Comercio, con independencia de la residencia y de la obligación de formular cuentas anuales consolidadas, el importe neto de la cifra de negocios se referirá al conjunto de entidades pertenecientes a dicho grupo, teniendo en cuenta las eliminaciones e incorporaciones que correspondan por aplicación de la normativa contable. Igualmente se aplicará este criterio cuando una persona física por sí sola o conjuntamente con el cónyuge u otras personas físicas unidas por vínculos de parentesco en línea directa o colateral, consanguínea o por afinidad, hasta el segundo grado inclusive, se encuentren con relación a otras entidades de las que sean socios en alguna de las situaciones a que se refiere el artículo 42 del Código de Comercio, con independencia de la residencia de las entidades y de la obligación de formular cuentas anuales consolidadas.

4. Los incentivos fiscales establecidos en este capítulo también serán de aplicación en los 3 períodos impositivos inmediatos y siguientes a aquel período impositivo en que la entidad o conjunto de entidades a que se refiere el apartado anterior, alcancen la referida cifra de negocios de 10 millones de euros, determinada de acuerdo con lo establecido en este artículo, siempre que las mismas hayan cumplido las condiciones para ser consideradas como de reducida dimensión tanto en aquel período como en los 2 períodos impositivos anteriores a este último.

Lo establecido en el párrafo anterior será igualmente aplicable cuando dicha cifra de negocios se alcance como consecuencia de que se haya realizado una operación acogida al régimen fiscal establecido en el Capítulo VII del Título VII de esta Ley, siempre que las entidades que hayan realizado tal operación cumplan las condiciones para ser consideradas como de reducida dimensión tanto en el período impositivo en que se realice la operación como en los 2 períodos impositivos anteriores a este último".

Artículo 102. Libertad de amortización.

"1. Los elementos nuevos del inmovilizado material y de las inversiones inmobiliarias, afectos a actividades económicas, puestos a disposición del contribuyente en el período impositivo en el que se cumplan las condiciones del artículo anterior, podrán ser amortizados libremente siempre que, durante los 24 meses siguientes a la fecha del inicio del período impositivo en que los bienes adquiridos entren en funcionamiento, la plantilla media total de la empresa se incremente respecto de la plantilla media de los 12 meses anteriores, y dicho incremento se mantenga durante un período adicional de otros 24 meses.

La cuantía de la inversión que podrá beneficiarse del régimen de libertad de amortización será la que resulte de multiplicar la cifra de 120.000 euros por el referido incremento calculado con dos decimales.

Para el cálculo de la plantilla media total de la empresa y de su incremento se tomarán las personas empleadas, en los términos que disponga la legislación laboral, teniendo en cuenta la jornada contratada en relación a la jornada completa.

La libertad de amortización será aplicable desde la entrada en funcionamiento de los elementos que puedan acogerse a ella.

2. El régimen previsto en el apartado anterior también será de aplicación a los elementos encargados en virtud de un contrato de ejecución de obra suscrito en el período impositivo, siempre que su puesta a disposición sea dentro de los 12 meses siguientes a su conclusión.

3. Lo previsto en los dos apartados anteriores será igualmente de aplicación a los elementos del inmovilizado material y de las inversiones inmobiliarias construidos por la propia empresa.

4. En el supuesto de que se incumpliese la obligación de incrementar o mantener la plantilla se deberá proceder a ingresar la cuota íntegra que hubiere correspondido a la cantidad deducida en exceso más los intereses de demora correspondientes.

El ingreso de la cuota íntegra y de los intereses de demora se realizará conjuntamente con la autoliquidación correspondiente al período impositivo en el que se haya incumplido una u otra obligación.

5. Lo previsto en este artículo también será de aplicación a los elementos nuevos del inmovilizado material y de las inversiones inmobiliarias objeto de un contrato de arrendamiento financiero, a condición de que se ejercite la opción de compra".

Artículo 103. Amortización de los elementos nuevos del inmovilizado material y de las inversiones inmobiliarias y del inmovilizado intangible.

"1. Los elementos nuevos del inmovilizado material y de las inversiones inmobiliarias, así como los elementos del inmovilizado intangible, afectos en ambos casos a actividades económicas, puestos a disposición del contribuyente en el período impositivo en el que se cumplan las condiciones del artículo 101 de esta Ley, podrán amortizarse en función del coeficiente que resulte de multiplicar por 2 el coeficiente de amortización lineal máximo previsto en las tablas de amortización oficialmente aprobadas.

2. El régimen previsto en el apartado anterior también será de aplicación a los elementos encargados en virtud de un contrato de ejecución de obra suscrito en el período impositivo, siempre que su puesta a disposición sea dentro de los 12 meses siguientes a su conclusión.

3. Lo previsto en los dos apartados anteriores será igualmente de aplicación a los elementos del inmovilizado material, intangible y de las inversiones inmobiliarias construidos o producidos por la propia empresa.

4. El régimen de amortización previsto en este artículo será compatible con cualquier beneficio fiscal que pudiera proceder por razón de los elementos patrimoniales sujetos a la misma.

5. Los elementos del inmovilizado intangible a que se refiere el apartado 3 del artículo 13 de esta Ley, adquiridos en el período impositivo en el que se cumplan las condiciones del artículo 101 de esta Ley, podrán deducirse en un 150 por ciento del importe que resulte de aplicar dicho apartado".

Artículo 104. Pérdidas por deterioro de los créditos por posibles insolvencias de deudores.

"1. En el período impositivo en el que se cumplan las condiciones del artículo 101 de esta Ley, será deducible la pérdida por deterioro de los créditos para la cobertura del riesgo derivado de las posibles insolvencias hasta el límite del 1 por ciento sobre los deudores existentes a la conclusión del período impositivo.

2. Los deudores sobre los que se hubiere reconocido la pérdida por deterioro de los créditos por insolvencias establecidas en el artículo 13.1 de esta Ley y aquellos otros cuyas pérdidas por deterioro no tengan el carácter de deducibles según lo dispuesto en dicho artículo, no se incluirán entre los deudores referidos en el apartado anterior.

3. El saldo de la pérdida por deterioro efectuada de acuerdo con lo previsto en el apartado 1 no podrá exceder del límite citado en dicho apartado.

4. Las pérdidas por deterioro de los créditos para la cobertura del riesgo derivado de las posibles insolvencias de los deudores, efectuadas en los períodos impositivos en los que hayan dejado de cumplirse las condiciones del artículo 101 de esta Ley, no serán deducibles hasta el importe del saldo de la pérdida por deterioro a que se refiere el apartado 1".

Artículo 105. Reserva de nivelación de bases imponibles.

"1. Las entidades que cumplan las condiciones establecidas en el artículo 101 de esta Ley en el período impositivo y apliquen el tipo de gravamen previsto en el primer párrafo del apartado 1 del artículo 29 de esta Ley, podrán minorar su base imponible positiva hasta el 10 por ciento de su importe.

En todo caso, la minoración no podrá superar el importe de 1 millón de euros. Si el período impositivo tuviera una duración inferior a un año, el importe de la minoración no podrá superar el resultado de multiplicar 1 millón de euros por la proporción existente entre la duración del período impositivo respecto del año.

2. Las cantidades a que se refiere el apartado anterior se adicionarán a la base imponible de los períodos impositivos que concluyan en los 5 años inmediatos y sucesivos a la finalización del período impositivo en que se realice dicha minoración, siempre que el contribuyente tenga una base imponible negativa, y hasta el importe de la misma.

El importe restante se adicionará a la base imponible del período impositivo correspondiente a la fecha de conclusión del referido plazo.

3. El contribuyente deberá dotar una reserva por el importe de la minoración a que se refiere el apartado 1 de este artículo, que será indisponible hasta el período impositivo en que se produzca la adición a la base imponible de la entidad de las cantidades a que se refiere el apartado anterior.

La reserva deberá dotarse con cargo a los resultados positivos del ejercicio en que se realice la minoración en base imponible. En caso de no poderse dotar esta reserva, la minoración estará condicionada a que la misma se dote con cargo a los primeros resultados positivos de ejercicios siguientes respecto de los que resulte posible realizar esa dotación.

A estos efectos, no se entenderá que se ha dispuesto de la referida reserva, en los siguientes casos:

a) Cuando el socio o accionista ejerza su derecho a separarse de la entidad.

b) Cuando la reserva se elimine, total o parcialmente, como consecuencia de operaciones a las que resulte de aplicación el régimen fiscal especial establecido en el Capítulo VII del Título VII de esta Ley.

c) Cuando la entidad deba aplicar la referida reserva en virtud de una obligación de carácter legal.

4. La minoración prevista en este artículo se tendrá en cuenta a los efectos de determinar los pagos fraccionados a que se refiere el apartado 3 del artículo 40 de esta Ley.

5. Las cantidades destinadas a la dotación de la reserva prevista en este artículo no podrán aplicarse, simultáneamente, al cumplimiento de la reserva de capitalización establecida en el artículo 25 de esta Ley ni de la Reserva para Inversiones en Canarias prevista en el artículo 27 de la Ley 19/1994, de 6 de julio, de modificación del Régimen Económico y Fiscal de Canarias.

6. El incumplimiento de lo dispuesto en este artículo determinará la integración en la cuota íntegra del período impositivo en que tenga lugar el incumplimiento, la cuota íntegra correspondiente a las cantidades que han sido objeto de minoración, incrementadas en un 5 por ciento, además de los intereses de demora".

Disposición Transitoria Vigésima Octava. Amortización de elementos patrimoniales objeto de reinversión por empresas de reducida dimensión.

"Las entidades que estuviesen aplicando lo dispuesto en el artículo 113 del texto refundido de la Ley del Impuesto sobre Sociedades, aprobado por el Real Decreto Legislativo 4/2004, de 5 de marzo, según redacción vigente en períodos impositivos iniciados con anterioridad a 1 de enero de 2015, podrán continuar su aplicación, con los requisitos y condiciones establecidos en aquel".

SUMARIO: 1.GENERALIDADES. 2. ÁMBITO DE APLICACIÓN. 3. LIBERTAD DE ARMONIZACIÓN PARA INVERSIONES QUE GENEREN EMPLEO. 4. AMORTIZACIÓN ACELERADA DE ELEMENTOS NUEVOS DE INMOVILIZADO MATERIAL E INTANGIBLES Y DE INVERSIONES INMOBILIARIAS. 5. PROVISIÓN POR ESTIMACIÓN GLOBAL DE POSIBLES INSOLVENCIAS DE DEUDORES. 6. RESERVA DE NIVELACIÓN DE BASE IMPONIBLES. 7. TIPOS DE GRAVAMEN APLICABLES A LAS EMPRESAS DE REDUCIDA DIMENSIÓN. 8. RÉGIMEN TRANSITORIO: AMORTIZACIÓN DE ELEMENTOS PATRIMONIALES OBJETO DE REINVERSIÓN POR EMPRESAS DE REDUCIDA DIMENSIÓN.

1. GENERALIDADES

1. El Título VII de la LIS, relativo a "Regímenes tributarios especiales", regula en su Capítulo XI el marco jurídico aplicable en el Impuesto de Sociedades para las entidades de reducida dimensión (en adelante, ERD). A partir de este encabezamiento legal, son dos las cuestiones que, *ab initio*, suscita este régimen tributario; a saber:

1.ª) Vemos como en su regulación no se utiliza el término de *pequeña y mediana empresa* (PYME), en vigor en otros sectores de nuestro Ordenamiento; planteándose si en la concreta esfera de este Impuesto hay un *concepto propio* (que no es sinónimo de ámbito de aplicación) *de empresa* a la que resulta aplicable este régimen.

2.ª) Si, a tenor del título de esta regulación ("Incentivos fiscales para las entidades de reducida dimensión"), nos encontramos ante un *régimen tributario completo* e *integral* para las PYME o, por el contrario, se trata de un *conjunto de medidas fiscales* (de incentivo y estímulo) de aplicación alternativa y opcional *dentro* del régimen ordinario y general del Impuesto de Sociedades.

2. La respuesta a la primera cuestión debe ser negativa, pues aunque existe (como no podía ser de otra manera) una delimitación de las entidades que pueden beneficiarse (si así lo deciden) de dicho régimen especial (es decir, hay un ámbito de aplicación, *ex* artículo 108 LIS); no hay en el Impuesto de Sociedades un concepto de este tipo empresa. El legislador fiscal ha renunciado (una vez más) a integrar en este ámbito la definición de *microempresa, pequeñas y medianas empresas* contenida en la *Recomendación de la Comisión de 6 de mayo de 2003*, que establece a estos efectos la siguiente clasificación:

– *Microempresa*: entidad que ocupa menos de 10 personas y cuyo volumen anual de negocios o balance general anual no supera los 2 millones de euros.

– *Pequeña empresa*: entidad que ocupa menos de 50 personas y cuyo volumen anual de negocios o balance general anual no supera los 10 millones de euros.

– *Mediana empresa*: entidad que ocupa menos de 250 personas y cuyo volumen anual de negocios no excede de 50 millones de euros o cuyo balance general anual no supera los 43 millones de euros.

Por tanto, una primera conclusión se deduce de este estatus regulatorio: no existe un régimen de PYMES en el Impuesto de Sociedades; situación que contrasta (y, por lo mismo, resulta criticable) con lo que acontece en otros sectores del Ordenamiento, como el contable, que cuenta con el Real Decreto 1515/2007, de 16 de noviembre, por el que se aprueba el Plan General de Contabilidad de Pequeñas y Medianas Empresas y los criterios contables específicos para microempresas.

A su vez, esta carencia o, mejor dicho, esta opción legislativa resulta determinante para comprender que lo que realmente se establece en el Capítulo XI del Título VII de la LIS no es un régimen de tributación para las ERD, sino un *elenco de medidas fiscales de incentivo*, carentes, en realidad, de un hilo vertebrador que sirva para integrarlas como un auténtico marco de tributación. Nos encontramos, más bien, ante una serie de especialidades (de aplicación voluntaria para las ERD) *dentro* del régimen general del Impuesto de Sociedades[1].

3. Centrándonos en la vigente regulación de este régimen de incentivos hay que señalar que la misma no incorpora grandes novedades respecto de la anterior normativa sobre ERD. En efecto y como se analizará a continuación con más detenimiento, caben destacar las siguientes:

– Quedan excluidas expresamente de este régimen las entidades que no desarrollan una actividad económica; esto es, las entidades patrimoniales o de mera tenencia de valores o bienes.

– Desaparece la Escala reducida de gravamen para las ERD.

– En la determinación de la cifra neta de negocio para grupos de sociedades se establece expresamente que se tendrán en cuenta las eliminaciones e incorporaciones que correspondan por aplicación de la normativa contable.

– Se establece la posibilidad de dotar una Reserva de nivelación de bases imponibles negativas[2].

2. ÁMBITO DE APLICACIÓN

La aplicación del régimen especial de entidades de reducida dimensión, previsto en los artículos 101 a 105 de la LIS, se encuentra supeditado al cumplimiento de dos requisitos (artículo 101.1 LIS):

1.º) Que las entidades no reúnan la condición de "entidad patrimonial", conforme a lo establecido en el artículo 5.2 de la LIS; por tanto, será necesario que las sociedades que pretendan beneficiarse de estos incentivos fiscales desarrollen una auténtica *actividad económica*.

2.º) Que el "importe neto de la cifra de negocios" de la entidad en el período impositivo inmediato anterior sea inferior a 10 millones de euros.

2.1. *El desarrollo de una "actividad económica" por parte de la Pyme*

Toda entidad que pretenda acogerse a este régimen especial del Impuesto de Sociedades deberá desarrollar una *actividad económica*; es decir, no podrá

---

[1]   Especialmente críticos con esta situación con anterioridad, VILLAVERDE GÓMEZ, Mª.B.– "El régimen fiscal de la pequeña y mediana empresa en el Impuesto sobre Sociedades tras sus últimas modificaciones", *Quincena Fiscal*, núm. 10/2011; y MAS ORTIZ, A.– "El concepto de PYME en el ámbito tributario: la necesaria adaptación al concepto comunitario", *Quincena Fiscal*, núm. 5/2013.

[2]   Cfr., RODRÍGUEZ RELEA, F.J.– *Fiscalidad práctica 2015: IRPF, Patrimonio y Sociedades*, Aranzadi, Pamplona, 2015.

catalogarse como "entidad patrimonial". A estos efectos, el artículo 5.2 de la LIS establece la definición de "entidad patrimonial" como "aquella en la que *más de la mitad de su activo* esté constituido por valores o no esté afecto, (…), a una actividad económica"[3]. En este sentido, el artículo 5.1 de la LIS precisa que por "actividad económica" se entenderá "la *ordenación por cuenta propia* de los medios de producción y de recursos humanos o de uno de ambos con la finalidad de intervenir en la producción o distribución de bienes o servicios". Asimismo, para los casos de *arrendamiento de inmuebles* concreta que "que existe actividad económica, únicamente cuando para su ordenación se utilice, al menos, una persona empleada con contrato laboral y jornada completa". Y, por último, en los supuestos de grupos de sociedades, conforme a los criterios del artículo 42 del Código de Comercio (el referido artículo 5.1 de la LIS), "el concepto de actividad económica se determinará teniendo en cuenta a todas las –entidades– que forme parte del mismo".

Vemos, pues, que la actual normativa reguladora del Impuesto de Sociedades ha recogido los criterios que previamente (y sin base legal expresa[4]) había perfilado el TEAC y que conectaba el reconocimiento de este régimen especial al desarrollo de una "actividad económica" real por parte de la entidad; puesto que se trata –según expone el TEAC– de "un incentivo fiscal que únicamente pueden aplicar las empresas cuyo importe neto de la cifra de negocios no supere una determinada cantidad. Desde el punto de vista del Impuesto sobre Sociedades, *el término «empresa» se encuentra íntimamente ligado al término «cifra*

---

[3]   El párrafo segundo del artículo 5.2 LIS desarrolla el concepto, señalando que "El valor del activo, de los valores y de los elementos patrimoniales *no afectos a una actividad económica será el que se deduzca de la media de los balances trimestrales del ejercicio de la entidad* o, en caso de que sea dominante de un grupo según los criterios establecidos en el artículo 42 del Código de Comercio, con independencia de la residencia y de la obligación de formular cuentas anuales consolidadas, de los balances consolidados. A estos efectos *no se computarán, en su caso, el dinero o derechos de crédito procedentes de la transmisión de elementos patrimoniales afectos a actividades económicas* o valores a los que se refiere el párrafo siguiente, que se haya realizado en el período impositivo o en los dos períodos impositivos anteriores. A estos efectos, *no se computarán como valores:* a) Los poseídos para dar cumplimiento a obligaciones legales y reglamentarias. b) Los que incorporen derechos de crédito nacidos de relaciones contractuales establecidas como consecuencia del desarrollo de actividades económicas. c) Los poseídos por sociedades de valores como consecuencia del ejercicio de la actividad constitutiva de su objeto. d) Los que otorguen, al menos, el 5 por ciento del capital de una entidad y se posean durante un plazo mínimo de un año, con la finalidad de dirigir y gestionar la participación, siempre que se disponga de la correspondiente organización de medios materiales y personales, y la entidad participada no esté comprendida en este apartado. Esta condición se determinará teniendo en cuenta a todas las sociedades que formen parte de un grupo de sociedades según los criterios establecidos en el artículo 42 del Código de Comercio, con independencia de la residencia y de la obligación de formular cuentas anuales consolidadas".

[4]   Cfr., también en este sentido, FALCÓN Y TELLA, R.– "Las sociedades de mera tenencia y el régimen de entidades de reducida dimensión", *Quincena Fiscal*, núm. 13/2009.

de negocios». De hecho, el propio régimen especial se denomina: «Incentivos fiscales para las empresas de reducida dimensión». El Diccionario de la Real Academia Española de la Lengua define *empresa como: «Unidad de organización dedicada a actividades industriales, mercantiles o de prestación de servicios con fines lucrativos».* En el caso planteado aquí (...) se desprende que la entidad *no ha sido «una empresa»*, entendida ésta conforme a la interpretación usual, como la organización de un conjunto de medios materiales y personales para la realización de una auténtica actividad económica para intervenir de forma efectiva en la distribución de bienes o servicios en el mercado. *La entidad únicamente ha obtenido ingresos derivados de la mera titularidad o tenencia de elementos patrimoniales aislados, no afectos ni relacionados a una auténtica actividad económica, de carácter empresarial.* A la misma conclusión se llega si se tiene en cuenta que la finalidad de la norma es estimular fiscalmente la realización de actividades empresariales por empresas de reducida dimensión que fomenten el ciclo económico productivo de las empresas y el desarrollo económico" (Resolución del TEAC de 29 de enero de 2009, recurso extraordinario de alzada para la unificación de criterio, RG 5106/2008, Fundamento Segundo)[5].

Razonamiento que fue posteriormente confirmado por el Tribunal Supremo cuando razona que *"el régimen de empresas de reducida dimensión supone el reconocimiento de un incentivo fiscal al ejercicio de actividades económicas por la mismas, (...) ante la carencia de organización empresarial* puesta de manifiesto (...) se asimila la situación de la recurrente a la (...) *de sociedad de "mera tenencia de bienes, sin actividad económica y no efectuando la necesaria ordenación por cuenta propia de medios de producción"* (Sentencia de 27 de noviembre de 2014, recurso casación nº 4070/2012, Fundamento Quinto).

EJEMPLO NÚM. 1

Una sociedad limitada nueva empresa, con el epígrafe del Impuesto sobre Actividades Económicas de "alquiler de locales industriales y otros alquileres n.c.o.p.", adquiere un inmueble industrial de uso comercial,

---

5 Vid., también, la Resolución del TEAC 30 de mayo de 2012 cuando precisa que "el criterio de la improcedencia de aplicar a las entidades de mera tenencia el tipo reducido de gravamen de las empresas de reducida dimensión, no *lo es el tipo o naturaleza de la entidad, sino el hecho de que por las mismas no se desarrollen actividades empresariales o explotaciones económicas, y sólo en este sentido se les negó el carácter de "empresa"*, pues para gozar del régimen de "empresas" "de reducida dimensión", además del requisito de no superar un determinado importe de la cifra de "negocios", es preciso cumplir otro, el esencial pues constituye el eje sobre el que pivota su aplicación: *que se trate de "empresas", esto es, que se trate de entidades que desarrollen actividades empresariales o explotaciones económicas* (que suponen en todo caso la organización de medios humanos y materiales, es decir, la ordenación de factores de producción con la finalidad de intervenid de forma efectiva en la distribución de bienes o servicios en el mercado) circunstancia cuya concurrencia hay que apreciar en cada supuesto concreto" (RG 2398/2012, Fundamento Quinto).

siendo el anterior propietario el que lo ocupaba desarrollando en él actividad económica. A continuación, lo arrienda al anterior propietario. Por el momento es la única actividad de la sociedad, que no cuenta por ahora ni con personal ni con local para la gestión de alquileres. Su importe de la cifra de negocios es inferior a 8 millones de euros.

En este sentido, se plantea la procedencia de aplicar a dicha entidad el régimen especial de incentivos para las empresas de reducida dimensión. Y si en el caso de que en el transcurso de un ejercicio, la sociedad amplíe sus actividades a la consultoría de empresas, procedería aplicar dicho régimen.

La DGT concluye que si la sociedad no realiza ninguna actividad económica (actividad de mero arrendamiento), no podrá aplicar ninguno de los incentivos fiscales para las empresas de reducida dimensión. Asimismo, en el supuesto que la actividad de consultoría de empresas pueda considerarse una "empresa" para la aplicación del régimen especial de los incentivos fiscales para las empresas de reducida dimensión. En tal caso, y existiendo, como ya se ha señalado, actividad económica, *parece posible considerar que la LIS extiende la aplicación del régimen especial a todas las actividades de la sociedad*, salvo que algún precepto exija expresamente la afectación a actividades económicas. *La realización por la sociedad de una actividad adicional de consultoría de empresas, que tuviera la consideración de actividad económica, en virtud de la cual pudiera acogerse al régimen especial de los incentivos fiscales para las empresas de reducida dimensión, al que no podía acogerse previamente por no desarrollar actividad económica alguna, vendría amparada por el libre juego de la autonomía de la voluntad*, dentro de los límites contemplados por la norma mercantil. Pero dicha autonomía de la voluntad está limitada ya que incide en la relación jurídico-tributaria, en la que existe una preeminencia de la Hacienda Pública en virtud de la especial protección del deber de contribuir del artículo 31 de la Constitución, jugando los límites consustanciales que a dicha autonomía impone el Derecho Común. De manera que *ha de respetarse el principio de buena fe y no implicar un abuso de derecho*, conforme a lo dispuesto en el artículo 7 del Código Civil (de aplicación supletoria en el Orden tributario, *ex* artículo 7.2 LGT). Ello deberá tenerse en cuenta en el supuesto hipotético de la introducción de una actividad como la de consultoría de empresas no realizada con su verdadero carácter sino exclusivamente con la finalidad de permitir la aplicación del régimen especial de las empresas de reducida dimensión a su actividad principal, no económica, de arrendamiento de inmueble, lo que podría, en su caso, no determinar los resultados pretendidos por el obligado tributario (Consulta Dirección General de Tributos nº V2286/2011, de 27 de septiembre[6]).

---

[6] En los mismos términos, Consulta DGT nº V1786/2012, de 14 de septiembre.

2.1.1.– A su vez, en los *grupos societarios* se ha planteado la posibilidad de la exclusión de este régimen especial de incentivos a las empresas de reducida dimensión cuando alguna de las entidades de las entidades del grupo tiene la condición "de entidad patrimonial". En estos casos, la Dirección General de Tributos ha razonado que mientras la entidad matriz o dominante desarrolle una actividad económica real y se cumplan los restantes requisitos no habrá inconveniente para la aplicación de este régimen especial.

EJEMPLO NÚM. 2

La persona física es titular de participaciones en el capital social de las entidades siguientes:

– La entidad P, con un 10% de participación.

– La entidad S, con un 20% de participación.

– La entidad E con un 8,6% de participación.

– La entidad M con un 100% de participación.

Estas entidades son residentes en territorio español. La persona física posee las participaciones de manera ininterrumpida durante el año anterior a la fecha del documento público en que se formalice la aportación. No les es de aplicación el régimen especial de agrupaciones de interés económico, españolas o europeas, ni de uniones temporales de empresas a las entidades mencionadas.

La entidad P a efectos de lo previsto en el artículo 5 de la LIS es una entidad patrimonial.

La sociedad S tiene como actividad principal la gestión de un patrimonio mobiliario o inmobiliario disponiendo para la realización de la indicada actividad, una persona empleada con contrato laboral y a jornada completa. La empleada, hermana del consultante es titular del 20% del capital social de la entidad y tiene otorgados poderes generales para actuar en nombre y representación de la sociedad. El consejo de administración de la sociedad está integrado por cuatro sociedades, entre las que se encuentra la entidad M, percibiendo una retribución por el ejercicio de este cargo.

La entidad E tiene como actividad principal la explotación de plantas fotovoltaicas disponiendo, para la realización de la indicada actividad, una persona empleada con contrato laboral y a jornada parcial. La empleada, hermana del consultante es titular del 20% del capital social de la entidad y tiene otorgados poderes generales para actuar en nombre y representación de la sociedad. El consejo de administración de la sociedad está integrado por cuatro sociedades, entre las que se encuentra M percibiendo una retribución por el ejercicio de este cargo.

La sociedad M tiene como actividad principal la prestación de servicios de asesoramiento, así como los servicios de gestión relacionados con el desarrollo y ejecución de estrategias generales y políticas empresariales de las entidades participadas o a favor de otras entidades.

El titular de las acciones tiene intención de aportar la totalidad de las participaciones de las que dispone en P, S y E a la entidad M, a través de una ampliación de capital mediante una aportación no dineraria recibiendo a cambio nuevas participaciones sociales emitidas por ésta última.

Pues bien, la DGT concluye que *"Las entidades M y E, desarrollan una actividad económica puesto que disponen de los medios necesarios materiales y humanos para su desarrollo.* Por otra parte, el artículo 101 relativo a los incentivos fiscales para las entidades de reducida dimensión, señala: "(...) No obstante, dichos incentivos no resultarán de aplicación cuando la entidad tenga la consideración de entidad patrimonial en los términos establecidos en el apartado 2 del artículo 5 de esta Ley. (...). *De conformidad con lo anterior, en la medida en que la entidad M no tenga la consideración de entidad patrimonial, la entidad M podrá aplicar los incentivos fiscales para entidades de reducida dimensión"* (Consulta nº V2635 /2015, de 9 de septiembre[7]).

2.1.2.– Esta problemática también ha sido abordada con motivo de grupos societarios en los que existe una dirección estratégica y de decisión única a cargo de la entidad dominante por existir un *"control sin participación"* sobre las restantes entidades; el criterio para determinar el grado de afectación a una concreta actividad económica a efectos de calificar como "patrimonial" a las sociedades del grupo debe efectuarse de manera colectiva (como ocurren en el caso de los grupo convencionales, en los que participación mayoritaria) o, por el contrario, ha de hacerse de manera individual.

La Dirección General de Tributos viene concluyendo, al hilo de lo razonado por el ICAC, que en estos supuestos (de "control son participación") la afectación a una actividad económica se realizará para las entidades no participadas de manera individual.

---

7   También la Consulta vinculante núm. V3440/2015, de 11 de noviembre: "(...) a entidad consultante (X) forma parte del mismo grupo que la entidad Y, en los términos establecidos en el artículo 42 del Código de Comercio, puesto que ostenta la mayoría de derechos de voto de la misma (se parte de la presunción de que el porcentaje de participación que X ostenta en Y coincide con los derechos de voto de la misma). *En la medida en la que X sea la entidad dominante del grupo, y que de la media de los balances consolidados trimestrales del ejercicio del grupo se deduzca que más de la mitad del activo está constituido por valores o no está afecto a una actividad económica, la entidad X tendrá la consideración de entidad patrimonial y no podrá aplicar los incentivos fiscales de las entidades de reducida dimensión"*.

EJEMPLO NÚM. 3

La entidad S1 está participada directamente a partes iguales por cuatro hermanos, con un 25% de participación cada uno de ellos. La entidad S2 está participada indirectamente por estos cuatro hermanos en la misma proporción.

S1 tiene arrendado un inmueble de su propiedad a otra entidad del grupo (EE1) que lo explota y gestiona con los correspondientes medios humanos y materiales. *S1 no tiene medios materiales y personales para el desarrollo de la actividad de arrendamiento.*

La entidad S2 tiene como actividad principal financiar a compañías del grupo. Del total activo de la entidad, para se corresponde con préstamos concedidos a la entidad explotadora EE2 para la financiación de sus actividades y para la construcción de un nuevo hotel. *S2 no dispone de medios materiales ni humanos para desarrollar su actividad financiera.*

Más del 50% del valor del activo que refleja el balance consolidado de la Entidad cabecera del grupo está afecto a actividades económicas, el valor del activo de EE1 y EE2 está afecto a actividades económicas en más de un 50%. El ejercicio fiscal de todas las entidades corresponde con el año natural. El importe neto de la cifra de negocios del grupo, incluyendo S1 y EE1 no supera los 10 millones de euros.

S1 y S2 y el resto de entidades del grupo mencionadas en la que los 4 hermanos tienen la mayoría de los derechos de voto actúan como una única unidad de decisión y actuación. Es decir, la dirección del grupo no entiende que S1 y S2 realicen una actividad diferenciada de la actividad de explotación turística y hotelera que llevan a cabo las entidades EE1 y EE2.

Se suscita si las entidades S1 y S2 tienen derecho a aplicar el régimen especial de PYMEs a partir del ejercicio iniciado el 1 de enero de 2015.

Para ello hay que determinar si S1 y S2 forman parte de un grupo a efectos del artículo 42 del Código de Comercio. Evacuada la consulta al ICAC, dicho organismo concluye que: "(...). A la vista de los antecedentes que se han reproducido no parece que existan dudas sobre la calificación de las sociedades S1 y S2 como *empresas del grupo en el sentido de la NECA 13ª del PGC* y, en particular, como empresas integrantes de un grupo de unidad de decisión o grupo horizontal".

Tras la reforma del artículo 42.1 del Código de Comercio, por la Ley 16/2007, de 4 de julio, existen en nuestro Derecho contable dos tipos de grupo:

1.–) El regulado en el artículo 42 del Código de Comercio, que podríamos denominar *de subordinación*, formado por una sociedad dominante y otra u otras dependientes controladas por la primera, y

2.–) El *grupo de coordinación*, integrado por empresas controladas por cualquier medio por una o varias personas, físicas o jurídicas, que actúen conjuntamente o se hallen bajo dirección única por acuerdos o cláusulas estatutarias, previsto en la indicación decimotercera del artículo 260 del texto refundido de la Ley de Sociedades de Capital (TR-LSC), aprobado por Real Decreto Legislativo 1/2010, de 2 de julio, en la NECA n° 13. Empresas del grupo, multigrupo y asociadas del PGC.

Los grupos de coordinación (o grupos ampliados que se regulan en la NECA n° 13) *no forman parte del concepto de grupo de sociedades definido en el artículo 42 del CdC*, sino que *constituyen una categoría propia* cuya identificación origina una serie de consecuencias a los efectos de formular las cuentas anuales individuales de las sociedades que lo integran.

En consecuencia, dado que *las sociedades S1 y S2 no tienen la consideración de sociedades del grupo en el sentido del artículo 42 del Código de Comercio, sino que son sociedades del "grupo", en el sentido de la Norma de elaboración de las cuentas anuales 13ª del PGC*; el cumplimiento de los requisitos del concepto de actividad económica del artículo 5 de la LIS *no se determinará teniendo en cuenta a todas las que formen parte del mismo sino de forma individual en cada una de las entidades*. Asimismo, en caso de que las entidades señaladas tengan la consideración de entidad patrimonial de acuerdo con lo establecido en el artículo 5.2 de la LIS, no podrán aplicarse los incentivos fiscales previstos para las empresas de reducida dimensión, tal y como dispone el artículo 101.1 de la LIS. (Consulta n° V2620 /2016, de 13 de junio).

2.2. *Determinación del "importe neto de la cifra de negocio"*

Asimismo, el reconocimiento de este régimen especial se encuentra asimismo supeditado a que el "importe neto de la cifra de negocio" [8]. de la sociedad

---

[8] Como certeramente expone el TEAC, "Si bien el concepto *"cifra de negocios"* no está definido en la propia norma, los términos son claros y en relación con el contexto no dejan lugar a duda alguna de que *se trata de un concepto distinto del concepto de base imponible definido en el artículo 10 del propio TRLIS* como "el importe de la renta del período impositivo minorada por la compensación de bases imponibles negativas de períodos impositivos anteriores" (...) De la comparación de las definiciones (...) se deduce claramente que *mientras el concepto de cifra de negocios está referido únicamente a la vertiente de los ingresos o volumen de ventas y facturación* relativa a las actividades desarrolladas por una empresa, *el concepto de base imponible atiende a ambas vertientes, tanto a la de las ventas o ingresos como a la de los gastos,* de forma que es a través de su confrontación como se determina la pérdida o ganancia de la empresa y que sirve para, en términos fiscales, calcular la renta a integrar en la base imponible del impuesto y posteriormente el importe de la obligación tributaria principal" (Resolución TEAC de 5 de septiembre de 2013, Fundamento Segundo, R.G. 6626/2012).

no supere la cantidad de 10 millones de euros en el período impositivo *inmediato anterior*, no el del propio ejercicio.

Dicho concepto se encuentra definido en el párrafo segundo del artículo 35.2 del Código de Comercio y "comprenderá los importes de la venta de los productos y de la prestación de servicios u otros ingresos correspondientes a las *actividades ordinarias* de la empresa, deducidas las bonificaciones y demás reducciones sobre las ventas así como el Impuesto sobre el Valor Añadido, y otros impuestos directamente relacionados con la mencionada cifra de negocios, que deban ser objeto de repercusión"[9].

Con el fin de determinar los concretos componentes (positivos y negativos) que conforman la cifra anual neta de negocio, el ICAC emitió *Resolución de 16 de mayo de 1991*. Concretamente, la referida Resolución establece que la "cifra anual de negocios se determinará de acuerdo a las normas contenidas en el Plan General de Contabilidad y demás legislación mercantil y en particular teniendo en cuenta, entre otras, las siguientes reglas:

a) Se incluirán las *"Ventas" y " Prestaciones de Servicios"* obtenidas de la actividad o actividades ordinarias de la empresa. Se entiende por *actividad ordinaria* aquella que realiza la empresa con regularidad en el ejercicio de su giro o tráfico habitual o típico. Las citadas ventas se valorarán por el importe facturado en el caso de pago con vencimiento inferior a un año, mientras que si el aplazamiento del pago supera el año, se computarán con exclusión de los intereses implícitos que se devenguen en la operación[10].

b) Las *entregas de mercaderías o productos destinados a la venta* y prestaciones de servicios que las empresas efectúen a cambio de activos no monetarios o como contraprestación de servicios que representan gastos para ella, formarán parte de la cifra anual de negocios y se valorarán por el precio de adquisición o coste de producción de los bienes o ser-

---

[9] A su vez, la "cifra anual de negocio" se encuentra desarrollada en la instrucción 11ª de la parte del Plan General Contable (Real Decreto 1514/2007, de 16 de noviembre) dedicada a la Elaboración de las cuentas anuales: "El importe neto de la cifra anual de negocios se determinará deduciendo del importe de las ventas de los productos y de las prestaciones de servicios u otros ingresos correspondientes a las actividades ordinarias de la empresa, el importe de cualquier descuento (bonificaciones y demás reducciones sobre las ventas) y el del impuesto sobre el valor añadido y otros impuestos directamente relacionados con las mismas, que deban ser objeto de repercusión".

[10] La calificación de *actividad ordinaria* dependerá entre otros factores del objeto social de la entidad. Así con relación a las sociedades de valores, la Audiencia Nacional ha señalado que "los ingresos procedentes de la enajenación de acciones de la cartera permanente de la compañía, en tanto esta operación no es representativa de la actividad de la actora, no deberán ser tenidos en cuenta para la determinación del importe neto de la cifra de negocios de la misma" (Sentencia de 30 de junio de 2016, recurso nº 331/2014, Fundamento Tercero).

vicios entregados, o por el valor de mercado de lo recibido si es menor que aquel, debiéndose contabilizar como "ventas" o "prestaciones de servicios".

c) *En ningún caso se incluirán como ventas o prestaciones de servicios las unidades de productos para la venta consumidos por la propia empresa, ni los trabajos realizados para sí misma,* teniendo que estar contabilizados estos últimos en la rúbrica 3. "Trabajos efectuados por la empresa para el inmovilizado" del haber del modelo normal de Cuenta de Pérdidas y Ganancias, y partida 1.b, del haber del modelo abreviado, contenidos en el Plan General de Contabilidad.

d) Las *"Subvenciones" no integran el importe de la cifra anual de negocios.* No obstante lo anterior, para aquellos casos en que la subvención se otorga en función de unidades de producto vendidas y que forma parte del precio de venta de los bienes y servicios, su importe estará integrado en la "cifra de ventas" o "prestaciones de servicios" a las que afecta, por lo que se computará en el importe neto de la cifra anual de negocios.

e) Los *ingresos financieros derivados de ventas a plazo de bienes y servicios no formarán parte de la cifra anual de negocios*11.

f) El "*Impuesto sobre el Valor Añadido" no formará parte de la cifra anual de negocios*, no incluyéndose como "ventas" o ingresos por "prestaciones de servicios".

g) *El importe de los "Impuestos Especiales" que gravan la fabricación o importación de ciertos bienes, deberá excluirse de la cifra de ventas del correspondiente fabricante o importador".*

Además, la Resolución del ICAC precisa las partidas que, en todo caso, quedarán excluidas a efectos de obtener el importe neto de la cifra anual de negocios, a saber:

a) Los importes de las "Devoluciones de ventas".

b) Los "Rappels" sobre ventas o prestaciones de servicios.

c) Los descuentos comerciales que se efectúen en los ingresos objeto de computo en la cifra anual de negocios.

EJEMPLO NÚM. 4

Entidad X, S.A., constituida el 11 de julio de 1989, la misma se encontraba clasificada en el epígrafe 831.1 "SERVICIOS COMPRA-VENTA DE VALORES MOBILIARIOS" del IAE. La Comisión Nacional

---

[11] El ICAC señala, además, que los ingresos financieros sólo integrarán la cifra anual de negocio cuando se trate de entidades de crédito.

del Mercado de Valores autorizó su creación con fecha 30 de junio de 1989, siendo las principales actividades desarrolladas por la entidad según sus Estatutos sociales las siguientes: "La Sociedad tendrá como objeto social exclusivo el desarrollo de las actividades permitidas a las Sociedades de Valores como empresas de servicios de inversión, de conformidad con lo dispuesto en el número 2 del artículo 64 de la Ley 24/1988, 28 de julio, del Mercado de Valores".

En la declaración del Impuesto sobre Sociedades correspondiente al año 2006 consignó el obligado tributario unos ingresos de explotación de 3.764.646,32 € *y unos ingresos financieros de 13.640.597,83 €, aplicando en el ejercicio 2007 los incentivos fiscales previstos para las empresas de reducida dimensión.* El importe neto de la cifra de negocios declarado por la entidad se correspondía con los ingresos procedentes de los servicios de inversión por cuenta ajena (negociación por cuenta ajena) declarados por el contribuyente como ingresos de explotación, no estando incluidos en la mencionada cifra los ingresos que el contribuyente declaró como financieros (negociación por cuenta propia).

Se suscita si se ha calculado correctamente el importe neto de la cifra de negocio de la entidad a efectos de aplicar el régimen especial de incentivos para las empresas de reducida dimensión. La *Resolución del TEAC de 2 de abril de 2014* (RG 3542/2011) concluye que no; habida cuenta del concepto de "actividad ordinaria" de la empresa conforme aparece definida en la Resolución del ICAC de 16 de mayo de 1991: "(...) toda aquella *actividad que forme parte del tráfico habitual de la entidad*, circunstancia que podemos apreciar en el caso que nos ocupa en relación a los ingresos financieros, que como hemos podido comprobar *son obtenidos de manera absolutamente regular por la entidad,* experimentando un incremento extraordinario en los ejercicios 2003, 2005, 2006 y 2007 (en el sentido de que en dichos ejercicios, como se ha dicho, los denominados ingresos financieros superan el importe de los denominados ingresos de explotación), de manera que, en base a la documentación de que disponemos, *podemos concluir que los ingresos declarados por el contribuyente como ingresos financieros constituyen rentas que deben incluirse en el cálculo del importe neto de la cifra de negocios, dada la regularidad en su obtención, acorde a su vez con la actividad desarrollada por la entidad,* habiéndose pronunciado en este mismo sentido este Tribunal en Resolución de 28 de febrero de 2013 (RG 685/11). Así las cosas, el importe neto de la cifra de negocios correspondiente al ejercicio 2006 se obtendrá sumando los ingresos financieros, cuyo importe ascendió en el citado ejercicio a 13.436.805,42 €, y los ingresos de explotación, que ascendieron 3.764.646,32 €, siendo el importe total 17.201.451,74 €, muy superior a 8.000.000,00 €, importe legalmente establecido como límite máximo en la cifra de negocios de una entidad a efectos de poderla considerar como empresa de reducida dimensión. Por tanto, *no cumpliendo el obligado tributario el requisito necesario a efectos de su consideración como entidad de reducida dimensión que le permitiese aplicar los incentivos fiscales propios de las mismas*, procederá aplicar en su liquidación el tipo de gravamen general del impuesto" (Resolución del TEAC de 2 de abril de 2014, R.G. 3542/2011, Fundamento Segundo).

EJEMPLO NÚM. 5

Una sociedad, cuyo objeto social principal consiste en el alquiler de inmuebles y que dispone de una local efectos en exclusiva y más de un empleado contratado a jornada completa, adquiere con otra entidad mercantil unos terrenos industriales en pro-indiviso; registrándose fiscalmente dicha titularidad a través de una *comunidad de bienes*. La referida sociedad ha venido teniendo la consideración de entidad de reducida dimensión.

Se plantea si la actividad de dicha comunidad de bienes debe integrar la cifra de negocio a la sociedad a efectos de verificar aplicación (o no) del referido régimen especial. En este sentido, la DGT razona que "el Código Civil regula la comunidad de bienes en el Título III del Libro II, artículos 392 y siguientes (...) El artículo 393 se refiere a las respectivas cuotas de los partícipes en la comunidad, de tal forma que, mientras la proindivisión subsista, si bien no se puede apreciar la cuota concreta en cada momento, a cada uno de los comuneros le corresponde una cuota abstracta o ideal de la comunidad de bienes. Ante este planteamiento, puede considerarse que para determinar la aplicación de los incentivos fiscales para las empresas de reducida dimensión, el requisito del importe neto de la cifra de negocios *debe referirse de forma independiente para cada uno de los integrantes de la comunidad de bienes*, que a estos efectos, incluirán en el mismo la parte correspondiente a su cuota de participación en la comunidad de bienes. En consecuencia, *el importe neto de la cifra de negocios de la entidad, en él se entiende incluida la parte del importe neto de la cifra de negocios de la comunidad de bienes que le corresponda según su cuota de participación en la misma*, resulta inferior a 8 millones de euros –actualmente 10 millones de euros–, podrá aplicar los incentivos fiscales para las empresas de reducida dimensión, que, en su caso, también serán aplicables a los elementos que integran la comunidad de bienes, en proporción a su cuota de participación en la misma" (Consulta Dirección General de Tributos nº 2110/2010, de 22 de septiembre).

2.2.1.– El artículo 101.2 de la LIS regula dos situaciones especiales en la concreción de la *cifra neta de negocio*. Nos estamos refiriendo a los casos de **entidades "de nueva creación"** y a los supuestos en que el período impositivo inmediato anterior hubiera sido inferior al año.

Pues bien, en las entidades "de nueva creación" el precepto legal establece que "el importe de la cifra de negocios se referirá al primer período impositivo en que se desarrolle *efectivamente* la actividad". Se han planteado dudas en torno al propio concepto de "entidad de nueva creación" a efectos de aplicar el artículo 101.2 LIS a aquellas situaciones de creación de nuevas sociedades que pasan a integrar un grupo empresarial ya preexistente; en tales casos, ¿la nueva sociedad puede entenderse como una creación *ex novo* a la que cabe aplicar el referido precepto legal? O, por el contrario, adquiere la *antigüedad* del grupo, haciendo improcedente su reconocimiento como "entidad de nueva creación". Pues bien, la DGT ha señalado que en tales hipótesis "no procede la aplicación de lo dispuesto en el apartado 2 del artículo 108 del TRLIS –actual artículo 101.2 LIS–, debiendo entenderse que *dicho apartado queda reservado para los supuestos en que una entidad o grupo de entidades son de nueva creación, pero no en un supuesto como este en el que la entidad E, si bien es constituida en 2012, queda incluida en un grupo de sociedades con la entidad A, que tiene carácter preexistente*" (Consulta nº V3204/2013, de 29 de octubre).

Asimismo, en fenómenos empresariales complejos, cuya puesta en marcha requiere de diversas etapas de implantación, se viene suscitando el problema de la determinación del momento que se ha de tener en cuenta a efectos de entender iniciada *efectivamente* la actividad a fin de calcular el importe neto de la cifra de negocio.

EJEMPLO NÚM. 6

Entidad cuyo objeto social incluye, la construcción y promoción de plantas termosolares, la producción de energía eléctrica, así como otros servicios técnicos de ingeniería. En su creación, los hechos relevantes son:

– En el 2006 se constituyó la sociedad comenzando la actividad administrativa, la gestión de permisos y licencias.

– Se produce el alta en el censo de empresarios, profesionales y retenedores en diciembre de 2006 mediante el modelo 036.

– En el año 2009 se obtiene la licencia de obras y el comienzo material de las obras.

– En 2012 se inician las pruebas de producción de energía eléctrica y en octubre comienza la fase de comercialización de la energía eléctrica producida.

Es decir, al ser la actividad realizada una actividad económica compleja existen diferentes fases que implican efectivamente el desarrollo de la misma. De tal forma que se requiere aclaración sobre que fases son preparatorias y que fases comportan el desarrollo efectivo de la actividad a los efectos del artículo 101.2 de la LIS.

La actividad comprende: a) *Una primera fase* en la que se habrían realizado todos los estudios proyectos y la tramitación de los permisos necesarios para construir la central termoeléctrica, b) *una segunda fase*, en la que se realizó la promoción, construcción e instalación de la central y finalmente, una tercera en la que la actividad consistió en la obtención y venta de la energía para el mercado.

El importe neto de la cifra de negocios de la consultante en el año 2012 fue superior a cuatro millones de euros, en el año 2013 superó los diez millones de euros. En los ejercicios 2011 y anteriores el importe neto de la cifra de negocios de la sociedad fue cero euros.

La DGT concluye que a efectos de determinar el importe neto de la cifra de negocios, "la actividad económica *se inicia con su desarrollo efectivo, esto es con su inicio material, sin incluir las fases previas*, que en el presente caso de promoción de plantas solares estas fases previas se refieren a la realización de los estudios, proyectos y la tramitación de los permisos necesarios para construir la central termoeléctrica. Por tanto, *se considera que el inicio de la actividad se produce con el comienzo de la segunda fase*" (Consulta nº V1875/2015, de 15 de junio).

2.2.2.– El artículo 101.2 LIS también prevé el cálculo del importe de la cifra neta de negocio cuando el período impositivo anterior inmediato hubiera sido inferior al año, estableciendo la siguiente ficción jurídica: "el importe neto de la cifra de negocios *se elevará al año*".

2.3. *La determinación de la cifra de negocio en "grupos empresariales"*

El artículo 101.3 LIS establece un criterio específico para concretar la cifra de negocio en situaciones de *concentración empresarial* señalando que en tales casos "el importe neto de la cifra de negocios *se referirá al conjunto de entidades pertenecientes a dicho grupo*, teniendo en cuenta las eliminaciones e incorporaciones que correspondan por aplicación de la normativa contable".

A estos efectos, el precepto distingue dos hipótesis: a.–) los "grupos de sociedades" del artículo 42 del Código de Comercio y b.–) los *grupos familiares*.

2.3.1. Los *"grupos de sociedades"* que están obligados a determinar conjuntamente su cifra de negocio son aquellos que reciban dicha calificación a la luz del artículo 42 del Código de Comercio. Concretamente, existirá un grupo "cuando una *sociedad ostente o pueda ostentar*, directa o indirectamente, *el control de otra u otras*. En particular, se presumirá que existe control cuando una sociedad, que se calificará como dominante, se encuentre en relación con otra sociedad, que se calificará como dependiente, en alguna de las siguientes situaciones:

a) Posea la mayoría de los derechos de voto.

b) Tenga la facultad de nombrar o destituir a la mayoría de los miembros del órgano de administración.

c) Pueda disponer, en virtud de acuerdos celebrados con terceros, de la mayoría de los derechos de voto.

d) Haya designado con sus votos a la mayoría de los miembros del órgano de administración, que desempeñen su cargo en el momento en que deban formularse las cuentas consolidadas y durante los dos ejercicios inmediatamente anteriores. En particular, se presumirá esta circunstancia cuando la mayoría de los miembros del órgano de administración de la sociedad dominada sean miembros del órgano de administración o altos directivos de la sociedad dominante o de otra dominada por ésta. Este supuesto no dará lugar a la consolidación si la sociedad cuyos administradores han sido nombrados, está vinculada a otra en alguno de los casos previstos en las dos primeras letras de este apartado.

A los efectos de este apartado, a los derechos de voto de la entidad dominante se añadirán los que posea a través de otras sociedades dependientes o a través de personas que actúen en su propio nombre, pero por cuenta de la entidad dominante o de otras dependientes o aquellos de los que disponga concertadamente con cualquier otra persona" (artículo 42.1 C. com).

En este sentido, la entidad dominante del grupo está obligada presentar comunicación con relación al importe de la cifra de negocio del grupo, al amparo de los dispuesto en la Orden de Hacienda HAC/85/2003, de 23 de enero (Cfr., Consulta DGT nº V2106/2010, de 22 de septiembre). No obstante, las dudas más frecuentes se refieren a la existencia (o no) de los referidos *grupos sociales*. A efectos de aplicar el régimen especial de incentivos fiscales a empresas de reducida dimensión. Veámoslos.

EJEMPLO NÚM. 7

Asociación declarada de utilidad pública que tributa con arreglo al régimen fiscal especial regulado en la Ley 49/2002, es propietaria al 100% de tres sociedades. Se suscita si la cifra de negocios a tener en cuenta, en relación con los incentivos fiscales para las empresas de reducida dimensión, incluye la cifra de negocios todas las entidades.

La DGT concluye que "una asociación declarada de utilidad pública participa al 100% en el capital de tres sociedades mercantiles. Por tanto, *en la medida en que la asociación declarada de utilidad pública parece ostentar el control de sus tres sociedades participadas*, al poseer la mayoría de los derechos de voto en las mismas, existirá grupo, a efectos de lo dispuesto en el artículo 42 del C. Com y ello con independencia de que no exista obligación de formular estados contables consolidados". En virtud de ello, *el importe neto de la cifra de negocios se ha de referir al conjunto de todas las entidades pertenecientes al grupo*, es decir ha de tomarse en consideración el importe neto de la cifra de negocios de la asociación declarada de utilidad pública y de las tres sociedades íntegramente participadas por aquélla (Consulta nº V0035/2012, de 17 de enero).

EJEMPLO NÚM. 8

Sociedad que es una entidad de crédito que promueve la financiación de proyectos cinematográficos españoles mediante la aplicación del régimen fiscal y financiero establecido en la Ley 55/2007, de 28 de diciembre, del Cine, utilizando para ello la figura de las *Agrupaciones de Interés Económico* (*ex* artículos 43 y ss. LIS). Tiene intención de promover la aplicación del régimen de entidades de reducida dimensión a las AIEs que participen en las estructuras de financiación del cine. ¿Es posible?

La DGT *invoca la aplicación la aplicación del artículo 2.2 del Real Decreto 1159/2010, de 17 de septiembre,* por el que se aprueban las Normas para la Formulación de Cuentas Anuales Consolidadas y se modifica el Plan General de Contabilidad aprobado por Real Decreto 1514/2007, de 16 de noviembre y el Plan General de Contabilidad de Pequeñas y Medianas Empresas aprobado por Real Decreto 1515/2007, de 16 de noviembre (en adelante NFCAC), *relativo a la presunción de control a los efectos del artículo 42 del Código de Comercio, establece:* "2. Además de las situaciones descritas, pueden darse circunstancias de las cuales se deriva control por parte de una sociedad *aun cuando ésta posea la mitad o menos de los derechos de voto, incluso cuando apenas posea o no posea participación alguna en el capital de otras sociedades o empresas, o cuando no se haya explicitado el poder de dirección,* como en el caso de las denominadas entidades de propósito especial. Al valorar si dichas entidades forman parte del grupo *se tomarán en consideración, entre otros elementos, la participación del grupo en los riesgos y beneficios de la entidad, así como su capacidad para participar en las decisiones de explotación y financieras de la misma.* Las siguientes circunstancias, entre otras, podrían determinar la existencia de control:

a) Las actividades de la entidad se dirigen en nombre y de acuerdo con las necesidades de la sociedad, de forma tal que ésta obtiene beneficios u otras ventajas de las operaciones de aquélla.

b) La sociedad tiene un poder de decisión en la entidad, o se han predefinido sus actuaciones de tal manera que le permite obtener la mayoría de los beneficios u otras ventajas de las actividades de la entidad.

c) La sociedad tiene el derecho a obtener la mayoría de los beneficios de la entidad y, por lo tanto, está expuesta a la mayor parte de los riesgos derivados de sus actividades

d) La sociedad, con el fin de disfrutar de los beneficios económicos de las actividades de la entidad, retiene para sí, de forma sustancial, la mayor parte de los riesgos residuales o de propiedad relacionados con la misma o con sus activos.

Si una vez analizadas las citadas circunstancias existen dudas sobre la existencia del control sobre este tipo de entidades, éstas deberán ser incluidas en las cuentas anuales consolidadas."

Por tanto, concluye la DGT que *"en la medida en la que la rentabilidad de los socios de la AIE utilizada financiar producciones cinematográficas venga determinada por los créditos fiscales imputados a aquellos*, podrá presumirse que la entidad que haya realizado una aportación económica que *le dé derecho a imputarse la mayoría de las bases imponibles, bases de deducción, gastos financieros, etc., ostenta el control de la citada AIE a los efectos de determinar la cifra de negocios en los términos previstos en el artículo 101.3 de la LIS*, ya que dicha entidad obtendría la mayoría de los beneficios económicos de las actividades de la AIE. En consecuencia, una AIE no podrá acogerse a los incentivos previstos en los artículos 101 a 105, *en la medida en la que la entidad que haya realizado una aportación a la AIE que le confiera el control de la misma en los términos previamente expuestos, tenga un importe neto la cifra de negocios superior a 10 millones de euros"* (Consulta nº V3259/2015, de 23 de octubre).

EJEMPLO NÚM. 9

También se ha planteado esta cuestión en operaciones de *"empresa multigrupo"*, en las que una entidad es propiedad de dos sociedades independientes (es decir, que forman parte de grupos societarios distintos). En tales situaciones, ¿cómo hay que calificar a tal entidad?

Piénsese, en una sociedad que fabrica aceites y grasas sin refinar y está participada por dos sociedades, cada una con el 50% del capital. Ambas sociedades tienen una cifra de negocios neta por encima de los 10 millones de euros. Estas entidades no forman grupo entre ellas, si bien cada una está integrada en un grupo de empresas. La sociedad aceitera tiene dos administradores solidarios nombra dos a instancia de sus socios: ¿cómo se debe calcula la cifra de negocio, como una entidad independiente o, por el contrario, como una sociedad que forma parte de dos grupos empresariales diferentes a partes iguales?

La DGT establece que *"la calificación como empresa del grupo de un entramado societario es una cuestión de hecho* que viene determinada por la existencia o la posibilidad de control entre sociedades o de una empresa por una sociedad, para cuya apreciación sería preciso analizar todos los antecedentes y circunstancias del caso concreto. De los datos aportados (...) *no parece que se corresponda con uno de los supuestos de presunción de control recogidos en el vigente artículo 42.1 del Código de Comercio. En consecuencia, la sociedad consultante deberá tomar en consideración su cifra de negocios sin incluir la cifra de negocios de las dos sociedades que participan en su capital, con el 50% cada una...*" (Consulta nº V1255/2015, de 24 de abril).

2.3.2. Los *grupos familiares* (entendidos como aquellos en que "una persona física por sí sola o conjuntamente con el cónyuge u otras personas físicas unidas por vínculos de parentesco en línea directa o colateral, consanguínea o por afinidad, hasta el segundo grado inclusive", ex artículo 101.3 LIS) también se encuentran obligados a cuantificar la cifra de negocio de manera conjunta; si bien es cierto que pese a la claridad de la norma, la Dirección General de Tributos parece que admite la prueba en contrario o, dicho en otras palabras, no siempre que existan lazos familiares debe considerarse que existe la necesaria *unidad de acción* para considerar que nos encontramos ante un grupo.

EJEMPLO NÚM. 10

El *grupo A* está integrado por las siguientes empresas:

– La entidad 1: el padre tiene el 35% de las participaciones, el hijo 1 y 2 el 27,50% respectivamente y un tercero el 5% restante.

– La entidad 2 el padre tiene el 65% de las participaciones, el hijo 1 y 2 el 17,50% respectivamente, siendo el hijo 1 administrador único.

– La entidad 3, el padre es titular de un 33% de las participaciones, el hijo 1 ostenta un 44% y el hijo 3 el 23% restante. El padre es el representante legal.

– La entidad 4, el padre y los hijos son titulares de un 50%, perteneciendo el 50% restante al hermano del padre o a un tercero.

– La entidad 5, tiene la misma proporción que la entidad 4.

– La entidad 6, el padre es titular de un 30% de las participaciones, el hijo 1 es titular de un 35% y el hijo 2 del 35% restante. El hijo 1 es el representante legal.

El *Grupo B* está compuesto por:

– La entidad 1: el hijo 1 y 2 son titulares al 50% de la entidad, siendo administradores solidarios.

– La entidad 2: el hijo 1 es titular de un 1% perteneciendo el 99% restante al hijo 2 siendo a su vez éste último el administrador único.

– La entidad 3 tiene la misma composición que la entidad 1.

– La entidad 4, el hijo 1 es titular del 99% de las participaciones perteneciendo el 1% restante a la empresa 1.

Por otra parte, la entidad X pertenece en un 70% al hijo 1 y el 30% restante a su mujer.

Las sociedades del Grupo A forman un grupo familiar, y las sociedades a su vez del grupo B forman otro. Por otra parte, entre las empresas del Grupo A y B, no se repiten los mismos socios, no hay una relación comercial entre ellas, salvo entre las entidades 4 y 5 del Grupo A con las entidades 1 y 2 del Grupo B: Las entidades 1, 2, y 3 del Grupo A y las entidades 1 y 2 del Grupo B. se dedican al ramo de la hostelería. Las entidades del Grupo A superan los 10 millones de euros de cifra de negocios, pero las sociedades del Grupo B no superan los 10 millones de euros y por tanto, se aplican las ventajas fiscales de las entidades de reducida dimensión.

Se plantea si los Grupos de entidades A y B forman un Grupo Global único y por tanto, habría que considerar las cifras de negocios de todas ellas para establecer si pueden o no tributar por el régimen de entidades de reducida dimensión.

La DGT razona que "que *la calificación como empresas del grupo de un entramado societario es una cuestión de hecho,* que viene determinada por la existencia o la *posibilidad de control entre sociedades o de una empresa por una sociedad,* para cuya apreciación concreta sería preciso analizar todos los antecedentes y circunstancias del correspondiente caso. Es decir, las sociedades integradas en lo que podríamos denominar un *grupo "familiar", como regla general, constituyen grupos sometidos a la misma unidad de decisión,* que pueden reconocerse a la vista de la coincidencia de las personas que componen los órganos de administración de las empresas, y de las propias relaciones económicas cruzadas que la unidad de decisión teje entre las sociedades titulares de los activos y pasivos que "administran" directa o indirectamente las personas físicas que integran el "grupo familiar". *Sin embargo, no es menos cierto que identificar relaciones de subordinación entre esas sociedades puede llevar a un resultado arbitrario o infundado* (porque la unidad económica puede adoptar diferentes estructuras jurídicas en función de los intereses en liza en cada momento), *como se puede colegir de la solución legal que se ha seguido para designar a la sociedad que debe informar en la memoria de las cuentas anuales individuales del grupo "ampliado"* (la sociedad de mayor activo, ante la imposibilidad de hacer recaer dicha obligación en las personas físicas que ejercen el control de todas ellas)." De acuerdo con todo lo anterior, *la consideración de Grupo Global a los Grupos A y B, sometidos a una misma unidad de decisión, es una cuestión de hecho que deberá ser probada por cualquier medio de prueba válido en Derecho.* Si de conformidad con lo anterior, estas entidades formaran parte de un grupo mercantil, a efectos de lo dispuesto en el artículo 42 del C.Com, a efectos de computar el importe neto de la cifra de negocios habido en el período impositivo inmediato anterior, (...), *deberá tomarse en consideración, conjuntamente, el importe neto de la cifra de negocios de todas las sociedades que integran el grupo mercantil (A y B)*, correspondiente al período impositivo inmediato anterior, a efectos de determinar si resultan de aplicación los incentivos fiscales para las empresas de reducida dimensión" (Consulta nº V1251/2015, de 24 de abril)[12].

2.3.3. Además, la concreción de los elementos que conforman la cifra neta de negocio de un *grupo empresarial* no está exenta de conflicto, así ocurre, con la inserción (o no) de las *operaciones intragrupo* en la determinación del mismo y que ha sido analizada por el TEAC en los siguientes términos:

"(...) este Tribunal Central considera que *la eliminación de las operaciones intragrupo para determinar el importe neto de la cifra de negocios del conjunto de las entidades que lo integran, carece de fundamentación en la normativa aplicable*. Así, el artículo 8 del Real Decreto 1815/1991 de 20 de diciembre que aplica el TEAR en la resolución cuyo criterio se impugna, está ubicado sistemáticamente fuera de la sección 1ª del capítulo I, sin que exista una razón para extender lo dispuesto en el artículo 108.3 del TRLIS mas allá de la remisión expresa y específica que dicho precepto hace sólo a la sección 1ª.

El empleo de la normativa contable relativa a la formación de cuentas consolidadas sería razonable si se tratara de determinar la base imponible del grupo. Pero *en el régimen de incentivos fiscales para empresas de reducida dimensión no se trata de considerar el grupo como una unidad económica individual frente a terceros, a diferencia de lo que sí sucede, en cambio, en el régimen voluntario de consolidación fiscal* (...) En efecto, la *falta de homogeneización provocaría errores en la cifra de negocios del grupo e incluso que el obligado tributario pudiera alterar las cifras de negocios totales* a consecuencia de diferencias en, por ejemplo, la imputación temporal o la valoración de las operaciones en cada una de las sociedades que forman parte de dicho grupo. Además, la comprobación de la corrección de las operaciones anteriores requeriría la existencia de unas cuentas consolidadas que reflejaran los resultados del proceso de consolidación, por lo que *sería necesario que todas las entidades que pretendieran aplicar el régimen fiscal de empresas de reducida dimensión formularan unas cuentas consolidadas, lo que no parece acorde con la finalidad de dicho régimen fiscal*. Finalmente, a juicio de este Tribunal Central, y *siguiendo con el criterio de interpretación teleológica, la eliminación de las operaciones intragrupo de la suma total del importe neto de la cifra de negocios del conjunto de entidades, iría en contra del espíritu y finalidad del régimen fiscal de empresas de reducida dimensión*, el cual, con la toma en consideración del importe neto de la cifra de negocios del conjunto de entidades que formen parte de un grupo, lo que trata es evitar la

---

12   Vid, también, las Consultas núms V2129/2011, de 19 de septiembre; y V0554/2013, de 21 de febrero.

división artificiosa de sociedades a los efectos de no superar individualmente una cifra determinada" (Resolución de 5 de septiembre de 2013, R.G. 6626/2012, Fundamento Segundo).

Finalmente, el Tribunal Supremo ha venido a resolver de manera definitiva la cuestión destacando que "la *imagen real de la cifra de negocio del conglomerado de empresas que forman parte de un grupo lo da la consideración conjunta de todas sus operaciones incluidas las internas* (...) por consiguiente, la cifra de negocios, referida a la vertiente de ingresos o volumen de ventas y facturación derivada de las actividad o actividades ordinarias desarrolladas por una empresa, cuando se trata de grupos empresariales, *debe incluir las operaciones internas de las sociedades que les integran*" (Sentencia de 8 de junio de 2015, recuso de casación para unificación de doctrina nº. 1819/2014, Fundamento Sexto[13]).

2.3.4. También se han suscitado dudas en la concreción de la cifra de negocio del grupo cuando se produce una modificación en su composición. En particular, se suscita si el importe neto de la cifra de negocio del grupo es el correspondiente a la composición del grupo en el período impositivo o en el ejercicio anterior.

EJEMPLO NÚM. 11

La entidad consultante poseía en el ejercicio 2006 el 100% de la sociedad A; el 100% de la sociedad B y el 80% de la sociedad C, por lo que formaban grupo en virtud del artículo 42 del Código de Comercio.

El 01/01/2007 la entidad consultante absorbe a la sociedad A.

El 06/11/2007 la sociedad B se disuelve y extingue.

A los efectos de la determinación en 2007 de la cifra de negocios del grupo en el ejercicio anterior (2006), qué entidades hay que considerar: las que forman parte del grupo en 2007 o las que forman parte del grupo en la fecha en que se determina la cifra de negocio, es decir, 2006.

En el caso planteado, la entidad posee el 100% de las participaciones de las sociedades A y B y el 80% de las participaciones de la sociedad C, por lo que se encuentra en una de las situaciones que contempla el apartado 1 del artículo 42 del Código de Comercio, de manera que formarían un grupo de sociedades y la cifra de negocios se computaría de forma conjunta a efectos de aplicar este régimen fiscal especial. *La cifra de negocios a considerar es la habida en el período impositivo inmediato anterior.*

---

[13]   En aplicación de esta doctrina legal véase, entre otras, la Sentencia de la Audiencia Nacional de 11 de marzo de 2016, recurso nº 15/2014, Fundamento Segundo.

No obstante, en el caso planteado se describen unas modificaciones en la composición del grupo que tienen lugar en 2007. *Así, si bien el último día del período impositivo 2006 formaban parte del grupo de la entidad consultante las tres sociedades A, B y C, el último día del período impositivo 2007 ya no formaban parte del grupo las sociedades A y B.* A efectos de determinar si resulta de aplicación el régimen especial de las entidades de reducida dimensión en 2007, se plantea la cuestión de si para calcular el importe de la cifra de negocios *debe atenderse a la composición del grupo en el propio período impositivo 2007, o bien en el período impositivo anterior*, cuya cifra de negocios es la que ha de considerarse como referencia. El apartado 3 del artículo 108 del TRLIS establece que «cuando la entidad forme parte de un grupo de sociedades en el sentido del artículo 42 del Código de Comercio, …». *En este sentido, en el supuesto de modificación de la composición del grupo, debe atenderse a la cifra de negocios del período impositivo previo,* de todas aquellas entidades que formen parte del grupo el último día del período impositivo cuyo régimen fiscal pretende determinarse, es decir, en este caso, el período 2007. No obstante, en el caso concreto que se plantea, si bien el último día del período 2007 las sociedades A y B ya no formaban parte del grupo, los motivos de ello son que la sociedad A es absorbida por la consultante, y la sociedad B, de la que la consultante poseía el 100%, se disuelve y extingue, de forma que en ambos casos se han integrado en la entidad consultante, por lo que sus negocios pasan a estar incluidos en esta última. Es decir, la alteración producida lo ha sido sólo formalmente, sin que haya habido ninguna alteración en la composición real de la actividad económica desarrollada, por lo que habrá de atenderse al importe de la cifra de negocios de las sociedades A y B en el período impositivo anterior (2006) conjuntamente con la de la entidad consultante y la sociedad C, a efectos del cálculo del importe neto de la cifra de negocios del ejercicio anterior (2006) (Consulta nº V0068/2009, de 19 de enero).

2.4. *Prórroga en la aplicación del régimen de incentivos fiscales a las empresas de reducida dimensión*

2.4.1. El artículo 101.4 LIS establece que este régimen especial seguirá siendo aplicable "*en los 3 períodos impositivos inmediatos y siguientes* a aquel período impositivo en que la entidad o conjunto de entidades (…) *alcancen la referida cifra de 10 millones de euros*", siempre que la entidad o el grupo cumpla las condiciones para ser considerado empresa de reducida dimensión tanto en el período impositivo en que se haya superado el límite de los 10 millones de euros, como en los dos períodos impositivos anteriores.

EJEMPLO NÚM. 12

Entidad cuyo período impositivo coincide con el año natural:

Caso A)

Año	2013	2014	2015	2016
Cifra de negocio	5.100.000	6.250.000	9.500.000	10.500.000

La entidad podrá aplicar el régimen especial para empresas de reducida dimensión en el ejercicio 2016 y los tres ejercicios siguientes (2017, 2018 y 2019).

Caso B)

Año	2013	2014	2015	2016
Cifra de negocio	7.100.000	10.250.000	9.500.000	11.500.000

La entidad podrá aplicar el régimen especial en el ejercicio 2016 ya que en 2015 la cifra de negocio fue inferior a los 10 millones de euros. No obstante, en el ejercicio 2017 estará obligada a tributar en el régimen general del Impuesto de Sociedades, pues en 2016 su cifra de negocio superó el importe de los 10.000.000 de euros, no siendo posible aplicar la prórroga del artículo 101.4 LIS.

EJEMPLO NÚM. 13

La entidad es una sociedad limitada que en los años 2009 y 2010 tuvo una cifra de negocios menor de diez millones de euros.

En los años 2011 y 2012 la cifra de negocios fue superior a diez millones de euros.

En el año 2013 la cifra de negocios es inferior a diez millones de euros.

En el año 2014 la cifra de negocios es superior a diez millones de euros.

Se suscita si para el año 2015, y siguientes 2016 y 2017, sigue siendo empresa de reducida dimensión.

En los términos del artículo 101.1 de la LIS, en los años 2016 y 2017 tendrá la consideración de entidad de reducida dimensión si el importe neto de la cifra de negocios habida en el período impositivo inmediato anterior (es decir, 2015 y 2016 respectivamente) es inferior a 10 millones de euros. Mientras que en el año 2015 por virtud del citado artículo 101.1 de la LIS, la entidad consultante no tiene la consideración de reducida dimensión dado que en el año anterior (2014) la cifra de negocios es superior a diez millones de euros.

Por otro lado, en virtud del artículo 101.4 de la LIS puesto que en el año 2014 se supera la cifra de negocios de 10 millones de euros, le resultarán de aplicación los incentivos fiscales establecidos en el capítulo XI del título VII de la LIS en el periodo 2014 y en los 3 períodos impositivos inmediatos y siguientes (años 2015, 2016 y 2017) siempre que la entidad haya cumplido las condiciones para ser considerada como de reducida dimensión tanto en aquel período (2014) como en los 2 períodos impositivos anteriores a este último (2013 y 2012). Así, en virtud de lo anterior, la entidad en el año 2013 no cumplía las condiciones para ser considerada de reducida dimensión puesto que el importe neto de la cifra de negocios habida en el período impositivo inmediato anterior (2012) era superior a 10 millones de euros, por lo tanto no se cumplen las condiciones exigidas en el artículo 101.4 de la LIS para que la entidad consultante pueda aplicar los incentivos fiscales establecidos en el capítulo XI del título VII de la LIS durante los tres años siguientes al año 2014 (Consulta vinculante nº V2913/2016, de 23 de junio).

2.4.2. La prórroga también resulta aplicable para los casos en que se supere la cifra de negocio de 10 millones de euros como consecuencia de *operaciones de concentración empresarial* (esto es, acogidas al régimen especial del Capítulo VII del Título VII de la LIS), siempre que las sociedades que han realizado la operación cumplan con los requisitos para ser calificadas como entidades de reducida dimensión tanto en el período impositivo en que se haya efectuado la fusión o la absorción, como en los dos períodos impositivos anteriores (artículo 101.4 LIS).

EJEMPLO NÚM. 14

En 2016, la sociedad "BERBER" absorbe a la entidad "PINCE". Ambas no tenía ningún tipo de vinculación previa. La operación se acoge al régimen especial del Capítulo VII del Título VII de la LIS.

Año	2013	2014	2015	2016
Cifra neg. "BERBER"	5.500.000	6.500.000	9.000.000	16.000.000
Cifra neg. "PINCE"	2.000.000	3.500.000	4.500.000	

La entidad podrá aplicar el régimen especial para empresas de reducida dimensión en el ejercicio 2016 y los tres ejercicios siguientes (2017, 2018 y 2019)[14].

En el caso de que ambas entidades, antes de la absorción, estuvieran vinculadas, formando un grupo mercantil. "BERBER" no podría acogerse al régimen fiscal de entidades de reducida dimensión en el ejerci-

---

14   Cfr., Consulta nº V1211/2015, de 17 de abril.

cio 2016, puesto que en el ejercicio anterior (2015) el grupo ya habría superado los 10 millones de euros para recibir tal calificación[15].

3. LIBERTAD DE ARMONIZACIÓN PARA INVERSIONES QUE GENEREN EMPLEO

El artículo 102 LIS permite que las entidades de reducida dimensión puedan aplicar el criterio de *libre amortización* de aquellas inversiones de inmovilizado material siempre que se incremente el número de personas empleadas en la entidad o grupo empresarial, dentro del marco previsto en el citado precepto legal[16].

3.1. Ámbito de aplicación

La libre amortización requiere del cumplimiento de ciertos requisitos (artículo 102.1 LIS):

1.°) Debe tratarse de "elementos nuevos"; esto es, no deben haber sido utilizados con anterioridad a su puesta en funcionamiento en la entidad de reducida dimensión.

EJEMPLO NÚM. 15

Una sociedad forma parte de un grupo fiscal. La sociedad holding ha comprado un activo inmobiliario en el ejercicio 2013 con el fin de arrendarlo y en un futuro obtener plusvalías por su venta. La construcción de dicho activo, realizada por un tercero no vinculado, finalizó en el año 2007.

---

[15]   Cfr., Consulta n° 0131/2015, de 16 de enero.

[16]   No han faltado autores que se han mostrado críticos con la libertad de amortización puesto que "subvierte todo método de cálculo de la base imponible presidido por la idea de gravar la renta neta efectivamente obtenida por la empresa, ya que permite anticipar un coste o gasto que ni se ha devengado ni se ha hecho efectivo, por lo que podría quedar en entredicho la capacidad contributiva real del sujeto pasivo (...) la libertad de amortización no es, en realidad, una auténtica técnica de amortización, y ello porque al no medir la verdadera depreciación experimentada por los bienes del activo no está computando un gasto fiscal acorde con su efectivo desgaste físico o funcional" (FERNÁNDEZ LÓPEZ, R.I.– "La progresiva pérdida de identidad del régimen de las empresas de reducida dimensión en el Impuesto sobre Sociedades", *Revista de Contabilidad y Tributación*, núm. 344/2011, p. 103. Vid., también, ORTIZ CALLE, E.– *El régimen jurídico tributario de las amortizaciones en el Impuesto sobre Sociedades*, Colex, Madrid, 2001, p. 17).

Se suscita si el activo inmobiliario, con seis años de antigüedad, es susceptible de acogerse a los beneficios fiscales por la libertad de amortización con creación de empleo.

En este caso, la DGT concluye que "ya se trate de la deducción por inversiones o de la libertad de amortización, las inversiones a las que, en su caso puede resultar de aplicación son las realizadas en elementos nuevos tanto del inmovilizado material como de las inversiones inmobiliarias, es decir, tanto para un tipo de activo no corriente como para el otro, se requiere, entre otros requisitos, *que los elementos sean nuevos* (...) De todo lo señalado se deriva que la entidad no podrá aplicar (...) la libertad de amortización del artículo 109 del TRLIS por la compra de un activo inmobiliario en el ejercicio 2013, cuya construcción finalizó en el año 2007, *al no tratarse de un elemento nuevo del inmovilizado material o inversión inmobiliaria*" (Consulta nº 2072/2014, de 30 de julio[17]).

2.º) Deben referirse a determinados componentes que conforman el activo empresarial, que deben encontrarse *afectos* a actividades económicas de la sociedad o del grupo; a saber:

a) Inmovilizado material.

b) Inversiones inmobiliarias.

3.º) Deben adquirirse a terceros y deben ser *puestos a disposición* de la entidad de reducida dimensión en el período impositivo en que reúna tal cualidad.

4.º) También será de aplicación:

a) A los elementos de inmovilizado material e inversiones inmobiliarias encargados en virtud de un *contrato de ejecución de obra* suscrito en el período impositivo, siempre que su puesta a disposición sea dentro de los 12 meses siguientes a su conclusión (artículo 102.2 LIS).

b) A los elementos del inmovilizado material y de las inversiones inmobiliarias *construidos por la propia empresa* (artículo 102.3 LIS).

c) A los elementos nuevos del inmovilizado material y de las inversiones inmobiliarias objeto de un *contrato de arrendamiento financiero*, a condición de que se ejercite la opción de compra (artículo 102.5 LIS).

---

[17]   Como se razona en la Sentencia del TSJ de Cataluña núm. 582/2012, de 30 de mayo, para aplicar la libertad de amortización se requiere que se trate de elementos nuevos y que se produzca un incremento de plantilla, Si el bien es usado, como ocurre con la nave industrial ya utilizada por otras empresas, aunque se haya producido un aumento de plantilla, no cabe la aplicación de la libertad de amortización (Fundamento Tercero).

5.º) La libertad de amortización será aplicable desde la *entrada en funcionamiento* de los elementos que puedan acogerse a ella (artículo 102.1 LIS). Los términos "puesta a disposición" y "entrada en funcionamiento" no deben considerarse como sinónimos, aunque lo normal es que coincidan en el tiempo.

EJEMPLO NÚM. 16

Una entidad fue constituida en 2009 para la realización de proyectos de ingeniería y topografía y proyectos de construcción y obra civil en los sectores de infraestructuras y energía. Ha ejecutado un proyecto de inversión para la *construcción de una nave industrial, oficinas y aparcamiento*, en un terreno adquirido para dicho fin. El proyecto de inversión presenta las siguientes características:

– Durante los meses de enero y febrero de 2010, un proveedor prestó a la sociedad consultante diversos trabajos consistentes en "elaboración del proyecto de ejecución y dirección de obra, coordinación de seguridad y salud."

– Una vez realizados los trabajos referidos, el 16 de abril de 2010, la sociedad consultante adquirió la parcela A con la intención de levantar sobre dicha parcela la nave industrial, oficinas y aparcamientos indicados.

– Entre los meses de abril y junio del año 2010 se realizó un estudio geotécnico y de caracterización geológica de materiales de la parcela para los movimientos de tierras.

– En noviembre del año 2010, se iniciaron las obras de construcción referidas. La primera factura de la empresa contratista principal de las obras es de 30/11/2010 y la fecha de la última factura es de 31 de mayo de 2012.

– Tal y como consta en el *certificado final de obra, la inversión finalizó con fecha 24 de mayo de 2012, otorgándose el 11 de junio de 2012 la correspondiente escritura de declaración de obra nueva.*

– Todos los servicios mencionados, se han registrado en la contabilidad de la entidad consultante como inmovilizado material. Adicionalmente, la inversión entró en funcionamiento y comenzó a amortizarse en mayo de 2012.

Se plantea la determinación de la fecha en que procede aplicar la libertad de amortización sobre la obra ejecutada. La DGT señala que "en relación a la fecha de "puesta a disposición", los términos "entrega" y "puesta a disposición" empleados en la norma fiscal *deben entenderse, conforme a su sentido jurídico, como la disponibilidad de la cosa objeto del contrato*, esto es, en la terminología legal es *una expresión equivalente a la entrega*, es decir, representa el modo de adquisición del dominio por parte del adquirente, ya que, como establece el artí-

culo 609 del Código Civil, la propiedad y los demás derechos reales
sobre los bienes se adquieren y transmiten por la ley, por donación,
por sucesión testada e intestada y por consecuencia de ciertos contratos mediante la tradición. *En el supuesto concreto planteado, la
fecha de puesta a disposición será la fecha de terminación de la construcción que se acreditará mediante el certificado final de la obra* a
que se refiere el artículo 6 de la Ley 38/1999, de 5 de noviembre, de
Ordenación de la Edificación, *siempre que dicha fecha coincida con el
momento en que el activo esté en disposición de depreciarse, lo cual
exige necesariamente que esté "en condiciones de funcionamiento"
por cuanto a partir de dicho momento el activo puede amortizarse,
con independencia de su entrada efectiva en funcionamiento.* En el supuesto concreto planteado, el consultante señala que la inversión finalizó con fecha 24 de mayo de 2012, otorgándose en junio de 2012 la
correspondiente escritura de declaración de obra nueva. La inversión
entró en funcionamiento y comenzó a amortizarse en mayo de 2012
(...) parece deducirse que (...) *la puesta a disposición de la inversión y
la entrada en funcionamiento tuvo lugar en mayo de 2012*" (Consulta
nºV3281/2014, de 5 de diciembre[18]).

3.2. *Incremento de la plantilla media total de la empresa*

La libertad de amortización se encuentra supeditada a que "durante los 24
meses siguientes a la fecha del inicio del período impositivo en que los bienes
adquiridos entren en funcionamiento, la *plantilla media total de la empresa se
incremente* respecto de la plantilla media de los 12 meses anteriores, y dicho

---

[18]   En la Sentencia del TSJ de Galicia núm. 805/2010, de 30 de septiembre, se analiza y resuelve
un caso peculiar en el que a Inspección no admitió la libertad de amortización de un inmueble rehabilitado como inmovilizado material nuevo porque no quedó acreditada su entrada
en funcionamiento; señalando que "no se discute aquí la situación urbanística del inmueble,
cuestión a debatir en otro ámbito, sino *la realidad de unas obras de ampliación de una nave
industrial y la puesta en funcionamiento de la parte ampliada*, por lo que cierto es que, como
sostiene la recurrente, la falta de concesión de licencia no supondría la ausencia de puesta en
funcionamiento, sin perjuicio de la ilegalidad correspondiente. A título ilustrativo y por lo
que se refiere a la interpretación de lo que debe entenderse por entrada en funcionamiento
respecto de los inmuebles encontramos sentencias de la Sala de lo contencioso-administrativo de la Audiencia Nacional relativa al plazo de materialización de la inversión en el Impuesto sobre Sociedades en la que se concluye que, en el caso de la construcción de un hotel
el criterio general a tener en cuenta e*s el de la efectividad de la materialización* para poner
en marcha la actividad empresarial a iniciar o mejorar con independencia que se produzca
una demora en la entrada en funcionamiento que exceda del plazo legalmente fijado para la
inversión (SAN 17.11.08 REC. N.º 674/2006). En conclusión, valorando conjuntamente los
elementos de prueba que obran en autos esta Sala entiende que, en el presente caso, *han de
tenerse por probados los requisitos legales a los que se supedita la amortización libre* (...)
*por cuanto la obra se materializó en el período impositivo en el que se aplicó la amortización
libre*" (Fundamento Primero).

incremento se mantenga durante un período adicional de otros 24 meses" (artículo 102.1 LIS).

Para el cálculo de la plantilla media total de la empresa y de su incremento se tomarán las personas empleadas, en los términos que disponga la legislación laboral, teniendo en cuenta la jornada contratada en relación a la jornada completa (artículo 102.1 LIS). Ahora bien, no se tendrán en cuenta los trabajadores que dieran lugar a las deducciones previstas en los artículos 37 ("Deducción por creación de empleo") y 38 ("Deducción por creación de empleo para trabajadores con discapacidad") LIS.

EJEMPLO NÚM. 17

Una sociedad tiene contratados alumnos en prácticas de empresa, mediante convenio firmado con la Universidad. Estos trabajadores no aparecen en el TC2 de la Seguridad Social, pero sí se les paga por su trabajo de acuerdo con las horas que realizan, normalmente media jornada, y por tanto reciben su nómina.

Se plantea si los alumnos en prácticas de empresa, mediante convenio firmado con la Universidad, pueden ser considerados como personas empleadas a efectos del incremento de plantilla para la libertad de amortización.

Pues bien, en este caso "la norma exige, de forma expresa, que se trate de personas empleadas en los términos que disponga la legislación laboral. *Tal requisito pretende asegurar que se computen en el cálculo del incremento del empleo a quienes prestan sus servicios en régimen de dependencia y por cuenta ajena, y considera únicamente a quienes las leyes laborales determinan que reúnen las condiciones referidas* para poder entender que su contratación implica un incremento de empleo. A la vista del precepto expuesto, para el cálculo del promedio de plantilla es *indiferente la modalidad del contrato que regule la relación laboral del trabajador con la empresa (indefinido, temporal, de formación), lo relevante es que exista un contrato de trabajo* en los términos que dispone la legislación laboral, con independencia de cuál sea su régimen de cotización a la Seguridad Social (…) Ahora bien, no parece que el contrato celebrado entre la consultante y los universitarios pueda encuadrarse en ninguno de los tipos de contratos laborales previstos en la sección IV del Estatuto de los Trabajadores. En efecto, el artículo 11 del Texto Refundido del Estatuto de los Trabajadores, aprobado por Real Decreto Legislativo 1/1995, de 24 de marzo, entre los contratos formativos, regula el contrato de trabajo en prácticas en los siguientes términos: "El contrato de trabajo en prácticas podrá concertarse con quienes estuvieran en posesión de título universitario o de formación profesional de grado medio o superior o títulos oficialmente reconocidos como equivalentes, de acuerdo con las Leyes reguladoras del sistema educativo vigente, o de certificado de profesionalidad de acuerdo con lo previsto en la Ley Orgánica 5/2002, de 19 de junio, de las Cualificaciones y de la Formación Profesional, que habiliten para el ejercicio profesional, dentro de los cinco años, o de siete años cuando el contrato se concierte con un trabajador con discapacidad, siguientes a la terminación de los correspondientes estudios, de acuerdo con las siguientes reglas...(...)." Por tanto, dado que los alumnos universitarios que se encuentran realizando prácticas en la sociedad consultante no disponen aún del título universitario exigido, el contrato celebrado entre aquéllos y la consultante no puede encuadrarse en esta modalidad de contrato ni en ninguna de las previstas en la normativa laboral. *En consecuencia, no pueden ser contabilizados como personas empleadas, a efectos del cómputo del incremento de plantilla, los universitarios en prácticas...*" (Consulta DGT nº V2174/2012, de 13 de noviembre).

En consecuencia, la determinación del importe condicionado a su libre amortización requiere de la toma en consideración de las siguientes *plantillas medias totales de la empresa*:

a) *Plantilla media de año anterior a la inversión* (12 meses): es la plantilla que se debe incrementar como consecuencia de la inversión. Incluirá a todos los trabajadores desde el 1 de enero hasta el 31 de diciembre ("año 0").

b) *Plantilla media durante los dos ejercicios siguientes* (24 meses) de la puesta funcionamiento de la inversión. Se computarán los trabajadores desde el 1 de enero del "año 1" al 31 de diciembre del "año 2". La diferencia con la plantilla media del "año 0" nos ofrecerá el *incremento* de trabajadores.

c) *Plantilla media de mantenimiento del incremento de trabajadores* (24 meses). Se computarán los trabajadores desde el 1 de enero del "año 3" al 31 de diciembre del "año 4".

2.3. El *límite de la inversión* sometido a libertad de amortización será el que "resulte de multiplicar la cifra de 120.000 euros por el referido incremento calculado con dos decimales" (artículo 102.1 LIS).

$$120.000 \text{ x (Incremento mantenido de la plantilla media)}$$

EJEMPLO NÚM. 18

Una empresa adquiere en junio de 2016 maquinaria para su actividad por valor de 255.000 euros, que amortiza al 12%, que es el coeficiente máximo de la tabla prevista en el artículo 12.1 LIS.

Durante el ejercicio 2015, su cifra de negocio no llegó a los 10 millones de euros. En el ejercicio 2015 la plantilla media de la empresa era de 7 trabajadores.

En el ejercicio 2016, la empresa contrata indefinidamente y a jornada completa a tres nuevos trabajadores (1 de mayo) y decide el despido de dos trabajadores (31 de octubre). La entidad no tiene previsto incrementar en 2017 su plantilla.

Cálculo de la libre amortización de la maquinaria adquirida:

Plantilla media en 2015	7
Plantilla media en 2016 (7+3*8/12-2*2/12)	8,66
Incremento de plantilla en 2016	1,66

Importe sometido a libertad de amortización en el ejercicio 2016:

$$120.000*1,66 = 199.200$$

$$(255.000-199.200)$$

Si en el ejercicio 2017 el incremento de la plantilla fuera mayor, habría que efectuar una modificación en para el ejercicio 2017.

3.3.1. Asimismo, en los casos de grupos mercantiles y familiares se ha planteado si el gasto por libertad de amortización debe aplicarse de manera *individual*; es decir, respecto de la entidad que ha efectuado la inversión o bien, de forma *global*, respecto del grupo en sí. En este sentido, la Dirección General de Tributos lo viene interpretando en el primer sentido.

EJEMPLO NÚM. 19

La sociedad cabecera de un grupo de consolidación fiscal, constituido desde enero de 2012, y que integran como sociedades dependientes las entidades A, M, S, L, K y E. Todas las sociedades participadas están dedicadas a la actividad de distribución y reparación de vehículos automóviles. Como consecuencia de determinadas inversiones en inmovilizado material realizadas por algunas de las sociedades participadas en los ejercicios 2010, 2011 y 2012, las mismas generaron derecho a la aplicación del beneficio fiscal de libertad de amortización.

Se suscita como aplicar el incentivo fiscal, concluyendo la DGT que "la aplicación de la libertad de amortización con mantenimiento de empleo conlleva una disminución al resultado contable del ejercicio en que se aplica para determinar la base imponible. La base imponible del grupo fiscal se limita, entre otros componentes, a sumar las bases imponibles de las entidades que forman parte del grupo, *mientras que la aplicación de la libertad de amortización con mantenimiento de empleo sólo se puede realizar a nivel individual, de manera que, una vez determinada la base imponible individual, ésta se convierte en un componente más de la base imponible del grupo.* Por tanto, la aplicación y el cumplimiento de los requisitos exigidos (...) *se realizará a nivel individual, por lo que el requisito de mantenimiento de empleo deberá cumplirse igualmente a nivel individual*" (Consulta nº V1263/2014, de 12 de mayo).

3.4. En el supuesto de que se incumpliese la obligación de incrementar o mantener la plantilla se deberá proceder a ingresar la cuota íntegra que hubiere correspondido a la cantidad deducida en exceso más los intereses de demora correspondientes. El ingreso de la cuota íntegra y de los intereses de demora se realizará conjuntamente con la autoliquidación correspondiente al período impositivo en el que se haya incumplido una u otra obligación (artículo 102.4 LIS).

3.5. El gasto relativo a la libertad de amortización no se encuentra supeditado al requisito de inscripción contable, de acuerdo con lo establecido en el artículo 11.3 LIS.

4. AMORTIZACIÓN ACELERADA DE ELEMENTOS NUEVOS DE INMOVILIZADO MATERIAL E INTANGIBLES Y DE INVERSIONES INMOBILIARIAS

4.1. El artículo 103 LIS establece un régimen de *amortización acelerada* de determinadas inversiones, a saber:

- Inmovilizado material.
- Inversiones inmobiliarias.
- Inmovilizado intangible.

Es importante destacar que no fija un marco regulador de aplicación obligatoria; por el contrario, se limita a permitir o posibilitar su aplicación ("podrán amortizarse", *ex* artículo 103.1 LIS), ofreciendo una opción, que deberá ejercitarse conforme a lo dispuesto en el artículo 119.3 de la LGT.

EJEMPLO NÚM. 20

Una sociedad es una empresa de reducida dimensión. En el año 2012 construyó una nave ganadera cuyo coste fue de 120.000 euros. Por este motivo recibió una subvención de capital de 50.000 euros. La nave se amortiza por su coeficiente lineal del 3%. Como empresa de reducida dimensión goza de los incentivos fiscales que permiten la amortización acelerada de la nave, es decir, multiplicar por 2 el coeficiente lineal máximo.

Se plantea si es posible, a fecha de hoy (11 de diciembre de 2014), aplicar esa amortización acelerada, es decir, amortizar la nave al 6%. En caso de ser posible, ¿se mantienen los porcentajes aplicados en los años anteriores o se deben actualizar las diferencias de amortización de los años 2012 y 2013? En caso de tener que regularizar los ejercicios anteriores, ¿se puede llevar a cabo dicha regularización en este ejercicio 2014, aplicando tanto la amortización no realizada de los ejercicios 2012 y 2013?

La DGT, si bien aplica el artículo 111.1 del TRLIS a la sazón vigente en 2014 (su razonamiento se puede proyectar plenamente sobre el artículo 103 LIS, pues no hay modificación sobre dicho extremo), razona que El apartado 1 del artículo 111 del TRLIS *no contiene un mandato imperativo, sino una opción a disposición del contribuyente* en relación con los elementos citados, siempre que sean nuevos, puestos a disposición en el período impositivo en el que se cumplan determinadas condiciones, de manera que los mismos podrán amortizarse en función del coeficiente que resulte de multiplicar por 2 el coeficiente de amortización lineal máximo. En consecuencia, *la amortización acelerada constituye una opción para el contribuyente*, que deberá ser ejercitada dentro del plazo reglamentario de declaración (*ex* art. 119.3 LGT), y no en relación con períodos impositivos respecto de los que dicho plazo ya haya transcurrido. Por tanto, la entidad consultante no podrá rectificar dicha opción, una vez transcurrido el plazo de presentación de las correspondientes declaraciones.

No podrá, en conclusión, modificarse la amortización fiscalmente aplicada en los períodos impositivos 2012 y 2013 a través de la declaración del período impositivo 2014. Sin perjuicio de ello, la entidad podrá aplicar la amortización acelerada prevista en el artículo 111 del TRLIS en relación con la amortización del período impositivo 2014, a través de la autoliquidación de dicho período y dentro del plazo voluntario de presentación de la misma (Consulta vinculante nº V1668/2016, de 18 de abril).

4.2. Para la aplicación de este incentivo fiscal es necesario el cumplimiento de determinados requisitos:

a) Debe tratarse de elementos "*nuevos*"; esto es, que entren en funcionamiento por vez primera con la entidad de reducida dimensión (artículo 103.1 LIS).

b) Deben encontrarse "*afectos*" a las actividades económicas de la entidad o del grupo (artículo 103.1 LIS).

c) Tienen que haber sido adquiridos a terceros y "*puestos a disposición*" de la sociedad en un período impositivo en que tenga la consideración de entidad de reducida dimensión (artículo 103.1 LIS).

EJEMPLO NÚM. 21

Una sociedad limitada dedicada a la promoción inmobiliaria y al arrendamiento de inmuebles. En 2010, la entidad efectuó una ampliación de capital con cargo a una aportación de una empresa individual de carácter ganancial, dedicada al arrendamiento de bienes inmuebles, de la que eran titulares sus socios. Dentro de esta empresa individual se encontraban una serie de bienes que conformaban el activo del balance, concretamente elementos del inmovilizado material, inversiones inmobiliarias e inmovilizado intangible, que fueron puestos a disposición de la entidad consultante en 2010. Parte de estos bienes eran nuevos y parte de nueva construcción. La empresa individual, en el ejercicio en el que adquirió los elementos nuevos, o en los que los construyó, cumplía con las condiciones para ser considerada empresa de reducida dimensión. A su vez, en el ejercicio 2010, la entidad cumplía las condiciones para ser considerada empresa de reducida dimensión. En el ejercicio 2013, la entidad sigue cumpliendo los requisitos para ser considerada empresa de reducida dimensión.

Se plantea si la entidad se puede aplicar, en el ejercicio 2013, la amortización acelerada establecida para las entidades de reducida dimensión, en relación a los bienes que adquirió mediante aportación no dineraria de la empresa individual.

Para resolver esta cuestión hay que distinguir dos hipótesis:

A) La operación se acoge al régimen especial de las fusiones, escisiones, aportaciones de activos, canje de valores y cambio de domicilio social de una Sociedad Europea o una Sociedad Cooperativa Europea de un Estado miembro a otro de la Unión Europea.

En este caso si los elementos aportados estaban disfrutando del incentivo fiscal de amortización acelerada en el momento de su aportación, y siempre que dicha aportación se acogiera al régimen especial de neutralidad fiscal, *el incentivo fiscal seguirá siendo de aplicación en la entidad, en los mismos términos y condiciones que venía aplicando la empresa individual.*

B) La operación no se acogió a dicho régimen especial. Entonces habría que considerar que a efectos de la aplicación del régimen de amortización acelerada, no sólo es necesario que la sociedad haya utilizado por primera vez los bienes adquiridos, sino que el empresario individual aportante, ni ningún otro empresario o entidad, los hubiera utilizado con anterioridad. *Puesto que se entiende que los bienes aportados se pusieron a disposición de la empresa individual, y se utilizaron para el desarrollo de su actividad, la entidad no cumple con los requisitos para aplicar la amortización acelerada* (Consulta DGT nº V1764/2014, de 4 de julio).

4.3. Este régimen de amortización acelerada también se aplica sobre las inversiones procedentes de:

a) un *contrato de ejecución de obra* suscrito en el período impositivo, siempre que su puesta a disposición sea dentro de los 12 meses siguientes a su conclusión (artículo 103.2 LIS).

b) inmovilizado material, intangible y de las inversiones inmobiliarias construidos o producidos por la *propia empresa* (artículo 103.3 LIS).

4.4. La deducción por amortización acelerada no está condicionada a su imputación contable en la cuesta de pérdidas y ganancias, conforme establece el artículo 11.3 LIS.

4.5. El coeficiente de amortización acelerada se el resultado de multiplicar por 2 el coeficiente de amortización lineal máximo previsto en las tablas de amortización oficialmente aprobadas (103.1 LIS).

No obstante, para las inversiones realizadas sobre elementos de inmovilizado intangible hay que distinguir diversas hipótesis:

a) Activo intangible de vida útil definida recogidos en la tabla de amortización del artículo 12.1 LIS (programas informáticos), la amortización acelerada se aplica igual que si se tratara de elementos de inmovilizado material o de inversiones inmobiliarias (no hay especificidad).

b) Activo intangible de vida útil definida no recogidos en la tabla de amortización del artículo 12.1 LIS; aunque no lo establece la LIS, se aplicará el régimen general de amortización acelerada (no hay especificidad)[19].

c) Activos intangibles del artículo 13.3 LIS (esto es, aquellos de vida útil indefinida, incluidos los fondos de comercio; y que actualmente –a partir del 1 de enero de 2016– se encuentra derogado por la disposición final quinta de la Ley 22/2015, de 20 de julio, de Auditoría de Cuentas) podrán deducirse en un 150 por ciento del importe que resulte de aplicar dicho apartado (artículo 103.5 LIS); actualmente previsto en el artículo 12.2 LIS.

EJEMPLO NÚM. 22

Una entidad de reducida dimensión adquirió una maquinaria que adquirió a mitad de año por importe 100.000 euros, que amortiza en un 20% anual, de acuerdo con su coeficiente máximo según tablas del LIS.

En aplicación del artículo 103 LIS, la amortización acelerada será del 40% (20%*2):

---

[19] Ahora bien, la DGT, en aplicación de la normativa sobre amortización acelerada anteriormente vigente, venía postulando su no aplicación a estos casos. Concretamente, "en el supuesto analizado, las obras realizadas en el local arrendado, en la medida en que consistan en inversiones que no sean separables del activo arrendado y deban activarse como "inmovilizado material", se amortizarán en función de la duración del contrato de arrendamiento, siempre y cuando ésta sea inferior a la vida económica del activo. Dicha amortización será fiscalmente deducible, con arreglo a lo dispuesto en el artículo 11 del TRLIS. Así, dado que la inversión realizada por la consultante relativa a las obras de acondicionamiento *no es un elemento del inmovilizado material que figure recogido en las tablas de amortización oficialmente aprobadas, no resultará de aplicación lo dispuesto en el artículo 111.1 del TRLIS*" (Consulta nº V1957/2012, de 11 de octubre).

Año	Gasto contable	Gasto fiscal	Ajustes
2015	10.000	20.000	-10.000
2016	20.000	40.000	-20.000
2017	20.000	40.000	-20.000
2018	20.000	0	+20.000
2019	20.000	0	+20.000
2020	100.000	0	+100.000

4.6. Este incentivo fiscal es, a su vez, "*compatible*" con cualquier beneficio fiscal que pudiera proceder por razón de los elementos patrimoniales sujetos a la misma (artículo 103.4 LIS). Por ejemplo, podrá ser compatible con el régimen de libre amortización del artículo 102 LIS y, por lo mismo, sujeto al cumplimiento de los requisitos para su mantenimiento.

EJEMPLO NÚM. 23

La entidad de reducida dimensión "VISTES" tiene en plantilla en el ejercicio 2015 a 12 trabajadores. El 1 de enero de 2015 adquiere una máquina por 300.000 €. Se amortiza al 10% anual. La empresa ha calculado que hasta 2017 la plantilla se incrementará en 2 trabajadores.

A) Ejercicio 2015:

– Amortización contable: 300.000 x 10%= 30.000 €. La amortización contable será siempre de 30.000 €.

– Amortización fiscal:

Por libre amortización: 120.000 x 2= 240.000€ correspondientes al incremento de plantilla.

Por tanto, queda por amortizar 300.000-240.000 = 60.000 €.

Por amortización acelerada (artículo 103 LIS): 60.000 x 2 x 10%= 12.000 €.

B) Ejercicio 2016:

– Amortización fiscal:

Por amortización acelerada: 60.000x 2 x 10%= 12.000€

	Amortización contable	Amortización fiscal	Ajuste
2015	30.000	252.000	-222.000
2016	30.000	12.000	+18.000

La empresa debe comprobar que en 2017 se ha producido efectivamente el incremento de plantilla de 2 trabajadores.

No obstante, el cálculo de la plantilla promedio del periodo 2016-2017 ha sido de 13.5 trabajadores. En consecuencia, el incremento de la plantilla media de trabajadores ha sido sólo de 1' 5 trabajadores, por lo que la empresa debe corregir las amortizaciones fiscales que ha practicado. En ejercicios anteriores.

C) Ejercicio 2015:

– Amortización fiscal:

Por libre amortización: 120.000 x 1' 5= 180.000 €.

Por tanto queda por amortizar 300.000 – 180.000 = 120.000 €.

Por amortización acelerada: 120.000 x 2x 10%= 24.000 €.

D) Ejercicio 2016:

– Amortización fiscal:

Por amortización acelerada: 120.000 x 2x 10%= 24.000 €.

	Amortización contable	Amortización fiscal Ajuste	Ajuste efectuado	Corrección
2015	30.000	204.000	-174.000	-222.000
2016	30.000	24.000	+18.000	-12.000
2017	30.000	24.000	+6.000	
2018	30.000	24.000	+6.000	

5. PROVISIÓN POR ESTIMACIÓN GLOBAL DE POSIBLES INSOLVENCIAS DE DEUDORES

5.1. El artículo 13.1 LIS regula con carácter general e individualizado el gasto fiscal por insolvencia de deudores; concretamente, señala que "serán deducibles las pérdidas por deterioro de los créditos derivadas de las posibles insolvencias de los deudores, cuando en el momento del devengo del Impuesto *concurra alguna* de las siguientes circunstancias:

a) Que haya transcurrido el plazo de 6 meses desde el vencimiento de la obligación.

b) Que el deudor esté declarado en situación de concurso.

c) Que el deudor esté procesado por el delito de alzamiento de bienes.

d)   Que las obligaciones hayan sido reclamadas judicialmente o sean objeto de un litigio judicial o procedimiento arbitral de cuya solución dependa su cobro".

Asimismo, precisa que no serán deducibles los créditos "correspondientes a *estimaciones globales del riesgo* de insolvencias de clientes y deudores" (artículo 13.1.3° LIS). Sin embargo, el artículo 104 de la LIS fija una excepción a esta regla general permitiendo a las empresas de reducida dimensión una *deducción fiscal por estimación global de riesgo de insolvencia por parte de deudores*, que será coetánea a la individual del referido artículo 13.1 LIS.

5.2. Conforme a esta regla especial aplicable a las empresas de reducida dimensión, "será deducible la pérdida por deterioro de los créditos para la cobertura del riesgo derivado de las posibles insolvencias *hasta el límite del 1 por ciento sobre los deudores existentes a la conclusión del período impositivo*" (artículo 104.1 LIS). El saldo de la pérdida por deterioro efectuada no podrá exceder del límite citado en dicho apartado (artículo 104.3 LIS).

A estos efectos, los créditos de riesgo exceptuados de integrar el importe sobre el que aplicar el citado 1 por ciento son los siguientes:

–   Deudores sobre los que se hubiere reconocido la pérdida por deterioro de los créditos por insolvencias establecidas en el artículo 13.1 de la LIS.

–   Deudas correspondientes a créditos adeudados por entidades de derecho público, excepto que sean objeto de un procedimiento arbitral o judicial que verse sobre su existencia o cuantía.

–   Deudas correspondientes a créditos adeudados por personas o entidades vinculadas, salvo que estén en situación de concurso y se haya producido la apertura de la fase de liquidación por el juez, en los términos establecidos en la legislación concursal (artículos 13.1 y 104.2 LIS).

EJEMPLO NÚM. 24

La empresa de reducida dimensión, "VENTRAL, S.A." cuenta, a fecha de devengo del Impuesto de Sociedades del ejercicio 2015, con un saldo de deudores por importe total de 450.000 euros; de los que 35.000 euros se corresponden con un deudor cuya deuda ha sido reclamada judicialmente en octubre de 2015.

En el ejercicio anterior (2014), la entidad presentó un salgo global por posibles insolvencias de 2.500 euros.

Se trata de determinar el gasto fiscalmente deducible por insolvencias en el ejercicio 2015:

Insolvencia deudor individualizada (art. 13.1.d) LIS) 35000

Insolvencia global de deudores [(450000-35000)*1% – 2500] 1650

Total 36650

5.3. En los casos de pérdida de la condición de empresa de reducida dimensión el artículo 104.4 de la LIS establece que "no serán deducibles hasta el importe del saldo de la pérdida por deterioro".

EJEMPLO NÚM. 25

Entidad de reducida dimensión "ALMAX, S.L.", que en los ejercicios 2015 y 2016 reunía tal condición que perdió en los ejercicios 2017 y 2018.

En el ejercicio 2016 hay un crédito de deudores pendiente de ingreso por importe de 15.000 euros.

En el ejercicio 2018 hay un cliente que ha sido declarado en concurso, con un importe pendiente de pago en la cantidad 21.000 euros.

Año	Base cálculo deducción	Gasto fiscal (art. 104 LIS)	Gasto fiscal (art. 13 LIS)	Gasto total
2015	200000	200000*1%	0	2000
2016	150000 - 15000 = 135000	(135000*1%) -2000=-650	0	-650
2017	–	–	–	–
2018			21000-1350	19650

6. RESERVA DE NIVELACIÓN DE BASES IMPONIBLES

6.1. La Ley 27/2014 introduce como novedad la "reserva de nivelación" que permite a las empresas de reducida dimensión una tributación menor en el Impuesto de Sociedades sobre los beneficios generados en un ejercicio a cambio de que si, en periodos posteriores, se producen pérdidas dicha reducción aflore *compensando* las bases imponibles negativas[20].

Se trata de una regulación novedosa en nuestro Ordenamiento tributario con relación al tratamiento de las pérdidas societarias que habitualmente se les aplica el método *carry-forward,* en virtud del cual se permite que las bases

---

[20] Como exponen MALVÁREZ PASCUAL y MARTÍN ZAMORA, nos encontramos ante un *mecanismo de anticipación de posibles y eventuales perdidas sociales;* que permite que "en el ejercicio en el que se obtengan los beneficios no tributará parte de los mismos. Ahora bien, si en los períodos impositivos siguientes se obtienes bases imponibles negativas, no se reconocerán hasta el límite de las reducciones aplicadas en los períodos anteriores, lo que dará lugar a una disposición de la señalada reserva en la misma cuantía de la base negativa" (MALVÁREZ PASCUAL, L.A.; y MARTÍN ZAMORA, M.P.– "Las nuevas reducciones de la base imponible en el Impuesto sobre Sociedades: las reservas de capitalización y nivelación", *Revista de Contabilidad y Tributación*, núm. 383/2015, p. 148).

imponibles negativas de un ejercicio puedan compensarse con los beneficios generados en períodos impositivos posteriores, hasta la presente regulación del Impuesto de Sociedades con una limitación temporal que ha desaparecido en la redacción actualmente vigente (artículo 26 LIS). Y además de novedosa resulta peculiar porque tampoco se corresponde plenamente con el otro método conocido como *carry-back,* que reconoce un crédito a favor de la sociedad por el importe de multiplicar el tipo impositivo por las pérdidas obtenidas en el ejercicio, siempre que se hubiera tributado en ejercicios anteriores.

La Exposición de Motivos de la Ley 27/2014, de 27 de noviembre, justifica su inserción en el régimen especial de ERD para "favorecer la competitividad y la estabilidad de la empresa española"[21] y para incidir "en la equiparación en el tratamiento fiscal de la financiación ajena y propia"[22].

El artículo 105 de la LIS establece su regulación, supeditando su aplicación al cumplimiento de determinados requisitos y condicionantes.

6.2. En primer lugar, la norma fija los *contribuyentes* del Impuesto de Sociedades que pueden aplicar la referida reserva, destacando dos elementos (artículo 105.1, párrafo primero, LIS):

1.°) Debe tratarse de *entidades de reducida dimensión,* conforme a lo dispuestos en el artículo 101 de la LIS (quedando incluidos en virtud de esta remisión legal los *grupos de sociedades* que cumplan con los requisitos cuantitativos[23]). De manera que sólo estos sujetos podrán apli-

---

[21]   En efecto y tal y como destacan LASARTE LÓPEZ y JIMÉNEZ CARDOSO, "nos encontramos ante una norma que beneficia, sobre todo, al más eficiente, al contribuyente con mayores bases imponibles positivas (…) respecto aquellos con bases imponibles positivas pequeñas o que presenten esporádicamente bases imponibles negativas muy superiores a las minoraciones efectuadas previamente" (LASARTE LÓPEZ, R. y JIMÉNEZ CARDOSO, S.M.– "La reserva de nivelación en el nuevo Impuesto sobre Sociedades. Cuestiones prácticas tributarias y contables", *Crónica Tributaria*, núm. 155/2015, p. 114).

[22]   Si bien su articulación técnica (como una reducción de la base imponible) ha sido criticada pues su naturaleza real se asemeja (aunque no pueda serlo desde una perspectiva contable, de acuerdo con lo dispuesto en la NRV 15ª del PGC) a una provisión por pérdidas futuras que quiebra la lógica contable; habida cuenta que "sólo tiene en cuenta la base imponible del período en que se dote la reserva correspondiente, sin tener presentes los riesgos que en el futuro puedan existir de obtener bases imponibles negativas. Tampoco su cuantificación se realiza en atención a las previsiones que en tal sentido pueda realizar la sociedad, pues el legislador ha determinado a estos efectos una cuantificación objetiva, tomando en consideración la base imponible positiva del período en que se aplica la minoración de la base" (Cfr., MALVÁREZ PASCUAL, L.A.; y MARTÍN ZAMORA, M.P.– "Op. Cit...", p. 149).

[23]   Repárese que la reserva de nivelación se aplicará en tales casos respecto del grupo y no las entidades que lo componen. Y así el artículo 63 de la LIS señala que dicha reserva no se incluirá en las bases imponibles individuales. A su vez, la reducción por tal concepto se aplicará sobre la base imponible del grupo fiscal, aunque la dotación se haya efectuado por alguna de las entidades del grupo (artículo 62 LIS). Por otra parte, en el caso de la incorporación de entidades individuales en un grupo, las cantidades pendientes de dicha reserva se aplicará a

carla, quedando excluidos los restantes contribuyentes del Impuesto de Sociedades.

2.º) Dichas entidades deben aplicar el tipo de gravamen previsto en el artículo 29.1 LIS[24].

6.3. Respecto a la *cuantía* de la reducción, el artículo 105 LIS la cifra en el 10% de la "base imponible positiva"[25] en el período impositivo, *sin que pueda superar el importe de un millón de euros*. En el caso de que el período impositivo fuera inferior al año, la minoración no podrá superar el resultado de multiplicar 1 millón de euros por la proporción existente entre la duración del período impositivo respecto al año. (artículo 105.1, párrafo segundo, LIS).

El artículo 105.4 LIS precisa que las cantidades minoradas se computarán a efectos de determinar los pagos fraccionados del artículo 40.3 LIS.

6.4. Como decíamos, la reserva de nivelación se encuentra condicionada a que los importes minorados se *adicionen en las bases imponibles negativas de los cinco ejercicios siguientes y sucesivos* al período impositivo en que se efectuó la reserva. Transcurrido dicho plazo si queda remanente o, incluso, si no se aplica la dotación por inexistencia de pérdidas en dicho plazo, se integrará en el período impositivo en que concluya el citado plazo (artículo 105.2 LIS). De ahí que nos encontremos ante un incentivo fiscal que, en el peor de los casos, que genera un diferimiento en la tributación[26] y ha permitido señalar al legislador que "esta medida resulta más incentivadora que el comúnmente denominado *carry-back* en relación con el tratamiento de las bases imponibles negativas" (Exposición de Motivos Ley 27/2014, de 27 de noviembre).

---

la base imponible del grupo fiscal (artículo 67 LIS). Y en el supuesto contrario, de pérdida del régimen o extinción del grupo fiscal, las entidades que lo componen integrarán en el período impositivo en el que se produzca la pérdida o la extinción asumirán las cantidades pendientes pendientes de adicionar a la base imponible, en proporción a la contribución a su formación (artículo 74 LIS).

[24] Parece que este mecanismo no es aplicable a las entidades de nueva creación, que tributan al 15% (Vid., LASARTE LÓPEZ, R. y JIMÉNEZ CARDOSO, S.M.– "Op. Cit...", p. 112).

[25] En consecuencia, dicha base estará constituida "por el importe de la renta obtenida en el período impositivo minorada por la compensación de bases imponibles negativas de periodos impositivos anteriores", conforme se encuentra definida en el artículo 10.1 LIS. Y, por lo mismo, la base de cálculo será diferente de la que se utiliza para la reserva de capitalización; puesto que está última "se determinará, de acuerdo con el artículo 25 de la LIS, sobre la base imponible positiva del período impositivo previa a esta reducción, a la integración a que se refiere el artículo 11.12 de la LIS y a la compensación de bases imponibles negativas (...) a efectos del cálculo de rela reserva de nivelación, sí deben tenerse en cuenta las bases imponibles negativas y las cantidades integradas en la base en virtud del artículo 11.12 de la LIS, pues ambas partidas forman parte de la base imponible, de acuerdo con el artículo 10.3 LIS" (Cfr., MALVÁREZ PASCUAL, L.A.; y MARTÍN ZAMORA, M.P.– "Op. cit...", p. 151).

[26] También, LASARTE LÓPEZ, R. y JIMÉNEZ CARDOSO, S.M.– "Op. Cit...", p. 113; y MALVÁREZ PASCUAL, L.A.; y MARTÍN ZAMORA, M.P.– "Op. Cit...", p. 150.

EJEMPLO NÚM. 26

	2015	2016	2017	2018	2019	2020	2021
Base imponible	150.000	55.000	-3.000	10.000	-11.000	6.000	41.000
Reducción art. 105	–15.000	-5.500	-1.000		-600		-4.100
Adición BI	-3.000		-11.000		1.000		7.500
Reducción pte.	15.000	15.000	12.000	12.000	1.000	7.500	1.000
	7.500	7.500	7.500	7.500	1.000		600
		1.000	1.000		600		4.100

6.5. Asimismo, este incentivo se encuentra supeditado al cumplimiento de dos requisitos contables (artículo 105.3 LIS), a saber:

1.º) La obligación de *dotar* la reserva con cargos a los resultados positivos del ejercicio en que se aplique la reducción en la base imponible. Si bien la norma no establece el momento en el cual debe dotarse aquélla, la Dirección General de Tributos ha precisado este extremo en su Consulta nº V4127/2015, de 22 de diciembre, estableciendo que "la reserva, según se establece expresamente, debe dotarse *con cargo a los resultados positivos del ejercicio en que se realice la minoración en base imponible* (…) El artículo 273 del texto refundido de la Ley de Sociedades de Capital, aprobado por el Real Decreto Legislativo 1/2010, de 2 de julio, establece en su apartado 1 que "la *junta general* resolverá sobre la aplicación del resultado del ejercicio de acuerdo con el balance aprobado". En consecuencia, *será en el momento determinado por la norma mercantil para la aplicación del resultado del ejercicio cuando deberá dotarse la reserva de nivelación*. En concreto, a efectos de minorar la base imponible del periodo impositivo 2015 (...), *cuando la junta general resuelva sobre la aplicación del resultado del ejercicio 2015*, deberá (de ser posible) dotarse la reserva de nivelación"[27].

2.º) Se trata de una reserva *indisponible* para el contribuyente mientras la misma no se aplique a su finalidad.; esto es, "hasta el período impositivo en que se produzca la adición a la base imponible". A estos, efectos, no se entenderá que se ha dispuesto de la reserva en determinados supuestos:

– Separación de socios.

---

[27] No obstante, hay quien se muestra partidario de una interpretación más amplia que postula que "si la reserva no puede dotarse con cargo al resultado del ejercicio cuya base imponible se minora (por ejemplo, porque, a pesar de tener una base imponible positiva, los resultados del ejercicio han sido negativos), la empresa podrá aún efectuar la reducción de la base imponible siempre que la reserva se dote con cargo a los primeros resultados positivos de los ejercicios siguientes en que esto sea posible" (Cfr., LASARTE LÓPEZ, R. y JIMÉNEZ CARDOSO, S.M.– "Op. Cit...", p. 115).

‒ La reserva se elimine, total o parcialmente, como consecuencia de una operación de reestructuración empresarial, a la que resulte de aplicación el régimen especial del Capítulo VII del Título VII de la LIS.

‒ Si se aplica la reserva en cumplimiento de una obligación de carácter legal.

6.6. La reserva de nivelación se encuentra supeditada a un régimen específico de *incompatibilidades*; concretamente, las *cantidades* destinadas a la dotación de reserva de nivelación no podrán aplicarse, "simultáneamente", al cumplimiento de la reserva de capitalización del artículo 25 de la LIS, ni tampoco a la reserva para inversiones en Canarias del artículo 27 de la Ley 19/1994, de 6 de julio, de modificación del Régimen Económico y Fiscal de Canarias (artículo 105.5 LIS)[28].

6.7. El *incumplimiento* de cualesquiera requisitos de aplicación de esta reserva determinará una serie de consecuencias fijadas en el artículo 105.6 LIS:

1.º) Las cantidades minoradas se integrarán en la "cuota íntegra" del ejercicio en que se hubiera producido el incumplimiento.

2.º) Las cantidades que fueron objeto de minoración se incrementarán en un 5%[29].

3.º) Se devengarán intereses de demora.

---

[28]   En opinión de MALVÁREZ PASCUAL y MARTÍN ZAMORA, "esto no supone una incompatibilidad entre ambas reservas, pues ambas pueden reducir simultáneamente la base imponible de un mismo período. La incompatibilidad (…) sólo puede hacer referencia a dos cuestiones. La primera interpretación es que las cantidades destinadas a la dotación de la reserva de nivelación no podrán aplicarse al cumplimiento del deber de dotar otras reservas (…) Es evidente que las empresas que en un período quieran beneficiarse de la aplicación de las dos reducciones que permite la LIS deberán constituir de forma independiente las dos reservas (nivelación y capitalización). La segunda interpretación es que la reserva de nivelación no se computa como fondos propios a efectos de determinar la base sobre la que se calcula la reserva de capitalización. En este sentido, el artículo 25.2 de la LIS establece que no se tendrán en cuenta como fondos propios, (…) la reserva indisponible que se sote por aplicación de lo dispuesto en el artículo 105 de la LIS" (Vid., MALVÁREZ PASCUAL, L.A.; y MARTÍN ZAMORA, M.P.– "Op. Cit...", p. 155.)

[29]   Resulta discutible la naturaleza de dicho incremento (5%) pues parece indudable su naturaleza sancionadora (de *sanción impropia* impuesta automáticamente), aunque se asemeja a un recargo legal (en esta línea se afirma que dicho recargo "sólo podría integrarse dentro del concepto a que se refiere la letra d) del artículo 58.2 de la LGT (…) Ahora bien, más allá de que pueda encajarse de un modo más o menos forzado en esta categoría, la cuestión es determinar a qué responde y qué circunstancias son las que legitiman a la Administración para su cobro" (Cfr., MALVÁREZ PASCUAL, L.A.; y MARTÍN ZAMORA, M.P.– "Op. Cit...", p. 156).

7. TIPOS DE GRAVAMEN APLICABLES
A LAS EMPRESAS DE REDUCIDA DIMENSIÓN

7.1. El artículo 29.1 de la LIS establece que, con carácter general, las entidades de reducida dimensión, para los ejercicios iniciados a partir del 1 de enero de 2016, tributarán al tipo general del 25%.

No obstante, a las PYMES también les será de aplicación el párrafo segundo del artículo 29.1 LIS siempre que se trate de entidades *de nueva creación que realicen actividades* económicas; en cuyo caso el tipo aplicable, "en el primer período impositivo en que la base imponible resulte positiva y en el siguiente", será del 15%, salvo que deban tributar a un tipo inferior.

7.2. Por su parte, la disposición transitoria 34ª, j), de la LIS, fija para el período impositivo de 2015, a las entidades de reducida dimensión la siguiente escala; excepto si de acuerdo con lo previsto en el artículo 29 de LIS deban tributar a un tipo diferente del general:

Base imponible comprendida entre 0 y 300.000 euros: 25%

Base imponible restante: 28%

Asimismo, cuando el período impositivo tenga una duración inferior al año, la parte de la base imponible que tributará al tipo del 25 por ciento será la resultante de aplicar a 300.000 euros la proporción en la que se hallen el número de días del período impositivo entre 365 días, o la base imponible del período impositivo cuando esta fuera inferior.

EJEMPLO NÚM. 27

Entidad cuyo período impositivo en el ejercicio 2015 fue inferior a doce meses (300 días). Su cifra de negocio del ejercicio ascendió a 4.500.000 de euros y su base imponible en el mismo ejercicio fue de 225.000 euros.

Para determinar la cuota íntegra, en primer lugar, hay que determinar si se trata de una entidad de reducida dimensión:

$$4.500.000 * 365 / 300 : 5.475.000$$

Al ser una entidad de reducida dimensión en el ejercicio 2015, su cuota íntegra en el IS será:

Hasta 184.931,50 [225000*300/365], al 25%:   46.232,87

Resto 40.068,5 [225000-184931,50], al 28%:   11.219,18

Total: 57.452,05

7.3. A su vez, la disposición transitoria 34ª, k), de la LIS, establece para el ejercicio 2015 un tipo de gravamen específico del 25% en favor de ciertas entidades de reducida dimensión; concretamente, aquellas:

–   Cuyo importe neto de la cifra de negocios en el ejercicio iniciado en 2015 sea inferior a 5 millones de euros.

–   La plantilla media en el referido período sea inferior a 25 empleados.

Cuando el período impositivo tenga una duración inferior al año, el importe neto de la cifra de negocios se elevará al año.

Para aplicar este tipo de gravamen será necesario:

1.º Durante los 12 meses siguientes al inicio de los períodos impositivos que comiencen en 2015, la plantilla media de la entidad no sea inferior a la unidad y, además, tampoco sea inferior a la plantilla media de los 12 meses anteriores al inicio del primer período impositivo que comience a partir de 1 de enero de 2009.

Cuando la entidad se haya constituido dentro de ese plazo anterior de 12 meses, se tomará la plantilla media que resulte de ese período.

Para el cálculo de la plantilla media de la entidad se tomarán las personas empleadas, en los términos que disponga la legislación laboral, teniendo en cuenta la jornada contratada en relación con la jornada completa.

Se computará que la plantilla media de los 12 meses anteriores al inicio del primer período impositivo que comience a partir de 1 de enero de 2009 es cero cuando la entidad se haya constituido a partir de esa fecha.

2.º A efectos de determinar el importe neto de la cifra de negocios, se tendrá en consideración lo establecido en el apartado 3 del artículo 101 de esta Ley.

Cuando la entidad sea de nueva creación o el período impositivo tenga una duración inferior al año, o bien la actividad se hubiera desarrollado durante un plazo también inferior, el importe neto de la cifra de negocios se elevará al año.

3.º Cuando la entidad se hubiese constituido dentro del año 2015 y la plantilla media en los 12 meses siguientes al inicio del primer período impositivo sea superior a cero e inferior a la unidad, el tipo de gravamen previsto en esta letra se aplicará en el período impositivo de constitución de la entidad a condición de que en los 12 meses posteriores a la conclusión de ese período impositivo la plantilla media no sea inferior a la unidad.

4.º Cuando se incumplan las condiciones establecidas en esta letra, el contribuyente deberá regularizar su situación tributaria en los términos establecidos en el artículo 125.3 de la LIS.

8. RÉGIMEN TRANSITORIO: AMORTIZACIÓN DE ELEMENTOS PATRIMONIALES OBJETO DE REINVERSIÓN POR EMPRESAS DE REDUCIDA DIMENSIÓN

La disposición transitoria 28ª de la LIS permite que las entidades de reducida dimensión que estuviesen aplicando el artículo 113 del TRLIS, según redacción vigente en períodos impositivos iniciados con anterioridad a 1 de enero de 2015, podrán continuar su aplicación, con los requisitos y condiciones establecidos en aquel.

Dicho precepto establecía una amortización acelerada, consistente en multiplicar por 3 el coeficiente lineal de amortización máximo previsto en las tablas oficialmente aprobadas, para los elementos en los que se hubiera materializado la reinversión procedente de una transmisión onerosa.

Artículo 113 TRLIS:

"1. Los elementos del inmovilizado material y de las inversiones inmobiliarias afectos a explotaciones económicas en los que se materialice la reinversión del importe obtenido en la transmisión onerosa de elementos del inmovilizado material y de las inversiones inmobiliarias, también afectos a explotaciones económicas, realizada en el período impositivo en el que se cumplan las condiciones del artículo 108 de esta Ley, podrán amortizarse en función del coeficiente que resulte de multiplicar por 3 el coeficiente de amortización lineal máximo previsto en las tablas de amortización oficialmente aprobadas. La reinversión deberá realizarse dentro del plazo al que se refiere el apartado 6 del artículo 42 de esta Ley.

2. Cuando el importe invertido sea superior o inferior al obtenido en la transmisión, la amortización a la que se refiere el apartado anterior se aplicará sólo sobre el importe de dicha transmisión que sea objeto de reinversión.

3. La deducción del exceso de cantidad amortizable resultante de lo previsto en este artículo respecto de la depreciación efectivamente habida, no estará condicionada a su imputación contable en la cuenta de pérdidas y ganancias".

EJEMPLO NÚM. 28

Una entidad de reducida dimensión, en el ejercicio 2014, transmitió por 154.000 euros una máquina, adquirida en el ejercicio 2010 por 110.000. Con el importe de la venta, acto seguido, adquirió una nueva maquinaria.

En el ejercicio 2014, la entidad aplicó el artículo 113 del TRLIS a la nueva maquinaria, que tenía un coeficiente lineal máximo del 11%, según tablas (que es el mismo en el ejercicio 2015).

Se trata de determinar la amortización fiscalmente deducible en el ejercicio 2016, al amparo de lo dispuesto en el artículo 113 del TRLIS:

$$154.000*33\% \ (11\%*3): 50.820$$

Artículo 106
Contratos de arrendamiento financiero

Miguel A. Caamaño Anido

*Catedrático de Derecho Financiero
y Tributario. Universidad A Coruña. Abogado*

"1. Lo previsto en este artículo se aplicará a los contratos de arrendamiento financiero en los que el arrendador sea una entidad de crédito o un establecimiento financiero de crédito.

2. Los contratos a que se refiere el apartado anterior tendrán una duración mínima de 2 años cuando tengan por objeto bienes muebles y de 10 años cuando tengan por objeto bienes inmuebles o establecimientos industriales. No obstante, reglamentariamente, para evitar prácticas abusivas, se podrán establecer otros plazos mínimos de duración en función de las características de los distintos bienes que puedan constituir su objeto.

3. Las cuotas de arrendamiento financiero deberán aparecer expresadas en los respectivos contratos diferenciando la parte que corresponda a la recuperación del coste del bien por la entidad arrendadora, excluido el valor de la opción de compra y la carga financiera exigida por ella, todo ello sin perjuicio de la aplicación del gravamen indirecto que corresponda.

4. El importe anual de la parte de las cuotas de arrendamiento financiero correspondiente a la recuperación del coste del bien deberá permanecer igual o tener carácter creciente a lo largo del período contractual.

5. Tendrá, en todo caso, la consideración de gasto fiscalmente deducible la carga financiera satisfecha a la entidad arrendadora.

6. La misma consideración tendrá la parte de las cuotas de arrendamiento financiero satisfechas correspondiente a la recuperación del coste del bien, salvo en el caso de que el contrato tenga por objeto terrenos, solares y otros activos no amortizables. En el caso de que tal condición concurra sólo en una parte del bien objeto de la operación, podrá deducirse únicamente la proporción que corresponda a los elementos susceptibles de amortización, que deberá ser expresada diferenciadamente en el respectivo contrato.

El importe de la cantidad deducible de acuerdo con lo dispuesto en el párrafo anterior no podrá ser superior al resultado de aplicar al coste del bien el duplo del coeficiente de amortización lineal según tablas de amortización oficialmente aprobadas que corresponda al citado bien. El exceso será deducible en los períodos impositivos sucesivos, respetando igual límite. Para el cálculo del citado límite se tendrá en *cuenta el momento de la puesta en condiciones de funcionamiento del bien. Tratándose de los contribuyentes a los que se refiere el Capítulo XI del Título VII de esta Ley, se tomará el duplo del coeficiente de amortización lineal según tablas de amortización oficialmente aprobadas multiplicado por 1,5.*

7. La deducción de las cantidades a que se refiere el apartado anterior no estará condicionada a su imputación contable en la cuenta de pérdidas y ganancias.

8. Las entidades arrendatarias podrán optar, a través de una comunicación al Ministerio de Hacienda y Administraciones Públicas en los términos que reglamentariamente se establezcan, por establecer que el momento temporal a que se refiere el apartado 6 se corresponde con el momento del inicio efectivo de la construcción del activo, atendiendo al cumplimiento simultáneo de los siguientes requisitos:

a) Que se trate de activos que tengan la consideración de elementos del inmovilizado material que sean objeto de un contrato de arrendamiento financiero, en el que las cuotas del referido contrato se satisfagan de forma significativa antes de la finalización de la construcción del activo.

b) Que la construcción de estos activos implique un período mínimo de 12 meses.

c) Que se trate de activos que reúnan requisitos técnicos y de diseño singulares y que no se correspondan con producciones en serie.

En los supuestos de pérdida o inutilización definitiva del bien por causa no imputable al contribuyente y debidamente justificada, no se integrará en la base imponible del arrendatario la diferencia positiva entre la cantidad deducida en concepto de recuperación del coste del bien y su amortización contable".

DESARROLLO REGLAMENTARIO
REGLAMENTO DEL IMPUESTO SOBRE SOCIEDADES
(RD 634/2015, DE 10 DE JULIO)

Artículo 50. Contratos de arrendamiento financiero.

"1. El ejercicio de la opción establecida en el apartado 8 del artículo 106 de la Ley del Impuesto será objeto de comunicación a la Dirección General de Tributos del Ministerio de Hacienda y Administraciones Públicas.

2. La comunicación de la opción deberá realizarse antes de la finalización del período impositivo en el que se pretenda que surta efectos.

3. La comunicación contendrá, como mínimo, los siguientes datos:

a) Identificación del activo objeto del contrato de arrendamiento financiero.

b) Indicación de la fecha de inicio efectivo y fin del período de construcción del activo.

c) Determinación de los importes y del momento temporal en que se van a satisfacer las cuotas del contrato de arrendamiento financiero.

d) Indicación de que los activos reúnen requisitos técnicos y de diseño singulares y que no se corresponden con una producción en serie".

SUMARIO: 1. FISONOMÍA DEL CONCEPTO DE ARRENDAMIENTO FINAN-
CEIRO Y DE ARRENDADOR Y ARRENDATARIO FINANCIEROS. 1.1. Arren-
dador financiero. 1.2. Arrendatario financiero. 2. DURACIÓN DEL CONTRATO,
MODIFICACIÓN DE LA MISMA E INCUMPLIMIENTO DE LOS PLAZOS
PACTADOS. 2.1. Efectos fiscales derivados del incumplimiento de los plazos pact-
ados en el contrato de leasing. 2.2. Efectos fiscales derivados de la modificación de
la duración del contrato de leasing. 3. EXIGENCIAS/REQUISITOS QUE DEBE
DE CUMPLIR EL CONTRATO DE LEASING PARA PODER DISFRUTAR DEL
RÉGIMEN FISCAL ESPECIAL. 4. RÉGIMEN FISCAL ESPECIAL DEL ARREN-
DAMIENTO FINANCIERO.

1. FISONOMÍA DEL CONCEPTO DE ARRENDAMIENTO FINANCEIRO Y DE ARRENDADOR Y ARRENDATARIO FINANCIEROS

El régimen fiscal de determinados contratos de arrendamiento financiero viene establecido en el actual artículo 106 de la Ley 27/2014, cuya regulación es prácticamente idéntica a la anterior a la reforma que incorporó la vigente y citada ley 27/2014. Este régimen especial permite la amortización acelerada de ciertos bienes, frente a la aplicación del régimen general.

El contrato de leasing, de origen anglosajón, se reguló inicialmente el Real Decreto Ley de 25 de febrero de 1977, sobre Medidas fiscales, financieras y de inversión (Título II) y en el Real Decreto de 31 de julio de 1980. Posteriormente, la Ley 26/1988, de 29 de julio, de Disciplina e Intervención de las Entidades de Crédito, lo definió como aquel que tiene "por objeto exclusivo la cesión del uso de bienes muebles e inmuebles, adquiridos para dicha finalidad según las especificaciones del futuro usuario a cambio de una contraprestación consistente en el abono periódico de las cuotas" (Disposición Adicional 7ª Ley 26/1988, de 29 de julio). Derogada la Ley 26/1988, su regulación fundamental se contiene en la DA 3ª de la Ley 10/2014, de 26 de junio, de ordenación, supervisión y solvencia de entidades de crédito.

Resumidamente, podemos definir los contratos de arrendamiento financiero como aquellos que tienen por objeto la cesión del uso de bienes muebles o inmuebles afectos a la actividad económica/empresarial del arrendatario durante un plazo determinado– al término del cual se puede ejercitar una opción de compra– a cambio de la satisfacción de ciertas cuotas de carácter periódico.

Esta noción la podemos extraer de diversas sentencias del Tribunal Supremo como las STS de 5 de octubre de 2000, FJ 3º; de 2 de febrero de 2006 y la de 11 de febrero de 2010.

Aclaró también el propio Tribunal Supremo, en Sentencia de 10 de abril de 1981, reiterada en numerosas decisiones posteriores, que *"el leasing financiero o leasing propiamente dicho, especie que es usualmente utilizada como un nuevo medio de financiación de las Empresas, recae sobre bienes de equipo que quedan integrados en el círculo de producción del usuario, con duración calculada en función del tiempo de la vida económica y fiscal del bien que se trata, y el cómputo del precio se hace de tal suerte que el importe total de las mensualidades satisfechas al término del contrato, más el llamado "valor residual", rebasan el quantum de la suma dineraria desembolsada como precio por la Entidad financiera y arrendadora, pues obviamente ha de abarcar la totalidad de los gastos causados por la operación, el pago de los impuestos y el correspondiente margen de beneficios para la Compañía del Leasing".*

1.1. Arrendador financiero

El artículo 106 ya especifica en su apartado primero que sólo puede formalizar un contrato de arrendamiento financiero, en calidad de arrendador, "una entidad de crédito o un establecimiento financiero de crédito": Son entidades oficiales de crédito, por ejemplo, los bancos, las cajas de ahorro o las cooperativas de crédito, y se diferencian de éstas los establecimientos financieros de crédito por el hecho de que no pueden captar fondos reembolsables del público.

La misma literalidad de la norma ya deja fuera de la aplicación del régimen, por tanto, a todos los demás contratos que, aun cumpliendo totalmente con los demás requisitos, no han sido formalizados por los entes que acabamos de relacionar.

En la CV2253/2006 de 15 noviembre 2006, la DGT ya aclaró que el arrendador debe contar con la calificación de entidad de crédito o ser un establecimiento financiero de crédito en el momento de formalizar el contrato, aunque luego pierda tal condición.

Posteriormente, nuestra DGT, en consultas como la CV2143-07, de 10 de Octubre de 2007, referida al viejo artículo 115.1 del texto refundido de la Ley del Impuesto sobre Sociedades, aprobado por Real Decreto Legislativo 4/2004, de 5 de marzo ("1. Lo previsto en este artículo se aplicará a los contratos de arrendamiento financiero a que se refiere el apartado 1 de la disposición adicional séptima de la Ley 26/1988, de 29 de julio, sobre disciplina e intervención de las entidades de crédito"), matizaba que el régimen fiscal de determinados contratos de arrendamiento financiero especial es susceptible de aplicación a los contratos de arrendamiento financiero definidos en el apartado 1 de la disposición adicional séptima de la Ley 26/1988, de 29 de julio, sobre disciplina e intervención de las entidades de crédito (que contenía una definición legal de operaciones de arrendamiento financiero además de una explícita referencia a la realización de estos contratos por las entidades de crédito). Y, aunque en la definición que se daba en el apartado 1 de la citada disposición adicional séptima se abordaba el concepto de arrendamiento financiero desvinculándolo de la naturaleza de la entidad arrendadora, sin embargo, entendió la DGT que una interpretación sistemática y conjunta de las condiciones y requisitos establecidos en los diferentes apartados del precepto lleva a concluir que esta regulación acota el régimen tributario a aquellas operaciones en las que el arrendador es una sociedad de arrendamiento financiero o una entidad de crédito; Además, tales requisitos subjetivos, entiende la DGT, han de ser igualmente exigidos respecto de los contratos celebrados con entidades arrendadoras extranjeras que presten sus servicios en España en régimen de establecimiento o mediante libre prestación de servicios.

A mayor abundamiento, en el caso de contratos celebrados con una entidad residente en otro estado de la UE, se ha aclarado también por parte de la DGT, que debe tenerse en consideración que el requisito subjetivo que estamos comentando a propósito de la figura del arrendador financiero, cabría entenderlo cumplido cuando el contrato se concierte con una entidad de crédito autorizada en otro Estado miembro de la Comunidad Europea, cuya autorización la habilite para desarrollar la actividad de arrendamiento financiero, en base a la armonización del régimen jurídico de las entidades de crédito, por más que el contrato se concluya bajo la normativa del país de la entidad arrendadora.

Contrario sensu, no puede aplicarse el régimen fiscal especial a los contratos de arrendamiento financiero que realice una sucursal en España de una entidad comunitaria que no tiene la consideración de entidad de crédito ni de establecimiento financiero conforme al ordenamiento de ese otro estado miembro, como se ha aclarado ya por la DGT en consultas como la CV124/2008 de 22 enero 2008.

1.2. Arrendatario financiero

Por lo que se refiere a la otra cara de la moneda, o lo que es lo mismo, respecto a la posición contractual del **arrendatario**, nada dice el artículo 106 en cuanto a las condiciones que han de concurrir en su persona, por lo que debemos entender que puede ser **cualquier contribuyente, lógicamente, siempre que se trate de un empresario o profesional que afecte a sus actividades los elementos adquiridos a través de estos contratos.**

Un caso que podría resultar controvertido, y que es relativamente frecuente en el ámbito mercantil, es la sustitución de aquella parte que ocupa la posición de arrendatario por otro. Hasta hace bien poco, tanto doctrina administrativa como jurisprudencia habían coincidido en que, en tales supuestos, no hay más que una subrogación del arrendatario financiero, sin que se afectase el contenido del contrato inicial, continuándose el mismo en todos sus términos (salvo por lo que se refiere a la persona que ocupa la posición de arrendatario financiero); Es decir, nos encontraríamos, desde el punto de vista jurídico, ante un supuesto de novación subjetiva del contrato, no extintiva.

No obstante, en una reciente consulta de la DGT, CV994/2015 de 27 marzo 2015, se ha entendido que en esos casos no se cumple el requisito de mantenimiento del contrato durante un plazo mínimo *"Si bien, la entidad adquirente (B) se subroga en la posición de la consultante como arrendatario en las mismas condiciones y con el consentimiento de la entidad de leasing.(…) el hecho de no mantener el contrato de arrendamiento financiero durante el plazo exigido por la normativa, determina el incumplimiento de uno de los requisitos exigidos para la aplicación de este régimen fiscal y ello tendría como consecuencia la pérdida de los incentivos fiscales previstos para los contratos de arrendamiento financiero, con la consiguiente regularización fiscal de las cantidades deducidas en exceso en la determinación de la base imponible por la aplicación indebida de este régimen fiscal. Todo ello sin perjuicio de que la entidad adquirente se subrogue en la posición del arrendatario original, puesto que la persona que pretende la aplicación del incentivo previsto en el artículo 115 del TRLIS es la que viene obligada a cumplir los requisitos regulados en el citado precepto."*

2. DURACIÓN DEL CONTRATO, MODIFICACIÓN DE LA MISMA E INCUMPLIMIENTO DE LOS PLAZOS PACTADOS

Deja claro también el artículo 106, en su párrafo segundo, que el beneficio fiscal que nos ocupa requiere la existencia de ciertos contratos de arrendamiento con una determinada duración: 2 años si se trata de bienes muebles, ó 10 años si se trata de inmuebles o establecimientos industriales.

2.1. *Efectos fiscales derivados del incumplimiento de los plazos pactados en el contrato de leasing*

Al igual que ocurre con otro tipo de normas tributarias, desde el inicio de la vigencia del contrato de arrendamiento financiero se va a aplicar provisionalmente el régimen, pero si posteriormente se produce el incumplimiento de los plazos fijados, por ejemplo, por el ejercicio anticipado de la opción de compra (se supone que antes de la finalización del período mínimo de mantenimiento) que determina la cancelación del contrato, ello implica la pérdida de los incentivos fiscales, al no poder encuadrarse el contrato afectado dentro del marco del artículo 106 de la Ley del Impuesto sobre Sociedades (así lo ha manifestado la DGT desde hace años, como por ejemplo en la consulta 203-2000, de 9 de febrero de 2000, que literalmente ya decía que en el "*supuesto de que se realice una adquisición anticipada de los bienes objeto del contrato*", una vez sobrepasado el referido plazo de dos/diez años, "*ello no supone incumplimiento de los requisitos exigidos para la aplicación de este régimen fiscal, de manera que con posterioridad al ejercicio de la opción de compra solamente será gasto fiscalmente deducible la amortización contabilizada correspondiente a la depreciación del coste del bien por la entidad arrendadora, valor por el cual estará contabilizado el mismo de acuerdo con los principios sobre registro contable de estos contratos. Por el contrario, de ejercitarse la opción de compra con anterioridad al referido plazo (...), ello determinaría el incumplimiento de uno de los requisitos exigidos para la aplicación de este régimen fiscal y ello tendría como consecuencia la pérdida de los incentivos fiscales previstos para los contratos de arrendamiento financiero, con la consiguiente regularización fiscal de las cantidades deducidas en exceso en la determinación de la base imponible por la aplicación indebida de este régimen fiscal*").

Es definitiva, el incumplimiento del plazo mínimo exigido para los contratos de arrendamiento financiero, tiene como consecuencia que, en la declaración del Impuesto correspondiente al periodo impositivo en que se haya producido dicho incumplimiento, deba efectuarse la regularización procedente, por todos los ejercicios en que se hubiera aplicado el régimen especial, en relación con las cantidades deducidas en concepto de recuperación del coste del bien, y en lo que excedan de la amortización contabilizada que corresponda a una depreciación efectiva. Por el contrario, si se ejercitase anticipadamente la opción de compra una vez transcurrido el plazo mínimo legalmente establecido, dicha cancelación anticipada no tendrá efecto alguno sobre los contratos financieros celebrados por el arrendatario, dado que no se habría incumplido ninguno de los requisitos sustanciales legalmente exigidos (como así se ha insistido por parte de la DGT, entre otras, en su consulta CV1162/2012 de 29 mayo 2012)

2.2. Efectos fiscales derivados de la modificación de la duración del contrato de leasing

Cabe señalar, adicionalmente, que, al igual que antes nos hemos referido al supuesto de modificación de la persona del arrendatario financiero, también es habitual en la vida negocial encontrarnos con supuestos de modificación de la duración del contrato por múltiples razones.

Pues bien, hay que tener en cuenta que, lo lógico, si se amplía el período de duración del contrato inicial, es que las cuotas a pagar con posterioridad sean inferiores a las satisfechas con anterioridad a esta modificación temporal, lo cual derivaría en el incumplimiento del requisito que a continuación se comenta de que las cuotas anuales de arrendamiento financiero correspondientes a la recuperación del coste del bien permanezcan iguales o tengan carácter creciente a lo largo del período contractual, debiendo, en la siguiente declaración del impuesto, regularizar la situación mediante el ingreso de la cuota íntegra que corresponda con la deducción practicada en exceso. A la inversa, si la novación contractual supone una disminución de los plazos inicialmente contratados (siempre que se respeten los mínimos fijados por la norma que nos ocupa) las cuotas de arrendamiento pendientes de pagar debieran ser mayores que las inicialmente previstas, con lo que se sigue cumpliendo el requisito de que las cuotas se mantengan constantes o crecientes y, por tanto, sin incidencia sobre la aplicación del régimen fiscal especial que nos ocupa.

Se ha de aclarar que las regularizaciones que proceda efectuar en virtud del incumplimiento de los requisitos establecidos en el artículo 106 para la aplicación del régimen fiscal especial, procederán en los términos contenidos en el artículo 125.3 de la vigente LIS ("*3. El derecho a la aplicación de exenciones, deducciones o cualquier incentivo fiscal en la base imponible o en la cuota íntegra estará condicionado al cumplimiento de los requisitos exigidos en la normativa aplicable. Salvo que específicamente se establezca otra cosa, cuando con posterioridad a la aplicación de la exención, deducción o incentivo fiscal se produzca la pérdida del derecho a disfrutar de éste, el contribuyente deberá ingresar junto con la cuota del período impositivo en que tenga lugar el incumplimiento de los requisitos o condiciones la cuota íntegra o cantidad deducida correspondiente a la exención, deducción o incentivo aplicado en períodos anteriores, además de los intereses de demora*").

3. EXIGENCIAS/REQUISITOS QUE DEBE DE CUMPLIR EL CONTRATO DE *LEASING* PARA PODER DISFRUTAR DEL RÉGIMEN FISCAL ESPECIAL

Como hace un momento se acaba de apuntar, para el disfrute del régimen especial aplicable a los contratos de arrendamiento financiero, se exige también que las cuotas de arrendamiento financiero aparezcan expresadas en los respectivos contratos, diferenciando la parte que corresponda a la recuperación del coste del bien por la entidad arrendadora, excluido el valor de la opción de compra, y la carga financiera exigida por la misma, todo ello sin perjuicio de la aplicación del gravamen indirecto que corresponda. Es decir, las cuotas periódicas contenidas en los contratos de arrendamiento financiero a los que aplica el artículo 106, han de diferenciar los elementos que las componen del siguiente modo:

a) Por un lado, se ha de indicar la parte que corresponde a la recuperación del coste del bien, por la entidad arrendadora, excluido el valor de la opción de compra.

Además, si el bien es un inmueble, esta cuota debe descomponerse entre la recuperación del coste de la construcción y la recuperación del coste del terreno (esta última parte no deducible). La razón de este desglose es permitir que los activos amortizables puedan deducirse a los efectos de la determinación de la base imponible.

b) La parte correspondiente al gasto o carga financiera abonada.

c) El IVA de la operación.

Se exige, igualmente, que el importe anual de la parte de las cuotas de arrendamiento financiero correspondiente a la recuperación del coste del bien permanezca igual o tenga carácter creciente a lo largo del período contractual. Es importante tener presente, a este respecto, que el requisito de existencia de cuotas iguales o crecientes se mide anualmente, por lo que no importa la variación que sufran dentro del mismo año.

La DGT, ya desde el año 1997 (C 1716-97 de 29 de Julio de 1997 a la que han seguido otras muchas que replican esta misma), vino a puntualizar que, en cuanto a las entregas iniciales a cuenta del total a financiar, o cuando se renueve un bien o equipo entregando el anterior usado a cuenta, se deberá distribuir su importe entre las cuotas a satisfacer, de forma que se mantenga el carácter constante o creciente de la parte de recuperación del coste del bien en estos contratos de arrendamiento financiero (de modo tal que las citadas cantidades o el valor del bien entregado no habrán tenido la consideración de fiscalmente deducibles en el momento de su entrega). No obstante lo indicado, cabe señalar que nos encontramos ante una cuestión controvertida, y que existen pronunciamientos de nuestros tribunales que llegan a conclusiones contrarias, es decir, que entienden que por más que exista un prorrateo a efectos fiscales, esa entrega inicial hace que posteriormente las cuotas sean decrecientes (vid. Tribunal Supremo Sala 3ª, sec. 2ª, S 3-12-2012, rec. 1025/2011).

El supuesto que estamos comentando es distinto a aquel en el que el propio contrato de arrendamiento financiero prevé un sistema de financiación en el que, desde el inicio, el importe de la recuperación del coste del bien establecido en las cuotas no resulte constante o creciente a lo largo de todo el período contractual, en cuyo caso no existe duda alguna de que el contrato no se podría incluir dentro del ámbito de aplicación del artículo 106 de la Ley del Impuesto sobre Sociedades (no estaríamos hablando, evidentemente, de cantidades entregadas a cuenta, sino del propio sistema de pagos fijado entre arrendador y arrendatario).

A pesar de todo cuanto se ha indicado, y como medida temporal aplicable en el período impositivo 2015, la DT 34º de la vigente Ley del Impuesto sobre

Sociedades dispone que, en los contratos de arrendamiento financiero vigentes cuyos períodos anuales de duración se inicien dentro del año 2015, el requisito establecido en el artículo 106.4 de la LIS, en virtud del cual el importe anual de la parte de las cuotas de arrendamiento financiero correspondiente a la recuperación del coste del bien deberá permanecer igual o tener carácter creciente a lo largo del período contractual, no será exigible, lo cual deja la puerta abierta a cualquier posible modificación del plazo de duración de los contratos que estamos analizando.

4. RÉGIMEN FISCAL ESPECIAL DEL ARRENDAMIENTO FINANCIERO

Explicita la vigente Ley del Impuesto sobre Sociedades que tendrán, en todo caso, la consideración **de gastos fiscalmente deducibles los intereses asociados a la adquisición del bien y que sean satisfechos por la entidad arrendadora.** A este respecto, aunque el precepto que nos ocupa no lo aclara, cabe recordar que el vigente artículo 16 de la Ley del Impuesto sobre Sociedades limita la deducción de los gastos financieros netos al importe máximo del 30 por ciento del beneficio operativo del ejercicio que obtenga la sociedad.

Igualmente, el artículo 106, declara **deducible** (sin que resulte necesaria su imputación contable en la cuenta de pérdidas y ganancias) la parte de las cuotas de arrendamiento financiero satisfechas, que se corresponda con la **recuperación del coste del bien**, con el límite del doble del importe a deducir si se aplicase el coeficiente de amortización lineal –se supone que máximo– que por tablas se establece (si bien el exceso se puede deducir en períodos posteriores), y, en el caso de entidades de reducida dimensión a las que aplica el régimen contenido en el Capítulo XI del Título VII de la Ley, se toma el duplo del coeficiente de amortización lineal según tablas de amortización oficialmente aprobadas multiplicado por 1,5.

En definitiva, si comparamos los criterios contables y fiscales aplicables a este tipo de contratos de arrendamiento financiero, nos vamos a encontrar con que existe a) un gasto financiero por intereses –ya incluido en la cuenta de pérdidas y ganancias–; así como b) un pago de las cuotas de recuperación del coste del bien, el cual no se corresponde con ningún gasto contable –ya que contablemente se refleja en cuentas de balance–, sino fiscal, y que dará lugar al oportuno ajuste extracontable en la base imponible del Impuesto sobre Sociedades por la diferencia entre la cuota de amortización lineal del elemento y el límite fiscal establecido, residiendo ahí precisamente el beneficio del régimen que nos ocupa.

Como antes se ha apuntado ya, no procede deducción alguna en el caso de terrenos, solares y otros activos no amortizables, y en el caso de ser amortizable sólo una parte del bien, la deducción procede respecto a los elementos susceptibles de amortización, por lo que deberá ser expresada diferenciadamente en el respectivo contrato.

Finalmente, el artículo 106, aclara que **la parte arrendataria de este tipo de contratos, puede optar por establecer que el momento a partir del cual son deducibles las cantidades satisfechas por la recuperación del coste del bien en los contratos de arrendamiento financiero se corresponde con el momento del inicio efectivo de la construcción del activo** (y es que, como ya señaló la DGT en su consulta 1509-00 de 8 de Septiembre de 2000, siempre y cuando los pagos respecto a los cuales pretende aplicarse el régimen especial sean posteriores a la entrega del bien, nos encontramos ante un puro contrato de arrendamiento financiero), **cuando se cumplan los siguientes requisitos:**

–   Que se trate de elementos del inmovilizado material que sean objeto de un contrato de arrendamiento financiero, en el que las cuotas del referido contrato se satisfagan de forma significativa antes de la finalización de la construcción del activo.

–   Que la construcción de estos activos implique un período mínimo de 12 meses.

–   Que se trate de activos que reúnan requisitos técnicos y de diseño singulares y que no se correspondan con producciones en serie: En este sentido, estas circunstancias son cuestiones de hecho que el sujeto pasivo deberá acreditar por cualquier medio de prueba admitido en Derecho en los términos establecidos en la Ley General Tributaria y cuya valoración corresponderá, en su caso, a los órganos competentes en materia de comprobación de la Administración Tributaria (tal como ya ha aclarado la DGT en consultas como la CV1207-2015 de 17 de Abril de 2015).

Esta opción se realiza mediante una comunicación al Ministerio de Hacienda y Administraciones Públicas en los términos fijados en el artículo 50 del Real Decreto 634/2015, de 10 de julio, por el que se aprueba el Reglamento del Impuesto sobre Sociedades; Así:

–   La comunicación de la opción deberá realizarse antes de la finalización del período impositivo en el que se pretenda que surta efectos.

–   Y contendrá, como mínimo, los siguientes datos:

a)   Identificación del activo objeto del contrato de arrendamiento financiero.

b)   Indicación de la fecha de inicio efectivo y fin del período de construcción del activo.

c)   Determinación de los importes y del momento temporal en que se van a satisfacer las cuotas del contrato de arrendamiento financiero.

d) Indicación de que los activos reúnen requisitos técnicos y de diseño singulares y que no se corresponden con una producción en serie.

Aclara la Dirección General de Tributos, asimismo, que **en los supuestos de pérdida o inutilización definitiva del bien por causa no imputable al contribuyente y debidamente justificada, no se integrará en la base imponible del arrendatario la diferencia positiva entre la cantidad deducida en concepto de recuperación del coste del bien y su amortización contable.**

Como cierre de este comentario, hemos de hacer mencionar el interesante **régimen transitorio**, previsto en la nueva LIS para este tipo de contratos, y que viene a establecer, entre otras cuestiones, lo siguiente:

– Los contratos de arrendamiento financiero celebrados con anterioridad a la entrada en vigor de la Ley 43/1995 del IS, que versen sobre bienes cuya entrega al usuario se hubiera realizado igualmente con anterioridad a su entrada en vigor, o sobre bienes inmuebles cuya entrega se haya realizado dentro del plazo de los dos años posteriores a dicha fecha de entrada en vigor, se regirán hasta su total cumplimiento por las normas establecidas en la DA 7ª de la Ley 26/1988, de 29 de julio, sobre Disciplina e Intervención de las Entidades de Crédito (DT 4º).

– Los elementos patrimoniales respecto de los cuales se haya obtenido la correspondiente autorización administrativa de la construcción de un activo (Art. 115.11 Real Decreto Legislativo 4/2004, de 5 de marzo) en un período impositivo iniciado antes de 1 de enero de 2013, se regirán, a efectos de la aplicación de lo dispuesto en el referido artículo y del régimen de entidades navieras en función del tonelaje, por la normativa vigente a 31 de diciembre de 2012 (DT 29º). No obstante lo anterior, y en virtud de la Decisión de la Comisión Europea de 17 de julio de 2014, no será aplicable el régimen del citado artículo 115.11 en la medida que pueda constituir una ayuda de estado (DT 30º).

Artículo 107
Entidades de tenencia de valores extranjeros

PABLO ROMÁ BOHORQUES

Abogado. Socio Director de Roma Bohorques Abogados Tributarios

"1. Podrán acogerse al régimen previsto en este capítulo las entidades cuyo objeto social comprenda la actividad de gestión y administración de valores representativos de los fondos propios de entidades no residentes en territorio español, mediante la correspondiente organización de medios materiales y personales.

Los valores o participaciones representativos de la participación en el capital de la entidad de tenencia de valores extranjeros deberán ser nominativos.

Las entidades sometidas a los regímenes especiales de las agrupaciones de interés económico, españolas y europeas, y de uniones temporales de empresas, no podrán acogerse al régimen de este capítulo.

Tampoco podrán acogerse las entidades que tengan la consideración de entidad patrimonial en los términos establecidos en el apartado 2 del artículo 5 de esta Ley.

2. La opción por el régimen de las entidades de tenencia de valores extranjeros deberá comunicarse al Ministerio de Hacienda y Administraciones Públicas. El régimen se aplicará al período impositivo que finalice con posterioridad a dicha comunicación y a los sucesivos que concluyan antes de que se comunique al Ministerio de Hacienda y Administraciones Públicas la renuncia al régimen.

Reglamentariamente se podrán establecer los requisitos de la comunicación y el contenido de la información a suministrar con ella".

DESARROLLO REGLAMENTARIO
REGLAMENTO DEL IMPUESTO SOBRE SOCIEDADES

Artículo 51. Comunicación de la opción y de la renuncia en el régimen de las entidades de tenencia de valores extranjeros.

"1. La opción por el régimen de las entidades de tenencia de valores extranjeros deberá comunicarse a la Administración tributaria.

2. El régimen se aplicará al período impositivo que finalice con posterioridad a la comunicación y a los sucesivos que concluyan antes de que se comunique a la Administración tributaria la renuncia al mismo".

PABLO ROMÁ BOHORQUES

1. INTRODUCCIÓN

El Capítulo XIII del Título VII de la Ley 27/2014[1] viene a regular el régimen de Entidades de Tenencia de Valores Extranjeros (en adelante, ETVE), también conocidas en el ámbito de la fiscalidad internacional como entidades holding[2], en el que se prevé la tributación (de los socios) de aquellas entidades cuyo objeto social comprenda la actividad de gestión y administración de valores representativos de los fondos propios de entidades no residentes en territorio español.

La propia Dirección General de Tributos se refiere al régimen de las ETVE como un régimen fiscal especial dirigido a las entidades en cuyo objeto social figure la tenencia de participaciones en los fondos propios de entidades no residentes en territorio español, que desarrollen actividades empresariales en el extranjero[3].

---

[1] La Ley 27/2014 ha sido fruto, en gran medida, del Informe de la Comisión de expertos para la reforma del sistema tributario español de febrero de 2014, en el que se contenían una serie de propuestas de reforma, entre otras, del Impuesto sobre Sociedades. Respecto de las ETVEs, el análisis y la propuesta de la Comisión fueron las siguientes: "*La regulación del régimen de las entidades de tenencia de valores en el extranjero que se contiene en el Capítulo XIV del Título VII de la vigente Ley del Impuesto sobre Sociedades se fundamenta en la exención para evitar la doble imposición internacional y en la deducción para evitar la doble imposición interna. Ahora bien, la propuesta que se ha formulado anteriormente incide tanto en el régimen de exención como en la deducción por doble imposición interna y, además, con la finalidad en ambos casos de restringir su ámbito de aplicación.*
En consecuencia, como el referido régimen fiscal de tenencia de valores en el extranjero se ve especialmente afectado por las citadas medidas, sería razonable realizar una revisión del referido régimen con la finalidad, al menos, de actualizar el importe actual de 6 millones de euros del valor de adquisición de la participación a efectos de considerarse cumplido el requisito de participación mínima que se exige en el régimen de exención para evitar la doble imposición internacional.
En consecuencia de todo lo anterior, la Comisión propone lo siguiente:
Propuesta núm. 44:
Debería realizarse una revisión del régimen especial de las entidades de tenencia de valores en el extranjero, elevando apreciablemente la cuantía actual de 6 millones de euros para el valor de adquisición de una participación mínima, a efectos de considerar cumplido el requisito que se exige en el régimen de exención para evitar la doble imposición internacional".

[2] ALMUDÍ CID, J.M. y SERRANO ANTÓN, F.; "Capítulo 35. El régimen fiscal de las entidades de tenencia de valores extranjeros" en Fiscalidad Internacional, CEF 2015, pág. 1.934.

[3] Consulta vinculante V1866-15, de 15 de junio.

En este sentido, se podría definir una entidad holding como una sociedad o entidad cuya actividad incluye esencialmente la gestión de las participaciones de control en otras entidades operativas del grupo[4].

Así, este régimen se caracteriza por ser un instrumento cuyo principal objetivo es incentivar que las empresas no residentes utilicen España como eje de sus operaciones en detrimento de otros países[5]. Para lograr dicho objetivo, la normativa establece una serie de beneficios fiscales. No obstante, dichos beneficios fiscales no son del todo una novedad puesto que algunos ya venían regulados en nuestro ordenamiento jurídico.

Para encontrar un primer antecedente de este régimen, debemos remontarnos al texto Refundido de la Ley del Impuesto General sobre la Renta de Sociedades de 1967. En el artículo 10.1 de dicho texto refundido se establecía que: *"Estarán exentos de la obligación de contribuir: (…) (I) Las sociedades anónimas españolas que se creen con autorización del Ministerio de Hacienda y tengan por objeto exclusivo la tenencia de acciones u otros títulos representativos del capital o deudas de sociedades extranjeras"*

Posteriormente, la Ley 61/1978 del Impuesto sobre Sociedades, en concreto, en su artículo 25, establecía una bonificación del 99% en la cuota de la parte que corresponde a *"los rendimientos e incrementos de patrimonio obtenidos por las Sociedades anónimas españolas que se creen con autorización del Ministerio de Hacienda y tengan por objeto exclusivo la tenencia de acciones de Sociedades extranjeras, siempre que éstas últimas no realicen ninguna actividad en territorio español."*

Pero fue la Ley 43/1995 la que dio singularidad propia a este beneficio fiscal configurándolo como un régimen en los artículos 129 y siguientes. De esta manera, se introdujo un régimen de sociedades "holding" similar al ya existente en los países de nuestro entorno[6]. La redacción original de este régimen fue objeto de numerosas modificaciones en los años siguientes, al igual que el resto de la norma.

Así, la Ley 10/1996 estableció que los dividendos distribuidos por la ETVE con cargo a las rentas exentas no se entendían obtenidos en territorio español, cuando eran percibidos por socios no residentes lo que, en su día, constituyó una atractiva peculiaridad de la normativa española[7].

---

[4] DELGADO PACHECO, A y VIÑUALES SANABRIA, L.M.; "Capitulo 33. El régimen fiscal de las entidades de tenencia de valores extranjeros" en Manual de Fiscalidad Internacional, Instituto de Estudios Fiscales 2016, pág. 1.205.

[5] ALMUDÍ CID, J.M. y SERRANO ANTÓN, F.; Op. cit. pág. 1.935.

[6] CID-HARGUINDEY ROMERO, A; "Capítulo XLVII. Régimen fiscal de las entidades de tenencia de valores extranjeros Guía del Impuesto en sobre Sociedades, Editorial CISS, Valencia, 2008, pág. 1.151; en este sentido, esta autora señala que: *"la especialidad principal del régimen especial de tributación es que permite diferir la tributación de los beneficios procedentes del extranjero hasta el momento de distribución de las rentas de fuente extranjera por la ETVE".*

[7] CALDERÓN CARRERO, J.M.: "Estudio de las nuevas medidas para la eliminación de la doble imposición intersocietaria internacional y el tratamiento de las sociedades holding

De esta forma, se quiso competir fiscalmente con otros países de nuestro entorno donde ya existían figuras parecidas (véase la B.V holandesa o la SOPARFI luxemburguesa) que canalizaban la inversión extranjera a través de sus respectivos territorios.

En este sentido, para que nos hagamos una idea de las magnitudes de estas entidades, en 2011, las inversiones totales procedentes del exterior en los Países Bajos alcanzaron la cifra de 3.207.000 millones de dólares. De esta cuantía, las inversiones efectuadas mediante entidades de tenencia de valores ascendieron a 2.625.000 millones de dólares. Por otro lado, las inversiones en el exterior de los Países Bajos ascendieron a 4.002.000 millones de dólares, de los cuales aproximadamente 3.023.000 millones de dólares se invirtieron mediante entidades de este tipo. Del mismo modo, en el caso de Luxemburgo, las inversiones totales procedentes del exterior en 2011 ascendieron a 2.129.000 millones de dólares, de los cuales 1.987.000 millones de dólares se invirtieron mediante entidades de tenencia de valores. Por otro lado, las inversiones en el exterior de Luxemburgo ascendieron a 2.140.000 millones de dólares, de los cuales 1.945.000 millones de dólares se invirtieron mediante entidades de este tipo[8].

Este tipo de entidades o sociedades holdings se constituyen en estas jurisdicciones –entre otras razones– debido a su ventajosa fiscalidad. De este modo, lo que pretendía el legislador español en 1996, además de atraer empresas no residentes para que utilizasen España como base de sus operaciones, fue evitar que las empresas españolas que orientaban su actividad económica hacia el exterior canalizasen sus inversiones a través de estructuras más favorablemente gravadas en ordenamientos extranjeros[9].

Durante la vigencia del Real Decreto-Legislativo 3/2004 por el que se aprobó el texto refundido del Impuesto sobre Sociedades, este régimen de ETVE apenas sufrió modificaciones más que las estrictamente necesarias desde un punto de vista técnico.

En la actualidad, este régimen viene regulado en el Capítulo XIII del Título VII de la Ley 27/2014, que mantiene en lo esencial la regulación anterior de las ETVEs, siendo la única modificación relevante el régimen fiscal de los so-

---

españolas", Impuestos, 1997/II. PALACIOS PÉREZ, J.: "Tratamiento fiscal de la holding", Manual de Fiscalidad Internacional, bajo la coordinación de Teodoro CORDÓN EZQUERRO. Tema 11. Apud SANZ GADEA, E.; El resultado financiero en el Impuesto sobre Sociedades. La Entidad de Tenencia de Valores Extranjeros, Revista de Contabilidad y Tributación nº392, Ed. CEF noviembre 2015, pág. 84-85.

8   OCDE (2013), *Lucha contra la erosión de la base imponible y el traslado de beneficios*, Éditions OCDE. *http://dx.doi.org/10.1787/9789264201224-es*

9   ALMUDÍ CID, J.M. y SERRANO ANTÓN, F.; Op. cit, pág. 1.935.

cios personas físicas residentes en territorio español[10]. Con la nueva Ley, este régimen ha perdido gran parte de su razón de ser debido, principalmente, a la actual redacción del artículo 21 LIS hasta el punto en que, con la Ley 27/2014, ya no se regula la tributación en sede de la ETVE al existir una completa remisión a dicho artículo.

No obstante, dicho régimen sigue teniendo sentido para aquellos inversores no residentes que pretendan canalizar sus inversiones en terceros países a través de España. La ETVE se configura como un vehículo idóneo en la planificación fiscal internacional.

Respecto a su naturaleza jurídica, la ETVE no está regulada mercantilmente[11]; bastará, en principio, con una mera comunicación a la Administración Tributaria para poder acogerse a este régimen, siempre que se cumpla, además, los requisitos que, a continuación, veremos.

De acuerdo con la memoria de la Administración tributaria de 2014, elaborada por la Inspección General del Ministerio de Hacienda, en 2013, estaban acogidas a este régimen fiscal 1.553 entidades.

2. REQUISITOS DEL RÉGIMEN

2.1. Objeto social

En la primera redacción de este régimen por la Ley 43/1995, se estableció que la entidad debía tener como objeto social "*primordial*" la actividad de gestión y administración de valores representativos de los fondos propios de entidades no residentes en territorio español. También establecía la primera redacción del artículo 129 de la Ley 43/1995 como parte del objeto social, *la colocación de los recursos financieros derivados de las actividades constitutivas de dicho objeto social*.

En este sentido, junto con el objeto social primordial, la Dirección General de Tributos (en adelante, DGT), en varias de sus consultas, permitía que se desarrollasen otro tipo de actividades siempre y cuando fuesen accesorias a la gestión y administración de valores de entidades no residentes. Así, en su consulta V0086-00, de 26 de julio de 2000, este centro directivo vino a establecer que:

---

[10]   LÓPEZ SANTA-CRUZ MONTES, J.A.; MEMENTO EXPERTO Reforma del Impuesto sobre Sociedades 2015, Ediciones Francis Lefebvre, pág. 467.

[11]   ROMERO FLOR, L.M.; "La sociedad holding española: breves consideraciones a su régimen fiscal", Revista Internacional Legis de Contabilidad y Auditoría, n.º30, 2007 apud SANZ GADEA, E., Op. Cit. pág. 87.

> *"En la medida en que la sociedad que se va a constituir por la entidad consultante tenga por objeto social primordial la dirección y gestión de valores representativos de fondos propios de entidades no residentes con las condiciones establecidas en el artículo 129 de la Ley 43/1995, podrá acogerse al régimen fiscal previsto para las entidades de tenencia de valores extranjeros aunque también tenga por objeto la dirección y gestión de participaciones de una sociedad residente en España, al ser estas participaciones, según los términos planteados en la consulta, una parte reducida y minoritaria del total de las inversiones de la entidad de tenencia de valores extranjeros."*

No obstante, el Real Decreto-Ley 3/2000, de 23 de junio y la Ley 6/2000, de 13 de diciembre, por los que aprueban medidas fiscales urgentes de estímulo al ahorro familiar y a la pequeña y mediana empresa, modificó dicho precepto y permitió, tal y como establece la actual redacción, que el objeto social comprendiese, junto con otras actividades, la de gestión y administración de valores. De este modo, se superó la inseguridad jurídica que comportaba para la aplicación de su régimen la dificultad que entrañaba interpretar qué debía de entenderse por objeto social primordial[12].

Como consecuencia de esta modificación, las ETVE pueden realizar, junto a la gestión y administración de valores, cualquier tipo de actividad[13]. En ningún caso el precepto transcrito exige que la gestión y administración de valores representativos de los fondos propios de entidades residentes en el extranjero deba constituir el objeto social exclusivo de la ETVE, pudiendo, por ello, esta última realizar otras actividades adicionales.

Asimismo, el régimen de las ETVE se podrá aplicar a aquellas sociedades que, teniendo como objeto social *"la actividad de gestión y administración de valores representativos de los fondos propios de entidades no residentes en territorio español"*, realizan otras actividades a pesar de que estas últimas no estén recogidas en su objeto social[14].

Por otro lado, en el supuesto en que una sociedad adaptase su objeto social para poder acogerse al régimen de ETVE, dicha modificación estatutaria surtirá efectos desde su elevación en escritura pública, siempre y cuando se haya comunicado a la Administración. El régimen se podrá aplicar, pues, con anterioridad a la inscripción en el Registro Mercantil de la modificación de su objeto social[15].

---

[12]   CARREÑO, F; "Régimen de las entidades de tenencia de valores extranjeros" en la obra colectiva Comentarios al Impuesto sobre Sociedades, tomo II, Civitas Madrid apud ALMUDÍ CID, J.M. y SERRANO ANTÓN, F; Op. cit. pág. 1.948.

[13]   Ibid. "De esta redacción se deduce que la ETVE podrá compaginar libremente en su objeto social la realización de otras actividades distintas de la tenencia de valores de sociedades extranjeras, sin necesidad de que la mayor parte de los rendimientos obtenidos por el sujeto pasivo procedan de la gestión y explotación de su cartera."

[14]   Consulta vinculante V2158-12.

[15]   Consulta vinculante V0575-11.

2.2. Porcentaje de participación

La LIS no establece un porcentaje mínimo de participación en entidades no residentes para poder acogerse al régimen de ETVE, pudiendo ser cualquiera[16]. Cuestión distinta será el porcentaje de participación que la ETVE debe tener en cada entidad no residente para poder disfrutar de la exención del artículo 21 LIS.

Así, una entidad podrá solicitar la aplicación del régimen de ETVE incluso en el supuesto en que no posea participaciones en entidades no residentes. En este mismo sentido se manifiesta también la Dirección General de Tributos, en su consulta vinculante V2605-14, de 6 de octubre, señala que:

> "*El capítulo XIV del título VII del TRLIS establece un régimen fiscal especial dirigido a las entidades en cuyo objeto social figure, de manera no exclusiva, la tenencia de participaciones en los fondos propios de entidades no residentes en territorio español, que desarrollen actividades empresariales en el extranjero. A estos efectos, cabe señalar que el hecho de que una entidad no tenga participaciones en entidades no residentes no impide la solicitud por la aplicación del citado régimen especial, teniendo en cuenta que los efectos fiscales de dicho régimen especial sólo resultan aplicables en la práctica cuando se poseen participaciones en entidades no residentes respecto de las cuales se cumplan los requisitos exigidos en el artículo 21 del TRLIS, con la salvedad correspondiente al porcentaje de participación, ya sea de forma directa o indirecta.*"

Asimismo, no es preciso que la ETVE participe directamente en la entidad no residente. Se permite la participación indirecta, siempre y cuando la sociedad intermedia está también acogida al régimen de ETVE. Así, en el supuesto en que haya una estructura con doble ETVE, el régimen se podrá aplicar.

EJEMPLO

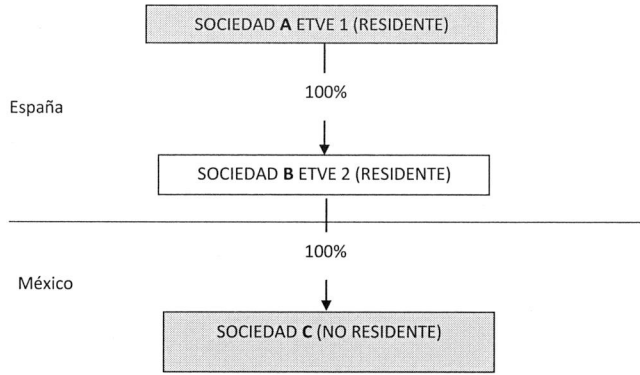

---

[16] LÓPEZ-SANTACRUZ MONTES, J.A; Memento Impuesto sobre Sociedades; Lefebvre-El Derecho. 2015, 8300.

2.3. *Correspondiente organización de medios materiales y personales*

El artículo 107 viene a establecer que la ETVE debe disponer de "*la correspondiente organización de medios materiales y personales*", término también utilizado en la normativa de transparencia fiscal internacional (artículo 100 de la Ley 27/2014), desde la creación de las entidades patrimoniales, por el artículo 5.2 y por el artículo 4. Ocho. Dos de la Ley 19/1991, del Impuesto sobre el Patrimonio.

Son muchas las dudas que suscita dicho concepto dado que el mismo no especifica qué debemos entender, exactamente, por medios materiales y personales. Tal y como bien señala ALMUDÍ CID[17], nos encontramos ante un concepto jurídico indeterminado que va a ser objeto de interpretación, especialmente, por la Dirección General de Tributos. Por consiguiente, vamos a encontrarnos en una zona de inseguridad o más bien, en palabras de SANZ GADEA, con una carga de inseguridad jurídica[18].

En nuestra opinión, para cumplir esta condición de disponer de la correspondiente organización de medios materiales y personales, bastaría, con gestionar las participaciones que se posean. No es preciso que dichos medios sean los necesarios para controlar la gestión de la entidad participada[19]. En este sentido, la Dirección General de Tributos señala que:

> "*Al respecto, cabe señalar que las ETVE deben gestionar y administrar una cartera de valores y, para ello, han de disponer de la correspondiente organización de medios materiales y personales. En particular, la LIS exige unos medios organizativos suficientes no para controlar la gestión de las entidades participadas sino para ejercer los derechos y cumplir con las obligaciones derivadas de la condición de socio, así como tomar las decisiones relativas a la propia participación.*"

La gestión debe entenderse suficiente para ejercer los derechos y cumplir con las obligaciones como socio. Así, se consideraría que la gestión de la participación supone la asistencia a las juntas de la entidad participada, el ejercicio del derecho de voto, de información, etc.

Dicha gestión la debería realizar el administrador o el consejo de administración. En este sentido, se manifiesta también CID-ARGUINDEY ROMERO[20] para quién no se cumpliría este requisito cuando la gestión de las participaciones se contrata con una empresa externa.

---

[17]   ALMUDÍ CID, J.M.; Planificación Fiscal Internacional a través de sociedades holding, Documentos IEF, DOC. Nº. 24/06, pág. 15.
[18]   SANZ GADEA, E.: "Transparencia Fiscal Internacional" (III), Revista Estudios Financieros, núm. 149-150/1995, p. 47.
[19]   Consultas vinculantes V0411-12 y V1866-15.
[20]   CID-ARGUINDEY ROMERO, A; Op. cit. pág. 1.152.

Por su lado, la doctrina administrativa ha ido estableciendo, a veces con notable esfuerzo, cuáles son los medios materiales y personales para entender cumplido este requisito.

Para empezar la DGT ha descartado que una ETVE deba de cumplir los requisitos exigidos para entender realizada una actividad económica contenidos en el artículo 27.2 de la Ley del Impuesto sobre la Renta de las Personas Físicas, es decir, que la entidad deba tener empleado una persona (y, con la normativa anterior, disponer de un local) para considerar que se dispone de la correspondiente organización de medios materiales y personales.

La DGT ha interpretado que una sociedad cuenta con los medios materiales y personales adecuados –para ejercer los derechos y cumplir con las obligaciones de la condición de socio así como para tomar las decisiones relativas a la propia participación– cuando el administrador de la ETVE es también el administrador de la filial y cuenta con un ordenador y una oficina.[21]

Asimismo, se podrá tener en consideración, para poder determinar la existencia de medios materiales y personales, no únicamente los de la ETVE sino también, en su caso, las demás sociedades que integren un grupo en el sentido del artículo 42 del Código de Comercio. En concreto, en su consulta vinculante V0601-16, de 15 de febrero, concerniente a la existencia de medios materiales y personales de una entidad transparente, este centro directivo establece que:

> "Por tanto, a los efectos de evaluar la existencia de medios materiales y personales, en los términos previstos en el apartado 2 del artículo 100 de la LIS, y de una dirección y gestión de una participación a la que se refiere la letra b) del artículo 100.3 de la LIS, se tomará en consideración el grupo de sociedades en los términos establecidos en el artículo 42 del Código de Comercio. El hecho de que se externalicen determinados servicios, no implica la ausencia de dicho medios, en la medida en la que el grupo disponga de la estructura organizativa necesaria para llevar a cabo las operaciones a las que se refiere el apartado 2 del artículo 100 de la LIS, y la dirección y gestión de la participación exigida por el apartado 2 del mismo precepto –lo que supone unos medios organizativos suficientes no para controlar la gestión de las entidades participadas sino para ejercer los derechos y cumplir con las obligaciones derivadas de la condición de socio, así como tomar las decisiones relativas a la propia participación."

No obstante lo anterior, y tal y como establece la DGT en la mayoría de sus consultas vinculantes, se trata de una cuestión de hecho que deberá ser probada por cualquier medio de prueba admitido en Derecho. Como hemos señalado al principio, nos encontramos ante un concepto jurídico indeterminado.

---

[21]   Consulta V0464-16.

Por su parte el TEAC, en su resolución de 24 de julio de 2012, señala qué debe de entenderse por medios materiales y personales en el supuesto de una sociedad patrimonial. En concreto, este órgano administrativo señala:

> *"De forma que, de acuerdo con lo anterior, debe disponerse de medios para gestionar y dirigir, no a la sociedad participada, sino la participación por lo que, y ante el silencio de la norma acerca de cuándo debe entenderse que existe tal organización, deberá considerarse que ello ocurre cuando las circunstancias concurrentes en cada caso permitan concluir que existe una organización, siquiera mínima, de medios materiales y personales que permita el ejercicio de los derechos –en síntesis, derecho de asistencia a las juntas de la sociedad participada, derecho de voto, derecho de información, derecho a la impugnación de acuerdos sociales, derecho a obtener certificación de los acuerdos de la junta, derecho a participar en las ganancias sociales (dividendos) y derecho de suscripción preferente– y el cumplimiento de las obligaciones derivadas de la condición de socio –desembolso del capital suscrito, responsabilidad por la deudas sociales y restitución de dividendos indebidamente percibidos–, así como la adopción de las decisiones relativas a la participación."*

2.4. *Residencia en territorio español*

Aunque nada dice la norma al respecto, se deduce implícitamente que la ETVE debe ser residente en territorio español dado que, de otro modo, no tendría la consideración de sujeto pasivo del Impuesto sobre Sociedades y, por tanto, no podría acogerse a este régimen especial.

En este sentido, cabe plantearse si una sociedad de nacionalidad extranjera puede ser residente en España y, en consecuencia, puede acogerse a este régimen especial. Recordemos que el artículo 8 de la LIS establece que *se considerarán residentes en territorio español las entidades en las que concurra alguno de los siguientes requisitos:*

a) *Que se hubieran constituido conforme a las leyes españolas.*

b) *Que tengan su domicilio social en territorio español.*

c) *Que tengan su sede de dirección efectiva en territorio español.*

Del artículo transcrito se deduce que no será necesario tener el domicilio social en España –y, por tanto, tener nacionalidad española– para ser residente. En concreto, podrán ser residentes aquellas sociedades cuya sede de dirección efectiva radique en territorio español.

Así, las sociedades extranjeras que tenga su residencia fiscal en España podrán acogerse al régimen de ETVE. En este mismo sentido se ha manifestado la Dirección General de Tributos en la ya referida consulta vinculante de 6 de octubre de 2014 (V2605-14). La citada consulta viene a establecer que:

"*La entidad G es una entidad de nacionalidad inglesa con residencia fiscal en España, que pretende acogerse al régimen de ETVE. Dicha entidad podrá optar por el régimen de ETVE, aun cuando se haya constituido conforme a las leyes del Reino Unido, al tratarse de una entidad residente fiscal en territorio español, y siempre que se cumplan los requisitos establecidos en el capítulo XIV del título VII para acogerse al mismo.*"

2.5. Valores o participaciones nominativos

La norma establece como requisito que los valores o participaciones deberán ser nominativos. La finalidad de este requisito es identificar quienes son los socios o partícipes de la ETVE de ahí que la interpretación del término nominativo se debe de efectuar de una manera no restrictiva.

Así, las acciones de sociedades anónimas o las participaciones de las sociedades de responsabilidad limitada serán aptas para cumplir este requisito.

En cuanto a las acciones, el artículo 92 de la Ley de Sociedades de Capital señala que éstas podrán estar representadas por medio de títulos o por medio de anotaciones en cuenta.

Las acciones representadas por medio de títulos, según el artículo 113 de dicha Ley, podrán ser nominativas o al portador. Las primeras, obviamente, cumplirán el requisito de nominatividad exigido por el artículo 107 LIS. En el supuesto en que la entidad tuviese representado su capital mediante acciones al portador, no se entendería cumplido el requisito de nominativo.

Por su parte, las acciones representadas mediante anotaciones en cuenta tampoco gozarían, en principio, de la condición nominativa. No obstante, la Dirección General de Tributos, en su consulta V3230-14, de 1 de diciembre, señala que las acciones de una sociedad que cotiza en bolsa –y están representadas por anotaciones en cuenta– pueden cumplir el requisito de nominativas a efectos de lo previsto en el artículo 107 de la LIS. En concreto, la DGT manifiesta que:

"*En cuanto al carácter nominativo de sus valores, el hecho de que los mismos estén representados obligatoriamente en anotaciones en cuenta por estar admitidos a negociación en un mercado secundario oficial no supone un impedimento a la aplicación del régimen fiscal especial. Por otra parte, la entidad lleva un libro-registro de accionistas establecido estatutariamente y se encuentra en condiciones de facilitar la correspondiente información a quien legalmente proceda, por lo que puede entenderse que la entidad cumple el requisito relativo al carácter nominativo de los valores.*"

Para este centro directivo, la llevanza de un libro-registro de accionistas establecidos en los estatutos de la compañía supone cumplir con el requisito de que las acciones tengan la consideración de nominativas. Dicha interpretación, sin duda, va a permitir que se alcance la finalidad de la norma que no es otra que los socios de la ETVE, por el régimen especial aplicable, puedan ser identificables.

Por otro lado, las participaciones de las sociedades limitadas no tienen la naturaleza de valores y, por tanto, no tendrán la consideración de valores nominativos. No obstante, de acuerdo con una interpretación finalista de la norma –la de poder identificar de una manera absolutamente contundente quién es el socio de la ETVE– las participaciones sociales sí que podrían tener una naturaleza nominativa. Dicha naturaleza nominativa derivaría de la exigencia de la propia Ley de Sociedades de Capital de que las sociedades limitadas deben llevar un Libro Registro de Socios así como de la obligación de transmitir sus participaciones en documento público. De este modo, la titularidad de las participaciones podrá probarse, cumpliendo por tanto la condición de nominativa.

En este sentido, la Dirección General de Tributos, en diversas consultas[22], viene a establecer –respecto a este requisito en las sociedades de responsabilidad limitada– lo siguiente:

> *"De acuerdo con lo anterior, aun cuando las participaciones sociales de las sociedades de responsabilidad limitada no tienen la consideración de títulos valores nominativos, sin embargo, cumplen las condiciones exigidas a los mismos respecto a la condición de nominativas, por cuanto que la titularidad de las participaciones en esas sociedades puede probarse mediante el documento público que acredite su adquisición o mediante certificado expedido por los administradores que indique que aparece como titular de ellas en el Libro registro de socios, lo cual legitima el ejercicio de los derechos de socio en estas sociedades."*

No obstante, para MARQUEZ RABANAL, no se cumpliría este requisito en los casos en que las entidades no expresen en sus estatutos la forma nominativa de sus títulos[23].

3. INCOMPATIBILIDADES

El artículo 107 establece una serie de supuestos de exclusión de este régimen de ETVE. Así, no podrán acogerse al mismo las entidades sometidas a determinados regímenes especiales previstos en la propia Ley 27/2014. Estos regímenes son el de las agrupaciones de interés económico, españolas y europeas y de uniones temporales de empresas.

---

[22]   Consultas vinculantes V3230-14 y V0464-16.
[23]   MÁRQUEZ RABANAL, A; "Capítulo 26. Régimen de las entidades de tenencia de valores" en Guía del Impuesto sobre Sociedades, editorial CISS, 2015, pág. 989.

Por otro lado, no se podrán acoger a este régimen las entidades patrimoniales previstas en el artículo 5.2[24] de la Ley 27/2014, es decir, aquellas en las que más de la mitad de su activo no esté afecto a una actividad económica o esté constituido por valores. La redacción anterior impedía acceder al régimen de ETVE a las entidades que tenían como actividad principal la gestión de un patrimonio mobiliario o inmobiliario –en los términos previstos en el artículo 4.Ocho.Dos de la Ley 19/1991, de 6 de junio, del Impuesto sobre el Patrimonio[25]– *siempre que en el mismo tiempo de al menos 90 días del ejercicio social más del 50 por ciento del capital social pertenezca, directa o indirectamente, a 10 o menos socios o a un grupo familiar, entendiéndose a estos efectos que éste está constituido por el cónyuge y las demás personas unidas por vínculos de parentesco, en línea directa o colateral, consanguínea o por afinidad, hasta el cuarto grado, inclusive, excepto que la totalidad de los socios sean personas jurídicas que, a su vez, no cumplan las condiciones anteriores o cuando una persona jurídica de derecho público sea titular de más del 50 por ciento del capital, así como cuando los valores representativos de la participación de la entidad estuviesen admitidos a negociación en alguno de los mercados secunda-*

---

[24] El artículo 5.2 de la Ley 27/2014 señala: *"A los efectos de lo previsto en esta Ley, se entenderá por entidad patrimonial y que, por tanto, no realiza una actividad económica, aquella en la que más de la mitad de su activo esté constituido por valores o no esté afecto, en los términos del apartado anterior, a una actividad económica.*
El valor del activo, de los valores y de los elementos patrimoniales no afectos a una actividad económica será el que se deduzca de la media de los balances trimestrales del ejercicio de la entidad o, en caso de que sea dominante de un grupo según los criterios establecidos en el artículo 42 del Código de Comercio, con independencia de la residencia y de la obligación de formular cuentas anuales consolidadas, de los balances consolidados. A estos efectos no se computarán, en su caso, el dinero o derechos de crédito procedentes de la transmisión de elementos patrimoniales afectos a actividades económicas o valores a los que se refiere el párrafo siguiente, que se haya realizado en el período impositivo o en los dos períodos impositivos anteriores.
A estos efectos, no se computarán como valores:
a) Los poseídos para dar cumplimiento a obligaciones legales y reglamentarias.
b) Los que incorporen derechos de crédito nacidos de relaciones contractuales establecidas como consecuencia del desarrollo de actividades económicas.
c) Los poseídos por sociedades de valores como consecuencia del ejercicio de la actividad constitutiva de su objeto.
d) Los que otorguen, al menos, el 5 por ciento del capital de una entidad y se posean durante un plazo mínimo de un año, con la finalidad de dirigir y gestionar la participación, siempre que se disponga de la correspondiente organización de medios materiales y personales, y la entidad participada no esté comprendida en este apartado. Esta condición se determinará teniendo en cuenta a todas las sociedades que formen parte de un grupo de sociedades según los criterios establecidos en el artículo 42 del Código de Comercio, con independencia de la residencia y de la obligación de formular cuentas anuales consolidadas."

[25] Esta redacción vigente hasta 31 de diciembre de 2014 vino a sustituir, a su vez las referencias que se efectuaban a las entidades que tenían la consideración de sociedades patrimoniales.

rios oficiales de valores previstos en la ley 24/1988, de 28 de julio, del Mercado de valores.

Con la Ley 27/2014, se sigue excluyendo de este régimen a aquellas sociedades que no realizan una actividad económica, tal y como establece el artículo 5. Como señala SANZ GADEA[26], "*este precepto cierra el paso a la consideración de ETVE, o por mejor decir, al disfrute del régimen fiscal de las entidades de tenencia de valores extranjeros, a todas aquellas entidades que, básicamente, poseen participaciones que no otorguen un porcentaje de participación del 5%, aun cuando su valor de adquisición sea superior a 20 millones de euros. Podrán disfrutar de la exención de dividendos y plusvalías de cartera en los términos del artículo 21, pero no tendrán la consideración de ETVE, lo que (…) impedirá a sus socios disfrutar de ciertas ventajas fiscales en el IRNR*".

En este sentido, ALMUDÍ CID y SERRANO ANTÓN señalan que en aras de garantizar la seguridad jurídica que precisa la inversión internacional, resultaría conveniente modificar la redacción del vigente artículo 5.2 de la LIS excluyendo de los valores computables a los efectos del régimen de sociedades patrimoniales a aquellos que representen una participación en los fondos propios de entidades no residentes y tengan un valor igual o superior a 20 millones de euros[27].

Asimismo, la Ley 27/2014 sigue manteniendo la compatibilidad del Régimen de Consolidación Fiscal con el de ETVE. La supresión de la incompatibilidad –existente en la promulgación de la Ley43/1995– del régimen de consolidación fiscal –entonces denominado grupo de entidades– con el de ETVE fue criticado por parte de la doctrina dado que se abría una vía para poder erosionar la base imponible del grupo fiscal. No obstante, dicha erosión de las bases imponibles se producirá también en supuestos en que la sociedad no esté acogida al régimen de ETVE; estaríamos hablando de aquellos grupos que consolidan fiscalmente –y que tienen derecho a la exención del artículo 21 LIS– y soportan una carga financiera derivada de dichas participaciones.

En la actualidad, tal y como señala LÓPEZ-SANTACRUZ[28], la compatibilidad entre el régimen de consolidación fiscal y el de ETVE genera, básicamente, dos ventajas:

- En el supuesto en que en la ETVE se generase una pérdida como consecuencia de la transmisión de una participación en una entidad no residente y no tuviese renta positiva suficiente, dicha pérdida se compensaría con las bases imponibles positivas del resto de sociedad que integran el perímetro de consolidación fiscal.

26 SANZ GADEA, E; Op. Cit. pág. 91
27 ALMUDÍ CID, J.M. y SERRANO ANTÓN, F.; Op. cit., pág. 1.956.
28 LÓPEZ-SANTACRUZ MONTES, J.A; Op. cit. 8378.

– En el supuesto en que la ETVE financiase la adquisición o inversión en entidades no residentes mediante recursos ajenos no procedentes de sociedades del grupo fiscal, el gasto fiscal que se derivaría se podría compensar con las bases imponibles positivas del resto de sociedad que integran el perímetro de consolidación fiscal.

Sin embargo, la primera de las ventajas ha sido anulada por el Real Decreto-ley 3/2016, de 2 de diciembre, por el que se adoptan medidas en el ámbito tributario dirigidas a la consolidación de las finanzas públicas y otras medidas urgentes en materia social, al introducir la no deducibilidad fiscal de las pérdidas derivadas de transmisión de participaciones en entidades (residentes y no residentes) cuando éstas cumplan los requisitos del artículo 21 de la Ley 27/2014. En concreto, este Real Decreto-Ley ha introducido una nueva redacción del apartado 6 del artículo 21 que dice así:

«6. No se integrarán en la base imponible las rentas negativas derivadas de la transmisión de la participación en una entidad, respecto de la que se de alguna de las siguientes circunstancias:

a) que se cumplan los requisitos establecidos en el apartado 3 de este artículo. No obstante, el requisito relativo al porcentaje de participación o valor de adquisición, según corresponda se entenderá cumplido cuando el mismo se haya alcanzado en algún momento durante el año anterior al día en que se produzca la transmisión.

b) en caso de participación en el capital o en los fondos propios de entidades no residentes en territorio español, que no se cumpla el requisito establecido en la letra b) del apartado 1 del artículo 21 de esta Ley.

En el supuesto de que los requisitos señalados se cumplan parcialmente, en los términos establecidos en el apartado 3 de este artículo, la aplicación de lo dispuesto en este apartado se realizará de manera parcial.»

Por otro lado, no se excluye de este régimen a las entidades sometidas al régimen de entidades de reducida dimensión, ni las acogidas al de Capital-Riesgo por lo que, a sensu contrario, debemos de entender que estos regímenes son perfectamente compatibles con el de las ETVE.

4. OPCIÓN

El régimen fiscal especial de las ETVE se configura como un régimen auto-declarativo[29], siendo preceptivo optar por el mismo. La opción para poder acogerse al régimen de ETVE se estableció por el Real Decreto-Ley 3/2000. Con anterioridad, la norma establecía como requisito para poder disfrutar de

---

[29]   DELGADO PACHECO, A y VIÑUALES SANABRIA, L.M.; Op. cit. pág. 1.235.

este régimen la solicitud previa a la Administración tributaria que debía de autorizarlo.

A partir del mencionado Real Decreto-Ley, las entidades pueden acogerse a este régimen mediante una comunicación al Ministerio de Hacienda. El régimen se aplicará en el mismo periodo impositivo en que se presente dicha comunicación. La comunicación de la opción y de la renuncia al régimen viene previsto en el artículo 51 del RIS que dispone:

> "1. La opción por el régimen de las entidades de tenencia de valores extranjeros deberá comunicarse a la Administración tributaria.
>
> 2. El régimen se aplicará al período impositivo que finalice con posterioridad a la comunicación y a los sucesivos que concluyan antes de que se comunique a la Administración tributaria la renuncia al mismo."

Así, una vez efectuada la pertinente adaptación del objeto social de la entidad, la entidad podrá acogerse a este régimen de ETVE mediante la presentación de la comunicación. En este sentido, la Dirección General de Tributos, en la ya citada consulta vinculante V3230-14, de 1 de diciembre, señala:

> "De acuerdo con el precepto transcrito, la aplicación del régimen especial requiere cumplir los requisitos de objeto social y carácter nominativo de las acciones. Cumplidos dichos requisitos, se podrá optar por el régimen, que se aplicará a partir del período impositivo que finalice con posterioridad a su comunicación a la Administración tributaria. Por tanto, en la medida en que la entidad A cumpla los referidos requisitos y comunique a la Administración tributaria en tiempo y forma la opción por el régimen fiscal especial, podrá proceder a su aplicación"

La comunicación se configura, pues, como un elemento esencial que tendrá efectos retroactivos al primer día del periodo impositivo en que se opta de manera que aquellas rentas generadas por la entidad tendrán derecho a las ventajas de este régimen, aunque se hubieran producido con anterioridad a la presentación de la comunicación.

Una vez comunicada la opción, el régimen se aplicará de forma indefinida –siempre y cuando se sigan cumpliendo los requisitos establecidos– hasta que se comunique su renuncia por parte de la entidad.

El Reglamento del Impuesto sobre Sociedades no establece ningún tipo de requisito en relación con la comunicación y el contenido de la información que debería de aportarse. Entendemos que bastará presentar un escrito del representante legal de la entidad en el que se comunique que, por acuerdo de la Junta General de accionistas o de socios, se ha optado por la aplicación de este régimen fiscal.

Distribución de beneficios. Transmisión de la participación

PABLO ROMÁ BOHORQUES

Abogado. Socio Director de Roma Bohorques Abogados Tributarios

"1. *Los beneficios o participaciones en beneficios distribuidos a los socios con cargo a las rentas exentas a que se refiere el artículo 21 de esta Ley que procedan de entidades no residentes en territorio español o a las rentas exentas a que se refiere el artículo 22 de esta Ley obtenidas en el extranjero a través de un establecimiento permanente recibirán el siguiente tratamiento:*

a) Cuando el perceptor sea un contribuyente de este Impuesto o del Impuesto sobre la Renta de no Residentes con establecimiento permanente, los beneficios percibidos tendrán el tratamiento que corresponda de acuerdo con esta Ley.

b) Cuando el perceptor sea contribuyente del Impuesto sobre la Renta de las Personas Físicas, el beneficio distribuido se considerará renta del ahorro.

c) Cuando el perceptor sea una entidad o persona física no residente en territorio español sin establecimiento permanente, el beneficio distribuido no se entenderá obtenido en territorio español.

La distribución de la prima de emisión tendrá el tratamiento previsto en este apartado para la distribución de beneficios. A estos efectos, se entenderá que el primer beneficio distribuido procede de rentas exentas.

2. Las rentas obtenidas en la transmisión de la participación en la entidad de tenencia de valores o en los supuestos de separación del socio o liquidación de la entidad recibirán el siguiente tratamiento:

a) Cuando el perceptor sea un contribuyente de este Impuesto o del Impuesto sobre la Renta de no Residentes con establecimiento permanente en territorio español, y cumpla el requisito de participación en la entidad de tenencia de valores extranjeros establecido en el apartado 1 del artículo 21 de esta Ley, podrá aplicar el régimen de exención en los términos previstos en dicho artículo.

b) Cuando el perceptor sea una entidad o persona física no residente en territorio español, no se entenderá obtenida en territorio español la renta que se corresponda con las reservas dotadas con cargo a las rentas exentas o con diferencias de valor, imputables en ambos casos a las participaciones en entidades no residentes que cumplan los requisitos establecidos en el artículo 21 de esta Ley o a establecimien-

tos permanentes que cumplan los requisitos establecidos en el artículo 22 de esta Ley.

3. La entidad de tenencia de valores deberá mencionar en la memoria el importe de las rentas exentas y los impuestos pagados en el extranjero correspondientes a estas, así como facilitar a sus socios la información necesaria para que éstos puedan cumplir lo previsto en los apartados anteriores.

4. Lo dispuesto en la letra c) del apartado 1 y en la letra b) del apartado 2 de este artículo no se aplicará cuando el perceptor de la renta resida en un país o territorio calificado como paraíso fiscal".

1. INTRODUCCIÓN

La nueva redacción del régimen de Entidades de Tenencia de Valores Extranjeros (en adelante, ETVE) dada por la Ley 27/2014 no ha supuesto ninguna modificación sustancial respecto a la existente en el Real Decreto Legislativo 4/2004, si bien se han efectuado algunos ajustes de naturaleza técnica como consecuencia de modificaciones producidas en otras partes de su articulado.

En concreto, uno de estos ajustes técnicos ha sido la supresión del artículo 117 del Real Decreto Legislativo 4/2004. En dicho artículo se establecía lo siguiente:

"Los dividendos o participaciones en beneficios de entidades no residentes en territorio español, así como las rentas derivadas de la transmisión de la participación correspondiente, podrán disfrutar de la exención para evitar la doble imposición económica internacional en las condiciones y con los requisitos previstos en el artículo 21 de esta ley.

A los efectos de aplicar la exención, el requisito de participación mínima a que se refiere el párrafo a) del apartado 1 del artículo 21 se considerará cumplido cuando el valor de adquisición de la participación sea superior a 6 millones de euros. La participación indirecta de la entidad de tenencia de valores extranjeros sobre sus filiales de segundo o ulterior nivel, a efectos de aplicar lo previsto en el artículo 21.1.c).2.° de esta ley, deberá respetar el porcentaje mínimo del cinco por ciento, salvo que dichas filiales reúnan las circunstancias a que se refiere el artículo 42 del Código de Comercio para formar parte del mismo grupo de sociedades con la entidad extranjera directamente participada y formulen estados contables consolidados.

La razón de esta supresión es la "generalización" del método de exención de dividendos y plusvalías contemplado en el artículo 21 procedentes tanto de entidades residentes como no residentes[30], de preferencia por el legislador en contraposición con el método de imputación. A partir de la Ley 27/2014, las ETVE, respecto a la mencionada exención, tributan exactamente igual que las demás entidades sujetas al Impuesto sobre Sociedades, siempre que, obviamente, cumplan los requisitos establecidos en el mencionado precepto.

Así, para la aplicación del artículo 21, ya no tendremos el requisito de participación mínima que establecía el antiguo artículo 117 del texto refundido de la LIS según el cual, el valor de adquisición debía de ser superior a 6 millones de euros en el supuesto en que la participación no alcanzase el 5%. Ahora es el propio artículo 21 el que establece el importe de esta participación mínima, habiéndolo situado en 20 millones de euros. No obstante, la disposición transitoria trigésimo primera establece que el mencionado requisito de participación mínimo de 6 millones seguirá vigente indefinidamente para aquellas entidades acogidas al régimen de ETVE con anterioridad al 1 de enero de 2015.

---

[30] Tal y como señala la exposición de motivos de la Ley 27/2014, "*Uno de los aspectos más novedosos de esta Ley es el tratamiento de la doble imposición. Tras el dictamen motivado de la Comisión Europea n.º 2010/4111, relativo al tratamiento fiscal de los dividendos, resulta plenamente necesaria una revisión del mecanismo de la eliminación de la doble imposición recogida en el Impuesto sobre Sociedades, con dos objetivos fundamentales: (i) equiparar el tratamiento de las rentas derivadas de participaciones en entidades residentes y no residentes, tanto en materia de dividendos como de transmisión de las mismas, y (ii) establecer un régimen de exención general en el ámbito de las participaciones significativas en entidades residentes.*
La presente Ley incorpora un régimen de exención general para participaciones significativas, aplicable tanto en el ámbito interno como internacional, eliminando en este segundo ámbito el requisito relativo a la realización de actividad económica, si bien se incorpora un requisito de tributación mínima que se establece en el 10 por ciento de tipo nominal, entendiéndose cumplido este requisito en el supuesto de países con los que haya suscrito un Convenio para evitar la doble imposición internacional.
Este nuevo mecanismo de exención constituye un mecanismo de indudable relevancia para favorecer la competitividad y la internacionalización de las empresas españolas. Asimismo, el régimen de exención en el tratamiento de las plusvalías de origen interno simplifica considerablemente la situación previa, que incluía un complejo mecanismo para garantizar la eliminación de la doble imposición. Este tratamiento de las rentas derivadas de la tenencia de participaciones se complementa con una importante reforma del régimen de transparencia fiscal internacional, reestructurándose todo el tratamiento de la doble imposición con un conjunto normativo cuyo principal objetivo es atraer a territorio español la tributación de aquellas rentas pasivas, en su mayoría, que se localizan fuera del territorio español con una finalidad eminentemente fiscal."

Asimismo, el régimen de ETVE ha perdido parte de su atractivo desde el establecimiento de la exención del artículo 21 LIS y, más todavía, con la entrada en vigor de la Ley 27/2014, en la que se equipara totalmente la tributación de los socios residentes de la ETVE con los socios residentes de otra entidad no acogida a este régimen.

Sin embargo, la ETVE puede seguir siendo atractiva para los inversores extranjeros que canalicen sus inversiones a otros países a través de España, excepto en algunos supuestos, como más adelante veremos.

El atractivo estriba en que la persona física o jurídica no residente en España que invierta en otras jurisdicciones utilizando una ETVE, no deberá tributar en España por el Impuesto sobre la Renta de No Residentes (en adelante, IRNR) por la renta:

- distribuida por la ETVE o
- generada por la transmisión de su participación en la ETVE.

De este modo, el inversor extranjero evita la carga de este impuesto que se gravará mediante el mecanismo de retención, el denominado *withholding tax*, de manera que el régimen de ETVE sigue siendo fiscalmente beneficioso para aquellos inversores no comunitarios que quieran invertir a través de España, bien en la Unión Europea, bien en otro país extranjero.

Así, la ETVE se configura como una herramienta para la planificación fiscal internacional de grupo de sociedades en un contexto, por otro lado, en el que se cuestiona cada vez más por la opinión publica las estructuras fiscales creadas por multinacionales. Dichas estructuras fiscales se caracterizan en muchos casos por intercalar en su seno entidades de tenencia de valores[31] ubicadas en jurisdicciones de baja o nula tributación.

---

[31] La OCDE define las entidades de tenencia de valores como sigue: "*A menudo, las empresas multinacionales diversifican geográficamente sus inversiones mediante diversas estructuras organizativas. Entre estas últimas cabe mencionar determinados tipos de entidades con fines específicos, por ejemplo, las filiales de financiación, las sociedades instrumentales, las sociedades "holding", las sociedades "pantalla", las sociedades "fantasma" y las sociedades ficticias. A pesar de que no existe una definición universal de entidad con fines específicos, aquellas presentan diversas características comunes. Todas ellas son personas jurídicas que tienen poco o ningún personal empleado, poca o ninguna actividad, poca o ninguna presencia física en el país en el que fueron fundadas por sus empresas matrices, que habitualmente se encuentran en otros países (economías). A menudo estas empresas funcionan como el medio para obtener capitales o poseer activos y pasivos y, en principio, no llevan a cabo actividades de producción importantes. Por lo general una empresa se considera una entidad de tenencia de valores si cumple los siguientes criterios: i) la empresa es una persona jurídica, a) registrada oficialmente ante una autoridad nacional; b) sujeta a las obligaciones tributarias, entre otras obligaciones jurídicas, del país en el que es residente; ii) la empresa está controlada en última instancia, directa o indirectamente, por una empresa matriz no residente; iii) la empresa tiene pocos o ningún empleado, escasa o nula producción en la economía receptora,*

Según los datos contenidos en el Co-ordinated Direct Investment Survey (CDIS) (Estudio coordinado de la inversión directa) del FMI, en 2010, Barbados, Bermudas y las Islas Vírgenes Británicas recibieron más Inversión Extranjera Directa (IED) (en total un 5.11% de la IED mundial) que Alemania (un 4.77%) o Japón (3.76%). Durante ese mismo año, estos tres países invirtieron más en el resto del mundo (un 4.54%) que Alemania (un 4.28%). Por países, en 2010, las Islas Vírgenes Británicas fueron el segundo mayor inversor en China (un 14%) después de Hong Kong (un 45%) y por delante de los Estados Unidos (un 4%). Ese mismo año, Bermudas fue el tercer inversor en Chile (un 10%). Existen datos similares en relación con otros países, por ejemplo, Islas Mauricio es el principal país inversor en la India (un 24%), mientras que Chipre (un 28%), las Islas Vírgenes Británicas (un 12%), Bermudas (un 7%) y las Bahamas (un 6%) fueron los cinco principales inversores en Rusia.[32]

Existe, pues, una percepción cada vez mayor de que los Estados pierden importantes ingresos en concepto de impuesto sobre la renta de las sociedades debido a una planificación orientada al traslado de beneficios hacia países donde su tributación es menor, lo que erosiona la base imponible en el país de la actividad económica. Artículos periodísticos como el de Bloomberg "The Great Corporate Tax Dodge", el del New York Times "But Nobody Pays That", el de The Times "Secrets of Tax Avoiders" y el de the Guardian "Tax Gap", son algunos ejemplos de la atención cada vez mayor que los principales medios de comunicación prestan a las cuestiones tributarias de las empresas[33].

En este sentido, la OCDE ha puesto en marcha el plan de acción BEPS[34] (Base Erosion and Profits Shifting) con el propósito de poner coto a una serie de prácticas perniciosas realizadas por determinadas multinacionales que provocan la erosión de bases y el traslado de beneficios[35] a jurisdicciones con una tributación reducida o nula.

---

y escasa o nula presencia física; iv) la práctica totalidad de su activo y pasivo corresponde a inversiones con origen o destino en otros países; v) la actividad principal de la empresa consiste en la financiación del grupo o la posesión de activos, esto es, desde el punto de vista del compilador de estadísticas de un determinado país, la transferencia de fondos de no residentes a otros no residentes. No obstante, en sus actividades cotidianas, las funciones de gestión y dirección son poco relevantes."

[32] OCDE (2013), *Lucha contra la erosión de la base imponible y el traslado de beneficios*, Éditions OCDE. *http://dx.doi.org/10.1787/9789264201224-es*

[33] OCDE (2013), *Lucha contra la erosión de la base imponible y el traslado de beneficios*, Éditions OCDE. *http://dx.doi.org/10.1787/9789264201224-es*

[34] En 2015, se publicó el informe final de BEPS.

[35] La erosión de bases imponibles constituye un grave riesgo para los ingresos tributarios, la soberanía fiscal y la equidad tributaria, tanto de los Estados miembros de la OCDE como de los no miembros. Si bien existen numerosas formas de erosionar las bases imponibles dentro de cada jurisdicción, una fuente significativa de la erosión de la base imponible es el traslado de beneficios al exterior. Aunque es importante y necesario obtener más datos sobre la ero-

Asimismo, la Comisión Europea también ha actuado en este sentido. En su Recomendación de 6 de diciembre de 2012 sobre la planificación fiscal agresiva, señala que los Estados Miembros deben de adoptar una norma general antifraude[36].

En este contexto internacional, se encuentra actualmente la tributación de los socios de las ETVEs, establecida en el artículo 108 de la LIS. En concreto, este artículo 108 consta de cuatro apartados, siendo los dos primeros los que regulan de una forma sustantiva la tributación de los socios.

---

sión de las bases imponibles y el traslado de beneficios, no cabe ninguna duda de que estos dos fenómenos plantean un problema acuciante y actual en algunos ordenamientos. OCDE (2013), *Lucha contra la erosión de la base imponible y el traslado de beneficios*, Éditions OCDE.
http://dx.doi.org/10.1787/9789264201224-es

[36] En concreto, esta Recomendación establece, en su punto 4, lo siguiente:
"4. Norma general antifraude
4.1. A fin de contrarrestar las prácticas de planificación fiscal agresiva que quedan fuera del ámbito de aplicación de sus normas específicas contra la evasión fiscal, los Estados miembros deberían adoptar una norma general de lucha contra el fraude, adaptada a situaciones nacionales y transfronterizas limitadas a la Unión, así como a situaciones que afecten a terceros países.
4.2. Para dar efecto al punto 4.1, se invita a los Estados miembros a introducir la siguiente cláusula en su legislación nacional:
«Es preciso ignorar todo mecanismo artificial o serie de mecanismos artificiales introducidos con el objetivo fundamental de evadir impuestos y que conducen a una ventaja impositiva. Las autoridades nacionales deben tratar estos mecanismos a efectos fiscales en referencia a su realidad económica».
4.3. A efectos del punto 4.2, se entiende por mecanismo cualquier transacción, régimen, medida, operación, acuerdo, subvención, entendimiento, promesa, compromiso o acontecimiento. Un mecanismo puede constar de varias fases o partes.
4.4. A efectos del punto 4.2 un mecanismo o una serie de mecanismos se consideran artificiales cuando no tienen carácter comercial. Para determinar si el mecanismo o la serie de mecanismos es artificial, se invita a las autoridades nacionales a considerar si se refieren a una o varias de las situaciones siguientes:
a) la caracterización jurídica de las diferentes fases de las que consta un mecanismo es incompatible con la naturaleza jurídica del mecanismo en su conjunto;
b) el mecanismo o la serie de mecanismos se ejecutan de una manera que no sería la normal atendiendo a un comportamiento comercial razonable;
c) el mecanismo o la serie de mecanismos incluyen elementos que tienen por efecto compensarse o anularse entre sí;
d) las operaciones concluidas son de naturaleza circular;
e) el mecanismo o la serie de mecanismos dan lugar a un importante beneficio fiscal, aunque esto no se refleja en los riesgos empresariales asumidos por el contribuyente ni en sus flujos de caja;
f) el beneficio esperado antes de impuestos es insignificante en comparación con el importe de la ventaja fiscal prevista."

2. DISTRIBUCIÓN DE BENEFICIOS

El apartado 1 viene a establecer el tratamiento que tendrá la distribución de beneficios a los socios con cargo a las rentas exentas a que se refiere el artículo 21 procedentes de entidades no residentes en territorio español o a las rentas exentas a que se refiere el artículo 22 obtenidas en el extranjero a través de un establecimiento permanente situado fuera del territorio español[37].

Se parte de la premisa que las ETVE podrán tener dos tipos de rentas: las exentas y las rentas ordinarias. En virtud de la distinta naturaleza de las rentas, los beneficios que reparta la ETVE tendrán para el socio que los reciba un tratamiento fiscal distinto según que procedan de un tipo u otro de renta[38].

Como se puede observar, las reglas contenidas en el artículo 108 no versan sobre la totalidad del beneficio, sino sobre la parte del mismo que procede de las rentas exentas. Sobre la parte restante se aplicarán las normas generales[39].

2.1. Concepto de rentas exentas

En relación con las rentas exentas con cargo a las cuales se distribuye el beneficio de la ETVE, como ya hemos indicado, las mismas pueden proceder de entidades no residentes o de establecimientos permanentes.

2.1.1. Rentas exentas procedentes de entidades no residentes en territorio español

Siguiendo el esquema siguiente, el artículo 108.1 está regulando, mediante el establecimiento de unas reglas, la tributación del beneficio obtenido por la sociedad Z con cargo a las rentas exentas en virtud del artículo 21 que proceden de una o varias entidades no residentes. El esquema societario básico que regula el artículo 108.1, respecto a las rentas procedentes de no residentes sería, a modo de ejemplo, el siguiente:

---

[37] La inclusión de las rentas exentas del artículo 22 obtenidas mediante un establecimiento permanente es una novedad de la Ley 27/2014. El texto refundido, en su artículo, no decía nada al respecto si estaban o no exentas.

[38] ALMUDÍ CID, J.M. y SERRANO ANTÓN, F.; "Capítulo 35. El régimen fiscal de las Entidades de Tenencia de Valores Extranjeros" en Fiscalidad Internacional, CEF 2015, pág. 1.956.

[39] SANZ GADEA, E.; El resultado financiero en el Impuesto sobre Sociedades. La Entidad de Tenencia de Valores Extranjeros, Revista de Contabilidad y Tributación n°392, Ed. CEF noviembre 2015, pág. 111.

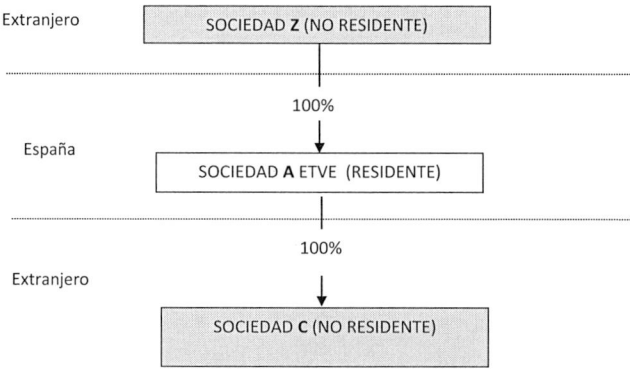

Como se puede observar en este esquema, se aplicará el artículo 108.1 a los beneficios distribuidos por A a Z que procedan de rentas de C que cumplan los requisitos del artículo 21 LIS.

Asimismo, no se exige por parte del socio extranjero ningún tipo de porcentaje mínimo en la ETVE para aplicar lo dispuesto en el artículo 108 LIS.

Por otro lado, para que sea de aplicación, las rentas procedentes de la entidad no residente deben de cumplir los requisitos del artículo 21 LIS. Dicho precepto es objeto de estudio en el apartado específico de esta obra. No obstante, de una forma sucinta, vamos a ver cuáles son estos requisitos.

En primer lugar, la ETVE debe de poseer más de un 5% de la entidad no residente o, en su defecto, que el valor de adquisición de las participaciones sea superior a 20 millones de euros (recordamos que la normativa anterior establecía como umbral 6 millones de euros). Este valor queda reservado, casi exclusivamente, para las participaciones directas, de manera que no aplica en segundos o ulteriores niveles de participación[40].

Respecto al requisito de valor de adquisición, la Ley 27/2015 establece un régimen transitorio para que las ETVEs que cumplían con el requisito del valor de adquisición de 6 millones de euros (y no cumplan con los requisitos del artículo 21) puedan seguir aplicando este régimen. En concreto, la Disposición transitoria trigésima primera establece lo siguiente:

> *"Las participaciones adquiridas por entidades acogidas al régimen fiscal especial de entidades de tenencia de valores extranjeros previsto en el Capítulo XIV del Título VII del Texto Refundido de la Ley del Impuesto sobre Sociedades, según redacción vigente en períodos impositivos que se hubieran iniciado con anterioridad a 1 de enero de 2015, que tuvieran un valor de adquisición*

---

[40]   GARCÍA-ROZADO GONZÁLEZ, B.; "Capítulo 5. Medidas unilaterales españolas para evitar la doble imposición internacional" en Manual de Fiscalidad Internacional, IEF 2016, pág. 182.

superior a 6 millones de euros sin cumplir el requisito de participación mínima establecido en la letra a) del apartado 1 del artículo 21 del citado texto refundido, podrán aplicar el régimen fiscal establecido en dicho artículo y en el Capítulo XIII del Título VII de esta Ley, en los períodos impositivos que se inicien a partir de 1 de enero de 2015."

En segundo lugar, la ETVE debe de poseer la participación más de un año en el momento de la exigibilidad del dividendo o, de no cumplirse dicho requisito en ese momento, mantener, posteriormente, la participación hasta cumplir, al menos, el plazo de un año.

En tercer lugar, respecto al TRLIS, se elimina el requisito de actividad económica[41]; la entidad participada debe de estar sujeta y no exenta por un impuesto extranjero de naturaleza idéntica o análoga al Impuesto sobre Sociedades español a un tipo nominal de, al menos, el 10 por ciento en el ejercicio en que se hayan obtenido los beneficios que se reparten o en los que se participa, con independencia de la aplicación de algún tipo de exención, bonificación, reducción o deducción sobre aquellos. Se considerará cumplido este requisito, cuando la entidad participada sea residente en un país con el que España tenga suscrito un convenio para evitar la doble imposición internacional, que le sea de aplicación y que contenga cláusula de intercambio de información.

2.1.2. Rentas exentas obtenidas en el extranjero a través de un establecimiento permanente

El articulo 108.1 prevé también el supuesto en que la ETVE haya obtenido rentas exentas en un país extranjero a través de un establecimiento permanente. Para determinar si existe o no establecimiento permanente, habremos de acudir a la definición del establecimiento permanente[42] contenida en el respectivo Convenio de Doble Imposición suscrito entre España y el país en el que esté operando la ETVE. En defecto de Convenio, se deberá acudir a la normativa interna.

A efectos de la LIS, el propio artículo 22, en su apartado 3, establece una definición de establecimiento permanente:

"3. Se considerará que una entidad opera mediante un establecimiento permanente en el extranjero cuando, por cualquier título, disponga fuera del territorio español, de forma continuada o habitual, de instalaciones o lugares

---

[41] Si bien, se introduce en términos negativos al impedir su aplicación a entidades eminentemente pasivas, como las entidades patrimoniales o las entidades sometidas al régimen de transparencia fiscal internacional. GARCÍA-ROZADO GONZÁLEZ, B.; Manual de Fiscalidad Internacional, IEF 2016, pág. 180.

[42] La definición de establecimiento permanente contenido en el Modelo de Convenio de la OCDE se encuentra en su artículo 5.

de trabajo en los que realice toda o parte de su actividad, o actúe en él por medio de un agente autorizado para contratar, en nombre y por cuenta del contribuyente, que ejerza con habitualidad dichos poderes. En particular, se entenderá que constituyen establecimiento permanente las sedes de dirección, las sucursales, las oficinas, las fábricas, los talleres, los almacenes, tiendas u otros establecimientos, las minas, los pozos de petróleo o de gas, las canteras, las explotaciones agrícolas, forestales o pecuarias o cualquier otro lugar de exploración o de extracción de recursos naturales, y las obras de construcción, instalación o montaje cuya duración exceda de 6 meses. Si el establecimiento permanente se encuentra situado en un país con el que España tenga suscrito un convenio para evitar la doble imposición internacional, que le sea de aplicación, se estará a lo que de él resulte."

2.2. Beneficios distribuidos a persona jurídica residente

El artículo 108.1.a) viene a establecer que cuando el perceptor de los beneficios o participaciones en beneficios distribuidos a los socios con cargo a las rentas exentas a que se refiere el artículo 21 de esta Ley que procedan de entidades no residentes en territorio español o a las rentas exentas a que se refiere el artículo 22 de esta Ley obtenidas en el extranjero a través de un establecimiento permanente sea un contribuyente de este Impuesto o del Impuesto sobre la Renta de no Residentes con establecimiento permanente, los beneficios percibidos tendrán el tratamiento que corresponda de acuerdo con esta Ley.

De lo anterior se desprende que las personas jurídicas residentes en España que sean socias de una ETVE no tributarán por los beneficios distribuidos por esta última de acuerdo con lo previsto en el artículo 21 LIS.

Para poder disfrutar de dicha exención, se deben de dar las siguientes circunstancias:

— En primer lugar, el socio persona jurídica debe de cumplir lo preceptuado en el artículo 21 LIS para poder disfrutar de la exención. No se produce un automatismo en la aplicación de la exención, ni se le libera del cumplimiento de los requisitos exigidos en el mencionado precepto por el hecho de que la sociedad de la que percibe los dividendos está acogida al régimen de ETVE.

— El beneficio o participación en beneficios debe de proceder de las rentas exentas del artículo 21 que provengan de entidades no residentes o establecimientos permanentes no situados en territorio español.

EJEMPLO

La sociedad M, entidad residente en España, posee el 100% de las participaciones de la sociedad A, entidad también residente en España y acogida al régimen de ETVE.

A adquirió en 2015 el 100% de la sociedad Z, entidad residente en Colombia[43]. Asimismo, A participa en un 80% en otra sociedad residente, B, residente en España.

El esquema de la estructura societaria es el siguiente:

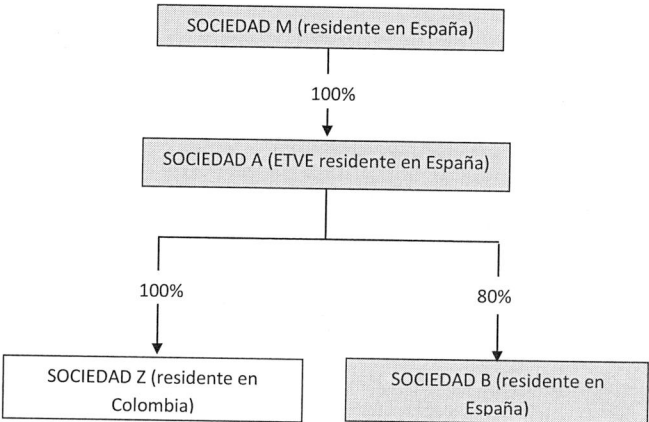

En 2016, Z distribuye dividendo a A por 3 millones de euros. Además, A percibe en el mismo ejercicio de B, 2 millones de euros.

Posteriormente, en 2017, A distribuye la totalidad del dividendo percibido en 2017 (3.000.000 + 2.000.000) a M.

¿Cuál será la tributación de A y de M por la percepción de los dividendos?

SOLUCIÓN

En primer lugar, A tendrá derecho a la exención del artículo 21 LIS por la percepción de los dividendos, tanto de los procedentes de Z como de B.

Por su lado, M podrá aplicar, también, la exención del artículo 21 LIS por los dividendos distribuidos por A, siendo su tributación 0 euros.

2.3. *Beneficio distribuido a persona física residente*

Respecto a la distribución de beneficios desde la ETVE al socio persona física, la norma señala que dicho beneficio se considerará renta del ahorro.

---

[43] Colombia tienen suscrito con España un convenio para evitar la doble imposición internacional con cláusula de intercambio de información por lo que se entiende cumplido el requisito establecido en el artículo 21.1.b) LIS para que se puedan aplicar la exención a los dividendos procedentes de dicho país.

Anteriormente, el Real Decreto Legislativo 4/2004 establecía, en su artículo 118.1.b) que:

> *"Cuando el perceptor sea contribuyente del Impuesto sobre la Renta de las Personas Físicas, el beneficio distribuido se considerará renta general y se podrá aplicar la deducción por doble imposición internacional en los términos previstos en el Impuesto sobre la Renta de las Personas Físicas, respecto de los impuestos pagados en el extranjero por la entidad de tenencia de valores y que correspondan a las rentas exentas que hayan contribuido a la formación de los beneficios percibidos."*

Con la nueva regulación, se simplifica para el contribuyente del Impuesto sobre la Renta de las Personas Físicas el mecanismo de imputación dado que, con la normativa anterior, debía integrar el beneficio percibido en la base liquidable general y, posteriormente, aplicar a la cuota líquida resultante la deducción por doble imposición internacional prevista en el artículo 80 de la Ley 35/2006, de 28 de noviembre, del Impuesto sobre la Renta de las Personas Físicas.

No obstante, a diferencia del antiguo artículo 118, el actual 108 LIS no permite aplicar la deducción por doble imposición internacional. Este crédito de impuesto no está actualmente reconocido[44].

Con la actual normativa, dicho beneficio se integra directamente como renta del ahorro. Veamos un ejemplo.

EJEMPLO

Mismo caso que el ejemplo anterior solo que el socio de A no es M sino el Sr. García, persona física residente en España.

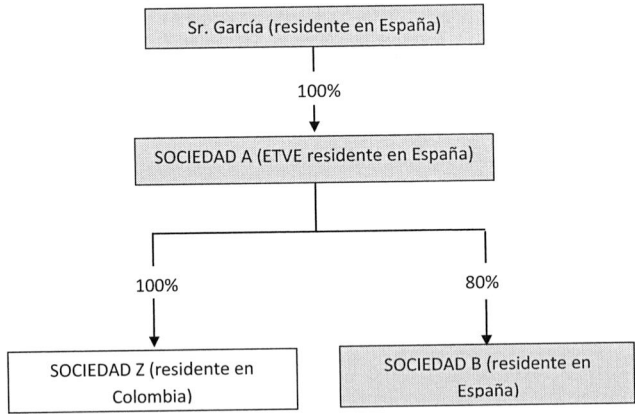

Los 5.000.000 percibidos en 2017 por el Sr. García se integrarán en su renta del ahorro. De acuerdo con los tipos de gravamen aplicables a

---

44   SANZ GADEA, E.; Op. cit. pág. 111.

la renta del ahorro, el Sr. García deberá de tributar por un importe de 1.148.880 euros por la percepción del citado dividendo.

2.4. *Beneficio distribuido a persona física o jurídica no residente*

El artículo 108 LIS establece que el beneficio distribuido no se entenderá obtenido en territorio español cuando el socio, persona física o jurídica, no residente –que no disponga de establecimiento permanente en España– perciba dividendos o participaciones de beneficios distribuidos por la ETVE con cargo a rentas exentas procedentes de entidades no residentes en territorio español u obtenidas en el extranjero a través de un establecimiento permanente.

En este sentido se manifiesta la Dirección General de Tributos, en su consulta V0601-16, de 15 febrero, al señalar que:

> "*En el caso de que se cumplieran los requisitos exigidos en el artículo 108.1.c) de la LIS, en la medida en que la distribución de beneficios objeto de la consulta sea realizada con cargo a las rentas exentas a que se refiere el artículo 21 del mencionado texto legal, que procedan de entidades no residentes en territorio español, o a las rentas exentas a que se refiere el artículo 22 de la LIS, obtenidas en el extranjero a través de un establecimiento permanente, dicha distribución de beneficios no estaría sujeta a tributación por el IRNR en España, ya que V es una entidad no residente en territorio español, sin establecimiento permanente en territorio español.*"

El efecto práctico de esta regla es eliminar la sujeción al Impuesto sobre la Renta de No Residentes[45] del beneficio distribuido por la ETVE[46].

Así, con independencia de que sea persona física o jurídica la que ostente la condición de socio no residente de la ETVE, la norma establece la ficción de que dicho dividendo no se entiende obtenido en territorio español (a pesar de que haya sido distribuido por una entidad residente en España).

La principal consecuencia de no entender obtenido el beneficio en España radica en que, como hemos señalado, no se producirá una tributación en el IRNR para el socio no residente, siempre que éste no resida en un país o territorio calificado como paraíso fiscal.

---

[45] El artículo 13.2 del texto refundido de la Ley del Impuesto sobre la Renta de no Residentes establece que:
"*Se consideran rentas obtenidas en territorio español las siguientes:*
(...)
1.° Los dividendos y otros rendimientos derivados de la participación en los fondos propios de entidades residentes en España, sin perjuicio de lo dispuesto en el artículo 118 del texto refundido de la Ley del Impuesto sobre Sociedades, aprobado por el Real Decreto Legislativo 4/2004, de 5 de marzo."
[46] SANZ GADEA, E.; Op. Cit. pág. 111.

De este modo, los beneficios percibidos por los socios de una ETVE procedentes de rentas exentas en virtud del artículo 21 que procedan de entidades no residentes en territorio español estarán no sujetos al IRNR. Dicha no sujeción conlleva la no aplicación de ningún tipo de retención en origen (*withholding tax*) lo que supone un atractivo para inversores no residentes.

Sin embargo, este atractivo –que solo queda, repetimos, para los inversores no residentes– no se dará siempre. Puede darse el caso en que algún país considere que la ETVE no tiene la consideración de residente en España y, por consiguiente, no sea de aplicación el correspondiente Convenio de doble imposición. No debe perderse de vista que la determinación de la residencia del contribuyente es una cuestión crucial del sistema para la eliminación de la doble imposición que establece el Modelo de Convenio de la OCDE[47].

Así, la consecuencia directa de no considerar aplicable el Convenio es que los dividendos o beneficios percibidos por el socio de la ETVE no podrá disfrutar de la corrección de la doble imposición, tributando, por lo tanto, en el estado de destino. En consecuencia, este beneficio fiscal otorgado por España sería aprovechado por un tercer estado, concretamente, el estado de residencia del socio de la ETVE.

Éste es el caso de Brasil, cuyas autoridades fiscales no consideran a la ETVE española residente en España a efectos del Convenio de doble imposición entre los dos países. No obstante, la Administración tributaria española no comparte la posición de sus homólogos brasileños. Dicha controversia se refleja perfectamente en la consulta 0979-03, de 14 de julio, que establece lo siguiente:

> "*I. El artículo 1 del Convenio entre el Estado Español y la República Federativa de Brasil para evitar la doble imposición y prevenir la evasión fiscal en materia de impuestos sobre la renta, hecho en Brasilia el 14 de noviembre de 1974 (BOE de 31 de diciembre de 1975) establece que éste será aplicable "a las personas residentes de uno o de ambos Estados contratantes".*
>
> *La residencia aparece regulada en el artículo 4 del Convenio, según el cual serán residentes las personas que, en virtud de la legislación de un Estado, estén sujetas a imposición en él por razón de su domicilio, su residencia, su sede de dirección o cualquier otro criterio de naturaleza análoga.*
>
> *El inversor en la Entidad de Tenencia de Valores Extranjeros (en adelante, ETVE), según el escrito de consulta, es residente en Brasil a efectos del Convenio citado. Nos encontramos por tanto con un caso de distribución de beneficios de un residente español (la ETVE) a un residente brasileño. En consecuencia, por lo que respecta a la residencia, el Convenio entre el Estado Español y la República*

---

47   VEGA BORREGO, F.A.; Comentarios a los convenios para evitar la doble imposición y prevenir la evasión fiscal concluidos por España; Fundación Pedro Barrié de la Maza 2003, pág. 211.

Federativa del Brasil para evitar la doble imposición y prevenir la evasión fiscal en materia de impuestos sobre la renta sería aplicable a esta situación.

Por su parte, el artículo 10 del Convenio otorga al Estado contratante en el cual reside la sociedad pagadora de los dividendos (España, en esta consulta), la potestad para gravarlos. Sin embargo, en este caso, España ha decidido no sujetar efectivamente a imposición estos pagos, por cuanto el artículo 131 de la Ley 43/1995, del Impuesto sobre Sociedades, del 27 de diciembre (BOE de 28 de diciembre) establece lo siguiente:

"Los beneficios distribuidos con cargo a las rentas exentas a que se refiere el artículo anterior recibirán el siguiente tratamiento:

[...] c) Cuando el perceptor sea una entidad o persona física no residente en territorio español, el beneficio distribuido no se entenderá obtenido en territorio español..."

Por consiguiente, las cantidades serán recibidas sin retención por el residente brasileño, socio de la ETVE.

A su vez el artículo 23.4 del Convenio establece lo siguiente:

"4. Cuando un residente del Brasil obtenga dividendos que, de acuerdo con las disposiciones del presente convenio, puedan someterse a imposición en España, Brasil eximirá del impuesto estos dividendos."

El artículo 23.4 del Convenio no exige que se graven efectivamente los dividendos en España, sino que España tenga derecho a hacerlo de acuerdo con el Convenio. Esto último ocurre en el caso de la ETVE con independencia de la renuncia a tributación que se produce en nuestra Ley interna, cuando los beneficios con cargo a los cuales se produce la distribución cumplen determinados requisitos.

Por tanto, en opinión de este Centro Directivo, el artículo 23.4 es plenamente aplicable a los dividendos distribuidos por la ETVE a un residente en Brasil, por lo que Brasil debería eximir de gravamen esos dividendos.

II. El consultante cita la existencia del "Acto Declaratorio Interpretativo N° 6, de 6 de junio de 2002 de la Receita Federal Brasileña", que se pronuncia sobre la no aplicabilidad del Convenio para evitar la doble imposición entre España y Brasil a los dividendos procedentes de entidades acogidas al régimen ETVE.

A este respecto, conviene señalar que la autoridad competente española mantuvo, con fecha 30 de septiembre de 2002, una reunión con representantes de la Autoridad tributaria brasileña para analizar, entre otras cuestiones, la problemática de las Entidades de Tenencia de Valores Extranjeros. Las actas de dicha reunión están a disposición del contribuyente en la sección de Brasil del área de convenios de doble imposición del portal web del Ministerio de Hacienda:

http://portal.minhac.es/Minhac/Temas/Legislacion/Legislacion+tributaria/ default.htm

Respecto de la interpretación realizada por las autoridades brasileñas en el citado Acto Declaratorio, este Centro Directivo no comparte el criterio en él contenido y considera que no se corresponde ni con la letra ni el espíritu del

Convenio para evitar la doble imposición firmado entre ambos Estados, ni se encuentra en aquel, argumentación suficiente que permita sustentar lo contrario."

Asimismo, pueden existir, además, otros supuestos en los que la ETVE puede perder parte de su atractivo respecto a la tributación de sus socios no residentes. A efectos prácticos, las ETVE se convierten en una sociedad que, eventualmente, podría reunir los rasgos caracterizadores de aquellas que se conocen como conductoras, esto es, que constituyen un eslabón para la repatriación de beneficios en orden a disfrutar de la mejor trayectoria fiscal[48] de manera que puedan disfrutar de estructuras de *treaty shopping*. En estos casos, los Estados contratantes reaccionan frente a la utilización de *conduit companies* por medio de la incorporación de cláusulas antiabuso a los CDI[49].

Por otro lado, en función de ciertas circunstancias, el tratamiento fiscal para un inversor extranjero, a efectos prácticos, podría ser el mismo, con independencia de que la entidad esté acogida al régimen de ETVE. Así, podrá depender:

– De lo dispuesto en el respectivo convenio para evitar la doble imposición entre España y el país de residencia del socio de la ETVE; si el convenio establece que no se someta a tributación la distribución de dividendo desde una entidad española al socio no residente, en este caso la fiscalidad sería la misma que la ETVE; sería irrelevante que la entidad española estuviera o no sujeta al régimen de ETVE.

– Del lugar de residencia del socio de la ETVE; en virtud de la Directiva Matriz-Filial, la distribución de dividendos de una sociedad española a una entidad residente en la Unión Europea –cuando ésta participe en más de un 5% en la española– estará exenta de tributación. También, en este supuesto, la fiscalidad sería la misma independientemente que la sociedad española estuviera o no aplicando el régimen de ETVE. Únicamente seguirá siendo atractivo el régimen de ETVE para aquellos inversores residentes en la Unión Europea que posean menos del 5%.

Veamos un ejemplo de lo dispuesto en el artículo 108.1.c) de la LIS.

EJEMPLO

La sociedad M, entidad residente en Qatar[50], posee el 100% de las participaciones de la sociedad A, entidad residente en España y acogida al régimen de ETVE.

---

[48]   SANZ GADEA, E.; Op. cit. pág. 113.
[49]   ALMUDÍ CID, J.M. y SERRANO ANTÓN, F.; Op. cit pág. 1.986.
[50]   Qatar y España no tienen suscrito convenio para evitar la doble imposición internacional con cláusula de intercambio de información.

A adquirió en 2016 el 100% de la sociedad Z, entidad residente en Chile[51]. Asimismo, A participa en un 80% en otra sociedad residente, B, residente en España.

El esquema de la estructura societaria es el siguiente:

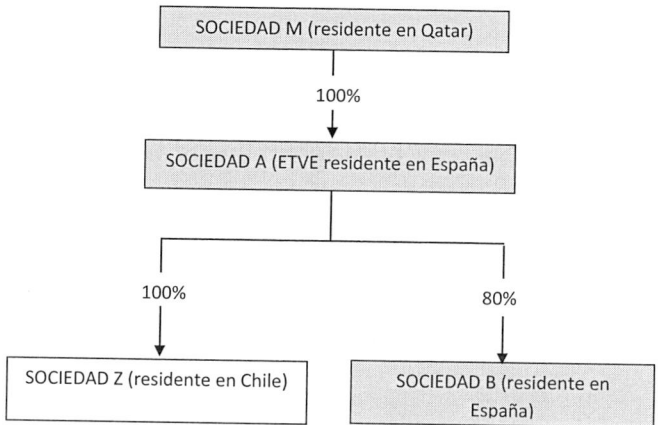

En 2017, Z distribuye dividendo a A por 3 millones de euros. Además, A percibe en el mismo ejercicio de B 2 millones de euros.

Posteriormente, en 2018, A distribuye la totalidad del dividendo percibido en 2017 (3.000.000 + 2.000.000) a M.

¿Cuál será la tributación de A y de M por la percepción de los dividendos?

SOLUCIÓN

En primer lugar, A tendrá derecho a la exención del artículo 21 LIS por la percepción de los dividendos, tanto de los procedentes de Z como de B.

Por su lado, M no tributará en el IRNR por la parte del beneficio percibido que proceda del dividendo distribuido por Z, residente en Chile.

Sin embargo, M deberá tributar en el IRNR por la parte del beneficio que proceda de B al tener ésta la consideración de residente en España.

Dado que no existe convenio para evitar la doble imposición entre España y Qatar, M deberá de soportar una retención (withholdingtax)

---

[51]   Chile tiene suscrito con España un convenio para evitar la doble imposición internacional con cláusula de intercambio de información por lo que se entiende cumplido el requisito establecido en el artículo 21.1.b) LIS para que se puedan aplicar la exención a los dividendos procedentes de dicho país.

por los dividendos procedentes de B de acuerdo con el tipo previsto en el Real Decreto Legislativo 5/2004, de 5 de marzo, por el que se aprueba el texto refundido de la Ley del Impuesto sobre la Renta de No Residentes. En concreto, la tributación que deberá de soportar M ascenderá a 380.000 euros.

EJEMPLO

Mismo supuesto que en el ejemplo anterior, excepto que la sociedad Z no reside en Chile sino en las Islas Caimán (España y las Islas Caimán no tienen suscrito un convenio de doble imposición).

¿Cuál será la tributación de A y de M por la percepción de los dividendos?

SOLUCIÓN

En primer lugar, A únicamente tendrá derecho a la exención del artículo 21 LIS por la percepción de los dividendos de B. Por los dividendos procedentes de Z, deberá tributar al no estar exentos debido a que no se cumple lo preceptuado en el artículo 21 LIS.

En cuanto a la tributación de M, tributará en el IRNR, tanto el beneficio percibido tanto el que proceda del dividendo distribuido por la Z como el proveniente de B.

M deberá soportar un gravamen que ascenderá a 950.000 euros, percibiendo un dividendo neto de 4.050.000 euros.

Por último, el artículo 108 LIS no regula ninguna prevención en relación con el perceptor de los beneficios para evitar situaciones de *Treaty Shopping*, no disponiendo que el destinario de los mismos sea necesariamente su beneficiario efectivo[52], al contrario de lo que establecen muchos convenios para evitar la doble imposición firmados por España.

2.5. *Distribución prima de emisión*

El artículo 118.1. *in fine* equipara la distribución de la prima de emisión a la de beneficios. En concreto, este artículo señala que *"la distribución de la prima de emisión tendrá el tratamiento previsto en este apartado para la distribución de beneficios. A estos efectos, se entenderá que el primer beneficio distribuido procede de rentas exentas."*

---

[52]   ALMUDÍ CID, J.M.; Planificación Fiscal Internacional a través de sociedades holding, Documentos IEF, DOC. Nº. 24/06, pág. 34

Según GARCÍA NOVOA, esta calificación debe ser criticada ya que la distribución de la prima constituye la entrega de fondos que no se nutren de beneficios no distribuidos, no tiene sentido catalogarlos como rendimientos procedentes del capital[53].

Sin embargo, la literalidad de la norma parece bastante clara y en este sentido se ha manifestado la Dirección General de Tributos, en su consulta vinculante V3544-15, de 17 de noviembre,

> "Tal y como señala el artículo 108 de la LIS, la distribución de la prima de emisión tiene el tratamiento previsto en su apartado primero para la distribución de beneficios. Por tanto, el tratamiento que se debe dar a la prima de emisión distribuida a los socios australianos de X debe ser el explicado con anterioridad para los dividendos. Dicho tratamiento no se vería alterado por el hecho de que para uno de los socios australianos el importe de la prima de emisión que se le distribuya, en atención al porcentaje de participación, resultara superior al valor de la participación en X."

2.6. Aplicación de los artículos 31 y 32 de la LIS

En el supuesto en que la ETVE se hubiese aplicado las deducciones previstas en los artículos 31 y 32 –en lugar de la exención contenida en el artículo 21– parece que la norma no permite, en principio, que el beneficio distribuido al socio no residente quede no sujeto.

Sin embargo, la Dirección General de Tributos, en un supuesto en que una sociedad opta por la aplicación del artículo 32 LIS en lugar del artículo 21 LIS, resuelve que será de aplicación el artículo 108.1 siempre que se cumplan los requisitos establecidos para la exención.

En concreto, la Consulta Vinculante V1688-16, de 19 de abril de 2016 establece:

> "De acuerdo con el apartado 8 del artículo 21 de la LIS, la entidad consultante podrá aplicar la exención prevista en dicho precepto en relación con los dividendos percibidos de las entidades C1 y P1 o, alternativamente, optar por la aplicación del régimen de imputación previsto en los artículos 31 y 32 de la LIS.
>
> No obstante, no parece que dicha opción deba afectar al régimen establecido en el artículo 108.1 de la LIS, en la medida en que, cumpliéndose los requisitos previstos en el referido artículo 21, el hecho de que la entidad no aplique la exención sino el régimen de imputación previsto en los artículos 31 y 32, no debe penalizar la aplicación de aquel, permitiendo ambos sistemas la aplicación de un mecanismo para la eliminación de la doble imposición de la LIS neutral, o

---

[53] GARCIA NOVOA, C.; El Régimen de las Entidades de Tenencia de Valores Extranjeros, Dereito Vol. 19, n.º 2: 11-50 (2010), pág. 39.

incluso una peor condición por la aplicación de los artículos 31 y 32 en relación con el artículo 21, de la LIS.

Por tanto, aun cuando lH2 opte por la aplicación del régimen de imputación, siempre que se cumplan los requisitos establecidos en el artículo 21 de la LIS, procederá de aplicación el régimen del artículo 108.1 del mismo texto legal en el caso de entidades de tenencia de valores extranjeros."

3. TRANSMISIÓN DE PARTICIPACIONES

El apartado 2 de este artículo 108 regula la tributación, en sede de los socios, de la trasmisión de las participaciones de la ETVE, en los siguientes casos:

– Cuando el perceptor sea un contribuyente de este Impuesto o del Impuesto sobre la Renta de no Residentes con establecimiento permanente en territorio español, y cumpla el requisito de participación en la entidad de tenencia de valores extranjeros establecido en el apartado 1 del artículo 21 de esta Ley,

– Cuando el perceptor sea una entidad o persona física no residente en territorio español.

3.1. *Contribuyente del IS o del IRNR con establecimiento permanente*

Cuando un contribuyente del Impuesto sobre Sociedades o del Impuesto sobre la Renta de No Residentes con establecimiento permanente transmita su participación en una ETVE, el beneficio obtenido, en su caso, estará exento siempre que se cumplan los requisitos previstos en el artículo 21.3 de la LIS.

En este supuesto, la tenencia de participaciones de una ETVE por un residente o no residente con EP no supone una particularidad.

3.2. *Socio no residente en territorio español*

Al igual que en el apartado 2.4 anterior, el beneficio obtenido por el socio no residente –en este caso por la transmisión de su participación en la ETVE– no estará sujeto al IRNR. No obstante, a diferencia de los socios residentes, sí se da una particularidad; únicamente estará no sujeto el beneficio que se corresponda con las reservas dotadas con cargo a las rentas exentas o con diferencias de valor, imputables en ambos casos a las participaciones en entidades no residentes que cumplan los requisitos establecidos en el artículo 21 de esta Ley o a establecimientos permanentes que cumplan los requisitos establecidos en el artículo 22 de esta Ley.

Así, la dificultad va estribar en determinar en qué manera y cuantía las rentas exentas procedentes de las entidades no residentes u obtenidas a través de un establecimiento permanente han sido destinadas a las reservas de la ETVE.

EJEMPLO

La entidad residente en Estados Unidos, AVENGERS Ltd posee el 100% de la ETVE, QUIN PATIMENT, S.L. AVENGERS constituyó esta ETVE con una capital social de 8 millones de euros. Esta sociedad posee a su vez las siguientes participaciones:

– El 100% de TATITATA, S.L, entidad residente en España. Su valor de adquisición fue de 3 millones, siendo su valor de mercado igual.

– El 100% de NONPOSSO, entidad residente en Italia. El precio de adquisición de esta entidad ascendió a 5 millones de euros. Su valor de mercado en 2017 es de 9 millones de euros. Los dividendos repartidos por esta sociedad han estado exentos en virtud del artículo 21 LIS.

Por otro lado, la ETVE tiene las siguientes reservas:

– Reservas dotadas con cargo a beneficio de TATITATA: 1 millón de euros

– Reservas dotadas con cargo a dividendos de NONPOSSO: 2 millones de euros.

En 2017, AVENGERS ha vendido el 100% de QUIN PATIMENT por 15 millones de euros. ¿Qué parte del beneficio por la venta de QUIN PATIMENT estará no sujeto a IRNR?

SOLUCIÓN

En primer lugar, calcularemos la plusvalía total de la venta. Dicha plusvalía ascenderá a 7 millones de euros y será el resultado de restar a 15 millones (precio de venta) los 8 millones de euros de valor de adquisición.

Una vez calculada dicha plusvalía, deberemos determinar qué cuantías de la misma corresponden a reservas dotadas con cargo a beneficios procedentes de NONPOSSO y a diferencias de valor.

De acuerdo con los antecedentes, estas cuantías serán las siguientes:

– Reservas dotadas con cargo a dividendos de NONPOSSO: 2 millones de euros.

– Diferencias de valor de NONPOSSO: 4 millones (9 millones – 5 millones).

Por consiguiente, de los 7 millones de beneficios obtenidos por AVENGERS derivados de la venta de la ETVE, 6 millones no estarán sujetos al IRNR.

4. OBLIGACIONES FORMALES

4.3. Mención en la memoria

El apartado 3 establece la obligatoriedad de detallar en la memoria de la sociedad el importe de las rentas exentas y de los impuestos pagados en el extranjero correspondientes a estas. En principio, dicha mención no constituye un requisito constitutivo para el acceso a este régimen por lo que su omisión no conllevará la exclusión de este régimen.

4.4. Suministro de información a los socios

La ETVE deberá de facilitar a sus socios la información necesaria para que éstos puedan cumplir con sus obligaciones tributarias[54].

---

[54] CID-HARGUINDEY ROMERO, A; "Capítulo XLVII. Régimen fiscal de las entidades de tenencia de valores extranjeros Guía del Impuesto en sobre Sociedades, Editorial CISS, Valencia, 2008, pág. 1.163.

Artículo 109
Ámbito de aplicación

Francisco J. Magraner Moreno
Catedrático de Derecho Financiero y Tributario

"El presente régimen se aplicará a las entidades a que se refiere el artículo 9, apartado 3, de esta Ley".

El régimen de entidades parcialmente exentas se regula en los artículos 109 a 111 de la Ley 27/2014, y resulta de aplicación a los contribuyentes relacionados en el apartado 3 del artículo 9 de la Ley, a saber:

- Las entidades e instituciones sin ánimo de lucro (fundaciones, asociaciones declaradas de utilidad pública, federaciones deportivas españolas, etc.) que no cumplan los requisitos previstos en la Ley 49/2002, de 23 de diciembre, de régimen fiscal de las entidades sin fines lucrativos y de los incentivos fiscales al mecenazgo, las entidades e instituciones sin ánimo de lucro, cuyo análisis se hará en el apartado siguiente. Entre otras entidades, la administración tributaria ha considerado que se incluirán como tales las comunidades de regantes que agrupan a una colectividad de regantes con el fin de aprovechar colectivamente aguas de dominio público, siempre y cuando no tengan ánimo de lucro (DGT V0989-11)[1].

- Las uniones, federaciones y confederaciones de cooperativas.

- Los colegios profesionales, las asociaciones empresariales, las cámaras oficiales y los sindicatos de trabajadores.

- Los fondos de promoción de empleo constituidos al amparo del artículo veintidós de la Ley 27/1984, de 26 de julio, sobre reconversión y reindustrialización.

- Las Mutuas Colaboradoras de la Seguridad Social, reguladas en el texto refundido de la Ley General de la Seguridad Social, aprobado por el Real Decreto Legislativo 1/1994, de 20 de junio.

- Las entidades de derecho público Puertos del Estado y las respectivas de las Comunidades Autónomas, así como las Autoridades Portuarias.

---

[1]   Vid. en torno a la aplicación de este régimen especial, entre otros: BLÁZQUEZ LIDOY, A.: "Cuestiones conflictivas de las exenciones subjetivas y entidades parcialmente exentas en el IS (Arts. 9, 120 a 122 del Texto Refundido de la Ley del Impuesto sobre Sociedades", *Quincena Fiscal*, 4, 2011, págs. 107-140; JIMÉNEZ NAVAS, M.M.: "Régimen de entidades parcialmente exentas", *Los regímenes especiales del Impuesto sobre Sociedades y del IVA*, coord. Antonio Manuel Cubero Truyo, Ana Luque Cortella, Tecnos, 2016, págs. 287-293.

Artículo 110
Rentas exentas

Francisco J. Magraner Moreno
Catedrático de Derecho Financiero y Tributario

"1. Estarán exentas las siguientes rentas obtenidas por las entidades que se citan en el artículo anterior:

a) Las que procedan de la realización de actividades que constituyan su objeto o finalidad específica, siempre que no tengan la consideración de actividades económicas. En particular, estarán exentas las cuotas satisfechas por los asociados, colaboradores o benefactores, siempre que no se correspondan con el derecho a percibir una prestación derivada de una actividad económica.

A efectos de la aplicación de este régimen a la Entidad de Derecho Público Puertos del Estado y a las Autoridades Portuarias se considerará que no proceden de la realización de actividades económicas los ingresos de naturaleza tributaria y los procedentes del ejercicio de la potestad sancionadora y de la actividad administrativa realizadas por las Autoridades Portuarias, así como los procedentes de la actividad de coordinación y control de eficiencia del sistema portuario realizada por el Ente Público Puertos del Estado.

b) Las derivadas de adquisiciones y de transmisiones a título lucrativo, siempre que unas y otras se obtengan o realicen en cumplimiento de su objeto o finalidad específica.

c) Las que se pongan de manifiesto en la transmisión onerosa de bienes afectos a la realización del objeto o finalidad específica cuando el total producto obtenido se destine a nuevas inversiones en elementos del inmovilizado relacionadas con dicho objeto o finalidad específica.

Las nuevas inversiones deberán realizarse dentro del plazo comprendido entre el año anterior a la fecha de la entrega o puesta a disposición del elemento patrimonial y los 3 años posteriores y mantenerse en el patrimonio de la entidad durante 7 años, excepto que su vida útil conforme al método de amortización, de los admitidos en el artículo 12.1 de esta Ley, que se aplique fuere inferior.

En caso de no realizarse la inversión dentro del plazo señalado, la parte de cuota íntegra correspondiente a la renta obtenida se ingresará, además de los intereses de demora, conjuntamente con la cuota correspondiente al período impositivo en que venció aquel.

La transmisión de dichos elementos antes del término del mencionado plazo determinará la integración en la base imponible de la parte de renta no gravada, salvo que el importe obtenido sea objeto de una nueva reinversión.

2. La exención a que se refiere el apartado anterior no alcanzará a los rendimientos de actividades económicas, ni a las rentas derivadas del patrimonio, ni a las rentas obtenidas en transmisiones, distintas de las señaladas en él".

A efectos de la determinación de la renta gravable, en el artículo 110 de la Ley se declaran exentas las siguientes rentas obtenidas por las entidades:

– Las que procedan de la realización de actividades que constituyan su objeto o finalidad específica, siempre que no tengan la consideración de actividades económicas. En particular, estarán exentas las cuotas satisfechas por los asociados, colaboradores o benefactores, siempre que no se correspondan con el derecho a percibir una prestación derivada de una actividad económica[2].

Así, por ejemplo, están exentas las cuotas colegiales percibidas por un Colegio Profesional por la realización de sus funciones, destinadas a la realización de actividades que constituyan su objeto social o finalidad específica y no supongan rendimientos de actividad económica alguna (DGT V1688-10).

A efectos de la aplicación de este régimen a la Entidad de Derecho Público Puertos del Estado y a las Autoridades Portuarias se considerará que no proceden de la realización de actividades económicas los ingresos de naturaleza tributaria y los procedentes del ejercicio de la potestad sancionadora y de la actividad administrativa realizadas por las Autoridades Portuarias, así como los procedentes de la actividad de coordinación y control de eficiencia del sistema portuario realizada por el Ente Público Puertos del Estado.

– Las derivadas de adquisiciones y de transmisiones a título lucrativo, siempre que unas y otras se obtengan o realicen en cumplimiento de su objeto o finalidad específica.

– Las que se pongan de manifiesto en la transmisión onerosa de bienes afectos a la realización del objeto o finalidad específica cuando el total producto obtenido se destine a nuevas inversiones en elementos del inmovilizado relacionadas con dicho objeto o finalidad específica. Las nuevas inversiones deberán realizarse dentro del plazo comprendido entre el año anterior a la fecha de la entrega o puesta a disposición del elemento patrimonial y los 3 años posteriores y mantenerse en el patrimonio de la entidad durante 7 años, excepto que su vida útil conforme

---

[2]   *Cfr.* PEDREIRA MENÉNDEZ, J.: "El ejercicio de actividades mercantiles por las entidades parcialmente exentas en el Impuesto sobre Sociedades", *Quincena Fiscal*, 5, 1998, págs. 9.20.

al método de amortización, de los admitidos en el artículo 12.1 de la Ley, que se aplique fuere inferior. En caso de no realizarse la inversión dentro del plazo señalado, la parte de cuota íntegra correspondiente a la renta obtenida se ingresará, además de los intereses de demora, conjuntamente con la cuota correspondiente al período impositivo en que venció aquel. La transmisión de dichos elementos antes del término del mencionado plazo determinará la integración en la base imponible de la parte de renta no gravada, salvo que el importe obtenido sea objeto de una nueva reinversión.

Como cláusula de cierre, la Ley establece, en el apartado 2 del artículo 110, que no tendrán la consideración de rentas exentas las que procedan de la realización de actividades económicas, ni las rentas derivadas del patrimonio (por ejemplo, arrendamientos, dividendos, intereses, etc.), ni las rentas obtenidas en transmisiones, distintas de las expresamente declaradas exentas.

A tenor de lo establecido en esta última disposición, la administración tributaria ha efectuado las siguientes interpretaciones:

– A una asociación deportiva de cazadores le resulta de aplicación este régimen, no obstante, no tendrán la consideración de rentas exentas las aportaciones que efectúen los asociados si vienen a retribuir los servicios prestados por la asociación o la utilización de bienes, constituyendo rendimientos de una explotación económica. Igualmente, la venta a terceros de la carne procedente de las cacerías organizadas por la asociación da lugar a rentas sujetas y no exentas derivadas de la existencia de una explotación económica (DGT 1734-00).

– Una organización sindical agraria que carece de ánimo de lucro pero que no reúne los requisitos para que le resulte de aplicación la Ley 49/2002, está considerada como una entidad parcialmente exenta. Con carácter general, las rentas que obtenga procedentes de las cuotas de sus asociados o las subvenciones que perciba de organismos públicos están exentas cuando se destinen a actividades que constituyan su objeto social o finalidad específica, esto es, a financiar la actividad sindical. Por el contrario, las aportaciones y cuotas soportadas por los asociados están no exentas siempre que dichas cuotas retribuyan los servicios prestados a los asociados o la utilización de bienes por los mismos, en el marco de una explotación económica, por lo que los ingresos procedentes del servicio de asesoramiento a los titulares de explotaciones agrarias son susceptibles de ser considerados como rentas derivadas del ejercicio de una explotación económica, teniendo por tanto, la consideración de rentas sujetas y no exentas (DGT V2545-06).

– No están exentas las rentas obtenidas por una asociación deportiva sin ánimo de lucro que obtenga de la organización de venta de rifas, lotería, venta de refrescos, etc., tanto si las operaciones se realizan con asociados como con no asociados (DGT V0025-08).

— No están exentas las rentas obtenidas por una federación de asociaciones derivadas del patrimonio de la entidad (DGT V1170-05 y V2712-10).

— La venta de libros, aunque sea realizada a los alumnos del centro, como el arrendamiento de ciertos espacios para la instalación de máquinas expendedoras de productos, como la cesión de aulas a diversas instituciones, determinan rentas derivadas de una explotación económica y, en consecuencia, están sujetas y no exentas (DGT 1106-03).

— Las actividades de formación que realiza una Federación Gremial sin ánimo de lucro, aunque sea en cumplimiento de sus fines, supone por parte de la entidad la ordenación por cuenta propia de los medios de producción y de recursos humanos o de uno de ambos con la finalidad de intervenir en la producción o distribución de estos servicios, por lo que se considera que se ejerce una actividad económica. Las rentas generadas por el ejercicio de esta actividad no están exentas (se trate de subvenciones, aportaciones de los socios, pago de los alumnos, etc.), aunque la organización de los cursos se realice en cumplimiento de su objeto social o finalidad específica (DGT V1786-05, V0149-10).

— No es renta exenta el alquiler de los locales percibido por una asociación sin ánimo de lucro, dedicada a la organización de la actividad de arbitraje de partidos de baloncesto, bien por constituir una actividad económica, o bien, por constituir rendimientos provenientes de su patrimonio (DGT V1594-09). En idéntico sentido, en una cofradía de pescadores, la exención no alcanza a los ingresos obtenidos del alquiler de un local (DGT V0410-05).

— Las cuotas cobradas a los asociados de una Asociación de Padres de Alumnos constituyen contraprestación de las actividades realizadas por la asociación, tales como venta de libros, transporte escolar, etc., (Organización del servicio de comedor a los niños, transporte escolar, venta de libros al inicio del curso, venta de equipamientos –chándales y batas–, organización de actividades extra-escolares, etc.) lo que constituyen rendimientos derivados de una explotación económica, al suponer la ordenación por cuenta propia de medios de producción y de recursos humanos o de uno de ambos, con la finalidad de intervenir en la producción o distribución de bienes o servicios aun cuando sea a sus propios asociados, no siendo aplicable a las mismas la exención (DGT 1995-04).

Artículo 111
Determinación de la base imponible

Francisco J. Magraner Moreno
Catedrático de Derecho Financiero y Tributario

"1. La base imponible se determinará aplicando las normas previstas en el Título IV de esta Ley.

2. No tendrán la consideración de gastos fiscalmente deducibles, además de los establecidos en el artículo 15 de esta Ley, los siguientes:

a) Los gastos imputables exclusivamente a las rentas exentas. Los gastos parcialmente imputables a las rentas no exentas serán deducibles en el porcentaje que representen los ingresos obtenidos en el ejercicio de actividades económicas respecto de los ingresos totales de la entidad.

b) Las cantidades que constituyan aplicación de resultados y, en particular, de los que se destinen al sostenimiento de las actividades exentas a que se refiere la letra a) del apartado 1 del artículo anterior".

Una vez delimitadas las rentas sometidas a gravamen, lógicamente por exclusión de las que tienen la consideración de exentas, el artículo 111 de la Ley establece las normas para la determinación de la base imponible.

A tal efecto, el procedimiento de determinación de la base imponible aplicable a estas entidades parcialmente exentas apenas difiere del previsto a título general en la Ley (artículos 10 a 26), dado que solamente se precisa que no tendrán la consideración de gastos fiscalmente deducibles (lógicamente, además de los que se enumeran en el artículo 15), los imputables exclusivamente a las rentas exentas. Por su parte, en cuanto a los gastos parcialmente imputables a las rentas no exentas, su deducibilidad se determinará en el porcentaje que representen los ingresos obtenidos en el ejercicio de actividades económicas respecto de los ingresos totales de la entidad. Por último, se establece que tampoco resultarán deducibles las cantidades que constituyan aplicación de resultados y, en particular, los gastos que se destinen al sostenimiento de las actividades que constituyan su objeto o finalidad específica, siempre que no tengan la consideración de actividades económicas. En particular, los relacionados con las cuotas satisfechas por los asociados, colaboradores o benefactores, siempre que no se correspondan con el derecho a percibir una prestación derivada de una actividad económica.

En lo que se refiere a la obligación formal de presentar declaración del impuesto, la redacción primera de la Ley actual nada decía al respecto a diferencia de lo que establecía la Ley precedente en su artículo 136. En este precepto, tras establecer que a título general las entidades sometidas a este régimen especial se encontraban obligadas a declarar la totalidad de sus rentas exentas y no exentas, había previsto, no obstante, una excepción a esta obligación para las entidades que reuniesen los siguientes requisitos: a) que sus ingresos totales no superasen los 100.000 euros anuales; b) que los ingresos correspondientes a rentas no exentas sometidas a retención no superasen los 2.000 euros; y, c) que todas la rentas no exentas que obtuviesen se encontrasen sometidas a retención.

Sin embargo, esta omisión legislativa no parecía haber sido producida conscientemente, puesto que prácticamente de inmediato, esto es, a través de la Ley 25/2015, de 28 de julio, se daba una nueva redacción al apartado 3 del artículo 124 de la Ley 27/2014, además con vigencia también retroactiva a los periodos impositivos que se hubiesen iniciado a partir de 1 de enero de 2015, en el que se establece que los contribuyentes a que se refiere el apartado 3 del artículo 9 no tendrán obligación de presentar declaración cuando cumplan los siguientes requisitos: a) Que sus ingresos totales no superen 50.000 euros anuales; b) Que los ingresos correspondientes a rentas no exentas no superen 2.000 euros anuales; y, c) Que todas las rentas no exentas que obtengan estén sometidas a retención.

De esta manera, en la actualidad también van a quedar no sometidos a la obligación de declarar determinados contribuyentes a los que les resulte de aplicación este régimen fiscal, de igual manera a lo que ocurría con la Ley anterior. No obstante, el número de declarantes exentos de esta obligación formal será a partir de este momento inferior al de antaño, debido a la minoración del límite de ingresos totales que ahora se ha establecido a estos efectos.

En principio estas entidades están obligadas a realizar los pagos fraccionados como cualquier otro contribuyente. No obstante, si el método de determinación del pago fraccionado es el general, no estarán obligadas a presentar los pagos fraccionados inmediatamente siguientes a los correspondientes a los meses posteriores a la fecha de realización de la declaración cuando en ese periodo impositivo no estuviesen obligadas a presentar la declaración del impuesto (DGT 0022-05).

Las entidades parcialmente exentas deberán llevar contabilidad, de tal forma que permita identificar los ingresos y gastos correspondientes a las rentas y explotaciones económicas no exentas.

Por último, indicar que el tipo de gravamen que se ha establecido para los contribuyentes a las que resulta de aplicación este régimen de exención parcial es del 25%.

RÉGIMEN DE LAS ENTIDADES SIN FINES LUCRATIVOS PREVISTO EN LA LEY 49/2002, DE 23 DE DICIEMBRE, DE RÉGIMEN FISCAL DE LAS ENTIDADES SIN FINES LUCRATIVOS Y DE LOS INCENTIVOS FISCALES AL MECENAZGO.

REAL DECRETO 1270/2003, DE 10 DE OCTUBRE, POR EL QUE SE APRUEBA EL REGLAMENTO PARA LA APLICACIÓN DEL RÉGIMEN FISCAL DE LAS ENTIDADES SIN FINES LUCRATIVOS Y DE LOS INCENTIVOS FISCALES AL MECENAZGO.

Artículo 9 apartado 2 LIS.
"Estarán parcialmente exentas del Impuesto, en los términos previstos en el título II de la Ley 49/2002, de 23 de diciembre, de régimen fiscal de las entidades sin fines lucrativos y de los incentivos fiscales al mecenazgo, las entidades e instituciones sin ánimo de lucro a las que sea de aplicación dicho título".

Artículo 29 apartado 3 LIS.
"Tributarán al 10 por ciento las entidades a las que sea de aplicación el régimen fiscal establecido en la Ley 49/2002, de 23 de diciembre, de régimen fiscal de las entidades sin fines lucrativos y de los incentivos fiscales al mecenazgo".

Disposición Derogatoria LIS.
"1. A la entrada en vigor de esta Ley quedarán derogadas todas las disposiciones que se opongan a lo establecido en la misma, y en particular, el Texto Refundido de la Ley del Impuesto sobre Sociedades, aprobado por el Real Decreto Legislativo 4/2004, de 5 de marzo. En concreto, quedan derogadas (...) 2. No obstante, conservarán su vigencia en lo que se refiere a este Impuesto: (...) p) La Ley 49/2002, de 23 de diciembre, de régimen fiscal de las entidades sin fines lucrativos y de los incentivos fiscales al mecenazgo".

Disposición Final Segunda LIS. Entidades acogidas a la Ley 49/2002, de 23 de diciembre, de régimen fiscal de las entidades sin fines lucrativos y de los incentivos fiscales al mecenazgo.
"Las entidades que reúnan las características y cumplan los requisitos previstos en el Título II de la Ley 49/2002, de 23 de diciembre, de régimen fiscal de las entidades sin fines lucrativos y de los incentivos fiscales al mecenazgo, tendrán el régimen fiscal que en ella se establece".

Disposición Final Quinta LIS. Modificaciones en la Ley 49/2002, de 23 de diciembre, de régimen fiscal de las entidades sin fines lucrativos y de los incentivos fiscales al mecenazgo.

"*Primero. Con efectos desde el 1 de enero de 2015, se introducen las siguientes modificaciones en la Ley 49/2002, de 23 de diciembre, de régimen fiscal de las entidades sin fines lucrativos y de los incentivos fiscales al mecenazgo: Uno. (...) Dos. Se añade una Disposición transitoria cuarta, que queda redactada de la siguiente forma:*

«*Disposición transitoria cuarta. Porcentajes de deducción en la cuota del Impuesto sobre la Renta de las Personas Físicas y del Impuesto sobre Sociedades.*

Durante el período impositivo 2015 el porcentaje de deducción para bases de deducción de hasta 150 euros a que se refiere el apartado 1 del artículo 19 de esta Ley, será del 50 por ciento, y el aplicable al resto de la base de la deducción, el 27,5 por ciento. Cuando resulte de aplicación lo dispuesto en el último párrafo de dicho apartado, el porcentaje de deducción a aplicar será el 32,5 por ciento.

En los períodos impositivos que se inicien en el año 2015, el porcentaje de deducción a que se refiere el segundo párrafo del apartado 1 del artículo 20 de esta Ley, será del 37,5 por ciento.»

Segundo. Con efectos para los períodos impositivos que se inicien a partir de 1 de enero de 2015, se añade un párrafo al apartado 1 del artículo 20 de la Ley 49/2002, de 23 de diciembre, de régimen fiscal de las entidades sin fines lucrativos y de los incentivos fiscales al mecenazgo, que queda redactado de la siguiente forma: «Si en los dos períodos impositivos inmediatos anteriores se hubieran realizado donativos, donaciones o aportaciones con derecho a deducción en favor de una misma entidad por importe igual o superior, en cada uno de ellos, al del período impositivo anterior, el porcentaje de deducción aplicable a la base de la deducción en favor de esa misma entidad será el 40 por ciento.»

SUMARIO: 1.INTRODUCCIÓN. 2. ÁMBITO SUBJETIVO DE APLICACIÓN DEL RÉGIMEN. 3. CONTENIDO DEL RÉGIMEN DE EXENCIÓN. 4. BIBLIOGRAFÍA.

1. INTRODUCCIÓN

El régimen fiscal especial de las entidades sin fines lucrativos que se regula en la Ley 49/2002, se configura como un régimen de carácter voluntario, de tal manera que podrán aplicarlo las entidades que, cumpliendo determinados requisitos, opten por él y comuniquen la opción a la Administración tributaria.

El procedimiento a seguir para el ejercicio de ésta opción ha sido desarrollado por el artículo 1 del Reglamento para la aplicación del régimen fiscal de las entidades sin fines lucrativos y de los incentivos fiscales al mecenazgo (Real Decreto 1270/2003, de 10 de octubre de 2003).

Como se desprende del apartado 1º de éste artículo, la opción por la aplicación del régimen especial constituye un requisito esencial para la aplicación del mismo. Ello queda plasmado en el apartado 2º, al señalarse que el régimen fiscal sólo se aplicará al periodo impositivo que finalice con posterioridad a la fecha de presentación de la declaración censal en la que se contenga la opción y a los sucesivos, en tanto que la entidad no renuncie al régimen.

El instrumento para comunicar a la Administración tributaria el ejercicio de la opción, así como la renuncia a la aplicación de éste régimen, es la declaración censal (DGT V1591-10). La comunicación del ejercicio de la opción a través de la declaración censal permitirá que la Administración tributaria expida, cuando así se solicite, un certificado acreditativo de la condición de la entidad, conforme establece el artículo 4 del Reglamento para la aplicación del régimen fiscal de las entidades sin fines lucrativos y de los incentivos fiscales al mecenazgo, en el que conste que se ha comunicado a la Administración tributaria la opción por la aplicación del régimen fiscal especial y que, permitirá que los pagadores de rentas exentas en virtud de la Ley, ante quienes se presente dicho certificado, no practiquen retenciones o ingresos a cuenta sobre dichas rentas.

Una vez se ha optado por la aplicación de este régimen especial cabe la posibilidad de renunciar al mismo. La renuncia producirá efectos a partir del período impositivo que se inicie con posterioridad a su presentación, que deberá efectuarse con al menos un mes de antelación al inicio de aquel mediante la correspondiente declaración censal.

2. ÁMBITO SUBJETIVO DE APLICACIÓN DEL RÉGIMEN

Podrán acogerse al régimen fiscal especial contenido en el título II de la Ley 49/2002, las siguientes entidades:

1. Las Fundaciones.

2. Las Asociaciones declaradas de utilidad pública.

3. Las organizaciones no gubernamentales de desarrollo a que se refiere la Ley 23/1998, de 7 de julio, de Cooperación Internacional para el Desarrollo, siempre que tengan alguna de las formas jurídicas a que se refieren los párrafos anteriores.

4. Las delegaciones de fundaciones extranjeras inscritas en el Registro de Fundaciones.

5. Las federaciones deportivas españolas, las federaciones deportivas territoriales de ámbito autonómico integradas en aquellas, el Cómité Olímpico Español y el Comité Paralímpico Español.

6. Las federaciones y asociaciones de las entidades sin fines lucrativos a que se refieren los párrafos anteriores.

7. La Cruz Roja y la Organización Nacional de Ciegos.

8. La Obra Pía de los Santos Lugares.

9. Las Fundaciones de entidades religiosas.

10. La Iglesia Católica y demás iglesias, confesiones y comunidades religiosas que tengan suscritos acuerdos de cooperación con el Estado Español.

11. Las entidades benéficas de construcción constituidas al amparo del artículo 5 de la Ley 15 de julio de 1954.

El Acuerdo sobre Asuntos Económicos entre el Estado español y la Santa Sede, firmado en la ciudad del Vaticano el 3 de enero de 1979, enumera en el artículo IV las siguientes entidades: la Santa Sede, la Conferencia Episcopal, las diócesis, las parroquias y otras circunscripciones territoriales, las Ordenes y Congregaciones religiosas y los Institutos de vida consagrada y sus provincias y sus casas. El artículo V incluye a las asociaciones y entidades religiosas que se dediquen a actividades religiosas, benéfico-docentes, médicas u hospitalarias o de asistencia social. A estas entidades les resultará de aplicación el régimen fiscal especial de las entidades sin fines lucrativos de la Ley 49/2002, siempre que cumplan todos los requisitos contemplados en el artículo 3 de dicha Ley, debiendo comunicar a la Administración tributaria su opción por dicho régimen a través de la correspondiente declaración censal.

Las entidades que hemos relacionado anteriormente, que cumplan los siguientes requisitos establecidos en el artículo 3 de la Ley 49/2002 serán consideradas como entidades sin fines lucrativos. Los citados requisitos son, en síntesis, los siguientes:

1.º Que persigan fines de interés general. Se establece en la Ley una lista abierta de los fines que pueden tener tal consideración.

2.º Que destinen a la realización de dichos fines al menos el 70 por 100 de las rentas e ingresos obtenidos, una vez minorados en los gastos realizados para su obtención y destinen el resto a incrementar la dotación patrimonial o las reservas. El plazo para el cumplimiento de este requisito será el comprendido entre el inicio del ejercicio en que se hayan obtenido las respectivas rentas e ingresos y los cuatro años siguientes al cierre de dicho ejercicio. Tal como se precisa en la Exposición de Motivos, en el texto de la Ley se ha aclarado que los gastos realizados para la obtención de tales ingresos podrán estar integrados, en su caso, por la parte proporcional de los gastos por servicios exteriores, de los gastos de personal, de otros gastos de gestión, de los gastos financieros y de los tributos, en cuanto que contribuyan a la obtención de los ingresos y excluyendo de este cálculo los gastos realizados para el cumplimiento de los fines estatutarios o del objeto de la entidad sin fines lucrativos. Se excluye del cómputo de los ingresos, junto con lo recibido en concepto de dotación patrimonial, el importe de los ingresos obtenidos en la enajenación de bienes inmuebles en los que la entidad desarrolle su actividad propia, siempre que el importe total de la transmisión se reinvierta en bienes inmuebles en que concurra también tal circunstancia.

3.º Que la actividad realizada no consista en el desarrollo de explotaciones económicas ajenas a su objeto o finalidad estatutaria. Se entenderá cumplido este requisito si el importe neto de la cifra de negocios del ejercicio correspondiente al conjunto de las explotaciones económicas no exentas ajenas a su objeto o finalidad estatutaria no excede del 40 por 100 de los ingresos totales de la entidad, siempre que el desarrollo de estas explotaciones económicas no exentas no vulnere las normas reguladoras de defensa de la competencia en relación con empresas que realicen la misma actividad.

A estos efectos, se considera que las entidades sin fines lucrativos desarrollan una explotación económica cuando realicen la ordenación por cuenta propia de medios de producción y de recursos humanos, o de uno de ambos, con la finalidad de intervenir en la producción o distribución de bienes o servicios. El arrendamiento del patrimonio inmobiliario de la entidad no constituye, a estos efectos, explotación económica.

4.º Que los fundadores, asociados, patronos, representantes estatutarios, miembros de los órganos de gobierno y los cónyuges o parientes hasta el cuarto grado inclusive de cualquiera de ellos no sean los destinatarios principales de las actividades que se realicen por las entidades, ni se beneficien de condiciones especiales para utilizar sus servicios.

Este requisito no se aplicará a las actividades de investigación científica y desarrollo tecnológico, ni a las actividades de asistencia social o deportivas a que se refiere la Ley 37/1992, del Impuesto sobre el Valor Añadido, ni a las fundaciones cuya finalidad sea la conservación y restauración de bienes del Patrimonio Histórico Español que cumplan las exigencias de la Ley 16/1985, de 25 de junio, del Patrimonio Histórico Español, o de la Ley de la respectiva Comunidad Autónoma que le sea de aplicación, en particular respecto de los deberes de visita y exposición pública de dichos bienes.

Lo dispuesto en el primer párrafo de este número no resultará de aplicación a las federaciones deportivas españolas, las federaciones deportivas territoriales de ámbito autonómico integradas en aquéllas, el Comité Olímpico Español y el Comité Paralímpico Español.

5.º Que los cargos de patrono, representante estatutario y miembro del órgano de gobierno sean gratuitos, sin perjuicio del derecho a ser reembolsados de los gastos debidamente justificados que el desempeño de su función les ocasione, sin que las cantidades percibidas por este concepto puedan exceder de los límites previstos en la normativa del IRPF para ser consideradas dietas exceptuadas de gravamen.

Lo dispuesto en el párrafo anterior no resultará de aplicación a las federaciones deportivas españolas, las federaciones deportivas territoriales de ámbito autonómico integradas en aquéllas, el Comité Olímpico Español y el Comité Paralímpico Español y respetará el régimen específico establecido para aquellas asociaciones que, de acuerdo con la Ley Orgánica 1/2002, de 22 de marzo, reguladora del Derecho de Asociación, hayan sido declaradas de utilidad pública.

Los patronos, representantes estatutarios y miembros del órgano de gobierno podrán percibir de la entidad retribuciones por la prestación de servicios, incluidos los prestados en el marco de una relación de carácter laboral, distintos de los que implica el desempeño de las funciones que les corresponden como miembros del Patronato u órgano de representación, siempre que se cumplan las condiciones previstas en las normas por las que se rige la entidad. Tales personas no podrán participar en los resultados económicos de la entidad, ni por sí mismas, ni a través de persona o entidad interpuesta.

Este requisito será de aplicación igualmente a los administradores que representen a la entidad en las sociedades mercantiles en que participe, salvo que las retribuciones percibidas por la condición de administrador se reintegren a la entidad que representen.

En este caso, la retribución percibida por el administrador estará exenta del IRPF, y no existirá obligación de practicar retención a cuenta de este impuesto.

6.º Que, en caso de disolución, su patrimonio se destine en su totalidad a alguna de las entidades consideradas como entidades beneficiarias del mecenazgo o a entidades públicas de naturaleza no fundacional que persigan fines de interés general, y esta circunstancia esté expresamente contemplada en el negocio fundacional o en los estatutos de la entidad disuelta. A estas entidades les resultará de aplicación el régimen especial de fusiones previsto en la Ley del Impuesto sobre Sociedades, en particular lo previsto por el artículo 76.1, letra c), de la Ley 27/2014.

En ningún caso tendrán la condición de entidades sin fines lucrativos, a efectos de la Ley 49/2002, aquellas entidades cuyo régimen jurídico permita, en los supuestos de extinción, la reversión de su patrimonio al aportante del mismo o a sus herederos o legatarios, salvo que la reversión esté prevista en favor de alguna entidad beneficiaria del mecenazgo.

7.º Que estén inscritas en el registro correspondiente.

8.º Que cumplan las obligaciones contables previstas en las normas por las que se rigen o, en su defecto, en el Código de Comercio y disposiciones complementarias.

9.º Que cumplan las obligaciones de rendición de cuentas que establezca su legislación específica. En ausencia de previsión legal específica, deberán rendir cuentas antes de transcurridos seis meses desde el cierre de su ejercicio ante el organismo público encargado del registro correspondiente.

10.º Que elaboren anualmente una memoria económica en la que se especifiquen los ingresos y gastos del ejercicio, de manera que puedan identificarse por categorías y por proyectos, así como el porcentaje de participación que mantengan en entidades mercantiles. Las entidades que estén obligadas en virtud de la normativa contable que les sea de aplicación a la elaboración anual de una memoria deberán incluir en dicha memoria la información a que se refiere este número. La falta de elaboración de la memoria va a implicar un incumplimiento que determinará la imposibilidad de aplicar el régimen especial. En cuanto al incumplimiento del plazo de presentación, debe interpretarse como la inobservancia de un requisito formal y, por tanto, no como el incumplimiento del requisito sustantivo aquí previsto. En definitiva, la falta de presentación en plazo de la memoria no supondría un incumplimiento para la aplicación del régimen fiscal especial, al tratarse de un requisito formal y no sustancial (Informe DGT 101-0126-06, de 20 de julio de 2006).

3. CONTENIDO DEL RÉGIMEN DE EXENCIÓN

En particular, el régimen contempla una exención parcial, considerando exentas de tributación determinadas rentas obtenidas por estas entidades, y un tipo de gravamen especial.

Las rentas exentas son las siguientes:

– Las derivadas de los siguientes ingresos:

a) Los donativos y donaciones recibidos para colaborar en los fines de la entidad, incluidas las aportaciones o donaciones en concepto de dotación patrimonial, en el momento de su constitución o en un momento posterior, y las ayudas económicas recibidas en virtud de los convenios de colaboración empresarial regulados en el artículo 25 de la Ley 49/2002 y en virtud de los contratos de patrocinio publicitario a que se refiere la Ley 34/1998, de 11 de noviembre, General de Publicidad.

b) Las cuotas satisfechas por los asociados, colaboradores o benefactores, siempre que no se correspondan con el derecho a percibir una prestación derivada de una explotación económica no exenta.

c) Las subvenciones, salvo las destinadas a financiar la realización de explotaciones económicas no exentas.

–   Las procedentes del patrimonio mobiliario e inmobiliario de la entidad, como son los dividendos y participaciones en beneficios de sociedades, intereses, cánones y alquileres.

–   Las derivadas de adquisiciones o de transmisiones, por cualquier título, de bienes o derechos, incluidas las obtenidas con ocasión de la disolución y liquidación de la entidad.

–   Las obtenidas en el ejercicio de las explotaciones económicas exentas.

–   Las que, de acuerdo con la normativa tributaria, deban ser atribuidas o imputadas a las entidades sin fines lucrativos y que procedan de rentas exentas incluidas en alguno de los apartados anteriores.

Para determinar la base imponible, estas entidades sólo incluirán las rentas derivadas de las explotaciones económicas no exentas, y no tendrán la consideración de gastos deducibles, además de los establecidos por la normativa general del Impuesto sobre Sociedades, los siguientes:

–   Los gastos imputables exclusivamente a las rentas exentas. Los gastos parcialmente imputables a las rentas no exentas serán deducibles en el porcentaje que representen los ingresos obtenidos en el ejercicio de explotaciones económicas no exentas respecto de los ingresos totales de la entidad.

–   Las cantidades destinadas a la amortización de elementos patrimoniales no afectos a las explotaciones económicas sometidas a gravamen. En el caso de elementos patrimoniales afectos parcialmente a la realización de actividades exentas, no resultarán deducibles las cantidades destinadas a la amortización en el porcentaje en que el elemento patrimonial se encuentre afecto a la realización de dicha actividad.

–   Las cantidades que constituyan aplicación de resultados y, en particular, de los excedentes de explotaciones económicas no exentas.

A la base imponible resultante se le aplicará el tipo de gravamen del 10 por ciento. Así ha quedado establecido en el artículo 29, apartado 3, de la Ley 27/2014, del Impuesto sobre Sociedades. De esta manera, esta Ley mantiene a partir de su entrada en vigor el mismo tipo de gravamen aplicable anteriormente a esta categoría de entidades, sin establecer, ninguna disposición de carácter transitorio a tal efecto.

Una vez determinada la cuota íntegra, estas entidades podrán practicar las deducciones previstas en la Ley del Impuesto sobre Sociedades, dado que, con arreglo a lo dispuesto en el artículo 5 de la Ley 49/2002, en lo no previsto en su capítulo II serán de aplicación a las entidades sin fines lucrativos las normas del Impuesto; en consecuencia, las deducciones allí previstas serán de aplicación sobre la cuota tributaria generada por la actividad no exenta. Debe puntualizarse que la vinculación de estas deducciones a la realización de determinadas actividades, gastos, inversiones, etc., implicará que las mismas solamente serán de aplicación cuando resulten imputables a actividades no exentas (DGT V0921-10, de 6 de mayo).

En lo que respecta a la obligación de declarar, el artículo 13 de la Ley 49/2002 dispone que las entidades que opten por el régimen están obligadas a declarar por el Impuesto sobre Sociedades la totalidad de sus rentas, exentas y no exentas. Por tanto, estas entidades estarán obligadas a presentar declaración por el Impuesto sobre Sociedades, declaración que deberá ser presentada en el plazo de los 25 días naturales siguientes a los seis meses posteriores a la conclusión del periodo impositivo.

4. BIBLIOGRAFÍA

BLÁZQUEZ LIDOY, A., MARTÍN DÉGANO, I.: "Aspectos problemáticos y propuestas de reforma de la Ley 49/2002 en materia de mecenazgo", *Crónica tributaria*, págs. 7-38; CUBILES SÁNCHEZ-POBRE, P.: "Visión crítica del Régimen Fiscal de las entidades sin fines lucrativos acogidas a la Ley 49/2002, de 23 de diciembre", Civitas. *Revista española de derecho financiero*, N° 148, 2010, págs. 1029-1054; JIMÉNEZ NAVAS, M.M.: "La imposición directa sobre los beneficios obtenidos por las entidades sin fines lucrativos", *Crónica tributaria*, N° Extra 4, 2012, págs. 9-15; MONTESINOS OLTRA, S.: *Los requisitos del régimen tributario especial de las entidades sin fines lucrativos*, Thomson Aranzadi, Navarra, 2008; MUÑOZ VILLARREAL, A.: "Las entidades sin fines lucrativos como obligados tributarios en el Impuesto sobre Sociedades", *Crónica tributaria*, 6, págs. 63-76.

Régimen de las comunidades titulares de montes vecinales en mano común

JAVIER MARÍA BAS SORIA

Inspector de Hacienda del Estado. Doctor en Derecho

"1. La base imponible correspondiente a las comunidades titulares de montes vecinales en mano común se reducirá en el importe de los beneficios del ejercicio que se apliquen a:

a) Inversiones para la conservación, mejora, protección, acceso y servicios destinados al uso social al que el monte esté destinado.

b) Gastos de conservación y mantenimiento del monte.

c) Financiación de obras de infraestructura y servicios públicos, de interés social.

La aplicación del beneficio a las indicadas finalidades se deberá efectuar en el propio período impositivo o en los 4 siguientes. En caso de no realizarse las inversiones o gastos dentro del plazo señalado, la parte de la cuota íntegra correspondiente a los beneficios no aplicados efectivamente a las inversiones y gastos descritos, junto con los intereses de demora, se ingresará conjuntamente con la cuota correspondiente al período impositivo en que venció dicho plazo.

La Administración tributaria, en la comprobación del destino de los gastos e inversiones indicadas, podrá solicitar los informes que precise de las Administraciones autonómicas y locales competentes.

Esta reducción es incompatible con la reserva de capitalización prevista en el artículo 25 de esta Ley y con la reserva de nivelación de bases imponibles prevista en el artículo 105 de esta Ley.

2. Los beneficios podrán aplicarse en un plazo superior al establecido en el apartado anterior, siempre que en dicho plazo se formule un plan especial de inversiones y gastos por el contribuyente y sea aceptado por la Administración tributaria en los términos que se establezcan reglamentariamente.

3. Las comunidades titulares de montes vecinales en mano común tributarán al tipo general de gravamen.

4. Las comunidades titulares de montes vecinales en mano común no estarán obligadas a presentar declaración por este Impuesto en aquellos períodos impositivos en que no obtengan ingresos sometidos a este, ni incurran en gasto alguno, ni realicen las inversiones y gastos a que se refiere el apartado 1.

5. Los partícipes o miembros de las comunidades titulares de montes vecinales en mano común integrarán en la base del Impuesto sobre

*la Renta de las Personas Físicas las cantidades que les sean efectiva-
mente distribuidas por la comunidad. Dichos ingresos tendrán el tratamiento previsto para las participaciones en beneficios de cualquier
tipo de entidad, a que se refiere la letra a) del apartado 1 del artículo
25 de la Ley 35/2006, de 28 de noviembre, del Impuesto sobre la Renta de las Personas Físicas y de modificación parcial de las leyes de los
Impuestos sobre Sociedades, sobre la Renta de no Residentes y sobre
el Patrimonio".*

SUMARIO: 1. RÉGIMEN JURÍDICO Y FUNDAMENTO DEL RÉGIMEN ESPE-
CIAL. 2. BASE IMPONIBLE. 3. PLAZO DE APLICACIÓN DEL BENEFICIO QUE
DA DERECHO A LA REDUCCIÓ. 4. INCUMPLIMIENTO DE LA OBLIGACIÓN
DE INVERSIÓN. 5. TIPO DE GRAVAMEN DE LOS MVMC. 6. OBLIGACIONES
FORMALES. 7. TRIBUTACIÓN DE LOS COMUNEROS DE LOS MVMC.

1. RÉGIMEN JURÍDICO Y FUNDAMENTO
DEL RÉGIMEN ESPECIAL

Los Montes Vecinales en Mano Común (en adelante, MVMC) son una forma especial de propiedad comunal de los Montes. Regulados a nivel estatal por
la Ley 55/1980, de 11 de noviembre, de Montes Vecinales en Mano Común;
en la CA de Galicia, en la que tiene una mayor relevancia esta figura (se estima por dicha Comunidad Autónoma que hasta una cuarta parte del territorio
puede estar constituida como MVMC) se regula por una ley autonómica, la
Ley 13/1989, de 10 de octubre, de montes vecinales en mano común, dictada,
tal y como establece la Exposición de Motivos de la misma, en ejercicio de la
competencia exclusiva que sobre el régimen jurídico de los montes vecinales en
mano común otorga el artículo 27.11 del Estatuto de Autonomía.

Los MVMC son aquellos que pertenecen a agrupaciones vecinales en su
calidad de grupos sociales y no como entidades administrativas y que se aprovechan consuetudinariamente en mano común por los miembros de aquéllas
en su condición de vecinos; es decir, pertenecen a la comunidad como tal y se
aprovechan, de un modo no exclusivo, por todos los vecinos del pueblo.

Su estatuto jurídico se caracteriza por la indivisibilidad, inalienabilidad,
imprescriptibilidad e inembargabilidad, correspondiendo su titularidad domi-
nical, sin asignación de cuotas, a todos los que tengan la condición de vecino
(concepto que no se equipara a la vecindad administrativa, sino a través de una
"efectiva residencia" identificada como "casa abierta con humos"), en cada
momento, de la comunidad titular del monte (en este sentido, debe tenerse presente que muchas comunidades propietarias son parroquias y otras entidades
locales menores).

Su aprovechamiento, generalmente, es conjunto y comunal de todos los vecinos, aunque pueden ser objeto de cesión temporal, en todo o en parte, a título oneroso o gratuito, para obras, instalaciones, servicios o fines que redunden de modo principal en beneficio directo de los vecinos. En concreto, la Ley gallega establece que las rentas de los MVMC pueden destinarse a las siguientes finalidades: sufragar obras o servicios comunitarios con criterios de reparto proporcional entre los diversos lugares o aldeas a las que pertenece el monte vecinal; inversiones directas que mejoren y protejan el uso social del monte; o los beneficios se pueden repartir total o parcialmente entre los comuneros.

La regulación tributaria del régimen especial de los MVMC parte de una discrepancia con la interpretación que realizaba la DGT sobre la forma de tributación estas entidades carentes de personalidad jurídica. A finales de los años 90 se suscitó ante la posibilidad de considerar como gasto deducible para estas entidades los gastos en inversiones, obras de infraestructura y servicios públicos, de interés de la comunidad propietaria de los mismos, y que en alguna medida suponían la provisión de los servicios públicos que deberían acometer los poderes públicos y que, por la especial condición del territorio, no podían asumir. La DGT, ante la ausencia de regulación tributaria específica sobre esta figura, carente de personalidad jurídica, y que llevaba a cabo una explotación del territorio, determinó que le era aplicable el régimen propio de las entidades de atribución de rentas y que tales gastos, como aplicación de los rendimientos obtenidos, no tenían la condición de gasto deducible. A partir de esta interpretación de la DGT, incuestionable desde el punto de vista jurídico, pero no deseable desde el punto de vista social, entendió el legislador que la figura de los MVMC requería un estatuto tributario propio, que se materializa en el régimen especial que ahora estudiamos.

2. BASE IMPONIBLE

Como hemos avanzado, el régimen especial responde a la conveniencia de considerar determinados gastos específicos de estas entidades, que no atienden a la propia explotación económica de la que se obtienen los ingresos, como gastos deducibles en el IS.

La base imponible se determina al igual que para cualquier otra entidad sujeta al impuesto, es decir, corrigiendo el resultado contable mediante la aplicación de las normas especiales previstas en el Impuesto. Como especialidad, se prevé que la base imponible se reduzca en el importe de los beneficios que se destinen a las finalidades siguientes:

– Inversiones para la conservación, mejora, protección, acceso y servicios destinados al uso social al que el monte esté destinado.

– Gastos de conservación y mantenimiento del monte.

– Financiación de obras de infraestructura y servicios públicos, de interés social.

Sobre la forma en la que debe determinarse el importe de la reducción se ha pronunciado el TEAC en resolución de 25 de septiembre de 2008 (R.G. 00/04676/2008) en la que se dice:

> *"De lo expuesto se desprende que el ajuste extracontable negativo practicado con ocasión de la reducción de la base imponible del sujeto pasivo tiene naturaleza de diferencia permanente, la cual modificará la base de cálculo y, en consecuencia, el importe del impuesto devengado en el ejercicio en que se produce.*
>
> *Por tanto, teniendo en cuenta que el ajuste extracontable negativo que debe practicarse en virtud de lo dispuesto en el artículo 123 del TRLIS tiene la consideración de diferencia permanente, a efectos de determinar la cuantía máxima en que podrá reducirse la base imponible de la reclamante correspondiente al ejercicio 2004, será necesario determinar previamente el gasto contable por el Impuesto sobre Sociedades devengado en el ejercicio, el cual a su vez vendrá determinado por el importe de la reducción en base que debe practicar el sujeto pasivo con arreglo a lo dispuesto en el ya mencionado artículo 123 del TRLIS. Luego, en el presente caso, la determinación del beneficio contable del ejercicio, cuyo importe, a su vez, determinará la reducción a practicar en la base imponible correspondiente al ejercicio 2004, según lo dispuesto en el artículo 123 del TRLIS, vendrá determinada por el siguiente sistema de ecuaciones:*
>
> *$RB = (BAI – IS)$*
>
> *$IS = T (BAI – CBIN – RB)$*
>
> *RB: Reducción en base.*
>
> *BAI: Beneficio antes de impuestos.*
>
> *IS: Gasto por Impuesto sobre Sociedades.*
>
> *T: Tipo impositivo.*
>
> *CBIN: Compensación de bases imponibles negativas"*

Los distintos conceptos que se integran en la reducción, si no totalmente conceptos jurídicos indeterminados, cuanto menos, son conceptos amplios y no demasiado concretos. No resulta extraño, pues, que la DGT se haya pronunciado en diversas ocasiones sobre el alcance de esta reducción. Podemos destacar, entre otras, la CV 3020-13, de 9 de octubre de 2013, en la que se dice lo siguiente:

> *"En el supuesto concreto planteado, en lo que se refiere a los gastos relacionados en el escrito de consulta, se considera que los gastos de donativo para el pago de celebración de fiestas patronales; de comida de confraternidad de los comuneros; de mantenimiento de la iglesia y el cementerio; de obras mantenimiento en el campo de futbol parroquial; de construcción del pabellón polideportivo parroquial; de acondicionamiento de caminos públicos; y de ayudas a gastos de*

sepelio de los comuneros, no tendrían la consideración de gasto fiscalmente deducible a efectos del Impuesto sobre Sociedades en sede de la consultante.

No obstante, siguiendo lo dispuesto en el artículo 123 del TRLIS previamente transcrito, la base imponible correspondiente a las comunidades titulares de montes vecinales en mano común se reducirá en el importe de los beneficios del ejercicio que se apliquen, entre otros destinos, a la financiación de obras de infraestructura y servicios públicos, de interés social.

En este sentido, tendrán la consideración de servicios públicos de interés social todas aquéllas actuaciones que beneficien a la colectividad en su conjunto y no a determinados individuos.

Por lo que se refiere a los conceptos concretos a que se refiere el escrito de consulta, el artículo 85.1 de la Ley 7/1985, de 2 de abril, Reguladora de las Bases del Régimen Local, dispone que "son servicios públicos locales los que prestan las entidades locales en el ámbito de sus competencias", y el artículo 25 de dicha Ley determina las competencias de los municipios señalando que "el Municipio, para la gestión de sus intereses y en el ámbito de sus competencias, puede promover toda clase de actividades y prestar cuantos servicios públicos contribuyan a satisfacer las necesidades y aspiraciones de la comunidad vecinal", y en particular las relativas a pavimentación de vías públicas urbanas y conservación de caminos y vías rurales; cementerios y servicios funerarios; prestación de los servicios sociales y de promoción y reinserción social; o a actividades o instalaciones culturales y deportivas, ocupación del tiempo libre, turismo.

Por consiguiente, los gastos correspondientes donativo para el pago de celebración de fiestas patronales; de mantenimiento de la iglesia y el cementerio; de obras mantenimiento en el campo de futbol parroquial; de construcción del pabellón polideportivo parroquial; y de acondicionamiento de caminos públicos, podrán considerarse incluidos en el concepto de servicios públicos y, en la medida en que no estén orientadas a beneficiar singularmente a determinadas personas o entidades privadas, podrá considerarse de interés social, dando derecho a la reducción en la base imponible.

Será la Administración tributaria quien, posteriormente comprobará el interés social de las obras o servicios, para lo que podrá solicitar informes a la Administración autonómica o local competente."

Resulta reseñable en esta contestación que la DGT subraya la facultad administrativa de comprobación a posteriori de las obras e inversiones realizadas, facultad prevista legalmente, para determinar si realmente se ajustan a los fines estipulados en la norma como habilitantes para la reducción; así como la posibilidad, también recogida de forma expresa en el precepto, de solicitar los informes que precise de las Administraciones autonómicas y locales competentes. La propia estructura de las respuestas a consultas de la DGT, en la que se examina si las actividades descritas en las mismas se encuentran en el marco de las competencias municipales legalmente previstas, parece ser la causa de esta previsión legal.

Sin ánimo de ser exhaustivos, otras actividades consideradas por la DGT como susceptibles de dar derecho a la reducción en la base imponible han sido la financiación de actividades deportivas y culturales (consulta 1035-00 de 28/04/2000), obras de acondicionamiento de carreteras, de la iglesia, de las zonas comunes del cementerio parroquial, de fuentes públicas, de instalaciones deportivas, festejos públicos, actividades deportivas y culturales (consulta 1203-00 de 26/05/2000) o festejos públicos, actividades deportivas y culturales(consulta 2205-99 de 22/11/1999). Por el contrario, ha entendido la DGT que el desarrollo e instrumentación de diversos contratos y mecanismos de protección social no generaban el derecho a la reducción (consulta 2358-00 de 18/12/2000).

Cabe, finalmente, destacar que nada en el tenor literal de la norma impone que las actividades realizadas con los beneficios que dan derecho a la reducción estén condicionadas a que las mismas no sean, a la vez, gastos deducibles para los MVMC. Ciertamente, como hemos explicado, esta reducción surgió para dar satisfacción a los MVMC que destinaban sus excedentes a determinadas actividades y que bien podían no ser gastos deducibles para la obtención de los ingresos, lo que, en una interpretación teleológica del precepto, nos llevaría a excluir que se tuviera esta doble naturaleza. Quizá por ello, la DGT, en consulta V2875-13 de 30/09/2013, ha declarado que "en el caso de que dichas inversiones hayan dado derecho a aplicar la reducción en la base imponible prevista en el artículo 123.1 del TRLIS, los gastos contables –como las amortizaciones o deterioros de valor– que generen con posterioridad, no tendrán la consideración de gasto fiscalmente deducible, por cuanto ya redujeron la base imponible del ejercicio en que se obtuvo el beneficio"; criterio que, aunque referido al TRLIS, entendemos que mantendrá la Administración en relación con la LIS por tener la misma redacción.

3. PLAZO DE APLICACIÓN DEL BENEFICIO QUE DA DERECHO A LA REDUCCIÓN

El plazo legalmente previsto para la aplicación del beneficio que da derecho a la reducción es de 5 años: el propio período impositivo en el que se haya obtenido el beneficio y los 4 siguientes.

Resulta curiosa, quizás, la inclusión del propio ejercicio en el que se haya obtenido el beneficio, ya que el importe del beneficio todavía no se habrá determinado. No obstante, parece tanto más razonable en tanto que, aunque no se haya determinado todavía el beneficio, la obtención cierta o previsible de un ingreso puede aconsejar acometer las actividades que constituirán la base de la reducción.

Se prevé, no obstante, que los beneficios sean aplicados en un plazo superior al antes referido, siempre que en dicho plazo se formule un plan especial de inversiones y gastos por el contribuyente y sea aceptado por la Administración tributaria.

El procedimiento para la aprobación de los Planes especiales de inversiones y gastos de las comunidades titulares de MVMC se regula en el artículo 11 del RIS, que establece:

- Solicitud: La solicitud formulada por los MVMC deberá contener los siguientes datos:

  • Descripción de los gastos, inversiones y sus importes realizados dentro del plazo del ejercicio de la obtención del beneficio y los cuatro siguientes.

  • Descripción de las inversiones o gastos pendientes al fin del plazo y que serán el objeto del plan especial.

  • Importe efectivo o previsto de las inversiones o gastos del plan.

  • Descripción del plan temporal de realización de la inversión o gasto.

  • Descripción de las circunstancias específicas que justifican el plan especial de inversiones y gastos.

- Plazo: El plan especial debe presentarse antes de la finalización del cuarto período impositivo siguiente a la obtención del beneficio. El contribuyente podrá desistir de la solicitud formulada.

- Instrucción:

  • Se prevé la facultad administrativa de recabar del contribuyente cuantos datos, informes, antecedentes y justificantes sean necesarios. Asimismo, será preceptivo recabar informe de los organismos de las Comunidades Autónomas que tengan competencia en materia forestal en las que tenga su domicilio fiscal el contribuyente.

  • El contribuyente podrá, en cualquier momento del procedimiento anterior al trámite de audiencia, presentar las alegaciones y aportar los documentos y justificantes que estime pertinentes.

  • Antes de redactar la propuesta de resolución, se pondrá de manifiesto al contribuyente el expediente en un plazo para alegaciones de 15 días.

- Resolución: la resolución, motivada, debe dictarse en un plazo de tres meses, siendo el silencio positivo. El contenido posible de la misma es:

  • Aprobar el plan especial formulado por el contribuyente.

  • Aprobar, con la aceptación del contribuyente, un plan alternativo.

- Desestimar el plan formulado.

Añade el artículo 12 RIS el órgano competente para la resolución de la AEAT será aquel que se determine de acuerdo con sus normas de estructura orgánica.

4. INCUMPLIMIENTO DE LA OBLIGACIÓN DE INVERSIÓN

Dado que el plazo para la realización de las actividades que dan derecho a la reducción es, como hemos visto, de un total de 5 periodos impositivos, el legislador ha previsto las consecuencias del incumplimiento de la obligación de inversión en dicho plazo, estableciendo que deberá ingresarse la parte de la cuota íntegra correspondiente a los beneficios no aplicados efectivamente a las inversiones y gastos, junto con los intereses de demora, conjuntamente con la cuota correspondiente al período impositivo en que venció dicho plazo.

Entendemos que este pronunciamiento legal resulta bastante claro para determinar el momento en el que se inicia el plazo de prescripción del derecho de la Administración a comprobar la efectiva inversión o realización de los gastos: se iniciará a partir del último ejercicio en el que se incumpla el plazo.

A nuestro juicio distinta tiene que ser la conclusión en aquellos casos en los que lo que se debata no sea el plazo para realizar la inversión, sino la eligibilidad y adecuación de una inversión o gasto para aplicar la reducción. En este caso, la prescripción debería ir acompasada a la prescripción del derecho a comprobar el ejercicio en el que se realizara la inversión o gasto correspondiente.

5. TIPO DE GRAVAMEN DE LOS MVMC

Los MVMC están sometidos al tipo general de gravamen.

6. OBLIGACIONES FORMALES

Los MVMC están sometidos a las obligaciones formales generales establecidas para cualquier contribuyente del IS, en particular, la obligación de llevanza de contabilidad en los términos previstos en el C de C (artículo 120 LIS), de presentar declaración por el impuesto (artículo 124 LIS), de autoliquidar e ingresar el impuesto resultante (artículo 125 LIS) o la obligación de retener e ingresar a cuenta (128 LIS).

Como disposición particular, se les dispensa de la obligación de presentar declaración cuando cumplan, acumulativamente, las siguientes condiciones:

- No obtener ingresos sometidos al IS.

- No incurrir en gasto alguno.

- No realizar inversiones y gastos que den derecho a la reducción.

7. TRIBUTACIÓN DE LOS COMUNEROS DE LOS MVMC

Los partícipes o miembros de las comunidades titulares de montes vecinales en mano común vienen obligados a declarar en el IRPF las cantidades que les sean efectivamente distribuidas por los MVMC.

Dichos ingresos tendrán el tratamiento previsto para las participaciones en beneficios de cualquier tipo de entidad, a que se refiere la letra a) del apartado 1 del artículo 25 LIRPF, es decir, rendimientos obtenidos por la participación en los fondos propios de cualquier tipo de entidad asimilados a los dividendos. Por consiguiente, deben tributar como renta del ahorro según dispone el artículo 46.a LIRPF.

Artículo 113
Régimen de las entidades navieras en función del tonelaje. Ámbito de aplicación

PABLO ROMÁ BOHORQUES

Abogado. Socio Director de Roma Bohorques Abogados Tributarios

"1. Podrán acogerse al régimen especial previsto en este capítulo:

a) Las entidades inscritas en alguno de los registros de empresas navieras referidos en el texto refundido de la Ley de Puertos del Estado y de la Marina Mercante, aprobado por el Real Decreto Legislativo 2/2011, de 5 de septiembre, cuya actividad comprenda la explotación de buques propios o arrendados.

b) Las entidades que realicen, en su totalidad, la gestión técnica y de tripulación de buques a que se refiere el apartado siguiente. A estos efectos, se entiende por gestión técnica y de tripulación la asunción de la completa responsabilidad de la explotación náutica del buque, así como de todos los deberes y responsabilidades impuestos por el Código Internacional de Gestión para la Seguridad de la Explotación de los buques y la prevención de la contaminación adoptado por la Organización Marítima Internacional mediante la Resolución A 741.

2. Los buques cuya explotación posibilita la aplicación del citado régimen deben reunir los siguientes requisitos:

a) Estar gestionados estratégica y comercialmente desde España o desde el resto de la Unión Europea o del Espacio Económico Europeo. A estos efectos, se entiende por gestión estratégica y comercial la asunción por el propietario del buque o por el arrendatario, del control y riesgo de la actividad marítima o de trabajos en el mar.

b) Ser aptos para la navegación marítima y estar destinados exclusivamente a actividades de transporte de mercancías, pasajeros, salvamento y otros servicios prestados necesariamente en el mar, sin perjuicio de lo establecido en la letra *c)* siguiente.

c) Tratándose de buques destinados a la actividad de remolque será necesario que menos del 50 por ciento de los ingresos del período impositivo procedan de actividades que se realicen en los puertos y en la prestación de ayuda a un buque autopropulsado para llegar a puerto. En el caso de buques con actividad de dragado será necesario que más del 50 por ciento de los ingresos del período impositivo procedan de la actividad de transporte y depósito en el fondo del mar de materiales extraídos, alcanzando este régimen exclusivamente a esta parte de su actividad.

Respecto de las entidades que cedan el uso de estos buques, este requisito se entenderá cumplido cuando justifiquen que los ingresos de la entidad que desarrolla la actividad de remolque o dragado cumple aquellos porcentajes en cada uno de los períodos impositivos en los que fuere aplicable este régimen a aquellas entidades.

Los buques destinados a la actividad de remolque y de dragado, deberán estar registrados en España o en otro Estado miembro de la Unión Europea o del Espacio Económico Europeo.

3. Cuando el régimen fuera aplicable a contribuyentes con buques no registrados en España o en otro Estado miembro de la Unión Europea o del Espacio Económico Europeo, el incremento del porcentaje del tonelaje neto de dichos buques respecto del total de la flota de la entidad acogida al régimen especial, cualquiera que fuese su causa, no impedirá la aplicación de dicho régimen a condición de que el porcentaje medio del tonelaje neto de buques registrados en España o en otro Estado miembro de la Unión Europea respecto del tonelaje neto total referido al año anterior al momento en que se produce dicho incremento, se mantenga durante el período de los 3 años posteriores.

Esta condición no se aplicará cuando el porcentaje del tonelaje neto de buques registrados en España o en otro Estado miembro de la Unión Europea sea al menos del 60 por ciento.

4. No podrá aplicarse este régimen cuando la totalidad de los buques no estén registrados en España o en otro Estado miembro de la Unión Europea. Tampoco podrán acogerse al presente régimen los buques destinados, directa o indirectamente, a actividades pesqueras o deportivas, ni los de recreo.

5. No resultará de aplicación este régimen durante los períodos impositivos en los que concurran simultáneamente las siguientes circunstancias:

a) Que la entidad tenga la condición de mediana o gran empresa de acuerdo con lo dispuesto en la Recomendación 2003/361/CE de la Comisión Europea.

b) Que perciban una ayuda de Estado de reestructuración concedida al amparo de lo establecido en la Comunicación 2004/C244/02 de la Comisión Europea.

c) Que la Comisión Europea no hubiera tenido en cuenta los beneficios fiscales derivados de la aplicación de este régimen cuando tomó la decisión sobre la ayuda de reestructuración".

1. INTRODUCCIÓN

Los artículos 113 y siguientes de la Ley 27/2014 regulan el régimen especial de Entidades Navieras en función del Tonelaje. Dicho régimen fue introducido en el capítulo XVII del título VII de la Ley 43/1995, del Impuesto sobre Sociedades por la Ley 24/2001, de 27 de diciembre, de Medidas Fiscales, Administrativas y del Orden Social –Ley de acompañamiento de los Presupuestos Generales del Estado para 2002– como resultado de las Directrices comunitarias sobre Ayudas de Estado al transporte marítimo 97/C 205/05. Las mencionadas directrices amparaban la concesión de ayudas de Estado al sector naval.

La Comunicación C(2004) 43 de la Comisión en la que se establecen, en la actualidad, las Directrices comunitarias sobre ayudas de Estado al transporte marítimo (2004/C 13/03)[1] sigue en la misma línea y justifica la concesión de

---

[1]   La introducción de estas Directrices Comunitarias expone, a modo de justificación, la situación del transporte marítimo: *"El Libro Blanco "La política europea de transportes de cara al 2010: la hora de la verdad" recalca la importancia capital de los servicios de transporte marítimo para la economía de la UE. El 90 % de los intercambios comerciales entre la Comunidad y el resto del mundo se realiza a través del transporte marítimo. El transporte marítimo de corta distancia constituye el 69 % del volumen de mercancías transportadas entre los Estados miembros (este porcentaje es del 41 % si se incluye el transporte nacional). El sector comunitario del transporte marítimo con sus actividades conexas sigue siendo uno de los más importantes del mundo.*
Las compañías marítimas de los Estados miembros todavía controlan aproximadamente un tercio de la flota mundial. La adhesión en 2004 de Chipre y Malta(1) aportará una dimensión marítima aún mayor a la Unión: los registros marítimos de estos dos países representan en estos momentos alrededor del 10 % del tonelaje mundial.
Desde los años 70, la flota europea se enfrenta a la competencia de buques registrados en terceros países poco preocupados por la observancia de las normas sociales y de seguridad vigentes en el plano internacional.
Esta falta de competitividad de los pabellones comunitarios fue reconocida a finales de los años 80 y, a falta de medidas comunitarias de armonización, varios Estados miembros adoptaron diferentes fórmulas de ayuda a los transportes marítimos. Las estrategias adoptadas y los presupuestos asignados para las medidas de apoyo difieren de un Estado miembro a otro, y reflejan la actitud de dichos Estados en relación con las ayudas públicas o su análisis de la importancia del sector marítimo.
Además, para impulsar la vuelta al registro comunitario de los buques, los Estados miembros suavizaron las normas relativas a las tripulaciones, en particular mediante la creación de segundos registros.
Los segundos registros incluyen, por una parte, los "registros offshore" pertenecientes a territorios que gozan de una mayor o menor autonomía en relación con un Estado miembro y, por otra parte, los "registros internacionales" directamente vinculados al Estado que los ha creado.
A pesar de los esfuerzos realizados, una gran parte de la flota de la Comunidad continúa enarbolando pabellones de terceros países. En realidad, los registros de los terceros países que aplican políticas de matrícula abierta (algunas de las cuales se denominan "banderas de conveniencia") siguieron y siguen disfrutando de una importante ventaja competitiva sobre los registros de los Estados miembros de la Comunidad.

estas ayudas de Estado al considerar al transporte marítimo como un sector estratégico para la economía comunitaria. En este sentido, el 90 % de los intercambios comerciales entre la Comunidad y el resto del mundo se realiza a través del transporte marítimo.

Según la referida comunicación, las ayudas de Estado pueden introducirse para apoyar los intereses marítimos de la Comunidad, con el propósito de:

- Mejorar un transporte marítimo fiable, eficaz, seguro y no dañino para el medio ambiente;
- Fomentar el abanderamiento o reabanderamiento en los registros de los Estados miembros;
- Contribuir a la consolidación del sector marítimo establecido en los Estados miembros, al tiempo que se mantiene una flota competitiva global en los mercados mundiales;
- Mantener y mejorar los conocimientos técnicos marítimos y proteger y fomentar el empleo para los marinos europeos, y
- Contribuir al fomento de nuevos servicios en el ámbito de la navegación marítima de corta distancia, de acuerdo con el Libro Blanco sobre la política europea de transportes.

Tal y como señala la Dirección General de Tributos, en su consulta V2399-15 de 28 de julio *entre los objetivos de este régimen, de acuerdo con las Directrices comunitarias sobre ayudas de Estado al transporte marítimo, se encuentra la necesidad de contribuir a la consolidación del sector marítimo y mantener y mejorar los conocimientos técnicos marítimos, exigiéndose para ello que la gestión estratégica y comercial de los buques se realice efectivamente en el territorio de los Estados miembros y que dicha actividad contribuya de forma significativa a la actividad económica y al empleo en la Comunidad.*

Como consecuencia de las Directrices de 2004, se promulgó la Ley 4/2006, de 29 de marzo, de adaptación del régimen de las entidades navieras en función del tonelaje a las nuevas directrices comunitarias sobre ayudas de Estado al transporte marítimo y de modificación del régimen económico y fiscal de Canarias, que modificó el Régimen de Tonelaje establecido en el Texto Refundido de la Ley del Impuesto sobre Sociedades[2].

---

[2]   Tal y como establecía la exposición de motivos de la mencionada Ley 4/2006, estas modificaciones se concretaban en los siguientes asuntos:
  – Extensión del mencionado régimen a las entidades que realicen, en su totalidad, la gestión técnica y de tripulación de los buques incluidos en el régimen especial.
  – Se permite la aplicación del régimen a los buques de remolque que realicen actividad de transporte marítimo, entendiéndose como tal cuando menos del 50 por ciento de los ingresos de la actividad de remolque realizada durante el período impositivo procedan de la actividad realizada en puertos o de la prestación de ayuda a buques autopropulsados para llegar a puerto.
  – Se amplía también el régimen a las dragas que realicen actividad de transporte marítimo, entendiéndose que existe tal cuando, durante el período impositivo, más del 50 por

2. ENTIDADES CON DERECHO A ACOGERSE AL RÉGIMEN ESPECIAL DE ENTIDADES NAVIERAS EN FUNCIÓN DEL TONELAJE

El apartado 1 de este régimen establece cuales son las entidades que tiene derecho a la aplicación de este régimen especial, configurándolo como un régimen optativo, cuyos requisitos para la solicitud se verán más adelante.

En concreto, el apartado 1 dispone que las entidades que pueden acogerse a este régimen especial serán las siguientes:

– Las entidades inscritas en alguno de los registros de empresas navieras referidos en el texto refundido de la Ley de Puertos del Estado y de la Marina Mercante cuya actividad comprenda la explotación de buques propios o arrendados.

– Las entidades que realicen, en su totalidad, la gestión técnica y de tripulación de buques a que se refiere el apartado dos.

A continuación, vamos a analizar cuáles son estos dos tipos de entidades.

2.1. *Entidades inscritas en registros de empresas navieras que realicen la explotación de buques*

Como se ha señalado anteriormente, la letra a) del apartado 1 establece que tienen derecho a acogerse a este régimen aquellas entidades que cumplan dos requisitos:

1. Que estén inscritas en algunos de los registros de empresas navieras.

2. Que su actividad comprenda la explotación de buques (propios o ajenos).

2.1.1. Registros de empresas navieras

Los registros en los que debe inscribirse las empresas navieras vienen previstos en el artículo 251 y en la Disposición Adicional Decimosexta del Real

---

ciento de los ingresos de la actividad sea el depósito en el fondo del mar de los materiales extraídos. En este caso, la aplicación del régimen especial queda limitado a esta parte de actividad de transporte.
– Se exige que los buques con actividad de remolque y de dragado que se incluyan en el régimen especial deban estar registrados en España o en otro Estado miembro de la Unión Europea.
– Se permite a los interesados que puedan incluir en sus solicitudes buques no registrados en España o en otro Estado de la Unión Europea, siempre que mantengan o incrementen el porcentaje de tonelaje neto bajo registro comunitario respecto del tonelaje total de buques de la entidad acogidos a este régimen especial.

Decreto Legislativo 2/2011, de 5 de septiembre, por el que se aprueba el Texto Refundido de la Ley de Puertos del Estado y de la Marina Mercante (en adelante, LPEMM)[3]. En concreto, los registros son los siguientes:

– Registro de Buques y Empresas Navieras.

– Registro especial de Buques y Empresas Navieras.

Por tanto, una vez inscrita la empresa naviera en alguno de los Registros previstos por la LPEMM, se entenderá cumplido el requisito previsto en la letra a) del apartado 1. En este mismo sentido se manifiesta la Dirección General de Tributos, en su consulta vinculante, V4265-16, de 5 de octubre, al señalar que:

> *"En cuanto al requisito establecido en la letra a) del artículo 113.1 de la LIS, éste se entenderá cumplido en la medida en la que B se encuentre inscrita en alguno de los registros de empresas navieras referidos en el texto refundido*

---

[3] *Artículo 251. Registro de Buques y Empresas Navieras.*
1. El Registro de Buques y Empresas Navieras es un registro público de carácter administrativo que tiene por objeto la inscripción de:
a) Los buques abanderados en España.
b) Las empresas navieras españolas.
2. En la inscripción de los buques se hará constar, a efectos de su identificación, todas sus circunstancias esenciales y sus modificaciones, así como los actos y contratos por los que se adquiera o transmita su propiedad, los de constitución de hipotecas o imposición de derechos reales y cualquier otro extremo que se determine legal o reglamentariamente.
3. En la inscripción de las empresas navieras se hará constar el acto constitutivo y sus modificaciones, el nombramiento y cese de sus administradores, los buques de su propiedad o que exploten, y cualquier otra circunstancia que se determine legal o reglamentariamente.
4. La inscripción en el Registro de Buques y Empresas Navieras no exime del cumplimiento de los deberes de inscripción en otros Registros públicos que puedan existir.
5. La inscripción de buques en el Registro de Buques y Empresas Navieras, supondrá la baja simultánea, en su caso, en el Registro Especial de Buques y Empresas Navieras.
6. Lo dispuesto en este artículo se entenderá sin perjuicio de lo preceptuado en la disposición adicional decimosexta, reguladora del Registro Especial de Buques y Empresas Navieras.
Disposición adicional decimosexta. Registro especial de Buques y Empresas Navieras.
1. Objeto, régimen jurídico y normas de funcionamiento.
a) Se crea un Registro especial de Buques y Empresas Navieras, en el que se podrán inscribir los buques y las empresas navieras siempre que reúnan los requisitos previstos en esta disposición adicional.
b) El Registro Especial de Buques y Empresas Navieras estará situado en el territorio de la Comunidad Autónoma de Canarias.
c) El Registro Especial de Buques y Empresas Navieras es un Registro público de carácter administrativo, que se regirá por lo establecido en esta disposición adicional y en sus normas de desarrollo.
2. Gestión y administración del Registro.
a) La gestión y administración del Registro Especial de Buques y Empresas Navieras se realizará a través de dos oficinas de gestión, adscritas al Ministerio de Fomento, una, con sede en Las Palmas de Gran Canaria, y otra, con sede en Santa Cruz de Tenerife, incardinadas en las Capitanías Marítimas de las provincias citadas.
b) En todo caso, el Ministerio de Fomento tendrá las competencias para conceder la inscripción y la baja en el Registro especial, para determinar las características de la dotación

de la Ley de Puertos del Estado y de la Marina Mercante, aprobado por el Real Decreto Legislativo 2/2011, de 5 de septiembre."

En cuanto a qué entidades pueden inscribirse en los mencionados registros, la LPEMM señala qué se entiende por empresa naviera. En este sentido, según el artículo 10 de la LPEMM, *se entiende por empresario o empresa naviera la persona física o jurídica que, utilizando buques mercantes propios o ajenos, se dedique a la explotación de los mismos, aun cuando ello no constituya su actividad principal, bajo cualquier modalidad admitida por los usos internacionales.*

---

de los buques, las inspecciones de los mismos y aquellos otros trámites administrativos que habilitan la normal operatividad de los buques.

3. Matrícula, abanderamiento y patente de navegación de los buques.

a) La inscripción de buques en el Registro Especial, supondrá la baja simultánea, en su caso, en el Registro de Buques y Empresas Navieras.

b) La patente de navegación de los buques inscritos en el Registro especial será otorgada por el Ministro de Fomento y expedida por el Director General de la Marina Mercante.

c) Dicha patente habilitará a los buques para navegar bajo pabellón español y legitimará a los capitanes para el ejercicio de sus funciones a bordo de dichos buques.

d) A las empresas navieras titulares de buques de pabellón extranjero no se les exigirá la presentación del certificado de baja en el Registro de bandera de procedencia para el abanderamiento provisional en España.

4. Requisitos de inscripción de las empresas navieras y de los buques.

a) Podrán solicitar su inscripción en el Registro Especial las empresas navieras que tengan en Canarias su centro efectivo de control, o que, teniéndolo en el resto de España o en el extranjero, cuenten con un establecimiento o representación permanente en Canarias, a través del cual vayan a ejercer los derechos y a cumplir las obligaciones atribuidas a las mismas por la legislación vigente.

Para la inscripción de las empresas navieras será necesaria únicamente la aportación del certificado de su inscripción en el Registro mercantil donde se refleje que el objeto social incluye la explotación económica de buques mercantes bajo cualquier modalidad que asegure la disponibilidad sobre la totalidad del buque.

También podrán solicitar su inscripción en el Registro especial los organismos públicos o la Administración pública que, cumpliendo los requisitos anteriormente establecidos, ostenten la titularidad o la posesión por cualquier título que garantice la disponibilidad sobre la totalidad de los buques civiles a que se refiere el apartado 4.2.a), aportando una certificación del órgano competente que acredite la titularidad o posesión del buque.

b) Las empresas a que se refiere el número anterior podrán solicitar la inscripción en el Registro especial de aquellos buques que cumplan los siguientes requisitos:

1.º Tipo de buques: Todo buque civil apto para la navegación con un propósito mercantil, excluidos los dedicados a la pesca, ya estén los buques construidos o en construcción. Se considerarán también inscribibles los buques civiles de titularidad o posesión pública que desempeñen funciones que pudieran tener propósito mercantil si pertenecieran al sector privado.

2.º Tamaño mínimo: 100 GT.

3.º Título de posesión: Las empresas navieras habrán de ser propietarias o arrendatarias financieras de los buques cuya inscripción solicitan; o bien tener la posesión de aquéllos bajo contrato de arrendamiento a casco desnudo u otro título que lleve aparejado el control de la gestión náutica y comercial del buque.

4.º Condiciones de los buques: Los buques procedentes de otros Registros que se pretendan inscribir en el Registro especial deberán justificar el cumplimiento de las normas de seguridad establecidas por la legislación española y por los convenios internacionales suscritos por

2.1.2. Concepto de explotación de buques propios o ajenos

En relación con el concepto de explotación de buques, ésta se referirá exclusivamente al transporte marítimo de:
- mercancías,
- pasajeros,
- salvamento y
- otros servicios prestados necesariamente en el mar

Quedan excluidos de este concepto, tal y como establece el apartado 4 de este artículo 113, los buques destinados, directa o indirectamente, a actividades pesqueras o deportivas, y los de recreo.

2.2. *Entidades dedicadas a la gestión técnica y tripulación*

La letra b) del apartado 1 indica que también podrán acogerse a este régimen las entidades que realicen, en su totalidad, la gestión técnica y de tripulación de buques. La propia norma da una definición sobre qué debe entenderse por gestión técnica y de tripulación.

Así, se entiende por gestión técnica y de tripulación la asunción de la completa responsabilidad de la explotación náutica del buque, así como de todos los deberes y responsabilidades impuestos por el Código Internacional de Gestión para la Seguridad de la Explotación de los buques y la prevención de la contaminación adoptado por la Organización Marítima Internacional mediante la Resolución A 741.

De lo anterior, parece desprenderse que, en el supuesto en que dicha gestión técnica y de tripulación fuese asumida parcialmente por la entidad, la misma

---

España, por lo que podrán ser objeto de una inspección con carácter previo a su inscripción en el Registro especial, en las condiciones que determine el Ministerio de Fomento.
c) Con carácter previo a la matriculación de un buque en el Registro especial, el titular del mismo deberá aportar el justificante que acredite el pago de los tributos de aduanas, en el caso de buques importados sujetos a esta formalidad.
5. Otras reglas de inscripción.
Se podrán inscribir en el Registro Especial los buques de las empresas navieras que cumplan los requisitos del apartado anterior y la normativa comunitaria en materia de ayudas de Estado al transporte marítimo.
Las condiciones laborales y de Seguridad Social de los trabajadores no nacionales españoles, empleados a bordo de los buques matriculados en el Registro especial, se regularán por la legislación a la que libremente se sometan las partes, siempre que la misma respete la normativa emanada de la Organización Internacional del Trabajo o, en defecto de sometimiento expreso, por lo dispuesto en la normativa laboral y de Seguridad Social española, todo ello sin perjuicio de la aplicación de la normativa comunitaria y de los convenios internacionales suscritos por España."

no podría acogerse al régimen especial de entidades navieras en función del tonelaje.

No obstante, la Dirección General de Tributos considera que, en el supuesto en que una sociedad no cumpla con el requisito de gestión de tripulación, esto no es óbice para la aplicación del régimen especial. En este sentido, la consulta vinculante V2399-15 de 28 de julio, señala que:

> *"En consecuencia, en el caso planteado en el escrito de la consulta debe entenderse que se cumple el requisito previsto en la letra a) del artículo 113.2 de la LIS, en la medida en la que la gestión estratégica y comercial del buque se lleva a cabo a nivel del grupo al que pertenecen las entidades A y B. El hecho de que la gestión de la tripulación se realice por un tercero ajeno al grupo, no impide que se entienda cumplido el citado requisito, en la medida en la que las restantes actividades que componen dicha gestión son realizadas por el grupo y, adicionalmente, este último asume los riesgos de la actividad de transporte marítimo."*

Por otro lado, en relación con los deberes y responsabilidades impuestos por el Código Internacional de Gestión para la Seguridad de la Explotación de los buques[4] que deben asumir las entidades, éstos pueden resumirse en los siguientes:

1. La compañía elaborará, aplicará y mantendrá un sistema de gestión de la seguridad (SGS), que incluya las siguientes prescripciones de orden funcional:

   a) Principios sobre seguridad y protección del medio ambiente;

   b) Instrucciones y procedimientos que garanticen la seguridad operacional del buque y la protección del medio ambiente con arreglo a la legislación internacional y del Estado de abanderamiento;

   c) Niveles definidos de autoridad y vías de comunicación entre el personal de tierra y de a bordo y en el seno de ambos colectivos;

   d) Procedimientos para notificar los accidentes y los casos de incumplimiento de las disposiciones del Código;

   e) Procedimientos de preparación para hacer frente a situaciones de emergencia, y

   f) Procedimientos para efectuar auditorías internas y evaluaciones de la gestión.

---

[4]   El Código Internacional de Gestión para la Seguridad de la Explotación de los buques y la prevención de la contaminación adoptado por la Organización Marítima Internacional mediante la Resolución A 741 fue publicado en el BOE el 22 de mayo de 1998.

2. La compañía establecerá principios sobre seguridad y protección del medio ambiente que indiquen cómo alcanzar los objetivos enunciados en el párrafo 1.2

3. La compañía se asegurará de que se aplican y mantienen dichos principios a los distintos niveles organizativos, tanto a bordo de los buques como en tierra. 3.

4. A fin de garantizar la seguridad operacional del buque y proporcionar el enlace entre la compañía y el personal de a bordo, cada compañía designará, en la forma que estime oportuna, a una o varias personas en tierra directamente ligadas a la dirección, cuya responsabilidad y autoridad les permita supervisar los aspectos operacionales del buque que afecten a la seguridad y la prevención de la contaminación, así como garantizar que se habilitan recursos suficientes y el debido apoyo en tierra.

5. La compañía adoptará procedimientos para determinar y describir posibles situaciones de emergencia a bordo, así como para hacerles frente.

6. La compañía establecerá programas de ejercicios y prácticas que sirvan de preparación para actuar con urgencia.

7. En el SGS se proveerán las medidas necesarias para garantizar que la compañía como tal pueda en cualquier momento actuar eficazmente en relación con los peligros, accidentes y situaciones de emergencia que afecten a sus buques.

3. BUQUES CUYA EXPLOTACIÓN GENERA EL DERECHO A LA APLICACIÓN DEL RÉGIMEN ESPECIAL

El apartado 2 señala los buques que generan el derecho a la aplicación del régimen especial de entidades navieras en función del tonelaje. En concreto, estos buques serán aquellos que reúnan los siguientes requisitos:

–   Estar gestionados estratégica y comercialmente desde España o desde el resto de la Unión Europea o del Espacio Económico Europeo. A estos efectos, se entiende por gestión estratégica y comercial la asunción por el propietario del buque o por el arrendatario, del control y riesgo de la actividad marítima o de trabajos en el mar.

    En algunas ocasiones, la determinación de quién asume el control y riesgo de la actividad marítima o de trabajos en el mar puede resultar confusa, especialmente, en aquellos casos, por ejemplo, en los que el titular del barco –inscrito en el Registro correspondiente– realiza una serie concreta de funciones (facilitar y contratar, directa o indirectamente, a la tripulación necesaria que permitiría la navegabilidad del buque, gestionar y garantizar la seguridad operacional y marítima del buque, llevar la gestión técnica del buque, facilitar todos los aprovisionamientos necesarios para la navegabilidad del buque, gestionar y contratar la póliza de seguro que cubra los daños en el casco o en la mecánica del buque y la eventual responsabilidad civil por daños, asegurar la correcta funcionabilidad y navegación del buque de acuerdo con el itinerario establecido por el fletador) y, por su lado, el fletador asuma otras como serían la gestión turística hotelera del buque, aprovisionamiento de la comida, bebida y demás consumibles destinados a los clientes que contraten los servicios turísticos, la contratación del personal encargado de todos los servicios enmarcados dentro de la gestión turística-hotelera (cocineros, personal de limpieza, personal encargado de servicios de animación, etc.), la instalación, montaje y gestión de los equipamientos destinados a los clientes (tiendas, restaurantes, gimnasios, spa, etc.) o la gestión de los programas de excursiones y visitas para los clientes.

En un supuesto como éste, la Dirección General de Tributos, a pesar de las funciones realizadas –en este caso por un fletador no residente en España–, entiende que la gestión estratégica y comercial corresponde al titular del barco. En concreto, este Centro Directivo, en su consulta vinculante V4265-16, de 5 de octubre, establece lo siguiente:

> "En el presente supuesto, de acuerdo con los hechos manifestados por la consultante, la entidad titular del buque (B) lo explotará mediante un contrato de fletamento por tiempo (time chárter), asumiendo el riesgo de la actividad de transporte marítimo, como consecuencia del contrato suscrito con la entidad fletadora. Adicionalmente, la gestión técnica y comercial del buque será asumida por la entidad B.
>
> En consecuencia, en el caso planteado en el escrito de la consulta debe entenderse que se cumple el requisito previsto en la letra a) del artículo 113.2 de la LIS, en la medida en la que la gestión estratégica y comercial del buque se lleve a cabo por la entidad titular del buque B, residente en España. El hecho de que la gestión de la contratación de la tripulación se pueda realizar indirectamente por un tercero, no impide que se entienda cumplido el citado requisito, en la medida en la que las restantes actividades que componen dicha gestión serán realizadas por B y, adicionalmente, esta última asumirá los riesgos de la actividad de transporte marítimo.
>
> De acuerdo con lo anterior, se entenderá que la entidad B cumplirá el requisito regulado en el artículo 113.1.b) de la LIS a los efectos de aplicar el régimen especial de entidades navieras en función del tonelaje, en la medida en la que asuma la responsabilidad de la explotación náutica del buque, así como de todos los deberes y responsabilidades impuestos por el Código Internacional de Gestión para la Seguridad de la Explotación de los buques y la prevención de la contaminación."

Asimismo, la gestión estratégica y comercial puede entenderse cumplida, no únicamente desde el punto de vista de la propia entidad sino del grupo mercantil al que pertenece. En este sentido, se manifiesta la Dirección General de Tributos en su consulta vinculante V2399-15 de 28, de julio al señalar que:

> "...debe entenderse que el cumplimiento de la gestión estratégica y comercial del buque debe analizarse desde el punto de vista del grupo mercantil, en los términos previstos en el artículo 42 del Código de Comercio.
>
> En consecuencia, en el caso planteado en el escrito de la consulta debe entenderse que se cumple el requisito previsto en la letra a) del artículo 113.2 de la LIS, en la medida en la que la gestión estratégica y comercial del buque se lleva a cabo a nivel del grupo al que pertenecen las entidades A y B. El hecho de que la gestión de la tripulación se realice por un tercero ajeno al grupo, no impide que se entienda cumplido el citado requisito, en la medida en la que las restantes actividades que componen dicha gestión son realizadas por el grupo y, adicionalmente, este último asume los riesgos de la actividad de transporte marítimo."

– Ser aptos para la navegación marítima. Para que un buque sea apto para la navegación marítima, deberá cumplir los requisitos administrativos correspondientes.

– Estar destinados exclusivamente a actividades de transporte de mercancías, pasajeros[5], salvamento y otros servicios prestados necesariamente en el mar, sin perjuicio de lo establecido en el párrafo siguiente.

– Tratándose de buques destinados a la actividad de remolque será necesario que menos del 50 por ciento de los ingresos del período impositivo procedan de actividades que se realicen en los puertos y en la prestación de ayuda a un buque autopropulsado para llegar a puerto. En el caso de buques con actividad de dragado será necesario que más del 50 por ciento de los ingresos del período impositivo procedan de la actividad de transporte y depósito en el fondo del mar de materiales extraídos, alcanzando este régimen exclusivamente a esta parte de su actividad.

En relación con buques destinados a la actividad de remolque que tenga que estar en puerto a la espera de prestar dicha actividad, la Dirección General de Tributos considera que el tiempo en espera forma parte de la actividad de remolque, computándose como actividad realizada. En concreto, este centro directivo, en su consulta vinculante V1831-14 de 10 de julio, establece lo siguiente:

---

[5] La citada consulta vinculante V4265-16, de 5 de octubre, señala que: "*en la medida en la que el buque sea apto para la navegación marítima y esté destinado al transporte de viajeros, se entenderá cumplido el requisito previsto en la letra b) del artículo 113.2 de la LIS*"

"De acuerdo con este precepto, cuando se trate de buques que realicen la actividad de remolque que pretendan aplicar el régimen especial de entidades navieras en función del tonelaje, los ingresos procedentes de actividades desarrolladas en puerto deben ser inferiores al 50% de los ingresos obtenidos en el período impositivo.

En este sentido el capítulo 3.1 de la Comunicación C(2004) 43 de la Comisión mediante la que se aprueban las Directrices comunitarias sobre ayudas de Estado al transporte marítimo establece:

"(...) La actividad de «remolque» solo está cubierta por el campo de aplicación de las Directrices si más del 50 % de la actividad de remolque efectivamente realizada por un remolcador durante un año dado constituye «transporte marítimo». El tiempo de espera puede asimilarse proporcionalmente a aquella parte de la actividad total efectivamente realizada por un remolcador que constituye «transporte marítimo». Debe subrayarse que las actividades de remolque realizadas principalmente en los puertos, o que consisten en prestar ayuda a un buque autopropulsado para llegar a puerto, no constituyen un «transporte marítimo» a los efectos de la presente comunicación. No es posible ninguna excepción al principio de vínculo de pabellón en el caso del remolque. (...)"

De los datos aportados en el escrito de la consulta se desprende que los buques, que obtuvieron la autorización para acogerse al régimen especial del capítulo XVII del título VII, se encuentran la mitad del tiempo en puerto y la otra mitad desarrollando actividades fuera del mismo. Las cantidades satisfechas por el prestatario retribuyen, por un lado, la prestación de los servicios fuera de puerto y, por otro, el hecho de que se encuentren a su disposición en el puerto. Según los hechos manifestados por la consultante ambos tipos de servicio se facturan mensualmente por igual importe.

No obstante, según el capítulo 3.1 de las Directrices comunitarias sobre ayudas de Estado al transporte marítimo, el tiempo de espera en puerto "debe asimilarse proporcionalmente a aquella parte de la actividad total efectivamente realizada por un remolcador que constituye «transporte marítimo»". Por tanto, efectuando una interpretación sistemática e integradora de la norma y, al mismo tiempo, acorde con el Derecho Comunitario, dado que las únicas actividades que realizan los remolcadores cuando no están en puerto son actividades de transporte marítimo, deberá considerarse que durante el tiempo que los remolcadores se encuentran en puerto, los mismos están realizando actividades de transporte marítimo.

En consecuencia, la totalidad los ingresos que percibe la entidad consultante se entenderán que proceden de actividades de transporte marítimo, lo que supone que los ingresos procedentes de actividades desarrolladas en puerto no alcanzan el 50% de los ingresos obtenidos por dichos buques. Así, los citados buques cumplen el requisito previsto en la letra c) del apartado 2 del artículo 124 del TRLIS para tener la consideración de buques aptos a los efectos de aplicar el régimen especial de entidades navieras en función del tonelaje.

En conclusión, en la medida que la entidad y los buques objeto de la consulta cumplan el resto de requisitos previstos en el capítulo XVII del título VII del TRLIS, la consultante podrá seguir aplicando el régimen de especial de entidades navieras en función del tonelaje en los términos previstos en la Resolución de la Dirección General de Tributos correspondiente."

Respecto de las entidades que cedan el uso de estos buques, este requisito se entenderá cumplido cuando justifiquen que los ingresos de la entidad que desarrolla la actividad de remolque o dragado cumple aquellos porcentajes en cada uno de los períodos impositivos en los que fuere aplicable este régimen a aquellas entidades.

Los buques destinados a la actividad de remolque y de dragado, deberán estar registrados en España o en otro Estado miembro de la Unión Europea o del Espacio Económico Europeo.

4. BUQUES NO REGISTRADOS EN LA UNIÓN EUROPEA O EEE

El apartado 3 establece una serie de condiciones para la aplicación de este régimen a aquellos contribuyentes que tengan buques no registrados en la Unión Europea o el Espacio Económico Europeo.

Así, inicialmente, el aumento del porcentaje del tonelaje neto de los buques no registrados en la UE o en el EEE respecto de los acogidos a este régimen especial, no impide la aplicación del mismo.

No obstante, dicha aplicación está sometida a una condición: el porcentaje medio del tonelaje neto de buques registrados en España o en la UE respecto al tonelaje neto total debe mantenerse durante el periodo de los 3 años posteriores al año anterior al momento en que se produce dicho incremento.

Esta condición no se aplicará cuando el porcentaje del tonelaje neto de buques registrados en España o en otro estado miembro de la Unión Europea sea al menos del 60 por ciento.

El incumplimiento del mantenimiento de este porcentaje no supondrá la exclusión del régimen especial de entidades navieras; de acuerdo con el párrafo 2° del articulo 117.2 LIS, dicho incumplimiento implicará la pérdida para aquellos buques adicionales que motivaron el incremento a que se refiere dicho apartado 3 del artículo 113, procediendo la regularización establecida en el párrafo 1° del citado artículo 117.2[6] que corresponda exclusivamente a tales buques.

---

[6]   El párrafo 1° del artículo 117.2 dispone que: *"El incumplimiento de los requisitos establecidos en el presente régimen implicará el cese de los efectos de la autorización correspondiente y la pérdida de la totalidad de los beneficios fiscales derivados de ella, debiendo ingresar, junto a la cuota del período impositivo en el que se produjo el incumplimiento, las cuotas*

EJEMPLO

La sociedad NIT DE LA NAU está acogida al régimen de entidades navieras en función del tonelaje desde el año 2009. En 2012, tenía los siguientes tonelajes:

– 30.000 toneladas de registro neto correspondientes a 5 buques registrados en España

– 28.000 toneladas de registro neto correspondientes a 6 buques registrados fuera de la Unión Europea.

El 2 de enero de 2013, la sociedad decide adquirir un buque registrado en Singapur de 10.000 toneladas de registro neto.

Durante los ejercicios 2013, 2014 y 2015, la sociedad no adquiere, ni transmite ningún buque.

¿Tendrá derecho la entidad a aplicar el régimen especial?

SOLUCIÓN

En primer lugar, deberemos de calcular el porcentaje medio de tonelaje de buques registrados en España y en la Unión Europea del año anterior a la adquisición del buque registrado en Singapur, esto es, en 2012. Dicho porcentaje ascendería en 2012 a 51,72% (30.000/(30.000+28.000).

Como consecuencia de la mencionada adquisición de un buque registrado en Singapur, el porcentaje medio de tonelaje de buques registrados en España o la Unión Europea durante los ejercicios 2013, 2014 y 2015 será 44,12%: 30.000/(30.000+28.000+10.000).

Dado que el porcentaje medio de estos 3 años es inferior al de 2012, la entidad no podrá aplicar el régimen especial de entidades navieras en función del tonelaje respecto al nuevo buque registrado en Singapur.

EJEMPLO

Mismo supuesto que el ejemplo anterior solo que en este caso, además de adquirir en 2013 el buque de Singapur, NIT DE LA NAU adquiere el 2 de enero de 2014 un buque de 30.000 toneladas registrado en un país miembro de la Unión Europea.

SOLUCIÓN

En primer lugar, el porcentaje de 2012 será el mismo: 51,72%.

íntegras correspondientes a las cantidades que hubieran debido ingresarse aplicando el régimen general de este Impuesto, en la totalidad de los períodos a los que resultó de aplicación la autorización, sin perjuicio de los intereses de demora, recargos y sanciones que, en su caso, resulten procedentes."

En segundo lugar, procederemos a calcular el porcentaje medio del periodo 2013-2014-2015. Para ello, deberemos tener en cuenta tanto el buque adquirido en Singapur como el registrado en la Unión Europea.

Así, dado que el buque registrado en la Unión Europea se adquirió el 2 de enero de 2014, deberemos calcular la media de sus toneladas en este periodo. De los 3 años, el buque ha estado afecto 2, por lo tanto las toneladas medias del mismo serán de 20.000 (30.000x2/3).

Dichas toneladas se sumarán tanto el numerador y el denominador para determinar el porcentaje medio de toneladas correspondientes buques registrados en España o en la Unión Europa.

Así, el cálculo será el siguiente:

Tonelaje neto total del periodo 2013 a 2015: 30.000+28.000+10.000+20.000=88.000

En tercer lugar, calcularemos el tonelaje neto de buques registrados en España o en la Unión Europea.

Tonelaje neto del periodo 2013 a 2015 correspondiente a buques registrados en España o en la Unión Europea: 30.000+20.000=50.000

Y, por último, el porcentaje medio. El porcentaje medio del tonelaje total de buques registrados en España y en la Unión Europea será:

50.000/88.000=56.81%

Dado que el porcentaje del periodo 2013 a 2015 (56,81%) es superior al del año anterior al incremento (51,72%), la sociedad podrá seguir aplicando el régimen especial de entidades navieras.

5. SUPUESTOS DE NO APLICACIÓN DEL RÉGIMEN ESPECIAL DE ENTIDADES NAVIERAS EN FUNCIÓN DEL TONELAJE

Este régimen especial no se aplicará cuando:

– la totalidad de los buques no estén registrados en España o en otro Estado miembro de la Unión Europea,

– los buques se destinen, directa o indirectamente, a actividades pesqueras o deportivas, o

– se trate de buques de recreo.

Tampoco será de aplicación este régimen cuando se de las siguientes circunstancias:

a) que la entidad tenga la condición de mediana o gran empresa de acuerdo con lo dispuesto en la Recomendación 2003/361/CE de la Comisión Europea. De conformidad con esta Recomendación, tendrán la citada condición las empresas que:

- – ocupen a más de 50 personas,

- – y cuyo volumen de negocios anual o cuyo balance general anual supere los 10 millones de euros.

b) que perciban una ayuda de Estado de reestructuración concedida al amparo de lo establecido en la Comunicación 2004/C244/02 de la Comisión Europea. (Directrices Comunitarias sobre ayudas estatales de salvamento y de reestructuración de empresas en crisis.

c) que la Comisión Europea no hubiera tenido en cuenta los beneficios fiscales derivados de la aplicación de este régimen cuando tomó la decisión sobre la ayuda de reestructuración.

Artículo 114
Determinación de la base imponible por el método de estimación objetiva

PABLO ROMÁ BOHORQUES
Abogado. Socio Director de Roma Bohorques Abogados Tributarios

"1. Las entidades acogidas a este régimen determinarán la parte de base imponible que se corresponda con la explotación, titularidad o gestión técnica y de tripulación de los buques que reúnan los requisitos del artículo anterior, aplicando a las toneladas de registro neto de cada uno de dichos buques la siguiente escala:

Toneladas de registro neto	Importe diario por cada 100 toneladas — Euros
Entre 0 y hasta 1.000	0,90
Entre 1.001 y hasta 10.000	0,70
Entre 10.001 y hasta 25.000	0,40
Desde 25.001	0,20

Para la aplicación de la escala se tomarán los días del período impositivo en los que los buques estén a disposición del contribuyente o en los que se haya realizado la gestión técnica y de tripulación, excluyendo los días en los que no estén operativos como consecuencia de reparaciones ordinarias o extraordinarias.

La parte de base imponible así determinada incluye las rentas derivadas de los servicios de practicaje, remolque, amarre y desamarre, prestados al buque adscrito a este régimen, cuando el buque sea utilizado por la propia entidad, así como los servicios de carga, descarga, estiba y desestiba relacionados con la carga del buque transportada en él, siempre que se facturen al usuario del transporte y sean prestados por la propia entidad o por un tercero no vinculado a ella.

La aplicación de este régimen deberá abarcar a la totalidad de los buques del solicitante que cumplan los requisitos de aquél, y a los buques que se adquieran, arrienden o gestionen con posterioridad a la autorización, siempre que cumplan dichos requisitos, pudiendo acogerse a él buques tomados en fletamento, siempre que la suma de su tonelaje neto no supere el 75 por ciento del total de la flota de la entidad o, en su caso, del grupo fiscal sujeto al régimen. En el caso de entidades que tributen en el régimen de consolidación fiscal la soli-

citud deberá estar referida a todas las entidades del grupo fiscal que cumplan los requisitos del artículo 113 de esta Ley.

2. La renta positiva o negativa que, en su caso, se ponga de manifiesto como consecuencia de la transmisión de un buque afecto a este régimen, se considerará integrada en la base imponible calculada de acuerdo con el apartado anterior.

No obstante lo establecido en el párrafo anterior, cuando se trate de buques cuya titularidad ya se tenía cuando se accedió a este régimen especial, o de buques usados adquiridos una vez comenzada su aplicación, se procederá del siguiente modo:

En el primer ejercicio en que sea de aplicación el régimen, o en el que se hayan adquirido los buques usados, se dotará una reserva indisponible por un importe equivalente a la diferencia positiva existente entre el valor normal de mercado y el valor neto contable de cada uno de los buques afectados por esta regla, o bien se especificará la citada diferencia, separadamente para cada uno de los buques y durante todos los ejercicios en los que se mantenga la titularidad de estos, en la memoria de sus cuentas anuales. En el caso de buques adquiridos mediante una operación a la que se haya aplicado el régimen especial del Capítulo VII del Título VII de esta Ley, el valor neto contable se determinará partiendo del valor de adquisición por el que figurase en la contabilidad de la entidad transmitente.

El incumplimiento de la obligación de no disposición de la reserva o de la obligación de mención en la memoria constituirá infracción tributaria grave, sancionándose con una multa pecuniaria proporcional del cinco por ciento del importe de la citada diferencia.

La sanción impuesta de acuerdo con lo previsto en este apartado se reducirá conforme a lo dispuesto en el apartado 3 del artículo 188 de la Ley 58/2003, de 17 de diciembre, General Tributaria.

El importe de la citada reserva positiva, junto con la diferencia positiva existente en la fecha de la transmisión entre la amortización fiscal y contable del buque enajenado, se añadirá a la base imponible a que se refiere el apartado 1 de este artículo cuando se haya producido la mencionada transmisión. De igual modo se procederá si el buque se transmite, de forma directa o indirecta, con ocasión de una operación a la que resulte de aplicación el régimen especial del Capítulo VII del Título VII de esta Ley.

3. La parte de base imponible determinada según el apartado 1 de este artículo no podrá ser compensada con bases imponibles negativas derivadas del resto de las actividades de la entidad naviera, ni del ejercicio en curso ni de los anteriores, ni tampoco con las bases imponibles pendientes de compensar en el momento de aplicación del presente régimen.

4. La determinación de la parte de base imponible que corresponda al resto de actividades del contribuyente se realizará aplicando el régimen general del Impuesto, teniendo en cuenta exclusivamente las rentas procedentes de ellas. Tratándose de actividad de dragado, dicha parte de base imponible incluirá la renta de esa actividad no acogida a este régimen especial.

Dicha parte de base imponible estará integrada por todos los ingresos que no procedan de actividades acogidas al régimen y por los gastos directamente relacionados con la obtención de aquellos, así como por la parte de los gastos generales de administración que proporcionalmente correspondan a la cifra de negocio generada por estas actividades.

A los efectos del cumplimiento de este régimen, la entidad deberá disponer de los registros contables necesarios para poder determinar los ingresos y gastos, directos o indirectos, correspondientes a las actividades acogidas a este, así como los activos afectos a las mismas".

SUMARIO: 1. INTRODUCCIÓN. 2. REGLAS DE DETERMINACIÓN DE LA BASE IMPONIBLE. 3. TRANSMISIÓN DE UN BUQUE AFECTO AL RÉGIMEN ESPECIAL DE ENTIDADES NAVIERAS EN FUNCIÓN DEL TONELAJE. 3.1. Transmisión de buques únicamente afectos al régimen especial. 3.2. Transmisión de buques afectos al régimen especial de tonelaje pero que han estado también acogidos al régimen general. 3.3. Transmisión de buques afectos al régimen general pero que han estado también afectos al régimen de tonelaje. 3.4. Transmisión como consecuencia de una operación de reestructuración 1716 4. IMPOSIBILIDAD DE COMPENSACIÓN CON BASES IMPONIBLES NEGATIVAS. 5. DISTRIBUCIÓN DE LA BASE IMPONIBLE.

1. INTRODUCCIÓN

El establecimiento de este régimen especial en el Impuesto sobre Sociedades supuso la introducción de una novedad sin precedentes en dicho tributo: la determinación de la base imponible mediante un método de estimación objetiva. Dicho método, en relación con los impuestos directos, había estado reservado hasta la fecha para la cuantificación de determinados rendimientos de actividades económicas de personas físicas.

2. REGLAS DE DETERMINACIÓN DE LA BASE IMPONIBLE

El artículo 114, en su apartado 1, señala que las entidades que apliquen este régimen determinarán la base imponible por el método de estimación objetiva en la parte correspondiente a la explotación titularidad o gestión técnica y de tripulación de los buques que reúnan los requisitos señalados en el artículo 113 LIS.

La citada estimación objetiva consistirá en aplicar a las toneladas de registro neto de cada uno de los buques la escala del apartado 1. En relación con el término "toneladas de registro neto", la Dirección General de Tributos, en su consulta general 2051-04, de 9 de diciembre, indica que los mismos *hacen referencia al "arqueo neto", determinado según el Convenio Internacional sobre Arqueo de Buques de 23 de junio de 1969*[7] *(BOE de 15 de septiembre de 1982).*

---

[7]   La determinación del arqueo neto viene establecida en la regla 4 del Anexo I de dicho Convenio y dice así:

La norma establece, además, unas reglas para el cómputo de días a la hora de aplicar la escala. En concreto, se tomarán los días del período impositivo en los que los buques estén a disposición del contribuyente o en los que se haya realizado la gestión técnica y de tripulación, excluyendo los días en los que no estén operativos como consecuencia de reparaciones ordinarias o extraordinarias.

Así, únicamente se tendrán en cuenta para aplicar la escala los días en que los buques estén a disposición del contribuyente, los haya o no usado para las actividades señaladas en el artículo 113. Se excluye del cómputo los días en que los buques estén parados por reparaciones.

REGLA 4

Arqueo neto

1) El arqueo neto (NT) de un buque se calcula aplicando la siguiente fórmula:

$$T = K2Vc\ 4d^2 + K3\ (N1 + N2),$$
$$3D\ 10$$

in which formula:

(a) the factor $4d^2$ shall not be taken as greater than unity;
$$3D$$

(b) the term K2Vc $4d^2$ shall not be taken as less than 0.25 GT; and
$$3D$$

(c) NT shall not be taken as less than 0.30 GT, and in which:

Vc = total volume of cargo spaces in cubic metres,

K2 = 0.2 + 0.02 log10Vc (or as tabulated in Appendix 2),

K3 = 1.25 (GT + 10,000)/10,000

D = moulded depth amidships in metres as defined in Regulation 2(2),

d = moulded draught amidships in metres as defined in paragraph (2) of this Regulation,

N1 = number of passengers in cabins with not more than 8 berths,

N2 = number of other passengers,

N1 + N2 = total number of passengers the ship is permitted to carry as indicated in the ship's passenger certificate; when N1 + N2 is less than 13, N1 and N2 shall be taken as zero,

GT = gross tonnage of the ship as determined in accordance with the provisions of Regulation 3.

2) El calado de trazado (d) que se menciona en el párrafo 1) de esta regla será uno de los siguientes calados:

i) para los buques sujetos a las disposiciones del Convenio Internacional sobre Líneas de Carga el calado correspondiente a la línea de carga de verano (que no sea al de las líneas de carga para madera) asignada de conformidad con ese Convenio;

ii) para los buques de pasajeros el calado correspondiente a la línea de carga de compartimentado más elevada asignada de conformidad con el vigente Convenio Internacional para la Seguridad de la Vida Humana en el Mar u otro acuerdo internacional pertinente;

iii) para los buques no sujetos a las disposiciones del Convenio Internacional sobre Líneas de Carga, pero que tengan asignada una línea de carga conforme a los reglamentos nacionales, el calado correspondiente a la línea de carga de verano asignado de ese modo;

iv) para los buques que no tengan asignada una línea de carga pero cuyo calado está limitado en virtud de los reglamentos nacionales, el calado máximo permitido;

v) para los demás buques, el 75 por 100 del puntal de trazado en el centro del buque según se define en la regla 2 (2).

La parte de base imponible así determinada incluye las rentas derivadas de los servicios de practicaje, remolque, amarre y desamarre, prestados al buque adscrito a este régimen, cuando el buque sea utilizado por la propia entidad, así como los servicios de carga, descarga, estiba y desestiba relacionados con la carga del buque transportada en él, siempre que se facturen al usuario del transporte y sean prestados por la propia entidad o por un tercero no vinculado a ella.

EJEMPLO

El buque ATENEA, con un arqueo neto de 29.000 toneladas, ha estado disponible para una sociedad acogida al régimen de entidades navieras en función del tonelaje, 300 días, de los cuales 19 días ha estado de reparaciones extraordinarias debido a un pequeño accidente. ¿Cuál será la base imponible derivada de la actividad de este buque?

SOLUCIÓN

En primer lugar, aplicaremos la escala del artículo 114.1 LIS a las 29.000 toneladas del registro neto del buque,

Entre 0 y hasta 1.000: 0,90 € x 1000/100 =................... 9

Entre 1.001 y hasta 10.000: 0,70 € x 9.000/100 =.......... 63

Entre 10.001 y hasta 25.000: 0,40 € x 15.000/100 =...... 60

Desde 25.001: 0,20 € x 4.000/100 =............................. 8

El importe diario total asciende a 140 euros.

Los días a disposición han sido 300. A éstos, habrá que restar 19 días por haber sido objeto de reparaciones extraordinarias. El buque habrá estado generando rentas acogidas a este régimen especial durante 281 días.

Por lo tanto, la base imponible será la siguiente:

Base imponible. 140 euros x 281 días=**39.940** euros.

Asimismo, la aplicación de este régimen deberá abarcar a la totalidad de los buques del solicitante que cumplan los requisitos de aquél, y a los buques que se adquieran, arrienden o gestionen con posterioridad a la autorización, siempre que cumplan dichos requisitos. Podrán acogerse a él buques tomados en fletamento, si la suma de su tonelaje neto no supera el 75 por ciento del total de la flota de la entidad o, en su caso, del grupo fiscal sujeto al régimen. En el caso de entidades que tributen en el régimen de consolidación fiscal la solicitud deberá estar referida a todas las entidades del grupo fiscal que cumplan los requisitos del artículo 113 de esta Ley.

De este modo, el método de estimación objetiva previsto en este artículo 114 se aplicará –de forma obligatoria– a todos los buques de la entidad sometida a este régimen de tonelaje, es decir, una vez optado por este régimen, la entidad tendrá la obligación de incluir todos sus buques que cumplan con los requisitos establecidos en el artículo 113 LIS.

Por otro lado, cuando la entidad actúe como fletante, las rentas percibidas por el flete se determinarán de acuerdo con el método de estimación objetiva en este régimen de tonelaje, tal y como establece la Dirección General de Tributos, en su consulta vinculante V4265-16, de 5 de octubre:

> "...sólo podrán incluirse en la base imponible del régimen de tonelaje las rentas que se correspondan con la actividad de explotación, titularidad o gestión técnica y de tripulación del buque objeto de la consulta. En el presente caso, dichas rentas estarán constituidas por el flete o renta periódica que se compromete a pagar la entidad M a B como contraprestación por los servicios prestados por esta última en virtud del contrato de time-charter descrito en la consulta."

Asimismo, cuando la entidad sea el fletador de los buques, ésta deberá incluirlos en el régimen de tonelaje y determinar, por tanto, su base imponible por el régimen de estimación objetiva. La doctrina administrativa entiende que existe una obligación de incluir a los buques en fletamento a pesar de que la norma establece "*pudiendo acogerse*".

En concreto, la DGT, en su consulta vinculante V2051-04 de 9 de diciembre, señala que:

> "2. Se plantea si la inclusión en el mencionado régimen de los buques tomados en fletamento no es obligatoria. Si la suma del tonelaje neto de los buques tomados en fletamento por la empresa o grupo excede del 75 por 100 del total de su flota, ¿cabe entender que se puede incluir en el régimen los buques que la empresa elija entre los fletados, siempre que no supere ese límite del 75 por 100?
>
> Como se ha señalado en la cuestión anterior, la norma legal, al fijar el ámbito de aplicación del régimen, está contemplando a todos los buques propios o arrendados por un mismo sujeto pasivo o grupo fiscal. Además, se trata de un ámbito de aplicación obligatorio y no potestativo, como se señala en el apartado primero del artículo 125: "La aplicación de este régimen deberá abarcar a la totalidad de los buques del solicitante que cumplan los requisitos de aquel, y a los buques que se adquieran o arrienden con posterioridad a la autorización, siempre que cumplan dichos requisitos, pudiendo acogerse a él buques tomados en fletamento, siempre que la suma de su tonelaje neto no supere el 75 por ciento del total de la flota de la entidad o, en su caso, del grupo fiscal sujeto al régimen".
>
> Respecto de los buques tomados en fletamento, el régimen tampoco tiene carácter potestativo, ya que cuando la norma utiliza la expresión "pudiendo acogerse", lo que hace es ampliar el ámbito de aplicación inicialmente limitado, en el apartado 1 del artículo 124, a los buques propios o arrendados. Por tanto, el contribuyente no puede optar por incluir o no los buques tomados en fletamento, sino que dicha inclusión resulta preceptiva cuando la entidad los explote por cualquier título.
>
> La única limitación que establece la norma es que la suma del tonelaje neto de los buques tomados en fletamento no puede superar el 75 por 100 del total de la flota de la entidad o grupo fiscal sujeto al régimen. En este caso, quedarán

excluidos de la aplicación del régimen los buques tomados en fletamento que superen dicho importe.

En este sentido, si se superase el porcentaje indicado, el interesado podrá dejar fuera del régimen, libremente, de entre los buques tomados en fletamento, los que considere oportunos para evitar esta circunstancia. No obstante, una vez incluido un buque en el régimen, deberá mantenerse en el mismo en tanto se ostente la titularidad del fletamento, salvo que, por superarse nuevamente el límite del 75 por 100, deba excluirse."

3. TRANSMISIÓN DE UN BUQUE AFECTO AL RÉGIMEN ESPECIAL DE ENTIDADES NAVIERAS EN FUNCIÓN DEL TONELAJE

El apartado 2 de este artículo 114 establece unas reglas para la integración del beneficio o pérdida en la base imponible de la entidad en el supuesto en que se transmita un buque afecto al régimen de entidades navieras en función del tonelaje.

En este supuesto, la norma distingue dos casos: buques que únicamente han estado acogidos al régimen de tonelaje y buques que han estado acogidos previamente al régimen general del Impuesto sobre Sociedades.

3.1. Transmisión de buques únicamente afectos al régimen especial

El primer párrafo del apartado 2 prevé la transmisión de un buque que únicamente haya estado afecto al régimen especial. En concreto, señala que el beneficio o la pérdida que se genere por la transmisión de un buque afecto al régimen de entidades navieras en función del tonelaje se considerará integrada en la base imponible de la entidad de acuerdo con lo dispuesto en el apartado 1. Esto significa que la entidad no deberá integrar ningún tipo de renta positiva o negativa en la base imponible por dicha transmisión.

EJEMPLO

La entidad NAVIOS ESPAÑOLES está sometida al Régimen especial de Entidades Navieras en función del Tonelaje desde 2006. En 2007, adquirió un buque por 15.000.000 euros. En 2012, debido a las características del buque y a las condiciones del mercado, transmite dicho buque por 17.000.000 euros.

¿Cuál será la renta derivada de dicha transmisión objeto de tributación?

SOLUCIÓN

De acuerdo con lo dispuesto en este artículo 114, dado que el buque ha estado afecto desde su adquisición al régimen especial de Entidades

Navieras en función del Tonelaje, la renta que se ha puesto de manifiesto como consecuencia de la transmisión no será objeto de gravamen.

En este sentido, la renta positiva o negativa que, en su caso, se ponga de manifiesto como consecuencia de la transmisión de un buque afecto a este régimen, se considerará integrada en la base imponible calculada de acuerdo con el método de estimación objetiva.

3.2. Transmisión de buques afectos al régimen especial de tonelaje pero que han estado también acogidos al régimen general

El apartado 2 establece una regulación bastante detallada para determinar el beneficio o pérdida a integrar en la base imponible cuando se trate de buques cuya titularidad ya se tenía cuando se accedió a este régimen especial, o de buques usados adquiridos una vez comenzada su aplicación. Se trata de buques que ya estaban en posesión de la entidad pero que estuvieron acogidos al régimen general o buques que han estado acogidos al régimen general del Impuesto sobre Sociedades por haber pertenecido con anterioridad a otros propietarios.

En primer lugar, la entidad deberá proceder de la siguiente forma:

— en el ejercicio que se afecten los buques o hayan sido adquiridos ya usados, se deberá dotar una reserva indisponible. Esta reserva indisponible será la diferencia positiva entre el valor de mercado y el valor neto contable.

— o, en el caso en que no se dotase la reserva, se especificará en la memoria dicha diferencia por cada buque durante los ejercicios en los que mantenga la titularidad.

La falta de dotación de la mencionada reserva indisponible o de la especificación en la memoria de la diferencia constituirá infracción grave, sancionándose con una multa pecuniaria del 5% de dicha diferencia.

En el periodo impositivo en que se transmita el buque, se sumará a la base imponible determinada por estimación objetiva, el importe de la referida reserva indisponible más la diferencia positiva –existente en la fecha de transmisión– entre su amortización fiscal y contable. La interpretación administrativa de este precepto sigue la línea apuntada. En concreto, la Dirección General de Tributos, en su consulta vinculante V3869-15, de 3 de diciembre, viene a señalar lo siguiente:

> *"En el supuesto planteado habrá períodos impositivos en los que las rentas derivadas de la explotación de los remolcadores tributen con arreglo al régimen de tonelaje y otros períodos en los que las mismas tributen en régimen general.*
>
> *En el caso de que los citados buques se transmitan en un período en el que los mismos se encuentren en régimen de tonelaje, la variación patrimonial producida como consecuencia de dicha transmisión se entenderá incluida dentro de*

la base imponible calculada con arreglo a lo previsto en el artículo 114 de la LIS. En dicho período la consultante deberá integrar la reserva indisponible dotada en el primer ejercicio en el que al buque transmitido le resultó de aplicación el régimen de tonelaje, junto con la diferencia entre la amortización contable y fiscal existente en el momento de la transmisión."

EJEMPLO

Una entidad compra un buque el 2 de enero de 2012 por 100.000.000€. Con fecha 2 de enero de 2016, previa solicitud, la entidad se acoge al régimen especial de entidades navieras en función del tonelaje. En dicho momento, el valor contable del buque era de 60.000.000€ dado que la entidad amortiza tanto fiscal como contablemente un 10% anual, y su valor de mercado ascendía a 75.000.000€.

El 2 de enero de 2018, la entidad transmite el buque.

¿Qué importe se añadirá a la base imponible determinada por estimación objetiva?

SOLUCIÓN

La entidad, en el momento de acogerse al régimen especial, procedió (o debió proceder) a dotar una reserva indisponible de 15.000.000€ (75.000.000-60.000.000) que es la diferencia entre el valor de mercado del buque y su valor contable.

En 2018, la entidad añadirá a la base imponible determinada por estimación objetiva la reserva indisponible dotada por importe de 15.000.000€.

3.3. Transmisión de buques afectos al régimen general pero que han estado también afectos al régimen de tonelaje

Se puede dar también el caso de la transmisión de un buque que haya estado acogido en unos períodos al régimen de entidades navieras en función del tonelaje y en otros al régimen general. En este supuesto, las rentas derivadas por la transmisión tributarán por el régimen general, pero con ciertas peculiaridades, tal y como expone la Dirección General de Tributos, en la ya citada consulta vinculante V3869-15:

"Si la transmisión tuviera lugar en un ejercicio en el que las rentas generadas por el buque tributen por el régimen general, deberá integrarse en la base imponible, por un lado, la reserva indisponible prevista el artículo 114.2 de la LIS, en su caso, y por otro la diferencia entre la renta derivada de la transmisión del buque (valor de transmisión menos valor fiscal del buque) y la citada reserva, que se corresponda al tiempo durante el cual el buque ha tributado en régimen general. A estos efectos, dicha diferencia se distribuirá de forma lineal entre los ejercicios en los que se ha tributado por régimen de tonelaje y por régimen general computados desde el primer período en el que se tributó en régimen de tonelaje."

3.4. *Transmisión como consecuencia de una operación de reestructuración*

En el supuesto en que la transmisión del buque afecto al régimen especial se produjese como consecuencia de una operación (fusión, escisión o canje de valores) a la que le sea de aplicación el régimen especial de neutralidad fiscal previsto en los artículos 76 y siguientes de la LIS, el importe de la citada reserva se añadirá de igual manera por lo que su tributación no quedará diferida.

Así, la entidad sujeta al Régimen de Tonelaje, respecto a las plusvalías puestas de manifiesto con ocasión de la operación, no tendrá derecho a la aplicación del diferimiento previsto en el régimen especial de fusiones, escisiones y canje de valores contenido en el Capítulo VII del Título VII de la LIS. En consecuencia, la entidad tributará por las operaciones de reestructuración, si bien de acuerdo con el método de estimación objetiva en los términos que hemos visto anteriormente.

En este mismo sentido se ha manifestado la Dirección Genera del Tributos, en su consulta vinculante V1228-10 de 2 de junio:

> *"Con arreglo a lo anterior, la entidad absorbida (A) deberá integrar en su base imponible individual el importe de la diferencia positiva existente entre el valor de mercado del buque enajenado y su valor contable, determinada en el primer ejercicio en que resultó de aplicación el régimen fiscal especial de las entidades navieras y ello aun cuando el citado buque se haya transmitido en virtud de una operación de fusión amparada por el régimen especial del capítulo VIII del título VII del TRLIS.*
>
> *Por lo tanto, aun cuando la operación de fusión proyectada pudiera ampararse en el régimen fiscal especial regulado en el capítulo VIII del título VII del TRLIS, no resultará de aplicación la regla de diferimiento en la tributación de las plusvalías propia de dicho régimen especial."*

Por consiguiente, el acogimiento al régimen especial de Entidades Navieras en función del Tonelaje en una operación de reestructuración implica la no aplicación del diferimiento de la tributación del régimen especial de fusiones y escisiones previsto en los artículos 76 y siguientes de la LIS. Esto supone una importante excepción al régimen de neutralidad fiscal para este tipo de operaciones.

4. IMPOSIBILIDAD DE COMPENSACIÓN CON BASES IMPONIBLES NEGATIVAS

El apartado 3 establece la imposibilidad de que la entidad pueda compensar la base imponible calculada conforme al apartado 1 con:

- Bases imponibles negativas derivadas de las otras actividades de la entidad naviera del ejercicio en curso o procedentes de otros ejercicios que se han generado por aplicación del régimen general del Impuesto sobre Sociedades.

– Y bases imponibles negativas pendientes de aplicar a la entrada en este régimen especial.

De este modo, la base imponible determinada en régimen de estimación objetiva no puede resultar en ningún caso negativa. Ahora bien, cuando el sujeto pasivo simultanee la aplicación del régimen especial con la del régimen general, la parte de la base imponible correspondiente a éste sí puede resultar negativa[8] aunque no podrá compensarse, como se ha señalado, con la base imponible derivada del régimen especial.

En cambio, la entidad naviera sí podrá aplicarse las bases imponibles negativas que se hayan generado durante los periodos en los que ha sido de aplicación el régimen general cuando se dé el supuesto de transmisión de un buque indicado en el apartado "*3.2. Transmisión de buques afectos al régimen especial de tonelaje pero que han estado también acogidos al régimen general*" de este capítulo. En este caso, la entidad podrá compensar la renta positiva constituida por la reserva y, en su caso, la diferencia entre amortización fiscal y contable con las bases negativas obtenidas en régimen general[9]. En este sentido, se manifiesta la Dirección General de Tributos, en su consulta general 2051-04, de 9 de diciembre, cuando dispone que:

"9. Se plantea si las bases imponibles negativas de ejercicios generadas por una entidad antes de tributar en el régimen especial pueden compensarse con la base imponible que se derive de las plusvalías por la venta de buques.

El apartado 3 del artículo 125 señala que "la parte de base imponible determinada según el apartado 1 de este artículo no podrá ser compensada con bases imponibles negativas derivadas del resto de las actividades de la entidad naviera, ni del ejercicio en curso ni de los anteriores, ni tampoco con las bases imponibles pendientes de compensar en el momento de aplicación del presente régimen". La parte de base imponible determinada según el mencionado apartado 1, a la que afecta esta limitación, es la que se deriva de la explotación o titularidad del buque y que se determina en régimen de estimación objetiva. Se trata, por tanto, de una base imponible, objetiva y de signo positivo, que no puede ser compensada con ninguna otra.

A su vez, en el apartado 2 del mismo artículo se regula cómo se determina la parte de base imponible que procede de las rentas obtenidas por la transmisión de un buque afecto, determinando en qué supuestos y cuantías tributarían dichas rentas, pero sin establecer ninguna especialidad de trato sobre ellas. Por tanto, al no contemplar la norma legal ninguna limitación para esta segunda

---

[8]   RODRÍGUEZ BEGAZO, A; "Capítulo 29. Régimen de Entidades Navieras en función del Tonelaje" en Guía del Impuesto sobre Sociedades 2015, CISS, pág. 1.046.

[9]   Ibid.

parte de la base imponible, cabe concluir que las bases imponibles pendientes de compensar, procedentes de periodos impositivos anteriores, podrán compensarse con las rentas derivadas de la transmisión de buques afectos al régimen especial, determinadas según lo dispuesto en el apartado 2 del artículo 125 del TRLIS."

5. DISTRIBUCIÓN DE LA BASE IMPONIBLE

La norma prevé la circunstancia, como hemos visto, de que la entidad no tenga como única actividad aquella que se encuentra afecta a este régimen de tonelaje, es decir, regula la posibilidad de que la entidad realice otras actividades sujetas al régimen ordinario o general del Impuesto sobre Sociedades.

En este sentido, el apartado 4 establece unas reglas de distribución o segregación de la base imponible de manera que se pueda distinguir qué parte de la misma procede de actividades afectas al régimen y cual no.

De este modo, se facilita la determinación del beneficio –cuando la entidad tenga ingresos y gastos que no procedan de actividades del régimen especial– que deberá tributar por el régimen general del impuesto.

Así, la entidad tributará por el régimen general por la parte de la base imponible procedentes de estas actividades que estará integrada por:

- Los ingresos que no procedan de actividades acogidas al régimen especial.
- Los gastos directamente relacionados con estos ingresos.
- La parte proporcional de los gastos generales de administración. La parte de estos gastos vendrá determinada por la proporción de la cifra de negocio de las actividades no afectas al régimen.

Para poder efectuar esta distribución, la entidad deberá disponer de los registros contables necesarios para poder determinar los ingresos y gastos, directos o indirectos, correspondientes a las actividades acogidas a éste, así como los activos afectos a las mismas.

Artículo 115
Tipo de gravamen y cuota

Pablo Romá Bohorques

Abogado. Socio Director de Roma Bohorques Abogados Tributarios

"1. En todo caso, resultará de aplicación el tipo general de gravamen previsto en el primer párrafo del apartado 1 del artículo 29 de esta Ley.

2. La parte de la cuota íntegra atribuible a la parte de base imponible determinada según lo dispuesto en el apartado 1 del artículo 114 de esta Ley no podrá reducirse por la aplicación de ningún tipo de deducción o bonificación. Asimismo, la adquisición de los buques que se afecten al presente régimen no supondrá la aplicación de ningún incentivo ni deducción fiscal.

La parte de cuota íntegra que proceda del resto de base imponible no podrá minorarse por la aplicación de deducciones generadas por la adquisición de los buques referidos antes de su afectación al régimen regulado en este capítulo".

SUMARIO: 1. TIPO DE GRAVAMEN. 2. CUOTA ÍNTEGRA.

1. TIPO DE GRAVAMEN

La entidad deberá aplicar a la base imponible determinada conforme al artículo 114.1 el tipo general previsto en el artículo 29, esto es, el tipo del 25%. Para aplicar este tipo de gravamen, como se ha señalado en los comentarios del artículo 114, la entidad habrá debido de determinar, previamente, la base imponible de acuerdo con lo establecido en este artículo, es decir, mediante la aplicación del método de estimación objetiva.

El apartado 1 utiliza la expresión "en todo caso" de lo cual se desprende que no le resultará de aplicación otros tipos de gravamen[10]. Así, no será de aplicación, por ejemplo, el tipo de gravamen del 15% para las entidades de nueva creación que realicen actividades económicas.

---

[10] RODRÍGUEZ BEGAZO, A; "Capítulo 29. Régimen de Entidades Navieras en función del Tonelaje" en Guía del Impuesto sobre Sociedades 2015, CISS, pág. 1.047.

2. CUOTA ÍNTEGRA

La cuota íntegra será el resultado de aplicar el tipo general del 25% a la parte de la base imponible que se corresponde con actividades afectas a este régimen.

En línea con las características de este régimen, la cuota íntegra resultante de las actividades determinadas por el método de estimación objetiva no podrá minorarse por ningún tipo de deducción o bonificación prevista en la LIS.

Tampoco podrá aplicarse la entidad acogida al régimen especial de Entidades Navieras en función del Tonelaje ningún tipo de incentivo o deducción que se pudiera derivar de la adquisición de buques.

Consecuencia de lo anterior, es que, en el supuesto en que la entidad sometida al régimen de tonelaje también realice otras actividades sometidas al régimen general, no podrá beneficiarse de las deducciones que se hayan podido generar por la adquisición de buques aunque dicha adquisición se hubiese realizado en un momento en que la entidad no estaba acogida al régimen especial de Entidades Navieras en función del Tonelaje.

EJEMPLO

En 2012, la entidad NAVIERAS DE BUQUES, S.A. adquirió un buque por 70.000.000 euros. En ese ejercicio, la compañía no estaba acogida al régimen especial de Entidades Navieras en función del Tonelaje, tributando pues por el régimen general del Impuesto sobre Sociedades. Como consecuencia de dicha adquisición, la compañía tiene derecho a un incentivo fiscal durante 10 años que genera, anualmente, una deducción en su cuota íntegra.

En 2016, la compañía solicita su inclusión del régimen especial de Entidades Navieras en función del Tonelaje, siéndole de aplicación a partir del ejercicio 2017.

¿Tendrá la compañía derecho a seguir aplicando dicha deducción a partir de 2017?

SOLUCIÓN

De acuerdo con lo dispuesto en el artículo 115.2 LIS, la compañía ya no podrá seguir aplicando dicha deducción a partir de 2017.

Pagos fraccionados

PABLO ROMÁ BOHORQUES

Abogado. Socio Director de Roma Bohorques Abogados Tributarios

"Los contribuyentes que se acojan al presente régimen deberán efectuar pagos fraccionados de acuerdo con la modalidad establecida en el apartado 3 del artículo 40 de esta Ley aplicada sobre la base imponible calculada conforme a las reglas establecidas en el artículo 114 de esta Ley y aplicando el porcentaje a que se refiere el artículo 115 de esta Ley, sin computar deducción alguna sobre la parte de cuota derivada de la parte de base imponible determinada según lo dispuesto en el apartado 1 del artículo 114 de esta Ley".

SUMARIO: 1. MODALIDAD DE PAGO FRACCIONADO. 2. DETERMINACIÓN DE LA BASE IMPONIBLE DEL PAGO FRACCIONADO. 3. TIPO DE GRAVAMEN Y CUOTA DEL PAGO FRACCIONADO.

1. MODALIDAD DE PAGO FRACCIONADO

De acuerdo con este artículo 116, la entidad sometida al régimen de tonelaje, por la parte correspondiente a las actividades sujetas al mismo, determinará el pago fraccionado de acuerdo con lo establecido en el apartado 3 del artículo 40. Así, la entidad no podrá determinar el pago fraccionado en función de la cuota, tal y como prevé el artículo 40.2 de la LIS. Esta modalidad no se constituye, pues, como una opción sino como una obligación y, en consecuencia, no será necesario presentar ninguna declaración censal en la que se comunique el cambio de modalidad de pago fraccionado.

Los pagos fraccionados correspondientes al régimen de tonelaje se deberán presentar en los mismos plazos que los señalados para el régimen general.

2. DETERMINACIÓN DE LA BASE IMPONIBLE DEL PAGO FRACCIONADO

La base imponible del pago fraccionado se calculará también de acuerdo con el método de estimación objetiva previsto en el artículo 114 de la LIS antes comentado. En este sentido, la base imponible se determinará respecto a los meses comprendidos en el pago fraccionado, esto es, los 3, 9 y 11 primeros meses del año natural.

3. TIPO DE GRAVAMEN Y CUOTA DEL PAGO FRACCIONADO

Al igual que en el régimen general, la entidad aplicará un tipo de gravamen sobre la parte de la base imponible para determinar la cuota a ingresar.

En concreto, la entidad se aplicará el tipo de gravamen previsto en el artículo 115 que será, por remisión, el señalado en el primer párrafo del apartado 1 del artículo 29. De este modo, a diferencia de las actividades sujetas al régimen general, la entidad no aplicará un tipo reducido resultante de aplicar cinco séptimos al tipo general.

Además, no podrá deducirse –de la cuota que se derive de la base determinada por el método de estimación objetiva– deducción alguna en consonancia con lo establecido en el artículo 115. Así, para el supuesto en que exista una dualidad en la aplicación del régimen de tonelaje y el régimen ordinario del Impuesto, se efectuará una liquidación de pago fraccionado por cada régimen.

Aplicación del régimen

PABLO ROMÁ BOHORQUES

Abogado. Socio Director de Roma Bohorques Abogados Tributarios

"1. El régimen tributario previsto en este capítulo se aplicará de la siguiente forma:

a) Su aplicación estará condicionada a la autorización por el Ministerio de Hacienda y Administraciones Públicas, previa solicitud del contribuyente. Esta autorización se concederá por un período de 10 años a partir de la fecha que establezca la autorización, pudiéndose solicitar su prórroga por períodos adicionales de otros 10 años.

b) La solicitud deberá especificar el período impositivo a partir del cual vaya a surtir efectos y se presentará con anterioridad al inicio del mismo.

c) La solicitud deberá resolverse en el plazo máximo de 3 meses, transcurrido el cual podrá entenderse desestimada.

Para la concesión del régimen, el Ministerio de Hacienda y Administraciones Públicas tendrá en cuenta la existencia de una contribución efectiva a los objetivos de la política comunitaria de transporte marítimo, especialmente en lo relativo al nivel tecnológico de los buques que garantice la seguridad en la navegación y la prevención de la contaminación del medio ambiente y al mantenimiento del empleo comunitario tanto a bordo como en tareas auxiliares al transporte marítimo. A tal fin podrá recabar informe previo de los organismos competentes.

d) El incumplimiento de las condiciones del régimen o la renuncia a su aplicación impedirán formular una nueva solicitud hasta que haya transcurrido un mínimo de 5 años.

e) La Administración tributaria podrá verificar la correcta aplicación del régimen y la concurrencia en cada ejercicio de los requisitos exigidos para su aplicación.

2. El incumplimiento de los requisitos establecidos en el presente régimen implicará el cese de los efectos de la autorización correspondiente y la pérdida de la totalidad de los beneficios fiscales derivados de ella, debiendo ingresar, junto a la cuota del período impositivo en el que se produjo el incumplimiento, las cuotas íntegras correspondientes a las cantidades que hubieran debido ingresarse aplicando el régimen general de este Impuesto, en la totalidad de los períodos a los que resultó de aplicación la autorización, sin perjuicio de los intereses de demora, recargos y sanciones que, en su caso, resulten procedentes.

El incumplimiento de la condición establecida en el apartado 3 del artículo 113 de esta Ley implicará la pérdida del régimen para aquellos buques adicionales que motivaron el incremento a que se refiere dicho apartado, procediendo la regularización establecida en el párrafo anterior que corresponda exclusivamente a tales buques.

Cuando tal incremento fuere motivado por la baja de buques registrados en España o en otro Estado miembro de la Unión Europea, la regularización corresponderá a dichos buques por todos los períodos impositivos en que los mismos hubiesen estado incluidos en este régimen.

3. La aplicación del régimen tributario previsto en el presente capítulo será incompatible, para un mismo buque, con la aplicación de la disposición adicional cuarta de esta Ley".

DESARROLLO REGLAMENTARIO
REGLAMENTO DEL IMPUESTO SOBRE SOCIEDADES

Artículo 52. Ámbito de aplicación: explotación de buques.

"1. Podrán optar por la tributación por este régimen:

a) Las entidades cuyo objeto social incluya la explotación de buques propios o arrendados. La opción deberá referirse a todos los buques, propios o arrendados, que explote el solicitante, así como a los que se adquieran o arrienden con posterioridad.

b) Las entidades que realicen, en su totalidad, la gestión técnica y de tripulación de buques. La opción comprenderá todos los buques gestionados por el solicitante, así como los que gestione con posterioridad.

En ambos supuestos, los buques deberán cumplir los requisitos del apartado 2 del artículo 113 de la Ley de Impuesto.

2. La opción podrá extenderse a todos los buques tomados en fletamento por el solicitante. No obstante lo anterior, el tonelaje neto de los buques tomados en fletamento no podrá superar el 75 por ciento del tonelaje total de la flota de la entidad o, en su caso, del grupo fiscal que aplique el régimen, quedando excluidos de éste los buques que ocasionen la superación de dicho límite".

Artículo 53. Procedimiento de solicitud del régimen.

"1. La solicitud que, en su caso, deberá estar referida a la totalidad de los buques explotados, o respecto de los que se realice la gestión técnica y de tripulación, por las entidades del mismo grupo fiscal que cumplan las condiciones indicadas en el artículo anterior deberá ir acompañada de los siguientes documentos:

a) Estatutos de la entidad, o proyecto de éstos si aún no se ha constituido.

b) *Respecto de las entidades ya constituidas, certificado de inscripción de la entidad en el registro de buques y empresas navieras o en el registro especial de buques y empresas navieras, y respecto de las no constituidas, proyecto de constitución o solicitud de inscripción en los citados registros. Esta documentación no se exigirá a las entidades que realicen, en su totalidad, la gestión técnica y de tripulación de buques.*

c) *Identificación y descripción de las actividades de las entidades respecto de las cuales se solicita la aplicación del régimen.*

d) *Acreditación, respecto de cada buque, del título en virtud del cual se utiliza o se utilizará, o se lleva a cabo, en su totalidad, la gestión técnica y de tripulación, del ámbito territorial en el que se llevará a cabo su gestión estratégica y comercial, de su abanderamiento y de su afectación exclusiva a las actividades contempladas en el artículo 113.2.b) de la Ley del Impuesto.*

e) *En el caso de sociedades ya constituidas, el último balance aprobado de la entidad.*

f) *Acreditación o, en el caso de entidades no constituidas, previsión del valor neto contable y del valor de mercado de los buques en que concurran las circunstancias previstas en el párrafo segundo del apartado 2 del artículo 114 de la Ley del Impuesto.*

g) *En el caso de entidades que realicen, en su totalidad, la gestión técnica y de tripulación de buques, documento demostrativo del cumplimiento de las prescripciones del código CGS, expedido en los términos establecidos en la prescripción 13.2 del Código Internacional de Gestión y para la Seguridad de la Explotación de los buques y la prevención de la contaminación, adoptado por la Organización Marítima Internacional mediante la Resolución A 741.*

2. *La solicitud se presentará antes de la finalización del período impositivo respecto del que se pretende que tenga efectos.*

3. *El órgano competente para la instrucción y resolución de este procedimiento será la Dirección General de Tributos, que podrá solicitar del contribuyente cuantos datos, informes, antecedentes y justificantes sean necesarios.*

Asimismo, podrá recabar informe de los organismos competentes para verificar la existencia de una contribución a los objetivos de la política comunitaria de transporte marítimo, especialmente en lo relativo al nivel tecnológico de los buques que garantice la seguridad en la navegación y la prevención de la contaminación del medio ambiente y al mantenimiento del empleo comunitario tanto a bordo como en tareas auxiliares al transporte marítimo, y para verificar la actividad realizada por las entidades que realicen, en su totalidad, la gestión técnica y de tripulación de buques. La solicitud del citado informe determinará la interrupción del plazo de resolución a que se refiere el apartado 5 de este artículo.

El contribuyente podrá, en cualquier momento del procedimiento anterior al trámite de audiencia, presentar las alegaciones y aportar los documentos y justificantes que estime pertinentes.

4. Instruido el procedimiento, e inmediatamente antes de redactar la propuesta de resolución, se pondrá de manifiesto al contribuyente, quien dispondrá de un plazo de 15 días para formular las alegaciones, así como para presentar los documentos y justificaciones que estime oportunos.

5. La resolución que ponga fin al procedimiento será motivada y podrá:

a) Autorizar el régimen de las entidades navieras en función del tonelaje, determinando el período impositivo a partir del cual surtirá efectos. La autorización se concederá por un período de diez años.

b) Desestimar la concesión del régimen de las entidades navieras en función del tonelaje.

La solicitud deberá resolverse en el plazo de tres meses, contados desde la fecha en que la solicitud haya sido presentada o desde la fecha de su subsanación a requerimiento de dicho órgano, transcurrido el cual podrá entenderse denegada.

6. El contribuyente podrá solicitar prórrogas de la autorización inicial por períodos adicionales de diez años. Dicha solicitud de prórroga se presentará antes de que finalice el período impositivo respecto del que se pretende que tenga efectos.

7. Si con posterioridad a la concesión de una autorización el contribuyente adquiere, arrienda, toma en fletamento o gestiona, en su totalidad, otros buques que cumplan los requisitos del régimen, deberá presentar, en los términos expuestos en los apartados anteriores, una nueva solicitud referida a estos. La autorización adicional se concederá por el período temporal de vigencia que reste a la autorización inicial de régimen".

Artículo 54. Renuncia e incumplimiento del régimen.

"1. El contribuyente podrá renunciar a la aplicación del régimen. La renuncia se presentará antes de que finalice el período impositivo respecto del que se pretende que tenga efectos. Durante los cinco años siguientes a la fecha anterior no se podrá solicitar una nueva aplicación del régimen.

2. El incumplimiento de los requisitos establecidos en este régimen supondrá la pérdida inmediata del derecho a aplicarlo y determinará la obligación de ingresar, conjuntamente con la cuota correspondiente al período impositivo en que dicho incumplimiento tuvo lugar, las cuotas íntegras correspondientes a todos los ejercicios en los que el régimen resultó de aplicación, calculadas conforme al régimen general del Impuesto, sin perjuicio de los intereses de demora, recargos y sanciones que, en su caso, resulten procedentes. Durante los cinco años siguientes a la fecha de inicio del período impositivo en que tuvo lugar el incumplimiento no se podrá solicitar una nueva aplicación del régimen".

SUMARIO: 1. INTRODUCCIÓN. 2. SOLICITUD. 3. RENUNCIA. 4. INCUMPLIMIENTO. 5. INCOMPATIBILIDAD CON LA DISPOSICIÓN ADICIONAL CUARTA LIS.

1. INTRODUCCIÓN

La regulación de los requisitos formales para la aplicación del régimen de tonelaje viene establecida en este artículo 117 de la LIS, así como en los artículos 52 y 53 del Reglamento del Impuesto sobre Sociedades (en adelante, RIS).

2. SOLICITUD

Dada la naturaleza optativa de este régimen de tonelaje, la entidad que pretenda su aplicación deberá solicitar una autorización. La aplicación del régimen de tonelaje está, pues, condicionada a la autorización administrativa. La misma será concedida por el Ministerio de Hacienda y Administraciones Públicas, en concreto, por la Dirección General de Tributos.

Pueden optar a este régimen especial, según el artículo 52 del RIS, las entidades:

- que prevean en su objeto social la explotación de buques propios o arrendados. Asimismo, la opción deberá incluir la totalidad de los buques que explote el obligado tributario, así como los que, posteriormente, adquiera o arriende.

- que realicen, en su totalidad, la gestión técnica y de tripulación de buques. La solicitud deberá comprender, en este caso, la totalidad de los buques gestionados por el obligado tributario, así como los que gestione con posterioridad.

La autorización se concederá por un periodo de 10 años, prorrogables sucesivamente por periodos de 10.

La solicitud que, en su caso, deberá estar referida a la totalidad de los buques explotados, o respecto de los que se realice la gestión técnica y de tripulación, por las entidades del mismo grupo fiscal que cumplan las condiciones indicadas en el artículo anterior deberá ir acompañada de los siguientes documentos:

- Estatutos de la entidad, o proyecto de éstos si aún no se ha constituido.

- Respecto de las entidades ya constituidas, certificado de inscripción de la entidad en el registro de buques y empresas navieras o en el registro especial de buques y empresas navieras, y respecto de las no constituidas, proyecto de constitución o solicitud de inscripción en los citados registros. Esta documentación no se exigirá a las entidades que realicen, en su totalidad, la gestión técnica y de tripulación de buques.

- Identificación y descripción de las actividades de las entidades respecto de las cuales se solicita la aplicación del régimen.

- Acreditación, respecto de cada buque, del título en virtud del cual se utiliza o se utilizará, o se lleva a cabo, en su totalidad, la gestión técnica y de tripulación, del ámbito territorial en el que se llevará a cabo su gestión estratégica y comercial, de su abanderamiento y de su afectación exclusiva a las actividades contempladas en el artículo 113.2.b) de la Ley del Impuesto.

- En el caso de sociedades ya constituidas, el último balance aprobado de la entidad.

- Acreditación o, en el caso de entidades no constituidas, previsión del valor neto contable y del valor de mercado de los buques en que concurran las circunstancias previstas en el párrafo segundo del apartado 2 del artículo 114 de la Ley del Impuesto.

- En el caso de entidades que realicen, en su totalidad, la gestión técnica y de tripulación de buques, documento demostrativo del cumplimiento de las prescripciones del código CGS, expedido en los términos establecidos en la prescripción 13.2 del Código Internacional de Gestión y para la Seguridad de la Explotación de los buques y la prevención de la contaminación, adoptado por la Organización Marítima Internacional mediante la Resolución A 741.

El obligado tributario deberá detallar en la solicitud el periodo impositivo a partir del cual pretende que se aplique el régimen de tonelaje. A diferencia del texto refundido de la LIS, que establecía que la solicitud debía de presentarse como mínimo 3 meses antes del inicio del periodo impositivo, la actual redacción del artículo 117 LIS no establece un plazo concreto, pudiéndose presentar, por tanto, en cualquier momento anterior al mismo.

La Administración tendrá un plazo de 3 meses para resolver la solicitud. Dicha resolución será negativa si en dicho plazo no ha sido emitida.

Según el artículo 53 del RIS, la resolución será motivada y podrá:

a) Autorizar el régimen de las entidades navieras en función del tonelaje, determinando el período impositivo a partir del cual surtirá efectos. La autorización se concederá por un período de diez años.

b) Desestimar la concesión del régimen de las entidades navieras en función del tonelaje.

3. RENUNCIA

El obligado tributario puede renunciar a la aplicación del régimen especial. Dicha renuncia deberá de presentarse antes de que finalice el periodo impositivo respecto del que se pretende que surta efectos.

La renuncia al régimen implica la imposibilidad de aplicar el régimen durante los 5 años siguientes.

4. INCUMPLIMIENTO

El incumplimiento de los requisitos establecidos supondrá la inaplicación del régimen especial de Entidades Navieras en función del Tonelaje y la aplicación del régimen general del Impuesto en el periodo impositivo en que se produzca.

Además, la norma establece un efecto retroactivo por el incumplimiento de los requisitos; la entidad deberá de proceder a la regularización de la cuota correspondiente al periodo impositivo en que se produjo el incumplimiento, así como las de los periodos impositivos anteriores en los que se aplicó el régimen especial de Entidades Navieras en función del Tonelaje.

De este modo, la entidad deberá tributar también por el régimen general en aquellos periodos en que fue de aplicación el régimen especial, debiendo ingresar la cuota que se derive del régimen general, junto, en su caso, con los intereses de demora y recargos que resulten procedentes. Asimismo, este incumplimiento podrá ser objeto de sanción.

El párrafo 2 del artículo 117.2 de la LIS establece una excepción a la forma de regularizar por el incumplimiento de los requisitos establecidos en el régimen especial de Entidades Navieras en función del Tonelaje.

En el supuesto en que el incumplimiento se haya producido respecto a la condición prevista en el artículo 113.3 LIS (mantenimiento durante los 3 años posteriores del porcentaje medio del tonelaje neto de buques registrados en España o en otro Estado miembro de la Unión Europea respecto del tonelaje neto total referido al año anterior al momento en que se produce dicho incremento), la regularización únicamente afectará a los buques que motivaron dicho incremento. Si el mencionado incremento se debió por la baja de buques registrados en España o en otro Estado miembro de la Unión, la regularización se efectuará respecto a esos buques por todos los periodos impositivos en los que estuvieron acogidos al régimen.

Al igual que la renuncia, el incumplimiento de los requisitos implica la imposibilidad de poder volver a solicitar la aplicación de este régimen especial durante un periodo de cinco años.

5. INCOMPATIBILIDAD CON LA DISPOSICIÓN ADICIONAL CUARTA LIS

El apartado 3 del artículo 117 de la LIS establece una incompatibilidad entre el régimen especial de Entidades Navieras en función del Tonelaje y la

Disposición Adicional cuarta[11] de la LIS. En dicha disposición adicional, se prevé una amortización acelerada con la finalidad de fomentar la renovación de la flota mercante.

---

[11]   **Disposición adicional cuarta. Incentivos fiscales para la renovación de la flota mercante.**
1. Se podrán amortizar de manera acelerada los buques, embarcaciones y artefactos navales, que cumplan los siguientes requisitos:
a) Que se trate de buques, embarcaciones o artefactos navales nuevos que se hayan puesto a disposición del adquirente entre el 1 de enero del año 1999 y el 31 de diciembre del año 2003 o que hayan sido encargados en virtud de un contrato de construcción suscrito dentro de dicho período, siempre que su puesta a disposición del adquirente sea anterior al 31 de diciembre del año 2006, o bien que se trate de buques usados adquiridos después del 1 de enero de 1999 que hayan sido objeto de mejoras, cuyo importe sea superior al 25 por ciento de su valor de adquisición y que se hayan realizado antes del 31 de diciembre del año 2003.
b) Que el buque, embarcación o artefacto naval sea inscribible en las listas primera, segunda o quinta del artículo 4.1 del Real Decreto 1027/1989, de 28 de julio, sobre abanderamiento, matriculación de buques y registro marítimo.
c) Que el contribuyente adquirente explote el buque, embarcación o artefacto naval mediante su afectación a su propia actividad, o bien mediante su arrendamiento a casco desnudo, siempre que, en este último caso, la entidad arrendadora sea una agrupación española o europea de interés económico y se cumplan los siguientes requisitos:
1.º Que el arrendatario sea una persona física o jurídica que tenga como actividad habitual la explotación de buques, embarcaciones o artefactos navales y que afecte el elemento a dicha actividad.
2.º Que al menos el 75 por ciento de la ventaja fiscal obtenida se traslade por el arrendador al usuario.
A estos efectos, la ventaja fiscal se valorará en la actualización, al tipo que se determine por el Ministerio de Hacienda y Administraciones Públicas, de las diferencias en los ingresos fiscales que se producirían con y sin la aplicación de este régimen.
3.º Los socios de la entidad arrendadora deberán mantener la participación en ella durante al menos las dos terceras partes del plazo del contrato de arrendamiento.
4.º Que el precio de adquisición del buque, embarcación o artefacto naval, el tipo de interés de la financiación utilizada y el importe del alquiler, sean los normales de mercado entre partes independientes.
5.º Que no exista vinculación entre el vendedor del activo y el arrendatario de este.
6.º Que al menos el 20 por ciento de los recursos necesarios para financiar la adquisición del buque, embarcación o artefacto naval proceda de fondos propios de la agrupación.
d) Que se solicite y obtenga la concesión del beneficio del Ministerio de Hacienda y Administraciones Públicas con carácter previo a la construcción o mejora del elemento. Para la concesión del beneficio, el Ministerio de Hacienda y Administraciones Públicas tendrá en cuenta, desde el punto de vista del interés general, que el proyecto presenta un interés económico y social significativo, en particular en materia de empleo. A tal fin, será necesario el informe previo de los Ministerios de Economía y Competitividad y de Fomento, según se trate de elementos nuevos o usados respectivamente; la solicitud deberá resolverse en el plazo máximo de 3 meses, transcurrido el cual podrá entenderse desestimada.
2. La amortización se practicará de acuerdo con las siguientes normas:
a) La amortización anual fiscalmente deducible tendrá como límite el 35 por ciento del precio de adquisición del buque o del valor de la mejora.
b) La amortización podrá realizarse con anterioridad a la puesta del buque, embarcación o artefacto naval, en condiciones de funcionamiento o del inicio de la mejora, con el límite de las cantidades pagadas.

El legislador, dado el ventajoso tratamiento tributario que supone el Régimen de Tonelaje, ha previsto su incompatibilidad con esta amortización acelerada. De este modo, las entidades no podrán aplicar este régimen especial respecto a aquellos buques a los que se les haya aplicado la mencionada amortización acelerada prevista en la Disposición Adicional Cuarta de la LIS.

---

c) La deducción de las cantidades que excedan del importe de la depreciación efectiva no estará condicionada a su imputación contable a la cuenta de pérdidas y ganancias. Dichas cantidades incrementarán la base imponible con ocasión de la amortización o transmisión del elemento que disfrutó de aquélla.

3. Los buques, embarcaciones o artefactos navales adquiridos en régimen de arrendamiento financiero podrán acogerse, alternativamente, a la amortización especial prevista en la presente norma o a lo dispuesto en el artículo 106 de esta Ley.

4. Si los requisitos se incumplieran posteriormente, el contribuyente perderá el beneficio de la amortización acelerada y deberá ingresar el importe de las cuotas correspondientes a los ejercicios durante los cuales hubiese gozado de este incentivo fiscal, junto con las sanciones, recargos e intereses de demora que resulten procedentes.

Artículo 118
Gestión del impuesto. Índice de entidades

Faustino Moya Calatayud
Inspector de Hacienda del Estado

"1. En cada Delegación de la Agencia Estatal de Administración Tributaria se llevará un índice de entidades en el que se inscribirán las que tengan su domicilio fiscal dentro de su ámbito territorial, excepto las entidades a que se refiere el apartado 1 del artículo 9 de esta Ley.

2. Reglamentariamente se establecerán los procedimientos de alta, inscripción y baja en el índice de entidades".

DESARROLLO REGLAMENTARIO
REGLAMENTO DEL IMPUESTO SOBRE SOCIEDADES APROBADO POR REAL DECRETO 634/2015, DE 10 DE JULIO

Artículo 57. Índice de entidades.

"1. Mediante el censo de Empresarios, Profesionales y Retenedores a que se refiere el artículo 9 del Reglamento General de las actuaciones y los procedimientos de gestión e inspección tributaria y de desarrollo de las normas comunes de los procedimientos de aplicación de los tributos, aprobado por el Real Decreto 1065/2007, de 27 de julio, se llevará en cada una de las Delegaciones el índice de entidades a que se refiere el artículo 118 de la Ley del Impuesto.

2. Las modificaciones censales y solicitudes de baja del índice de los contribuyentes adscritos a las Dependencias Regionales de Inspección y a la Delegación Central de Grandes Contribuyentes se dirigirán, en el primer caso, a las Delegaciones Especiales correspondientes a su domicilio fiscal y en el segundo a la referida Delegación Central.

3. Cuando se hubiera dictado acuerdo de baja provisional como consecuencia de lo previsto en el párrafo b) del apartado 1 del artículo 119 de la Ley del Impuesto y, posteriormente, la entidad presentara las declaraciones omitidas, el órgano competente de la Agencia Estatal de la Administración Tributaria acordará la rehabilitación de la inscripción en el índice y remitirá el acuerdo al Registro Público en el que se hubiera extendido la nota marginal correspondiente para la cancelación de la misma."

REGLAMENTO GENERAL DE LAS ACTUACIONES Y LOS PROCEDIMIENTOS DE GESTIÓN E INSPECCIÓN TRIBUTARIA Y DE DESARROLLO DE LAS NORMAS COMUNES DE LOS PROCEDIMIENTOS DE APLICACIÓN DE LOS TRIBUTOS, APROBADO POR REAL DECRETO 1065/2007, DE 27 DE JULIO

Artículo 9.° Declaración de alta en el Censo de Empresarios, Profesionales y Retenedores.

"1. Quienes hayan de formar parte del Censo de Empresarios, Profesionales y Retenedores deberán presentar una declaración de alta en dicho censo.

2. La declaración de alta deberá incluir los datos recogidos en los artículos 4.° a 8.° de este reglamento, ambos inclusive.

3. Asimismo, esta declaración servirá para los siguientes fines:

a) Solicitar la asignación del número de identificación fiscal provisional o definitivo, con independencia de que la persona jurídica o entidad solicitante no esté obligada, por aplicación de lo dispuesto en el apartado 1 anterior, a la presentación de la declaración censal de alta en el Censo de Empresarios, Profesionales y Retenedores. La asignación del número de identificación fiscal, a solicitud del interesado o de oficio, determinará la inclusión automática en el Censo de Obligados Tributarios de la persona o entidad de que se trate (...)".

SUMARIO: 1. COMENTARIO.

1. COMENTARIO

1°) El Índice de Entidades es un registro de naturaleza fiscal gestionado por la Agencia Estatal de Administración Tributaria (AEAT) en el que deben inscribirse todas las entidades sometidas al IS, con excepción de las entidades totalmente exentas del impuesto. Así, por ejemplo, quedan excluidos de esta obligación de inscripción en el Índice el propio Estado, las Comunidades Autónomas y las entidades locales, sus organismos autónomos, etc. (entidades en general del art. 9.1 de la LIS). La exoneración de esta obligación formal de inscripción no se extiende a las entidades parcialmente exentas de los apartados 2, 3 y 4 del art. 9 de la LIS.

La AEAT se organiza territorialmente sobre la base de unos órganos principales que son las Delegaciones Especiales, cuyo ámbito competencial coincide con el territorio de una Comunidad Autónoma. Por tanto, la Delegación Especial es el órgano territorial básico que actúa como principal responsable del impulso y coordinación de las actuaciones del resto de órganos territoriales de la AEAT con un ámbito territorial equivalente o inferior. Concretamente, en el seno de las Delegaciones Especiales, se integran las Delegaciones (normalmente con un ámbito territorial provincial, aunque no siempre es así, puesto que existen Delegaciones a las que por razones históricas se les atribuye responsabilidad sobre territorios de ámbito inferior a la provincia como, por ejemplo, las Delegaciones de Vigo, Cartagena o Gijón) y las Administraciones de la AEAT (siempre con un ámbito territorial inferior al provincial).

La regla habitual de atribución de competencias sobre un determinado contribuyente es su domicilio fiscal. No obstante, esta estructura competencial relativamente clara se ha visto alterada y flexibilizada por la progresiva regionalización de las competencias de todos los órganos integrados en las diferentes Dependencias Regionales de Inspección, Recaudación, Gestión, Aduanas, etc, regionalización que permite, por ejemplo, que un órgano gestor o inspector con sede en otra Delegación o Administración de la AEAT, al ostentar una competencia regional que se extiende a todo el territorio de la Comunidad Autónoma, pueda realizar comprobaciones de contribuyentes con domicilio fiscal en el territorio de otro Delegación o Administración de esa misma Comunidad Autónoma.

Pues bien, el legislador ha decidido atribuir la competencia para la gestión del índice de entidades a la Delegación de la AEAT que corresponda según el domicilio fiscal de la entidad contribuyente. Recordemos que para las entidades residentes en territorio español el domicilio fiscal será el de su domicilio social, siempre que en él esté efectivamente centralizada la gestión administrativa y la dirección de sus negocios. En otro caso, se atenderá al lugar en que se realice dicha gestión o dirección. En los supuestos en que, de acuerdo con los criterios anteriores, no pueda establecerse el lugar del domicilio fiscal de la entidad, prevalecerá aquél donde radique el mayor valor del inmovilizado (art. 8 de la LIS).

También hay que resaltar que existen entidades contribuyentes que no se adscriben a las Delegaciones de su domicilio, sino que, en consideración a su condición de grandes empresas, las competencias para la gestión tributaria con relación a ellas se atribuyen a las Dependencias Regionales de Inspección de las Delegaciones Especiales o a la Delegación Central de Grandes Contribuyentes (con competencia de ámbito nacional). En estos casos, conforme al art. 57.2 del RIS, la gestión de las modificaciones censales y de las solicitudes de baja en el índice de entidades se atribuye, según corresponda, a las Delegaciones Especiales correspondientes a su domicilio fiscal o a la referida Delegación Central de Grandes Contribuyentes.

2º) La presentación de las solicitudes de alta o inscripción y baja en el índice de entidades se efectúa utilizando el modelo previsto para las declaraciones de carácter censal (modelo 036). Tal presentación se realizará en la fase de constitución de la entidad sujeto pasivo del impuesto.

Como se desprende del artículo 57.1 del RIS, el Índice de Entidades se entiende incluido en el censo de contribuyentes, más concretamente en el censo de Empresarios, Profesionales y Retenedores a que se refiere el artículo 9 del RGGI, y la AEAT lo gestiona a través de dicho censo.

EJEMPLO

Se pretende constituir una SL, los futuros socios se preguntan si deben realizar algún trámite específico a efectos de la inscripción de la sociedad en el Índice de Entidades previsto en el art. 118 de la LIS.

RESPUESTA

No es necesaria una solicitud separada y distinta de las habituales declaraciones censales (modelo 036) que se presentan para obtener el NIF y para la inscripción en los censos tributarios. En general, en un primer momento se presentará una declaración censal y se obtendrán un NIF (número de identificación fiscal) provisional, mediante el correspondiente modelo 036, en el que, entre otras cosas, se comunica la intención de constituir una sociedad y se informa a la AEAT de la identidad de los futuros socios y administradores. Una vez realizadas todas las formalidades legales necesarias para la constitución e inscrita la sociedad en el Registro Mercantil se presentará un nuevo 036 para obtener el NIF definitivo. A la vez, con estas declaraciones censales se está realizando la inscripción en el Índice de entidades.

La regulación normativa de la obtención del número de identificación fiscal, trámite fundamental y necesario al constituir cualquier entidad, se encuentra básicamente recogida en la Disposición Adicional Sexta de la LGT y en los arts. 22 y ss. del Reglamento General de las actuaciones y los procedimientos de gestión e inspección tributaria y de desarrollo de las normas comunes de los procedimientos de aplicación de los tributos (RGGI), aprobado por Real Decreto 1065/2007, de 27 de julio.

Artículo 119
Baja en el índice de entidades

Faustino Moya Calatayud

Inspector de Hacienda del Estado

"1. La Agencia Estatal de Administración Tributaria dictará, previa audiencia de los interesados, acuerdo de baja provisional en los siguientes casos:

a) Cuando los débitos tributarios de la entidad para con la Hacienda pública del Estado sean declarados fallidos de conformidad con lo dispuesto en el Reglamento General de Recaudación, aprobado por el Real Decreto 939/2005, de 29 de julio.

b) Cuando la entidad no hubiere presentado la declaración por este impuesto correspondiente a 3 períodos impositivos consecutivos.

2. El acuerdo de baja provisional será notificado al registro público correspondiente, que deberá proceder a extender en la hoja abierta a la entidad afectada una nota marginal en la que se hará constar que, en lo sucesivo, no podrá realizarse ninguna inscripción que a aquélla concierna sin presentación de certificación de alta en el índice de entidades.

3. El acuerdo de baja provisional no exime a la entidad afectada de ninguna de las obligaciones tributarias que le pudieran incumbir".

**DESARROLLO REGLAMENTARIO
ARTÍCULOS 57 DEL REGLAMENTO DEL IMPUESTO SOBRE SOCIEDADES, APROBADO POR EL RD 634/2015, DE 10 DE JULIO Y 9 DEL REGLAMENTO GENERAL DE LAS ACTUACIONES Y LOS PROCEDIMIENTOS DE GESTIÓN E INSPECCIÓN TRIBUTARIA Y DE DESARROLLO DE LAS NORMAS COMUNES DE LOS PROCEDIMIENTOS DE APLICACIÓN DE LOS TRIBUTOS, APROBADO POR RD 1065/2007, DE 27 DE JULIO (VÉASE COMENTARIO ANTERIOR RELATIVO AL ARTÍCULO 118 DE LA LIS) ARTÍCULOS 61 Y SS. DEL REGLAMENTO GENERAL DE RECAUDACIÓN (RGR), APROBADO POR EL REAL DECRETO 939/2005, DE 29 DE JULIO.**

Artículo 61. Concepto de deudor fallido y de crédito incobrable.
"1. Se considerarán fallidos aquellos obligados al pago respecto de los cuales se ignore la existencia de bienes o derechos embargables o reali-

zables para el cobro del débito. En particular, se estimará que no existen bienes o derechos embargables cuando los poseídos por el obligado al pago no hubiesen sido adjudicados a la Hacienda pública de conformidad con lo que se establece en el artículo 109. Asimismo, se considerará fallido por insolvencia parcial el deudor cuyo patrimonio embargable o realizable conocido tan solo alcance a cubrir una parte de la deuda.

La declaración de fallido podrá referirse a la insolvencia total o parcial del deudor.

Son créditos incobrables aquellos que no han podido hacerse efectivos en el procedimiento de apremio por resultar fallidos los obligados al pago.

El concepto de incobrable se aplicará a los créditos y el de fallido a los obligados al pago.

(...)"

Artículo 62. Efectos de la baja provisional por insolvencia.

"1. La declaración total o parcial de crédito incobrable determinará la baja en cuentas del crédito en la cuantía a que se refiera dicha declaración.

2. Dicha declaración no impide el ejercicio por la Hacienda pública contra quien proceda de las acciones que puedan ejercitarse con arreglo a las leyes, en tanto no se haya producido la prescripción del derecho de la Administración para exigir el pago.

3. La declaración de fallido correspondiente a personas o entidades inscritas en el Registro Mercantil será anotada en este en virtud de mandamiento expedido por el órgano de recaudación competente. Con posterioridad a la anotación el registro comunicará a dicho órgano de recaudación cualquier acto relativo a dichas personas o entidades que se presente a inscripción o anotación (...)".

SUMARIO: 1. COMENTARIO. 2. JURISPRUDENCIA Y DOCTRINA ADMINISTRATIVA RELEVANTE.

1. COMENTARIO

1°) La disolución y liquidación de las entidades contribuyentes con extinción, en su caso, de la personalidad jurídica dará lugar a su baja definitiva en el Índice de Entidades. En consecuencia, los liquidadores o representantes legales de la entidad deben de comunicar estas circunstancias a la AEAT, a través del correspondiente modelo 036 de "baja". La presentación de dicha declaración censal de baja implicará la baja definitiva en el Índice.

En aplicación de lo previsto en el art. 119 de la LIS, además de las bajas definitivas en el Índice de Entidades, existen las bajas provisionales. Dicho artículo autoriza a los órganos de la AEAT, con competencia para la gestión del Índice de Entidades, a dictar acuerdos de baja provisional en dicho Índice, cuando concurra cualquiera de las 2 siguientes circunstancias:

a) Señala el art. 119.1 a) de la LIS que cuando las deudas tributarias de la entidad para con la Hacienda pública del Estado sean declaradas fallidas de conformidad con lo dispuesto en el Reglamento General de Recaudación (RGR), aprobado por el Real Decreto 939/2005, de 29 de julio, debe procederse a dicha baja provisional. No es necesario que las deudas en cuestión correspondan al Impuesto sobre Sociedades, sino que pueden corresponder a otros conceptos tributarios en favor del Estado, como por ejemplo IVA o las retenciones a cuenta de IRPF que una entidad haya dejado de pagar. Sin embargo, la baja provisional no procederá cuando se trate de créditos tributarios en favor de las CCAA o entidades locales.

A este respecto, el Reglamento General de Recaudación, al que nos remite el art. 119 de la LIS, dedica la sección 3ª del capítulo I del título II a la Baja provisional por insolvencia. Así, el artículo 61 de dicho RGR define los conceptos de deudor fallido y de crédito incobrable. El concepto "fallido" se debería utilizar siempre con referencia a las personas o entidades obligadas al pago, mientras que el concepto "incobrable" se debería referir a los créditos frente a un deudor fallido. Así lo señala expresamente el último párrafo del art. 61.1 del RGR.

Conforme a este mismo artículo del RGR se calificarán como fallidos aquellos obligados al pago respecto de los que se ignore la existencia de bienes o derechos embargables o realizables para el cobro del débito tributario. En consecuencia, se considerarán créditos incobrables aquellos que no han podido hacerse efectivos en el procedimiento de apremio por resultar fallidos los obligados al pago. Resulta, pues, claro que el RGR vincula el término fallido con el deudor y el término incobrable con la deuda. Sin embargo, no lo hace así el art. 119 de la LIS que utiliza el adjetivo "fallido" vinculándolo a los débitos tributarios, aunque tal calificación como fallido sería más apropiado reservarla para la persona del deudor, calificando la deuda simplemente de "incobrable". De todas maneras, el mandato del legislador contenido en el art. 119.1 a) de la LIS lo consideramos claro y se puede resumir así: si una entidad sujeta al IS es declarada fallida por el órgano de recaudación competente también debe procederse a su baja provisional en el Índice de Entidades.

b) El segundo supuesto de baja provisional, contenido en el art. 119.1 b) de la LIS, se aplica cuando la entidad deja de presentar la declaración del Impuesto sobre Sociedades, al menos, por 3 períodos impositivos consecutivos.

Hemos de resaltar que el simple cese en la actividad económica no exime a los sujetos pasivos del IS de su obligación de presentar la declaración anual del impuesto. Así, por ejemplo, una entidad que conserva su personalidad jurídica pero que ha dejado totalmente de operar en el mercado, al no obtener ingreso alguno, debe seguir presentando declaraciones por IS indefinidamente hasta que no realice su disolución y liquidación completa.

Vemos también que los requisitos legales necesarios para que proceda la baja provisional en el Índice de Entidades se basan en unos hechos claros y objetivos, pero aún así, la Administración tributaria no puede adoptar su decisión "inaudita parte", sino que antes de dictar dicha baja provisional es preciso notificar a la entidad afectada la apertura de un trámite de audiencia. En ambos supuestos del art. 119.1 de la LIS, la entidad candidata a ser dada de baja provisional en el Índice debe ser notificada de la apertura del expediente de baja, concediéndosele un plazo para que regularice su situación pagando sus deudas tributarias o presentando, en su caso, las declaraciones de IS omitidas. Asimismo, los representantes legales de la entidad afectada podrán formular su oposición a la baja provisional realizando las alegaciones que estimen oportunas.

2º) El acuerdo de baja provisional debe ser notificado al Registro Mercantil o a otros registros públicos en los que se inscriba un concreto tipo de entidades.

Por ejemplo, para acceder a la personalidad jurídica, las Sociedades Anónimas, Limitadas, Colectivas, Comanditarias, etc. deben de inscribirse en el Registro Mercantil. Existen otros tipos de entidades que no tienen personalidad jurídica pero su inscripción en el Registro Mercantil también es obligatoria, como Fondos de Pensiones, Fondos de Regulación del Mercado Hipotecario, Agrupación de Interés Económico, Agrupación Europea de Interés Económico con domicilio en España. Incluso existen otras entidades en las que la inscripción en el Registro Mercantil es potestativa, por ejemplo, los Fondos de inversión o Fondos de capital-riesgo. Para todas estas entidades inscritas en el Registro Mercantil, cuando concurra alguno de los supuestos previstos en el art. 119 de la LIS, la AEAT emitirá un mandamiento al Registro Mercantil correspondiente en función del domicilio social de la entidad en cuestión para que éste proceda a extender, en la hoja de la entidad afectada, una nota marginal en la que se hará constar que, en lo sucesivo, no podrá realizarse ninguna nueva inscripción sin que la entidad aporte un certificado expedido por la AEAT en el que se acredite que la entidad ha vuelto a estar de alta en el índice de entidades.

En consecuencia, la baja provisional en el Índice de entidades implica para la entidad el cierre del acceso al Registro. Este mismo efecto cierre se aplica al resto de entidades que se inscriben en otros registros públicos específicos, distintos del Registro Mercantil, a los que la AEAT también notificará la baja provisional con la consiguiente paralización registral. Así, en el Registro de Cooperativas se inscriben de forma obligatoria las Sociedades Cooperativas, en Registros específicos vinculados al Ministerio de Agricultura, Alimentación y Medio Ambiente u órganos equivalentes de las CCAA se inscriben las Sociedades Agrarias de Transformación (SAT) o las Comunidades Titulares de Montes Vecinales en Mano Común. Por otro lado, también existen determinadas entidades que se inscriben en el registro específico de la Comisión Nacional del Mercado de Valores: Fondos de inversión o Fondos de capital-riesgo si no han sido inscritos en el Registro Mercantil, Fondos de Titulización Hipotecaria, Fondos de Titulización de Activos o Fondos de activos bancarios.

Estos acuerdos de baja en el Índice de Entidades y las notas marginales en el Registro correspondiente son provisionales y no implican la extinción de la entidad. Por consiguiente, la baja en el Índice de Entidades puede "removerse" presentando las declaraciones de IS omitidas o pagando las deudas declaradas incobrables que sigan pendientes. Una vez recuperada el alta en el Índice de Entidades se informará al Registro correspondiente al que se volverá a tener acceso, desapareciendo el "cierre" registral temporal y ya se podrán volver a inscribir modificaciones en la estructura y características la entidad o cualquier renovación en la composición de sus órganos de gobierno y representación.

En el caso concreto de las entidades fallidas se produce una doble comunicación al Registro Mercantil. Así, por un lado, el artículo 62 del RGR establece que la declaración de fallido correspondiente a personas o entidades inscritas en el Registro Mercantil será anotada en éste en virtud de mandamiento expedido por el órgano de recaudación competente. Es decir, la declaración de fallida de la entidad implica una primera comunicación al Registro Mercantil, si bien esta primera notificación no supone el cierre registral, ya que la entidad sigue teniendo acceso al Registro. Esta primera anotación en el registro, promovida por los órganos de recaudación, sólo implica que con posterioridad a la anotación, el Registro debe informar a dicho órgano de recaudación de cualquier acto relativo a dichas personas o entidades que se presente a inscripción o anotación.

Por otro lado, el órgano gestor encargado de la gestión del Índice de Entidades, una vez acuerde la baja provisional en dicho índice, dirigirá un segundo mandamiento al Registro Mercantil que en este caso sí acarreará el cierre registral.

Como otras consecuencias asociadas a la baja provisional en el Índice, el Reglamento general de las actuaciones y procedimientos de gestión e inspección tributaria (RGGI y AT), aprobado por el Real Decreto 1065/2007, dedica la Subsección 1ª, de la Sección 7ª del Capítulo II del Título IV a las actuaciones y procedimientos de comprobación de obligaciones formales. En particular, el artículo 146 de este reglamento se refiere a la rectificación de oficio de la situación censal señalando, en la letra c) de su apartado 1, que cuando concurran los supuestos regulados en el artículo 131.1 del anterior TRLIS, aprobado por RD Legislativo 4/2004 (la referencia actualmente debe entenderse al art. 119.1 de la actual LIS, Ley 27/2014), la Administración tributaria podrá proceder a rectificar de oficio la situación censal de la entidad, sin necesidad de instruir el procedimiento regulado en el artículo 145 del mismo RGGI y AT (procedimiento de rectificación censal), pudiendo dar de baja a la entidad obligada tributaria en los Registros de Operadores Intracomunitarios y de Devolución mensual.

Asimismo, el artículo 147 del mismo Reglamento dispone que la Administración tributaria podrá revocar el número de identificación fiscal asignado cuando se constaten, entre otras, las circunstancias previstas en el artículo 146.1 c) RGGI y AT (baja provisional en el Índice de Entidades).

En cuanto a una posible reincorporación al Índice de Entidades, el art. 57.3 del RIS precisa que cuando se hubiera dictado acuerdo de baja provisional por falta de presentación de las declaraciones del impuesto y, posteriormente, la entidad presente las declaraciones omitidas, la AEAT procederá a la rehabilitación de la inscripción en el Índice de Entidades y remitirá el acuerdo al Registro Público en el que se hubiera extendido la nota marginal correspondiente para la cancelación de la misma, volviendo a abrirse el acceso al registro. Aunque el RIS no precisa nada al respecto, en cuanto que la baja en el Índice y el subsiguiente cierre registral son provisionales, entendemos que la misma rehabilitación en el Índice con reapertura del acceso al Registro deberían de producirse en el caso en que la entidad inicialmente fallida deje de serlo porque haya procedido a satisfacer sus deudas tributarias pendientes y no prescritas que motivaron su declaración de fallida.

3°) El acuerdo de baja provisional no supone la extinción de la personalidad jurídica ni tampoco exime a la entidad del cumplimiento de sus obligaciones tributarias anteriores o posteriores al acuerdo de Baja provisional, tanto por IS como por cualquier otra obligación tributaria (art. 119.3 de la LIS).

La imposibilidad provisional de practicar cualquier asiento en el Registro no implica extinción de la entidad en cuestión que podría seguir operando en el tráfico económico, pudiendo realizar actos propios del giro o tráfico de las empresas que podrían dar lugar al devengo de impuestos como el IVA. La entidad puede continuar adquiriendo y transmitiendo bienes o derechos y contrayendo nuevas obligaciones, incluidas las tributarias.

Por otro lado, en el caso de falta de presentación de las declaraciones de IS, la AEAT, antes de tramitar la baja provisional en el Índice, efectuará requerimientos a la entidad para que subsane su omisión. Si dichos requerimientos no son atendidos, además de tramitar la reiteradamente mencionada baja provisional, el órgano gestor competente podrá tramitar expedientes sancionadores por resistencia, obstrucción, excusa o negativa a las actuaciones de la Administración tributaria, ante la falta de atención del requerimiento (art. 203.1.b) y 203.4 de la LGT).

2. JURISPRUDENCIA Y DOCTRINA ADMINISTRATIVA RELEVANTE

DIRECCIÓN GENERAL DE REGISTROS Y NOTARIADO. Resolución de 4 de febrero de 1987:

"FUNDAMENTOS DE DERECHO

Primero.

El presente recurso plantea como única cuestión a debatir la de la posible contradicción entre el artículo 150 de la Ley de Sociedades Anónimas, que establece las causas de disolución de las Sociedades Anónimas, y el artículo 277 del Reglamento del Impuesto sobre Sociedades, aprobado por Real Decreto 2631/1982, de 15 de octubre, por el que se regulan los efectos de la nota marginal expresa de la baja provisional de la Sociedad, afectada en el índice de Entidades sujetas a aquel impuesto.

Segundo.

El recurrente parte de la identificación entre la extinción de una persona jurídica, y la paralización provisional del reflejo registral de las vicisitudes de su vida jurídica, deduciendo de ello una vulneración de los artículos 150 de la Ley de Sociedades Anónimas, por una norma de rango inferior, cual es el 277 del citado Reglamento, en cuanto establece una nueva causa de extinción de la Sociedad Anónima, no prevista en aquél. Sin embargo, ni cabe admitir tal identificación, ni aun cuando se admitiese se daría aquella violación del principio de jerarquía normativa, por cuanto el artículo 277 del antedicho Reglamento no es sino fiel reproducción de lo dispuesto en el párrafo 3.º del artículo 29 de la Ley 61/1978, de 27 de diciembre, reguladora del Impuesto sobre Sociedades.

Tercero.

Es evidente que la imposibilidad provisional de practicar cualquier asiento en la hoja abierta a una sociedad no implica extinción de la misma; no se le corta toda posibilidad de seguir operando en el tráfico jurídico; como tal entidad puede realizar los actos propios del giro o tráfico de la empresa: Adquirir y transmitir derechos y contraer nuevas obligaciones, demandar y ser demandada judicialmente. Por otra parte, ni aquella imposibilidad tiene carácter definitivo, sino provisional, ni la nota marginal obstaculizadora provoca la apertura del proceso liquidatorio, ni su cancelación conduce a la necesidad de constituir una nueva Entidad jurídica. Únicamente cada hablar de exclusión registral temporal de cualquier modificación en su estructura y características o cualquier renovación en la composición de sus órganos funcionales."

CONSULTA VINCULANTE DGT, de 09-02-2011, V0292/2011: En principio, la disolución de pleno derecho por parte del Registro Mercantil no es una de las causas de baja en el índice de entidades previstas en el art. 131 del RD Leg. 4/2004 (TR de la anterior Ley IS). En el supuesto de que la sociedad haya sido dada de baja y la causa de dicha baja fuese la prevista en la letra b) del apartado 1 del art. 131 –esto es, cuando la entidad no hubiere presentado la declaración por este impuesto correspondiente a tres períodos impositivos consecutivos–, sería preciso considerar lo dispuesto en el apartado 3 del art. 54 del RD 1777/2004 (anterior Rgto. IS).

EJEMPLO

Una SL, que lleva varios años inactiva y en la que se han producido desavenencias entre los socios y los administradores inscritos en el Registro Mercantil, ha dejado sin presentar la declaración de IS de más de 3 años consecutivos. Por ello, la AEAT, previa audiencia, procedió a su baja provisional en el Índice de Entidades. Además, la AEAT ha oficiado al Registro Mercantil para que se produzca el efecto de cierre registral.

La SL aún es propietaria de varios inmuebles que pretende vender. Los actuales socios de la entidad quieren nombrar un nuevo administrador o apoderado para que firme en la notaría la venta de los inmuebles.

¿Qué trámites fiscales deberían realizarse para "reactivar" la SL y poder nombrar nuevos representantes?

RESPUESTA

Una SL inactiva es sujeto pasivo del Impuesto sobre Sociedades y debe seguir presentando las declaraciones del impuesto mientras conserve la personalidad jurídica. Por tanto, será necesario que la entidad regularice su situación y presente las 3 últimas declaraciones de IS que había omitido.

Una vez realizada esta regularización, la AEAT cancelará la baja provisional y oficiará al Registro Mercantil para que levante el cierre registral. De esta forma, la sociedad podrá proceder a nombrar nuevos representantes legales e inscribirlos en el Registro Mercantil, para que éstos actúen en su nombre y puedan ejecutar la venta de los inmuebles.

Es de destacar que la presentación de estas declaraciones extemporáneas podrá dar lugar a la apertura de expedientes sancionadores por las posibles infracciones asociadas a dichas presentaciones fuera de plazo.

Artículo 120
Obligaciones contables. Facultades de la Administración Tributaria

FAUSTINO MOYA CALATAYUD

Inspector de Hacienda del Estado

"1. Los contribuyentes de este Impuesto deberán llevar su contabilidad de acuerdo con lo previsto en el Código de Comercio o con lo establecido en las normas por las que se rigen.

En todo caso, los contribuyentes a que se refiere el Capítulo XIV del Título VII de esta Ley llevarán su contabilidad de tal forma que permita identificar los ingresos y gastos correspondientes a las rentas exentas y no exentas.

2. La Administración tributaria podrá realizar la comprobación e investigación mediante el examen de la contabilidad, libros, correspondencia, documentación y justificantes concernientes a los negocios del contribuyente, incluidos los programas de contabilidad y los archivos y soportes magnéticos. La Administración tributaria podrá analizar directamente la documentación y los demás elementos a que se refiere el párrafo anterior, pudiendo tomar nota por medio de sus agentes de los apuntes contables que se estimen precisos y obtener copia a su cargo, incluso en soportes magnéticos, de cualquiera de los datos o documentos a que se refiere este apartado.

La Administración tributaria podrá comprobar e investigar los hechos, actos, elementos, actividades, explotaciones, valores y demás circunstancias determinantes de la obligación tributaria. En este sentido, podrá regularizar los importes correspondientes a aquellas partidas que se integren en la base imponible en los períodos impositivos objeto de comprobación, aun cuando los mismos deriven de operaciones realizadas en períodos impositivos prescritos.

3. Las entidades dominantes de los grupos de sociedades del artículo 42 del Código de Comercio estarán obligadas, a requerimiento de la Inspección de los Tributos formulada en el curso del procedimiento de comprobación, a facilitar la cuenta de pérdidas y ganancias, el balance, el estado que refleje los cambios en el patrimonio neto del ejercicio y el estado de flujos de efectivo de las entidades pertenecientes al grupo que no sean residentes en territorio español. También deberán facilitar los justificantes y demás antecedentes relativos a dicha documentación contable cuando pudieran tener transcendencia en relación con este Impuesto".

SUMARIO: 1. COMENTARIO. 2. JURISPRUDENCIA Y DOCTRINA ADMINISTRATIVA RELEVANTE.

1. COMENTARIO

1°) La correcta aplicación de un impuesto que pretende gravar los beneficios empresariales necesita que los contribuyentes cumplan fielmente sus obligaciones contables. Así, dejando a un lado los casos de incumplimientos fiscales y mercantiles más graves en los que la contabilidad de las entidades difiere totalmente de la realidad económica de las empresas incumplidoras, la primera y principal aproximación al beneficio empresarial, y en definitiva a la base imponible de IS, se realizará partiendo de la contabilidad de las entidades contribuyentes. Esto sucede porque el método general para la determinación de la BI en IS es la estimación directa, cuyo punto de partida es el resultado contable determinado conforme a las normas mercantiles y corregido con los ajustes fiscales que establece la normativa tributaria. Así, el art. 10.3 de la LIS señala: "*3. En el método de estimación directa, la base imponible se calculará, corrigiendo, mediante la aplicación de los preceptos establecidos en esta Ley, el resultado contable determinado de acuerdo con las normas previstas en el Código de Comercio, en las demás leyes relativas a dicha determinación y en las disposiciones que se dicten en desarrollo de las citadas normas*".

Por ello, el artículo 120.1 de la LIS reitera la obligación mercantil, impuesta a todos los empresarios, de llevar una contabilidad de acuerdo con lo previsto en el Código de Comercio o con lo establecido en las normas específicas aplicables al concreto tipo de entidades de que se trate (por ejemplo, entidades financieras, compañías de seguros, etc.). Dicha obligación contable se concreta en el artículo 25 del Código de Comercio que establece:

"*1. Todo empresario deberá llevar una contabilidad ordenada, adecuada a la actividad de su empresa que permita un seguimiento cronológico de todas sus operaciones, así como la elaboración periódica de balances e inventarios. Llevará necesariamente, sin perjuicio de lo establecido en las leyes o disposiciones especiales, un libro de inventarios y Cuentas anuales y otro Diario.*

2. La contabilidad será llevada directamente por los empresarios o por otras personas debidamente autorizadas, sin perjuicio de la responsabilidad de aquéllos. Se presumirá concedida la autorización, salvo prueba en contrario".

Conforme al artículo 25 del CCo que acabamos de reproducir, es frecuente destacar que para cumplir con la obligación de llevar una contabilidad ajustada a lo dispuesto en el Código de Comercio basta con una contabilidad mínima que se concreta en el Libro de Inventarios y Cuentas anuales y en el Libro Diario. De un modo más general, el artículo 29.2, letra d) de la Ley General Tributaria incluye otro recordatorio de la obligación de llevanza de contabilidad. En concreto, este precepto de la LGT establece:

"*Artículo 29. Obligaciones tributarias formales.*

1. Son obligaciones tributarias formales las que, sin tener carácter pecuniario, son impuestas por la normativa tributaria o aduanera a los obligados tributarios, deudores o no del tributo, y cuyo cumplimiento está relacionado con el desarrollo de actuaciones o procedimientos tributarios o aduaneros.

2. Además de las restantes que puedan legalmente establecerse, los obligados tributarios deberán cumplir las siguientes obligaciones:

(...)

d) La obligación de llevar y conservar libros de contabilidad y registros, así como los programas, ficheros y archivos informáticos que les sirvan de soporte y los sistemas de codificación utilizados que permitan la interpretación de los datos cuando la obligación se cumpla con utilización de sistemas informáticos. Se deberá facilitar la conversión de dichos datos a formato legible cuando la lectura o interpretación de los mismos no fuera posible por estar encriptados o codificados.

En todo caso, los obligados tributarios que deban presentar autoliquidaciones o declaraciones por medios telemáticos deberán conservar copia de los programas, ficheros y archivos generados que contengan los datos originarios de los que deriven los estados contables y las autoliquidaciones o declaraciones presentadas (...)"

El registro y la valoración de los elementos integrantes de las distintas partidas que figuran en las cuentas deberá realizarse por las entidades conforme a los principios de contabilidad generalmente aceptados, aplicando las reglas contables contenidas en el CCo. Además, para la correcta llevanza de su contabilidad, las entidades deben aplicar el Plan General de Contabilidad, aprobado por RD 1514/2007 o, en su caso, el Plan para PYMES, aprobado por RD 1515/2007 o las adaptaciones sectoriales correspondientes a la concreta actividad de la empresa.

Realizando un repaso general, los libros que habitualmente llevan las entidades son los siguientes:

a) Libro de inventarios y cuentas anuales que comprende el balance inicial, los balances de comprobación de sumas y saldos con periodicidad al menos trimestral y las cuentas anuales que deben reflejar la imagen fiel del patrimonio de la empresa, de su situación financiera y de los resultados obtenidos, atendiendo principalmente a la realidad económica de las operaciones. En estas cuentas anuales, prescindiendo de los supuestos de cuentas abreviadas, se incluyen:

    – El balance de cierre en el que se distinguirá de forma separada el activo y el pasivo, con la debida identificación del patrimonio neto de la entidad.

    – La cuenta de pérdidas y ganancias con la correcta determinación de los resultados del ejercicio.

    – El estado de cambios en el patrimonio neto.

–   El estado de flujos de efectivo, con los cobros y pagos realizado en el período.

–   La memoria que completa o amplía la información contenida en el resto de las cuentas anuales.

b) Libro Diario en el que se registraran cronológicamente todas las operaciones de la empresa. Con relación a este libro el art. 28.2 del CCo, redactado por el art. 48 de la Ley 14/2013, de 27 de septiembre, exige: *"2. El Libro Diario registrará día a día todas las operaciones relativas a la actividad de la empresa. Será válida, sin embargo, la anotación conjunta de los totales de las operaciones por períodos no superiores al trimestre, a condición de que su detalle aparezca en otros libros o registros concordantes, de acuerdo con la naturaleza de la actividad de que trate..."*

c) Además, las entidades pueden llevar cualesquiera otros libros contables que estimen convenientes en atención a su actividad. Como ejemplo de estos libros voluntarios, se suele mencionar, el Libro Mayor de uso frecuentísimo, en cuanto resulta indispensable para conocer los saldos de las cuentas y los movimientos de los elementos patrimonial de las empresas. Otros libros voluntarios que podrían mencionarse serían el libro registro de contratos; el libro de almacenes; el libro de caja o bancos; etc...

d) Existen otros libros obligatorios, aunque en sentido estricto no tienen naturaleza contable. Así, el art. 26.1 del CCo obliga a llevar también el llamado libro de actas señalando: *"1. Las sociedades mercantiles llevarán también un libro o libros de actas, en las que constarán, al menos, todos los acuerdos tomados por las Juntas Generales y especiales y los demás órganos colegiados de la sociedad, con expresión de los datos relativos a la convocatoria y a la constitución del órgano, un resumen de los asuntos debatidos, las intervenciones de las que se haya solicitado constancia, los acuerdos adoptados y los resultados de las votaciones".*

Igualmente, sin naturaleza contable, las sociedades de responsabilidad limitada deben de llevar un libro de socios en el que anotarán las participaciones sociales de cada socio y las variaciones que en ellas se produzcan. Por su parte, las sociedades anónimas y las comanditarias por acciones llevarán un libro de acciones nominativas.

El artículo 27 del citado Código de Comercio añade otra obligación formal distinta a añadir a la mera llevanza de la contabilidad:

"1. Los empresarios presentarán los libros que obligatoriamente deben llevar en el Registro Mercantil del lugar donde tuvieren su domicilio, para que antes de su utilización se ponga en el primer folio de cada uno diligencia de los que tuviere el libro, y, en todas las hojas de cada libro, el sello del Registro. En los supuestos de cambio de domicilio tendrá pleno valor la legalización efectuada por el Registro de origen. 2. Será válida, sin embargo, la realización de asientos y

anotaciones por cualquier procedimiento idóneo sobre hojas que después habrán de ser encuadernadas correlativamente para formar los libros obligatorios, los cuales serán legalizados antes de que transcurran los cuatro meses siguientes a la fecha de cierre del ejercicio. En cuanto al libro de actas, se estará a lo dispuesto en el Reglamento del Registro Mercantil (...)."

Vemos que los libros contables también pueden legalizarse a posteriori, dentro de los cuatro meses siguientes a la fecha de cierre del ejercicio. Actualmente, se realiza un uso generalizado de los formatos electrónicos de legalización, dado que la práctica totalidad de las contabilidades suele llevarse por medios informáticos.

La LIS también contempla el caso de las entidades parcialmente exentas en que parte de sus rentas se someten a tributación mientras la otra parte están exentas. En concreto, el segundo párrafo de este artículo 120.1 de la LIS añade una exigencia contable adicional para este tipo de entidades, reguladas en el Capítulo XIV del Título VII de la LIS (vide los comentarios realizados a los artículos 109 a 111 de la LIS en esta misma obra). Estas entidades deben llevar su contabilidad de tal forma que permita identificar los ingresos y gastos correspondientes a las rentas exentas y no exentas, facilitando de esta forma la correcta determinación de la BI del impuesto.

Prescindiendo de posibles infracciones penales, podemos destacar que el art. 200 de la LGT tipifica un conjunto de infracciones tributarias asociadas a los incumplimientos en la llevanza de la contabilidad. Otra posible consecuencia, que pudiera acarrear un incumplimiento grave de las obligaciones contables, es la aplicación del régimen de estimación indirecta. A este respecto la LGT dispone:

"Artículo 53. Método de estimación indirecta.

1. El método de estimación indirecta se aplicará cuando la Administración tributaria no pueda disponer de los datos necesarios para la determinación completa de la base imponible como consecuencia de alguna de las siguientes circunstancias:

(...)

c) Incumplimiento sustancial de las obligaciones contables o registrales.(...)".

2º) En el curso de las actuaciones de comprobación e investigación, el primer párrafo del art. 120.2 de la LIS autoriza a la Administración tributaria a realizar el examen de la contabilidad, libros (se incluyen, por tanto, los libros que no tengan naturaleza contable como los libros de actas o los de socios y acciones), correspondencia, documentación y justificantes concernientes a los negocios de la entidad contribuyente, incluidos los programas de contabilidad y los archivos y soportes magnéticos.

De una forma un tanto superada, dada la absoluta generalización de las nuevas tecnologías, la nueva LIS aún parece hacer referencia al examen físico de los documentos contables, autorizando a la Administración a "tomar nota", por medio de sus agentes, de los apuntes contables que estime precisos, pudiendo también obtener copia a su cargo de cualquiera de los datos o documentos contables en soportes magnéticos, cosa frecuente, junto al aún más frecuente suministro de la información contable por medios electrónicos que no se menciona.

Esta obligación de los contribuyentes de facilitar el examen de su documentación contable ya estaba impuesta, con carácter general, por la propia LGT, cuyo artículo 142. establece:

> *"Artículo 142. Facultades de la inspección de los tributos.*
>
> *1.   Las actuaciones inspectoras se realizarán mediante el examen de documentos, libros, contabilidad principal y auxiliar, ficheros, facturas, justificantes, correspondencia con transcendencia tributaria, bases de datos informatizadas, programas, registros y archivos informáticos relativos a actividades económicas, así como mediante la inspección de bienes, elementos, explotaciones y cualquier otro antecedente o información que deba de facilitarse a la Administración o que sea necesario para la exigencia de las obligaciones tributarias (...)"*

No facilitar el examen de documentos, informes, antecedentes, libros, registros, ficheros, facturas, justificantes y asientos de contabilidad principal o auxiliar, programas y archivos informáticos, sistemas operativos y de control y cualquier otro dato con trascendencia tributaria puede ser constitutivo de infracción tributaria por resistencia, obstrucción, excusa o negativa a las actuaciones de la Administración tributaria, conforme a lo previsto en el art. 203.1 a) de la LGT.

Por otro lado, la resistencia, obstrucción, excusa o negativa a la actuación inspectora producida, por ejemplo, por la negativa de la entidad a permitir el acceso a su contabilidad, además puede dar lugar a que la base imponible se determine mediante el método de estimación indirecta (art. 53 de la LGT).

Es de destacar que el examen de la contabilidad lo reserva la LGT para las actuaciones de inspección (art. 142 LGT), mientras que los órganos de Gestión Tributaria tienen vedado el examen de la contabilidad mercantil. Ni en los procedimientos de mera verificación de datos, ni tampoco en los procedimientos de comprobación limitada se puede examinar contabilidad mercantil. Concretamente, en el seno de una comprobación limitada, el art. 136 de la LGT permite la revisión de los registros fiscales, pero excepciona el examen de la contabilidad mercantil, en cuanto literalmente dispone en la redacción dada por la Ley 34/2015:

> *"Artículo 136. La comprobación limitada.*
>
> *1. En el procedimiento de comprobación limitada la Administración tributaria podrá comprobar los hechos, actos, elementos, actividades, explotaciones y demás circunstancias determinantes de la obligación tributaria.*

2. En este procedimiento, la Administración tributaria podrá realizar únicamente las siguientes actuaciones:

(...)

c) Examen de los registros y demás documentos exigidos por la normativa tributaria y de cualquier otro libro, registro o documento de carácter oficial con excepción de la contabilidad mercantil, así como el examen de las facturas o documentos que sirvan de justificante de las operaciones incluidas en dichos libros, registros o documentos.

No obstante, lo previsto en el párrafo anterior, cuando en el curso del procedimiento el obligado tributario aporte, sin mediar requerimiento previo al efecto, la documentación contable que entienda pertinente al objeto de acreditar la contabilización de determinadas operaciones, la Administración podrá examinar dicha documentación a los solos efectos de constatar la coincidencia entre lo que figure en la documentación contable y la información de la que disponga la Administración Tributaria.

El examen de la documentación a que se refiere el párrafo anterior no impedirá ni limitará la ulterior comprobación de las operaciones a que la misma se refiere en un procedimiento de inspección (...)".

Vemos que tras la reforma de la LGT operada por la Ley 34/2015, en el curso de un procedimiento de comprobación limitada, la entidad comprobada puede decidir aportar la totalidad o parte de su contabilidad. En este caso, los órganos de Gestión Tributaria están autorizados a examinar dicha documentación contable sin necesidad de remitir el expediente a la Inspección. El examen de estos documentos contables deberá tener un carácter formal, pues la LGT lo limita a los solos efectos de constatar la coincidencia entre lo que figure en la documentación contable y la información de la que disponga la Administración Tributaria.

Esta reforma de la LGT pretende únicamente facilitar las posibilidades de defensa de los contribuyentes comprobados. Es claro que la aportación de documentación contable debe ser una decisión totalmente voluntaria y libre de la entidad afectada, que únicamente actuará de este modo cuando lo estime conveniente para sus intereses. Por ello, la LGT establece que en ningún caso la Administración podrá requerir tal aportación.

Dado el carácter formal del examen de la documentación contable que se autoriza a realizar, no se producen efectos preclusivos y dicho examen no impide, ni limita, la ulterior comprobación de las operaciones en un procedimiento de inspección.

Por su parte, el segundo párrafo de este artículo 120.2 de la LIS señala que en el curso de sus actuaciones de comprobación por IS, la Administración tributaria puede comprobar e investigar los hechos, actos, elementos, actividades, explotaciones, valores y demás circunstancias determinantes de la obligación tributaria comprobada, tanto si tales hechos, actos, etc. se han producido en los períodos que están siendo comprobados, como en períodos anteriores, incluso si estos períodos anteriores que no se comprueban estuviesen ya prescritos, siempre que esos hechos o datos influyan en la BI de los períodos posteriores no prescritos que están siendo comprobados. Recoge la LIS, una posibilidad ya reconocida por la jurisprudencia del propio TS que permite regularizar los importes correspondientes a aquellas partidas que se integren en la base imponible en los períodos impositivos objeto de comprobación, aun cuando deriven de operaciones realizadas en períodos impositivos prescritos. Es ejemplo de esta reiterada jurisprudencia la sentencia del Tribunal Supremo, de 23/03/2015, recurso de casación 682/2014, que permite declarar en fraude de ley una operación realizada en un ejercicio prescrito si fruto de dicha operación se producen efectos tributarios en ejercicios no prescritos.

En esta misma línea, la Disposición Adicional Décima de la LIS autoriza a la Administración tributaria a utilizar estas facultades de comprobación sobre hechos de ejercicios prescritos en los procedimientos de comprobación e investigación, ya iniciados a la entrada en vigor de la nueva LIS, en los que, a dicha fecha, no se hubiese formalizado propuesta de liquidación.

Esta línea jurisprudencial y normativa ha sido incorporada a la propia LGT por la Ley 34/2015. Así la redacción actual de la LGT señala:

> *"Artículo 66 bis. Derecho a comprobar e investigar.*
>
> *1. La prescripción de derechos establecida en el artículo 66 de esta Ley no afectará al derecho de la Administración para realizar comprobaciones e investigaciones conforme al artículo 115 de esta Ley, salvo lo dispuesto en el apartado siguiente.*
>
> *(...)*
>
> *Artículo 115. Potestades y funciones de comprobación e investigación.*
>
> *1. La Administración Tributaria podrá comprobar e investigar los hechos, actos, elementos, actividades, explotaciones, negocios, valores y demás circunstancias determinantes de la obligación tributaria para verificar el correcto cumplimiento de las normas aplicables.*
>
> *Dichas comprobación e investigación se podrán realizar aún en el caso de que las mismas afecten a ejercicios o periodos y conceptos tributarios respecto de los que se hubiese producido la prescripción regulada en el artículo 66.a) de esta Ley, siempre que tal comprobación o investigación resulte precisa en relación con la de alguno de los derechos a los que se refiere el artículo 66 de esta Ley que no hubiesen prescrito, salvo en los supuestos a los que se refiere el artículo 66 bis.2 de esta Ley, en los que resultará de aplicación el límite en el mismo establecido.*
>
> *En particular, dichas comprobaciones e investigaciones podrán extenderse a hechos, actos, actividades, explotaciones y negocios que, acontecidos, realizados, desarrollados o formalizados en ejercicios o periodos tributarios respecto de los que se hubiese producido la prescripción regulada en el artículo 66.a) citado en*

el párrafo anterior, hubieran de surtir efectos fiscales en ejercicios o periodos en los que dicha prescripción no se hubiese producido (...).

En la comprobación de esos documentos contables de ejercicios anteriores, habrá que tener en cuenta la regla temporal contenida en el artículo 30 del Código de Comercio ya que la obligación de conservar los justificantes contables se impone para un período de 6 años. Dicho artículo señala: *"1. Los empresarios conservarán los libros, correspondencia, documentación y justificantes concernientes a su negocio, debidamente ordenados durante seis años, a partir del último asiento realizado en los libros, salvo lo que se establezca por disposiciones generales o especiales."*

3°) En el caso de grupos de sociedades del artículo 42 del Código de Comercio, en el que todas las sociedades integrantes estén radicadas en el territorio español, tanto las sociedades dominantes como las dominadas están obligadas a facilitar la información contable que la Inspección tributaria les pueda requerir. Ahora bien, en el caso que en el grupo también se integren entidades no residentes, dichas entidades no residente no están sometidas a las potestades inquisitivas de la Administración tributaria española. Por ello, el art. 120.3 de la LIS establece que las entidades dominantes también estarán obligadas, a requerimiento de la Inspección formulado en el curso de un procedimiento de comprobación, a facilitar la cuenta de pérdidas y ganancias, el balance, el estado que refleje los cambios en el patrimonio neto del ejercicio y el estado de flujos de efectivo de las entidades pertenecientes al grupo que sean residentes en el extranjero. Esta exigencia se extiende también a la obligación de facilitar los justificantes y demás antecedentes relativos a dicha documentación contable, cuando pudieran tener transcendencia en relación con el IS.

2. JURISPRUDENCIA Y DOCTRINA ADMINISTRATIVA RELEVANTE

CONSULTA VINCULANTE DGT, de 19-01-2015, V0161/2015: En materia de justificación documental, el art. 133 del TRLIS exige a los sujetos pasivos del Impuesto la llevanza de la contabilidad con arreglo a lo previsto en el Código de Comercio. A su vez, estarán obligados a conservar los libros, correspondencia, documentación y justificantes concernientes a su negocio, debidamente ordenados durante seis años, con el fin de poder acreditar la realidad de las operaciones reflejadas en los asientos contables.

CONSULTA VINCULANTE DGT, de 23-07-2010, V1689/2010: El hecho de que los libros de contabilidad del sujeto pasivo correspondientes a la actividad económica no se encuentren legalizados de acuerdo a lo dispuesto en el artículo 27 del Código de Comercio, no significa que las operaciones realizadas por el sujeto pasivo quedaran excluidas de un determinado régimen especial, siempre que la contabilidad se ajuste a los términos previstos del artículo 25 del mismo CCo. Sin perjuicio de las consecuencias que en el ámbito mercantil o en cualquier otro ámbito se pudieran producir.

TRIBUNAL SUPERIOR DE JUSTICIA DE CATALUÑA. Sentencia 109/2014, de 6 de febrero de 2014, Sala de lo Contencioso-Administrativo, Rec. n.º 234/2011. Incumplimiento de reflejar en la Memoria la información sobre la deducción. En el año 2002 la entidad incluyó la mención en la Memoria de los datos sobre la reinversión, por lo que no hay incumplimiento y la sanción se debe anular. En cambio, la ausencia de mención en las Memorias de 2003 y 2004, pese a que se hubiera hecho constar en 2002, constituye un incumplimiento de la obligación, por lo que se considera procedente la sanción, sin que pueda prosperar la alegada falta de culpabilidad. Es correcta la imposición de la sanción porcentual.

TRIBUNAL SUPERIOR DE JUSTICIA DE CATALUÑA. Sentencia 684/2011, de 10 de junio de 2011, Sala de lo Contencioso-Administrativo, Rec. n.º 1098/2007. A la fecha de notificación del primer requerimiento (28/9/2004) no había prescrito el deber de conservación de la contabilidad pues, de conformidad con el art. 30 Código de Comercio de 30 de mayo de 1829, la obligación de conservación se extiende desde el día siguiente al último asiento realizado, que para los ejercicios en cuestión, 1998 y 1999, serán los días 1 de enero de 1999 y 1 de enero de 2000, respectivamente y hasta el transcurso de seis años, es decir, hasta el 1 de enero de 2005 y de 2006. Por otro lado, la Ley 58/2003 (LGT) entró en vigor el 1 de julio de 2004, por lo que si se estaba obligado a conservar la documentación de tales ejercicios hasta las referidas fechas, la infracción se entiende cometida si llegadas dichas fechas no se conserva la documentación, resultando plenamente de aplicación tal ley. Se aprecia culpabilidad. En el presente supuesto se ha producido una conducta, cuanto menos, negligente como es la falta de la debida y necesaria diligencia en el cumplimiento de las obligaciones tributarias.

AUDIENCIA NACIONAL. Sentencia de 12 de marzo de 2015, Sala de lo Contencioso-Administrativo, Rec. n.º 109/2012. La entidad alega que estaba incursa en un proceso de fusión. No obstante, reconoce que hubo múltiples conversaciones con la Administración desde el primer requerimiento a la incoación del expediente sancionador. Se acredita la conducta negligente. Alega también que los documentos solicitados no estaban referidos a magnitudes monetarias. El requerimiento se refería a la aportación de "los documentos referidos a actuaciones urbanísticas" en un determinado paraje y que el importe de las operaciones era ya conocido por la Administración. Efectivamente, no se refería a magnitudes monetarias y, por tanto, corresponde imponer la sanción mínima.

TRIBUNAL SUPERIOR DE JUSTICIA DE MADRID. Sentencia 793/2014, de 12 de junio de 2014, Sala de lo Contencioso-Administrativo, Rec. n.º

330/2012. Comprobación limitada. El examen de facturas y documentos que sirven de justificación de los registros contables, si no va más allá en el examen de la contabilidad, se permite que se realice en el procedimiento de gestión.

TRIBUNAL SUPREMO. Sentencia de 23/03/2015, recurso de casación 682/2014. Puede declararse en fraude de ley una operación realizada en ejercicio prescrito si fruto de dicha operación se producen efectos tributarios en ejercicios no prescritos. Se pretende es evitar que no se pueda actuar frente a la ilegalidad porque en un ejercicio prescrito la Administración no actuó frente a ella.

EJEMPLO

Una entidad no ha legalizado sus libros de contabilidad ni realizado el depósito de las cuentas anuales, planteándose realizar estas actuaciones fuera plazo. Por ello, se pregunta si tal actuación implicaría que su contabilidad pierda cualquier posible valor probatorio.

RESPUESTA

El hecho que los libros de contabilidad del sujeto pasivo del impuesto no se encuentren legalizados en plazo, o que las cuestas no estén depositadas en el Registro Mercantil, no implica que la contabilidad pierda todo valor. Así pues, una contabilidad sin legalizar, o depositada fuera de plazo, pero que cumpla con las exigencias del artículo 25 CCo, sea ordenada, adecuada a la actividad de su empresa, permitiendo un seguimiento cronológico de todas sus operaciones, formada por un Libro de Inventarios y Cuentas anuales y un Libro Diario, debe ser tomada en consideración por la Administración, por ejemplo, para evitar aplicar la estimación indirecta.

En definitiva, dicha contabilidad se trata de un documento privado que, en su caso, deberá ser primero examinada y valorada por la Inspección, junto al resto de indicios probatorios disponibles, y después por los Tribunales económico-administrativas o contenciosos, si la entidad contribuyente decidiera recurrir una posible liquidación que de forma injustificada hubiera rechazado esta contabilidad.

Todo ello sin perjuicio de las posibles consecuencias mercantiles o, en caso de concurrir culpabilidad, de una hipotética comisión de una infracción tributaria de las prevista en el art. 200 de la LGT, puesto que el apartado 1 de este artículo no contiene una relación exhaustiva sino meramente ejemplificativa de los incumplimientos contables y registrales que pueden ser sancionados ("entre otras" señala el art. 200.1 de la LGT). Por tanto, un incumplimiento contable distinto de los expresamente señalados en los párrafos a) a f) de dicho apartado, también puede ser constitutivo de infracción.

Artículo 121
Bienes y derechos no contabilizados o no declarados: presunción de obtención de rentas

FAUSTINO MOYA CALATAYUD

Inspector de Hacienda del Estado

"1. *Se presumirá que han sido adquiridos con cargo a renta no declarada los elementos patrimoniales cuya titularidad corresponda al contribuyente y no se hallen registrados en sus libros de contabilidad.*

La presunción procederá igualmente en el caso de ocultación parcial del valor de adquisición.

2. Se presumirá que los elementos patrimoniales no registrados en contabilidad son propiedad del contribuyente cuando éste ostente la posesión sobre ellos.

3. Se presumirá que el importe de la renta no declarada es el valor de adquisición de los bienes o derechos no registrados en libros de contabilidad, minorado en el importe de las deudas efectivas contraídas para financiar tal adquisición, asimismo no contabilizadas. En ningún caso el importe neto podrá resultar negativo.

La cuantía del valor de adquisición se probará a través de los documentos justificativos de ésta o, si no fuera posible, aplicando las reglas de valoración establecidas en la Ley 58/2003, de 17 de diciembre, General Tributaria.

4. Se presumirá la existencia de rentas no declaradas cuando hayan sido registradas en los libros de contabilidad del contribuyente deudas inexistentes.

5. El importe de la renta consecuencia de las presunciones contenidas en los apartados anteriores se imputará al período impositivo más antiguo de entre los no prescritos, excepto que el contribuyente pruebe que corresponde a otro u otros.

6. En todo caso, se entenderá que han sido adquiridos con cargo a renta no declarada que se imputará al periodo impositivo más antiguo de entre los no prescritos susceptible de regularización, los bienes y derechos respecto de los que el contribuyente no hubiera cumplido en el plazo establecido al efecto la obligación de información a que se refiere la Disposición adicional decimoctava de la Ley General Tributaria.

No obstante, no resultará de aplicación lo previsto en este apartado cuando el contribuyente acredite que los bienes y derechos cuya titularidad le corresponde han sido adquiridos con cargo a rentas declaradas o bien con cargo a rentas obtenidas en periodos impositivos respecto de los cuales no tuviese la condición de contribuyente de este Impuesto.

7. El valor de los elementos patrimoniales a que se refieren los apartados 1 y 6, en cuanto haya sido incorporado a la base imponible, será válido a todos los efectos fiscales".

SUMARIO: 1. COMENTARIO. 2. JURISPRUDENCIA Y DOCTRINA ADMINIS-TRATIVA RELEVANTE.

1. COMENTARIO

1º) Estamos ante una figura que presenta grandes similitudes con el concepto tributario de ganancia patrimonial no justificada previsto, a efectos de IRPF, en el art. 39 de la Ley 35/2006. Ambos conceptos se basan en una idea común, relativamente simple y clara: existen rentas sin declarar cuando un contribuyente adquiere bienes y no puede justificar la procedencia u origen de los fondos empleados para efectuar tales adquisiciones. En el ámbito concreto del Impuesto sobre Sociedades, el artículo 121 de la LIS recoge un amplio repertorio de presunciones. Todas ellas están dirigidas a reforzar la posición de la Administración tributaria en la defensa de los intereses públicos y consisten en contundentes instrumentos que el legislador pone a disposición de la Inspección tributaria para que los utilice en la lucha contra el fraude fiscal.

Comienza el artículo 121.1 de la LIS estableciendo una primera presunción que se construye de la siguiente forma:

- Premisa de partida: se descubren elementos patrimoniales cuya titularidad corresponde a la entidad contribuyente y no aparecen registrados en sus libros de contabilidad. En la medida que la Inspección quiera aplicar esta presunción tributaria deberá acreditar suficientemente estos hechos base.

- Consecuencia jurídica: Demostrados lo hechos anteriores, dichos bienes o derechos se presumen adquiridos con rentas que no han tributado pues el contribuyente, intencionadamente, las ha ocultado al Fisco al no reflejarlas en la contabilidad. El efecto tributario subsiguiente será que la Administración sumará el valor de adquisición de esos activos ocultos a la BI declarada por la entidad.

Nos encontramos ante una presunción iuris tantum, ya que no existe una norma con rango de ley que establezca lo contrario, conforme se dispone en el artículo 108.1 de la LGT que señala:

"Artículo 108. Presunciones en materia tributaria.

1. Las presunciones establecidas por las normas tributarias pueden destruirse mediante prueba en contrario, excepto en los casos en que una norma con rango de ley expresamente lo prohíba".

Por tanto, en cuanto que ni la LIS ni otras normas con rango de ley lo prohíben, contra esta presunción legal se admite que el contribuyente demuestre lo contrario. Un ejemplo de esta prueba en contra sería la acreditación de que esos bienes aparentemente ocultos sí se adquirieron con rentas declaradas en las autoliquidaciones del IS correspondientes a anteriores ejercicios.

En resumen, para que se pueda aplicar esta presunción de rentas ocultadas a la Administración tributaria, vinculada al descubrimiento de elementos patrimoniales no registrados en la contabilidad, basta con demostrar que la entidad contribuyente ostenta la titularidad de unos elementos patrimoniales no reflejados en sus libros (luego veremos que esta primera presunción se refuerza con una segunda, pues la titularidad también se presume en los casos en que exista posesión), de suerte que se desplaza a la propia entidad contribuyente, por efecto del mecanismo de la presunción legal, la carga de justificar la procedencia de la renta, recursos o fondos empleados en la adquisición de tales activos patrimoniales, así como el momento concreto en que se realizó la adquisición.

Por otra parte, la presunción se aplica tanto cuando la ocultación contable de los bienes o derechos es total como cuando sólo es parcial. La ocultación total de los bienes entendemos que se produce cuando estos no aparecen de ningún modo en la contabilidad de la entidad contribuyente. Sin embargo, la ocultación será parcial cuando, por ejemplo, el bien sí aparece contabilizado, pero está registrado por un valor de adquisición inferior al realmente satisfecho por él. En este último caso, en cuanto que el bien figura reflejado en la contabilidad, aunque por un valor inferior, la renta sin declarar se presumirá que coincide por la diferencia entre el valor de adquisición contabilizado y el valor de adquisición real.

2º) La aplicabilidad de las presunciones previstas en el apartado 1 anterior se refuerza por la LIS, además, con una segunda presunción adicional, relativa a la titularidad de los elementos patrimoniales. Así, el artículo 121.2 de la LIS establece que la titularidad sobre los elementos patrimoniales se presume cuando la entidad ostenta la posesión de esos bienes sin contabilizar. Obviamente nos hallamos ante otra presunción iuris tantum que deduce la titularidad de la simple prueba de la posesión y que también podrá destruirse si se demuestra, con los medios de prueba admitidos en derecho (art. 106.1 de la LGT), que la propiedad real no corresponde a la entidad poseedora sino a un tercero, en cuanto la posesión se puede estar ejerciendo sobre la base de otros títulos (por ejemplo, cesión de uso, arrendamiento, etc). Es decir, la demostración de la existencia de un titular real distinto del poseedor aparente evitará la aplicación de la presunción de titularidad y, en consecuencia, tampoco se aplicará la presunción de ocultación de rentas.

A la hora de apreciar la titularidad o no de los elementos patrimoniales en cuestión resultará aplicable lo establecido por la LGT, cuyo art 108.3 dispone:

"3. La Administración tributaria podrá considerar como titular de cualquier bien, derecho, empresa, servicio, actividad, explotación o función a quien figure como tal en un registro fiscal o en otros de carácter público, salvo prueba en contrario".

En definitiva, para oponerse a la presunción de titularidad vinculada a la posesión, fundamentalmente, se podrán utilizar las inscripciones en registros públicos, las escrituras públicas y facturas u otros documentos privados que se puedan reunir y que demuestren una titularidad real distinta de la posesión.

3º) En el apartado 3 del artículo 121 se contienen reglas para la cuantificación del importe de la "renta descubierta" que deberá sumarse a la BI declarada. Así, el importe a integrar en la BI de IS (importe de la renta oculta que se presume no declarada) se identifica con el valor de adquisición de los bienes o derechos no registrados en los libros de contabilidad. Resaltemos aquí que no se atiende al valor de mercado del elemento patrimonial en el momento de su descubrimiento por la Inspección, tampoco se atiende al valor de mercado en el momento de su adquisición, sino que en primer lugar debe acudirse al valor de adquisición real y demostrado de esos elementos patrimoniales.

La cuantía de este valor de adquisición, en principio, debe probarse a través de los documentos justificativos habituales (por ejemplo escrituras, facturas, justificantes de los movimientos financieros, etc.) pero cuando estos documentos no existan o no se aporten por la entidad contribuyente y no sea posible conocer el valor de adquisición realmente satisfecho, el art. 121.3 de la LIS nos remite a las reglas de valoración establecidas en la Ley General Tributaria, referencia que debe entenderse realizada a los medios de valoración contenidos en el artículo 57 de la LGT, entre los que se encuentra, por ejemplo, el dictamen de peritos de la Administración. En concreto, el mencionado artículo 57 de la LGT establece:

"Artículo 57. Comprobación de valores.

1. El valor de las rentas, productos, bienes y demás elementos determinantes de la obligación tributaria podrá ser comprobado por la Administración tributaria mediante los siguientes medios:

a) Capitalización o imputación de rendimientos al porcentaje que la ley de cada tributo señale.

b) Estimación por referencia a los valores que figuren en los registros oficiales de carácter fiscal.

Dicha estimación por referencia podrá consistir en la aplicación de los coeficientes multiplicadores que se determinen y publiquen por la Administración tributaria competente, en los términos que se establezcan reglamentariamente, a los valores que figuren en el registro oficial de carácter fiscal que se tome como referencia a efectos de la valoración de cada tipo de bienes. Tratándose de bienes inmuebles, el registro oficial de carácter fiscal que se tomará como referencia a efectos de determinar los coeficientes multiplicadores para la valoración de dichos bienes será el Catastro Inmobiliario.

c) Precios medios en el mercado.

d) Cotizaciones en mercados nacionales y extranjeros.

e) Dictamen de peritos de la Administración.

f) Valor asignado a los bienes en las pólizas de contratos de seguros.

g) Valor asignado para la tasación de las fincas hipotecadas en cumplimiento de lo previsto en la legislación hipotecaria.

h) Precio o valor declarado correspondiente a otras transmisiones del mismo bien, teniendo en cuenta las circunstancias de éstas, realizadas dentro del plazo que reglamentariamente se establezca.

i) Cualquier otro medio que se determine en la ley propia de cada tributo.

2. La tasación pericial contradictoria podrá utilizarse para confirmar o corregir en cada caso las valoraciones resultantes de la aplicación de los medios del apartado 1 de este artículo (...)"

Evidentemente, puede resultar relativamente frecuente que la Inspección descubra unos bienes no contabilizados y que no pueda obtener pruebas sobre su coste o valor de adquisición real. En estos casos, la Inspección dispone de autorización normativa para acudir a los medios de valoración previstos en el art, 57 de la LGT que acabamos de reproducir.

El valor resultante de la aplicación que la Administración tributaria haya realizado de los medios de valoración antes expuestos podrá ser discutido por la entidad contribuyente, en el seno de los recursos habituales que en su caso decida interponer contra los acuerdos de liquidación basados en esos valores estimados. Además, en todos estos casos en que el valor real de adquisición se desconoce y la Inspección utilice los medios de valoraciones del art. 57 de la LGT, entendemos que la entidad contribuyente también podrá oponerse por medio de la Tasación Pericial Contradictoria (art. 135 LGT). En aquellos otros casos en que el coste o valor de adquisición real quede suficientemente demostrado, sin necesidad de acudir a valoraciones por los medios del art. 57 de la LGT, la oposición por medio de la Tasación Pericial Contradictoria no resultará procedente.

Cuando, además de ocultar en la contabilidad la titularidad de los elementos patrimoniales, se han dejado de contabilizar las deudas contraídas para financiar la adquisición de esos mismos elementos patrimoniales, la renta oculta, a integrar en la BI, se obtendrá por diferencia entre el valor de adquisición y el importe de esas deudas que aún se encuentre pendiente de pago. Precisa también la LIS que, en ningún caso, el importe neto resultante de minorar el valor de adquisición de los activos descubiertos en el importe de las deudas también ocultadas, contraídas para su adquisición, puede resultar negativo. En definitiva, si el valor de adquisición del elemento patrimonial sin contabilizar fuera 100 y las deudas contraídas para esta adquisición, que tampoco se han contabilizado, son 110, no habría renta positiva alguna a añadir a la base imponible de IS pero nunca se admitiría una absurda renta negativa de -10.

A este respecto, es relevante destacar que el importe de las deudas contraídas y no contabilizadas puede servir para minorar las rentas que la Inspección tributaria vaya a integrar en la BI, pero cualquier financiación también entraña una futura carga financiera y una obligación de devolver el capital recibido. Por tanto, si la entidad contribuyente ha ido haciendo frente a sus obligaciones de pago por intereses y devolución del principal y tampoco ha contabilizado estos pagos, las rentas ocultas a sumar a la BI, en este último caso, no serán los valores de los elementos patrimoniales financiados con esas deudas sino el importe de los pagos vinculados al préstamo contraído para financiar la compra que han dejado de contabilizarse, pues se habría acabado demostrando que la entidad está realizando unos pagos de intereses y capital con fondos de procedencia desconocida.

4º) Otra presunción legal que permite a la Inspección acreditar el descubrimiento de rentas ocultas, a añadir a la BI declarada, se produce cuando en la contabilidad de la entidad contribuyente aparecen registradas deudas inexistentes. Por ejemplo, si una sociedad adquiere un activo por importe de 1.000 que contabiliza e incorpora a su balance, pero lo paga con rentas no declaradas, necesitará de una cuenta de pasivo que compense la incorporación a su contabilidad de dicho activo. Para ello, podría "inventarse" un pasivo que también abonaría en sus registros contables, por ejemplo, en la cuenta corriente con socios y administradores. Nos hallaríamos ante una deuda aparentemente contraída con los socios y administradores que no sería real. Ante una situación como la que acabamos de describir, que pudiera descubrirse en el curso de cualquier comprobación inspectora, los actuarios exigirán a la entidad y a sus socios/administradores que demuestren el origen o procedencia de los fondos que, según la contabilidad, las personas físicas han prestado a la entidad para que ésta los utilizará en la adquisición del bien en cuestión.

Un simple documento privado de préstamo firmado por los supuestos prestamistas y por los representantes legales de la sociedad prestataria (en muchas ocasiones incluso serían las mismas personas), si no está respaldado con justificantes bancarios que acrediten la realidad de los movimientos financieros y el origen de los fondos, nunca va a considerase, por la Inspección, prueba suficiente de la realidad del préstamo. Si la demostración del origen del dinero no es posible porque, por ejemplo, el efectivo supuestamente prestado y empleado en las adquisiciones se afirma que estaba en una caja fuerte, la consecuencia inmediata será que la Inspección concluirá que la deuda con los socios es inexistente y presumirá que en sede de la propia sociedad, adquirente de los bienes, existen rentas no declaradas que deben regularizarse. Por otro lado, hemos de añadir también que desde el 19 de noviembre de 2012 está en vigor la prohibición de pagos en efectivo correspondientes a operaciones con importe igual o superior a 2.500 €, siempre y cuando alguna de las partes actúe como empresario o profesional (art. 7 de la Ley 7/2012, de 29 de octubre, de modificación de la normativa tributaria y presupuestaria y de adecuación de la normativa financiera para la intensificación de las actuaciones en la prevención y lucha contra el fraude). Por ello, la alegación ante la Inspección de que se han realizado pagos en efectivo, en operaciones en las que interviene un empresario mercantil, podría implicar el reconocimiento de que se ha incumplido la mencionada prohibición de pagos en efectivo, incumplimiento que podría ser constitutivo de infracción y acarrear graves sanciones.

Es destacable que la expresión legal "deudas inexistentes" debe aplicarse a las deudas falsas en su origen, pero también a aquellas otras deudas originalmente reales y ciertas pero que han dejado de existir total o parcialmente, en cuanto se han cancelado o reducido mediante pagos posteriores que, incorrectamente, se han dejado de contabilizar. Obviamente la situación de una deuda ficticia desde su origen es equiparable con una deuda que sigue apareciendo en la contabilidad, pese a que debería haberse cancelado al haberse ya realizado su pago. En este último supuesto, al no haberse contabilizado los pagos efectuados, se entenderá que tales pagos han sido ejecutados con fondos de procedencia desconocida que también se deberán sumar a la BI como renta oculta. Por el contrario, la deuda no es inexistente y no hay renta sin declarar cuando se demuestra que realmente aún se adeuda a un acreedor debidamente identificado (aunque sea un socio), que además puede demostrar el origen de los recursos financieros y su utilización en conceder financiación a la entidad contribuyente deudora que está siendo inspeccionada. Todo ello, sin perjuicio de que a la presunta retribución de esos préstamos de socios se deban aplicar las reglas previstas, para las operaciones vinculadas, en el artículo 18 de la LIS.

5°) Prescindiendo del concreto caso de los bienes o derechos situados en el extranjero y no contabilizados por los que se ha incumplido la obligación de presentar la declaración informativa correspondiente (Modelo 720), a los que nos referiremos en el punto siguiente y que siempre se imputarán al ejercicio más antiguo entre los no prescritos, la imputación temporal de este tipo de rentas presuntas se regula en el apartado 5 de este artículo 121 que estamos comentando. Dicho apartado establece, en principio, como regla general, que la renta oculta se sumará a la BI del período impositivo más antiguo de entre los no prescritos. No obstante, en función de las pruebas reunidas, esta regla general no se aplicará en todo caso y las rentas descubiertas también se podrán imputar a periodos distintos del más antiguo no prescrito.

Así, el propio art. 121.5 de la LIS admite que las rentas presuntas se imputen a un período distinto si se puede demostrar en qué período concreto se realizó la adquisición ocultada o en qué periodo se hizo lucir en contabilidad el pasivo ficticio "aparecido". En el caso que estas demostraciones sean posibles, el incremento o ajuste positivo de la BI se imputará al período que corresponda. Por ello, si la renta oculta se demuestra que era imputable a un período prescrito, el derecho de la Administración tributaria a practicar la correspondiente liquidación también habrá prescrito.

Nos hallamos ante una importante vía de defensa a utilizar por las entidades contribuyentes y sus asesores. Si pueden demostrar que los bienes financiados con rentas no declaradas se adquirieron y pagaron en un ejercicio ya prescrito, la Inspección no debería regularizar ninguna renta puesto que el derecho de la Administración tributaria a liquidar habría prescrito. En este sentido, si la Inspección descubre, por ejemplo, en 2016, un inmueble situado en España que es propiedad de la sociedad comprobada y que no figura en su contabilidad, pero la sociedad demuestra que dicho inmueble se compró y pago en el año 2004, la renta oculta sería imputable a ese año 2004, evidentemente prescrito, por lo que la Inspección no debería dictar ninguna liquidación por estos hechos.

La situación entendemos que será la misma si la deuda ficticia se reflejó en la contabilidad en un ejercicio anterior ya prescrito, aunque tal pasivo ficticio se haya seguido haciendo lucir en ejercicios más recientes no prescritos. Esta conclusión consideramos que es la que sostiene el Tribunal Supremo, en su Sentencia de 5 de octubre de 2012, Sala de lo Contencioso-Administrativo, Rec. n.º 259/2010, dictada en el seno de un recurso de casación para la unificación de doctrina. En la misma, el TS señala que la ley no exige una prueba extracontable específica a efectos de la imputación de la renta bien en un periodo anterior prescrito, bien a otro más moderno, aun cuando no estuviere prescrito, por lo que resulta válido cualquier medio de prueba admitido en Derecho, incluidos los propios libros de contabilidad, a la hora de fijar el momento en que se generó la renta ocultada, así como el periodo impositivo al que resulte imputable. Por tanto, para el TS, la justificación dada por la Administración para excluir la documentación contable, relativa a que los libros contables no reflejan la imagen fiel de la entidad, puede tener sentido a la hora de determinar si una deuda contabilizada responde o no a un pasivo ficticio, pero una vez apreciado por la Inspección que se trata de una deuda inexistente, es precisamente la contabilidad, si se encuentra legalizada, la que puede dar luz, entre otros medios, de la fecha del registro de la deuda que no se considera real por la falta del debido soporte documental y del ejercicio al que, en consecuencia, debe imputarse.

Por supuesto, cuando no se pueda demostrar la fecha de adquisición de los elementos patrimoniales no contabilizados operará la presunción legal y la renta descubierta se imputará al período más antiguo no prescrito, practicando la Inspección la correspondiente regularización.

6º) La Disposición Adicional Decimoctava de la Ley General Tributaria, incorporada a la LGT por la Ley 7/2012, impone a los contribuyentes, como materialización concreta de las obligaciones de información previstas en los art. 29 y 93 de la LGT, la obligación de presentar una declaración informativa específica (Modelo 720) en la que se deben declarar determinados bienes y derechos situados en el extranjero. En concreto, el desarrollo reglamentario de esta obligación de informar a la Administración tributaria se incluye los arts. 42 bis, 42 ter y 54 bis del RGGI y afecta a los siguientes elementos:

a) Información sobre las cuentas situadas en el extranjero abiertas en entidades que se dediquen al tráfico bancario o crediticio de las que sean titulares o beneficiarios o en las que figuren como autorizados o de alguna otra forma ostenten poder de disposición. No existe obligación cuando los saldos conjuntos de tales cuentas no superen los 50.000 euros.

b) Información de cualesquiera títulos, activos, valores o derechos representativos del capital social, fondos propios o patrimonio de todo tipo de entidades, o de la cesión a terceros de capitales propios, de los que sean titulares y que se encuentren depositados o situados en el extranjero, así como de los seguros de vida o invalidez de los que sean tomadores y de las rentas vitalicias o temporales de las que sean beneficiarios, contratados con entidades establecidas en el extranjero, por un valor conjunto para todos estos productos financieros superior a 50.000 euros.

c) Información sobre los bienes inmuebles y derechos sobre bienes inmuebles situados en el extranjero, por una cuantía conjunta también superior a 50.000 euros.

El plazo de presentación de la declaración Modelo 720 se extiende desde el 1 de enero hasta el 31 de marzo del año siguiente. No siendo necesario reiterar la declaración en años sucesivos si no ha existido un incremento del valor de los elementos declarados por más de 20.000 euros. No obstante, la nueva presentación sí que es obligatoria si, por ejemplo, se han transmitido los valores o lo inmuebles incluidos en un anterior Modelo 720.

Es importante destacar que los mencionados arts. 42 bis, 42 ter y 54 bis del RGGI eximen de la obligación de presentar el Modelo 720 a las personas jurídicas o entidades residentes en territorio español que tengan registrados en su contabilidad, de forma individualizada y con el detalle reglamentariamente establecido, las cuentas bancarias, valores, derechos, seguros, rentas, inmuebles o derechos sobre los mismos situados en el exterior. Por tanto, el debido detalle contable evita la obligación formal adicional de presentar el modelo 720.

Por el contrario, la falta de contabilización de los elementos patrimoniales radicados en el exterior, unida al incumplimiento de la obligación de informar en plazo, a través del Modelo 720, llevan a una gravísima consecuencia: se presume, en todo caso sin prueba en contra, que los elementos patrimoniales situados en el exterior han sido adquiridos con cargo a rentas no declaradas. Esta presunción de renta oculta resaltamos que no admitirá, además, prueba en contrario por lo que puede calificarse de "iuris et de iure" y siempre se imputará al periodo impositivo más antiguo, de entre los no prescritos, susceptible de regularización. Es decir, a diferencia de lo que sucede con los bienes o derechos situados en territorio español en que se puede evitar la liquidación demostrando que se adquirieron en un ejercicio ya prescrito, en el caso de elementos patrimoniales situados en el exterior que no se han contabilizado ni declarado en el Modelo 720, la demostración de su adquisición y pago en un año ya prescrito no impedirá a la Inspección dictar una liquidación imputando la renta descubierta al último año no prescrito. Incluso la presentación del modelo 720 fuera de plazo tampoco eximirá a la entidad de estas mismas graves consecuencias.

Un ejemplo de la aplicación de las reglas expuestas sería el siguiente. Supongamos que al principio de 2017 se inicia una inspección por el IS de los períodos impositivos 2012 y siguientes, descubriéndose que la entidad es propietaria de un inmueble en Andorra que no figura en la contabilidad, ni tampoco se ha declarado en el Modelo 720. Dicho inmueble se adquirió por 500.000 euros, cantidad que se pagó al contado en 2004. Pues bien, por aplicación de la norma objeto de comentario, la Inspección deberá sumar a la BI declarada del ejercicio 2012 (ejercicio más antiguo no prescrito) los 500.000 euros invertidos en la compra del inmueble realizada en 2004. De ahí que esta regulación haya sido calificada como la "imprescriptibilidad" de las rentas no justificadas puestas de manifiesto en bienes o derechos ocultados en el extranjero.

La mencionada "imprescriptibilidad" y el riguroso régimen sancionador asociado al incumplimiento de la obligación de presentar el Modelo 720 en plazo han sido denunciados por diferentes despachos y colectivos ante las autoridades europeas. La Comisión Europea ha apreciado que la obligación de presentar el Modelo 720 y las graves consecuencias asociadas a su incumplimiento pueden ser contrarias al Derecho de la Unión Europea, por ello, se ha iniciado un procedimiento de infracción contra España. No obstante, mientras el Tribunal de Justicia de la Unión Europea no se pronuncie sobre una supuesta vulneración del Derecho Comunitario por parte de la normativa española, ésta sigue plenamente vigente y, por tanto, es de obligatoria aplicación por la Administración tributaria española.

Precisar también que, con la normativa actualmente vigente, la presunción a la que estamos haciendo referencia no resultará de aplicación cuando la entidad contribuyente demuestre que los bienes y derechos en cuestión sí fueron adquiridos con cargo a rentas declaradas y, por tanto, anteriormente ya sometidas a tributación; demostración que impedirá a la Inspección gravar por segunda vez una misma renta. La misma consecuencia se produce en los casos de entidades que en períodos anteriores eran no residentes en España y que posteriormente han pasado a ser residentes, pues si la entidad comprobada demuestra que los bienes o derechos, no contabilizados ni declarados en el Modelo 720, los adquirió en años en que aún no era residente en España tampoco se aplicará la presunción de renta oculta y no se podrá someter a gravamen la presunta renta descubierta.

Con relación a lo que debe entenderse por "renta declarada", vamos a hacer una breve referencia a la regulación de la comúnmente denominada "amnistía fiscal", aprobada por la Disposición Adicional Primera del Real Decreto-Ley 12/2012, de 30 de marzo, que introdujo diversas medidas tributarias y administrativas dirigidas a la reducción del déficit público. Dicha Disposición Adicional establece (la negrita es nuestra):

> *"**Primera. Declaración tributaria especial.**
>
> 1. Los contribuyentes del Impuesto sobre la Renta de las Personas Físicas, Impuesto sobre Sociedades o Impuesto sobre la Renta de no Residentes que sean titulares de bienes o derechos que no se correspondan con las rentas declaradas en dichos impuestos, podrán presentar la declaración prevista en esta disposición con el objeto de regularizar su situación tributaria, siempre que hubieran sido titulares de tales bienes o derechos con anterioridad a la finalización del último período impositivo cuyo plazo de declaración hubiera finalizado antes de la entrada en vigor de esta disposición.*
>
> *2. Las personas y entidades previstas en el apartado 1 anterior deberán presentar una declaración e ingresar la cuantía resultante de aplicar al importe o valor de adquisición de los bienes o derechos a que se refiere el párrafo anterior, el porcentaje del 10 por ciento.*
>
> *El cumplimiento de lo dispuesto en el párrafo anterior determinará la no exigibilidad de sanciones, intereses ni recargos.*
>
> *Junto con esta declaración deberá incorporarse la información necesaria que permita identificar los citados bienes y derechos.*
>
> *3. **El importe declarado por el contribuyente tendrá la consideración de renta declarada** a los efectos previstos en el artículo 39 de la Ley 35/2006, de 28 de noviembre, del Impuesto sobre la Renta de las Personas Físicas y de modificación parcial de las leyes de los Impuestos sobre Sociedades, sobre la Renta de no Residentes y sobre el Patrimonio, y en el artículo 134 del texto refundido de la Ley del Impuesto sobre Sociedades, aprobado por el Real Decreto Legislativo 4/2004, de 5 de marzo (...)"*

La remisión que esta Disposición Adicional hace al artículo 134 del anterior TRLIS, vigente hasta 2014, hay que entenderla también realizada al actual art. 121 de la LIS. Por ello, las rentas utilizadas en la adquisición de los bienes y derechos regularizados al haberlos incluido en la Declaración tributaria especial, Modelo 750, presentada en el año 2012, no podrán ser gravadas de nuevo por apreciar en esos mismos bienes presuntos afloramientos de rentas ocultas de procedencia desconocida y los bienes o derechos situados en el extranjero deben considerarse que han sido regularizados.

7º) Por último, el apartado 7 de este artículo 121 señala que el valor de adquisición de los elementos patrimoniales situados en España o el extranjero, cuyo descubrimiento dé lugar al gravamen de las rentas omitidas, rentas precisamente puestas de manifiesto por la adquisición de esos bienes o derechos, producirá plenos efectos fiscales. Esta norma entendemos implica que, una vez las rentas ocultas se han incorporado a la Base Imponible del impuesto y se han sometido a gravamen por medio de la regularización inspectora, los bienes o derechos adquiridos con esas rentas también pueden y deben incorporarse a los balances de la entidad sin nuevos costes fiscales. Por ello, los valores de adquisición de los activos aflorados tendrán efectos fiscales "completos", tanto para su toma en consideración al objeto de calcular el beneficio o la pérdida generados en una futura transmisión de esos elementos patrimoniales, a integrar en la BI del impuesto de posteriores períodos impositivos, como para la deducción contable y fiscal de posibles amortizaciones.

La validez o utilización futura del valor de adquisición la condiciona el 121.7 de la LIS a su incorporación en la Base Imponible del impuesto. Así pues, una vez la renta oculta se ha incorporado a la BI, el valor de adquisición del elemento que ha servido para poner de manifiesto esa renta produce plenos efectos fiscales. Entendemos que los mencionados efectos fiscales se producirán tanto cuando sea la Inspección la que regulariza la situación fiscal de la entidad contribuyente al descubrir, en el curso de un procedimiento de comprobación, elementos patrimoniales ocultos –supuesto que presumimos más frecuente– como cuando sea la propia entidad la que regularice su situación presentando una declaración complementaria e incrementando la BI inicialmente declarada en la cuantía del valor de adquisición de elementos patrimoniales ocultos que ahora se hacen aflorar.

Cuando el activo aflorado sea un elemento no amortizable (por ejemplo, un terreno) los futuros efectos fiscales del valor de adquisición, que ha dado lugar a un primer incremento de la BI, quedarán diferidos hasta el momento de la posterior transmisión de ese elemento patrimonial.

Por el contrario, cuando el elemento patrimonial en cuestión se trate de un activo amortizable entendemos que comenzarán a poderse deducir amortizaciones calculadas sobre ese valor de adquisición a partir del mismo momento de su "afloramiento" contable y fiscal. Incluso, por aplicación del art. 11.3 de la LIS, podrán registrarse y deducirse, como gastos procedentes de ejercicios anteriores, las amortizaciones que debieran haberse deducido en los ejercicios transcurridos desde la adquisición del activo, siempre que la deducción en el ejercicio posterior en que el gasto haya sido contabilizado no dé lugar a una menor tributación de la que se produciría en caso de que las amortizaciones se imputaran a los ejercicios anteriores en que deberían haberse contabilizado y deducido.

2. JURISPRUDENCIA Y DOCTRINA ADMINISTRATIVA RELEVANTE

TRIBUNAL SUPERIOR DE JUSTICIA DE ANDALUCÍA (Sede en Sevilla). Sentencia 280/2014 de 6 de marzo de 2014, Rec. n.º 229/2012. Cancelación de una imposición e ingreso en caja el mismo día del pago de la compra de una nave industrial. La Inspección consideró que la finalidad del reintegro fue el pago de parte de la compra, lo que justifica a través de diversos indicios. Aunque se puede considerar acertada la premisa de la inexistencia de ingreso en caja esto no significa que haya que presumir una renta no declarada. No se ha ocultado bien alguno ni se ha registrado una deuda inexistente.

TRIBUNAL SUPERIOR DE JUSTICIA DE GALICIA. Sentencia 120/2015, de 4 de marzo de 2015, Sala de lo Contencioso-Administrativo, Rec. n.º 15136/2014. Cuotas y sanciones no registradas como gasto. Las cuotas y sanciones del IS que fueron objeto de ajuste positivo en la base imponible por gastos no deducibles no habían sido objeto de registro como gasto, por lo que la Administración dedujo que se hizo con cargo a recursos ajenos, lo que da pie al juego de la presunción de renta no declarada. La sanción está correctamente motivada.

AUDIENCIA NACIONAL. Sentencia de 18 de marzo de 2015, Sala de lo Contencioso-Administrativo, Rec. n.º 108/2012. Deudas inexistentes. El concepto no puede ser equiparado al de deudas respecto de cuyo origen y deducibilidad fiscal no da una explicación satisfactoria el sujeto regularizado. En el presente caso, el obligado tributario aporta una escritura de ampliación de capital de fecha posterior al inicio del procedimiento de comprobación, por lo que la Administración considera que no puede desvirtuar la presunción de renta no declarada. La entidad alega que la deuda controvertida eran los ahorros de toda la vida de los socios y que no estaban dispuestos a dilapidar en una ampliación de capital de una sociedad sobre la que se cernían tantas incertidumbres. Sin embargo, pese a la intensa actividad probatoria, no se acredita la aportación de capital de los socios ni se explica el origen de la suma, que se afirma guardada en una caja fuerte, lo que no ha desvirtuado la presunción "iuris tantum" que opera a favor de la Administración sobre la falta de realidad de la deuda, que la parte reconoce contabilizada de forma incorrecta, y sin que por la actora se haya conseguido desvirtuar dicha presunción mediante una prueba plena y no a base de meros indicios o conjeturas. Procede confirmar la sanción por estar debidamente motivada.

TRIBUNAL SUPERIOR DE JUSTICIA DE GALICIA. Sentencia 218/2015, de 22 de abril de 2015, Sala de lo Contencioso-Administrativo, Rec. n.º 15375/2014. El TEAR imputó la renta descubierta en 2007 al ejercicio más antiguo no prescrito (2005), rectificando la imputación que había efectuado la Administración Tributaria al ejercicio 2007. La entidad alega que esa modificación le perjudica porque incrementa los intereses de demora, incurriendo en reformatio in peius. Sin embargo, no ofrece al cálculo que permite afirmar que la liquidación de 2007 arrojaría un resultado inferior, por lo que se desestima el recurso.

EJEMPLO

En el curso de una inspección, desarrollada en el año X+3, se descubre que la entidad comprobada compró en el año X unos solares, por un valor de adquisición de 900.000 euros. Dichos solares no aparecen contabilizados en el activo de la empresa.

De dicho precio o valor de adquisición aún se adeudan a los propietarios vendedores 300.000 euros. El pago de los 600.000 euros restantes se demuestra que se realizó por medio de una transferencia bancaria procedente del extranjero. La entidad tampoco había declarado ni contabilizado los fondos en el extranjero que invirtieron en la compra de los terrenos.

Consecuencias de estos hechos teniendo en cuenta que el año X no está prescrito.

RESPUESTA

Como el valor de adquisición de los solares son 900.000 euros y dicha adquisición no se ha contabilizado, en principio, se presume que la compra se ha realizada con renta sin declarar, conforme a lo dispuesto en el art. 121 de la LIS.

De los 900.000 euros del precio de compra, aún se adeudan a los vendedores 300.000 euros. Por tanto, el importe de la renta presunta, que debería someterse a tributación, ascendería a 600.000 euros. Esta renta se regularizará por la Inspección imputándola en la BI del año X en que se efectuó la adquisición.

Por el contrario, en caso que la entidad contribuyente pudiera demostrar que los 600.000 euros procedentes del exterior no eran suyos, por ejemplo, porque se obtuvieron a través de un préstamo facilitado por una entidad extranjera y que aún está pendiente de pago, la Inspección no debería aplicar ningún incremento sobre la Base Imponible declarada en el año X, puesto que se habría demostrado la procedencia de los fondos empleados, que además se siguen adeudando al acreedor extranjero.

Artículo 122
Revalorizaciones contables voluntarias

FAUSTINO MOYA CALATAYUD
Inspector de Hacienda del Estado

"*1. Los contribuyentes que hubieran realizado revalorizaciones contables cuyo importe no se hubiera incluido en la base imponible deberán mencionar en la memoria el importe de aquéllas, los elementos afectados y el período o períodos impositivos en que se practicaron.*

Las citadas menciones deberán realizarse en todas y cada una de las memorias correspondientes a los ejercicios en que los elementos revalorizados se hallen en el patrimonio del contribuyente.

2. Constituirá infracción tributaria grave el incumplimiento de la obligación establecida en el apartado anterior.

Dicha infracción se sancionará, por una sola vez, con una multa pecuniaria proporcional del 5 por ciento del importe de la revalorización, cuyo pago no determinará que el citado importe se incorpore, a efectos fiscales, al valor del elemento patrimonial objeto de la revalorización.

La sanción impuesta de acuerdo con lo previsto en este apartado se reducirá conforme a lo dispuesto en el apartado 3 del artículo 188 de la Ley 58/2003, de 17 de diciembre, General Tributaria".

SUMARIO: 1. COMENTARIO.

1. COMENTARIO

1º) Por revalorización contable voluntaria se entiende una modificación al alza en el valor contable de un determinado activo que la entidad realiza por decisión propia. Las revalorizaciones contables voluntarias pueden venir expresamente autorizadas por una norma con rango de ley o haberse producido a iniciativa unilateral de la entidad contribuyente, sin contar con la autorización expresa de una ley.

a) Las revalorizaciones contables aprobadas por normas legales se suelen denominar en nuestro derecho tributario "actualizaciones de balances" y han venido consistiendo en que una Ley específica autoriza a los contribuyentes a acogerse, si lo estiman oportuno, a unos coeficientes de actualización o corrección que se aplican tanto para incrementar el valor de adquisición de los activos como de sus amortizaciones acumuladas. En dichas actualizaciones de balances opcionales, la propia norma de aprobación establece su específico régimen de aplicación, con sus consecuencias fiscales materiales y obligaciones formales a cumplir. Es de destacar que este tipo de revalorizaciones voluntarias efectuadas con apoyo legal producen efectos fiscales (es su objeto principal), en cuanto los valores fiscales revalorizados tienen los efectos tributarios que prevean las respectivas leyes de aprobación.

La última actualización de balances se incluyó en el artículo 9 de la Ley 16/2012, de 27 de diciembre, por la que se adoptan diversas medidas tributarias dirigidas a la consolidación de las finanzas públicas y al impulso de la actividad económica (habían pasado 12 de años desde la actualización anterior, aprobada por el RD-Ley 7/1996). En la actualización aprobada por la Ley 16/2012, el importe de las revalorizaciones contables resultantes de las operaciones de actualización no se llevó a resultados del ejercicio, ni tampoco a la BI del impuesto, pues debió abonarse a la cuenta «reserva de revalorización de la Ley 16/2012, de 27 de diciembre». Ahora bien, dicha actualización, aunque reducido, sí que entrañó un coste fiscal, pues las entidades que practicaron la actualización debieron satisfacer una carga fiscal consistente en un gravamen único del 5% sobre el saldo acreedor de dicha cuenta de reservas. Por ello, los nuevos valores revalorizados sí producen efectos fiscales (en particular, a efectos de la deducción fiscal de las futuras amortizaciones). Esta deuda tributaria se debió de autoliquidar e ingresar conjuntamente con la declaración del Impuesto sobre Sociedades relativa al período impositivo al que corresponda el balance en el que constan las operaciones de actualización.

Asimismo, el apartado 12 de este artículo 9 de la Ley 16/2012, también impuso concretas obligaciones formales más completas a las que ahora contempla el art. 122.1 de la LIS, junto a su propio y régimen sancionador. Dicho apartado señala:

"12. Deberá incluirse en la memoria de las cuentas anuales correspondientes a los ejercicios en que los elementos actualizados se hallen en el patrimonio de la entidad, información relativa a los siguientes aspectos:

a) Criterios empleados en la actualización con indicación de los elementos patrimoniales afectados de las cuentas anuales afectadas.

b) Importe de la actualización de los distintos elementos actualizados del balance y efecto de la actualización sobre las amortizaciones.

c) Movimientos durante el ejercicio de la cuenta «reserva de revalorización de la Ley 16/2012, de 27 de diciembre», y explicación de la causa justificativa de la variación de la misma.

El incumplimiento de las obligaciones establecidas en este apartado tendrá la consideración de infracción tributaria grave. La sanción consistirá en multa pecuniaria fija de 200 euros por cada dato omitido, en cada uno de los primeros cuatro años en que no se incluya la información, y de 1.000 euros por cada dato omitido, en cada uno de los años siguientes, con el límite del 50 por ciento del saldo total de la cuenta «reserva de revalorización de la Ley 16/2012, de 27 de diciembre». Esta sanción se reducirá conforme a lo dispuesto en el apartado 3 del artículo 188 de la Ley 58/2003, de 17 de diciembre, General Tributaria.

No obstante, el incumplimiento sustancial de las obligaciones de información previstas en este apartado, determinará la integración del saldo de la cuenta «reserva de revalorización de la Ley 16/2012, de 27 de diciembre» en la base imponible del primer período impositivo más antiguo de entre los no prescritos en que dicho incumplimiento se produzca, no pudiendo compensarse con dicho saldo las bases imponibles negativas de períodos impositivos anteriores".

b) Por el contrario, el artículo 122.1 de la LIS hace referencia a otras revalorizaciones distintas de las autorizadas por Leyes específicas. Concretamente, este precepto se aplica a las revalorizaciones contables voluntarias, realizadas al margen de las actualizaciones de balances legalmente aprobadas, que no deben tener efectos fiscales, en cuanto su importe no se integra en la BI del impuesto puesto que el art 17.1 de la LIS, comentado en otro apartado de esta obra, establece:

"Artículo 17. Regla general y reglas especiales de valoración en los supuestos de transmisiones lucrativas y societarias.

1. Los elementos patrimoniales se valorarán de acuerdo con los criterios previstos en el Código de Comercio, corregidos por la aplicación de los preceptos establecidos en esta Ley.

No obstante, las variaciones de valor originadas por aplicación del criterio del valor razonable no tendrán efectos fiscales mientras no deban imputarse a la cuenta de pérdidas y ganancias. El importe de las revalorizaciones contables no se integrará en la base imponible, excepto cuando se lleven a cabo en virtud de normas legales o reglamentarias que obliguen a incluir su importe en la cuenta de pérdidas y ganancias. El importe de la revalorización no integrada en la base imponible no determinará un mayor valor, a efectos fiscales, de los elementos revalorizados (...)"

Por mandato expreso de este art. 17.1 de la LIS, la no integración en la BI del impuesto de estas revalorizaciones implica que los nuevos valores incrementados no se toman en consideración a efectos fiscales. De esto se desprende, por ejemplo, que las amortizaciones contables que practique la entidad contribuyente serán superiores a las fiscalmente admisibles y, mientras se realicen amortizaciones sobre esos elementos revalorizados, la entidad deberá realizar un ajuste fiscal positivo que incremente su BI del Impuesto sobre Sociedades. En este mismo sentido, cuando se transmita el bien revalorizado, el valor de adquisición a considerar para calcular el beneficio o pérdida fiscal no será el valor revalorizado sino su valor fiscal o valor de adquisición originario.

De todo ello se desprende que la Administración tributaria, para realizar su labor de control, necesita disponer de información que le permita comprobar que todos los ajustes positivos en la BI se han practicado y que además lo han sido en forma correcta. Por ello, como instrumento para hacer posible tal control, con una redacción equivalente a la vigente hasta 2014 contenida en el art. 135 del anterior TRLIS, el artículo 122.1 de la nueva LIS impone una obligación formal adicional, a estas entidades contribuyentes que hubiesen realizado revalorizaciones contables voluntarias cuyo importe no se hubiese incluido en la base imponible. El mencionado apartado ordena expresamente, que estas entidades deben mencionar en todas y cada una de las memorias correspondientes a los ejercicios en que los elementos revalorizados se hallen en su patrimonio, el importe de las revalorizaciones efectuadas, los elementos afectados y el período o períodos impositivos en que se practicaron.

Añadir también que las revalorizaciones contables realizadas en el ámbito de fusiones, escisiones u otras operaciones societarias de reorganización empresarial a las que resulte aplicable el régimen especial previsto en el Capítulo VII del Título VII de la LIS (régimen que es objeto de estudio en el apartado correspondiente de esta obra, arts. 76 y ss.) tampoco se integran en la BI, ni por tanto dan lugar a la exacción de cuotas tributarias, ya que la tributación queda diferida al momento de una posterior transmisión de los elementos patrimoniales contablemente revalorizados que, mientras tanto, conservan su anterior valor fiscal (art. 78.1 LIS). Sin embargo, cuando se aplica este régimen especial, las obligaciones contables y las concretas menciones a realizar en la memoria no son las previstas en el art. 122.1 de la LIS, que hemos comentado, sino las impuestas por su propio régimen especial en el art. 86 de la LIS.

2º) También en términos equivalentes al art. 135.2 del anterior TRLIS que estuvo vigente hasta 2014, el apartado 2 del art. 122 de la actual LIS tipifica una concreta infracción tributaria, a añadir a la ya amplía casuística de infracciones recogida en los arts. 191 a 206 de la LGT. Conforme a esta norma, el incumplimiento de la obligación de reflejar las menciones en la memoria, previstas en el apartado 1 anterior, constituye una infracción tributaria grave, que se sancionará con multa del 5% del importe de la revalorización cuya mención se ha omitido.

Como las menciones en las sucesivas memorias deben seguir realizándose en todos los ejercicios, mientras los elementos revalorizados continúen en el patrimonio de la entidad contribuyente, en principio, se podría pensar que se comenten sucesivas infracciones por las omisiones reiterada en las memorias de los diferentes ejercicios, pudiendo dar lugar a reiteradas sanciones. Esta reiteración de sanciones ha sido prohibida por el legislador al establecer que la sanción se impondrá *"por una sola vez"*, lo que debe entenderse en el sentido de que se impondrá una única sanción, aunque la misma omisión en la memoria se haya ido produciendo en varios ejercicios, sean estos consecutivos o alternos.

La LIS también aclara que la cuantía de la sanción, resultante de aplicar el 5% sobre el valor de las revalorizaciones omitidas, se reducirá en un 25% cuando se cumplan los requisitos del apartado 3 del artículo 188 de la Ley General Tributaria. En atención a dicho precepto, para que se aplique la reducción legal del 25%, los requisitos a cumplir son los 2 siguientes:

a) Que se realice el pago total de la sanción reducida en los plazos de ingreso en período voluntario o en el plazo o plazos fijados en el acuerdo de aplazamiento o fraccionamiento.

b) Que no se interponga recurso o reclamación contra esta sanción.

Evidentemente, si la AEAT aplica inicialmente esta reducción del 25% y posteriormente la entidad contribuyente incumple su obligación de pagar en plazo o interpone recurso de reposición o reclamación económico-administrativa, la Administración procederá a exigirle también el ingreso de la reducción a la que ha dejado de tener derecho.

Por el contrario, la reducción del 30%, prevista en el art. 188.1 b de la LGT, no se aplicará en las sanciones del art. 122.2 de la LIS pues no se trata de infracciones asociadas a la práctica de una liquidación tributaria, a la que se podría prestar conformidad, sino de infracciones vinculadas a un incumplimiento contable formal. Todo ello sin perjuicio de otras infracciones que además podrían haberse cometido, por ejemplo, dejando de ingresar cuotas tributarias (art. 191 LGT) al utilizar los valores revalorizados para minorar la BI declarada. Evidentemente estas otras sanciones por dejar de ingresar (o por solicitar u obtener devoluciones) sí que podrían llevar las típicas reducciones del 30% por conformidad con la liquidación y del 25% por conformidad con la sanción.

Por último, es importante destacar que la LIS incluye una precisión dirigida a evitar interpretaciones malintencionadas: el pago de las sanciones a las que nos estamos refiriendo no implica que la Administración tributaria vaya a reconocer efectos fiscales a las revalorizaciones contables efectuadas. Es decir, no se trata de una actualización de balances a realizar en cualquier momento asociada al simple pago de la sanción del 5% del incremento de valor contabilizado; al contrario los nuevos valores de los activos seguirían sin tener efectos fiscales, por ejemplo, no afectaran a las amortizaciones ni se tendrán en cuanta a efectos de calcular el beneficio o pérdida de futuras transmisiones, pues los elementos patrimoniales objeto de la revalorización, como ya hemos señalado, conservan, a efectos tributarios, el valor fiscal anterior (habitualmente valor de adquisición) que evidentemente será inferior a su valor contable revalorizado.

EJEMPLO

Una sociedad realiza una revalorización contable de sus activos en un importe de 1.000.000 de euros que no incorpora a la BI del impuesto, ya que no la imputa a la cuenta de Pérdidas y Ganancias, sino que abona directamente una cuenta de reservas. La sociedad ha decidido omitir la mención de esta revalorización en las memorias del ejercicio en que la realizó y de todos los ejercicios sucesivos. Además, tampoco realiza ajuste fiscal alguno para incrementar la BI de ejercicios posteriores, habiendo deducido fiscalmente las íntegras amortizaciones contables, calculadas sobre los nuevos valores revalorizados.

Suponga que el porcentaje de amortización procedente es el 10% y el tipo de gravamen de la sociedad es el general del 25%. Además, con relación a la autoliquidación anual de la sociedad, se sabe que todos los años ha resultado a ingresar, en cuanto la sociedad marcha muy bien y obtiene importantes beneficios.

¿Qué consecuencias fiscales se derivarían de los hechos descritos en el caso de ser descubiertos por la Administración tributaria?

Suponga que se demuestra la intencionalidad o culpabilidad en la actuación de la entidad y que ésta da conformidad a todas las propuestas de la Inspección.

RESPUESTA

Partiendo de la intencionalidad en la conducta de la empresa se sancionarán 2 tipos de infracciones distintas:

a) Por un lado, habrá cometido la infracción de tipo formal prevista en el art. 122.2 de la LIS, consistente en la omisión de las menciones que debió realizar en todas las sucesivas memorias, mientras los activos revalorizados sigan en su patrimonio.

Esta infracción se sancionará una única vez (y no tantas como los ejercicios en que se hayan realizado omisiones en la memoria) y su importe será:

1.000.000 x 5%= 50.000 euros.

Como no recurre y suponiendo que realiza el pago en voluntaria (o en el plazo obtenido en un aplazamiento en voluntaria), conforme al artículo 188.3 de la Ley General Tributaria, se aplicará una reducción del 25%, reduciéndose la sanción en 12.500 euros, hasta un importe final de 37.500 euros.

b) Por otra parte, la Inspección exigirá además el pago de las cuotas procedentes que la sociedad ha dejado de ingresar en todos los ejercicios no prescritos, con sus correspondientes intereses de demora.

La cuota tributaria dejada de ingresar en cada uno de los ejercicios completos ascendería a 25.000 euros. Dicha cifra es el resultado de aplicar un tipo de gravamen del 25% a 100.000 euros del incremento de la BI anual (exceso de amortización contable anual sobre la amortización fiscalmente admisible, que se obtiene de aplicar el porcentaje de amortización procedente del 10% sobre el importe de la revalorización efectuada de 1.000.000 de euros).

Además, la entidad habría cometido, en cada uno de los ejercicios regularizados, la infracción tributaria general. prevista en el art. 191 de la LGT, consistente en dejar de ingresar dicha cuota de 25.000 euros. Por cada una de esas infracciones anuales se impondría su propia sanción. Estas sanciones, conforme al art. 188 de la LGT, se podrían reducir en 2 partidas

– Reducción de un 30% en caso de conformidad con la propuesta de regularización.

– Además, el importe resultante de la minoración anterior podría reducirse en un 25% adicional, cuando las sanciones no se recurran y se paguen.

Artículo 123
Estimación de rentas en el método de estimación indirecta

FAUSTINO MOYA CALATAYUD
Inspector de Hacienda del Estado

"Cuando la base imponible se determine a través del método de estimación indirecta, las cesiones de bienes y derechos y las prestaciones de servicios, en sus distintas modalidades, se presumirán retribuidas por su valor de mercado".

SUMARIO: 1. COMENTARIO. 2. JURISPRUDENCIA Y DOCTRINA ADMINISTRATIVA RELEVANTE.

1. COMENTARIO

El hoy derogado TRLIS contenía, en su art. 5, la tradicional presunción de onerosidad, en los términos siguientes:

"Artículo 5. Estimación de rentas.

Las cesiones de bienes y derechos en sus distintas modalidades se presumirán retribuidas por su valor normal de mercado, salvo prueba en contrario".

Se trata de una presunción "iuris tantum" que, por tanto, admite prueba en contrario. Por ello, en reiteradas ocasiones, la jurisprudencia ha venido señalando que una contabilidad mercantil correctamente llevada y que refleje la imagen fiel de la empresa es prueba suficiente para destruir dicha presunción de retribución. De ello se deduce que, partiendo de una contabilidad veraz, la falta de registro contable de una retribución sirve como elemento probatorio acreditativo de la gratuidad de la cesión. Esta jurisprudencia creemos que ha llevado al legislador a restringir la aplicación de la presunción de retribución, para aquellos casos en que no se aplica la estimación directa sino la estimación indirecta. Así, en la nueva LIS, una presunción similar a la del art. 5 del anterior TRLIS se contiene en el vigente artículo 123, precepto que puede interpretarse en el sentido siguiente: la presunción de retribución por cesiones de bienes y derechos, ampliada también a las prestaciones de servicios, sólo resultará aplicable cuando la BI se cuantifique en régimen de estimación indirecta.

Con relación a la determinación de las Bases Imponibles del impuesto, el artículo 10.2 de la LIS establece:

> *"La base imponible se determinará por el método de estimación directa, por el de estimación objetiva cuando esta Ley determine su aplicación y, subsidiariamente, por el de estimación indirecta, de conformidad con lo dispuesto en la Ley 58/2003, de 17 de diciembre, General Tributaria"*

Por su parte, la LGT regula el régimen de estimación indirecta como un régimen subsidiario de los métodos de estimación directa y de estimación objetiva, que sólo se utilizará cuando la determinación de la BI por los otros dos métodos no sea posible. Así, la LGT establece:

> *"Artículo 53. Método de estimación indirecta.*
>
> *1. El método de estimación indirecta se aplicará cuando la Administración tributaria no pueda disponer de los datos necesarios para la determinación completa de la base imponible como consecuencia de alguna de las siguientes circunstancias:*
>
> *a) Falta de presentación de declaraciones o presentación de declaraciones incompletas o inexactas.*
>
> *b) Resistencia, obstrucción, excusa o negativa a la actuación inspectora.*
>
> *c) Incumplimiento sustancial de las obligaciones contables o registrales.*
>
> *d) Desaparición o destrucción, aun por causa de fuerza mayor, de los libros y registros contables o de los justificantes de las operaciones anotadas en los mismos..."*

Vemos pues que para que proceda la estimación indirecta ha de concurrir alguna de las circunstancias del art. 53 de la LGT, desarrolladas por el art. 193 del RGGI, pero además ha de resultar imposible la aplicación de los otros dos métodos de estimación de las bases, porque si la Inspección tiene acceso a una contabilidad completa y veraz, los resultados, y en definitiva las bases imponibles del impuesto, se calcularán en estimación directa, sin que tampoco se aplique la presunción de retribución que estamos comentando.

Por el contrario, cuando la base imponible se determine a través del método de estimación indirecta –porque la entidad, por ejemplo, incumplió sus obligaciones contables, la contabilidad se perdió o destruyó, o porque la entidad inspeccionada se niega a cooperar con la Inspección, imposibilitando el examen de los documentos y datos necesarios, y la aplicabilidad de la estimación directa– sí que se podrá utilizar la presunción de onerosidad, presumiéndose que el valor de la retribución es el valor de mercado. Merece la pena volver a resaltar que la presunción se aplicará no sólo a las cesiones de bienes y derechos sino también a cualquier prestación de servicios.

Señala la doctrina que, aunque la estimación indirecta sea un último recurso, la Inspección debe tratar de aproximarse lo más posible a los resultados o bases imponibles realmente obtenidos por los contribuyentes. Para ello, puede utilizar todos aquellos datos y antecedentes disponibles que sean relevantes al efecto, entre los cuales están, por ejemplo, los propios registros contables de la entidad contribuyente que, aunque sean incompletos o se lleven incorrectamente, pueden ayudar a esa aproximación al beneficio real en cuanto puede haber partes de la contabilidad que si recojan información veraz y utilizable. El apartado 2 del art. 53 de la LGT, precisa los métodos para calcular las bases en estimación indirecta en los términos siguientes:

> "2. *Las bases o rendimientos se determinarán mediante la aplicación de cualquiera de los siguientes medios o de varios de ellos conjuntamente:*
>
> *a) Aplicación de los datos y antecedentes disponibles que sean relevantes al efecto.*
>
> *b) Utilización de aquellos elementos que indirectamente acrediten la existencia de los bienes y de las rentas, así como de los ingresos, ventas, costes y rendimientos que sean normales en el respectivo sector económico, atendidas las dimensiones de las unidades productivas o familiares que deban compararse en términos tributarios.*
>
> *c) Valoración de las magnitudes, índices, módulos o datos que concurran en los respectivos obligados tributarios, según los datos o antecedentes que se posean de supuestos similares o equivalentes".*

Es de señalar que por valor de mercado se entiende aquél que habrían acordado, en condiciones normales de mercado, partes independientes y en situación de libre competencia (art. 18.1 de la LIS).

El procedimiento a seguir para la aplicación de la reiterada estimación indirecta se contiene en el art. 158 de la LIS, redactado de nuevo por la Ley 34/2015, que, entre otras cosas, dispone que si la Inspección aplica el método de estimación indirecta debe acompañar a las actas incoadas un informe razonado sobre la procedencia de este régimen, situación de la contabilidad, justificación de los medios de cuantificación elegidos, cálculos realizados, etc...

2. JURISPRUDENCIA Y DOCTRINA ADMINISTRATIVA RELEVANTE

TRIBUNAL SUPREMO. Sentencia de 18 de febrero de 1998, Sala de lo Contencioso-Administrativo, Rec. n.º 8104/1991. No procede la imputación de intereses a los préstamos o ayudas financieras concedidos a una sociedad, respecto a las que no se registró ningún asiento en contabilidad por intereses, pues el art. 3.º 3 Ley 61/1978 establece la presunción de onerosidad con el carácter de iuris tantum y la contabilidad es prueba en contrario.

TRIBUNAL SUPERIOR DE JUSTICIA DE LA COMUNIDAD VALENCIANA. Sentencia de 18 de octubre de 2000, Sala de lo Contencioso-Administrativo, Rec. n.º 35/1998. Préstamo socio-sociedad. Presunción de onerosidad. Queda probada la inexistencia del abono de intereses al no poderse hacer reproche alguno a la contabilidad de la sociedad prestataria y no figurar en ella cargo alguno por tales intereses.

TRIBUNAL SUPERIOR DE JUSTICIA DE MADRID. Sentencia 84/2013, de 31 de enero de 2013, Sala de lo Contencioso-Administrativo, Rec. n.º 917/2010. Cuando se requirió al contribuyente para que aportase los justificantes de sus ingresos y gastos aportó justificantes de los ingresos, únicamente facturados a un cliente, sin que pudiese justificar los gastos con las correspondientes facturas ya que no llevaba libros de contabilidad, registros, ni había conservado facturas justificativas. La Administración, ante ello, utilizó el método de estimación indirecta para determinar el rendimiento neto de su actividad económica, aplicando la ratio de compras/ventas del ejercicio, pues era perfectamente posible que por la AEAT se aplicase el régimen de estimación indirecta para determinar el rendimiento neto de las actividades empresariales, ya que había incumplido las obligaciones contables y registrales más arriba señaladas, valorando las magnitudes que poseía del sujeto pasivo respecto a otro ejercicio diferente y las aplicó en relación al ejercicio que pretendía valorar.

TRIBUNAL SUPERIOR DE JUSTICIA DE LA COMUNIDAD VALEN-CIANA. Sentencia 625/2014, de 4 de marzo de 2014, Sala de lo Contencioso-Administrativo, Rec. n.º 1588/2010. Ante la falta de personación del obligado tributario, la Inspección emitió un requerimiento a clientes y proveedores. De la información aportada se deduce que no incluyó determinados ingresos por obras a clientes y que ciertas facturas de gasto a subcontratistas eran falsas. Además, la Inspección detectó que la empresa disponía de trabajadores a los que pagaba en metálico sin nómina, por lo que incrementó el gasto de personal a deducir en función del sueldo estimado por trabajador. Se han utilizado datos reales y la estimación indirecta ha consistido en la determinación de los gastos por sueldos y salarios mediante un cálculo estimativo. El inicio del procedimiento con anterioridad a la liquidación podría cuestionarse desde el punto de vista del derecho de defensa, pero los inconvenientes desaparecen cuando existe propuesta de liquidación. La culpabilidad está suficientemente motivada.

EJEMPLO

Una sociedad que lleva una contabilidad veraz, completa y debidamente legalizada ha cedido, por puro altruismo, el uso de una vivienda de su propiedad a una familia sin recursos que no tiene ninguna vinculación con la empresa.

¿Sería aplicable la presunción de onerosidad prevista en el artículo 123 de la LIS? ¿Cambiaría algo si la cesión de uso se hiciera a un socio vinculado que posee el 25% del capital?

RESPUESTA

En el supuesto en que no existe vinculación, en la medida que no resulta procedente la estimación indirecta, la presunción de onerosidad no resulta aplicable. Es más, como la contabilidad es veraz sirve para demostrar que la entidad no obtiene ninguna renta por la cesión de uso de ese inmueble.

Por el contrario, en el caso que la utilización de la vivienda se efectúe por un socio con el 25% del capital nos encontraríamos ante una operación vinculada (art. 18 de la LIS) que obligatoriamente debe valorarse a valor de mercado, incluso aunque se pueda demostrar la inexistencia de retribución.

Artículo 124
Declaraciones

FAUSTINO MOYA CALATAYUD

Inspector de Hacienda del Estado

"1. Los contribuyentes estarán obligados a presentar una declaración por este Impuesto en el lugar y la forma que se determinen por el Ministro de Hacienda y Administraciones Públicas.

La declaración se presentará en el plazo de los 25 días naturales siguientes a los 6 meses posteriores a la conclusión del período impositivo.

Si al inicio del indicado plazo no se hubiera determinado por el Ministro de Hacienda y Administraciones Públicas la forma de presentar la declaración de ese período impositivo, la declaración se presentará dentro de los 25 días naturales siguientes a la fecha de entrada en vigor de la norma que determine dicha forma de presentación. No obstante, en tal supuesto el contribuyente podrá optar por presentar la declaración en el plazo al que se refiere el párrafo anterior cumpliendo los requisitos formales que se hubieran establecido para la declaración del período impositivo precedente.

2. Los contribuyentes exentos a que se refiere el apartado 1 del artículo 9 de esta Ley no estarán obligados a declarar.

3. Los contribuyentes a que se refieren los apartados 2, 3 y 4 del artículo 9 de esta Ley estarán obligados a declarar la totalidad de sus rentas, exentas y no exentas.

No obstante, los contribuyentes a que se refiere el apartado 3 del artículo 9 de esta Ley no tendrán obligación de presentar declaración cuando cumplan los siguientes requisitos:

a) Que sus ingresos totales no superen 75.000 euros anuales.

b) Que los ingresos correspondientes a rentas no exentas no superen 2.000 euros anuales.

c) Que todas las rentas no exentas que obtengan estén sometidas a retención" (Apartado 3 redactado por la Ley redactado por art. 63 de la Ley 48/2015, de 29 de octubre, LPGE para 2016, con efectos para los períodos impositivos que se inicien a partir de 1 de enero de 2015 y vigencia indefinida).

DESARROLLO REGLAMENTARIO
REGLAMENTO DEL IMPUESTO SOBRE SOCIEDADES
APROBADO POR REAL DECRETO 634/2015, DE 10 DE
JULIO

Artículo 59. Colaboración externa en la presentación y gestión de declaraciones.

"1. La Administración tributaria podrá hacer efectiva la colaboración social en la presentación de declaraciones por este Impuesto a través de acuerdos con las Comunidades Autónomas y otras Administraciones Públicas, con entidades, instituciones y organismos representativos de sectores o intereses sociales, laborales, empresariales o profesionales.

2. Los acuerdos a que se refiere el apartado anterior podrán referirse, entre otros, a los siguientes aspectos:

a) Campañas de información y difusión.

b) Asistencia en la realización de declaraciones y en su cumplimentación correcta y veraz.

c) Remisión de declaraciones a la Administración tributaria.

d) Subsanación de defectos, previa autorización de los contribuyentes.

e) Información del estado de tramitación de las devoluciones, previa autorización de los contribuyentes.

3. La Administración tributaria proporcionará la asistencia técnica necesaria para el desarrollo de las indicadas actuaciones sin perjuicio de ofrecer dichos servicios con carácter general a los contribuyentes.

4. Mediante Orden del Ministro de Hacienda y Administraciones Públicas se establecerán los supuestos y condiciones en que las entidades que hayan suscrito los citados acuerdos podrán presentar por medios telemáticos declaraciones, declaraciones-liquidaciones o cualesquiera otros documentos exigidos por la normativa tributaria, en representación de terceras personas.

Dicha Orden podrá prever igualmente que otras personas o entidades accedan a dicho sistema de presentación por medios telemáticos en representación de terceras personas."

ORDEN HAP/1067/2015, DE 5 DE JUNIO, POR LA QUE SE APRUEBAN LOS MODELOS DE DECLARACIÓN DEL IMPUESTO SOBRE SOCIEDADES Y DEL IMPUESTO SOBRE LA RENTA DE NO RESIDENTES CORRESPONDIENTE A ESTABLECIMIENTOS PERMANENTES Y A ENTIDADES EN RÉGIMEN DE ATRIBUCIÓN DE RENTAS CONSTITUIDAS EN EL EXTRANJERO CON PRESENCIA EN TERRITORIO ESPAÑOL, PARA LOS PERÍODOS IMPOSITIVOS INICIADOS ENTRE EL 1 DE ENERO Y EL 31 DE DICIEMBRE DE 2014, SE DICTAN INSTRUCCIONES RELATIVAS AL PROCEDIMIENTO DE DECLARACIÓN E INGRESO Y SE ESTABLECEN LAS CONDICIONES GENERALES Y EL PROCEDIMIENTO PARA SU PRESENTACIÓN ELECTRÓNICA.

SUMARIO: 1. COMENTARIO. 2. JURISPRUDENCIA Y DOCTRINA ADMINIS-TRATIVA RELEVANTE.

1. COMENTARIO

1°) El adecuado control y la gestión del IS precisan de una serie de datos e informaciones que las entidades sujetas al impuesto deben poner en conocimiento de la Administración tributaria. Por ello, además de la obligación material de pagar el impuesto, la LIS impone a todas las entidades contribuyentes una importante y periódica carga formal, consistente en la obligación de presentar la compleja declaración-liquidación del IS. Esta declaración, por un lado, permite al Tesoro Público recibir, junto a los pagos fraccionados, el grueso de la recaudación del impuesto que es ingresada voluntariamente por las entidades contribuyentes. Por otro lado, las declaraciones facilitan el control de aquellas otras entidades que no están ingresado las cuotas que legalmente les corresponden.

En la declaración de IS se ha de incluir una gran cantidad de información que comprende datos contables de la entidad (por ejemplo, cuenta de pérdidas y ganancias, balances, etc.), datos y cálculos de naturaleza fiscal (por ejemplo, el NIF, ajustes fiscales, base imponible, inversiones que generan deducciones en la cuota, pagos a cuenta realizados, etc.), pero también otros muchos datos económicos con relevancia fiscal (como por ejemplo, la identificación de los partícipes en el capital de la entidad declarante, las participaciones de la entidad declarante en el capital de otras entidades o las personas que ostentan la condición de administrador en el momento de presentación de la declaración).

La presentación de la declaración debe realizarse, en todo caso, utilizando los modelos oficiales y en forma telemática, dado que ya no existe la presentación "en papel". La LIS señala que el Ministro de Hacienda y Administraciones Públicas aprobará los modelos a utilizar de manera obligatoria y la forma en que debe realizarse su presentación. Así, cada año, el Ministro dicta una Orden aprobando los modelos. Concretamente, los modelos de declaración del Impuesto sobre Sociedades a utilizar por los períodos impositivos iniciados entre el 1 de enero y el 31 de diciembre de 2014 fueron aprobados por la ORDEN HAP/1067/2015, de 5 de junio.

En la actualidad los modelos de declaración del IS son dos:

- Modelo 200, es el modelo general de declaración-liquidación del Impuesto sobre Sociedades

- Modelo 220, a utilizar en el régimen de consolidación fiscal por los grupos de sociedades.

Salvo los devengos especiales (previstos en el art. 27.2 de la LIS como, por ejemplo, la extinción de la entidad, el cambio de residencia al extranjero, el cambio de forma jurídica que suponga dejar de tributar por IS, etc...) que pueden dar lugar a períodos impositivos "cortos" de duración inferior a 12 meses, el período impositivo habitual tiene una duración de 12 meses (conforme el art. 27.3 de la LIS nunca puede superar dichos 12 meses) y aunque en la mayoría de ocasiones coincide con el año natural (de 1 de enero a 31 de diciembre) puede no suceder así, ya que el período impositivo depende del concreto ejercicio social adoptado por la entidad en cuestión. Para los casos de entidades cuyo ejercicio social no coincide con el año natural se suele utilizar la expresión de entidades con ejercicio "quebrado".

El art. 124.1 de la LIS fija un plazo de presentación que comprende los 25 días naturales siguientes a los 6 meses posteriores a la conclusión del período impositivo, momento en que según el art. 28 de la LIS se produce el devengo del impuesto. Así, en el caso más frecuente que son las entidades cuyo ejercicio social coincide con el año natural, el plazo de declaración va del 1 al 25 de julio, salvo que el último día de plazo sea sábado, domingo o festivo. En este último supuesto, el plazo se extenderá hasta el inmediato día laborable siguiente por aplicación del artículo 11.2 del Reglamento General de Recaudación, aprobado por RD 939/2005.

Como sucede con el resto de autoliquidaciones tributarias gestionadas por la AEAT, este plazo de declaración es más breve si la entidad contribuyente desea realizar el posible ingreso de la cuota tributaria por medio del procedimiento de domiciliación bancaria. En este supuesto, el plazo para presentar la declaración, domiciliando el ingreso, suele terminar el 20 de julio.

En el caso de períodos impositivos inferiores a los 12 meses, cuando se producen devengos "anticipados" por la concurrencia de los supuestos previstos en el art. 27.2 de la LIS, puede ocurrir que transcurran 6 meses desde el devengo del impuesto sin que se haya aprobado el modelo de declaración. Este tipo de situaciones las ha resuelto el legislador ofreciendo la siguiente opción a las entidades contribuyentes:

– La entidad puede esperar y presentar la declaración de ese período impositivo dentro de los 25 días naturales siguientes a la fecha de entrada en vigor de la Orden que apruebe el modelo para ese ejercicio.

– Como alternativa, puede optar por presentar la declaración en el plazo de los 25 días naturales siguientes a los 6 meses posteriores a la conclusión de su período impositivo, en este caso utilizará el modelo aprobado para el ejercicio anterior.

Ha de resaltarse que la regla general es que todas las entidades están obligadas a presentar declaración. Incluso una entidad recién constituida e inscrita en el Registro Mercantil, que aún no haya iniciado su actividad y no tenga ningún ingreso, debe presentar su primera declaración siempre que termine el periodo impositivo y se produzca el devengo del impuesto (art. 28 de la LIS). Por otro lado, siguen estando obligadas a declarar las sociedades que han cesado en su actividad, dejando de operar en el mercado, pues la obligación persiste mientras no se extinga la personalidad jurídica. También persiste la obligación para las entidades en concurso, o incluso para las sociedades que la AEAT ha dado de baja en el Índice de Entidades (precisamente por no presentar las 3 últimas declaraciones o por haber sido declaradas fallidas) pues la baja en dicho índice no libera a la entidad de su obligación de declarar. Es de recordar que la falta de presentación de la declaración de IS puede ser constitutiva de una infracción tributaria, cuya concreta calificación, entre otras circunstancias, dependerá del resultado de la declaración omitida.

El artículo 59 del RIS hace referencia a la colaboración social en la presentación y gestión de declaraciones, pudiendo participar en esta colaboración tanto otras Administraciones Públicas (como, por ejemplo, las Comunidades Autónomas) como otras entidades, instituciones y organismos representativos de sectores o intereses sociales, laborales, empresariales o profesionales. Así, es muy frecuente que la remisión por internet de las declaraciones a la Administración tributaria se realice por profesionales tributarios integrados en algún colegio o asociación profesional que haya firmado un acuerdo de colaboración con la AEAT, al que el profesional figure adherido, lo que le permite presentar declaraciones tributarias en nombre de terceros.

2º) Como ya hemos señalado, la regla general es que todas las entidades contribuyentes, con independencia de que hayan obtenido o no rentas sujetas al impuesto, están obligadas a declarar. En este sentido, una entidad, sujeto pasivo del impuesto, que durante el período impositivo no realice ninguna actividad ni obtengan ingresos o ni siquiera posean patrimonio sigue estando obligada a presentar la declaración del impuesto.

Ahora bien, el apartado 2 del artículo 124 de la LIS excluye de la obligación de declarar a los contribuyentes totalmente exentos como el Estado y otras Administraciones públicas territoriales, sus respectivos organismos autónomos y otros entes públicos en general cuya exención se establezca en el apartado 1 del artículo 9 de la LIS.

3º) El apartado 3 del artículo 124 de la LIS, Ley 27/2014, fue redactado de nuevo por la Ley 25/2015 de *"Mecanismo de segunda oportunidad, reducción de la carga financiera y otras medidas de orden social"*, confirmando así la modificación ya introducida por el RD-Ley 1/2015 de 27 de febrero.

Aunque la pretensión original de este apartado 3 del art 124 de la LIS (redacción inicial la Ley 27/2014) era que todas las entidades contribuyentes de los apartados 2, 3 y 4 del artículo 9 de la LIS, sin ninguna excepción, pasasen a estar obligadas a presentar declaración por IS incluyendo la totalidad de sus rentas, esta regulación no ha llegado a aplicarse en ningún período impositivo puesto que el legislador cambió de opinión y aprobó una reforma del precepto ordenando su aplicación a todos los períodos impositivos iniciados desde 01/01/2015. Dicha reforme del art. 124.3 tuvo como objetivo que algunas de las entidades del artículo 9.3 de la LIS que cumplan los requisitos legales puedan volver a estar exentas de la obligación de declarar. Dicha reforma volvió a eximir de la obligación de presentar declaración a algunas de las entidades parcialmente exentas de menor tamaño, pero sus límites eran más bajos que los contenidos en el antiguo art. 136.3 del TRLIS, puesto que este precepto establecía que los ingresos totales de la entidad no podían superar los 100.000 € anuales, frente a los 50.000 € fijados por la reforma aprobada por la Ley 25/2015.

De nuevo con efectos para los períodos impositivos que se inicien a partir de 1 de enero de 2015 y vigencia indefinida, este apartado 3, ha vuelto a ser modificado por el art. 63 de la Ley 48/2015, de 29 de octubre, de Presupuestos Generales del Estado para 2016, elevando otra vez el límite de ingresos totales de las entidades parcialmente exentas, determinante de la obligación de declarar, a 75.000 euros.

Ateniéndonos únicamente en la normativa actualmente en vigor, la obligación de declarar de las entidades parcialmente exentas se puede explicar así:

– Las fundaciones, entidades e instituciones sin ánimo de lucro del art. 9.2 de la LIS, a las que se aplica el régimen del Título II de la Ley 49/2002, de 23 de diciembre, de *"Régimen fiscal de las entidades sin fines lucrativos y de los incentivos fiscales al mecenazgo"*, siempre deben presentar declaración del impuesto, incluyendo tanto las rentas exentas como no exentas.

– Las entidades parcialmente exentas a que se refiere el apartado 3 del artículo 9 de la Ley del impuesto, en principio, también están obligadas a declarar todas sus rentas, exentas o no. Estas entidades son las siguientes:

- Las entidades e instituciones sin ánimo de lucro a las que no les resulte de aplicación el Título II de la Ley 49/2002 (en definitiva, son las no comprendidas en el artículo 9.2 de la LIS).

- Las uniones, federaciones y confederaciones de cooperativas.

- Los colegios profesionales, las asociaciones empresariales, las cámaras oficiales y los sindicatos de trabajadores.

- Los fondos de promoción de empleo.

- Las Mutuas Colaboradoras de la Seguridad Social.

- Las entidades de derecho público Puertos del Estado y las respectivas de las CCAA, así como las Autoridades Portuarias.

– No obstante, todas estas entidades que acabamos de enumerar, y que están parcialmente exentas conforme al art. 9.3 de la LIS, no tendrán obligación de presentar declaración cuando cumplan todos los requisitos siguientes:

a) Que sus ingresos totales, sumando las rentas exentas y no exentas, no superen 75.000 euros anuales.

b) Que los ingresos procedentes de rentas no exentas no superen 2.000 euros anuales.

c) Que todas las rentas no exentas que obtengan estén sometidas a retención.

– Por último, los partidos políticos que también están parcialmente exentos del Impuesto, conforme a lo establecido por el artículo 9.4 de la LIS y por la Ley Orgánica 8/2007, de 4 de julio, sobre financiación de los partidos políticos, siempre deben presentar declaración de IS, incluyendo rentas exentas y no exentas.

2. JURISPRUDENCIA Y DOCTRINA ADMINISTRATIVA RELEVANTE

DGT. CONSULTA VINCULANTE: V2773/2015, de 25-09-2015. Entidades parcialmente exentas. Las rentas obtenidas por la entidad estarán exentas, siempre que procedan de la realización de su objeto social o finalidad específica y no deriven del ejercicio de una explotación económica. No obstante, si la entidad realizase actividades que determinasen la existencia de unas explotaciones económicas, en los términos definidos en el art. 110 de la LIS, las rentas procedentes de estas actividades estarían sujetas y no exentas, tanto si las operaciones se realizasen con terceros ajenos a la asociación como con los propios asociados. En este supuesto concreto, no se aporta información sobre el objeto de la entidad. En el caso de que dicho objeto supusiera la realización de una actividad económica en los términos previstos en el art. 5.1 de la LIS, las donaciones, subvenciones o cuotas de los asociados que se utilizaran para financiar la actividad económica desarrollada por la entidad estarían sujetas y no exentas al Impuesto. En relación con la obligación de presentar declaración por el IS por parte de este tipo de entidades sin ánimo de lucro, en la medida que se respeten los límites del art. 124.3 de la LIS, la entidad no se encontrará obligada a presentar declaración por el IS.

DGT. CONSULTA VINCULANTE: V1952/2015, de 19-06-2015. De la información facilitada parece desprenderse que la entidad tiene la condición de entidad de análogo carácter de una Comunidad Autónoma, creada por la Ley 10/2010 de la Ciencia y la Innovación de Extremadura, dotada de personalidad jurídica propia, patrimonio y tesorería propios, y autonomía funcional y de gestión, correspondiéndole el ejercicio de las potestades administrativas precisas para el cumplimiento de sus fines. De acuerdo con esta normativa, gozan de exención en el IS los organismos autónomos del Estado que tengan esta naturaleza jurídica y las entidades de derecho público de análogo carácter de las Comunidades Autónomas. Por lo tanto, la entidad, está exenta de tributación por el IS ya que tiene la condición de organismo autónomo o entidad de análogo carácter. En cuanto a las obligaciones de declaración de la entidad, cabe remitirse a lo dispuesto en el art. 124.2 de la LIS, en el que se regulan las obligaciones de declaración, y por el cual, los contribuyentes exentos a que se refiere el art. 9.1 de la LIS, no estarán obligados a declarar.

TRIBUNAL SUPERIOR DE JUSTICIA DE LA REGIÓN DE MURCIA. Sentencia 332/2012, de 26 de marzo de 2012, Sala de lo Contencioso-Administrativo, Rec. n.º 1128/2007. Plazo de presentación de la declaración. Habiendo concluido el periodo impositivo de la entidad recurrente el 30 de junio de 2006, el plazo de seis meses previos a los 25 días naturales para presentar la autoliquidación del IS concluyó el 30 de diciembre de 2006 (dies ad quem), al computarse de fecha a fecha, contándose los 25 días naturales para la presentación de la declaración a partir del día 31 de diciembre. Como el interesado presentó la declaración el día 25 de enero de 2007, lo hizo fuera de plazo, siendo correcta la aplicación que hizo la Administración del recargo por declaración extemporánea del 5 por ciento previsto en el art. 27 de la Ley 58/2003 (LGT). El recargo impuesto por la Administración tributaria fue el mínimo del 5 por ciento, correspondiente a las declaraciones o autoliquidaciones presentadas con un retraso inferior a tres meses, sin exigencia concurrente de intereses de demora, por lo que es descartable su naturaleza sancionadora, no resultando exigibles en consecuencia las garantías procedimentales propias de una sanción.

TRIBUNAL SUPERIOR DE JUSTICIA DE CATALUÑA. Sentencia 704/2013, de 26 de junio de 2013, Sala de lo Contencioso-Administrativo, Rec. n.º 649/2010. En caso de liquidación y disolución de sociedades el plazo de 6 meses y 25 días para presentar la declaración se cuenta desde la cancelación de la inscripción en el Registro mercantil y no desde la fecha de cierre del periodo en que finalizó su actividad. La inscripción del acuerdo fue el 22 de noviembre de 2007 y como la declaración se presentó el 22 de julio de 2008 se efectuó en plazo y, por consiguiente, procede la anulación de la sanción.

TRIBUNAL SUPERIOR DE JUSTICIA DE CATALUÑA. Sentencia 709/2013, de 26 de junio de 2013, Sala de lo Contencioso-Administrativo, Rec. n.º 523/2010. El periodo impositivo de la entidad fue desde el 1 de julio al 30 de junio, por lo que el plazo de presentación termina el 24 de enero del año siguiente. La entidad presentó la declaración el 25 de enero. No obstante, el Manual del impuesto del año 2005 ponía un ejemplo que no permitía clarificar de forma adecuada esta cuestión, por lo que se aprecia desproporción entre la medida adoptada, el recargo, y la finalidad de estímulo que persigue y, en consecuencia, se estima el recurso.

AUDIENCIA NACIONAL. Sentencia de 13 de junio de 2011, Sala de lo Contencioso-Administrativo, Recurso n.º 718/2009. El obligado tributario presentó la declaración el 25 de enero y el plazo terminaba el día anterior, pues no tuvo en cuenta que, al ser su periodo impositivo del 1 de julio al 30 de junio, el plazo de 6 meses siguientes terminaba el 30 de diciembre y no el 31, por lo que los 25 días se cumplían el 24 de enero. El obligado tributario aduce que fue el Manual Práctico del IS el que le indujo al error. En virtud de los principios de seguridad jurídica y de confianza legítima en la actuación de la propia Administración tributaria, ha de considerarse que la presentación de la declaración el 25 de enero no es susceptible de recargo. La actuación está amparada en una interpretación razonable de la norma, por lo que procede la anulación de las resoluciones recurridas.

EJEMPLO

Una entidad contribuyente tiene un ejercicio social que va del 1 de julio al 30 de junio del año siguiente ¿Cuál será el último día de plazo de presentación de la declaración de IS en período voluntario?

RESPUESTA

De acuerdo con el artículo 124.1 de la LIS, la declaración del IS debe presentarse en el plazo de los 25 días naturales siguientes a los seis meses posteriores a la conclusión del periodo impositivo.

Por lo tanto, para determinar el último día del plazo de declaración, atendiendo a la LIS, hay que tener en cuenta 2 períodos distintos uno contado por meses y otro por días naturales:

– El primer período de 6 meses va desde el 30 de junio hasta el 30 de diciembre del mismo año, pues así lo señala reiterada jurisprudencia del Tribunal Supremo (sentencias de 9 de mayo de 2008, de 8 de marzo de 2006, de 15 de diciembre de 2005, de 25 de noviembre de 2003, entre otras) por aplicación supletoria de lo dispuesto en el artículo 5.1 del Código Civil, que establece que los plazos fijados por meses se computan "de fecha a fecha". Durante estos 6 meses aún no se puede presentar la declaración porque no se ha abierto el plazo.

– A partir del día siguiente al 30 de diciembre (es decir el 31) se abriría el plazo de declaración de 25 días naturales, ya que el artículo 5.1 del Código Civil también dispone que siempre que no se establezca otra cosa, en los plazos señalados por días, a contar desde uno determinado, quedará éste excluido del cómputo, que deberá empezar al día siguiente.

Consecuentemente, el plazo de 25 días naturales (por tanto, los domingos y festivos cuentan) para presentar la declaración empezaría al día siguiente al 30 de diciembre, esto es, el 31 de diciembre, concluyendo, al ser días naturales, el 24 de enero del año siguiente (Respuesta INFORMA 135337 y Consulta Vinculante de la D.G.T. V 2197–09, de 05 de octubre de 2009).

Si, por ejemplo, la declaración resulta a ingresar y se presenta e ingresa el 25 de enero se habría presentado un día tarde, por lo que la Agencia Tributaria podría exigir un recargo del 5% por la presentación fuera de plazo (art. 27 de la LGT).

Artículo 125
Autoliquidación e ingreso de la deuda tributaria

FAUSTINO MOYA CALATAYUD
Inspector de Hacienda del Estado

"1. Los contribuyentes, al tiempo de presentar su declaración, deberán determinar la deuda correspondiente e ingresarla en el lugar y en la forma determinados por el Ministro de Hacienda y Administraciones Públicas.

2. El pago de la deuda tributaria podrá realizarse mediante entrega de bienes integrantes del Patrimonio Histórico Español que estén inscritos en el Inventario general de bienes muebles o en el Registro general de bienes de interés cultural, de acuerdo con lo dispuesto en el artículo setenta y tres de la Ley 16/1985, de 25 de junio, del Patrimonio Histórico Español.

3. El derecho a la aplicación de exenciones, deducciones o cualquier incentivo fiscal en la base imponible o en la cuota íntegra estará condicionado al cumplimiento de los requisitos exigidos en la normativa aplicable.

Salvo que específicamente se establezca otra cosa, cuando con posterioridad a la aplicación de la exención, deducción o incentivo fiscal se produzca la pérdida del derecho a disfrutar de éste, el contribuyente deberá ingresar junto con la cuota del período impositivo en que tenga lugar el incumplimiento de los requisitos o condiciones la cuota íntegra o cantidad deducida correspondiente a la exención, deducción o incentivo aplicado en períodos anteriores, además de los intereses de demora".

DESARROLLO REGLAMENTARIO
REGLAMENTO GENERAL DE RECAUDACIÓN, APROBADO POR REAL DECRETO 939/2005, DE 29 DE JULIO

Artículo 40. Pago en especie.
"1. El obligado al pago que pretenda utilizar el pago en especie como medio para satisfacer deudas a la Administración deberá solicitarlo al órgano de recaudación que tenga atribuida la competencia en la correspondiente norma de organización específica. La solicitud contendrá necesariamente los siguientes datos:

a) Nombre y apellidos o razón social o denominación completa, número de identificación fiscal y domicilio fiscal del obligado al pago y, en su caso, de la persona que lo represente.

b) Identificación de la deuda indicando, al menos, su importe, concepto y fecha de finalización del plazo de ingreso en periodo voluntario.

c) Lugar, fecha y firma del solicitante.

A la solicitud deberá acompañarse la valoración de los bienes y el informe sobre el interés de aceptar esta forma de pago, emitidos ambos por el órgano competente del Ministerio de Cultura o por el órgano competente determinado por la normativa que autorice el pago en especie. En defecto de los citados informes deberá acompañarse el justificante de haberlos solicitado.

Si la deuda tributaria a que se refiere la solicitud de pago en especie ha sido determinada mediante autoliquidación, deberá adjuntar el modelo oficial de esta, debidamente cumplimentado, salvo que el interesado no esté obligado a presentarlo por obrar ya en poder de la Administración; en tal caso, señalará el día y procedimiento en que lo presentó.

La solicitud de pago en especie presentada en periodo voluntario junto con los documentos a los que se refieren los párrafos anteriores impedirá el inicio del periodo ejecutivo, pero no el devengo del interés de demora que corresponda.

La solicitud en periodo ejecutivo podrá presentarse hasta el momento en que se notifique al obligado el acuerdo de enajenación de los bienes embargados o sobre los que se hubiese constituido garantía de cualquier naturaleza y no tendrá efectos suspensivos. No obstante, el órgano de recaudación podrá suspender motivadamente las actuaciones de enajenación de los citados bienes hasta que sea dictado el acuerdo que ponga fin al procedimiento de pago en especie por el órgano competente.

2. Cuando la solicitud no reúna los requisitos o no se acompañen los documentos que se señalan en el apartado anterior, el órgano competente para la tramitación requerirá al solicitante para que en el plazo de 10 días contados a partir del día siguiente al de la notificación del requerimiento subsane el defecto o aporte los documentos, con indicación de que, si así no lo hiciera, se tendrá por no presentada la solicitud y se archivará sin más trámite.

Si la solicitud de pago en especie se hubiese presentado en periodo voluntario de ingreso y el plazo para atender el requerimiento de subsanación finalizase con posterioridad al plazo de ingreso en periodo voluntario y aquel no fuese atendido, se iniciará el procedimiento de apremio mediante la notificación de la oportuna providencia de apremio.

Cuando el requerimiento de subsanación haya sido objeto de contestación en plazo por el interesado pero no se hayan subsanado los defectos observados, procederá la denegación de la solicitud de pago en especie.

3. La resolución deberá notificarse en el plazo de seis meses. Transcurrido el plazo sin que se haya notificado la resolución, los interesa-

dos podrán considerar desestimada la solicitud a efectos de interponer frente a la denegación presunta el correspondiente recurso o esperar la resolución expresa.

El órgano competente acordará de forma motivada la aceptación o no de los bienes en pago de la deuda.

En el ámbito de competencias del Estado, la resolución deberá ser adoptada por el Director del Departamento de Recaudación de la Agencia Estatal de Administración Tributaria.

4. De dicho acuerdo de aceptación o de denegación, se remitirá copia al Ministerio de Cultura, o al que corresponda en función del tipo del bien, y a la Dirección General del Patrimonio del Estado.

5. Si se dictase acuerdo de aceptación, su eficacia quedará condicionada a la entrega o puesta a disposición de los bienes ofrecidos. De producirse esta en la forma establecida en el acuerdo de aceptación y en el plazo establecido en este reglamento, los efectos extintivos de la deuda se entenderán producidos desde la fecha de la solicitud.

En caso de aceptación del pago en especie, la deuda devengará interés de demora desde la finalización del plazo de ingreso en periodo voluntario hasta que los bienes hayan sido entregados o puestos a disposición de la Administración con conocimiento de esta, pudiendo afectarse en el acuerdo de aceptación el bien dado en pago a la cancelación de dichos intereses de demora, de ser suficiente el valor del citado bien.

6. Si la resolución dictada fuese denegatoria, las consecuencias serán las siguientes:

a) Si la solicitud fue presentada en periodo voluntario de ingreso, con la notificación del acuerdo denegatorio se iniciará el plazo de ingreso regulado en el artículo 62.2 de la Ley 58/2003, de 17 de diciembre, General Tributaria.

De no producirse el ingreso en dicho plazo, comenzará el periodo ejecutivo y deberá iniciarse el procedimiento de apremio en los términos previstos en el artículo 167.1 de la Ley 58/2003, de 17 de diciembre, General Tributaria.

De realizarse el ingreso en dicho plazo, procederá la liquidación de los intereses de demora devengados a partir del día siguiente al del vencimiento del plazo de ingreso en periodo voluntario hasta la fecha del ingreso realizado durante el plazo abierto con la notificación de la denegación. De no realizarse el ingreso, los intereses se liquidarán hasta la fecha de vencimiento de dicho plazo, sin perjuicio de los que puedan devengarse con posterioridad conforme a lo dispuesto en el artículo 26 de la Ley 58/2003, de 17 de diciembre, General Tributaria.

b) Si la solicitud fue presentada en periodo ejecutivo de ingreso deberá iniciarse el procedimiento de apremio en los términos previstos en el artículo 167.1 de la Ley 58/2003, de 17 de diciembre, General Tributaria, de no haberse iniciado con anterioridad.

7. La entrega o puesta a disposición de la Administración de los bienes deberá ser efectuada en el plazo de 10 días contados a partir

*del siguiente al de la notificación del acuerdo de aceptación de pago
en especie, salvo que dicha entrega o puesta a disposición se hubiese
realizado en un momento anterior. Del documento justificativo de la
recepción en conformidad se remitirá copia al órgano de recaudación.*

*De no producirse la entrega o puesta a disposición de los bienes
en los términos del párrafo anterior, quedará sin efecto el acuerdo de
aceptación, con las consecuencias siguientes:*

*a) Si la solicitud fue presentada en periodo voluntario de ingreso
y este ya hubiese transcurrido, se iniciará el periodo ejecutivo al día
siguiente de aquel en que finalizó el plazo para la entrega o puesta a
disposición, debiendo iniciarse el procedimiento de apremio en los
términos previstos en el artículo 167.1 de la Ley 58/2003, de 17 de
diciembre, General Tributaria, exigiéndose el ingreso del principal de
la deuda y el recargo del periodo ejecutivo.*

*Se procederá a la liquidación los intereses de demora devengados a
partir del día siguiente al del vencimiento del plazo de ingreso en periodo voluntario hasta la fecha de fin del plazo para entregar o poner a
disposición los bienes, sin perjuicio de los que se devenguen posteriormente en virtud de lo dispuesto en el artículo 26 de la Ley 58/2003,
de 17 de diciembre, General Tributaria.*

*b) Si la solicitud fue presentada en periodo ejecutivo de ingreso,
deberá continuarse el procedimiento de apremio.*

*8. En lo no previsto en este artículo, los efectos de esta forma de pago
serán los establecidos en la legislación civil para la dación en pago."*

SUMARIO: 1. COMENTARIO. 2. JURISPRUDENCIA Y DOCTRINA ADMINIS-
TRATIVA RELEVANTE.

1. COMENTARIO

1º) La moderna gestión tributaria impone a los contribuyentes cargas adicionales a la estricta y simple obligación de declarar la realización del hecho
imponible. En este sentido, las entidades sujetos pasivos del IS, junto a la obligación de declarar las rentas obtenidas durante el período impositivo, deben
también "autoaplicarse" toda la normativa reguladora del impuesto, cuantifi-
cando el importe que, en su caso, constituya la cuota a ingresar. Esta obligación
de autoliquidar también se exige cuando no resulta cuota positiva a ingresar,
sino que el resultado es a devolver (incluso aunque se renuncie al derecho a la
devolución) o cuando la cuota resultante es cero.

Por supuesto, además de declarar y autoliquidar, la entidad también deberá
realizar el correspondiente ingreso del impuesto si el resultado es una cuota
positiva a favor del Tesoro Público. Como ya hemos señalado, si el resultado

fuera a favor de la entidad contribuyente, se podrá solicitar la correspondiente devolución o renunciar a ésta. Para ello, se deben utilizar los modelos 200 o 220, en los términos y dentro de los plazos ya expuestos en páginas anteriores de esta obra, concretamente en nuestro comentario al artículo 124 de la LIS a cuyo contenido nos remitimos.

2°) El ingreso del impuesto se realiza, en la gran mayoría de ocasiones, a través de las entidades de crédito colaboradoras, efectuándose el pago correspondiente mediante el empleo de los procedimientos bancarios habituales (domiciliación, ingreso en efectivo o cargo en cuenta). Ahora bien, aunque es muy poco frecuente, el pago de la deuda tributaria también podrá realizarse en especie, mediante entrega de bienes integrantes del Patrimonio Histórico Español. Para que un bien forme parte del Patrimonio Histórico Español y se pueda emplear en el pago del impuesto debe estar inscrito en el Inventario general de bienes muebles (en el caso de pinturas, esculturas, otras obras de arte, etc) o en el Registro general de bienes de interés cultural (en el caso de bienes inmuebles).

Es relevante desatacar que no se someten a gravamen las posibles plusvalías o ganancias que se pongan de manifiesto, en el momento de realizar el pago en especie, por diferencia entre el valor neto fiscal de los bienes empleados para realizar el pago en especie y el valor considerado a efectos de dicho pago (valor de tasación por parte del Ministerio de Educación, Cultura y Deporte). Todo ello en consideración a lo dispuesto en el art. 19.5 de la LIS que literalmente establece:

> "5. No se integrarán en la base imponible las rentas positivas o negativas que se pongan de manifiesto con ocasión del pago de las deudas tributarias a que se refiere el apartado 2 del artículo 125 de esta Ley y de las deudas tributarias a que se refiere el artículo 73 de la Ley 16/1985, de 25 de junio, del Patrimonio Histórico Español".

El procedimiento para la realización de los pagos en especie se contiene en el art. 40 del RGR y se debe iniciar por medio de una solicitud dirigida al Director del Departamento de Recaudación de la Agencia Estatal de Administración Tributaria. Esta solicitud debe ir acompañada de la pertinente valoración de los bienes que se ofrecen y de un informe sobre el interés de aceptar esta forma de pago, emitidos ambos por el órgano competente del Estado en materia de Cultura. Si al momento de presentar la autoliquidación de IS no se dispone de dichos documentos, se pueden sustituir por el justificante de haberlos solicitado. Si la solicitud no se acompaña de los informes comentados, la AEAT requerirá a la entidad contribuyente para que en el plazo de 10 días subsane el defecto y aporte los mencionados documentos. Si no lo hace así, la solicitud de pago en especie se tiene por no presentada y se archiva sin más trámite, dando lugar al inicio del período ejecutivo.

La solicitud de pago en especie presentada en periodo voluntario, junto con los documentos necesarios, paraliza la exigencia del ingreso de la deuda tributaria por IS mientras se tramita el procedimiento, impidiendo el inicio del periodo ejecutivo, pero comienza a devengarse el interés de demora vigente en el período que corresponda. El plazo para tramitar este procedimiento de pago con bienes del Patrimonio Histórico son 6 meses. El órgano competente para aceptar el pago propuesto es el Subdirector General de Procedimientos Especiales, por delegación del Director del Departamento de Recaudación de la AEAT.

3º) Para que el disfrute de los beneficios fiscales sea correcto deben cumplirse los requisitos exigidos por la normativa que los apruebe y regule. La aplicación de estos beneficios parte de que las entidades contribuyentes, inicialmente, incluyen en sus autoliquidaciones las exenciones, deducciones o incentivos fiscales a los que entienden tener derecho. Tales beneficios, según los casos, pueden operar tanto a nivel de base imponible como a nivel de cuota íntegra.

Vemos pues que es la entidad contribuyente la responsable de tomar la decisión inicial de "autoaplicarse" el beneficio fiscal o incentivo, por entender que en este momento cumple todos los requisitos necesarios y que además también va a cumplir en el futuro los requisitos establecidos, ya que es frecuente que el disfrute de determinados beneficios fiscales exija requisitos a cumplir a lo largo de un determinado lapso temporal que abarcará varios períodos impositivos de liquidación. Por ello, un determinado incentivo fiscal, que inicialmente era procedente por cumplirse unos determinados requisitos, puede devenir improcedente a consecuencia del futuro incumplimiento de otros requisitos. En este caso, se produce la pérdida sobrevenida del derecho a disfrutar del beneficio fiscal y la entidad contribuyente debe regularizar.

Salvo que la norma específica que regule el beneficio fiscal en cuestión establezca otro procedimiento distinto de reintegro o regularización del incentivo fiscal devenido improcedente, tal regularización debe realizarse sumando la cuota correspondiente al incentivo fiscal inicialmente aplicado y devenido improcedente a la cuota correspondiente al período impositivo en que tenga lugar el incumplimiento de los requisitos o condiciones necesarios para el mantenimiento del disfrute dicho incentivo. Junto a dicha cuota deben ingresarse también los correspondientes intereses de demora, calculados conforme a los tipos fijados por las sucesivas LPGE.

En consecuencia, la regularización no se realiza por medio de una declaración complementaria de ejercicios anteriores, correspondiente al período impositivo inicial en que se aplicó el incentivo, sino que la regularización se debe realizar en la declaración del ejercicio "corriente", en que se ha producido el incumplimiento. Reiteramos también que, aunque los beneficios o incentivos, según los casos, pueden operar tanto a nivel de cuota como a nivel de base, el reintegro del incentivo indebido siempre se efectúa a nivel de cuota sumando, por ejemplo, la deducción en cuota improcedente, o la cuota que resulte de aplicar a la minoración en la base imponible, que ha acabado no siendo correcta, el tipo de gravamen procedente atendiendo al ejercicio en que se minoró la base por dicho incentivo. Es decir, el ajuste fiscal asociado al incentivo improcedente que permitió una minoración de la base imponible no se regulariza sumando a la base imponible dicha minoración inicial, sino que se calcula la cuota que hubiera correspondido ingresar atendiendo al tipo procedente en el período impositivo del disfrute del incentivo y su importe se suma a la cuota devengada en el propio ejercicio del incumplimiento.

2. JURISPRUDENCIA Y DOCTRINA ADMINISTRATIVA RELEVANTE

DGT. N.º CONSULTA VINCULANTE: V1611/2015, de 26-05-2015. La entidad, con posterioridad a consignar en las declaraciones del IS de 2013 y 2014 la deducción prevista en el art. 35.1 del TRLIS, recibe una subvención que conlleva que parte de la deducción originariamente consignada y no aplicada no pueda ser objeto de aplicación. Por tanto, con arreglo a lo dispuesto en el art. 125.3 de la LIS el contribuyente regularizará su situación tributaria en la declaración el IS de 2015, período impositivo en el que se produce el incumplimiento de una de las condiciones para determinar la base de deducción, consignando para ello el importe correcto de la base de deducción conforme a lo previsto en el art. 35.1 del TRLIS. En este caso, puesto que la entidad no ha aplicado importe alguno de la deducción, no procederá el ingreso de la cantidad deducida en exceso más los intereses de demora correspondientes.

AUDIENCIA NACIONAL. Sentencia de 21 de enero de 2013, Sala de lo Contencioso-Administrativo, Rec. n.º 543/2011. La denegación de la petición de pago con bienes –en concreto con un cuadro atribuido a Goya– se basa exclusivamente en el informe emitido por la Comisión de Calificación, que es suficientemente significativo de la falta de interés que tiene dicho cuadro para el Patrimonio Histórico Español, sin que tenga margen de decisión el Director del Departamento de Recaudación, constituyendo una decisión reglada que, en su caso, se verá afectada por la decisión revisora que se adopte sobre la validez de dicho acuerdo de valoración. Pero el acto objeto de este recurso no está constituido por el acuerdo de la Comisión de Calificación, que es objeto de otro recurso, sino por el acuerdo del Director del Departamento de Recaudación, que formalmente es conforme a Derecho, sin que necesite mayor motivación que la ya hecha, pues según el informe vinculante del órgano encargado de emitirlo, el cuadro ofrecido en pago no tiene suficiente interés para las colecciones del Estado. Por otro lado, no se puede hacer depender el contenido de esta sentencia del resultado que se produzca en el recurso contencioso– administrativo interpuesto contra el acuerdo de la Comisión de Valoración, ante la Sala de lo Contencioso-Administrativo del Tribunal Superior de Justicia, no solamente porque el contenido de las sentencias no se puede formular de forma condicional sino, además, porque se hace necesario que se adopte un nuevo acuerdo por el Director del Departamento de Recaudación, en el supuesto en que el informe de dicha Comisión sea positivo a la valoración del cuadro, y la decisión que adopte dicha Director de Departamento podrá ser objeto de nuevo control revisorio en cuanto a su legalidad.

AUDIENCIA NACIONAL. Sentencia de 16 de enero de 2012, Sala de lo Contencioso-Administrativo, Rec. n.º 81/2011. La denegación de la petición de pago con bienes, se basa exclusivamente, en el informe emitido por el Secretario de la Comisión de Calificación, que acordaba no entrar en el estudio del valor de la obra ofrecida por considerar que, en virtud de sus características, no tiene suficiente interés para las colecciones del Estado. Este informe es suficientemente significativo de la falta de interés que tiene dicho cuadro para el Patrimonio Histórico Español, sin que tenga margen de decisión el Director del Departamento de Recaudación, constituyendo una decisión reglada, que en su caso se verá afectada por la decisión revisora que se adopte sobre la validez de dicho acuerdo de valoración. Por tanto, el acuerdo del Director del Departamento de Recaudación es formalmente conforme a derecho, sin que necesite mayor motivación que la ya hecha, pues según el informe vinculante del órgano encargado de emitirlo, el cuadro ofrecido en pago, no tiene suficiente interés para las colecciones del Estado.

EJEMPLO

Supongamos una Empresa de Reducida Dimensión que en el año XX ha aplicado libertad de amortización sobre determinados elementos nuevos de su inmovilizado material (art. 102 de la LIS). La sociedad ha cumplido el requisito del incremento de la plantilla media total de la empresa en los 24 meses siguientes (años XX y X+1) a la fecha de inicio del periodo impositivo en que los bienes adquiridos entraron en funcionamiento respecto a la plantilla media de los 12 meses anteriores (año X-1), pero ha incumplido el requisito de mantenimiento de dicho incremento de plantilla durante un periodo adicional de otros 24 (el incumplimiento se produce en el año X+3).

Suponga también que la entidad ha tributado en todos los períodos al tipo general del 25% y que el exceso de la libertad de amortización indebidamente aplicada sobre la amortización fiscalmente procedente son 300.000 euros.

RESPUESTA

Conforme a lo dispuesto en los artículos 125.3 y 102.4 de la LIS, la sociedad, que se acogió a una libertad de amortización que ha devenido improcedente, al incumplir la obligación de mantener el incremento del empleo en el año X+3, debe ingresar la cuota íntegra que corresponde a esa libertad de amortización aplicada en exceso. Dicho ingreso debe realizarse acumulándolo a la cuota "ordinaria" correspondiente al periodo impositivo X+3, en el que se ha incumplido la obligación de mantener el incremento de plantilla.

La cuota adicional, a sumar a la cuota resultante de la autoliquidación del período X+3, se obtiene aplicando el tipo de la entidad en el año XX al exceso de libertad de amortización. El cálculo sería el siguiente:

300.000 euros (exceso de libertad de amortización)

x 25% (Tipo de gravamen año XX)

75.000 euro (cuota a sumar en la autoliquidación del período X+3)

Además, a dicha cantidad se deben agregar los intereses de demora correspondientes, por el período comprendido entre el 25 de julio del año X+1 (fin del plazo de declaración del año XX) y la fecha en que se realice el ingreso de la declaración, modelo 200, del año X+3.

Artículo 126
Liquidación provisional

FAUSTINO MOYA CALATAYUD
Inspector de Hacienda del Estado

"Los órganos de gestión tributaria podrán girar la liquidación provisional que proceda de conformidad con lo dispuesto en los artículos 133 y 139 de la Ley 58/2003, de 17 de diciembre, General Tributaria, sin perjuicio de la posterior comprobación e investigación que pueda realizar la Inspección de los Tributos".

SUMARIO: 1. COMENTARIO. 2. JURISPRUDENCIA Y DOCTRINA ADMINISTRATIVA RELEVANTE.

1. COMENTARIO

Como cualquier autoliquidación o declaración tributaria, la declaración del IS puede ser comprobada y revisada por la Administración. Una vez realizada la comprobación, si el órgano administrativo competente entiende que la declaración es incorrecta, obviamente puede corregirla, dictando un acuerdo de liquidación tras el pertinente procedimiento. El artículo 101.1 de la LGT define la liquidación tributaria como el acto resolutorio mediante el cual el órgano competente de la Administración realiza las operaciones de cuantificación necesarias y determina el importe de la deuda tributaria o de la cantidad que, en su caso, resulte a devolver o a compensar de acuerdo con la normativa del tributo en cuestión. Este mismo artículo reafirma esta potestad de la Administración tributaria, al señalar que la Administración no está obligada a ajustar sus liquidaciones a los datos consignados en las autoliquidaciones o declaraciones presentadas por los obligados tributarios.

Por otra parte, el ya citado art. 101 de la LGT también establece que las liquidaciones tributarias pueden ser provisionales o definitivas. En general, una liquidación definitiva exige la realización de un procedimiento inspector en el que se realice la comprobación e investigación completa de la totalidad de los elementos de la obligación tributaria. En el resto de casos, las liquidaciones tributarias tienen el carácter de provisionales.

Por otra parte, las comprobaciones administrativas pueden realizarse en el ámbito de los procedimientos de gestión tributaria, ya se trate de un procedimiento de verificación de datos o un procedimiento de comprobación limitada, o en un procedimiento inspector.

Los procedimientos de verificación de datos o de comprobación limitada pueden finalizar con un acuerdo de liquidación provisional en el que se modifique la cuota declarada a ingresar o a devolver por la entidad contribuyente u otros aspectos de la declaración, como las partidas a compensar en bases o cuotas de declaraciones futuras. Es relevante señalar que las liquidaciones dictadas por los órganos de Gestión de la AEAT siempre son liquidaciones provisionales, por lo que no impiden la posterior comprobación e investigación de ese mismo impuesto y período por parte de la Inspección de los Tributos. Así, el apartado 2 del artículo 133 de la LGT deja perfectamente claro que la realización de un procedimiento de verificación de datos, aunque haya terminado con un acuerdo de liquidación provisional, nunca impide una posterior comprobación limitada o inspección de los mismos elementos del tributo que han sido objeto de la verificación de datos desarrollada.

La situación es distinta cuando se ha realizado una comprobación limitada, ya que, en este caso, por mandato del art. 140 de la LGT, la Administración tributaria no puede efectuar una nueva regularización en relación con el mismo aspecto anteriormente comprobado, salvo que en otro procedimiento de comprobación limitada o inspección posterior se descubran nuevos hechos o circunstancias que resulten de actuaciones distintas de las realizadas y especificadas en la resolución. Se habla así del llamado "efecto preclusivo" de las liquidaciones provisionales dictadas en los procedimientos de comprobación limitada. Dicho efecto preclusivo implica que, a salvo de la posibilidad de acudir a los procedimientos especiales de revisión previstos en los artículos 216 y ss de la LGT, cuando se ha realizado una comprobación limitada, la Administración tributaria no puede efectuar una nueva regularización en relación con el mismo elemento ya comprobado y regularizado, salvo que en otro procedimiento de comprobación limitada o de inspección posterior se descubran nuevos hechos o circunstancias a consecuencia de actuaciones distintas de las realizadas y especificadas en la resolución que puso fin a la primera comprobación. Precisamente por esta razón, el artículo 139.2 de la LGT exige que en las resoluciones dictadas tras una comprobación limitada figure expresamente la obligación tributaria o elementos de la misma que han sido objeto de la comprobación, indicando también el ámbito temporal afectado y las actuaciones de comprobación concretamente realizadas.

2. JURISPRUDENCIA Y DOCTRINA ADMINISTRATIVA RELEVANTE

AUDIENCIA NACIONAL. Sentencia de 24 de noviembre de 2008, Sala de lo Contencioso-Administrativo, Rec. n.º 254/2007. La liquidación provisional tiene presente que la Hacienda Pública como parte acreedora de las obligaciones tributarias ex lege, practica liquidaciones sin conocer, muchas veces, la realidad completa de los hechos imponibles, su valoración y los requisitos posteriores exigibles legalmente, por ello, la cuantificación de las obligaciones Tributarias es provisional, reservándose la Administración tributaria la facultad de llevar a cabo las comprobaciones y valoraciones precisas, en cuyo momento, una vez que dispone de todos los elementos de juicio necesarios, adopta su decisión última, que por ello es definitiva, y le vincula en cuanto establece derechos y obligaciones a favor y a cargo de los ciudadanos. La anterior argumentación debe completarse con la precisión que mientras que la Administración tiene posibilidad de revisar las liquidaciones provisionales dentro del plazo señalado no tiene que sujetarse al procedimiento especial de revisión; por el contrario, sí son definitivas, debe acudir a los procedimientos revisores de los arts, 153 y ss. LGT; y por lo que se refiere al contribuyente tiene declarado la jurisprudencia que no es posible por vía de los recursos administrativos o del jurisdiccional contencioso-administrativo anular una liquidación definitiva que ha adquirido firmeza, por no haberla impugnado en tiempo y forma, aunque se haya practicado con un evidente e indiscutible error de derecho.

TRIBUNAL SUPERIOR DE JUSTICIA DE GALICIA. Sentencia 724/2010, de 27 de julio de 2010, Sala de lo Contencioso-Administrativo, Rec. n.º 16090/2008. Es preciso destacar que en los artículos 136 y siguientes de la Ley 58/2003 (LGT), no se regula el procedimiento de comprobación limitada en alcance diferente según se tramite por los órganos de gestión o de inspección. Añadidamente, es de hacer notar que el artículo 140.1 del mencionado cuerpo legal se refiere expresamente al objeto comprobado a que se refiere el párrafo a) del apartado 2 del artículo anterior; es decir, la obligación tributaria o elementos de la misma y ámbito temporal objeto de la comprobación. Como el elemento temporal de la comprobación no es diferente, el elemento de referencia es la obligación tributaria o alguno de sus elementos. Se da la circunstancia en el presente caso, que los nuevos hechos o circunstancias son justamente los mismos comprobados por la oficina de gestión, si bien con un alcance diferente, que se ampara en las facultades más amplias que competen a los órganos de inspección en relación con los órganos de gestión, al ser preciso el examen detallado de la contabilidad de la empresa. Tal argumento no se puede compartir porque, aunque se defendiera la actividad inspectora como distinta al procedimiento de comprobación limitada seguido y, por ello, ajustada a otro procedimiento diferente, siempre sería exigible la presencia de aquellos «hechos nuevos o circunstancias» que, asimismo, deberían resultar de actuaciones distintas de las realizadas y especificadas por el órgano de gestión, convenientemente puestas de manifiesto. Así, si se repara en los términos del acta, no se han descrito los nuevos elementos o circunstancias que motivan la nueva liquidación, sin que sea posible atribuir tal utilidad al informe ampliatorio.

TEAC. Resolución de 16 de abril de 2009, Vocalía 2.ª, R.G. 890/2008. Efecto preclusivo de la comprobación limitada. Para que la Administración tributaria (tanto los órganos de gestión tributaria como inspección) pueda dictar una nueva liquidación sobre materias ya comprobadas previamente de forma limitada, se deberán expresar los nuevos elementos o circunstancias tenidos en cuenta en la nueva comprobación (sea ésta total o parcial). No habiéndose expresado estos nuevos hechos tenidos en cuenta, y dada la claridad de la norma en el sentido de que se precisa como requisito para la validez de una nueva liquidación la existencia y expresión de estos nuevos elementos de hechos tomados en consideración, su omisión provoca la invalidez de la liquidación practicada por la Inspección, de conformidad con lo dispuesto en el art. 140.1 de la Ley 58/2003 (LGT).

TEAC. Resolución de 5 de diciembre de 2007, Vocalía 2.ª, R.G. 1049/2006. Efecto preclusivo de la comprobación limitada. No constando que como consecuencia de la comprobación previa haya habido una liquidación expresa (bien declarando la conformidad a Derecho de la autoliquidación, o bien dictando una nueva liquidación), no puede invocarse el efecto preclusivo de la comprobación limitada, al no darse las circunstancias exigidas para la producción de tal efecto.

EJEMPLO

Se ha desarrollado un procedimiento de comprobación limitada respecto a una persona jurídica por el IS del año XX. En cuanto a su alcance, la comprobación limitada estuvo dirigida, exclusivamente, a examinar la procedencia de una determinada deducción en la cuota. El procedimiento terminó con una liquidación provisional actualmente firme, en cuanto la sociedad decidió no recurrirla.

Como la liquidación, aunque provisional, ya es firme, la sociedad pregunta a su asesor si, por ese mismo ejercicio XX, la Inspección puede volver a comprobar esa misma deducción. Plantea, asimismo, si pueden comprobarle otros aspectos de su declaración de IS del ejercicio XX.

RESPUESTA

La firmeza de la liquidación provisional no impide que se inicie un nuevo procedimiento gestor o inspector sobre aspectos de la obligación tributaria a los que no se extendió la primera comprobación. El nuevo procedimiento gestor o inspector puede dar lugar a una nueva liquidación provisional o definitiva sobre ese mismo impuesto y período impositivo, siempre que se refiera a elementos distintos de la deducción ya regularizada.

Sin embargo, los elementos de la obligación tributaria ya comprobados y regularizados por medio de la primera liquidación provisional (en el presente caso la mencionada deducción en la cuota) no pueden regularizarse nuevamente en otro procedimiento posterior, pues así lo impide el efecto preclusivo del art. 140.1 de la LGT. Ahora bien, la Administración incluso podría volver a comprobar la procedencia de la misma deducción si se descubran nuevos hechos o circunstancias que resulten de actuaciones distintas de las realizadas y especificadas en la primera comprobación. Por lo tanto, dos son los requisitos que deben cumplirse para que se pueda dictar una nueva regularización que afecte a esta misma deducción en la cuota:

– Que se desarrolle un nuevo procedimiento de comprobación limitada o de inspección en el que se descubran nuevos hechos o circunstancias.

– Que las actuaciones realizadas en esa segunda comprobación por las que se descubren los hechos nuevos sean distintas a las realizadas en la comprobación inicial que dio origen a la primera regularización.

Artículo 127
Devolución

FAUSTINO MOYA CALATAYUD

Inspector de Hacienda del Estado

"1. Cuando la suma de las retenciones, ingresos a cuenta y pagos fraccionados de este Impuesto sea superior al importe de la cuota resultante de la autoliquidación, la Administración tributaria practicará, si procede, liquidación provisional dentro de los 6 meses siguientes al término del plazo establecido para la presentación de la declaración.

Cuando la declaración hubiera sido presentada fuera de plazo, los 6 meses a que se refiere el párrafo anterior se computarán desde la fecha de su presentación.

2. Cuando la cuota resultante de la autoliquidación o, en su caso, de la liquidación provisional sea inferior a la suma de las cantidades efectivamente retenidas a cuenta de este Impuesto, de los ingresos a cuenta y de los pagos fraccionados de este Impuesto realizados, la Administración tributaria procederá a devolver de oficio el exceso sobre la citada cuota, sin perjuicio de la práctica de las ulteriores liquidaciones, provisionales o definitivas, que procedan.

3. Si la liquidación provisional no se hubiera practicado en el plazo establecido en el apartado 1 anterior, la Administración tributaria procederá a devolver de oficio el exceso sobre la cuota autoliquidada, sin perjuicio de la práctica de las liquidaciones provisionales o definitivas ulteriores que pudieran resultar procedentes.

4. Transcurrido el plazo establecido en el apartado 1 de este artículo sin que se haya ordenado el pago de la devolución por causa no imputable al contribuyente, se aplicará a la cantidad pendiente de devolución el interés de demora en la cuantía y forma prevista en los artículos 26.6 y 31 de la Ley 58/2003, de 17 de diciembre, General Tributaria.

5. El procedimiento de devolución será el previsto en los artículos 124 a 127, ambos inclusive, de la Ley General Tributaria, y en su normativa de desarrollo".

DESARROLLO REGLAMENTARIO
REGLAMENTO DEL IMPUESTO SOBRE SOCIEDADES
APROBADO POR REAL DECRETO 634/2015, DE 10 DE JULIO

Artículo 58. Devolución.

"Las devoluciones a que se refiere el artículo 127 de la Ley del Impuesto se realizarán por transferencia bancaria. El Ministro de Hacienda y Administraciones Públicas podrá autorizar la devolución por cheque cruzado cuando concurran las circunstancias que lo justifiquen."

SUMARIO: 1. COMENTARIO. 2. JURISPRUDENCIA Y DOCTRINA ADMINISTRATIVA RELEVANTE.

1. COMENTARIO

1º) Las devoluciones tributarias se pueden clasificar en dos grandes grupos: devoluciones de ingresos indebidos (art. 32 de la LGT) y devoluciones derivadas de la gestión ordinaria de los diferentes tributos (art. 31 de la LGT). El artículo 31 de la LGT impone a la Administración la obligación general de devolver las cantidades que procedan, de acuerdo con lo previsto en la normativa del tributo en cuestión, en un plazo máximo de 6 meses, pudiendo la normativa específica de cada tributo establecer un período más breve para la tramitación de dichas devoluciones. El art. 127 de la LIS no ha optado por establecer un plazo más breve, sino que reafirma dicho plazo de 6 meses.

Los dos tipos de devoluciones expuestos se distinguen en función de la corrección o no de los hechos o actuaciones que les hayan dado origen. Así, respecto de las devoluciones de ingresos indebidos, se puede afirmar que nacen de un error previo, causado por el propio contribuyente o por la Administración, puesto que están directamente vinculadas a importes improcedentemente ingresados. Por ejemplo, el derecho a la devolución del ingreso no debido puede surgir como consecuencia de una incorrecta cuantificación de la deuda tributaria, cuando la sociedad contribuyente, en su perjuicio, autoliquida equivocadamente y, por ello, paga de más; también puede surgir a consecuencia de una liquidación administrativa basada en una incorrecta aplicación del Derecho, cuando el contribuyente, aun así, decide pagarla pero a la vez reclama contra ella, reconociéndose como consecuencia de ese recurso o de los sucesivos que pudieran interponerse la improcedencia de tal liquidación

Sin embargo, las devoluciones derivadas de la normativa de cada tributo no nacen de ninguna actuación incorrecta, sino que están vinculadas a ingresos debidos, correctos y procedentes según la normativa propia del tributo en cuestión, ya se trate de cantidades ingresadas debidamente (por ejemplo, a través de las retenciones y pagos fraccionados propios del Impuesto sobre Sociedades o del IRPF) o cuotas tributarias debidamente soportadas, como sucede en las habituales devoluciones de IVA. En este sentido, las entidades contribuyentes del IS, como consecuencia de la aplicación de la normativa del tributo, pueden solicitar devolución cuando el impuesto previamente pagado a cuenta supera la cuota resultante de su propia autoliquidación. Estas devoluciones son frecuentes en los principales impuestos estatales, como el Impuesto sobre Sociedades o el IRPF, donde los pagos a cuenta, con relativa reiteración, exceden del resultado de la liquidación final del período impositivo, circunstancia que hace surgir un derecho a la devolución a favor de los contribuyentes de estos impuestos. Lo mismo puede suceder en el IVA, cuando las cuotas de IVA soportado deducibles exceden del IVA devengado.

El artículo 124 de la LGT incluye, sin perjuicio de lo que se pueda establecer por la normativa reguladora de cada tributo, tres formas distintas de iniciación de los procedimientos de devolución derivados de la normativa de propia de cada tributo:

- Autoliquidación de la que resulta cantidad a devolver.
- Mediante la presentación de una solicitud de devolución.
- Mediante la presentación de una comunicación de datos.

Estas formas de iniciación tienen en común que siempre necesitan de una actuación activa del propio contribuyente que debe promover el inicio de la tramitación de su devolución. En el caso del Impuesto sobre Sociedades, la forma necesaria para dar inicio a los procedimientos de devolución es la presentación de la correspondiente autoliquidación (modelo 200 o modelo 220). Una vez presentada la autoliquidación solicitando una devolución por IS, la Administración tributaria debe tramitar dicha devolución en el plazo establecido de 6 meses, contados desde la finalización del plazo reglamentario de declaración.

Presentadas las autoliquidaciones de IS con solicitud de devolución en la "oficina virtual" de la AEAT, ésta las examinará y las contrastará con la información en su poder, a través de los llamados "filtros" informáticos. Es obvio que, entre otras comprobaciones, lo declarado por las entidades contribuyentes se coteja con los datos reunidos por medio de las declaraciones informativas presentadas por terceros (por ejemplo, modelos 180, 196, 340, 347, etc...). Asimismo, en el caso que existan defectos formales que impidan su tramitación, la Administración puede utilizar el procedimiento de subsanación, previsto en el artículo 89 del RGGI, y requerir a la entidad interesada para que en un plazo de 10 días hábiles, contados a partir del día siguiente al de la notificación del requerimiento, subsane el defecto o acompañe los documentos preceptivos, con indicación de que si así no lo hiciera, se le tendrá por desistido de la devolución solicitada y se procederá al archivo de la autoliquidación sin más trámite.

Si tras los procesos automatizados, la autoliquidación por IS no queda retenida por ningún "filtro" se considera que es formalmente correcta y se puede proceder a tramitar la devolución solicitada. Por el contrario, si se aprecia algún defecto en la autoliquidación, error aritmético o posible discrepancia con los datos disponibles o con la calificación de los hechos, o cuando se detectan otras circunstancias o riesgos que así lo justifiquen, la Administración puede iniciar un procedimiento de verificación de datos, de comprobación limitada o de inspección, dirigidos a dilucidar si la devolución solicitada es o no procedente.

Como ya hemos señalado, el mencionado plazo de 6 meses para efectuar la devolución comienza a contarse desde la finalización del plazo previsto para la presentación de la autoliquidación. En el caso del IS, para las entidades cuyo ejercicio social coincide con el año natural, el plazo habitual para la presentación de las declaraciones finaliza el 25 de julio siguiente al año de referencia (si el 25 fuese sábado, domingo o festivo el plazo se prorrogaría al día laborable inmediato siguiente). Por tanto, el plazo para tramitar las devoluciones termina 6 meses después, concretamente el 25 de enero del segundo año siguiente al período de liquidación en cuestión. Es claro que, en la mayoría de los casos, las devoluciones se acuerdan y pagan por la Administración mucho antes.

Las entidades contribuyentes tienen reconocido el derecho a solicitar las devoluciones que resulten de las normas del impuesto. Este derecho pueden ejercitarlo incluso una vez expirado el plazo reglamentario de declaración, pero siempre dentro del plazo de prescripción previsto en el art. 66 c) de la LGT. En resumen, el ejercicio de derecho a la devolución está sujeto al plazo habitual de prescripción de cuatro años y debe ejercitarse mediante un procedimiento de gestión tributaria iniciado a instancia de parte, concretamente mediante el procedimiento de devolución, iniciado con la presentación de una autoliquidación, en la que se cuantifique la cantidad cuya devolución se solicita y se facilite toda la información necesaria.

Debe también destacarse que si la autoliquidación con solicitud de devolución se presenta fuera de plazo, aunque no se pierde el derecho a la devolución si aún no se ha producido la prescripción, el plazo de 6 meses para devolver se cuenta a partir de la fecha de presentación de dicha autoliquidación extemporánea.

2º) Cuando la cuota calculada por la entidad contribuyente en su autoliquidación o, en caso de realizarse una comprobación, la cuota resultante de la liquidación administrativa sea inferior a la suma de las cantidades efectivamente retenidas a cuenta de este Impuesto, de los ingresos a cuenta y de los pagos fraccionados realizados, la Administración tributaria debe devolver de oficio el exceso sobre la citada cuota.

Los pagos a cuenta del IS, susceptibles de devolución, se desglosan en tres grupos: las retenciones soportadas sobre las rentas monetarias recibidas; los ingresos a cuenta realizados en el caso de retribuciones percibidas en especie y los pagos fraccionados

Como señala el art. 127.2 de la LIS, si los pagos a cuenta, previamente ingresados en las arcas públicas o al menos contraídos, exceden de la cuota tributaria resultante de la correcta aplicación de la normativa del impuesto (importe que de no existir los previos pagos a cuenta sería la cuota a ingresar final en la autoliquidación anual) la Administración está obligada a acordar la correspondiente devolución.

Es de señalar que la obtención de una devolución derivada de retenciones a cuenta se condiciona por la LIS a que dichas retenciones se hayan efectivamente soportado. Por tanto, la Administración viene interpretando que una retención no efectivamente soportada no puede ser devuelta. Así, una retención se entiende efectivamente soportada cuando el retenedor detrae la retención legal en sus pagos a la entidad contribuyente, incluso aunque dicho retenedor no haya ingresado en el Tesoro las retenciones aplicadas. Por ello, partiendo de la efectiva detracción de las retenciones, la entidad contribuyente tiene derecho a recuperar esas retenciones soportadas si de la correcta autoliquidación anual resultara una devolución.

Sin embargo, cuando las rentas no han sido satisfechas a la entidad contribuyente, el pagador no ha detraído ninguna retención en cuanto los pagos no han sido realizados. Por tanto, el acto de retención sólo se realiza de forma efectiva cuando la renta en cuestión es satisfecha. Sobre la base de la exigencia de que la retención se haya soportado efectivamente, la Administración viene entendiendo que la devolución de unas retenciones no efectivamente soportadas no resultará procedente.

Pensemos, por ejemplo, en las retenciones que una entidad contribuyente debe soportar al percibir unos alquileres. Si se produce el impago de las cuotas arrendaticias la retención no se puede entender efectivamente soportada por lo que la Administración viene sosteniendo que no procede su devolución a la entidad que no las ha soportado.

Es también destacable que la LIS nos recuerda expresamente que el pago de la devolución solicitada por la entidad contribuyente no impide la práctica de hipotéticas liquidaciones, provisionales o definitivas, que resulten de futuros procedimientos de comprobación.

3º) La LIS también añade que una vez superado el plazo legal de 6 meses, otorgado a la Administración tributaria para tramitar y gestionar las devoluciones, sin que se haya dictado una liquidación provisional confirmando o rectificando la devolución solicitada, la Administración tributaria debe proceder a ejecutar de oficio la devolución solicitada. En definitiva, por el mero transcurso del plazo legal, sin que ni siquiera se haya iniciado un procedimiento de comprobación, se entiende tácitamente confirmada la procedencia de la devolución solicitada y debe procederse a su pago. El art. 127.3 de la LIS también vuelve a reiterar que el pago de esta devolución no imposibilita la práctica de futuras liquidaciones provisionales o definitivas que pudieran resultar procedentes tras los necesarios procedimientos comprobadores.

4º) Durante el plazo legal de 6 meses que la Administración tiene para tramitar las devoluciones no se devengan intereses de demora a favor de la entidad contribuyente que tiene un exceso de ingresos a cuenta sobre la cuota anual procedente. Sin embargo, una vez transcurrido dicho plazo sin que se hubiera ordenado el pago de la devolución por causa imputable a la Administración tributaria, comienza el devengo efectivo y automático de los intereses de demora sin necesidad de que el obligado lo solicite. Es decir, durante los primeros 6 meses no se devengan intereses de demora y sólo a partir de la finalización de dicho plazo comienza el devengo de intereses hasta la fecha en que se ordene el pago efectivo de la devolución, devengo que se producirá sin necesidad de que la entidad contribuyente lo solicite. Por ello, cuando la Administración acuerde el pago de la devolución fuera de plazo añadirá a la cuota a devolver los intereses de demora que corresponda, aunque la entidad obligada tributaria no los haya exigido.

El interés de demora tributario, previsto para el año 2016, es el 3,75%, conforme establece la Ley 48/2015 (BOE 30-10-2015), LPGE para 2016, en su Disp. Adic.34ª dos.

5º) El procedimiento para la tramitación de las devoluciones por IS que los contribuyentes solicitan en sus declaraciones anuales debe ajustarse al procedimiento de devolución previsto en los arts. 124 y ss. de la LGT. Dicho procedimiento de devolución puede terminar de las siguientes formas:

a) Mediante acuerdo en el que se reconozca la devolución solicitada, sin que la cuantía sea objeto de modificación. Esta forma de terminación supone que se devuelve la misma cantidad solicitada, ya que si la Administración entiende que la cuantía de la devolución solicitada no es correcta no puede modificarla directamente, sino que debe acudir a los procedimientos que comentamos en la letra c.

Una vez acordado o reconocido el derecho a la devolución se inicia el procedimiento para la ejecución material de las devoluciones tributarias, recogido en los artículos 131 a 132 RGGI. Sin perjuicio de la posibilidad de aplicar la compensación total o parcial de la devolución o una retención cautelar, el pago de la cantidad a devolver se realizará mediante transferencia bancaria a la cuenta que la entidad obligada tributaria haya elegido entre las que tenga abiertas en entidades de crédito.

La retención del pago de devoluciones es una medida cautelar que pretende asegurar el cobro de deudas tributarias, y se adoptará por la Administración tributaria cuando existen indicios racionales de que, en otro caso, dicho cobro se vería frustrado o gravemente dificultado, de acuerdo con lo dispuesto en el artículo 81.4.a) de la Ley General Tributaria, medida que siempre tiene carácter provisional. Esta medida cautelar deberá ser notificada a la entidad afectada, junto con el acuerdo de devolución, con expresa mención de los motivos que justifican su adopción.

En la mayoría de los miles y miles de devoluciones tramitadas por la AEAT, el órgano competente que acuerda una devolución, cuya cuantía coincide con lo autoliquidado por el propio contribuyente, no notifica un acuerdo de forma individualizada, ya que simplemente el acuerdo de devolución se entiende notificado por la recepción de la transferencia bancaria en la cuenta de la entidad contribuyente.

Es conveniente volver a resaltar que el reconocimiento y pago de la devolución solicitada no implica la existencia de un acto administrativo comprobatorio que reconozca que la autoliquidación presentada es jurídicamente correcta. Por ello, la devolución no impedirá la posterior comprobación de la obligación tributaria, dentro del plazo de prescripción, mediante los procedimientos de comprobación o investigación, tanto de gestión como de inspección, que resulten procedentes.

b) El procedimiento de devolución también puede terminar por caducidad en los términos del apartado 3 del artículo 104 de la LGT. Así pues, cuando se produzca la paralización del procedimiento por causa imputable al obligado tributario, como, por ejemplo, cuando se le requiere para que aporte algún dato necesario para la tramitación de la devolución y el requerimiento no es atendido, la Administración le advertirá que, transcurridos tres meses, podrá declarar la caducidad del expediente, lo que supondría el archivo del mismo. Este archivo por caducidad no impedirá que el obligado tributario pueda volver a promover un procedimiento de devolución por el mismo concepto impositivo y período dentro del plazo de prescripción.

Cuando la inacción no es atribuible al interesado sino a la Administración, como antes se ha expuesto, por mandato del art. 127.3 de la LIS el transcurso del plazo de seis meses sin que se haya acordado la devolución solicitada produce un efecto distinto: las entidades interesadas pueden entender estimadas sus solicitudes por silencio administrativo y la Administración tributaria debe proceder a devolver de oficio el importe total de la cantidad solicitada, sin perjuicio de la práctica de las liquidaciones provisionales o definitivas ulteriores que pudieran resultar procedentes. Es decir, el transcurso del plazo produce un efecto favorable para la entidad interesada, ya que ésta adquiere un crédito frente a la Administración tributaria por el importe de la devolución inicialmente instada.

c) Mediante el inicio de un procedimiento de verificación de datos, de comprobación limitada o de inspección. Cuando se aprecien defectos, errores, discrepancias o circunstancias que recomienden el inicio de un procedimiento de comprobación, el procedimiento de devolución termina con la notificación de inicio de este nuevo procedimiento. En el desarrollo de los nuevos procedimientos, se determinará la procedencia e importe de la devolución y, en su caso, otros aspectos de la situación tributaria de la entidad obligada tributaria.

Como conclusión de estos nuevos procedimientos comprobatorios, la Administración tributaria puede acordar, si procede, la devolución de una cuantía distinta de la solicitada. En todo caso, se mantiene la obligación de satisfacer el interés de demora sobre la devolución que finalmente se acabe practicando, si esta se acuerda transcurridos más de 6 meses. A efectos del cálculo de los intereses de demora, no se computarán los períodos de dilación por causa no imputable a la Administración a que se refiere el artículo 104 del RGGI y que se produzcan en el curso de dichos procedimientos.

Resulta también de aplicación lo dispuesto en el artículo 101.6 del RGGI, por consiguiente, cuando un procedimiento de devolución finalice como consecuencia del inicio de otro de los procedimientos antes mencionados, a los solos efectos de entender cumplida la obligación de notificar dentro de su plazo máximo de 6 meses de duración la terminación del procedimiento de devolución, será suficiente haber realizado un intento de notificación de la comunicación de inicio del nuevo procedimiento que pone fin al procedimiento de devolución.

Fruto de estos procedimientos de comprobación también puede suceder que se acuerde una devolución superior a la solicitada en la autoliquidación. En este último caso, si se hubieran de abonar intereses de demora por el retraso en el pago, la base sobre la que se aplicará el tipo de interés tendrá como límite el importe de la devolución solicitada en la autoliquidación inicial, pero no el mayor importe a devolver acordado por la Administración.

2. JURISPRUDENCIA Y DOCTRINA ADMINISTRATIVA RELEVANTE

TRIBUNAL SUPERIOR DE JUSTICIA DE MADRID. Sentencia 1050/2005, de 30 de septiembre de 2005, Sala de lo Contencioso-Administrativo, Rec. n.º 1084/2002. El contribuyente renunció a la devolución que se derivaba de autoliquidación, pero posteriormente rectificó dicha autoliquidación solicitando la devolución a la que inicialmente renunció. Aunque la renuncia a la devolución puede configurarse como una donación a favor de la Administración, hay que tener en cuenta que según el Código Civil y la jurisprudencia más moderna el donante puede revocar la donación mientras no llegue a su conocimiento la aceptación del donatario. Al no disponer la normativa tributaria ninguna regla al respecto, debe entenderse que si la Administración no practica liquidación provisional o definitiva durante el período de prescripción, es posible que el contribuyente revoque el acto de liberalidad que supone la renuncia a la devolución. Procede por lo tanto en este caso la práctica de la devolución.

TEAC. Resolución de 13 de julio de 2005, Vocalía 11.ª, R.G. 1822/2003. Es ajustado a Derecho el acuerdo impugnado que establece que las devoluciones deben materializarse al sujeto pasivo en la cuenta corriente designada por éste en el momento en que solicitó dichas devoluciones, ya que el hecho de que entre éste y el reclamante se haya pactado un crédito con pignoración de los créditos futuros que pudieran producirse por devoluciones que en su caso pudieran producirse, ése es un pacto entre particulares que no puede afectar a la relación jurídico-tributaria existente entre el sujeto pasivo y la Administración Tributaria.

TEAC. Resolución de 17 de febrero de 2010, Vocalía 3.ª, R.G. 7260/2008. El abono de intereses de demora una vez transcurridos los seis meses desde la finalización del plazo establecido para presentar la autoliquidación del IS (o en su caso, desde su presentación extemporánea), sólo procede sobre el importe de la devolución solicitada por el contribuyente, y de hecho, constituye su límite máximo. Así, en el caso de que los órganos de gestión tributaria hubieran practicado la liquidación provisional una vez transcurridos los seis meses, y de la misma resulta una devolución inferior a la solicitada, la Administración tributaria procederá al abono de la fijada por los órganos de gestión, con los intereses de demora que procedan sobre la misma; mientras que si, ante estas mismas circunstancias, los órganos de gestión fijaran en su liquidación provisional una devolución superior, la Administración tributaria procedería a su abono, junto con los intereses de demora calculados sobre la devolución inicialmente solicitada por el contribuyente, puesto que sobre la cantidad restante, no se ha incurrido en mora. Devoluciones determinadas o reconocidas por la Administración tributaria, sin previa solicitud del obligado tributario. En caso de «devoluciones derivadas de la normativa de cada tributo» determinadas o reconocidas por la Administración tributaria, sin previa solicitud del obligado tributario, la Administración tributaria sólo deberá abonar intereses de demora cuando incurra en mora (es decir, cuando no pague dentro del plazo general para hacer efectivas las obligaciones públicas, cuyo cómputo se inicia en este caso, desde la fecha de reconocimiento de la obligación).

TEAC. Resolución de 26 de enero de 2010, Vocalía 4.ª, R.G. 4340/2008, Devoluciones derivadas de la normativa de cada tributo. El incumplimiento del plazo para efectuar una devolución constituye a la Administración en la obligación de satisfacer el interés de demora. Ahora bien, en el periodo de devengo de intereses de demora no deben incluirse retrasos que no son imputables a la Administración, teniendo sin duda esta naturaleza las dilaciones en el procedimiento de comprobación imputables al contribuyente, que no deben incluirse en el cómputo del plazo de resolución de dicho procedimiento.

DGT. CONSULTA VINCULANTE V1802/2005, 19-09-2005. Devoluciones derivadas de la normativa de cada tributo. Transcurrido el plazo de seis meses sin que se haya practicado la devolución solicitada o la devolución que la Administración considere procedente, el obligado tributario adquiere un crédito frente a la Administración tributaria por el importe de la devolución inicialmente solicitada, con independencia de las ulteriores liquidaciones que puedan practicarse.

TEAC. Resolución de 15 de marzo de 2007, Vocalía 3.ª R.G. 1414/2005. Si el único motivo para suspender la devolución objeto de controversia fue la falta de aportación por la interesada de los certificados de retenciones, no habiendo cuestionado la Administración tributaria en ningún momento la concurrencia de los requisitos materiales de dicha devolución, y teniendo en cuenta que aquélla tiene acceso a las correspondientes declaraciones-liquidaciones de los retenedores y a los respectivos resúmenes anuales de retenciones, ha de concluirse que, en casos como el presente, en que resulte imposible la aportación de la totalidad de los certificados acreditativos de las retenciones soportadas, por no haber sido suministrados por las entidades retenedoras, ello no ha de implicar la pérdida o el retraso del derecho a la devolución. El TEAC considera que se debió proceder a la devolución en concepto de exceso de retenciones soportadas, sin «suspender» dicha devolución (que acabó realizando) sin más razón que un requerimiento carente de motivación alguna, y que realmente equivalía a exigir una nueva obligación formal sin respaldo normativo, teniendo en cuenta además que, el retraso en la aportación de los certificados no debe considerarse imputable a la interesada, por cuanto que la Administración tributaria disponía o podía disponer de los datos requeridos. La fecha que debe considerarse como dies a quo en el cómputo de los intereses de demora es la del fin del plazo para practicar liquidación provisional y efectuar, en su caso, la devolución procedente, seis meses después del término del plazo establecido para la presentación de la declaración del Impuesto.

EJEMPLO

Una sociedad, cuyo ejercicio social coincide con el año natural, presenta el 2 de julio del año X+1 la declaración por Impuesto sobre Sociedades del ejercicio X, solicitando una devolución de 10.000 euros.

La AEAT no ha notificado ningún requerimiento a la sociedad, ni iniciado ningún procedimiento de comprobación con relación a esta autoliquidación, acordando el pago de la devolución solicitada el día 20 de febrero del año X+2. Los administradores de la entidad se preguntan si tienen derecho a percibir intereses de demora por el retraso en el pago de la devolución y desde cuándo se puede entender producido el devengo de esos intereses.

RESPUESTA

La AEAT dispone de un plazo general de 6 meses para tramitar las autoliquidaciones con solicitud de devolución. Específicamente, para el Impuesto sobre Sociedades, el artículo 127 de la LIS señala que cuando la cuota resultante de la autoliquidación o, en su caso, de la liquidación provisional sea inferior a la suma de las cantidades efectivamente retenidas, ingresos a cuenta y pagos fraccionados, la Administración tributaria procederá a devolver de oficio el exceso sobre la citada cuota.

Si la liquidación provisional no se ha practicado en el plazo de 6 meses, contados desde el final del plazo reglamentario de declaración (habitualmente el 25 de julio del año siguiente), la Administración debe proceder a devolver de oficio el exceso sobre la cuota resultante de la autoliquidación, sin perjuicio de la práctica de las liquidaciones provisionales o definitivas que ulteriormente pudieran proceder. Por tanto, como el plazo reglamentario de declaración finalizó el 25 de julio del año X+1, la AEAT disponía de plazo hasta el 25 de enero del año X+2 para tramitar la devolución solicitada.

Al haber transcurrido dicho plazo de 6 meses sin que se haya ordenado el pago de la devolución por causa imputable a la Administración tributaria, se aplicará a los 10.000 euros pendientes de devolución el interés de demora a que se refiere el artículo 26.6 de la LGT, pero únicamente por los 26 días comprendidos entre el día siguiente al de la finalización de dicho plazo (26 de enero del año X+2) y la fecha de ordenación del pago (20 de febrero del año X+2), ya que por los primeros 6 meses de tramitación no se devengan intereses. Estos intereses de demora se abonarán de oficio por la AEAT, sin necesidad de que la entidad contribuyente lo reclame, incorporándose a la transferencia que la sociedad recibirá en su cuenta bancaria.

El interés de demora aplicable durante el año 2016 es el 3,75%.

Artículo 128
Retenciones e ingresos a cuenta

FAUSTINO MOYA CALATAYUD
Inspector de Hacienda del Estado

(Apartado 1 redactado por disp. final decimotercera del Ley 20/2015, de 14 de julio. Con efectos desde 1 de enero de 2016).
"1. Las entidades, incluidas las comunidades de bienes y las de propietarios, que satisfagan o abonen rentas sujetas a este Impuesto, estarán obligadas a retener o a efectuar ingresos a cuenta, en concepto de pago a cuenta, la cantidad que resulte de aplicar los porcentajes de retención indicados en el apartado 6 de este artículo a la base de retención determinada reglamentariamente, y a ingresar su importe en el Tesoro en los casos y formas que se establezcan.

También estarán obligados a retener e ingresar las personas físicas respecto de las rentas que satisfagan o abonen en el ejercicio de sus actividades económicas, así como las personas físicas, jurídicas y demás entidades no residentes en territorio español que operen en él mediante establecimiento permanente.

Asimismo, estarán obligadas a practicar retención o ingreso a cuenta las entidades aseguradoras domiciliadas en otro Estado miembro del Espacio Económico Europeo que operen en España en régimen de libre prestación de servicios, en relación con las operaciones que se realicen en España.

2. El sujeto obligado a retener deberá presentar en los plazos, forma y lugares que se establezcan reglamentariamente declaración de las cantidades retenidas o declaración negativa cuando no se hubiera producido la práctica de éstas. Asimismo, presentará un resumen anual de retenciones con el contenido que se determine reglamentariamente.

Los modelos de declaración correspondientes se aprobarán por el Ministro de Hacienda y Administraciones Públicas.

3. El sujeto obligado a retener estará obligado a expedir, en las condiciones que reglamentariamente se determinen, certificación acreditativa de la retención practicada o de otros pagos a cuenta efectuados.

4. Reglamentariamente se establecerán los supuestos en los que no existirá retención. En particular, no se practicará retención en:

a) Las rentas obtenidas por las entidades a que se refiere el artículo 9.1 de esta Ley.

b) Los dividendos o participaciones en beneficios repartidos por agrupaciones de interés económico, españolas y europeas, y por uniones temporales de empresas que correspondan a socios que *deban soportar la imputación de la base imponible y procedan de períodos impositivos durante los cuales la entidad haya tributado según lo dispuesto en el régimen especial del Capítulo II del Título VII de esta Ley.*

c) Los dividendos o participaciones en beneficios, intereses y otras rentas satisfechas entre sociedades que formen parte de un grupo que tribute en el régimen de consolidación fiscal.

d) Los dividendos o participaciones en beneficios a que se refiere el apartado 1 del artículo 21 de esta Ley.

e) Las rentas obtenidas por el cambio de activos en los que estén invertidas las provisiones de los seguros de vida en los que el tomador asume el riesgo de la inversión.

f) Los premios de loterías y apuestas que, por su cuantía, estén exentos del gravamen especial a que se refiere la Disposición adicional trigésima tercera de la Ley 35/2006, de 28 de noviembre, del Impuesto sobre la Renta de las Personas Físicas y de modificación parcial de las leyes de los Impuestos sobre Sociedades, sobre la Renta de no Residentes y sobre el Patrimonio.

5. Cuando en virtud de resolución judicial o administrativa se deba satisfacer una renta sujeta a retención o ingreso a cuenta de este Impuesto, el pagador deberá practicarla sobre la cantidad íntegra que venga obligado a satisfacer y deberá ingresar su importe en el Tesoro, de acuerdo con lo previsto en este artículo.

6. El porcentaje de retención o ingreso a cuenta será el siguiente:

a) Con carácter general, el 19 por ciento.

Cuando se trate de rentas procedentes del arrendamiento o subarrendamiento de inmuebles urbanos situados en Ceuta, Melilla o sus dependencias, obtenidas por entidades domiciliadas en dichos territorios o que operen en ellos mediante establecimiento o sucursal, dicho porcentaje se dividirá por dos.

b) En el caso de rentas procedentes de la cesión del derecho a la explotación de la imagen o del consentimiento o autorización para su utilización, el 24 por ciento.

c) En el caso de premios de loterías y apuestas que, por su cuantía, estuvieran sujetos y no exentos del gravamen especial de determinadas loterías y apuestas a que se refiere la Disposición adicional trigésima tercera de la Ley 35/2006, de 28 de noviembre, del Impuesto sobre la Renta de las Personas Físicas y de modificación parcial de las leyes de los Impuestos sobre Sociedades, sobre la Renta de no Residentes y sobre el Patrimonio, el 20 por ciento. En este caso, la retención se practicará sobre el importe del premio sujeto y no exento, de acuerdo con la referida disposición.

Reglamentariamente podrán modificarse los porcentajes de retención e ingreso a cuenta previstos en este apartado".

DESARROLLO REGLAMENTARIO OBLIGACIÓN DE RETENER E INGRESAR A CUENTA. ARTÍCULOS 60 A 62 Y 64 A 68 DEL REGLAMENTO DEL IMPUESTO SOBRE SOCIEDADES, APROBADO POR EL RD 634/2015, DE 10 DE JULIO.

Artículo 60. Rentas sujetas a retención o ingreso a cuenta.

"1. *Deberá practicarse retención, en concepto de pago a cuenta del Impuesto sobre Sociedades correspondiente al perceptor, respecto de:*

a) Las rentas derivadas de la participación en fondos propios de cualquier tipo de entidad, de la cesión a terceros de capitales propios y las restantes rentas comprendidas en el artículo 25 de la Ley 35/2006, de 28 de noviembre, del Impuesto sobre la Renta de las Personas Físicas y de modificación parcial de las leyes de los Impuestos sobre Sociedades, sobre la Renta de no Residentes y sobre el Patrimonio.

b) Los premios derivados de la participación en juegos, concursos, rifas o combinaciones aleatorias, estén o no vinculados a la oferta, promoción o venta de determinados bienes, productos o servicios.

c) Las contraprestaciones obtenidas como consecuencia de la atribución de cargos de administrador o consejero en otras sociedades.

d) Las rentas procedentes de la cesión del derecho a la explotación de la imagen o del consentimiento o autorización para su utilización, aun cuando constituyan ingresos derivados de explotaciones económicas.

e) Las rentas procedentes del arrendamiento o subarrendamiento de inmuebles urbanos, aun cuando constituyan ingresos derivados de explotaciones económicas.

f) Las rentas obtenidas como consecuencia de las transmisiones o reembolsos de acciones o participaciones representativas del capital o patrimonio de instituciones de inversión colectiva.

g) Las rentas obtenidas como consecuencia de la reducción de capital con devolución de aportaciones y de la distribución de la prima de emisión realizadas por sociedades de inversión de capital variable reguladas en la Ley de Instituciones de Inversión Colectiva no sometidas al tipo general de gravamen u organismos de inversión colectiva equivalentes a las sociedades de capital variable registrados en otro Estado, con independencia de cualquier limitación que tuvieran respecto de grupos restringidos de inversiones, en la adquisición, cesión o rescate de sus acciones, así como por las sociedades amparadas en la Directiva 2009/65/CE del Parlamento Europeo y del Consejo, de 13 de julio de 2009 por la que se coordinan las disposiciones legales, reglamentarias y administrativas sobre determinados organismos de inversión colectiva en valores mobiliarios.

2. *Cuando un mismo contrato comprenda prestaciones de servicios o la cesión de bienes inmuebles, conjuntamente con la cesión de bienes y derechos de los incluidos en el apartado 4 del artículo 25 de la Ley 35/2006, deberá practicar retención sobre el importe total.*

Cuando un mismo contrato comprenda el arriendo, subarriendo o cesión de fincas rústicas, conjuntamente con otros bienes muebles, no se practicará la retención excepto si se trata del arrendamiento o cesión de negocios o minas.

3. Deberá practicarse un ingreso a cuenta del Impuesto sobre Sociedades correspondiente al perceptor respecto de las rentas de los apartados anteriores, cuando sean satisfechas o abonadas en especie".

Artículo 61. Excepciones a la obligación de retener y de ingresar a cuenta.

No existirá obligación de retener ni de ingresar a cuenta respecto de:

a) Los rendimientos de los valores emitidos por el Banco de España que constituyan instrumento regulador de intervención en el mercado monetario y los rendimientos de las Letras del Tesoro.

No obstante, las entidades de crédito y demás instituciones financieras que formalicen con sus clientes contratos de cuentas basadas en operaciones sobre Letras del Tesoro, estarán obligadas a retener respecto de los rendimientos obtenidos por los titulares de las citadas cuentas.

b) Los intereses que constituyan derecho a favor del Tesoro como contraprestación de los préstamos del Estado al crédito oficial.

c) Los intereses y comisiones de préstamos que constituyan ingreso de las entidades de crédito y establecimientos financieros de crédito inscritos en los registros especiales del Banco de España, residentes en territorio español.

La excepción anterior no se aplicará a los intereses y rendimientos de las obligaciones, bonos u otros títulos emitidos por entidades públicas o privadas, nacionales o extranjeras, que integran la cartera de valores de las referidas entidades.

d) Los intereses de las operaciones de préstamo, crédito o anticipo, tanto activas como pasivas que realice la Sociedad Estatal de Participaciones Industriales con sociedades en las que tenga participación mayoritaria en el capital, no pudiendo extenderse esta excepción a los intereses de cédulas, obligaciones, bonos u otros títulos análogos.

e) Los intereses percibidos por las sociedades de valores como consecuencia de los créditos otorgados en relación con operaciones de compra o venta de valores a que hace referencia el artículo 63.2 b) de la Ley 24/1988, de 28 de julio, del Mercado de Valores, así como los intereses percibidos por las empresas de servicios de inversión respecto de las operaciones activas de préstamos o depósitos mencionados en el apartado 2 del artículo 49 del Real Decreto 217/2008, de 15 de febrero, sobre el régimen jurídico de las empresas de servicios de inversión y de las demás entidades que prestan servicios de inversión y por el que se modifica parcialmente el Reglamento de la Ley 35/2003, de 4 de noviembre, de Instituciones de Inversión Colectiva, aprobado por el Real Decreto 1309/2005, de 4 de noviembre.

Tampoco existirá obligación de practicar retención en relación con los intereses percibidos por sociedades o agencias de valores, en contraprestación a las garantías constituidas para operar como miembros de los mercados de futuros y opciones financieros, en los términos a que hacen referencia los capítulos IV y V del Real Decreto 1282/2010, de 15 de octubre, por el que se regulan los mercados secundarios oficiales de futuros, opciones y otros instrumentos financieros derivados.

f) Las primas de conversión de obligaciones en acciones.

g) Las rentas derivadas de la distribución de la prima de emisión de acciones o participaciones efectuadas por entidades distintas de las señaladas en la letra g) del apartado 1 del artículo 60 de este Reglamento.

h) Los beneficios percibidos por una sociedad matriz residente en España de sus sociedades filiales residentes en otros Estados miembros de la Unión Europea, en relación con la retención prevista en el apartado 2 del artículo 62 de este Reglamento, cuando concurran los requisitos establecidos en la letra h) del apartado 1 del artículo 14 del texto refundido de la Ley del Impuesto sobre la Renta de no Residentes, aprobado por Real Decreto Legislativo 5/2004, de 5 de marzo.

i) Los rendimientos procedentes del arrendamiento y subarrendamiento de bienes inmuebles urbanos en los siguientes supuestos:

1.º Cuando se trate de arrendamientos de vivienda por empresas para sus empleados.

2.º Cuando la renta satisfecha por el arrendatario a un mismo arrendador no supere los 900 euros anuales.

3.º Cuando la actividad del arrendador esté clasificada en alguno de los epígrafes del grupo 861 de la sección primera de las tarifas del Impuesto sobre Actividades Económicas, aprobadas por el Real Decreto Legislativo 1175/1990, de 28 de septiembre, o en algún otro epígrafe que faculte para la actividad de arrendamiento o subarrendamiento de bienes inmuebles urbanos, y aplicando al valor catastral de los inmuebles destinados al arrendamiento o subarrendamiento las reglas para determinar la cuota establecida en los epígrafes del citado grupo 861, no hubiese resultado cuota cero.

A estos efectos, el arrendador deberá acreditar frente al arrendatario el cumplimiento del citado requisito, en los términos que establezca el Ministro de Hacienda y Administraciones Públicas.

4.º Cuando los rendimientos deriven de los contratos de arrendamiento financiero a que se refiere el artículo 106 de la Ley del Impuesto, en cuanto tengan por objeto bienes inmuebles urbanos.

j) Los rendimientos que sean exigibles entre una agrupación de interés económico española o europea y sus socios, así como los que sean exigibles entre una unión temporal y sus empresas miembros.

k) Los rendimientos de participaciones hipotecarias, préstamos u otros derechos de crédito que constituyan ingreso de los fondos de titulización.

l) Los rendimientos de cuentas en el exterior satisfechos o abonados por establecimientos permanentes en el extranjero de entidades de crédito y establecimientos financieros residentes en España.

m) Los rendimientos satisfechos a entidades que gocen de exención por el Impuesto en virtud de lo dispuesto en un tratado internacional suscrito por España.

n) Los dividendos o participaciones en beneficios, intereses y demás rendimientos satisfechos entre sociedades que formen parte de un grupo que tribute en el régimen de consolidación fiscal.

ñ) Los dividendos o participaciones en beneficios repartidos por agrupaciones de interés económico, españolas o europeas, y por uniones temporales de empresas, salvo aquellas que deban tributar conforme a las normas generales del Impuesto, que correspondan a socios que deban soportar la imputación de la base imponible y procedan de períodos impositivos durante los cuales la entidad haya tributado según lo dispuesto en el régimen especial del capítulo II del título VII de la Ley del Impuesto.

o) Las rentas obtenidas por las entidades exentas a que se refiere el apartado 1 del artículo 9 de la Ley del Impuesto.

La condición de entidad exenta podrá acreditarse por cualquiera de los medios de prueba admitidos en derecho. Mediante la resolución del órgano competente de la Agencia Estatal de Administración Tributaria que corresponda de acuerdo con su estructura orgánica, podrán establecerse los medios y forma para acreditar la condición de entidad exenta.

Por Orden del Ministro de Hacienda y Administraciones Públicas se podrá determinar el procedimiento para poder hacer efectiva la exoneración de la obligación de retención o ingreso a cuenta en relación con los rendimientos derivados de los títulos de la deuda pública del Estado percibidos por las entidades exentas a que se refiere el apartado 1 del artículo 9 de la Ley del Impuesto.

p) Los dividendos o participaciones en beneficios a que se refiere el apartado 1 del artículo 21 de la Ley del Impuesto.

A efectos de lo dispuesto en esta letra, la entidad perceptora deberá comunicar a la entidad obligada a retener que concurren los requisitos establecidos en el citado artículo. La comunicación contendrá, además de los datos de identificación del perceptor, los documentos que justifiquen el cumplimiento de los referidos requisitos.

q) Las rentas obtenidas por los contribuyentes del Impuesto sobre Sociedades procedentes de activos financieros, siempre que cumplan los requisitos siguientes:

1.º Que estén representados mediante anotaciones en cuenta.

2.º Que se negocien en un mercado secundario oficial de valores español, o en el Mercado Alternativo de Renta Fija, sistema multilateral de negociación creado de conformidad con lo previsto en el título XI de la Ley 24/1988.

No obstante, las entidades de crédito y demás entidades financieras que formalicen con sus clientes contratos de cuentas basadas en operaciones sobre activos financieros estarán obligadas a retener respecto de los rendimientos obtenidos por los titulares de las citadas cuentas.

Las entidades financieras a través de las que se efectúe el pago de intereses de los valores comprendidos en esta letra o que intervengan en la transmisión, amortización o reembolso de los mismos, estarán obligadas a calcular el rendimiento imputable al titular del valor e informar del mismo tanto al titular como a la Administración tributaria, a la que asimismo, proporcionarán los datos correspondientes a las personas que intervengan en las operaciones antes enumeradas.

El Ministro de Hacienda y Administraciones Públicas establecerá, asimismo, las obligaciones de intermediación e información correspondientes a las separaciones, transmisiones, reconstituciones, reembolsos o amortizaciones de los valores de Deuda pública para los que se haya autorizado la negociación separada del principal y de los cupones. En tales supuestos, las entidades gestoras del Mercado de Deuda Pública en Anotaciones estarán obligadas a calcular el rendimiento imputable a cada titular e informar del mismo, tanto al titular como a la Administración tributaria, a la que, asimismo, proporcionarán la información correspondiente a las personas que intervengan en las operaciones sobre estos valores.

Se faculta al Ministro de Hacienda y Administraciones Públicas para establecer el procedimiento para hacer efectiva la exclusión de retención regulada en esta letra.

r) Los premios a que se refiere el párrafo b) del apartado 1 del artículo anterior, cuando su importe no sea superior a 300 euros, así como los premios de loterías y apuestas que, por su cuantía, estén exentos del gravamen especial a que se refiere la disposición adicional trigésima tercera de la Ley 35/2006, de 28 de noviembre, del Impuesto sobre la Renta de las Personas Físicas y de modificación parcial de las leyes de los Impuestos sobre Sociedades, sobre la Renta de no Residentes y sobre el Patrimonio.

s) Las rentas obtenidas por los contribuyentes del Impuesto sobre Sociedades procedentes de Deuda emitida por las Administraciones públicas de países de la OCDE y activos financieros negociados en mercados organizados de dichos países.

No obstante, las entidades de crédito y demás entidades financieras que formalicen con sus clientes contratos de cuentas basadas en operaciones sobre los activos financieros a que se refiere el párrafo precedente, estarán obligadas a retener respecto de los rendimientos obtenidos por los titulares de las citadas cuentas.

Las entidades financieras a través de las que se efectúe el pago de intereses de los valores comprendidos en esta letra o que intervengan en la transmisión, amortización o reembolso de los mismos, estarán obligadas a calcular el rendimiento imputable al titular del valor e informar del mismo tanto al titular como a la Administración tributaria, a la que, asimismo, proporcionarán los datos correspondientes a las personas que intervengan en las operaciones antes enumeradas.

Se faculta al Ministro de Hacienda y Administraciones Públicas para establecer el procedimiento para hacer efectiva la exclusión de retención regulada en esta letra.

t) Las rentas derivadas de la transmisión o reembolso de acciones o participaciones representativas del capital o patrimonio de instituciones de inversión colectiva obtenidas por:

1.º Los fondos de inversión de carácter financiero y las sociedades de inversión de capital variable regulados en la Ley 35/2003, de 4 de noviembre, de Instituciones de Inversión Colectiva, en cuyos reglamentos de gestión o estatutos tengan establecida una inversión mínima superior al 50 por ciento de su patrimonio en acciones o participaciones de varias instituciones de inversión colectiva de las previstas en los párrafos c) y d), indistintamente, del artículo 48.1 del Reglamento de desarrollo de la Ley 35/2003, de 4 de noviembre, de instituciones de inversión colectiva, aprobado por Real Decreto 1082/2012, de 13 de julio.

2.º Los fondos de inversión de carácter financiero y las sociedades de inversión de capital variable regulados en la Ley 35/2003, en cuyos reglamentos de gestión o estatutos tengan establecida la inversión de, al menos, el 85 por ciento de su patrimonio en un único fondo de inversión de carácter financiero de los regulados en el primer inciso del artículo 3.3 del Reglamento de desarrollo de la Ley 35/2003. Cuando esta política de inversión se refiera a un compartimento del fondo o de la sociedad de inversión, la excepción a la obligación de retener e ingresar a cuenta prevista en esta letra solo será aplicable respecto de las inversiones que integren la parte del patrimonio de la institución atribuida a dicho compartimento.

La aplicación de la exclusión de retención prevista en esta letra t) requerirá que la institución inversora se encuentre incluida en la correspondiente categoría que, para los tipos de inversión señalados en los párrafos 1 y 2, tenga establecida la Comisión Nacional del Mercado de Valores, la cual deberá constar en su folleto informativo.

u) Las cantidades satisfechas por entidades aseguradoras a los fondos de pensiones como consecuencia del aseguramiento de planes de pensiones.

v) Las rentas obtenidas por el cambio de activos en los que estén invertidas las provisiones de los seguros de vida en los que el tomador asume el riesgo de la inversión.

Para la aplicación de lo dispuesto en el párrafo anterior, las entidades de seguros deberán comunicar a las entidades obligadas a practicar la retención, con motivo de la transmisión o reembolso de activos, la circunstancia de que se trata de un contrato de seguro en el que el tomador asume el riesgo de la inversión y en el que se cumplen los requisitos previstos en el artículo 14.2.h) de la Ley 35/2006. La entidad obligada a practicar la retención deberá conservar la comunicación debidamente firmada.

w) Las rentas derivadas del ejercicio de las funciones de liquidación de entidades aseguradoras y de los procesos concursales a que estas se encuentren sometidas obtenidas por el Consorcio de Compensación de Seguros, en virtud de lo dispuesto en el párrafo tercero del apartado 1 del artículo 24 del texto refundido del Estatuto Legal del Consorcio de Compensación de Seguros, aprobado por el Real Decreto Legislativo 7/2004, de 29 de octubre.

x) La renta que se ponga de manifiesto en las empresas tomadoras como consecuencia de la variación en los compromisos por pensiones que estén instrumentados en un contrato de seguro colectivo que haya sido objeto de un plan de financiación, en tanto no se haya dado cumplimiento íntegro al mismo, conforme a lo dispuesto en el artículo 36.5, segundo párrafo, del Reglamento sobre la instrumentación de los compromisos por pensiones de las empresas con los trabajadores y beneficiarios, aprobado por Real Decreto 1588/1999, de 15 de octubre.

y) Las rentas derivadas del reembolso o transmisión de participaciones en los fondos regulados por el artículo 79 del Reglamento de desarrollo de la Ley 35/2003.

z) Las remuneraciones y compensaciones por derechos económicos que perciba la Sociedad de Gestión de los Sistemas de Registro, Compensación y Liquidación de Valores por los préstamos de valores realizados en cumplimiento de lo establecido en el artículo 57 del Real Decreto 116/1992, de 14 de febrero, sobre representación de valores por medio de anotaciones en cuenta y compensación y liquidación de operaciones bursátiles.

Asimismo, la entidad mencionada en el párrafo anterior tampoco estará obligada a practicar retención por las remuneraciones y compensaciones derivadas de los préstamos de valores tomados en cumplimiento de lo previsto en el citado artículo 57, que abone a las entidades o personas prestamistas. Todo ello sin perjuicio de la sujeción de dichas rentas a la retención que corresponda, de acuerdo con la normativa reguladora del correspondiente impuesto personal del prestamista, que, cuando proceda, deberá practicarla la entidad participante que intermedie en su pago a aquél, a cuyo efecto no se entenderá que efectúa una simple mediación de pago".

Artículo 62. Sujetos obligados a retener o a efectuar un ingreso a cuenta.

"1. Estarán obligados a retener o ingresar a cuenta cuando satisfagan o abonen rentas de las previstas en el artículo 60 de este Reglamento:

a) Las personas jurídicas y demás entidades, incluidas las comunidades de bienes y de propietarios y las entidades en régimen de atribución de rentas.

b) Los contribuyentes por el Impuesto sobre la Renta de las Personas Físicas que ejerzan actividades económicas, cuando satisfagan rentas en el ejercicio de sus actividades.

c) Las personas físicas, jurídicas y demás entidades no residentes en territorio español, que operen en él mediante establecimiento permanente.

2. No se considerará que una persona o entidad satisface o abona una renta cuando se limite a efectuar una simple mediación de pago, entendiéndose por tal el abono de una cantidad por cuenta y orden de un tercero, excepto que se trate de entidades depositarias de valores extranjeros propiedad de residentes en territorio español o que tengan a su cargo la gestión de cobro de las rentas de dichos valores. Las citadas entidades depositarias deberán practicar la retención correspondiente siempre que tales rentas no hayan soportado retención previa en España.

3. En el caso de premios estará obligado a retener o a ingresar a cuenta la persona o entidad que los satisfaga.

4. En las operaciones sobre activos financieros estarán obligados a retener:

a) En los rendimientos obtenidos en la amortización o reembolso de activos financieros, la persona o entidad emisora. No obstante, en caso de que se encomiende a una entidad financiera la materialización de esas operaciones, el obligado a retener será la entidad financiera encargada de la operación.

Cuando se trate de instrumentos de giro convertidos después de su emisión en activos financieros, a su vencimiento estará obligado a retener el fedatario público o institución financiera que intervenga en la presentación al cobro.

b) En los rendimientos obtenidos en la transmisión de activos financieros incluidos los instrumentos de giro a los que se refiere el apartado anterior, cuando se canalice a través de una o varias instituciones financieras, el banco, caja o entidad financiera que actúe por cuenta del transmitente.

A efectos de lo dispuesto en este número, se entenderá que actúa por cuenta del transmitente el banco, caja o entidad financiera que reciba de aquél la orden de venta de los activos financieros.

c) En los casos no recogidos en los apartados anteriores, el fedatario público que obligatoriamente debe intervenir en la operación.

5. En las transmisiones de valores de la Deuda del Estado deberá practicar la retención la entidad gestora del Mercado de Deuda Pública en Anotaciones que intervenga en la transmisión.

6. En las transmisiones o reembolsos de acciones o participaciones representativas del capital o patrimonio de las instituciones de inversión colectiva, deberán practicar retención o ingreso a cuenta las siguientes personas o entidades:

a) En el caso de reembolso de las participaciones de fondos de inversión, las sociedades gestoras, salvo por las participaciones regis-

tradas a nombre de entidades comercializadoras por cuenta de partícipes, respecto de las cuales serán dichas entidades comercializadoras las obligadas a practicar la retención o ingreso a cuenta.

b) En el caso de recompra de acciones por una sociedad de inversión de capital variable cuyas acciones no coticen en bolsa ni en otro mercado o sistema organizado de negociación de valores, adquiridas por el contribuyente directamente o a través de comercializador a la sociedad, la propia sociedad, salvo que intervenga una sociedad gestora; en este caso, será esta.

c) En el caso de instituciones de inversión colectiva domiciliadas en el extranjero, las entidades comercializadoras o los intermediarios facultados para la comercialización de las acciones o participaciones de aquellas y, subsidiariamente, la entidad o entidades encargadas de la colocación o distribución de los valores entre los potenciales suscriptores, cuando efectúen el reembolso.

d) En el caso de gestoras que operen en régimen de libre prestación de servicios, el representante designado de acuerdo con lo dispuesto en el artículo 55.7 y la disposición adicional segunda de la Ley 35/2003, de 4 de noviembre, de Instituciones de Inversión Colectiva.

e) En los supuestos en los que no proceda la práctica de retención conforme a los párrafos anteriores, estará obligado a efectuar un pago a cuenta el socio o partícipe que efectúe la transmisión u obtenga el reembolso. El mencionado pago a cuenta se efectuará de acuerdo con las normas contenidas en los artículos 64.4 párrafo primero, 65.3 y 66 de este Reglamento.

7. En las operaciones de reducción de capital con devolución de aportaciones y de distribución de la prima de emisión, realizadas por sociedades de inversión de capital variable reguladas en la Ley de Instituciones de Inversión Colectiva no sometidas al tipo general de gravamen, deberá practicar la retención o ingreso a cuenta la propia sociedad.

En el caso de instituciones de inversión colectiva reguladas por la Directiva 2009/65/CE del Parlamento Europeo y del Consejo, de 13 de julio de 2009, por la que se coordinan las disposiciones legales, reglamentarias y administrativas sobre determinados organismos de inversión colectiva en valores mobiliarios, constituidas y domiciliadas en algún Estado miembro de la Unión Europea e inscritas en el registro especial de la Comisión Nacional del Mercado de Valores, a efectos de su comercialización por entidades residentes en España, estarán obligados a practicar retención o ingreso a cuenta las entidades comercializadoras o los intermediarios facultados para la comercialización de las acciones o participaciones de aquellas y, subsidiariamente, la entidad o entidades encargadas de la colocación o distribución de los valores, que intervengan en el pago de las rentas

Cuando se trate de organismos de inversión colectiva equivalentes a las sociedades de inversión de capital variable registrados en otro Estado, con independencia de cualquier limitación que tuvieran res-

pecto de grupos restringidos de inversiones, en la adquisición, cesión o rescate de sus acciones, la obligación de practicar la retención o ingreso a cuenta corresponderá a la entidad depositaria de los valores o que tenga encargada la gestión de cobro de las rentas derivadas de los mismos.

En los supuestos en los que no proceda la práctica de retención o ingreso a cuenta conforme a los párrafos anteriores, estará obligado a efectuar un pago a cuenta el socio o partícipe que reciba la devolución de las aportaciones o la distribución de la prima de emisión. El mencionado pago a cuenta se efectuará de acuerdo con las normas contenidas en los artículos 64.8, 65.1 y 66 de este Reglamento.

8. En las operaciones realizadas en España por entidades aseguradoras que operen en régimen de libre prestación de servicios, estará obligado a practicar retención o ingreso a cuenta el representante designado de acuerdo con lo dispuesto en el artículo 86.1 del texto refundido de la Ley de ordenación y supervisión de los seguros privados, aprobado por el Real Decreto Legislativo 6/2004, de 29 de octubre.

9. Los sujetos obligados a retener asumirán la obligación de efectuar el ingreso en el Tesoro, sin que el incumplimiento de aquella obligación pueda excusarles de ésta.

La retención e ingreso correspondiente, cuando la entidad pagadora del rendimiento sea la Administración del Estado, se efectuará de forma directa".

Artículo 64. Base para el cálculo de la obligación de retener e ingresar a cuenta.
"1. Con carácter general, constituirá la base para el cálculo de la obligación de retener la contraprestación íntegra exigible o satisfecha.

En el caso de arrendamiento o subarrendamiento de inmuebles urbanos, la base de la retención estará constituida por todos los conceptos que se satisfagan al arrendador, excluido el Impuesto sobre el Valor Añadido.

2. En el caso de la amortización, reembolso o transmisión de activos financieros constituirá la base para el cálculo de la obligación de retener la diferencia positiva entre el valor de amortización, reembolso o transmisión y el valor de adquisición o suscripción de dichos activos. Como valor de adquisición se tomará el que figure en la certificación acreditativa de la adquisición. A estos efectos, no se minorarán los gastos accesorios a la operación.

Sin perjuicio de la retención que proceda al transmitente, en el caso de que la entidad emisora adquiera un activo financiero emitido por ella, se practicará la retención e ingreso sobre el rendimiento que obtenga en cualquier forma de transmisión ulterior del título, excluida la amortización.

3. Cuando la obligación de retener tenga su origen en virtud de lo previsto en la letra b) del apartado 1 del artículo 60 de este Regla-

mento, constituirá la base para el cálculo de la misma el importe del premio.

En el caso de premios de loterías y apuestas que, por su cuantía, estuvieran sujetos y no exentos del gravamen especial de determinadas loterías y apuestas a que se refiere la disposición adicional trigésima tercera de la Ley 35/2006, de 28 de noviembre, del Impuesto sobre la Renta de las Personas Físicas y de modificación parcial de las leyes de los Impuestos sobre Sociedades, sobre la Renta de no Residentes y sobre el Patrimonio, la retención se practicará sobre el importe del premio sujeto y no exento, de acuerdo con la referida disposición.

4. Cuando la obligación de retener tenga su origen en virtud de lo previsto en la letra f) del apartado 1 del artículo 60 de este Reglamento, la base de retención será la diferencia entre el valor de transmisión o reembolso y el valor de adquisición de las acciones o participaciones. A estos efectos se considerará que los valores transmitidos o reembolsados por el contribuyente son aquellos que adquirió en primer lugar.

Cuando se trate de reembolso de participaciones en fondos de inversión regulados por la Ley 35/2003, de 4 de noviembre, de Instituciones de Inversión Colectiva, para las que, por aplicación de lo previsto en el artículo 40.3 de la citada Ley, exista más de un registro de partícipes, o de transmisión o reembolso de acciones o participaciones en instituciones de inversión colectiva domiciliadas en el extranjero, comercializadas, colocadas o distribuidas en territorio español, la regla de antigüedad a que se refiere el párrafo anterior se aplicará por la entidad gestora o comercializadora con la que se efectúe el reembolso o transmisión respecto de los valores que figuren en su registro de partícipes o accionistas.

5. Cuando la obligación de ingresar a cuenta tenga su origen en virtud de lo previsto en el apartado 3 del artículo 60 de este Reglamento, constituirá la base para el cálculo de la misma el valor de mercado del bien.

A estos efectos, se tomará como valor de mercado el resultado de incrementar en un 20 por ciento el valor de adquisición o coste para el pagador.

6. Cuando no pudiera probarse la contraprestación íntegra exigible o satisfecha, la Administración tributaria podrá computar como tal una cantidad de la que, restada la retención procedente, arroje la efectivamente percibida.

7. Cuando la obligación de retener o ingresar a cuenta tenga su origen en el ajuste secundario derivado de lo previsto en el artículo 18.11 de la Ley del Impuesto, constituirá la base de la misma la diferencia entre el valor convenido y el valor de mercado.

8. En el caso de las rentas a que se refiere la letra g) del apartado 1 del artículo 60 de este Reglamento, la base de retención será la cuantía a integrar en la base imponible calculada de acuerdo con lo establecido en el apartado 6 del artículo 17 de la Ley del Impuesto".

Artículo 65. Nacimiento de la obligación de retener y de ingresar a cuenta.

"1. Con carácter general, las obligaciones de retener y de ingresar a cuenta nacerán en el momento de la exigibilidad de las rentas, dinerarias o en especie, sujetas a retención o ingreso a cuenta, respectivamente, o en el de su pago o entrega si es anterior.

En particular, se entenderán exigibles los intereses en las fechas de vencimiento señaladas en la escritura o contrato para su liquidación o cobro, o cuando de otra forma se reconozcan en cuenta, aun cuando el perceptor no reclame su cobro o los rendimientos se acumulen al principal de la operación, y los dividendos en la fecha establecida en el acuerdo de distribución o a partir del día siguiente al de su adopción a falta de la determinación de la citada fecha.

2. En el caso de rendimientos derivados de la amortización, reembolso o transmisión de activos financieros, la obligación de retener o ingresar a cuenta nacerá en el momento en que se formalice la operación.

3. En el caso de rentas obtenidas como consecuencia de las transmisiones o reembolsos de acciones o participaciones representativas del capital o patrimonio de instituciones de inversión colectiva, la obligación de retener o ingresar a cuenta nacerá en el momento en que se formalice la operación, cualesquiera que sean las condiciones de cobro pactadas".

Artículo 66. Porcentaje de retención e ingreso a cuenta.

"El porcentaje de retención o ingreso a cuenta será el siguiente:

a) Con carácter general, el 19 por ciento. Cuando se trate de rentas procedentes del arrendamiento o subarrendamiento de inmuebles urbanos situados en Ceuta, Melilla o sus dependencias, obtenidas por entidades domiciliadas en dichos territorios o que operen en ellos mediante establecimiento o sucursal, dicho porcentaje se dividirá por dos.

b) En el caso de rentas procedentes de la cesión del derecho a la explotación de la imagen o del consentimiento o autorización para su utilización, el 24 por ciento.

c) En el caso de premios de loterías y apuestas que, por su cuantía, estuvieran sujetos y no exentos del gravamen especial de determinadas loterías y apuestas a que se refiere la disposición adicional trigésima tercera de la Ley 35/2003, de 28 de noviembre, del Impuesto sobre la Renta de las Personas Físicas y de modificación parcial de las leyes de los Impuestos sobre Sociedades, sobre la Renta de no Residentes y sobre el Patrimonio, el 20 por ciento".

Artículo 67. Importe de la retención o del ingreso a cuenta.

"El importe de la retención o del ingreso a cuenta se determinará aplicando el porcentaje a que se refiere el artículo anterior a la base de cálculo".

Artículo 68. Obligaciones del retenedor y del obligado a ingresar a cuenta.

"1. El retenedor y el obligado a ingresar a cuenta deberán presentar en los primeros veinte días naturales de los meses de abril, julio, octubre y enero, ante el órgano competente de la Administración tributaria, declaración de las cantidades retenidas y de los ingresos a cuenta que correspondan por el trimestre natural inmediato anterior e ingresar su importe en el Tesoro Público.

No obstante, la declaración e ingreso a que se refiere el párrafo anterior se efectuará en los 20 primeros días naturales de cada mes, en relación con las cantidades retenidas y los ingresos a cuenta que correspondan por el inmediato anterior, cuando se trate de retenedores u obligados en los que concurran las circunstancias a que se refiere el apartado 3.1.º del artículo 71 del Reglamento del Impuesto sobre el Valor Añadido, aprobado por Real Decreto 1624/1992, de 29 de diciembre.

No procederá la presentación de declaración negativa cuando no se hubieran satisfecho en el período de la declaración rentas sometidas a retención o ingreso a cuenta.

2. El retenedor u obligado a ingresar a cuenta deberá presentar en los primeros 20 días naturales del mes de enero una declaración anual de las retenciones e ingresos a cuenta efectuados. No obstante, en el caso de que esta declaración se presente en soporte directamente legible por ordenador o haya sido generado mediante la utilización, exclusivamente, de los correspondientes módulos de impresión desarrollados, a estos efectos, por la Administración tributaria, el plazo de presentación será el comprendido entre el 1 de enero y el 31 de enero del año siguiente al del que corresponde dicha declaración.

En esta declaración, además de sus datos de identificación, podrá exigirse que conste una relación nominativa de los perceptores con los siguientes datos:

a) Denominación de la entidad.

b) Número de identificación fiscal.

c) Renta obtenida, con indicación de la identificación, descripción y naturaleza de los conceptos, así como del ejercicio en que dicha renta se hubiera devengado.

d) Retención practicada o ingreso a cuenta efectuado.

A las mismas obligaciones establecidas en los párrafos anteriores estarán sujetas las entidades domiciliadas, residentes o representadas en España, que paguen por cuenta ajena rentas sujetas a retención o que sean depositarias o gestionen el cobro de las rentas de valores.

3. El retenedor u obligado a ingresar a cuenta deberá expedir en favor del contribuyente certificación acreditativa de las retenciones practicadas, o de los ingresos a cuenta efectuados, así como de los restantes datos referentes al contribuyente que deben incluirse en la declaración anual a que se refiere el apartado anterior.

*La citada certificación deberá ponerse a disposición del contribu-
yente con anterioridad al inicio del plazo de declaración de este Impuesto.*

*A las mismas obligaciones establecidas en los párrafos anteriores
estarán sujetas las entidades domiciliadas, residentes o representadas
en España, que paguen por cuenta ajena rentas sujetas a retención o
que sean depositarias o gestionen el cobro de rentas de valores.*

*4. Los pagadores deberán comunicar a los contribuyentes la reten-
ción o ingreso a cuenta practicados en el momento en que satisfagan
las rentas, indicando el porcentaje aplicado.*

*5. Las declaraciones a que se refiere este artículo se realizarán en
los modelos que para cada clase de rentas establezca el Ministro de
Hacienda y Administraciones Públicas, quien asimismo podrá determinar los datos que deben incluirse en las declaraciones, de los previstos en el apartado 2 anterior, estando obligado el retenedor u obligado
a ingresar a cuenta a cumplimentar la totalidad de los datos así determinados y contenidos en las declaraciones que le afecten.*

*La declaración e ingreso se efectuarán en la forma y lugar que de-
termine el Ministro de Hacienda y Administraciones Públicas.*

*6. La declaración e ingreso del pago a cuenta a que se refiere la
letra e) del artículo 62.6 de este Reglamento, se efectuará en la forma,
lugar y plazo que determine el Ministro de Hacienda y Administraciones Públicas".*

SUMARIO: 1. COMENTARIO. 2. JURISPRUDENCIA Y DOCTRINA ADMINIS-
TRATIVA RELEVANTE.

1. COMENTARIO

1º) Determinadas personas físicas y las entidades en general, tengan o no
personalidad jurídica, están obligadas a detraer un porcentaje como pago a
cuenta del IS con ocasión del abono de aquellas rentas que reglamentariamente
se establezca.

Cuando la retribución no se satisface en dinero sino en especie, la obligación
que surge no es la de retener sino la de realizar un ingreso a cuenta, con un funcionamiento equivalente al de las retenciones y con unos porcentajes idénticos
a éstas. Por ello, todos los comentarios que para las retenciones formularemos
a continuación son válidos para los ingresos a cuenta, obligatorios en el caso
de retribuciones en especie.

El sistema de retenciones obligatorias es especialmente relevante en la gestión del IRPF, pues un volumen muy elevado de las rentas que perciben las personas físicas está sujeto a retención (en particular el grueso de los rendimien-

tos del trabajo), lo que con frecuencia da lugar a devoluciones. Así, se puede afirmar que la mayor parte de la recaudación por IRPF no se obtiene, en junio del año siguiente, a través de las declaraciones anuales, sino que se ingresa en las arcas públicas mediante el complejo sistema de las retenciones a cuenta. En el ámbito del IS, el volumen y clase de las rentas sujetas a retención no es tan grande y la recaudación no pivota tanto sobre dichas retenciones, adquiriendo una mayor importancia relativa los pagos fraccionados. No obstante, el diseño de retenciones es el mismo en IS que en IRPF, pues se basa en el anticipo del impuesto por parte de las entidades contribuyentes que se ven obligadas a soportar un "descuento" en sus percepciones monetarias que luego pueden recuperar deduciéndolo en su declaración anual, lo que permite minorar la cuota final a ingresar o, incluso, obtener devoluciones si los pagos a cuenta superan la cuota líquida final.

Obviamente, lo que marca que la retención sea a cuenta de IS o de IRPF no es la condición del retenedor o pagador de la renta sino la condición del "retenido" u obligado a soportar la retención. Así, nos encontraremos ante retenciones a cuenta del IS cuando el perceptor de la renta sometida a retención sea una entidad contribuyente por IS. Por otro lado, el primer requisito, establecido por el art. 128 de la LIS, para que la retención a cuenta del IS resulte procedente es que el sujeto que va a satisfacer dicha renta esté obligado a retener. Prescindiendo de casos especiales, los 3 grupos principales de retenedores a cuenta de IS que coinciden con los obligados a retener a cuenta del IRPF o del IRNR son los siguientes:

– Las entidades, en general, que satisfagan o abonen rentas sujetas a IS a entidades contribuyentes por este impuesto. El conjunto de "entidades en general" es mucho más amplio que el de entidades contribuyentes por Impuesto sobre Sociedades y en él se incluyen expresamente las comunidades de bienes y las de propietarios que no son sujetos pasivos de IS.

– La obligación de retener a cuenta del IS se impone también a las personas físicas que, en el ejercicio de sus actividades económicas, satisfagan o abonen rentas sujetas al IS.

A sensu contrario, no están obligadas a retener, por ejemplo, las personas físicas que al margen del ejercicio de cualquier actividad económica abonen el canon arrendaticio a la sociedad propietaria del inmueble.

– La misma obligación de retener surge para las personas físicas, jurídicas y demás entidades no residentes en territorio español que operen en él mediante establecimiento permanente.

El art. 62 del RIS contiene el desarrollo reglamentario de esta cuestión, precisando quién debe efectuar la retención en una serie de casos especiales, por ejemplo, en las operaciones sobre activos financieros, transmisiones de valores de la Deuda del Estado, valores de IIC, etc. Este artículo del RIS también precisa que la obligación de retener no surge cuando se realiza una simple mediación de pago, entendiéndose por tal el abono de una cantidad por cuenta y orden de un tercero.

2º) La LIS impone al retenedor la obligación de ingresar las retenciones que legalmente procedan en los plazos y forma que se establezcan reglamentariamente.

Los modelos para la autoliquidación e ingreso en el Tesoro de las retenciones se aprueban por el Ministro de Hacienda y Administraciones Públicas mediante Orden. Prescindiendo de los modelos más específicos presentados habitualmente por las entidades financieras, las autoliquidaciones más frecuentes por los que una empresa ingresa retenciones a cuenta del IS son el Modelo 115 (retenciones sobre arrendamiento de inmuebles urbanos) y el Modelo 123 (retenciones a cuenta de determinadas rentas del capital), modelos en los que también se incluyen retenciones a cuenta de IRPF. Su periodicidad es trimestral o mensual en el caso de Grandes Empresas (volumen de operaciones durante el año anterior superior a 6.010.121,04 euros) y el plazo de presentación comprende los veinte primeros días naturales siguientes al trimestre en cuestión o para Grandes empresas los veinte primeros días del mes siguiente, salvo que el último día de plazo sea sábado o festivo, en cuyo caso el fin de plazo se traslada al siguiente día laborable.

Es importante recordar que no procede la presentación de declaraciones negativas de retenciones (autoliquidaciones con todos sus datos a 0) según dispone el art. 68.1, último párrafo, del RIS. Conforme a este precepto reglamentario, no debe presentarse autoliquidación por retenciones cuando no haya nada que declarar, por ejemplo, porque en ese trimestre o mes, según sea o no una Gran Empresa, no se ha satisfecho renta alguna sometida a retención o ingreso a cuenta, debiendo presentarse, en su lugar, la correspondiente declaración censal (Modelo 036) de modificación, dando de baja la obligación pues, en caso contrario, la AEAT remitirá un requerimiento exigiendo la declaración periódica de retenciones que ha dejado de presentarse.

Asimismo, los retenedores deben presentar una declaración informativa (resumen anual) con el contenido que se determine reglamentariamente identificando al perceptor de las rentas, clase de renta, retribución satisfecha, retención aplicada, etc... Como ejemplo de estas declaraciones informativas podemos citar el Modelo 180, que contiene el resumen anual de rendimientos procedentes del arrendamiento de inmuebles urbanos que se corresponde con los rendimientos y retenciones declaradas e ingresadas en las correspondientes declaraciones mensuales o trimestrales del modelo 115 y el Modelo 193, declaración informativa de retenciones e ingresos a cuenta sobre determinados rendimientos del capital mobiliario que se corresponde con las autoliquidaciones Modelo

123. El plazo de presentación de estas declaraciones informativas termina el 31 de enero del año siguiente, salvo que sea sábado o festivo, en que se ampliará el plazo hasta al siguiente día laborable.

Por otro lado, es relevante destacar que la obligación de ingresar en el Tesoro las cantidades que debieron haberse retenido surge, incluso, cuando el retenedor al realizar el pago de las rentas, por desconocimiento o por cualquier otra razón, ha dejado de practicar la detracción correspondiente. Es decir, el incumplimiento de la obligación de retener no excusa al retenedor de su obligación de declarar e ingresar las retenciones que debió aplicar. No obstante, sobre la base de evitar la doble imposición y el enriquecimiento injusto de la Administración tributaria, para el caso de retenciones a cuenta del IRPF, el Tribunal Supremo, en Sentencia de 5 de marzo de 2008, Rec. n.º 3499/2002, señaló que la exigencia de una mayor retención al retenedor, cuando el sujeto retenido no ha hecho uso de la facultad de deducir la retención procedente al autoliquidar su obligación principal, no resulta pertinente pues el cumplimiento de la obligación principal determina la imposibilidad de exigir la cuota de retención, sin perjuicio de que se puedan exigir al retenedor los intereses y sanciones que pudiera merecer por el incumplimiento de su obligación.

3º) El retenedor debe expedir, en favor del retenido, una certificación acreditativa de las retenciones practicadas, o en su caso de los ingresos a cuenta efectuados, junto a los demás datos que le puedan facilitar la confección de su futura declaración del IS. Tal certificación debe ponerse a disposición del retenido con anterioridad al inicio del plazo de declaración del impuesto.

Asimismo, el retenedor, con ocasión del pago de la renta, debe comunicar al retenido la retención aplicada, informándole del porcentaje utilizado.

4º) El artículo 60 del RIS establece, en resumen, que la retención a cuenta de IS se aplicará a las entidades contribuyentes que perciban las siguientes rentas:

- Rentas derivadas de la participación en fondos propios de cualquier tipo de entidad, de la cesión a terceros de capitales propios y las restantes rentas comprendidas en el artículo 25 de la LIRPF (rendimientos de seguros, arrendamientos de negocio, cesiones de propiedad intelectual, etc...)
- Los premios.
- Las contraprestaciones obtenidas por una entidad contribuyente de IS en su condición de administrador o consejero en otra sociedad.
- Las rentas procedentes de derechos de imagen.
- Las rentas procedentes del arrendamiento inmuebles urbanos, incluso en el caso que no sean rentas del capital, sino que se obtengan en el ejercicio de una actividad económica. Conforme al art. 5 de la LIS, existe actividad económica en el arrendamiento de inmuebles cuando se utilice al menos un empleado con contrato laboral y a jornada completa.

- Las rentas obtenidas como consecuencia de las transmisiones o reembolsos de acciones o participaciones en instituciones de inversión colectiva (FIM, FIAMM, etc...).

- Las rentas obtenidas como consecuencia de la reducción de capital con devolución de aportaciones o de la distribución de la prima de emisión por SICAV.

Por su parte, el artículo 128.4 de la LIS realiza una primera enumeración ejemplificativa de rentas excluidas de retención a cuenta del IS. Esta enumeración se desarrolla y completa por el art. 61 del RIS. Haremos referencia, a continuación, a algunas de las rentas más frecuentes sobre las que no procede la práctica retención:

- Las obtenidas por las entidades totalmente exentas a que se refiere el artículo 9.1 de la LIS (Estado, CCAA, otros entes públicos, etc.).

- Los dividendos o participaciones en beneficios, intereses y otras rentas satisfechas entre sociedades que formen parte de un grupo que tribute en el régimen especial de consolidación fiscal.

- Los dividendos o participaciones en beneficios exentos en virtud de lo dispuesto por el apartado 1 del artículo 21 de la LIS (cuando se alcance un porcentaje de participación, directa o indirecta, en la entidad que distribuye el dividendo de al menos el 5 %; también cuando el valor de adquisición de la inversión realizada en la sociedad que reparte el dividendo sea superior a 20 millones de euros).

La razón de esta concreta exclusión de la obligación de retener es clara, si estos dividendos están exentos en el IS de la entidad que recibe el dividendo es lógico que no se sometan a retención.

- Los premios de loterías y apuestas organizadas por la Sociedad Estatal Loterías y Apuestas del Estado y por los órganos o entidades de las Comunidades Autónomas y los premios de sorteos organizados por la Cruz Roja Española y de los juegos autorizadas a la ONCE, cuya cuantía no exceda de 2.500 euros. Dicho límite se aplica individualmente a cada décimo o apuesta premiada.

Tampoco se aplica retención sobre los premios que no procedan de Loterías y Apuestas del Estado, Comunidades Autónomas, Cruz Roja u ONCE, cuyo importe no sea superior a 300 euros.

Es de señalar que no están sujetos a retención o ingreso a cuenta del IS los premios que se obtengan en el ejercicio de una actividad económica. Así lo ha entendido la DGT, en Consulta Vinculante V2441/2014, de 17-09-2014. Esta consulta hace referencia al caso de premios que se entregan a entidades distribuidoras o productoras de cine, señalando que en la medida en que las entidades que reciben los premio realizan explotaciones económicas y las rentas obtenidas por la participación en los concursos derivan de su ejercicio, los premios resultan contraprestación del ejercicio de una actividad económica y no están sujetos a retención.

- Los rendimientos de los valores emitidos por el Banco de España que constituyan instrumento de intervención en el mercado monetario. En particular, no se aplica retención a los rendimientos de Letras del Tesoro.

No obstante, las entidades bancarias sí que deben de retener en el caso de rendimientos generados por cuentas cuya remuneración se basa en operaciones sobre Letras del Tesoro.

- Los intereses a favor del Tesoro en los préstamos del crédito oficial.

- Los intereses y comisiones que perciben las entidades bancarias por sus préstamos.

- Las primas de conversión de obligaciones en acciones.

- Las rentas derivadas de la distribución de la prima de emisión de acciones o participaciones. Sin embargo, debe aplicarse retención cuando la distribución de la prima se realice por una SICAV.

- Como ya hemos señalado, están sujetos a retención los ingresos por arrendamientos o subarrendamientos de inmuebles urbanos, incluso cuando tales ingresos se obtengan en el ejercicio de una actividad económica. Ahora bien, con una regulación equiparable a la prevista con relación a las retenciones a cuenta de IRPF, el RIS incluye una serie de supuestos es los que no se aplica retención a los ingresos procedentes de arrendamientos de inmuebles urbanos:

  • Cuando se arrienden viviendas, siendo la arrendataria, pagadora de la renta, una empresa que destine la vivienda al uso por sus empleados.

  • Cuando las rentas satisfechas por el arrendatario a la misma entidad arrendadora no superen los 900 euros anuales.

  • Cuando la entidad arrendadora esté dada de alta en alguno de los epígrafes del grupo 861 del IAE o en algún otro epígrafe que faculte para la actividad de arrendamiento o subarrendamiento de bienes inmuebles urbanos y no resulte cuota cero. Para que no resulte cuota cero en el IAE, es necesario que los inmuebles destinados al arrendamiento tengan un valor catastral conjunto superior a 601.012,10 euros.

Hay que tener en cuenta que esta exclusión de la obligación de retener no está condicionada a que la entidad arrendadora este efectivamente obligada al pago de una cuota por IAE superior a 0, puesto que dicha cuota de IAE puede no devengarse a consecuencia de la aplicación de alguna exención subjetiva de las previstas en el art. 82 TRLRHL, como la aplicable durante los 2 primeros años de ejercicio de la actividad o la prevista para aquellas otras entidades cuya cifra de negocios, en el penúltimo año anterior al ejercicio en cuestión, sea inferior a 1.000.000 de euros. Dicho de otra forma, aunque no se devengue cuota positiva de IAE por la aplicación de alguna exención propia de este impuesto, si el valor catastral de los inmuebles destinados al arrendamiento supera el límite antes mencionado no hay obligación de retener.

El derecho a no soportar retención debe acreditarse, por la entidad arrendadora, mediante la aportación a los diferentes arrendatarios de una certificación expedida por la AEAT. En caso de falta de aportación del certificado específico, los arrendatarios están obligados a practicar la retención. Dicha certificación tributaria, además, debe solicitarse todos los años.

- También se exceptúan de la obligación de retener, los rendimientos derivados de contratos de arrendamiento financiero o leasing sobre inmuebles urbanos que obtienen las entidades dedicadas a este tipo de financiación.

  - Tampoco se aplica retención sobre los rendimientos de cuentas bancarias en el exterior abonados por establecimientos permanentes en el extranjero de entidades de crédito residentes en España.

  - Asimismo, no procede retención sobre las rentas obtenidas por contribuyentes del IS que procedan de activos financieros, siempre que cumplan los requisitos siguientes:

    1.º Que los activos estén representados mediante anotaciones en cuenta.

    2.º Que se negocien en un mercado secundario oficial de valores español, o en el Mercado Alternativo de Renta Fija.

    La exención de retención se extiende a las rentas procedentes de Deuda emitida por las Administraciones públicas de países de la OCDE y activos financieros negociados en mercados organizados de dichos países.

    Aunque no exista obligación de retener, las entidades financieras que participen en el pago de intereses o que intervengan en la transmisión, amortización o reembolso de los valores están obligadas a calcular el rendimiento imputable a las entidades titulares de los valores y deben informar del mismo tanto a la entidad contribuyente por IS como a la propia Administración tributaria.

    La exención de retención no se aplica a los rendimientos de cuentas basadas en operaciones sobre estos activos financieros. En este caso, existe obligación de retener respecto de los rendimientos generados en este tipo de cuentas.

5º) El apartado 5, del art. 128 de la LIS, aclara una cuestión que ha generado frecuentes conflictos. Dicho apartado establece que, cuando se satisfagan rentas sujetas a retención a cuenta de IS en cumplimiento de lo ordenado por una resolución judicial o administrativa, el pagador debe practicar dicha retención sobre la cantidad íntegra que venga obligado a satisfacer. Por supuesto, deberá ingresar el importe retenido en el Tesoro por medio de la autoliquidación que corresponda e incluirlo en la correspondiente declaración informativa.

6°) Los porcentajes o tipos de retención o ingreso a cuenta, aplicables durante los ejercicios 2016 y 2017, son los siguientes:

a) Tipo general: 19 %.

Este porcentaje coincide con el tipo de retención que se aplica en IRPF a las rentas del ahorro (dividendos, intereses, ganancias patrimoniales procedentes fondos de inversión, etc.) o a los arrendamientos de inmuebles.

Dicho porcentaje se dividirá por dos, en el caso de rentas procedentes del arrendamiento o subarrendamiento de inmuebles urbanos situados en Ceuta o Melilla, obtenidas por entidades domiciliadas en dichos territorios o que operen en ellos mediante establecimiento o sucursal.

b) Rentas procedentes de la cesión del derecho a la explotación de la imagen o del consentimiento o autorización para su utilización: 24%.

c) Premios de loterías y apuestas que, por su cuantía, estuvieran sujetos y no exentos del gravamen especial de determinadas loterías y apuestas a que se refiere la Disposición adicional trigésima tercera de la LIRPF: 20%.

En este caso, la retención se practicará sobre el importe del premio sujeto y no exento, es decir, sobre el importe que exceda de 2.500 euros por décimo de lotería o apuesta.

2. JURISPRUDENCIA Y DOCTRINA ADMINISTRATIVA RELEVANTE

TRIBUNAL SUPREMO. Sentencia de 5 de marzo de 2008, Sala de lo Contencioso-Administrativo, Rec. n.º 3499/2002. La exigencia de una mayor retención al retenedor, sin que el sujeto retenido hubiese hecho uso de la facultad de deducir la retención procedente al liquidar su obligación principal, implica una clara doble imposición y un enriquecimiento injusto de la Administración. Si la entidad declaró correctamente las retribuciones y si sus empleados han declarado verazmente, todas las retribuciones habrían pagado el Impuesto correspondiente y, por tanto, la exigencia posterior de cuotas de retención adicionales supondría una doble imposición. El cumplimiento de la obligación principal determina la imposibilidad de exigir la cuota de retención, sin perjuicio de que se exijan al retenedor los intereses y sanciones que pudiera merecer por el incumplimiento de las obligaciones que le son inherentes.

CONSULTA VINCULANTE DGT V3257/2015, de 23-10-2015: La retribución por participar en consejos de otras entidades que por exceder de los límites legales deba ser reintegrada por el consejero a la caja de ahorros estará sujeta al IS, por tanto, también estará sujeta a retención y su porcentaje será del 19%.

CONSULTA VINCULANTE DGT V3044/2015, de 09-10-2015: La entidad estará obligada a practicar retención, a cuenta del IS de la sociedad accionista, sobre los intereses derivados del préstamo concedido por esta última, en el momento en que éstos sean exigibles, momento que vendrá determinado por las fechas de vencimiento señaladas en la escritura o contrato para su liquidación o cobro, o bien si se reconocen en cuenta. En el presente caso, de los datos que se derivan de la consulta, el contrato de préstamo establece que los intereses no serán exigibles hasta el vencimiento del préstamo, momento en el cual se deberá practicar la correspondiente retención.

CONSULTA VINCULANTE DGT V1943/2015, de 19-06-2015: Como las rentas satisfechas a una embajada no estarán sujetas al IS, los terceros que satisfagan las mismas no estarán obligados a retener o a efectuar ingresos a cuenta, en concepto de pago a cuenta del IS.

CONSULTA VINCULANTE DGT V1115/2014, de 16-04-2014: En la medida en que se trate de un arrendamiento de negocio la retención a cuenta de IS se deberá practicar sobre el importe total de la contraprestación. No obstante, si la actividad de arrendamiento de negocio constituye para la sociedad arrendadora una actividad económica en el desarrollo de su objeto social, la renta satisfecha por la arrendataria no estará sujeta a retención.

TEAC. Resolución de 20 de enero de 2010, Vocalía 3.ª,R.G. 215/2009: En ningún caso procede realizar la devolución de las retenciones practicadas, cuando el sujeto pasivo u obligado a soportar la retención las ha deducido en su correspondiente autoliquidación.

CONSULTA VINCULANTE DGT V1004/2007, de 22-05-2007: La entidad consultante se dedica a la intermediación financiera e inmobiliaria. Por la prestación de servicios realizada a otra sociedad consistente en la aportación de un cliente para una operación inmobiliaria, la consultante va a cobrar de esta sociedad una comisión por suministrar dicho cliente. No procede retención sobre dicha comisión.

EJEMPLO

Una profesional pretende comenzar a realizar una actividad como asesor fiscal de empresas. Con relación a la obligación de soportar retenciones sobre los ingresos que espera facturar a las diferentes empresas clientes, se plantea si existen diferencias entre la realización de la actividad a través de una SL unipersonal o directamente como persona física individual titular de un despacho profesional de asesoramiento.

RESPUESTA

a) En el caso que el asesor fiscal decida actuar como profesional independiente titular de un despacho, el beneficio obtenido tributará como rendimiento de actividades económicas en IRPF. Por tanto, el profesional tiene que soportar retenciones a cuenta de IRPF sobre los ingresos que facture a las diferentes empresas clientes.

En el ejercicio 2016, el tipo de retención aplicable a los ingresos profesionales, es el 15%. Ahora bien, conforme al art. 95.1 del RIRPF, el tipo de retención será del 7% en el período impositivo de inicio de actividades y en los dos siguientes, siempre y cuando no hubieran ejercido actividad profesional alguna en el año anterior a la fecha de inicio de las actividades

b) En el caso que el asesor fiscal decida constituir una SL unipersonal que pase a ser la titular del despacho, el beneficio obtenido tributará en IS. Por tanto, no tendrá que soportar retenciones sobre los ingresos que el profesional facture a las diferentes empresas clientes, ya que el art. 60 del RIS no incluye los ingresos de actividades económicas entre los rendimientos sometidos a retención a cuenta del IS.

Ahora bien, no podemos olvidar que el tercer párrafo del art. 27.1 LIRPF establece que, cuando el contribuyente esté incluido en el régimen especial de la Seguridad Social de los trabajadores por cuenta propia o autónomos, o en una mutualidad de previsión social que actúe como alternativa al citado régimen, deben considerarse ingresos de actividades económicas, por tanto sometidos a retención a cuenta de IRPF, los rendimientos obtenidos por el profesional procedentes de una entidad en cuyo capital participe derivados de la realización de actividades incluidas en la Sección Segunda (actividades profesionales) de las Tarifas del IAE.

Asimismo, los servicios que el socio/profesional preste a su SL, deben de valorarse a valor de mercado, al tratarse de servicios prestados a una sociedad vinculada, pudiendo aplicarse la regla de valoración contenida en el art. 18.6 de la LIS (valor mínimo del 75% del resultado previo a la deducción de las retribuciones correspondientes a la totalidad de los socios-profesionales por la prestación de sus servicios) siempre y cuando se cumplan los requisitos previstos en el mencionado art. 18.6.

Artículo 129

Normas sobre retención, transmisión y obligaciones formales relativas a activos financieros y otros valores mobiliarios

Faustino Moya Calatayud
Inspector de Hacienda del Estado

"1. *En las transmisiones o reembolsos de acciones o participaciones representativas del capital o patrimonio de las instituciones de inversión colectiva estarán obligadas a practicar retención o ingreso a cuenta por este Impuesto, en los casos y en la forma que reglamentariamente se establezca, las entidades gestoras, administradoras, depositarias, comercializadoras o cualquier otra encargada de las operaciones mencionadas, así como el representante designado de acuerdo con lo dispuesto en el artículo 55.7 y la Disposición adicional segunda de la Ley 35/2003, de 4 de noviembre, de instituciones de inversión colectiva, que actúe en nombre de la gestora que opere en régimen de libre prestación de servicios.*

Reglamentariamente podrá establecerse la obligación de efectuar pagos a cuenta a cargo del transmitente de acciones y participaciones de instituciones de inversión colectiva, con el límite del 20 por ciento de la renta obtenida en las citadas transmisiones.

2. A los efectos de la obligación de retener sobre los rendimientos implícitos del capital mobiliario, a cuenta de este Impuesto, esta retención se efectuará por las siguientes personas o entidades:

a) En los rendimientos obtenidos en la transmisión o reembolso de los activos financieros sobre los que reglamentariamente se hubiera establecido la obligación de retener, el retenedor será la entidad emisora o las instituciones financieras encargadas de la operación.

b) En los rendimientos obtenidos en transmisiones relativas a operaciones que no se documenten en títulos, así como en las transmisiones encargadas a una institución financiera, el retenedor será el Banco, Caja o entidad que actúe por cuenta del transmitente.

c) En los casos no recogidos en los párrafos anteriores, será obligatoria la intervención de fedatario público que practicará la correspondiente retención.

3. Para proceder a la enajenación u obtención del reembolso de los títulos o activos con rendimientos implícitos que deban ser objeto de retención, habrá de acreditarse su previa adquisición con intervención de los fedatarios o instituciones financieras mencionadas en el apartado anterior, así como el precio al que se realizó la operación.

El emisor o las instituciones financieras encargadas de la operación que, de acuerdo con el párrafo anterior, no deban efectuar el reembolso al tenedor del título o activo, deberán constituir por dicha cantidad depósito a disposición de la autoridad judicial.

4. Los fedatarios públicos que intervengan o medien en la emisión, suscripción, transmisión, canje, conversión, cancelación y reembolso de efectos públicos, valores o cualesquiera otros títulos y activos financieros, así como en operaciones relativas a derechos reales sobre ellos, vendrán obligados a comunicar tales operaciones a la Administración tributaria presentando relación nominal de sujetos intervinientes con indicación de su domicilio y número de identificación fiscal, clase y número de los efectos públicos, valores, títulos y activos, así como del precio y fecha de la operación, en los plazos y de acuerdo con el modelo que determine el Ministro de Hacienda y Administraciones Públicas.

La misma obligación recaerá sobre las entidades y establecimientos financieros de crédito, las sociedades y agencias de valores, los demás intermediarios financieros y cualquier persona física o jurídica que se dedique con habitualidad a la intermediación y colocación de efectos públicos, valores o cualesquiera otros títulos de activos financieros, índices, futuros y opciones sobre ellos; incluso los documentos mediante anotaciones en cuenta, respecto de las operaciones que impliquen, directa o indirectamente, la captación o colocación de recursos a través de cualquier clase de valores o efectos.

Asimismo, estarán sujetas a esta obligación de información las sociedades gestoras de instituciones de inversión colectiva y las entidades comercializadoras respecto de las acciones y participaciones en dichas instituciones incluidas en sus registros de accionistas o partícipes.

Las obligaciones de información que establece este apartado se entenderán cumplidas respecto a las operaciones sometidas a retención que en él se mencionan, con la presentación de la relación de perceptores, ajustada al modelo oficial del resumen anual de retenciones correspondiente.

5. Deberá comunicarse a la Administración tributaria la emisión de certificados, resguardos o documentos representativos de la adquisición de metales u objetos preciosos, timbres de valor filatélico o piezas de valor numismático, por las personas físicas o jurídicas que se dediquen con habitualidad a la promoción de la inversión en dichos valores.

6. Lo dispuesto en los apartados 2 y 3 anteriores, resultará aplicable en relación con la obligación de retener o de ingresar a cuenta que se establezca reglamentariamente respecto a las transmisiones de activos financieros de rendimiento explícito".

DESARROLLO REGLAMENTARIO
REGLAMENTO DEL IMPUESTO SOBRE SOCIEDADES, APROBADO POR RD 634/2015

Artículo 63. Calificación de los activos financieros y requisitos fiscales para la transmisión, reembolso y amortización de activos financieros.

"*1. Tendrán la consideración de activos financieros con rendimiento implícito aquellos en los que el rendimiento se genere mediante diferencia entre el importe satisfecho en la emisión, primera colocación o endoso y el comprometido a reembolsar al vencimiento de aquellas operaciones cuyo rendimiento se fije, total o parcialmente, de forma implícita, a través de cualesquier valores mobiliarios utilizados para la captación de recursos ajenos.*

Se incluyen como rendimientos implícitos las primas de emisión, amortización o reembolso.

Se excluyen del concepto de rendimiento implícito las bonificaciones o primas de colocación, giradas sobre el precio de emisión, siempre que se encuadren dentro de las prácticas de mercado y que constituyan ingreso en su totalidad para el mediador, intermediario o colocador financiero, que actúe en la emisión y puesta en circulación de los activos financieros regulados en esta norma.

Se considerará como activo financiero con rendimiento implícito cualquier instrumento de giro incluso los originados en operaciones comerciales, a partir del momento en que se endose o transmita, salvo que el endoso o cesión se haga como pago de un crédito de proveedores o suministradores.

2. Tendrán la consideración de activos financieros con rendimiento explícito aquellos que generen intereses y cualquier otra forma de retribución pactada como contraprestación a la cesión a terceros de capitales propios y que no esté comprendida en el concepto de rendimientos implícitos en los términos que establece el apartado anterior.

3. Los activos financieros con rendimiento mixto seguirán el régimen de los activos financieros con rendimiento explícito cuando el efectivo anual que produzcan de esta naturaleza sea igual o superior al tipo de referencia vigente en el momento de la emisión, aunque en las condiciones de emisión, amortización o reembolso se hubiese fijado, de forma implícita, otro rendimiento adicional. Este tipo de referencia será, durante cada trimestre natural, el 80 por ciento del tipo efectivo correspondiente al precio medio ponderado redondeado que hubiera resultado en la última subasta del trimestre precedente, correspondiente a bonos del Estado a tres años, si se tratara de activos financieros con plazo igual o inferior a cuatro años; a bonos del Estado a cinco años, si se tratara de activos financieros con plazo superior a cuatro años pero igual o inferior a siete, y a obligaciones del Estado a 10, 15 o 30 años si se tratara de activos con plazo superior. En el caso de que no pueda determinarse el tipo de referencia para algún plazo, será de aplicación el del plazo más próximo al de la emisión planeada.

A efectos de lo dispuesto en este apartado, respecto de las emisiones de activos financieros con rendimiento variable o flotante, se tomará como interés efectivo de la operación su tasa de rendimiento interno, considerando únicamente los rendimientos de naturaleza explícita y calculada, en su caso, con referencia a la valoración inicial del parámetro respecto del cual se fije periódicamente el importe definitivo de los rendimientos devengados.

No obstante lo anterior, si se trata de deuda pública con rendimiento mixto, cuyos cupones e importe de amortización se calculan con referencia a un índice de precios, el porcentaje del primer párrafo será el 40 por ciento.

4. Para proceder a la enajenación u obtención del reembolso de los títulos o activos financieros con rendimiento implícito y de activos financieros con rendimiento explícito que deban ser objeto de retención en el momento de su transmisión, amortización o reembolso, habrá de acreditarse la previa adquisición de los mismos con intervención de los fedatarios o instituciones financieras obligados a retener, así como el precio al que se realizó la operación.

Cuando un instrumento de giro se convierta en activo financiero después de su puesta en circulación, ya el primer endoso o cesión deberá hacerse a través de fedatario público o institución financiera, salvo que el mismo endosatario o adquirente sea una institución financiera. El fedatario o institución financiera consignarán en el documento su carácter de activo financiero, con identificación de su primer adquirente o tenedor.

5. A efectos de lo dispuesto en el apartado anterior, la persona o entidad emisora, la institución financiera que actúe por cuenta de ésta, el fedatario público o la institución financiera que actúe o intervenga por cuenta del adquirente o depositante, según proceda, deberán extender certificación acreditativa de los siguientes extremos:

a) Fecha de la operación e identificación del activo.

b) Denominación del adquirente.

c) Número de identificación fiscal del citado adquirente o depositante.

d) Precio de adquisición.

De la mencionada certificación, que se extenderá por triplicado, se entregarán dos ejemplares al adquirente, quedando otro en poder de la persona o entidad que certifica.

6. Las instituciones financieras o los fedatarios públicos se abstendrán de mediar o intervenir en la transmisión de estos activos cuando el transmitente no justifique su adquisición de acuerdo con lo dispuesto en este artículo.

7. Las personas o entidades emisoras de los activos financieros a los que se refiere el apartado 4 no podrán reembolsar los mismos cuando el tenedor no acredite su adquisición previa mediante la certificación oportuna, ajustada a lo indicado en el apartado 5 anterior.

El emisor o las instituciones financieras encargadas de la operación que, de acuerdo con el párrafo anterior, no deban efectuar el reembolso al tenedor del título o activo deberán constituir por dicha cantidad depósito a disposición de la autoridad judicial.

La recompra, rescate, cancelación o amortización anticipada exigirán la intervención o mediación de institución financiera o de fedatario público, quedando la entidad o persona emisora del activo como mero adquirente en el caso de que vuelva a poner en circulación el título.

8. El tenedor del título, en caso de extravío de un certificado justificativo de su adquisición, podrá solicitar la emisión del correspondiente duplicado de la persona o entidad que emitió tal certificación.

Esta persona o entidad hará constar el carácter de duplicado de ese documento, así como la fecha de expedición de ese último.

9. En los casos de transmisión lucrativa se entenderá que el adquirente se subroga en el valor de adquisición del transmitente, en tanto medie una justificación suficiente del referido coste".

SUMARIO: 1. COMENTARIO.

1. COMENTARIO

1º) Las Instituciones de Inversión Colectiva (IIC) son entidades con o sin personalidad jurídica (según se trate de sociedades o de fondos de inversión) que captan en el mercado recursos de un conjunto de ahorradores para invertirlos y gestionarlos de forma conjunta y profesional. Sus inversiones pueden materializarse en activos financieros o no financieros (por ejemplo, inmuebles).

Entre las IIC con forma societaria podemos destacar las famosas Sociedades de Inversión de Capital Variable (SICAV) o las Sociedades Cotizadas de Inversión en el Mercado Inmobiliario (SOCIMI). Entre las entidades sin personalidad se incluyen los Fondos de Inversión.

Una característica destacada de estas IIC es su reducida tributación en IS, puesto que sus bases imponibles positivas se sujetan a un tipo de gravamen del 1%. Esta baja tributación se justifica por la futura imposición personal (IRPF o IS según la condición del inversor) que soportará el ahorrador cuando recupere su inversión. Hasta el momento en que el inversor decida deshacerse de su participación en una IIC, las posibles revalorizaciones de su inversión o plusvalías latentes no se someten a tributación. En consecuencia, cuando el inversor deshaga su posición y recupere, en todo o parte, los fondos invertidos, nacerá la obligación de tributar por las posibles ganancias acumuladas que se materializan en ese momento.

El artículo 129 de la LIS autoriza al Reglamento a anticipar la tributación sobre las ganancias derivadas de las inversiones en IIC exigiendo una retención o ingreso a cuenta.

El desarrollo de este precepto se contiene en el artículo 60.1 del RIS, letra f, que impone la obligación de retener sobre las rentas obtenidas como consecuencia de las transmisiones o reembolsos de acciones o participaciones representativas del capital o patrimonio de instituciones de inversión colectiva.

La retención, obviamente, no se aplica sobre la parte que se corresponda con el capital recuperado sino únicamente sobre la ganancia o plusvalía acumulada que se haya puesto de manifiesto en el momento de la transmisión. Por este motivo, en el caso de pérdidas la retención resulta del todo improcedente.

Tanto en el caso de las retenciones a cuenta del IS como en retenciones a cuenta de IRPF por este mismo tipo de renta, las retenciones deben ser soportadas por los contribuyentes de estos impuestos que transmitan acciones o participaciones de instituciones de inversión colectiva.

Para el caso del IS, el art. 60.1 g) del RIS extiende la obligación de retener a las rentas obtenidas como consecuencia de las reducciones de capital con devolución de aportaciones o de las distribuciones de la prima de emisión de acciones, realizadas por SICAVs sometidas al tipo especial del 1%. Idéntica obligación de soportar retención se impone en la normativa de IRPF a los socios de SICAVs que sean personas físicas.

El tipo de retención aplicable a las rentas procedentes de IIC, vigente para ejercicios 2016 y 2017, es el 19%.

La obligación de practicar, declarar e ingresar estas retenciones en el Tesoro Público se impone a las entidades gestoras, administradoras, depositarias, comercializadoras, etc., precisando el artículo 62 del RIS en sus apartados 6 y 7 los concretos obligados a retener:

- En el caso de reembolso de participaciones de fondos de inversión, la obligación corresponde a las sociedades gestoras, salvo por las participaciones registradas a nombre de entidades comercializadoras por cuenta de partícipes respecto de las cuales serán dichas entidades comercializadoras las obligadas a practicar la retención.

- En el caso de recompra de acciones por una SICAV, cuyas acciones no coticen en bolsa ni en otro mercado o sistema organizado de negociación de valores, la propia SICAV será la obligada a retener, salvo que intervenga una sociedad gestora. En este último caso, la obligada a retener será ésta.

- En el caso de instituciones de inversión colectiva domiciliadas en el extranjero, la retención la deberán de realizar las entidades comercializadoras o los intermediarios facultados para la comercialización de las acciones o participaciones de aquellas y, subsidiariamente, la entidad o entidades encargadas de la colocación o distribución de los valores entre los potenciales suscriptores, cuando efectúen el reembolso.

- En el caso de gestoras que operen en régimen de libre prestación de servicios, la obligación de retener se deberá cumplir por el representante designado.

- En los supuestos en los que no proceda la práctica de retención estará obligado a efectuar un pago a cuenta el propio socio o partícipe que efectúe la transmisión u obtenga el reembolso.

- En las operaciones de reducción de capital con devolución de aportaciones y de distribución de la prima de emisión, realizadas por SICAVs que tributen al 1%, deberá practicar la retención o ingreso a cuenta la propia SICAV que efectúe la reducción de capital o la distribución de la prima de emisión.

2°) El artículo 63 del RIS realiza una clasificación de los activos financieros según el tipo de rendimientos que generan.

- Son activos financieros con rendimiento implícito aquellos en los que el rendimiento se produce por la diferencia entre el importe satisfecho en la emisión, primera colocación o endoso y el comprometido a reembolsar al vencimiento. En definitiva, se trata de activos emitidos "al tirón" o "al descuento" que no dan derecho a recibir un interés explícito, sino que la rentabilidad se obtiene por dicha diferencia entre el precio pagado a su adquisición y el obtenido al transmitirlo o amortizarlo.

No se consideran rendimientos implícitos las bonificaciones o primas de colocación que constituyan ingreso para el mediador, intermediario o colocador financiero de la emisión.

- Los activos financieros con rendimiento explícito son aquellos otros cuya rentabilidad se produce por los intereses explícitos expresamente pactados.

- También pueden existir activos financieros mixtos que producen rendimientos de los 2 tipos: explícitos e implícitos. Estos activos seguirán el régimen de los activos financieros con rendimiento explícito cuando el tipo efectivo anual que produzcan de esta naturaleza alcance al menos tipo de referencia vigente en el momento de la emisión, aunque además existiera una rentabilidad adicional implícita. Por el contrario, los activos financieros mixtos seguirán el régimen de los activos financieros con rendimiento implícito cuando el tipo efectivo del rendimiento explícito sea inferior al mencionado tipo de referencia.

La Secretaría General del Tesoro y Política Financiera publica para cada trimestre una resolución con el tipo de interés efectivo a utilizar como tipo de referencia.

El apartado 2 de este artículo 129 precisa quiénes están obligados a retener sobre los rendimientos implícitos del capital mobiliario obtenidos por contribuyentes de IS:

a) En los rendimientos puestos de manifiesto en la transmisión o reembolso de estos activos, el retenedor será la entidad emisora o las instituciones financieras encargadas de la operación.

b) En los rendimientos obtenidos en transmisiones relativas a operaciones que no se documenten en títulos, así como en las transmisiones encargadas a una institución financiera, el retenedor será el Banco, Caja o entidad que actúe por cuenta del transmitente.

c) En los demás casos será obligatoria la intervención de fedatario público (notario) que practicará la correspondiente retención y la ingresará en el Tesoro.

Como hemos expuesto en los comentarios al art. 128 de la LIS, los rendimientos explícitos o implícitos derivados de valores de Deuda Pública (por ejemplo, Obligaciones o Bonos del Estado) o privada, cuando están representados mediante anotaciones en cuenta y se negocien en un mercado secundario organizado, no están sometidos a retención a cuenta de IS (art. 61, letra q, del RIS).

3º) El poseedor de activos financieros que generan únicamente rendimientos implícitos o de activos cuyos rendimientos explícitos no alcancen el tipo mínimo de referencia, antes de enajenarlos u obtener su reembolso, debe acreditar que en su adquisición intervino un fedatario público o una institución financiera.

4º) Las personas o entidades que intervienen o median en la emisión, suscripción, transmisión, canje, conversión, cancelación y reembolso de valores o activos financieros están obligadas a informar de tales operaciones a la Administración tributaria presentando los modelos de declaraciones informativas que apruebe el Ministro de Hacienda y Administraciones Públicas.

La Declaración Informativa de operaciones con Letras del Tesoro es el modelo 192, aprobado por Orden de 4 de octubre de 2001.

El modelo general para informar de las operaciones con valores o activos financieros es el modelo 198, declaración anual de operaciones con activos financieros y otros valores mobiliarios, aprobado por Orden EHA/3895/2004, de 23 de noviembre. La obligación de informar por medio del Modelo 198 se impone a los notarios, entidades y establecimientos financieros de crédito, las sociedades y agencias de valores, los demás intermediarios financieros y cualquier persona física o jurídica que se dedique con habitualidad a la intermediación y colocación de efectos públicos, valores o cualesquiera otros títulos de activos financieros, índices, futuros y opciones sobre ellos; incluso los documentos mediante anotaciones en cuenta.

Estas obligaciones de información en el caso que proceda la práctica de retención se entiende cumplida con la presentación de Modelo 194, Declaración Informativa de Retenciones e ingresos a cuenta del IRPF, IS e IRNR (establecimientos permanentes) sobre rendimientos del capital mobiliario y rentas derivadas de la transmisión, amortización, reembolso, canje o conversión de cualquier clase de activos representativos de la captación y utilización de capitales ajenos, aprobado por Orden de 18 de noviembre de 1999.

Por su parte, las sociedades gestoras de instituciones de inversión colectiva y las entidades comercializadoras de acciones y participaciones en dichas IIC deben presentar el Modelo 187, declaración informativa en la que se informa tanto de las adquisiciones y transmisiones de acciones o participaciones de las instituciones de inversión colectiva como de las retenciones aplicadas a las ganancias obtenidas, aprobado por ORDEN de 15 de diciembre de 1999.

5°) El apartado 5 de este artículo 129 de la LIS impone, a las personas que se dediquen con habitualidad a la promoción de la inversión en metales u objetos preciosos, timbres de valor filatélico o piezas de valor numismático, la obligación de comunicar a la Administración tributaria la emisión de certificados, resguardos o documentos representativos de la adquisición de dichos bienes materiales.

Para el cumplimiento de esta obligación no se ha aprobado ningún modelo específico, por consiguiente, la empresa que emita este tipo de productos de inversión, deberá realizar una simple comunicación por escrito, dirigida a la AEAT, en la que informe de la emisión de estos certificados o resguardos.

EJEMPLO

Una entidad contribuyente por IS suscribe 10.000 participaciones de 10 euros nominales cada una (inversión total 100.000 euros) en un Fondo de Inversión.

Pasado un tiempo, sus participaciones en el Fondo han alcanzado un valor liquidativo de 110.000 euros. La empresa tiene pensado solicitar el reembolso de 10.000 euros, manteniendo invertidos en el Fondo los 100.000 euros restantes.

La entidad pregunta qué renta fiscal se producirá por ese reembolso y qué importe líquido recibirá.

RESPUESTA

Las rentas sometidas a gravamen procedentes de inversiones en Fondos de Inversión, tanto en IRPF como en IS, se calculan aplicando un sistema de cálculo muy favorable.

El valor liquidativo de cada participación en este momento son 11 euros, ya que: 110.000 euros/10.000 participaciones = 11 euros/participación.

Por tanto, para obtener un total bruto de 10.000 euros necesita reembolsar 909,09090909 participaciones (10.000 particiones/11 euros= 909,09090909)

Y la rentabilidad fiscal que se va a someter a tributación en IS será la siguiente:

Valor de transmisión = 10.000 euros

Valor de adquisición = 9.090,9090909

Renta sometida a tributación = 909,09 euros

La retención procedente que aplicará la entidad gestora del Fondo será el 19% de 909,09 euros.

Por tanto, el importe líquido recibido será el siguiente:

Importe bruto reembolsado = 10.000 euros

– Retención 19% = –172.72 euros

Importe líquido recibido = 9.827,28 euros.

Artículo 130

Derecho a la conversión de activos por impuesto diferido en crédito exigible frente a la Administración Tributaria

Javier María Bas Soria
Inspector de Hacienda del Estado

"*1. Los activos por impuesto diferido correspondientes a dotaciones por deterioro de los créditos u otros activos derivadas de las posibles insolvencias de los deudores no vinculados con el contribuyente, no adeudados con entidades de derecho público y cuya deducibilidad no se produzca por aplicación de lo dispuesto en el artículo 13.1.a) de esta Ley, así como los derivados de la aplicación de los apartados 1 y 2 del artículo 14 de esta Ley, correspondientes a dotaciones o aportaciones a sistemas de previsión social y, en su caso, prejubilación, podrán convertirse en un crédito exigible frente a la Administración Tributaria, por un importe igual a la cuota líquida positiva correspondiente al período impositivo de generación de aquellos, siempre que se de cualquiera de las circunstancias señaladas en el apartado siguiente.*

Cuando el importe de la cuota líquida positiva de un determinado período impositivo sea superior al importe de los activos por impuesto diferido generados en el mismo a que se refiere el párrafo anterior, la entidad podrá tener el derecho previsto en este artículo, por un importe igual al exceso, respecto de aquellos activos de la misma naturaleza generados en períodos impositivos anteriores o en los 2 períodos impositivos posteriores. En este caso, el plazo a que se refiere el apartado 5 siguiente se computará desde el último día del primer período impositivo en que a dichos activos les resulte de aplicación este artículo.

2. La conversión a que se refiere el apartado anterior se producirá siempre que se de cualquiera de las siguientes circunstancias:

a) Que el contribuyente registre pérdidas contables en sus cuentas anuales, auditadas y aprobadas por el órgano correspondiente.

En este supuesto, el importe de los activos por impuesto diferido objeto de conversión estará determinado por el resultado de aplicar sobre el total de los mismos, el porcentaje que representen las pérdidas contables del ejercicio respecto de la suma de capital y reservas.

b) Que la entidad sea objeto de liquidación o insolvencia judicialmente declarada.

Asimismo, los activos por impuesto diferido por el derecho a compensar en ejercicios posteriores las bases imponibles negativas, se con-

vertirán en un crédito exigible frente a la Administración Tributaria cuando aquellos sean consecuencia de integrar en la base imponible las dotaciones por deterioro de los créditos u otros activos derivadas de las posibles insolvencias de los deudores, así como las dotaciones o aportaciones a sistemas de previsión social y, en su caso, prejubilación, que generaron los activos por impuesto diferido a que se refiere el primer párrafo del apartado anterior.

3. La conversión de los activos por impuesto diferido a que se refiere el apartado 1 de este artículo en un crédito exigible frente a la Administración Tributaria se producirá en el momento de la presentación de la autoliquidación del Impuesto sobre Sociedades correspondiente al período impositivo en que se hayan producido las circunstancias descritas en el apartado anterior.

4. La conversión de los activos por impuesto diferido en un crédito exigible frente a la Administración Tributaria a que se refiere el apartado 1 de este artículo determinará que el contribuyente pueda optar por solicitar su abono a la Administración Tributaria o por compensar dichos créditos con otras deudas de naturaleza tributaria de carácter estatal que el propio contribuyente genere a partir del momento de la conversión. El procedimiento y el plazo de compensación o abono se establecerán de forma reglamentaria.

5. Los activos por impuesto diferido a que se refiere el apartado 1 anterior podrán canjearse por valores de Deuda Pública, una vez transcurrido el plazo de 18 años, computado desde el último día del período impositivo en que se produzca el registro contable de tales activos. El procedimiento y el plazo del canje se establecerán de forma reglamentaria.

6. Las entidades que apliquen lo dispuesto en este artículo deberán incluir en la declaración por este Impuesto la siguiente información:

a) Importe total de los activos por impuesto diferido correspondientes a dotaciones por deterioro de los créditos u otros activos derivadas de las posibles insolvencias de los deudores no vinculados con el contribuyente, no adeudados con entidades de derecho público y cuya deducibilidad no se produzca por aplicación de lo dispuesto en el artículo 13.1.a) de esta Ley, así como los derivados de la aplicación de los apartados 1 y 2 del artículo 14 de esta Ley, correspondientes a dotaciones o aportaciones a sistemas de previsión social y, en su caso, prejubilación.

b) Importe total y año de generación de los activos por impuesto diferido a que se refiere la letra a) anterior respecto de los cuales la entidad tiene el derecho establecido en este artículo, especificando aquellos a que se refiere, en su caso, el segundo párrafo del apartado 1 anterior.

c) Importe total y año de generación de los activos por impuesto diferido a que se refiere la letra a) anterior respecto de los cuales la entidad no tiene el derecho establecido en este artículo".

DESARROLLO REGLAMENTARIO
REGLAMENTO DEL IMPUESTO SOBRE SOCIEDADES, APROBADO POR RD 634/2015

Artículo 69. Procedimiento de compensación y abono de créditos exigibles frente a la Hacienda Pública.

"1. Los activos por impuesto diferido correspondientes a dotaciones por deterioro de los créditos u otros activos derivadas de las posibles insolvencias de los deudores no vinculados con el contribuyente, no adeudados con entidades de derecho público y cuya deducibilidad no se produzca por aplicación de lo dispuesto en el artículo 13.1.a) de la Ley del Impuesto, así como los derivados de los apartados 1 y 2 del artículo 14 de la Ley del Impuesto, correspondientes a dotaciones o aportaciones a sistemas de previsión social y, en su caso, prejubilación, se convertirán en un crédito exigible frente a la Administración tributaria, en los términos establecidos en el apartado 1 del artículo 130 de la Ley del Impuesto.

2. La conversión de los activos por impuesto diferido a que se refiere el apartado anterior en un crédito exigible frente a la Administración tributaria se producirá en el momento de la presentación de la autoliquidación del Impuesto sobre Sociedades correspondiente al período impositivo en que se hayan producido las circunstancias previstas en el apartado 1 del artículo 130 de la Ley del Impuesto.

3. La conversión de activos por impuesto diferido en un crédito exigible frente a la Administración tributaria determinará que el contribuyente pueda optar por solicitar su abono a la Administración tributaria o por compensar dichos créditos con otras deudas de naturaleza tributaria de carácter estatal que el propio contribuyente genere a partir del momento de la conversión.

4. La solicitud de abono del crédito exigible frente a la Administración tributaria se realizará a través de la autoliquidación del Impuesto sobre Sociedades. Este abono se regirá por lo dispuesto en el artículo 31 de la Ley 58/2003, de 17 de diciembre, General Tributaria, y en su normativa de desarrollo, sin que, en ningún caso, se produzca el devengo del interés de demora a que se refiere el apartado 2 de dicho artículo 31.

5. En el caso de que el contribuyente inste la compensación del crédito exigible frente a la Administración tributaria con otras deudas, en los términos establecidos en el apartado 3 del artículo 130 de la Ley del Impuesto, deberá dirigir al órgano competente para su tramitación la correspondiente solicitud, para cada deuda cuya compensación pretenda realizar, de acuerdo con el modelo que se aprobará por Orden del Ministro de Hacienda y Administraciones Públicas. Dicha solicitud contendrá los siguientes datos:

a) Identificación de la deuda tributaria cuya compensación se solicita, indicando al menos, su importe y concepto. Se indicará también la fecha de vencimiento del plazo de ingreso en el caso de deudas con plazo de ingreso en período voluntario.

b) Identificación de la autoliquidación en que se genera el crédito exigible frente a la Administración tributaria cuya compensación se pretenda.

c) Manifestación del contribuyente indicando que no se ha solicitado el abono del referido crédito ni se ha solicitado su compensación por el mismo importe con otras deudas tributarias.

La solicitud se podrá presentar en relación con aquellas deudas generadas a partir del momento de la conversión. Esta solicitud no impedirá la solicitud de aplazamientos o fraccionamientos de la deuda restante.

La resolución de esta solicitud deberá notificarse en el plazo de 6 meses.

En lo no previsto en este artículo, resultará de aplicación lo dispuesto en el Reglamento General de Recaudación, aprobado por el Real Decreto 939/2005, de 29 de julio, en relación con la compensación de deudas.

La competencia para tramitar el correspondiente procedimiento y dictar resolución en los supuestos regulados en este artículo se establecerá mediante la correspondiente norma de organización específica".

El artículo 11.12 LIS establece una regla especial de imputación temporal que limita el importe de determinadas dotaciones a insolvencia de créditos y aportaciones a sistemas de previsión social. Esta regla se aplica a los deterioros de créditos, que hayan dado lugar a la existencia de un gasto contable, pero que en el periodo impositivo de su registro no cumplieran las condiciones para su deducción fiscal, previstas en el artículo 13.1 LIS, generando en consecuencia un activo por impuesto diferido por la diferencia temporal generada, salvo en el caso de los créditos para los que la exclusión de la deducibilidad fiscal derive de no haber transcurrido el plazo de seis meses desde su vencimiento que exige la letra a del artículo 13.1 LIS y los créditos adeudados por entidades públicas. También se aplica a las dotaciones o aportaciones a sistemas de previsión social y, en su caso, prejubilación, que generen activos por impuesto diferido. Estos gastos contables que se aplican fiscalmente en un momento posterior (reversión del activo diferido) no pueden superar el 70 por ciento de la base imponible positiva previa a su integración, a la aplicación de la reserva de capitalización establecida en el artículo 25 LIS y a la compensación de bases imponibles negativas.

Tales activos se pueden monetarizar, convirtiéndose en un crédito exigible frente a la Hacienda Pública, cuando se den cualquiera de las situaciones siguientes:

–   Que el contribuyente registre pérdidas contables en sus cuentas anuales, auditadas y aprobadas por el órgano correspondiente.

En este supuesto, el importe de los activos por impuesto diferido objeto de conversión estará determinado por el resultado de aplicar sobre el total de los mismos, el porcentaje que representen las pérdidas contables del ejercicio respecto de la suma de capital y reservas.

– Que la entidad sea objeto de liquidación o insolvencia judicialmente declarada.

También podrán convertirse en un crédito exigible los activos por impuesto diferido por el derecho a compensar en ejercicios posteriores las bases imponibles negativas cuando aquellos sean consecuencia de integrar en la base imponible las dotaciones por deterioro de los créditos u otros activos derivadas de las posibles insolvencias de los deudores, así como las dotaciones o aportaciones a sistemas de previsión social y, en su caso, prejubilación, que generaron los activos por impuesto diferido a que nos hemos referido.

La conversión de los activos por impuesto diferido en un crédito exigible se producirá en el momento de presentar la autoliquidación del IS correspondiente al período impositivo en que se hayan producido las circunstancias previstas legalmente y que permiten la monetarización. La declaración deberá incluir la siguiente información en relación con este derecho:

– Importe total de los activos por impuesto diferido.

– Importe total y año de generación de los activos por impuesto diferido por los que se tiene derecho a la monetarización.

– Importe total y año de generación de los activos por impuesto diferido por los que no se tiene el citado derecho.

La monetarización puede realizarse, a opción del contribuyente, como un abono directo, debiendo manifestarse así en la autoliquidación, o por compensar de los créditos con otras deudas de naturaleza tributaria de carácter estatal que el propio contribuyente genere a partir del momento de la conversión. En este caso deberá indicarse para hacer efectiva la compensación la siguiente información:

– Deuda tributaria cuya compensación se solicita, indicando al menos, su importe, concepto y la fecha de vencimiento del plazo de ingreso.

– Identificación de la autoliquidación en que se generó el crédito exigible frente a la Administración tributaria cuya compensación se pretenda.

– Manifestación del contribuyente indicando que no se ha solicitado el abono del referido crédito ni se ha solicitado su compensación por el mismo importe con otras deudas tributarias.

La solicitud deberá resolverse en 6 meses y no impide la solicitud de aplazamientos o fraccionamientos de la deuda restante.

Artículo 131
Facultades de la Administración para determinar la base imponible

JAVIER MARÍA BAS SORIA

Inspector de Hacienda del Estado

> *"A los efectos de determinar la base imponible, la Administración tributaria aplicará las normas a que se refiere el artículo 10.3 de esta Ley".*

Como sabemos, el artículo 10.3 LIS establece que "en el método de estimación directa, la base imponible se calculará, corrigiendo, mediante la aplicación de los preceptos establecidos en esta Ley, el resultado contable determinado de acuerdo con las normas previstas en el Código de Comercio, en las demás leyes relativas a dicha determinación y en las disposiciones que se dicten en desarrollo de las citadas normas".

La referencia al resultado contable como elemento de partida para la determinación de la base imponible plantea la cuestión de las competencias que puede asumir la Administración tributaria para su verificación. La Ley 43/1995 quiso zanjar este tema desde el origen, estableciendo en su artículo 148 de forma clara la facultad de verificación de la Administración sobre el resultado contable. Así, el mencionado precepto, en su redacción original, establecía: "*A los solos efectos de determinar la base imponible, la Administración tributaria podrá determinar el resultado contable, aplicando las normas a que se refiere el artículo 10.3 de esta Ley.*"

Este precepto causó una cierta controversia doctrinal, ya que se entendía que la facultad de la Administración de modificación del resultado contable afectaba según el tenor literal del precepto, exclusivamente, a la base imponible del Impuesto sobre Sociedades, pero carecía de otros efectos frente a terceros, y, por otro lado, se imponía, a los efectos fiscales, a otras formas de revisión del resultado contable que pudieran ofrecer un criterio distinto al sustentado por la Administración tributaria, muy particularmente, la opinión de los auditores recogida en el informe de auditoría; incluso se planteó la posibilidad de que la Administración alterara las legítimas opciones de los contribuyentes en la contabilización para optar por otras alternativas más gravosas. En este sentido se pronunció FERREIRO LAPATZA ("Sobre la Ley 43/1995, de 27 de diciembre, del Impuesto sobre Sociedades", Quincena fiscal nº 5, 1996, pág. 16) quien manifestara *"El contribuyente puede llevar una contabilidad impoluta, habiendo ejercitado en ella todas las opciones que el PGC, todo menos una norma rígida, le permita. Pero la Administración puede después, en el procedimiento de comprobación, rehacer esta contabilidad, y aun dejándola, sin tacha en otros ámbitos (notoriamente el mercantil) determinar otra base imponible aplicando otros criterios dentro de las opciones que el PGC permite."*

El legislador quiso aclarar estas dudas y modificó el texto del mencionado precepto con ocasión de la aprobación del Real Decreto Legislativo 4/2004, quedando redactado artículo 143 LIS del Texto Refundido de la LIS con el siguiente tenor literal: *"Facultades de la Administración para determinar la base imponible. A los efectos de determinar la base imponible, la Administración tributaria aplicará las normas a que se refiere el artículo 10.3 de esta ley."*

Esta redacción es idéntica a la que actualmente dispone el artículo 103 LIS.

Ciertamente no es una esta redacción muy afortunada. Así, por poner un ejemplo, MALVAREZ PASCUAL ("Impuesto sobre Sociedades, Comentarios y casos prácticos; Ed. CEF, Madrid, 2002, pág. 61) la califica de tautología Se pretende, a nuestro juicio, mantener la facultad revisora, si bien se centra en su eficacia exclusiva en la determinación de la base imponible, imponiendo además la forma de su ejercicio: la Administración deberá aplicar los principios y normas contables, así como las normas fiscales que exceptúan este resultado. Esta facultad no sirve para alterar las legítimas decisiones que hubiera adoptado la empresa en orden a la llevanza de su contabilidad, dentro de distintas alternativas válidas y posibles, sino para corregir ésta cuando haya desoído el mandato de la norma contable o de su normativa de desarrollo (por ejemplo, las Resoluciones del ICAC).

Artículo 132
Jurisdicción competente

Faustino Moya Calatayud

Inspector de Hacienda del Estado

"La jurisdicción contencioso-administrativa, previo agotamiento de la vía económico-administrativa, será la única competente para dirimir las controversias de hecho y derecho que se susciten entre la Administración tributaria y los contribuyentes en relación con cualquiera de las cuestiones a que se refiere esta Ley".

SUMARIO: 1. COMENTARIO.

1. COMENTARIO

Este precepto no incorpora ninguna novedad o especialidad al esquema habitual de la "justicia tributaria". Así, como sucede con el resto de tributos estatales, para poder acudir a la jurisdicción contencioso administrativa es necesario agotar la vía económico-administrativa.

Con frecuencia, los Tribunales Económico-Administrativos son objeto de críticas, en ocasiones interesadas, que propugnan su supresión, porque difieren o entorpecen el libre acceso a la Administración de justicia de los contribuyentes que se sientan perjudicados en sus derechos o intereses tributarios. En este sentido, hemos de tener presente que los Tribunales Económico-Administrativos no forman parte del Poder Judicial, sino que son órganos administrativos integrados en la estructura jerarquizada de la Administración tributaria, si bien, para preservar su independencia de la AEAT cuyos actos deben revisar, los TEAs no se integran en la Agencia Tributaria, sino que dependen, a través del Tribunal Económico-Administrativo Central, de la Secretaría de Estado de Hacienda.

Aun así, a nuestro juicio, los TEAs prestan un importante servicio a los contribuyentes y a la sociedad en general, resolviendo todos los años miles de reclamaciones con una calidad más que aceptable, con un procedimiento relativamente ágil y gratuito, que evita el colapso de la jurisdicción contencioso-administrativa, colapso que inevitablemente se produciría si todos esos miles de reclamaciones se presentaran directamente como recursos contencioso-administrativos. Hemos de resaltar también que en los procedimientos contencioso-administrativos se aplica la regla objetiva de condena en costas si el recurso es desestimado, siendo necesaria, además, la contratación de abogado y procurador.

El plazo preclusivo para interponer una reclamación económico-administrativa es de un mes. La superación de este plazo, sin que se haya interpuesto la reclamación, da lugar a la firmeza del acto administrativo tributario y a la imposibilidad de acceder a la jurisdicción contencioso administrativa.

Una vez ultimada la vía económica-administrativa, en la que en atención a la cuantía del acto administrativo reclamado puede haber dos instancias o una única instancia, se puede interponer el recurso contencioso-administrativo dentro del plazo de los 2 meses siguientes a la notificación de la resolución económica-administrativa recurrida.

Los órganos judiciales competentes para resolver los recursos contencioso-administrativos, en materia de IS, son la Audiencia Nacional, si la resolución económica-administrativa objeto del recurso se ha dictado por el Tribunal Económico-Administrativo Central, o los Tribunales Superiores de Justicia de las respectivas Comunidades Autónomas, cuando la resolución recurrida se hubiese dictado por los Tribunales Económico-Administrativos Regionales.

EJEMPLO

La Inspección Regional de la Delegación Especial de Madrid de la AEAT dicta un acuerdo de liquidación por el IS del ejercicio X. La deuda tributaria liquidada en este acuerdo es superior a 150.000 euros (suma de cuota tributaria más intereses de demora).

La entidad afectada se pregunta por los sucesivos recursos que se podrían ir interponiendo contra este acto administrativo y si cambiaría algo en el caso que la deuda tributaria liquidada fuera inferior a 150.000 euros.

RESPUESTA

En primer lugar, con carácter completamente opcional, la entidad podría interponer, en el plazo de un mes, un recurso de reposición ante la propia Inspección Regional autora del acto.

A continuación, una vez resuelto el recurso de reposición o directamente si no se estimase oportuna la presentación de dicha reposición opcional y siempre dentro del plazo de 1 mes contado desde la notificación del acto a reclamar o de la resolución de la reposición, se podría interponer una reclamación económico-administrativa que debería ser resuelta por el TEAR de Madrid.

En atención a que la cuantía del acto recurrido supera el límite de 150.000 euros, una vez resuelta la reclamación por el TEAR de Madrid y si no se hubiera obtenido un pronunciamiento completamente favorable, procedería una 2ª instancia, mediante la presentación de recurso de alzada, en el plazo de 1 mes, ante el Tribunal Económico-Administrativo Central.

Es de señalar que la entidad contribuyente puede decidir no presentar reclamación en primera instancia y acudir directamente al TEAC "per saltum", prescindiendo de la primera instancia y acortando los plazos para el agotamiento de la vía económico-administrativa.

Resuelto el recurso de alzada por el Tribunal Económico-Administrativo Central quedaría expedita la vía judicial, disponiendo de un plazo de 2 meses para interponer un recurso contencioso-administrativo ante la Audiencia Nacional.

En caso que la deuda tributaria liquidada no alcanzase la cifra de 150.000 euros, no existirían las 2 instancias económico-administrativas y esta vía se agotaría en única instancia con la resolución del TEAR de Madrid. Por ello, el recurso contencioso-administrativo competería al TSJ de Madrid.